CB003043

Fiódor Dostoiévski

Obra completa

Biblioteca
universal

Fiódor Dostoiévski
OBRA COMPLETA
Em 4 volumes

VOLUME 1
INTRODUÇÃO GERAL
NOVELAS DA JUVENTUDE
Pobre gente / O duplo / O senhor Prokhártchin / A dona da casa / Um romance em nove cartas / Polzunkov / Coração frágil / O ladrão honrado / A mulher alheia e o homem debaixo da cama / Uma árvore de Natal e um casamento / Noites brancas / Niétotchka Niezvânova / O pequeno herói / o sonho do tio / A granja de Stiepântchikovo e os seus moradores

VOLUME 2
OBRAS DE TRANSIÇÃO
Humilhados e ofendidos / Memórias da casa dos mortos / Uma história aborrecida / Notas de inverno sobre impressões de verão / Memórias do subterrâneo
ROMANCES DA MATURIDADE
Crime e castigo

VOLUME 3
O jogador / O idiota / O eterno marido / Os demônios

VOLUME 4
O adolescente / Os irmãos Karamázovi
OUTROS ESCRITOS
Esquema para o grande pecador / O crocodilo / O Mujique Márei / Uma doce criatura / O sonho de um homem ridículo / Excertos do diário de um escritor

Reprodução do retrato de Dostoiévski, pintado por V. Perov em 1872. Galeria Tretyakov.

Fiódor Dostoiévski

Obra completa

VOLUME 3

Romances da maturidade

O jogador

O idiota

O eterno marido

Os demônios

Versão anotada de
Natália Nunes e Oscar Mendes

Acompanhada de extenso documentário gráfico e ilustrada com uma centena de desenhos de Luis de Ben

Editora
Nova
Aguilar

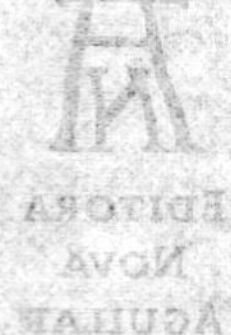

Sumário

Romances da maturidade (continuação)

Apêndice e Índice

ROMANCES DA

MATURIDADE

O jogador

O jogador (1866)

Capítulo primeiro

Voltava finalmente depois de uma ausência de duas semanas. Os nossos estavam havia já três dias em Rulettenburgo. Pensava que eles, Deus sabe como, me estariam esperando, mas enganava-me. O general parecia o suprassumo da indiferença; falou-me com altivez e enviou-me à sua irmã. Saltava aos olhos que, fosse como fosse, haviam arranjado dinheiro. A mim pareceu também que o general se esforçava por não me olhar. Maria Filípovna estava muito atarefada e falou-me muito à pressa; aceitou, não obstante, o dinheiro, contou-o e escutou meu relato até o fim. À hora da refeição esperavam Miezientsov, um francês e também certo inglês; assim costumavam fazer enquanto tinham dinheiro; em seguida davam jantares à moscovita. Polina Alieksándrovna, ao me ver, perguntou: "Vai ficar muito tempo?". E sem esperar resposta, foi para não sei onde. Naturalmente, fez aquilo de propósito. Precisávamos, não obstante, ter uma explicação. Haviam-se juntado muitas coisas.

Conduziram-me a um quartinho, no quarto andar do hotel. Aqui toda gente sabe que faço parte do séquito do general. Por todos os sinais percebe-se que eles, apesar de tudo, conseguiram ficar conhecidos. Acham que o general é um riquíssimo aristocrata russo. Antes do jantar tive tempo ainda para, entre outros encargos, arranjar meio de trocar duas cédulas de mil francos. Troquei-os no balcão do hotel. Agora vão nos ver como milionários, pelo menos durante toda uma semana. Queria apanhar Micha e Nádia e levá-las a passear; mas na escada chamaram-me de parte do general; tinha acreditado oportuno saber aonde íamos. Esse homem não pode decididamente olhar-me cara a cara; de boa vontade faria isso, mas respondo-lhe sempre olhando-o de modo tão fixo, isto é, tão descarado, que se perturba. Com uma oratória muito empolada, enredando uma frase na outra e logo se confundindo, deu-me finalmente a entender que fosse passear com as crianças em qualquer parte, longe do *vauxhall*,[1] no parque. Por último, acalorou-se totalmente e acrescentou com secura: "Será que vai levá-las à roleta? Você põe a culpa em mim — acrescentou, — mas sei que você é ainda mais atordoado e capaz de jogar. Em todo caso, embora não seja seu mentor, nem queira desempenhar tal papel, tenho pelo menos o direito de desejar que não me comprometa...".

— O senhor bem sabe que não tenho dinheiro — respondi-lhe calmamente. — E para jogar é preciso dinheiro.

— Vou já lhe dar algum — respondeu o general, corando um pouco.

Dirigiu-se a seu quarto, procurou na sua escrivaninha, consultou um caderninho e verificou que me devia cento e vinte rublos.

— Calculo — disse ele, — que seja precise trocá-los por táleres. Mas aqui tem você cem táleres; tome-os, como conta redonda... O resto, naturalmente, vai lhe ser pago...

E, em silêncio, entregou-me o dinheiro.

---

1 Local público de Londres para bailes e concertos, muito em voga no século XVIII, posteriormente imitado em Paris e outras cidades da Europa. O termo é empregado aqui no sentido restritivo de casa de jogo, cassino.

— Espero que não se ofenda com as minhas palavras. Você é tão suscetível... Se lhe fiz esta advertência, sim, pode-se chamar uma advertência, foi, sem dúvida, porque tenho certo direito de fazê-la...

Ao voltar, antes do jantar, com os meninos, para casa encontrei-me no caminho com toda a cavalgada. Iam contemplar não sei que ruínas. Dois magníficos coches, cavalos soberbos. *Mademoiselle* Blanche ocupava um coche em companhia de Maria Filípovna e de Polina; o francês, o inglês e nosso general iam a cavalo. Os transeuntes paravam para olhá-los; o efeito era estupendo; mas só ao general aquilo não agradava. Calculava que com os quatro mil francos que eu havia levado, mais o que eles, pelo visto, tinham conseguido obter, estariam agora com sete a oito mil francos: demasiado pouco para *Mademoiselle* Blanche.

Mademoiselle Blanche estava também hospedada em nosso hotel em companhia de sua mãe, o mesmo acontecendo ao nosso francês. Os lacaios chamavam este último de "Senhor Conde"; à mãe de *Mademoiselle* Blanche "Senhora Condessa". Bem, pode ser que realmente fossem conde e condessa.

Já sabia que o Senhor Conde não haveria de reconhecer-me, quando nos sentássemos à mesa. O general, sem dúvida, não pensava em dar-nos a conhecer ou, pelo menos, em apresentar-me; mas o Senhor Conde estivera na Rússia e sabia que espécie humilde de passarinho é este que chamam *utchítel*.[2] Aliás, conhece-me de sobra. Mas reconheçamos que me apresentei à mesa sem que ninguém me tivesse chamado; segundo parece, o general esqueceu-se de dar ordens, pois, de outro modo, teriam me mandado comer na mesa comum do hotel. Apresentei-me espontaneamente, de sorte que o general olhou-me, contrariado. A boa Maria Filípovna designou-me imediatamente lugar, mas o encontro com *Mister* Astley livrou-me de embaraço e, sem querer, achei-me fazendo parte da reunião.

Conhecera esse inglês extravagante na Prússia, no trem, onde íamos sentados, um em frente do outro, quando vinha eu reunir-me com os nossos. Depois tornei a encontrá-lo viajando pela França e, por último, na Suíça. No transcurso daquela semana, duas vezes... e agora, de repente, tornava a encontrá-lo também em Rulettenburgo. Nunca em minha vida vi homem tão tímido; é tímido até a estupidez e, certamente, dá-se conta disto, pois não é nada estúpido. Quanto ao mais, é muito manso e agradável. Obriguei-o a entabular conversa na primeira vez em que me encontrei com ele na Prússia. Revelou-me que naquele ano estivera em Porto do Cabo e tinha muita vontade de ver a feira de Níjni-Nóvgorod. Não sei como travou amizade com o general; creio que está loucamente apaixonado por Polina. Quando esta entrou, ficou vermelho como a aurora. Mostrou-se muito contente por me encontrar à mesa com eles e, ao que parece, já me considerava como amigo antigo.

Na mesa, o francês assumia uma importância excessiva; tratava todos de cima e com extrema seriedade. Em Moscou, pelo contrário, lembro-me de que era uma espécie de lançador de bolhas de sabão. Falava, pelos cotovelos, das finanças e da política russas. O general, de quando em quando, permitia-se contradizê-lo, mas modestamente, só para não comprometer em definitivo o seu prestígio.

---

2 Professor, preceptor.

Achava-me numa estranha disposição de ânimo. Nem é preciso dizer que, até a metade do jantar, tive tempo de formular a mim mesmo a minha habitual e eterna pergunta: "Por que terei de andar a reboque desse general e já não o larguei há mais tempo?". De vez em quando lançava um olhar para Polina Alieksándrovna, que não olhava absolutamente para mim. Chegou a coisa a tal ponto que me encolerizei e resolvi ser grosseiro.

Comecei, sem tom nem som, em voz alta e sem pedir permissão a ninguém, uma conversa estranha. O que eu queria, sobretudo, era um pretexto para brigar com o francês. Encarei o general e, de repente, com voz forte e precisa, e creio que interrompendo-o, fiz-lhe notar que naquele ano era quase impossível a um russo comer nos hotéis na mesa comum. O general assestou-me um olhar cheio de assombro.

— Se é o senhor um homem que tem estima própria — prossegui, — neste caso, irremediavelmente, provocará questões e terá de suportar impertinências fora do comum. Em Paris e no Reno, até mesmo na Suíça, na mesa comum, há tantos polaquinhos e tantos franceses que simpatizam com eles, que se torna impossível dizer, sendo russo, uma palavra.

Disse isto em francês. O general olhou-me, perplexo, sem saber se ficava zangado ou se simplesmente ficava assombrado por me ver esquecer assim as conveniências.

— Isto quer dizer que alguém, em algum lugar, deve ter-lhe dado alguma lição — disse o francês, num tom de displicência e menosprezo.

— Em Paris, tive eu, a princípio, uma questão com um polonês — respondi-lhe, — e depois outra com um oficial francês que defendia o polaco. Mas depois um grupo de franceses ficou de meu lado, ao ouvir-me dizer que cuspia no café de um monsenhor.

— Cuspir? — indagou o general com grave indecisão e até girando o olhar em redor de si. O francelho olhou-me, receoso.

— Isto mesmo — respondi. — Como havia dois dias estava eu convencido de que conviria, talvez, dirigir-me um instante a Roma para tratar de assuntos nossos, encaminhei-me à secretaria da Nunciatura do Santo Padre, em Paris, para que me visassem o passaporte. Ali fui recebido por um padre de uns cinquenta anos, seco e tétrico de cara, e que, depois de ouvir-me cortesmente, mas com extrema sequidão, rogou-me que esperasse. Embora tivesse pressa, sentei-me para esperar, tirei do bolso a *Opinion Nationale* e pus-me a ler uma ferocíssima diatribe contra a Rússia. Apesar disto, pude perceber que, por uma sala contígua, era alguém levado à presença do monsenhor e vi que o meu padre lhe fazia reverências. Dirigi-me a ele, fazendo-lhe o mesmo pedido anterior; ele, contudo, mais secamente ainda, disse-me que esperasse. Pouco depois, entrou outro sujeito, também desconhecido, que ia tratar de um assunto, algum austríaco; ouviram-no e, imediatamente, levaram-no para cima. Então causou-me aquilo extrema raiva; levantei-me, fui direto ao padre e disse-lhe, energicamente, que o monsenhor entendesse como quisesse, mas que eu não queria dele mais nada. O padre logo recuou, cheio de assombro. Não podia, simplesmente, compreender que um insignificante russo ousasse pôr-se no mesmo nível das visitas do monsenhor. Com o tom mais insolente, como que se *alegrando por poder humilhar-me*, mediu-me com os olhos, dos pés a cabeça, e exclamou, aos gritos: "Mas será que você pensa que monsenhor gasta seu café para você?". E então fui eu quem lhe gritou com mais força ainda: "Sabe o senhor duma coisa? Pois cuspo no café do monsenhor. Se agora mesmo não me despachar o senhor o papel, irei vê-lo em pessoa, eu mesmo!". "Como?! No instante mesmo em que recebe a visita de um cardeal?!", exclamou o padreco, afastando-se de mim, cheio de espanto. Correu para a porta e ali se postou, de braços cruzados, dando a entender que primeiro se deixaria matar a deixar que eu entrasse.

Então repliquei-lhe que era eu um hereje e um bárbaro; *Que je suis hérétique et barbare,* e que para mim todos aqueles arcebispos, cardeais e monsenhores... não valiam nada de nada. Em resumo: fiz-lhe compreender que não me retiraria. O padre fitou-me com infinita raiva, depois procurou meu passaporte e subiu com ele para o andar de cima. Um minuto depois o devolveu já visado. "Aqui está. Não querem vê-lo?" Tirei o passaporte e mostrei o visto romano.

— Você, não obstante... — começou o general.

— O que o salvou foi ter-se declarado bárbaro e herético — observou, com sorriso irônico o francelho. — *Cela n'était pas si bête*![3]

— Mas querem reparar nos nossos russos? Estão sentadinhos aqui... não se atrevem a resfolegar e estão dispostos a negar que são russos. Pelo menos, a mim, em Paris, no hotel, começaram a tratar com mais consideração, assim que se inteiraram da minha briga com o padre. Um senhor gordo, polonês, o meu maior inimigo na mesa comum, ficou relegado a segundo plano. Os próprios franceses mudaram de ânimo, quando lhes contei que, dois anos antes, tinha visto um homem contra quem um caçador francês, em 1812, disparara um tiro pelo simples prazer de descarregar sua arma. Era então um menino de dez anos e sua família não tivera tempo de sair de Moscou.

— Isto não pode ser! — gritou o francelho. — O soldado francês não é capaz de fazer fogo contra crianças!

— Pois, não obstante, tal aconteceu — repliquei-lhe. — Contou-me o fato um capitão reformado, digno de todo o respeito, e eu mesmo pude ver a cicatriz que a bala lhe deixara na bochecha.

O francês começou a falar muito e depressa. O general dispôs-se a secundá-lo, mas eu recomendei que lesse, ainda que somente fosse, por exemplo, algum trecho das *Memórias* do General Pieróvski, que vivera, no ano de 1812, como prisioneiro, entre os franceses. Finalmente, Maria Filípovna começou a falar de não sei que, para desviar a conversa. O general estava muito mal satisfeito comigo por ter-me posto a zombar do francês. Mas minha disputa com o francês pareceu agradar muito a *Mister* Astley. Ao levantar-se da mesa, propôs-me beber em sua companhia um copinho de vinho. No correr da noite, pude conversar um quarto de hora com Polina Alieksándrovna. Nossa conversa transcorreu no passeio. Todos se haviam transportado do parque para o cassino. Polina sentara-se em um banco em frente da fonte e Nádienhka fora brincar, não longe dali, com os meninos, Eu mandei Micha também para a fonte e ficamos os dois, finalmente, a sós.

A princípio, falamos, naturalmente, de negócios. Polina ficou como uma fúria, quando lhe entreguei apenas setecentos florins. Estava convencida que lhe traria de Paris, penhorando seus brilhantes, pelo menos dois mil florins, se não mais.

3 Isto não era assim tão estúpido!

— Eu, seja como for, necessito de dinheiro — disse, — e hei de encontrá-lo; do contrário, estou, simplesmente, perdida.

Perguntei então que se havia passado na minha ausência.

— Nada mais senão que recebi de Petersburgo duas notícias: primeiro, que minha avozinha está muito mal e creem que dentro de dois dias morrerá. Tenho esta notícia de parte de Timofiéi Pietróvitch — acrescentou Polina, — que é homem digno de fé. Aguardemos a última e definitiva notícia.

— Efetivamente, estarão todos aqui cheios de expectativa? — perguntei-lhe.

— Sem dúvida; há meio ano que todos não tem outra esperança senão essa.

— E você também espera? — inquiri.

— Há de levar em conta que não sou filha, mas apenas enteada do general. Mas sei de boa fonte que ela se lembra de mim em seu testamento.

— Parece-me que lhe deixa uma boa quantia — disse, com firmeza.

— Sim, gostava de mim; mas por que lhe parece assim?

— Diga-me — respondi-lhe com outra pergunta, — o nosso marquês, segundo parece, está também iniciado em todos os segredos de família?

— Mas, ao senhor mesmo, que lhe interessa sabê-lo? — perguntou Polina, lançando um olhar seco e duro.

— Mas, se não me engano, o general já conseguiu fornecer-lhe dinheiro.

— Acertou completamente.

— Bem, vamos ver: teria lhe dado algum dinheiro, se não estivesse ciente do que se passa com a avozinha? Não notou que... na mesa, por três vezes, ao referir-se a avó, chamou-a de *babúlinhka*? Que simplicidade e que trato carinhoso!

— Sim, tem razão. Assim que souber que ela me deixa algo no seu testamento, pedirá minha mão. Não era isto que desejava saber?

— Mas ainda não o fez? Pensava que já a havia pedido.

— Sabe muito bem que não é verdade! — exaltou-se Polina. — Mas donde arrancou esse inglês? — acrescentou, após um minuto de silêncio.

— Eu já sabia que logo ia me perguntar isso.

Contei-lhe meus anteriores encontros com *Mister* Astley na viagem.

— É tímido, enamora-se com facilidade e sem dúvida já estará enamorado de você!

— Sim, está enamorado de mim — respondeu Polina.

— Mas é com certeza dez vezes mais rico que o francês. Porque é verdade que o Francês possui efetivamente alguma coisa, não é mesmo? Será mesmo certo?

— Tudo quanto há de mais certo. Possui um *château*. Sem ir mais longe, ontem de noite, falava-me decididamente disso o general. Então, isto lhe basta?

— Eu, em seu lugar, casava, sem hesitar, com o inglês.

— Por quê? — perguntou Polina.

— O francês é mais bonito, porém não presta; ao passo que o inglês, além de ser um homem honesto, é dez vezes mais rico — sentenciei.

— Sim, mas em compensação o francês... é marquês e mais inteligente — respondeu ela com a maior tranquilidade.

— Deveras? — continuei, como antes.

— O que há de mais verdadeiro.

Minhas perguntas desagradavam bastante a Polina e percebi que fazia esforço para causar-me zanga, com seu tom de voz e a dureza de suas respostas. Disse-lhe isto mesmo.

— É que, efetivamente, diverte-me ver como se zanga. Somente pelo fato de permitir-lhe que me faça tais perguntas e suposições, devo exigir uma compensação.

— Eu, na verdade, considero de meu dever fazer-lhe toda espécie de perguntas — respondi-lhe, bem tranquilo, — precisamente porque estou disposto a pagar todas elas como queira e, inclusive, com a vida.

Polina pôs-se a rir.

— Na última vez, em Schlangenberg, disse-me que estava disposto, à primeira palavra minha, a arrojar-se, de cabeça para baixo, e estávamos ali a uma altura de mil pés. Hei de alguma vez pronunciar esta palavra unicamente para ver como você a cumpre, e pode estar certo de que darei prova de caráter. Detesto-o... precisamente por ter-lhe permitido tantas coisas e mais ainda porque me é tão necessário. Mas como tenho necessidade de você, no momento... não tenho remédio senão tratá-lo bem.

Levantou-se. Tinha falado excitada. Nos últimos tempos, sempre nossos diálogos terminavam com fúria e zanga, com fúria, precisamente.

— Permite-me que lhe pergunte quem é essa *Mademoiselle* Blanche? — indaguei, desejoso de não deixá-la ir embora sem uma explicação.

— Você mesmo sabe quem é *Mademoiselle* Blanche. Desde sua partida, nada houve de novo. *Mademoiselle* Blanche será, sem dúvida, generala... É claro, se se confirmarem os rumores referentes à avozinha, porque tanto *Mademoiselle* Blanche como sua mãe e seu primo, o marquês, sabem muito bem que brigamos.

— Mas o general está perdidamente apaixonado?

— Não se trata disto agora. Ouça-me bem: tome estes setecentos florins e vá jogar, ganhe para mim na roleta o mais que puder. Preciso de dinheiro imediatamente, custe o que custar.

Depois de assim falar chamou Nádienhka e dirigiu-se ao cassino, aonde foi reunir-se ao nosso grupo. Meti-me pela primeira vereda que encontrei à esquerda, pensativo e maravilhado. Tinha-me causado o efeito de um golpe na cabeça aquela intimação para que fosse jogar na roleta. Coisa rara: tinha em que pensar e, não obstante, ia todo embevecido na análise de meus sentimentos para com Polina. Para dizer a verdade, durante aqueles quinze dias de ausência, tinha o coração mais leve do que agora, no dia do regresso, apesar de ter vindo por todo o caminho angustiado como um louco, delirando como quem estivesse com febre e vendo-a em sonhos a cada momento, diante do mim. Uma vez (foi na Suíça), ao adormecer no vagão, pus-me, segundo me parece, a falar em voz alta com Polina, o que deu motivo a risadas de todos os meus companheiros de viagem. E outra vez agora, tive de formular a mim mesmo a pergunta: "Será que a amo deveras?". E mais uma vez não soube como a ela responder ou, melhor, de novo, pela centésima vez, respondi a mim mesmo que a detestava. Havia momentos (e, sobretudo, sempre ao final de nossos colóquios) em que teria dado meia vida para estrangulá-la. Juro que se tivesse sido possível cravar-lhe imediatamente no peito um agudo punhal, creio que o teria feito com prazer! E, não obstante, juro por tudo quanto há de sagrado que, se em Schlangenberg, no pico da moda, me tivesse efetivamente dito: "Atira-te de cabeça para baixo", imediatamente o teria feito e até com deleite. Sabia-o. De um modo ou de outro, era preciso tomar uma decisão. Tudo isto ela o compreende admiravelmente e a ideia de que eu, de maneira inteiramente certa e precisa, reconheço quão inacessível é para mim, toda a impossibilidade de ver realizadas minhas fantasias... essa ideia, estou convencido, causa-lhe extraordinário prazer, pois de outro modo ela, que é tão discreta e ajuizada, teria comigo aquelas familiaridades e franquezas? Creio que ela, até agora, me tem olhado como aquela imperatriz da antiguidade, que ficava nua diante de seu escravo porque não o considerava homem. Sim, ela muitas vezes não me tem considerado como homem...

Não obstante, dera-me um encargo... o de ganhar na roleta, fosse como fosse. Não tinha tempo para refletir; por que seria tão necessário ganhar tão depressa e que novas fantasias estariam se engendrando naquela cabecinha eternamente calculista? Além disso, naquelas duas semanas tinham-se acumulado, dia por dia, novos fatos, dos quais não tinha eu ainda ideia. Era necessário averiguar tudo isto, esclarecer tudo e o mais depressa possível. Mas, no momento, não havia tempo: tinha de encaminhar-me para a roleta.

Capítulo II

Confesso que aquilo me era desagradável; apesar de ter decidido jogar, de modo algum tinha intenção de começar para outrem. Isto chegava a ponto de desconcertar-me e penetrei na sala de jogo possuído dum sentimento de desgosto antecipado. Nada de tudo aquilo, à primeira vista, me agradou. Não posso suportar aquela antessala com folhetins do mundo inteiro e, sobretudo, com jornais russos, onde quase todas as primaveras nossos folhetinistas falam de duas coisas: primeiro, da extraordinária magnificência e suntuosidade das salas de jogo das cidades d'águas das margens do Reno, e segundo, dos montões de ouro que se acumulam nas mesas. Serão pagos precisamente para isso? Ou simplesmente assim falam por puro prazer? Não há magnificência nenhuma naquelas salas sujas e o ouro não se empilha em montões nas mesas, mas muito pouco dele se vê. Sem dúvida, alguma vez, no transcurso da *saison,* surge de repente algum original, algum inglês, ou algum asiático, ou turco, como neste ano, que de súbito perde ou ganha somas consideráveis; os outros jogadores apostam apenas pequenas somas e, em regra geral, sempre na mesa há pouco dinheiro. Assim que entrei na sala de jogo (pela primeira vez em minha vida), fiquei por algum tempo sem me decidir a jogar. Havia além disso muita gente apinhada ali. Mesmo, porém, que estivesse só, creio que teria saído imediatamente, sem ter chegado a jogar, Confesso que o coração me palpitava e que perdera o sangue frio; sabia com certeza, e tinha resolvido fazia tempo que não haveria de partir assim, sem mais, de Rulettenburgo; irremediavelmente, teria de produzir-se em meu destino algo de radical e definitivo. Era preciso que fosse assim e assim seria. Por mais ridículo que possa parecer ter eu tantas ilusões a respeito da roleta, mais ridícula ainda me parece a opinião rotineira, por toda a gente admitida, de que é estúpido e tolo esperar algo do jogo. E por que o jogo há de ser pior que qualquer outro meio para adquirir dinheiro, que o comércio, por exemplo? É certo que entre cem um ganha. Mas... que me importa isso?

Em todo caso, decidira observar a princípio e nada de sério empreender naquela noite, Naquela noite, se algo ocorresse, ocorreria de improviso e não teria importância... era esta minha convicção. Além disso, era preciso começar por aprender a jogar, porque, malgrado as mil descrições da roleta, que sempre li com extrema avidez, não entendia eu, decididamente, coisa alguma de seu funcionamento até que a vi por mim mesmo.

Em primeiro lugar, a mim me parecia tudo aquilo tão sujo... quanto moralmente repulsivo e asqueroso. Não me refiro de modo algum aqueles rostos ávidos e inquietos que às dezenas, às centenas, bloqueiam as mesas de jogo. Nada vejo de repugnante no desejo de ganhar depressa o mais possível; sempre me pareceu muito estúpido o pensamento de certo moralista superficial, que, diante da desculpa de alguém: "Repare; jogam pouquinho", replicou: "Tanto pior, porque ganham menos". Como se a ganância miúda e a gorda... não fossem a mesma. É questão de proporção. O que para Rothschild é pouco, para mim é muito, e quanto à perda e ao lucro, não é só na roleta que os homens se esforçam por enriquecer à custa de seu próximo, mas em toda parte. Que sejam censuráveis, em geral, a perda e o ganho... é esta outra questão. Mas agora não se trata disto. Como também eu estava em alto grau animado pelo desejo de ganhar, toda aquela ganância e toda aquela sujeira gananciosa, se quiserdes, se tornaram para mim, à minha entrada na sala, algo cômodas e familiares. O mais agradável de tudo é não ficar com cerimônia e portar-se de modo franco e sem constrangimento. E para que enganar a si mesmo? É a ocupação mais inútil e custosa! O que desagradava particularmente, à primeira vista, em toda aquela canalha de jogadores de roleta, era o apreço pela ocupação, aquela seriedade e até mesmo respeito com que todos rodeavam as mesas. Eis por que existe aqui uma demarcação rigorosa entre o jogo dito de *mauvais genre* e aquele que é permitido a um homem decente. Porque há dois jogos: um... próprio do *gentleman,* e outro... plebeu, interesseiro, jogo da ralé. Aqui isto se distingue muito bem e quão ruim é, na realidade, tal distinção! O *gentleman,* por exemplo, pode pôr cinco ou dez luíses de ouro, raras vezes mais, embora também possa pôr mil francos, se é muito rico, mas unicamente pelo prazer apenas de jogar, para divertir-se, sobretudo para presenciar o processo do ganhador ou do perdedor; mas de modo algum deve interessar-se pelo ganho. Se ganha, pode, por exemplo, começar a rir alto, fazer alguma observação a algum dos que o rodeiam e até pode voltar a repetir e a dobrar a parada, mas tão-só por curiosidade, para observar a sorte, para fazer cabala, e não pelo desejo plebeu de ganhar. Em uma palavra; deve-se olhar todas aquelas mesas de jogo de roleta e do *trente et quarante*[4] não de outro modo senão como uma distração, imaginada unicamente para seu recreio. Os cálculos e armadilhas em que se baseia e está fundada a banca, nem de simples cogitação devem ser objeto. Nada de mal, nada de mal, porém, haveria que, por exemplo, lhe *parecesse que todos os* demais jogadores, toda aquela chusma que treme por cima das moedas é formada por criaturas tão ricas e tão *gentlemen* como ele próprio, que jogam apenas por distração e diversão. Esta perfeita ignorância da realidade e este ingênuo conceito das pessoas seriam, sem dúvida alguma, sumamente aristocráticos. Pude ver muitas mães de família empurrando para a frente suas inocen-

4 Jogo de baralho, composto de um banqueiro e indeterminado número de jogadores.

tes e belas filhinhas de quinze a dezesseis anos e dando-lhes algumas moedinhas de ouro, ao mesmo tempo que lhes ensinavam como deveriam jogar. A senhorita ganhava ou perdia, sorria sempre e retirava-se muito contente. Nosso general, grave e dignamente, aproximou-se da mesa; o lacaio apressou-se em oferecer-lhe uma cadeira; mas ele nem sequer reparou no lacaio; muito devagar tirou do bolso o porta-moedas, muito devagarinho retirou do porta-moedas trezentos francos em ouro, e colocou-os no preto e ganhou. Não retirou o ganho, deixando-o sobre a mesa. Tornou a dar o preto; tampouco daquela vez retirou a parada e, quando na terceira vez, saiu o vermelho, veio a perder duma assentada mil e duzentos francos. Retirou-se sorrindo e manteve-se na sua dignidade. Estou certo de que a cólera lhe roía o coração e que se a perda tivesse sido dupla ou tríplice, não... não teria mantido sua dignidade e demonstraria sua emoção. Aliás, a meu lado havia um francês que, primeiro, ganhou, e depois perdeu trinta mil francos, alegre e sem dar a menor demonstração de emoção. O verdadeiro *gentleman,* ainda que perca toda a sua fortuna, não deve denotar emoção. O dinheiro deve ser uma coisa tão desprezível para o *gentleman,* que quase não vale a pena preocupar-se com ele. Seria sem dúvida muito aristocrático não reparar de modo algum em toda a sujeira daquela canalha e de todo aquele ambiente. Mas por vezes não deixa de ser menos aristocrático o gesto contrário, isto é, observar, passar revista com os olhos, até mesmo esquadrinhar com a luneta, toda aquela escumalha; mas não de outro modo senão tomando toda aquela turba, toda aquela pandilha como uma distração de índole especial, como um espetáculo preparado para o prazer do *gentleman.* Podeis mesmo meter-vos no arrocho daquela multidão, contanto que claramente expresseis, com vosso gesto, a convicção absoluta de não ser senão um observador e não pertencer àquela gentalha. Aliás, tampouco fica bem fitar atento, porque isto não seria igualmente coisa de *gentleman,* uma vez que, em todo o caso, o espetáculo não merece uma observação maior e demasiado prolixa. E, em geral, poucos espetáculos tornam-se dignos de observação atenta para um *gentleman.* Mas pelo que a mim se refere, eu, pessoalmente, creio que é digno tudo isso de uma observação atentíssima, especialmente para quem veio aqui, não somente para observar, mas que sincera e de boa vontade se conta no número da referida gentinha. Quanto às minhas sacratíssimas convicções morais, no meu verdadeiro modo de crer, não há aqui lugar para elas. Convenho que assim seja; falo somente para descarregar minha consciência. Mas o fato é que observei uma coisa: que nestes últimos tempos vai ficando para mim terrivelmente repugnante medir meus atos e minhas ideias por qualquer critério moral, seja qual for. Outra coisa me governa.

A ralé, com efeito, joga de maneira muito suja. Não posso tampouco afugentar o pensamento de que ali na mesa aconteçam assaltos vulgaríssimos. Os *croupiers* que, sentados nos extremos da mesa, olham as paradas e fazem as contas, tem de executar um trabalho horrível. É preciso ver que gentalha essa! Na sua maior parte franceses. Quanto ao mais, estou aqui observando e anotando, não para descrever simplesmente a roleta, mas faço-o por minha conta e razão, a fim de saber como haverei de conduzir-me depois. Notei, por exemplo, que não há nada mais *corriqueiro que sair de repente* de trás da mesa alguém que estende a mão e leve consigo o que a gente ganhou. Sobrevém uma discussão, ouvem-se por vezes gritos e... vá você provar, procurar testemunhas de que aquela parada era sua!

A princípio tudo aquilo era para mim uma complicada artimanha; só adivinhava e distinguia alguma coisa: que as paradas se faziam sobre os números, pares e ímpares, e sobre as cores. Com o dinheiro de Polina Alieksándrovna decidi arriscar naquela noite cem florins. A ideia de que ia largar-me a jogar por conta alheia desconcertava-me um pouco. Era aquela uma sensação bem antipática e queria quanto antes ver-me livre dela. Parecia-me que, ao começar a jogar por conta de Polina, deitava a perder minha sorte pessoal. Será possível pôr os pés numa sala de jogo e não se ver logo assaltado por uma superstição? Comecei tirando cinco fredericos de ouro, isto é, cinquenta florins e pondo-os nos ímpares. A roda girou e saiu um treze... ganhei. Com emoção algo mórbida, sobretudo para acabar logo e ir-me embora, tornei a por outros cinco fredericos de ouro no vermelho. Saiu o vermelho. Tornei a por tudo duma vez e saiu o vermelho. Deram-me quarenta fredericos de ouro; pus vinte no doze dos números centrais, sem saber o que se ia passar. Deste modo meus dez fredericos de ouro converteram-se logo em oitenta. Foi ficando tão intolerável minha permanência ali, por efeito de não sei que estranha e singular sensação, que resolvi retirar-me. Parecia-me que teria jogado daquele modo, se tivesse jogado por minha conta. Mas pus todos os oitenta fredericos de ouro outra vez nos pares. Daquela vez saiu o quatro; soltaram-me outros oitenta fredericos de ouro e recolhendo todo aquele montão de cento e oitenta fredericos de ouro, saí à procura de Polina Alieksándrovna.

Estavam todos passeando pelo parque e só pude avistar-me com ela após a ceia. Daquela vez não estava presente o francês e o general desabafou; entre outras coisas achou necessário advertir-me de que não queria ver-me nas mesas de jogo. Na sua opinião, aquilo o comprometeria grandemente, no caso de perder eu demasiado: "Mas ainda que ganhasse, também me comprometeria" — acrescentou significativamente — "Não tenho, sem dúvida, o direito de traçar a norma de seus atos, mas há de convir que...". E ao chegar a este ponto, segundo seu costume, interrompeu-se. Respondi-lhe com sequidão que dispunha de pouco dinheiro, pelo que era impossível que perdesse grandes quantias, mesmo que me pusesse a jogar. Ao subir para meu quarto, pude dar a Polina o que ganhara e disse-lhe que não tornaria a jogar mais por sua conta.

— Por quê? — perguntou-me, alarmada.

— Porque quero jogar pela minha própria — respondi-lhe, olhando-a com assombro, — e isto o impede.

— Então, decididamente, continua você na crença de que a roleta é seu único recurso e sua única salvação? — perguntou-me, zombeteira.

Tornei a responder-lhe muito sério que sim; que a respeito de minha crença de ganhar infalivelmente, tal crença poderia parecer ridícula, de acordo, mas que me deixassem em paz.

Polina insistiu em que aceitasse partilhar com ela, equitativamente, dos ganhos daquele dia, e deu-me oitenta fredericos de ouro, propondo-me continuar jogando, no futuro, sob esta condição. Neguei-me, enérgica e definitivamente, em tomar minha metade e manifestei-lhe que não podia jogar por conta alheia, não porque não quisesse, mas porque estava certo de que perderia.

— Não obstante, eu também, por estúpido que pareça, tenho posto única e exclusivamente na roleta todas as minhas ilusões — disse, pensativa. — De modo que está o senhor irremissivelmente obrigado a continuar jogando na roleta a meias comigo e... naturalmente... o fará — e ao dizer isto, afastou-se de mim, sem escutar minhas posteriores objeções.

Capítulo III

E, apesar disso, durante todo o dia de ontem não me falou nada do jogo. E, em geral, evitava ontem falar-me. Seu modo anterior de conduzir-se comigo não mudara. Aquela mesma indiferença absoluta nos modos ao encontrar-nos e até com algo de desdenhoso e hostil. Em geral, não gosta de ocultar a aversão que lhe inspiro; vejo-o. Apesar disso também não me oculta que lhe sou necessário para alguma coisa e conta comigo para algum fim. Entre nós estabeleceram-se umas relações um tanto estranhas, sob mais de um aspecto, para mim incompreensíveis... levando-se em conta seu orgulho e altivez com toda a gente. Sabe, por exemplo, que a amo até a loucura; consente, até mesmo, que lhe fale de minha paixão... e decerto em nada me demonstra mais seu desprezo que nessa permissão para falar-lhe sem obstáculos, nem censura, de meu amor. "Isto quer dizer, ora essa, que a tal ponto considero insignificantes teus sentimentos que é absolutamente indiferente para mim que me fales disto ou daquilo, e sintas isto ou aquilo por mim." De seus assuntos particulares falava já também antes longamente comigo, mas nunca foi de todo franca. Como se isto fosse pouco, no seu desdém por mim havia, por exemplo, até sua dose de refinamento; sabe ela, suponhamos, que conheço alguma circunstância de sua vida ou algo do que a ela tanto a inquieta, pois ela mesma se excede em contar-me algo de sua situação, quando necessita utilizar-me para algum fim seu, a modo de escravo ou mensageiro; mas me diz sempre estritamente quanto necessita saber o homem a quem empregam como correio e... se a mim ainda não se tornou clara toda a relação que possa haver entre os acontecimentos, se ela mesma vê quanto sofro e me aflijo por causa de seus próprios desgostos e alarmes, jamais se digna tranquilizar-me de todo com sua afetuosa franqueza, embora, valendo-se de mim não poucas vezes para encargos não só difíceis, mas até perigosos, estivesse obrigada, a meu ver, a ser franca comigo. E creio que vale a pena preocupar-se com meus sentimentos, com que eu também me inquiete e talvez me preocupe três vezes mais que ela própria com suas preocupações e contratempos.

Havia três semanas que sabia eu de sua intenção de jogar roleta. Tinha-me até prevenido de que teria eu de jogar por ela, porque não achava decente jogar ela mesma. Do tom de suas palavras inferi então que a atormentava alguma grave inquietação e não simplesmente a ânsia de ganhar dinheiro. Que é o dinheiro em si para ela? Há aqui alguma finalidade, intervém aqui alguma circunstância, que posso averiguar, mas que até este momento ignoro. Naturalmente essa situação humilhante, essa escravidão em que ela me mantém poderiam proporcionar-me (e por vezes ma proporcionam) a ocasião de fazer-lhe perguntas diretamente e sem subterfúgios. Pelo fato mesmo de ser eu, para ela, um escravo e bastante humilde a seus olhos, não haveria de ofender-se com minha grosseira curiosidade. Mas o caso é que ela, ao consentir que lhe dirija perguntas, nem por isso a elas responde. Muitas vezes nem sequer lhes presta atenção. Assim estamos.

Ontem falou-se muito entre nós de um telegrama expedido há quatro dias para Petersburgo e ao qual ainda não houve resposta. O general acha-se visivelmente agitado e pensativo. Trata-se certamente da avozinha. Também anda agitado o francês. Ontem, por exemplo, depois da refeição, estiveram conversando longa e seriamente. O tom do francês para com todos nós tornava-se extraordinariamente altaneiro e insolente. Nem mais, nem menos, como diz o ditado: sentou-se à mesa e pôs os pés em cima dela. Também com Polina mostrou-se impertinente até a grosseria; aliás, tomou parte, muito satisfeito, em todos os passeios em comum pelo parque, nas cavalgadas e nas excursões à cidade. Conheço desde algum tempo as circunstâncias que ligam o francês ao general; na Rússia planejaram ambos uma fábrica; não sei se lhes malogrou o projeto ou se ainda continuam falando dele. Além disso, vim a conhecer por acaso parte de um segredo de família; o francês entregou, efetivamente, o ano passado, ao general trinta mil rublos para que repusesse uma quantia que havia desfalcado da caixa, com intenção de devolvê-la. E, como é natural, o general achava-se em apuros. Mas agora, especialmente agora, o papel principal de tudo isto desempenha-o, entretanto. *Mademoiselle* Blanche, e estou certo de que não me equivoco.

Quem é essa *Mademoiselle* Blanche? Aqui, entre nós, dizem que é uma francesinha distinta que tem mãe e uma fortuna colossal. Sabe-se também que é algo aparentada com o nossc marquês, embora o parentesco seja muito longe, algo assim como prima. Dizem que, antes de estar eu em Paris, o francês e *Mademoiselle* Blanche tratavam-se com mais cerimônia e de modo mais fino e delicado; em compensação, agora sua amizade e parentesco ressaltam mais avultadamente e percebem-se mais depressa. Pode ser que nossos assuntos lhes pareçam aos dois tão desesperados, que não creiam necessário andar com cumprimentos e dissimulações diante de nós. Sem ir mais longe, eu, ontem, pude ver como *Mister* Astley fitava *Mademoiselle* Blanche e sua mãe. A mim pareceu que as conhece. E acho também que o nosso Frances não está vendo pela primeira vez *Mister* Astley. Aliás, afinal de contas, *Mister* Astley é tão tímido, tão pudico e discreto que a gente pode acreditar nele; não exibirá a roupa suja. O francês, pelo menos, mal o cumprimenta e quase não olha para ele, o que quer dizer que não o teme. Isto é todavia incompreensível; mas por que também *Mademoiselle* Blanche mal o encara? Tanto mais que ontem o marquês fez uma declaração; disse, de repente, em meio da conversa geral, que *Mister* Astley é imensamente rico, coisa de que tinha certeza; assim sendo, deveria *Mademoiselle* Blanche lançar a vista para *Mister* Astley. O certo é que o general mostra-se intranquilo. Compreende-se o que para ele possa significar agora um telegrama anunciando a morte da avozinha.

Ainda que me pareça certo que Polina evita agora de propósito falar comigo, adotei também uma atitude fria e indiferente; pensava que ela, quisesse ou não, viria a mim. Em compensação, ontem e hoje pus toda a minha atenção preferentemente em *Mademoiselle* Blanche. Pobre general! Está perdido! Definitivamente! Enamorar-se aos cinquenta e cinco anos com paixão tão ardente... é, não resta dúvida, uma desgraça. Acrescentai a isto sua viuvez, seus filhos, sua fortuna cabalmente desfeita, suas dívidas, e, finalmente, a mulher por quem veio a apaixonar-se. *Mademoiselle* Blanche é bonita. Mas não sei se me compreendereis ao dizer-vos que tem um desses rostos que podem inspirar medo. Pelo menos, a mim sempre me causaram susto mulheres assim. Terá certamente uns vinte e cinco anos. É alta, de costas largas, ombros redondos, busto opulento, a tez dum moreno amarelado, os cabelos negros como tinta nanquim e fartos, de dar trabalho a duas penteadoras. Os olhos negros, de esclerótica amarelada, olhar atrevido, dentes branquíssimos; lábios sempre pintados de carmim. Rescende a almíscar. Veste de maneira exibicionista, com luxo, com chique, mas com muito gosto. Pés e mãos maravilhosos. Voz forte... de contralto. Por vezes, ri às gargalhadas e ao fazê-lo, mostra os dentes, mas, em geral, olha em silêncio e com atrevimento... pelo menos para Polina e Maria Filípovna. (Estranho boato; Maria Filípovna regressa à Rússia.) Acho que *Mademoiselle* Blanche não possui cultura alguma e é possível que não seja também inteligente; mas é desconfiada e astuta. Quer me parecer que lhe não faltaram aventuras na vida. Para falar francamente, acrescentarei que, nem o marquês é parente dela, nem sua mãe é sua mãe. Mas existem testemunhos de que em Berlim, donde procedem, contavam, ela e sua mãe, com algumas amizades distintas. Pelo que se refere ao marquês, ainda que eu, até agora, duvide muito de que seja mesmo marquês, não é possível pôr em dúvida que pertence à boa sociedade, por exemplo, entre nós, de Moscou e de não sei onde na Alemanha. Ignoro o que será na França. Dizem que possui um castelo. Acho que nestas duas semanas muita coisa se passou; contudo, ainda não sei com certeza se o general terá dito a *Mademoiselle* Blanche algo de decisivo. Em geral, tudo depende agora de nossa situação, ou seja, de que o general lhe possa mostrar dinheiro. Se, por exemplo, se recebesse a notícia de que a avozinha não morreu, estou certo de que *Mademoiselle* Blanche desapareceria imediatamente. É para mim mesmo motivo de assombro e ridículo ter-me tornado tão mexeriqueiro. Oh! como tudo isso é repugnante! Com que prazer largaria todos e tudo!... Mas por acaso poderei afastar-me de Polina, por acaso posso deixar de espioná-la? A espionagem é, sem dúvida, coisa censurável, mas isso que me importa?

Ontem e hoje *Mister* Astley excitou igualmente minha curiosidade. Sim, estou persuadido de que se acha apaixonado por Polina. Curioso e ridículo o quanto pode exprimir por vezes o olhar de um homem tímido e morbidamente pudico, transtornado pelo amor e, sobretudo, no momento em que esse homem se alegraria em poder meter-se por baixo da terra em lugar de demonstrar ou de dar a entender a menor coisa por meio da palavra ou dos olhos. *Mister* Astley costuma encontrar-se conosco no passeio. Tira o chapéu e passa de largo, mortinho, naturalmente, de desejo de unir-se a nós. Mas, se o convidam, diz logo que não. Nos lugares de recreio no parque, no concerto ou diante da fonte, sempre se coloca em algum ponto não longe de nosso banco e, estejamos onde estivermos, no parque, ou no bosque ou no Schlangenberg... basta levantar a vista e olhar em redor para, sem falta, em algum lugar, na vereda próxima, atrás de uma árvore, ver assomar o inevitável *Mister* Astley. Parece que anda procurando ocasião de falar-me em particular. Esta manhã nos encontramos e trocamos duas palavras. Fala por vezes de modo sumamente brusco. Sem sequer ter-me dado bom dia, foi logo dizendo:

— Ah! *Mademoiselle* Blanche! Tenho visto muitas mulheres como essa, como *Mademoiselle* Blanche!

Ficou depois calado, olhando-me de modo significativo. O que quisesse exprimir, ignoro-o, porque à minha pergunta: "Que quer dizer o senhor com isso?", com ladino sorriso, moveu a cabeça e acrescentou:

— Isto mesmo... *Mademoiselle* Polina gosta muito de flores?

— Não sei, ignoro-o em absoluto — respondi.

— Como? Não sabe? — exclamou com grandíssimo assombro.

— Não sei, não reparei absolutamente — respondi-lhe, rindo.

— Hum! Isto me sugere uma ideia.

E, ao dizer isto, fez uma inclinação de cabeça para mim e retirou-se. Tinha, aliás, um ar de grande satisfação. Conversávamos num francês detestável.

CAPÍTULO IV

Hoje foi um dia ridículo, absurdo, estúpido. São agora onze da noite. Estou sentado em meu cubículo e recordo. Começou a coisa com que esta manhã não tive outro remédio senão ir jogar roleta por conta de Polina Alieksándrovna. Tomei todos os seus cento e setenta fredericos de ouro, mas com duas condições: primeira, que não jogaria a meias, isto é, se ganhasse não ficaria com parte nenhuma, e segunda, que à noite teria Polina de explicar-me para que, concretamente, precisava de ganhar tanto dinheiro. Não posso, contudo, crer que seja só por causa do dinheiro. Não resta dúvida que lhe é imprescindível o dinheiro e quanto antes, para alguma finalidade. Prometeu dar-me essa explicação e nos despedimos. Nas salas de jogo havia uma aglomeração horrível. Como se mostravam todos insolentes e ansiosos! Abri caminho até o centro e coloquei-me ao lado mesmo do *croupier*. Comecei logo a tentear timidamente o jogo com paradas de duas ou três moedas. Ficava observando tudo isto e anotando; parecia-me que os cálculos particulares significam bastante pouco e de modo algum tem essa importância que lhes atribuem muitos jogadores. Sentam-se estes ali, com seus caderninhos em regra; observam as jogadas, calculam, deduzem as sortes, voltam a calcular e, por fim, apostam e... perdem, exatamente da mesma maneira daqueles que, como eu, simples mortais, jogam sem andar com tantas astúcias. Mas, em troca, tirei uma conclusão que parece justa: efetivamente, no transcurso das sortes fortuitas, embora não seja um sistema, há algo parecido com uma ordem... o que, sem dúvida, é muito estranho. Por exemplo, costuma ocorrer que, depois de doze números centrais, dão para sair os doze últimos; duas vezes, por exemplo, sai um desses doze últimos e depois passam a dar os doze primeiros. Dos doze primeiros passa a sorte outra vez aos doze do meio; cai nestes três ou quatro vezes e de novo passa aos doze últimos, donde, depois de outro par de vezes, passa aos primeiros; dá nestes uma vez; novamente dão três vezes os centrais e, deste modo, continua a coisa por espaço de hora e meia ou duas horas. Um, três, dois; um, três, dois. Isto é muito divertido. Em alguns dias, ou algumas semanas, sucede, por exemplo, que o vermelho cede posto ao negro, e vice-versa, quase sem regra alguma, a cada instante, de modo que não dão mais de três vezes seguidas nem o vermelho, nem o negro. No outro dia, ou na noite seguinte, dá uma enfiada de vermelhos, que se repetem, por exemplo, mais de vinte vezes seguidas e assim prossegue, infalivelmente, durante algum tempo, por exemplo, o dia inteiro. Explicou-me muitas destas coisas *Mister* Astley, que esteve toda a manhã na mesa de jogo, mas sem fazer uma só parada. Pelo que a mim se refere, perdi tudo e sem tardar. Diretamente, de uma vez, pus nos pares vinte fredericos de ouro e ganhei;

tornei a pôr e tornei a ganhar, e assim por duas ou três vezes. Creio que cheguei a reunir em minhas mãos uns quatrocentos fredericos de ouro no espaço duns cinco minutos. Deveria ter-me retirado naquele momento; mas ocorreu-me certa sensação estranha, algo assim como um prurido de desafiar a sorte, como um capricho de fazer-lhe uma pilhéria, de estirar-lhe a língua. Fiz a parada maior que se permite, ou seja, quatro mil florins, e perdi. Depois, já acalorado, tirei todo o dinheiro que me restava, insisti naquela mesma parada e voltei a perder; depois do que me afastei da mesa como que aturdido. Não chegava a compreender o que me ocorrera e não falei de minha perda a Polina Alieksándrovna senão já na hora do jantar. Até então estive dando voltas pelo parque.

Na mesa, tornei a encontrar-me em estado de exaltação, da mesma forma que três dias antes. O francês e *Mademoiselle* Blanche comiam também conosco. Ao que parece, *Mademoiselle* Blanche estivera naquela manhã na sala de jogo, presenciando minhas proezas. Desta vez conversou comigo mais atentamente. O francês procedeu mais diretamente, e, com simplicidade, perguntou-me "se o dinheiro que eu perdera era mesmo meu". Parece-me que suspeita de Polina. Numa palavra: aqui há qualquer coisa. Tratei, imediatamente, de mentir e disse-lhe que sim, que era meu.

O general estava estupefato. "Donde teria eu tirado aquele dinheiro?" Expliquei-lhe que começara com dez fredericos de ouro, que seis ou sete paradas dobradas me haviam feito ganhar cinco ou seis mil florins e que logo depois perdi tudo em duas jogadas.

Tudo isto era, sem dúvida, verossímil. Ao dar esta explicação, dirigi um olhar a Polina, mas não pude descobrir nada em seu rosto. Não obstante, ela me deixou mentir e não me retificou, pelo que deduzo que devo continuar mentindo e ocultando que jogo por sua conta. "Em todo caso — pensei, — está ela obrigada a dar-me uma explicação e não faz muito prometeu revelar-me algo."

Pensava que o general me faria alguma observação; mas manteve-se calado; em compensação, percebi em sua fisionomia agitação e inquietação. É possível que, nas circunstâncias de aperto em que se encontra, lhe seja difícil pensar que tão respeitável punhado de ouro veio e desapareceu em um quarto de hora das mãos de um estúpido amalucado como eu.

Suponho que tivera alguma discussão violenta com o francês ontem de noite. Estiveram falando, longa e acaloradamente, a respeito não sei de que, a portas fechadas. O francês saiu algo excitado e esta manhã, cedo, esteve de novo no quarto do general... seguramente para reatar a conversa de ontem de noite.

Ao ter notícia de minha perda, o francês, brusca e até maldosamente, fez notar que era *mister* ser mais judicioso. Não sei por que acrescentou que... embora nós, russos, joguemos muito, na sua opinião não sabemos jogar.

— Pois eu creio que a roleta só se fez para os russos — disse-lhe e, quando o francês sorriu desdenhosamente de meu desafio, mostrei-lhe que, indubitavelmente, a razão estava de meu lado, pois ao falar dos russos como jogadores, em vez de louvá-los, censuro-os; por conseguinte era digno de crédito.

— Em que baseia sua opinião? — perguntou-me o francês.

— *No fato de que a faculdade* de adquirir constitui, através da história, um dos principais pontos do catecismo das virtudes ocidentais. Mas o russo, não só é incapaz de adquirir capitais, mas, pelo contrário, os desperdiça a torto e a direito.

Apesar do que não deixamos nós, russos, de necessitar de dinheiro — acrescentei, — e, por conseguinte, muito nos alegramos de que existam meios, como, por exemplo, a roleta, graças aos quais pode a gente enriquecer, de repente, em um par de horas, sem ter nenhum trabalho. Isto muitíssimo nos seduz; apenas, como jogamos ao Deus dará, sem tomarmos trabalho, perdemos.

— Isto, até certo ponto, é verdade — observou, lisonjeado, o francês.

— Não; isto não é verdade e o senhor deveria envergonhar-se de desacreditar sua pátria — observou o general, severa e energicamente.

— Tenha a bondade — contestei-o. — Ainda está por ver o que é pior: se o escândalo russo ou a capacidade germânica para desempenhar um trabalho honesto.

— Que pensamento indecente! — exclamou o general.

— Um pensamento muito russo! — exclamou o francês.

Pus-me a rir; tinha uma vontade imensa de apoquentá-los.

— Eu, por mim, preferiria passar a vida inteira vagabundando sob a tenda de campanha dos quirguizes — gritei, — a inclinar-me diante do ídolo teutônico.

— Que ídolo? — perguntou o general, que já começava a ficar seriamente enfadado.

— Ora, a capacidade germânica de amealhar riquezas. Estou aqui de pouco; todavia, as observações que tive tempo de fazer e comprovar revoltam minha natureza tártara. Por Deus, não quero saber de tais virtudes! Ontem, já percorri nos arredores uma dezena de verstas. Pois bem, vem isto a ser exatamente como nos livrinhos de moral alemães com gravuras: ali, em cada casa, tem seu *Vater,* seu papai, enormemente virtuoso e extraordinariamente honesto. Tão honesto, que dá medo a gente se aproximar dele. Não posso tolerar pessoas honestas cuja aproximação causa medo tremendo. Cada *Vater* daqueles tem sua família, e à noite, todos, em voz alta, leem livros instrutivos. Por cima de casa rumorejam os olmos e castanheiros. O sol poente doura o telhado onde uma cegonha se empoleira, espetáculo eminentemente poético e comovedor... Se o senhor não se aborrece, general, deixe-me referir-lhe algo de patético. Eu mesmo me recordo de como meu pai, já falecido, também debaixo das tílias, no nosso jardinzinho, à tarde, lia, em voz alta, para mim e minha mãe livros dessa espécie. Posso, portanto, julgar com conhecimento de causa. Pois bem, cada família daqui se acha sob a escravidão e submissão mais completa no que se refere ao pai. Todos trabalham como escravos e todos juntam dinheiro como judeus. Assim que o pai consegue economizar uns tantos florins e conta com o filho mais velho a quem cederá sua oficina ou seu terreno, trata, para lograr este fim, de negar dote à filha, que haverá de ficar solteira. Para isto, vendem o filho menor como escravo ou como soldado e adjudicam esse dinheiro ao capital da família. Na verdade, é isto o que aqui fazem. Tomei informações. E fazem tudo isto simplesmente por honradez, pela força de sua honradez, de tal modo que até o filho menor vendido acredita que só o venderam por *honradez... e este é precisamente* o ideal; que a própria vítima se alegre com o fato de conduzirem-na ao sacrifício. E depois?... Ora, tampouco o filho mais velho é mais feliz; há em alguma parte por ali uma Amalchen,[5] a eleita de seu coração... mas com quem não pode casar-se, porque ainda não juntou os florins necessários. Também aguardam, castos e sinceros, e com o sorriso nos lábios vão ao sacrifício. Cavam-se as faces

5 Diminutivo de Amália, em alemão.

da Amalchen; a pobre moça enfraquece. Finalmente, ao cabo de vinte anos, a prosperidade chegou, os florins, honesta e virtuosamente poupados. O pai bendiz o filho quarentão e a Amalchen, que está com seus trinta e cinco aninhos, o peito murcho e o nariz vermelho... Ao assim fazer, chora, lê trechos de moral e morre. O primogênito se converte também em virtuoso pai e a história torna a recomeçar. Deste modo, ao cabo de cinquenta ou sessenta anos, o neto do primeiro *Vater* é já possuidor de um capital considerável e transmite-o a seu filho, este ao seu, este ao seu e por volta de cinco ou seis gerações, aparece o próprio Barão de Rothschild, ou Gonne e Companhia, ou o diabo sabe quem. Pois bem: vamos ver que magnífico espetáculo: tendes aí um ou dois séculos de trabalho incessante, de paciência, de talento, honradez, energia, firmeza, tramoias e cegonha no telhado. Que mais podeis pedir? Mais alto do que isto não há nada e, dessa altura, começam eles próprios a julgar toda a gente e a castigar os culpados, isto é, todos aqueles que não se parecem com eles. Aqui é que está o nó da questão; mas eu prefiro entregar-me à libertinagem ou enriquecer na roleta. Não quero ser como Gonne e Companhia ao cabo de cinco gerações. Necessito do dinheiro para mim e não me considero de modo algum, como digo, indispensável e suplementar ao capital. Sei bem que exagerei um bocado, mas que havemos de fazer? São estas as minhas convicções.

— Não sei se terá você muita razão no que disse — observou, pensativo, o general, — mas sei, com certeza, que começa você a extremar as coisas, que se esquece um tantinho...

Segundo seu costume, não terminou a frase. Quando nosso general começava a falar de alguma coisa um pouquinho mais elevada que os temas cotidianos de conversação, nunca terminava a frase. O francês, com displicência, escutou, esbugalhando um pouco os olhos. Quase nada compreendeu do que falei. Polina fitou-me com certa indiferença altiva. Parecia não ter me ouvido, nem a mim, nem nada de quanto se havia dito naquele momento na mesa.

Capítulo V

Estava mergulhada num devaneio fora do costume; mas assim que nos levantamos da mesa ordenou-me que a acompanhasse ao passeio. Pegamos as crianças e nos dirigimos para o parque, junto à fonte.

Como estivesse eu dominado por uma excitação especial, pespeguei-lhe, estupidamente, esta pergunta:

— Por que nosso Marquês De-Grillet, o francês, não só não a acompanhou hoje em nenhuma de suas saídas, mas nem sequer lhe dirigiu a palavra, durante todo o dia?

— Porque é um vilão — respondeu-me, estranhamente.

Jamais a havia ouvido exprimir-se assim a respeito de De-Grillet e guardei silêncio, temendo compreender sua excitação.

— Reparou que não estava hoje de acordo com o general?

— *Está querendo saber o que há* — respondeu-me, seca e nervosamente. — Pois fique sabendo que o general tem todos os seus bens hipotecados a ele... e se lhe der à *babúlinhka* a veneta de não morrer, o francês imediatamente deitará mão a tudo.

— Mas então é efetivamente certo que lhe hipotecou tudo? Tinha-o ouvido dizer, mas ignorava que fosse coisa liquidada.

— Pois é.

— Mas então, adeus *Mademoiselle* Blanche! — observei. — Não será generala! Sabe de uma coisa? Creio que o general está tão louco que será capaz de dar um tiro na cabeça, se *Mademoiselle* Blanche não o quiser. Na idade dele é perigoso enamorar-se dessa forma.

— Também penso que lhe vai acontecer alguma coisa — observou Polina Alieksándrovna, pensativa.

— Como tudo isto é magnífico!... — exclamei. — Não é possível dar a entender de maneira mais grosseira que, se concordava em casar com ele, era pura e simplesmente pelo seu dinheiro. Nem sequer guardam as aparências, prescindindo absolutamente de delicadezas. Notável! Quanto à avozinha, haverá nada mais grotesco e canalha que enviar telegrama atrás de telegrama perguntando: "Como é, morre ou não morre?". Que me diz disto, Polina Alieksándrovna?

— Isto é um disparate — disse com asco, interrompendo-me. — Eu, pelo contrário, admiro-me de que se mostre tão jovial. Por que está tão alegre? Será talvez por ter perdido o meu dinheiro?

— Por que me deu para que eu o perdesse? Disse-lhe que não posso jogar por conta de ninguém e muito menos pela sua. Seria obediente, enquanto me ordenasse, mas o resultado não depende de mim. Já a adverti que nada de bom resultaria. E diga-me: aflige-a muito ter perdido tanto dinheiro?

— Por que pergunta?

— Ora, porque você mesma prometeu explicar-me. Ouça-me: estou plenamente convencido de que assim que começar a jogar por minha conta (tenho doze fredericos de ouro) haverei de ganhar. De modo que, neste caso, poderá você aceitar o que precisar.

Fez uma careta de desdém.

— Não se zangue comigo — prossegui, — por causa desta proposta. A tal ponto tenho a consciência de ser um zero diante de você, isto é, a seus olhos, que poderá, sem reparo, aceitar dinheiro de mim. Um presente meu não poderá ofendê-la. Além do mais, perdi o seu dinheiro.

Lançou-me um olhar rápido e, ao notar que eu falava, nervosa e sarcasticamente, voltou a interromper-me:

— Não lhe interessa de modo algum o que se passa comigo. Mas, se quer saber, desde já lhe digo que estou simplesmente numa armadilha. Tomei dinheiro emprestado e desejaria devolvê-lo. Ocorreu-me a ideia insensata e estranha de que, infalivelmente, iria ganhar aqui, na sala de jogo. Por que houve de ocorrer-me semelhante ideia... é coisa que não compreendo... mas o certo é que tinha fé nela. Quem sabe?... Talvez acreditasse nela porque não me restava outro recurso para sair do atoleiro.

— Ou porque lhe fazia demasiada falta ganhar. Vem a ser o mesmo que acontece a quem se está afogando e se agarra a uma palhinha. Convenha comigo em que, se não se estivesse afogando, não teria confundido uma palhinha com o galho de uma árvore.

Polina mostrou-se assombrada.

— Mas, como!... — indagou. — Não abrigava você também as mesmas ilusões? Haverá umas duas semanas, você mesmo me falou um dia, longa e extensamente, de que tinha a plena convicção de ganhar aqui na roleta e me convenceu de que não devia tomá-lo por louco. Será que então falava por brincadeira? Não pode ser, lembro-me de que me falava tão sério, que não era possível levá-lo na brincadeira.

— É verdade... — respondi-lhe, pensativo. — Até agora estou perfeitamente convencido de que hei de ganhar. Até lhe confesso que, com suas palavras, me leva a formular a mim mesmo esta pergunta: "Por que minha estúpida e inexplicável perda de hoje não me fez absolutamente duvidar?". Porque, apesar de tudo, continuo plenamente convicto de que assim que começar a jogar por minha conta ganharei com toda certeza.

— E por que está tão convencido disso?

— Pois olhe... não sei. Só sei de uma coisa: que preciso ganhar, que este é também meu único recurso. E porque assim me parece, tenho além disso a impressão de que haverei fatalmente de ganhar.

— Isto quer dizer que também lhe faz muito falta, quando está tão fantasticamente convencido!

— Aposto que duvida de estar eu em situação de necessidade séria.

— Isto me é indiferente — respondeu Polina, em voz lenta e igual. — Se você faz questão, bem... pois sim, duvido de que se preocupe com algo de sério. Pode sofrer, mas não seriamente. Você e um homem desordenado e volúvel. Para que necessita de dinheiro? Em todas as razões que me expôs, não encontro seriedade nenhuma.

— A propósito — interrompi-a, — você disse que precisava devolver uma quantia que lhe haviam emprestado. Bem, trata-se de uma dívida, não?... O francês, talvez?

— Que significa esta pergunta? Mostra-se hoje particularmente desagradável. Estará bêbado?

— Bem sabe já que me permito falar e fazer perguntas por vezes com a maior franqueza. Repito-lhe que sou seu escravo e um escravo não pode causar vergonha, nem tampouco ofender.

— Isto é um absurdo! Não posso suportar essa sua teoria da "escravidão".

— Não observou que não falo de minha escravidão pelo fato de querer ser seu escravo, mas que, simplesmente... falo dela como de um fato que, em absoluto, não depende de mim?

— Diga-me francamente: para que necessita você de dinheiro?

— E por que necessita saber?...

— Como queira — replicou e ergueu altivamente a cabeça.

— Você não admite a teoria da escravidão, mas tem necessidade de um escravo: "Responda sem discutir!". Bem: assim seja. Pergunta-me para que quero dinheiro. Ora, que pergunta! Porque é dinheiro... eis tudo.

— Compreendo; mas apesar da gana de ganhá-lo, não se deve cair na loucura. Porque você chega até a alienação, até o fatalismo. Aqui deve haver outra coisa, alguma intenção particular. Fale-me sem subterfúgios, assim o exijo.

Parecia que começava a zangar-se e a mim agradava extraordinariamente que insistisse em interrogar-me com tanto ardor.

— Há naturalmente uma intenção — disse-lhe, — porém não me atrevo a explicar qual seja. Trata-se unicamente de que, graças ao dinheiro, poderei ser para você outro homem e não um escravo.

— Como? Donde tirou você isso?

— Donde tirei isso?... Mas você não compreende donde posso tê-lo tirado, quando não me olha senão como a um escravo? Declaro-lhe que não me agradam esses assombros e dúvidas.

— Dizia você que a escravidão lhe causava prazer. Eu mesma assim imaginava.

— Assim imaginava?!... — exclamei, com certo gozo. — Ah! que formosa ingenuidade a sua! Pois bem é verdade: para mim, ser seu escravo constitui prazer. Sim, sim; há um prazer no último grau de humilhação e do rebaixamento — prossegui, desvairado. — O diabo saberá, se não existe também prazer no *knut*, quando este nos flagela as costas e nos arranca pedaços de carne... Mas quero saborear também outros deleites. Há pouco, o general, em sua presença, na mesa, pregava-me um sermão por causa de oitocentos rublos por ano, que talvez nunca chegará a pagar-me. O Marquês De-Grillet, de sobrancelhas erguidas, fitava-me e, ao mesmo tempo, parecia não ver-me. Quanto a mim, da minha parte, parece-me ter ganas de, na sua presença, agarrar o Marquês De-Grillet pelas ventas.

— Bravatas! Em qualquer situação, é preciso manter-se com dignidade. Se sobrevém uma luta, esta, longe de humilhar-nos, nos exalta.

— Pego-lhe a palavra! Você acaba de supor que é possível que eu não saiba conservar minha dignidade. Quer dizer que sou um homem digno, mas não sei conservar minha dignidade. Compreende que isto possa ocorrer?... Sim, todos nós, russos, somos assim e sabe você por quê: porque estamos nós, russos, demasiado rica e diversamente dotados para encontrar logo a forma mais decorosa. A questão toda está na forma. Em grande parte, nós, os russos, estamos tão ricamente dotados que, para atinar com a forma decorosa, faz-nos falta o gênio. Mais frequentemente, porém, não existe o gênio, coisa rara que é. Somente entre os franceses e alguns outros europeus está tão bem definida a forma que é possível parecer um homem sumamente digno e ser o mais indigno do mundo. Tanto significa entre eles a forma. O francês sofre uma afronta, um agravo verdadeiramente profundo, e não franze o cenho; mas não suporta um piparote no nariz por coisa alguma deste mundo, porque isto representa uma infração à forma do decoro tradicional e aceita. Por isso agradam tanto os franceses às nossas donzelinhas, porque empregam boas formas. Na minha opinião, afinal, não há forma alguma, mas simplesmente um galo: *le coq gaulois*[6]. Aliás, não posso compreender essas coisas: não sou mulher. Talvez os galos sejam bons. Em geral divago; mas não me interrompa. Atalha-me com frequência, quando lhe falo. Mas quero dizer-lhe tudo, tudo, tudo. Prescindo de qualquer formalidade. Concedo-lhe mesmo que não só não tenho formalidades, mas que careço também de dignidade. Confesso-lhe. Nem sequer me preocupo com qualquer dignidade que seja. Agora tudo estancou. Sabe você a causa. Não tenho no cérebro um só pensamento humano. Faz muito tempo que não sei que fazer no mundo, nem na Rússia, nem aqui. Olhe, estive em Dresden e não sei mesmo o que seja Dresden. Sabe bem quem me absorveu. Como não tenho a menor ilusão e a seus olhos não

6 O galo gaulês.

passo de um zero, digo-lhe francamente: só a você vejo em toda parte e tudo mais me é indiferente. Quer saber por que a amo deste modo? Não sei. Saberá você que talvez não seja bonita?... Imagine que nem sequer sei se você é bonita ou feia de rosto! Seu coração, este sim, é que não é lá muito bom; é muito possível que a alma também não seja nobre.

— Será pelo fato de pensar você comprar-me com dinheiro — disse ela, — que acredita na minha falta de nobreza?

— Quando foi que pensei em comprá-la com dinheiro? — perguntei.

— Você se confunde e perde o fio. Se não comprar a mim, pelo menos compra com dinheiro a minha estima.

— Não; não há nada disto, absolutamente. Já lhe disse que tenho dificuldade em explicar-me. Você me aturde. Não leve a mal minha tagarelice. Compreenderá por que é impossível zangar-me com você: sou, simplesmente, louco. Aliás, não me importa que você se zangue. Estou em cima, no meu cubículo, e basta que me lembre ou que me represente o rumor de suas saias, eis-me pronto a morder as próprias mãos. Mas por que haveria você de zangar-se comigo? Pelo fato de intitular-me seu escravo?... Aproveite-se, aproveite-se de minha escravidão, aproveite-se! Não sabe que algum dia hei de matá-la? Mas não a matarei porque deixe de amá-la, ou por ciúmes, mas simplesmente, porque, às vezes, dá-me ganas de devorá-la. Dá risada?...

— Não estou rindo, absolutamente — disse ela, colérica. — Ordeno-lhe que se cale.

Parou, sufocada pela cólera. Juro que não sei se era ela bonita; mas sempre gostava de olhá-la, quando ficava assim ofegante, diante de mim, e costumava provocar, com frequência, e por gosto, a sua cólera. Talvez ela tivesse advertido isso e, intencionalmente, se zangasse. Insinuei isso a ela.

— Que asco me causa! — exclamou, com repugnância.

— Pouco me importa — prossegui. — Sabe que ambos nós corremos perigo? Sinto muitas vezes vontade de pegá-la, bater-lhe, mutilá-la, estrangulá-la. Que imagina você? Que não chegarei a tanto? Você me põe por vezes febril. Imagina que temo o escândalo? Sua cólera? Mas que importa a mim sua cólera? Sim, que importa a mim sua cólera? Amo sem esperança e sei que depois a amarei mil vezes mais. Se algum dia a matar, terei também de matar-me. Vejamos: como não haveria de matar-me, para não sentir essa dor insuportável de sua ausência? Não sabe de uma coisa inverossímil? Amo-a mais cada dia e isto é quase impossível. E quer você que, depois disto, não seja eu fatalista? Lembra-se? Anteontem, no Schlangenberg, disse-lhe, desafiando-a: "Diga-me uma só palavra e me atiro naquele abismo". Se tivesse você dito aquela palavra, eu me atiraria. Não acredita que teria me atirado?

— Que tagarelice estúpida! — exclamou.

— A mim tanto me faz que seja estúpida ou discreta — exclamei. — Sei que preciso, na sua presença, de falar, falar, falar... e falo. Em sua presença, perco todo o amor-próprio e tudo me é igual.

— Que necessidade tinha eu de fazê-lo dar esse salto do Schlangenberg abaixo? — disse, com secura e como que particularmente ofendida. — Isso era para *mim completamente inútil*.

— Inútil? — exclamei. — Você, muito intencionalmente, empregou essa magnífica palavra *inútil* para fustigar-me. Leio em sua alma. Você diz que é inútil? Mas tenha em conta que a satisfação é sempre útil e um domínio completo, absoluto... ainda que seja sobre uma mosca... constitui também um prazer em seu gênero. O homem é despótico por natureza e gosta de fazer sofrer. Disso você gosta enormemente.

Lembro-me de que me fitou com certa atenção especial e fixa. Provavelmente, meu rosto deveria refletir aquelas inexplicáveis e absurdas emoções. Lembro-me também agora de que, efetivamente, esse diálogo se desenrolou entre nós, palavra por palavra, segundo fica transcrito. Eu tinha os olhos injetados de sangue. Saía-me espuma pelos cantos dos lábios. Mas, no que se refere ao Schlangenberg, oh! honradamente o juro, ainda agora, que se ela tivesse ordenado que me atirasse dele abaixo, teria feito isso! E se tivesse tomado em brincadeira ou tivesse dito algo de desdenhoso, de mortificante para mim... teria me jogado no abismo imediatamente.

— Não, porque acredito em você — disse ela, mas como somente ela sabia dizê-lo por vezes: com tal desprezo e malícia, com tal altivez, que, por Deus, teria podido matá-la naquele momento. Corria perigo. Eu não mentia ao lhe dizer isso.

— Você não é covarde? — perguntou-me, de repente.

— Não sei. Pode ser que também seja. Não sei... Faz muito tempo que não me ocorre pensar nisto.

— E se eu lhe dissesse: "Mate aquele homem", seria capaz?

— A quem?

— A quem eu lhe dissesse.

— O francês?

— Não me pergunte. Limite-se a responder... A quem lhe dissesse. Quero saber se diz seriamente isso que acaba de dizer.

Com tal impaciência e ânsia aguardava a resposta, que me pareceu estranho.

— Mas diga-me de uma vez de que se trata! — exclamei eu. — Tem medo de mim? Eu mesmo estou vendo todas as coisas que aqui ocorrem. Você é a enteada de um homem transtornado e louco, consumido de paixão por esse diabo... Blanche. Depois, temos também... esse francesote, com sua influência secreta sobre você e... agora me surge você fazendo-me, de sopetão... essa perguntinha... Que eu fique sabendo, pelo menos. De outro modo perco o tino e farei qualquer doidice. Será que se envergonha de ser franca comigo? Vai sentir vergonha de mim?

— Não se trata disso. Fiz-lhe uma pergunta e aguardo a resposta.

— Mato sim, naturalmente — assenti, — matarei a quem você me indicar. Mas, por acaso, pode você... ordenar-me isso?

— Pensa que o pouparia? Ordenarei. Mas irei ficar a seu lado? Imagina isto? Não, nada disso! O senhor mataria quem eu lhe ordenasse e depois viria matar-me por ter-me atrevido a dar essa ordem.

Pareceu-me sentir um golpe na cabeça, ao ouvir aquelas palavras. Sem dúvida, tomava eu então, meio em brincadeira, como uma espécie de desafio, sua pergunta. Mas, apesar disso, ela falava bastante seriamente. Contudo, desconcertava-me ver que daquele modo deixara transluzir que tinha sobre mim tanto direito, que reconhecera a si mesma tal domínio sobre minha pessoa e com tanta clareza dissesse: "Corra à sua perdição, que eu me fico aqui muito tranquila". Havia naquelas palavras tanto cinismo e franqueza que já me pareciam excessivos. Como, como haveria ela de fitar-me depois daquilo? Aquilo ultrapassava os limites da escravidão e do rebaixamento. Depois de tal olhar, o homem volta a si. E por mais inverossímil e estúpido que fosse todo nosso diálogo, meu coração sobressaltou-se.

De repente, desatou a rir. Estávamos sentados então num banco, diante das crianças que brincavam, diante daquele mesmo lugar onde se detinham os coches e deixavam o público na avenida que precedia o cassino.

— Está vendo aquela senhora gorda? — perguntou ela. — É a Baronesa Burmerhelm. Faz três dias apenas que está aqui. Repare o marido dela, aquele prussiano comprido e magro, com a bengalinha na mão. Lembra-se de como nos fitava ontem? Avance, aproxime-se da baronesa, tire o chapéu e diga-lhe alguma coisa em francês.

— Por quê?

— O senhor jurou que se atiraria de cabeça abaixo do alto do Schlangenberg, jurou que estava disposto a matar, se eu ordenasse. Pois avance sem mais retóricas. Quero ver como o barão vai meter-lhe a bengala.

— Você me desafia, crê que não sou capaz de fazê-lo?...

— Sim, desafio-o. Adiante-se, ordeno-o!

— Permita-me: irei, ainda que se trate de um capricho selvagem. Mas não ocasionará isto algum contratempo ao general e, de ricochete, a você também? Por Deus, não o digo por mim, mas por você... e pelo general. E ficará bem, isto, tampouco, de ir, por mero capricho, ofender uma senhora?

— O senhor não passa de um charlatão e nada mais. Bem que o vejo — disse com desprezo. — Seus olhos, há momentos, injetaram-se de sangue... mas talvez, simplesmente, em consequência do excesso de vinho que bebeu na mesa. Será que eu mesma não compreenda que isso é estúpido e mau e que o general haverá de aborrecer-se? Quero apenas rir. Eu quero e basta! E por que tampouco haveria o senhor de ofender uma senhora? Não lhe faltarão umas bengaladas.

Dei meia volta e, em silêncio, fui cumprir sua ordem. Certo de que aquilo era estúpido e certo de que não sabia como sair da enrascada; mas à medida que me aproximava da baronesa lembro-me de que algo veio excitar-me, algo próprio de um colegial. E fiquei terrivelmente nervoso, como que embriagado.

Capítulo VI

Dois dias já se passaram desde aquele outro tão estúpido. E quantos gritos, quanto barulho, quantas vozes e pancadas! E eu é que tenho a culpa de tudo, de todo aquele absurdo, de toda aquela estupidez! E contudo, afinal, às vezes é até engraçado... para mim, pelo menos. Não me atrevo a dar-me conta do que me ocorre: se me encontro num estado de alienação ou se, simplesmente, me transviei e conduzo-me de um modo indecente, enquanto não me amarram. Por vezes me parece que estou louco. Por vezes também que estou ainda muito próximo da infância, do banco da escola, e não faço outra coisa senão praticar travessuras de menino.

É Polina, é Polina quem tem a culpa de tudo! Sem ela, talvez não surgisse em mim o colegial. Quem sabe se não estarei doido, embora seja estúpido pensar isso? Não compreendo, não compreendo o que tenha ela de belo. Contudo é bonita, é bonita, sim, parece que é bonita. Porque também faz os outros ficarem fora dos eixos. *Alta e bem formada. Apenas muito magra.* Parece-me que se poderia fazer com ela um pacotinho ou dobrá-la em duas. As plantas dos pés estreitas e compridas... obsedantes. Obsedantes mesmo, como estou dizendo. O cabelo com matizes avermelhados. Os olhos... de verdadeira gatinha, mas com que orgulho e altivez sabe olhar com eles! Há quatro meses, quando eu acabava de chegar, estava ela uma noite falando no salão com De-Grillet, longa e animadamente. E fitava-o de um modo... que eu depois, ao subir ao meu quarto para deitar-me, fiquei a imaginar que ela lhe havia dado uma bofetada, que a dava pelo simples fato de colocar-se diante dele e fitá-lo... Desde aquela noite enamorei-me dela.

Mas vamos ao caso.

Meti-me pelo caminho da avenida, cheguei até sua metade e fiquei aguardando a baronesa e seu marido. A cinco passos de distância tirei o chapéu e cumprimentei.

Lembro que a baronesa trajava um vestido de seda com um véu imenso, cinzento-claro, com enfeites, crinolinas e cauda. Baixinha e de uma corpulência extraordinária, com uma papada terrivelmente gorda e pendente de tal maneira que não se lhe vê o pescoço. O rosto picado de varíola. Os olhos, pequeninos, maus e impertinentes. Quando anda... parece que nos está fazendo um favor. O barão é magro, alto. Tem, como é comum na Alemanha, rosto oblíquo e todo sulcado de finas ruguinhas; óculos; quarenta e cinco anos. As pernas parecem sair-lhe do próprio peito; sinal de raça. Vaidoso como um pavão. Um tanto corcovado. Algo de ovino na expressão do semblante, o que, na sua opinião, denota profundidade de pensamento.

Tudo isto me saltou à vista em três segundos.

Meu cumprimento e meu chapéu na mão mal lhe chamaram a atenção, a princípio. O barão limitou-se a franzir levemente o cenho. A baronesa encarou-me.

— *Madame la baronne* — disse eu, distintamente, em voz alta. — *J'ai l'honneur d'être votre esclave.*[7]

Fiz em seguida uma reverência, tornei a pôr o chapéu e passei pela frente do barão, voltando cortesmente o rosto e sorrindo.

Que eu tirasse o chapéu, era ordem de Polina, mas aquela reverência e aquela garotice de colegial partiram de mim mesmo. O diabo saberá quem me levou a isso. Tinha a sensação de quem se despenha por uma montanha.

— *Hein?* — gritou, ou melhor, grunhiu o barão, voltando-se para mim com iracundo assombro.

Dei meia volta e parei em respeitosa expectativa, sem deixar de olhá-lo e sorrir. Estava visivelmente perplexo e franzia as sobrancelhas até o *nec plus ultra*[8]. Seu rosto ensombrecia-se cada vez mais. A baronesa também se voltou para fitar-me e também me lançava uns olhares de pasmo colérico. Alguns transeuntes começaram a observar-nos. Alguns até se detiveram.

— *Hein?* — grunhiu outra vez o barão, com redobrada ira.

— *Ja wohl*[9]! — disse eu, sem deixar de fitá-lo.

—*Sind Sie rasend?*[10] — grunhiu ele, esgrimindo sua bengala e, ao que parecia, começando a sentir seu pouquinho de medo.

É possível que meu traje o haja desconcertado. Eu estava muito bem vestido, até com elegância, como indivíduo que pertence à melhor sociedade.

7 Senhora baronesa, tenho a honra de ser seu escravo.

8 Não mais além. Expressão com que se costuma designar um limite que não deve ser ultrapassado.

9 Sim. certamente!

10 Está louco?

— *Ja wo-o-ohl!* — gritei, de repente, com todas as minhas forças, prolongando o *o,* como fazem os berlinenses, que a cada passo estão empregando na conversação a expressão: *Ja wohl!* e ao fazer assim alongam a letra mais ou menos para exprimir os diversos matizes da ideia e da emoção.

O barão e a baronesa deram meia volta rápida e quase deitaram a correr, assustados. Os curiosos, uns discutiam, outros me fitavam, perplexos. Aliás, minhas recordações são vagas.

Voltei-me e encaminhei-me a passo normal para onde estava Polina Alieksándrovna. Mas não dera ainda cem passos em direção de seu banco, quando vi, com assombro, que ela se levantava e se dirigia para o hotel com as crianças.

Alcancei-a na escada.

— Já fiz... aquela burrada — disse-lhe, pondo-me a seu lado.

— Bem, e então? Agora, arranje-se! — replicou ela, sem sequer olhar-me e começou a subir a escada.

Passei toda aquela tarde no parque. Através do parque e da floresta, quase cheguei a outro principado. Numa cabana comi uma omelete e bebi um pouco de vinho; este idílio custou-me um táler e meio.

Só voltei ao hotel às onze da noite. Imediatamente foram-me chamar de parte do general.

Os nossos ocupavam no hotel dois apartamentos, quatro peças ao todo. A primeira, bem espaçosa, é o salão, com um piano de cauda; contígua a ela, outra sala grande, o gabinete do general. Ali me esperava ele, de pé, em meio da peça, numa atitude das mais majestosas. De-Grillet estava sentado, indolente, no divã.

— Permita-me, senhor, que lhe pergunte o que foi que fez — começou o general, encarando-me.

— Agradeceria, meu general, se fosse direto ao assunto — disse-lhe. — Provavelmente, quer o senhor falar-me de meu encontro de hoje com aquele alemão.

— Com aquele alemão! Aquele alemão... é o Barão Burmerhelm, personagem importante. Cometeu para com ele e para com a baronesa uma grosseria.

— Nenhuma.

— O senhor assustou-os, cavalheiro! — gritou o general.

— Não houve tal. Desde Berlim, vivia com os ouvidos cheios dessa frase *Ja wohl,* que ali repetem a cada momento e em toda ocasião e que também alongam de maneira antipática. Ao encontrar-me hoje com eles na avenida, de repente, não sei por que, aconteceu surgir-me na memória o tal *Ja wohl,* que me crispou os nervos... Sim; e além disso, a baronesa, já por três vezes, ao encontrar-se comigo, tem o hábito de andar direta contra mim, como se fosse eu um verme que se pode esmagar. Convenha o senhor que eu também tenho o meu amor-próprio. Tirei o chapéu e cortesmente (asseguro-lhe que cortesmente) lhe disse: *Madame, j'ai l'honneur d'être votre esclave!* Como o barão se tivesse voltado a gritar *Hein,* eu também me pus a gritar *Ja wohl!* Gritei duas vezes; a primeira, com naturalidade e a segunda... arrastando a voz, com todas as minhas forças. Foi tudo.

Confesso que estava excessivamente contente com essa explicação infantil. Tinha uma vontade imensa de exagerar essa história da maneira mais absurda possível.

Tanto mais quanto ia tomando gosto por ela.

— O senhor está zombando de mim, não é verdade? — gritou o general.

Voltou-se para o francês e, em francês, disse-lhe que eu, decididamente, havia inventado a história.

De-Grillet começou a rir, desdenhoso e encolheu os ombros.

— Oh! não pense tal coisa, pois não há nada disso! — disse eu ao general. — É certo que merece censura o que fiz, sou o primeiro a reconhecer. Meu ato pode ser qualificado mesmo de estúpida e indecente travessura de escolar, porém, nada mais. E saiba, general, que já estou arrependidíssimo. Mas há aqui uma circunstância que, no meu modo de ver, quase me exime de arrependimento. De algum tempo a esta parte, durante estas duas e até três semanas últimas, não me tenho sentido muito bem; doente, nervoso, irritável, voluntarioso e, em certas ocasiões, chego mesmo a perder completamente o domínio de mim mesmo. Na verdade, sinto por vezes uma vontade tremenda de dirigir-me ao Marquês De-Grillet e... Ainda que, naturalmente, nem é preciso dizer, não se trata de nada ofensivo. Em resumo: são todos estes sintomas de enfermidade. Não sei se a Baronesa de Burmerhelm levará em consideração esta circunstância, quando lhe for pedir perdão (porque tenho o propósito de ir pedir-lhe perdão). Suponho que não a levará em consideração, tanto mais quanto, segundo notícias que tenho, já começaram a abusar desta circunstância nos últimos tempos, no mundo jurídico. Os advogados, nos processos de pena capital, costumam, com bastante frequência, desculpar seus clientes, os criminosos, alegando que, no momento de cometer seu crime, não se davam conta de nada e que isto constitui uma espécie de enfermidade. "Matou, é verdade, mas sem dar-se conta de nada." E imagine o senhor, general, a medicina dá a razão disto... Afirma positivamente que há uma determinada enfermidade, a loucura temporária, sob cuja ação o homem de quase nada se dá conta ou só pela metade, ou tem apenas uma quarta parte de consciência. Mas a baronesa e seu marido... são gente da velha geração e, além disso, *junkers* e proprietários. É provável que não tenham notícia ainda deste processo do mundo médico-legal e por isso não haverão de querer aceitar minhas explicações. Que lhe parece, general?

— Basta, cavalheiro! — exclamou o general, de modo cortante e com reprimida indignação. — Basta! Procurarei, de uma vez para sempre, tirar-lhe os ranços de colegial. Não terá de desculpar-se ao barão e sua esposa. Toda relação com o senhor, embora se reduzisse ao fato de pedir-lhes perdão, seria para eles bastante humilhante. O barão, ao saber que o senhor fazia parte de minha casa, já teve comigo uma explicação no cassino, e confesso-lhe que, por pouco, não exigiu de mim uma satisfação. Compreende você ao que me expõe... mocinho? Eu, eu tive de apresentar minhas desculpas à baronesa e dar-lhe minha palavra de que, imediatamente, hoje mesmo, deixaria você de pertencer à minha casa.

— Permita-me, permita-me, general. Com que então exigiram irremissivelmente que eu deixasse de pertencer à sua casa, como acaba o senhor de declarar?

— Não; mas eu mesmo me considerei obrigado a dar-lhes esta satisfação e, *naturalmente, o barão ficou* satisfeito. Temos de separar-nos, meu senhor. O senhor tem a receber, como acerto de contas, quatro fredericos de ouro e mais três florins. Aqui está o dinheiro e a conta neste papel; pode verificá-la. Adeus. Desde este momento não há mais nada de comum entre nós. A não ser complicações e coisas desagradáveis, nenhuma outra coisa tenho que agradecer-lhe. Agora mesmo vou chamar o camareiro para avisá-lo de que, desde amanhã, não responderei mais pelas suas despesas neste hotel. Tenho a honra de renunciar aos seus serviços.

Peguei o dinheiro e o papel em que, a lápis, estava anotada a conta, fiz uma reverência ao general e, muito sério, lhe disse:

— General, este assunto não pode ficar assim. Deploro grandemente que o senhor tenha tido de suportar impertinências da parte do barão; mas, perdoe-me, a culpa disto tudo é somente sua. Por que se acreditou obrigado a responder por mim perante ele? Que significa essa expressão de que pertenço à sua casa? Eu exerço, simplesmente, as funções de professor em sua casa, e nada mais. Não sou seu filho, nem seu pupilo e o senhor não pode responder pelos meus atos. Sou pessoa jurídica competente. Tenho vinte e dois anos, sou candidato à universidade, sou de casta nobre, sou inteiramente estranho ao senhor. Só meu infinito respeito a seus méritos impede-me agora de exigir-lhe satisfação por ter-se arrogado o direito de fazer-se responsável por mim diante daquele alemão...

O general ficou tão desconcertado que abriu os braços, depois voltou-se, de repente, para o francês e, atropeladamente, comunicou-lhe que eu acabava pouco menos de desafiá-lo. O francês soltou uma gargalhada.

— Não estou disposto a ficar abaixo do barão — continuei, com pleno sangue frio, sem dar atenção às risadas de *Monsieur* De-Grillet, — e já que o senhor, general, consentiu hoje em escutar suas queixas e secundar seus interesses, participando de todo este assunto, tenho a honra de manifestar-lhe que amanhã mesmo, de manhã, terei de exigir do barão, em meu nome, que me explique formalmente a causa pela qual, tendo uma questão comigo, se dirigiu, contra mim, a outra pessoa... nem mais, nem menos, como se eu não pudesse ou fosse indigno de responder pelos meus atos.

Ocorreu o que eu imaginava. O general, ao ouvir aquela nova sandice, assustou-se enormemente.

— Como, mas tem você intenção de continuar prolongando este maldito assunto? — exclamou. — Mas, ó grande Deus, em que situação me colocais! Não se atreva você, não se atreva você, mocinho, ou juro-lhe... Aqui também há autoridades e eu... eu... em resumidas contas, em razão de meu cargo oficial... e também o barão... Em suma, você seria detido e expulso daqui pela mão da polícia, se não levantar acampamento. Não se esqueça disto! — e embora a cólera o dominasse, tinha, apesar de tudo, um medo horrível.

— General — respondi-lhe com uma fleugma que se lhe tornava insuportável. — Não se pode deter ninguém por uma injúria, antes dela ter sido cometida. Não iniciei ainda minhas explicações com o barão e ignora o senhor, em absoluto, em que conceito e sobre que bases me proponho conduzir a questão. Apenas desejo esclarecer uma situação ofensiva para mim: a de que me encontro sob a tutela de uma pessoa que parece ter poder sobre minha livre vontade. É inútil o senhor alarmar-se e inquietar-se desse modo.

— Por Deus! Por Deus! Alieksiéi Ivânovitch, desista desse insensato propósito! — resmungou o general, mudando, de repente, seu tom iracundo por outro implorante e até pegando-me nas mãos. — Vamos, imagine o que pode sair disso! Outra contrariedade! Convenha comigo que tenho de reprimir-me aqui de maneira especial, sobretudo agora!... Oh! você não conhece, não conhece todas as circunstâncias em que me encontro! Quando sairmos daqui, estou disposto a tomá-lo de novo a meu serviço. Mas agora é preciso agir assim!... Vamos... você compreenderá as razões! — clamava, desolado. — Alieksiéi Ivânovitch, Alieksiéi Ivânovitch!

Retrocedendo até a porta, ainda lhe roguei, instantemente, que não se afligisse; prometi-lhe que tudo se arranjaria bem e decorosamente, e apressei-me em retirar-me.

Por vezes os russos, no estrangeiro, são demasiado covardes e tem um medo enorme da opinião pública, como hão de ser encarados, e se isto estará bem, etc., etc. Em uma palavra: comprimem-se como dentro de um espartilho, sobretudo os que aspiram a ser considerados distintos. Gostam de uma forma preconcebida, adotada de uma vez por todas e que eles seguem servilmente nos hotéis, nos passeios, nas reuniões, na viagem. Mas o general afirmava que ele, além disso, se encontrava em circunstâncias especiais em que tinha especial necessidade de reprimir-se. Eis por que, de repente, se amesquinhara, se acovardara e mudara de tom para comigo. E poderia decerto, por pura tolice, dirigir-se no outro dia a qualquer autoridade, de modo que me convinha ser prudente.

Eu, além disso, não tinha de modo algum vontade de aborrecer o general. O alvo de minha vingança era Polina. Polina portara-se comigo tão cruelmente, ao lançar-me naquele estúpido caminho, que queria arrastá-la também até tão longe que se visse obrigada a pedir-me que me detivesse. Minha travessura de colegial poderia comprometê-la afinal. Além disso, ia eu começando a sentir outras emoções e desejos: se, por exemplo, me amesquinhava diante dela, me reduzia a zero, não queria isto dizer que fosse, diante dos outros, uma galinha molhada e estivesse disposto a receber bengaladas do barão. Queria zombar de todos eles, conservando-me no meu papel de bravo. Haveriam de ver. Quem sabe? Talvez ela se atemorizasse diante do escândalo e me chamasse outra vez. E mesmo se não me chamasse, veria, sem dúvida, que não sou uma galinha.

(Surpreendente notícia: acabo de saber, neste momento, por nossa ama, com quem me encontrei na escada, que Maria Filípovna partiu hoje sozinha para Carlsbad, no trem noturno, para a casa de sua prima. Que significa isto? Diz a ama que há muito tempo ela tencionava fazer isto. Mas como ninguém sabia? Talvez seja possível que fosse eu o único a ignorá-lo. A ama garantiu-me que Maria Filípovna teve anteontem mesmo uma forte discussão com o general. Compreendendo. Certamente... trata-se de *Mademoiselle* Blanche. Sim; estamos na véspera de acontecimentos decisivos.)

Capítulo VII

De manhã chamei o camareiro e comuniquei-lhe que deveria abrir conta para mim à parte. Meu quarto não era tão caro a ponto de causar-me susto e obrigar-me a deixar o hotel. Tinha dezesseis fredericos de ouro e ali... poderia ser que estivesse ali a fortuna! Coisa estranha: ainda não tinha ganho e já me portava, sentia e pensava como um rico, e não podia imaginar a mim mesmo de outro modo.

Decidira, não obstante a hora matinal, ir imediatamente procurar *Mister* Astley, no Hotel da Inglaterra, muito perto do nosso, quando, de repente, entrou em meu quarto De-Grillet. Isto jamais ocorrera, pois, além de tudo, nos últimos tempos, mantivera com aquele cavalheiro as relações mais distantes e tensas. Ele, evidentemente, não ocultava seu desprezo para comigo; mais ainda, esforçava-se até em não dissimulá-lo e eu... eu tinha minhas razões particulares para não olhá-lo com bons olhos. Numa palavra: detestava-o. Sua visita assombrou-me grandemente. Logo farejei que algo de particular estava sendo cozinhado.

Entrou muito amável e dirigiu-me alguns cumprimentos a respeito de meu quarto. Ao ver-me de chapéu na mão, perguntou-me se me dispunha a sair a passeio tão cedo. Ao dizer-lhe que ia ter com *Mister* Astley para tratar de um assunto, ficou pensativo, reconcentrado, e seu rosto mostrou uma expressão sumamente preocupada.

De-Grillet era como todos os franceses, isto é, mostrava-se jovial e amável quando era necessário e resultava proveitoso, e de uma insociabilidade intolerável, quando parecer jovial e amável deixava de ser necessário. O francês é raras vezes naturalmente amável; mostra-se sempre tal como que obedecendo a uma ordem, a um cálculo. Se, por exemplo, se encontra na necessidade de mostrar-se fantástico, original, fora do habitual, então sua fantasia, sumamente lerda e antinatural, adota formas de antemão convencionadas e desde muito tempo banais. O francês, ao natural, compõe-se do positivismo mais burguês, meticuloso e rotineiro... Em suma: é a criatura mais aborrecida que se possa imaginar. Na minha opinião, somente as mocinhas, sobretudo as russas, deixam-se seduzir pelos franceses. Salta logo aos olhos de qualquer pessoa normal e há de se tornar para ela insuportável essa forma convencional, de uma vez por todas adotada, da amabilidade, desenvoltura e jovialidade de salão.

— Tenho de falar-lhe de um assunto — começou, com muito desembaraço, se bem que com cortesia. — Não lhe ocultarei que venho como enviado, ou, melhor dito, como mediador da parte do general. Como conheço muito pouco o russo, na noite passada, mal tomei conhecimento de alguma coisa; mas o general explicou-me tudo pormenorizadamente, e confesso...

— Mas ouça, Senhor De-Grillet — atalhei, — o senhor já se comprometeu a ser mediador neste assunto. Eu, sem dúvida, não passo de um *utchítel* e jamais teria aspirado à honra de ser íntimo amigo dessa casa, nem a nenhuma outra relação de intimidade; de modo que não estou a par dessas circunstâncias. Mas explique-se: será que o senhor já se conta no número dos membros dessa família? Porque o senhor, afinal, toma em tudo tanta parte e dá-se tanta pressa em intervir em tudo como mediador...

Minha pergunta não lhe agradou. Era-lhe bastante transparente e não queria enredar-se em discussões.

— Estou ligado ao general, em parte, por negócios, e em parte por certas circunstâncias especiais — disse, secamente. — O general enviou-me para pedir-lhe que desista das intenções que mostrou ontem à noite. Tudo quanto o senhor havia pensado é, sem dúvida, muito sutil; mas concretamente rogou-me que lhe demonstrasse que vai ter um malogro completo. É mais do que certo que o barão não irá recebê-lo, e, finalmente, em qualquer caso, possui toda espécie de meios para ficar a coberto de novas contrariedades de sua parte. O senhor mesmo há de concordar. Para que insistir nisso, não quererá me dizer? O general promete-lhe seriamente tornar a admiti-lo em sua casa, na primeira ocasião propícia e pagar-lhe até essa data seus honorários, *vos appointements*. Isto é bastante conveniente, não é verdade?

Objetei-lhe, com bastante fleuma, que ele estava um pouco equivocado, que era muito possível que o barão não me recebesse com maus modos, mas que, pelo contrário, me ouvisse.

— Vamos, confesse — acrescentei, — confesse que veio procurar-me para tentar saber como vou resolver a questão.

— Oh! Deus meu! Já que o general se interessa tanto por isso, naturalmente gostará de saber como o senhor pensa agir! É tão natural!

Comecei a explicar-lhe e ele me escutava, balançando-se na cadeira, inclinando um pouco a cabeça para mim, com algo de ironia não dissimulada no semblante. Em geral, mantinha-se sumamente altaneiro. Esforcei-me o mais possível para lhe mostrar que encarava aquele assunto do ponto de vista mais sério. Expliquei-lhe que, ao dirigir-se o barão ao general para expor-lhe suas queixas contra mim, como servidor dele, em primeiro lugar... havia-me privado com isso de meu emprego e, além do mais, tinha-me tratado como a quem não se acha em condições de responder pelos seus atos e com quem não vale, por conseguinte, a pena falar. Era indubitável que eu me considerava por isso justamente ofendido; não obstante, compreendendo a diferença de idades, nossa respectiva posição social, etc., etc. (mal podia conter o riso ao chegar a este ponto), não queria cometer nova insensatez, isto é, ir pedir diretamente uma satisfação ao barão, nem sequer propor-lhe uma. Mas nem por isso me considerava isento do direito de apresentar ao barão, e sobretudo à baronesa, minhas desculpas, tanto mais quanto que, efetivamente, nos últimos tempos, vinha-me sentindo mal de saúde, agitado e, por assim dizer, com um humor fantástico, etc., etc. Apesar disso, o próprio barão, dirigindo-se na véspera ao general, de maneira ofensiva para mim, e insistindo para que me privasse do emprego, pusera-me em tal estado que, agora, já não podia sequer pensar em ir apresentar-lhe e à baronesa minhas desculpas, porque assim eles dois, como todo o mundo, poderiam pensar que eu havia feito isso por medo, a fim de recuperar meu emprego. De tudo se seguia que me achava obrigado a pedir ao barão que começasse ele por pedir-me desculpas nos termos mais moderados... por exemplo, dizendo-me que não teve a menor intenção de ofender-me. E depois que o barão tiver declarado isto, então eu, já de mãos atadas, honrada e francamente lhe apresentarei também minhas desculpas. Em uma palavra, — concluí, — somente peço ao barão que me ate as mãos.

— Hum... que susceptibilidade e que refinamento! Mas de que deverá pedir-lhe desculpas? Ora... reconheça, senhor... senhor... que o senhor complica tudo isso de propósito com o objetivo de aborrecer o general... É possível que tenha o senhor em vista algum fim particular... *Mon cher monsieur... Pardon, j'ai oublié votre nom, Mister Alexis? N'est-ce pas?*[11]

— Mas permita-me, *mon cher marquis,* que tem o senhor que ver com tudo isso?

— *Mais le général...*

— Que tem que ver o general?... Ontem à noite veio dizer-me que precisa manter-se em certo pé... e tanto se alarmou que... eu, na verdade, não o compreendi.

— Aí está a coisa: existe precisamente uma circunstância especial — insistiu De-Grillet, com um tom de voz em que cada vez mais transparecia o aborrecimento. — O senhor não conhece *Mademoiselle* de Cominges?...

---

11 Meu caro senhor... Perdão, esqueci o seu nome, *Mister* Alexis? Não é?

— Refere-se a *Mademoiselle* Blanche?

— Sim, isto mesmo; *Mademoiselle* Blanche de Cominges... *Et madame sa mère*... O senhor mesmo haverá de reconhecer que o general... numa palavra, que o general está apaixonado e até... até é muito possível que o casamento se celebre aqui mesmo. E imagine o senhor: com todos esses escândalos e todas essas histórias...

— Não vejo em que tais escândalos e histórias tenham algo que ver com o casamento.

— Mas *le baron est si irascible, un caractère prussien, vous savez, enfin il fera une querelle d'Allemand*[12].

— A mim, sim, mas não ao senhor, porque não faço parte da casa... — esforçava-me, intencionalmente, por mostrar-me o mais estúpido possível. — Mas permita-me: será coisa resolvida o ter *Mademoiselle* Blanche de casar com o general? Pois então, que esperam? Quero dizer... Por que ocultar isso de nós, pelo menos de nós, dos da casa?

— Não lhe posso... Ainda que, afinal, ainda não... Mesmo assim... saiba que aguardam uma notícia da Rússia: o general necessita regularizar um negócio...

— Ah! ah! a *babúlinhka!*

De-Grillet lançou-me um olhar cheio de rancor.

— Numa palavra — interrompeu-me, — espero confiadamente que sua imensa amabilidade, seu talento, seu tato... O senhor, sem dúvida, fará isso por essa família, que o recebeu como a um filho, e na qual tem gozado de carinho e estima...

— Perdoe-me, mas puseram-me para fora! Vem-me agora o senhor dizer que o fizeram por formalidade; mas haverá de reconhecer que se lhe vêm dizer: "Não quero puxar tuas orelhas, mas, por formalidade, permite-me puxá-las", não vem tudo a dar na mesma?

— Sim, assim é, se nenhum pedido encontra eco no senhor — disse então, em tom severo e altivo, — permita-me que lhe assegure que serão tomadas providências. Há aqui autoridades, que o expulsarão hoje mesmo... *Que diable! Un blan bec comme vous*[13] querer provocar um desafio a um personagem da qualidade do barão!... Mas imagina o senhor que vão deixá-lo em paz? Oh! fique certo de que aqui ninguém o teme! Se vim aqui com pedidos, foi antes coisa minha, porque o senhor causava inquietação ao general. Mas crê que o barão não mandará, simplesmente, um criado expulsá-lo?

— Acontece que não penso em apresentar-me ali — respondi-lhe com suma dignidade. — O senhor está equivocado, *Monsieur* De-Grillet. O caso vai tramitar com mais decoro do que o senhor imagina. Agora mesmo vou ter com *Mister* Astley e lhe pedirei que seja meu padrinho; em suma: minha testemunha. Gosta de mim e decerto não se negará. Irá ver o barão e o barão terá de recebê-lo. Embora seja eu um *utchítel* e, de certo modo, um subalterno, e, vamos, me encontre indefeso, *Mister* Astley... é sobrinho de um lorde, de um verdadeiro lorde, como toda a gente sabe, de *Lord* Peabrok, e o lorde se encontra aqui. Fique certo de que o barão receberá com toda a cortesia *Mister* Astley e vai ouvi-lo. E se não o ouvir, *Mister* Astley então considerará isso como ofensa pessoal (bem sabe o senhor como os ingleses são orgulhosos), e porá

12 O barão é tão irascível, um caráter prussiano, o senhor sabe, enfim, fará uma briga de alemão.

13 Que diabo! Um fedelho como você.

contra o barão todos os seus amigos, que os tem muito bons. Pode o senhor calcular o que resultará daí, que é possível que não seja o que o senhor pensava.

O francelho, sem dúvida, estava com medo; efetivamente, tudo aquilo era muito parecido com a verdade e demonstrava que eu, em todo o caso, tinha meios de complicar a história.

— Mas suplico-lhe — começou, com voz inteiramente implorante, — suspenda tudo isso! Parece até que o senhor gosta de prolongar a complicação! Já lhe disse que tudo isso parece cômico, uma brincadeira... que é possível que o senhor o consiga... mas... numa palavra... — concluiu, ao ver que eu me levantava e pegava o chapéu, — vim entregar-lhe estas duas linhas da parte de certa pessoa; assim é que... me encarregaram de esperar a resposta.

Ao dizer isto, tirou do bolso e entregou-me um pequeno envelope, dobrado e selado a lacre.

A letra era do próprio punho de Polina:

> Parece-me que tem você a intenção de levar avante essa história. Zangou-se e começa a fazer travessuras de colegial. Mas existem circunstâncias especiais e é possível que mais tarde possa explicá-las; entretanto, há de fazer-me o favor de ficar quieto e ter juízo. Como tudo isso é estúpido! Você é-me necessário e prometeu obedecer-me. Lembre-se do Schlangenberg. Rogo-lhe que seja obediente, se for necessário, ordeno-lho. Sua P.
>
> P.S. — Se está zangado comigo pelo que houve ontem de tarde, perdoe-me.

Pareceu-me que tudo bailava diante de meus olhos, ao ler aquelas linhas. Meus lábios tornaram-se brancos e comecei a tremer. O maldito francês fitou-me com ar forçadamente sério e depois afastou de mim a vista, como para não presenciar a minha dor. Melhor teria sido se houvesse rido de mim.

— Está bem — respondi-lhe, — diga a *Mademoiselle* que pode ficar tranquila. Mas permita-me, não obstante, uma pergunta — acrescentei, bruscamente. — Por que demorou tanto a entregar-me esta carta? Em vez de ficar falando de ninharias, creio que deveria o senhor ter começado por isto... se é que o mandaram cá com este encargo.

— Oh! era isso que eu queria... Tudo isto é tão estranho que o senhor desculpará minha natural impaciência. Queria certificar-me logo, por mim mesmo, de quais eram as suas intenções. Eu, afinal de contas, não conhecia o teor da carta e pensava que sempre haveria tempo para entregá-la.

— Compreendo. Ordenaram-lhe que só entregasse a carta em último recurso, reservando-a para o caso de não chegar a um acordo verbal. Não é assim? Diga-me a verdade, Senhor De-Grillet!

— *Peut-être*[14] — assentiu, tomando um ar de particular discrição e lançando-me um olhar especial.

Peguei o chapéu; ele me fez uma saudação com a cabeça e foi embora. Pensei ver-lhe nos lábios um riso zombeteiro. Como poderia ser de outro modo?

14 Talvez.

"Haveremos de ajustar nossas contas, seu francelho! haveremos de medir nossas forças!", murmurava eu, à medida que descia a escada.

Não podia ainda dar-me completa conta de nada, pois parecia que me haviam dado um golpe na cabeça. O ar livre refrescou-me.

Dois minutos depois, assim que recuperei minha lucidez, ocorreram-me com toda a clareza dois pensamentos: primeiro... que umas ninharias, umas ameaças de estudante, inverossímeis, de menino, lançadas ontem, tinham suscitado alarme geral. E segundo... que influência exerceria aquele francês sobre Polina? Uma só palavra dele... e já estava ela fazendo tudo quanto ele necessitasse, escrevia cartinhas e até me suplicava. Decerto suas relações foram para mim um enigma desde os primeiros momentos, desde que os conheci; mas, não obstante, nos últimos dias... havia percebido nela uma decidida aversão e até desprezo para com ele, e ele nem sequer a olhava e até a tratava com grosseria. Era o que eu tinha notado. A própria Polina me falara de tal aversão; chegou mesmo a escapar-lhe uma expressão sumamente significativa... Quer dizer que ele, simplesmente, a dominava, tinha-a presa como em correntes...

Capítulo VIII

No passeio, como aqui o chamam, ou seja, na alameda dos castanheiros, encontrei o meu inglês.

— Oh! oh!... — exclamou ao dar comigo. — Ia me procurar e eu ia vê-lo. Com que então, afastou-se dos seus?

— Ouça-me: antes de tudo, como sabe?... — perguntei-lhe, admirado. — Será que todo o mundo já sabe?

— Oh! não. Nem todo mundo sabe, e tampouco vale a pena que saiba! Ninguém fala disso.

— Então, como o senhor sabe?

— Sei porque tive ocasião de vir a saber casualmente. Mas para onde pensa ir agora? Gosto do senhor e por isso ia procurá-lo.

— O senhor é um homem excelente, *Mister* Astley — disse-lhe; além do mais, havia-me causado todo aquele espanto: como viera a saber? — E como ainda não tomei café e o senhor, decerto, terá tomado um, ruim, vamos os dois tomar café no cassino; sentaremos lá, fumaremos um cigarro, vou lhe contar tudo e... o senhor também contará tudo a mim.

O café achava-se a uns cem passos. Fomos servidos, sentamo-nos, acendi um cigarro, eu somente, porque *Mister* Astley não fuma e, fitando-me, ele se dispôs a escutar-me.

— Não vou para parte nenhuma, mas fico aqui mesmo — comecei.

Ao dirigir-me ao encontro de *Mister* Astley não tinha absolutamente a intenção de contar-lhe nada, mas justamente o contrário, referente a meu amor por Polina. Em todos aqueles dias não lhe havia dito quase nem uma palavra a esse respeito. Além disso, ele, pela sua parte, era também muito tímido. Desde a primeira vez, havia eu notado que Polina lhe havia causado uma impressão extraordinária, se bem que nunca se referisse a ela. Mas, coisa rara, agora, de repente, mal ele se sentara e fixara em mim seus atentos olhos cor de estanho, não sei por que me veio a vontade de contar-lhe tudo, isto é, todo o meu amor com todos os seus matizes. Estive falando disso uma boa meia hora e foi-me muito grato tocar pela primeira vez nesse tema. Como observasse que, em alguns trechos, especialmente ardentes, dava ele demonstração de ficar desconcertado, eu, com toda a intenção, exagerava a veemência de meu relato. De uma só coisa me arrependo: é que tivesse dito algo demais a respeito do francês...

Mister Astley escutava, sentado diante de mim, imóvel, sem articular palavra, nem proferir som e sem afastar os olhos dos meus; mas quando falei do francês, atalhou-me imediatamente e perguntou-me com severidade: "Tinha eu direito de mencionar essa circunstância secundária?". *Mister* Astley formulava sempre de um modo estranho suas perguntas.

— O senhor tem razão; receio que não — respondi-lhe.

— A respeito desse marquês e da Senhorita Polina o senhor nada pode dizer de positivo, além de algumas suposições.

Voltei a admirar-me de uma afirmação tão categórica nos lábios de um homem tão tímido como *Mister* Astley.

— Não; nada de concreto — respondi. — É claro que nada.

— Sendo assim, faz mal o senhor, não só em falar isso comigo, mas até em pensá-lo.

— Tem razão! Reconheço. Mas agora não se trata disso — interrompi, admirando-me no meu íntimo. Então passei a contar-lhe toda a história da véspera, com todos os seus pormenores, o encontro com Polina, meu caso com o barão, minha demissão, o exagerado medo do general e, finalmente, com todos os seus detalhes expus-lhe a visita recente de De-Grillet, sem omitir circunstância alguma; para terminar, mostrei-lhe a carta.

— Que tira o senhor a limpo de tudo isto? — perguntei — Ia justamente solicitar sua opinião. Pelo que a mim toca, de boa vontade teria matado esse francelho e é possível que ainda o faça.

— Também eu — disse *Mister* Astley. — Por causa do que está fazendo à Senhorita Polina... como o senhor sabe, entabulamos relações até com pessoas que nos são odiosas, quando a isso nos obriga a necessidade. Pode ser que neste caso existam relações que o senhor ignora, que dependam de circunstâncias acessórias. Creio que o senhor pode estar tranquilo... em parte, naturalmente. No que concerne à sua conduta de ontem; é sem dúvida estranha... não porque quisesse ela ver-se livre do senhor e o lançasse às bengaladas do barão (não compreendo como não haja manejado sua bengala, quando a tinha na mão), mas porque tal ocorrência, tratando-se de uma... senhorita tão distinta, torna-se... verdadeiramente indecorosa. É claro que ela não podia adivinhar que o senhor iria satisfazer tão plenamente sua caprichosa brincadeira...

— Sabe o senhor de uma coisa? — exclamei, de repente, olhando fitamente *Mister* Astley. — Parece que o senhor já estava ciente de tudo isso e sabe o senhor dos lábios de quem?... da própria Senhorita Polina!

Mister Astley fitou-me assombrado.

— Seus olhos lançam faíscas e leio neles uma suspeita — disse, voltando em seguida à sua anterior placidez. — Mas o senhor não tem o mínimo direito de exteriorizar suas suspeitas. Não posso reconhecer-lhe esse direito e nego-me redondamente a responder às suas perguntas.

— Bem, basta! Não é preciso! — exclamei com estranha agitação e sem compreender por que me havia ocorrido exprimir aquela ideia. E quando, onde, de que modo podia ter Polina escolhido *Mister* Astley para fazer-lhe a confidência? Além do mais, nos últimos tempos eu perdera, de vista, em parte, *Mister* Astley e Polina sempre parecera tão enigmática que, por exemplo, agora, disposto a contar toda a história de meu amor a *Mister* Astley, de repente, em pleno relato, tive de desconcertar-me ao ver que nada de concreto e definitivo poderia dizer no referente às minhas relações com ela. Pelo contrário, tudo se tornava fantástico, singular, infundado, e até inverossímil.

— Está bem, está bem. Estou transtornado e não me dou conta cabal de muitas coisas ainda, — respondi-lhe, como que ofegante. — Além disso, é o senhor excelente pessoa. Agora, outro assunto, no qual vou pedir-lhe não seu conselho, mas sua opinião.

Guardei silêncio por algum tempo e depois comecei:

— Que lhe parece: por que o general terá esse medo todo? Por que, dessa minha estupidíssima travessura, formou toda essa história? História tal, que até o próprio De-Grillet julgou indispensável intrometer-se (e ele só se intromete em assuntos de suma gravidade) e vir visitar-me (ele!), rogando e suplicando a mim... ele, De-Grillet, a mim! Finalmente, preste bem atenção, veio ver-me às nove horas, às nove horas em ponto, e já tinha em seu poder a carta da Senhorita Polina. Quando a escreveu ela?, haverá o senhor de perguntar. Será possível que haja acordado a Senhorita Polina para isso? A não ser que, segundo vejo por esse detalhe, a Senhorita Polina seja sua escrava (pois chega até a pedir-me perdão!). Fora disto, que tem que ver, ela, pessoalmente, com tudo isso? Por que há de tomar tanto interesse? Por que tem todos tanto medo do barão? E que importa que o general vá casar-se com *Mademoiselle* Blanche de Cominges? Dizem que tem de reprimir-se de um modo especial, porque essa circunstância assim impõe... Mas o senhor há de convir comigo em que isso é bastante especial! Que pensa o senhor? A julgar por seus olhos, estou certo de que o senhor sabe mais de tudo isso do que eu!

Mister Astley sorriu e assentiu com a cabeça.

— Efetivamente, eu, pelo visto, estou mais ciente disso do que o senhor — disse. — Aqui o assunto todo afeta unicamente a *Mademoiselle* Blanche e estou convencido de que esta é a chave de tudo.

— Mas que tem que ver com isso *Mademoiselle* Blanche? — perguntei com impaciência.

Concebera de repente a esperança de que ia descobrir-se agora algo referente a *Mademoiselle* Blanche.

— Creio que *Mademoiselle* Blanche tem no presente momento especial interesse em evitar toda espécie de atritos com o barão e sua esposa... sobretudo desagradáveis, e mais ainda... escandalosos.

— Ora, ora!

— *Mademoiselle* Blanche, há três anos, na época da temporada, esteve já aqui em Rulettenburgo. Eu também me encontrava aqui naquela ocasião. Naquele tempo *Mademoiselle* Blanche não se chamava *Mademoiselle* de Cominges, nem tampouco existia então sua mãe, *veuve* Cominges: pelo menos não se falava dela. De-Grillet... De-Grillet tampouco existia. Tenho a convicção plena de que não só não são parentes, mas que até a amizade deles data de pouco tempo. O Marquês De-Grillet é também de cunho recente... estou certo disto graças a um detalhe. Pode-se até mesmo supor que não data de muito que se chama De-Grillet. Tenho aqui um amigo que o conheceu com outro nome.

— Mas ele conta positivamente com um círculo de amigos importantes.

— Oh! é possível. Também é possível que *Mademoiselle* Blanche os tenha. Mas há três anos, *Mademoiselle* Blanche, em virtude de uma queixa dessa mesma baronesa, recebeu um convite da polícia local para que abandonasse a cidade e assim o fez.

— Como foi isso?

— Havia-se apresentado aqui, a princípio, em companhia de um italiano, de não sei qual príncipe de nome histórico, como Barberini ou algo parecido. Era um sujeito todo cheio de anéis e brilhantes, aliás autênticos. Chegaram ambos numa carruagem admirável. *Mademoiselle* Blanche jogava o *trente et quarante*, a princípio, com boa sorte, mas depois, lembro-me, veio-lhe o azar. Lembro-me de que uma noite perdeu uma quantia considerável. Mas o pior de tudo foi que *un beau matin*, seu príncipe desapareceu tomando rumo desconhecido e desapareceram também os cavalos e os coches; desapareceu tudo. Devia enormemente no hotel. *Mademoiselle* Selma (convertera-se logo de Barberini em *Mademoiselle* Selma) achava-se no último grau de desespero. Andava por todo o hotel gritando e soluçando e, de raiva, rasgava até os vestidos. Mas havia aqui no hotel certo conde polaco (todos os polacos que viajam... são condes), e *Mademoiselle* Selma, rasgando as roupas, arranhando, como uma gatinha, o rosto com suas lindas e perfeitas mãos perfumadas, não deixou de causar-lhe impressão. Entabularam conversa e na hora do jantar já estava ela consolada. À noite, ele apareceu no cassino levando-a pelo braço. *Mademoiselle* Selma ria, segundo seu costume, às gargalhadas, e suas maneiras traduziam maior desenvoltura. Dirigiu-se para o grupo de senhoras que jogam na roleta e que, agarrando-se à mesa, empurram com o ombro os jogadores para arranjar lugar. É aqui o que há de chique para essas senhoras. Deve sem dúvida ter notado.

— Oh! sim!

— Não vale a pena tampouco prestar atenção a isto. Apesar do decorrente aborrecimento do público decente, não se afastam daqui, pelo menos aquelas que todos os dias trocam na mesa uma cédula de mil francos. Aliás, assim que deixam de trocar cédulas, são convidadas a ir embora. *Mademoiselle* Selma continuou por algum tempo trocando cédulas; mas a sorte lhe era contrária. Repare que essas senhoras costumam ter sorte no jogo; possuem um sangue frio admirável. Mas aqui termina minha história. Um dia, da mesma maneira que o príncipe, também desapareceu o conde. *Mademoiselle* Selma apareceu uma noite para jogar sozinha; mas daquela vez não houve quem lhe oferecesse o braço. Em dois dias acabou perdendo tudo. Depois de pôr na roleta seu derradeiro luís de ouro e de perdê-lo, correu a vista em redor e deu com os olhos no Barão Burmerhelm, que estava a seu lado e a fitava com profunda indignação. Mas *Mademoiselle* Selma não reparou nessa indignação e, dirigindo-se ao barão, com certo sorriso, rogou-lhe que pusesse por ela dez luíses no vermelho. Em consequência disto e a instâncias da baronesa, naquela mesma noite convidaram-na a não deixar-se mais ver na sala de jogo. Poderá por acaso lhe causar espanto que esteja eu ciente desses pequeninos detalhes nada decorosos, mas deve-se isto a referências de *Mister* Filler, parente meu, que naquela noite conduziu *Mademoiselle* Selma, em sua carruagem, de Rulettenburgo a Spa. Agora pense o senhor: *Mademoiselle* Blanche quer ser generala, provavelmente para estar de futuro a coberto de convites como o que há três anos teve de fazer-lhe a polícia da sala de jogo. Agora não joga mais; deve-se isto, porém, a que, presentemente, segundo todos os indícios, se dedica a emprestar dinheiro, com usura, aos jogadores. Isto é muito mais produtivo. Suspeito também de que o pobre do general esteja a dever-lhe muito. E é possível que De-Grillet também. Embora possa dar-se que seja seu sócio. Compreenderá o senhor que, pelo menos, até que se case, não queira chamar sobre si a atenção do barão e da baronesa. Numa palavra: que, em sua situação, o escândalo é o que menos pode convir-lhe. O senhor está ligado à casa dele, e sua conduta pode suscitar escândalo, tanto mais quanto se apresenta ela todos os dias, de público, pelo braço do general ou em companhia da Senhorita Polina. Compreende agora?

— Não, não compreendo! — exclamei e, com todas as minhas forças, descarreguei na mesa um murro que pôs em fuga, assustado, o garçom. — Diga-me, *Mister* Astley — repeti, exaltado, — uma vez que conhecia já o senhor toda essa história e, portanto, tinha também por força de saber de memória quem é essa *Mademoiselle* Blanche de Cominges... como é que não me advertiu disso, ainda que houvesse sido apenas a mim... ou ao próprio general, em último caso, e, sobretudo, à Senhorita Polina, que se deixa ver aqui, na sala de jogo, em público, pelo braço de *Mademoiselle* Blanche? Como pôde ser isso?

— Não me incumbia preveni-lo, porque o senhor não podia fazer nada — respondeu-me *Mister* Astley, tranquilamente. — Adverti-lo de que, afinal? É possível que o general saiba mais a respeito de *Mademoiselle* Blanche do que eu, e, não obstante, passeia com ela e com a Senhorita Polina. O general... é um pobre homem. Pude ver ontem à noite *Mademoiselle* Blanche cavalgando um lindo cavalinho, com o Senhor De-Grillet e com aquele principezinho russo, enquanto o general ia atrás deles, montado num alazão. Dizia esta manhã que lhe doíam as pernas, mas que seu porte era bom. E eis que me ocorreu naquele momento que era ele um homem completamente perdido. Aliás, isto a mim não afeta e faz muito pouco tempo que conheço a Senhorita Polina. Mas, afinal de contas — concluiu de repente *Mister* Astley, — já lhe disse que não podia reconhecer-lhe o direito de fazer-me perguntas, não obstante o afeto sincero que sinto pelo senhor.

— Basta — disse, levantando-me. — Agora vejo claro como o dia que a Senhorita Polina sabe de tudo quanto se refere a *Mademoiselle* Blanche, mas não pode romper com esse francês e por isso decide-se a sair a passeio com *Mademoiselle* Blanche. Está certo de que nenhuma outra razão a obriga a sair a passeio com *Mademoiselle* Blanche e a rogar-me em sua carta que não incomode o barão? Aqui, precisamente, devemos ver essa influência, diante da qual todos se inclinam. E apesar disso, repare bem: foi ela mesma quem me atiçou contra o barão. O diabo carregue tudo, pois não há meio de compreender nada!

— Em primeiro lugar, esquece-se o senhor de que a referida *Mademoiselle* de Cominges... é a noiva do general, e em segundo que Polina, a enteada do general, tem um irmãozinho e uma irmãzinha, filhos legítimos daquele, já abandonados por esse louco e aos quais, segundo parece, despojou de todos os seus bens.

— Ah! sim, sim! É isso! Deixar os filhos... quer dizer, abandoná-los por completo, prescindir deles... É isso, defender seus interesses, salvar algo dos bens. Sim, sim: isto é verdade! Mas, apesar disso, apesar disso... Oh! isso explica por que todos aqui se interessam tanto pela *babúlinhka!*

— Por quem?

— Por aquela velha bruxa de Moscou, que não resolve morrer e de que aguardam todos a notícia da morte, por telegrama.

— Ah! é claro; naturalmente, todo o interesse se concentra nela!... Tudo se concentra na herança! Assim que se confirmar a herança, o general casa, a Senhorita Polina fica livre e De-Grillet...

— De-Grillet, o quê?

— Ora, De-Grillet cobrará seu dinheiro; é a única coisa que aqui aguarda.

— A única coisa? Acha que é a única coisa que aqui aguarda?

— Não conheço outra — e *Mister* Astley manteve-se num teimoso silêncio.

— Pois eu sei, eu sei! — repeti, com veemência. — Ele aguarda também a herança, porque à Senhorita Polina darão um dote e assim que houver recebido o dinheiro vai se atirar ao pescoço dela... imediatamente. Todas as mulheres são assim. E as mais orgulhosas são as que logo se tornam as escravas mais vis. Polina só é capaz de amar apaixonadamente, e nada mais. Aqui tem o senhor a opinião que ela me merece. Repare nela, sobretudo quando está só, pensativa... há nela algo de premeditado, de previamente combinado, jurado. É capaz de todos os horrores da vida e da paixão... ela... ela... mas, quem me chama? — exclamei, de repente. — Quem dá esses gritos? Ouvi gritarem em russo: "Alieksiéi Ivânovitch!". Uma voz de mulher, o senhor não ouve, não ouve?

Naquele momento dirigíamo-nos para nosso hotel. Havia algum tempo que, sem perceber, tínhamos abandonado o café.

— Ouvi, sim, vozes de mulher; mas não sei a quem chamavam; era em russo; agora vejo quem dava os gritos — indicou *Mister* Astley — era aquela mulher que está sentada naquela grande cadeira e a quem acabam de introduzir no vestíbulo todos aqueles lacaios. Vêm aí atrás com umas malas, o que indica que acaba de chegar.

— Mas por que chamaria a mim? Olhe, está gritando outra vez; repare: faz-nos sinais com as mãos.

— Estou vendo que nos faz sinais — disse *Mister* Astley.

— Alieksiéi Ivânovitch! Alieksiéi Ivânovitch! Ah! meu Deus, que palerma!

E os gritos soavam, desesperados, no vestíbulo do hotel.

Saímos correndo para lá. Cheguei ao patamar e... os braços caíram-me de assombro e os pés pareceram criar raízes na terra.

Capítulo IX

No patamar do amplo vestíbulo do hotel, conduzida para ali numa cadeira, rodeada de criados de um e outro sexo e da numerosa e obsequiosa criadagem do hotel e na presença do *oberkellner,* o primeiro garçom, que havia acorrido para receber a inesperada hóspede, ali desembarcada com tamanho aparato e ruído, com criadagem particular e com tantas malas e baús, estava sentada a... *bábuchka.* Sim, era ela mesma, a formidável e rica, Antonida Vassílievna Tarásitcheva, dama burguesa de Moscou, com seus setenta e cinco anos às costas; a *babúlinhka,* a respeito da qual passavam e recebiam telegramas para saber se morria ou não morria e que, de repente, ela mesma, em pessoa, nos caía em cima como neve na cabeça. Apresentou-se ali, não obstante estar impossibilitada, carregada, como sempre, desde cinco anos, numa cadeira; mas, segundo seu costume, bem esperta, ardente e ufana, ereta em sua cadeira, dando gritos fortes e imperiosos, brigando com todo mundo... sim, exatamente a mesma que eu tivera a honra de ver duas vezes, desde que entrei como preceptor para a casa do general. Naturalmente, estava diante dela, fulminado de assombro. Ela me vira, com seus olhos de lince, à distância de cem passos, quando a conduziam de cadeira e me reconheceu e me chamou por meu nome e patronímico... que, segundo seu costume, aprendera de uma vez para sempre. "E essa então era a tal que esperavam ver morta e enterrada, depois de haver-lhes deixado uma herança — pensei imediatamente, — quando ela é quem haverá de sobreviver-nos a todos e a toda a gente do hotel? Agora vai virar o hotel de cabeça para baixo!"

— Bem, vamos ver: que se passa contigo, *bátiuchka,* que estás aí plantado, de olhos esbugalhados? — continuou ela, gritando para mim. — Será que não sabes cumprimentar... ou será que te queres dar importância? Será possível que não me reconheças? Escuta, Potápitch — disse, encarando um velho de cabelos brancos, de fraque e de gravata branca e com uma calva rosada, seu porteiro, que a acompanhara na viagem. — Olha só: não me reconhece. Enterraram-me! Telegrama após telegrama, indagavam: "Morre ou não morre?". Bem vês que sei de tudo! Mas eu, como podes ver, ainda estou vivinha.

— Mas, por favor, Antonida Vassílievna, por que haveria eu de querer-lhe tanto mal? — respondi, jovialmente, recompondo-me afinal. — É que foi uma surpresa... Como não ficar assombrado com uma coisa tão inesperada?!

— Por que hás de ficar assombrado, tu? Tomei o trem e fiz a viagem. No vagão fica-se à vontade, não há solavancos. Então, saíste a dar um passeio?

— Sim, andei pelo cassino.

— Aqui se está bem — disse a *bábuchka,* girando os olhos em redor. — Temperatura temperada e árvores opulentas. Quanto me agrada! Mas, e a nossa gente? E o general?

— A estas horas estão todos em seus aposentos.

— Ah! têm aqui também horas estabelecidas e cerimônias? Como bancam os importantes! Vivem à grande, ouvi dizer, *les seigneurs russes.* E Praskóvia está com eles?

— Sim. Polina Alieksándrovna deve estar com eles...

— E o francelho? Bem, hei de ver todos. Alieksiéi Ivânovitch, mostra-me o caminho direto para ir a seu quarto. Estás aqui a gosto?

— Como em minha casa, Antonida Vassílievna.

— Tu, Potápitch, dize a esse estúpido camareiro que necessito de um quarto, confortável e no primeiro andar, e que me transportem para ele imediatamente a bagagem. Mas por que todos querem carregar-me? Por que se intrometem? Ah! escravos!... Quem é esse que está aí contigo?

— É *Mister* Astley — respondi-lhe.

— E quem é *Mister* Astley?

— Um viajante, bom amigo meu! Amigo também do general.

— Inglês. Não faz senão olhar-me fixamente e não diz nada. Afinal, gosto dos ingleses. Bem, para cima, diretamente ao quarto deles. Onde é?

Transportaram a *babúlinhka;* sai correndo, à frente, pela larga escada do hotel. Nosso cortejo causava intensa impressão. Todos quantos encontrávamos no caminho detinham-se e nos olhavam de olhos arregalados. Nosso hotel conta-se entre os melhores, os mais caros e mais aristocráticos desta estação de águas. Na escadaria e nos corredores encontram-se sempre imponentes senhoras e graves ingleses. Muitos faziam perguntas em voz baixa ao camareiro-mor, que, por sua vez, estava bastante impressionado. Sem dúvida, responderia a todos os perguntadores que se tratava de uma estrangeira de alta importância, *une russe, une comtesse, grande dame,* e que ia ocupar os mesmos aposentos que, uma semana antes, tinham sido ocupados pela *grande duchesse de N****. A imperiosa e dominante figura da avozinha, transportada numa cadeira, produzia profundo efeito. Quando se encontrava com alguma pessoa desconhecida, ia logo medindo-a de cima a baixo com olhos curiosos e fazendo-me perguntas em voz alta. A avozinha era de raça vigorosa e, embora não se levantasse da cadeira, sentia-se, com apenas vê-la, que era de elevada estatura. Seus ombros mantinham-se tesos como uma tábua e não se apoiavam no espaldar da cadeira. Sua cabeça encanecida, grande, com um rosto de feições fortes e acentuadas, mantinha-se erguida; olhava de modo altaneiro e como que provocativo e era de notar que seu olhar e seus gestos eram perfeitamente naturais. Não obstante seus setenta e cinco anos, tinha um rosto bastante fresco e nem sequer lhe faltavam dentes. Trazia um vestido de seda negra e touca branca.

— Isto é para mim muito interessante — disse-me em voz baixa *Mister* Astley, que subia a escada comigo.

"Está ciente dos telegramas — pensava eu. — Conhece também De-Grillet; mas, segundo parece, não conhece bem ainda *Mademoiselle* Blanche."

Imediatamente comuniquei isto a *Mister* Astley.

Homem pecador! Nem bem me passou o primeiro assombro, tive de alegrar-me enormemente com a tempestade que levávamos naquele momento para o general. Aquilo foi para mim um excitante e eu subia radiante de contentamento.

Os nossos viviam no terceiro andar; não me anunciei, nem ao menos bati à porta, mas simplesmente cheguei e a abri, de par em par, entrando por ela a avozinha triunfalmente. Todos estavam, como que de propósito, reunidos em conferência no gabinete do general. Era meio-dia, e, ao que parece, estavam projetando não sei que excursão: uns, de carro, outros a cavalo, todos juntos e, além disso, seriam convidados alguns amigos. Além do general e Polina, com os meninos e suas amas, encontravam-se no gabinete De-Grillet, *Mademoiselle* Blanche, outra vez em traje de amazona, sua mãe, *Madame veuve* Cominges, o principezinho e não sei qual douto viajante alemão, que eu via pela primeira vez entre eles. A cadeira com a avozinha foi deter-se em meio do gabinete, a três passos do general. Meu Deus! Jamais esquecerei aquela cena! Ao entrarmos, estava o general contando não sei que coisa e De-Grillet o retificava. É preciso observar que *Mademoiselle* Blanche e De-Grillet há três dias vivem fazendo muitas festas, não sei por que, ao principezinho, *à la barbe du pauvre général*, e a reunião, embora pudesse tudo aquilo ser artificial, encontrava-se na disposição de ânimo mais alegremente familiar. À vista da avozinha, o general ficou, de repente, estupefato, abriu a boca e não conseguiu dizer nada. Olhava-a, de olhos esbugalhados, como se estivesse fascinado pelo olhar do basilisco. A avozinha também o contemplava em silêncio, fixamente... Mas com que olhar triunfante, desafiador e zombeteiro! Ambos estiveram a entrefitar-se assim por espaço de dez segundos, em meio do silêncio geral de todos os presentes. De-Grillet, a princípio, ficou impassível, mas não tardou em assomar-lhe ao rosto uma inquietação extraordinária. *Mademoiselle* Blanche arqueou as sobrancelhas, abriu a boca e fitou avidamente a avozinha. O príncipe e o sábio, com intensa perplexidade, contemplavam todo aquele quadro. O olhar de Polina deixou transluzir assombro e dúvida extraordinários; mas logo ficou branca como um lenço; num momento afluiu-lhe o sangue ao rosto e tingiu-lhe as faces. Sim, aquilo era a catástrofe para todos! Eu não fazia senão passear alternativamente meu olhar da avozinha para todos os presentes. *Mister* Astley estava de pé, a um lado, tranquilo e digno, segundo seu costume.

— Bem, aqui estou! Em lugar de tanto telegrama!... — disse, afinal a avozinha, dando fim ao silêncio. — Com que então não me esperavam?

— Antonida Vassílievna... querida titia! Mas como...! — murmurou o desditoso general. Se a avozinha tivesse tardado em falar tantos segundos, ele teria tido um ataque.

—Que como?... Subi num trem e vim. Para que existem os trens de ferro? Mas vocês todos pensavam: "Já deverá ter esticado a canela e somos todos seus herdeiros". Porque hás de saber que sei de tudo a respeito dos telegramazinhos que passavas daqui. Bom dinheiro devem ter custado. Aqui tudo é caro. Mas pus sebo nas canelas e vim para cá. É esse o francês? O senhor De-Grillet, não?

— *Oui, madame...* — assentiu De-Grillet, — *et croyez je suis si enchanté... Votre santé... C'est un miracle... vous voir ici, une surprise charmante*[15].

— Sim, sim, *charmante*. Não passas de um cômico, mas a mim não me enganas; não acredito em ti nem um tantinho assim — e mostrou-lhe o dedo mindinho. — E quem é essa? — Disse, virando e apontando *Mademoiselle* Blanche. A provocante francezinha, vestida de amazona, com o chicote na mão, havia-a chocado visivelmente. — É daqui?

— É *Mademoiselle* Blanche de Cominges e aquela é sua *mámienhka, Madame* de Cominges. Vivem em nosso hotel — apresentei eu.

— Senhora casada? — indagou a avozinha sem mais cerimônias.

— *Mademoiselle* de Cominges é solteira — respondi o mais respeitosamente que pude e com toda a intenção, em voz alta.

— Alegre?

Não quis compreender a pergunta.

— A gente não se aborrece ao lado dela?... Compreende o russo? Aí está De-Grillet que lá em Moscou aprendeu a estropiá-lo.

Expliquei-lhe que *Mademoiselle* de Cominges nunca estivera na Rússia.

15 Sim, minha senhora... e acredite que me sinto bastante encantado... sua saúde... é um milagre... vê-la aqui, uma surpresa encantadora.

— *Bonjour!* — exclamou a avozinha, encarando bruscamente *Mademoiselle* Blanche.

— *Bonjour, madame* — disse, cerimoniosa e elegantemente *Mademoiselle* Blanche, conseguindo deixar transluzir, sob o disfarce de uma discrição e cortesia extraordinárias, em toda a expressão de seu rosto, sua enorme estupefação diante daquela estranha pergunta e daquela estranha interpelação.

— Oh! Baixa a vista, anda com melindres e cerimônias; agora pareces um passarinho; uma atriz! Eu fico no hotel, lá embaixo — disse, fitando o general. — Eu vou ser tua vizinha. Ficas alegre ou não?

— Oh! titia! Fique a senhora certa da sinceridade... de minha satisfação — encareceu o general, que já se havia recomposto, até certo ponto e como, quando era ocasião, sabia exprimir-se bem, com gravidade e sem pretensões de produzir efeito, também agora se dispunha a sair do apuro. — Estávamos tão alarmados e transtornados com as notícias de seu estado de saúde! Recebíamos uns telegramas tão pessimistas... e de repente...

— Vamos, mente, mente! — atalhou logo a *bábuchka*.

— Mas como? — apressou-se em interrompê-la a voz tonante do general, que procurou não reparar naquele "mente"!, — como se decidiu a senhora, apesar de tudo, a empreender tão longa viagem? Reconheça a senhora mesma que, na sua idade e no estado de saúde em que se encontra... pelo menos tudo isto foi tão inesperado... que é compreensível nosso assombro. Mas se visse como me alegro... E todos nós — começou a sorrir graciosa e untuosamente — nos esforçaremos por todos os meios para tornar sua estada aqui como a mais grata distração...

— Bem, basta. Falas por falar, como é teu costume. Saberei bem viver à minha vontade. Aliás, não te quero mal; sei esquecer as ofensas. Quanto à tua pergunta a respeito de minha viagem, que há nisto de assombroso? Nada mais simples. E isto surpreende a todos? Bom dia, Praskóvia. Que fazes aqui?

— Bom dia, *bábuchka* — disse Polina, aproximando-se dela. — A viagem foi muito demorada?

— Eis pelo menos uma pergunta sensata. Os outros se limitam a lançar ohs! e ahs! Pois bem, escuta: vivia eu de cama e me tratavam e me davam remédios, até que atirei os médicos às favas e mandei chamar o sacristão de São Nicolau, que havia curado com feno miúdo uma mulher que estava com a mesma enfermidade. Bem, pois a mim também me serviu; ao fim de três dias comecei a suar da cabeça aos pés e levantei-me. Em seguida, voltaram a reunir-se os meus alemães, que puseram os óculos e deliberaram: "se agora — disseram, — a senhora seguir para o estrangeiro, a fim de fazer uma estação de água, a obstrução desaparecerá completamente". Por que não? — disse a mim mesma. Os Dur-Zajíguin[16] lançaram suspiros! "Mas aonde vai a senhora?" Que acham vocês? Em um dia fiz todos os preparativos e, na semana passada, na sexta-feira, peguei minha criada de quarto, depois Potápitch, Fiódor, o lacaio, a quem despedi em Berlim, porque via que não me fazia falta alguma e teria eu podido fazer a viagem sozinha. Reservei um vagão especial. Quanto a carregadores, existem em todas as estações e, por vinte copeques, carregam a gente para onde

16 Mais um exemplo de sobrenome simbólico, inexistente na antroponimia russa e inventado por Dostoiévski para caracterizar a personagem, tirando proveito do significado dos nomes comuns transformados em sobrenomes. Literalmente: incendiador *(zajíguin)* de burrices *(dur)*, boateiro, espalhador de boatos.

se quiser. Mas deixem-me ver o quarto que alugaram! — concluiu, examinando tudo. — De onde tiraste o dinheiro, *bátiuchka,* uma vez que tens tudo hipotecado? Deves estar devendo este dinheirinho a este francês. Sei de tudo, sei de tudo!

— Eu, titia... — começou o general, todo confuso. — Estou verdadeiramente admirado, titia... Creio que posso, sem controle de ninguém... Minhas despesas não ultrapassam meus recursos e nós aqui...

— A que chegam teus recursos?... disseste isto? Deves ter tirado a teus filhos até o último recurso, mau tutor que és!

— Depois disto, depois destas palavras — começou o general, indignado, — já não sei...

— Que é que não sabes? Será que ganhas na roleta?

O general estava tão transtornado que mal podia falar, tal a força da emoção.

— Na roleta? Um homem de minha categoria? Eu? Volte a si, titia, que, sem dúvida, deve estar mal de saúde...

— Ora, mentes, mentes! Será que não podes ganhá-lo ali? Mentes! Mas hoje mesmo hei de ver eu mesma que negócio é este de roleta. Tu, Praskóvia, me dirás que é que há aqui para ver, e tu também, Alieksiéi Ivânovitch, o indicarás; quanto a ti, Potápitch, tomarás nota dos lugares aonde se pode ir em excursão. Que há para ver por aqui? — insistiu, dirigindo-se outra vez a Polina.

— Por aqui perto temos as ruínas de um castelo e, além do mais, Schlangenberg.

— Que é isto de Schlangenberg? Algum bosquezinho?

— Não; nada de bosque; é uma montanha. Há ali uma *pointe.*

— Que é isto de *pointe?*

— O lugar mais alto da montanha, um lugar cercado. Dali se desfruta uma perspectiva sem igual.

— E poderão carregar a cadeira até o alto da montanha? Poderão subir até lá?

— Oh! Pode-se procurar carregadores! — respondi-lhe.

Naquele instante veio cumprimentar a avozinha Fiedóssia, a ama de meninos, trazendo consigo os filhos do general.

— Nada de beijos! Não gosto de beijocar meninos: estão sempre sujos. Bem, dize-me: como vais aqui, Fiedóssia?

— Aqui se passa muito bem, muito bem, *mátuchka* Antonida Vassílievna — respondeu Fiedóssia. — E a senhora, como tem passado? Estávamos todos tão inquietos por sua causa!

— Bem sei. És uma alma simples. E quem são esses? Convidados? — perguntou, dirigindo-se de novo a Polina. — Quem é esse magricela de óculos?

— O Príncipe Nílski, vovó — murmurou Polina.

— Ah! Um russo! E eu que pensava que ele não me entendia! Talvez não me haja ouvido. A *Mister* Astley já ouvi antes. Mas está outra vez aqui? — disse com assombro a avozinha. — Bom dia! — exclamou, fitando-o, imediatamente.

Mister Astley fez-lhe, em silêncio, uma reverência.

— Mas vamos ver: que nos conta o senhor de bom? Diga-nos algo. Traduza-lhe, isto, Polina.

Polina traduziu.

— Tenho muito gosto e alegria em encontrá-la tão bem de saúde — respondeu *Mister* Astley seriamente, mas com extraordinária solicitude.

Traduziram para a avozinha e esta demonstrou ter-lhe sido aquilo muito de seu agrado.

— Como respondem sempre bem os ingleses! — observou. — Não sei por que, sempre tive simpatia pelos ingleses; não se pode compará-los com os francelhos. Aproxime-se de mim — disse, voltando a encarar *Mister* Astley. — Farei todo o possível para não incomodá-lo muito. Traduzam-lhe isto e digam-lhe que tenho meus aposentos aqui embaixo... aqui embaixo... ouça bem, embaixo, embaixo — repetiu a *Mister* Astley, apontando naquela direção com o dedo.

A *Mister* Astley lisonjeou extraordinariamente o convite.

Com olhar atento e satisfeito, a avozinha passou Polina em revista, dos pés à cabeça.

— A ti, Praskóvia, quero-te muito — exclamou de repente. — És uma boa menina, a melhor de todos, mas tens um gênio... Ufa! Bem, também eu tenho. Vem cá. Será que trazes postiços na cabeça?

— Não, *babúlinhka*. É meu cabelo mesmo.

— Bem, bem, não gosto dessa moda estúpida. És muito bonita. Se fosse homem, me apaixonaria por ti. Com quem te irás casar? Mas, está bem, já é hora de ir-me embora. E quero dar um passeio. Estou farta de vagão e mais vagão... Bem, vamos ver: continuas enfadado? — disse, encarando o general.

— Por favor, titia, basta! — suplicou, alvoroçado, o general. — Compreendo que, na sua idade...

— *Cette vieille est tombée en enfance*[17] — sussurrou-me ao ouvido De-Grillet.

— E quero também ver tudo isto. Vais me emprestar Alieksiéi Ivânovitch, não? — continuou a avozinha, dirigindo-se ao general.

— Oh! com muito gosto! Mas eu também... e Polina, e o Senhor De-Grillet... teremos todos verdadeira satisfação em acompanhá-la...

— *Mais, madame, cela sera un plaisir,* — assentiu De-Grillet, com um sorriso encantador.

— Sim, sim, *plaisir*. Fazes-me rir, *bátiuchka*. Mas desde logo te digo que não te hei de dar dinheiro — acrescentou, de repente, fitando o general. — Bem, vou para meus aposentos: preciso vê-los. E depois iremos a todos esses lugares. Vamos, levantai-me.

Levantaram de novo no ar a avozinha e todos nos dirigimos, fazendo escolta à cadeira, escadas abaixo. O general seguia como um indivíduo entontecido por uma porretada na cabeça. De-Grillet ruminava alguma coisa. *Mademoiselle* Blanche desejaria ficar ali de boa vontade, mas não sei por que julgou oportuno sair também com todos. Em suas pegadas vinha também o príncipe e, em cima, no quarto do general, só ficaram o alemão e *Madame veuve* Cominges.

Capítulo X

Nas águas — e, segundo parece, em toda a Europa, — os proprietários dos hotéis e os camareiros-mores, ao destinar aposentos aos viajantes, atendem não

---

17 Essa velha está caduca.

tanto às exigências e gostos como às suas ideias pessoais, e é preciso fazer constar que raras vezes se equivocam. Mas à avozinha, não sei por que destinaram-lhe um apartamento tão luxuoso que passaram da medida: quatro peças magníficas, com banheiros, com quartos para a criadagem, um quartinho particular para a criadinha, etc., etc. Efetivamente, naqueles aposentos, hospedara-se uma semana antes não sei qual grã-duquesa, o que imediatamente, sem dúvida, notificariam à nova hóspede, no objetivo de dar mais valor ao apartamento. Conduziram a avozinha ou melhor dito, arrastaram-na por todos os quartos a que atenta e severamente passou em revista. O *oberkellner*, homem já de certa idade, calvo, acompanhou-a respeitosamente naquele exame preliminar.

Não sei por quem tomariam todos eles a *babúlinhka*, mas, naturalmente, por uma pessoa de suma importância e, sobretudo, riquíssima. No livro anotaram imediatamente: *"Madame la générale, princesse de Tarásitcheva"*, muito embora a avozinha nunca tivesse sido princesa. Sua criadagem, seu carro particular no trem, aquela grande quantidade de baús, cofres e até arcas, supérfluos, que acompanhavam a avozinha, certamente conferiram-lhe desde o primeiro momento um grande prestígio; mas a cadeira, sua voz cortante, suas perguntas extravagantes, formuladas num tom insistente e que não admitia réplica, numa palavra: todo o aspecto da avozinha — erecta, brusca, imperiosa — veio completar a reverência que inspirava. Ao passar aquela revista aos aposentos a avozinha, de vez em quando, mandava parar a cadeira, apontava algum objeto da mobília e dirigia alguma pergunta inesperada ao camareiro-mor, que sorria respeitoso, mas já com assomos de medo. A avozinha fazia suas perguntas em francês, que falava, seja dito de passagem, bastante mal, pelo que eu, habitualmente, as traduzia. As respostas do camareiro-mor, em geral, não a satisfaziam, achando-as insuficientes. Mas é que ela perguntava sempre como se não se referisse àquilo, senão Deus sabe a quê. De repente, por exemplo, detinha-se diante de um quadro... Uma cópia bastante fraca de algum original desconhecido de assunto mitológico.

—De quem é esse retrato?

O camareiro-mor explicava-lhe que provavelmente de alguma condessa.

— Mas como não o sabes? Com que então vives aqui e não o sabes? Por que reviras os olhos?

A todas essas perguntas, o camareiro-mor não podia responder de modo satisfatório e até se atrapalhava.

— Que charlatão! — dizia a avozinha em russo.

Levavam-na mais adiante. A mesma história se repetia diante de uma estatueta da Saxônia, que a avozinha examinava longamente e depois ordenava que tirassem dali, ninguém sabia por quê. Finalmente passou a brigar com o camareiro: quem tinha posto aqueles tapetes no quarto e onde eram feitos? O camareiro prometeu informar-se.

— São uns asnos! — resmungou a *babúlinhka* e, concentrando toda sua atenção no leito: — Que baldaquino tão pomposo! Vamos ver, tirem-no daí.

Tiraram o baldaquino.

— Não, não. Tirem tudo! Tirem os travesseiros, o colchão de pena!

Revolveram tudo. A avozinha examinou tudo atentamente.

— Bem; verifico que não há percevejos. Tirem toda a roupa de cama. Tragam minha roupa de cama e meus travesseiros. Mas tudo isto é demasiado luxuoso!

Para que quero eu, uma velha, um quarto como este? Só para aborrecer-me. Alieksiéi Ivânovitch, virás ver-me a miúdo, depois de dares aulas aos meninos.

— Desde ontem já não estou a serviço do general — respondi-lhe. — Vivo no hotel inteiramente por minha conta...

— Como é isto?

— Porque há alguns dias chegou aqui um famoso barão alemão, com sua esposa, a baronesa, procedente de Berlim. E ontem, no passeio, ocorreu-me falar-lhe em alemão, empregando a pronúncia berlinense.

— Mas que aconteceu?

— Aconteceu que ele achou isso uma grosseria e foi queixar-se ao general, e o general, ontem à noite, participou-me que eu estava despedido.

— Mas será que insultaste, ou coisa parecida, o barão? Mesmo que o tivesses ofendido não era caso para tanto.

— Oh! não! Pelo contrário, foi o barão quem levantou a bengala contra mim.

— E tu, moleirão, permites que tratem desse modo teu preceptor? —exclamou, dirigindo-se, de repente, ao general. — E ainda por cima o despedes! São vocês todos uns bobalhões... Todos uns galinhas, segundo estou vendo.

— Não se inquiete, titia — respondeu o general com certo tom de altiva familiaridade. — Sei o que faço. Além do mais, Alieksiéi Ivânovitch não lhe contou a coisa tal como foi.

— E tu, como suportaste essa injúria? — interpelou-me.

— Eu queria desafiar o barão — respondi-lhe com toda a clareza e serenidade possível, — mas o general se opôs.

— Por que te opuseste? — e a avozinha tornou a fitar o general. — E tu, *bátiuchka,* vai-te e volta quando te chamarem — intimou ela ao camareiro. — Não é preciso que fiques aí plantado como um paspalhão. Não posso tolerar esse basbaque nuremburguês.

O camareiro deu meia volta e retirou-se, sem entender, é claro, aqueles cumprimentos da avozinha.

— Mas, titia, por favor, é possível esse duelo? — respondeu o general, com um sorrisinho.

— E por que não há de ser possível? Vós todos, homens, sois uns galos e brigais por qualquer coisa. Segundo estou vendo são todos uns moleirões; não sabem sair em defesa de sua pátria. Vamos, levantem-me! Potápitch, dá as ordens necessárias para que sempre haja dois carregadores à minha disposição; contrata-os e ajusta com eles as minhas condições. Dois, bastarão. Terão de levantar-me somente para subir as escadas, porque no terreno plano, na rua... bastará que me empurrem; dize-lhes isso e paga-lhes adiantado, para que eles se mostrem mais respeitosos. Ficarás sempre a meu lado. E tu, Alieksiéi Ivânovitch, terás de mostrar-me esse tal barão no passeio; quero conhecer, ainda que seja de vista, esse *von-baron.* Bem, vamos ver: onde se encontra essa famosa roleta?

Expliquei-lhe que a roleta estava instalada no cassino, nas salas. Logo se seguiram estas perguntas: "Há muitas? Funcionam o dia inteiro? Como funcionam?". Respondi-lhe que o melhor era ver tudo isso com os próprios olhos, sendo bastante difícil descrevê-lo com palavras.

— Está bem, pois então me levem para lá imediatamente. Vai tu na frente, Alieksiéi Ivânovitch.

— Mas, titia, a senhora nem descansou da viagem! — exclamou, solícito, o general.

Parecia algo inquieto e todos os presentes começavam a entrefitar-se. Provavelmente, sentiam todos algum embaraço e até vergonha no ir escoltando a avozinha diretamente para a sala de jogo onde, como era natural, poderia praticar alguma extravagância em público. Não obstante isto, todos se ofereciam para acompanhá-la.

— Mas para que preciso descansar? Não estou cansada e, além disso, estou sentada há cinco dias. E, também, temos de ver as fontes e as águas minerais e onde se acham... E, além do mais... essa... como disseste, Praskóvia?... essa *pointe,* não?

— *Pointe, babúlinhka.*

— *Pointe,* isso mesmo, *pointe.* E além disso, que é que há aqui?

— Ora viva, muitas coisas, vovó — respondeu Polina, embaraçada.

— Com que então tu mesma não o sabes? Marfa, tu também virás comigo! — disse à sua criada.

— Mas por que há de ir ela também, titia? — interveio, de repente, o general. — Isto, afinal, não é possível e também não deixarão entrar Potápitch no salão.

— Ora, isto é um absurdo! Ela é uma criada e por causa disto vão pô-la para fora? Ela também é gente. Faz uma semana que andamos aos trambolhões pelas estradas e também há de querer ver coisas. Com quem há de estar ela senão comigo? Sozinha, nem se atreveria a pôr a ponta do nariz na escada.

— Mas, vovó!

— Será que tens vergonha de vir comigo? Pois então fica em casa, que ninguém sente tua falta. Que general esse! Eu sim é que sou uma generala! Aliás, reparando bem, para que levar vocês todos a reboque? Posso ver tudo com Alieksiéi Ivânovitch.

Mas De-Grillet insistiu para que todos a acompanhassem e apressou-se em exprimir, com as mais amáveis frases, a satisfação que sentiria ele em escoltá-la, etc., etc. Todos ficaram comovidos.

— *Elle est tombée en enfance* — repetia De-Grillet ao general. — *Seule, elle fera des bêtises.*

Não pude ouvir mais. Era evidente, porém, que abrigava alguma intenção e talvez mesmo ilusões.

Dali à sala de jogo haveria uma meia versta. Nosso caminho seguia a alameda dos castanheiros até o largo, à margem do qual já se estava no salão. O general tranquilizou-se um pouco, porque nosso cortejo, embora um tanto excêntrico, nem por isso era menos digno e decente. Demais, nada havia de surpreendente no fato de que aparecesse, naquelas águas uma pessoa enferma e entrevada. Mas, pelo visto, o general tinha medo da sala de jogo: uma enferma, entrevada e ainda por cima velha, que tinha de ir à roleta. Polina e *Mademoiselle* Blanche seguiam ambas aos lados da cadeira de rodas. *Mademoiselle* Blanche sorria, estava ruidosamente alegre e *até mesmo, com muita amabilidade*, pilheriava com a avozinha; tanto que esta, por último, começou a dirigir-lhe a palavra. Polina, por outro lado, via-se obrigada a responder às incessantes e inúmeras perguntas da avozinha no estilo desta: "Quem é este que vem para cá? E esse que passou? É muito grande a cidade? É grande o jardim? Que árvore é essa? Que montanhas são aquelas? Voam águias por aqui? Que telhado ridículo!".

Mister Astley vinha a meu lado e sussurrou-me ao ouvido que esperava muito daquela manhã. Potápitch e Marfa vinham atrás de nós, imediatamente em seguida à cadeira: Potápitch, com seu fraque e de gravata branca, mas com gorro, e Marfa — quarentona, vermelhaça, mas com incipientes cabelos brancos — de touca, vestido de algodão e chiantes sapatos de couro de cabra. A avozinha voltava-se de vez em quando para falar-lhes. De-Grillet e o general tinham ficado um pouco para trás e falavam de não sei quê com muitíssimo ardor. O general estava muito aborrecido. De-Grillet exprimia-se com ar resoluto. É possível que estivesse infundindo coragem ao general; era evidente que lhe aconselhava alguma coisa. Mas a avozinha já havia pronunciado a frase fatídica: "A ti, não hei de dar-te dinheiro". É possível que semelhante notícia parecesse a De-Grillet inverossímil; mas o general conhecia bem sua tia. Observei que De-Grillet e *Mademoiselle* Blanche continuavam trocando olhares. Avistei além, no fim da avenida, o príncipe e o viajante alemão: tinham-se atrasado de nós e dirigido para não sei onde.

Entramos triunfalmente na sala de jogo. O suíço e os criados trataram-nos com o mesmo respeito que toda a criadagem do hotel. Mas, ainda assim, olhavam-nos com curiosidade. A avó, a princípio, ordenou que a passeássemos por todas as salas, algumas das quais elogiou, enquanto outras a deixavam completamente indiferente. Perguntava por tudo. Finalmente, chegamos à sala de jogo. O criado que estava de plantão diante das portas fechadas, abriu-as, um pouco desconcertado, de par em par.

A presença da *babúlinhka* diante da roleta causou intensa impressão no público. Na mesa de jogo e na outra extremidade da sala, onde funcionava uma mesa de *trente et quarante,* apinhavam-se talvez mesmo cento e cinquenta ou duzentos jogadores, em várias filas. Aqueles que tinham conseguido abrir caminho até a mesma mesa, apertavam-se, como de costume, uns contra os outros e só abandonavam seu lugar quando perdiam tudo, porque já então eram simples mirones e não era permitido ocupar em vão um lugar na mesa de jogo. Embora houvesse cadeiras colocadas em torno da mesa, poucos dos jogadores as ocupavam, particularmente quando havia grande afluência de público, porque de pé pode-se estar mais apertado e, portanto, poupar lugar e até acomodar-se melhor; A segunda e a terceira filas comprimiam-se contra a primeira, aguardando e observando sua vez; mas, movida pela impaciência, costumava estender-se por entre a primeira fila alguma mão para colocar sua ficha. Também da terceira fila fazia-se esforço para colocar assim as paradas, pelo que não se haviam passado dez e ainda mesmo cinco minutos, e já em alguma ponta da mesa, começavam as discussões a propósito de *alguma parada discutível.* Aliás, a polícia do cassino é bastante organizada. Os apertos, naturalmente, era impossível evitá-los, antes pelo contrário, neles o público se encontrava a gosto, porque eram proveitosos; mas oito *croupiers,* sentados em torno da mesa, observavam, de olho vivo, as paradas, faziam a conta e, quando surgia alguma discussão, cortavam-na imediatamente. Nos casos extremos chamavam a polícia e a coisa terminava num minuto. Os polícias andavam pela sala, à paisana, confundidos com os espectadores, de modo que não era possível distingui-los. Vigiavam especialmente os ladrões profissionais, que pululam sobremodo nas salas de jogo, pela extraordinária facilidade que estas lhes proporcionam para exercitar sua indústria. Na verdade, em todos os demais lugares é preciso roubar, metendo as mãos nos bolsos ou forçando fechaduras... O que, no caso de fracasso, acarreta consequências desagradáveis. Ao passo que aqui, simplesmente basta aproximar-se da roleta, pôr-se a olhar e de repente, ostensivamente, apoderar-se do ganho alheio e metê-lo no bolso e, se se armar discussão, sustentar com voz firme que a jogada... é dele. Fazendo a coisa bem feita e no caso de titubearem as testemunhas é muito frequente que o ladrão consiga ficar com o dinheiro, supondo, naturalmente, que não se trate de uma quantia considerável. Neste último caso não passa inadvertida a coisa para os *croupiers*, e menos ainda para os demais jogadores. Mas se a soma não é tão respeitável, costuma ocorrer que seu verdadeiro dono renuncie a prolongar a discussão, temendo o escândalo, e se retire. Caso porém consigam provar o roubo imediatamente levam dali preso o ladrão, em meio de um escândalo.

Tudo isto a avozinha via lá de trás, curiosamente ávida. Achou muita divertida a detenção de um ladrão. O *trente et quarante* excitou muito pouco sua curiosidade: gostou mais da roleta e do rolar da bolinha. Mas afinal quis ver mais de perto o jogo. Não compreendo como pôde ser, mas os criados e alguns outros agentes solícitos (sobretudo os poloneses que perderam oferecem seus serviços aos jogadores infelizes e a todos os estrangeiros) imediatamente encontraram e abriram lugar para a avozinha, apesar de todo aquele aperto, no centro mesmo da mesa, junto ao *croupier chef*, e para ali arrastaram a cadeira. Muitos hóspedes do hotel que não jogavam e, um pouco afastados, contemplavam o jogo (sobretudo ingleses com suas famílias), reuniram-se logo em torno da mesa dela, para por cima do ombro dos jogadores observar a avozinha. Numerosas lunetas assestaram-se sobre ela. Os *croupiers* conceberam ilusões; um jogador tão extravagante devia prometer-lhes, com efeito, algo de extraordinário. Uma setentona que está entrevada e deseja jogar, não é sem dúvida coisa que se veja todos os dias. Eu também abri caminho até a mesa e coloquei-me junto da avozinha. Potápitch e Marfa ficaram um tanto atrás entre o público. O general, Polina, De-Grillet e *Mademoiselle* Blanche também se puseram a um lado entre a multidão.

A avozinha ficou, a princípio, olhando os jogadores. Fazia-me perguntas cortantes e secas em voz baixa: "Quem é esse? Quem é essa?". Achou graça, sobretudo, lá na extremidade da mesa, num rapazinho que fazia jogo alto, de jogadas de milhares de francos e que, segundo murmuravam ali em redor, já havia ganho quarenta mil francos que tinha diante de si, empilhados num montezinho, em moedas e cédulas. Estava pálido; seus olhos lançavam fogo e suas mãos tremiam; ia colocando, sem fazer conta quanto dinheiro podia pegar com a mão e, mesmo assim, não fazia outra coisa senão ganhar e ganhar, empilhando dinheiro. Os criados apressavam-se em redor dele, colocaram-lhe atrás uma cadeira, faziam lugar em torno dele para que estivesse mais à vontade, para que não sofresse apertos... tudo na esperança de uma boa gorjeta. Muitos jogadores costumam dar-lhes o dinheiro sem contar e, por pura alegria, até aos punhados. Junto do rapazinho referido havia-se colocado um polonesinho que velava por ele ciosamente e, com respeito, mas continuamente lhe dizia algo ao ouvido, indicando-lhe, sem dúvida, onde devia apostar, assessorando-o e dirigindo-lhe o jogo... é claro que também com a esperança da consequente gratificação! Mas o jogador mal reparava nele, apostava a torto e a direito e sempre ganhava. Era evidente que havia perdido a cabeça.

A avozinha observou-o durante alguns minutos.

— Diga-lhe — exclamou, de repente, a avozinha, dirigindo-se a mim, — diga-lhe que largue, que guarde quanto antes o dinheiro e que se vá embora, vai perder, vai perder tudo depois! — insistiu, quase ofegante de emoção. — Onde está Potápitch?... Mande-lhe o recado por Potápitch. Diga-lhe — intimou-me. — Mas onde esse Potápitch? *Sortez! Sortez!*[18] — gritou ela mesma ao rapaz. Inclinei-me e energicamente lhe disse ao ouvido que ali não se podia gritar, que até falar estava severamente proibido, porque atrapalhava as contas e poderia ocasionar a nossa expulsão.

— Que pena! Caiu na armadilha o coitado! Embora, afinal de contas, é por seu gosto... Não posso olhar para ele, vai perder tudo. Que bobo! — e a avozinha deu-se pressa em voltar a vista para outra parte.

Ali, à esquerda, na outra metade da mesa, entre os jogadores, havia notado a presença de uma jovem que tinha a seu lado um anão. Quem seria aquele anão... ignoro-o; parente seu, talvez, se não era que o havia levado ali para produzir efeito. Já havia eu visto aquela senhorita antes; apresentava-se na sala de jogo, diariamente, ao meio dia, e dali se retirava à uma hora da tarde em ponto, todos os dias, ficando uma hora a jogar. Já a conheciam ali e imediatamente levavam-lhe uma cadeira. Tirava do bolso um punhado de ouro, algumas notas de mil francos e começava apostando devagar, com calma, fazendo contas, tomando notas a lápis num caderninho, de alguns números, esforçando-se por averiguar o sistema mediante o qual, num momento determinado, agrupavam-se as sortes. Apostava montezinhos consideráveis. Ganhava diariamente mil, dois mil e, muitas vezes, três mil francos... nada mais, e, assim que os ganhava, retirava-se imediatamente. A avozinha esteve observando por longo tempo.

— Com efeito, essa nunca há de perder!... Donde será? Não a conheces? Quem é?

— Deve ser francesa — murmurei-lhe.

— Ah! Parece um passarinho voando. Vê-se que afina as unhas. Mas explica-me agora o que significa cada bolada e como se faz para apostar.

Expliquei-lhe, o mais possível, o que significam aquelas numerosas combinações de jogadas, *rouge et noir, pair et impair, manque et passe* e, por último, os diversos matizes nos sistemas dos números. A avozinha escutava-me atentamente, esforçava-se para reter na memória o que se devia, interrompia-me com alguma pergunta, até ficar bem instruída. De cada sistema de jogadas podia-se logo citar uma série de exemplos, de modo que aprendeu muitas coisas que reteve rápida e facilmente. A avozinha ficou muito satisfeita.

— E que negócio é esse de zero? Não ouviste aquele *croupier* chato, o principal, acabar de gritar "zero"? E por que rapa tudo que está sobre a mesa? Que barbaridade, levou tudo! Que quer dizer isso?

— O zero, *bábuchka,* fica como benefício da banca. Quando a bolinha cai no zero, tudo quanto houver na mesa, tudo, sem exceção, pertence à banca. Na verdade, pode-se salvar a jogada; mas a banca não paga nada.

— Que dizes? Com que então não me dão nada?

---

18 Saia! Saia!

— Não, *babúlinhka;* mas se a senhora apostou no zero e dá o zero, então lhe pagam trinta e cinco vezes mais.

— Como? Trinta e cinco vezes mais? E ele dá muitas vezes? Pois então por que esses bobos não apostam no zero?

— Há trinta e seis probabilidades contra, avozinha.

— Que absurdo! Potápitch, Potápitch! Não, espera, tenho dinheiro: aqui... Aqui está! — tirou do bolso uma avultada bolsinha de dinheiro e dela extraiu um frederico de ouro. — Anda, coloca-o imediatamente no zero.

— Mas, *babúlinhka,* o zero acaba de sair — disse-lhe. — Decerto levará muito tempo sem dar. A senhora apressa-se em apostar; aguarde um pouquinho.

— Ora, que disparate, que disparate! Quem não arrisca não petisca. O quê? Perdemos! Aposta outra vez!

Perdemos também o segundo frederico de ouro; apostamos um terceiro; a avozinha mal se podia manter quieta; fitava com olhos ardentes a bolinha que ziguezagueava através dos dentes da roda girante. Perdemos também o terceiro. A avozinha estava fora de si, não podia manter-se em seu lugar e deu até um murro na mesa ao ouvir que o *croupier* cantava *trente six* em vez do esperado zero.

— Olhe só que desgraça, homem! — irritou-se a avozinha. — Tardará muito a sair esse condenado zerinho? Isso é coisa daquele maldito *croupier* de nariz chato. Nunca dá o zero! Alieksiéi Ivânovitch, põe dois fredericos de uma vez. Pões tão pouco que, se der o zero, não ganhas nada!

— *Babúlinhka!*

— Põe dois, vamos, põe!... Não é dinheiro teu.

Coloquei os dois fredericos de ouro. A bolinha andou saltitanto pela roda e, finalmente, foi-se detendo nos dentes. A avozinha estremeceu, apertou-me a mão e, de repente, bateu palmas.

— Zero — cantou o *croupier.*

— Vês, estás vendo?... — disse a avozinha, voltando-se rápida para mim, toda radiante e satisfeita. — Eu não estava dizendo? O próprio Deus inspirou-me a ideia de por os dois fredericos! Quanto nos vão pagar agora? Potápitch, Marfa, onde estão? Para onde foram os nossos... Potápitch, Potápitch!

— *Babúlinhka,* depois... — murmurei-lhe. — Potápitch está na porta, porque não o deixam passar. Veja, avozinha, já lhe estão pagando o dinheiro; recolha-o!

Entregaram a avozinha um pesado pacote lacrado, envolto em papel azul, com cinquenta fredericos em ouro e contaram-lhe, além disso, outros vinte, ainda não lacrados. Aproximei tudo da avozinha com a raqueta.

— *Faitez le jeu, messieurs! Faitez le jeu, messieurs! Rien ne va plus!*[19] — cantou o *croupier* convidando os jogadores a fazer suas apostas e dispondo-se a fazer girar a roleta.

— Meu Deus! Atrasamo-nos! Já vão rodar! — disse a avozinha, inquieta.— Vamos, não demores, moleirão! — exclamou fora de si, dando-me cotoveladas com todas as suas forças.

— *Mas onde ponho, avozinha?*

---

19 Façam o jogo, senhores! Façam o jogo, senhores! Nada mais! (Expressões habituais dos *croupiers*).

— No zero, no zero! Outra vez no zero! Põe o mais que puderes! Quanto temos ao todo? Setenta fredericos de ouro? Pois então, nada de sovinices; põe vinte fredericos de uma vez!

— Mas, pense bem, avozinha! Às vezes leva duzentas vezes sem sair. Asseguro-lhe que vai perder tudo.

— Ora, estás mentindo, estás mentindo! Põe! Não sabes fazer outra coisa senão dar com a língua! Sei o que faço! — exclamou, alucinada, a avozinha.

— Mas não é permitido por mais de doze fredericos de ouro de uma vez no zero, avozinha!... Olhe! Já estão postos!

— Como é que não é permitido?... Não me mintas! *Mussiê! Mussiê!* — interpelou ela o *croupier* que estava sentado a seu lado e se dispunha já a fazer girar a roleta. — *Combien zero? Douze? Douze?*

Apressei-me em explicar-lhe a pergunta em francês.

— *Oui, madame* — confirmou o *croupier*, cortesmente. — Da mesma maneira que toda jogada individual não deve ultrapassar quatro mil florins, — acrescentou, esclarecedor.

— Bem, que havemos de fazer! Põe os doze.

— *Le jeu est fait!*[20] — cantou o *croupier*. A roleta girou e saiu o trinta. Perdemos!

— Mais, mais, mais! Continua pondo! — exclamou a avozinha. Desisti de contradizê-la e, encolhendo os ombros, tornei a por outros doze fredericos de ouro. A roda esteve girando longo tempo. A avozinha tremia, simplesmente, acompanhando a roleta com a vista. "Mas será possível que tenha a ilusão de que vai dar o zero de novo?", pensava eu, olhando-a com assombro. Resplandecia em seu semblante decidida convicção de ganhar... A infalível expectativa de que iriam novamente cantar zero.

A bolinha se deteve numa casa.

— Zero — cantou o *croupier*.

— Ah!! — exclamou a avozinha, voltando-se para mim, num frenético triunfo. Também eu era jogador; senti-o assim naquele instante. Tremiam-me as mãos e os pés, a cabeça rodava-me. Era, sem dúvida, uma rara casualidade o fato de, entre dez golpes, três vezes houvesse dado o zero; mas, afinal de contas, não tinha nada de particularmente extraordinário. Eu mesmo tivera ocasião de ver três dias antes como davam três zeros seguidos, e um dos jogadores, que tomava cuidadosamente nota, num caderninho, de todas as saídas, observou em voz alta que no dia anterior, sem ir mais longe, o zero só havia dado uma vez em vinte e quatro horas.

Como a avozinha conseguira justamente o ganho mais considerável, atendiam-na, ao fazer a conta, com deferência e respeito. Veio a receber exatamente quatrocentos e vinte fredericos de ouro, isto é, quatro mil florins com vinte fredericos de ouro. Deram-lhe em ouro os vinte fredericos de ouro; os quatro mil florins, em notas de banco.

Mas daquela vez a avozinha já não chamou Potápitch; estava ocupada com outra coisa. Nem sequer se agitava, nem tremia por fora. Por assim dizer, tremia por dentro. Toda ela estava reconcentrada e como que aferrada a alguma coisa.

20 O jogo está feito.

— Alieksiéi Ivânovitch!... Não disseste que se podia apostar de uma vez quatro mil florins? Pois toma: põe estes quatro mil florins no vermelho — decidiu a avozinha.

Era inútil opor-se. A roleta girou.

— *Rouge!* — cantou o *croupier*.

De novo quatro mil florins, ou sejam, no total, oito mil.

— Dá-me cá quatro mil e outros quatro mil torna a pô-los no vermelho — ordenou a avozinha.

Coloquei os quatro mil de novo.

— *Rouge!* — cantou o *croupier*.

— Doze mil, ao todo! Dá-me todos aqui. Mete o ouro aqui, no porta-moedas, e guarda contigo as cédulas. Chega! Para casa! Empurrai a cadeira!

CAPÍTULO XI

Conduziram a cadeira para a porta na outra extremidade da sala. A avozinha ia radiante. Todos os nossos apinharam-se logo em torno dela para felicitá-la. Por mais extravagante que fosse a conduta da avozinha, seu triunfo compensava muitas coisas, e o general já não receava comprometer-se diante do público, não ocultando suas relações de parentesco com aquela tia esquisita. Com benévolo sorriso, de uma jovialidade familiar, como quem mima uma criança, felicitou a avozinha. Além do mais estava visivelmente assombrado, como todos os outros espectadores. Falavam em redor e apontavam para a avozinha. *Mister* Astley, um pouco à parte, falava dela a dois ingleses, seus amigos. Algumas damas majestosas contemplavam-na com solene perplexidade, como a algo de raro. De-Grillet desfazia-se em felicitações e sorrisos.

— *Quelle victoire!* — diziam.

— *Mais, madame, c'était du feu!*[21] — acrescentou, com sorriso travesso, *Mademoiselle* Blanche.

— Com efeito, sem mais nem mais, ganhei doze mil florins! Doze mil florins sem contar o ouro! Virei a ter treze mil em ouro? Quanto será em nossa moeda? Seis mil rublos, não?

Expliquei que chegaria aos sete mil e talvez, com o câmbio atual, aos oito mil.

— Uma bagatela, oito mil, ora essa! Mas que fazeis aqui sentados, vadios? Potápitch, Marfa, viram vocês?

— *Mátuchka,* mas será possível? Oito mil rublos! — exclamou Marfa, toda prazenteira.

— Ora, toma estes cinco fredericos de ouro, para cada um! Potápitch e Marfa beijaram-lhe as mãos.

— E dai aos carregadores um frederico a cada um. Dá em ouro, Alieksiéi Ivânovitch! Que querem dizer com suas saudações esse criado e aquele outro também? Felicitam? Pois então dá-lhes também a cada um seu frederico.

21 Mas, senhora, era fogo!

— *Madame la princesse... Un pauvre expatrié... Malheurs continuels... Les princes russes sont si généreux!* — exclamou, em torno da cadeira, um indivíduo que vestia um sobretudo puído, colete de várias cores e exibia bigodes e, de boné na mão, sorria servilmente

— Dá-lhe também um frederico. Não, dá-lhe dois; bem; basta, porque, se não, é um nunca acabar. Levantai-me e levai-me. Praskóvia — disse, fitando Polina Alieksándrovna, — amanhã comprarei para ti um vestido e comprarei outro também para a *mademoiselle*... como é?... *Mademoiselle* Blanche, é isso; também comprarei um vestido para ela. Dize-lhe isto, Praskóvia!

— *Merci, madame* — exclamou, graciosamente, *Mademoiselle* Blanche, franzindo a boca num sorriso brincalhão, retribuído por De-Grillet e pelo general. Este estava algo constrangido e alegrou-se enormemente, quando chegamos à avenida.

— Fiedóssia, Fiedóssia, agora é que me lembro disso — disse a avozinha, lembrando-se da ama do general. — É preciso comprar também um vestido para ela. Ei, Alieksiéi Ivânovitch, Alieksiéi Ivânovitch, dá uma esmola a esse mendigo!

Durante o caminho, saiu-nos a passo um indivíduo, de costas curvadas, que nos ficou olhando.

— Mas pode bem ser, avozinha, que não se trate de um mendigo, mas de um passante.

— Dá-lhe! Dá-lhe! Dá-lhe um florim.

Aproximei-me dele e dei-lhe o florim. Olhou-me com enorme assombro; mas em silêncio aceitou o florim. Fedia a vinho.

— E tu, Alieksiéi Ivânovitch, ainda não experimentaste tua sorte?

— Não, *babúlinhka*.

— Mas como os teus olhos faiscavam! Eu bem vi.

— Experimentarei a sorte, irremediavelmente, depois.

— Joga também no zero! Já viste! Quanto dinheiro tens?

— Vinte fredericos de ouro ao todo, avozinha.

— É pouco. Vou te emprestar cinquenta fredericos de ouro, se quiseres. Aqui está este pacotinho, toma-o. Mas tu, *bátiuchka,* não tenhas a ilusão de que vamos dar-te dinheiro — gritou ela, de repente, para o general.

Foi isto para ele uma punhalada; mas calou-se. De-Grillet franziu o cenho.

— *Que diable, c'est une terrible vieille!* — murmurou entre dentes, dirigindo-se ao general.

— Um pobre, um pobre, outro pobre! — exclamou a avozinha. — Alieksiéi Ivânovitch, dá-lhe outro florim.

Mas daquela vez tratava-se de um velho com a cabeça branca e uma perna de pau, vestido de um sobretudo azul que chegava até ao chão e trazia na mão um comprido bastão. Parecia um inválido. Mas ao ir eu dar-lhe o florim, recuou um passo e ficou a fitar-me com um olhar ameaçador.

— *Was ist's, der Teufel!...*[22] — exclamou, com um acompanhamento de dez blasfêmias mais.

— Ora, que imbecil! — disse a avozinha, agitando as mãos. — Segui adiante!... Já estou com fome! Vou agora mesmo comer; depois, descansar um pouquinho e, em seguida, outra vez lá.

22 Que é isto, com os diabos?!

— Mas pensa a senhora voltar a jogar, *babúlinhka!* — perguntei.

— Pois que era que pensavas? Vocês estão aqui, muito quietinhos a se aborrecer, e acreditam que vou fazer o mesmo?

— *Mais, madame* — aproximou-se De-Grillet. — *Les chances peuvent tourner, une seule mauvaise chance et vous perdrez tout... Surtout avec votre jeu... C'était terrible!*[23]

— *Vous perdrez absolument* — gorjeou *Mademoiselle* Blanche.

— E a vós, que vos importa! Não vou perder nada vosso... senão o que é meu! Mas onde anda esse Senhor Astley? — perguntou-me.

— Ficou no cassino, *babúlinhka.*

— Sinto muito, porque esse, sim, é uma boa pessoa.

Ao chegar em casa, a avozinha, ainda na escada, como encontrasse o *oberkellner,* chamou-o e se pôs a contar-lhe seu triunfo. Depois mandou chamar Fiedóssia, deu-lhe três fredericos de ouro e ordenou que lhe trouxesse comida. Fiedóssia e Marfa desfizeram-se em reverências.

— Estava a olhá-la, *mátuchka* — tagarela Marfa, — e vou e digo a Potápitch: "Que é que nossa *mátuchka* quer fazer?". E na mesa, quanto dinheiro, quanto dinheiro, *bátiuchka!* Em toda a minha vida nunca vi tanto dinheiro junto e todos em redor, senhores, somente senhores se sentam ali. "E como é — pergunto a Potápitch — que há aqui tantos senhores reunidos?" E digo entre mim que a própria mãe de Deus venha em seu socorro. E me ponho a rezar pela senhora, *mátuchka,* e o meu coração começa a bater e me ponho a tremer, toda a tremer. Dá-lhe sorte, Senhor. E olhe a senhora, logo me ouviu o Senhor. Desde então, *mátuchka,* tremendo estou, da cabeça aos pés.

— Alieksiéi Ivânovitch, depois do jantar, às quatro horas, prepara-te que voltaremos para lá. Agora, entretanto, adeus. Não te esqueças de enviar-me um medicastro qualquer e, além disso, tenho de tomar as águas. Mas não te esqueças de acordar-me.

Afastei-me da avozinha como se estivesse alucinado. Tratava de imaginar o que iria ser agora de todos nós e que cara tomariam as coisas. Via claramente que eles (sobretudo o general) ainda não tinham conseguido repor-se da primeira impressão. O fato da aparição da avozinha, em vez do telegrama que de hora em hora aguardavam com a notícia da sua morte (e, por conseguinte, da herança), havia deitado por terra a tal ponto todo o sistema de suas intenções e resoluções já adotadas, que com viva perplexidade e como em estado cataléptico tiveram de arranjar-se com a posterior façanha da avozinha na roleta. E, ainda por cima, este segundo fato tinha quase mais importância que o primeiro; a avozinha bem declarara por duas vezes que não pensava dar dinheiro ao general, mas, quem sabe? Apesar de tudo não era caso de perder a esperança. Não a tinha perdido De-Grillet, que andava implicado em todos os negócios do general. Estou certo de que *Mademoiselle* Blanche, também muito implicada neles (e com muita razão: generala e uma herança considerável), não a havia perdido tampouco e começava todas as seduções para conquistar a avozinha... Ao contrário de Polina, tola e incapaz de zumbaias, orgulhosinha. *Mas, agora, agora que a avozinha* realizara tantas façanhas na roleta, agora que a

23 Mas, senhora, a sorte pode mudar, um só mau azar e a senhora perderá tudo... sobretudo com seu jogo... Era terrível!

personalidade da avozinha se destacava diante deles tão clara e tipicamente "uma velha teimosa, autoritária *et tombée en enfance*", agora tudo estava perdido; porque ela, como uma menina, alegrava-se pelo fato de que a despojassem e se continuasse assim acabaria perdendo tudo. "Meu Deus — pensava eu (e perdoai-me, Senhor! com uma alegria malvada), — seguramente cada frederico de ouro daqueles que a um momento apostou a avozinha na roleta foi ferir dolorosamente no coração o general, encheu de raiva De-Grillet e tirou dos eixos *Mademoiselle* de Cominges, a quem já tinham posto a colher perto da boca." E, além disso, é preciso ter em conta outro fato: até em meio de seu ganho e de sua alegria, quando a avozinha repartia dinheiro com todos e tomava os transeuntes por mendigos, ainda nesse momento teve coragem de dizer ao general: "Mas a ti não te damos!". O que quer dizer que se fixou neste pensamento, que emperrou nele, que deu a si mesma palavra... perigoso, perigoso!

Todas estas reflexões cruzavam pela minha mente enquanto, depois de ter-me separado da avozinha, subia a suntuosa escadaria, até o último andar, onde se achava meu quartinho. Tudo isto me preocupava grandemente. Ainda que, sem dúvida, tivesse podido adivinhar de antemão os fios mais principais e mais grossos que uniam entre si os atores, ainda assim, não sabia eu, de modo definitivo, todos os recursos e segredos daquele jogo. Polina nunca tivera plena confiança em mim. Embora sucedesse alguma vez que por espaço de meia hora me descobria, como de má vontade, seu coração, observava eu com frequência, para não dizer sempre, depois de tais confidências, ou levava na brincadeira tudo o que dizia, ou o desdizia, e com toda intenção dava a tudo uma interpretação falsa. Oh! quantas coisas me ocultava! Seja como for, pressentia eu que se aproximava o desenlace de toda aquela situação turva e tensa. Um golpe mais... e tudo acabaria e se descobriria. Com a minha sorte, que também estava envolvida em tudo isto, mal me preocupava. Estranha situação a minha. Tinha no bolso, ao todo, vinte fredericos de ouro: encontrava-me longe de minha pátria, em país estrangeiro, sem colocação e sem meios de vida, sem esperanças, sem planos para o futuro e... não me preocupava com isto! Se não tivesse pensado em Polina, teria me entregado por completo ao interesse cômico daquele episódio e daria risada a plenos pulmões. Mas Polina me preocupava; ia decidir-se sua sorte, pressentia-o eu, embora, se tenho de dizer tudo, não fosse sua sorte tampouco o que me inquietava. Queria eu penetrar seu segredo; queria que ela viesse a mim e me dissesse: "Amo-te", e se isto não podia ser, se resultava um absurdo que não se pode pensar, então... que desejar agora? Por acaso sei eu o que quero? Eu mesmo estou como que alucinado; não desejaria senão estar sempre ao lado dela, em sua auréola, em seu fulgor, eternamente, sempre, toda a vida. É isto a única coisa que sei! E posso por acaso afastar-me dela?

No terceiro andar, no corredor, tive como que um choque. Voltei-me e, a vinte passos ou mais, vi Polina que saía de um quarto, Parecia que tivesse estado a aguardar-me e de tocaia, pois logo se dirigiu a mim.

— Polina Alieksándrovna...

— Mais baixo — murmurou-me.

— Imagine você — disse-me em voz baixa. — Há um instante tive a impressão de sentir que me tocavam de leve nas costas; volto a vista... e dou com você. Parece até que você irradia eletricidade!

— Tome esta carta — disse-me Polina preocupada e com ar sombrio, sem ter ouvido certamente o que eu lhe dissera, — e entregue-a pessoalmente a *Mister* Astley logo. Imediatamente, rogo-lhe. Não espere resposta. Ele próprio...

Não terminou a frase.

— *Mister* Astley? — interrompi-a, assombrado.

Mas Polina já havia fechado a porta.

— Ah! então trocam correspondência!

Naturalmente, saí logo correndo em busca de *Mister* Astley, primeiro no hotel, onde não o encontrei; em seguida, no cassino, cujas salas todas percorri e, por fim, contrariado e quase desolado, ao voltar para casa, encontrei-o por acaso a cavalo, fazendo parte de uma cavalgada de ingleses de ambos os sexos. Fui-lhe ao encontro, detive-o e entreguei-lhe a carta. Não tivemos tempo nem de trocar um olhar. Mas suspeito que *Mister* Astley, intencionalmente, deu-se pressa em apear de sua montaria.

Estaria eu torturado pelo ciúme? Em todo o caso, achava-me na mais depressiva disposição de ânimo. Não queria admitir que eles se carteassem. "Não, seu confidente era eu! Um ao outro — pensava e isto era claro — se comunicam por escrito quanto podem..." Mas será isto amor? "Decerto que não", murmurava eu, raciocinando. Mas o raciocínio pouco significa em casos semelhantes. Fosse como fosse era preciso urgentemente esclarecer aquilo. O caso complicava-se desagradavelmente.

Mal cheguei ao hotel, o suíço e o camareiro-mor, que saía de seu quarto, comunicaram-me que precisavam de mim, que andavam à minha procura, que por três vezes mandaram perguntar onde estava eu... e que me rogavam que me dirigisse a toda a pressa aos aposentos do general. Achava-me eu na mais aborrecida disposição de espírito. Encontrei no gabinete do general, além deste, De-Grillet e *Mademoiselle* Blanche, sozinha, sem sua mãe. Era esta, decididamente, uma mãe postiça, só utilizada por pura ostentação; mas quando se tratava de negócio sério, *Mademoiselle* Blanche atuava sozinha e extraordinário seria que aquela soubesse de algo dos embrulhos de sua suposta filha.

Discutiam eles com bastante animação não sei o que e mantinham até fechada a porta do gabinete... o que nunca acontecia. Ao aproximar-me da porta ouvi uma voz dura... a voz cortante e brusca de De-Grillet, os gritos descaradamente insultantes e furiosos de Blanche e a voz lamentosa do general que, pelo visto, tentava justificar-se de alguma coisa. Quando entrei, todos pareceram reprimir-se e conter-se. De-Grillet alisou os cabelos e deu a seu semblante iracundo uma expressão risonha... aquele antipático sorriso francês, oficialmente cortês, que tanto me aborrece. O general, abatido e transtornado, ergueu-se, porém maquinalmente. *Mademoiselle* Blanche foi a única que não mudou sua fulminante expressão de cólera, limitando-se a guardar silêncio e a encarar-me com impaciente expectativa. Observarei, de passagem, que estivera até então a tratar-me de maneira inverossimilmente desdenhosa, a ponto de não se dignar responder a meus cumprimentos... Não reparava em mim, simplesmente.

— Alieksiéi Ivânovitch — começou o general, com um tom de voz ternamente lisonjeiro, — permita-me que lhe explique que é extraordinário, em grau sumamente *extraordinário... numa palavra*: que seu modo de conduzir-se para comigo e para com minha família... numa palavra que é em grau sumamente extraordinário...

— Oh! *Ce n'est pas ça*[24] — atalhou-o De-Grillet com agastamento de desprezo. Decididamente, metia-se em tudo. — *Mon cher monsieur, notre cher général se trompe*[25]... ao empregar esse tom (continuarei em russo a fala dele), mas queria dizer-lhe... isto é, adverti-lo, ou, melhor dito, rogar-lhe nos termos mais persuasivos, que não queira o senhor perdê-lo... é isto, sim, perdê-lo! Emprego precisamente esta expressão.

— Mas que é isto, de que se trata? — interrompi-o.

— Faça-me o favor; o senhor encarregou-se de ser o guia (ou como dizê-lo?) daquela anciã, *cette pauvre et terrible vieille* — o próprio De-Grillet se atrapalhava, — mas tenha em conta que vai perder, vai perder tudo na mesa de jogo. O senhor mesmo pôde ver, o senhor mesmo foi testemunha do jogo que ela faz. Assim que começar a perder, não quererá mais afastar-se da mesa, por teimosia, por cólera haverá de querer jogar tudo, tudo haverá de querer jogar e nestes casos nunca chega a desforra, e então... então...

— E então — insistiu o general, — então terá o senhor causado a ruína de toda uma família. Eu e minha família, nós... somos seus únicos herdeiros, não tem parentes mais próximos. Vou lhe dizer francamente: meus negócios vão muito mal, sumamente mal. Você, até certo ponto, sabe disto... Caso perca ela uma quantia considerável, ou quem sabe todo o seu capital (Oh! meu Deus!), que vai ser então deles, de meus filhos? — o general lançou um olhar para De-Grillet. — De mim! — lançou uma olhadela a *Mademoiselle* Blanche, que se afastava de seu lado com desprezo. — Alieksiéi Ivânovitch, salve-nos, salve-nos você!...

— Mas em que, diga-me o senhor, general, em que posso eu?... Quem sou eu aqui?

— Não se preste você, não se preste você, abandone-a!...

— Haverá de encontrar outro! — exclamei.

— *Ce n'est pas ça, n'est pas ça* — atalhou de novo De-Grillet. — *Que diable!* Não, não a abandone, mas pelo menos aconselhe-a, convença-a, dissuada-a... Vamos, numa palavra: não a deixe jogar demasiado, procure distraí-la de algum modo...

—Mas se é isto que faço? Mas por que não se encarrega disso o senhor mesmo, Senhor Grillet? — interrompi-o do modo mais ingênuo possível.

Ao chegar aqui observei rápido e inquisitivo o olhar cintilante de *Mademoiselle* Blanche para De-Grillet. Pelo rosto de De-Grillet passou algo de especial, algo assim como um impulso de franqueza que não podia conter.

— O mau é que ela agora não ia querer me aceitar! — exclamou, erguendo as mãos, De-Grillet. — Se por acaso... depois...

De-Grillet lançou rápido e significativo olhar a *Mademoiselle* Blanche.

— *Oh, mon cher Mister Alexis, soyez si bon*[26] — disse, adiantando-se para mim com seu sorriso sedutor a própria *Mademoiselle* Blanche que, pegando ambas as minhas mãos, as apertou com força. Para o diabo, ela! Aquele rosto diabólico sabia mudar de expressão num segundo. Naquele momento deixou ver um rosto tão implorativo, tão mansinho, tão infantilmente risonho e tão travesso... Ao acabar sua frase, lançou-me uma piscadela velhaca, às ocultas de todos. Seria desejo seu

24 Não é isto.
25 Meu caro senhor, nosso caro general se engana...
26 Oh! Meu caro senhor Alieksiéi, seja bonzinho.

seduzir-me de uma vez? E não se saiu mal... Somente que aquilo se tornava espantosamente demasiado vulgar.

Saltou também atrás dela o general... Assim mesmo como digo: saltou.

— Alieksiéi, perdoe-me havê-lo interpelado há pouco daquela maneira; não queria de modo algum... Rogo-lhe, suplico-lhe, curvo-me diante de você até a cintura, à moda russa... Você, somente você pode salvar-me! Eu e *Mademoiselle* de Cominges lhe suplicamos... Você compreende, não é verdade que compreende? — implorou, indicando-me com um olhar *Mademoiselle* Blanche. Estava de causar lástima.

Naquele momento fizeram-se ouvir três pancadinhas calmas e respeitosas na porta; abriram. Era o criado do corredor quem chamava, por trás do qual, a alguns passos de distância, surgia Potápitch. Vinham de parte da avozinha. Ela os havia encarregado de me procurar e me levar à sua presença, imediatamente, declarou Potápitch.

— Mas são apenas quatro e meia!

— É que não pôde dormir, não fazia senão dar voltas na cama e, de repente, levantou-se, pediu que lhe levassem a cadeira e que viéssemos buscá-lo. Já está no vestíbulo...

— *Quelle mégère!* — exclamou De-Grillet.

Encontrei efetivamente a avozinha no vestíbulo, fora de si, de pura impaciência por não me ver chegar. Desde as quatro já não vinha podendo conter-se.

— Vamos! Levantai-me! — exclamou e dirigímo-nos outra vez para a roleta.

Capítulo XII

Estava a avozinha nervosa e impaciente; saltava aos olhos que tinha a roleta fixa no pensamento. A nenhuma outra coisa atendia e, em geral, estava sumamente absorta. Por exemplo, nem perguntou por coisa alguma no caminho, como antes. Ao ver uma carruagem luxuosíssima, que passou diante de nós a toda velocidade, ergueu a mão e indagou: "Que carruagem é aquela? De quem é?". Mas creio que nem sequer escutou a minha resposta; sua abstração era interrompida a cada passo por movimentos bruscos e exclamações de impaciência. Tendo-lhe eu mostrado, de longe, quando já íamos chegando ao cassino, os barões de Burmerhelm, olhou-os distraída e, com absoluta indiferença, exclamou: "Ah! sim!", e, voltando-se rapidamente para Potápitch e Marfa que vinham atrás, disse-lhes:

— Mas, afinal, por que vem vocês? Não terei de levá-los sempre atrás de mim. Voltem para casa! Nós dois bastamos — acrescentou, dirigindo-se a mim, quando aqueles, depois de se desfazer em reverências, afastaram-se.

No cassino já esperavam a avozinha. Imediatamente conduziram-na ao mesmo lugar de antes, ao lado do *croupier*. Estava me parecendo que aqueles *croupiers*, sempre tão dignos e orgulhosos, como todos os funcionários, que sempre mostram decidida indiferença relativamente a que a banca perca ou ganhe, não eram, no íntimo, tão indiferentes às perdas dos bens, e, sem dúvida, tinham algumas instruções *para atrair os jogadores e velar pelos* interesses daquela, pela qual, sem remissão, tem de receber prêmios e gratificações. Pelo menos, já olhavam a avozinha como sua vítima. Em seguida, o que os nossos supunham, aconteceu.

Eis aqui como ocorreu a coisa:

A avozinha lançou-se direta ao zero e imediatamente mandou colocar nele doze fredericos de ouro. Apostou uma vez e outra. O zero não saía. "Põe, põe, põe outra vez!", dizia-me a avozinha impaciente, e eu lhe obedecia.

— Quantas vezes já apostamos? — perguntou, finalmente, rangendo os dentes de impaciência.

— Já fizemos doze apostas, *babúlinhka.* Cento e quarenta e quatro fredericos perdidos. Aconselho-a, avozinha, a deixar isto até a noite.

— Cala-te — atalhou-me a avozinha. — Continua apostando no zero e põe depois mil florins no vermelho. Olha: aqui tens uma cédula.

Saiu o vermelho e como o zero falhou, devolveram-nos outra vez mil florins.

— Estás vendo? Estás vendo? — balbuciou a avozinha. — Devolveram-nos quase tudo quanto tínhamos perdido. Aposta outra vez no zero; apostaremos nele outras dez vezes e depois o deixaremos.

Mas na quinta vez a avozinha desistiu de todo.

— Deixa esse condenado zerinho e que o diabo o carregue. Anda, põe quatro mil florins no vermelho, — ordenou.

— *Babúlinhka!* isto é muito e se depois não sair o vermelho... — implorei.

Mas a avozinha quase me bate. Além disso, dava-me tais cotoveladas, que me machucava. Não tinha outro remédio senão ceder; de modo que coloquei no vermelho os quatro mil florins que acabávamos de ganhar. A roleta girou. A avozinha estava muito tranquilamente sentada e olhava muito segura, sem dúvida, de que iria irremissivelmente ganhar.

— Zero! — cantou o *croupier.*

A princípio a avozinha não se deu conta, mas quando viu, assombrada, que o *croupier* arrebanhava seus quatro mil florins juntamente com os demais que havia sobre a mesa, e que o zero, que levara tanto tempo sem sair e por causa do qual tínhamos perdido quase duzentos fredericos de ouro, esperara para dar, como de propósito, quando a avozinha acabava de insultá-lo e de deixá-lo, lançou um ai e golpeou as mãos tão fortemente, que se ouviu em toda a sala. Em torno de nós ressoaram risadas.

— *Bátiuchka!* Pois não é que sai agora esse condenado! — exclamou a avozinha. — Ah! que amaldiçoado! a culpa é tua! Toda a culpa é tua! — increpou-me com violência, dando-me um empurrão. — Foste tu que me fizeste desistir dele.

— *Babúlinhka,* eu lhe dizia a verdade; como podia responder por todas as jogadas?

— Eu é que vou te dar as jogadas! — resmungou ela, em tom de ameaça. — Anda, sai do meu lado!

— Adeus, avozinha — e dando meia volta, me dispus a sair.

— Alieksiéi Ivânovitch... Alieksiéi Ivânovitch, não te vás! Aonde vais? Por que, por que te hás de ir? Será que ficaste zangado? Vamos, anda; vem cá; não te zangues, eu é que sou uma burra! Anda, vem e dize-me o que é que tenho de fazer!

— Eu, avozinha, não me atrevo a fazer-lhe indicações, porque depois a senhora dirá que é minha a culpa. Jogue sozinha; diga-me onde tenho de pôr, e porei.

— Vamos, vamos! Anda, põe outros quatro mil florins no vermelho. Aqui tens o porta-moedas, tira o dinheiro logo — e tirou do bolso e me entregou o porta-moedas.

— Anda, aposta logo; aqui tens vinte mil rublos em dinheiro contante e sonante.

— *Babúlinhka* — balbuciei eu, — tanto dinheiro...

— Morra eu se não me desforrar. Põe!

Pusemos e perdemos.

— Põe, põe, põe estes oito mil!

— Não pode ser, *bábuchka;* a jogada mais alta que consentem são quatro mil!

Mas daquela vez ganhamos. A avozinha recobrou alento.

— Vês? Estás vendo? —disse, dando-me um empurrão. — Põe outros quatro mil!

Fiz isso e... perdemos; depois repetimos a jogada... e tornamos a perder.

— *Bábuchka,* já se nos foram vinte mil florins — adverti-a.

— Estou vendo que se nos foram — declarou ela com certo furor tranquilo, se é possível exprimir-nos assim, — bem vejo, *bátiuchka,* bem vejo — murmurou, com o olhar fixo e parecendo meditar. — Ah! morra eu... põe outros quatro mil florins.

— Mas não temos mais dinheiro, avozinha; aqui neste caderninho, no porta-moedas não há senão obrigações russas a cinco por cento e alguns documentos, mas dinheiro não há.

— E no bolso?

— Só resta dinheiro miúdo, *bábuchka.*

— Não há aqui casa de câmbio? A mim me disseram que se podiam trocar todos os nossos valores — declarou a avozinha, enérgica.

— Oh! creio que sim! Mas é que no câmbio sairia a senhora perdendo tanto que... até um judeu se assustaria!

— Absurdo! Vou me desforrar! Conduzam-me, vamos chamar aqueles vagabundos.

Empurrei a cadeira, apareceram os portadores e saímos da sala.

— Depressa, depressa, depressa! — ordenava a avozinha. — Mostra-nos o caminho, Alieksiéi Ivânovitch. Está perto isso... ou longe?

— A dois passos daqui, *bábuchka.*

Mas ao dar a volta na praça, na avenida, encontramos toda a nossa tropa: o general, De-Grillet e *Mademoiselle* Blanche, com sua *mámienhka.* Polina Alieksándrovna não vinha com eles, nem tampouco *Mister* Astley.

— Bem, bem, bem! Não vos detenhais! — gritou a avozinha. — Vamos ver: que quereis? Não temos tempo agora!

Eu ia atrás; De-Grillet aproximou-se de mim.

— Perdeu tudo o que tinha ganho antes e, além disso, doze mil florins de seu bolso. Agora vamos trocar obrigações a cinco por cento — apressei-me em participar em voz baixa.

De-Grillet deu uma paradinha no solo e foi transmitir a notícia ao general. Continuamos a levar a avozinha de reboque.

— Detenha-se, detenha-se! — gritou-me o general, furioso.

— Ande e vá detê-la o senhor — respondi-lhe.

— *Bábuchka* — disse o general, aproximando-se. — *Bábuchka...* nós agora... *nós agora...* — *a voz tremia-lhe* e se quebrava, — vamos alugar cavalos para ir à cidade... Umas vistas encantadoras... a *pointe...* Íamos convidá-la.

— Deixa-me tu com tua *pointe!* — repeliu-o, nervosa, a avozinha.

— Há ali um povoadozinho... tomaremos chá ali... — continuou o general, já inteiramente desesperado.

— *Nous boirons du lait, sur l'herbe fraîche?*[27] — acrescentou De-Grillet com feroz malignidade.

Du lait, de l'herbe fraîche? A isto se reduz o idealismo idílico do burguês parisiense; nisto, como é sabido, cifra-se toda a sua concepção de *la nature et la vérité!*

— Não me venhas com leite! Bebe-o tu, se quiseres, que a mim o leite me dá cólica. Mas por que vos detendes? Já disse que não tenho tempo.

— Já chegamos, *bábuchka* — disse eu. — É aqui.

Detivemo-nos diante da casa de câmbio. Entrei para trocar; a avozinha ficou aguardando na porta; De-Grillet, o general e Blanche afastaram-se para um lado, sem saber o que fazer. A avozinha lançava-lhes olhares iracundos, pelo que se afastaram eles na direção do cassino.

Propuseram-me um desconto tão terrível, que não me atrevi a resolver coisa alguma e voltei para o lado da avozinha, a fim de pedir-lhe instruções.

— Ah! Bandidos! — exclamou ela, batendo fortes palmas. — Bem; não importa, troca — gritou, enérgica. — Detém-te; dize ao banqueiro que venha cá!

— Não será a mesma coisa se vier algum empregado, avozinha?

— Bem; um empregado. Dá no mesmo. Ah! Bandidos!

Um empregado logo veio, ao saber que quem o chamava era uma condessa, anciã e inválida, que não podia mover-se. A *bábuchka* imprecou-o longo tempo em voz alta e irada, censurou-lhe sua avareza e regateou com ele numa mistura de russo, francês e alemão, que eu a ajudava a traduzir. O empregado, muito grave, olhava-nos a ambos e movia em silêncio a cabeça. Esquadrinhava a *bábuchka* com curiosidade excessiva... que se tornava descortês, até que acabou por se pôr a rir.

— Bem, pois seja! — gritou a avozinha. — Que rebentes com o meu dinheiro! Anda, e que te façam a troca, Alieksiéi Ivânovitch, pois não temos tempo, senão iríamos a outro...

— Diz o empregado que em outra casa ainda nos dariam menos.

Não me lembro exatamente que desconto nos fez; mas foi tremendo. Troquei doze mil florins de ouro e cédulas. Recolhi a nota e levei tudo à *bábuchka.*

— Tira, tira, tira! Não é preciso ler nada — e repelia com a mão. — Depressa, depressa, depressa.

— Jamais voltarei a apostar naquele maldito zero, nem tampouco no vermelho — decidiu, ao voltar ao cassino.

Mas daquela vez empenhei-me com todas as minhas forças em fazer que apostasse o menos possível, convencendo-a de que, ao estabilizarem-se as jogadas, sempre haveria tempo de fazer apostas mais consideráveis. Mas era tão impaciente que, embora a princípio acedesse a isso, não pôde manter sua palavra todo o tempo do jogo. Mal havia ganho jogadas de dez, de vinte fredericos de ouro, começou a dar cotoveladas:

— Olha, aí tens! Bem; ganhamos... Mas se tivéssemos apostado quatro mil em vez de dez, teríamos ganho na razão de quatro mil, ao passo que agora... Tudo por tua culpa, tudo por tua culpa!

---

27 Beberemos leite sobre a relva fresca?

De modo que, por mais doloroso que me fosse vê-la jogar, resolvi, finalmente, calar minha boca e não tornar a aconselhá-la.

De repente, De-Grillet aproximou-se. Estavam os três ali ao lado; observei que *Mademoiselle* Blanche estava de parte com sua mãe e namorava o principezinho. O general achava-se visivelmente em desfavor, quase que no ostracismo. Blanche nem sequer se dignou olhá-lo, não obstante procurar ele com todas as suas forças agradar-lhe. Pobre general! Punha-se de todas as cores, tremia e já nem sequer reparava nas jogadas da avozinha. Blanche e o principezinho acabaram por se retirar; o general correu atrás deles.

— Minha senhora, minha senhora — murmurou De-Grillet à avozinha, com voz melosa, abrindo caminho até o próprio ouvido dela. — Minha senhora, essas jogadas não vão bem... não, não; não é possível... — algaraviou em russo, — não.

— Como? Bem; pois ensine-me — replicou-lhe a avozinha.

De-Grillet pôs-se logo a falar depressa em francês; começou a dar-lhe conselhos, a interessar-se; disse-lhe que era preciso aguardar a sorte, fazer alguns cálculos... A avozinha não entendeu nada. Dirigia-se ele a mim, a cada passo, para que lhe traduzisse suas palavras; batia com um dedo na mesa, apontava, até que, em último recurso, tirando um lápis, pôs-se a fazer contas em um caderninho. A avozinha acabou por perder a paciência.

— Bem; deixa-me em paz, deixa-me em paz. Não dizes senão tolices. Minha senhora, minha senhora... e tu mesmo não sabes de coisa com coisa. Vai-te!

— Mas, minha senhora... — balbuciou De-Grillet.

E de novo pôs-se a dar-lhe explicações e demonstrações. Levava isto muito a peito.

— Bem; põe uma vez como ele diz — ordenou-me a avozinha. —Vamos ver, pode ser que acerte.

De-Grillet queria somente dissuadi-la das grandes jogadas; indicava-lhe que apostasse em um número só ou em combinação. Coloquei, seguindo suas indicações, um frederico de ouro numa série de números ímpares nos doze primeiros e cinco fredericos no grupo de números do doze aos dezoito e do dezoito ao vinte e quatro; no total as jogadas; ascendiam a dezessete fredericos.

A roleta girou.

— Zero! — gritou o *croupier*.

Perdemos tudo.

— Que belo charlatão! — gritou a *bábuchka,* encarando De-Grillet. — És um francelho ignóbil. Torna outra vez a dar-me conselhos, vagabundo! Sai-te daqui, para longe! Não entende uma palavra e quer dar lições aos demais!

De-Grillet, ferozmente ofendido, encolheu os ombros, olhou com despeito a avozinha e deu-lhe as costas. Causava a si próprio vergonha ter-se intrometido e não podia suportar mais.

Ao fim de uma hora, apesar de nossos esforços... tínhamos perdido tudo.

— Para casa! — gritou a avozinha.

Não pronunciou palavra até já estarmos na avenida. Ali, e quando já chegávamos ao hotel, começou a lançar exclamações.

— Que imbecil! Que burra! Não passas de uma velha burrica!

Nem bem chegamos ao quarto, gritou a *bábuchka:*

— Chá para mim. E depois preparar tudo. Partimos.

— Para onde vamos, *mátuchka?* — indagou Marfa.

— A ti que te importa? Cada macaco no seu galho. Potápitch, prepara tudo. Arranja a bagagem. Voltaremos para lá, para Moscou. Perdi quinze mil rublos.

— Quinze mil rublos, *mátuchka?* Ai, meu Deus! — exclamou Potápitch.

E, enternecido, bateu palmas, supondo sem dúvida tornar-se agradável.

— Bem, bem, idiota! Não me venhas agora a choramingar! Cala-te. Prepara a bagagem. A conta, logo, logo.

— O primeiro trem sai às nove e meia, *mátuchka* — disse-lhe, para conter-lhe o furor.

— E agora, que horas são?

— Sete e meia.

— Que contrariedade! Mas é o mesmo. Alieksiéi Ivânovitch, não me resta nem um copeque. Tens ainda duas notas; vai lá correndo trocá-las. Senão, não terei dinheiro para a viagem.

Dirigi-me para lá. Meia hora depois, ao voltar ao hotel, encontrei todos os nossos no aposento da avozinha. Ao saber que ela voltava a toda a pressa para Moscou, ficaram mais desconcertados ainda do que diante de suas perdas. Naturalmente a partida dela salvava-lhes a fortuna; mas, em câmbio, que iria ser agora do general? Quem iria pagar a De-Grillet? *Mademoiselle* Blanche, naturalmente, não poderia esperar que a *bábuchka* morresse e decerto estreitaria agora suas relações com o principezinho ou com qualquer outro. Estavam todos diante da velha, consolavam-na e dissuadiam-na. Polina não se achava presente tampouco daquela vez. A avozinha gritava-lhes, altaneira:

— Deixai-me em paz, diabos! A vós que vos importa? Por que haverá de intrometer-se em minhas coisas esse barba de bode? — gritou, dirigindo-se a De-Grillet. — E a ti, sirigaita, que tens que ver com tudo isto? — exclamou, encarando *Mademoiselle* Blanche. — Por que te metes em minhas coisas?

— Com a breca! — murmurou *Mademoiselle* Blanche, lançando pelos olhos faíscas de raiva.

Mas depois começou a rir e retirou-se.

— *Elle vivra cent ans!* — gritou da porta para o general.

— Ah! de modo que contavas com minha morte! — gritou a *bábuchka* ao general. — Sai-te daqui! Põe a todos para fora, Alieksiéi Ivânovitch! Que vos importa nada disto a vós? Gastei o que era meu, e não o que era vosso.

O general encolheu os ombros, inclinou-se e retirou-se, seguido de De-Grillet.

— Chama Praskóvia — ordenou a avozinha a Marfa.

Cinco minutos depois voltava aquela com Polina. Durante todo esse tempo, havia Polina permanecido no seu quarto com os meninos e, ao que parecia, tinha-se proposto não sair dali durante todo o dia. Vinha de rosto sério, triste e preocupado.

— Praskóvia — começou a avozinha, — é verdade o que há tempos me disseram, que teu pai, esse imbecil, quer casar com essa francesinha sem miolo?... Uma atriz, sem dúvida, ou algo pior. Fala. É verdade?

— Eu, com certeza, não sei, *bábuchka* — respondeu Polina, — mas... mas das próprias palavras de *Mademoiselle* Blanche que não crê necessário ocultá-lo, deduzo...

— Basta! — interrompeu-a a avozinha com energia. — Compreendo tudo. Sempre achei com certeza que ele faria algo nesse estilo e sempre o tive como o homem mais estúpido e mais tolo deste mundo. Enfiou na cabeça que é general (não passa de coronel e reformado), e se dá importância. Sei de tudo, querida, sei de tudo; sei que não fazíeis mais que passar telegramas e mais telegramas para Moscou: "Será que essa velha vai esticar depressa a canela?". Contavam com a herança; não fosse assim, não fosse o dinheiro essa tipa indecente... essa tal de Cominges, não é assim que se chama? não o teria querido nem como criado e, ainda por cima, de dentadura postiça. Ela, segundo dizem, tem uma boa quantidade de dinheiro, empresta a juros e já acumulou bastante dinheiro. Eu, não lanço a culpa a ti, Praskóvia; não tomaste parte nisso dos telegramas e do passado não me quero recordar. Sei que tens um gêniozinho intolerável... uma vespa! Picas e levantas calombo; mas a mim causas compaixão, por que eu gostava da defunta Ekatierina, tua mãe. Bem; queres fazer uma coisa? Deixa tudo aqui e vem comigo. Aqui não tens ninguém e é até indecoroso que continues com eles. Para! — atalhou a avozinha a Polina que começara a falar. — Ainda não acabei. Nada exijo de ti. Conheces minha casa de Moscou... É um palácio. Podes ocupar todo um andar e ficar um dia inteiro sem saíres de teus aposentos, se meu caráter não te agrada. Então vamos ver: queres ou não?

— Permita-me a senhora que lhe faça primeiro uma pergunta. Pensa partir imediatamente?

— Mas será que estou falando por brincadeira, *mátuchka?* Disse que partia e parto. Perdi hoje quinze mil rublos na vossa maldita roleta. Há cinco anos, prometi refazer em pedra uma igreja de madeira que há nos arrabaldes de Moscou, e, em vez disso, gastei aqui o dinheiro. Agora, *mátuchka,* vou reedificar a igreja.

— Mas, as águas, *bábuchka?...* Não veio a senhora tomar as águas?

— A que me vens agora com as águas? Não me ponhas nervosa, Praskóvia. Será que o fazes de propósito? Fala: vens ou não vens?

— Agradeço-lhe muito, muito, *bábuchka* — disse Polina com emoção, — esse refúgio que me oferece, até certo ponto adivinhou a senhora minha situação. Estou-lhe tão reconhecida que, acredite, hei de ir com a senhora e talvez bem depressa; mas agora há razões... importantes... e decidir-me assim, de repente, neste instante não posso. Se a senhora ficasse aqui ainda pelo menos duas semanas...

— Isto significa que não queres...

— Significa que não posso. Além disso, em todo o caso, não posso abandonar meus irmãozinhos assim, deste modo... Deste modo, que, efetivamente, poderia suceder que ficassem desamparados; sim que... se a senhora me levasse com os meninos, *bábuchka,* sem dúvida alguma iria com a senhora, e pode estar certa de que saberia demonstrar-lhe minha gratidão — acrescentou com veemência, — mas sem os meninos não posso, *bábuchka.*

— Vamos, não choramingues — Polina não pensava em choramingar, pois nunca chorava. — Para os pintinhos também há lugar. O galinheiro é grande. Além disso, já estão em idade de ir à escola. Sendo assim, vamos ver: vens agora? Vamos, Praskóvia, repara. Procurava teu bem; mas para que saibas, sei que não vens. Sei de *tudo, Praskóvia. Esse francelho* não te trará nada de bom.

Polina ficou rubra. Eu também estremeci. "Todos sabem. Sou eu talvez o único que ignora."

— Bem; vamos, não te zangues. Não insistirei nisso. Mas fica alerta para que as coisas não resultem mal, compreendes? És uma menina de talento; inspiras-me dó. Bem, basta; não deveria olhar para nenhum de vós. Vai-te. Adeus.

— Eu, *bábuchka*, hei de vê-la ainda — disse Polina.

— É inútil; não te incomodes. Além disso, estou farta de vocês todos.

Polina beijou a mão da avozinha, mas esta retirou a mão e beijou Polina na face. Ao passar junto de mim, lançou-me Polina um rápido olhar e depois desviou de mim a vista.

— Bem; adeus, tu também, Alieksiéi Ivânovitch. Vamos! Já é hora de partir. Suponho que tenhas ficado zangado comigo. Mas toma estes cinquenta fredericos.

— Agradeço-lhe muito, *bábuchka;* mas teria escrúpulos...

— Ora, ora! — gritou a avozinha, mas em um tom tão enérgico e ameaçador, que não tive outro remédio senão aceitar o dinheiro.

— Em Moscou, como não terás colocação de momento... Vai ver-me; vou te dar alguma recomendação. Vamos, retira-te!

Fui para meu quarto e estendi-me na cama. Calculo que fiquei ali uma meia hora, de boca para cima com a cabeça presa entre as mãos. A catástrofe era já um fato: havia muito em que pensar. Decidi falar no dia seguinte terminantemente com Polina. Ah! O francelho! Com que então era verdade? Mas seria isso possível, apesar de tudo? Polina e De-Grillet. Senhor, que combinação!

Tudo aquilo era simplesmente inverossímil. De repente, saltei como um louco do leito, com intenção de ir logo à procura de *Mister* Astley e obrigá-lo a falar. *Mister* Astley? Eis aqui outro enigma para mim.

Mas, de repente, fez-se ouvir uma pancadinha à porta do meu quarto. Olho... Potápitch.

— *Bátiuchka,* Alieksiéi Ivânovitch, a senhora o chama.

— Mas como? Já não se vai? Faltam apenas vinte minutos para a saída do trem.

— Está inquieta, *bátiuchka;* mal pode ficar sentada. "Depressa, depressa", disse, referindo-se ao senhor, paizinho. Por Cristo, não demore.

Corri imediatamente para baixo. Já haviam tirado a avozinha para o corredor. Tinha nas mãos uma carteirinha.

— Alieksiéi Ivânovitch, vai andando na frente, vamos...

— Mas para onde, *babúlinhka?*

— Viva não quero ficar se não me desforrar. Bem, marcha! sem fazer perguntas. Joga-se ali até meia noite.

Fiquei perplexo. Refleti, mas logo me decidi.

— Seja feita a sua vontade, Antonida Vassílievna; mas eu não vou.

— Mas por quê? Por que isto? Será que ficaste louco? Ficariam todos loucos.

— Como queira; mas depois me recriminaria a mim mesmo. Não quero. Não quero ser testemunha, nem tomar parte nisso, perdoe-me, Antonida Vassílievna. Aqui tem a senhora seus cinquenta fredericos de ouro; fique com Deus.

E colocando o saquinho dos cinquenta fredericos em cima da mesinha, junto da qual estava a cadeira da avozinha, cumprimentei e retirei-me.

— Que absurdo! — exclamou a *bábuchka,* enquanto eu me retirava. — Não venhas, se não queres. Já posso ir sozinha. Potápitch vem comigo. Vamos, levantai-me, conduzi-me!

Não consegui encontrar *Mister* Astley e voltei para casa. Tarde já, a uma hora da madrugada, soube por Potápitch como havia terminado o dia a avozinha. Perdera tudo o que havia pouco lhe trocara eu, isto é, em moeda nossa, dez mil rublos. Metera-se a assessorá-la aquele mesmo polaquinho ao qual pouco antes dera dois fredericos, e esteve todo tempo dirigindo suas jogadas. A princípio, até que se apresentou o polaco foi Potápitch o encarregado de fazer as jogadas, mas não tardou em afastá-lo dali e foi então que interveio o polaco. Como de encomenda, entendia o russo e algaraviava além disso, de um modo ridículo, outras três línguas; de modo que, mal ou bem, puderam entender-se. A avozinha não deixava um momento de insultá-lo e embora estivesse ele constantemente pondo-se *pad stopki panski,*[28] aos pés da senhora. "Como teria podido comparar-se com o senhor, Alieksiéi Ivânovitch?", dizia Potápitch. Com o senhor tratava ela exatamente com um cavalheiro, ao passo que aquele sujeito... eu mesmo podia ver com meus próprios olhos como, assim Deus me mate de repente, lhe roubava o dinheiro de cima da mesa. Ela mesma o surpreendeu nessa faina um par de vezes e o descompôs, *bátiuchka,* a mais não poder e uma vez até lhe puxou os cabelos. É a pura verdade, não estou mentindo, a gente até não pode deixar de rir-se. Perdeu tudo, paizinho; tudo quanto o senhor lhe trocou. Voltamos a conduzir a *mátuchka* lá para seu quarto... pediu um golinho d'água, benzeu-se e se deitou e cansada, não é verdade?, adormeceu loguinho. Que Deus lhe dê sonhos de anjo. Oh! essas terras de estrangeiros — concluiu Potápitch, — para mim não são nada boas! Quanto daria por me encontrar já em nossa Moscou. Que é que não temos lá em casa, em Moscou? Jardins, flores, como aqui as há; ar, maçãs que já começam a tomar cor e terreno de sobra... Mas não; havia de vir para o estrangeiro. Oh!... Oh...oh...!

CAPÍTULO XIII

Há cerca de dois meses que não toco nestas anotações, escritas sob o influxo de impressões desordenadas, porém, fortes. A catástrofe, cuja iminência tinha previsto, sobreveio, com efeito, porém cem vezes mais violenta e inesperada do que o supusera. Tudo aquilo foi algo estranho, monstruoso e até trágico, em sumo grau, para mim. Ocorreram-me alguns acontecimentos quase portentosos — assim pelo menos continuo a considerá-los, — embora aos olhos de outrem, e levando-se em conta o torvelinho em que então me agitava, pudessem resultar, no máximo, em algo fora do comum. Mas o mais prodigioso para mim foi como pude sair de todos aqueles sucessos. Hoje mesmo não o compreendo. E tudo isso passou voando, como um sonho... Até mesmo minha paixão, apesar de ser tão firme e sincera... Onde estaria então? Verdadeiramente, não, não; até costuma ocorrer-me alguma vez a ideia de que estivesse eu louco então e que tenho passado todo esse tempo em algum manicômio, onde talvez continuo... já que para mim tudo isso não deixou de parecer-me uma ilusão, e ainda continua parecendo, e nada mais.

Reuni e volto a ler meus papéis. Quem sabe se para convencer-me de que *não os escrevi num manicômio*? Agora, acho-me inteiramente só. O outono avan-

28 Aos pés da dama, fórmula de cortesia polonesa.

ça, amarelecem as frondes. Encontro-me neste triste povoado (Oh! quão tristes são todos os povoados germânicos), e, em vez de meditar sobre o passo iminente, vivo sob o influxo das recentes sensações, das recentes recordações, sob o influxo de todos esses torvelinhos da véspera, que teve de arrebatar-me então em seu vórtice para lançar-me depois em qualquer parte; imagino por vezes que ainda continuo girando nesse torvelinho e que outra vez vai levantar-se de repente esse vendaval, arrebatando-me com suas asas ao passar, e que de novo me encontro fora da ordem e do sentimento da medida, e me ponho a dar voltas e voltas e mais voltas...

Aliás, além disso é possível que me detenha em algum lugar e deixe de dar voltas, se conseguir entender com clareza, a máxima possível, tudo quanto ocorreu naquele mês. Voltei a empunhar a pena; mas às vezes é-me completamente impossível fazer alguma coisa uma tarde inteira. Coisa extraordinária! Para ter algo em que ocupar-me, vou à deplorável biblioteca local e me ponho a ler romances de Paul de Kock, traduzidos para o alemão, que quase não posso suportar, mas que leio... admirando-me de mim mesmo. Parece que receio os livros sérios ou toda ocupação séria, capaz de acabar com o encanto do passado recente. Diria-se que é para mim tão precioso esse sonho absurdo e todas as impressões nele experimentadas que até receio dissipá-lo com algo novo, para que não se desvaneça na bruma. Mas será que o estimo, apesar de tudo? Sim; sem dúvida é para mim precioso. Pode ser que até passados quarenta anos o recorde...

Bem; vamos escrever. Aliás, tudo isto pode contar-se agora também com maior brevidade; não se trata daquelas impressões.

*

Antes de tudo, para deixar de falar da *bábuchka*. No dia seguinte, perdeu tudo definitivamente. Não tinha outro remédio senão ser assim mesmo. A pessoa de suas condições, que uma vez entra por esse caminho, pode comparar-se a alguém que desliza em trenó, montanha abaixo, sobre a neve: cada vez vai mais depressa. Esteve jogando todo aquele dia até as oito da noite; não presenciei as jogadas e delas só sei o que me contaram.

Potápitch permaneceu junto dela no cassino o dia inteiro. Os polaquinhos, assessores da *bábuchka,* alternaram-se naquele dia várias vezes. Começou ela com aquele que a fizera perder no dia anterior, acabando por puxar-lhe os cabelos, para tomar outro, que resultou pouco menos que pior. Deixando este e voltando a tomar o primeiro, que não se retirara e ficara esperando a despedida do camarada, atrás da cadeira dela, sem cessar de mostrar a cabeça, acabou por desesperar-se de todo. O segundo polaquinho, despedido, negava-se a ir embora. Um colocou-se à sua direita e o outro à esquerda. Não faziam senão insultar-se e discutir por motivo das jogadas e retiradas; chamavam-se um ao outro de *laidak* (canalha) e outras gentilezas polacas, depois do que faziam as pazes e lançavam o dinheiro sem ordem alguma, dispondo as apostas a torto e a direito. Quando discutiam, apostava cada qual por seu lado, um, por exemplo, no vermelho, e o outro, no negro. Concluíram por aturdir inteiramente a avozinha e fazê-la perder o juízo, até o extremo de, finalmente, quase com lágrimas nos olhos fazê-la dirigir-se ao *croupier* chefe, implorando seu auxílio para que os pusesse para fora. Efetivamente, logo os expulsaram, sem fazer caso dos seus gritos e protestos; gritavam os dois ao mesmo tempo e asseguravam que a avozinha estava a dever-lhes, que os enganara e procedera com eles de modo ignóbil e mau. O infeliz Potápitch contava-me tudo aquilo chorando, naquela mesma noite; depois da perda, e queixava-se de que eles tinham guardado dinheiro nos bolsos, que ele mesmo pudera ver como, sem o menor recato, depenavam a avozinha e a cada instante estavam embolsando. Pediam, por exemplo, à avozinha, pelo seu trabalho, cinco fredericos de ouro e os colocavam na roleta, junto da aposta dá avozinha. Se esta ganhava, saíam dizendo que a que tinha ganho era a sua aposta e perdido a da *bábuchka*. Depois que os puseram para fora, Potápitch saiu atrás deles e denunciou-os dizendo que levavarn os bolsos repletos de ouro. A avozinha rogou imediatamente ao *croupier* que adotasse as medidas oportunas e, por mais que os polacos se agitassem (exatamente como dois galos agarrados pela mão), veio a polícia e imediatamente esvaziaram-lhes os bolsos em favor da avozinha. Enquanto teve ela dinheiro a perder, gozou durante todo aquele dia das deferências dos *croupiers* e de quantos exerciam autoridade na sala. Pouco a pouco tornara-se famosa em toda a cidade. Todos os aquáticos de todas as nações, tanto os vulgares como os mais célebres, detinham-se para olhar *une vieille comtesse russe, tombée en enfance,* que já havia perdido uns tantos milhões.

Mas a avozinha saiu ganhando muito pouco pelo fato de ter sido libertada dos dois poloneses. Substituindo-os, acorreu imediatamente a oferecer-lhe seus serviços um terceiro polaco, que falava com perfeita clareza o russo e trajava à maneira de um *gentleman,* apesar de que tinha certo ar de lacaio, com uns bigodões enormes e muito *gonor*[29] por aqui e muito *gonor* por ali. Também se punha aos pés da senhora *stopki panski* e os beijava, ainda que depois se portasse de modo altaneiro, ditando ordens despóticas; numa palavra: portava-se, não como um servidor da avozinha, mas como seu senhor. A cada passo, a cada jogada, voltava-se para ela e jurava, com os mais espantosos juramentos, que era ele um cavalheiro *gonorável* e que não ficava sequer com um copeque do dinheiro da *bábuchka.* Tão amiúde repetia aqueles juramentos, que ela acabou por ficar com medo dele. Mas como aquele *pan,*[30] efetivamente a princípio emendou um tanto suas jogadas e a fez ganhar algo, não podia a avozinha prescindir dele. Ao cabo de uma hora os dois polaquinhos de antes, expulsos da sala, voltaram a colocar-se às costas da cadeira da avozinha e a oferecer-lhe seus serviços, ainda que fosse para simples portadores de recados. Potápitch jurava que o *gonoroyi pan* piscava o olho para eles e até lhes colocou algo na mão. Como a avozinha não comia e quase não se movia da sua cadeira, um dos polacos foi-lhe efetivamente útil; correu ao refeitório do cassino e trouxe-lhe uma tigela de caldo e chá. Naturalmente foram ali os dois. Mas ao findar o dia, quando já era evidente que estava perdendo suas derradeiras cédulas, reuniram-se atrás de sua cadeira até seis polaquinhos, até então não vistos nem ouvidos. Quando já estava a avozinha perdendo suas derradeiras moedinhas, eles não só não a escutavam,

29 Honra, em polonês.
30 Senhor, em polonês.

mas nem lhe faziam o menor caso, estiravam-se até a mesa, recolhiam o dinheiro, dispunham à sua vontade das apostas, brigavam entre si e gritavam, tratando de igual para igual o cavalheiro venerável. Este não se preocupava tampouco, absolutamente, com a existência da *bábuchka*. Mais ainda: quando a avozinha, tendo já perdido tudo, voltava, às oito da noite, ao hotel, aqueles três ou quatro polaquinhos não se tinham ainda decidido a deixá-la em paz e corriam em redor de sua cadeira, de ambos os lados, gritando com todas as suas forças e assegurando, numa algaravia, que a avozinha os enganara e tinha de pagar-lhes certa quantia. Seguiram assim até o próprio hotel, donde, finalmente, os expulsaram a empurrões.

Segundo os cálculos de Potápitch a avozinha perdeu ao todo, durante aquele dia, noventa mil rublos, sem contar o dinheiro que ganhara na véspera. Todas as suas cédulas... dos cinco por cento, dos empréstimos nacionais; todas as ações que levara consigo as foi trocando umas após outras. Mostrei meu assombro por ter ela podido resistir aquelas sete ou oito horas sentada em sua cadeira e quase sem afastar-se da mesa; mas Potápitch me contou que por três vezes ela, efetivamente, começou a ganhar muito, mas que, seduzida pela ilusão, não soube retirar-se. Além do mais, os jogadores sabem que um homem pode estar sentado vinte quatro horas seguidas jogando baralho, sem desviar o olhar, nem para a direita, nem para a esquerda.

Além de tudo isto, em todo aquele dia, ocorreram no hotel, também entre nós, coisas muito decisivas. Já pela manhã, ali pelas onze horas; quando estava ainda a avozinha em seus aposentos, os nossos, isto é, o general e De-Grillet, decidiram dar o derradeiro passo. Sabedores de que a avozinha não pensava em partir, mas que, pelo contrário, dirigia-se novamente à sala de jogo, todos, reunidos em conclave, menos Polina, resolveram falar-lhe de modo definitivo e até franco. O general, com a alma tremendo e desfalecida diante da perspectiva de umas consequências terríveis para ele, deitou tudo a perder; depois de meia hora de rogos e súplicas, e depois de ter confessado francamente todas as suas dívidas e sua paixão por *Mademoiselle* Blanche (estava completamente transtornado), assumiu de repente um tom de ameaça e se pôs a gritar e a dar patadas no chão, diante da *bábuchka*. Clamava, dizendo que esta estava comprometendo sua família; que era o escândalo de toda a cidade e, finalmente, finalmente... "está a senhora desprestigiando o nome da Rússia", gritava o general. "E se não se comporta, para isso existe a polícia." A avozinha acabou por pô-lo para fora dali com uma bengala... com uma bengala deveras. O general e De-Grillet realizaram ainda uma ou duas conferências naquela manhã e trataram de ver se não seria possível realmente apelar para a polícia. Porque aquela anciã, infeliz, mas venerável, tinha perdido o juízo e estava gastando no jogo seus últimos recursos, etc. Numa palavra: não se poderia tomar providências para que a vigiassem ou a proibissem de jogar? Mas De-Grillet limitou-se a encolher os ombros e riu-se na cara do general, que continuava disparatando e dando passadas acima e abaixo pelo quarto. Finalmente, De-Grillet ficou farto e foi ocultar-se não sei onde. À noite, souberam que desaparecera do hotel, depois de manter uma entrevista decisiva e secreta com *Mademoiselle* Blanche. Pelo que se refere a *Mademoiselle* Blanche, naquela manhã mesmo, adotou medidas terminantes; afugentou de seu lado o general e nem sequer se dignou mais fixar nele a vista. Quando o general foi atrás dela ao cassino e a encontrou de braço com o principezinho, nem ela, nem a senhora viúva Cominges deram mostra de conhecê-lo. Mas, ai!, enganava-se ela cruelmente a respeito do príncipe. Esta pequena catástrofe aconteceu à noite; descobriu-se, de repente, que o príncipe estava pelado como um falcão e que contava com ela para levar-lhe o dinheiro em troca de uma promissória, a fim de jogá-lo na roleta. Blanche, indignada, repeliu-o e encerrou-se em seus aposentos.

Naquele mesmo dia, de manhã, fui ver *Mister* Astley, ou, melhor dito, andei a manhã toda procurando *Mister* Astley, mas sem poder encontrá-lo. Não se achava nem em seu quarto, nem no cassino, nem no parque. Não fazia refeições naquele dia no hotel. Às cinco horas vim a vê-lo casualmente quando ia da estrada de ferro ao Hotel da Inglaterra. Ia muito depressa e parecia muito preocupado, ainda que tivesse sido difícil perceber em seu rosto indícios de preocupação, nem de nada extraordinário. Estendeu-me alegremente a mão, com sua habitual exclamação: "Ah!"; mas sem deter-se um instante e continuando bastante depressa seu caminho. Colei-me a ele, mas respondeu-me de tal maneira que não tive jeito de perguntar-lhe o que desejava. Sem contar que me repugnava, não sei por que, falar de Polina. Ele tampouco me perguntou por ela. Falei-lhe da avozinha. Ele me escutou atenta e seriamente e depois deu de ombros.

— Perdeu tudo — observei-lhe.

— Oh! sim! — respondeu. — Ia jogar ainda, há pouco, quando eu saía, e já sabia eu com certeza que tinha de perder. Se tiver tempo darei uma volta pela sala de jogo para observar, pois é coisa digna de ver-se.

— Mas aonde foi o senhor? — perguntei-lhe, assombrando-me por não tê-lo feito até então.

— Estive em Frankfurt.

— Para algum negócio?

— Sim, para um negócio.

Bem; para que iria continuar a fazer-lhe perguntas? Além do mais, caminhava todo tempo a seu lado; mas ele, de repente, meteu-se no Hotel das Quatro Estações, que se achava no caminho; fez-me uma inclinação de cabeça e desapareceu. Ao voltar ao hotel, fui pouco a pouco adivinhando que ainda que tivesse estado falando com ele um par de horas, não teria sacado nada, porque... na realidade, não tinha nada que perguntar-lhe. Sim; assim era, sem dúvida! De nenhum modo teria podido formular minha pergunta.

Durante todo aquele dia esteve Polina passeando com os meninos e as amas no parque e depois meteu-se em seu quarto. Fazia tempo que fugia ao general e quase nunca lhe falava, pelo menos de nada sério. Fazia tempo que eu notara isto. Mas, sabendo em que situação se encontrava então o general, pensei que este não podia deixar de contar com ela, isto é, que entre eles teria de haver mútuas e graves explicações familiares. Não obstante, quando, ao voltar ao hotel, depois daquela conversa com *Mister* Astley, encontrei Polina com os meninos, refletia seu rosto a mais absoluta serenidade, como se todos aqueles furacões da família somente a ela respeitassem. Ao meu cumprimento, respondeu com um movimento de cabeça. Entrei em meus aposentos, cheio de raiva.

É certo que eu evitava falar com ela e nem uma vez lhe havia dirigido a palavra depois do incidente com Burmerhelm. Nisto, até certo ponto, tive de fazer força e dominar-me. Mas, à medida que o tempo ia passando, sentia verdadeira indignação. Se pelo menos tivesse ela tido por mim algum carinho, não teria sido possível que pisasse daquele modo meus sentimentos e com tal indiferença escutasse minha declaração. Porque sabia muito bem que deveras a amava. Ela mesma me autorizara e me dera licença para falar-lhe assim. Verdadeiramente, algo estranho surgira entre nós. Uma vez, fazia já tempo, um par de meses antes começara eu a notar que ela queria ser minha amiga sincera e até, em parte, demonstrara sê-lo. Mas a coisa não chegou a solidificar-se e, em vez disso, estávamos nas estranhas relações atuais; por isso começara a falar-lhe daquele modo, mas se ela era contrária ao meu amor, por que não me proibia francamente de falar dele?

E não proibia. Ela mesma, pelo contrário, costumava provocar-me a conversar e... sem dúvida assim o fazia para divertir-se. Sei com certeza que assim era. Observara que gostava ela, depois de ouvir-me e de ter-me irritado até a dor, de acabar de transtornar-me, de repente, com alguma saída de absoluto desprezo e indiferença. E isto sabendo muito bem que sem ela não posso viver. Eis que já se passaram três dias desde o incidente com o barão alemão e não posso suportar nossa separação. Quando a encontrei, há um instante, no cassino, deu-me o coração tais voltas, que fiquei pálido. Mas é que ela tampouco não pode viver sem mim. Sou-lhe necessário... ainda que fosse somente como um bobo Balákiriev.

Tem ela um segredo... isto está claro. Seu diálogo com a avozinha provocou um eco doloroso em meu coração. Porque eu a exortei mil vezes a ser franca comigo e ela sabia de sobra que era eu capaz de sacrificar-lhe a minha vida. Ela, porém, sempre me repelia com desprezo, ou, em vez do sacrifício da minha vida que eu lhe oferecia... saía-se a pedir-me alguma futilidade, como no caso do barão. Será que isto não se torna doloroso? Será que todo o mundo se reduz para ela a esse francês? E *Mister* Astley? Mas, ao chegar a este ponto a coisa resultava decididamente incompreensível; e pôr tudo isto... meu Deus!... quanto sofria!...

Ao voltar aos meus aposentos, num arrebatamento nervoso, peguei da pena e escrevi o seguinte:

> Polina Alieksándrovna: Vejo claramente que chegou o desenlace que também, sem dúvida, nos alcançará.
>
> Pela última vez lhe repito: é-lhe necessária minha vida? Se necessita de mim, *seja para o que for,* diga que eu, entretanto, não me afastarei de meus aposentos, pelo menos na maior parte do dia, não indo a parte alguma. Se lhe for necessário, escreva-me ou chame-me.

Lacrei e enviei este bilhete pelo criado do corredor, advertindo-o de que o entregasse em mão própria. Não esperava resposta; mas, três minutos depois, voltava o criado com a notícia de que "havia-o encarregado de transmitir uma saudação".

Às sete horas vieram chamar-me de parte do general.

Estava ele em seu gabinete, vestido como se se dispusesse a sair. O chapéu e a bengala jaziam sobre o divã. Pareceu-me ao entrar, que estava no meio do quarto de pernas abertas, cabisbaixo e falando sozinho, em voz alta. Mas, mal me viu, avançou para mim, pouco menos que gritando, de sorte que, involuntariamente, retrocedi e estive a ponto de deitar a correr, se não me tivesse ele segurado ambas as mãos e levado para o divã, sentando-se ali e fazendo-me sentar numa cadeira diante dele. Sem largar-me a mão, com os lábios trêmulos, com lágrimas que de repente brilharam em suas pestanas e com voz implorante, disse-me:

— Alieksiéi Ivânovitch, salve-me, salve-nos; tenha piedade de nós!

Estive longo tempo sem compreender nada. Ele não fazia senão falar, falar e falar, repetindo sempre: "Tenha piedade de nós!". Finalmente adivinhei que esperava de mim algo assim como um conselho, ou, melhor dito, que, abandonado de todo, cheio de dor e inquietação, se lembrara de mim e me mandara chamar, simplesmente para falar, falar e falar.

Estava transtornado, pelo menos alterado em supremo grau. Juntava as mãos e estava a ponto de cair a meus pés, de joelhos, para que... (que imaginam vocês), para que fosse eu imediatamente ver *Mademoiselle* Blanche e aconselhá-la a voltar para seu lado e casar-se com ele.

— Por favor, general! — exclamei. — Mas se *Mademoiselle* Blanche talvez nem sequer reparara em mim ainda! Que posso eu fazer?

Era inútil fazer-lhe objeção: não compreendia o que eu lhe dizia. Pôs-se a falar também da *bábuchka;* mas com uma incoerência terrível. Estava unicamente aferrado à ideia de chamar a polícia.

— Em nosso país, em nosso país — começou, dando de repente rédea solta à sua indignação, — em nosso país, isto é, num Estado bem constituído onde há autoridade, teriam nomeado imediatamente um tutor para uma velha como esta. Sim, senhor; isto é, — prosseguiu, saltando de repente a um tom de censura, levantando de seu assento e pondo-se a dar voltas pelo quarto, — não sabe ainda meu senhor — como se tivesse diante de algum senhor que, de um canto, lhe fizesse objeções, — o senhor não está a par... isto é... entre nós, a uma velha assim nós a domamos, nós a domamos, nós a domamos, sim, senhor... Oh! Que os diabos me carreguem!

E deixou-se cair novamente no divã; mas, ao cabo de um minuto, quase soluçando, sem alento, começou a contar-me, muito depressa, que *Mademoiselle* Blanche não queria casar-se com ele porque, em vez de um telegrama, apresentara-se a *bábuchka* e estava agora bem claro que não teria ele de receber-lhe a herança. Ele imaginava que eu não sabia de nada disso. Falei-lhe de De-Grillet; agitou a mão:

— Foi-se embora. Estou com tudo empenhado; estou pelado como um falcão. Aquele dinheiro que você me trouxe... aquele dinheiro... não sei quanto restará aí; a meu ver, só restam setecentos francos e demos ainda graças, é tudo que nos resta; d'agora em diante... não sei, não sei.

— Mas como vai o senhor pagar a conta do hotel? — perguntei, assustado. — E... depois, que vai fazer?

Ele me fitava pensativo; mas, ao que parece, não me entendia, e até é possível que não me tivesse ouvido. Tentei dizer-lhe algo de Polina Alieksándrovna, dos meninos; ele se apressava em responder-me: "Sim, sim", mas, imediatamente, voltava a falar-me do príncipe, de que Blanche iria agora com ele, "e então... e então, que vai ser de mim, Alieksiéi Ivánovitch? — encarando-me de repente. — Juro por Deus. Que hei de fazer?.... Porque diga você se isto não é uma ingratidão. Se isto não uma ingratidão!".

Finalmente prorrompeu entre rios de pranto.

Nada havia a fazer com semelhante homem; abandoná-lo assim mesmo era perigoso; poderia acontecer-lhe quem sabe o quê?

Eu, além disso, me livrei dele como pude, mas adverti a ama para que não o perdesse de vista e, ainda por cima, falei ao criado do corretor, um menino muito esperto, que me prometeu também não se descuidar dele.

Mal eu deixara o general, quando se apresentou em meu quarto Potápitch com um recado da avozinha para que fosse vê-la. Eram oito horas e acabava ela de voltar da sala de jogo, depois de ter perdido tudo. Encaminhei-me para seus aposentos; a velhinha estava sentada em uma cadeira, inteiramente esgotada e visivelmente doente. Marfa estava-lhe dando uma xícara de chá, fazendo-a beber quase à força. Tanto a voz como o tom da *bábuchka* tinham sofrido visível mudança.

— Boa noite, meu amigo Alieksiéi Ivânovitch — disse imediatamente, inclinando com modo grave a cabeça, — desculpa-me uma vez mais ter-te incomodado; perdoa a uma velha. Eu, meu amigo, deixei tudo ali, uns cem mil rublos. Fizeste bem em não ir lá à noite comigo. Agora não tenho dinheiro, nem um *groch* sequer. Não quero ficar aqui nem mais um minuto e vou-me embora no trem das nove e meia. Mandei chamar esse inglês, teu amigo, Astley, na intenção de pedir-lhe três mil francos emprestados por uma semana. Quero que o previnas para que não vá imaginar nada de mal e desacatar-me. Sou ainda, meu amigo, bastante rica. Possuo três domínios e duas casas. E tenho também dinheiro, pois não trouxe tudo quanto tinha. Digo isto para que não vá ele acreditar... Ah! Já está aí! Parece uma boa pessoa.

Mister Astley acorreu pressuroso ao primeiro chamado da *bábuchka*. Sem imaginar nada em absoluto, nem falar muito, entregou-lhe imediatamente os três mil francos em troca de uma promissória que a avozinha assinou. Terminado o negócio, fez uma reverência e apressou-se em retirar-se.

— Agora, vai-te tu também, Alieksiéi Ivânovitch. Resta-nos uma hora e pouco... e quero deitar-me, pois me doem os ossos. Não guardes rancor a esta velha caduca. D'agora em diante não acusarei de atordoados os moços e até mesmo a esse teu desditoso general seria pecado que eu o censurasse agora. Dinheiro, não obstante não hei de dar-lhe, como ele quer, porque... tenho-o na conta de rematadamente estúpido, somente não sou eu mais sábia do que ele. Como se vê, Deus também visita os anciãos e castiga os soberbos. Está bem, adeus. Marfucha, levanta-me.

Eu, não obstante, queria acompanhar a *bábuchka*. Além do mais estava possuído de certa expectativa e esperava que de um momento para outro ocorresse o que efetivamente sucedeu. Não tinha vontade de manter-me encerrado. Saí para o corredor e até estive vagando um momento pela alameda. Minha carta a ela era clara e terminante e a catástrofe atual... indubitavelmente, já definitiva. No hotel ouvira falar da partida de De-Grillet. Por fim, se ela me recusasse como amigo... Poderia ser que me aceitasse como servidor. Porque eu lhe era necessário, ainda que fosse somente para desempenhar seus encargos e não para outra coisa.

No momento da partida fui à estação para cumprimentar a avozinha. Ocupavam todos o vagão especial da família.

— Obrigado, meu amigo, por tua desinteressada ajuda — disse-me a avozinha. — Torna e dize a Praskóvia que não se esqueça do que ontem lhe disse... Eu a esperarei.

Voltei ao hotel. Ao passar em frente dos aposentos do general, encontrei a ama e perguntei-lhe por ele.

— Não acontece nada *bátiuchka* — respondeu ela, triste.

Não obstante, entrei; mas na porta do gabinete detive-me presa de forte estupor. *Mademoiselle* Blanche e o general riam às gargalhadas, como que à porfia. A senhora viúva Cominges estava sentada no divã. O general achava-se visivelmente louco de alegria, soltava toda espécie de incongruências e prorrompia em longas gargalhadas nervosas, que lhe marcavam no rosto inúmeras ruguinhas e lhe escondiam não se sabia aonde os olhos. Depois soube pela mesma Blanche que esta, tendo mandado embora o príncipe e ciente dos prantos do general, pensara em consolá-lo e passara para fazer-lhe companhia um momento. Mas não sabia o pobre general que naquele mesmo instante havia-se decidido irremissivelmente sua sorte e Blanche já havia resolvido voar para Paris no primeiro trem da manhã seguinte.

Parado nos umbrais do gabinete do general, desisti de entrar e saí dali sem que me percebessem. Depois que subi a meu quarto e abri a porta notei de repente na penumbra não sei que figura humana que estava sentada numa cadeira, a um canto, junto da janela. Não se levantou quando eu entrei. Aproximei-me rapidamente, olhei e... meu coração se contraiu. Era Polina!

Capítulo XIV

Lancei um grito.

— Mas que se passa com você? Mas que se passa com você? — perguntou ela de modo estranho. Estava pálida e tinha o rosto sombrio.

— Que é que se passa comigo? Você aqui, no meu quarto!

— Quando vou a um lugar vou toda inteira. É meu costume. Você acaba de ver isso; acenda uma luz.

Acendi uma vela. Polina levantou, aproximou-se da mesa e pôs-me diante dos olhos uma carta aberta.

— Leia — ordenou-me.

— Esta... é a letra de De-Grillet! — exclamei, pegando a folha de papel. As mãos me tremiam e as linhas bailavam-me diante dos olhos. Esqueci os termos exatos da missiva, mas vou reproduzi-la, senão literalmente, pelo menos em essência:

> Senhorita — escrevia De-Grillet: — Circunstâncias aborrecidas obrigam-me a partir sem perda de tempo. A senhorita mesma deverá sem dúvida ter notado que, bem intencionalmente, vinha fugindo a uma explicação definitiva com a senhorita, enquanto não se esclarecessem todas as circunstâncias. A chegada da velha (de *la vieille dame*), sua parenta, e seu estúpido modo de proceder puseram fim a todas as minhas perplexidades. Meus desarranjados negócios pessoais impedem-me definitivamente de continuar vivendo das doces ilusões de que vivi algum tempo. Lamento o passado, mas confio em que a senhorita não encontrará a minha conduta nada indigna de um fidalgo e de um homem honesto. *(Gentilhomme et honnête homme)*, tendo perdido quase todo o meu dinheiro em empréstimos a seu padrasto, vejo-me na imprescindível necessidade de tirar partido do que ainda me resta; já dei instruções a meus amigos de Petersburgo para que procedam imediatamente à venda das propriedades hipotecadas em meu favor; mas sabendo que seu imprudente padrasto malbaratou a fortuna pessoal da senhorita, decidi perdoar-lhe cinquenta mil francos, devolvendo-lhe para este efeito partes das propriedades por ele hipotecadas; de modo que a senhorita se encontra agora em condições de recuperar tudo quanto havia perdido, reclamando-lhe seus bens por via judiciária. Espero, senhorita, que no presente *estado de coisas meu modo de proce*der lhe será muito proveitoso. Espero também que, ao agir desse modo, terei cumprido plenamente meu dever de homem honrado e de fidalgo. Fique a senhorita certa de que sua recordação ficará gravada para sempre em meu coração.

— Ora, isto está claro — disse, fitando Polina. — Mas poderia você esperar outra coisa? — acrescentei com indignação.

— Eu não esperava nada — respondeu-me ela, visivelmente tranquila, embora a voz lhe tremesse um pouco. — Faz tempo que resolvera tudo; lia em seu pensamento e sabia o que pensava. Pensava que eu ia... que eu ia insistir... — deteve-se e, sem terminar a frase, mordeu os lábios e calou-se. — Eu, bem intencionalmente, tratava-o com duplo desprezo — tornou a começar, — esperando ver o que ele faria. Se tivesse chegado o telegrama com a notícia da herança... teria pago as dívidas desse idiota — o padrasto dela — e o teria mandado embora! Faz muito, muito tempo, que ele se me tornara odioso. Oh! Já não era o homem de antes, não, mil vezes não, mas o de agora, o de agora!... Oh! Com que gosto eu lhe atiraria na cara ignóbil esses cinquenta mil francos e lhe cuspiria... e o faria engolir o escarro!

— Mas os documentos... esse compromisso no valor de cinquenta mil francos que ele lhe devolve, está com o general? Peça-o e devolva-o a De-Grillet.

— Oh! Não é isso, não é isso!...

— Sim; você tem razão, tem razão: não é isso! Além do mais, que pode o general agora? E a avozinha? — perguntei de repente.

Polina olhou-me como que abstraída e impaciente.

— Por que a avozinha? — perguntou Polina, com desgosto. — Não posso ir vê-la... nem tampouco quero pedir perdão a ninguém — acrescentou, nervosa.

— Que fazer? — exclamei eu. — Mas pergunto; como é possível que tenha você podido amar De-Grillet? Vamos ver: quer que eu o mate em desafio? Onde se encontra agora?

— Em Frankfurt, onde passará três dias.

— Uma só palavra sua e partirei amanhã mesmo para lá no primeiro trem — ofereci-lhe com estúpido entusiasmo.

Ela se pôs a rir.

— Ora, essa! Ele diria: "Primeiro devolva-me você os cinquenta mil francos." Além disso, por que bater-se com ele? Isto é absurdo!

— Bem; mas donde, donde tirar esses cinquenta mil francos? — repetia eu, rangendo os dentes, como se fosse possível arrancar de repente tal quantia do chão. — Ouça e *Mister* Astley? — indaguei, olhando-a com uma ideia incipiente, algo estranha.

Cintilaram-lhe os olhos.

— Como, também tu mesmo queres que me afaste de ti para ir ter com esse inglês? — exclamou, fitando-me o rosto com olhar penetrante e sorrindo amargamente. Era a primeira vez que me tratava por tu.

Parecia que naquele momento a cabeça lhe girasse de emoção e, de repente, deixou-se cair no divã, como que extenuada.

Fiquei como fulminado; estava de pé e não dava crédito a meus olhos, nem tampouco a meus ouvidos. Como? Mas então ela me amava! Recorrera a mim e não a *Mister* Astley! Ela, uma donzela, viera sozinha ver-me no meu quarto de hotel... ou seja, comprometera-se aos olhos de todo o mundo... e eu estou diante dela e não chego a compreender...

Ousado pensamento cruzou-me a mente.

— Polina! Dá-me uma hora só de trégua! Espera-me aqui, nada mais que uma hora e.. voltarei! É... é indispensável!... Hás de ver!... Fica aqui, fica aqui!

E saí correndo do quarto, sem responder a seu olhar, cheio de assombro e interrogação; gritou-me não sei que, mas não fiz caso.

Sim; às vezes o pensamento mais temerário, a ideia de aparência mais impossível fixam-se com tal força em nosso cérebro, que a gente acaba por acreditá-los factíveis... Mais ainda: quando essa ideia se une a um forte e apaixonado desejo, a gente acaba por considerá-la, por vezes, como algo fatal, indispensável, predestinado, algo que não pode deixar de ser e de ocorrer. É possível que medeie nisso alguma coincidência do pressentimento, alguma extraordinária força de vontade, uma autointoxicação da fantasia ou algo neste estilo... não sei, mas a mim naquela noite (que nunca esquecerei na minha vida) teria de acontecer-me uma coisa prodigiosa. Mesmo estando perfeitamente de acordo com a aritmética, nem por isso deixo de tê-la até hoje como prodigiosa. E por que, por que esta confiança existia tão funda, tão forte, em minha alma e desde tanto tempo? Para dizer a verdade, penso nisto — repito-o, — não como num acontecimento, que pode pertencer ao número dos demais (e que, por conseguinte, pode não ocorrer), mas como em algo que não tinha outro remédio senão suceder.

Eram onze e um quarto. Entrei no cassino com uma esperança firmíssima e, ao mesmo tempo, com uma emoção que nunca sentira até então. Na sala de jogo havia ainda bastante público, embora não tanto como de manhã.

Às onze horas, nas mesas de jogo ficam os verdadeiros jogadores, os desesperados, para os quais, nas águas, só existe a roleta, que ali vão só por causa dela, que mal reparam no que se passa em redor deles e por nenhuma coisa se interessam em toda a estação, outra coisa não fazendo senão jogar, desde a manhã até a noite, e estando dispostos a jogar a noite inteira até o amanhecer, se isto fosse possível. E sempre dali se retiram, pesarosos, quando às doze horas tapam a roleta. E quando o velho *croupier,* antes de tapar a roleta, cerca das doze, canta *Les trois derniers coups, messieurs!,*[31] estão eles dispostos por vezes a apostar naquelas três últimas jogadas tudo quanto tem nos bolsos... e, efetivamente, é então que mais perdem! Dirigi-me àquela mesma sala onde, não havia muito, estivera a *bábuchka.* Não havia muito aperto, de modo que me foi fácil abrir caminho até a mesma mesa. Bem em minha frente, no tapete verde, estava escrita a palavra *passe.*

Passe... é uma fileira de números, desde o dezenove até o trinta e seis inclusive. A primeira fila, do um ao dezoito inclusive, chama-se *manque*... Que tinha eu que ver com aquilo? Não tinha calculado, nem ouvido sequer que número era o último que saíra, e não me guiei por esse pormenor ao iniciar minhas jogadas, como faziam quase todos os jogadores calculistas. Tirei do bolso todos os meus vinte fredericos de ouro e coloquei-os no *passe* que tinha à minha frente.

— *Vingt deux!* — exclamou o *croupier.*

Tinha ganho. Tornei a apostar tudo e, como antes, tornei a ganhar.

— *Trente et un!* — cantou o *croupier.*

Tornei a ganhar. Já estava com uns oitenta fredericos de ouro. Coloquei todos os oitenta fredericos nos doze números centrais (em que se ganha tríplice, mas tem duas probabilidades contra). A roleta girou e saiu vinte e quatro. Entregaram-me três pacotinhos de cinquenta fredericos e dez moedas de ouro; no total, com o anterior, vinha eu a ter duzentos fredericos.

31 As três últimas jogadas, senhores!

Sentia-me febril e apostei todo aquele montão de dinheiro no vermelho... e de repente dei-me conta do que fizera! E só uma vez em toda aquela noite, em todo o tempo em que estive jogando, correu-me um calafrio de medo por todo o corpo e um tremor pelas mãos e pela pele. Senti espanto e, num momento, compreendi o que para mim significava então perder. Naquela jogada cifrava-se toda a minha vida!

— *Rouge!* — cantou o *croupier*... e respirei; formiguinhas de fogo correram-me por todo o corpo.

Pagaram-me em notas de banco; tinha eu já, ao todo, quatro mil florins e setenta fredericos de ouro. (Ainda podia fazer contas.)

Em seguida, lembro-me, pus dois mil florins outra vez nos dezenove números centrais e perdi; pus meu ouro e os setenta fredericos e perdi. Enchi-me de raiva; peguei os últimos dois mil florins que me restavam e apostei-os nos doze primeiros números... assim, ao acaso, à aventura, sem cálculo. Houve então um momento de expectativa, semelhante talvez, quanto à impressão, à que experimentará *Mademoiselle* Blanchard quando, em Paris, voa em seu globo de ar sobre a terra.[32]

— *Quatre!* — cantou o *croupier*.

No total, com a jogada anterior, voltava a reunir seis mil florins. Tinha eu já ar de triunfador, não temia nada e apostei quatro mil florins no preto. Dez jogadores apostaram na mesma cor atrás de mim. Os *croupiers*, olhavam-se e falavam entre si. Em torno de mim, conversavam e aguardavam.

Deu o preto. Já não recordo nem a conta, nem a ordem de minhas apostas. Lembro-me somente, como em sonhos, de que já ia ganhando, ao que parece, dezesseis mil florins, quando, de repente, três sortes contrárias levaram-me doze; depois apostei os últimos quatro mil em *passe* (mas já não sentia nada ao fazê-lo; não fazia outra coisa senão aguardar algo, maquinalmente, sem pensar em nada), e de novo ganhei; depois tornei a ganhar outras quatro vezes seguidas. Lembro-me unicamente de que recolhia o dinheiro aos milhares, e lembro-me também de que, com mais frequência de todos davam os doze números centrais, aos quais eu me havia aferrado. Vinham a dar de um modo regular, infalivelmente, três, quatro vezes seguidas; depois ficavam duas jogadas sem sair e, em seguida, tornavam a dar três ou quatro jogadas sucessivas. Esta pasmosa regularidade costuma observar-se às vezes nas jogadas e é isto que desconcerta os jogadores que tomam nota e fazem contas de lápis em riste. E que trapaças da sorte espantosíssimas costumam apresentar-se!

Creio que desde a minha aparição ali não teria transcorrido mais que meia hora. De repente, um *croupier* participou-me que havia ganho trinta mil florins e como a banca não dispõe de mais para cada vez, cobriram a roleta até a manhã seguinte. Recolhi todo o meu ouro, guardei-o nos bolsos e, imediatamente, dirigi-me a outra mesa de outra sala, onde funcionava outra roleta; atrás de mim veio toda a tropa; ali logo me deram lugar e pus-me a fazer novas apostas, ao acaso e sem cálculo. Não compreendo que foi que me salvou!

Às vezes, apesar de tudo, cruzava-me a mente um assomo de cálculo. Aferrava-me a alguns números sortes, somente não tardava em deixá-los e voltava a apostar, quase inconscientemente.

32 Referência a uma aeronauta francesa desaparecida por ocasião de sua setuagésima sétima ascensão em balão.

Deveria estar, por força, muito distraído; lembro-me de que os *croupiers* corrigiam-me por vezes as jogadas. Cometia erros crassos, Tinha as fontes inundadas de suor e as mãos me tremiam. Aproximaram-se também de mim os já mencionados polaquinhos a oferecer-me seus serviços, mas não fiz caso de nenhum deles. A sorte não parava! De repente, em redor de mim, ergueram-se vozes fortes e risadas. "Bravo! Bravo!", gritavam todos, e alguns até batiam palmas. Também havia eu ali arrastado trinta mil florins e tiveram de fechar a banca, até a manhã seguinte.

— Vai embora, vai embora! — murmurou uma voz à minha direita.

Era a do judeu de Frankfurt. Tinha permanecido todo o tempo junto de mim e, ao que parece, ajudara-me algumas vezes em minhas jogadas.

— Por Deus, vá embora! — murmurou outra voz, em meu ouvido esquerdo.

Voltei-me para olhar. Era uma senhora muito modesta e decentemente vestida, de uns trinta anos, de rosto cheio de cansaço, doentiamente pálida, mas que ainda conservava vislumbres de sua antiga e prodigiosa beleza. Naquele momento entulhei os bolsos de cédulas que estalavam, comprimidas violentamente, e reuni todo o ouro que restava em cima da mesa. Depois de recolher o último pacotinho de fredericos de ouro, achei meio de colocá-lo, sem que ninguém o visse, na mão da dama pálida; dominara-me uma vontade tremenda de fazer assim e lembro-me de que os finos e delgados dedinhos apertaram os meus, em sinal de vivíssima gratidão. Tudo aquilo foi coisa de um instante.

Recolhendo tudo, transferi-me rapidamente para o *trente et quarente*. No *trente et quarente* havia um público aristocrático. Não é jogo de roleta, mas de cartas. Ali a banca responde por cem mil florins de uma vez. Não sabia eu uma palavra daquele jogo, e não conhecia nem uma só aposta, a não ser o preto e o vermelho, que também ali há. Dediquei-me a eles. Todo o cassino reunira-se em torno de mim. Não me lembro se em todo aquele tempo pensei uma só vez em Polina. Sentia eu então um prazer indefinido em pegar e guardar as notas de banco, que iam formando um montão cada vez mais volumoso diante de mim.

Efetivamente, só parecia que a sorte me impelia. Daquela vez, como de propósito, sobreveio uma circunstância que, aliás, se repete com bastante frequência no jogo. Ouvira eu dizer, três dias antes, que na semana anterior a cor vermelha tinha dado vinte e duas vezes consecutivas; coisa semelhante não era recordada na roleta e mencionavam-na com assombro. Naturalmente, todos em seguida abandonaram o vermelho e, até passadas dez vezes, quase ninguém se atreveu a apostar nele. Mas tampouco no preto, a cor contrária, apostava então nenhum jogador esperto. O jogador esperto sabe o que significam esses caprichos da sorte. Qualquer um diria, por exemplo, que depois de sair dezesseis vezes seguidas o vermelho, teria de sair outras dezesseis vezes consecutivas o preto. Daí, acudirem os novatos em tropel, dobrando e triplicando suas apostas e perdendo de um modo feroz.

Mas eu, não sei por que raro capricho, tendo observado que o vermelho dera sete vezes seguidas aferrei-me a ele com toda intenção. Estou convencido de que ali terçava, em dose quase de metade por metade, o amor-próprio; queria causar assombro aos espectadores, correndo aquele risco insensato e, oh! sensação estranha! — lembro-me bem de que, efetivamente, sem que interviesse para nada o amor-próprio, acometeu-me de repente uma espantosa ânsia de perigo. É possível que, ao passar por tantas sensações, o espírito, longe de render-se, se excite mais ainda e exija sensações cada vez mais fortes, até sua definitiva inércia. E na verdade, pois não minto ao dizer que, se o chefe do jogo tivesse permitido apostas de cinquenta mil florins de uma vez, sem dúvida eu as teria feito. Em torno de mim gritavam que aquilo era um absurdo, que a cor vermelha já havia dado quatorze vezes.

— *Monsieur a gagné déjà cent mille florins* — soou uma voz junto de mim:

De repente dei-me conta. Como? Com que então havia ganho naquela noite cem mil florins? Para que queria mais? Peguei as notas, guardei-as no bolso, sem contá-las; arrebanhei todo o meu ouro e todos os meus pacotinhos e sai correndo dali. Ao passar pelas salas de jogo, todos se riam ao ver meus bolsos atochados, e meu passo desigual, por efeito do peso do ouro. Acho que representaria mais de vinte libras. Algumas mãos estenderam-se para mim. Dava eu o dinheiro aos punhados, de acordo com o que tirava do bolso.

Dois judeus detiveram-me na saída:

— O senhor é temerário! O senhor é temerário! — disseram-me. — Mas parta amanhã mesmo no primeiro trem, o mais depressa que puder; senão perderá o senhor tudo, tudo...

Não parei para escutá-los. A avenida estava escura, tanto que dava trabalho distinguir os dedos da mão. Até o hotel haveria uma meia versta. Não tive medo nunca dos ladrões e dos bandidos, nem mesmo quando era pequeno; tampouco agora me lembrava deles. Aliás nem me lembro em que iria eu pensando durante o caminho; não pensava em nada. Experimentava somente um prazer tremendo — o êxito da vitória, o poder, — não sei como exprimi-lo. Surgia diante de mim a imagem de Polina; recordava e reconhecia que ia buscá-la, reunir-me imediatamente a ela e contar-lhe tudo e mostrar-lhe... porém mal recordava o que ela me dissera antes, nem por que eu sairá, e todas aquelas emoções, recentes, de havia hora e meia, no máximo, já me pareciam algo remotíssimo, velhíssimo, caduco... que não precisava ser recordado, uma vez que agora tudo começava de novo. Quase no final da avenida acometeu-me súbito temor: "E se agora me matassem e roubassem?". A cada passo redobrava meu susto. Ia correndo. De repente, no final da avenida, refulgiu nosso hotel, iluminado por inúmeras janelas... Louvado seja Deus, já estou em casa!

Subi correndo ao meu andar e abri a porta rapidamente. Polina estava ali, sentada no divã, diante da vela acesa, de braços cruzados. Olhou-me, atônita, e sem dúvida deveria eu ter naquele momento uma cara bastante esquisita. Parei diante dela e comecei a derramar sobre a mesa todo o meu mundo de dinheiro.

Capítulo XV

Lembro-me de que ela ficou a olhar-me fixamente o rosto, mas sem mover-se de seu lugar, nem mudar de atitude.

— *Ganhei duzentos mil francos!* — exclamei, esvaziando o último pacotinho.

O montão enorme de notas e pacotinhos de ouro cobria toda a mesa. Não podia afastar dela meu olhar; havia momentos em que me esquecia por completo de Polina. Depois pus-me a por em ordem aqueles montões de notas de banco e a reuni-los e ajuntar num grande monte todo o ouro; depois deixei tudo ali e me pus a andar rapidamente pelo quarto, pensativo, até que de repente acerquei-me de novo da mesa e tornei a contar o dinheiro. Em seguida, como se só então me tivesse dado conta, corri para a porta e apressei-me em fechá-la com dupla volta de chave. Finalmente, parei, perplexo, diante de meu cofrezinho.

— Devo guardá-lo no cofre até amanhã? — perguntei, voltando-me de repente para Polina, de quem naquele instante me lembrara.

Permanecia ela sentada no mesmo lugar, sem fazer um movimento; mas seguia atenta todos os meus. Era algo estranha a expressão de seu rosto; uma expressão que me desagradou, não me equivoco se digo que refletia ódio.

Aproximei-me rapidamente dela.

— Polina, aqui tem você vinte e cinco mil florins... que equivalem a cinquenta mil francos, e talvez mais. Tome-os e atire-os amanhã mesmo à cara dele.

Ela não me respondeu.

— Quer que os leve eu mesmo amanhã de manhã? Sim?

De repente, prorrompeu numa gargalhada. Ficou rindo muito tempo.

Olhei-a, assombrado e ofendido. Aquela risada era muito semelhante ao riso sarcástico que costumava soltar sempre no momento em que lhe fazia eu minhas declarações mais apaixonadas. Por último, parou de rir e franziu a testa; olhou-me severamente dos pés à cabeça.

— Não aceitarei seu dinheiro — disse ela, desdenhosamente.

— Como? Por quê? — perguntei — Polina, a que vem isto?

— Não recebo dinheiro de ninguém.

— Ofereço-o a você como amigo; ofereço-lhe minha vida.

Olhou-me longo tempo, com olhos curiosos, como se quisesse traspassar-me.

— O senhor paga muito caro — disse, sorrindo. — A amada de De-Grillet não vale cinquenta mil francos.

— Polina! Como é possível que me fale assim? — exclamei, em tom de censura. — Será que sou De-Grillet?

— Odeio-o! Sim... sim!... Quero a você o mesmo que a De-Grillet! — exclamou com olhos subitamente brilhantes.

De repente, cobriu o rosto com as mãos e foi tomada de um ataque de histerismo. Corri para ela.

Compreendia que na minha ausência lhe havia ocorrido algo. Não parecia de modo algum estar em seu juízo.

— Compra-me! Queres? Queres? Por cinquenta mil francos, como De-Grillet! — exclamou, entre convulsivos soluços.

Tomei-a em meus braços, beijei-lhe as mãos e os pés e me prostrei diante dela, de joelhos.

Passou-lhe a crise. Colocou ambas as mãos sobre meus ombros e ficou me olhando com fixidez: parecia querer ler algo em meu rosto. Escutava-me, mas era evidente que não ouvia o que eu lhe dizia. Em seu rosto transluzia certa inquietude e indecisão. Temia por ela; parecia-me que perdera o juízo. Depois, de repente, atraiu-me para si suavemente; um sorriso de confiança assomou-lhe ao rosto; mas em seguida me repeliu e tornou a olhar-me demoradamente, com olhos sombrios.

E de repente deitou-me os braços ao pescoço.

— Mas é certo que me amas, me amas? — dizia. — Por que tu, tu por mim... querias bater-te com o barão!

E de repente se pôs a rir. Parecia que algo de engraçado e agradável lhe tivesse voltado à memória. Chorava e ria, tudo ao mesmo tempo. Bem, que ia eu fazer? Também eu estava como que atacado de febre. Lembro-me de que ela começou a dizer não sei quê... E que eu mal a entendia. Era algo delirante, balbuciante... como se quisesse contar-me algo muito depressa... um delírio interrompido de quando em quando pela risada mais alegre, que começava a assustar-me.

— Não, não; tu és muito bom, muito bom! — repetia ela. — Tu és muito fiel!

E outra vez tornava a enlaçar-me o pescoço com os braços e a ficar me olhando, enquanto repetia:

— Tu me... amas... me amas... me amarás?

Eu não afastava dela os olhos; jamais a havia visto naqueles arrebatamentos de ternura e amor; na verdade, tudo aquilo era, sem dúvida, delírio... mas ao reparar no meu olhar apaixonado, começou de repente a sorrir malignamente; sem que viesse a propósito, pôs-se a falar de repente de *Mister* Astley.

Aliás, de *Mister* Astley estava falando sempre (sobretudo quando havia um momento se empenhava em contar-me não sei quê), apenas eu não podia compreender a que se referia concretamente; ao que parece, ria-se também dele; repetia constantemente que ele a estava esperando e se deveras eu não o vira mesmo ao pé de sua janela.

— Sim, sim; ao pé da janela!... Anda, abre; olha para ver se está aí, aí!

Empurrava-me para a janela; mas enquanto fazia eu menção de ir para ali, ela começava a rir, e eu detinha-me a seu lado, enquanto ela corria a abraçar-me.

— Partiremos? Partiremos amanhã? — ocorreu-lhe, de repente, com inquietação. — Bem — e ficou pensando, — haveremos de alcançar a *bábuchka*. Que dizes? Creio que em Berlim poderemos alcançá-la. Que te parece? Que dirá ela quando a alcançarmos e nos vir? Mas, e *Mister* Astley?... Ora, este não se atiraria do Schlangenberg. Qual a tua opinião? — e pôs-se a rir. — Bem, escuta, escuta: sabes onde pensa passar o verão vindouro? Pois tem a intenção de ir ao Polo Norte para realizar investigações científicas e me levará consigo. Ah... ah... ah...! Diz que nós, os russos, não sabemos nada, a não ser por meio dos europeus e que para nada servimos... Mas ele também é bom. Sabes de uma coisa? Ele desculpa o general. Diz que Blanche... que a paixão... vamos, não sei, não sei — repetiu ela, de repente, como se se atrapalhasse e confundisse. — Estão loucos. Que pena me causam e também a avozinha!... Mas, ouve, ouve: vais matar De-Grillet? Mas acreditas mesmo que o matarias? Oh! Que estúpido! Mas, será que podes imaginar que eu iria deixar que te batesses com De-Grillet? Mas se tu não matas nem o barão! — acrescentou pondo-se a rir de repente. — Ah! E como te portaste ridiculamente com o barão! Eu via os dois lá do banco! E quanto demoraste a ir a seu encontro, quando eu te mandava! Eu dava tanta risada, tanta risada! — acrescentou, rindo às gargalhadas.

E de repente pôs-se a beijar-me e abraçar-me, e outra vez esfregou o rosto apaixonada e ternamente contra o meu. Eu já não pensava em nada e nem sequer a ouvia. A cabeça dava-me voltas...

Calculo que seriam cerca das sete horas da manhã, quando despertei. O sol brilhava no quarto. Polina estava sentada junto de mim e mostrava uma expressão estranha, como se acabasse de sair de um letargo e fosse reunindo suas recordações. Também ela, apenas despertou, ficou olhando a mesa e o dinheiro. Eu sentia a cabeça pesada e dolorida. Quis pegar a mão de Polina; ela, porém, me repeliu bruscamente e saltou do divã. O dia que nascia era um dia turvo; por entre o sol, chovia. Ela se aproximou da janela, abriu-a, avançou a cabeça e o busto e, apoiando os cotovelos sobre o peitoril, permaneceu assim uns três minutos, sem voltar-se para mim, nem escutar o que eu lhe dizia. Assustei-me. Que iria acontecer agora? Em que pararia tudo aquilo? De repente, afastou-se da janela, aproximou-se da mesa e, olhando-me com expressão de ódio infinito e com os lábios trêmulos de cólera, disse-me:

— Bem, vais dar-me os meus cinquenta mil francos?

— Polina, outra vez, outra vez! — comecei eu.

— Ou será que pensaste melhor? Ah!... ah... ah...! Talvez estejas arrependido.

Os vinte e cinco mil florins que havia eu separado para ela na noite anterior continuavam em cima da mesa. Peguei-os e entreguei a elas.

— De modo que, desde agora, já são meus? Deveras? Deveras? — perguntou-me, maldosamente, com o dinheiro na mão.

— Sempre foram teus — disse-lhe.

— Bem, pois aí tens teus cinquenta mil francos.

Abriu a mão e os atirou à minha cara. O pacotinho deu-me forte golpe no rosto e foi cair no chão. Depois de fazer aquilo, Polina saiu correndo do quarto.

Já sei que naquele momento não estava de todo em seu juízo, embora não compreenda aquela sua loucura passageira. Na verdade, fazia já um mês que se encontrava enferma. Mas qual foi a causa de semelhante estado e, sobretudo, daquela maneira de conduzir-se? Não lhe teria eu deixado entrever que me envaidecia de minha sorte e que, exatamente como De-Grillet, queria libertar-me dela, dando-lhe cinquenta mil francos? Mas não havia nada disto; é minha consciência quem o diz. Penso que a culpa teve-a também, em parte, sua própria vaidade; a vaidade aconselhava-a a não dar-me crédito e a ofender-me, embora seja possível que nada disto aparecesse com clareza à sua imaginação. Em tal caso, eu, sem dúvida, pagava por De-Grillet, e vinha a ser culpado, ainda que não fosse grande minha culpa. Para falar a verdade, tudo aquilo era puro delírio; e é também verdade que eu sabia que ela estava delirando e... não dei atenção a esta circunstância. Seria possível que ela agora não me pudesse perdoar? Sim; agora, sim; mas e então? E então? Porque não eram tão fortes seu delírio, nem sua enfermidade, para que não soubesse absolutamente o que fazia ao mostrar-me a carta de De-Grillet. Em resumidas contas: sabia o que fazia.

Imediatamente guardei todas as minhas notas e meu ouro na cama, cobri tudo e corri dez minutos depois em busca de Polina. Estava certo de que ela teria voltado a seu quarto e pensava dirigir-me a ele, nas pontas dos pés e perguntar na antessala à ama pela saúde da senhorita. Qual não foi minha estupefação, quando, pela aia, com quem me encontrei na escada, soube que Polina ainda não voltara ao hotel e que ela precisamente saíra à sua procura.

— Agora mesmo — disse-lhe, — acaba agora mesmo de sair de meu quarto; fará uns dez minutos, não mais. Aonde poderá ter ido?

A aia olhou-me com olhos cheio de censura.

Entretanto, difundira-se já toda a história que ninguém ignorava no hotel. O suíço e o camareiro-mor participaram-me como a *fraulein,* naquela manhã, às seis horas, saíra do hotel, debaixo da chuva, na direção do Hotel da Inglaterra. Mas pelas suas palavras e alusões pude perceber que eles já sabiam que ela passara a noite inteira no meu quarto. Aliás, já corriam murmúrios a respeito de toda a família do general; ninguém ignorava que este perdera o juízo e não fazia outra coisa senão chorar em voz alta. Diziam, além disso, que a *bábuchka* que viera do estrangeiro, era mãe dele; que com toda a certeza chegara ali, vindo nada menos que da Rússia, para impedir o casamento do seu filho com *Mademoiselle* de Cominges, sob ameaça de, em caso contrário, deserdá-lo e que, como ele, com efeito não lhe tinha obedecido, a condessa, em suas próprias barbas, perdera, de propósito, todo o seu dinheiro na roleta, com o fim de que nada restasse para ele.

— *Diese Russen*[33] — repetia o camareiro-mor, movendo com indignação a cabeça.

Outros riam. O camareiro-mor já tinha preparada a conta. Também se sabia quanto eu ganhara. Carlos, o criado de meu corredor, foi o primeiro a felicitar-me. Mas eu não estava para atender a eles. Corri na direção do Hotel da Inglaterra.

Era ainda cedo. *Mister* Astley não recebia ninguém, mas ao saber que era eu, saiu para o corredor e plantou-se diante de mim, olhando-me, em silêncio, com seu olhar cor de estanho, na expectativa do que iria eu dizer-lhe.

Perguntei-lhe por Polina.

— Está doente — *Mister* Astley me respondeu, olhando-me como antes, com olhos de censura e sem desfitar-me.

— Está então na verdade com o senhor?

— Oh! sim, comigo!

— Mas o senhor... o senhor tem intenção de retê-la a seu lado?

— Oh! sim, tenho!

— *Mister* Astley, o senhor vai provocar um escândalo; isto não pode ser. Além disso, está ela muito doente, o senhor não percebeu?

— Oh! sim, percebi! E já lhe disse que estava doente. Se não estivesse doente, não teria passado a noite em sua companhia.

— Mas como sabe o senhor isso?

— Sei. Ela esteve aqui a noite passada e eu a enviei à uma parenta minha; porém, como estava doente, equivocou-se e foi ter ao quarto do senhor.

— Quem o haveria de imaginar!... Bem, pois então felicito-o, *Mister* Astley e, a propósito, o senhor me deu uma ideia. Não esteve ontem à noite ao pé da janela do meu quarto? A Senhorita Polina esteve toda a noite me pedindo para abrir a janela e a olhar para ver se o senhor estava ali e o senhor não sabe quanto ela ria.

— É mesmo? Pois olhe, não estive ao pé da janela, mas esperei-a no corredor e dei umas tantas voltas por ali.

— Será preciso curá-la, *Mister* Astley.

— Oh! Sim! Já chamei um médico, e se viesse a morrer teria o senhor de dar-me conta de sua morte...

Fiquei atônito.

— Por favor, *Mister* Astley! Que quer o senhor dizer?

— É verdade que o senhor ganhou a noite passada no jogo duzentos mil táleres?

— Somente cem mil florins.

—Bem, então é isso e, a propósito, parta esta manhã mesmo para Paris.

33 Esses russos!, em alemão.

— Por quê?

—Todos os russos, assim que têm dinheiro, vão a Paris — explicou *Mister* Astley, com um tom de voz como se estivesse lendo num livro.

— E que vou eu fazer agora, no verão, em Paris? Eu a amo, *Mister* Astley, o senhor sabe disto.

— Sim? Pois estou convencido do contrário. Além disso, se continuar aqui, vai perder tudo e não terá mais dinheiro para ir a Paris. Mas, adeus; estou certo de que o senhor partirá para Paris esta manhã mesmo.

— Está bem, adeus; somente, não vou a Paris. Pense, *Mister* Astley, no que se vai passar, conosco, numa palavra: o general... E agora esta aventura com a Senhorita Polina... Porque disto, toda a cidade vai ficar sabendo.

— Sim, toda a cidade. Quanto ao general, não pensa nisto, nem tem por que pensar. Além disso a Senhorita Polina tem o absoluto direito de viver onde lhe agradar. No tocante a essa família, posso dizer-lhe com toda a verdade que tal família já não existe.

Retirei-me e durante o caminho ia rindo da estranha convicção daquele inglês de que eu havia de tomar o trem para Paris.

"Não obstante, tem ele intenção de provocar-me em duelo — pensava eu, — se a Senhorita Polina morrer... Ora!, outra complicação!"

Juro que sentia pena de Polina; mas, coisa rara, no instante em que na noite passada estava na sala de jogo e metia no bolso pacotinhos de ouro, meu amor parecia ter passado a segundo plano. Isto, digo-o agora; mas então ainda não o percebera com toda a clareza. Serei eu no fundo um jogador e realmente... será algo estranho meu amor por Polina? Não; eu, até agora, a amo, Deus o vê. Então, ao sair dos aposentos de *Mister* Astley e dirigir-me aos meus, sofria sinceramente e me acusava a mim mesmo. Mas, neste ponto me ocorreu uma aventura tão extraordinária quão absurda.

Dirigia-me à pressa aos aposentos do general, quando, de repente, não longe já dos mesmos, alguém me chamou. Era *Madame veuve* Cominges que me chamava de parte de *Mademoiselle* Blanche. Entrei no quarto de *Mademoiselle* Blanche.

Ocupavam as duas um quartinho pequeno, dividido em dois compartimentos. Ouviam-se os gritos e as risadas de *Mademoiselle* Blanche em sua alcova. Estava-se levantando da cama.

— *Ah! c'est lui! Viens donc, bête.* É verdade que *tu as gagné une montagne d'or et d'argent? J'aimerais mieux l'or...*[34]

— Sim, ganhei — respondi-lhe, rindo.

— Quanto?

— Cem mil florins.

— *Bibi, comme tu es bête.* Vem cá, que não ouço nada. *Nous ferons bombance, n'est-ce pas?*[35]

Penetrei em sua alcova. Surgia seu corpo de sob um cobertor de cetim cor-de-rosa, por baixo do qual assomavam os ombros, morenos, sadios, maravilhosos! uns ombros como somente se viam em sonhos, mal velados por uma camisa de

34 Ah é ele! Vem cá, animal... que ganhaste uma montanha de ouro e de prata? Prefiriria o ouro...

35 Bibi, como és uma besta... Faremos uma farra, não é?

cambraia, guarnecida de rendas, branquíssima, o que combinava maravilhosamente bem com sua pele morena.

— *Mon fils, as-tu du coeur?*[36] — exclamou ao ver-me, pondo-se a rir.

Ria sempre jovial e por vezes sinceramente.

— *Tout autre...*[37] — comecei eu, parafraseando Corneille.

— Estás vendo? — saltou ela, de repente, — Em primeiro lugar, procura minhas meias e ajuda a vestir-me, e depois, *si tu n'es pas trop bête, je te prends à Paris.*[38] Já sabes que parto dentro em pouco.

— Agora mesmo?

— Dentro de meia hora.

Efetivamente, já estava tudo empacotado. Todas as suas maletas e todos os seus objetos estavam prontos. Já fazia algum tempo que tomara seu café.

— Pois bem, se quiseres, *tu verras Paris. Dis donc, qu'est ce que c'est qu'un outchítel? Tu étais bien bête, quand tu étais outchítel*[39]. Onde estão minhas meias? Calça-as em mim, anda.

E exibiu, efetivamente, um pezinho encantador, moreno, diminuto, não deformado, como costumam estar todos esses pezinhos que tão pequeninos parecem, quando os aprisiona o calçado. Pus-me a rir e passei a calçar-lhe a meia de seda. Enquanto isto, *Mademoiselle* Blanche sentara-se na cama e me apressava.

— *Eh bien, que feras-tu si je te prends avec?* Em primeiro lugar: *je veux cinquante mille francs.* Podes entregá-los em Frankfurt. *Nous allons à Paris;* ali iremos juntos *et je te ferai voir des étoiles en plein jour.*[40] Verás umas fêmeas como nunca viste. Escuta...

— Alto lá. Se te dou cinquenta mil francos, que vai sobrar para mim?

— *Et cent cinquante mille francs;* tu te esqueces e, além disso, comprometo-me a viver em teu próprio quarto dois meses, *que sais-je!* Nós dois, certamente, gastaremos em dois meses esses cento e cinquenta mil francos. Olha! *Je suis bonne enfant,* e de antemão te digo, *mais tu verras des étoiles.*[41]

— Mas como, tudo em dois meses?

— Claro! E isto não te assusta? *Ah! vil esclave!* Mas não sabes tu que um só mês desta vida vale mais que toda a tua existência? Um mês... *Et après, le déluge! Mais tu ne peux comprendre, va!* Vai-te, vai-te; não és digno disto! Ai, *que fais-tu?*[42]

Naquele momento eu estava lhe calçando o outro pezinho; mas não pude conter-me e dei nele um beijo. Ela lançou um gritinho e se pôs a dar-me com a pontinha do pé na cara. Por fim, pôs-me dali para fora completamente.

— *Eh, bien, mon outchítel, je t'attends, si tu veux;*[43] parto daqui a um quarto de hora — gritou-me.

Ao voltar para casa eu já estava como que numa vertigem. Com a breca! Eu não tinha culpa de que a Senhorita Polina me tivesse atirado à cara um rolo de dinheiro,

---

36 *Meu filho, tens coração?*

37 Qualquer outro...

38 Se não te mostrares demasiado tolo, levo-te a Paris.

39 Tu verás Paris. Diz então, pois, que é um *utchítel?* Eras bem bobo quando eras *utchítel.*

40 Pois bem, que farás se te levo comigo?... quero cinquenta mil francos... vamos a Paris... comigo serás capaz de ver estrelas em pleno dia.

41 E cento e cinquenta mil francos... sei lá... sou boa menina... mas verás estrelas.

42 Ah! vil escravo!... E depois, o dilúvio! Mas tu não podes compreender, pois seja!... que fazes?

43 Pois bem, meu *utchítel,* espero-te, se quiseres.

nem de que, na noite anterior, houvesse preferido *Mister* Astley. Algumas das notas de banco que me atirara jaziam ainda no chão; agachei-me e recolhi-as. Naquele instante, abriu-se a porta e apareceu o camareiro-mor em pessoa, o qual antes nem sequer se dignava olhar-me, com um convite referente a uma mudança minha para baixo, para o magnífico quarto que a condessa de V*** acabava de deixar.

Fiquei imóvel, refletindo.

— A conta! — gritei. — Parto em seguida, dentro de dez minutos... "A Paris! A Paris! — pensei comigo mesmo. — Sem dúvida, estava isto escrito!"

Um quarto de hora depois estávamos sentados os três juntos em um vagão comum, familiar: eu, *Mademoiselle* Blanche e *Madame veuve* Cominges. *Mademoiselle* Blanche ria às gargalhadas, quando apareci, quase atacada de histerismo. *Madame veuve* Cominges fazia-lhe eco; não direi que eu estivesse alegre. Minha vida quebrara em dois pedaços; mas desde o dia anterior estava acostumado a jogar tudo numa carta. Talvez, e efetivamente é assim, não tivesse nascido para ter dinheiro e me houvesse dado uma vertigem. *Peut-être, je ne demandais pas mieux.*[44] A mim parecia que por algum tempo, mas só por algum tempo, mudava o cenário. "Mas assim que se passar um mês, estarei aqui outra vez e então... e então ajustaremos as contas, *Mister* Astley."

Não; agora me lembro de que estava então muito triste, por mais que risse à porfia com aquela louca da Blanche.

— Mas que tens? Como és bobo! Oh! Que idiota! — exclamava Blanche, interrompendo suas gargalhadas e começando a censurar-me seriamente. — Bem, sim, assim mesmo; gastaremos teus duzentos mil francos; mas em troca, *tu seras heureux, comme un petit roi,*[45] eu mesma te darei o nó da gravata e te apresentarei a Hortênsia. E quando tivermos gasto todo o nosso dinheiro, então darás outra volta por aqui e de novo quebrarás a banca. Que te disseram aqueles judeus? O principal... é a ousadia, e tu a tens, e não vai ser uma só a vez em que me levarás dinheiro a Paris. *Quant à moi, je veux cinquante mille francs de rente et alors...*[46]

— E o general? — perguntei-lhe.

— O general, fica sabendo, todos os dias, em todo este tempo, traz-me um ramo de flores. Mas, desta vez, muito deliberadamente, mandei-o buscar as flores mais raras. Agora voltará o pobre e verificará que o pássaro voou. Voou para fugir contigo, bem vês. Ele correrá atrás de nós. Ah! Ah! Ah! Vou divertir-me muito. Em Paris, ele me será útil; *Mister* Astley pagará as contas dele aqui.

Eis como parti para Paris.

CAPÍTULO XVI

Que vos direi de Paris? Tudo isto foi, sem dúvida, um desvario e uma extravagância. Passei em Paris apenas três semanas e pouco, e nesse lapso de tempo acabaram completamente meus cem mil francos. Digo somente cem mil; os cem mil restantes dei-os a *Mademoiselle* Blanche em dinheiro contante e sonante; dei-

44 Talvez não pedisse eu coisa melhor.

45 Serás feliz como um pequeno rei.

46 Quanto a mim, quero cinquenta mil francos de renda e então...

-lhe cinquenta mil em Frankfurt e, três dias depois, em Paris, entreguei lhe os outros cinquenta mil em forma de uma promissória, que foi descontada uma semana depois. *Et les cent mille francs qui nous restent, tu les mangeras avec moi, mon outchítel.*[47] Ela me chamava sempre *utchítel*. É difícil de imaginar no mundo criatura mais calculista, cobiçosa e avarenta do que *Mademoiselle* Blanche. Mas isto no que se refere a dinheiro, porque no tocante àqueles cem mil francos meus, explicou-me redondamente em seguida que necessitava deles para instalar-se em Paris. "Porque agora quero eu estabelecer-me aqui muito bem, de uma vez para sempre, e agora já ninguém poderá desbancar-me de minha posição; quando menos, é esta a minha intenção", acrescentou. Aliás, eu apenas vi aqueles cem mil francos. Todo o tempo teve ela o dinheiro em seu poder, e no meu porta-moedas, em que todos os dias cascavilhava, nunca havia mais de cem francos e quase sempre menos.

— Vamos, para que hás de querer o dinheiro? — dizia-me, com o ar mais cheio de candura.

E eu nunca brigava com ela. Em troca, com aquele dinheiro arranjou ela seu apartamento maravilhosamente e, quando em seguida me levou ao novo domicílio, disse-me, mostrando-me os aposentos:

— Eis o que com economia e gosto se pode fazer, ainda com os recursos mais miseráveis.

Aquela miséria elevava-se, no entanto, a cinquenta mil francos justos. Com os outros cinquenta mil comprou uma carruagem e cavalos e além disso demos dois bailes, isto é, dois modestos saraus, aos quais compareceram Hortênsia, Lisette e Cleópatra, mulheres todas elas notáveis, sob muitos e muitos aspectos e até bastante gentis.

Naqueles dois saraus vi-me obrigado a desempenhar o estupidíssimo papel de dono de casa, a saudar e conversar com ricos e estúpidos comerciantes, insuportáveis de descortesia e de audácia; com vários tenentezinhos e lamentáveis literatelhos e foliculares, que se apresentavam com o fraque da moda e de luvas amarelo pálido, e com tal ostentação e fatuidade, como não se encontram nem entre nós, em Petersburgo... o que já é muito dizer. Tiveram até o atrevimento de zombar de mim, mas eu embebedei-me com champanhe e retirei-me para uma peça vizinha. Tudo isto causava-me extrema mortificação.

— *C'est un outchítel!* — informava-lhes Blanche. — *Il a gagné deux cent mille francs* que não saberia como gastar, se não fosse eu. Mas depois terá de voltar a atuar como preceptor... Vocês não sabem de alguma colocação para ele? É preciso fazer alguma coisa em favor dele.

Eu recorria à champanhe com demasiada frequência, porque estava sempre muito triste e extremamente aborrecido. Vivia no ambiente mais burguês e mercantil, onde todos eram calculistas e egoístas. Blanche tinha por mim muito pouco carinho naquelas duas primeiras semanas. Pude notá-lo. É certo que me trajava com elegância e todos os dias dava-me ela mesma o nó da gravata; mas, no fundo de sua alma, sentia por mim um sincero desprezo. Não prestava eu a isto a menor atenção. Aborrecido e triste, dei de frequentar o *Château des Fleurs*,[48] onde regular-

---

47 E os cem mil francos que nos restam, tu os comerás comigo, meu *utchítel*.

48 Castelo das Flores, cabaré de Paris.

mente todas as noites me embebedava e aprendi o cancã, que ali se dançava muito mal, conseguindo alcançar mesmo celebridade a esse respeito. Finalmente, Blanche foi-me conhecendo melhor; parecia ter formado para si, de antemão, a ideia de que eu, durante todo o tempo que vivêssemos juntos, teria de andar sempre atrás dela, de lápis em riste, tomando nota de tudo quanto gastasse, fazendo a conta do que me roubasse e tornasse a roubar. Sim; indubitavelmente havia-se figurado que entre nós teria de haver uma batalha a cada dez francos que gastasse. Para todos os meus ataques possíveis tinha-se munido de antemão, mantendo réplica preparada; e ao ver que não me intrometia em nada do que fizesse, foi ela quem começou a atacar-me. Mais de uma vez arremeteu contra mim com muita veemência; mas, ao ver que eu não dizia nada (em geral, o que fazia era deixar-me cair na cama e pôr-me a mirar o teto), concluiu por maravilhar-se. A princípio, imaginava que eu era simplesmente um imbecil, um *utchítel;* e explicava tudo a si mesma pensando no seu íntimo: "É um idiota. Para que dar-lhe conta de tudo, se não compreende nada?". Partia para voltar dali a dez minutos. (Isto ocorria por ocasião de seus constantes gastos, completamente supérfluos e fora de proporção com nossos recursos. Trocou, por exemplo, seus cavalos por uma parelha de animais no valor de dezesseis mil francos.)

— Bem, vamos ver, Bibi: suponho que não estarás zangado — dizia-me.

— Não... o... o. Deixa-me! — dizia eu, afastando-a com um gesto.

Mas isto lhe parecia tão curioso que, em seguida, sentava-se a meu lado.

— Olha: se me decidi a gastar tanto dinheiro, é porque me venderam os animais por preço de ocasião. Podem ser revendidos por vinte mil francos.

— Acredito, acredito. São uns cavalos magníficos e agora tens uma parelha admirável. Fizeste bem, mas deixa-me.

— Mas não estás zangado?

— Por que haveria de estar? Fazes muito bem em adquirir as coisas de que necessitas. Tudo isto te será depois útil. Bem vejo que necessitas de viver neste nível, de outro modo nunca chegarás a milionária. Nossos cem mil francos são apenas o princípio, uma gota d'agua no oceano.

Blanche, que o que menos esperava eram tais raciocínios de minha parte, em vez de gritos e recriminações, ficava como se tivesse caído do céu.

— Só se vendo o que és tu! Só se vendo! *Mais tu as l'esprit pour comprendre. Sais-tu, mon garçon,*[49] ainda que sejas um *utchítel...* devias ter nascido príncipe. De modo que não te preocupa que o dinheiro se gaste logo?

— Não. Quanto antes melhor.

— *Mais... sais-tu... mais dis donc?* Serás por acaso rico? *Mais sais-tu?* Desprezas demasiado o dinheiro. *Qu'est-ce que tu feras après, dis donc?*[50]

— Depois irei para Homburgo e tornarei a ganhar outros cem mil francos.

— *Oui, oui, c'est ça, c'est magnifique!* E eu sei que infalivelmente os ganharás e os trarás para aqui. *Dis donc,* vais fazer que acabe gostando de ti. *Eh bien,* para recompensar-te, vou querer-te todo este tempo e não te serei infiel nem uma vez sequer. Olha: durante todo este tempo passado não gostava de ti, *parce que je croyais*

49 Mas tens espírito para compreender. Sabes, meu rapaz...

50 Mas... sabes... mas dize então?... Mas. sabes...! Que farás depois, dize então?

que tu n'est qu' un outchítel (quelque chose comme un laquais, n'est-ce pas?), ainda que, apesar de tudo, te haja sido fiel, *parce que je suis une bonne fille?*[51]

— Ora, estás mentindo! Por acaso não te vi eu com Albert, esse oficialzinho de cabelo preto e lustroso, não faz muito?

— *Oh! oh! mais tu es...!*

— Mentes, mentes; mas acreditas que eu iria zangar-me? Cuspo nisso; *il faut que jeunesse se passe.*[52] Tu não haverias de mandá-lo embora, uma vez que ele me havia precedido e gostas dele. Suponho apenas que não lhe darás dinheiro.

— De modo que, não estás zangado? *Mais, tu es un vrai philosophe!* — exclamou, entusiasmada. — *Eh bien, je t'aimerai, je t'aimerai!... Tu verras, tu seras content.*[53]

E, efetivamente, desde aquele momento pareceu verdadeiramente ligar-se a mim, revelando mesmo amizade. Transcorreram assim nossos dez últimos dias. Eu não vi as prometidas "estrelas", mas, sob certos aspectos, cumpriu ela realmente sua palavra. Além disso apresentou-me a Hortênsia, mulher extraordinária no seu gênero e que no nosso círculo era conhecida por todos pelo nome de Teresa Filósofa.[54] Mas, afinal, não é caso de nos estendermos a respeito desses pormenores; com tudo isto poderia formar-se outra história, de outra cor, que não quero intercalar nesta. No fundo, desejava acabar com tudo aquilo o mais depressa possível. Nossos cem mil francos foram-se embora, como já disse, em pouco mais de um mês. O que francamente me causou admiração; pelo menos, daquela quantia, oitenta mil inverteu-os Blanche em coisas para ela, não chegando nós a gastarmos nunca mais de vinte mil francos e, não obstante, foram suficientes. Blanche, que para o fim já se mostrava quase inteiramente franca comigo (pelo menos em algumas coisas não me mentia), reconheceu que, pelo menos, não me sobrecarregara com as dívidas que se vira obrigada a fazer.

— Nem sequer te obriguei a assinar contas ou promissórias — dizia-me, — porque tinha pena de ti; uma outra, sem dúvida, teria feito isso e teria te mandado para a prisão. Já vês quanto te quis bem e como sou boa!... e leva em conta o que esse casamento dos diabos vai custar-me!

Celebrou-se, efetivamente, um casamento entre nós. Celebrou-se precisamente ao final de nosso mês e é forçoso supor que com ele se foram os últimos restos de meus cem mil francos; com isto terminou nossa história, isto é, nosso mês e depois tratei de retirar-me normalmente.

A coisa sucedeu assim: uma semana depois de nossa chegada a Paris apresentou-se a nós o general. Veio direto procurar Blanche e, desde sua primeira visita, quase se instalou em nossos aposentos. É certo, no entanto, que alugara quarto não sei onde. Blanche acolheu-o com alegria, com exclamações e gargalhadas e até mesmo agarrou-se a seu pescoço; chegou a tal ponto a coisa, que não o largava, e obrigava-o a acompanhá-la a todas as partes: ao Bulevar, ao Passeio, ao teatro e à casa de suas amizades. Mas o general sabia tirar partido desse emprego. Era ele imponente e garboso, de estatura quase alta, de belos bigodes e suíças (tinha servido

51 Sim, sim, é isto, é magnífico!... Dize então... Pois bem... porque acreditava que não és senão um *utchítel* (algo como um lacaio, não é?)... porque sou uma boa moça.

52 é preciso que a mocidade passe.

53 Mas és um verdadeiro filósofo!...Pois bem, hei de te amar, hei de te amar... Verás, ficarás contente.

54 Alusão à obra desse título, célebre nos anais da literatura pornográfica francesa do século XVIII.

outrora no corpo de couraceiros), e tinha o rosto simpático, embora já algo entumecido pela idade. Tinha maneiras irreprováveis, usando bastante bem o fraque. Em Paris, começou a ostentar suas condecorações. Passear com um tipo assim pelo Bulevar, não só era possível, mas até mesmo recomendável. O bravo e inocente general exultava; não havia contado com tal acolhida, ao tomar o trem de Paris para vir ver-nos. Apareceu-nos então pouco menos que tremendo de susto; pensava que Blanche iria dar gritos e pô-lo para fora; de modo que, visto o aspecto tão diferente que a coisa tomara, estava cheio de entusiasmo e passou todo aquele mês num estado de espírito de absurda beatitude; em tal estado o deixei. Somente aqui, soube, com toda espécie de pormenores, que, depois de nossa inesperada partida de Rulletenburgo, sofreu ele naquela mesma manhã algo assim como um ataque. Caiu sem sentidos e passou toda a semana seguinte falando consigo mesmo, como um louco. Puseram-no em tratamento, mas, de repente, largou tudo, tomou o trem e veio para Paris. Naturalmente, a presença de Blanche pareceu-lhe o melhor tratamento; mas longo tempo depois conservou os vestígios de sua enfermidade, apesar de seu alegre e entusiástico estado de espírito. Discorrer ou sustentar sequer uma conversa algo séria era-lhe de todo impossível; em tais ocasiões limitava-se a murmurar para tudo um "Hum"! e a mover a cabeça... Saía assim da dificuldade. Com frequência, prorrompia numa risada nervosa como que mórbida, parecendo que ia cair; outras vezes ficava horas inteiras, sombrio como a noite, com suas espessas sobrancelhas franzidas. De muitas coisas perdera por completo a memória; mostrava-se distraído até a grosseria e contraíra o costume de falar sozinho. Somente Blanche conseguia reanimá-lo e mais ainda: aqueles ataques de humor sombrio e de zanga indicavam somente que passava muito tempo sem vê-la ou que Blanche fora a algum lugar, sem levá-lo ou saíra sem fazer-lhe uma carícia. A tudo isto nunca dizia o que queria e ele próprio não se dava conta de sua melancolia e de sua tristeza. Se se passavam uma ou duas horas (pude observá-lo duas vezes que Blanche esteve fora de casa o dia inteiro, certamente com Albert), começava de repente a revirar os olhos, a agitar-se, a olhar para todos os lados; parecia querer lembrar-se e como que buscar alguma coisa; mas, não a vendo e como se se tivesse esquecido do que queria perguntar, voltava a mergulhar em seu ensimesmamento, até que, de repente, aparecia Blanche alegre, vivaz, toda enfeitada, com seu riso sonoro, e se dirigia a ele e começava a mexer com ele e até a beijá-lo... coisa esta com que raramente o obsequiava. Certa ocasião sentiu com tudo isto o general tal arrebatamento de alegria que chegou a romper em pranto... o que não deixou de surpreender-me. Desde o momento e hora em que o general se apresentou a nós, começou Blanche imediatamente a advogar-lhe a causa diante de mim. Chegou mesmo a raiar pela eloquência; recordou-me que por minha causa tinha-o deixado a ele; que fora quase sua noiva oficial e lhe dera sua palavra; que por causa dela deixara ele sua família e que, por último, servira eu em casa dele, estando obrigado a ter isso presente e que... como é que não sentia eu vergonha?... Eu me limitava a calar, enquanto ela disparatava de um modo terrível. Finalmente, pus-me a rir, e com isto terminou a coisa, quer dizer, que a princípio imaginava ela que era eu um imbecil e, afinal, enfiou na cabeça que *era eu um homem bom* e inteligente. Em suma: que teve a sorte de merecer decididamente, por fim, o completo elogio daquela digna senhorita. (Blanche, aliás, era no fundo uma moça boníssima... somente que a seu modo, naturalmente; no princípio não a apreciava eu assim.) "Tu és bom e inteligente — dizia-me por fim, — e... e... a única coisa que sinto é que sejas tão imbecil. Não economizas nada, nada. Um verdadeiro russo, um calmuco!"

Algumas vezes mandava-me passear pelas ruas com o general, exatamente como um criado com o cachorro. Eu, aliás, levava-o ao teatro e ao baile Mabille e aos restaurantes. Para tudo isto dava-me Blanche o dinheiro, embora o general tivesse o dele e gostasse muito de exibir cédulas em público. Certa vez tive quase que empregar a violência para evitar que gastasse oitocentos francos com um adereço que o fascinara no Palais Royai e com o qual queria a todo o transe presentear Blanche. Bem, para que queria ela um adereço de oitocentos francos? O general tinha somente, ao todo, mil. Nunca pude saber donde os tirava. Suponho que de *Mister* Astley, tanto mais quanto este lhes pagara a conta do hotel. Pelo que se refere ao modo pelo qual o general me olhava todo esse tempo, creio que ele nem sequer adivinhava minhas relações com Blanche. Ainda que tivesse ouvido rumores confusos de ter eu ganho na roleta uma grande quantia, decerto imaginaria que eu exercia junto a Blanche o papel de secretário ou até de criado. Pelo menos tratava-me com a mesma altivez de sempre, como superior, e até se permitia fazer-me censuras. Uma vez fez-nos rir muito a mim e a Blanche enquanto tomávamos o café da manhã. Não era ele homem rabugento e, mesmo assim, zangou-se comigo. Por quê? Ainda agora não o compreendo. Mas sem dúvida ele tampouco o compreendia. Numa palavra: falava sem tom nem som, *à bâtons rompus*,[55] gritando que eu era um fedelho, que ele haveria de ensinar-me... que ele me faria saber... e outras coisas nesse estilo. Mas nunca pude compreender a causa. Blanche chorava de rir; finalmente, conseguiram tranquilizá-lo não sei como e levaram-no a passear. Depois de tudo isto, notei muitas vezes que ele estava triste, que se queixava de alguém e de alguma coisa, que algo faltava, não obstante a presença de Blanche. Nesses momentos tratou ele próprio em duas ocasiões de entabular conversação comigo, mas nunca conseguiu explicar-se. Falou-me de sua carreira militar, de sua defunta esposa, de suas propriedades, de seus bens. Se acertava com alguma palavra, punha-se muito contente e repetia-a centenas de vezes por dia, ainda que, de modo algum exprimisse seu sentimento ou seu pensamento. Tentei falar-lhe de seus filhos, mas fugiu ao assunto com sua anterior tagarelice e deu-se pressa em tocar noutro tema: "Sim, sim; os filhos, os filhos; você tem razão, os filhos!". Somente uma vez enterneceu-se. Havíamos ido ao teatro: "São uns filhos desditosos! — disse, de repente. — Sim, senhor, filhos des...dito...sos!". E várias vezes na noite repetiu aquelas palavras: "Filho desditoso!". Como eu lembrasse uma vez Polina, chegou até a encolerizar-se. "É uma ingrata — exclamou, — má e desagradecida! É a desonra da família! Se aqui houvesse leis, já lhe teria eu abaixado a prosápia com um chifre de carneiro! É isto, é isto!" Pelo que se refere a De-Grillet, nem sequer podia ouvir seu nome: "Perdeu-me, — dizia, — roubou-me, matou-me! Foi meu pesadelo por espaço de dois longos anos! Durante o mês seguido tenho estado sonhando com ele!... É.... é... é...! Oh não me torne a dizer-lhe o nome!".

Via eu que algo unia os dois, mas calava, segundo meu costume. Foi Blanche quem me explicou uma semana justamente antes de nos separarmos: "Ele tem sorte — disse-me, — a *bábuchka* já está agora deveras doente e morrerá sem remissão.

---

55 Torrencialmente.

Mister Astley passou-lhe um telegrama. Convirás em que, apesar de tudo, é ele o herdeiro dela. E ainda que não o fosse, tampouco seria uma carga para ninguém. Em primeiro lugar tem sua pensão e, além disso, pode viver num quarto de despejo sem sentir falta de nada. Serei *madame la générale*. Terei acesso a um bom ambiente — Blanche não fazia senão sonhar com isto, — e depois serei uma proprietária russa, *j'aurai un château, des moujiks, et puis j'aurais toujours mon million...*"[56]

— Sim, mas se lhe dá para mostrar-se ciumento, exigirá... Deus sabe o que... Compreendes?

— Oh! Não, não, não! Como iria atrever-se! Já tomei minhas medidas, podes estar tranquilo. Obriguei-o a assinar-me algumas promissórias em nome de Albert. Apenas ele teria imediatamente o castigo. De modo que não se atreverá!

— Bem então, trata de casar!

Celebrou-se o casamento sem solenidade especial, em família e discretamente. Assistiram a ele, como convidados, Albert e algum íntimo. Hortênsia, Cleópatra e comparsa ficaram decididamente de fora. O noivo estava muito impressionado com sua situação. A própria Blanche deu-lhe o nó da gravata e pôs-lhe cosmético na cabeça e, com seu fraque e seu colete branco, parecia *très comme il faut*.[57]

— *Il est pourtant très comme il faut*[58] — declarou-me a própria Blanche ao sair do quarto do general, como se a ideia de que este estivesse *très comme il faut* a ela própria houvesse chocado. Prestei tão pouca atenção aos pormenores, a tudo assistindo na qualidade de espectador entediado, que de muitas coisas me esqueci. Lembro-me unicamente de que Blanche não tinha afinal nada de Cominges, da mesma maneira que sua mãe não era, de modo algum, viúva Cominges, mas du Placet. Por que ambas se teriam feito passar por de Cominges, é coisa que ignoro. Mas o general não levou a coisa a mal e até agradou-lhe mais o du Placet que o de Cominges. Na manhã do casamento, já de traje de festa, não fazia senão dar voltas pelo quarto, repetindo entre dentes, com cara extraordinariamente séria e grave: "*Mademoiselle* Blanche du Placet Blanche du Placet...", e seu rosto resplandecia de satisfação. Na igreja, no juizado de paz e em casa, durante o almoço, não só se mostrou alegre e satisfeito, mas até orgulhoso. Parecia ter ocorrido a ambos algo de especial. Também Blanche assumira um ar de dignidade incomum.

— Agora não terei remédio senão proceder de modo totalmente diferente — disse-me com muita seriedade. — *Mais vois-tu,* não tinha dado por uma coisa tremenda. Imagina: ainda não consegui aprender meu novo sobrenome. Zagoziánski, Zagoriánski, *madame la générale de Zago... Zago... Ces diables de noms russes!*[59] *Enfin, madame la générale à quatorze consonnes! Comme c'est agréable, n'est-ce pas?*

Finalmente nos separamos e Blanche, aquela estúpida Blanche, chegou a verter lágrimas ao despedir-se de mim: "*Tu étais bon enfant* — disse, choramingando. — *Je te croyais bête et tu en avais l'air,* mas é isso que te fica bem." E ao apertar-me a mão pela última vez, exclamou: *Attends.*[60] Entrou no seu *boudoir* e um minuto

56 Terei um castelo, mujiques, e depois terei sempre meu milhão.

57 Muito bem.

58 *Ele está, no entanto, muito bem.*

59 Mas vê... a senhora generala de Zago... Zago... Esses diabos de nomes russos! Enfim, a senhora generala de quatorze consoantes! Como é agradável, não é?

60 Acreditava que fosses bobo e tinhas ar disso... Espera.

depois voltava, trazendo-me uma cédula de dois mil francos. Nada neste mundo me faria acreditar nisso! "Isto te vai ser muito útil, porque é possível que sejas um *utchítel* com muita cultura, mas és terrivelmente estúpido. Mais de dois mil não te daria de maneira nenhuma, porque... irias perdê-los mesmo na roleta. Bem, adeus! *Nous serons toujours bons amis* e se tornares a ganhar no jogo vem depois ver-me *et tu seras heureux!*"[61]

Restavam ainda em meu poder quinhentos francos. Tinha, além disso, um magnífico relógio que valia mil francos, umas abotoaduras com brilhantes, etc., de sorte que ainda podia ficar bastante tempo sem preocupar-me com coisa alguma. Bem intencionalmente vim para este lugarejo, com o fim de reconcentrar-me e sobretudo aguardar *Mister* Astley. Soube, de boa fonte, que há de vir cá, a este povoado, onde permanecerá vinte e quatro horas, por motivo dum negócio. Vou me inteirar de tudo e depois... depois, direto a Homburgo. A Rulettenburgo não irei; talvez, no ano que vem. Efetivamente, dizem que é uma estupidez manifesta experimentar a sorte duas vezes seguidas na mesma mesa de jogo, ao passo que em Homburgo é já outra coisa.

Capítulo XVII

Faz já um ano e oito meses que não dava uma olhadela a esses apontamentos e agora, simplesmente porque estou triste e amargurado, pus-me a relê-los com intenção de distrair-me. Com que então ficara eu em ir a Homburgo! Meu Deus! Com que coração tão leve, relativamente falando, escrevi eu então estas últimas linhas! Isto é, não com coração ligeiro... mas com que aprumo, com que inquebrantável ilusão! Duvidava eu então de mim de algum modo? E, não obstante, eis que apenas transcorreu ano e meio e, na minha opinião, estou muito pior que um mendigo! Mas que importa a mendicidade? Zombo dela! Sou, simplesmente, um homem perdido. Aliás, não posso comparar-me com ninguém, nem quero pôr-me a recitar para mim mesmo lições de moral! Não há nada mais estúpido que a moral em tais ocasiões! Oh! Os indivíduos satisfeitos de si mesmo! Com que orgulhosa ufania estão sempre dispostos esses charlatães a dirigir suas sentenças ao próximo! Se soubessem até que extremo compreendo eu mesmo a abjeção de meu atual estado, sem dúvida não poriam em movimento sua língua para pregar-me sermão! Porque vamos ver: que podem dizer-me de novo que eu não saiba? Trata-se disso talvez? Tudo se reduz a que... bastaria uma simples volta da roda para que tudo mudasse e esses moralistas fossem os primeiros (estou certo disto) a vir felicitar-me. E não me virariam as costas como agora. Mas cuspamos em todos eles! Que sou eu agora? Um zero. Que posso ser amanhã? Amanhã posso ressuscitar dentre os mortos e começar a viver de novo! Posso descobrir o homem que trago dentro de mim, enquanto não me tiver fundido de todo.

Efetivamente, dirigi-me então a Homburgo, mas voltei depois a Rulettenburgo e estive também em Spa e em Baden, onde entrei como criado de quarto a serviço do conselheiro Hintze, um canalha que foi aqui meu patrão. Sim, vivi no nível dos criados cinco meses justos!... Foi isto logo que saí da prisão (porque haveis de saber que fui parar no cárcere de Rulettenburgo por causa de certa dívida). Não sei quem

61 Seremos sempre bons amigos... e te sentirás feliz.

me tirou dali. Talvez *Mister* Astley. Ou Polina? Para onde haveria de dirigir meus passos? Vim dar com o Senhor Hintze. É este um homem jovem e estouvado, amante da ociosidade, e eu sei falar e escrever três línguas. A princípio, exercia as funções de seu secretário por trinta florins por mês, mas acabei sendo um verdadeiro criado dele. Não estava em situação de ter secretário e rebaixou-me o ordenado. Eu não tinha para onde ir... de modo que eu mesmo me converti num lacaio. Mal comia e bebia, enquanto estive a seu serviço; mas, em compensação, pude economizar em cinco meses setecentos florins. Uma noite, em Baden, tive de comunicar-lhe que desejava deixá-lo. Naquela mesma noite dirigi-me à roleta. Oh! Como me palpitava o coração! Não, não era pela ânsia do dinheiro! Então o que eu unicamente ambicionava era que no outro dia todos aqueles Hintze, todos aqueles *oberkellner,* todas aquelas pomposas damas badenses... que toda aquela gente falasse de mim e contassem uns aos outros a minha história e me admirassem e me segurassem e me fizessem reverências e se inclinassem diante de minha nova sorte no jogo. Tudo isto serão sonhos e desvarios pueris, mas... quem sabe...? Talvez também me encontrasse de novo com Polina e lhe contasse e ela se maravilhasse de ver-me alteado por cima de todos aqueles estúpidos reveses da sorte... Oh! Não era a ânsia de dinheiro! Estou certo de que voltaria a dá-lo a qualquer outra Blanche e iria outra vez a Paris, passar três semanas, com uma junta de cavalos próprios que me tivessem custado setenta mil francos. Porque tenho certeza de que não sou avarento; tenho-me até na conta de pródigo... e, não obstante, com que tremor, com que desfalecimento do coração ouvia eu as vozes do *croupier: trente et un, rouge, impair et passe;* ou, *quatre, noir, pair et manque!* Com que avidez fitava eu a mesa de jogo, em que havia empilhados luíses, fredericos e táleres, e os montezinhos de ouro, quando, sob a raqueta do *croupier,* vinham abaixo e se esparramavam em regos ardentes como fogo, e também nas colunas de prata de um *archin* de comprimento que havia em volta da roda! Não bem entrava na sala de jogo, duas peças mais aquém, já ouvia o retintim do dinheiro esparramado. Quase sentia convulsões.

Oh! aquela noite em que me apresentei com meus setenta florins na mesa de jogo foi também notável! Comecei com dez florins e também em *passe.* Tinha o preconceito do *passe.* Perdi. Restavam-me sessenta florins em prata; ponderei... e optei pelo zero. Pus de uma vez cinco florins no zero. Na terceira aposta saiu de repente o zero. Por pouco não morri de alegria ao ver que me entregavam cento e setenta e cinco florins; naquela vez em que ganhei os cem mil florins não experimentara tanta alegria. Imediatamente coloquei cem florins no *rouge*... e ganhei; os duzentos florins sobre o vermelho... e ganhei. Os quatrocentos sobre o *noir*... e ganhei. Oitocentos no *manque*... e ganhei. Contando o que ganhara antes, tinha então mil e setecentos florins e isto em menos de cinco minutos! Sim; em momentos assim a gente esquece todos os fracassos anteriores. Porque eu obtivera esse resultado arriscando mais que minha vida, ousara arriscar-me e pertencia de novo à humanidade.

Aluguei um quarto, tranquei-me nele e pus-me a contar o dinheiro. Na manhã seguinte acordei sem ser mais um lacaio. Resolvi partir naquele mesmo dia para Homburgo; ali não fora criado de ninguém, nem estivera tampouco na prisão. *Meia hora antes da partida, fui* fazer duas pequenas apostas e nada mais e perdi mil e quinhentos francos. Não obstante, apesar de tudo, parti para Homburgo e aqui estou já faz um mês.

Vivo, desde então, em contínua inquietação, jogo muito pouco e espero não sei quê; faço contas, passo os dias inteiros junto à mesa de jogo e observo as jogadas; até dormindo vejo jogar, mas, com tudo isto, parece-me que me tornei de pau, que me atolei num pântano. Deduzo-o assim, a julgar pela impressão de minha entrevista com *Mister* Astley. Não nos víamos desde aqueles tempos de outrora e nos encontramos de modo inesperado. Eis como aconteceu: eu saíra para o jardim e estava pensando em que quase todo o dinheiro já se havia acabado; mas tinha ainda cinquenta florins e, além disso, fazia três dias que pagara a conta do hotel. De modo que podia fazer ainda uma visita à roleta... Se ganhasse alguma coisa, podia continuar jogando; se perdesse... então nada, iria empregar-me outra vez como criado, se não encontrasse logo alguma família russa que necessitasse de preceptor... Absorto nesses pensamentos ia dando meu passeio cotidiano pelo parque e pelo bosque, até o principado vizinho. Às vezes costumava andar passeando assim por espaço de quatro horas seguidas, voltando depois a Homburgo, cansado e faminto. Mal saíra do jardim para o parque quando, de repente, dei com os olhos, e com natural assombro, em *Mister* Astley que estava sentado num banco. Foi ele o primeiro a ver-me e chamar-me. Sentei-me a seu lado. Como notasse nele certa gravidade, imediatamente moderei minha alegria, que fora bastante viva ao vê-lo.

— Como, o senhor aqui? Bem havia pensado que viria encontrá-lo — disse-me. — Não se incomode com contar-me... Sei de tudo, de tudo, de toda a sua vida. Conheço-a neste vinte meses.

— Ah! de modo que não perde o senhor a pista dos velhos amigos... — respondi-lhe. — Faz-lhe honra não esquecer... Mas olhe: dá-me o senhor uma ideia. Não teria sido o senhor quem me tirou da prisão de Rulettenburgo, quando nela me meteram por causa de uma dívida de duzentos florins? Foi um desconhecido que me tirou dali.

— Não! Oh! não! não o tirei da prisão de Rulettenburgo, onde se achava por causa de uma dívida de duzentos florins; mas soube que o senhor estava na prisão por uma dívida de duzentos florins.

— Isto, contudo, quer dizer que o senhor sabe quem me tirou dali.

— Oh! não! não posso dizer que saiba quem o tirou dali.

— É estranho. De nossos russos, não conheço ninguém e, além do mais, os russos aqui não pagam as dívidas de outro; fazem isto lá na Rússia onde os ortodoxos se redimem mutuamente. De modo que imaginava eu que deveria ter sido algum inglês extravagante, por mera excentricidade.

Mister Astley escutava-me com algum assombro. Pelo visto, esperava encontrar-me triste e abatido.

— Não obstante, alegra-me muito ver que conservou o senhor intacta a independência de seu espírito e até sua alegria — disse, com um tom bastante antipático.

— Quer dizer que o senhor, em seu íntimo, rói-se de desgosto por ver que não me encontra abatido nem humilhado — disse-lhe, rindo.

Ele não compreendeu logo, mas depois riu-se também.

— Achei graça em sua observação. Por essas palavras reconheço o meu antigo amigo inteligente, entusiasta, ao mesmo tempo que cínico. Somente dentro da pele de um russo cabem ao mesmo tempo tantas coisas contraditórias. Efetivamente, gosta o homem de ver seu melhor amigo em atitude humilde diante de si. Mais ainda: na humilhação costuma basear-se em grande parte a amizade, e esta é uma verdade velha que não há homem de talento que ignore. Mas, no caso presente, asseguro-lhe que me alegro sinceramente por não vê-lo abatido. Diga-me: não tem o senhor intenção de deixar o jogo?

— Oh! o diabo que o leve! Deixaria imediatamente, se não fosse...

— Se não fosse o querer desforrar-se. Isto mesmo pensava eu; não diga mais... Sei disso... Falou o senhor duma maneira inopinada e, por conseguinte, falou a verdade. Mas diga-me: além do jogo, em que outra coisa se ocupa?

— Em nada.

Pôs-se a examinar-me com a vista. Eu não sabia de nada; mal lia jornais e em todo aquele tempo não havia aberto absolutamente um livro.

— Não há de querer virar boneco de pau — observou. — Não só se afasta da vida, de seus interesses e dos interesses sociais, dos deveres do cidadão e do homem, de seus amigos (o senhor os tinha, apesar de tudo); não só se desinteressa de tudo que não seja o jogo, mas até prescinde de suas recordações. Lembro-me do senhor num momento ardente e apaixonado de sua vida; mas estou certo de que o senhor já se esqueceu de todas as suas melhores impressões daquele tempo; seus sonhos, suas mais veementes ânsias não vão agora mais além do *pair et impair rouge, noir,* a coluna do meio, etc., etc. Estou convencido disto!

— Basta, *Mister* Astley! Por favor, por favor, não evoque o passado — exclamei, contrariado e quase iracundo. — O senhor sabe de sobra que não me esqueci de nada, mas que por algum tempo pus tudo para fora de minha cabeça, inclusive as recordações, até que arranje radicalmente minha situação. Então.... então haverá o senhor de ver como ressuscito dentre os mortos.

— O senhor estará ainda aqui dentro de dez anos — disse ele. — Advirto-o desde agora de que, se então estiver eu vivo, haverei de recordar-lhe neste mesmo banco.

— Ora, basta! — interrompi-o com impaciência. — Para demonstrar-lhe que não sou tão esquecediço do passado, o senhor vai me fazer o favor de responder a uma pergunta: onde anda a Senhorita Polina? Porque, se não foi o senhor quem me tirou da prisão, foi ela sem dúvida. Desde aqueles tempos não voltei a saber absolutamente dela.

— Não! Oh! não! não creio que tenha sido ela quem o resgatou. Deverá estar agora na Suíça e o senhor me proporcionará uma grande satisfação não tornando a perguntar-me pela Senhorita Polina — disse-me com energia e até mesmo irritado.

— Isto quer dizer que ela também o magoou? — E involuntariamente pus-me a rir.

— A Senhorita Polina é a melhor das criaturas, a mais digna de respeito. Mas repito-lhe que me proporcionará uma grande satisfação não me perguntando mais pela Senhorita Polina. O senhor nunca chegou a conhecê-la bem e seu nome em seus lábios parece-me uma ofensa a meu sentido moral.

— É mesmo? Afinal de contas, o senhor não tem razão. Imagine só: de que vou falar ao senhor senão disso? A isso se reduzem todas as nossas recordações. Não se inquiete. Afinal de contas não tenho necessidade de intrometer-me em seus as*suntos íntimos, secretos... interesso*-me unicamente, digamos assim, pela situação atual da Senhorita Polina, somente pela sua situação exterior no momento. E isto pode dizer-se em duas palavras.

— Pois trate de escutar-me para com estas duas palavras dar por terminado o assunto. A Senhorita Polina esteve muito tempo enferma; parte desse tempo passou-o com minha mãe e minha irmã no norte da Inglaterra. Há uns seis meses, sua avó... lembra-se o senhor?... aquela velha maluca, morreu deixando-lhe, só para ela, oito mil libras. Atualmente, a Senhorita Polina viaja em companhia de minha irmã casada. Seus irmãozinhos acham-se também ao abrigo da necessidade graças ao testamento da *bábuchka*, e estão estudando em Londres. O general, seu padrasto, morreu há um mês em Paris, em consequência de um ataque de apoplexia. *Mademoiselle* Blanche tratou-o bem até o fim, mas soube muito bem por em seu nome tudo quanto ele herdara de sua tia... eis tudo, creio.

— E De-Grillet? Não estará também viajando pela Suíça?

— Não. De-Grillet não viaja pela Suíça e não sei de seu paradeiro. Aliás, rogo de uma vez para sempre que evite fazer-me semelhantes alusões e comparações ignóbeis, pois de outro modo, irremediavelmente, terei de ajustar contas com o senhor.

— Como? Apesar de nossa velha amizade?

— Sim: apesar de nossa velha amizade.

— Peço-lhe mil vezes perdão, *Mister* Astley, mas desculpe-me: isto não tem nada de ofensivo, nem de ignóbil, porque, é claro, não culpo de nada a Senhorita Polina. Além disso, um francês e uma russa, falando em termos gerais, representam uma semelhança tal que, *Mister* Astley, nem o senhor, nem eu podemos explicar ou compreender definitivamente.

— Se o senhor não misturasse o nome de De-Grillet com esse outro nome, eu lhe rogaria que me explicasse que pretende o senhor dizer com isso de um francês e uma russa? A que semelhança se refere? Por que hão de ser precisamente um francês e uma russa?

— Já está o senhor vendo como isto lhe interessa. Mas é muito longo de explicar, *Mister* Astley. Deveria estar antes a par de muitas coisas. Aliás, trata-se de uma questão importante, por mais ridículo que tudo isto possa parecer ao primeiro golpe de vista. O francês, *Mister* Astley, é uma "forma" acabada elegante. O senhor, como inglês, pode não concordar com isto; eu também, como russo, não posso concordar, ainda que somente por inveja; mas nossas mocinhas podem ser de outra opinião. O senhor pode achar Racine afetado, amaneirado e perfumado; até decerto não o lê. Eu também o acho afetado, amaneirado e perfumado, e até, de certo ponto de vista, ridículo. Mas é sedutor, *Mister* Astley, e, sobretudo, é um grande poeta, queiramos ou não queiramos o senhor e eu. O tipo nacional francês, isto é, parisiense, começou a transformar-se numa forma elegante, quando éramos nós ainda uns ursos. A revolução perseguiu a nobreza. Hoje até o derradeiro francezinho pode ter maneiras, gestos, expressões e até pensamentos de forma supremamente bela, sem ter tido parte na criação dessa forma nem por sua iniciativa, nem por seu espírito, nem por seu coração; tudo isto lhe é transmitido por herança. Individualmente podem ser frívolos e vis além de toda expressão. Pois bem, *Mister* Astley, participo-lhe que não há no mundo inteiro uma criatura mais crédula e mais franca que a boa, inteligente e não excessivamente afetada senhorita russa. De-Grillet, apresentando-se com qualquer disfarce, pode conquistar-lhe o coração com facilidade extraordinária, pois para isto possui uma forma elegante, *Mister* Astley, e a senhorita toma essa forma pela alma pessoal dele, pela forma natural de sua alma e de seu coração e não por uma veste herdada. Embora muito lhe desagrade, tenho de dizer-lhe que os ingleses, em grande parte são orgulhosos e feios e que os russos sabem distinguir muito finamente a beleza e por ela se apaixonam. Mas para perceber a beleza da alma e a originalidade da pessoa, para isto é necessário, incomparavelmente, mais independência e liberdade do que a que possuem nossas mulheres, e muito mais nossas senhoritas e, naturalmente, num e noutro caso mais experiência. A própria Senhorita Polina, perdoe o senhor, mas o dito está dito, demorou muito, muito tempo em decidir-se a dar-lhe a preferência sobre aquele tratante do De-Grillet. Ela aprecia o senhor, é sua amiga, abre-lhe todo o seu coração; mas, apesar disso, naquele coração imperará sempre aquele odioso sem-vergonha, aquele repugnante De-Grillet, ruim e usurário. Isto se deve, por assim dizer, à vaidade e ao amor-próprio, porque esse tal De-Grillet apresentou-se a ela certa vez com a auréola de um belo marquês, de um liberal desencantado e arruinado que vinha em socorro de sua família e daquele bobo do general. Todas as suas artimanhas descobriram-se logo. Mas não importa que se tenham descoberto; torne o senhor a apresentar-lhe agora o De-Grillet de outrora... Isto é o que ela quer! E quanto mais odiar o De-Grillet de agora, tanto mais saudade terá do de outrora, ainda que este de outrora só tenha existido em sua imaginação. Negocia o senhor agora com açúcar, *Mister* Astley?

— Sim; formo parte da companhia açucareira Level & Co.

— Bem; pois veja o senhor, *Mister* Astley. De um lado, um negociante de açúcar e, do outro, o Apolo do Belvedere: duas coisas que não parecem dar-se bem. Eu nem sequer sou negociante de açúcar, senão, simplesmente, um modesto "ponto" da roleta; e até já servi de lacaio, o que decerto já saberá a Senhorita Polina, uma vez que, ao que parece, tem boa polícia.

— O senhor está furioso e por isso disparata todos esses desatinos — disse *Mister* Astley, sereno e pensativo. — Além disso, suas ideias carecem de originalidade.

— De acordo! Mas isto é horrível, meu nobre amigo, que todas essas minhas acusações, por mais velhas, por mais mesquinhas, por mais vaudevilescas que sejam, são, ainda assim, verdadeiras. Apesar de tudo, nem o senhor, nem eu podemos conseguir nada!

— Isto é um disparate enorme... porque, porque... saiba o senhor... — disse *Mister* Astley, com voz trêmula e olhos cintilantes. — Saiba o senhor... homem ingrato e indigno, mesquinho e desgraçado, que vim a Homburgo, expressamente, encarregado por ela de avistar-me com o senhor, falar-lhe longa e seriamente, e comunicar depois a ela todos... seus sentimentos, ideias, ilusões, e... recordações!

— Será possível? Será possível? — exclamei eu, e de meus olhos fluíram as lágrimas em caudal. Não pude reprimi-las e creio que era aquela a primeira vez que ocorria isto em minha vida.

— Sim, homem infeliz; ela ama o senhor, posso revelar-lhe; porque é o senhor... um homem perdido! Além disso, se lhe digo que ela continua a amá-lo até hoje... será a mesma coisa. O senhor, apesar de tudo, continuará aqui? Sim; o senhor perdeu-se a si mesmo. O senhor possuía algumas aptidões, um gênio vivo e era homem inteligente; podia, inclusive, ter sido útil à sua pátria, que tão necessitada está de homens assim; mas... o senhor ficará aqui e sua vida acabou. Não acho que seja sua culpa. A meus olhos, todos os russos são assim, ou propendem para isto. Se não para a roleta, para alguma outra coisa com ela parecida. As exceções são por demais raras. Não é o senhor o primeiro que não compreende que coisa seja o trabalho (não me refiro ao povo). A roleta... é um jogo essencialmente russo. Até agora o senhor foi honesto e preferiu antes servir a um amo a roubar... Mas a mim me causa horror pensar o que possa trazer o futuro. Basta, adeus! O senhor, sem dúvida, andará necessitado de dinheiro, não é verdade? Pois aqui tem o senhor dez luíses de ouro; mais não lhe dou, porque, de todos os modos, irá perdê-los no jogo. Tome e adeus! Tome-os!

— Não, *Mister* Astley. Depois de tudo quanto o senhor acaba de dizer...

— To...me...-os!... — gritou ele. — Estou convencido de que o senhor é ainda honesto e dou-lhe o que um verdadeiro amigo pode dar a outro. Se pudesse ter certeza de que o senhor deixaria agora mesmo o jogo e Homburgo e voltaria à sua pátria, lhe daria imediatamente mil libras, para que começasse de novo sua carreira. Mas precisamente não lhe dou mil libras, senão apenas dez luíses de ouro, porque tanto as mil libras quanto os dez luíses de ouro, nas atuais circunstâncias, são para o senhor a mesma coisa; é tudo igual... Irá perdê-los no jogo. Com que então tome e adeus!

— Aceitarei, se o senhor me permitir que me despeça com um abraço.

— Oh! com prazer!

Trocamos um abraço sincero e *Mister* Astley retirou-se.

Não, eu não estava certo! Se me mostrara duro e grosseiro a respeito de Polina e De-Grillet, duro e grosseiro tinha-se ele mostrado a respeito dos russos. De mim não falo, aliás... aliás, tudo isto até agora não é nada; tudo isto são palavras, palavras, palavras. E o que faz falta são fatos! Aqui agora o principal é a Suíça! Amanhã mesmo. Oh! se fosse possível emendar-me desde amanhã mesmo!... Renascer de novo, ressuscitar. É preciso demonstrar-lhes... que Polina saiba que ainda posso ser um homem. Vale a pena... Já agora, aliás, é tarde... Mas amanhã... Oh! senti um pressentimento e não pode falhar!... Tenho agora quinze luíses de ouro e comecei com quinze florins! Se começasse tenteando com prudência... Mas será possível, será possível que eu seja tão pueril?... Por acaso não compreendem que sou um homem perdido? Mas... Por que não haveria de poder ressuscitar? Sim! Vale a pena ser uma vez sequer na vida cauteloso e paciente, e... isto é tudo. Vale a pena uma vez sequer manter o caráter, e eu numa hora posso mudar meu destino! O essencial... é o caráter. Basta recordar o que se passou comigo a esse respeito sete meses atrás em Rulettenburgo antes de minha perda definitiva. Oh! Foi um caso notável de resolução; perdi então tudo, tudo!... Ao sair do cassino, sinto no bolso do colete que ali há ainda um florim: "Com isto tenho com que comer!", disse a mim mesmo. Mas mal dera uns cem passos, pensei melhor e voltei. Coloquei aquele florim no *manque* (daquela vez foi no *manque*). Na verdade, experimenta-se uma sensação algo especial quando, sozinho, em terra estranha, longe de seus parentes e amigos, e sem saber o que se há de levar hoje à boca, vai a gente e põe ali seu último florim, o último, o derradeiríssimo. Ganhei e vinte minutos depois retirei-me do cassino, levando no bolso cento e setenta florins. Isto é um fato! Para que se veja o que por vezes pode significar o último florim! E se tivesse eu então perdido a coragem, se não tivesse ousado tomar uma decisão?

Amanhã, amanhã tudo isto terminará!

O idiota

O idiota (1868)

Primeira parte

Capítulo primeiro

Em fins de novembro, na época do degelo, às nove horas da manhã, o trem Petersburgo-Varsóvia aproximava-se a todo vapor de Petersburgo. Havia tanta umidade e tanta névoa que a custo irrompia a luz do dia; a dez passos de distância, à direita e à esquerda da estrada, dava trabalho distinguir as coisas da janela do vagão. Entre os passageiros alguns havia que regressavam do estrangeiro; mas os vagões mais repletos de passageiros eram os de terceira classe, ocupados na sua maior parte por pessoas modestas e laboriosas que vinham de lugares próximos. Todos davam mostras de cansaço, todos tinham os olhos pesados por causa da má noite, todos estavam entorpecidos, todos tinham os rostos de uma palidez amarelenta, sob o reflexo da névoa.

Em um dos vagões de terceira, ao clarear do dia, tinham acordado, um defronte do outro, junto à mesma janela, dois viajantes, ambos jovens, ambos quase sem bagagem, ambos desalinhadamente trajados, com rostos que chamavam a atenção e desejosos ambos, afinal, de entabular conversa. Se ambos tivessem sabido o que naquele instante os tornava particularmente distinguíveis, sem dúvida teriam se admirado de que o acaso os tivesse posto um em frente ao outro no vagão de terceira classe do trem Petersburgo-Varsóvia. Um deles era de mediana estatura, de uns vinte e sete anos, com o cabelo crespo e quase negro e uns olhinhos cinzentos, pequenos, mas cintilantes. Tinha o nariz largo e chato, a cara angulosa; seus lábios finos franziam-se constantemente num certo sorriso impudente, zombeteiro e até mesmo maldoso; mas sua fronte, alta e bem formada, embelezava a parte inferior de seu rosto, de desenho ignóbil. Particularmente notável naquele rosto era sua palidez mortal, que dava ao semblante inteiro do jovem um ar de esgotamento, não ante seu corpo, um tanto vigoroso, e ao mesmo tempo algo de expressão apaixonada, raiando pela dor e que não se harmonizava com aquele sorriso insolente e grosseiro, nem com seu olhar penetrante e fátuo. Ia bem abrigado numa ampla pele de carneiro, negra e forrada de pano, de modo que não tinha sentido frio durante a noite, ao passo que seu vizinho tinha-se visto obrigado a aguentar em suas trêmulas costas todo o rigor da úmida noite de novembro russa, à qual não estava evidentemente acostumado. Trazia uma ampla e grossa capa, sem mangas e com um capuz enorme, semelhante à que costumam usar os que viajam no inverno para longe, para além da fronteira, na direção da Suíça ou do norte da Itália, sem levar em conta, ao fazê-lo, os extremos que há num trajeto como o de Eydtkuhnen a Petersburgo. Mas o que serviu e satisfez por completo na Itália não resulta de todo satisfatório na Rússia. O dono daquela capa com capuz era um homem jovem, de uns vinte e seis ou vinte e sete anos, de estatura algo mais que mediana, cabelos muito louros e espessos, faces cavadas e uma barbicha em ponta, quase toda branca. Tinha os olhos grandes, azuis e parados; seu olhar mostrava certa placidez, mas pesada; algo dessa expressão rara que permite adivinhar, ao primeiro golpe de vista, os indivíduos vítimas da epilepsia. O rosto do jovem era, aliás, simpático, delgado e fino, mas descolorido, embora naquele instante estivesse arroxeado pelo frio. Trazia nas mãos um grosso embrulho envolto num velho e desbotado pedaço de indiana que, ao que parece, continha toda a sua bagagem de viajante. Tinha os pés calçados em botas de sola grossa, com polainas, o que não era nada russo. Seu vizinho, de cabelos pretos, o do abrigo de pele, olhava aquilo, em parte por não ter nada melhor a fazer, até que, afinal, teve de perguntar com esse sorriso pouco delicado com que, sem cumprimentos e desenfadadamente costuma o povo exprimir sua satisfação diante das desditas do próximo:

— Frio? — e encolheu os ombros.

— Muito — respondeu seu vizinho, com extrema solicitude, — e note que estamos apenas no degelo. Que será quando estiver abaixo de zero? Não podia pensar que estivesse fazendo tanto frio por aqui. Não estou acostumado.

— O senhor regressa do estrangeiro?

— Sim, da Suíça.

— Hum!... Não parece!...

O homem de cabelos pretos fez uma careta e começou a rir, às gargalhadas.

Havia-se entabulado o diálogo. A prontidão com que o jovem louro da capa respondia a todas as perguntas de seu vizinho de cabelos negros era assombrosa e sem a menor suspeita do que algumas delas tinham de desembaraçadas, tolas e impertinentes. Ao dar-lhes respostas explicou, entre outras coisas, que estava havia muito tempo fora da Rússia, quatro longos anos; que partira para o estrangeiro por motivo de saúde, por causa de uma estranha doença nervosa, uma espécie de epilepsia ou dança de São Vito, com sacudidelas e convulsões. Ao ouvi-lo, o de cabelos pretos sorriu várias vezes; riu sobretudo quando o louro respondeu, à sua pergunta: "E então, curou-se ali?", negativamente, que não se tinha curado.

— Ah! Isto quer dizer que gastou seu dinheiro em vão e, mesmo assim, nós, aqui, temos fé nessa gente! — observou com sarcasmo o homem moreno.

— A pura verdade! — exclamou, entrando como terceiro, no diálogo, um senhor de uns quarenta anos que ocupava um assento ao lado dele, mal vestido e com aspecto de amanuense, de nariz vermelho e cara sardenta. — É a pura verdade; levam todos os nossos recursos!

— Oh! quanto se equivoca o senhor no seu caso! — ponderou o doente que vinha da Suíça, com voz serena e plácida. — É certo que não posso discutir; pois não sei de nada: mas meu médico me deu o último dinheiro que lhe restava quando me pus a caminho para cá e, além disso, por espaço de dois anos havia-me mantido ali às suas custas.

— Como! Não tinha então ninguém que pagasse as suas despesas? — perguntou o de cabelos pretos.

— Sim, o Sr. Pávlichtchev era quem me sustentava; mas morreu há dois anos; escrevi então para aqui, para a Generala Iepántchina, minha parenta longe; mas não recebi resposta. De modo que preferi regressar.

— Aonde vai o senhor?

— Quer saber para a casa de quem me dirijo? Ah! na verdade, ainda não sei!...

— Ainda não decidiu?

E ambos os ouvintes voltaram a prorromper numa gargalhada. — Por acaso toda a sua bagagem está contida nesse embrulhinho? — indagou o de cabelos pretos.

— Apostaria qualquer coisa como é assim mesmo — asseverou com ar de grande satisfação o funcionário de nariz avermelhado, — e que não tem mais nenhuma bagagem em outra parte, embora a pobreza não seja nenhum vício, deve-se admitir.

Era assim mesmo, com efeito; o jovem louro imediatamente, e com extraordinária prontidão, apressou-se em reconhecê-lo.

— Esse pacotinho tem, não obstante, algum valor — prosseguiu o funcionário, logo que se fartou de rir. (Deve-se observar que também o dono do pacotinho concluiu, afinal, rindo também ao vê-los rir, o que aumentou ainda mais a hilaridade. — E embora, desde logo possa afirmar-se que não contém montezinhos de ouro estrangeiro, de napoleões e fredericos, nem mesmo de florins holandeses, o que também se pode deduzir, apenas reparando nas polainas que cobrem seus sapatos estrangeiros; mas... se dentro desse embrulho vem algum presente para algum parente seu, como, por exemplo, a Generala Iepántchina, então adquire outro valor diferente, claro, supondo-se que a Generala Iepántchina seja, de fato, como diz o senhor, sua parenta e o senhor não tenha se confundido por distração... coisa que costuma ocorrer com frequência a algumas pessoas por... sim... por excesso de imaginação.

— Ah! o senhor acertou de novo! — assentiu o jovem louro. — Porque veja o senhor: com efeito, quase me equivoquei, isto é, não é realmente parenta minha; a ponto de eu não ter, para falar a verdade, estranhado muito naquela ocasião que não me tivesse respondido. Já esperava por isso.

— Em vão gastou o senhor o dinheiro do selo. Hum!... Pelo menos o senhor é simples e franco, o que é digno de elogio... Hum!... Conhecemos a Generala Iepántchina, sobretudo porque não há quem não a conheça; e também conhecíamos o falecido Senhor Pávlichtchev, que o sustentava na Suíça, isto é, se se trata de Nikolai Andriéievitch Pávlichtchev, porque havia dois indivíduos com este nome, primos, aliás. O outro encontra-se atualmente na Crimeia, e Nikolai Andriéievitch, o defunto, era um homem honesto e com boas relações, possuidor de quatro mil almas.

— Era esse mesmo: chamava-se Nikolai Andriéievitch Pávlichtchev — e ao responder assim, o jovem olhou atenta e curiosamente aquele cavalheiro que de tudo sabia.

Esses senhores que sabem de tudo costumam ser encontrados com bastante frequência em certa classe social. Sabem de tudo; aplicam toda sua inquieta curiosidade, sua inteligência e suas faculdades sem remissão, a uma só coisa, sem dúvida que à falta de mais graves interesses e ideias vitais, como diria um pensador contemporâneo. Com esta expressão "sabem de tudo" deve, aliás, entender-se uma esfera bastante limitada: onde serviu Fulano, quais são seus amigos, que bens possui, onde foi governador, com quem se casou, quanto lhe levou de dote a mulher, de *quem é primo-irmão* e de quem é primo em segundo grau, etc., etc. e toda espécie de detalhes neste estilo. Em grande parte, esses "sabe-tudo" andam de cotovelos rasgados e ganham dezessete rublos de ordenado por mês. As pessoas cujas casas conhecem em minúcias não suspeitam decerto, em absoluto, de todo o interesse que lhes inspiram; mas muitos deles, com essa denominação, que abarca toda a ciência, consolam-se categoricamente, ganham sua própria estima e até alto grau de satisfação espiritual. E essa é uma ciência sedutora. Tenha visto eruditos, literatos, poetas, homens públicos, que encontraram e encontram nessa ciência sua mais alta satisfação e fim, e que, sem hesitação alguma, graças apenas a esse saber, fizeram carreira.

No transcurso de todo esse diálogo, o rapaz moreno bocejava, olhava para o vácuo pela janela e aguardava com impaciência o término da viagem. Estava algo ensimesmado, ou melhor, ensimesmadíssimo, quase inquieto e até deixava transparecer algo de estranho; por vezes, escutava e não ouvia, olhava e não via, dava risada e havia momentos em que não sabia, nem se lembrava por que.

— Mas permita-me, com quem tenho a honra...? — exclamou, de repente, o cavalheiro sardento, encarando o jovem louro com o embrulho.

— Príncipe Liev Nikoláievitch Míchkin[1] — respondeu aquele com cortês e imediata prontidão.

— Príncipe Míchkin? Liev Nikoláievitch? Não conheço. Nem sequer o ouvi mencionar em toda a minha vida — respondeu, perplexo, o funcionário, — isto é, não me refiro a seu nome, que é um sobrenome histórico que pode e deve encontrar-se na história de Karamzin,[2] mas falo da pessoa; faz muito que não depara a gente em parte alguma um Príncipe Míchkin, nem sequer ouve falar dele.

— Oh! naturalmente — apressou-se em responder o príncipe, — uma vez que não há agora outro Príncipe Míchkin senão eu; creio que sou o último. Quanto a meus pais e avós, eram senhores de terras. Meu pai foi, aliás, tenente do exército, da classe dos *junkers*. Na verdade, também não sei como, a esposa do General Iepántchin é de certo modo uma Princesa Míchkin, e também a derradeira de sua classe...

— Eh! eh! eh! A derradeira de sua classe! Eh! eh! eh! Está bem dito! — riu o funcionário.

O moreno também começou a rir. O jovem louro ficou um tanto maravilhado por ter podido fazer um trocadilho, por sinal bastante ruim.

— Não se esqueça de que disse isso inteiramente sem intenção — explicou, afinal, assombrado.

— Sim; compreende-se, compreende-se... — assentiu, jovialmente, o funcionário.

— E também, príncipe, o senhor estudou ali ciências com algum professor? — indagou de repente o moreno.

— Sim... estudei.

— Pois eu nunca estudei coisa alguma.

— Eu, um pouquinho somente — acrescentou o príncipe, quase se desculpando. — Por culpa da doença, não pude estudar de um modo sistemático.

— *O senhor conhece* os Rogójini? — interrogou rapidamente o moreno.

— Não, não os conheço, absolutamente. Conheço muito pouca gente na Rússia. Quais são esses Rogójini?

— Eu sou um Rogójin, Parfien.

1 De *mich*, camundongo.

2 Nikolai Mikháilovitch Karamzin (1766-1826), historiador russo, autor de uma *História do Estado russo*, em doze volumes.

— Parfien?... Mas não são esses os mesmos Rogójini... — começou, com força da gravidade, o funcionário.

— Sim, são os mesmos — atalhou-o o moreno rapidamente e com descortês impaciência, que, seja dito de passagem, não se dirigia nem uma vez sequer ao funcionário sardento, mas desde o primeiro instante só fitava o príncipe.

— Sim?... Como é isso? — exclamou, assombrado até a apoplexia e com os olhos a saltarem-lhe das órbitas, o funcionário, cujo rosto exprimiu algo de untuoso e servil e até mesmo medo. — O senhor é parente desse mesmo Siemion Parfiénovitch Rogójin, honrado cidadão falecido há um mês, deixando dois milhões e meio de capital?

— Mas tu, donde sabes que tenha deixado dois milhões e meio de capital? — interrompeu-o o moreno, não se dignando tampouco desta vez fitar o funcionário. — Veja só!... — E piscou um olho para o príncipe. — Que terão de ver com isso, para que imediatamente se agarrem à gente como um rabo? É verdade que meu pai morreu e que eu voltei de Pskov; faz um mês, voltei para casa quase que descalço. Nem o canalha de meu irmão, nem minha mãe mandavam-me dinheiro ou notícias. Como se eu fosse um cachorro! Estive com febre branca um mês inteiro em Pskov!

— E agora vem o senhor a achar-se, de repente, com um milhãozinho e pouco pelo menos, ó Senhor! — disse o funcionário, juntando as mãos.

— Mas quer o senhor dizer-me que é que tem ele com isso? — tornou Rogójin, nervoso e colérico, apontando o funcionário. — Porque não te hei de dar um copeque, nem que andes de cabeça para baixo para mim.

— Andarei, andarei.

— Vais ver! Não te darei, não te darei, nem mesmo que fiques a dançar uma semana inteira.

— Pois não dês! Por que haverias de dar? Não dês! Mas, eu danço. Deixarei minha mulher, meus filhinhos pequenos, mas dançarei para ti. Devo prestar homenagem, devo!

— Que o diabo te carregue! — exclamou o moreno. — Faz cinco semanas, eu, da mesma maneira que o senhor — dirigindo-se ao príncipe, — com apenas um embrulhinho fugi da casa paterna para a de minha tia, em Pskov, e ali caí de cama com febre, e meu pai morreu na minha ausência. Morreu de repente. Paz às suas cinzas, mas, por pouco não me matou ele então a pauladas! Creia o senhor, príncipe, por Deus! Se não tivesse fugido dali então, ia me matar a pauladas!

— O senhor lhe causou raiva por algum motivo?... — indagou o príncipe, olhando com certa curiosidade especial o milionário da peliça. Mas, embora possa haver algo de particularmente digno de interesse num milhão e no fato de herdar de alguém, o príncipe assombrava-se e interessava-se por algo de diferente e o próprio Rogójin havia escolhido, por algum motivo especial, como interlocutor o príncipe, ainda que procurasse conversar mais por necessidade mecânica que moral; mais por distração que por sinceridade; por inquietação, por emoção, para olhar o rosto de alguém e ter algum pretexto para dar à língua. Parecia que estivesse ainda em delírio, ou, pelo menos, com febre.

Pelo que se refere ao funcionário, desde que soube que aquele era Rogójin já nem se atrevia a respirar, apanhava de voo e examinava cada palavra como se fossem brilhantes:

— Que ficou com raiva, ficou, e pode ser que tivesse suas razões — respondeu Rogójin, — mas quem mais me achacava era meu irmão. Da mamãe não posso falar; já é velha, lê as *Lendas dos Santos* vai sentar-se com as velhas, e o que diz Sienhka, meu irmão, assim tem de ser. E por que ele não me avisou no tempo devido? Compreendo-o! É verdade que eu estava inconsciente naquela ocasião. Parece que me passaram um telegrama. Sim, um telegrama. Um telegrama à tia é que passaram. Ela, porém, faz trinta anos que está viúva e vive da manhã à noite com os beatos. Monja não é, porém é algo pior. Teve medo do telegrama e nem sequer o abriu, de modo que o levou à delegacia de polícia onde se encontra até hoje. Vassíli Vassílitch Kóniev foi quem me salvou, escrevendo-me a respeito de tudo. De noite meu irmão cortou as sólidas borlas de ouro debaixo do pano de brocado do ataúde de meu pai. "Quanto dinheiro não valerão!", disse ele. Veja o senhor: somente por isso poderia eu mandá-lo para a Sibéria, se quisesse, porque é um sacrilégio. Ei, tu aí, espantalho! — e fitou o funcionário. — Não é assim que se diz, segundo o código: sacrilégio?

— Sacrilégio, sim, sacrilégio! — assentiu imediatamente o funcionário.

— É caso de ir para a Sibéria?

— Para a Sibéria, decerto! Para a Sibéria imediatamente!

— Todos acreditam que ainda continuo doente — prosseguiu Rogójin, dirigindo-se ao príncipe, — e eu sem dizer palavra, muito tranquilamente, ainda doente, tomei o trem... e aqui estou! Abre-me a porta, irmãozinho Siemion Siemiônitch!... Ele me caluniou a meu pai, bem sei. E eu, efetivamente, por causa de Nastássia Filípovna, aborreci então meu pai, também é verdade. Agora volto sozinho. Sucumbi ao pecado.

— Por causa de Nastássia Filípovna? — exclamou o funcionário compassivamente, como se imaginasse alguma coisa.

— Ora, não a conheces! — gritou-lhe, impaciente, Rogójin.

— Conheço, sim! — respondeu o funcionário, triunfante.

— Qual nada! Como se só houvesse no mundo uma Nastássia Filípovna!... Sabes que és muito descarado, meu velho? Já ajustarei contas contigo! Bem previa eu que sujeitos dessa laia iriam agarrar-se a mim! — prosseguiu, dirigindo-se de novo ao príncipe.

— É possível que eu, apesar de tudo, a conheça! — insistiu o funcionário. — Liébiediev[3] a conhece. Vossa Excelência se digna descompor-me. Mas se eu lhe provar? Essa é a mesma Nastássia Filípovna por causa da qual o senhor seu pai queria bater-lhe com uma bengala de freixo. O nome de Nastássia Filípovna é Baráchkova,[4] uma senhora distinta, por assim dizer, e também uma princesa a seu modo. Mantinha relações com um tal Tótski, Afanássi Ivânovitch, com ele e ninguém mais, burguês e capitalista opulento, sócio de companhias e sociedades e muito amigo, por este motivo, do General Iepántchin...

— *Ora essa! Mas donde tiras tudo isso?...* — exclamou afinal Rogójin, assombrado deveras. — Que o diabo o carregue, está a par de tudo.

— Sabe de tudo! Liébiediev sabe de tudo! Eu, Excelência, estive também dois meses com o jovem Alieksachka Likhatchiov, que também perdera o pai e tudo, por

3 Literalmente: arrogante, delicado, distinto. Derivado de *liebied*, cisne.

4 Literalmente: cordeirinha.

assim dizer, todos os recantos e escaninhos conheço-os eu, e sem Liébiediev chegou ao extremo de não poder dar um passo. Agora está preso por dívidas; mas então tive também oportunidade de conhecer Armância e Corália e a Princesa Pátskaia e Nastássia Filípovna, e pude também entrar no conhecimento de muitas coisas.

— Nastássia Filípovna?... Por acaso ela e Likhatchiov[5]... — e Rogójin olhou-o hostilmente e seus lábios até ficaram trêmulos e pálidos.

— Não!... Não!... Não há tal coisa! — protestou a toda a pressa o funcionário. — Por dinheiro nenhum pôde conseguir Likhatchiov nada dela! Não, ela não é como Armância! Para ela não existe senão Tótski. E de noite vai ao Grande Teatro ou ao Teatro Francês, em seu camarote. Os oficiais podem dizer entre si o que quiserem; mas não podem provar nada: "Aí tendes; aquela é Nastássia Filípovna", somente isto. E nada mais... pois não há mais nada.

— Tudo isso é assim mesmo — confirmou Rogójin, sombrio e carrancudo. — Foi isto mesmo que Zaliójev me disse. Eu então, príncipe, metido no sobretudo de meu pai, que já tinha três anos de uso, andava pela Niévski, quando ela saiu de uma loja e subiu em seu carro. Bastou isto para sentir-me em chamas num momento. Encontro Zaliójev, que não forma boa parelha comigo, e que anda por aí como um oficial de cabeleireiro, usando óculos, enquanto que em casa de meu pai andamos com botas alcatroadas e passamos a sopa de couves: "Ela — diz-me — não é par para ti; ela — diz — é uma princesa e se chama Nastássia Filípovna, de sobrenome Baráchkova e vive com Tótski; mas Tótski não sabe agora como livrar-se dela, porque, na verdade, é um homem já entrado em anos; com cinquenta e cinco de idade, e quer casar-se com a moça mais bonita de Petersburgo". Depois tratou de insinuar-me: "Podes ver hoje Nastássia Filípovna no Grande Teatro, onde há *ballet;* estará sentada em seu camarote, na sua *baignoire*".[6] Em casa com meu pai, quem tem lá coragem de sair? O menos que pode acontecer é matar-nos! Mesmo assim, na hora marcada, escapuli-me, sorrateiro, e pude ver de novo Nastássia Filípovna; não dormi em toda aquela noite. Na manhã seguinte, meu falecido pai deu-me dois títulos de cinco por cento, de cinco mil rublos cada um: "Anda — diz, — vende-os e leva sete mil e setecentos rublos a Andriéiev, em sua loja, paga-lhe e o restante dos dez mil rublos vem trazer-me, sem te deteres em parte alguma; estarei à tua espera." Vendi os títulos, peguei o dinheiro e não me dirigi à loja de Andriéiev, mas, sem olhar para este ou aquele lado, botei-me para a Loja Inglesa e ali escolhi um par de brincos, com um brilhantezinho em cada, avultando como nozes; tive que ficar devendo quatrocentos rublos; declarei meu nome e fiaram-me. De posse dos brincos fui ter com Zaliójev; "pois é, irmãozinho, vamos ver Nastássia Filípovna". Tocamos para lá. Não sei, nem me recordo do que tinha debaixo dos pés, nem do que tinha pela frente ou pelos lados. Chegados à sua casa, entramos diretamente para a sala, e ela veio receber-nos. Eu não disse claramente na ocasião quem era, mas Zaliójev foi quem falou: "Da parte de Parfien Rogójin, como lembrança do encontro de ontem, digne-se aceitar isto". Ela abriu o estojo, olhou-o e pôs-se a rir: "Agradeça a seu amigo Senhor Rogójin a sua amável atenção". Cumprimentou e retirou-se. Bem, por que não morri ali mesmo na oca-

5 Literalmente: valente, audaz, ousado.

6 Camarote que fica quase ao nível da plateia.

são?! Ao ir visitá-la, ia pensando: "Vivo não hei de voltar!". Mas o que me causou uma raiva mais que enorme foi perceber que talvez aquela besta do Zaliójev se havia apropriado de tudo. Sou de baixa estatura e ando vestido como um criado. Ali fiquei de pé, bem calado, com os olhos escancarados fitos nela, porque sentia acanhamento, ao passo que ele anda na última moda, empomadado e de cabelo frisado, tosado, com uma gravata xadrez e se pavoneia e se faz importante, de tal modo que sem dúvida ela o tomou por mim mesmo. "Bem — disse-lhe ao sair, — não te atrevas agora a pensar mais em mim, entendes?" Ele começou a rir: "Que conta vais dar agora a teu pai Siemion Parfiénitch?". Na verdade, minha vontade foi atirar-me à água, não voltar para casa; mas então pensei: "Afinal de contas, dá no mesmo" e, como um condenado tratei de voltar para casa.

— Ai! ai! — exclamou o funcionário, que se pôs até a tremer. — É preciso ter presente que o defunto, não por dez mil, mas por dez rublos, era capaz de despachar alguém para o outro mundo e piscou um olho para o príncipe.

O príncipe examinava com curiosidade Rogójin; parecia estar mais pálido que de costume naquele momento.

— Despachar?! — replicou Rogójin. — Que sabes disso? Imediatamente — prosseguiu, dirigindo-se ao príncipe, — inteirou-se de tudo, pois Zaliójev foi contando o que se passara a todos quantos encontrava. Meu pai agarrou-me e trancou-me lá em cima, levando uma hora a me castigar. "Isto é só uma amostra — disse ele, pois, logo mais, à noite, virei para continuar a conversa". Que imagina o senhor? Foi o velho ter com Nastássia Filípovna, fez-lhe uma reverência até o solo, suplicou e chorou; ela lhe trouxe, afinal, uma caixinha, que abriu. "Aqui tem — disse, — seu barba branca, seus brincos; mas agora gosto deles dez vezes mais, pensando que foi um presente de Parfien expondo-se a tais ameaças. Cumprimente de minha parte é agradeça a Parfien Siemiônitch." Enquanto isso, eu, de acordo com minha mãe, pedi a Sieriojka Protúchin vinte rublos; tomei o trem de Pskov e cheguei ali com febre; ali, as velhas aborreceram-me com suas leituras piedosas, tratei de embriagar-me e andei percorrendo todas as tabernas, desde a primeira até a última, e fiquei sem conhecimento a noite inteira pelas ruas. Pela manhã; estava com febre e até os cachorros me assaltaram durante a noite. Despertei não sei como.

— Bem, bem! Agora Nastássia Filípovna cantará outra canção! — riu, esfregando as mãos, o funcionário. — Agora, senhor, não se trata mais de brincos! É bem outra coisa que poderemos oferecer-lhe!

— Advirto-te que se uma vez sequer tornares a dizer algo de Nastássia Filípovna, por Deus, levarás uma surra e e será inútil procurares Likhatchiov — gritou Rogójin, agarrando-lhe fortemente o braço.

— Aperta quanto quiseres. isto quer dizer que não me desdenhas! Aperta! Aperta, que assim ficarás gravado na minha memória... Mas já chegamos!

De fato, entrava o trem na estação. Embora Rogójin dissesse que tinha vindo incógnito, esperavam-no na estação algumas pessoas, que gritaram e agitaram seus bonés.

— Ora essa, também aí está Zaliójev! — murmurou Rogójin, olhando-os com sorriso triunfal, e quase agressivo e, de repente, voltou-se para o príncipe: — Príncipe, não sei por que tomei-me de simpatia pelo senhor. Talvez tenha sido pelo fato de o ter conhecido num momento como este, mas também conheci esse aí — e apontou para Liébiediev, — e, nesse caso, não me despertou nenhuma afeição. Venha comigo, príncipe. Eu lhe tirarei essas polainas, vou embrulhá-lo numa peliça de marta de primeira, vou lhe mandar fazer um fraque de excelente qualidade, um colete branco, ou como quiser, encherei seus bolsos de dinheiro e iremos ver Nastássia Filípovna. E então, vem ou não vem?

— Pense bem, Príncipe Liev Nikoláievitch! — encareceu Liébiediev, sugestiva e solenemente. — Oh! não desperdice a ocasião! Não desperdice a ocasião!

O Príncipe Míchkin levantou-se, estendeu cortesmente a mão a Rogójin e, amavelmente, lhe disse:

— Com grandíssima satisfação irei e lhe agradeço muito essa simpatia que lhe inspiro. Será até possível que esteja hoje mesmo com o senhor, se tiver tempo. Porque, e digo francamente, também senti simpatia pelo senhor, sobretudo pelo que me contou dos brincos de brilhantes. Já antes dessa história dos brincos, achei-o simpático, apesar desse rosto tão intratável que tem. Agradeço-lhe também essas roupas e a peliça que me ofereceu, porque efetivamente, estão-me fazendo falta um traje e uma peliça. Quanto a dinheiro, não tenho em meu poder neste momento quase nem um copeque.

— Dinheiro haverá. Esta noite mesmo. Venha!

— Esta noite, esta noite — insistiu o funcionário. — Desde esta noite até o romper do dia!

— E ao sexo feminino, o senhor é muito afeiçoado, príncipe? Diga logo!

— Eu, não... não! Eu... O senhor talvez não saiba, mas eu, devido à minha enfermidade congênita, não conheço de modo nenhum as mulheres.

— Bem, sendo assim — exclamou Rogójin, — o senhor, príncipe, é um santinho, tal como Deus os quer!

— Assim os quer o Senhor Deus! — reforçou o funcionário.

— Tu, beócio, vem atrás de nós — disse Rogójin a Liébiediev e todos se apearam do vagão.

Liébiediev acabou conseguindo o que queria. Depressa o alegre grupo afastou-se na direção da Vosniessiénski Próspekt. O príncipe tinha de ir na direção da Litiéinaia. Fazia umidade e frio; o príncipe perguntava aos transeuntes; dali ao término de sua verdadeira viagem havia três verstas. Ele decidiu pegar um carro.

Capítulo II

O General Iepántchin vivia em casa própria, um tanto afastada da Litiéinaia, na direção da igreja da Santa Transfiguração. Fora esta casa (excelente), cinco de cujos seis andares estavam alugados, possuía, o General Iepántchin outra casa enorme na Sadóvaia, que lhe proporcionava também considerável renda. Além dessas duas casas, tinha nos arredores de Petersburgo fazendas muito lucrativas e notáveis, e era dono, também, no distrito de Petersburgo, de uma fábrica. Outrora o General Iepántchin, como todo o mundo sabia, havia traficado aguardente. Atualmente fazia parte e tinha voto considerado em algumas sólidas sociedades por ações. Passava por homem de muito dinheiro, de muitas ocupações e de muitas amizades. Em alguns lugares sabia fazer-se indispensável; para não ir mais longe, na sua própria repartição. E, apesar disso, ninguém ignorava tampouco que Ivan Fiódorovitch Iepántchin era um homem sem ilustração e filho de soldado; esta última coisa, sem dúvida, redundava em honra sua, mas o general, mesmo sendo um homem de talento, tinha também suas pequenas fraquezas, muito desculpáveis e não gostava de certas alusões. Mas homem inteligente e capaz ele era sem dúvida. Seguia, por exemplo, a norma de não se adiantar onde convinha ficar para trás, muitos o estimavam precisamente pela sua simplicidade, por saber ocupar seu lugar. Mas se esses árbitros fossem capazes de ver o que por vezes se passava no âmago da alma de Ivan Fiódorovitch, que tão bem conhecia o seu lugar!... Embora tivesse, efetivamente, prática e experiência nas coisas da vida, e algumas aptidões bem notáveis, preferia, não obstante, sobressair como executor de ideias alheias a agir por império das suas, como homem "desinteressadamente devotado" — de acordo com o espírito da época — um russo cordial. A respeito deste último aspecto, contavam-se dele algumas anedotas engraçadas, mas o general não se importava nem mesmo com as mais jocosas anedotas; tinha também sorte no jogo e jogava forte e até, muito de propósito não só não tratava de ocultar essa sua pequena debilidade pelas cartas, que em muitas ocasiões lhe trazia proveito, mas fazia exibição dela. Suas relações eram, naturalmente, de variadas posições, mas, em todo caso, gente rica. Tinha tudo diante de si, não lhe faltava tempo para nada e tudo devia ocorrer a tempo devido. No tocante à idade, encontrava-se o General Iepántchin ainda, como dizem, em forma, isto é, tinha apenas cinquenta e seis anos, o que em todo o caso representava uma idade viçosa, uma idade em que, realmente, começa a "verdadeira vida". Boa saúde, boas cores; firmes, embora enegrecidos, os dentes; constituição forte, robusta; expressão fisionômica preocupada, de manhã, no serviço; jovial à noite no jogo de cartas em casa de Sua Excelência: tudo contribuía para seus triunfos presentes e futuros e parecia de rosas a vida do general.

Era o general chefe de uma florescente família. Na verdade, aqui nem tudo eram rosas, mas havia também muitas razões para que desde havia tempo se houvessem concentrado nela, com toda a seriedade, as principais ilusões de Sua Excelência. E que finalidade mais importante e santa na vida que os objetivos paternais? A que apegar-se senão à família? A do general compunha-se da mulher e das três filhas adultas. O general casara-se havia muito tempo, quando ainda ocupava o posto de tenente, com uma senhorita quase de sua idade, que não tinha nem beleza, nem educação e que só lhe levou de dote cinquenta almas, que, para dizer a verdade, tiveram de servir-lhe de base para sua posterior fortuna. Mas o general não lamentava nunca as consequências de seu casamento temporão, nem o considerou nunca como uma loucura da mocidade irresponsável, tendo, pelo contrário, pela esposa tal respeito e temor, que até quase a amava. A generala era da família principesca dos Míchkin que, embora não sendo uma família brilhante era bastante antiga e se dava muita importância por causa dessa antiguidade. Um dos personagens influentes de então, um desses protetores cuja proteção, afinal de contas, nada lhes custa, dignou-se interessar-se pelo casamento da jovem princesa, Entreabriu suas portas ao jovem oficial e deu-lhe um empurrãozinho na sua carreira, mas aquele não necessitava de um empurrãozinho; bastava simplesmente um olhar... não cairia em saco sem fundo! Salvo uma ou outra exceção, os dois esposos viveram sempre em amor e concórdia. Ainda em sua mocidade, soube a generala granjear, como princesa e última de sua estirpe, e talvez graças a algumas de suas condições pessoais, umas tantas quantas proteções poderosas. Devido à riqueza e à posição oficial de seu marido, começou a abrir-se lugar naquele alto mundo.

Naqueles últimos anos fizeram-se moças e floriram viçosamente as três filhas do general: Alieksandra, Adelaida e Aglaia. Na verdade, eram as três apenas Iepántchin, mas eram de estirpe principesca por parte de mãe, contavam com um dote não exíguo, tinham um pai talvez chamado a ocupar, com o correr do tempo, um alto posto e, o que não é tampouco de desprezar, eram as três de uma formosura notável, sem excluir a mais velha, Alieksandra, que já andava pelos vinte e cinco. A do meio tinha vinte e três e a mais moça, Aglaia, acabava apenas de completar os vinte. Essa mais moça era também uma beleza e começava a chamar a atenção no grande mundo. Mas não era ainda tudo: distinguiam-se as três pelo seu bom juízo, sua educação e seu talento. Era notório que as três se estimavam muito mutuamente e ajudavam umas às outras. Mencionavam-se também certos sacrifícios das duas irmãs maiores em favor do ídolo geral da casa: a menor. Na boa sociedade, não só não gostavam de destacar-se, mas se mostravam até demasiado modestas. Ninguém podia acusá-las de orgulho e arrogância, e, não obstante, todo mundo sabia que eram orgulhosas e sabiam se valorizar. A mais velha era afeiçoada à música; a do meio, uma pintora notável; mas isto a sociedade desconheceu muitos anos e só veio a revelar-se nos últimos tempos e de modo inesperado. Em resumo: falava-se delas em termos bastantes elogiosos. Mas havia também quem as invejasse. Falava-se, com espanto, dos muitos livros que liam. Não mostravam pressa em casar-se; em certos círculos sociais, embora gostassem delas, não era muito. O que era tanto mais notável quanto todos reconheciam a retidão, o caráter, os fins e desejos de seu progenitor.

Seriam aproximadamente onze horas, quando o príncipe bateu à porta do general. Vivia este no segundo andar e ocupava um apartamento o mais modesto possível, embora de acordo com sua posição. Foi abrir ao príncipe um criado de libré com o qual teve ele de explicar-se longamente e que, desde o princípio, olhou para ele e para seu embrulho de modo desdenhoso. Finalmente, depois de longa e minuciosa comprovação de que era, efetivamente, o Príncipe Míchkin e necessitava impreterivelmente ver o general para um assunto imprescindível, perplexo, o criado, fez com que entrasse para uma saleta que dava acesso ao gabinete e entregou-o a outro criado, que estava ali de plantão pela manhã, a fim de introduzir os visitantes no gabinete do general. Este outro criado usava fraque, deveria ter uns quarenta anos e rosto grave, e era o criado especial do gabinete e introdutor à presença de Sua Excelência, de modo que sabia dar-se importância.

— Aguarde na antessala e deixe aqui o embrulho — disse, com calma e gravidade, acomodando-se na sua cadeira e contemplando, com severo, assombro, o príncipe, que se acomodou a seu lado, numa cadeira, com seu embrulhinho na mão.

— Se o senhor o permite — disse o príncipe, — eu esperaria melhor aqui, com o senhor, e não lá sozinho!

— O senhor não pode ficar na antessala uma vez que é um visitante. Quer ver o próprio general?

O criado, pelo visto, não podia se conformar com ideia de introduzir um visitante como aquele e decidiu perguntar de novo.

— Sim, tenho um assunto... — começou o príncipe.

— Não lhe pergunto pelo seu assunto; a mim só me incumbem de anunciá--lo. Mas na ausência do secretário, já lhe disse, não posso anunciá-lo.

A desconfiança daquele indivíduo parecia aumentar por momentos; o príncipe destoava por demais dos visitantes cotidianos e embora o general, com frequência, para não dizer diariamente, costumasse receber para "assuntos" os clientes mais diversos, ainda assim, de acordo com o costume e as instruções recebidas, encontrava-se o criado em grande perplexidade; a mediação do secretário para anunciá-lo era indispensável.

— Mas o senhor... vem precisamente do estrangeiro? — como que involuntariamente perguntou por fim e se atrapalhou; é muito possível que quisesse perguntar: "É o senhor, deveras, o Príncipe Míchkin?".

— Sim; venho agora mesmo da estação. Tive a impressão que o senhor queria me perguntar se eu era, verdadeiramente, o Príncipe Míchkin. Se assim não o fez foi por cortesia.

— Hum!... — murmurou assombrado o criado.

— Asseguro-lhe que não menti e que não lhe pedirão contas por minha causa. O fato de eu me apresentar com este aspecto e com este embrulhinho na mão não é motivo para causar assombro a ninguém; na atualidade, ando um tanto sem dinheiro.

— Hum!... Não corro nenhum perigo, veja bem. Não tenho outro remédio senão anunciá-lo, mas depois o secretário o introduzirá, a menos que... esta é a coisa, a menos que... O senhor não veio pedir nada, na qualidade de pobre, ao general, se me permite a pergunta?

— Oh! nada. Disto pode estar certo. O assunto que me traz é outro.

— O senhor desculpe, mas ao vê-lo, pensei... Espere aqui o secretário; o general está agora ocupado com o coronel, mas o secretário virá logo.

— Mas se por acaso for preciso esperar muito, permita-me uma pergunta: pode-se fumar aqui? Trago cachimbo e fumo.

— Fu... mar? — olhou-o o criado com desdenhosa perplexidade, como se não desse crédito a seus ouvidos. — Fumar? Não, aqui não se pode fumar e até deveria causar-lhe vergonha pensar nisso. Ora, que coisa essa!...

— Oh! não queria dizer nesta sala; conheço as coisas; dizia que o senhor me indicasse algum lugar, por aí, onde pudesse meter-me para fumar, porque, veja o senhor, tenho esse costume e há já três horas que não fumo. Mas, enfim, como queira o senhor, pois como já diz um velho ditado: "Em convento alheio...".

— Bem; vamos ver. Como anuncio uma pessoa como o senhor? — resmungou o criado, quase involuntariamente. — Em primeiro lugar, o senhor não deveria estar aqui, mas na sala, porque pertence à categoria de visitante, ou dito de outro modo, de hóspede e terão de perguntar-me... O senhor tem intenção de ficar morando na casa? — acrescentou, voltando a olhar de soslaio o embrulho que o príncipe trazia, o qual, pelo visto, não o deixava em paz.

— Não, não tenho esta intenção. Ainda que me convidassem, não aceitaria. Vim simplesmente dar-me a conhecer e nada mais.

— Como? Dar-se a conhecer? — perguntou, assombrado e suspeitoso, o criado. — Não tinha o senhor dito que viera para tratar de um assunto?

— Oh! quase não se trata propriamente de um assunto! Isto é, se quiser, sim, trata-se de um assunto, de pedir somente um conselho; mas vim, principalmente, para apresentar-me, porque sou o Príncipe Míchkin e a Generala Iepántchina é também a última princesa Míchkin, e além de nós dois não há mais Míchkini.

— Segundo isso, são parentes? — balbuciou, quase assustado o criado.

— Quase não o somos. Aliás, se se quiser, somos parentes, sim, somente tão longe que, na realidade, apenas podemos ser considerados como tal. Em certa ocasião dirigi-me do estrangeiro, por carta, à generala, mas não me respondeu. Mesmo assim, achei oportuno entabular relações ao regressar. Dou-lhe todas estas explicações para que não tenha dúvidas, porque vejo que está bastante intranquilo, anuncie que está aqui o Príncipe Míchkin e com apenas isto compreenderão a causa de minha visita. Se me receberem... bem; se não me receberem... pois também está tudo conforme. Ainda que eu acredite que não poderão deixar de receber-me; a generala terá desejo, sem dúvida, de conhecer o derradeiro representante de sua estirpe, e ela estima muito sua raça, segundo me contou quem sabe isso bem.

A conversa do príncipe era da mais completa simplicidade, mas quanto mais simples tanto mais inquietante parecia na ocasião atual, e o criado, atilado, não podia deixar de compreender que o que está muito bem de homem para homem, torna-se completamente indecoroso de hóspede para criado. E como a gente do povo costuma ter mais talento do que seus senhores creem, ocorreu a nosso criado que ali uma de duas coisas podia suceder: ou o príncipe era alguma espécie de impostor que vinha pedir por estar na miséria, ou, simplesmente um simplório que não tinha ambições, pois um príncipe inteligente e ambicioso não se põe a falar, sem mais nem menos, de seus assuntos com um criado; e tanto num, como em outro caso, não o censurariam por apresentá-lo.

— O senhor deveria ter passado para a sala — observou, em tom mais firme.

— Mas se tivesse sentado ali não teria podido explicar-lhe coisa alguma — replicou jovialmente o príncipe, — e, provavelmente, lhe teria proporcionado mais inquietação com meu capote e meu embrulho. Enquanto que agora não tem senão que esperar o secretário, sem ir você mesmo anunciar-me.

— A um visitante como o senhor não posso anunciá-lo sem o secretário e, além disso, deram-me ordem de que não os incomodasse por coisa alguma do mundo, enquanto estivesse aqui o coronel, ao passo que Gavrila Ardaliónovitch entra sem se anunciar.

— É algum funcionário?

— Gavrila Ardaliónovitch? Não. Serve na companhia. Mas deixe o embrulho, mesmo aqui.

— Já pensava em fazê-lo; com sua licença. E tirarei também o capote.

— Sem dúvida; com o capote não deixo passar ninguém.

O príncipe levantou e tirou depressa o capote, mostrando-se com um paletó de bom corte e elegante; embora já bastante usado. O colete ostentava uma correntinha de aço. Da corrente pendia um relógio de prata de Genebra.

Embora o príncipe lhe parecesse um pobre de espírito — já assim o havia definido o criado, — teve este de considerar que não ficava bem prolongar por mais tempo o diálogo com aquele visitante, apesar da simpatia que, sem dúvida, à sua maneira, sentia pelo príncipe, ainda que, de outro ponto de vista, lhe inspirasse também decidida e viva indignação.

— E a generala quando recebe? — perguntou o príncipe, voltando a sentar-se em seu lugar.

— Isto não incumbe a mim. Recebe individualmente, segundo as pessoas. A modista recebe às onze. Recebe também Gavrilla Ardaliónovitch antes dos outros, até durante o desjejum.

— Aqui nas casas faz mais calor que no estrangeiro no inverno — observou o príncipe, — mas, em troca, ali, nas ruas faz mais calor que aqui nas casas... De modo que dá trabalho a um russo acostumar-se.

— Não têm calefação?

— Têm sim, mas as casas estão construídas de outro modo, isto é, as estufas e as janelas.

— Hum!... E esteve o senhor ali muito tempo?

— Quatro anos. Aliás, quase os passei no mesmo lugar: no campo.

— E o senhor esqueceu os nossos costumes?

— Sim, é verdade. Creia que eu mesmo me admiro de não ter esquecido o russo. Estou falando agora com você e pergunto a mim mesmo: "Será que me expressei bem?". Talvez por isso mesmo fale tanto. Na verdade, desde ontem tinha uma vontade louca de falar russo.

— Hum!... Eh! O senhor antes morava em Petersburgo?

Por mais que o criado fizesse, era impossível cortar uma conversa tão afável e cortês.

— Em Petersburgo? Quase nada, apenas de passagem. E aqui, nada conhecia antes da cidade, mas agora há tantas, há tão demasiadas coisas novas, que dizem que quem antes conheceu a cidade tem de aprender agora de novo. Falam aqui agora muito dos Tribunais de Justiça.

— Hum!... Dois Tribunais de Justiça. É verdade que há aqui agora Tribunais de Justiça. E diga-me: lá no estrangeiro, os Tribunais de Justiça são melhores que os nossos?

— Não sei. Dos nossos tenho ouvido falar muito bem. Já vê você: suprimiram entre nós a pena de morte.

— E lá no estrangeiro existe?

— Sim. Na França pude presenciar uma execução, em Lião. Levou-me para vê-la Schneider.

— Enforcam?

— Não; na França limitam-se a cortar a cabeça.

— E gritam?

— E como? É questão de um momento. Deitam o sujeito e cai um cutelo enorme, por meio de uma máquina chamada guilhotina, pesada e forte... A cabeça pula de uma forma que a gente não tem tempo de piscar um olho. Os preparativos são horríveis. Começam por ler ao réu a sentença, vestem-no, amarram-no e conduzem-no ao cadafalso: um horror! O povo corre a vê-lo, inclusive as mulheres, embora lá não queiram que as mulheres o vejam.

— Não é coisa para elas!

— É claro, é claro! Que suplício!... O réu era um homem inteligente, de aspecto nada feroz, forte, entrado em anos. Chamava-se Legros. E veja você: acredite ou não acredite, mas eu lhe digo, ao subir ao cadafalso, chorava, branco como papel. Será isso possível? Não é um horror? Quem chora de medo? Eu não pensava que se pudesse chorar de terror, não um menino, mas um homem que jamais havia chorado, um homem de quarenta e cinco anos. Que se passa em tal momento no fundo das almas, que angústias as preenche? Um ultraje à alma, isso é que é. Foi dito: "Não matarás!". Mas porque ele matou, vou eu matar? Não, isso não é possível. Já faz um mês que vi isso e contudo parece-me ter tudo diante dos olhos. Sonhei cinco vezes com isso.

O príncipe até se animava, falando; ligeira cor subia a seu rosto pálido, não obstante exprimir-se com a mesma tranquilidade de sempre. O criado escutava-o com simpático interesse; tanto que, ao que parecia, não o queria interromper; é possível que fosse também homem de imaginação e dado a pensar.

— Só tem de bom, que se sofre pouco — observou, — quando a cabeça rola de um golpe.

— Quer saber de uma coisa? — insistiu o príncipe com veemência. — Você acaba de fazer uma observação que é a que faz todo o mundo e, além do mais, para isso precisamente se inventou a guilhotina. Mas a mim, naquela ocasião, ocorreu uma ideia: não será isso pior? Isto poderá lhe parecer ridículo e mesmo parecer selvagem, mas se tiver alguma imaginação, também tal ideia haverá de ocorrer-lhe. Repare bem: se se trata, por exemplo, de um suplício; neste há sofrimento e ferimentos, uma dor física, e tudo provavelmente distrairá da dor espiritual, de sorte que você só sofre por causa das chagas até que sucumbe. Mas é preciso ter presente que a dor principal, a mais forte, não esteja possivelmente nas feridas, mas em saber você com certeza (quem sabe isso com certeza?), que dentro de uma hora, depois dentro de dez minutos, depois dentro de meio minuto, depois agora, agora mesmo, a alma se escapará de seu corpo e deixará você de ser homem, e isto com certeza; o principal e pior disso é que é certo. Ao passo que aqui você põe a cabeça debaixo da lâmina e sente esta deslizar sobre aquela, e tudo num quarto de segundo, o que é o mais terrível de tudo. Sabe que isto não é uma fantasia minha, mas que muitos o disseram? E a tal ponto acredito que seja assim, que vou expor-lhe com toda a franqueza minha opinião. Matar a quem matou é um castigo incomparavelmente maior que o próprio crime. O assassinato em virtude de uma sentença é mais espantoso que o assassinato cometido por um criminoso. Aquele a quem os bandidos assassinam, a quem degolam de noite numa mata ou em alguma outra paragem, espera salvar-se até o derradeiro momento. Exemplos têm sido dados de indivíduos que, já cortado o pescoço, ainda esperaram fugir ou alcançar clemência. Mas isto, esta última esperança, que torna a morte dez vezes mais leve, tiram-na com essa certeza de morrer; ali se trata de uma sentença, e nisso de você não poder de jeito nenhum fugir dela constitui um tormento espantoso, e mais horrível que esse tormento nada há no mundo. Pegue um soldado e coloque-o diante mesmo do canhão e dispare sobre ele; apesar de tudo não perderá a esperança por completo; mas leia a esse mesmo soldado a sentença irrevogável e ele ou ficará louco, ou começa a chorar. Quem disse que a natureza humana é capaz de suportar uma coisa *assim, sem cair na loucura*? Por que semelhante ultraje, absurdo, desnecessário, inútil? Será possível que tenha existido algum réu a quem, depois de lida a sentença e assim torturado, lhe digam: "Pode ir! Está perdoado!". Esse é o homem que poderia falar disso... Desse tormento e desse horror também falou Cristo. Não, não é possível tratar o homem desse modo!

O criado, embora não fosse capaz de exprimir tudo aquilo como o príncipe, se não compreendeu tudo, compreendeu pelo menos o essencial, segundo era possível perceber da enternecida expressão de seu rosto.

— Se o senhor deseja fumar — disse; — poderia fazê-lo, mas depressa. Porque podem perguntar pelo senhor e não se achar presente. Olhe: ali debaixo daquela escadinha há uma porta. Entre por ela e à direita encontrará um quarto; pode ali fumar, apenas feche a porta, porque não é permitido...

Mas o príncipe não teve tempo de sair para fumar. Na antessala entrou de repente um jovem com uns papéis debaixo do braço. O criado tratou de ir tirar-lhe a peliça. O jovem olhou de soslaio para o príncipe.

— Gavrila Ardaliónovitch — começou, em tom confidencial e quase familiar, o criado, — anuncie que o Príncipe Míchkin, parente da senhora, acaba de chegar do estrangeiro com um embrulho somente na mão...

O mais não chegou o príncipe a ouvir porque o criado baixou a voz. Gavrila Ardaliónovitch escutou atentamente e tornou a mirar o príncipe com viva curiosidade, até que, afinal, deixou de prestar ouvidos ao criado e dirigiu-se diretamente a ele com impaciência:

— O senhor é o Príncipe Míchkin? — perguntou com amabilidade e cortesia extraordinárias. Era um jovem bem parecido, de uns vinte e oito anos de idade, louro, de estatura mediana, com uma barbicha napoleônica e rosto muito inteligente e bonito; Somente seu sorriso, a despeito de toda a sua amabilidade, era demasiado sutil; ao sorrir, mostrava uns dentes demasiado semelhantes a pérolas; seu olhar, em contraste com sua jovialidade e aparente simplicidade, era bastante fixo e esquadrinhador.

"Decerto quanto estiver sozinho não terá esse aspecto, nem rirá nunca", intuiu o príncipe.

O príncipe explicou-lhe o mais rapidamente possível, da mesma maneira como explicara antes ao criado, e antes ainda a Rogójin. Gavrila Ardaliónovitch, entretanto, parecia lembrar-se de alguma coisa.

— Não foi o senhor — indagou, — quem, há um ano ou algo menos, se dignou escrever uma carta da Suíça, parece-me, a Elisavieta Prokófievna?

— Eu mesmo.

— Então conhecem-no aqui e seguramente se lembram do senhor. Quer ver Sua Excelência? Vou agora mesmo anunciá-lo... O general estará livre dentro em pouco. Mas como o senhor... como é que o mantiveram na antessala?... Por que está aqui? — perguntou severamente ao criado.

— Príncipe, bem lhe dizia eu, mas não quis...

Naquele mesmo instante abriu-se de repente a porta do gabinete e dele saiu um militar com uma pasta debaixo do braço, falando alto e perfilando-se.

— Estás aí, Gânia? — gritou uma voz do gabinete. — Vem cá.

Minutos depois tornou a abrir-se a porta e ouviu-se a voz sonora e afável de Gavrila Ardaliónovitch:

— Tenha a bondade!

Capítulo III

O general Ivan Fiódorovitch Iepántchin estava de pé, no meio do gabinete e com extraordinária curiosidade contemplava o príncipe, que entrava na sala. Deu mesmo dois passos a seu encontro. O príncipe dirigiu-se para ele e apresentou-se.

— Está bem — disse o general. — Em que posso servi-lo?

— Assunto inadiável não trago nenhum; meu objetivo era simplesmente conhecê-lo. Não queria incomodá-lo, mas como ignorava seu dia de recepção, as regras da casa... Acabo de sair do trem... Venho da Suíça...

O general esteve a ponto de sorrir, mas reconsiderou e conteve-se: depois ficou pensativo, franziu o cenho, tornou a mirar seu visitante, dos pés à cabeça, indicou-lhe depois rapidamente uma cadeira, sentou-se meio de lado e com impaciente expectativa voltou-se para o príncipe. Gânia achava-se a um canto do gabinete, ao lado de uma escrivaninha, remexendo uns papéis.

— Para conhecimentos em geral, disponho de pouco tempo — disse o general, — mas como o senhor, sem dúvida, deve ter algum objetivo...

— Já imaginava — interrompeu o príncipe — que o senhor, sem dúvida, haveria de atribuir à minha visita algum fim particular. Mas, por Deus, de parte o prazer de conhecê-lo, não tenho nenhum outro objetivo particular.

— Prazer também tenho eu, e muito grande, em conhecê-lo, mas nem tudo há de ser satisfação; por vezes, bem sabe o senhor, apresentam-se assuntos... Além disso, até agora não, vejo que haja entre nós, por assim dizer... qualquer razão comum...

— Razão, sem dúvida, não há, e muito menos comum. Porque pelo fato de ser eu o Príncipe Míchkin e a esposa do senhor pertencer à nossa família, não constitui, naturalmente, uma razão... Compreendo-o muito bem. E, mesmo assim, a isto se reduzem meus motivos. Estou há quatro anos fora da Rússia, é muito tempo; e, além disso, quando fui embora quase não estava em meu juízo! Então não conhecia aqui ninguém, mas agora ainda menos. Tenho necessidade de pessoas boas; até, veja o senhor, assim, tenho um assunto e não sei, na realidade o que fazer. Já em Berlim, disse a mim mesmo: "São eles quase parentes meus, comecemos por eles; pode ser que sejamos mutuamente úteis, eles a mim e eu a eles... se forem pessoas boas". E ouvi dizer que os senhores eram boas pessoas.

— Muito obrigado — disse, cheio de assombro, o general. — Tenha a bondade de dizer-me, onde está hospedado?

— Até agora, em parte alguma.

— Segundo isso, vem o senhor diretamente da estação à minha casa? E... a bagagem?

— Minha bagagem se reduz a um embrulhinho com roupa branca e nada mais; costumo trazê-lo no braço. Penso arranjar esta mesma tarde um quarto.

— De modo que se propõe arranjar um quarto em alguma casa de hóspedes?

— Oh! sim, é claro!

— A julgar pelas suas palavras, pensava eu que vinha o senhor, hospedar-se diretamente em minha casa.

— *Poderia fazer isto, mas não* sem que o senhor me convidasse. Ainda que, confesso-lhe, nem mesmo assim, ficaria; não por alguma coisa, mas somente... por questão de caráter.

— Então foi bem que eu não o tivesse convidado, nem o convide. Permita-me, príncipe, que tornemos as coisas bem claras, de uma vez; uma vez que já concordamos que não se pode falar em parentesco... entre nós... embora para mim fosse muito lisonjeador... nada há senão...

— Nada há senão levantar-me e sair — interpretou o príncipe, rindo, jovialmente, apesar da visível dificuldade de sua posição. — E queira crer-me, general, embora nada conheça dos costumes locais, nem nada saiba da vida das pessoas aqui, dizia-me o coração que haveria de ser como é, segundo vejo agora. Talvez seja melhor assim!... E além disso, naquela ocasião tampouco responderam à minha carta... Está bem, fique com Deus e perdoe-me tê-lo incomodado.

O olhar do príncipe a tal ponto era cordial naquele momento e seu sorriso tão límpido de qualquer reflexo de zanga, nem mesmo disfarçada, que o general, de repente, ficou suspenso e pareceu olhar de modo diferente seu visitante; toda essa mudança operou-se num segundo.

— Olhe, príncipe — disse, num tom completamente diferente, — eu, francamente, não o conheço; mas Elisavieta Prokófievna talvez tivesse prazer em ver uma pessoa de sua família... Espere um pouco, se quiser, se tiver tempo.

— Oh! sim, tenho tempo! Meu tempo é absolutamente meu — e o príncipe imediatamente deixou seu chapéu mole, de abas redondas em cima de uma mesa. — Eu, confesso, também imaginava que Elisavieta Prokófievna se lembrasse de minha carta. Há um momento, seu criado, quando eu estava ali esperando o senhor, suspeitou de que eu estivesse na miséria e viesse pedir ajuda; percebi isto e é possível que em sua casa haja severas instruções a esse respeito; mas, eu, na verdade, não vim para isso; vim tão-somente para entrar em relações. Tenho apenas o receio de que vim incomodá-lo e isto me preocupa.

— Que está dizendo, príncipe? — disse o general, com um sorriso alegre. — Se o senhor é verdadeiramente o que parece, terei muito gosto em conhecê-lo; somente uma coisa, veja bem: sou um homem ocupado e agora mesmo vou ter de pôr-me a examinar papéis e assinar, e depois terei de ir ver Sua Alteza, e depois para a repartição, de modo que, embora tenha muito gosto em falar com pessoas... de bem; isto é, porém... Aliás, estou certo de que o senhor recebeu excelente educação... Quantos anos tem, príncipe?

— Vinte e sete.

— Ah! Eu pensava que tinha muito menos.

— Sim, dizem que represento menos idade. Mas não tardarei em aprender a não incomodá-lo, porque não gosto de incomodar ninguém... E, afinal, a mim me parece que somos muito diferentes no aspecto... por muitas razões, não podem existir entre nós muitos pontos de contacto; mas, apesar disso, não creio nesta última ideia, porque costuma ocorrer, com bastante frequência, que parece que não *existem esses pontos de contacto* e, ao contrário, existem... é apenas por preguiça que os homens se julgam uns aos outros pelas aparências e não podem descobrir nada... Mas, aliás, receio estar a aborrecê-lo. O senhor, pelo visto...

— Duas palavras: o senhor tem meios de vida? Ou se propõe aceitar algum emprego? Perdoe-me, mas eu...

— Não há de quê. Estimo e compreendo sua pergunta. Com meios de vida não conto até o presente, nem tampouco tenho emprego algum, embora me faça falta. O dinheiro que agora tenho não é meu: foi o professor que esteve me tratando e ensinando na Suíça quem me arrumou algum para a viagem, mas tão pouco que agora, por exemplo, apenas me restam uns poucos copeques. Para falar a verdade, tenho um assunto a respeito do qual necessito dum conselho, mas...

— Diga-me: como pensa viver no momento e quais são suas intenções? — interrompeu o general.

— Quereria trabalhar em alguma coisa...

— Oh! o senhor é um filósofo; ainda que, aliás... sabe se possui algum talento, alguma aptidão, seja qual for, quero dizer, que pudesse permitir-lhe ganhar com ela o pão? Rogo-lhe outra vez que me perdoe...

— Oh! não tem por que pedir perdão! Não, sei que não tenho talento, nem aptidão nenhuma, mas muito pelo contrário, porque sou um doente e não aprendi nada como é devido. Pelo que se refere ao pão, creio...

O general voltou de novo a interrompê-lo e a interrogá-lo. O príncipe tornou a contar-lhe o que já foi exposto. Resultou que o general tinha ouvido falar no falecido Pávlichtchev e até o tinha conhecido pessoalmente. A razão pela qual Pávlichtchev tinha se interessado pela educação dele o próprio príncipe não sabia explicar; ainda que, afinal de contas, talvez tivesse sido por causa da amizade que o unia a seu falecido pai. O príncipe havia ficado órfão, quando era ainda muito pequeno; tinha-se criado e crescido no campo, pois sua saúde delicada requeria o ar da campina. Pávlichtchev havia-o recomendado a uns velhos lavradores, parentes seus, os quais tomaram para ele, a princípio, uma preceptora e depois um preceptor. Além disso, o príncipe explicou que, embora de tudo se recordasse, não era capaz de o expor dum modo satisfatório, porque não havia se apercebido de muitas coisas. Os frequentes ataques de sua enfermidade tinham-no convertido quase num idiota (o príncipe dizia assim mesmo: idiota). Referiu, finalmente, que Pávlichtchev havia-se encontrado certa vez em Berlim com o Professor Schneider, um suíço, que se havia especializado precisamente nessa doença; dirigia uma clínica sua na Suíça, no cantão de Basileia; curava, de acordo com seu método, por meio da água fria e da ginástica; tratava também de idiotas e loucos e, além disso, instruía e cuidava em geral do desenvolvimento psíquico; e assim Pávlichtchev levou-o consigo à Suíça, haveria uns cinco anos e que fazia dois havia morrido de repente, sem fazer testamento; que Schneider tinha continuado a mantê-lo e tratá-lo outros dois anos mais e se não o havia curado de todo, o deixara muito melhor; e que, finalmente, por sua vontade própria e por causa de certa circunstância que surgira, regressara agora à Rússia.

O general assombrou-se grandemente.

— E aqui, na Rússia, não tem o senhor ninguém, decididamente ninguém? — perguntou.

— Atualmente, ninguém; mas espero... Além disso, recebi uma carta...

— Pelo menos — atalhou-o o general que não o ouvira falar na carta, — estudará o senhor com alguém e sua enfermidade não o impedirá de exercer alguma ocupação, desempenhar, por exemplo, algum cargo que não seja muito difícil, servir em algum Corpo...

— Oh! decerto que não me impede! Quanto a um emprego, com muito gosto o aceitaria, porque estou desejoso eu mesmo de ver para que sirvo. Estudei já por espaço de quatro anos seguidos, embora não inteiramente e de um modo sistemático, mas segundo um método pessoal e li, além disso, muita literatura russa.

— Literatura russa? Naturalmente saberá também escrever corretamente.

— Oh! isto sim!

— Magnífico! E a letra?

— A letra, muito boa. Para isto, veja o senhor, tenho talento; sou, simplesmente, um calígrafo. Dê-me o senhor papel e pena e lhe escreverei algo como prova — disse com veemência o príncipe.

— Sem dúvida. Mas isto também é importante... A mim me agrada sua boa disposição, príncipe. O senhor me está sendo verdadeiramente muito simpático.

— O senhor haverá de ter excelente material de escrita, muitos lápis e penas e bom papel... E que gabinete admirável! Olhe aqui: conheço essa paisagem: é uma vista da Suíça. Estou certo de que o pintor a copiou, do natural e tenho a convicção de ter estado nesse lugar: é no cantão de Uri.

— Muito provavelmente, mas foi aqui que o comprei. Gânia, dê papel ao príncipe; aqui tem pena e papel: aí, nessa mesinha. Que é isso? — perguntou o general a Gânia que, no intervalo, havia tirado de sua carteira e entregado um retrato de tamanho grande. — Ah! Nastássia Filípovna! Ela mesma, ela mesma enviou? — perguntou a Gânia com animação e viva curiosidade.

— Há um momento, quando fui felicitá-la, entregou-o a mim. Fazia já muito tempo que lhe havia pedido. Não sei se, no fundo, será esta uma indireta de sua parte, por ter-me apresentado diante dela com as mãos vazias, sem nenhum presentinho, num dia assim — acrescentou Gânia, sorrindo desagradavelmente.

— Qual nada! — interrompeu-o, convencido, o general. — Na verdade, que ideias te ocorrem! Iria ser uma indireta... quando ela não tem nada de interesseira... E além do mais, que ias tu dar-lhe de presente? Para isso são precisos milhares de rublos! Podias dar-lhe teu retrato, talvez? Mas ela não pediu teu retrato ainda?

— Não; ainda não me pediu; e é possível que nunca chegue a fazer isso. O senhor, Ivan Fiódorovitch, não estará esquecido, sem dúvida, da reunião desta noite. Foi expressamente convidado.

— Lembro-me, lembro-me e, sem dúvida, irei. Não faltava mais nada, não ir! Seu aniversário, vinte e cinco anos! Hum! E sabes de uma coisa, Gânia? Vou ser franco contigo, prepara-te. Prometeu a Afanássi Ivânovitch e a mim dizer-nos esta noite a última palavra: ser ou não ser. De modo que, fica preparado.

Gânia, de repente, sentiu-se mortificado, a ponto de tornar-se um tanto pálido.

— Prometeu isso, de verdade? — indagou, e a voz parecia tremer-lhe.

— Anteontem deu-nos sua palavra. Tanto insistimos, que a obrigamos. Somente rogou-nos que não te disséssemos.

O general olhou firmemente para Gânia; era evidente que não lhe agradava nada a emoção que ele mostrava.

— Recorde-se, Ivan Fiódorovitch — disse, alarmado e vacilante, Gânia, — que ela me deixou com toda a liberdade para decidir até que ela mesma não decida o assunto, e ainda então fico eu com plena liberdade de resolver...

— Mas será que tu... será que tu... — e o general pareceu inquietar-se de repente.

— Eu, nada.

— Faz favor de me dizer: que queres fazer conosco?

— Eu não disse que me negasse. Pode ser que me tenha exprimido mal...

— Não faltava mais senão que te negasses! — exclamou; zangado o general, que não queria dissimular seu desgosto. — Olha; irmão: a questão não está em que não te negues, mas em tua solicitude, em tua satisfação, na alegria com que acolhesses sua palavra... Não te importa tua família?

— Que tem que ver com isso a família? Não há outra família aqui que não seja a minha vontade; meu pai, decerto, segundo seu costume, ficará furioso, mas tornou-se um perfeito rústico; eu nem sequer falo com ele, mas me contenho, pois se não fosse por causa de minha mãe, já o teria posto para fora. Minha mãe, naturalmente, virá com prantos; minha irmã ficará furiosa; mas eu lhes falarei francamente e lhes direi que sou o dono de meu destino e que desejo que em casa... me obedeçam. Com minha irmã, pelo menos, já falei claro diante de minha mãe.

— Eu, meu rapaz, continuo sem entender — observou o general, pensativo, arqueando um tanto os ombros e afastando as mãos. — Nina Alieksándrovna também não há muito (quando foi isso, lembras-te?), começou a soltar gemidos e ais. "Por quê?" pergunto eu. Parecia ter-lhe acontecido uma desgraça. Que desgraça, queres dizer-me? Quem pode censurar a Nastássia Filípovna a mínima coisa ou dizer algo dela? Talvez porque tem vivido com Tótski? Mas isto é um absurdo, sobretudo em certas circunstâncias! "Não deve o senhor consentir — disse ela — que tenha relações com suas filhas." Bem; não entendo Nina Alieksándrovna. Quero dizer, como não compreende ela... como não compreende...

— Sua própria posição? — sugeriu Gânia ao general que não atinava com a palavra. — Ela a compreende; não se zangue com ela. Eu, aliás, disse-lhe então, corajosamente, a verdade, para que não se imiscuísse em negócios alheios. Até agora, a única coisa que digo em casa é que ainda está para ser pronunciada a última palavra; mas a tempestade estronda. Se se disser hoje a última palavra, estará tudo liquidado.

O príncipe escutava todo aquele diálogo, enquanto executava num cantinho da sala sua prova caligráfica. Quando acabou, aproximou-se da mesa e pôs sobre ela o que escrevera.

— Os senhores estão falando de Nastássia Filípovna? — disse, olhando atenta e curiosamente o retrato. — Maravilhosamente bela! — acrescentou depois, com entusiasmo.

O retrato reproduzia, efetivamente, uma mulher de extraordinária formosura. Trajava um vestido de seda negra, sumamente simples e de elegante confecção; os cabelos, ao que parecia, escuros, trazia-os penteados lisamente, num estilo caseiro; os olhos escuros, profundos; fronte pensativa; a expressão do semblante, apaixonada e um tanto altiva. Era algo magra de rosto e um tantinho pálida... Gânia e o general olharam estupefatos o príncipe.

— Como! Nastássia Filípovna! Mas o senhor conhece também Nastássia Filípovna? — perguntou o general.

— Sim, estou apenas há vinte e quatro horas na Rússia e já conheço essa beldade — respondeu o príncipe e em seguida narrou seu encontro com Rogójin e reproduziu o que este contara.

— Sim, senhor, uma novidade! — e o general voltou a dar mostras de inquietação, depois de ouvir com suma atenção o que contava o príncipe, e lançou um olhar de curiosidade para Gânia.

— É decerto uma infâmia! — resmungou também Gânia, algo preocupado. — Esse filho de comerciante deveria estar bêbado. Já ouvi falar dele.

— E eu também, meu rapaz — insistiu o general. — Na ocasião, com os brincos diante de si, Nastássia Filípovna contou-me toda a história. Mas agora se trata de outra coisa. Pode ser que haja no meio disso um milhão... e uma paixão, uma paixão escandalosa... concedo... mas uma paixão afinal, e é sabido que homens como esse são capazes de tudo quando bebem... Hum! Espero que não vamos ter histórias! — concluiu o general, pensativo.

— Inquieta-se por causa do milhão? — perguntou Gânia.

— E tu, sem dúvida, não te inquietas?

— Que lhe parece, príncipe? — e Gânia, de repente, voltou-se para ele. — Trata-se de um homem sério ou simplesmente de um desavergonhado? Qual a sua opinião pessoal?

Algo de especial ocorria a Gânia, ao formular aquela pergunta. Parecia que uma ideia nova, especial, tivesse surgido em seu cérebro e surgisse impaciente nos seus olhos. Também o general, que sentia uma inquietação sincera e ingênua, fitou o olhar no príncipe, embora como quem não esperasse grande coisa de sua resposta.

— Não sei como dizer-lhe — respondeu o príncipe. — A mim só parece que sente uma grande paixão, até mesmo uma paixão mórbida. Ele também tem o aspecto de estar ainda doente. Poderia muito bem suceder que, poucos dias depois de estar em Petersburgo, tivesse de voltar ao leito, sobretudo se se entregar à farra.

— Como! O senhor tem essa impressão? — e o general apanhou no ar aquela ideia.

— Sim, tenho essa impressão.

— E, não esqueçamos, dessa espécie de casos podem surgir ideias, sobretudo de agora até para a noite, hoje mesmo, poderia ocorrer algo — disse Gânia, rindo, ao general.

— Hum!... Sem dúvida... Tudo depende do que surgir na cabeça dela — disse o general.

— O senhor não sabe como ela fica às vezes?

— Fica como? — exclamou o general, que se achava num estado de suma agitação. — Olha, Gânia: vais fazer hoje o favor de não contradizê-la e fazer todo o possível de tua parte, sabes? para estares inspirado... para, de fato, agradar-lhe... Hum! Por que abres essa boca? Ouve, Gavrila Ardaliónovitch, a propósito, e muito a propósito seria o caso de dizer: "Mas, por que devemos nos dar a tanto trabalho?". Compreenderás que eu, no que diz respeito ao lucro pessoal que pudesse tirar daí, faz muito tempo que estou tranquilo, porque de um modo ou de outro hei de resolver o assunto em meu proveito. Tótski tomou sua resolução de modo irrevogável; estou perfeitamente convencido disto. E se agora eu pretendo algo, é somente para teu bem. Julga tu mesmo: será que não zombas de mim? Além disso, és homem... homem... digamos, homem direito e pus em ti minhas esperanças... e isto, no caso presente, é... é...

— É o principal — terminou Gânia, ajudando de novo o general, solícito, franzindo os lábios num sorriso sarcástico que não tratava de dissimular. Fitava seu olhar inflamado diretamente nos olhos do general, como se ansiasse ler neles todo o seu pensamento. O general ficou rubro e encheu-se de cólera.

— Muito bem, sim; talento é o principal! — assentiu, olhando duramente para Gânia. — Mas és também um gozador, Gavrila Ardaliónovitch! Parece que te alegras, noto-o, por causa desse comerciantezinho, como se fosse uma vantagem em teu favor. Mas o talento deve precisamente servir-nos para ver as coisas claras desde o primeiro instante; aqui o que está faltando é justamente compreender e... e agir, de ambas as partes, com honra e franqueza; do contrário... prevenir antes para não comprometer os demais, tanto mais quanto tem havido tempo de sobra para isso e há ainda bastante — o general arqueou significativamente as sobrancelhas, — apesar de só nos restarem ao todo umas poucas horas. Compreendeste bem? Compreendeste? Queres ou não queres deveras? Se não queres, diz duma vez... e fica em paz. Ninguém te obrigará, Gavrila Ardaliónovitch, ninguém te meterá à força na armadilha, se é que supões seja isto uma armadilha.

— Quero — disse Gânia à meia voz, baixando os olhos, mas com firmeza, encerrando-se depois num silêncio sombrio.

O general estava satisfeito. O general havia-se acalorado, mas era evidente que se arrependia agora de ter ido demasiado longe. De repente, fitou o príncipe e pareceu que em seu rosto se refletia o inquietante pensamento de que o príncipe estava ali presente e teria ouvido tudo. Mas tranquilizou-se em seguida; um só olhar do príncipe bastou para dissipar todas as suas inquietações.

— Oh! — exclamou o general, ao reparar a prova caligráfica que o príncipe lhe apresentara. — Isto, sim, é caligrafia! E excelente! Olha aqui, Gânia, que habilidade!

Na grossa folha de pergaminho, havia o príncipe escrito, com caracteres russos medievais, a frase seguinte:

"O humilde *igúmien*[7] Pafnúti assinou de seu próprio punho."

— É esta — explicou o príncipe, muito contente e animado, — a assinatura pessoal do *igúmien* Pafnúti, segundo um exemplar do século XIV. Assinavam dum modo admirável todos esses velhos *igúmieni* e metropolitas nossos, e por vezes, com que arte, com que esforço! Não terá o senhor talvez, general, alguma edição de Pogódins[8]? E aqui escrevi eu em outro estilo; é a escrita francesa, redonda, firme, do século passado, na qual algumas letras se escrevem inclusive de outro modo: escrita oficial, escrita dos memorialistas, copiada de seus exemplares (tenho um)... convenham comigo os senhores que não lhe falta dignidade. Reparem este d e este a redondos. Trasladei os caracteres franceses para as letras russas, o que é muito difícil, mas saí-me bem. Veja o senhor esta outra letra belíssima e original: repare esta frase: "O fervor tudo vence". Esta é escrita russa, de amanuenses, ou se querem, de amanuenses militares. Nela se escrevia, dando as instruções do governo, aos personagens principais; também letra redonda, belíssima, letra negra, escrita em negro, mas com uma arte notável. O calígrafo não se permitiria esses floreios ou, melhor dito, essas tentativas de floreios, estes meios rabos sem terminar (repare); mas, em conjunto, mantém bem o caráter e, na verdade, se vê aí todo o espírito do escrivão militar; queria fazer bonito com a pena, fazer ostentação de sua habilidade; mas a

7 Monge superior dum mosteiro.

8 Mikhail Pietróvitch Pogódin (1800-1875), historiador russo, autor de numerosas obras sobre a Rússia medieval.

coleira militar é demasiado justa; a disciplina se estende até mesmo à escrita. Magnífico! Há pouco tempo causou-me tal impressão um exemplar dessa espécie, que encontrei casualmente, onde foi? na Suíça. Bem, era um tipo de limpa letra inglesa, simples e vulgar; mais longe, porém, não é possível levar a elegância. Ali tudo é encantador: parecem pérolas as letras; tudo é perfeito. Mas eis aqui outra variante, francesa, que copiei de um caixeiro-viajante francês; é quase a mesma letra inglesa, mas as linhas negras mostram-se um pouquinho mais negras que a inglesa e, repare o senhor, logo ressalta toda a proporção. E repare também: o oval está alterado, é um pouco mais redondo e duplo para permitir-lhe o floreio; mas um floreio é uma coisa perigosíssima. O floreio requer um gosto extraordinário, somente, quando sai bem, quando se consegue a proporção devida, não há com que se comparar essa letra e chega ao extremo de fazer com que nos enamoremos dela.

— Oh! mas com que sutileza fala! — disse, sorrindo, o general.

— O senhor não é apenas um calígrafo, *bátiuchka*, mas também um artista, não é mesmo, Gânia?

— Admirável! — exclamou Gânia. — E além disso com a plena consciência de sua missão — acrescentou, rindo, zombeteiramente.

— Ri, ri, mas com isto se faz carreira! — disse o general. — Sabe o senhor, príncipe, a que personagem vamos encarregá-lo de escrever nossas cartas? E, além disso, desde agora mesmo, desde o primeiro passo, já lhe podemos estabelecer um ordenado mensal de trinta e cinco rublos. Mas já é uma e meia — terminou, consultando o relógio. — Aos negócios, príncipe, pois tenho de apressar-me e é possível que não nos vejamos mais hoje. Aproxime-se um pouco mais, por um instante. Já lhe comuniquei que não poderia recebê-lo com muita frequência; mas desejo sinceramente ajudá-lo um pouco. Um pouco, naturalmente. Isto é, no mais indispensável e da forma que o senhor mesmo preferir. Um empreguinho numa secretaria não me parece muito duro para o senhor. Requer apenas pontualidade. Passemos agora a outra coisa: em casa... quero dizer; na família de Gavrila Ardaliónovitch Ívolguin[9], deste meu jovem amigo, que quero seja seu também, sua mamãe e sua irmãzinha têm a mais dois ou três quartos mobiliados e os cedem a hóspedes pessoalmente recomendados, com pensão e serviço. Minha recomendação, estou certo, será atendida por Nina Alieksándrovna. Para o senhor também, príncipe, isto vem a ser mais que um tesouro: em primeiro lugar, porque ali não estará o senhor sozinho, mas, por assim dizer, no seio de uma família, e, na minha opinião, o senhor não deve desde o primeiro momento encontrar-se sozinho numa capital como Petersburgo. Nina Alieksándrovna e Varvara Ardaliónovna (a irmã de Gavrila Ardaliónovitch) são senhoras pelas quais professo um respeito incomensurável. Nina Alieksándrovna é a esposa de Ardalion Alieksándrovitch, general reformado, antigo companheiro meu, no meu primeiro serviço, mas com o qual, em virtude de razões particulares, tive depois de cortar relações, o que, aliás, não me impede de estimá-lo, a meu modo. Tudo isto lhe explico, príncipe, para que compreenda que eu, por assim dizer, recomendo-o pessoalmente e que, portanto, venho a ficar como seu fiador. O preço é módico e espero que, em breve, com seu ordenado, terá o senhor dinheiro de sobra para isso. É certo que o homem precisa de andar também com dinheiro

9 De *ívolga*, pássaro da família dos pardais, de voz sonora.

no bolso, por pouco que seja; mas o senhor não levará a mal, príncipe, que lhe faça observar que o melhor que o senhor possa fazer é dispensar esse dinheiro e, em geral, não andar com dinheiro no bolso. Falo-lhe assim porque esta é a minha opinião. Mas como agora tem o senhor seu porta-moedas inteiramente vazio, permita-me que, para começar, lhe ofereça estes vinte e cinco rublos. Nós, sem dúvida, temos de tornar a ver-nos, e se o senhor é tão sincero e cordial como pelas suas palavras parece, não poderá haver divergência entre nós. Se deste modo me interesso pelo senhor, é porque abrigo a respeito de sua pessoa certas intenções que mais adiante conhecerá. Já vê o senhor que não lhe posso ser mais franco. Suponho, Gânia, que não terás nada que objetar a respeito da instalação do príncipe em tua casa.

— Oh! muito pelo contrário! *Mamacha* também se alegrará muito — afirmou Gânia, cortês e solícito.

— Segundo parece, só tendes alugado um quarto... a esse... como se...? Ferd... Fera...

— Fierdíchtchenko[10].

— Bem; é isto. Não gosto dêsse Fierdíchtchenko; parece um sebento palhaço. Não compreendo por que tanto o protege Nastássia Filípovna. Será certo que é parente dela?

— Oh! não! Isto é brincadeira! Não tem sinal nenhum de parentesco.

— Que o diabo o leve! Com que então, vamos ver, príncipe, está satisfeito ou não?

— Estou-lhe muito grato, general. Portou-se para comigo como um homem extremamente bom, tanto mais quanto eu nem sequer lhe havia pedido nada. E não digo isto por orgulho, mas porque eu, efetivamente, não sabia para onde voltar os olhos. Para falar-lhe a verdade, Rogójin me havia convidado antes.

— Rogójin? Bem... não; aconselho-o, paternalmente ou, se o prefere, amistosamente: esqueça-se do Senhor Rogójin. E, em termos gerais, permito-me aconselhá-lo que não se esqueça da linhagem donde provém.

— Já que o senhor é tão bom — começou o príncipe, — vou expor-lhe um assunto. Recebi uma notificação...

— Ora, perdoe-me o senhor, mas já não disponho nem de um minuto mais. Agora mesmo vou falar a seu respeito com Lisavieta Prokófievna; se ela quiser recebê-lo agora mesmo (e neste sentido procurarei persuadi-la), aconselho-o a aproveitar a ocasião e faça por se mostrar simpático, pois Lisavieta Prokófievna pode servir-lhe de muito; são ambos da mesma família. Se ela não concordar, não lhe leve a mal, e aguarde outra ocasião. E tu, Gânia, faze o favor, entretanto, de passar uma vista nessas contas que, há pouco, eu e Fiedossiévitch não fomos capazes de verificar. É *mister* não se esquecer e incluí-las...

Foi-se o general sem que o príncipe tivesse podido falar-lhe de seu assunto que, pela quarta vez, tinha querido expor-lhe. Gânia pôs-se a fumar um cigarro e ofereceu outro ao príncipe que o aceitou, mas não entabulou conversa com ele, para não estorvá-lo, pondo-se a examinar o escritório. Mas Gânia mal fixou a atenção na folha de papel, garatujada de números; que o general lhe indicara. Estava meditativo; o sorriso, o olhar, a meditação de Gânia começaram a tornar-se mais

10 Nome forjado pelo autor, embora sem qualquer etimologia direta e sem significação concreta. O personagem, porém, é por demais significativo na obra e o agrupamento de letras formado pelo autor sugere ao leitor russo qualquer coisa de sensação desagradável e repulsiva, o que evidentemente tem relação com o caráter do personagem.

insuportáveis ao príncipe logo que ambos ficaram sós. De repente, aquele se aproximou do príncipe, que naquele preciso instante estava de pé, inclinado sobre o retrato de Nastássia Filípovna, contemplando-o.

— Como, agrada-lhe essa mulher, príncipe? — perguntou-lhe, de supetão, olhando-o com olhos penetrantes.

E só parecia abrigar alguma intenção extraordinária.

— É um rosto prodigioso! — respondeu o príncipe. — E estou certo de que seu destino não haverá de ser vulgar... Tem o rosto alegre e tem sofrido horrivelmente, não é verdade? Os olhos dizem isso. Olhe o senhor esses dois ossinhos, esses pontinhos debaixo dos olhos, no arquear das faces. É um rosto orgulhoso, terrivelmente orgulhoso e olhe o senhor: não sei se será uma mulher bondosa. Ah! se fosse bondosa! Então tudo se teria salvo, decerto!

— E o senhor, seria capaz de casar com essa mulher? — perguntou Gânia, sem desviar dele o olhar aceso.

— Não posso casar com essa, nem com nenhuma outra mulher. Sou um doente — disse o príncipe.

— E Rogójin casaria com ela? Qual a sua opinião?

— Casaria com ela, creio que casaria amanhã mesmo. Casaria com ela, e depois, daí a uma semana, acabaria por matá-la.

Mal o príncipe dissera isto, fez Gânia um movimento tão violento que o príncipe lhe perguntou, quase a gritos:

— Mas que tem o senhor? — e segurou-lhe a mão.

— Alteza! Sua Excelência roga-lhe que tenha a bondade de passar a ver Sua Excelência... — anunciou um criado, surgindo no umbral.

O príncipe saiu atrás do criado.

Capítulo IV

As três filhas do General Iepántchin eram jovens, sadias, viçosas, bem desenvolvidas, com uns ombros admiráveis, bustos fartos e firmes, braços vigorosos, quase masculinos e, sem dúvida, por efeito de sua saúde e de sua força, gostavam por vezes de carregar a mão na comida, o que de modo algum tratavam de ocultar. Sua mãe, a generala, Lisavieta Prokófievna, costumava censurar-lhes o extremo apetite, porém esta, como muitas de suas opiniões, não obstante todo o aparente respeito com que a escutavam suas filhas, haviam desde muito tempo deixado de ter para elas uma autoridade indiscutível e incontestável, até o ponto das três irmãs entrarem em acordo unânime de não lhe fazer caso, de modo que a generala, para preservar intacta sua dignidade, achou mais oportuno não contradizê-las e resignar-se. Verdadeiramente, o caráter às vezes não obedece nem se submete a decisões razoáveis; Lisavieta Prokófievna tornava-se de ano para ano mais caprichosa e impaciente e até mesmo extravagante. Mas como tinha a seu lado um marido muito condescendente e bem educado, os desgostos, se os tinha, ele os guardava para si e a boa harmonia da família restabelecia-se sempre em seguida e tudo marchava às mil maravilhas.

A generala, aliás, não perdia tampouco o apetite e, geralmente, à uma e meia, compartilhava do almoço cotidiano, parecido quase com um jantar, em companhia de seus três rebentos. As jovens tomavam a xicarazinha de café muito antes, às dez em ponto, na cama, no momento do despertar. Gostavam disso assim e assim se havia decretado de uma vez para sempre. À uma e meia serviam a mesa em uma salinha de jantar, junto do quarto da mãe e a este almoço familiar e íntimo costumava comparecer por vezes o próprio general, quando tinha tempo. Além de chá, café, mel, manteiga, uns bolinhos especiais, pelos quais era louca a generala, costeletas, etc., serviam-lhe também um caldo substancioso e quente. Na manhã em que começa o nosso relato, estava reunida toda a família na salinha de jantar, à espera do general, que havia prometido aparecer ali à uma e meia. Quando se atrasava, ainda que por um minuto, mandavam imediatamente chamá-lo; mas ele se apresentava com pontualidade. Ao entrar, dava bom dia à sua esposa e beijava-lhe a mão; desta vez notou em seu rosto algo de particular. E ainda que, desde o dia anterior, previsse que assim haveria de suceder hoje, por culpa de certa "anedota" (como ele mesmo costumava dizer) e já na noite anterior adormecera preocupado com isso, agora seus temores se renovaram. As filhas aproximaram-se dele para beijá-lo e embora não estivessem aborrecidas com ele, era indubitável que se passava algo de estranho. É certo que o general, devido a certas circunstâncias, tornara-se demasiado suspeitoso; mas, apesar de tudo, era pai e marido correto e hábil e imediatamente tomou suas medidas.

Talvez não prejudiquemos muito o resultado de nosso relato se o suspendermos aqui e recorrermos à ajuda de alguns esclarecimentos para fixar com mais exatidão as relações e circunstâncias em que se encontra a família Iepántchin ao começar nossa história. Já acabamos de dizer que o general, mesmo sendo um homem nada instruído, antes muito pelo contrário, como ele mesmo se qualificava, um autodidata, era, apesar disso, um marido correto e um pai hábil. Entre outras coisas adotara o sistema de não impor marido às suas filhas, isto é, não pesar no ânimo delas e não molestá-las demasiado com os desvelos de seu amor paternal pela felicidade delas, como costuma ocorrer, involuntária e naturalmente, nas mais criteriosas famílias que têm filhas casadouras. Chegou a conseguir, inclusive, que Lisavieta Prokófievna concordasse com seu método, embora, para dizer a verdade, muito trabalho isto lhe tivesse custado... muito trabalho, por tratar-se de coisa antinatural; mas os argumentos do marido eram sumamente poderosos: baseavam-se em fatos indiscutíveis. Porque abandonadas por completo à sua vontade e a suas resoluções, as moças, naturalmente, acabam por tomar juízo elas mesmas e então a coisa toma asas, porque lhe acham gosto, renunciando a caprichos e veleidades supérfluas; aos pais cabe apenas observar com dissimulação e cautela, a fim de que não surja nenhuma inclinação antinatural e depois, chegado o momento oportuno, prestar seu auxílio com todas as suas forças e arranjar as coisas pondo em jogo todo o seu ascendente. Por último, havia outra coisa, e era que cada ano, por exemplo, iam crescendo em progressão geométrica sua fortuna e sua situação social, de modo que, quanto mais tempo passava, tanto mais iam ganhando suas filhas, inclusive como moças casadouras. Mas, além de todos estes fatos indiscutíveis, havia ainda outro: a filha mais velha, Alieksandra, de repente e quase sem sentir (como ocorre *sempre), havia-se achado* com vinte e cinco anos. Quase ao mesmo tempo, Afanássi Ivânovitch Tótski, homem da alta sociedade, com poderosíssimas influências e extraordinária riqueza, voltara a manifestar sua antiga intenção de casar-se. Era um homem de cinquenta e cinco anos, de caráter distinto e gosto excepcionalmente fino. Queria fazer um bom casamento; era refinado apreciador da beleza. Desde algum tempo unia-o ao General Iepántchin uma amizade nada comum, fortalecida por participações recíprocas em algumas empresas financeiras. De modo que teve de entender-se com ele, pedindo-lhe, por assim dizer, um conselho de amigo e mentor: poderia solicitar ou não a mão de uma de suas filhas? No curso tranquilo e harmônico da vida familiar do General Iepántchin aquilo provocou grande revolução.

A indiscutível beldade da família, como já se disse, era a filha menor, Aglaia. Mas até o próprio Tótski, homem de raro egoísmo, compreendia que não era por esse lado que deveria estender a rede e que para ele não era Aglaia a indicada. Talvez o cego amor e demasiado veemente afeto das irmãs entre si exagerassem a coisa; mas, para elas, o destino de Aglaia, e isso da maneira mais ingênua, não era destino, mas o ideal realizado do paraíso terrestre. O futuro esposo de Aglaia teria de ser possuidor de todas as perfeições e de todos os êxitos, para não falar de riquezas. As irmãs tinham chegado a convir entre si, e isso sem muita discussão, sacrificar-se, se fosse preciso, pelo bem de Aglaia; esta havia de dispor de um dote colossal, embora à custa dos delas. Os pais estavam cientes desse convênio das duas irmãs maiores e por isso, quando Tótski pediu conselho, pouca dúvida tiveram de que uma delas teria de prestar-se a seu desejo, ainda mais que Afanássi Ivânovitch não podia fazer reparo no tocante ao dote. A proposta de Tótski foi, naturalmente, estimada pelo general, com seu peculiar conhecimento da vida, de um modo extraordinário. Como o próprio Tótski observava no momento, em virtude de certas circunstâncias pessoais, uma grande prudência nos passos que dava, e não ia além de sondar o assunto, falaram disto os pais às suas filhas como de uma proposta ainda remota. Em resposta elas lhes fizeram uma declaração, se não inteiramente concreta, pelo menos tranquilizadora: que a mais velha, Alieksandra, não haveria de negar-se. Ela era uma moça, ainda que de caráter firme, boa, discreta e sumamente sociável; podia concordar em casar-se com Tótski até com gosto e uma vez dada sua palavra, não deixaria de a cumprir. Não gostava de pompas; era até capaz de dissabores e de uma mudança brusca, também não tinha medo de aplainar e serenar a vida. Era muito bonita, embora não fosse provocante. Que coisa melhor para Tótski?

E, ainda assim, a coisa ia-se prolongando com ritmo vacilante. De um modo recíproco e amistoso, tinham combinado Tótski e o general em adiar, no momento, todo passo formal e irrevogável. Os próprios pais não tinham falado ainda às suas filhas de modo inteiramente explícito; começava a produzir-se como que uma dissonância; a Generala Iepántchina, a mãe, mostrava-se, não sabia por que, descontente e aquilo era muito grave. Intrometeu-se ainda uma circunstância, que dificultou tudo, uma casualidade estranha e aborrecida, que podia deitar por água abaixo irrevogavelmente todo o projeto.

Essa estranha e aborrecida "casualidade" (como a chamava o próprio Tótski) havia tido começo muito antes: havia uns dezoito anos. Junto de uma das propriedades mais valiosas de Afanássi Ivânovitch, num dos governos centrais, vegetava um lavrador modesto e paupérrimo. Era um homem célebre pelos seus fiascos ininterruptos e anedóticos, um oficial reformado, de distinta família da nobreza e que inclusive, neste sentido, levava vantagem a Tótski. Chamava-se Filip Alieksándrovitch Baráchkov. Todo cheio de dívidas e na ruína conseguira, finalmente, depois de trabalhos forçados e quase braçais, assentar sobre bases satisfatórias sua exígua propriedade. Animava-se de maneira indizível com o mais mínimo êxito. Cheio de alentos e esperanças, transferiu-se por alguns dias para a sede do distrito, com o objetivo de avistar-se e, se possível, chegar a um arranjo definitivo com um de seus principais credores. Mas três dias depois de encontrar-se na povoação, apresentou-se a ele o *stárosta* de sua granja, que fizera a viagem a cavalo; com as bochechas tostadas e a barba chamuscada, para anunciar-lhe que "a herdade havia-se incendiado" no dia anterior, ao meio dia, e que no sinistro, "a senhora morrera devidamente queimada, embora os filhos se tivessem salvo". Semelhante surpresa, nem o próprio Baráchkov, apesar de tão acostumado aos reveses da fortuna, pôde suportar; perdeu o juízo e um mês depois vinha a falecer de febre cerebral. A propriedade incendiada foi, com os camponeses a ela adstritos, vendida para pagamento de dívidas; as duas meninas, de seis e sete anos, respectivamente, filhas de Baráchkov, foram adotadas por Afanássi Ivânovitch Tótski, que assim manifestou sua grandeza de alma, criando-as e educando-as. Tiveram de ser educadas juntamente com as filhas do administrador de Afanássi Ivânovitch, funcionário aposentado e pai de numerosa prole e, ainda por cima, alemão. Com pouco tempo ficou só uma das duas irmãs, Nástia, pois a mais moça morreu de coqueluche. Tótski não tardou em esquecer-se de ambas, pois passava a vida no estrangeiro. Cinco anos antes, ocorreu a Afanássi Ivânovitch, que se achava ali de passagem, dar uma olhada à sua herdade, e de repente descobriu em sua casa senhorial, entre a família de seu alemão, uma menina encantadora, de uns doze anos de idade, viva, simpática, inteligente e de promissora beleza fora do comum. Daquela vez deteve-se na aldeia uns tantos dias, mas teve tempo para ditar suas disposições. Sobreveio uma mudança notável na educação da menina: foi chamada uma respeitável e madura preceptora, experimentada na alta educação de moças, uma suíça muito culta e que conhecia, além do francês, várias ciências. Instalou-se na casa senhorial e a educação da pequena Nastássia adquiriu proporções extraordinárias. Durou quatro anos justos essa educação; foi embora a preceptora e uma senhora veio buscar Nastássia, proprietária de terras e vizinha também de Tótski, embora em outro governo distante. Levou-a para sua casa, de acordo com as instruções e autorização de Afanássi Ivânovitch. Resultou que, naquela propriedade, nada grande, havia uma casinha, bem pequena, recém-edificada, de madeira; era de construção especialmente elegante e a granja, bem intencionalmente, chamava-se *Otrádnoie*[11]. A proprietária conduziu Nástia diretamente para aquela plácida casinha e como vivia ela, viúva sem filhos, apenas a uma versta de distância dali, foi-se instalar a seu lado. A serviço de Nástia estava uma velha governanta e uma jovem e esperta criadinha. Havia na casa instrumentos de música, uma escolhida biblioteca para senhoritas, gravuras, lápis, pincéis, cores, uma cadelinha da raça dos lebréus, que era uma maravilha. Ao fim de duas semanas apareceu ali o próprio Afanássi Ivânovitch. Desde então parecia sentir predileção especial por aquele silencioso povoado das estepes. Lá aparecia todos os anos e passava dois ou três meses e assim por espaço de bastante tempo, quatro anos, plácida e felizmente, com gosto e elegância.

Certa vez na granja, em princípios do inverno, quatro meses depois de uma das visitas anuais de Afanássi Ivânovitch a *Otrádnoie*, que naquela ocasião ali só

11 Literalmente: Consolo. *Otrádnoie datcha*, Fazenda do Consolo.

permaneceu duas semanas, espalhou-se, ou, melhor dito, chegou aos ouvidos de Nastássia Filípovna o boato de que Afanássi Ivânovitch se casara com uma beldade de Petersburgo, rica e distinta, numa palavra: com um sério e brilhante partido. Tal boato verificou-se depois ser falso, pelo menos em algumas partes: o casamento não passava no momento de projeto e tudo era ainda bastante vago, mas no destino de Nastássia Filípovna produziu-se naquela ocasião uma mudança extraordinária. Veio de repente a demonstrar uma resolução pouco comum e revelou o mais inesperado caráter. Sem deixar de refletir, deixou sua casinha aldeã e instalou-se em Petersburgo, indo diretamente ter com Tótski, sozinha. Tótski ficou estupefato; começou a falar-lhe, mas quase desde as primeiras palavras compreendeu que era preciso mudar de tom, baixar o diapasão, abandonar os antigos temas de conversação agradáveis e delicados, que até então empregara com tanto êxito, a lógica... tudo, tudo, tudo! Diante de si tinha uma mulher totalmente diferente, em nada semelhante à que até ali conhecera e que no mês de julho, apenas, deixara na granja de *Otrádnoie*.

Aquela nova mulher parecia, em primeiro lugar, saber e compreender muitas coisas, tantas, que causava infalível admiração pensar donde teria podido tirar aqueles conhecimentos, formar aquelas ideias sutis. (Talvez de sua biblioteca para senhoritas?) Como se ainda fosse pouco, estava também muito a par dos assuntos legais e possuía clara noção, se não do mundo, pelo menos do modo como é preciso expor certos assuntos no mundo; e, além disso, não tinha absolutamente aquele caráter de outrora, isto é, algo tímido, colegialesco, sedutor por vezes por sua vivacidade e candura originais, e doutras esquivo e ensimesmado, assustadiço, receoso, chorão e inquieto.

Não; ali ria às gargalhadas diante dele e o aturdia com irritantes sarcasmos, uma criatura insólita e inesperada, que lhe dizia francamente na cara que jamais sentira por ele em seu coração senão um profundíssimo desprezo, um desprezo que raiava pela náusea e que havia sucedido imediatamente ao primeiro assombro. Aquela nova mulher declarava que ela não se importava nada que ele se casasse quando e com quem lhe desse na veneta, mas que tinha ido ali para impedir aquele casamento e impedi-lo por puro gosto, cinicamente porque tinha enfiado isto na cabeça e, portanto, tinha de ser assim... "Ora, pode ser que não seja senão porque quero rir de ti, porque agora, afinal, meu corpo pede risada."

Isso foi, pelo menos, o que ela disse. É possível que não declarasse tudo quanto lhe fervia na mente. Mas enquanto a nova Nastássia Filípovna não parava de rir e despejava sobre ele tamanha catadupa, Afanássi Ivânovitch repensava no seu íntimo tudo aquilo e esforçava-se por coordenar algumas ideias. Sua meditação prolongou-se por muito tempo; andou pensando e demorou duas semanas para decidir, mas ao fim dessas duas semanas já havia tomado sua resolução. Afanássi Ivânovitch já beirava por aquele tempo os cinquenta anos e era homem muito sério e sem vícios. Sua posição no mundo e na sociedade tinha-se consolidado pouco a pouco sobre as bases mais sólidas. Amava a si mesmo e amava sua tranquilidade e folgança acima de tudo, segundo cabia a um homem como ele, extraordinariamente ordenado. Nem a menor dúvida, nem a menor vacilação podia ser pensada a respeito de sua vida sair do perfeito ajuste a essa magnífica forma. Por outra parte, sua experiência e profundo conceito das coisas diziam a Tótski, com grande rapidez e acerto extraordinário, que agora tinha de se entender com uma criatura inteiramente fora do vulgar, com uma criatura que não só ameaçava, mas que por certo passaria a vias de fato e, sobretudo, que não recuaria diante de nada, mesmo porque nada estimava neste mundo, portanto não era possível deslumbrá-la. Ali, seguramente, havia outra coisa; ali devia tratar-se de alguma embriaguez espiritual e sentimental... algo no estilo de um despeito romântico, saberia Deus contra quem e por que, de algum sentimento insaciável de desprezo, que ultrapassava toda medida, numa palavra: de algo sumamente ridículo e intolerável numa sociedade ordenada e tropeçar com algo assim constituía, para todo homem equilibrado, o mais completo castigo de Deus. É claro que, com sua riqueza e suas relações, podia muito bem Tótski depressa providenciar alguma ligeira artimanha, totalmente inocente, para livrar-se de sobressaltos. Por outra parte, saltava à vista que Nastássia Filípovna não estava em condições de levar a efeito qualquer ação judicial, ainda que recorresse, por exemplo, a meios legais, nem sequer poderia promover um escândalo de ressonância, porque sempre seria fácil a ele contê-la. Isto somente no caso de que Nastássia Filípovna escolhesse agir como se costuma agir em casos semelhantes, que não excedem por demais a medida. Mas aqui era muito útil a Tótski sua exata ideia das coisas; adivinhava que a própria Nastássia Filípovna compreendia o escasso dano que poderia causar-lhe por via legal, mas que tinha na cabeça outra intenção... e em seus olhos cintilantes. Não gostando de nada no mundo e ainda menos de si mesma (necessitava-se de muito talento e penetração para adivinhar isso naquele instante: que havia deixado desde muito de gostar de si mesma, e para que ele, cínico, cético e mundano, acreditasse na seriedade desse sentimento), Nastássia Filípovna era capaz de perder-se de modo irrevogável e absurdo, arcando sobre si com a Sibéria e o presídio, contanto que se vingasse de um homem pelo qual sentia tão inumana aversão. Afanássi Ivânovitch nunca ocultou que era um pouco tímido ou, para melhor dizer, conservador. Se tivesse sabido que iriam agredi-lo no momento do casamento ou que poderia acontecer algo nesse estilo, altamente indecoroso, ridículo e mal visto na sociedade, ficaria tomado por um grande pânico, mas não por causa de irem agredi-lo e até feri-lo, ou cuspir-lhe publicamente na cara, etc., etc., mas por ter de acontecer tudo isso numa forma antinatural e inconveniente. E isso era precisamente o que prometia Nastássia Filípovna, embora não o dissesse. Ele sabia que a moça o tinha estudado e muito bem; não ignorando, por certo, como haveria de atingi-lo. Mas como seu casamento não passava ainda de projeto, tranquilizou-se Afanássi Ivânovitch e não se opôs a Nastássia Filípovna.

Veio a favorecer sua resolução outra circunstância: seria difícil imaginar até que ponto era diferente aquela nova Nastássia Filípovna de sua anterior figura. Antes não era mais do que uma menina bonita, ao passo que agora... Muito tempo tardou Tótski em perdoar a si mesmo por tê-la observado durante quatro anos e não ter reparado bem nela. Isto, na verdade, significa muito no fato de operar-se, em ambas as partes, interior e reciprocamente, uma mudança. Ele se recordava, aliás, dos antigos tempos, quando por vezes lhe ocorria uma ideia estranha, ao fitar, por exemplo, aqueles olhos; parecia pressentir neles uma profunda e misteriosa névoa. Aqueles olhos olhavam como se propusessem um enigma. Nos dois anos seguintes, costumava admirar-se da mudança de cor do rosto de Nastássia Filípovna: havia-se tornado extraordinariamente pálida e — coisa rara — ficara mais formosa ainda.

Tótski, como todos os homens que têm levado uma vida livre, sentia certo desdém por aquela alma virginal que tão barato conquistara, mas ultimamente começara a retificar aquela sua ideia. Em todo caso, já na primavera anterior resolvera, em seu foro íntimo, arranjar quanto antes para Nastássia Filípovna um marido distinto e acomodado entre os senhores bem comportados e sisudos que servissem noutra província. (Oh! quanto e como se ria disto agora Nastássia Filípovna!) Mas no momento, Afanássi Ivânovitch, seduzido pela novidade, pensava também que podia tirar partido daquela mulher. Decidiu instalar Nastássia Filípovna em Petersburgo e cercá-la de luxo e comodidades. Quando menos, poderia exibir Nastássia Filípovna para se vangloriar e dar-se importância em certo círculo. Afanássi Ivânovitch estimava muito sua fama a este respeito.

Transcorreram outros cinco anos de vida petersburguesa e, naturalmente, nesse lapso de tempo, concretizaram-se muitas coisas. A situação de Afanássi Ivânovitch era desesperada; o pior de tudo era que ele, assim que sentia medo de alguma coisa, já não podia mais deixar de sentir-se assustado. Temia, e nem mesmo ele sabia o que, mas temia simplesmente Nastássia Filípovna. Durante algum tempo, nos dois primeiros anos, chegou a suspeitar de que Nastássia Filípovna pretendesse levá-lo a casar-se, mas que nada dizia por causa de seu desmedido orgulho e esperava que ele lhe fizesse a proposta. Tal pretensão resultara estranha, mas Afanássi Ivânovitch era muito desconfiado; franzia a testa e afundava em seus pensamentos. Com grande (como é o coração do homem!) e algo desagradável assombro, de repente, por uma casualidade, viu-se obrigado a comprovar que, ainda que ele lhe fizesse tal proposta, ela não ia aceitá-la. Muito tempo esteve sem achar explicação para isso. Só achava uma explicação possível: a de que seu orgulho de mulher ofendida e romântica chegava a tal extremo de ofuscação que achava mais gostoso demonstrar-lhe de uma vez seu desprezo com a negativa do que definir para sempre sua situação e encastelar-se a uma altura de inacessível grandeza. O pior de tudo foi ter Nastássia Filípovna adquirido grande superioridade. Não se rendia ao interesse, por mais forte que fosse, e embora aceitasse as comodidades que lhe ofereciam, vivia com grande modéstia e mal economizara alguma coisa naqueles cinco anos. Afanássi Ivânovitch recorreu a um meio muito astuto para romper suas cadeias; insensível e habilmente, começou a seduzi-la, muito bem auxiliado por diversas perspectivas ideais, mas personificadas: príncipes, hussardos, secretários de embaixadas, poetas, romancistas, e até socialistas; mas nada disso fez a menor marca em Nastássia Filípovna, como se nada mais, nada menos, tivesse em lugar do coração uma pedra e seu sentimento tivesse se esgotado e morrido de uma vez para sempre. Vivia completamente só, lia, até mesmo estudava, gostava de música. Amizades, tinha poucas; só tratava com umas velhuscas, sentindo também grandes simpatias pela numerosa família de um respeitável professor, onde era também muito estimada e *afetuosamente recebida.* Com bastante frequência, à noite, reuniam-se em sua casa cinco ou seis pessoas conhecidas, nada mais. Tótski ia lá com bastante frequência e exatidão. Nos últimos tempos, não sem dificuldades, conseguira relacionar Nastássia Filípovna com o General Iepántchin. Pela mesma época, com absoluta facilidade e sem trabalho algum, conseguiu também travar amizade com Nastássia Filípovna um funcionário jovem, chamado Fierdíchtchenko, um bobo indecoroso e sebento, com pretensões de bom humor e afeiçoado à bebida. Fez-se também amigo da casa um jovem estranho, chamado Ptítsin,[12] modesto, pontual e calculista, que se criara na miséria e se tornara avarento. Fez-se amigo também, afinal, Gavrila Ardaliónovitch... Com isso Nastássia Filípovna veio a adquirir uma fama estranha; sua beleza era notória a toda a gente e nada mais; ninguém podia vangloriar-se da menor coisa, ninguém podia contar nada. Essa reputação, sua cultura, suas maneiras distintas, seu donaire, tudo isso confirmou Afanássi Ivânovitch definitivamente em determinado plano. No momento, aproximava-se já o instante em que haveria de tomar nesta história parte ativíssima e evidenciada o próprio General Iepántchin.

Quando Tótski se dirigiu a ele com grande amabilidade em demanda de um conselho de amigo a respeito de uma de suas filhas, da maneira mais nobre, fez-lhe plena e sincera confissão. Revelou que já estava resolvido a não medir meios, fossem quais fossem, a fim de recobrar sua liberdade; que não estaria tranquilo enquanto a própria Nastássia Filípovna não lhe dissesse que dali por diante a deixasse em paz; que para ele não valiam nada as palavras; que necessitava das máximas garantias. Trocaram impressões e decidiram agir de conformidade. Ficou combinado que começariam empregando os recursos mais suaves e fazendo pulsar, por assim dizer, apenas as mais nobres fibras do coração. Foram os dois juntos ter com Nastássia Filípovna e Tótski começou por explicar-lhe, sem mais rodeios, o horrível de sua insuportável situação; acusou a si mesmo de tudo; francamente, manifestou-lhe que não poderia arrepender-se de sua primeira atitude para com ela, porque era um sensual inveterado e não sabia dominar-se, mas que agora queria casar e a sorte desse casamento, altamente distinto e mundano, estava nas mãos dela; em resumo: que confiava tudo a seu nobre coração. Depois começou a falar o General Iepántchin, que, na qualidade de pai da noiva, se exprimiu razoavelmente e, prescindindo de tons patéticos, fez constar unicamente que lhe reconhecia o direito de decidir sobre a sorte de Afanássi Ivânovitch; lisonjeou-a habilmente com sua submissão pessoal, fazendo-lhe ver que a sorte daquela sua filha, e talvez também das outras duas, dependia agora do que ela dispusesse. À pergunta de Nastássia Filípovna: "Que era o que concretamente queriam dela?", Tótski, com franqueza inteiramente isenta de rebuços, confessou-lhe que havia levado cinco anos antes um susto tão tremendo que nem ainda agora podia estar de todo tranquilo, até enquanto Nastássia Filípovna não se casasse também. Imediatamente acrescentou que semelhante pedido, pela sua parte, seria, sem dúvida, absurdo se não pudesse apoiá-lo em certos fundamentos. Havia observado muito bem e sabia redondamente que um jovem de muito boa família, cujo lar era um dos mais honestos, sem fazer rodeios, Gavrila Ardaliónovitch Ívolguin, que ela conhecia e recebia em sua casa, fazia muito tempo que a amava com todo o ardor da paixão, e sem dúvida estaria disposto a dar meia vida por uma só esperança de conquistar sua simpatia. Esta confissão havia-lhe feito o próprio Gavrila Ardaliónovitch, a ele, Afanássi Ivânovitch, muito tempo antes, a título de amigo e na simplicidade de seu puro coração juvenil, e também fazia muito tempo estava ciente disto Ivan Fiódorovitch, protetor do referido jovem. Finalmente, se ele, Afanássi Ivânovitch, não estava equivocado, fazia muito tempo também que Nastássia Filípovna não ignorava esse amor e a ele lhe parecia que até *o olhava com bons olhos.* Sem dúvida que lhe custava muito trabalho falar daquilo.

12 De *ptitsa*, pássaro.

Mas se Nastássia Filípovna queria reconhecer a ele, Tótski, pondo de parte o egoísmo, o desejo também de olhar pela sua sorte, de procurar algum bem também para ela, não teria outro remédio senão compreender que fazia muito tempo que para ele era muito estranha e dolorosa a solidão dela; que ali não havia senão uma vaga nuvem, uma plena desconfiança na renovação da vida que tão belamente podia ressuscitar, graças ao amor e à família e assinalar para si deste modo um novo fim; que assim aptidões, talvez brilhantes, iam se perdendo; que aquilo era um voluntário amor ao sofrimento; numa palavra: certo romantismo indigno de uma inteligência sadia, de um coração nobre. Depois de repetir que lhe custava falar de tais coisas, terminou afirmando que não se resignava a perder a esperança de que Nastássia Filípovna não lhe respondesse depreciativamente se manifestasse seu desejo de assegurar sua sorte no futuro e lhe oferecia a quantia de setenta e cinco mil rublos. Acrescentou, timidamente, que essa quantia estava de todos os modos destinada a ela em seu testamento; em resumo: que não se tratava de nenhuma indenização... e que, finalmente, por que negar-lhe e culpá-lo do desejo tão humano de descarregar em alguma coisa sua consciência, etc., etc.; tudo quanto costuma ser dito em casos semelhantes e em torno desse tema. Afanássi Ivânovitch falou longa e eloquentemente, acrescentando de passagem, por assim dizer, o muito curioso critério de que aquela era a primeira vez que citava aqueles setenta e cinco mil rublos e que nem sequer Ivan Fiódorovitch estava ciente deles, segundo podia testemunhar, já que se achava presente; em resumo: ninguém sabia disso.

A resposta de Nastássia Filípovna deixou estupefatos os dois amigos.

Não só não mostrou a menor insinuação de escárnio, hostilidade e aversão de outrora, cuja simples recordação ainda fazia correr um calafrio pelas costas de Tótski, mas, bem pelo contrário; pareceu até alegrar-se em poder falar finalmente com alguém de um modo franco e amistoso. Reconheceu que também ela fazia muito tempo que desejava tomar um conselho de amigo, impedindo-a disso apenas o orgulho; mas que agora, que se havia rompido o gelo, não podia ter ocorrido nada de melhor. A princípio, com triste sorriso, confessou que, em nenhum caso, podia repetir-se a passada borrasca; que também ela fazia já tempo que mudara de modo de ver as coisas e ainda que seu coração não tivesse mudado, apesar de tudo, via-se obrigada a admitir muitas coisas na qualidade de fatos consumados; que o que estava feito, estava feito; o passado passado estava; de modo que até achava estranho que Afanássi Ivânovitch persistisse em suas apreensões. Ao chegar aqui, fitou Ivan Fiódorovitch e com ar de profundo respeito manifestou-lhe que havia muito tempo ouvira falar das filhas dele e já estava acostumada a respeitá-las profunda e sinceramente. A simples ideia de poder ser-lhes de alguma utilidade constituiria para ela uma felicidade e um orgulho. Era verdade que ela estava agora triste e aborrecida, muito aborrecida; Afanássi Ivânovitch tinha adivinhado seus *sonhos; ansiava ressuscitar*, já que não no amor, na família, encontrando para si uma felicidade nova. Mas a respeito de Gavrila Ardaliónovitch muito pouco podia dizer. Parecia, na verdade, amá-la; ela sentia que também poderia ser que o amasse, sempre que tivesse motivos para confiar na firmeza de seu afeto; mas que era ele muito jovem e, ainda supondo que fosse sincero, difícil era decidir-se. A ela, além disso, dava muito gosto mais que tudo, que ele trabalhasse, se interessasse por alguma coisa e fosse o sustentáculo de toda a sua família. Ouvira dizer que era um homem dotado de energia e cheio de orgulho, ansioso por formar um futuro, abrir caminho na vida. Ouvira dizer também que Nina Alieksándrovna Ívolguina, mãe de Gavrila Ardaliónovitch, era uma senhora excelente e respeitável em alto grau; que sua irmã Varvara Ardaliónovna era uma senhorita notável e enérgica; ouvira Ptítsin falar muito dela. Tinham-lhe dito que suportava com ânimo sua desdita; teria muito gosto em conhecê-la pessoalmente; mas perguntava a si mesma: "Seria acolhida com prazer na família dele?". Em termos gerais, ela não tinha objeções à possibilidade daquele casamento, mas que era preciso meditar bem; seu desejo seria que ele não se precipitasse. Quanto aos setenta e cinco mil rublos, Afanássi Ivânovitch tivera em vão o trabalho de falar neles. Compreendia o valor do dinheiro e, naturalmente, os aceitava. Ficava agradecida a Afanássi Ivânovitch pela sua delicadeza, por não ter falado nem mesmo ao general daquilo, nem ao próprio Gavrila Ardaliónovitch. Mas, apesar disso, por que não lhe haver participado de antemão? Ela não tinha que se envergonhar daquele dinheiro ao entrar em sua família. Em todo caso, não tinha intenção nenhuma de pedir perdão a ninguém por coisa alguma e assim queria que o soubessem. Não se casaria com Gavrila Ardaliónovitch enquanto não se convencesse de que nem ele, nem sua família abrigavam reserva alguma a respeito dela. Em todo o caso, não se considerava culpada de nada e seria melhor que Gavrila Ardaliónovitch soubesse sobre qual base tinha ela vivido naqueles cinco anos em Petersburgo, quais tinham sido suas relações com Afanássi Ivânovitch e quanto dinheiro economizara. Finalmente, ao aceitar agora aquela soma, não o fazia como pagamento pela afronta feita à sua virgindade, de que ela não tinha sido culpada, mas, simplesmente, como indenização pelo seu destino truncado.

Ao terminar, a tal ponto acalorou-se e se pôs nervosa, enquanto expunha tudo isso (o que, afinal de tudo, não podia ser mais natural), que o General Iepántchin ficou muito satisfeito e deu o assunto por concluído; mas Tótski, que já uma vez havia levado aquele susto, não era capaz de crer com plena certeza que,durante o longo período de medo que passara, não houvesse alguma serpente entre as flores. Deram princípio às negociações; o ponto sobre o qual se baseava toda a manobra dos dois amigos e, em concreto, a possibilidade de seduzir Nastássia Filípovna, valendo-se de Gânia, começou a ressaltar e a confirmar-se; tanto, que o próprio Tótski já passava a crer na possibilidade do êxito. Naquela mesma ocasião tivera Nastássia Filípovna uma explicação com Gânia; disseram-se pouquíssimas palavras, como se o pudor dela sofresse um ataque. Admitiu, apesar disso, e autorizou seu amor; mas com arrogância lhe manifestou que de modo algum queria comprometer-se; que até o dia mesmo do casamento (se é que haveria) estaria no seu direito de dizer "não", ainda que fosse no derradeiro instante; e o mesmo perfeito direito reconheceu também a Gânia. Não tardou Gânia em saber, graças a uma proveitosa casualidade, que a oposição de sua família àquele casamento, e pessoalmente a Nastássia Filípovna, oposição que se manifestara em cenas domésticas, tinha chegado aos ouvidos de Nastássia Filípovna com toda espécie de detalhes, mas que ela não lhe falava disso, ainda que ele o esperasse diariamente. Aliás, haveria ainda muito que dizer de todas as histórias e circunstâncias surgidas a propósito daquele projeto de casamento e daquelas negociações; mas vamos passar por cima delas, pois muitas dessas circunstâncias corriam na forma de rumores bastante vagos. Por exemplo, Tótski parecia ter sabido, por algum meio, que Nastássia Filípovna entrara em relações indefinidas e secretas com as senhoritas Iepántchini, rumor totalmente inverossímil. Em troca, teve de, contra sua vontade, dar crédito a outro boato que foi para ele um pesadelo. Disseram-lhe, de boa fonte, que Nastássia Filípovna sabia muito bem que Gânia só queria casar com ela por causa do dinheiro; que Gânia tinha uma alma negra, ansiosa, impaciente, rancorosa e intensamente fátua, sem comparação possível; que Gânia, ainda que de fato desejasse apaixonadamente conquistar Nastássia Filípovna antes, quando os dois amigos decidiram beneficiar essa paixão, que começava a manifestar-se por ambos os lados em seu proveito, e comprar Gânia, dando-lhe por esposa legal Nastássia Filípovna, era certo que a detestava como seu pesadelo. Em sua alma pareciam unir-se, por estranho acaso, amor e ódio, e embora tivesse acabado por dar, depois de dolorosas vacilações, seu consentimento ao casamento com uma "fêmea repulsiva", havia jurado a si mesmo em seu íntimo vingar-se cruelmente dela e "tratá-la logo a pancadas", como ele próprio dizia. Tudo isso Nastássia Filípovna parecia saber e algo preparava em segredo. Tótski assustou-se a tal ponto que até deixou de falar a Iepántchin de suas apreensões; mas havia momentos em que, como homem débil, recuperava com firmeza novos alentos e sua alma depressa se levantava; animou-se, por exemplo, de modo extraordinário, quando Nastássia Filípovna deu aos dois amigos palavra de que na noite do dia de seu aniversário diria sua última decisão. Em troca, o mais estranho e inverossímil boato, referente ao respeitabilíssimo Ivan Fiódorovitch, que horror! foi-se tornando cada vez mais verídico.

Aqui, à primeira vista, parecia tudo de uma decência absoluta. Era difícil acreditar que Ivan Fiódorovitch, com a respeitabilidade de sua honrada velhice, com seu grande talento e seu exato conhecimento da vida, etc., etc. se enamorasse também de Nastássia Filípovna; e a tal ponto, que aquele capricho era muito semelhante a uma paixão. Custa imaginar as ilusões que criou; talvez contasse até com a colaboração de Gânia. Tótski, pelo menos, suspeitava de algo neste estilo, suspeitava da existência de um acordo silencioso, baseado numa mútua cumplicidade entre o general e Gânia. Além disso, é sabido que o homem, demasiado ofuscado pela paixão, sobretudo se já tem idade, fica cego por completo e inclina-se a encontrar uma esperança ali onde nenhuma existe; como se isto ainda fosse pouco, perde também o juízo e procede como um menino estúpido, ainda que tenha cinco polegadas de testa. Era sabido que o general tinha prontas, para dar de presente a Nastássia Filípovna no dia de seu aniversário, umas pérolas maravilhosas que haviam custado uma soma enorme e concedia a esse presente muita importância, mesmo sabendo que Nastássia Filípovna nada tinha de venal. Na véspera do aniversário de Nastássia Filípovna parecia tomado de febre, embora habilmente a dissimulasse. Dessas pérolas precisamente tinha ouvido falar a Generala Iepántchina. Para dizer a verdade, Elisavieta Prokófievna fazia já muito tempo que tinha experiência da fogosidade de seu marido e até estava um pouco acostumada com ela; mas não era possível passar por alto aquela ocasião; o boato a respeito daquelas pérolas a havia revoltado extraordinariamente. O general suspeitou disso a tempo; no dia anterior já ouvira algumas indiretas; pressentia que teriam de obrigá-lo a dar uma explicação categórica, e tinha medo. Eis por que na manhã em que começa nossa história não tinha a menor vontade de ir almoçar no seio da família. Antes que o príncipe se apresentasse, já tinha decidido pretextar seus afazeres e evitar o assunto. Evitar para o general significava, por vezes, simplesmente fugir. Queria desfrutar, pelo menos aquele dia, e sobretudo aquela noite, sem contratempos. De repente surge o príncipe. "Parece que foi Deus que o enviou!", pensou o general no seu íntimo, enquanto penetrava nos aposentos de sua esposa.

Capítulo V

A generala era muito ciosa de sua estirpe. Quanto lhe doeria ouvir, sem mais preâmbulos, que aquele derradeiro rebento dos príncipes de Míchkin, de que já ouvira falar, não só era um pobre idiota e quase um mendigo, mas que até aceitava esmolas! O general queria precisamente produzir sensação, despertar-lhe o interesse, naturalmente; distrair sua atenção para outra coisa e, graças a essa reviravolta, evitar toda pergunta a respeito das pérolas. Nas situações extremas, a generala abria uns olhos enormes e, inclinando-se um pouco para trás, ficava com o olhar perdido no vácuo, sem dizer palavra. Era uma mulher corpulenta, da mesma idade que seu marido, de cabelos escuros, já salpicados de muitos fios brancos, mas ainda abundantes; o nariz, algo curvo, ossudo, faces cor de palha e cavadas e lábios finos e chupados. Tinha a fronte alta, mas estreita; os olhos cinzentos, bastante grandes e que adquiriam por vezes uma expressão inopinada. Algum dia tivera a fraqueza de crer que seu olhar produzia grande efeito e esta convicção persistia nela, inextirpável.

— Recebê-lo? Diz você recebê-lo agora, agora mesmo? — e a generala, com todas as suas forças, abriu de par em par os olhos, fitando o solícito Ivan Fiódorovitch.

— Oh! com ele não é preciso andar com cerimônias! Basta, minha amiga, que tenhas gosto em vê-lo — apressou-se a explicar o general. — É um verdadeiro menino e até causa lástima; dão-lhe não sei que ataques doentios; vem agora da Suíça. Acaba de vir do trem. Veste de uma maneira extravagante e, ainda por cima, sem um copeque; quase chora. Dei-lhe vinte e cinco rublos e tenho o propósito de arranjar-lhe algum empreguinho em alguma repartição. Mas a vós, minhas senhoras, rogo-vos que o acolhais bem, porque, segundo creio, até com fome está.

— Você me causa espanto — prosseguiu como antes a generala. — Faminto e com ataques?... Que ataques são esses?

— Oh! não lhe ocorrem com muita frequências e, além disso, é inteiramente uma criança, embora bem educado. Mas eu quisera, minhas senhoras — e voltou a dirigir-se a suas filhas, — que o examinásseis, pois sempre é bom saber para que pode servir.

— Exa...mi...nar? — escandiu a generala e, com profundíssimo assombro, fitou os olhos arregalados, alternadamente, em suas filhas e em seu esposo.

— Ai, minha amiga, não vás imaginar nada de mau!... Aliás, como queiras; eu tinha intenção de tratá-lo bem e trazê-lo para aqui, porque isso, afinal de contas, vem a ser decerto uma boa ação.

— *Trazê-lo para aqui? Da Suíça?*

— Ninguém está falando de Suíça. Mas, afinal, repito: como queiras. Fazia isso porque, em primeiro lugar, usa o teu mesmo sobrenome e talvez seja parente teu e, além disso, porque o pobre não tem onde reclinar a cabeça. Até acreditei que te interessaria, pois, afinal de contas, é de nossa família.

— Claro que sim, mamãe, se com ele não é preciso andar com cerimônias!... Além do mais, vem com fome da viagem e, por que não sentá-lo à nossa mesa, já que não tem aonde ir? — disse Alieksandra, a mais velha.

— Ainda por cima, é uma completa criança; pode-se brincar de galinha cega com ele.

— De galinha cega, como?

— Ah! mamãe, por favor; deixe-se de melindres! — interrompeu-a Aglaia com aborrecimento.

A segunda, Adelaida, que era muito brincalhona, não pôde conter-se e soltou uma gargalhada.

— Chame-o, papai, que mamãe consente — decidiu Aglaia.

O general tocou a campainha e ordenou que trouxessem o príncipe.

— Mas então, para que lhe amarrem o guardanapo ao pescoço quando se sentar à mesa — decidiu a generala, — chamem Fiódora ou Mavra... a fim de que se coloquem atrás dele e o atendam, quando estiver comendo. Está agora, pelo menos, livre desses ataques? Não faz caretas?

— Pelo contrário; é muito bem educado e tem maneiras perfeitas. Unicamente solta de vez em quando umas coisas simplórias... Mas... aqui já o tendes! Bem... apresento-vos o último Príncipe Míchkin, que usa o vosso mesmo sobrenome e é possível que seja vosso parente. Acolhei-o bem, tratai-o bem. Vão agora mesmo almoçar, príncipe, de modo que nos faça a honra... Quanto a mim, perdoe-me, mas já estou atrasado e tenho pressa...

— Já sabemos aonde tens pressa de ir — declarou gravemente a generala.

— Tenho pressa, tenho pressa, minha amiga. Estou atrasado! Mas mostrai-lhe vossos álbuns, senhoras. Vereis que caligrafias fará neles, que raro primor de letra. Tem uma habilidade! Para mim escreveu lá, com traços antigos: "O *igúmien* Pafnúti assinou de seu próprio punho...". Então, ficai com Deus, até a vista!

— Pafnúti? O *igúmien*? Ora, pare, pare e diga-nos aonde vai e que Pafnúti é esse! — gritou a generala a seu fugitivo esposo, com altivo aborrecimento e quase alarmada.

— Isso mesmo, minha amiga: um antigo *igúmien*... Mas tenho de ir correndo ver o conde, que me está esperando há algum tempo e, coisa essencial, foi ele quem me mandou... Príncipe, até a vista!

O general afastou-se a grandes passadas.

— Bem sei que conde ele vai ver! — declarou Lisavieta Prokófievna com voz brusca e, nervosa, fitou os olhos no príncipe. — De que falávamos? — começou com aspereza e aborrecimento, procurando lembrar-se. — Ora!... De quem? Ah! sim, de um *igúmien!*

— *Mamacha*... — insinuou Alieksandra e Aglaia também tocou-lhe com o pezinho.

— Não me distraias, Alieksandra Ivânovna — replicou-lhe a generala, — também eu quero saber. Sente-se aqui, príncipe. Olhe, nesta cadeira. Aí, não. Aqui, ao sol. Ponha-se mais à luz, para que eu possa vê-lo. Bem, diga-me: que *igúmien* era esse?

— O *igúmien* Pafnúti — respondeu o príncipe, atenta e seriamente.

— Pafnúti? É interessante. Bem, e diga-me: quem era esse tal Pafnúti?

A generala fazia perguntas impacientes, rápidas, cortantes, sem desfitar o príncipe e quando este lhe respondia, movia ela a cabeça sublinhando cada uma de suas palavras.

— *O igúmien* Pafnúti vivia no século XIV — começou o príncipe, — dirigia um convento à margem do Volga, na atual província Kostromskaia. Tornou-se famoso pela sua vida santa, dirigiu-se às hordas tártaras, ajudou a resolver as questões de então e teve de assinar um documento, cuja cópia vi. Agradou-me a letra e aprendi a fazê-la igual. Quando, há pouco, o general mostrou desejos de ver como eu escrevia, a fim de arranjar-me um emprego, rabisquei algumas frases com vários tipos de letra e, entre outras coisas, tracei: "O *igúmien* Pafnúti assinou de seu próprio punho", com o próprio tipo de letra do *igúmien* Pafnúti. O general gostou muito e por isso agora o relembrava.

— Aglaia — disse a generala, — guarda de memória: Pafnúti; ou melhor, escreve-o, pois sempre esqueço tudo. Aliás, pensava que era algo mais interessante. Onde está essa assinatura?

— Ficou, segundo creio, no gabinete do general, em cima da mesa.

— Pois vão buscá-la agora mesmo.

— E, além disso, escreverei para senhora, se o quiser, com outra letra ainda melhor.

— Sim, sim, *mamacha* — disse Alieksandra. — Mas agora será melhor que almoce. Estamos com fome nós também.

— Isto mesmo — decidiu a generala. — Venha cá, príncipe. Está com muito apetite?

— Sim, agora estou com muita vontade de comer e agradeço muito a todas.

— Está muito bem que seja tão polido, e noto que não é o senhor tão... extravagante como disseram. Aproxime-se. Sente-se aqui, na minha frente — insistiu, fazendo o príncipe sentar-se, quando chegaram à sala de jantar, — porque quero vê-lo bem. Alieksandra, Adelaida atendam ao príncipe. Não é verdade que não parece de modo algum tão... doente? Talvez não precise de guardanapo. Costumam pôr-lhe, príncipe, guardanapo ao pescoço, quando se senta à mesa?

— Antes, quando tinha sete anos, creio que o punham. Mas agora me limito a conservá-lo sobre os joelhos, enquanto como.

— Assim está bem. E os ataques?

— Os ataques? — repetiu, algo espantado, o príncipe. — Agora tenho os ataques só muitas raras vezes, ainda que na verdade não saiba; dizem que este clima não me há de fazer bem.

— Fala muito bem — disse a generala, dirigindo-se às suas filhas e sem deixar de assentir, com a cabeça a cada palavra do príncipe. — Não esperava que fosse assim. Provavelmente, tudo isso serão patranhas, como de costume. Coma, príncipe, e diga-nos: onde nasceu, onde se educou? Quero saber tudo. O senhor me inspira um interesse extraordinário.

O príncipe expressou-lhe sua gratidão e, enquanto comia com muito apetite, fez-lhe um resumo de tudo quanto já havia exposto naquela manhã. A generala sentia-se cada vez mais satisfeita. Suas filhas também o escutavam, atentas. Passaram a falar do parentesco; resultou que o príncipe conhecia bastante bem sua árvore genealógica; mas, por mais que fizesse, não pôde comprovar o menor parentesco entre ele e a generala. Entre seus avós, todavia, era possível que tivesse existido algum parentesco. Esta árida matéria era especialmente grata à generala, que quase nunca conseguia fazer reluzir sua genealogia, apesar de todos os seus desejos, pelo que se levantou da mesa sumamente animada.

— Vamos todos para nossa saleta — disse, — e mandem para lá o café. Temos uma sala comum — explicou ao príncipe, enquanto o conduzia, — muito simples; uma saleta onde nos reunimos quando ficamos sós e cada qual se entrega à sua tarefa. Alieksandra, esta que o senhor vê aqui, minha filha mais velha, toca piano ou lê, ou costura; Adelaida... pinta paisagens ou retratos (deixa tudo por terminar); mas Aglaia fica ali sentadinha e não faz nada. A costura também cai da minha mão; nada sai direito. Bem, já chegamos. Sente-se aqui, príncipe, junto da lareira e conte-nos alguma coisa. Quero ver sua arte em contar alguma coisa. Quero convencer-me plenamente e, quando vir a Princesa Bielokónskaia, aquela velha, falar-lhe a seu respeito. Quero que todos se interessem também pelo senhor. Vamos, ande, conte.

— *Mamacha,* olhe que é algo forte pedir para alguém contar qualquer coisa assim, sem nenhuma preparação — observou Adelaida, que, enquanto falava, havia preparado seu cavalete, ajeitando pincéis e palhetas e começando a copiar de uma estampa uma paisagem de há muito iniciada. Alieksandra e Aglaia sentaram-se uma ao lado da outra em um pequeno divã e, unindo as mãos, dispuseram-se a escutar o relato. O príncipe observou que todas tinham posto nele uma atenção especial.

— Eu, tenho certeza, não saberia contar nada, se me ordenassem assim — observou Aglaia.

— Por quê? Tem isso algo de particular? Por que não haveria ele de contar? Para isso tem língua. Quero ver que artifício emprega para falar. Bem, fale do que quiser. Conte-nos que tal lhe pareceu a Suíça, a primeira impressão. Já tendes visto que começou a falar antes e que o fez muito bem.

— Causou-me uma impressão forte... — começou o príncipe.

— É isto, é isto — assentiu, impaciente, Lisavieta Prokófievna, dirigindo-se às suas filhas. — Já rompeu...

— Deixe-o ao menos falar, mamãe — conteve-a Alieksandra. — É possível que esse príncipe seja um grande velhaco e nada tenha de idiota — cochichou ela a Aglaia.

— Também penso assim e já notei isso há algum tempo — respondeu-lhe Aglaia. — Acho que ele faz muito mal desempenhando tal papel. Que se propõe com isso?

— Minha primeira impressão foi forte — repetiu o príncipe. — Quando da Rússia me levaram para lá, passando por diferentes cidades alemãs, não fazia eu mais do que olhar para tudo em silêncio e lembro-me de que não fazia pergunta nenhuma. Foi aquilo em consequência de uns ataques penosíssimos de minha doença, e eu, sempre que ela se agravava e repetiam-se os ataques várias vezes seguidas, caía num completo estupor, perdia por completo a memória e embora minha razão continuasse a trabalhar, não conseguia coordenar logicamente as ideias. Não podia juntar com proveito mais de duas ou três. Pelo menos é o que me parece. Quando os ataques cederam, revivi de novo tão sadio e forte como agora. Lembro-me de que sentia então uma tristeza insuportável; sentia até vontade de chorar; tudo me causava assombro e inquietação; causava-me um efeito terrível no entendimento aquilo tudo ser estranho. Aquela estranheza me matava. Mas tive de sair daquelas brumas, lembro bem, uma tarde em Basileia, já na Suíça, e quem me avivou o entendimento foi o zurrar de um asno. Aquele asno causou-me uma impressão terrível e não sei por que ganhou minha forte simpatia e, ao mesmo tempo, de repente, pareceu iluminar meu cérebro.

— Um asno? É estranho — observou a generala. — Embora, afinal, nada tenha de estranho. É sabido que mulheres enamoraram-se de asnos — refletiu, olhando severamente para suas risonhas filhas. — É só ver na mitologia! Continue, príncipe!

— Desde então tenho muito carinho pelos asnos. Inspiram-me especial simpatia. Comecei a fazer muitas perguntas a respeito deles, porque era a primeira vez que os via e prontamente tive de maravilhar-me que fosse um animal tão útil, laborioso, forte, paciente, barato, de vida dura; e talvez por causa daquele asno passei a achar a Suíça simpática e desapareceu, sem deixar rastro, a tristeza anterior.

— Tudo isso é muito estranho. Mas podemos deixar de parte o burrico. Passemos a outro tema. Por que não fazes senão rir, Aglaia? E tu, Adelaida? O príncipe falou muito bem a respeito do asno. Ele próprio o viu, ao passo que tu, que viste? Estiveste alguma vez no estrangeiro?

— Eu também vi asnos, mamãe — disse Adelaida.

— E eu os ouvi — assentiu Aglaia.

Todas três puseram-se novamente a rir. O príncipe acompanhou-as em sua risada.

— É muito feio o que estais fazendo — observou a generala. — Desculpe-as, príncipe, pois no íntimo são muito boazinhas. Estou sempre a ralhar-lhes, mas gosto delas. São aturdidas, estonteadas, umas loucas.

— Por quê? — sorriu o príncipe. — Eu, em lugar delas, não perderia a ocasião. Mas, apesar de tudo, sou a favor do asno; é um animal muito bom e muito útil.

Todas três puseram-se novamente a rir.

— Outra vez saiu a reluzir esse maldito asno. Já nem me lembrava dele! — exclamou a generala. — Creia-me, príncipe, não quis fazer a menor...

— Alusão? Oh! é claro que acredito na senhora!

E o príncipe pôs-se a rir sem parar.

— Está muito bem que o senhor dê risada. Já vejo que é um jovem boníssimo — disse a generala.

— Às vezes não sou — respondeu o príncipe.

— Eu também sou boa — saltou a generala inesperadamente, — e se o senhor não leva a mal, sou sempre, e este é meu único defeito, porque nem sempre convém ser boa. Aborreço-me frequentemente com eles. Sobretudo com Ivan Fiódorovitch; mas a raiva que me dá é que, quando me zango, é que sou melhor. Há pouco, antes de sua chegada, eu estava de mau humor, e me parecia que nada compreendo, nem posso compreender. Costuma ocorrer-me isso: nem mais, nem menos que uma menina. Aglaia deu-me uma lição; obrigado, Aglaia. Mas, afinal, tudo isso são absurdos. Não sou ainda tão tola como pareço e como minhas filhas se empenham em me dizer que sou. Tenho caráter e não sou tão simplória. Digo-o sem a menor intenção. *Vem aqui, Aglaia; dá-me um beijo*; bem... Basta de ternuras — observou, quando Aglaia lhe beijou com sentimento os lábios e a mão. — Prossiga, príncipe. Pode ser que o senhor se recorde de algo mais interessante que o tal jumento.

— Volto a insistir nisso; não me explico como se possa contar algo assim, sem mais nem menos — observou de novo Adelaida. — Eu não conseguiria.

— Mas se o príncipe consegue é porque tem muito talento, dez vezes, pelo menos, mais do que tu e é possível mesmo que doze. Espero que o compreendas depois. Vamos; demonstre isso, príncipe. Continue. Vamos deixar o asno de lado. Vamos ver, diga-nos: que viu o senhor, além de burros, no estrangeiro?

— Até isso do burro tem engenhosidade — observou Alieksandra. — O príncipe contou de uma maneira interessante seu caso patológico e como tudo voltou a sorrir-lhe, graças a um impulso exterior. Sempre tive muito interesse nisso das pessoas perderem o juízo e logo voltarem a recobrá-lo. Sobretudo, quando assim ocorre, de repente.

— Não é verdade? Não é verdade? — exclamou a generala. — Já vejo que por vezes não lhe falta talento. Mas, vamos, basta de risadas. Creio que o senhor havia ficado diante da paisagem suíça. Vamos, prossiga.

— Chegamos a Lucerna e levaram-me ao lago. Eu sentia que ele era belíssimo. Mas, por isso mesmo, causava-me grande pena — disse o príncipe.

— Por quê? — perguntou Alieksandra.

— Não compreendo. Sempre me causa tristeza e inquietação contemplar pela primeira vez uma paisagem assim, e prazer, e susto, embora, afinal de contas, fosse aquilo ainda efeito de minha doença.

— Ora!... Pois a mim me agradaria muito contemplá-lo — disse Adelaida. — Não sei quando iremos fazer uma viagem ao estrangeiro. Como vê, há dois anos que ando buscando inutilmente assunto para um quadro:

> Há muito estão descritos o Sul e o Oriente...[13]
> Vamos, príncipe, dê-me assunto para um quadro.

— Disso não entendo nada. Creio que se vê e se pinta.

— É que eu não sei ver.

— Será que falas por enigmas? Não te entendo — disse a generala. — Que é isso de não saber olhar? Para isso tens os olhos: para olhar. Se não sabes olhar aqui, nem por ir ao estrangeiro irás aprender. Mas será melhor que o senhor nos diga, príncipe, como é que olha?

— Sim. Será melhor isso — acrescentou Alieksandra. — Porque o príncipe aprendeu a olhar no estrangeiro.

— Não sei. A única coisa que fiz lá foi ficar bom. Mas não sei se aprenderia a olhar. O certo é que passei muito feliz todo o tempo que ali estive.

— Feliz! Sabe o senhor ser feliz?... — perguntou Aglaia. — Como diz, então, o senhor que não aprendeu a olhar? Vamos, ensine-nos.

— *Ensine-nos, por favor!* — implorou, sorrindo, Adelaida.

— Nada posso ensinar-lhes — disse, sorrindo também, o príncipe. — Quase todo o tempo em que estive na Suíça passei-o numa aldeia. De quando em quando fazia uma excursão, porém breve. Que poderia eu ensinar-lhes? A princípio, a tristeza deixou-me. Não tardei em restabelecer-me. Depois, passei a gostar de todos os

13 Citação de *O jornalista, o leitor e o escritor*, de Liérmontov.

dias e ainda mais, à medida que passava o tempo, de sorte que comecei a observar. Costumava deitar-me contente e despertava na manhã seguinte ainda mais alegre. Mas, não sei por que, é muito difícil para mim contar todas estas coisas.

— De modo que o senhor já não queria ir a parte alguma, nem nada o atraía? — indagou Alieksandra.

— De primeiro, desde o princípio mesmo, sim, sentia-me atraído e experimentava grande inquietude. Não fazia senão pensar em como havia de ser minha vida, que destino ambicionava e, sobretudo, algumas vezes acometia-me certo desassossego. As senhoras sabem o que são tais momentos, especialmente na solidão. Havia ali uma torrente, não muito grande, que vinha do alto da montanha e com um fio d'água tão fino, quase perpendicular... branco, cantador, gritador. Caía do alto, mas parecia muito baixinho. A uma meia versta de distância parecia estar a uma proximidade de cinquenta passos. Era agradável para mim, de noite, ouvir seu rumor. Reparem: nesses instantes chegava a sentir uma inquietação mórbida. Também por vezes, ao meio dia, quando a gente está em algum lugar na montanha e se acha sozinho entre cumes, rodeado de pinheiros velhos, corpulentos, cheios de seiva; lá em cima, no alto de um rochedo, um velho castelo medieval em ruínas; nossa aldeiazinha, lá longe, na planície, apenas perceptível; o sol radiante, um céu azul, uma quietude terrível. Parece então que tudo nos chama para não sei onde; e eu pensava que, indo bem em linha reta, andando, andando, até chegar mais além daquele limite onde céu e terra se uniam, estaria ali a solução de tudo e, imediatamente, começaria uma nova vida, mil vezes mais poderosa e trovejante que a nossa. Eu ficava sempre sonhando com uma grande cidade como Nápoles, onde tudo se torna palácios, fragor, tormenta, vida... Sim, eu não sonhava pouco!... E logo me parecia que também no presídio se poderia encontrar uma vida enorme.

— Este último e feliz pensamento já o li em minha *Crestomatia*, quando tinha doze anos — disse Aglaia.

— Tudo isso é filosofia — observou Alieksandra. — O senhor é um filósofo e veio ensinar-nos.

— Pode ser que tenha razão — sorriu o príncipe. — Sou, efetivamente, um filósofo e quem sabe se, na realidade, terei alguma ideia a ensinar... Pode ser que sim, poderia muito bem ser.

— E sua filosofia é exatamente a mesma de Ievlámpia Nikoláievna — voltou a assentir Aglaia, — essa viúva de um funcionário que vem ver-nos na qualidade de parasita. Para ela todo o segredo da vida está... na barateza. Tudo para ela consiste em falar de como se pode viver mais barato e de mencionar copeques e, repare bem, a vadiona tem dinheiro. Pois a mesma coisa ocorre com a enorme vida de presídio a que o senhor se refere e talvez também com seus quatro anos de felicidade na aldeia, pela qual renunciou o senhor à sua cidade de Nápoles, ao que parece, com vantagem, se bem que essa felicidade não valha senão alguns copeques.

— A respeito da vida no presídio, pode não se estar de acordo — disse o príncipe. — Ouvi falar de um homem que passou doze anos no presídio; era um dos enfermos que estavam em tratamento com meu professor. Davam-lhe ataques, sofria acessos de intranquilidade, chorava e uma vez tentou suicidar-se. Sua vida no presídio havia sido muito triste, asseguro-lhe, mas não sem dúvida do valor de alguns copeques. E, ainda assim, todas as suas amizades se reduziam a uma aranha e a um arbusto que crescia ao pé de sua janelinha. Mas será melhor que lhe conte o encontro que tive, o ano passado, com outro indivíduo. Passara por uma circunstância muito estranha, estranha no sentido de que uma casualidade como essa raras vezes se produz. O tal indivíduo tinha sido conduzido, juntamente com outros, ao cadafalso e lhe haviam lido a sentença condenando-o à morte: fuzilamento, por delito político. Vinte minutos depois leram-lhe também o decreto de indulto, condenando-o a outra espécie de castigo. Mas no intervalo entre as duas leituras, vinte minutos, ou quando menos, um quarto de hora, teve nosso homem a convicção absoluta de que haveria de morrer dentro de poucos minutos. Eu gostava muito de ouvi-lo evocar suas impressões de então e muitas vezes insistia para que tornasse a repeti-las. Relembrava tudo com clareza perfeita e afirmava que jamais esqueceria nada daqueles instantes. A vinte passos do cadafalso, em redor do qual apinhava-se o público e a tropa, tinham erguido três postes, pois eram vários os réus. Conduziram aos postes os três primeiros, amarraram-nos, vestiram-lhes a alva (uns longos sacos brancos) e vendaram-lhes os olhos com lenços brancos para que não vissem os fuzis. Depois, diante de cada poste, mandaram formar um pelotão de alguns soldados. Meu amigo era o oitavo no turno, de modo que lhe tocava seguir para o poste na terceira turma. Um padre ia-lhes apresentando a todos, sucessivamente, uma cruz. Chegou o momento em que não lhe restavam senão cinco minutos de vida. Ele contava que aqueles cinco minutos tinham-lhe parecido um espaço de tempo infinito, uma riqueza enorme; parecia-lhe que naqueles cinco minutos tinha gasto tanta quantidade de vida, que nem sequer pensava em seu último momento e continuava adotando diferentes determinações; descontava o tempo necessário para despedir-se de seus camaradas, destinando a isso dois minutos e outros dois minutos para pensar pela derradeira vez em si mesmo e o restante do tempo para olhar à sua volta. Lembrava-se perfeitamente de que havia feito com precisão estas três partilhas e desse modo. Ia morrer aos vinte e sete anos, sadio e forte; ao despedir-se dos companheiros, lembrava-se de ter feito a um deles uma pergunta totalmente insignificante e que aguardou com muito interesse a resposta. Depois de ter-se despedido de seus camaradas, achou-se dono daqueles dois minutos que havia destinado a pensar em suas coisas; sabia de antemão em que havia de pensar; toda a sua ânsia era imaginar, com a maior rapidez e clareza possíveis, como haveria de ser aquilo: que ele, naquele instante existisse e vivesse e, ao fim de três minutos, tivesse de ser já outra coisa, alguém ou algo diferente... O quê? E onde? Tudo isso ele pensava que seria resolvido naqueles dois minutos. Não longe dali havia uma igreja e o telhado da dourada cúpula refulgia ao sol radiante. Recordava ter ficado olhando, com suma atenção, aquela cúpula e os raios de sol que nela cintilavam. Não podia apartar os olhos daqueles raios de sol; parecia-lhe que aqueles pequenos raios de sol fossem para ele uma nova Natureza, como se dentro de três minutos fosse fundir-se com eles... A ignorância e o horror daquela coisa nova com que dali a um momento iria defrontar-se eram espantosos; mas assegurava o homem que em todo aquele momento não tinha havido nada de mais terrível para ele que este contínuo pensamento: "E se não tivesse de morrer? E se voltasse à vida? Que eternidade! E tudo isso seria meu! Então converteria eu cada minuto num século, não perderia nada, pediria contas a cada minuto, não gastaria nem um só em vão".

Dizia que este pensamento chegou a inspirar-lhe tal raiva, finalmente, que a única coisa que queria era que o fuzilassem quanto antes.[14]

O príncipe fez de repente uma pausa; todos aguardavam que continuasse e formulasse uma conclusão.

— Acabou? — perguntou-lhe Aglaia.

— É claro! Acabei— disse o príncipe, rompendo sua momentânea abstração.

— Mas com que intenção nos contou o senhor isso?

— Ora, com nenhuma... porque me veio à memória... por falar.

— O senhor é muito reticente — observou Alieksandra. — O senhor, príncipe, queria certamente deduzir disso que nem um momento só de vida pode ser taxado no valor de um copeque e que, por vezes, cinco minutos representam um tesouro de preço. Tudo isto está muito bem, mas permita que lhe pergunte: que aconteceu a esse seu amigo que lhe contou essas apaixonantes impressões? Comutaram-lhe a pena, não é verdade? Deram-lhe de presente essa "vida infinita". Pois bem, que fez depois dessa riqueza? Viveu dali por diante prestando atenção a cada minuto?

— Oh! não! Ele mesmo me confessou (perguntei-lhe) que não tinha vivido assim, que havia desperdiçado muitos e muitos minutos.

— Então, o senhor mesmo saberá que não se pode de verdade viver tomando conta do tempo. Seja como for, é impossível.

— Sim, seja como for, é impossível — repetiu o príncipe. — Também assim o creio... E, não obstante, como não crer...?

— Quer dizer que o senhor pensa que emprega melhor o tempo que as demais pessoas? — indagou Aglaia.

— Sim. Algumas vezes penso isso.

— E acredita nisso?

— E... acredito nisso — repetiu o príncipe, olhando como antes para Aglaia, com um sorriso tranquilo e até tímido. Mas em seguida pôs-se a rir outra vez e nela fitou um olhar jovial.

— Que modéstia! — disse Aglaia, quase irritada. — O senhor poderá ser muito corajoso e poderá rir, mas só sei que me causou tamanha impressão tudo isso que nos contou que esta noite irei sonhar com isso, sobretudo com aqueles cinco minutinhos...

Curiosa e seriamente tornou o príncipe a correr a vista por suas interlocutoras.

— Não estarão zangadas comigo? — perguntou de repente, como quem faz uma observação, mas olhando a todas diretamente no rosto.

— Por quê? — perguntaram ao mesmo tempo as três moças espantadas.

— Porque parece que eu me tenha metido a dar lições.

Todas puseram-se a rir.

— Se algum aborrecimento têm, desfaçam-se dele — insistiu o príncipe, — porque sei de sobra que vivi menos que muitos outros e que compreendo a vida menos que ninguém. É possível que por vezes diga coisas estranhas.

E atrapalhou-se por completo.

— Se, como o senhor afirma, foi feliz, não viveu menos que os outros, viveu mais, por que se aflige e se desculpa? — interpelou-o Aglaia, severa e agressiva. —

14 Todo este trecho é um episódio da própria vida de Dostoiévski..

Mas não se incomode pelo fato de nos dar lições, pois isto não significa nenhum triunfo para o senhor. Com o seu quietismo, pode-se viver cem anos em felicidade completa. Pode-se mostrar ao senhor a execução de um sentenciado e um dedo mindinho: de ambas as coisas sacará sempre uma conclusão igualmente plausível e, em qualquer caso, pouco vai se importar. Dessa forma é fácil viver.

— Não compreendo por que te pões desse jeito — disse a generala, que havia algum tempo observava o semblante dos interlocutores, — assim como tampouco consigo entender isso que estão dizendo. Que absurdo é esse de dedo mindinho? O príncipe exprime-se muito bem, somente o que diz é algo triste. Por que o contradizes? Quando começou a falar, vocês riram e agora estão todas contra ele.

— Não há nada disso, mamãe... Mas é uma lástima, príncipe, não haver o senhor presenciado uma execução, para que eu pudesse perguntar-lhe alguns pormenores.

— Presenciei uma execução — respondeu o príncipe.

— Presenciou? — exclamou Aglaia. — Bem que eu desconfiava! É o remate de tudo. Se presenciou, como pôde dizer que tinha sido feliz todo este tempo? Vamos, não tinha eu razão ao dizer o que lhe disse?

— Será que havia execuções em sua aldeia? — perguntou Adelaida.

— Presenciei-a em Lião, aonde havia ido em companhia de Schneider, que foi quem me levou. Assim que chegamos demos com o espetáculo.

— E como é, gostou? Há muito que ver? É conveniente? — interrogou Aglaia.

— De modo algum me agradou e depois dele estive muito doente, mas reconheço que fixei a vista no réu e não podia tirar os olhos dele.

— Eu tampouco poderia — declarou Aglaia.

— Ali não é bem visto que as senhoras vão presenciar esse espetáculo e até mesmo os jornais as criticam.

— Isto quer dizer que são de opinião que não é coisa para mulheres (no que lhes dou razão), mas para homens. Parabéns pela lógica. O senhor pensará assim também sem dúvida.

— Fale-nos dessa execução — atalhou-a Adelaida.

— Na verdade, não gostaria disso neste instante... — e o príncipe ficou desconcertado e até mesmo franziu a testa.

— Parece que acha inconveniente contar-nos — insinuou Aglaia.

— Não; digo-o porque há pouco falei dessa execução.

— Com quem falou a respeito dela?

— Com seu criado, enquanto esperava.

— Com que criado? — perguntaram todas de uma vez.

— Com o que está de plantão na sala de recepção, aquele de cabelos brancos e cara rosada. Estive fazendo antessala a Ivan Fiódorovitch.

— É estranho — observou a generala.

— Príncipe... o senhor é um democrata — sentenciou Aglaia.

— Bem, mas se já contou a Alieksiéi, não pode negar-se a também nos contar.

— Quero ouvi-lo sem desculpa — repetiu Adelaida.

— Há um momento, efetivamente — e o príncipe encarou-a; voltando a animar-se um tanto (parecia animar-se em seguida e de boa-fé) — efetivamente, quando há um momento me pediu a senhora assunto para um quadro, ocorreu-me oferecer-lhe o seguinte: pintar o rosto de um condenado que vai cair de um momento para outro sob a lâmina da guilhotina, quando ainda está de pé no patíbulo, antes de jazer estendido na prancha.

— O rosto como? Somente o rosto? — indagou Adelaida. — Assunto estranho para um quadro e que quadro haveria de sair!

— Não sei por que não! — insistiu com veemência o príncipe. — Eu, não faz muito, pude ver em Basileia um quadro semelhante. Teria muito gosto em contar-lhe... Alguma vez lhe contarei... A mim me causou muita impressão.

— Desse quadro de Basileia não terá o senhor remédio senão falar-nos depois — exclamou Aglaia. — Mas agora nos explique o quadro dessa execução. Poderia o senhor descrevê-lo conforme o conserva na imaginação? Como pintar esse rosto? O rosto somente? Como era esse rosto?

— Foi um minuto antes de sua morte — começou o príncipe, com plena solicitude, absorto naquela evocação e visivelmente esquecido de tudo mais, — esse momento em que o réu acaba de subir a escadinha que conduz ao cadafalso. Já ali, olhou para o lado onde eu estava; contemplei seu rosto e compreendi tudo... No entanto, como descrever isso? Desejaria, desejaria muito, que a senhora ou alguém pintasse essa cena. A senhora, melhor que ninguém. Na época eu não pensava que um quadro assim pudesse ser proveitoso. Olhe: para isso é preciso representar antes na imaginação o que passou o réu até chegar ali, tudo, tudo. Estava no cárcere, aguardando a execução, pelo menos uma semana; fazia conta dos requisitos de costume, pensava que teriam de preparar uns papéis e que antes de uma semana não estaria tudo pronto. E, de repente, em virtude de alguma casualidade, acontece que se abrevia o curso das coisas. Às cinco da manhã estava dormindo. Era em fins de outubro; às cinco ainda faz frio e está escuro. Entra na cela o diretor da prisão, devagar, com medo, e com muito cuidado lhe dá uma palmadinha no ombro; ele se ergue, esfrega os olhos... vê luz. "Que é?" "Às dez horas será a execução." Meio adormecido, ele não compreende, começa a discutir que antes de uma semana não estarão prontos os documentos; mas ao dar-se de repente plena conta de tudo, deixa de discutir e cala-se (assim o contavam); depois disse: "De qualquer modo, é uma violência, assim tão depressa...". E de novo calou-se e já não quis mais falar. As três ou quatro horas que se seguiram passaram-se nas coisas de costume: o padre, o desjejum, em que servem aos réus vinho, café e carne de vaca (ora! não é tudo isso ridículo?). Em seguida, a *toilette* (já saberão em que consiste a *toilette* do condenado!), e, por último, a viagem para o cadafalso... Penso que também nesse transe há de parecer que ainda nos resta por viver uma eternidade até o momento de subir ao patíbulo. Acho que durante o trajeto ele pensa : "Ainda falta um pouco de tempo: ainda me restam três ruas para viver; depois ainda essa onde há uma padaria, à direita... e ainda falta chegar à padaria!". Em redor, gente, gritos, alvoroço, dez mil caras, dez mil olhos... É preciso suportar tudo isso e, sobretudo, esta ideia: "Há aqui uns dez mil indivíduos e mais nenhum deles vai ser executado, só e apenas eu!". Mas tudo isso é preliminar. Uma escadinha conduz ao patíbulo e junto dela, de repente, o condenado pôs-se a chorar, ele que era homem forte e viril e fora, segundo diziam, um grande *malfeitor. A seu lado seguia*, sem separar-se dele durante todo esse tempo, um sacerdote que com ele havia subido à carreta e não parava de lhe falar. De quando em quando ele lhe prestava ouvidos; punha-se a escutá-lo, mas à terceira palavra já nada entendia. Assim tem de ser. Afinal, começou a subir a escadinha; ali lhe amarraram os pés e desde então caminhava já a passo miúdo. O sacerdote, que devia ser um homem de talento, deixou de falar-lhe, limitando-se a dar-lhe a cruz a beijar. Desde que chegou ao pé da escadinha, estava muito pálido e, ao subir ao patíbulo, ficou branco como papel, exatamente como o papel de cartas. Decerto seus pés enfraqueciam e inchavam e atormentava-o certo mal-estar, como sentisse a garganta apertada e coçando. Não sentiram as senhoras algo assim, quando ficam com medo ou se passam alguns desses minutos atrozes, em que se perde todo o raciocínio e o domínio da própria pessoa? Penso que se, por exemplo, nos ameaçasse uma desgraça inevitável, se uma casa fosse cair-nos em cima, seríamos de repente tomados por uma vontade tremenda de sentar, cobrir os olhos e aguardar... aconteça o que acontecer... Desse mesmo modo pode ter vindo ao réu aquela fraqueza, e a cada passo, e com muita pressa, o sacerdote lhe encostava aos lábios uma cruz (uma cruz pequenina, de prata) e repetia a cada instante, a cada passo, esse gesto. E mal a cruz lhe havia roçado os lábios, abria o homem os olhos e parecia reviver por uns segundos e seus pés voltavam a mover-se. Beijava a cruz com ânsia, com pressa, como se buscasse prover-se depressa sem deixar nada de reserva; mas, em todo caso, naquele instante, demonstrava algo de religioso. E assim foi até a própria prancha... Coisa estranha: são pouquíssimos os que nesses últimos instantes sofrem desmaio. Pelo contrário, a cabeça vive e trabalha, provavelmente, com muita força, como máquina posta em movimento. Imagino que hão de acudir-lhe diversos pensamentos, todos eles incompletos, e pode ser que até pensamentos grotescos, secundários. "Aquele sujeito que me olha... tem uma cara... Aquele botão em baixo do paletó do carrasco está mofado..." E tudo isso é possível imaginar e compreender. Há um pormenor que não é possível esquecer e que é impossível apagar, e tudo se move e gira em torno desse pormenor. E pensar que isto há de ser assim até o último quarto de segundo, quando a cabeça já está no cepo e aguarda... e "sabe", e, de repente, escuta por cima de si o resvalar do aço! Porque, com toda certeza, há de senti-lo. Creio que se me visse ali estendido trataria expressamente de ouvi-lo e haveria de ouvir. E imaginem: até hoje dura a discussão sobre se a cabeça, ao desprender-se do corpo, ainda que seja por um segundo, pode dar-se conta de que a deceparam... Que ideia! E se fossem não um segundo, porém cinco?... Armam o cadafalso de modo que só se consegue ver com toda a claridade e de perto o último degrau; sobe-o o réu, o rosto branco como papel; o sacerdote mostra-lhe a cruz; ele ansiosamente abre os lábios arroxeados e olha e... tudo sabe. A cruz e a cabeça do condenado: aí tem a senhora um quadro; a figura do sacerdote, o carrasco, seus dois ajudantes e algumas figuras mais abaixo... tudo isso pode representar-se como em terceiro plano entre névoas, como algo acessório... Aí tem a senhora o quadro que eu lhe dizia.

O príncipe calou-se e olhou para todas.

"Isto, sem dúvida alguma, nada tem que ver com o quietismo", disse para si Alieksandra.

— Bem, agora me conte como o senhor se apaixonou, — disse Adelaida.

O príncipe olhou-a cheio de admiração.

— Ouça — largou Adelaida, como que à pressa. — Deixe para contar-me depois o quadro de Basileia. Mas agora quero que me explique como se apaixonou.

Não venha com desculpas de que não esteve apaixonado. Além do que, há um momento, desde que começou seu relato, deixou o senhor de ser um filósofo.

— Parece que o senhor, ainda bem não acaba de contar uma coisa, envergonha-se de havê-la contado — observou, de repente, Aglaia. — Por que é isso?

— Isso agora é uma estupidez! — sentenciou a generala, fitando Aglaia, com enfado.

— Uma tolice! — assentiu Alieksandra.

— Não lhe faça caso, príncipe — e a generala fitou-o. — Age assim, expressamente, com má intenção. Não é tão mal-educada. Não vá pensar nada de mau pelo fato delas o importunarem desse modo. É certo que são algo doidinhas, mas gostam do senhor. Sei disso pelos seus rostos.

— Eu também percebo pelos rostos — disse o príncipe, acentuando especialmente suas palavras.

— Como é isso? — indagou Adelaida, curiosa.

— Que é que o senhor percebe em nossos rostos? — perguntaram, também curiosas, as outras duas.

Mas o príncipe mantinha-se em silêncio e mostrava-se sério. Todas aguardavam sua resposta.

— Depois lhes direi — anunciou com muita calma e seriedade.

— Decididamente quer o senhor despertar nosso interesse — exclamou Aglaia. — Quanta solenidade!

— Bem, está bem — apressou-se em dizer de novo Adelaida. — Mas se o senhor é tão bom conhecedor de semblantes, sem dúvida esteve apaixonado. Adivinhei-o naturalmente. Vamos, conte-nos.

— Não estive apaixonado — replicou o príncipe com a mesma alma e seriedade anteriores. — Eu... fui feliz de outro modo.

— Como? De que maneira?

— Bem; vou contar-lhes — declarou o príncipe, como tomado de profunda meditação.

Capítulo VI

— Se eu não satisfizer a curiosidade com que as senhoras agora olham para mim, certamente haverão de ficar zangadas comigo. Não, falava por brincadeira — apressou-se em acrescentar, com um sorriso. — Ali... ali todos eram meninos e eu passava o tempo todo entre meninos, somente entre meninos. Eram os garotinhos da aldeia, um bando deles, que iam à escola. Não era eu quem lhes ensinava, oh! não! que para isso havia ali um professor, Jules Thibaut. Bem, eu também lhes ensinava algo, mas o mais que fazia era estar com eles e desse modo transcorreram quatro anos. Era isso tudo de quanto eu necessitava. Falava-lhes de tudo, não tinha segredos com eles. Seus pais e parentes acabaram por tomar-me antipatia, porque chegou um momento em que os meninos não podiam passar sem mim e se apinhavam *à minha volta de modo* que até o próprio professor, por fim, converteu-se em meu maior inimigo. Muitos inimigos surgiram contra mim ali e tudo por causa dos meninos. Até o próprio Schneider me censurava por isso. Por que se assustariam

desse modo? Ao menino pode-se dizer tudo... tudo. A mim sempre me chocou a ideia de quão mal conhecemos os meninos, inclusive seus próprios pais. Aos meninos não se deve ocultar nada sob pretexto de serem pequenos e que é demasiado cedo para que aprendam certas coisas. Que ideia mesquinha e infeliz! E como os meninos depressa percebem que seu pais os têm por demasiado pequenos e incapazes de compreender qualquer coisa, quando na verdade compreendem tudo! A maior parte das pessoas ignora que o menino, até nas questões mais árduas, pode dar conselhos da maior importância. Oh! Deus! Quando olha para a gente essa linda avezinha, confiante e feliz, faz vergonha enganá-la! Chamo-os avezinhas, porque melhor do que o passarinho não há nada, no mundo. Embora, afinal, na aldeia, tivessem ficado embirrados comigo por simples casualidade... no caso de Thibaut havia apenas ódio. A princípio não fazia senão mover a cabeça e maravilhar-se de que os meninos entendessem tudo quanto eu dizia, ao passo que a ele não entendiam quase que de modo algum. Mais adiante, começou a rir de mim, ao dizer-lhe eu que nenhum de nós dois nada ensinávamos aos meninos, eram eles que nos ensinavam. E como podia ele odiar-me e caluniar-me, vivendo como vivia entre meninos! Os meninos curam-nos a alma... Havia ali, na instituição de Schneider, um doente, um homem muito desditoso. Tão espantosa era a sua desgraça que talvez fosse impossível encontrar outra semelhante. Estava ali tratando-se como louco, mas, na minha opinião, não o era, apenas sofria horrivelmente... e nisto consistia toda a sua doença. E se as senhoras soubessem o que, finalmente, chegaram a ser para ele nossos meninos... Mas depois lhes falarei mais detalhadamente desse enfermo. Agora vou apenas contar como começou tudo aquilo. Os meninos, a princípio, não gostavam de mim. Era eu tão grandalhão e tão desajeitado... e reconheço que também sou feio... e além disso eu era estrangeiro. Os meninos, a princípio, zombavam de mim e chegaram a ponto de atirar-me pedras, quando viam que eu beijava Maria. E só uma vez a beijei. Não, não riam — e o príncipe apressou-se em deter o sorriso no rosto de suas ouvintes, — aquilo não era absolutamente amor. Se soubessem quão desgraçada era aquela criatura, sentiriam por ela a mesma compaixão que eu. Era de nossa aldeia. Sua mãe era uma velhinha e vivia num casebre pouco menos que em ruínas, com duas janelas, uma delas com prancha, em virtude de licença das autoridades e por ela negociava a velha, vendendo trancelins, linha, tabaco, sabão, tudo muito barato, e com o produto dessas vendas se mantinha. Estava enferma, com ambos os pés entrevados, ficando sentada sempre no mesmo lugar. Maria era sua filha: uma moça de vinte anos, débil e fraca; havia muito tempo que ficara tuberculosa, mas, apesar disso, ia de casa em casa durante o dia para fazer trabalhos pesados: passava o esfregão, lavava roupa, varria, recolhia o gado. Um viajante comercial que passou por ali seduziu-a e raptou-a, mas, ao cabo de uma semana, deixou-a sozinha na cidade e partiu às ocultas. Voltou ela para sua casa extenuada, morta de cansaço, toda esfarrapada, com os sapatos furados; caminhara a pé uma semana inteira, pernoitando no campo e apanhara muito frio; trazia os pés chagados, as mãos inchadas e feridas. Aliás, nunca, antes disso, fora bonita; tinha apenas uns olhos mansos, bondosos, inocentes. Era tremendamente melancólica. Uma vez, ainda antes disso, rompeu subitamente a cantar e lembro-me de que todos se maravilharam e puseram-se a rir: "Maria cantando! Como é isso? Maria cantar?" e ela se perturbou de uma maneira terrível e nunca mais abriu os lábios. Por aquele tempo ainda a tratavam com afeto, mas quando voltou, enferma e alquebrada, não houve ninguém que tivesse compaixão dela. Como foram todos cruéis assim fazendo! Quão pouca compaixão demonstraram ter! Sua mãe foi a primeira a recebê-la, com aversão e desprezo: "Trouxeste a desonra à minha casa!". Foi ela também a primeira que a expôs aos murmúrios. Quando na aldeia souberam que Maria havia voltado, todos foram ver Maria e quase toda a aldeia correu ao casebre da velha: anciãos, meninos, mulheres, mocinhas, todos, muito pressurosos, em ávido tropel. Maria estava prostrada no chão, aos pés da velha, famélica e esfarrapada, desfeita em pranto. Quando ali se aglomerou todo o povoado, cobriu-se ela com seus cabelos soltos e assim se inclinou até tocar o chão com a testa. Todos os circunstantes a olhavam como a uma fera: os velhos acusavam-na e censuravam; os jovens zombavam dela; as mulheres a repreendiam e acusavam, olhavam-na com o mesmo desprezo que teriam para com uma aranha. Sua mãe consentia em tudo aquilo e estava ali, sentada, e movia a cabeça em sinal de assentimento, dando alento aos intrusos. Naquela ocasião já estava sua mãe muito doente e quase nas últimas; sabia que ia morrer, mas, apesar de tudo, não queria reconciliar-se com sua filha e não pensou nisto, até a hora de sua morte. Nem sequer lhe dirigia a palavra, punha-a para dormir no celeiro e mal lhe dava comida. Precisava ela que lhe dessem de vez em quando banhos quentes nos pés enfermos. Era Maria quem todos os dias lhe fazia isso e cuidava dela. A velha aceitava todos os seus serviços em silêncio e nem sequer tinha para com ela uma palavra carinhosa. Maria suportava tudo e eu, logo, quando a conheci melhor, pude observar que ela mesma se considerava a última das criaturas. Quando a velha teve de meter-se definitivamente na cama, foram atendê-la, por turno, segundo é ali costume, todas as velhas do povoado. Então Maria deixou totalmente de alimentar-se e todos a expulsaram da aldeia, nem sequer querendo dar-lhe trabalho como antes. Parecia que todos cuspiam nela e os homens deixaram de considerá-la como uma mulher, tais as grosserias que lhe dirigiam. Às vezes, só de longe em longe, quando os aldeões se embriagavam aos domingos, costumavam atirar-lhe, como uma brincadeira, algum níquel ao chão. Maria, em silêncio, apanhava-o. Já por aquele tempo começou a expectorar sangue. Finalmente, suas roupas reduziram-se a meros farrapos, de modo que sentia vergonha de deixar-se ver no povoado. Andava descalça. E então, toda a gente, sobretudo os meninos, um bando inteiro — haveria uns quarenta deles — deram para zombar dela e até mesmo para atirar-lhe lixo. Rogou ela aos pastores que a deixassem cuidar de suas vacas, mas os pastores a afugentavam com maus modos. Diante disso, ela, sem permissão do pastor, reuniu o rebanho e esteve com ele o dia inteiro no campo. E como dessa forma era de grande utilidade para o pastor, como teve este de reconhecê-lo, deixou de afugentá-la e por vezes até lhe dava as sobras de sua comida: queijo e pão. E achava que isso era uma grande condescendência de sua parte. Ao morrer-lhe a mãe, não teve escrúpulo o ministro evangélico em acusar Maria, na capela, na presença de toda a gente. Maria estava de pé junto ao caixão, vestida com seus farrapos e chorava. Acorreu muita gente a vê-la chorar e acompanhavam o caixão. Então o pastor — era um homem jovem ainda e toda a sua ambição cifrava-se em chegar a ser um grande pregador — dirigiu-se aos presentes e, apontando para Maria, disse: "Aí tendes a causadora da morte dessa respeitável senhora — o que não era verdade, pois havia já dois anos que a finada andava bastante doente — aí a tendes, diante de vós, e não se atreve a levantar a vista porque está assinalada pelo dedo de Deus; aí a tendes, descalça e andrajosa, para exemplo dos que abandonam a senda da virtude. Quem é essa mulher?... Justamente a filha dela!". E sempre neste estilo. E imaginem as senhoras: essa ruindade agradou a todos. Mas... aqui se atravessa minha história pessoal, aqui intervêm os meninos, porque naquele tempo os meninos já estavam todos de minha parte e tinham começado a tomar carinho por Maria. Verão como foi. Queria eu fazer algo em favor de Maria. Estava muito necessitada de dinheiro, mas eu nunca tinha em meu poder nem mesmo um copeque. Possuía um alfinetezinho de brilhantes, e então vendi-o a um comerciante, que andava pelas aldeias e comprava roupa velha. Deu-me oito francos pelo alfinete, quando, na verdade, valia quarenta. Por muito tempo fiz o possível para encontrar-me a sós com Maria, até que, finalmente, nos encontramos fora do povoado, no campo, na base da montanha, junto a uma árvore. Dei-lhe então os oito francos, dizendo-lhe que os poupasse, pois nada mais me restava. Depois dei-lhe um beijo e roguei-lhe que não fosse imaginar que tivesse eu alguma má intenção e que se a beijava não era porque estivesse enamorado dela, mas porque me inspirava muita compaixão e nunca, desde o primeiro instante, a havia considerado culpada, mas apenas desgraçada. Estava ansioso por consolá-la e convencê-la de que não devia achar-se tão ruim perante os demais, mas, ao que parece, ela não conseguiu compreender-me. Imediatamente o percebi, embora todo o tempo ela tivesse permanecido diante de mim em silêncio, de olhar preso no chão e muito envergonhada. Quando acabei de falar, beijou-me a mão e então peguei-lhe também a mão e a quis beijar, ela, porém, deu-se pressa em retirá-la. De repente, naquele instante, aconteceu que os meninos me vissem, uma tropa inteira; depois vim a saber que me estavam observando desde muito tempo. Começaram a assobiar, a bater palmas e a rir-se, e Maria afastou-se, correndo. Quis falar-lhes, porém eles se puseram a atirar-me pedras. Naquele mesmo dia toda a gente, todo o povoado, soube do que ocorreu; todos se voltaram de novo contra Maria, extremando seu ódio contra ela. Chegou até mesmo aos meus ouvidos o rumor de que queriam condená-la a um castigo, mas, louvado seja Deus! tal não aconteceu. Depois disso, os meninos já não lhe davam trégua: deram maior força a seus insultos até lhe atiravam fogo. Fustigavam-na e ela corria, fugindo deles sem fôlego, por causa de seus pulmões enfermos, e eles a perseguiam, aos gritos, e injuriando-a. Uma vez, eu mesmo tive de lutar com eles, depois comecei a falar-lhes, a falar-lhes todos os dias; sempre que achava ocasião. Eles por vezes se detinham e me escutavam; embora sem deixar de insultar-me. Contei-lhes então quão desfigurada era Maria; não tardaram em suspender seus insultos e afastaram-se em silêncio. Pouco a pouco fomos entabulando diálogo eu não lhes escondi coisa alguma: contei-lhes tudo. Escutaram-me com muita curiosidade, e não tardaram em ter pena de Maria. Alguns ao encontrar-se com ela, deram para saudá-la com afeto. É costume ali, quando duas pessoas se encontram — amigos ou desconhecidos — cumprimentarem-se e dizerem: "Bom dia". Imagino o assombro de Maria. Uma vez, duas meninas arranjaram comida e levaram para ela; entregaram-na e voltaram, depois vieram me contar. Diziam que Maria se pusera a chorar e que agora elas lhe *queriam muito. Bem depressa* começaram todos a ter carinho para com ela e, ao mesmo tempo, tomaram carinho também por mim. Deram de vir me ver com frequência e pediam-me que lhes contasse histórias. Parece que eu tinha jeito para isso, pois viviam loucos para me escutar. E então me instruí e li somente para depois contar tudo a eles e assim, por espaço de três anos, estive a narrar-lhes coisas. Quando, depois, toda a gente me acusou, inclusive Schneider, por falar com eles como com pessoas adultas e não lhes esconder nada, respondi-lhes que sentia vergonha em mentir para eles que, sem necessidade disso, já sabiam de tudo, sem que houvesse para eles segredos; mas que não sabiam direito e eu não queriam fossem enganados desse modo. Bastaria apenas que cada um se lembrasse de que já tinha sido menino. Eles não se conformaram... Dei um beijo em Maria duas semanas antes que lhe morresse a mãe; quando o pastor evangélico se lançou a pronunciar aquela homilia, já todos os meninos estavam de meu lado. Fui imediatamente encontrá-los e contei e expliquei a conduta do pastor; todos se zangaram contra ele e alguns chegaram ao extremo de ir quebrar-lhe a pedradas os vidros das janelas. Contive-os porque aquilo já andava mal. Mas em seguida souberam todos no povoado do ocorrido e logo começam pôr em mim a culpa; acusando-me de corromper os meninos. Logo que todos souberam que os meninos gostavam de Maria e ficaram muito assustados; mas Maria se sentia feliz. Proibiram aos meninos que até mesmo a encontrassem, mas iam eles, às escondidas, procurá-la no pasto, bastante longe, quase a meia versta de distância do povoado. Levavam-lhe comida. Mas alguns iam simplesmente para abraçá-la, beijá-la e dizer-lhe: *"Je vous aime, Marie!"* e depois voltarem correndo à aldeia. Maria por pouco não perdeu o juízo por efeito de felicidade tão repentina. Nem sequer sonharia tal coisa. Ficava confusa e se alegrava e, sobretudo, queriam os meninos, e mais que eles as meninas, correr a vê-la para dizer-lhe que eu gostava dela e lhes falava muito a seu respeito. Contavam que eu lhes havia dito tudo e que agora a estimavam e tinham pena dela e seria sempre assim. Depois vinham me procurar e era para ver as carinhas alegres e solícitas com que me contavam que acabavam de estar com Maria e que Maria me enviava saudações por intermédio deles. De noite, eu caminhava até a cascata; havia ali um lugar inteiramente coberto por todos os lados de árvores e em torno do qual medravam álamos; ali eles iam à noite para me encontrar, alguns até às escondidas. Acho que, para eles, o amor que acreditavam existir entre Maria e eu dava um enorme prazer e nisso, unicamente, durante todo o tempo que vivi ali, os enganei. Não tratei de convencê-los de que de modo algum amava Maria, isto é, que não estava enamorado dela, que tão somente me inspirava uma grande compaixão. Tudo me indicava que eles preferiam que fosse o que haviam imaginado e dado por certo entre nós. De modo que optei por calar-me e dar a entender que tinham adivinhado a verdade. E a que ponto eram delicados e ternos aqueles coraçõezinhos! Parecia-lhes, entre outras coisas, impossível que seu bom Liev amasse daquele modo Maria e Maria andasse tão mal vestida e descalça. E imaginem as senhoras: trataram de arranjar-lhe sapatos e meias e roupa de baixo e até enfeites. Como se arranjaram para tal, não sei explicar todo o grupo trabalhou em conjunto. Às perguntas que lhes fiz, limitaram-se a rir, enquanto as meninas batiam palmas e me enchiam de beijos. Eu, algumas vezes, ia também, às ocultas, encontrar Maria. Estava muito doente e mal saía; afinal, deixou de servir ao pastor mas, apesar disso, todas as manhãs saía com o gado. Sentava-se a um lado; ali, numa rocha a pique, quase perpendicular, havia uma saliência; sentava-se lá no fundo, às escondidas de todos, numa pedra e ali ficava, imóvel, o dia inteiro, desde a manhã até a hora de voltar com o gado. Estava já tão débil por efeito da tísica, que costumava sentar-se sempre de olhos fechados, com a cabeça recostada na rocha, e ficar adormecida, respirando dificultosamente. Seu rosto ficara tão magro que só restavam os ossos e. o suor corria-lhe pela testa e pelas faces. Assim a encontrava eu sempre. Ia vê-la um instante, pois não queria que me vissem. Mal eu aparecia, Maria tinha um sobressalto, abria os olhos e tratava de beijar-me as mãos. Eu não impedia que o fizesse, porque sabia que aquilo a tornava feliz. Durante todo o tempo que eu ali permanecia, ela não fazia outra coisa a não ser tremer, e chorar. É certo que, por vezes, rompia a falar, mas era difícil entendê-la. Costumava mostrar-se como que alucinada, presa de emoção e de entusiasmo enormes. Por vezes as crianças me acompanhavam. Em tais ocasiões, ficavam um pouco à distância e dali punham-se a vigiar-nos contra qualquer contratempo, o que para eles representava extraordinário prazer. Quando regressávamos, Maria ficava de novo só, imóvel, como dantes, com os olhos fechados e a cabeça reclinada na rocha. É possível que sonhasse com alguma coisa. Certa manhã já não pôde sair com o gado e ficou em sua casa vazia. Os meninos logo souberam disso, e quase todos foram visitá-la naquele dia. Jazia em seu catre, só, sozinha. Dois dias estiveram cuidando dela apenas alguns meninos, por turno; mas depois, quando se soube no povoado que Maria estava realmente nas últimas, começaram a acorrer à sua cabeceira as velhas da aldeia. Agora, ao que parecia, já tinham dó de Maria. Pelo menos já não seguravam os meninos, nem os repreendiam como antes. Maria permanecia todo o tempo numa modorra, tinha um sono inquieto, tossia horrivelmente. As velhas punham os meninos para fora, mas estes corriam para o pé da janela, às vezes só por um instante, para dizer apenas: *"Bonjour, notre bonne Marie!"*. E ela nem bem os via ou ouvia, reanimava-se imediatamente e, sem fazer caso das velhas, levantava-se em seu leito, apoiando-se nos cotovelos, e fazia-lhes sinais com a cabeça, agradecendo-lhes. Como outrora, eles levavam-lhe comida; ela, porém, mal provava um bocado. Graças a eles, asseguro-lhes, morreu quase feliz. Graças a eles, esquecia-se de sua negra desgraça, considerava-se perdoada por eles, pois até o último instante considerou-se uma grande pecadora. Eles, como passarinhos, batiam com suas asinhas em sua janela e gritavam-lhe todas as manhãs: *"Nous t'aimons, Marie!"*. Pouco tardou a morrer. Pensava eu que teria de viver muito mais. Na véspera de sua morte, antes do pôr do sol, fui vê-la. Pareceu conhecer-me e eu, pela derradeira vez, apertei-lhe a mão. Quão descarnados lhe haviam ficado os dedos! E eis que, de repente, no outro dia de manhã, vêm dizer-me que Maria havia morrido. Foi então impossível conter os meninos: cobriram o caixão todo de flores e puseram uma grinalda na fronte de Maria. O pastor, na igreja, não difamou a morta, embora ao enterro tivesse acorrido muito pouca gente e alguns apenas por curiosidade. Mas na hora de levar o caixão, os meninos, todos em disputa, queriam carregá-lo. Mas como era pesado, limitaram-se a ajudar e todos o iam seguindo e chorando. Até hoje a pequena sepultura de Maria é constantemente venerada pelos meninos que, todos os anos, a cobrem de flores, e plantaram roseiras em torno dela. Mas, por ocasião daquele enterro, iniciou-se a principal perseguição de todo o povoado contra mim por causa das crianças. Os principais instigadores foram o pastor evangélico e o mestre-escola. Proibiram terminantemente aos meninos até mesmo que se encontrassem comigo e Schneider comprometeu-se a velar para que assim ocorresse. Mas, apesar de tudo, nos víamos e de longe nos entendíamos por acenos. Eles me enviavam cartinhas.

Depois tudo veio a arranjar-se. Mas naquela ocasião foi até muito agradável: graças àquela perseguição os meninos se aproximaram mais de mim. No último ano quase me reconciliei com Thibaut e com o pastor. Mas Schneider falava-me pelos cotovelos e discutia comigo a respeito de meu — nocivo sistema de tratar as crianças. Como se eu tivesse um sistema!... Afinal, Schneider manifestou-me um pensamento seu muito estranho — era nas vésperas de minha partida e me disse que via com assombro que eu era uma perfeita criança, isto é, um menino sem mais nem menos; que somente no corpo e no rosto me parecia eu com adultos, mas que quanto ao desenvolvimento mental, à alma, ao caráter e talvez mesmo à inteligência, não chegara a ser adulto, e nesse estado permaneceria, mesmo supondo-se que vivesse setenta anos. Dei muita risada. Ele, sem dúvida, não tinha razão. Por que hei de ser um menino? Mas só numa coisa estava certo e é que no íntimo não me agrada o trato com os adultos, com os homens, com as pessoas maiores — há muito tempo que me dei conta disso — não me agrada, sem saber por que. Digam o que me disserem, por mais bondosos que se mostrem para comigo, nunca me acho à vontade com eles e alegro-me indizivelmente quando posso ir reunir-me depois a meus companheirinhos e meus companheirinhos sempre foram as crianças. Mas não porque eu seja uma criança, mas porque simplesmente, os meninos me atraem. Quando eu, ainda no começo de minha estada na aldeia — quando ia falar sozinho na montanha, — quando eu, sonhando sozinho, encontrava-me às vezes com eles, principalmente ali pelo meio-dia, quando saía da escola toda aquela chusma de meninos que corriam com suas pequenas pastas e suas lousas, gritando, rindo, brincando, minha alma toda lhes ia atrás. Não sei, mas o certo é que experimentava uma sensação extraordinariamente poderosa de felicidade sempre que os encontrava. Parava e começava a rir, de puro contentamento ao ver seus os pezinhos inquietos e sempre saltitantes, de meninos e meninas, que corriam em bando. Suas risadas e suas lágrimas (porque muitas vezes brigavam uns com os outros e se punham a chorar, e de novo faziam as pazes e reatavam seus brinquedos, até que da escola chegavam a suas casas), e naqueles instantes esquecia-me de toda a minha dor. Depois, durante todos aqueles três anos, não era capaz de entender que houvesse alguém triste, nem que tivesse motivo para isso. Todo meu destino ia atrás deles. Nunca pensava que tivesse de abandonar a aldeia e jamais me passava pela imaginação que tivesse de voltar algum dia aqui para a Rússia. Parecia-me que nunca haveria de sair dali. Mas tive que perceber, afinal, de que Schneider não podia continuar me sustentando e, além disso, a coisa se tornara, ao que parece, tão séria que o próprio Schneider insistiu comigo para que partisse e garantiu aos outros que eu partiria. Hei de ver o que há nisso e procurarei alguém com quem aconselhar-me. É possível que toda e minha vida vá mudar, mas não é isso o principal. O principal é que também toda a minha vida já mudou. Deixei ali muitas coisas... demasiadas coisas. Tudo se desfez. Ao subir ao trem disse a mim mesmo: "Agora vou viver entre pessoas. É muito possível que não saiba nada mas uma nova vida começou". Resolvi cumprir minha obrigação honrada e corajosamente. Talvez, viver em sociedade acabe ficando pesado e aborrecido para mim. Em primeiro lugar, tomei o propósito de ser para com toda a gente muito amável e sincero. Ninguém esperará mais do que isso de mim. É possível que aqui me tomem também por uma criança... mas não importa. Por alguma razão; têm-me todos por idiota e efetivamente, por vezes estive tão doente que quase pareci um idiota. Mas, como posso ser considerado um idiota agora que sou capaz de compreender que me têm por idiota? De modo que digo a mim mesmo: "Têm-me como idiota e, apesar disso, sou inteligente e eles não o percebem". Este pensamento tem-me ocorrido com frequência. Quando em Berlim recebi algumas cartas que aqueles meninos acharam jeito de me escrever, foi que me dei conta de todo o carinho que tinha por eles. Que dor ao receber a primeira carta! Que dor a deles, quando souberam que eu partia! Um mês antes de minha partida já haviam começado a suspirar. *"Léon s'en va, Léon s'en va pour toujours!"*[15] Todas as noites nos reuníamos, como outrora, ao pé da cascata, e não falávamos de outra coisa senão de nossa separação. Por vezes ficávamos tão contentes como dantes, somente, ao despedirem-se, depois, de mim, abraçavam-me com vigor e força, coisa que antes não faziam. Alguns iam procurar-me às ocultas de todos, a sós, unicamente para abraçar-me e beijar-me, os dois sozinhos. Ao empreender minha viagem todos, a tropa inteira, acompanharam-me até a estação. A estação da estrada de ferro estava aproximadamente à distância de uma versta do povoado. Todos eles esforçavam-se para não chorar, mas foram muitos os que não puderam conter-se e romperam em ruidoso pranto, sobretudo as meninas. Íamos depressa para não chegar atrasados, mas, de repente, algum do grupo dirigia-se a mim em meio do caminho; deitava-me os braços ao pescoço e me beijava e só para isso detinham-se os demais e embora estivéssemos com pressa, todos paravam e aguardavam que aquele tal se despedisse. Ao subir ao trem, quando este se pôs em movimento, todos gritaram para mim: "Hurra!", e durante longo tempo permaneceram ali, até que o trem partiu de todo. Eu também os contemplava... Vejam as senhoras: ao entrar aqui, há pouco; e olhar-lhes os rostos simpáticos — e agora reparo muito nos rostos; — e ouvir-lhes as primeiras palavras, pela primeira vez, desde aquele instante, meu coração desafogou-se. Já pensava eu, há pouco, que poderia muito bem me incluir no número dos felizes, porque me consta que a gente não encontra, logo da primeira vez aquelas pessoas a quem há de amar depois e, no entanto, encontrei-as às senhoras, assim que cheguei do trem. Sei de sobra que não fica bem falar dos sentimentos próprios e, não obstante falo deles com as senhoras e não me sinto envergonhado. Sou pouco sociável e é possível que não torne a vê-las por muito tempo. Mas não levem a mal isto que lhes estou dizendo. Não quero dizer com isso que não as estime, nem tampouco tive a menor intenção de ofendê-las. Perguntavam as senhoras o que percebo em seus rostos. Pois vou ter grande satisfação em dizê-lo. A senhorita, Adelaida Ivânovna, tem um rosto feliz, é o mais simpático de todos três. Prescindindo do fato de que é bastante formosa, a gente a olha e diz: "Tem cara de irmãzinha boa". Parece ingênua e alegre, mas sabe ir logo ao fundo dos corações. Eis o que penso de seu rosto. A senhorita, Alieksandra Ivânovna, tem também um rosto formosíssimo e muito simpático; mas é possível que guarde algum pesar secreto. Tem, sem dúvida, uma alma boníssima, mas não é jovial. Tem em seu rosto um brilho especial, semelhante ao da *Madonna* de Holbein, que se conserva em Dresden. Bem, já sabe o que penso de seu rosto. Sou bom adivinho? As senhoritas mesmas me têm em conta de vidente. Quanto a seu rosto, Lisavieta Prokófievna — *disse, fitando de repente a* generala, — quanto a seu rosto, não só me parece, mas

15 Leão vai-se embora, Leão vai-se embora para sempre!

estou até convencido, simplesmente, de que é a senhora uma verdadeira menina, em tudo, em tudo, em tudo, no bem e no mal, apesar da idade que tem. Mas não é verdade que não se zangará comigo porque lhe falo assim? Porque a senhora já sabe o conceito em que tenho os meninos. E não vá crer que lhe falei por simples candura, com tal franqueza, de seu rosto. Oh! não, absolutamente, não! Talvez tenha minha própria ideia ao fazer isso.

Capítulo VII

Depois que o príncipe se calou, todas o olharam com alegria, até a própria Aglaia, mas sobretudo Lisavieta Prokófievna.

— Que bem nos examinou a todas! — exclamou. — Vocês, meninas, pensavam que iam tomar conta dele como de um pobrezinho e ele mal se digna aceitar a amizade da gente e isto mesmo impondo a cláusula de que só aparecerá por aqui uma tarde ou outra. Disto resulta que as tolas somos nós e pior que todos Ivan Fiódorovitch. Na verdade, príncipe, fomos nós que há pouco lhe ordenamos que nos passasse em revista. E no que toca ao que disse do meu rosto, é absolutamente certo: sou uma menina, sei disso. Antes do senhor, eu já sabia. Mas o senhor exprimiu meu pensamento com uma só palavra. Acho que seu caráter tem muito que ver com o meu e o estimo muito: como duas gotas d'água. Somente, o senhor é homem e eu mulher e não estive na Suíça: eis toda a diferença.

— Não se apresse, mamãe — exclamou Aglaia. — O príncipe diz que, em todas as suas manifestações, tinha uma ideia especial e que não falou ingenuamente.

— Sim, sim — e as outras riram.

— Não zombem, minhas queridas, pois é possível que seja ele mais inteligente do que vocês todas juntas. Hão de ver. Mas como é, príncipe, que nada diz de Aglaia? Aglaia está esperando e eu também.

— Nada posso dizer agora. Falarei mais tarde.

— Por quê? Por acaso nada tem de particular?

— Oh! sim! Como não tem? É a senhorita uma beleza perfeita Aglaia Ivânovna. É tão bela, que faz medo olhá-la.

— Nada mais? E as condições morais? — insistiu a generala.

— Quanto à beleza, é difícil julgar. Não estou ainda preparado. A beleza... é um enigma.

— Isto quer dizer que o senhor adivinhou que Aglaia é uma adivinhação disse Adelaida. — Pois decifra-nos o enigma, Aglaia. Mas é bela, príncipe, é bela?

— Extraordinariamente! — replicou o príncipe, com veemência, olhando, encantado, para Aglaia. — Quase tanto como Nastássia Filípovna, embora tenha um rosto totalmente diferente!

Todas se entreolharam, admiradas.

— Como que... em? — gaguejou a generala. — Como Nastássia Filípovna?... Mas onde viu o senhor Nastássia Filípovna? Quem é essa Nastássia Filípovna?

— Há pouco Gavrila Ardaliónovitch estava mostrando o retrato dela a Ivan Fiódorovitch.

— Mas como? Trouxe o retrato dela para Ivan Fiódorovitch?

— Para mostrá-lo. Nastássia Filípovna ofereceu hoje a Gavrila Ardaliónovitch seu retrato e aquele trouxe-o cá para mostrá-lo.

— Ah! pois eu o quero ver! — exclamou a generala. — Onde está esse retrato? Uma vez que lhe ofereceu, ele sem dúvida ainda o tem e, portanto, há de estar ainda em seu gabinete. Nas quartas-feiras sempre vem ao escritório e nunca se retira antes das quatro. Chamem agora mesmo Gavrila Ardaliónovitch. Mas não. Não morro de vontade de vê-lo. Faça o senhor o favor, meu caro príncipe, de ir ao gabinete, pegar o retrato e trazê-lo para mim. Diga-lhe que o queremos ver. Faça o favor.

— Bem; isto já é demasiada candura — disse Adelaida, assim que o príncipe saiu.

— Sim, demasiada — assentiu Alieksandra. — Tanta que até chega a ser um tanto grotesca.

E nenhuma das duas pareceu acabar de exprimir seu pensamento por inteiro.

— Aliás, portou-se muito bem no que se refere aos nossos rostos — disse Aglaia. — Mostrou-se muito lisonjeiro para com todas, inclusive para com mamãe.

— Não digas gracinhas, por favor — exclamou a generala. — Não é que ele tenha me lisonjeado, mas eu é que me sinto lisonjeada.

— Acreditas que ele soube sair-se bem da situação? — indagou Adelaida.

— Acho que ele não é tão ingênuo.

— Ora! Com efeito! — e a generala aborreceu-se. — Na minha opinião, vocês ainda são mais dignas de riso que ele. É um ingênuo, mas tem talento, no sentido mais nobre da palavra, naturalmente. A mesmíssima coisa que eu.

"Foi sem dúvida muito mal ter eu feito menção do retrato — pensou o príncipe, enquanto se encaminhava para o gabinete e sentiu certo remorso de consciência. — Mas... mas também é possível que haja feito bem ao mencioná-lo..." Começava a rondar-lhe a mente uma ideia estranha, aliás ainda de todo imprecisa.

Gavrila Ardaliónovitch estava ainda no escritório e completamente mergulhado em seus papéis. Era certamente verdade que não ganhava em vão o ordenado que cobrava da Sociedade por Ações. Emocionou-se de um modo horrível, quando o príncipe lhe pediu o retrato e explicou-lhe como tinham notícia dele lá dentro.

— Ah... ah... ah! E para que foi o senhor dizer-lhes isso? — exclamou furioso. — Não tem a menor ideia de nada... Idiota! — resmungou entre dentes.

— Fui culpado, mas sem a menor intenção. Escapou-me aquilo. Dissera que Aglaia era quase tão bonita como Nastássia Filípovna.

Gânia rogou-lhe que lhe fornecesse detalhes do sucedido. O príncipe fez isso. Gânia voltou a olhá-lo zombeteiramente..

— Sempre essa Nastássia Filípovna... — resmungou, mas, sem acabar a frase, ficou pensativo. Estava visivelmente-inquieto. O príncipe lembrou-lhe o retrato. — Faça o favor; príncipe — disse-lhe, de repente, Gânia, como que assaltado de súbita ideia. — Tenho um pedido enorme para lhe fazer. Mas, verdadeiramente, não sei...

Atrapalhou-se e não rematou a frase; parecia estar meditando uma resolução e lutar consigo mesmo. O príncipe aguardava em silêncio. Gânia tornou a fixar nele *seu olhar atento, escrutador.*

— Príncipe — começou de novo, — lá dentro, a mim, agora... por uma circunstância inteiramente estranha... e ridícula... e da qual não tenho culpa... Bem; nada, isso é demais... Lá dentro, agora, segundo parece, estão com um pouco de raiva de mim, tanto que eu, desde algum tempo, não desejo ir lá, a não ser que me chamem. Tenho agora uma necessidade horrível de falar com Aglaia Ivânovna. Na previsão do que pudesse ocorrer, escrevi-lhe umas linhas — em suas mãos apareceu de repente um papelzinho dobrado, — e veja, não sei como enviá-las. O senhor não quer príncipe, encarregar-se de entregá-las agora mesmo a Aglaia Ivânovna, mas sem, claro, que ninguém perceba, compreende? Deus bem sabe que não se trata de nenhum segredo, que não há nada disso aqui... Mas... o senhor o fará?

— Não me agrada nada fazê-lo — respondeu o príncipe.

— Ah! príncipe! se o senhor visse que necessidade tenho disso!... — implorou Gânia. — É possível que ela responda... O senhor pode acreditar que só num caso extremo, perfeitamente extremo, poderia eu dirigir-me... Por quem enviar a carta?... Trata-se de algo muito importante... De enorme importância para mim.

Tinha Gânia um medo horrível de que o príncipe não quisesse satisfazê-lo e com tímida imploração fitava-lhe os olhos.

— Certo, vou entregá-la.

— Mas faça-o de modo que ninguém o perceba — rogou-lhe o alvoroçado Gânia. — E saiba-o, príncipe, confio em sua palavra de honra; não é verdade?

— Não a mostrarei a ninguém — disse o príncipe:

— A carta não está fechada, mas... — disse Gânia, demasiado inquieto e deteve-se; confuso.

— Oh! não vou lê-la! — replicou o príncipe, com absoluta simplicidade e, pegando o retrato, saiu do escritório.

Ao ficar só, Gânia levou as mãos à cabeça.

— Uma só palavra sua e, verdadeiramente, eu rompa talvez!

Não podia voltar a ocupar-se com seus papéis, tal sua agitação e expectativa, começou a dar voltas pelo gabinete, de um extremo a outro.

O príncipe saiu dali pensativo; causara-lhe uma impressão desagradável. aquele encargo e não menos desagrado a ideia de que Gânia escrevesse a Aglaia. Mal havia atravessado duas peças rumo à saleta, deteve-se, de repente, como se lembrasse alguma coisa. Correu a vista em redor, aproximou-se de uma janela, procurando mais luz e pôs-se a contemplar o retrato de Nastássia Filípovna.

Parecia querer adivinhar algo oculto naquele rosto e que antes já lhe causara impressão. A impressão recente quase não se havia desvanecido e agora tinha pressa em renová-la. Aquele rosto, extraordinário pela sua beleza e também por algo mais, causou-lhe ainda maior impressão. Algo assim, como orgulho e desdém ilimitados, e até ódio, havia naquele semblante, e ao mesmo tempo algo de confiante, de prodigiosamente ingênuo; esse contraste inspirava algo assim como piedade ao olhar aquele retrato. Aquela beleza ofuscante era também insuportável, aquela beleza de um rosto pálido, de faces um pouco cavadas e olhos de fogo. Estranha beleza! O príncipe contemplou-a um instante; depois, de repente, estremeceu, olhou em torno de si, levou o retrato aos lábios e beijou-o. Ao entrar, um minuto depois, na sua saleta, mostrava um rosto totalmente sereno.

Mas nem bem havia posto pé na sala de jantar (separado ainda da sala por outra peça) encontrou-se, sem mais nem menos, na porta, com Aglaia que saía. Estava sozinha.

— Gavrila Ardaliónovitch rogou-me que lhe entregasse — disse o príncipe dando-lhe a carta.

Aglaia deteve-se, tomou a carta e olhou de modo estranho o príncipe. Não havia em seus olhos a menor perturbação, talvez unicamente certo assombro relacionado, ao que parece, com o príncipe apenas. Com seu olhar, Aglaia parecia pedir-lhe contas... Como aparecia ele naquele assunto em convivência com Gânia?... E pedia de um modo altivo e tranquilo. Permaneceram em pé dois ou três minutos, um em frente ao outro; finalmente, algo de sarcástico pareceu assomar-lhe ao rosto; sorriu ligeiramente e foi saindo.

A generala, em silêncio e com leve tom de indiferença, esteve um instante olhando o retrato de Nastássia Filípovna, que observava diante de si, com a mão estendida, a grande e efetiva distância dos olhos.

— Sim, é bonita — declarou finalmente. — Muito bonita. Via-a um par de vezes, mas só de longe. De modo que o senhor aprecia tanto uma beleza assim? — e fitou de repente o príncipe.

— Sim — respondeu ele, violentando-se um pouco.

— Precisamente como esta?

— Precisamente assim.

— Por quê?

— Ora, porque nesse rosto... há muita dor... — declarou o príncipe, como que involuntariamente, como se falando consigo mesmo e não respondendo à pergunta.

— Aliás, é possível que o senhor esteja delirando — decidiu a generala e, com gesto arrogante, deixou cair o retrato sobre a mesa.

Alieksandra pegou-o, Adelaida aproximou-se dela e ambas estiveram a examiná-lo. Naquele instante Aglaia voltou de novo à sala.

— Que poder! — exclamou, de repente, Adelaida, contemplando, avidamente, o retrato, por cima do ombro de sua irmã.

— Onde? Que poder? — inquiriu, cortante, Lisavieta Prokófievna.

— Ora essa beleza... é o poder — disse Adelaida com veemência. — Uma beleza assim pode revolver o mundo!

Aproximou-se, pensativa, de seu cavalete. Aglaia olhou o retrato apenas um momento, franziu o cenho, estendeu o lábio inferior, afastou-se e sentou-se a um lado, com as mãos juntas.

A generala tocou a campainha.

— Vá chamar Gavrila Ardaliónovitch. Está no escritório — ordenou ela ao criado que acudiu ao seu chamado.

— *Mamacha!...* — exclamou significativamente Alieksandra.

— Quero dizer-lhe duas palavras... e basta! — sentenciou rapidamente a generala atalhando as objeções. Estava visivelmente nervosa. — Nesta casa, já está o senhor vendo, príncipe, tudo se torna agora segredos. Tudo segredos! Assim o exige a etiqueta, uma coisa estúpida. E isto tratando-se de um assunto no qual, mais do que nada, se requerem sinceridade franqueza, honradez. Agora estão arranjando casamentos. Esses casamentos não me agradam.

— *Mamacha,* que está a senhora dizendo? — e Alieksandra tratou outra vez de *contê-la.*

— Que te importa a ti, minha filha? Será que te agradam a ti? E que tem de particular que o príncipe me ouça, uma vez que somos amigos? Eu, pelo menos, sou sua amiga. Deus procura as criaturas boas; sem dúvida alguma, pois as más e voluntariosas para nada as quer. Sobretudo as voluntariosas que hoje concordam com uma coisa e amanhã pensam o contrário. Compreendes, Alieksandra Ivânovna? Dizem elas, príncipe, que sou uma excêntrica, mas sei distinguir. Porque o coração é o principal e o demais é absurdo. Também a inteligência é necessária, naturalmente... talvez fosse a inteligência também o principal. Para de rir, Aglaia, que não me contradigo. O burro com coração e sem inteligência é um burro tão infeliz como o burro com inteligência e sem coração. É uma verdade rançosa. Sou uma burra com coração e sem inteligência e tu és uma burra com inteligência, mas sem coração: somos infelizes, as duas, sofremos, as duas.

— Por que é a senhora tão infeliz, *mamacha?* — disse, sem poder conter-se, Adelaida, que era a única de todos os presentes que não se achava em disposição de ânimo jovial.

— Em primeiro lugar, porque tenho umas filhas cultas — declarou a generala, — e como isto por si só já é bastante, não é preciso estender-me a respeito do demais. Já falamos de sobra. Haveremos de ver como vocês duas (não conto Aglaia), com seu talento e eloquência, sairão da situação, e se tu, minha estimadíssima Alieksandra Ivânovna, és feliz com teu honradíssimo senhor... Ah! — exclamou, ao ver Gânia entrar — Aqui temos outro partidário do casamento. Bom dia — disse, respondendo ao cumprimento de Gânia e sem convidá-lo a sentar. — É favorável ao matrimônio?

— Ao matrimônio?... Como?... A que matrimônio?... — balbuciou, desconcertado, Gavrila Ardaliónovitch. Estava tremendamente atrapalhado.

— Vai casar? Eu lhe pergunto se prefere esta expressão.

— Não... eu... não...! — mentiu Gavrila Ardaliónovitch e um rubor de vergonha subiu-lhe ao rosto. Lançou um rápido olhar para Aglaia, que estava sentada de parte, mas imediatamente desviou dela a vista. Aglaia, friamente, atentamente, fitou-o, sem desviar dele o olhar, e pôde verificar lhe a confusão.

— Não, o quê? O senhor disse que não? — perguntou-lhe, altivamente, a implacável Lisavieta Prokófievna. — Está bem, basta. Haverei de recordar-lhe a tempo devido que hoje, quarta-feira, pela manhã, respondeu o senhor não à minha pergunta. Não estamos hoje numa quarta-feira?

— Creio que sim, mamãe — respondeu Adelaida.

— Nunca sabem que dia é. E a quantos estamos?

— A vinte e sete — respondeu Gânia.

— A vinte e sete? Está bem, a respeito de certa coisa. Vá-se, com Deus, que, pelo visto, o senhor tem muito que fazer e para mim já é hora de vestir-me e sair. Tome seu retrato. Transmita minhas saudações à infeliz Nina Alieksándrovna. Até a vista, meu caro príncipe. Venha ver-nos com frequência. Vou diretamente ter com a velha Bielokónskaia para falar-lhe a seu respeito. E escute, meu caro, creio que Deus *o enviou para* meu bem, da Suíça para Petersburgo. O senhor talvez tenha outra missão, mas a principal é para mim. Deus foi quem assim o dispôs. Até logo, queridas! Alieksandra, venha comigo, meu bem!

A generala saiu. Gânia, desconcertado, atrapalhado, furioso, pegou o retrato de cima da mesa e, com sorriso crispado, encarou o príncipe.

— Príncipe, vou agora para casa. Se é que persiste o senhor na ideia de ir morar conosco, pode acompanhar-me, já que não conhece o endereço.

— Um momento, príncipe — disse Aglaia, levantando-se, de repente, de sua cadeira. — Antes o senhor terá de escrever algo no álbum para mim. Papai disse que o senhor era calígrafo. Trago-o agora mesmo.

E saiu.

— Até a vista, príncipe, eu também me vou — disse Adelaida. Apertou fortemente a mão do príncipe, sorriu-lhe cortês e afetuosa e retirou-se. A Gânia não lançou nem sequer um olhar.

— Foi o senhor — disse Gânia, rangendo os dentes e encarando o príncipe, assim que as jovens saíram, — foi o senhor quem andou batendo com os dentes a respeito de meu casamento! — resmungou rapidamente, em voz baixa, com cara de raiva e lançando fogo mau pelos olhos. — O senhor é um desavergonhado charlatão!

— Asseguro-lhe que está equivocado — replicou-lhe o príncipe, tranquila e cortesmente. — Eu ignorava que o senhor fosse casar.

— O senhor ouviu há pouco Ivan Fiódorovitch dizer que esta noite se decidiria tudo em casa de Nastássia Filípovna e veio contar tudo a elas! O senhor mente! Como, senão pelo senhor, poderiam elas vir a saber? Quem senão o senhor, leve-o o diabo, pôde dizer isso a elas? A velha não insinuou algo nesse sentido?

— O senhor faria melhor se averiguasse quem disse, já que lhe pareceu perceber essas indiretas, porque no que me diz respeito, não disse uma palavra.

— Entregou-lhe a carta? Deu-lhe resposta? — atalhou-o Gânia, com veemente impaciência. Mas naquele mesmo instante voltou Aglaia e o príncipe não teve tempo de responder-lhe.

— Aqui tem o senhor, príncipe, — disse Aglaia, pondo em cima da mesinha o álbum; — Escolha espaço e escreva alguma coisa. Aqui tem uma pena bem novinha. Não será de aço? Soube que os calígrafos não escrevem com as de aço.

Enquanto falava com o príncipe, parecia não notar a presença de Gânia. Enquanto o príncipe experimentava a pena, escolhia uma página e se dispunha a escrever, Gânia aproximou-se da lareira, junto da qual estava Aglaia de pé, ao lado mesmo do príncipe, à sua direita, e com voz trêmula e entrecortada, murmurou lhe quase ao ouvido:

— Uma palavra, uma só palavra sua... e estou salvo!

O príncipe, rapidamente, voltou-se para fitar os dois. No semblante de Gâniá via-se verdadeiro desespero; parecia ter proferido aquelas palavras sem pensar, alheado. Aglaia ficou olhando uns segundos com a mesma expressão de sereno assombro com que pouco antes fitara o príncipe, e parecia como se aquela tranquila estranheza; aquela sua perplexidade se devessem ao fato de não compreender de modo algum o que lhe diziam, o que naquele instante constituía para Gânia algo mais espantoso que o mais profundo desprezo.

— Que quer que lhe escreva? — perguntou o príncipe.

— Vou ditar ao senhor agora mesmo — disse Aglaia, voltando-se para ele. — Está pronto? Pois então escreva: "Eu não trafico". Agora ponha em baixo a data. Deixe-me ver.

O príncipe entregou-lhe o álbum.

— Magnífico! O senhor escreve admiravelmente! Tem uma letra portentosa! Muito obrigada. Até a vista, príncipe... Um momento acrescentou, como que se lembrando. — Venha comigo. Quero dar-lhe algo de presente como recordação.

O príncipe seguiu-a. Mas ao entrar na sala de jantar, Aglaia parou.

— Leia — disse-lhe, entregando-lhe a carta de Gânia.

O príncipe pegou a folha de papel e olhou indeciso para Aglaia.

— Estou certa de que o senhor não a tinha lido e não podia estar em conivência com aquele homem. Leia, quero que a leia.

A carta estava escrita com visível pressa:

> Hoje se decide meu destino, já sabe você de que maneira. Tenho de dar hoje minha palavra irrevogável. Não tenho direito nenhum ao seu interesse, não me atrevo a criar-me ilusões, mas em certa ocasião disse-me você uma palavra, uma só palavra, e essa palavra iluminou toda a negra noite de minha vida e foi para mim um farol. Diga agora também uma palavra assim... salve-me da perdição. Diga-me somente "Rompa com tudo" e, com tudo romperei hoje mesmo — Oh! que trabalho lhe custa dizer isso? Nessa palavra reconhecerei unicamente um sinal de sua simpatia e de sua compaixão para comigo... Isso somente, somente! E nada mais, *nada mais!* Não me atrevo. A conceber nenhuma esperança, porque *sou indigno* dela. Mas depois dessa palavra sua voltarei a carregar minha pobreza e a suportar alegremente minha situação desesperada. Afrontarei a luta, vou enfrentá-la com ânimo e renascerei nela com novos brios!
>
> Conceda-me essa palavra de piedade (de piedade *somente,* juro-lhe!). Não leve a mal a ousadia de um desesperado, de um náufrago que se arroja a fazer o derradeiro esforço para salvar-se da morte.
>
> G. A

— Esse homem afirma — disse Aglaia, bruscamente, depois que o príncipe acabou de ler, — que a frase "Rompe com tudo" não me compromete, nem me prejudica de modo algum, e em garantia disso dá-me esta mesma carta. Repare o senhor quão ingenuamente se apressou em garatujar umas quantas palavrinhas e quão grosseiramente deixa transparecer seu pensamento oculto. Aliás, não ignora que, se rompesse com tudo, ele sozinho, sem aguardar essa palavra minha, e sem falar-me disso, sem fazer-se ilusões a meu respeito, eu então mudaria de sentimentos a respeito dele e talvez passasse a ser sua amiga. Sabe muito bem disso! Tem somente uma alma turva; sabe e não se decide; sabe e, mesmo assim, reclama garantias. Não é capaz de crer sem elas. Quer que eu, em vez dos cem mil rublos que aí se joga, lhe dê uma esperança a respeito de minha pessoa. No que se refere então a essa palavra de que fala em sua carta e que, segundo ele, lhe iluminou a vida, mente sem nenhuma vergonha. Limitei-me a ter piedade uma vez. Mas ele, com seu desembaraço e insolência, teve de pensar em seguida na possibilidade de abrigar esperanças, o que compreendi prontamente. Desde então trata de adular-me. É o que tenta fazer. Mas basta: o senhor pegue a cartinha dele e a devolva agora mesmo, quando já estiverem fora de casa, é claro.

— E que lhe digo em resposta?

— Nada, naturalmente. Esta é a melhor resposta. Mas diga-me: será que o senhor está mesmo disposto a ir morar com eles?

— Antes o próprio Ivan Fiódorovitch me recomendou — disse o príncipe.

— Pois tenha cuidado com ele, previno-o. Já agora não vai perdoar-lhe a devolução da carta.

Aglaia apertou ligeiramente a mão do príncipe e retirou-se. Mostrava semblante sério e preocupado e nem sequer sorriu quando o príncipe lhe fez uma inclinação de cabeça em sinal de despedida.

— Vou num instante apanhar meu embrulho — disse o príncipe a Gânia — e em seguida partiremos.

Gânia deu, com impaciência, uma pancada no chão com o pé. Tinha o rosto negro de raiva. Finalmente, saíram ambos para a rua, o príncipe com seu embrulho nos braços.

— E a resposta? E a resposta? — interpelou Gânia. — Que lhe disse ela? Entregou-lhe o senhor a carta?

O príncipe, em silêncio, devolveu-lhe a carta. Gânia parecia hipnotizado.

— Como?... Minha carta? — exclamou. — Oh! Não a entregou! Deveria adivinhá--lo. Oh! con...de...na...! Assim se explica que, há um momento, *não* compreendesse ela nada! Mas como, como, o senhor não lhe entregou a carta, seu con...de...na...?

— Desculpe-me, mas é justamente o contrário. Achei imediatamente ocasião de entregá-la, logo depois de deixá-lo e exatamente como o senhor me havia pedido. Se de novo a vê o senhor em minhas mãos, é porque Aglaia Ivânovna acaba de devolvê-la.

— Quando? Quando?

— Pois ao acabar eu de escrever em seu álbum, quando me chamou à parte. (O senhor não ouviu?) Levou-me à sala de jantar, entregou-me a carta do senhor, mandou que eu a lesse e depois ordenou-me que a devolvesse.

— Le...ss...e? — tornou a exclamar Gânia, quase aos berros: — Que a lesse? E o senhor a leu?

E voltou a parar, estupefato, no meio da calçada, a tal ponto atônito que estava de boca aberta.

— Sim, li-a há um momento.

— E ela mesma, ela mesma a deu a ler? Ela mesma?

— Ela mesma, e creia o senhor que eu não a teria lido, se ela não me tivesse ordenado.

Gânia guardou silêncio um instante, fazendo um penoso esforço para se acalmar, mas de repente exclamou:

— Isso não pode ser! Não é possível que ela mandasse o senhor lê-la! O senhor mente! O senhor a leu porque quis!...

— Digo-lhe a verdade — replicou o príncipe no mesmo tom de voz, inteiramente plácido, como antes, — e tenha o senhor a certeza de que lamento profundamente que isto lhe tenha feito tão dolorosa impressão.

— Mas, desgraçado, ela pelo menos lhe terá dito algo a respeito disto. Algo lhe responderia, não?

— Sim, naturalmente.

— Pois fale, fale, com os diabos!...

E Gânia bateu duas vezes como pé direito, calçado de galocha, na calçada.

— Mal acabei de ler a carta, disse-me ela que o senhor queria comprometê-la, a fim de obter dela uma esperança para, apoiando-se nisso, romper sem descrédito com essa outra esperança dos cem mil rublos. Que se o senhor assim o fizesse, sem traficar com ela, se o senhor marchasse para a ruptura espontaneamente, sem pedir-lhe nenhuma garantia prévia, talvez então concordasse em ser sua amiga. Aqui tem o senhor, parece-me, tudo quanto me disse ela. Ah! também me disse isto: ao perguntar-lhe, depois de entregue a carta: "Que resposta?", disse-me então que a falta de resposta era a melhor resposta... Creio que me disse assim; perdoe se me esqueci da expressão exata. Transmito-lhe de acordo com a memória.

Raiva descomedida apoderou-se de Gânia e sua fúria explodiu sem que pudesse contê-la:

— Ah! com que então lhe disse isso? — e rangeu os dentes. — Com que então assim atira minha carta pela janela? Ah! Ela não trafica... como eu! Isso vamos ver! Temos de ver ainda muitas coisas!... Ela há de pagar-me isso!

Contraiu o rosto, perdeu a cor, espumou; ameaçou o ar com o punho. Andaram assim alguns passos. Não dava a menor atenção ao príncipe, como se estivesse sozinho em seu quarto, porque não lhe ligava a mínima importância. Mas de repente refletiu e parou.

— Mas como foi — e encarou, de repente, o príncipe, — como foi — "Idiota!", acrescentou para consigo, — que o senhor, tão de súbito, lhe ganhou a confiança duas horas depois de conhecê-la? Como foi isso?

Em meio de toda a sua dor a inveja tivera espaço. E esta, de repente, vinha morder-lhe o próprio coração:

— Isso é uma coisa que eu também não sei explicar — replicou o príncipe.

Gânia fitou-o com rancor.

— Haverá maior confiança que chamá-lo à sala de jantar para dar-lhe um presente? Não lhe deu nenhum presente?...

— Não compreendo tampouco como foi isso.

— Mas como? O diabo o carregue! Mas que foi o senhor fazer ali? Como lhes conquistou os corações? Ouça — e agitou-se violentamente (tudo nele naquele momento estava revolto e em desordem, de modo que nem podia concentrar o pensamento), — ouça: não poderia de algum modo recordar-se e expor ordenadamente de que falaram vocês, todas as palavras, desde o princípio? Será que não prestou atenção, que não se recorda?

— Oh! claro que recordo — respondeu o príncipe. — A primeira coisa, ao entrar e ser-lhes apresentado, foi que me pus a falar da Suíça.

— Ao diabo a Suíça!

— Depois, da pena de morte...

— Da pena de morte?

— Sim, a propósito de uma coisa... Depois passei a contar-lhes como tinha vivido ali três anos e a história de uma pobre aldeã.

— Bem; ao diabo a pobre aldeã! Continue! — interrompeu-o, impaciente, Gânia.

— Depois contei-lhes como Schneider me expôs sua opinião sobre meu caráter e me obrigou...

— Enforco Schneider e mando ao inferno sua opinião sobre o senhor! Continue!

— Continuo. A propósito de não sei que, comecei a falar-lhes das fisionomias, isto é, da expressão das fisionomias e disse que Aglaia Ivânovna é quase tão bonita como Nastássia Filípovna. E foi então que falei no retrato...

— Mas não lhes contou o senhor, não lhes contou o que acabava de ouvir no gabinete? Como não? Como não?...

— Repito-lhe que não.

— Mas donde, tampouco, com os diabos... Ora! Aglaia não mostrou a carta à velha?

— Oh! a este respeito, posso garantir-lhe formalmente que não mostrou! Não me afastei dali um minuto e ela não teve tempo.

— Sim, mas pode ser que o senhor não haja notado... Oh! idiota mal... dito! — exclamou, já completamente fora de si. — Nem sequer sabe contar coisa alguma!

Gânia, assim que começava a injuriar e não encontrava réplica, ia perdendo pouco a pouco todo freio, como costuma ocorrer sempre com os indivíduos de sua condição. Um pouco mais e começaria a cuspir, a tal ponto estava furioso. Mas esse mesmo furor o cegava; a não ser assim, desde muito teria percebido que aquele idiota, a quem tanto estava censurando, sabia às vezes, com bastante prontidão e sutileza, compreender tudo e transmiti-lo de um modo altamente satisfatório. Mas, de súbito, sobreveio algo inesperado.

— Devo fazer-lhe notar, Gavrila Ardaliónovitch — disse de repente o príncipe, — que eu antes, efetivamente, estive tão doente, que, na realidade, era pouco menos que um idiota, mas agora, faz muito tempo já que estou restabelecido, de modo que me desagrada um pouco que me chamem de idiota em minha cara. Apesar do senhor merecer compreensão, levando-se em conta o seu fiasco, são já duas vezes que me ofende, movido pela sua raiva. Isso me desagrada muito, sobretudo assim, de repente, como fez da primeira vez. E como agora, precisamente, nos encontramos num cruzamento de ruas, será melhor que nos separemos. O senhor seguirá pela direita e eu pela esquerda. Tenho em meu poder vinte e cinco rublos e, com toda a certeza, encontrarei alguma pensão...

Gânia ficou inteiramente desconcertado e até lhe subiu a cor ao rosto, de vergonha, de que tão inesperadamente o tivessem repelido.

— Perdoe-me, príncipe — exclamou com veemência, passando, de súbito, do tom insultante ao excessivamente cortês. — Por Deus, perdoe-me! Bem está vendo a desgraça que me acontece! O senhor está apenas ciente de pouca coisa; mas quando souber tudo certamente haverá de desculpar-me, embora, sem dúvida... seja indesculpável.

— Oh! não necessito de tantas desculpas! — apressou-se em responder o príncipe. — Percebo que lhe sucede um contratempo e por isso se encoleriza dessa forma. Bem, iremos para sua casa. Tenho muito prazer...

"Não, agora é impossível soltá-lo desse modo — disse para si Gânia, olhando com rancor para o príncipe, durante o trajeto. — Esse velhaco arrancou tudo de mim e depois, de repente, tirou a máscara... Isto quer dizer algo. Está bem. Haveremos de ver! Tudo se há de resolver, tudo, tudo! E hoje mesmo!"

Tinham chegado à casa.

Capítulo VIII

A morada de Gânia achava-se no terceiro andar, ao fim de uma escada limpa, clara e espaçosa, e constava de seis ou sete cômodos e quartinhos, aliás, dos mais vulgares, embora, em todo caso, não inteiramente ao alcance do bolsinho de um empregado com família, embora ganhasse dois mil rublos de ordenado. Mas prestava-se para ter hóspedes, com pensão completa, e Gânia e sua família haviam-no alugado não fazia dois meses, lutando com a viva oposição daquele, em virtude da insistência e das súplicas de Nina Alieksándrovna e Varvara Ardaliónovna, desejosas também elas de ser úteis e acrescentar algo ao orçamento familiar. Gânia franzia o cenho e dizia que ter inquilinos era pouco distinto. Sentia como que vergonha disso depois na boa sociedade, onde costumava apresentar-se como um jovem brilhante e de futuro. Todos esses reveses do destino e aquela situação precária... tudo isso lhe havia aberto na alma profundas feridas. Desde algum tempo começara a irritar-se pela mínima coisa de um modo desmedido e desproporcionado, e se ainda acontecia ceder e aguardar algum tempo mais, era porque já tinha decidido mudar e transformar tudo aquilo no mínimo prazo. E apesar dessa mesma mudança, essa mesma saída, em que confiava, constituía mistério... um grande mistério, cuja resolução iminente ameaçava ser mais difícil e penosa que todo o anterior.

Dividia a casa um corredor pelo qual se meteram logo ao entrar. A um lado do corredor estavam os três quartos destinados aos inquilinos, a pessoas especialmente recomendadas. Do outro lado do corredor e mesmo na sua extremidade, encontrava-se um quarto, pequeno aposento, menor que todos os outros, e que era ocupado pelo general reformado, Ívolguin, o chefe da família, que dormia num divã amplo e para entrar no quarto e dele sair via-se forçado a atravessar a cozinha e uma escada escura. Naquele mesmo aposento estava também instalado o irmão de Gavrila Ardaliónovitch, Kólia, de treze anos de idade e aluno do Ginásio. Também ele tinha de ficar ali encolhido, estudar, dormir em outro divã pequeno, sumamente velho, estreito e duro, com o pano em tiras e, principalmente, cuidar de seu pai e vigiá-lo pois cada dia necessitava mais de cuidados. Destinaram ao príncipe o quarto em meio dos três; o primeiro, à direita, era ocupado por Fierdíchtchenko e o terceiro à esquerda estava sem inquilino. Mas Gânia, antes de tudo, conduziu o príncipe aos cômodos da família. Os tais cômodos da família compunham-se da sala, que se transformava, quando era necessário, em sala de jantar; a sala de visitas, que só fazia essas vezes pela manhã, convertendo-se, chegada a noite, em gabinete de trabalho e alcova de Tânia e, finalmente, de um terceiro quarto, estreito e sempre fechado; a alcova de Nina Alieksándrovna e de Varvara Ardaliónovna. Numa palavra: tudo naquele pavimento era estreito e encolhia a alma. Gânia se limitava em ranger os dentes para si; embora fosse e queria ser respeitoso para com sua mãe, desde o primeiro momento podia-se perceber que era um déspota terrível para sua família.

Nina Alieksándrovna não estava sozinha na sala, mas em companhia de Varvara Ardaliónovna. Estavam as duas tricotando, enquanto conversavam com uma visita: Ivan Pietróvitch Ptítsin. Nina Alieksándrovna aparentava uns cinquenta anos *e tinha um rosto cavado e magro* e olheiras enormes. Mostrava aspecto doentio e algo triste, mas seu rosto e seu olhar eram bastante simpáticos; às primeiras palavras deixava perceber um caráter sério e impregnado de dignidade sincera. Apesar de seu aspecto entristecido, adivinhava-se nela firmeza e até mesmo decisão. Trajava, com suma modéstia, roupa escura e inteiramente como uma velha, mas seus modos, sua conversação, toda ela revelava uma senhora que havia tratado com a melhor sociedade.

Varvara Ardaliónovna era uma jovem de vinte e três anos, de estatura mediana, muito magra, com um rosto não muito bonito, mas que possuía o segredo de agradar sem beleza e de exercer uma sedução que podia chegar a ser apaixonada. Era muito parecida com sua mãe e trajava quase da mesma maneira, por causa de sua absoluta aversão a arrumar-se. O olhar de seus olhos esverdeados podia por vezes afetar muita jovialidade e simpatia, mas em geral mantinha-se grave e pensativa, certas ocasiões até mesmo por demais, sobretudo de algum tempo àquela parte. Inteireza e resolução apareciam também em sua face, mas pressentia-se que aquela firmeza podia chegar a ser ainda mais enérgica e decidida que a da mãe. Varvara Ardaliónovna era muito ardente e seu irmão temia por vezes seu ardor.

Também a temia seu visitante do momento, Ivan Pietróvitch Ptítsin. Era este um homem ainda jovem, de menos de trinta anos, vestido com modéstia mas esmeradamente, de maneiras simpáticas, mas um tanto excessivamente sério. Uma barbicha dum ruivo escuro delatava nele o homem que não desempenha cargos oficiais. Tinha uma conversa inteligente, mantinha-se silencioso. Costumava causar a todos uma impressão simpática. Saltava aos olhos que não estava de acordo com Varvara Ardaliónovna e não ocultava seus sentimentos. Varvara Ardaliónovna tratava-o afetuosamente, mas a algumas de suas perguntas respondia descuidadamente e até lhe causavam pouco prazer. Aliás, estava Ptítsin muito longe de desanimar. Nina Alieksándrovna testemunhava-lhe carinho e até nos últimos tempos depositava nele grande confiança. Sabido era, aliás, que ele se dedicava especialmente a obter dinheiro, emprestando-o a juros altos, mediante garantias mais ou menos seguras. Era muito amigo de Gânia.

Diante da circunstanciada mas seca apresentação de Gânia (que cumprimentou sua mãe com muito desinteresse, não dirigiu à irmã saudação alguma e imediatamente se retirou, levando Ptítsin consigo), Nina Alieksándrovna dedicou ao príncipe algumas palavras amáveis e ordenou a Kólia, que havia aparecido à porta, que o conduzisse ao quarto do meio. Kólia era um menino de rosto muito alegre e simpático, de maneiras simples e confiadas.

— Onde está sua bagagem? — perguntou, ao introduzir o príncipe no quarto.

— Trago apenas um pacotinho. Deixei-o na antessala.

— Trago-o imediatamente. Aqui em casa todo o serviço corre por conta de Matriona, a cozinheira; de modo que eu ajudo. Vária vigia tudo e se aborrece. Gânia disse que o senhor acaba de chegar da Suíça. É mesmo?

— É sim.

— E passou bem na Suíça?

— Muito bem.

— Há montanhas lá?

— Sim.

— Vou correndo buscar seu embrulho.

Entrou Varvara Ardaliónovna:

— Agora mesmo virá Matriona preparar a cama. O senhor traz alguma mala?

— Não, somente um pacotinho. Seu irmão foi buscá-lo. Deixei-o na antessala.

— *Não encontrei pacote* nenhum, a não ser este. Onde o deixou o senhor? — perguntou Kólia, de volta ao quarto.

— É este mesmo e não outro — declarou o príncipe, tomando seu embrulho.

— Ah! E eu que já estava imaginando que Fierdíchtchenko o teria levado!

— Não digas tolices — disse-lhe, severa, Varvara, que tratava o príncipe com muita sequidão, sem ultrapassar os limites da cortesia.

— Querida Babette, não me trates desse modo que não sou Ptítsin.

— Até pauladas mereces, Kólia, por causa de tua tolice. Para tudo quanto o senhor necessitar pode chamar Matriona. Jantamos às cinco e meia. O senhor poderá jantar conosco ou em seu quarto, como prefira. Vamos, Kólia; não o incomodes.

— Vamos embora, caráter decidido!

Ao sair, toparam com Gânia.

— Papai está em casa? — perguntou Gânia a Kólia e diante da resposta afirmativa deste, murmurou-lhe algo ao ouvido.

Kólia assentiu com a cabeça e saiu atrás de Varvara Ardaliónovna.

— Duas palavras, príncipe. Tinha-me esquecido de falar-lhe desse... assunto. Um pedido: faça-me o favor, se não lhe causa muito incômodo, de não dizer aqui nem uma palavra do que acaba de ocorrer com Aglaia, nem lá do que vir o senhor nesta casa, porque aqui também há bastantes coisas que não estão nada bem. Que vá tudo para o diabo! Mas, hoje, pelo menos, contenha-se.

— Asseguro-lhe que sou muito menos tagarela do que o senhor imagina — replicou o príncipe, algo irritado com a repreensão de Gânia. As relações entre eles tomavam um aspecto cada vez pior.

— Bem, já sofri hoje bastante por sua culpa, se bem que, afinal de contas, o perdoe.

— Observe também o senhor, Gavrila Ardaliónovitch, que eu não me havia comprometido a nada e; por conseguinte, podia muito bem falar a respeito do retrato. O senhor não havia pedido sigilo.

— Ufa! Que quarto mais antipático! — observou Gânia, correndo o olhar em torno de si, desdenhosamente. — Escuro e com uma janela para o pátio. Em todos os sentidos pode-se dizer que o senhor chegou em má hora... Mas, afinal, não é isso da minha conta. Não sou eu quem aluga os quartos.

Surgiu à porta Ptítsin e fez um sinal a Gânia que a toda a pressa deixou o príncipe, apesar de parecer desejar lhe dizer ainda alguma coisa, mas atrapalhava-se e como que se envergonhava, saindo mesmo do aposento com visíveis sinais de confusão.

Mal havia o príncipe se lavado e arranjado um pouco quando se abriu de novo a porta e apareceu nela nova figura.

Era um homem duns trinta anos, de estatura não pequena, largo de ombros, com uma cabeçorra enorme, de cabelos crespos e ruivos. Tinha o rosto gordo e corado, os lábios grossos, o nariz, largo e chato, os olhos pequeninos, acesos e zombeteiros, como se estivesse sempre a dar piscadelas. Tudo isso dava-lhe ao rosto grande expressão de insolência. Andava muito mal trajado.

A princípio entreabriu a porta timidamente, o necessário apenas para intrometer a cabeça. Com a cabeça estendida, inspecionou o quarto uns cinco segundos e depois foi abrindo, devagarinho, um pouco mais a porta, até enquadrar todo o corpo nos umbrais, mas sem entrar de todo, limitando-se a continuar fazendo dali piscadelas e a examinar o príncipe. Finalmente, fechou a porta atrás de si, acabou de aproximar-se, sentou-se numa cadeira, segurou com força uma das mãos do príncipe e o fez sentar no divã perto dele.

— Fierdíchtchenko — disse, olhando fixa e interrogativamente o príncipe.

— Bem, e então? — respondeu-lhe o príncipe, quase rindo.

— Inquilino — insistiu de novo Fierdíchtchenko, olhando-o como antes.

— O senhor desejava conhecer-me, não é verdade?

— Ah! — exclamou o visitante, assanhando os cabelos e lançando um suspiro, e voltou o rosto para o lado oposto. — O senhor tem algum dinheiro? — perguntou, de repente, ao príncipe.

— Sim, um pouco.

— Quanto?

— Vinte e cinco rublos.

— Mostre-os!

O príncipe tirou do bolso do colete uma cédula de vinte e cinco rublos e entregou-a a Fierdíchtchenko. Este a tomou, olhou-a virou-a pelo outro lado e, por fim, examinou-a contra a luz.

— É muito estranho — disse, como que pensativo. — Por que se terá tornado tão escura? Estas cédulas de vinte e cinco rublos ficam por vezes escuras de um modo horrível, e doutras pelo contrário, desbotam-se completamente. Tome.

O príncipe recebeu a cédula devolvida. Fierdíchtchenko levantou-se da cadeira.

— Vim adverti-lo. Em primeiro lugar, nunca me empreste dinheiro, porque, senão, é certo que continuarei a pedir-lhe.

— Está bem.

— Tem intenção de pagar aqui?

— Tenho.

— Pois eu, não. Teria graça! Vivo aqui, a primeira porta à direita, está vendo? Não se incomode em visitar-me com demasiada frequência. Virei vê-lo, não se preocupe. Viu o general?

— Não

— Nem o ouviu.

— Tampouco.

— Pois não tardará a ter ocasião de ouvi-lo, porque, fique o senhor sabendo, está sempre me pedindo dinheiro emprestado. *Avis au lecteur*. Adeus. É possível viver, quando a gente se chama Ferdíchtchenko?

— Por que não?

— Adeus.

E foi-se embora. Soube o príncipe depois que aquele cavalheiro havia-se imposto a obrigação de espantar a todos com sua extravagância e sua jovialidade, mas não conseguia isso nunca. Causava mesmo a algumas pessoas impressão antipática, o que sinceramente o magoava, sem que nem por isso renunciasse à sua missão. Já na porta, conseguiu justificar-se, tropeçando com um indivíduo que entrava; introduzindo aquele novo e desconhecido visitante no quarto, fez ao príncipe, por trás das costas daquele alguns gestos de advertência e assim pôde retirar-se dali com certo aprumo.

O novo visitante era de estatura corpulenta, de uns cinquenta e cinco anos, *ou talvez mais, bastante gordo*, com um rosto rubicundo e cor de barro, cheio e bochechudo, enquadrado por espessas suíças grisalhas e bigodes e com uns olhos grandes e esbugalhados. Sua figura poderia ser por demais imponente, se nela não houvesse algo de humilde, de rastejante, de untuoso. Trazia um capotinho puído, com os cotovelos quase rasgados; sua roupa interior era também gordurosa... como de casa. De perto desprendia um hálito aguardentado, mas mantinha uns modos aparatosos, algo estudados e que denunciavam o visível e vivo desejo de dar uma impressão de dignidade. Aquele cavalheiro aproximou-se do príncipe, devagar, com afável sorriso, pegou-lhe em silêncio a mão e, retendo-a na sua, esteve a olhá-lo um instante, como se esforçando em reconhecer umas feições conhecidas.

— Ele! Ele! — declarou em voz baixa, mas solene: — Ele mesmo em pessoa! Ouvi repetirem um nome para mim conhecido e grato, em seguida recordei todo o passado irrevocável... É o senhor, o Príncipe Míchkin?

— Ele mesmo.

— Sou o General Ívolguin, reformado e desgraçado. Permite-me que lhe pergunte seu nome de batismo e o patronímico?

— Liev Nikoláievitch.

— Isto, isto! O filho de meu amigo e pode dizer-se de meu companheiro de infância Nikolai Pietróvitch.

— Meu pai chamava-se Nikolai Lhvóvitch.

— Lhvóvitch — retificou o general, mas sem apressar-se e com convicção absoluta, como quem não se equivocou, mas simplesmente incorreu em erro inesperado. Sentou-se e, segurando também o príncipe pela mão, sentou-o a seu lado. — Carreguei o senhor nos meus braços.

— Como? — perguntou o príncipe — Pois já faz vinte anos que meu pai morreu!

— Sim, vinte anos, vinte anos e três meses. Fizemos os estudos juntos. Eu entrei depois para o Exército.

— Meu pai também foi militar, subtenente no Regimento Vassílievski.

— Em Bielomórski. Sua transferência para Bielomórski foi quase nas vésperas de sua morte. A mãe do senhor...

O general fez uma pausa, como que assaltado por tristes recordações.

— Ela também morreu, meio ano depois, de um resfriado — disse o príncipe.

— De um resfriado, não; de um resfriado, não. Creia neste velho. Eu estava lá e enterrei-a. De dor por causa de seu príncipe, e não por causa de um resfriado. É isto. Como me recordo também da princesa! A juventude! Por culpa dela estivemos a ponto de nos matar, seu pai e eu!

O príncipe começara a escutá-lo com atenção mas com alguma desconfiança.

— Eu estava loucamente apaixonado por sua mãe, quando não era senão a noiva... a noiva de meu amigo. O príncipe notou isso e ficou atônito. Veio ver-me uma manhã, aí pelas sete horas. Visto-me, espantado; silêncio de ambas as partes: eu havia compreendido tudo. Tira do bolso duas pistolas. Com um lenço. Sem padrinhos. *Para que padrinhos* quando, dentro de cinco minutos, vamos enviar-nos um ao outro para a eternidade? Carregamos as pistolas, estendemos o lenço, colocamo-nos em posição, pusemos mutuamente as pistolas no coração e fitamo-nos rosto a rosto. De repente, lágrimas brotam dos olhos de nós ambos, tremem-nos as mãos. Dos dois, dos dois, ao mesmo tempo! Bem, nem é preciso dizer: abraços e um torneio de grandeza de alma: "Tua!", grita o príncipe. "Tua!", grito eu. Em resumo... em resumo... O senhor vai morar conosco?

— Sim, é possível que por uma temporada — disse o príncipe, quase gaguejando.

— Príncipe, a *mamacha* roga-lhe que vá vê-la — gritou da porta Kólia.

O príncipe levantou-se para atender, mas o general pôs a palma de sua mão direita no ombro dele e, afetuosamente, tornou a sentá-lo no divã.

— Como sincero amigo de seu pai, quero preveni-lo — disse o general. — Eu, como vê, caí em desgraça, por efeito de uma catástrofe trágica, mas sem ser julgado. Sem ser julgado! Nina Alieksándrovna... é uma mulher como poucas. Varvara Ardaliónovna; minha filha... é uma filha como não há muitas. Devido às circunstâncias, somos obrigados a ter inquilinos... decadência inaudita. Eu, que estava destinado a ser general governador!... Mas o senhor sempre me encontrará alegre. E, não obstante, tenho em minha casa uma tragédia.

O príncipe olhou-o interrogativamente e com grande curiosidade.

— Estamos em vésperas de um casamento e de um casamento estranho: a união de uma mulher ambígua e de um jovem que poderia ser *Kammer-junker*. [16] Vão trazer essa mulher a esta casa, onde está minha filha, onde está minha esposa. Mas enquanto eu tiver forças, não entrará aqui. Vou me estender nos umbrais e terão de passar por cima de mim... Mal dirijo a palavra a Gânia e até evito encontrar-me com ele. Advirto-lhe com toda a intenção; se quiser morar conosco, está bem; e se não, de qualquer modo será testemunha. Mas o senhor é o filho do meu amigo e, eu, na verdade; espero...

— Príncipe, faça o favor de vir aqui, à sala — chamou própria Nina Alieksándrovna, aparecendo no umbral.

— Imagine, minha amiga — exclamou o general, — que verifico que carreguei o príncipe em meus braços.

Nina Alieksándrovna lançou um olhar de censura ao general e outro de curiosidade ao príncipe, mas não disse nada. O príncipe tratou de acompanhá-la; porém, mal havia chegado à sala e tomado assento e nem bem havia começado Nina Alieksándrovna, com muita precipitação e em voz baixa, a comunicar algo ao príncipe, apresentou-se ali o general em pessoa. Nina Alieksándrovna calou-se imediatamente e, com visível contrariedade, inclinou-se sobre seu tricô. O general talvez tivesse percebido aquela contrariedade de sua esposa, mas nem por isso modificou sua excelente disposição de espírito.

— O filho de meu amigo! — exclamou, dirigindo-se a Nina Alieksándrovna. — E dum modo tão inesperado! Há muito tempo que deixei de ter ilusões. Mas, minha amiga, não te lembras do falecido Nikolai Lhvóvitch? Chegaste a conhecê-lo... onde, em Tver?

— Não me recordo de Nikolai Lhvóvitch. Era pai do senhor? — perguntou ao príncipe.

— Meu pai, sim. Mas morreu, segundo creio, não em Tver, mas em Elizavetgrad — disse-lhe o príncipe — Sei disso por Pávlichtchev...

— Em Tver — afirmou o general. — Nas vésperas de sua morte, trasladaram-no para Tver e mesmo antes da doença ter se manifestado. O senhor era então demasiado pequeno e não pode lembrar-se, nem da mudança, nem da viagem. Pávlichtchev pode também ter-se equivocado, embora fosse um homem excelente.

16 Sinônimo de *Kammer-pagen*, suboficial nobre destinado ao serviço direto dum membro da Coroa.

— O senhor conheceu Pávlichtchev?

— Era um homem como há poucos, mas fui testemunha pessoal. Fechei-lhe os olhos...

— Meu pai morreu, segundo parece, quando estava submetido a processo — tornou a observar o príncipe, — embora nunca tenha podido averiguar por que... Morreu no hospital.

— Oh! foi isso por causa de certa história com o soldado Kolpakov; mas, sem dúvida alguma, devem ter absolvido o príncipe.

— Como? Sabe disso com certeza? — indagou o príncipe com especial curiosidade.

— Claro que sim! — exclamou o general. — O tribunal dissolveu-se sem ter resolvido nada. Era aquele um caso impossível! Um caso que até poderíamos chamar de misterioso. Morrera o Capitão Lariónov, que comandava nossa companhia; o príncipe assumiu oportunamente o comando. Muito bem. O soldado Kolpakov rouba as botas de um companheiro, vende-as e gasta o dinheiro em bebidas. O príncipe (preste atenção: ocorreu isto na presença do primeiro-sargento e do cabo) repreende Kolpakov e ameaça-o com o castigo dos açoites. Muito bem Kolpakov vai para o quartel, deita-se em sua maca e um quarto de hora depois estava morto. Magnífico! Tratava-se de um caso surpreendente, quase que impossível. Mas seja como for, enterram Kolpakov. O príncipe lavra aparte correspondente e riscam Kolpakov da lista. E que mais se poderia fazer? Mas justamente no meio do ano, ao passar a brigada em revista, não se sabe como, aparece vivinho e bulindo, o soldado Kolpakov, na terceira companhia do segundo batalhão do regimento de infantaria Novoziemliánski,[17] da mesma brigada e da mesma divisão.

— Como?! — exclamou o príncipe, atônito.

— Não havia tal coisa, foi um erro — explicou-lhe Nina Alieksándrovna, olhando-o quase com pena. — *Mon mari se trompe*.[18]

— Mas, minha amiga isso de *"se trompe"* é muito fácil de dizer, mas julga tu mesma. Todos ficaram estupefatos. Seria eu o primeiro a dizer *qu'on se trompe*. Mas, por desgraça, eu mesmo fui testemunha e fiz parte da comissão investigadora. Todas as acareações demonstraram que aquele era ele mesmo, exatamente o próprio soldado Kolpakov, o que meio ano antes tínhamos enterrado com todas as formalidades da praxe e entre rufos de tambor. A coisa é, efetivamente, estranha, quase impossível, concedo o porém...

— *Papacha*, chamam-no à mesa — anunciou-lhe Varvara Ardaliónovna, entrando na sala.

— Ah! muito bem. Magnífico! Tenho uma fome feroz. Mas pode dizer-se que se tratava de um caso psicológico...

— A sopa está esfriando — interrompeu-o Vária, impaciente.

— Já vou, já vou — resmungou o general, saindo da sala. — E apesar de todas as investigações... — ouviu-se o general ainda dizer no corredor.

— O senhor terá de ser muito indulgente com Ardalion Alieksándrovitch, se é que fica conosco — disse Nina Alieksándrovna ao príncipe. — Se bem que, aliás, não irá incomodá-lo muito. Come sozinho. Compreenderá o senhor que todos nós

17 Regimento de Infantaria de Nova Ziembla (Terra Nova), grande ilha quase ártica ao Norte da Sibéria, prolongamento emergente da cadeia montanhosa dos Urais.

18 Meu marido se engana.

temos os nossos defeitos e nossos... achaques especiais, e por vezes em maior grau que aqueles aos quais se costuma apontar a dedo. Só uma coisa lhe peço: se meu marido se dirigir ao senhor para falar-lhe do pagamento da pensão, diga-lhe que já pagou a mim. Quer dizer que o que o senhor der a Ardalion Alieksándrovitch, será o mesmo que nos daria a nós, mas digo-lhe isso unicamente tendo em vista a exatidão Que é isso, Vária?

Vária havia voltado à sala e, em silêncio, entregou à sua mãe um retrato de Nastássia Filípovna. Nina Alieksándrovna estremeceu e, a princípio, pareceu assustar-se, embora logo depois, possuída dum sentimento de prostração e amargura, ficasse a contemplá-lo longo tempo. Afinal, olhou para Vária com olhos interrogativos.

— Hoje ela mesma escreveu a dedicatória — disse Vária. — E esta noite há de decidir-se tudo entre eles.

— Esta noite! — repetiu, em voz baixa, Nina Alieksándrovna, como que desesperada. — Mas como? Então já não há dúvida alguma e acabaram-se todas as esperanças! É o que dá a entender esse retrato... Mas ele te disse alguma coisa? — acrescentou, estupefata.

— Bem sabe a senhora que passamos meses inteiros sem trocar a palavra. Foi Ptítsin quem me contou tudo. Mas o retrato estava lá, caíra da mesa no chão, onde o apanhei.

— Príncipe — e, de repente, Nina Alieksándrovna o fitou, — queria perguntar-lhe (para isso roguei-lhe especialmente que viesse), se faz muito tempo que conhece meu filho? Creio que disse que o senhor acabava de chegar de não sei onde.

O príncipe explicou-lhe em breves palavras o que se referia à sua pessoa, passando por alto mais da metade. Nina Alieksándrovna e Vária escutaram-no, atentas.

— Não lhe pergunto por querer saber de alguma coisa a respeito de Gavrila Ardaliónovitch observou Nina Alieksándrovna. — Não vá equivocar-se a este respeito. Se há algo que ele mesmo não deva dizer-me, não hei de averiguá-lo por outro meio. Mas há um detalhe especial e é que Gânia, há pouco, diante do senhor e depois quando o senhor se retirou, ao perguntar-lhe eu quem era o senhor, respondeu-me: "Está ciente de tudo; não é preciso andar com cerimônias com ele". Que quer dizer isso? Olhe: queria saber até que ponto...

Entraram, de repente, Gânia e Ptítsin; Nina Alieksándrovna calou-se imediatamente. O príncipe continuou sentado em sua cadeira ao lado dela. Mas Vária afastou-se para um lado. O retrato de Nastássia Filípovna achava-se em lugar mais visível, na mesinha de trabalho de Nina Alieksándrovna, exatamente diante dela. Gânia fitou-o, aborreceu-se e dirigiu-se à sua escrivaninha que estava localizada no outro extremo da sala.

— Com que então é hoje, Gânia? — perguntou, de repente, Nina Alieksándrovna.

— Que é que vai passar-se hoje? — resmungou Gânia e voltou a dirigir-se ao príncipe. — Ah! já compreendo; também nesta dança está metido o senhor! Mas que é que se passa com o senhor? Trata-se de uma doença ou de uma mania? Será que o senhor não pode se conter? Mas, excelência, é preciso tomar juízo.

— Sou o único culpado, Gânia, e ninguém mais — interrompeu-o Ptítsin.

Gânia olhou-o interrogativamente.

— Isto é o melhor, Gânia; tanto mais quanto que, de uma parte, se trata de coisa feita — murmurou Ptítsin e, afastando-se para um lado, sentou-se à mesa, tirou do bolso um papel, rascunhado a lápis e pôs-se a examiná-lo atentamente. Gânia continuava de pé, franzindo o cenho e aguardava com inquietação uma cena de família.

— Se é já coisa feita, então Ivan Pietróvitch, naturalmente, tem razão — disse Nina Alieksándrovna. — Não feches a cara, Gânia, nem te aborreças, que não vou fazer-te pergunta nenhuma a respeito daquilo que tu mesmo não me queres dizer e asseguro-te que me resignarei a tudo; de modo que faz-me o favor de não te afligires.

Disse isto sem desviar a vista de seu trabalho e, ao que parecia, completamente tranquila. Gânia estava assombrado, mas por prudência calava-se e fitava sua mãe, esperando que se explicasse com mais clareza. Os desgostos de família saíam-lhe muito caros. Nina Alieksándrovna notou aquela prudência e, com amargo sorriso, acrescentou:

— Tu estás sempre duvidando e não acabas tendo confiança em mim. Pois não te preocupes: não haverá lágrimas nem súplicas, como até aqui, de minha parte, pelo menos. Todo o meu desejo se resume em que sejas feliz, e de sobra o sabes. Vou me resignar à sorte, mas meu coração estará sempre contigo, quer sigamos unidos, quer nos separemos. É claro que só respondo por mim. Não podes exigir outro tanto, de tua irmã...

— Ah! outra vez ela! — exclamou Gânia, olhando sua irmã com olhos zombeteiros e rancorosos. — *Mámienhka!* Torno a jurar-lhe o que já lhe prometi: ninguém nunca se atreverá a faltar-lhe ao respeito, enquanto aqui estiver, enquanto viver. Disso nem precisa falar e vigiarei para que se guarde todo o respeito devido à senhora, seja quem for que atravesse os umbrais desta casa...

Gânia estava tão agitado que olhou para sua mãe, quase reconciliado e terno.

— Eu por mim nada temo, Gânia, bem o sabes. Não era por mim que tinha estado inquieta e preocupada todo este tempo. Dizem que hoje há de decidir-se tudo? É hoje que vai decidir-se deveras?

— Esta noite, em sua casa, prometeu responder-me de uma vez, sim ou não — respondeu Gânia.

— Nós levamos cerca de três semanas evitando falar disso e era o melhor que podíamos fazer. Agora, que já está tudo resolvido, só uma coisa me permito perguntar-te: como pode ela dar-te seu consentimento e até dedicar-te seu retrato, sendo fato que não a amas? Como, com uma mulher... tão... tão...

— Vamos, tão experimentada, não é verdade?

— Não queria empregar esse termo. Será que tu conseguiste a tal ponto cegar lhe os olhos?

Intolerável irritação denunciava-se, de repente, naquela pergunta. Gânia deteve-se, meditou um instante e, sem dissimular um sorriso, disse:

— *A senhora se exalta, mámienhka,* e perde outra vez a serenidade, e desse modo entre nós tudo começa e se exaspera. A senhora disse há um momento: "Não haverá perguntas nem censuras", e veja que já estão começando. Deixemos esse tema, será melhor: Sim, façamos isso. A senhora pelo menos teve a intenção... Eu nunca, nem por coisa alguma, hei de abandoná-la; qualquer um outro fugiria de uma irmã como a que tenho, pelo menos... é preciso ver as olhadelas que me dá! Vamos acabar com isto! E eu que estava tão contente! De onde a senhora tira que estou enganando a Nastássia Filípovna? Quanto a Vária, pode fazer o que quiser e basta! Vamos, agora já falamos bastante!

Gânia acalorava-se a cada palavra que dizia, e ia e vinha, sem rumo, pela sala. Aqueles diálogos convertiam-se logo em um ponto doloroso para todos os membros da família.

— Disse que se ela entrar aqui, vou-me eu embora, e cumprirei minha palavra — disse Vária.

— Por teimosia! — exclamou Gânia. — Por teimosia não te casas! Por que encolhes os ombros? Não ligo absolutamente a isso, Varvara Ardaliónovna. Faz o que quiseres... Cumpre, agora mesmo, se quiseres, tua palavra. Já estou farto! Como? Decide-se, afinal, a deixar-nos, príncipe? — exclamou, encarando o príncipe, ao ver que este se levantara da cadeira.

A voz de Gânia já mostrava aquele grau de excitação em que o homem quase se alegra com seu nervoso, entrega-se a ele sem o menor freio e até com delegação crescente, sem pensar aonde possa conduzi-lo. O príncipe voltou-se da porta para responder-lhe, mas, ao perceber, pela doentia expressão do semblante de seu ofensor, que só faltava uma gota para que o vaso transbordasse, deu meia volta e retirou-se em silêncio. Uns minutos depois, as vozes que vinham da sala deram-lhe a entender que, na sua ausência, havia continuado o diálogo ainda mais sem reservas e barulhento.

Atravessou o salão e foi sair na saleta de entrada, para seguir pelo corredor e encaminhar-se para seu quarto. Ao passar junto à porta que conduzia à escada, sentiu e notou que alguém, de fora, lutava com todas as suas forças, para puxar a campainha, que sem dúvida devia estar estragada, pois limitava-se a estremecer, sem soar. O príncipe correu o ferrolho, abriu a porta e quedou-se estupefato e até tremeu da cabeça aos pés: diante de si estava Nastássia Filípovna. Reconheceu--a imediatamente pelo retrato. Seus olhos cintilavam numa explosão de cólera ao encontrar-se com ele. Entrou sem demora para a saleta, batendo nele com o ombro ao passar e disse, iracunda, enquanto tirava a peliça:

— Se tens preguiça de consertar a campainha, pelo menos mantém-te na saleta, para atender aos chamados. Agora deixou ele cair a peliça, o pateta!

A peliça havia, efetivamente, caído no chão; sem esperar que o príncipe a ajudasse a tirá-la, Nastássia Filípovna havia-a atirado para o braço dele, sem olhar para trás, de costas, mas o príncipe não teve a pressa suficiente para apanhá-la.

— É preciso mandar-te embora! Anda, anuncia-me.

O príncipe quis dizer algo, mas a tal ponto ficou confuso que não acertou dizer coisa alguma e, com a peliça que apanhara do chão, encaminhou-se para a sala de visitas.

— Bem, agora vem ele com minha pele! Por que vai levando minha peliça? Ah! ah! ah! estás louco?

O príncipe voltou-se e olhou para ela, como se estivesse petrificado. Quando ela riu, ele riu também, mas ainda não conseguia mover a língua. No primeiro instante, ao abrir-lhe a porta, havia empalidecido, mas agora, de repente, as cores *subiram-lhe ao rosto.*

— Mas que se passa com esse idiota? — exclamou, indignada, Nastássia Filípovna. — Mas aonde vais? A quem vais anunciar?

— A Nastássia Filípovna — balbuciou o príncipe:

— Mas tu me conheces? — indagou ela, rapidamente. — Eu nunca te vi. Anda, anuncia-me... Mas que gritos são esses?

— É que estão brigando — respondeu o príncipe e dirigiu-se para a sala. Entrou num momento bastante decisivo. Nina Alieksándrovna já estava perfeitamente, disposta a esquecer que se resignava a tudo; aliás saíra em defesa de Vária. Do lado de Vária estava também Ptítsin, que já havia largado seu papelzinho garatujado a lápis. Vária não se intimidava, pois não era nenhuma menina de dez anos, mas a grosseria de seu irmão tornava-se a cada palavra mais vulgar e insuportável. Em tais ocasiões, ela, geralmente, se calava e, em silêncio, ficava olhando, sarcástica, seu irmão, sem desviar dele o olhar. Tal artimanha, sabia muito bem, era capaz de fazer aquele ultrapassar os derradeiros limites. Naquele preciso instante entrou o príncipe na sala e anunciou com voz sonora:

— Nastássia Filípovna!

Capítulo IX

Reinou silêncio geral; todos se voltaram para olhar o príncipe, como se não o tivessem entendido e... sem querer entendê-lo. Gânia ficou paralisado de temor.

A chegada de Nastássia Filípovna, e sobretudo naquele instante, representava para todos a mais estranha e perturbadora surpresa. Era já bastante que Nastássia Filípovna fosse visitá-los pela primeira vez. Até então havia-se conduzido com tanta altivez que, em suas conversas com Gânia, jamais havia manifestado desejos de conhecer seus parentes e nos últimos tempos nem sequer os mencionava, nem mais, nem menos como se não existissem no mundo. Gânia, apesar de alegrar-se, em parte, por ficar adiado um tema de conversa para ele tão penoso, não deixava de censurar, no íntimo do coração, aquela altivez. Seja como for, antes esperava dela risadas e zombarias à custa de sua família e não que fosse visitá-lo. Sabia com certeza que ela estava ciente de tudo quanto sucedia em casa dele a propósito de seu noivado e com que olhos a olhavam. Sua visita, agora, depois de oferecer lhe seu retrato e no dia de seu aniversário, no dia em que havia prometido decidir sua sorte, quase vinha significar essa mesma decisão.

A perplexidade com que todos olhavam o príncipe prolongou-se um momento. Nastássia Filípovna assomou então aos umbrais da porta e novamente, ao entrar na sala, deu ligeiro encontrão no príncipe...

— Pude por fim entrar!... Por que amarram tão fortemente a campainha? — disse em tom jovial, dando a mão a Gânia, que havia corrido, pressuroso, ao seu encontro. — Por que estão todos com esses rostos tão alterados? Vamos, apresenta-me, faz favor.

Gânia, que estava completamente atarantado, apresentou-a primeiro a Vária e ambas antes de tudo, começaram por estender-se as mãos, trocando entre si estranhos olhares. Nastássia Filípovna aliás, ria e disfarçava seus sentimentos com uma exibição de jovialidade. Mas Vária não queria fingir e fitava, sombria e fixamente: nem sequer aquela sombra de sorriso pedido pela simples urbanidade aparecia em seu rosto. Gânia ficou pálido; já não era ocasião para suplicar, de modo que olhou

Vária de um modo tão ameaçador que ela compreendeu, pela força de tal olhar, o que para seu irmão significava aquele instante. E então ela, ao que parecia, resolveu ceder diante de seu irmão e embora a contragosto, sorriu para Nastássia Filípovna. (Todos na família ainda se amavam.) Nina Aliéksándrovna arranjou um pouco a coisa, ao ser apresentada por Gânia, completamente confuso, depois que apresentou a irmã. Fizera mesmo a apresentação a Nastássia Filipovna em vez de fazer a desta à sua mãe. Mas tão logo começara Nina Alieksándrovna a falar de seu "grande prazer, etc.", Nastássia Filípovna, sem acabar de ouvi-la, voltou-se rapidamente para Gânia e, sentando-se, sem esperar que a tivessem convidado, no divãzinho, no canto junto à janela, exclamou:

— Onde é o vosso gabinete?... E... onde estão os inquilinos? Aceitam inquilinos, não é mesmo?

Gânia ficou muito vermelho e não sabia o que dizer, mas Nastássiá Filípovna imediatamente acrescentou:

— Onde meteis, inquilinos, aqui? Nem mesmo gabinete tendes. Isso rende? — perguntou ela dirigindo-se, de repente, a Nina Alieksándrovna.

— Dão muito que fazer — respondeu esta última, — mas é claro que se tem lucro. Nós, aliás, unicamente...

Mas Nastássia Filípovna já não a escutava de novo. Olhou para Gânia, riu e disse em voz alta:

— Com que cara estás! Meu Deus, só se vendo a cara com que estás neste momento!

Prolongou-se um tanto aquela risada e Gânia, era verdade, tinha um rosto terrivelmente transtornado. Sua imobilidade, sua perturbação cômica e tímida não puderam deixar de chocá-la de repente. Mas ele ficou muito pálido; os seus lábios se contraíam de modo convulsivo; em silêncio, com olhar fixo e intratável, sem desviar a vista, contemplava sua visitante que continuava a rir.

Havia ali também outro observador, que mal se repusera do assombro que lhe produzira a chegada de Nastássia Filípovna, mas embora ainda continuasse de pé, como um poste, no mesmo lugar, na porta da sala, pudera notar a palidez e a funesta mudança de semblante de Gânia. Esse observador era o príncipe. Quase assustado, adiantou-se maquinalmente alguns passos.

— Beba um pouco d'água — murmurou a Gânia. — E não olhe desse modo...

Era visível que o havia dito sem dar-se conta, sem nenhuma intenção especial, como que seguindo o primeiro impulso; mas suas palavras surtiram um efeito extraordinário. O resultado é que toda a cólera de Gânia descarregou-se sobre o príncipe. Agarrou-o pelo ombro e ficou a fitá-lo em silêncio, com ódio e rancor, como se lhe faltassem forças para falar. Levantou-se emoção geral: Nina Alieksándrovna lançou um leve grito; Ptítsin adiantou-se uns passos, inquieto; Kólia e Fierdíchtchenko, que surgiram naquele momento à porta, detiveram-se, atônitos, sendo Vária a única que, como antes, continuou observando tudo, de soslaio, mas atentamente. Não estava sentada, mas de pé, um pouco de parte, junto de sua mãe, com os braços cruzados sobre o peito.

Mas Gânia conteve-se em seguida, quase no primeiro instante de seu gesto e rompeu numa risada nervosa. Recobrara por completo o autodomínio.

— Mas o senhor será médico, príncipe? — perguntou, porém, com o tom mais jovial e ingênuo. — O senhor me assustou. Nastássia Filípovna, preciso apresentá-la a este apreciadíssimo sujeito que, não obstante, só conheço desde esta manhã.

Estupefata, Nastássia Filípovna contemplava o príncipe.

— Príncipe? Mas é príncipe? Imaginem que há um instante, na antessala, tomei-o por um criado e mandei-o anunciar-me. Ah! ah! ah!

— Não se aflija, não se aflija! — disse Fierdíchtchenko, entrando, muito contente por ver que já começavam a rir-se. — Não se aflija; *se non è vero*...[19]

— Por pouco não lhe passo uma descompostura, príncipe. Rogo-lhe que me perdoe. Mas, Fierdíchtchenko, o senhor aqui a esta hora? Não esperava encontrar o senhor, pelo menos. Mas príncipe de quê? Míchkin? — perguntou a Gânia, que diante de tudo isto, sem soltar o ombro do príncipe, tinha começado a apresentá-lo.

— Nosso hóspede — repetiu Gânia.

Ao que parecia, apresentavam o príncipe como algo de raro (aproveitado por todos como um recurso para sair daquela situação falsa) e quase que lhe metiam pelos olhos adentro de Nastássia Filípovna. O príncipe ouviu com toda a nitidez a palavra "idiota", murmurada às suas costas, ao que parece por Fierdíchtchenko, como que dando explicações a Nastássia Filípovna.

— Diga-me: por que não me tirou de meu erro, quando, há um instante, tão horrivelmente... o confundi? — prosseguiu Nastássia Filípovna, examinando o príncipe dos pés à cabeça, sem a menor cerimônia; impaciente, aguardava a resposta, como se perfeitamente convencida de que esta havia de ser tão estúpida, que não teria outro remédio senão rir.

— Fiquei surpreendido ao vê-la assim, de repente... — balbuciou o príncipe.

— Mas como sabia o senhor quem era eu? Onde me havia visto antes? Na verdade, parece que não foi esta a primeira vez que nos vimos! E permita-me uma pergunta: por que há pouco ficou o senhor aí parado? Que tenho eu para produzir esse pasmo?

— Ora, ora! — continuou Fierdíchtchenko, fazendo-se engraçado. — Ora! Oh! Senhor, quantas coisas não responderia eu a essa pergunta! Bem... És um tolo, príncipe, afinal!

— Também eu responderia a tudo isso, se estivesse em seu lugar — fez notar o príncipe a Fierdíchtchenko. — Há pouco me causou grande impressão seu retrato — continuou, dirigindo-se a Nastássia Filípovna. — Depois, não faz muito tempo, estive falando a seu respeito com as Iepántchini. Mas ainda antes disto, esta manhã, antes de chegar a Petersburgo, no trem, Parfien Rogójin falou-me da senhora. E no preciso instante em que fui abrir-lhe a porta, estava também pensando na senhora e, de repente, encontrei a senhora em pessoa.

— Mas como pôde reconhecer que era eu?

— Pelo retrato e...

— E que mais?

— Bem, porque a imaginava precisamente como é... Também a mim me parecia tê-la visto não sei onde.

— Onde? Onde?

---

19 Começo do conhecido provérbio italiano *se non è vero, è ben trovato* — se não é verdade, é pelo menos bem inventado.

— Creio ter visto em alguma parte seus olhos... mas não é possível. É que sou assim... Aqui nunca estive. Pode ser que tenha sido em sonhos...

— Ah! príncipe, cuidado! — exclamou Fierdíchtchenko. — Não, retiro o meu *se non è vero*. Aliás, aliás, diz tudo isso ingenuamente — acrescentou, compassivo.

Havia o príncipe pronunciado aquelas poucas palavras com voz insegura, detendo-se e tomando alento. Tudo nele exprimia excessiva emoção. Nastássia Filípovna fitava-o com curiosidade, porém já não ria. Naquele mesmo instante, de repente, uma nova voz forte, que se deixou ouvir fora do grupo que rodeava, compacto, o príncipe e Nastássia Filípovna, atravessou, por assim dizer, o grupo e dividiu-o em dois. Diante de Nastássia Filípovna estava o próprio chefe da família, o General Ívolguin. Vestia fraque e trazia camisa limpa Os bigodes estavam muito tintos...

Isto era mais do que Gânia podia suportar.

Vaidoso e ambicioso até o extremo, até a hipocondria, tendo procurado naqueles dois meses alguma circunstância que lhe permitisse considerar-se mais distinto e conduzir-se mais nobremente; sentindo que era ainda novato no caminho escolhido e estava apenas em condições de perseverar nele; tendo tomado, finalmente, em sua casa, onde se fazia um déspota, a resolução desesperada de ostentar o maior cinismo, mas sem atrever-se a isso em presença de Nastássia Filípovna, que desde o primeiro momento o havia arrancado dos eixos e continuava, implacável, mantendo-se superior a ele; "impaciente mendigo", segundo expressão da própria Nastássia Filípovna, que havia chegado a seus ouvidos; depois de haver jurado a si próprio, com toda espécie de juramentos, separar-se de tudo isso no futuro e sonhando, ao mesmo tempo, por vezes infantilmente, em pôr fim a tudo aquilo e harmonizar as contradições, era obrigado agora a sorver todo aquele horrível cálice e sobretudo, em tal momento. Outro indefinido, porém ferocíssimo martírio para um homem vaidoso — o tormento de envergonhar-se de seus parentes em sua própria casa — coube-lhe em sorte. "Mas será que, afinal de contas, valerá tudo isto o galardão esperado?" Tal ideia cruzou naquele momento a mente de Gânia.

Estava ocorrendo naquele instante o que durante aqueles dois meses só havia sido um sonho de suas noites, uma espécie de pesadelo que o transia de susto e o consumia de vergonha: sucedeu finalmente, o encontro em família de seu pai com Nastássia Filípovna. Por vezes, excitando-se e irritando-se, havia tratado de imaginar o general no momento do casamento; mas jamais pudera completar com a imaginação o penoso quadro e dava-se logo pressa em abandoná-lo. Talvez exagerasse sem proporção a catástrofe, mas assim ocorre sempre com as pessoas vaidosas. Naqueles dois meses tivera tempo para uma análise e uma resolução, prometendo a si mesmo, fosse como fosse, ocultar de algum modo seu pai e, se fosse possível, até afastá-lo de Petersburgo, contando, ou sem contar, com o beneplácito de sua mãe. Havia dez minutos, quando Nastássia Filípovna entrara, ficou tão surpreendido, tão estupefato, que se esqueceu inteiramente da possibilidade de que surgisse em cena. Ardalion Alieksándrovitch e não adotou medida nenhuma para evitar isso. E eis que o general se encontrava ali de súbito, na presença de todos, e, não assim, à vontade, mas solenemente disposto e de fraque e, sobretudo, no momento preciso em que *Nastássia Filípovna só procurava* uma oportunidade de zombar dele e dos seus (tinha certeza disso). E efetivamente, que significava aquela visita sua senão isso? Viera aqui para conhecer sua mãe e sua irmã, ou para ofendê-las em sua própria casa?

Mas, a respeito da disposição de ânimo em que ambas as partes se encontravam, não havia dúvida nenhuma: sua mãe e sua irmã estavam de um lado, como banidas; ao passo que Nastássia Filípovna parecia até ter-se esquecido de que aquelas se achavam em sua casa. E, quando assim procedia, sem dúvida tinha algum objetivo.

Fierdíchtchenko pegou o general e apresentou-o.

— Ardalion Alieksándrovitch Ívolguin — declarou o general com dignidade, inclinando-se e sorrindo, — velho e desditoso soldado e pai de família, feliz diante da esperança de albergar em seu seio tão sedutora...

Não chegou a terminar a frase. Fierdíchtchenko apressou-se em pôr por trás uma cadeira e o general, que naquele momento, em que acabava de jantar, se sentia fraco de pernas, deixou-se cair, ou melhor dito, derrubou-se no assento e, com gesto simpático, de um modo lento e afetado, levou os dedos da dama aos lábios. Tornava-se habitualmente muito difícil desconcertar o general. Seu aspecto, tirando-se algo de sujeira, era bastante distinto, coisa que ele sabia muito bem. Noutros tempos havia frequentado a alta sociedade, da qual havia apenas dois ou três anos se afastara definitivamente. Desde aquele tempo tinha se entregado com demasiado desenfreio às suas fraquezas; mas as maneiras apropriadas e afáveis não tinham chegado a abandoná-lo.

Nastássia Filípovna pareceu ter-se alegrado muito com a presença de Ardalion Alieksándrovitch, do qual, sem dúvida, tinha ouvido falar.

— Soube que meu filho... — começou Ardalion Alieksándrovitch.

— Sim, seu filho! O senhor também é um bonitão, *papacha!* Por que nunca foi visitar-me? Será que o senhor se esconde, ou é seu filho que o oculta? O senhor teria podido muito bem visitar-me, sem se comprometer absolutamente.

— Os jovens do século XIX e seus pais... — começou o general.

— Nastássia Filípovna! Faça o favor de deixar em liberdade por um momento Ardalion Alieksándrovitch, pois o estão chamando! — disse em voz alta Nina Alieksándrovna.

— Deixar em liberdade? Mas ouvi falar tanto dele que tinha grande vontade de conhecê-lo há muito tempo! Mas em que se ocupa? Está reformado, não? O senhor não irá deixar-me, general; não sairá daqui!

— Dou-lhe minha palavra de que dentro em pouco estará com a senhora, mas agora necessita descansar.

— Ardalion Alieksándrovitch, estão dizendo que o senhor necessita descansar! — exclamou Nastássia Filípovna, fazendo uma caretinha de desgosto e enfado, nada mais, nada menos do que como uma menina estouvada a quem tomam um brinquedo.

O general pareceu esforçar-se de propósito para tornar ainda mais ridícula sua posição.

— Minha amiga! Minha amiga! — disse em tom de censura, dirigindo-se solenemente à sua esposa e levando a mão ao coração.

— A senhora não se retira, *mámienhka?...* — perguntou Vária em voz alta.

— Não, Vária. Ficarei até o final.

Nastássia Filípovna não pôde deixar de ouvir a pergunta e a resposta. Mas seu bom humor pareceu subir de ponto. Imediatamente voltou a crivar o general com perguntas e, cinco minutos depois, já se encontrava ele na mais solene disposição de espírito e rompia a falar em tom oratório, diante das ruidosas gargalhadas de todos os presentes.

Kólia puxou pela fímbria a sobrecasaca do príncipe.

— Tire-o daqui, de qualquer jeito. Como, não pode? Faça o favor! — e lágrimas ardentes de desgosto brotaram dos olhos do pobre rapazinho. "Oh! maldito Ganhka!", disse entre si.

— Com Ivan Fiódorovitch Iepántchin tinha já grande amizade, efetivamente — encareceu o general, respondendo a uma pergunta de Nastássia Filípovna. — Eu, ele e o falecido Príncipe Liev Nikoláievitch Míchkin, cujo filho hoje abracei, ao fim de vinte anos de separação, formávamos a mais inseparável companhia... uma espécie de três mosqueteiros: Atos, Portos, Aramis. Mas, ai! um jaz no sepulcro, derrotado pela calúnia e por uma bala; o outro, tem-no a senhora aqui presente, lutando também contra as calúnias e as balas...

— As balas?! — exclamou Nastássia Filípovna.

— Tenho-as aqui, alojadas no meu peito, pois as recebi ao pé de Kars[20] e, quando faz mau tempo, doem-me. Mas, em todos os demais sentidos, faço vida de filósofo: ando, passeio, jogo em meu café, como um burguês retirado dos negócios, o xadrez, e leio *A Independência.* Mas com o nosso Portos Iepántchin, depois dessa história que há três anos me ocorreu no trem, por culpa de um cachorrinho, rompi definitivamente.

— Por culpa de um cachorrinho? Mas que foi isso? — indagou Nastássia Filípovna com especial curiosidade. — Um cachorrinho? Permita-me, e no trem!... — acrescentou, como que recordando.

— Oh! uma estúpida história que não vale a pena repetir! Trata-se da professora da Princesa Bielokónskaia, a Senhora Schmidt. Mas... não vale a pena repeti-la.

— Pois terá o senhor de contá-la quer queira, quer não! — exclamou Nastássia Filípovna, alegremente.

— Eu também até agora nunca a ouvi! — observou Fierdíchtchenko. — *C'est du nouveau.*[21]

— Ardalion Alieksándrovitch! — vibrou de novo a voz suplicante de Nina Alieksándrovna.

— *Papacha*, estão chamando — gritou Kólia.

— Uma estúpida história que pode se condensada em duas palavras — começou o general, lisonjeado. — Há dois anos, sim, acabava de inaugurar-se a estrada de ferro de ***. Eu (que ia à paisana) andava tratando de assuntos muito importantes para mim, referentes ao bom êxito de meu serviço. Comprei uma passagem de primeira classe. Entro, sento-me, fumo. Quero dizer, continuo fumando, porque fumando estava. Ia sozinho no compartimento. Não era proibido fumar, mas tampouco era permitido. Havia uma espécie de meia permissão, como ocorre sempre. Isso sem dúvida depende das pessoas. A portinhola estava baixada. De repente, quando o trem já apitava, entram duas senhoras, com um cãozinho de colo e se sentam precisamente diante de mim. Chegavam atrasadas. Uma estava trajada de azul-claro e chamava a atenção; a outra, mais discreta, tra-

20 Cidade e forte da Armênia, distante uns cem quilômetros da atual fronteira e teatro de frequentes combates entre turcos e russos. Esteve sob domínio russo de 1878 até 1918, e foi devolvida à Turquia pelo tratado de Alexandrópolis (1920).

21 É novidade.

zia um vestido de seda preta e uma romeira. Nada feias as duas, de olhar desdenhoso, falam inglês. Eu, naturalmente, nada entendo; continuo fumando. Isto é, pensei em fazer isso, mas depois, como a portinhola estivesse aberta, mudei de lugar e continuei fumando ao lado dela. O cãozinho da senhora de azul estava tranquilamente enrodilhado nos joelhos dela e era um bichinho de nada, que caberia dentro de minha mão, preto, com as patinhas brancas, uma gracinha mesmo. A coleira, de prata, com algo escrito. Eu, nem nada. Limito-me a observar que as senhoras, ao que parecia, haviam ficado de mau humor, sem dúvida por causa de meu charuto. Uma delas me encara com sua luneta, de aros de tartaruga. Eu, nem nada. Porque fiquem certos de que elas não abriram a boca! Se tivessem dito alguma coisa, se me tivessem advertido, perguntado... Para algo, afinal, foi dada a língua ao homem. Elas, porém, caladas... até que, de repente (e creiam-me todos, sem a menor advertência, isto é, sem a mínima advertência, inteiramente como se tivesse perdido o juízo), a senhora de azul toma-me o charuto e atira-o pela janela. O trem voa; olho estupefato. Mulher selvagem; selvagem mulher, de tipo perfeitamente selvagem, mas, no entanto, uma mulher corpulenta, cheia de carnes, alta, loura, corada (até demais); seus olhos lançam-me chamas. Sem dizer uma palavra, eu, com extraordinária cortesia, com a mais perfeita, a mais refinada cortesia, pego o cachorrinho muito delicadamente pelo pescoço e atiro-o pela portinhola atrás do charuto! O bicho deu apenas um gritinho! O trem continuou voando...

— O senhor é um monstro!... — gritou Nastássia Filípovna, rindo às gargalhadas e batendo palmas como uma criança.

— Bravo! bravo! — clamou Fierdíchtchenko. Riu-se Ptítsin, a quem havia causado tão péssimo efeito a aparição do general; o próprio Kólia pôs-se a rir e também gritou: "Bravo!".

— Eu tinha razão, e mais que razão, três vezes razão! — continuou dizendo, com veemência, o entusiasmado general, — porque se no trem é proibido fumar charuto, com maior razão é proibido levar cachorro.

— Bravo, *papacha*!... — gritou Kólia, com entusiasmo. — magnífico! Eu decerto teria feito o mesmo!

— Mas que fez aquela senhora? — perguntou Nastássia Filípovna, com impaciência.

— Aquela senhora? Pois aí é que está o desagradável da história — continuou o general, franzindo o cenho. — Sem dizer uma palavra e sem a menor advertência, assestou-me uma bofetada! Uma mulher brava, de tipo perfeitamente selvagem!

— E o senhor?

O general baixou os olhos, arqueou as sobrancelhas, arqueou os ombros, apertou os lábios, abriu as mãos como que absolvendo, guardou silêncio um instante e, de repente, disse:

— Fiquei cego!

— E bateu-lhe... Com força?

— Oh! palavra de honra, com força não! Seguiu-se uma cena escandalosa, mas não a machuquei. Simplesmente devolvi a bofetada uma vez, unicamente para retribuir-lhe. Mas o próprio Satanás atrapalhou tudo. A senhora de azul aconteceu ser uma inglesa, professora ou amiga da Princesa Bielokónskaia e a de traje preto, a mais velha das Princesas Bielokónski, uma solteirona de trinta e cinco anos. Agora bem: todos sabem quais as relações que unem a Generala Iepántchina com a casa das Bielokónski. Todas aquelas princesas desmaiadas, lágrimas, dó pelo querido cachorrinho, gritinhos de seis princesas, gritinhos da inglesa... o fim do mundo!... Nem é preciso dizer que me arrependi; fui apresentar-lhes minhas desculpas e escrevi uma carta; mas não nos receberam, nem a mim, nem à carta e com Iepántchin, discussão, exclusão, expulsão.

— Mas, permita, como foi isso? — perguntou, de repente, Nastássia Filípovna. — Há cinco ou seis dias li em *A Independência*, sempre leio *A Independência*, uma história idêntica a essa. Nada, a mesma! A aventura ocorrida em um trem da estrada de ferro do Reno entre um francês e uma inglesa; havia aquilo de arrebatar o charuto e de atirar o cãozinho pela portinhola. Em uma palavra, até o final era o mesmo que o da história do senhor! Até o traje azul!

O general ficou tremendamente vermelho. Kólia enrubeceu também e apertou a cabeça com as mãos; Ptítsin deu rapidamente meia volta. O único que se riu como antes foi Fierdíchtchenko. De Gânia nada há que dizer; estivera todo o tempo de pé, sofrendo em silêncio um suplício intolerável.

— Asseguro-lhe — balbuciou o general, — que esse lance ocorreu mesmo comigo...

— *Papacha* teve efetivamente uma desavença com a Senhora Schmidt, a professora das Bielokónski — exclamou Kólia. — Lembro-me disso.

— Como? Mas detalhe por detalhe? A mesma e idêntica história nos dois extremos da Europa e com as mesmas circunstâncias, inclusive a do traje azul claro? — insistiu a implacável Nastássia Filípovna. — Enviar-lhe-ei *A Independência Belga*.

— Mas preste atenção — insistiu o general, — ao fato de que isso me ocorreu há dois anos!...

— Ah! é isso? — disse Nastássia Filípovna, lançando uma gargalhada quase histérica.

— *Papacha*, rogo-lhe que se retire, estou querendo dizer-lhe duas palavras — suplicou Gânia com voz trêmula e dolorida, segurando seu pai maquinalmente por um ombro. Fervia em seu olhar um ódio infinito.

Naquele mesmo instante, ouviu-se um toque de campainha sumamente forte na antessala. Aquele toque poderia deitar abaixo a campainha. Era de esperar uma visita insólita. Kólia correu a abrir.

Capítulo X

Armou-se de repente, na antessala, tremendo barulho e tropel de muita gente. Na sala de visitas parecia terem entrado ali várias pessoas e ainda continuavam outras a entrar. Algumas vozes falavam e gritavam ao mesmo tempo. Falavam e gritavam na escada, sobre a qual a porta, como podia ouvir-se, não se havia fechado. Aquela visita parecia sumamente estranha. Todos trocaram olhares entre si. Gânia correu para o salão, onde já haviam penetrado alguns homens.

— Ah! aqui está o Judas! — exclamou uma voz conhecida do príncipe. — Bom dia, Gânia, seu velhaco!

— Sim, é ele mesmo! — assentiu outra voz.

O príncipe não podia duvidar: uma voz era a de Rogójin; a outra, a de Liébiediev.

Gânia estava de pé, como petrificado, nos umbrais da sala, e olhava em silêncio, sem impedir-lhes a entrada para o salão, os dez homens, uns atrás dos outros, que vinham em seguida a Parfien Rogójin. Era muito heterogêneo aquele bando e se distinguia não só pela diversidade, mas também pelo seu uniforme. Alguns vinham tal como andavam na rua, de paletó e com peliças. Nem todos estavam bêbados, mas pareciam muito alegres. Todos, ao que parecia, empurravam-se para entrar; nenhum seria capaz de fazer isso sozinho e todos se acotovelavam mutuamente. O próprio Rogójin avançava com cautela à frente daquela tropa, embora parecesse abrigar alguma intenção e achar-se possuído de uma preocupação sombria e irritada. Os demais compunham simplesmente o coro ou, melhor dito, a banda de apoio. Além de Liébiediev, estava também ali o esmerado Zaliójev, que deixara sua peliça na antessala e entrava com desenvoltura e elegância, assim como outros dois ou três indivíduos, parecidos com ele, e que, sem dúvida, deviam ser comerciantes. Um trazia farda militar; depois vinham um homenzinho sumamente gordo, que não parava de rir-se; um homenzarrão enorme, de doze verstas, também extraordinariamente gordo, muito esquivo e taciturno, e que era evidente cifrava grandes esperanças em seus punhos; um estudante de medicina; um polaquinho estouvado que se juntara ao grupo. Do patamar da escada, lançavam olhares à antessala, mas não se atreviam a entrar, duas senhoras desconhecidas. Kólia bateu-lhes com a porta no nariz e correu o ferrolho.

— Bom dia, Gânia, seu velhaco!... Quer dizer então não esperavas Parfien Rogójin? — repetiu este, entrando até a sala e detendo-se nos batentes, diante de Gânia. Mas naquele momento, de repente, divisou na sala, diante dele, Nastássia Filípovna. Evidentemente, não lhe havia ocorrido que pudesse encontrá-la ali, porque sua presença causou-lhe uma impressão extraordinária; tão pálido ficou que até os lábios se lhe arroxearam. "Então era verdade! — disse, baixinho, entre si, com aspecto de desconcerto absoluto: — Acabou-se." Mas vamos ver, não me respondes? — disse, de repente, rangendo os dentes e olhando com furor para Gânia. — Vamos ver... anda!

Respirava com dificuldade e até se exprimia com dificuldade... Penetrou maquinalmente na sala, mas, ao transpor a ombreira, fitou, de repente, Nina Alieksándrovna e Vária e se deteve, algo desconcertado, não obstante toda a sua emoção. Atrás dele entraram Liébiediev, que o seguia como sua sombra, e já estava muito embriagado, e em seguida o estudante e o tal dos punhos; Zalíojev, que se movia para a direita e para a esquerda, e, finalmente, abriu passagem o homenzinho rechonchudo. A presença das senhoras coibiu-os a todos um pouco e era evidente que se lhes impunha, sem dúvida, somente até começar, até o primeiro pretexto para dar o grito e começar... Porque então já não haveria senhoras que os detivessem.

— Como? Tu também estás aqui príncipe?... — disse Rogójin, distraído, até certo ponto espantado por encontrar-se ali com o príncipe. — E com tuas polainas!... hem? — disse; esquecendo-se em seguida do príncipe e fitando de novo o olhar em Nastássia Filípovna, aproximando-se dela como se atraído por um ímã. Nastássia Filípovna também fitava com inquietação o visitante.

Gânia, finalmente, voltou a si.

— Mas permita-me o senhor: que significa isso? — gritou, olhando severamente os intrusos e encarando especialmente Rogójin. — Não estão os senhores em nenhum estábulo, creio. Estas aqui são minha mãe e minha irmã...

— Estamos vendo que se acham aqui tua mãe e tua irmã — murmurou entre dentes Rogójin.

— Bem se vê que são a mãe e a irmã dele — concordou como um eco Liébiediev:

O tal dos punhos, supondo, seguramente, que era chegado o momento, começou a resmungar.

— Mas, palavra! — gritou Gânia de repente e como numa explosão desproporcionada. — Em primeiro lugar, vão vocês fazer-me o favor de sair para a saleta e depois vão dizer-me com quem...

— Ora, como se não soubesses! — clamou Rogójin, irado; sem mover-se de seu lugar. — Com que então não conheces Rogójin?

— Suponhamos que nos tenhamos visto em algum lugar... apesar disso...

— Que nos tenhamos visto em algum lugar? E não faz nem três meses que me ganhaste no jogo duzentos rublos de meu pai, coisa que o velho não chegou a saber, porque morreu entretempo! Tu me engodaste e Kniff trapaceou-me. Então não sabes? Pois o próprio Ptítsin é testemunha! Se eu te mostrasse três rublos de prata tirados do meu bolso, tu te arrastarias de quatro pés até o Vassílievski por causa disso... tal é o teu caráter. Tal a qualidade de tua alma! E agora vim aqui para comprar-te por dinheiro. Não repares que tenha entrado aqui com estas botas. Ganhei muito dinheiro agora, irmãozinho, e posso comprar a ti e a toda a tua gente!... Posso comprar todos se quiser! — clamava Rogójin, cada vez mais exaltado e como que ébrio. — Ah! — gritou. — Nastássia Filípovna! não me abandone. Diga uma palavrinha: vai casar-se com ele ou não?

Rogójin formulou sua pergunta como que fora de si e como se se dirigisse a alguma divindade e com a audácia de um condenado ao suplício que já não liga a mais nada. Com ânsias de morte, aguardava a resposta.

Nastássia Filípovna mediu-o com olhar zombeteiro e altivo, mas fixou a vista em Vária e Nina Alieksándrovna e, subitamente, mudou de tom.

— Naturalmente não. A que vem isso? E quem lhe meteu na cabeça fazer-me tal pergunta? — respondeu com voz tranquila e séria e como que com certo espanto.

— Não, então? Não? — exclamou Rogójin, quase que transtornado de alegria. — Com que então, não?... Ah!... Bem!... Nastássia Filípovna!... Dizem que a senhora está noiva de Gânia! Dele! Mas... será acaso possível? Disse a todos que era impossível. Posso comprá-lo por cem rublos. Se fosse dar-lhe mil, três mil para afastar-se, ele fugiria no dia de seu casamento e deixaria a noiva para mim. Não é assim mesmo, Gânia, seu velhaco? Ficarias satisfeito com os três mil, não? Pois aqui os tens... aqui está o dinheiro. Vim para obter de ti o recibo de acordo. Eu disse que o compraria e hei de comprá-lo!

— Saia daqui, seu bêbado! — gritou Gânia, que ora ficava rubro, ora pálido.

Em seguida a este grito soou súbita explosão de vozes: todo o bando de Rogójin *havia muito tempo que só* aguardava o sinal para a batalha. Liébiedíev com extraordinária solicitude, sussurrou algo ao ouvido de Rogójin.

— Tens razão, funcionário! — respondeu Rogójin. — Tens razão, alma embriagada! Ah! aconteça o que acontecer! Nastássia Filípovna! — exclamou, olhando-a como louco, enfurecendo-se e animando-se de repente até a grosseria. — Aqui tens dezoito mil rublos! — e atirou em cima da mesa, diante dela, um pacotinho envolvido em papel branco e atado de cordões cruzados. — Toma! E... ainda há mais!

Não se atreveu a dizer tudo o que queria.

— Não... não... não! — voltou a sussurrar-lhe Liébiediev com cara de muito susto. Talvez se assustasse diante da enorme quantia e tratava de induzi-lo a provar sua fortuna com outra incomparavelmente menor.

— Não. Tu, irmãozinho, és um louco. Não sabes como portar-te aqui... e parece que sou tão louco quanto tu! — disse Rogójin, sobressaltando-se e detendo-se ao dar com o olhar cintilante de Nastássia Filípovna. — Ah! atrapalhei tudo, dando-te ouvidos! — acrescentou com profunda contrição.

Notando o semblante abatido de Rogójin, Nastássia Filípovna prorrompeu, de repente, numa gargalhada.

— Dezoito mil rublos para mim? Ah! bem se vê que és um rústico — acrescentou, de súbito, com insolente familiaridade e, levantando-se do divã, como que se dispôs a retirar-se. Gânia, de coração palpitante, observava toda a cena.

— Quarenta mil, então... quarenta mil e não dezoito! — gritou Rogójin. — O Banco Ptítsin e Biskub prometeu pôr à minha disposição, às sete horas, quarenta mil rublos. Quarenta mil! Em dinheiro contado!

A cena tornava-se por demais grosseira, mas Nastássia Filípovna continuou rindo-se e não se retirou, como se fizesse intencionalmente por prolongá-la. Nina Alieksándrovna e Vária também se levantaram e, assustadas, em silêncio, aguardavam para ver em que pararia aquilo. Os olhos de Vária cintilavam, mas em Nina Alieksándrovna tudo aquilo causava um efeito penoso: tremia e parecia que iria desmaiar dum momento para outro.

— E se não... cem! Hoje mesmo posso dispor de cem mil! Ptítsin, ajuda-me, empresta-me, valerá a pena!

— Mas estás louco?... — murmurou, de repente, Ptítsin, aproximando-se rapidamente e pegando-o pela mão. — Estás bêbado. Vão avisar a polícia. Sabes onde estás?

— Está bêbado e desvaria — declarou Nastássia Filípovna, como se quisesse irritá-lo.

— Não desvario. Hei de trazê-los! Hei de trazê-los esta mesma noite. Ptítsin, encarrega-te disto, alma usurária, por tudo quanto mais queiras. Arranja-me para esta noite cem mil rublos. Provarei que cumpro minha palavra! — disse Rogójin, animando-se de repente até o entusiasmo.

— Mas, de todos os modos, que vem a ser isto? — exclamou o iracundo Ardalion Alieksándrovitch, ameaçadora e subitamente, aproximando-se de Rogójin.

O inesperado da saída do silencioso ancião tornou-a mais cômica. Ouviram-se risadas.

— Mas donde saiu esse? — disse Rogójin, rindo. — Vamos, velhote, haveremos de embriagar-te!

— Isto é já uma maldade! — gritou Kólia, chorando lágrimas de vergonha e de vexame.

— Mas não haverá aqui um só de vocês capaz de pôr para fora daqui essa desavergonhada? — exclamou, de súbito, Vária, toda trêmula.

— Chamam-me desavergonhada!... — replicou Nastássia Filípovna, com desdenhosa jovialidade. — E eu que fui bastante boba para vir aqui convidá-las para minha festa desta noite! Veja você, como me trata sua irmãzinha, Gavrila Ardaliónovitch.

Gânia permaneceu algum tempo como que fulminado diante da exclamação de sua irmã, mas, ao ver que Nastássia Filípovna se retirava, efetivamente, daquela vez, correu como um louco para Vária e, furioso, agarrou-a pelo braço.

— Que fizeste? — gritou, fitando-a como se quisesse reduzi-la a cinzas ali mesmo. Estava decididamente transtornado e mal se dava conta do que fazia.

— Que foi que fiz? Aonde queres arrastar-me? Talvez a pedir-lhe perdão por haver insultado tua mãe e ter vindo desonrar tua casa, malvado? — voltou Vária a clamar, exaltando-se e olhando, desafiadora, para seu irmão.

Permaneceram um instante assim os dois, um em frente à outra, rosto a rosto. Gânia continuava a mantê-la segura. Vária deu um ou dois puxões, com todas as suas forças. Mas não pôde conter-se e, de repente, fora de si, cuspiu no rosto de seu irmão.

— Que senhorita! — exclamou Nastássia Filípovna. — Bravo, Ptítsin! Felicito o senhor!

Tudo dançou diante dos olhos de Gânia e, inteiramente desvairado, assestou, com todas as suas forças, uma bofetada em sua irmã. O golpe com certeza iria acertá-la em pleno rosto. Mas outra mão, de repente, veio deter no ar a de Gânia.

Entre ele e sua irmã havia-se interposto o príncipe.

— Basta, basta! — disse com firmeza, embora todo trêmulo como sob o efeito de uma emoção demasiado forte.

— Mas será possível que sempre se atravesse o senhor no meu caminho? — gritou Gânia, cheio de cólera, soltando o braço de Vária e, com a mão livre, no cúmulo da fúria, descarregou uma bofetada no rosto de Míchkin.

— Ah! — exclamou Kólia, apertando as mãos. — Ai, meu Deus!

Ouviram-se exclamações de todos os lados. O príncipe ficou lívido. Com um olhar estranho e recriminador fulminou Gânia. Os lábios tremiam-lhe e lutavam em vão por dizer alguma coisa. Um sorriso estranho e que não chegava a formar-se, contraía-os.

— Bem, vá lá que me bata... mas nela... não o permitirei — disse serenamente, por fim. Mas, de repente, abateu-se, largou Gânia, cobriu o rosto com as mãos, retirou-se para um canto, de rosto contra a parede e, com voz entrecortada, disse:

— Oh! como você vai se envergonhar pelo que fez!

Gânia, efetivamente, estava como que acabrunhado. Kólia correu a abraçar e beijar o príncipe. Atrás dele agruparam-se Rogójin, Vária, Ptítsin, Nina Alieksándrovna, todos: até o velho Ardalion Alieksándrovitch.

— Não foi nada, não foi nada! — balbuciou o príncipe, voltando-se para todos os lados e com o mesmo sorriso frustrado.

— Há de arrepender-se! — gritou Rogójin. — Hás de envergonhar-te, Gânia, por ter ofendido semelhante... cordeiro — não pôde atinar com outra palavra. — Príncipe da minha alma, deixa-os. Amaldiçoe-os e venha comigo. Vou lhe mostrar *que amigo Rogójin pode ser*.

Nastássia Filípovna havia-se impressionado muito com o gesto de Gânia e com a réplica do príncipe. Seu rosto, habitualmente pálido e pensativo, que em momento algum havia mantido harmonia com seu riso anterior, algo forçado, parecia visivelmente comovido agora por um novo sentimento; e, apesar disso, parecia empenhar-se em não demonstrá-lo, e seu riso, literalmente, esforçava-se por não desaparecer de seu rosto.

— Na verdade, onde vi eu esse rosto? — disse, de repente, já séria, recordando-se de súbito de sua pergunta anterior.

— Mas a senhora não sente também vergonha? Será acaso como agora se mostra? Será possível que seja assim? — exclamou, de repente, Míchkin, com acento de profunda e colérica censura.

Nastássia Filípovna assombrou-se, quis rir, mas parecia que algo se ocultava sob sua risada, depois de haver rido um pouquinho, olhou Gânia e saiu da sala. Antes de chegar à antessala, voltou-se de repente, dirigiu-se com rapidez a Nina Alieksándrovna, pegou-lhe a mão e levou-a aos lábios.

— Não sou realmente assim, ele tem razão — disse ela, à pressa e com veemência, pondo-se de súbito toda rubra e, dando meia volta, foi-se daquela vez tão rapidamente que ninguém teve tempo para pensar a quem se tinha ela referido. Só viram que ela sussurrava algo ao ouvido de Nina Alieksándrovna e, ao que parecia, lhe beijava a mão.

Gânia voltou a si e saiu a acompanhar Nastássia Filípovna, mas esta já havia saído. Alcançou-a na escada.

— Não me acompanhe! — gritou-lhe ela. — Até a vista, até a noite! Sem falta! Ouviu?

Ele voltou, abstraído, preocupado. Levava em sua alma pesado enigma, mais pesado ainda do que antes. Também pensava levemente no príncipe... Tão concentrado ia que mal percebeu que todo o bando de Rogójin passava a seu lado e até o empurrava na porta, na sua pressa de sair da casa atrás de seu chefe. Todos iam falando em voz alta de alguma coisa. O próprio Rogójin saía com Ptítsin e com insistência lhe confirmava algo de importante e, pelo visto, inadiável.

— Perdeste o jogo, Gânia! — disse-lhe, ao passar a seu lado. Gânia acompanhou-o, inquieto, com a vista.

Capítulo XI

O Príncipe retirou-se da sala e foi se fechar em seu quarto. Ali acorreu imediatamente Kólia a consolá-lo. O pobre menino parecia já não poder separar-se dele.

— O senhor fez muito bem em retirar-se — disse-lhe. — Lá continua a briga ainda, pior que antes, e todos os dias ocorre o mesmo nesta casa e tudo por culpa dessa Nastássia Filípovna.

— Aqui, nesta casa, há muitas fontes de discórdia que se desenvolveram com o tempo, Kólia — observou Míchkin.

— Sim, não se pode negar. A culpa é toda nossa. Mas tenho um grande amigo que é ainda mais desventurado. Gostaria de conhecê-lo?

— Muito. É seu camarada?

— Sim, quase como um camarada. Depois lhe explico tudo....Mas Nastássia Filípovna é bonita, o senhor não acha? Eu nunca a vira antes, embora o tivesse tentado esforçadamente. Fiquei simplesmente deslumbrado. Perdoaria tudo a Gânia, se ele estivesse apaixonado por ela. Mas por que há de ir ele atrás do dinheiro? Isto e que é horrível!

— Sim, não gosto muito de seu irmão.

— Bem, não faltava mais nada! Como se o senhor pudesse, depois do... Mas sabe o senhor que não posso suportar certas ideias? Se um louco, um bobo, ou um malvado com aparências de louco chega e dá na gente uma bofetada, haverá de ficar o agredido desonrado para toda a vida e só poderá lavar essa mancha com sangue, a não ser que o outro lhe peça perdão de joelhos? Na minha opinião, isto não passa de estupidez e tirania. Nisto se baseia o drama de Liérmontov, *A mascarada* e... a meu ver é estúpido. Isto é, quero dizer que não é natural. Mas o senhor sabe que ele escreveu isso quase que na infância?

— Gostei muito de sua irmã.

— Ah! a maneira como cuspiu na cara de Gânia! Que valente é Vária! Mas se o senhor também não cuspiu, não foi por falta de coragem. Mas aqui vem ela... falai no mau... Sabia que ela haveria de vir. É generosa, embora tenha seus defeitos.

— Não tens nada que fazer aqui — disse Vária, dirigindo-se em primeiro lugar a Kólia. — Vai ter com papai. Esteve a importuná-lo, não, príncipe?

— Absolutamente. Muito pelo contrário.

— Que zanga é essa, Vária? Veja o senhor: é o que ela tem de mais antipático. A propósito, pensei que papai ia acompanhar Rogójin. Está arrependido agora, espero. Mas vamos ver o que está fazendo — acrescentou Kólia, saindo do quarto.

— Louvado seja Deus por termos podido tirar mamãe dali e fazê-la deitar-se e não se haver repetido o escândalo: Gânia está envergonhado e muito deprimido. E não lhe faltam motivos para isso. Que lição!... Vim agradecer-lhe novamente e perguntar-lhe, príncipe, se já conhecia antes Nastássia Filípovna.

— Não, não a conhecia.

— Então por que lhe disse a respeito de seu rosto "que não era assim"? E parece ter acertado. Porque, acredito, não seja efetivamente assim. Aliás, não sei de tudo a seu respeito! Veio indubitavelmente com a intenção de afrontar-nos, está claro. Já havia ouvido contar dela coisas muito estranhas. Mas se é verdade que veio convidar-nos, por que começou a tratar minha mãe com tanta desconsideração? Ptítsin a conhece muito bem e diz que não consegue explicar sua atitude. Mas Rogójin? É impossível que alguém que tenha respeito a si mesmo fale da maneira que ele falou na casa de seu... Mamãe está também muito preocupada a respeito do senhor.

— Não há por que! — disse Míchkin, com um gesto da mão.

— E como se deu que ela lhe obedecesse?

— Obedeceu-me como?

— O senhor lhe disse que ela devia envergonhar-se e ela mudou de atitude imediatamente. O senhor possui ascendente sobre ela, príncipe — acrescentou Vária, sorrindo.

Abriu-se a porta e para grande surpresa dos dois, apareceu Gânia.

Nem mesmo hesitou ao dar com Vária. Parou um instante na soleira e, de *repente, decidido, dirigiu-se ao príncipe.*

— Príncipe, cometi uma ação baixa. Perdoe-me, caro amigo — disse, de súbito, bastante emocionado. Suas feições exprimiam viva dor. Míchkin olhou-o atônito e não se apressou em responder. — Vamos, perdoe-me, perdoe-me! — insistiu Gânia, impaciente. — Vamos, estou pronto a beijar-lhe a mão, se quiser!

O príncipe estava sumamente emocionado e, em silêncio, abraçou Gânia, beijando-se mutuamente com sincera emoção.

— Nunca pensei... nunca que o senhor fosse assim! — disse, afinal, Míchkin, dando um fundo suspiro. — Pensava que o senhor... não seria capaz disso.

— Por causa de minha culpa?... E eu que pensava até esta manhã que o senhor não passava de um idiota! O senhor percebe o que os outros não veem. Com o senhor poderia falar-se de... mas é melhor não falar.

— Aqui está alguém cujo perdão o senhor devia também pedir — disse Míchkin apontando para Vária.

— Não, são todos meus inimigos. Pode estar certo, príncipe, de que tenho feito muitas tentativas. Não há perdão sincero da parte deles — exclamou Gânia, com veemência, dando as costas a Vária.

— Sim, eu te perdoo! — disse Vária, de súbito.

— E irás esta noite à casa de Nastássia Filípovna?

— Sim, irei se o quiseres; mas julga por ti mesmo, se não é fora de propósito que eu vá agora.

— Ela não é como parece, bem sabes. Viste como é enigmática. São seus caprichos — e Gânia sorriu, maldosamente.

— Bem sei que ela não é o que parece ser e que tudo não passa de caprichos. Mas que tem ela em vista? Além disso, me diz, Gânia, por que ela se mantém ligada a ti? É verdade que beijou a mão de mamãe. Suponhamos que tenha sido apenas por gracejo. Mas bem sabes que, não obstante, esteve a rir de ti todo o tempo. Isto não é compensado pelos setenta e cinco mil rublos, meu irmão, não é mesmo? És ainda capaz de sentimentos nobres, por isso te falo assim! Ai, toma bem cuidado! Não é possível que isto dê certo!

Depois de dizer isto, Vária, toda agitada, retirou-se rapidamente.

— Aí tem o senhor: são todas assim — disse Gânia, rindo. — Poderão elas imaginar que eu mesmo não o saiba? Ora, sei muito mais do que elas pensam.

Assim dizendo, Gânia sentou-se no sofá, disposto evidentemente a prolongar sua visita.

— Se o senhor mesmo o sabe — perguntou Míchkin, com voz bastante insegura, — por que se impõe esse tormento, sabendo que, no fundo, não valem tanto os setenta e cinco mil rublos?

— Não me referia a isso — murmurou Gânia. — E a propósito, diga-me o que pensa. Interessa-me conhecer sua opinião. Valem este tormento os setenta e cinco mil rublos?

— Na minha opinião não valem.

— Oh! bem sabia que o senhor diria isso. E um casamento assim é vergonhoso?

— Muito vergonhoso.

— Bem, pois saiba o senhor que vou casar-me com ela e já não há dúvida agora a este respeito. Há um momento ainda, hesitava, mas já agora não! Não me diga nada! Já sei o que quer dizer...

— Não era o que o senhor imagina, mas que me causa muita admiração sua excessiva credulidade.

— Por quê? Que credulidade?

— Essa crença em que está de que Nastássia Filípovna vai ser infalivelmente sua esposa e de que já é coisa decidida, e, além disso, ainda supondo que assim fosse, iriam meter-lhe, sem mais nem menos, os setenta e cinco mil rublos no bolso. Embora, afinal, haja sem dúvida muitas coisas que ignoro...

Gânia aproximou-se vivamente de Míchkin.

— É claro que o senhor não sabe de tudo — exclamou. — E, além disso, por que haveria eu de acorrentar-me desse jeito?

— Acredito que é assim que ocorre sempre: casam-se os homens por dinheiro e o dinheiro fica com a mulher...

— Não... não! Entre nós não há de ser assim... Porque há em meio... há em meio certas circunstâncias... — balbuciou Gânia, com inquietação e apreensão. — Quanto à resposta dela, já não há motivos para dúvida — acrescentou rapidamente. — Em que o senhor se sustenta para pensar que ela me recusará?

— Não sei de nada, senão o que tenho visto. Varvara Ardaliónovna dizia há pouco...

— Ah! Tolices! Elas não sabem mais o que dizer. Ela zombava de Rogójin, esteja certo disso. Pude vê-lo. Saltava aos olhos. Até há pouco tinha meus receios, mas agora percebo tudo. Ou o senhor se baseia no modo como ela se portou com meus pais e com Vária?

— E com o senhor também.

— Bem, talvez. Mas tudo não passa de vingança de mulheres e nada mais. Ela é terrivelmente irritável, caprichosa e fátua. Tal como um funcionário que foi preterido na sua promoção. Queria mostrar quem era e todo o seu desprezo por eles... e por mim também. Isto é verdade, não o nego... E, contudo, vai casar comigo. O senhor não tem ideia dos caprichos de que é capaz o amor-próprio de uma criatura. Veja só: ela acha que sou um velhaco pelo fato de querer casar-me com ela, amante de outro homem, tão-somente pelo seu dinheiro, mas não sabe que mais de um, contudo, a enganaria de modo ainda mais vil. Ia se ligar a ela e começaria a meter-lhe na cabeça ideias liberais e progressistas a respeito da questão feminina, e ela acabaria enfiando-se na armadilha dele como uma linha no fundo duma agulha. Ia convencer a essa vaidosa imbecil (e com quanta facilidade!) de que se casava com ela unicamente por causa de "seu nobre coração e sua infelicidade", quando, na realidade, se casava apenas pelo seu dinheiro. Não lhe agrado porque não quero dourar as coisas, embora fosse necessário. Mas que faz ela? Não faz o mesmo? Assim, que direito tem ela de desprezar-me e de armar tramas como essa? Porque não me rendo e mostro certo orgulho. Mas, no fim veremos!

— Mas a tal ponto a ama o senhor?

— Amei-a, a princípio. Bem; e é bastante... Há mulheres que só servem para amantes e nada mais. Não digo que haja sido minha amante. Se ela se portar calmamente; também vou me comportar com calma; mas se se mostrar rebelde, depressa a abandono e levarei o dinheiro comigo. Não quero bancar o ridículo. Acima de tudo, não quero que se riam de mim.

— Acredito por todos os indícios — observou, circunspecto, o príncipe, — *que Nastássia Filípovna é mulher* inteligente. Que necessidade tinha, pressentindo a desgraça que seria isso para ela, de meter-se na armadilha? Porque poderia muito bem casar-se com outro. Isto é que me causa espanto.

— Pois aí é que está a coisa! É que o senhor não sabe de tudo, príncipe. A questão está aí... E, além disso, ela está convencida de que a amo com loucura, juro-lhe, e sabe duma coisa? Tenho veementes suspeitas de que ela me ama, a seu modo, isto é, o senhor conhece o ditado: "Quem bem ama, bem castiga". Vai me considerar durante toda sua vida como um velhaco (e talvez seja isto que deseje), mas, ainda assim, ama-me à sua maneira. Está-se preparando para tal, é o seu gênio. É uma mulher bem russa, digo-lhe eu. Mas tenho de reserva também uma surpresa para ela. Aquela cena com Vária ainda há pouco sobreveio inesperadamente, mas redundou em proveito para mim. Agora já viu e pode estar certa de minha adesão e de que por ela rompo todos os laços. Isto quer dizer que não sou nada tolo, esteja o senhor certo disso. Mas a propósito: imaginava o senhor que eu pudesse ser tão falador? Talvez, meu caro príncipe, no fim de tudo, não faça bem, concedo. Mas é precisamente o senhor a primeira pessoa decente com quem me encontro e lanço-me ao senhor. Mas não vá tomar isso de "lançar-me ao senhor" como um jogo de palavras. Será que o senhor está zangado comigo pelo que aconteceu há pouco? Esta é a primeira vez, em dois anos, que falo com o coração nas mãos. Escasseiam aqui de modo horrível as pessoas decentes. O senhor sabia disso? Não há mais honestos do que Ptítsin. Creio que isto lhe causa riso, não? Os tratantes gostam das pessoas honradas... o senhor não sabia? E como eu... Ainda que, afinal, que tenho de tratante? Diga-me o senhor, com toda a consciência! Por que todos, a começar por ela, acham que sou um tratante? E o senhor sabe uma coisa? É que, também eu, à maneira deles e dela, também acho que sou um tratante. Isto sim é que é uma tratantada, uma verdadeira tratantada!

— Pois desde agora, jamais vou considerá-lo um tratante — disse Míchkin. — Ainda há pouco o achava um consumado malfeitor, mas de repente o senhor me causa uma alegria. E, olhe só, me dá uma lição também: a de não julgar com imprudência. Agora veja que não só é impossível ter o senhor em conta de um facínora, como nem mesmo em conta de um homem por demais corrompido. O senhor é, na minha opinião, simplesmente um homem vulgaríssimo, como costumam ser os homens, com a diferença unicamente de ser algo débil de caráter e algo carente de originalidade.

Gânia riu sarcasticamente para dentro de si mesmo, mas não disse nada. O príncipe viu que a definição não lhe agradara ficou confuso e também guardou silêncio.

— Meu pai pediu-lhe dinheiro? — perguntou, Gânia, de repente.

— Não.

— Pois haverá de pedir. Mas não lhe dê. Porque, veja o senhor, foi ele um homem até distinto, lembro-me disso. Convivia com boa gente. Mas quão depressa se acabam todas essas pessoas distintas! Assim que mudam as circunstâncias, já não resta mais nada do que havia antes. Explodiu como pólvora. Antes, ele não mentia *desse modo, asseguro-lhe;* antes não era mais do que um homem demasiado ardoroso e... veja o senhor em que veio parar!... Sem dúvida cabe a culpa à aguardente. O senhor sabe que ele sustenta uma amante? Não se limita mais a ser um trapaceiro inocente. Não posso compreender a longa paciência de minha mãe. Ele lhe falou do cerco de Kars? Ou de como seu cavalo cinzento começou a falar? Nem diante disto ele recua.

E Gânia prorrompeu de súbito numa gargalhada estrondosa.

— Por que o senhor agora me olha assim?

— Ora, porque me causa admiração que ria de tão boa vontade. O senhor conserva, contudo, ainda um riso verdadeiramente infantil. Há um momento o senhor veio reconciliar-se comigo e disse-me: "Se o senhor quiser, beijo-lhe a mão". Isto mesmo teria dito em menino. De modo que o senhor ainda é capaz dessas palavras e gestos. E de repente começa a recitar-me toda uma lição a respeito desse feio negócio e desses setenta e cinco mil rublos. Na verdade, tudo isso mostra-se absurdo e impossível.

— Mas que quer o senhor deduzir disso?

— O senhor não estará agindo com excessiva leviandade? Não deveria ter examinado de antemão bem as coisas? Talvez Varvara Ardaliónovna tenha razão.

— Ah! a lição de moral! Que sou ainda uma criança, é coisa que eu mesmo sei — acrescentou Gânia com veemência, — ainda que não fosse senão por ter entabulado tal conversa com o senhor. Não é por motivos mercenários, príncipe, que desejo realizar este casamento — prosseguiu ele, expressando-se como um jovem ferido no seu amor-próprio. — Os motivos mercenários me levariam a erro certamente, porque não tenho ainda a cabeça nem o caráter bem firmes. Por paixão, por sedução é que vou, é que persigo um fim capital. O senhor talvez pense que vou pegar logo os setenta e cinco mil rublos e comprar um carro. Pois, não, senhor. Acabarei de usar minha capa que já tem três anos e romperei com todas as minhas relações do cassino. Entre nós são poucas as pessoas que saibam ser perseverantes, embora sejamos todos econômicos. Mas eu quero ser perseverante. Repare o senhor: o principal é levar a coisa até o fim. Eis todo o problema! Ptítsin, aos dezessete anos, dormia nas ruas e vendia canivetes. Começou com uns poucos copeques e atualmente possui setenta mil rublos, embora os tenha conseguido à custa de não sei quantos esforços! Pois olhe o senhor: salto todos esses esforços e começo, desde logo, com um capital. Dentro duns quinze anos, dirão: "Ali vai Ívolguin, o rei dos judeus!". Diz o senhor que sou um homem pouco original. Olhe, meu caro príncipe, nada há de mais ofensivo para um homem de nosso tempo do que dizer-lhe que não é original e que é débil de caráter, que carece de talentos especiais, que é um homem vulgar. O senhor nem sequer quis considerar-me um velhaco de primeira ordem e saiba que, por causa disso, estive há pouco a ponto de bater-lhe. O senhor ofendeu-me mais do que Iepántchin, o qual (sem discussão, sem lisonja, com toda a simplicidade de alma, veja bem) me considera capaz de vender-lhe minha mulher! Isto, *bátiuchka,* há tempos que me vem infernando e por isso quero dinheiro. Assim que tiver dinheiro, saiba o senhor... passarei a ser um homem sumamente original. É isto o mais vil e o mais odioso que tem o dinheiro: até confere talento. E continuará a conferi-lo até o fim do mundo. Dirá o senhor que tudo isso é infantilismo, ou, se o prefere, poesia... ou qualquer outra coisa, que me divertirá mais, farei, porém, o que eu quiser. Perseverarei na empresa e hei de levá-la a cabo. *Rira bien qui rira le dernier.*[22] Por que Iepántchin me ofende desse modo? Por maldade? Nada disso, mas, simplesmente, por eu ser demasiado insignificante. Bem, mas então... Basta, porém. Já é tempo de ir-me. Kólia já mostrou o nariz umas duas vezes. Chama-o para jantar. Vou sair. Virei vê-lo uma ou outra vez. Entre nós o senhor não passará mal. Agora já o olham como *da família. Mas ande com cuidado*, não se entregue. Penso que eu e o senhor havere-

22 Rirá melhor quem rir por último.

mos de ser amigos ou inimigos. E que pensa o senhor, príncipe? Tendo-lhe beijado a mão (e quão sinceramente me ofereci a isso!), poderia ser depois seu inimigo?

— Seria sim, com certeza, só que não para sempre, porque depois não suportaria mais e perdoaria — decidiu o príncipe, pensativo e sorridente.

— Ah! com o senhor é preciso andar com mais tento. Só o diabo sabe se não pôs o senhor nisso também veneno! E quem poderia dizer que não é o senhor meu inimigo? E a propósito... ah! ah! ah!... esqueci de perguntar: estarei errado imaginando que o senhor me disse que Nastássia Filípovna lhe agradava muitíssimo?

— Sim... agrada-me.

— Enamorado?

— Não... não!

— E fica todo vermelho e sofredor! Bem; não tenha cuidado, não passe apertos, que não quero rir. Até a vista. Mas fique sabendo: é uma mulher honrada... Poderia acreditar? O senhor imagina que ela vive com esse tal de Tótski? Pois engana-se! Já faz muito tempo que não. O senhor observou que ela é demasiado inábil e se mostrou hoje bastante embaraçada durante alguns segundos? Pois é verdade. Apesar disso tudo, gosta de dominar. Mas, afinal, adeus!

Gânia saiu dali muito mais despreocupado do que entrou e numa excelente disposição de ânimo. Míchkin permaneceu dez minutos imóvel e pensativo.

Kólia voltou a meter a cabeça pela porta.

— Não quero jantar, Kólia. Há pouco, em casa de Iepántchin, almocei fartamente.

Kólia transpôs a soleira e entregou ao príncipe uma carta. Era do general, e estava dobrada e selada. Pela cara de Kólia podia-se compreender quão penoso lhe era aquele encargo. Míchkin leu-a, levantou-se e pegou o chapéu.

— É a dois passos daqui — disse Kólia, confuso. — Agora está ali agarrado a uma garrafa. O que não compreendo é como haja conseguido que lhe vendam fiado! Meu querido príncipe, por favor, não vá dizer a elas que vim trazer-lhe a carta! Jurei mil vezes não entregar cartinhas dessa natureza, mas é que me causa dó. Uma coisa, porém: não tenha cerimônias com ele. Dê-lhe uns cobres e pronto!

— Eu também pensava em ir procurar seu pai, Kólia. Preciso vê-lo... para uma coisa... Vamos lá.

Capítulo XII

Kólia conduziu o príncipe não longe dali, até a Litiéinaia, a um café bilhar, no andar térreo, com entrada para a rua. Ali, à direita, num canto, num reservado, como velho freguês habitual, estava Ardalion Alieksándrovitch com uma garrafa à sua frente sobre uma mesinha e com *A Independência Belga* nas mãos. Esperava o príncipe. Apenas o viu, largou logo o jornal e entregou-se a uma fogosa e verbosa explicação da qual, por outra parte, quase nada entendeu Míchkin, porque o general se encontrava já um tanto ébrio.

— Dez rublos não tenho — interrompeu-o Míchkin, — mas aqui tem uma cédula do valor de vinte e cinco. Troque-a e dê-me quinze, do contrário ficarei sem nem um copeque.

— Oh! sem dúvida! E fique certo de que eu, dentro de uma hora...

— Além disso, tenho de fazer-lhe uma pergunta, general. O senhor nunca esteve em casa de Nastássia Filípovna?

— Eu? Se estive lá?... Está me perguntando isto? Várias vezes, meu caro, várias vezes! — exclamou o general num excessivo assomo de ironia ufana e triunfal. — Só que ultimamente deixei de ir lá, porque não me agrada o convívio com gente vulgar. O senhor mesmo viu, foi testemunha esta manhã. Fiz tudo quanto pode fazer um pai, mas um pai benévolo e condescendente. Agora vai surgir um pai de outra índole e então... haveremos de ver, haveremos de ver se o velho militar, curtido no serviço, consegue desbaratar uma intriga, ou se aquela desavergonhada "camélia" conseguirá introduzir-se no seio de uma família nobilíssima.

— Pois eu queria precisamente perguntar-lhe se, a título de amigo seu, não poderia o senhor levar-me esta noite à casa de Nastássia Filípovna? Necessito ir lá hoje mesmo, sem falta. Leva-me ali um assunto, mas não sei como apresentar-me. É verdade que há pouco fui apresentado a ela, mas não convidado à sua casa. Tem convidados esta noite. Eu, aliás, estou disposto a pular por cima de certas conveniências, ainda que riam de mim. Bem, contanto que entre na casa...

— O senhor coincide totalmente, mas totalmente mesmo, com minha ideia, meu jovem amigo — exclamou o general, triunfante. — Não mandei chamá-lo por causa dessas moedas! — prosseguiu, pegando, mesmo assim, o dinheiro e guardando-o no bolso. — Chamei-o precisamente para convidá-lo como companheiro a ir à casa de Nastássia Filípovna, ou, melhor dito, contra Nastássia Filípovna. O General Ívolguin e o Príncipe Míchkin! Que dirá ela disto? Eu também, sob o pretexto de cumprimentá-la pelo seu aniversário, vou lhe comunicar, afinal, minha vontade... claro que disfarçada, não francamente, embora o resultado seja idêntico. Então o próprio Gânia verá o que faz: ou seu pai, curtido no serviço, e... por assim dizer... etc., etc.... ou... Mas que ela escolha, isso é que terá de fazer! Sua ideia é altamente proveitosa. Seguiremos para lá às nove horas. Temos ainda tempo de sobra.

— Onde ela mora?

— Longe daqui; junto do Grande Teatro, no edifício Mitóvtsovaia, quase já na praça, no primeiro andar... Não haverá muita gente em sua casa, embora seja um aniversário, e todos se retirarão cedo...

Fazia já algum tempo que anoitecera. O príncipe continuava sentado, escutando e esperava o general, que havia começado a contar um número infindável de anedotas, sem terminar nenhuma. Quando Míchkin chegou, pedira outra garrafa, que levou uma hora a esvaziar, e depois pediu outra, que também bebeu. É de supor que o general tenha tido tempo, entretanto, para referir toda sua história. Finalmente, Míchkin levantou-se e disse que não podia esperar mais. O general engoliu as derradeiras gotas da garrafa, levantou-se e saiu do reservado, andando a passos bastante inseguros. O príncipe estava desesperado. Não podia explicar a si mesmo como pudera confiar tão estupidamente naquele homem. Na realidade, não havia confiado; contava com o general apenas para poder entrar de algum modo em casa de Nastássia Filípovna, embora desse lugar a um escândalo que *supunha não iria ser muito grande*. O general parecia francamente embriagado, animado duma violenta verbosidade, e falava sem trégua, emocionado, quase chorando. O tema era sempre o mesmo: isto é, que por culpa da má conduta de todos os membros de sua família tudo vinha abaixo e que já era tempo, afinal, de dar um jeito nisso.

Atingiram por fim a Rua Litiéinaia. Ainda se estava no degelo; um vento morno, úmido, depressivo, soprava nas ruas; os coches esparramavam a lama e os cavalos e pangarés dos *drójki* faziam retumbar os cascos no calçamento. Os transeuntes, em grupos mudos e molhados, desfilavam pela calçada. E havia entre eles um bêbado.

— Vê o senhor aqueles primeiros andares iluminados? — perguntou o general. — Ali vivem meus companheiros, mas eu, eu que tenho mais anos de serviço e de sofrimento que eles, dirijo-me a pé para as proximidades do Grande Teatro, à casa de uma mulher suspeita. Um homem que tem alojadas no peito treze balas... duvida? E, apesar disso, somente por minha causa o Doutor Pirogov telegrafou para mim em Paris e abandonou por algum tempo Sebastópol, que estava sendo sitiada, e o Doutor Nélaton, o médico da corte de Paris, conseguiu obter um salvo-conduto em nome da ciência e se apresentou na sitiada Sebastópol, para conhecer-me. Tudo isso chegou ao conhecimento do Alto Comando. "Ah! esse é Ívolguin, que tem no corpo treze balas!" Assim diziam. Vê aquela casa, príncipe? Ali, no primeiro andar, vive um antigo camarada meu, o General Sokolóvitch, com sua nobilíssima e numerosíssima família. Veja: essa família e outras três que vivem em Pskov e duas que moram na Rua Morskaia... constituem agora o círculo de minhas relações especialmente distintas. Já faz tempo que Nina Alieksándrovna se submeteu às circunstâncias. Eu, contudo, continuo recordando e... por assim dizer, respiro no educado círculo social de meus antigos camaradas e subordinados, que até agora me guardam respeito. Esse General Sokolóvitch (eu, aliás, há muito tempo que não vou à sua casa e não vejo Anna Fiódorovna), porque, saiba o senhor, meu caro príncipe, quando a gente não recebe, também se retrai em visitar os outros. E não obstante... hum! ao que parece, o senhor não me acredita... Afinal de contas, por que não haveria eu de apresentar o filho de meu melhor amigo e companheiro de infância a essa encantadora família? O General Ívolguin e o Príncipe Míchkin! Verá o senhor ali uma senhorita estupefaciente, e não uma só, porém duas, e até três, ornamentos de Petersburgo e da sociedade: beleza, educação, cultura, problemas femininos, versos, tudo isso ali se reúne, numa feliz fusão, sem contar um dote, quando menos de oitenta mil rublos em dinheiro para cada filha, o que não é demais, apesar de todas as questões femininas e sociais. Em resumo, estou, sem escapatória, obrigado, tenho o dever de apresentá-lo lá. O General Ívolguin e o Príncipe Míchkin! Uma dupla sensacional, de fato!

— Agora mesmo? Neste instante? Mas não se recorda o senhor... — começou o príncipe a dizer.

— Sim, sim, recordo-me, vamos. Por aqui, por esta magnífica escada. Espanta-me que não esteja por aqui o porteiro. Mas é dia de festa e o porteiro deve estar de folga. Ainda não despediram esse beberrão. Esse Sokolóvitch deve a mim, somente a mim e a mais ninguém, toda a felicidade de sua vida e de sua carreira... Mas aqui estamos. Chegamos.

O príncipe já não se opunha à visita e acompanhava docilmente o general, a fim de não irritá-lo, na firme esperança de que o General Sokolóvitch e toda a sua família se esvaneceriam pouco a pouco, como uma miragem, e se mostrariam inexistentes, e teriam eles de descer tranquilamente de volta pelas escadas. Mas para horror seu começou a perder essa esperança. O general o fez subir a escada, como homem que efetivamente tinha ali relações e a cada momento intercalava pormenores biográficos e topográficos, cheios de exatidão matemática. Finalmente, quando já chegado ao primeiro andar, o general se deteve à direita, diante da porta de um luxuoso andar e puxou a campainha, decidiu o príncipe fugir, correndo. Mas uma estranha circunstância veio contê-lo por um instante.

— O senhor está equivocado, general — disse. — Na porta está escrito Kulakov e o senhor está procurando Sokolóvitch.

— Kulakov... Isso de Kulakov não quer dizer nada. O andar é de Sokolóvitch e eu toco para que apareça Sokolóvitch. Mando às favas esse Kulakov... Mas veja o senhor: já estão abrindo.

A porta efetivamente se abriu. Apareceu um lacaio e declarou que o senhor não estava em casa.

— Que pena! Que pena! Nem que fosse de propósito! — repetiu várias vezes Ardalion Alieksándrovitch com profundo pesar. — Diga-lhe, meu rapaz, que o General Ívolguin e o Príncipe Míchkin desejavam apresentar-lhe seus respeitos e que sentem muito, muito...

Lançou naquele momento um olhar para a porta, de dentro de um dos aposentos interiores, uma pessoa, evidentemente uma governanta, ou talvez uma professora, uma mulher duns quarenta anos, de vestido escuro. Aproximou-se com curiosidade e receio ao ouvir os nomes do General Ívolguin e do Príncipe Míchkin.

— Maria Alieksándrovna não está em casa — disse, fitando especialmente o general. — Foi com a Senhorita Alieksandra Mikháilovna ver sua avó.

— De modo que também não está em casa Alieksandra Mikháilovna?... Oh! meu Deus, que pena! Imagine só, minha senhora, que sempre me acontece o mesmo! Rogo-lhe encarecidamente que transmita minhas saudações e a Alieksandra Mikháilovna também as minhas lembranças... Bem, exprima-lhe quão vivamente desejo o que ela mesma desejava na quarta-feira enquanto tocava uma balada de Chopin. Ela compreenderá!... Meus votos mais cordiais! O General Ívolguin e o Príncipe Míchkin!

— Não deixarei de transmitir o recado... — e a senhora cumprimentou, já mais confiante.

Ao descer a escada, contudo, com grande veemência, lamentou o general não haver encontrado o pessoal da casa e ter o príncipe perdido a ocasião de fazer tão sedutor conhecimento.

— Veja o senhor, meu caro: tenho algo de poeta na alma... não notou? Aliás... aliás, segundo parece, não podíamos tê-los encontrado em casa — concluiu de um modo completamente inesperado. — Os Sokolóvitchi, agora me recordo, vivem atualmente em outra casa e até me parece que estão em Moscou. Sim, cometi um leve engano. Mas isto... não tem importância.

— Eu queria saber somente uma coisa — observou o príncipe, com ar desconsolado. — Não deveria eu prescindir do senhor e ir para lá sozinho?

— Prescindir?... Sozinho?... Mas como, quando para mim constitui isso uma empresa de capital importância, de que depende em grande parte o destino de *minha família*? Mas, meu jovem amigo, o senhor conhece mal Ívolguin! Quem diz Ívolguin diz "parede"; em Ívolguin pode-se ter a mesma confiança que numa parede. Assim diziam no esquadrão onde comecei o serviço militar. Eu, veja, a única coisa que queria era descansar um momento, de passagem, em uma casa onde a minha alma tem encontrado consolo, após tantos anos de provações e inquietudes...

— Como? Será que deseja voltar para casa?

— Não. Eu queria... ir ver a Senhora Tieriêntieva, viúva do Capitão Tieriêntiev, meu antigo subordinado e amigo... Aqui, em casa da capitoa, revigora-se meu ânimo, para aqui trago minhas amarguras mundanas e familiares... E como hoje, precisamente, sofro tão pesada carga moral, eu...

— Acho, mesmo sem essa parada, que cometi uma tremenda estupidez — murmurou Míchkin, — ao solicitar sua ajuda. E, como se ainda fosse pouco, o senhor agora... Adeus!

— Mas eu não posso consentir, não posso consentir que me deixe, meu jovem amigo — exclamou o general. — É uma viúva, mãe de família, e sabe fazer pulsar em meu coração aquelas fibras que vibram em todo o meu ser. Vamos visitá-la. São cinco minutos e nada mais. Nessa casa entro sem cerimônias. Pode-se dizer que ali vivo, banho-me, faço as operações mais indispensáveis de asseio e depois, num cochezinho, vamos ao Grande Teatro. Fique o senhor certo de que necessito do senhor para esta noite toda. Bem, aqui estamos, é esta a casa. Mas, já estás aqui, Kólia? Dize: Marfa Borísovna está em casa, ou é que acabas de chegar?

— Oh! não — respondeu Kólia, que os encontrara na porta da casa. — Estou aqui há muito tempo, há muito tempo, com Ipolit, que está pior, e esta manhã teve que meter-se na cama. Marfa Borísovna está esperando pelo senhor. Somente, papai, o senhor se acha num estado... — terminou Kólia, olhando com atenção o aspecto e atitude do general. — Bem, vamos entrar.

O encontro com Kólia incitou Míchkin a acompanhar o general ao andar de Marfa Borísovna, mas só por um minuto. Kólia era necessário ao príncipe. Decidira, de qualquer modo, largar o general e não podia perdoar a si mesmo a ideia que tivera de confiar nele. Subiram por muito tempo até chegar ao quarto andar e isso por uma tenebrosa escada.

— O senhor quer apresentar o príncipe? — perguntou Kólia enquanto subiam.

— Sim, meu amigo, quero apresentá-lo: o General Ívolguin e o Príncipe Míchkin! Mas que é que há... que disse... Marfa Borísovna?

— Olhe aqui, papai... seria melhor que o senhor não subisse. Ela vai bater-lhe! Durante três dias o senhor não apareceu e ela espera dinheiro. Por que lhe prometeu? O senhor há de ser sempre o mesmo! Agora vai ver como se arranja para sair do aperto.

No quarto andar detiveram-se diante de uma porta estreita. O general tinha, sem dúvida, seus temores, e pôs o príncipe na frente.

— Fico aqui — murmurou. — Quero causar-lhe uma surpresa...

Kólia entrou primeiro. Uma mulher, cheia de pó de arroz e arrebiques; de chinelos, e roupão de casa, com os cabelos enrolados em tranças, de uns quarenta anos, apareceu à porta, frustrando por completo a surpresa que o general queria fazer. Assim que o viu, a mulher exclamou:

— Eis afinal esse sujeito vil e malvado! Bem me disse o coração que era ele!

— Entremos, está tudo bem — murmurou o general a Míchkin que, com toda a inocência, ria.

Mas não era tal. Mal entraram, atravessando estreito e tenebroso corredor, numa acanhada salinha, mobiliada com meia dúzia de cadeiras de palha e duas modestas mesinhas, continuou a dona da casa a queixar-se num tom choroso e ressentido, que parecia fingido:

— Não tens vergonha, não tens vergonha, bárbaro e tirano de minha família, bárbaro e monstro? Tiraste-me tudo, chupaste-me o sangue e ainda não estás contente! Até quando terei de aguentar-te, sem-vergonha, coisa ruim?

— Marfa Borísovna, Marfa Borísovna! Aqui te apresento... o Príncipe Míchkin! O General Ívolguin e o Príncipe Míchkin!... — balbuciou, trêmulo e confuso, o general.

— Acreditará o senhor — e a capitoa encarou, de repente, o príncipe, — acreditará o senhor que esse sem-vergonha não tem piedade de meus pobres órfãos? Tirou-me tudo, deixou-me sem nada; vendeu tudo que era meu ou empenhou, e já nada me resta! Que vou fazer eu com tuas promissórias, velhaco, descarado? Responde, pilantra? responde, coração ruim!... Com que, com que vou eu dar de comer aos meus órfãos? Veja como ele chega: bêbado que mal pode ficar em pé... Em que terei eu ofendido a Deus, velhaco; caloteiro, responde-me!

Mas o general não estava para isso.

— Marfa Borísovna, vinte e cinco rublos!... É tudo quanto tenho, graças à ajuda de um nobre amigo! O príncipe! Fui cruelmente enganado! Que vida! Mas agora... perdoe-me, sinto-me fraco — prosseguiu o general, em pé no meio do quarto e inclinando-se para todos os lados. — Sinto-me fraco, perdoe-me. Liênotchka! um travesseiro... querida criança!

Liênotchka, uma menina de oito anos, foi imediatamente buscar um travesseiro e colocou-o em cima do duro sofá coberto de rasgado couro americano. O general sentou-se no sofá na intenção de continuar falando longamente, porém, mal o fez, estirou-se, virou-se para a parede e mergulhou no sono dos justos. Marfa Borísovna, cerimoniosa e triste, indicou ao príncipe uma cadeira junto a uma das mesinhas de jogo, sentou-se em frente, apoiou a face na mão direita e ficou a olhá-lo em silêncio e suspirando. Três pequenos, duas meninas e um menino, dos quais a maior era Liênotchka, aproximando-se da mesinha, puseram nela todos três as mãos e todos três ficaram também olhando fixamente o príncipe.

Do próximo quarto surgiu Kólia.

— Muito me alegra que você esteja aqui, Kólia — disse-lhe Míchkin. — Não poderia você prestar-me seu auxílio? Necessito ir à casa de Nastássia Filípovna. Tinha contado com Ardalion Alieksándrovitch, mas, como você vê, pôs-se a dormir. Acompanhe-me você, pois não conheço as ruas nem o caminho. Tenho, porém, o endereço junto ao Grande Teatro, edifício Mitóvtsovaia.

— Nastássia Filípovna? Mas nunca morou ela perto do Grande Teatro, nem tampouco meu pai esteve jamais em sua casa, se quer saber. É estranho que tivesse o senhor esperado algo dele. Ela mora junto à Vladímirskaia, nas Cinco Esquinas, que estão muito mais perto daqui. Quer que vamos agora mesmo? São dez e meia. Vamos, eu o levarei lá.

Míchkin e Kólia saíram imediatamente. Ai! o príncipe não tinha dinheiro *para tomar um coche*, de modo que foram mesmo a pé. — Eu queria apresentá-lo a Ipolit — disse Kólia. — É o filho mais velho dessa viúva de tranças de rabo de rato, e achava-se no outro quarto. Está doente e ficou hoje o dia inteiro de cama. Mas é tão estranho! É enormemente melindroso e acho que se sentiria envergonhado com sua visita em tal momento... Comigo isso não aconteceria, porque tenho pai e ele não tem senão mãe e nisto há uma diferença, porque para o homem nestes casos não há desonra. Ainda que, afinal, talvez seja apenas um preconceito ter um sexo mais privilégio do que o outro em tais casos. Ipolit é um esplêndido rapaz, mas escravo de certos preconceitos.

— Diz você que ele está tísico?

— Sim; assim parece e melhor seria que morresse logo. Eu, no lugar dele, haveria de querer morrer sem demora. Tem dó de seus irmãozinhos, desses pequeninos que o senhor viu. Se fosse possível, se tivéssemos ao menos dinheiro, eu e ele alugaríamos uma casinha à parte e nos separaríamos de nossas famílias. É este o nosso sonho. E veja o senhor: quando lhe falei, há pouco, do caso do senhor, aborreceu-se tanto que chegou a dizer que quem aguenta uma bofetada e não provoca seu agressor a um duelo é um vilão. Aliás está tremendamente irritável. Deixei de discutir com ele. Mas diga-me: será que Nastássia Filípovna convidou logo o senhor a visitá-la?

— Pois aí é que está a coisa: não me convidou.

— Então, como vai o senhor lá?... — exclamou Kólia, que até parou, no meio da calçada. — E... com tais roupas e quando há convidados ali?

— Por Deus, eu mesmo não sei como irei entrar.! Se me receberem... bem. Se não... não há remédio. Quanto às roupas, que hei de fazer?

— Mas o senhor tem algum objetivo indo lá? Ou vai simplesmente *pour passer le temps*[23] em uma sociedade distinta?

— Não. Eu, especialmente... quero dizer, sim, tenho um objetivo indo lá... é difícil exprimi-lo em palavras, mas...

— Bem, pois seja para o que quiser, como melhor lhe agrade. Para mim, o principal é que não vá o senhor ali simplesmente para passar a. noite na encantadora companhia de "camélias", generais e usurários. Se assim fosse, zombaria do senhor, príncipe, e o desprezaria. Aqui escasseiam tremendamente as pessoas honradas, a ponto de haver muitos poucos a quem se possa respeitar. Quer a gente queira, quer não, tem de olhar de cima e todos exigem respeito, a começar por Vária. E reparou, príncipe, na quantidade de aventureiros que há hoje? E sobretudo aqui, na Rússia, em nossa querida pátria. Como isto pode ser, não tenho explicação. Segundo parece, tudo se mantém firme, mas que vemos agora? Todos estão falando e escrevendo a respeito. E todos se desdizem. Aqui todos se desdizem. Os pais de família são os primeiros a desdizer-se e a envergonhar-se de sua antiga moral. Lá, em Moscou, os pais exortam seus filhos a não recuar diante de nada, contanto que ganhem dinheiro. Veio nos jornais. Veja o senhor, por exemplo, o meu general. A que ponto chegou? Ainda que, afinal, veja o senhor, acho que o meu general é um homem honrado. É mesmo, por Deus! Somente, é um homem desordenado e, além disso, a aguardente... Isto mesmo! Dá até pena. Só receio que fale, porque toda gente ri dele. Juro que me dá pena! E que me diz o senhor deles, dos homens de talento? Todos usurários, todos, sem exceção, desde o primeiro ao último. Ipolit justifica a usura; diz que é necessária, e fala do movimento econômico, de não sei que fluxo e

23 Para passar o tempo.

refluxo de capital, que só o diabo entende. Desgosta-me ouvi-lo dizer isso, mas está exasperado. Imagine o senhor: sua mãe, a viúva do capitão, recebe dinheiro do general e logo trata de emprestá-lo a tanto por cento. Uma vergonheira enorme! Mas sabe o senhor de uma coisa? É que minha mãe, Nina Alieksándrovna, a generala, ajuda Ipolit, dando-lhe dinheiro, ternos, roupa branca e tudo, e também aos outros pequenos, por meio de Ipolit, já que vivem com ele. O mesmo faz Vária.

— Está vendo? Diz você que não há pessoas honradas e de caráter e que todos se tornam usurários. Pois não está vendo como há pessoas de caráter? Sua mãe e Vária. Porventura, socorrer neste caso, e em tais circunstâncias, não é indício de energia moral?

— Vária o faz por amor-próprio, por vaidade, para não ser menos que sua mãe. Mas à minha mãe, efetivamente respeito. Sim, respeito-a e justifico-a. O próprio Ipolit sente o mesmo, apesar de mostrar-se amargo contra todos. A princípio ria, e dizia que isso, da parte de mamãe, era uma baixeza, mas agora começa a dar-lhe valor. É isso que o senhor chama de energia? Vou tomar nota. Gânia não sabe, mas chamaria a isso de conivência.

— Gânia não sabe, então? Gânia, ao que parece, ignora ainda muitas coisas — deixou escapar Míchkin, que estava pensativo.

— Mas saiba o senhor, príncipe, que o acho muito simpático. O episódio desta tarde não me sai do pensamento.

— Gosto também muito de você, Kólia.

— Ouça. Como pensa o senhor viver aqui? Não tardarei a arranjar uma colocação e começarei a ganhar algo. Por que não haveríamos de morar os três juntos: o senhor, Ipolit e eu? Alugaríamos um quartinho e levaríamos conosco o general.

— Com muitíssimo gosto. Mas haveremos de ver. Agora estou muito... muito agitado. Mas que é isso? Já chegamos? É essa a casa? Que magnífica entrada! E porteiro e tudo! Bem, Kólia, não sei o que sairá de tudo isso.

Míchkin deteve-se como que transtornado.

— Amanhã me contará. Não se acovarde demais. Que Deus lhe dê boa sorte, pois estou inteiramente de acordo com as ideias do senhor. Adeus. Volto para lá e contarei tudo a Ipolit. Não haverá dúvida de que ela o receberá, não tenha receio. Ela é muito cheia de originalidades. Por essa escada, é no primeiro andar. O porteiro lhe mostrará.

Capítulo XIII

Míchkin ia subindo muito receoso a escada e reunia energias para dar-se coragem. "O pior que me pode acontecer — pensava — é ela recusar-se a me receber e pensar mal de mim; ou que me receba e ria na minha cara... "Bem, isso não importa!" E, efetivamente, isso não o assustava muito. Mas à pergunta: "Que ia fazer ali e por que ia?", a essa pergunta não achava, decididamente, uma resposta tranquilizadora. Se, quando menos, tivesse alguma possibilidade de captar uma oportunidade favorável de dizer a Nastássia Filípovna: "Não se case com esse homem e não se perca; ele não a ama, mas ama unicamente seu dinheiro, pois ele próprio me disse, e Aglaia Iepántchina também me disse. Vim para preveni-la", então tudo estaria bem em todos os sentidos. Formulava também outra pergunta a si mesmo para resolver e a tal ponto era capital que o próprio príncipe temia até pensar nela; não podia, nem ousava analisá-la, não conseguia formulá-la e corava e se punha a tremer somente em pensá-la. Mas a despeito de todas essas dúvidas e apreensões entrou na casa e perguntou por Nastássia Filípovna.

Nastássia Filípovna ocupava um andar não muito grande, mas verdadeiramente suntuoso. Naqueles cinco anos de sua vida petersburguesa houve um tempo, a princípio, em que Afanássi Ivânovitch não lhe regateava dinheiro. Contava ainda com seu amor e pensava deslumbrá-la, antes de tudo, com o conforto e o fausto, sem saber que facilmente se contraem hábitos de luxo e que difícil se torna depois prescindir deles, quando já se converteram, pouco a pouco, numa necessidade. Naquela ocasião foi Tótski fiel às velhas e boas tradições, nada alterando nelas, respeitando sem limitações toda invencível força dos influxos sentimentais. Nastássia Filípovna não rejeitava o luxo e até gostava dele; mas — e isto parece sumamente estranho — também não se lhe entregava, como se sempre pudesse passar sem ele. Até se esforçava por vezes em fazer ostentação, o que impressionava desagradavelmente a Tótski. Aliás, tinha Nastássia Filípovna muitos defeitos que causavam em Afanássi Ivânovitch impressão desagradável e que depois mesmo chegou a transformar-se em desprezo. Sem falar daquela nada seleta classe de indivíduos de que às vezes se cercava e que era propensa a frequentar, notava nela outras inclinações de todo ponto estranhas; mostrava certa selvagem mistura de dois gostos que a tornava capaz de preferir servir-se de objetos e de meios cujo emprego pareceria inadmissível a uma pessoa bem nascida e de fino gosto. Efetivamente, se Nastássia Filípovna mostrava elegante e encantadora ignorância do fato, por exemplo, de que as camponesas não estavam em condições de usar a roupa branca de cambraia que ela usava, Afanássi Ivánovitch ficava, ao ouvi-la, sumamente contente. A esse resultado tendia preferentemente toda a educação de Nastássia Filípovna, segundo o programa de Tótski, o qual, nesse terreno, era um homem muito sutil. Mas ai! como pareciam estranhos os resultados! Apesar disso, conservava ainda Nastássia Filípovna algo que as vezes surpreendia o próprio Tótski por sua extraordinária e sedutora originalidade, algo de forte que vinha cativá-lo mais de uma vez, ainda agora que já haviam falhado todos os seus cálculos a respeito de sua pessoa.

Encontrou-se o príncipe com uma moça (a criadagem de Nastássia Filípovna compunha-se sempre de mulheres), que, com grande admiração de sua parte, atendeu, sem a menor perplexidade, a seu pedido para que o anunciasse. Nem seus sapatos sujos, nem seu largo chapéu, nem seu capote sem mangas, nem seu aspecto tímido induziram-na à menor hesitação. Despojou-o do capote, convidou-o a esperar numa saleta e foi imediatamente anunciá-lo.

A sociedade que se se reunia em casa de Nastássia Filípovna compunha-se de suas amizades mais correntes e habituais. Havia também muito pouca concorrência, comparada com a que em semelhante dia afluía ali nos anos anteriores. Achavam-se presentes, entre os primeiros e principais, Afanássi Ivânovitch Tótski e Ivan Fiódorovitch Iepántchin. Ambos se mostravam muito amáveis, mas ambos guardavam certa inquietude secreta, a respeito da mal oculta expectativa da explicação prometida no referente a Gânia. Além deles, estava ali, naturalmente, Gânia, também muito sombrio, muito preocupado e até quase todo esquivo, mantendo-se, em geral, de parte, retraído e taciturno. Não se atrevera a levar Vária, mas Nastássia Filípovna tampouco se lembrava dela; em compensação, olhando algo de revés para Gânia, lembrou-se de sua recente cena com o príncipe. O general, que ainda não tinha notícia dela, pareceu interessar-se. Então Gânia, secamente, de má vontade, mas com inteira franqueza, contou tudo quanto acabava de ocorrer e como já havia ido pedir perdão ao príncipe. Ao contar o incidente, exprimiu sua opinião de que o príncipe era uma criatura muito estranha e só Deus sabia por que o chamavam de idiota, mas que tinha dele um conceito totalmente diferente e que não tinha dúvida nenhuma de que estava em todo o seu juízo. Nastássia Filípovna escutou suas palavras com grande atenção e curiosidade, mas logo em seguida a conversa recaiu em Rogójin, que parte tão importante havia tomado no episódio daquela manhã e pelo qual começaram a interessar-se, com extraordinária curiosidade, Afanássi Ivânovitch e Ivan Fiódorovitch. Ocorreu que Ptítsin estava em condições de revelar as intenções pessoais de Rogójin, pois estivera com ele, tratando de seus negócios, até quase as nove horas da noite. Rogójin porfiara insistentemente para que lhe levassem naquela noite os cem mil rublos.

— Para falar a verdade, estava bêbado — observou Ptítsin. — Mas não me seria difícil arranjar-lhe cem mil rublos, somente não sei se hoje mesmo poderia arranjar toda a quantia. Mas muitos estão trabalhando: Kinder, Triepálov, Biskup. Não faz questão do juro que tenha de pagar, sem dúvida, uma vez que está bêbado e na primeira excitação da fortuna — terminou Ptítsin.

Todas estas notícias foram recebidas com um interesse até certo ponto depressivo. Nastássia Filípovna mantinha-se em silêncio. Não querendo, evidentemente, revelar seus sentimentos. Gânia também estava mudo. O General Iepántchin era talvez quem mais intranquilidade sentia. As pérolas que lhe apresentara naquela mesma manhã foram acolhidas com uma amabilidade algo fria e até com certo sorriso zombeteiro. Fierdíchtchenko era o único dentre os visitantes que mostrava uma jovialidade e uma disposição de ânimo festiva, soltando de quando em quando ruidosas gargalhadas, por vezes sem saber por que, somente por ele próprio ter se imposto isso. E o próprio— Afanássi Ivânovitch, que se distinguia como conversador fino e de gosto e fora em outras reuniões iguais quem conduzira a conversa, não estava evidentemente disposto e até parecia possuído de uma confusão insólita nele. Os demais visitantes que, por certo, não eram muitos (um velho e lamentável professor, que só Deus sabe por que fora convidado; um jovem desconhecido, de uma timidez tremenda e que se mantinha calado todo o tempo; uma senhora muito viva, de uns quarenta anos, atriz, e uma senhorita jovem, sumamente bonita, de extraordinária elegância e traje luxuoso e muito pouco faladora), não só não podiam animar o diálogo, mas por vezes nem sequer sabiam de que haveriam de falar. Nestas circunstâncias, a aparição de Míchkin verificou-se até oportuna. O anúncio de sua chegada suscitou perplexidades e alguns sorrisos estranhos, sobretudo quando, pela expressão de espanto de Nastássia Filípovna, compreenderam que ela não havia pensado, nem mesmo remotamente, em convidá-lo. Mas, passada sua surpresa, Nastássia Filípovna mostrou logo tanta satisfação que a maioria de seus convivas dispõe-se a receber o inesperado hóspede com risos e alegria.

— *Vamos supor que* isto é efeito de sua ingenuidade, — pronunciou-se Ivan Fiódorovitch Iepántchin, — e embora seja um tanto perigoso encorajar tais tendências, no momento presente não está mal que haja pensado em felicitá-la, ainda que deste modo original. Pode ser que venha distrair-nos, pelo menos é o que eu posso pensar dele.

— Oh! E ainda mais com ele aparecendo sem que ninguém o convide! — concluiu imediatamente Fierdíchtchenko.

— Acha mesmo isso? — perguntou o general, que não tolerava Fierdíchtchenko.

— Não; creio que deve pagar entrada — explicou aquele.

— Oh! o Príncipe Míchkin não é nenhum Fierdíchtchenko, cuidado! — disse, sem poder conter-se, o general, que não podia tolerar a ideia de encontrar-se com Fierdíchtchenko numa reunião e no mesmo pé de igualdade.

— Ora, general, deixe em paz o Fierdíchtchenko — replicou o próprio Fierdíchtchenko. — Porque, note, sigo minhas normas especiais.

— Que normas especiais são essas?

— Da vez passada tive já a honra de expô-las nesta reunião... mas vou repeti-las para Sua Excelência. Faça-me o favor de prestar atenção: todos têm inteligência, ao passo que eu não tenho nenhuma. Em compensação reclamo permissão para dizer a verdade, já que ninguém ignora que as únicas pessoas que dizem a verdade são aquelas que carecem de inteligência. Além disso sou um indivíduo muito irritável e também pela mesma razão de carecer de inteligência. Suporto sem replicar qualquer insulto, mas ao primeiro fiasco do ofensor, ao seu primeiro fiasco, logo recordo o ultraje e passo a vingar-me, passo a dar coices, como de mim dizia Ivan Pietróvitch Ptítsin, o qual, sem dúvida alguma, nunca dará coices. O senhor conhece a fábula de Krilov, *O leão e o burro*, excelência? Pois bem, aqui estamos o senhor e eu, e até parece que o escritor inspirou-se em nós.

— Pelo visto, Fierdíchtchenko, o senhor está dizendo tolices! — exclamou o general.

— E que importa isso a Vossa Excelência? — insistiu Fierdíchtchenko, como que esperando poder desforrar-se e ficar ainda de cima. — Não se inquiete, Vossa Excelência, que conheço meu lugar. Se disse que o senhor e eu éramos o leão e o burro da fábula de Krilov, o papel de burro reservava-o para mim, é claro, Deixando para Vossa Excelência o de leão, segundo diz a fábula:

> O leão poderoso, o terror das florestas,
> Perdera com a velhice o vigor juvenil.

Mas, eu, excelência, sou... o burro.

— Com esta última coisa estou perfeitamente de acordo — deixou escapar imprudentemente o general.

Tudo aquilo era grosseiro, sem dúvida, e dito de propósito, mas já era coisa convencionada deixar que Fierdíchtchenko desempenhasse seu papel de bufão.

— Justamente por isso me toleram e me recebem aqui — insistiu Fierdíchtchenko, — para que fale precisamente deste modo. Vamos ver: é realmente possível receber em alguma casa alguém como eu? Não acreditem que não compreendo. Vejamos: será possível que eu, esse tal de Fierdíchtchenko, me ombreie com tão cultos cavalheiros como Afanássi Ivânovitch? Quer queiram quer não só há uma explicação: só o recebem porque é isso uma coisa inconcebível.

Mas embora aquilo se mostrasse grosseiro e por vezes cáustico, até mesmo excessivo, era, ao que parece, do agrado de Nastássia Filípovna. Quem desejasse a todo transe frequentar-lhe a casa, não tinha outro remédio senão suportar Fierdíchtchenko. Ele talvez tivesse adivinhado toda a verdade ao supor que o recebiam ali precisamente porque, desde o primeiro momento, sua presença tornara-se intolerável para Tótski. Gânia, por sua parte, tinha de suportar dele todo um suplício infinito e, neste sentido, sabia Fierdíchtchenko agradar grandemente a Nastássia Filípovna.

— O príncipe começará por cantar para nós uma canção da moda — concluiu Fierdíchtchenko, olhando para ver o que Nastássia Filípovna diria.

— Não o creio, Fierdíchtchenko, e rogo-lhe que não se excite — observou ela, secamente.

— Ah! se ele se encontra sob proteção especial, neste caso também eu me abrandarei...

Mas Nastássia Filípovna levantou-se sem ouvi-lo e saiu ela própria a receber o príncipe.

— Lamento — disse, apresentando-se de repente diante de Míchkin, — que antes, por distração, me houvesse esquecido de convidá-lo para vir à minha casa, e muito me alegra que o senhor mesmo me proporcione agora ocasião de agradecer-lhe e aplaudi-lo pela sua inesperada decisão.

Ao dizer isso, olhava fixamente o príncipe, esforçando-se, de certo modo, por explicar a si mesma a decisão dele.

Possível seria que Míchkin tivesse respondido também com palavras amáveis ao que ela dissera, mas estava tão deslumbrado e até certo ponto desconcertado que não pôde articular nenhuma palavra. Nastássia Filípovna notou isto com satisfação. Naquela noite exibia um vestido completo e causava extraordinária impressão. Pegou-o pela mão e conduziu-o à sala. Mas justamente na porta, Míchkin parou de repente e, com desusada emoção, apressando-se, murmurou-lhe ao ouvido:

— Na senhora tudo é perfeição... até mesmo o ser magra e pálida... Não se gostaria de imaginá-la de outro modo... Quanta vontade tinha eu de vir vê-la! Perdoe-me...

— Não peça perdão— disse, rindo, Nastássia Filípovna. — Deita assim a perder toda a sua estranheza e originalidade. E, pelo visto, têm razão em dizer que o senhor é um homem estranho. É mesmo verdade que me vê como uma perfeição?

— Sim.

— Pois mesmo que o senhor seja um mestre em adivinhar, está enganado nessa questão. Hei de lembrar-lhe ainda esta noite...

Apresentou o príncipe a seus amigos, dos quais mais da metade já o conhecia. Tótski disse imediatamente alguma frase amável. Todos pareceram animar-se um tanto; todos, ao mesmo tempo, começaram a falar e a rir. Nastássia Filípovna fez o príncipe sentar-se a seu lado.

— Mas, depois de tudo, que tem de maravilhoso a aparição do príncipe? — exclamou, mais alto que todos, Fierdíchtchenko. — A coisa está clara, explica-se por si mesma.

— *A coisa está demasiado* clara e explica-se demasiado por si mesma — assentiu, de súbito, o taciturno Gânia. — Estive observando o príncipe hoje, quase sem interrupção, desde o momento mesmo em que, não faz muito, viu pela primeira vez o retrato de Nastássia Filípovna em cima da mesa de Ivan Fiódorovitch. Lembro-me muito bem de que já naquele momento tive de pensar o mesmo de que agora tenho a convicção plena e que, seja dito de passagem, me confessou o próprio príncipe.

Gânia disse toda essa frase com expressão perfeitamente séria, sem a menor jocosidade, até com ar austero, o que era algo estranho.

— Não lhe fiz nenhuma confissão — replicou o príncipe, ficando vermelho. — Limitei-me a responder à sua pergunta.

— Bravo, bravo! — exclamou Fierdíchtchenko. — Pelo menos, é franco, astuto e sincero.

Todos riram alto.

— Não grite assim, Fierdíchtchenko, — advertiu-o com desgosto, em voz baixa, Ptítsin.

— Não esperava, príncipe, do senhor tais proezas, — disse Ivan Fiódorovitch. — Ninguém teria pensado isso do senhor. E eu que o tinha por um filósofo! Sim, senhor, bem caladinho.

— E a julgar pela circunstância de ficar o príncipe todo corado, diante de uma pilhéria inofensiva, como se fosse inocente donzela, deduzo que ele, além de um jovem nobre, nutre em seu coração as mais louváveis intenções — disse, de repente, e de um modo completamente inesperado, ou melhor, sibilou o professor desdentado e sessentão que, até ali, guardara silêncio, e do qual ninguém podia esperar que dissesse qualquer coisa, durante toda a reunião. Todos riram cada vez mais forte. O velhinho, certamente pensando que achavam graça na sua inteligência, olhando para todos, pôs-se a rir mais forte ainda, o que lhe produziu violento ataque de tosse, pelo que Nastássia Filípovna, que gostava muito, vá lá a gente saber por que, de todos os velhotes e velhotas ridículos, e até mesmo de gente maluca, pôs-se em seguida a acariciá-lo, a beijá-lo e ordenou que trouxessem mais chá para ele. Quando a criada entrou, pediu que lhe trouxessem também uma mantilha, na qual se envolveu e ordenou que pusessem mais lenha na lareira. Ao lhe perguntarem as horas, respondeu a criadinha que já eram onze e meia.

— Senhores, não querem tomar um pouco de champanhe? — convidou, de repente, Nastássia Filípovna. — Já está pronta. Talvez assim os senhores fiquem de melhor humor. Façam-me o favor; sem-cerimônias.

O convite para beber, e sobretudo formulado com expressão tão franca, não deixava de ser muito estranho de parte de Nastássia Filípovna. Todos conheciam a rígida etiqueta de suas anteriores reuniões. Em geral, eram umas reuniões bastante alegres mas não habitualmente. Não obstante, aceitaram o vinho, em primeiro lugar, o general, depois a senhora muito viva, o velhote, Fierdíchtchenko, e após eles, os demais. Tótskin tomou também seu copo, esperando harmonizar-se com o novo *tom imperante*, dando-lhe, no possível, o caráter de uma pilhéria simpática. Gânia foi o único que absolutamente não bebeu.

Nastássia Filípovna tomara uma taça de champanhe e declarara que beberia mais três naquela noite. Era difícil compreender suas estranhas e por vezes abruptas e súbitas manifestações, suas risadas histéricas e sem motivo, alternando com depressões silenciosas e até mesmo esquivas. Alguns de seus visitantes suspeitaram que ela estivesse com febre. Começaram a notar por fim que ela também parecia estar à espera de alguma coisa, pois olhava frequentemente para seu relógio e estava-se tornando impaciente e preocupada.

— Terá a senhora, talvez, um pouco de febre — perguntou a senhora espevitada.

— Um pouco, não, mas muita, por isso enrolei-me na mantilha — respondeu Nastássia Filípovna, ficando efetivamente mais pálida e como que reprimindo de quando em quando um violento tremor.

Todos ficaram alarmados e se movimentaram.

— Não deveríamos deixar em paz a dona da casa? — aventurou Tótski, olhando para Ivan Fiódorovitch.

— Nunca, de modo algum, senhores! Rogo-lhes justamente que se sentem. Sua presença, sobretudo esta noite, é para mim absolutamente indispensável — declarou, de repente, Nastássia Filípovna com firmeza e de uma maneira significativa.

E como quase todos os presentes já sabiam que aquela noite estava destinada a que nela se tomasse uma decisão grave, aquelas palavras pareceram muito importantes. Gânia tremia convulsivamente.

— Não estaria mal que jogássemos algum *petit jeu*[24] — disse a senhora espevitada.

— Conheço um *petit jeu* novo e magnífico — encareceu Fierdíchtchenko. — Embora tivesse sido jogado uma vez só no mundo e mesmo então não obteve êxito.

— E qual é? — perguntou a senhora espevitada.

— Vão ver: estávamos uma vez reunidos e havíamos bebido, a verdade é esta, quando, de repente, um de nós propôs que cada um, sem levantar-se de sua cadeira, contasse algo de seu, muito íntimo, em voz alta, mas algo que ele próprio, sinceramente, em consciência, considerasse a mais feia de todas as suas ações, feias, no decurso de toda sua vida; mas com a condição de que fosse sincero, isto era o principal, que fosse sincero, que não mentisse.

— Estranha ideia — disse o general.

— Mas quanto mais estranha, general, tanto melhor.

— Pensamento ridículo — disse Tótski, — embora, afinal, compreensível vaidade de uma índole especial.

— Talvez também tivesse algo disso, Afanássi Ivânovitch.

— Mas tal *petit jeu* faria a gente chorar e não rir! — observou a senhora espevitada.

— A coisa é totalmente impossível e absurda — declarou Ptítsin.

— E teve êxito? — indagou Nastássia Filípovna.

— Já lhe disse que não, tornou-se antipática. Todos, efetivamente, contaram alguma anedota, muitos disseram a verdade e, imaginem, houve quem fizesse o relato com satisfação. Mas depois todos ficaram com vergonha e não puderam suportar mais aquilo. No fundo, aliás, foi uma coisa muito divertida, embora, está claro, em seu estilo.

— Mas na verdade não seria nada mau — observou Nastássia Filípovna, animando-se subitamente. — Será que os senhores não gostariam de experimentar? Na realidade, não parece que estejamos muito alegres. Se cada um dos senhores

24 Jogo de sociedade, que consiste, principalmente, de diálogos e adivinhações, em que é imposto um castigo aos que, cometendo uma falta, tiveram que dar uma prenda.

consente em contar algo... Desse estilo... é claro que espontaneamente, por sua própria vontade. Talvez nós possamos suportar. Pelo menos, trata-se de algo enormemente original.

— Genial ideia! — encareceu Fierdíchtchenko. — As senhoras, naturalmente, ficam excluídas. Comecem os cavalheiros. A coisa se fará por sorte, como fizemos naquela ocasião. Vamos, vamos! Se alguém fizer muita questão de não tomar parte, não contará nada; mas será de sua parte muito pouco amável. Tirem a sorte, senhores, aqui em meu chapéu. O príncipe a tirará. A coisa não pode ser mais simples. Revelar a ação mais feia de toda a vida que se tenha praticado. Isto é muito fácil, senhores! Aqui está, vejam! Se alguém se esquecer, eu imediatamente o chamarei à ordem.

A ideia não foi do agrado de ninguém. Uns franziram a testa, outros sorriram ladinamente. Alguns fizeram objeções, embora não com muita energia, pois não queriam incorrer no desagrado de Nastássia Filípovna e tinham podido observar quão de seu agrado era aquela estranha ideia. Em seus caprichos era Nastássia Filípovna sempre irascível e implacável, quando se decidia a manifestá-los, ainda quando se tratasse dos desejos mais voluntariosos e mais inúteis para ela. E agora estava como que atacada de histerismo: tremia, ria convulsivamente, como presa de uma indisposição repentina, sobretudo diante das objeções do alarmado Tótski. Seus escuros olhos cintilavam; em suas faces pálidas acusavam-se duas manchas rubras. Os matizes de contrariedade e de esquivança das fisionomias de alguns de seus amigos, talvez contribuíssem para tornar mais ousado ainda seu ridículo capricho: talvez o que mais precisamente lhe agradasse fossem o cinismo e a crueldade daquela ideia. Alguns tinham até a convicção de que tinha ela um especial objetivo nisso. Afinal de contas, acederam. Em todo caso era curioso e, para mais de um, muito atraente. Fierdíchtchenko era o que mais barulho fazia.

— E se houvesse algo de tal natureza que não se pudesse contar... diante das senhoras? — observou, timidamente, o rapazinho taciturno.

— Pois então não contem nada que, afinal de contas, pouca coisa má terá o senhor que contar — respondeu Fierdíchtchenko — ah! os jovens!

— Mas eu não sei qual de minhas ações poderá ser a mais feia — exclamou a senhora espevitada.

— As senhoras ficam isentas da obrigação de contar alguma coisa — repetiu Fierdíchtchenko, — terão liberdade de fazê-lo ou não. Qualquer coisa de sua própria inspiração será aceita gratamente. Os homens também ficarão isentos, se fizerem muita objeção a falar.

— Mas como demonstrar que não minto? — perguntou Gânia. — E se mentir então já o jogo perde toda a sua graça. E quem não. mentirá? Todos, fatalmente, haveremos de mentir.

— Mas é também fascinante ver como mentem os homens! Tu, Gânia, pessoalmente, não há receio de que mintas, já que tua ação mais ruim, sem necessidade de que a digas, todo o mundo a conhece. Pensem somente, senhores — exclamou, de repente, com certa inspiração, Fierdíchtchenko, — pensem somente com que olhos nos iremos olhar uns aos outros amanhã, por exemplo, depois destas confissões.

— Mas isto será possível? Isto será realmente sério, Nastássia Filípovna? — indagou, com dignidade, Tótski.

— Quem o lobo teme... ao bosque não vá! — observou Nastássia Filípovna, com um sorriso zombeteiro.

— Mas permita, Senhor Fierdíchtchenko: é por acaso possível fazer disso um *petit jeu?* — continuou, cada vez mais alarmado, Tótski. — Asseguro-lhe que coisas como essas não dão certo; o senhor mesmo disse antes, que da outra vez não obteve êxito.

— Como é que não obteve êxito? Contei naquela ocasião que havia roubado três rublos de prata e, da maneira como os havia roubado, contei.

— Concedo. Mas e se o senhor tivesse contado algo com aparência de verdade e o houvessem acreditado? Gavrila Ardaliónovitch observou muito justamente que basta que alguém incorra em uma falsidade para que já o jogo perca toda a graça. A verdade só pode ser dita por casualidade, quando se tem um caráter vaidoso de índole especial, de péssimo tom, que aqui não cabe supor e é perfeitamente vulgar.

— Mas que homem tão sutil é o senhor, Afanássi Ivânovitch! Digo-lhe que me causa espanto! — exclamou Fierdíchtchenko. — Imaginem os senhores que não posso relatar um roubo meu com aparências de verdade! Afanássi Ivânovitch, da maneira mais delicada, dá a entender que eu sou incapaz de cometer um roubo (porque contá-lo em voz alta resulta indecoroso), ainda que seja muito possível que, em seu foro íntimo, esteja perfeitamente convencido de que Fierdíchtchenko é muito capaz de roubar. Mas vamos, senhores, vamos! aqui estão já as sortes! O senhor mesmo, Afanássi Ivânovitch, pôs a sua, de modo que ninguém se negou. Príncipe, tire!

O príncipe, em silêncio, introduziu a mão no chapéu e retirou a primeira sorte: Fierdíchtchenko; a segunda: Ptítsin; a terceira: o general; a quarta: Afanássi Ivânovitch; a quinta: a sua; a sexta: Gânia, etc. As damas não haviam posto sortes.

— Oh! meu Deus! Que desgraça! — exclamou Fierdíchtchenko. — E eu que pensava que o primeiro turno caberia ao príncipe e o segundo... ao general! Mas, louvado seja Deus!, pelo menos Ivan Pietróvitch vem atrás de mim e assim serei compensado. Senhores, sou obrigado a dar um nobre exemplo; mas o que mais lamento no momento presente é ser tão insignificante e tão pouco notável em todos os sentidos; até o cargo que desempenho é modestíssimo. Vamos ver, digam-me os senhores: haverá possibilidade de ser realmente interessante alguma má ação que Fierdíchtchenko haja cometido? E além disso, qual é a pior ação de quantas haja cometido? Aqui nos encontramos com *l'embarras de richesse*[25]. Mas contarei talvez de novo aquele furto de outrora para que Afanássi Ivânovitch veja que se pode roubar sem ser ladrão.

— Convence-me também, Senhor Fierdíchtchenko, de que se pode sentir satisfação até a embriaguez, referindo a gente suas mais sujas ações, ainda que ninguém lhes pergunte... Mas, aliás... Perdoe-me, Senhor Fierdíchtchenko.

— Comece de uma vez, Fierdíchtchenko; fala o senhor de uma porção de coisas e não acaba nunca! — intimou-o Nastássia Filípovna, nervosa e impaciente.

Haviam todos observado que, depois daquele acesso de riso convulsivo, ficara séria, mal-humorada e nervosa, o que não impedia que insistisse direta e despoticamente em seu impossível capricho. Afanássi Ivânovitch sofria horrivelmente. *Estava também furioso contra* Ivan Fiódorovitch, que, sentado, bebia champanhe,

---

25 O embaraço da abundância.

como se nada lhe importasse; talvez esperando contar alguma coisa, quando chegasse sua vez.

CAPÍTULO XIV

— Sou um homem sem inteligência, Nastássia Filípovna e por isso falo além da conta! — exclamou Fierdíchtchenko, dando princípio à sua narrativa. — Se tivesse eu tanto talento como Afanássi Ivânovitch ou como Ivan Pietróvitch, não teria feito outra coisa esta noite senão ficar quietinho e calado como estão Afanássi Ivânovitch e Ivan Pietróvitch. Príncipe, permita-me que lhe pergunte que o senhor pensa a respeito do assunto, porque acho que há no mundo muito mais ladrões do que não ladrões, e que não há homem, por honrado que seja, que (ainda que só uma vez) não haja roubado em sua vida. Esta é a minha opinião, da qual, por outra parte, não infiro que todos, sem exceção, sejam uns ladrões, embora, por Deus!, por vezes me dê grande vontade de tirar essa conclusão. Que pensa o senhor?

— Oh! como o senhor conta mal sua história! — disse Dária Alieksiéievna. — Que absurdo! Não é possível que toda gente haja roubado alguma coisa. Eu, por exemplo, nunca roubei nada.

— A senhora nunca roubou nada, Dária Alieksiéievna; mas que diz o príncipe, que de repente ficou todo vermelho?

— Penso que o senhor tem razão, apenas exagera muito — declarou Míchkin, pondo-se, efetivamente, vermelho.

— Mas o senhor, príncipe, nunca roubou nada?

— Oh! Como isto é ridículo! Tenha juízo, Senhor Fierdíchtchenko! — interveio o general.

— Isto não passa do seguinte: como chegou o momento de contar sua história e está com vergonha, quer o senhor complicar o príncipe. Graças a Deus, é ele de bom caráter — insistiu Dária Alieksiéievna.

— Fierdíchtchenko, ou o senhor conta sua história, ou fique calado e guarde-a para si. O senhor faz a gente perder a paciência — disse, cortante e mal-humorada, Nastássia Filípovna.

— Agora mesmo, Nastássia Filípovna. Mas se já o príncipe confessou, porque insisto em que o príncipe, de todos os modos, confessou alguma coisa, que diria por exemplo, outro qualquer (não nomeio ninguém) se quisesse alguma vez declarar a verdade? Pelo que a mim se refere, senhores, não necessito falar muito: trata-se de uma coisa muito simples, estúpida e repugnante. Mas lhes asseguro que não sou nenhum ladrão. Roubei mas não sei como. Foi há três anos, na casa de campo de Siemion Ivânovitch, num domingo. Tinha convidados à mesa. À sobremesa, ficaram os homens bebendo. Ocorreu-me pedir a Maria Siemiônovna, sua filha, que tocasse algo no piano. Atravesso a sala principal e vejo em cima da mesinha de costura de Maria Siemiônovna uma cédula verde de três rublos; tinha-a tirado, sem dúvida, para algum gasto da casa. Na sala não havia ninguém. Pego a cédula e meto-a no bolso, sem saber para quê. Em seguida, volto para lá e sento-me outra vez à mesa. Fiquei bem quieto, aguardando, presa de uma emoção bastante viva; falava sem parar; contava anedotas; ria-me; passei depois a conversar com as senhoras. Ao cabo de meia hora deram-se conta do que ocorreu e começaram a interrogar as criadas. Maria suspeitava de uma delas, de nome Dária. Revelei uma curiosidade e interesse extraordinários, e até me lembro de que, quando Dária perdeu de todo a serenidade, me pus a convencê-la de que confessasse, assegurando-lhe que sua patroa seria bondosa para com ela; e disse isto em voz alta, diante de todos. Todos olhavam e eu sentia vivíssimo prazer pelo fato de estar dando conselhos a ela, enquanto jazia a cédula em meu bolso. Gastei aqueles três rublos na mesma noite, bebendo num restaurante. Entrei ali e pedi uma garrafa de Laffite; nunca até então eu pedira uma garrafa inteira, sem mais nem menos: era que tinha pressa em gastar aquele dinheiro. Remorsos de consciência, nem então, nem depois os senti. Seguramente não voltaria a repetir a façanha. Isto podem os senhores crer ou não, segundo lhes aprouver, pois não tenho nisto o menor interesse. Pois então está tudo dito.

— Essa, certamente, não é sua ação mais feia — disse Dária Alieksiéievna, com aversão.

— É este um caso psicológico e não uma ação — observou Afanássi Ivânovitch.

— Mas, e a criada? — perguntou Nastássia a Fierdíchtchenko, sem ocultar seu intenso desgosto.

— Puseram a criada para fora da casa no outro dia, naturalmente. Aquela é uma casa séria.

— E o senhor consentiu?

— Não faltava mais nada! Que queria: que eu fosse me confessar culpado? — E Fierdíchtchenko pôs-se a rir, ainda que, no fundo, constrangido até certo ponto pela geral e intensa má impressão que produzira seu relato.

— Que sujeira! — exclamou Nastássia Filípovna.

— Veja! A senhora queria ouvir a ação mais feia de um indivíduo e reclama coisas brilhantes! Mas a ação mais feia e naturalmente mais suja, vamos ouvi-la dos lábios de Ivan Pietróvitch. Além disso, quantos há que brilham por fora e querem parecer virtuosos porque têm carro próprio! E quantos têm carro próprio! E graças a que expedientes!

Em resumo Fierdíchtchenko não se resignou em absoluto e de repente enraiveceu-se a ponto de esquecer-se de si mesmo, ultrapassando toda medida; seu rosto até se contraiu. Por estranho que possa parecer, era muito possível que esperasse um resultado totalmente diferente de seu relato. Aquelas pilhérias de mau tom e vaidades de índole especial, segundo a expressão de Tótski, costumavam ocorrer com muita frequência a Fierdíchtchenko e correspondiam perfeitamente a seu caráter.

Nastássia Filípovna chegou a tremer de raiva, encarando fixamente Fierdíchtchenko com firmeza. Este, por um momento, intimidou-se e guardou silêncio e por um triz não ficou gelado de susto. Tinha ido demasiado longe.

— E se déssemos a coisa por terminada? — perguntou-lhe astutamente Afanássi Ivânovitch.

— Chegou a minha vez, mas invoco meu direito de liberdade e não contarei minha anedota, — disse, decidido, Ptítsin.

— *Não quer?*

— Não posso, Nastássia Filípovna; e, além disso, em termos gerais, parece-me este um *petit jeu* impossível.

— General, segundo parece, toca-lhe a vez agora — e Nastássia Filípovna olhou para o general. — Caso o senhor também desista, todos os outros que lhe vêm depois desistirão também e eu sentirei, porque pensava contar depois de todos, para rematar, uma ação feia de minha própria vida. Mas tinha de ser depois do senhor e de Afanássi Ivânovitch, porque os senhores estavam obrigados a encorajar--me — concluiu, pondo-se a rir.

— Oh! se a senhora promete isto, — exclamou com veemência o general, — estou pronto a referir-lhe toda a minha vida; mas, confesso-o, à espera da minha vez, já tinha preparada minha anedota...

— E já apenas pelo aspecto de Vossa Excelência pode-se inferir com que pessoal satisfação literária a compôs — atreveu-se a observar Fierdíchtchenko, ainda algo ressentido, esboçando um sorriso sarcástico.

Nastássia Filípovna lançou um olhar relampejante ao general e até sorriu interiormente. Mas saltava à vista que seu desgosto e nervoso aumentavam a cada instante. Afanássi Ivânovitch sentiu duplo pânico ao ouvir sua promessa de contar uma história.

— A mim, senhores, como a cada qual, sucedeu-me cometer ações, não de todo delicadas, em minha vida — começou o general. — Mas o mais extraordinário de tudo é que eu mesmo considero uma curta anedota, que em seguida contarei, como a mais repugnante de toda a minha vida. Não obstante, de então para cá passaram-se bem cerca de trinta anos e, contudo, nunca consegui fazer desaparecer a recordação de certa impressão, que parece, por assim dizer, atormentar meu coração. A coisa, afinal de contas, é demasiado estúpida. Naquele tempo eu ainda era alferes e estava abrindo meu caminho no Exército. Bem; já se sabe o que é um alferes: sangue fervendo e muito ardor, mas um miserável avarento. Tinha eu então uma ordenança, Nikífor, que zelava intensamente pelas minhas finanças. Poupava, costurava, varria, esfregava e, além disso, em todas as partes roubava quanto podia deitar a mão, com o único objetivo de prover à nossa casa. Era o homem mais leal e mais honrado do mundo. Eu, naturalmente, era severo porém justo. Durante uma temporada aconteceu estarmos de guarnição em um povoado. Procuraram alojamento para mim em um subúrbio, em casa da viúva de um subtenente reformado. Pelos oitenta anos, pelo menos muito perto deles, andaria a senhora. Sua casa era velha, suja, de madeira, e nem sequer, de pura pobreza, tinha uma criada. Mas o principal, o que a distinguia, é que tivera outrora numerosos familiares e parentes; somente, uns lhe tinham ido morrendo no transcurso dos anos, outros se haviam espalhado pelo mundo e alguns outros se haviam esquecido da anciã. Quanto a seu marido, já fazia quarenta e cinco anos que o tinham enterrado. Vivera com ela anos antes uma sobrinha, corcunda e malvada, segundo diziam, como uma bruxa, e até, em certa ocasião, mordera a velha num dedo. Mas também ela morreu, de sorte que andava já em três anos que a velha vivia perfeitamente só. Bem aborrecido andava eu em sua casa, tão vazia que não havia possibilidade de distrair-me de modo algum. Finalmente roubou-me ela um galo. A coisa não está clara até hoje, mas além dela não havia ali ninguém. Por causa do galo brigamos, e muito, mas sucedeu que, ao meu primeiro pedido, me transferiram para outro alojamento no subúrbio oposto, com a numerosa família de um comerciante, que tinha uma barba comprida, como agora me recordo. Mudei-me para lá com Nikífor, muito contente, deixando desgostosa a velha. Passados três dias, dirijo-me à instrução, quando chega Nikífor e me anuncia que "fez mal Vossa Nobreza em deixar com a velha nossa sopeira, porque agora não temos onde servir a sopa". Eu, naturalmente, fiquei estupefato. "Mas como ficou nossa sopeira em casa da velha?" Nikífor, espantado, continua contando-me que a velha, ao partirmos de sua casa, negou-se a dar-lhe a sopeira alegando que, como lhe havia eu quebrado uma panela, ela, em compensação, ficava com nossa sopeira e que assim eu mesmo lhe havia proposto. Semelhante ruindade da parte dela fez-me ultrapassar os derradeiros limites; ferveu-me o sangue, dei um salto, saí correndo. Sigo para a casa da velha, por assim dizer, já fora de mim. Olho, está sentada no portal, só, sozinha, em um canto, como a esquivar-se do sol, apoiando a face numa mão. Eu logo, saibam os senhores, lhe fui passando uma descompostura: "és isto e aquilo!" e já sabem os senhores como se presta o russo para essas coisas. Mas observando-a noto algo de estranho; ela continua sentada, de rosto voltado para mim, os olhos escancarados, sem uma palavra a responder, e é raro, insólito, vê-la assim como se hesitasse. Finalmente, consigo me acalmar, olho-a mais de perto, interrogo-a: nenhuma palavra de resposta. Estava indeciso; as moscas zumbiam; o sol se punha; silêncio. Completamente perturbado, retiro-me afinal. Nem mal chegara em casa, quando me chamaram da parte do major; tive de passar em revista a companhia imediatamente; de sorte que só voltei de noite. As primeiras palavras de Nikífor foram: "Não sabe de uma coisa, Vossa Nobreza? Pois a nossa dona de casa morreu!". "Quando?" "Esta mesma tarde, haverá hora e meia." Quer dizer que, no mesmo momento em que estava eu a insultá-la, ela expirava. Tamanha impressão me causou aquilo que, direi a vocês, quase perdi os sentidos. E para que saibam, ainda penso e até sonho com isso à noite. Eu, naturalmente, não tenho preconceitos; mas três dias depois fui à igreja, ao funeral. Em resumo: quanto mais tempo passa, tanto mais me recordo. Não direi que... mas, enfim, que de quando em quando a gente se lembra e isso lhe pesa. O essencial é, naturalmente, a ideia que eu formo. Em primeiro lugar, era uma mulher, isto é, um ser humano, como se diz agora. Viveu muito tempo, viveu e, por fim, passou a uma melhor vida. Algum tempo ela teve filhos, marido, família, parentes, todos, por assim dizer, em torno dela; ferveram em torno dela todos aqueles sorrisos, toda aquela vida, digamo-lo assim, e de repente... a paz completa, tudo voou ao sepulcro, ficou sozinha como... uma mosca, amaldiçoada desde o começo dos tempos. E eis que afinal Deus a conduzira a um fim; quando o sol se punha, numa tranquila tarde de verão, minha velha também levantou voo... Tema para piedosa reflexão, decerto. E naquele instante preciso, em lugar de ouvir os soluços que acompanham a agonia dos que se vão, vê surgir um jovem alferes impertinente que, com as mãos na cintura e ar agressivo, a põe para fora deste mundo lançando-lhe os piores insultos do repertório popular por causa de uma sopeira desaparecida. Sem dúvida alguma sou culpado, e, embora já faça muito tempo e venha considerando aquela minha ação, pela distância da época e pela minha mudança de caráter, como alheia, nem por isso a lamento menos. O que, repito, se torna para mim estranho, tanto mais quanto, se bem que seja culpado, não o sou de todo: por que haveria de ocorrer-lhe morrer naquele momento? É *claro que só há uma desculpa*: que se trata, em certo sentido, de um ato psicológico; mas, apesar de tudo, não pude recuperar a calma senão quando, há uns quinze anos, fiz entrar dois velhos verdadeiramente doentes, às minhas custas, no asilo, com a intenção de amenizar-lhes com os bons tratos os últimos dias de sua existência terrena. Penso converter em perpétua essa fundação, deixando para isso em meu testamento um legado. Já ficaram vocês sabendo de tudo. Repito que é possível que eu haja cometido muitas culpas neste mundo, mas, em consciência, reputo aquela ação como a mais censurável de toda a minha vida.

— Mas, em vez da ação mais feia, Vossa Excelência o que fez foi contar-nos uma das mais belas ações de sua vida. Logrou Fierdíchtchenko! — exclamou este último.

— Realmente, general, não podia figurar-me que tivesse o senhor tão bom coração. Sinto-me quase triste! — disse Nastássia Filípovna, com displicência.

— Triste? E por quê? — indagou o general, com amável sorriso e, não sem satisfação, bebeu um gole de champanhe.

Mas tocava agora a vez de Afanássi Ivânovitch, o qual já estava também preparado. Todos adivinhavam que não haveria de negar-se, como se negara Ivan Fiódorovitch e aguardavam seu relato, por certos motivos, com especial curiosidade, e ao mesmo tempo pousavam a vista em Nastássia Filípovna. Com extraordinária dignidade, que se harmonizava maravilhosamente com seu altivo aspecto, com voz calma e amável, deu princípio Afanássi Ivânovitch a um de seus amenos relatos. (Cremos oportuno dizer que era um homem arrogante, altivo, de elevada estatura, um pouco calvo, um pouco grisalho, e bastante gordo, com as bochechas rosadas e um tanto flácidas e pendentes, e com dentadura postiça. Trajava folgada e esmeradamente, usando uma roupa interior assombrosa. Dava gosto olhar seus dedos finos e brancos. No índice da mão direita levava um anel com um brilhante valioso.) Nastássia Filípovna, durante todo o tempo que durou o relato dele, esteve de olhar fixo nas rendas de sua manga e enredava nelas dois dedos de sua mão esquerda, de modo que nem uma vez sequer pôs os olhos no narrador.

— O que mais me facilita minha tarefa — começou Afanássi Ivânovitch — é a obrigação iniludível de ter de contar obrigatoriamente a ação mais vil de toda a minha vida. Neste terreno, naturalmente, não pode haver hesitações; tanto a consciência como a recordação de meu coração indicaram-me imediatamente o que devia contar. Confesso com dor que no número de todas as talvez inúmeras ações minhas não premeditadas e doidas, haja uma cuja impressão se mantém demasiado aborrecida em minha memória. A coisa sucedeu haverá uns vinte anos. Tinha eu ido naquela ocasião à aldeia, à casa de Platon Ordintsev. Acabava de ser eleito marechal da nobreza e para ali partira com sua jovem esposa, a fim de passar as férias de verão. Na ocasião ocorria o aniversário de Anfissa Alieksiéievna, e por este motivo organizaram dois bailes. Por aquele tempo estava terrivelmente em moda e acabava de penetrar no grande mundo o fascinante romance de Dumas Filho *A dama das camélias*, poema que, na minha opinião, está destinado a não morrer e a não envelhecer. Nas províncias, todas as senhoras estavam entusiasmadas por ele até o frenesi, pelo menos as que o haviam lido. O que havia de cativante no relato, a estranha situação da protagonista, aquele mundo sedutor, analisado com tanta sutileza e, finalmente, todos aqueles cativantes pormenores reunidos no livro (por exemplo, aquele emprego, segundo as circunstâncias, de ramos de camélias brancas ou vermelhas, alternativamente), numa palavra: todos aqueles fascinantes detalhes, juntamente com tudo mais, punham fora de si os leitores. As camélias chegaram a ser as flores da moda. Todas queriam camélias e as buscavam. Mas pergunto-lhes eu: é possível encontrar muitas camélias em uma aldeia, quando toda a gente as pede para o baile, ainda que sejam ali contados os bailes? Piétia Vorkhóvski andava então de coração partido por causa de Anfissa Alieksiéievna. Na verdade, não sei se haveria algo entre eles, quero dizer, se poderia ele abrigar alguma esperança séria. O coitado andava louco, procurando camélias na véspera do baile para Anfissa Alieksiéievna. A Condessa Sótskaia, de Petersburgo, hóspeda na ocasião do governador, e Sófia Biespálova,[26] como sabia toda gente, haviam de comparecer com vários ramos de camélias brancas. Anfissa Alieksiéievna desejava-as, para produzir algum efeito particular, vermelhas. O pobre de Platon quase rebenta; como se sabe... era o esposo. Havia-se encarregado de encontrar um ramalhete e que pensam vocês? Mesmo na véspera do baile foram as flores arrebanhadas por Ekatierina Alieksándrovna Mitítchtcheva, feroz rival em tudo de Anfissa Alieksiéievna. Andavam de punhais desembainhados. Era sem dúvida um caso de histerismos e de desmaios fingidos. Platon estava desesperado. Já se compreende que se Piétia naquele instante pudesse arranjar, fosse como fosse, um ramo, suas possibilidades haveriam de crescer grandemente; a gratidão das mulheres em ocasiões tais não reconhece limites. Saiu procurando como louco; mas era uma proeza impossível e nem adiantava falar disso. Vim a encontrá-lo sem querer às onze horas da noite, na véspera do aniversário e do baile, em casa de Mária Pietrovna Zubkova, vizinha de Ordintsev. Estava radiante. "Que tens?" "Encontrei-as. *Eureka!*" " Fico espantado, meu caro! Onde? Como?" "Ora, em Ekchaisk (há por ali uma aldeola com este nome, a umas vinte verstas de distância, já fora de nosso distrito). Vive ali um comerciante chamado Triepálov, velho e rico, em companhia de sua mulher, já velha e que, em vez de filhos, só tem canários. É doido por flores e cultiva camélias. "Mas, homem, isto não é certo! E se ele não quiser te dar nenhuma?" "Vou me jogar a seus pés, de joelhos, e não me levantarei enquanto não me der camélias, e sem elas não sairei dali." "Quando pensa ir lá?" "Amanhã, ao romper do dia, às cinco horas." "Bem, então adeus!" Se vissem vocês quanto me alegrei por causa dele! Dirigi-me à casa de Ordintsev; fiquei lá até quase duas horas, e, de repente, vejam vocês, ocorreu-me uma ideia. Já me dispunha a ir deitar, quando, de repente, ocorreu-me uma ideia originalíssima. Dirigi-me imediatamente à cozinha, acordei Saviéli, o cocheiro, dei-lhe quinze rublos e disse-lhe: "Prepara os cavalos para dentro de meia hora!". Ao cabo da meia hora, naturalmente, soam os guizos à porta. Disseram-me que Anfissa Alieksiéievna estava com enxaqueca, com febre e delirante. Entrei no carro e pus-me a caminho. Antes das cinco horas encontrava-me em Ekchaisk, na hospedaria. Esperei até romper o dia e só até o romper do dia. Às sete horas achava-me em casa de Triepálov. Falei uma coisa e outra e afinal perguntei: "Tem o senhor camélias? Meu bom senhor, *bátiuchka*, ajude-me, salve-me, ajoelho-me a seus pés". Tenho diante de mim um velho alto, de cabelos brancos, severo, um velho feroz. "Não... nunca! não consinto!" Ajoelho-me aos pés dele. Isto mesmo, caí aos seus pés. "Que está fazendo, senhor? Que está fazendo?" Ficou quase alarmado. "É que disto depende a vida de uma pessoa!", — gritei-lhe. "Sendo assim, toma quantas queiras e vai-te com Deus!" Pus-me a cortar *camélias vermelhas!* Uma maravilha, um encanto, toda uma estufa cheia delas. O

26 Literalmente: sem dedos.

velho suspira. Tiro do bolso cem rublos. "Não; o senhor, *bátiuchka*, ofende-me com isso!" "Pois então — digo, — honrado senhor, digne-se aceitar estes cem rublos destinados ao hospital da localidade para melhoria da assistência e da comida." "Isto, *bátiuchka* — disse, — é outra coisa, uma coisa boa e nobre e grata a Deus; apresentarei este dinheiro ao hospital como oferta para salvação do senhor." Senti simpatia, fiquem sabendo, por aquele velho russo, de cepa, por assim dizer, *de la vraie souche.*[27] Entusiasmado com meu triunfo, empreendi imediatamente o caminho de volta. Regressamos dando uma volta para não encontrarmos com Piétia. Assim que chegamos enviei o ramo para que o entregassem, ao despertar, a Anfissa Alieksiéievna. Podem os senhores imaginar o entusiasmo, a gratidão, as lágrimas de agradecimento. Platon, que no dia anterior estava nas últimas, atirou-se em meus braços e chorou sobre o meu peito. Ai! Todos os maridos são assim desde que se inventou... o casamento legal! Não me atrevo a acrescentar nada, senão que a pretensão do pobre Piétia ficou, com aquele episódio, definitivamente frustrada. Eu, a princípio, pensei que ele iria matar-me, assim que se inteirasse do caso, e até me preparei para fazer-lhe frente, mas sucedeu o que eu nunca teria acreditado: desmaiou; à noite estava delirante e, no dia seguinte com febre cerebral, soluçando como uma criança e com convulsões. Passado um mês, não bem se havia restabelecido, pediu para ser transferido para o Cáucaso. Terminou como um romance! Acabou morrendo na campanha da Crimeia. Na ocasião, o irmão dele, Stiepan Vorkhóvski, comandava um regimento, em que se destacou. Confesso que a mim, muitos anos depois, ainda me atormentavam remorsos de consciência. Por que, com que fim lhe assestara eu aquele golpe? Haveria explicação se estivesse eu então enamorado. Mas não estava, fiz simplesmente por jactância, por simples prurido de galanteria e nada mais. Se não lhe tivesse eu arrebatado aquele ramalhete, quem sabe se ainda não viveria e seria feliz e teria logrado êxitos, não lhe tendo passado pela imaginação a ideia de ir bater-se com o turco?

Afanássi Ivânovitch guardou silêncio, com a mesma grave dignidade com que fizera seu relato. Os presentes tinham observado que os olhos de Nastássia Filípovna pareciam cintilar de um modo especial e até lhe tremiam os lábios, quando Afanássi Ivânovitch acabou de falar. Todos, com curiosidade, fitavam a ambos.

— Enganaram Fierdíchtchenko! É de ver como o enganaram! Isto é um verdadeiro logro — exclamou com voz queixosa Fierdíchtchenko, compreendendo que podia e devia dizer alguma coisa.

— Mas quem lhe mandou não compreender as coisas? Tome, para que aprenda com as pessoas de inteligência! — disse, quase triunfalmente, Dária Alieksiéievna "antiga e leal amiga e confidente de Tótski".

— O senhor tem razão, Afanássi Ivânovitch; esse *petit jeu* é muito aborrecido e é preciso acabar com ele quanto antes! — disse com indolência Nastássia Filípovna. — Contarei eu agora o que prometi e depois nos poremos todos a jogar cartas.

— Mas a anedota prometida, em primeiro lugar! — aprovou, com calor, o general.

— Príncipe — disse, com voz cortante, de repente e encarando-o sem mover-se, Nastássia Filípovna. — Aqui tem estes velhos amigos meus que, tanto o general

27 De verdadeira linhagem.

como Afanássi Ivânovitch, estão empenhados em casar-me. Quer o senhor dizer-me o que pensa disto? Devo casar-me ou não? O que o senhor disser, farei.

Afanássi Ivânovitch ficou pálido; o general quedou-se hipnotizado; todos ergueram a vista e avançaram a cabeça. Gânia permaneceu rígido no seu canto.

— Mas com... com quem? — perguntou Míchkin, com voz desfalecente.

— Ora, com Gavrila Ardaliónovitch — continuou Nastássia Filípovna, com a mesma voz de antes, dura, firme e clara. Seguiram-se alguns segundos de silêncio; o príncipe parecia esforçar-se em vão por falar, como se um peso lhe esmagasse o peito. — Não... não!... não se case! — balbuciou por fim, respirando penosamente.

— Assim será, Gavrila Ardaliónovitch! — disse Nastássia Filípovna, voltando-se para ele num tom imperativo e até triunfal. — Ouviu o que decidiu o príncipe? Pois bem, esta é minha resposta. E demos por terminado esse assunto de uma vez para sempre!

— Nastássia Filípovna! — clamou com voz trêmula Afanássi Ivânovitch.

— Nastássia Filípovna!... — proferiu com voz persuasiva, porém alarmada, o general.

Todos se agitavam e se moviam.

— Mas que é isto, senhores? — continuou ela, olhando, como que maravilhada, para seus convidados. — Por que vos alterais desse modo? É de ver também a cara que todos tendes!

— Mas... tenha presente, Nastássia Filípovna — balbuciou, tartamudeando, Tótski, — que a senhora nos havia prometido... com absoluta espontaneidade e poderia ter-nos poupado... Não consigo exprimir-me... e sem dúvida estou agitado, porém... Numa palavra: agora, neste instante e em presença... em presença de outras pessoas, e tudo isto terminar assim deste modo, com semelhante *petit jeu,* um assunto tão sério, um assunto de honra e de coração, do qual depende...

— Não o entendo, Afanássi Ivânovitch. Efetivamente, está o senhor todo transtornado. Em primeiro lugar, que quer dizer isto de em presença de outras pessoas? Não estamos acaso numa excelente intimidade? E por que empregar também esta palavra *petit jeu?* Eu, na verdade, queria contar também minha anedota; pois bem: já a contei. Será que não lhe parece boa? E por que diz o senhor que isto não é sério? E por que não seria? Ouviram os senhores como disse eu ao príncipe: "O que o senhor disser, farei". Se tivesse dito "sim", eu teria, imediatamente, me mostrado conformada; mas como disse "não", recusei. Veja o senhor: toda a minha vida pendia aqui de um cabelo; quer coisa mais séria?

— Mas o príncipe, que tem que ver com isto o príncipe? E quem é, afinal de contas, o príncipe? — murmurou o general, quase incapaz já de reprimir seu aborrecimento diante daquela ofensiva autoridade do príncipe.

— É que o príncipe significa para mim o primeiro homem que em minha vida me inspirou confiança na sua sinceridade e lealdade. Ele acreditou em mim ao primeiro olhar e eu creio nele.

— Não me resta mais senão apresentar meus agradecimentos a Nastássia Filípovna pela excessiva delicadeza com que se conduziu para comigo — declarou, finalmente, com voz trêmula e lábios crispados o empalidecido Gânia. — Tinha sem dúvida de ser assim... mas... o príncipe... o príncipe neste assunto...

— Que importam setenta e cinco mil rublos, não é verdade? — interrompeu-o, de repente, Nastássia Filípovna. — Não era isso o que o senhor queria dizer? Não se retrate. Sem dúvida era isso o que queria dizer! Afanássi Ivânovitch, esquecia-me de acrescentar que o senhor pode guardar esses setenta e cinco mil rublos e dar-se por ciente de que o deixo em liberdade de graça. Basta! É preciso que o senhor também descanse. Nove anos e três meses! Amanhã... vida nova, mas, hoje... hoje é dia de meu aniversário e estou em minha casa, pela primeira vez em minha vida! General, tome o senhor suas pérolas, ofereça-as à sua esposa; aqui as tem e amanhã mudo de casa! Já não haverá mais serões, senhores!

Depois de dito isto, levantou-se como se quisesse retirar-se.

— Nastássia Filípovna! — soou de todos os lados.

Todos davam demonstrações de emoção; todos se levantaram de seus assentos; todos a rodearam; todos, com inquietação, escutaram aquelas palavras incoerentes, febris, insensatas; todos experimentaram certa alteração, nenhum conseguia explicá-las, ninguém podia compreender nada. Naquele momento soou de repente a campainha, exatamente como, não fazia muito tempo, em casa de Gânia.

— Ah! Ah! Eis o desenlace! Por fim! Às doze e meia! — exclamou Nastássia Filípovna. — Rogo-lhes, senhores, que tomem assento, pois já chegou o desenlace!

Dito isto, sentou-se ela também. Estranho riso tremia em seus lábios. Permanecia silenciosa, em febril expectativa, olhando para a porta.

"Rogójin com seus cem mil rublos, não há dúvida!" murmurou, entre si, Ptítsin.

Capítulo XV

Entrou a criadinha Kátia, muito assustada.

— Estão aí, Deus sabe quem serão, Nastássia Filípovna, dez homens, e todos bêbados, perguntando pela senhora, e dizem que é coisa de Rogójin e que a senhora já sabe.

— É verdade, Kátia. Faze-os entrar a todos imediatamente.

— Mas... A todos, Nastássia Filípovna? É que se acham em tal estado!... Fazem medo!

— Todos, faz todos entrarem, Kátia. Não tenhas medo de todos, desde o primeiro ao último, pois, de qualquer modo, ainda que não o queiras, entrarão. Vejam que barulho fazem, a mesma coisa de antes. Talvez seja possível que os senhores se deem por ofendidos — disse, fitando seus convidados, — ao verem que estando aqui, recebo gente semelhante. Se assim é, lamento-o muito e lhes peço perdão; mas não há remédio e eu gostaria muito, muito, que todos os senhores consentissem em ser minhas testemunhas neste desenlace, ainda que, afinal de contas, caso os senhores queiram...

Os convivas continuaram a fazer cara de espanto, cochichando e olhando-se uns aos outros, mas saltava inteiramente à vista que tudo aquilo estava calculado e tramado com antecedência e que Nastássia Filípovna, ainda que embriagada, sem dúvida, sabia agora muito bem o que fazia. Atormentava a todos uma curiosidade terrível. Além disso não havia razão alguma para sentir muito temor. Mulheres, só havia duas ali: Dária Alieksiéievna, a mulher espevitada, e habituada a ver toda espécie de coisas e a quem teria sido difícil causar espanto, e a bela, porém silenciosa, desconhecida.

Mas a bela e silenciosa desconhecida dificilmente poderia compreender qualquer coisa. Era uma alemã recém-chegada, que não compreendia absolutamente o russo; além do que, era, segundo parecia, bastante estúpida, tanto quanto formosa. Era uma novidade e já se tornara coisa convencionada convidá-la para certos serões, trajada de um modo sumamente gritante, levá-la como que a exibir-se, fazê-la sentar-se como se fosse um quadro encantador, a fim de que embelezasse as reuniões; nem mais nem menos como fazem alguns que adquirem para seus serões, entre suas amizades; uma tela, um jarro, uma estátua, ou uma joia. Pelo que se refere aos homens, Ptítsin, por exemplo, era amigo de Rogójin. Fierdíchtchenko estava como peixe na água; Gânia ainda não havia acabado de voltar a seu juízo, mas ainda que confusamente sentia ele também de um modo irresistível a febril ansiedade de chegar até o fim em seu pelourinho de ignomínia; o velho professor, que mal compreendia de que se tratava, estava a ponto de romper a chorar e tremia, literalmente, de susto, ao ver a agitação que se produzira em redor dele, e a inquietação de Nastássia Filípovna, a quem adorava como a uma netinha; mas antes teria morrido a fazer-lhe uma pergunta em tal instante. Quanto a Afanássi Ivânovitch, sem dúvida não podia comprometer-se em semelhantes aventuras; mas estava bastante interessado no assunto, embora tivesse tomado de repente aquele louco aspecto; além disso, havia Nastássia Filípovna deixado cair a seu respeito três palavrinhas tais, que já não podia retirar-se ninguém dali, até ver-se tudo esclarecido definitivamente. De modo que optou por aguardar até o fim e desde aquele instante a manter-se em silêncio, limitando-se a ser mero espectador, o que sem dúvida alguma exigia também sua dignidade. O General Iepántchin, que, um momento antes disso, havia recebido tamanha ofensa com a brusca e zombeteira devolução de seu presente, era, sem dúvida, quem podia agora ofender-se mais com todas aquelas insólitas excentricidades ou, por exemplo, com a presença de Rogójin; e, não obstante, um homem como ele, já sem isso se rebaixava de sobra, pondo-se a discutir com um Ptítsin e um Fierdíchtchenko; sob o império da paixão pudera ter tido uma fraqueza, mas o sentimento de dever, a noção da responsabilidade do cargo, da posição, e, afinal de contas, o respeito de si mesmo acabaram por dominá-lo e não podia mais, em todo caso, tolerar a presença de Rogójin e sua tropa.

— Ah! general! — atalhou-o imediatamente Nastássia Filípovna, assim que ele a fitou, fazendo a sua observação. — Esquecia-me! Mas esteja o senhor certo de que já tinha previsto o que se passa com o senhor. Mas se o leva tão a mal, não insisto, nem o retenho, mesmo gostando muito que ficasse. De todos os modos, estou-lhe muito grata pela sua amizade e pela sua lisonjeadora atenção; mas se o senhor receia...

— Permita, Nastássia Filípovna! — exclamou o general num arranco de magnanimidade cavalheiresca. — Que diz a senhora? Bastaria a lealdade para reter-me a seu lado e se houvesse algum perigo... além do mais, também eu, confesso, morro *de curiosidade. Queria* somente dizer que vão estragar os tapetes e talvez quebrar alguma coisa... Na minha opinião, não deveria a senhora vê-los, Nastássia Filípovna.

— Rogójin! — anunciou Fierdíchtchenko.

— Que lhe parece, Afanássi Ivânovitch? — apressou-se a sussurrar-lhe o general ao ouvido. — Terá ela ficado louca? Quero dizer, não alegoricamente, mas no sentido concreto que tem a palavra em medicina...

— Já lhe disse que ela sempre teve propensões a isso — replicou, discretamente, Afanássi Ivânovitch.

— E além disso está com febre!

A tropa de Rogójin, pouco mais ou menos, compunha-se dos mesmos indivíduos da manhã; somente havia-se juntado certo velho vagabundo, que outrora tinha sido diretor de um pasquim de escândalo e a respeito do qual corria a anedota de que tinha empenhado sua dentadura postiça, bebendo todo o ganho, e um subtenente reformado, rival decidido e competidor, por vocação e por ofício, do tal dos punhos, e ao qual nenhum dos componentes da turma de Rogójin conhecia, pois tinha se incorporado a eles na rua, na parte ensolarada da Próspekt Niévsk, onde detinha os transeuntes e com uma linguagem à Marlínski[28] implorava-lhes a ajuda, sob o especioso pretexto de que outrora tinha dado quinze rublos a um mendigo. Os dois competidores tornaram-se imediatamente inimigos. O sujeito dos punhos, ao ver que admitiam no bando "o mendigo", deu-se por ofendido e, taciturno por natureza, não fazia agora senão grunhir de quando em quando como um urso e, com profundíssimo desprezo, olhar os acenos e salamaleques que o intrujão lhe fazia, com ares de homem mundano e político. Pelo seu aspecto, prometia o subtenente pôr mais manhã e habilidade na empresa do que violência, e em estatura era mais baixo que o camarada dos punhos. Delicadamente, sem entrar em discussão franca, mas com uma jactância terrível, já por várias vezes tinha mencionado o destaque do boxe inglês. Parecia, de fato, um grande defensor da cultura ocidental. O sujeito dos punhos, ao ouvir a palavra boxe, limitou-se a sorrir de um modo desdenhoso e ofensivo e, pela sua parte, sem dignar-se entrar em franca controvérsia com um adversário, limitou-se a mostrar em silêncio, de quando em quando, como por descuido, ou, por melhor dizer, a exibir como um objeto perfeitamente nacional um punho enorme, sulcado de veias, nodoso, coberto de um pelo avermelhado, dando a entender a todos claramente que se aquele atributo nacional se descarregasse certeiro sobre um objeto o deixaria reduzido a cacos.

Graças aos esforços de Rogójin, que estivera o dia inteiro pensando continuamente em sua visita a Nastássia Filípovna, ninguém do bando estava completamente embriagado. Ele próprio achava-se agora quase sóbrio, mas, em troca, estava aturdido por causa de todas as impressões recebidas naquele dia tremendo, sem igual em toda sua vida. Só uma coisa tinha constantemente no pensamento, na memória e no coração, a cada minuto, a cada instante. Por causa dessa única coisa passara todo aquele tempo, desde as cinco da tarde até as onze da noite, numa inquietação e alarme infinitos, importunando Kinder e Biskup, judeus e usurários, que eram levados também quase à loucura, correndo como loucos sob as ordens dele. Fosse como fosse eles tinham conseguido juntar os cem mil rublos, aos quais Nastássia Filípovna tinha feito zombeteiramente uma alusão e uma referência completamente vaga. Mas o dinheiro tinha sido obtido a um juro tal que o próprio Biskup não se aventurou a dizer a Kinder, senão num sussurro.

---

28 Pseudônimo de Alieksandr Biestujev (1795-1837), escritor russo, romântico ao extremo.

Como de tarde, Rogójin avançou à frente de todos, seguido pelos demais que, embora plenamente convencidos de suas preeminências, não deixavam de sentir certa inquietação. Sobretudo, e Deus sabe por que, tinham medo de Nastássia Filípovna. Alguns deles chegavam mesmo a pensar que iriam imediatamente lançá-los pela escada abaixo. Dos que assim pensavam achava-se, entre outros, o vaidoso Zaliójev, conquistador de corações. Mais outros, e sobretudo o sujeito dos punhos, embora não em voz alta, pelo menos em seu foro íntimo, olhavam Nastássia Filípovna com profundíssimo desprezo e até com ódio entravam em sua casa como em praça sitiada. Mas o magnífico mobiliário dos dois primeiros aposentos, aquelas coisas inauditas e nunca vistas por eles, aqueles móveis raros, aqueles quadros, aquela estátua de Vênus, tudo aquilo lhes causava uma dominante impressão de respeito e até de susto. O que não os impedia, sem dúvida, de, pouco a pouco e com insolente curiosidade, não obstante seu medo, invadir a sala atrás de Rogójin. Mas quando o sujeito dos punhos, o tal subtenente e alguns outros repararam que no número dos convidados se achava o General Iepántchin, a tal ponto se intimidaram no primeiro momento, que até iniciaram a retirada para o outro quarto. Liébiediev, o mais valente e convencido, avançava quase ao par com Rogójin, compreendendo o que quer dizer um milhão e quatrocentos mil rublos em moeda cantante e sonante e cem mil agora, no ato, na mão. É mister, aliás, advertir que todos eles, sem excluir o esperto Liébiediev, estavam pouco certos a respeito dos precisos limites de seus poderes e não sabiam se eram realmente capazes de fazer o que quisessem ou não. Liébiediev tinha momentos em que estava disposto a demonstrar a si mesma que sim, mas em outros instantes experimentava a inquieta necessidade em recordar, em todo o caso, alguns artigos do Código, em especial os alentadores e tranquilizadores.

Ao próprio Rogójin a sala de recepção de Nastássia Filípovna causou impressão totalmente distinta da que sofreram todos os seus sequazes. Mal levantou o reposteiro e viu Nastássia Filípovna, tudo mais deixou para ele de existir, como antes naquela mesma manhã e até mais poderosamente do que antes. Empalideceu e, por um instante, se deteve; podia adivinhar-se que o coração lhe palpitava com força. Tímido e aturdido, olhou alguns segundos, sem desfitar o rosto de Nastássia Filípovna. De repente, como se perdesse o juízo por completo e quase cambaleando, aproximou-se da mesa. No caminho tropeçou com a cadeira de Ptítsin e pisou com seus sapatões sujos a cauda de rendas do magnífico vestido azul da bela e silenciosa alemã. E nem se desculpou, nem deu por isso. Chegando à mesa, colocou sobre ela um estranho objeto com o qual tinha penetrado na sala, erguendo-o diante de si com ambas as mãos. Era um grande pacote de notas, de seis polegadas de altura e quatro de comprimento, forte e habilmente enrolado nas *Notícias da Bolsa* e muito bem amarrado por todos os lados com um barbante de duas voltas, no estilo daqueles com que amarram pães de açúcar. Depois ficou parado, sem dizer palavra, de braços caídos, como à espera de sua sentença. Vestia o mesmo traje de antes, exceto uma gravata nova de seda que lhe cingia o pescoço, de cor verde claro, com um grande e belo alfinete de brilhantes figurando um escaravelho, e um maciço anel de brilhantes num sujo dedo da mão direita. Liébiediev não se aproximou nem a três passos da mesa; os demais, como se disse, tinham retrocedido um pouco. Kátia e Pacha, as criadinhas de Nastássia Filípovna, tinham corrido também a olhar pelo reposteiro levantado, possuídas de intensa curiosidade e de medo.

— Que é isso? — perguntou Nastássia Filípovna, olhando atenta e curiosamente para Rogójin e acenando com os olhos para o objeto.

— Os cem mil rublos! — respondeu Rogójin, quase num fio de voz.

— Ah! cumpriu sua palavra, sente-se, faça o favor, olhe: aqui nesta cadeira; depois lhe direi algo. Mas quem são os senhores? Os mesmos de antes? Bem, pois entrem e sentem-se, aí no divã há lugar e também neste outro. Há também aqui duas cadeiras... mas será que não querem, ou que é que se passa com os senhores?

Com efeito alguns estavam completamente confusos, recuavam e se sentavam, à espera, na outra sala; mas outros se detiveram e aceitaram o convite para sentar, embora somente a alguma distância da mesa, a maior parte em um canto, uns desejando, acima de tudo, ficar invisíveis; outros, recuperando, com uma rapidez artificial, o ânimo. Rogójin sentou também na cadeira que lhe haviam indicado, mas não permaneceu nela longo tempo; levantou-se em seguida e então não voltou a sentar. Ia pouco a pouco distinguindo e reconhecendo os convidados. Ao ver Gânia, riu com sarcasmo e murmurou para si: "Olé!". Ao general e a Afanássi Ivânovitch olhou-os sem emoção alguma e até sem curiosidade especial. Mas ao reparar que o príncipe estava ao lado de Nastássia Filípovna, não pôde apartar dele os olhos, possuído de extraordinário assombro e como se não conseguisse explicar a si mesmo aquele encontro. Pode-se suspeitar que, por uns instantes, esteve verdadeiramente delirando. Além de todas as emoções daquele dia, passara toda a noite anterior no trem, completando já quase quarenta e oito horas sem dormir.

— Aí têm, senhores, cem mil rublos — disse Nastássia Filípovna, fitando um a um, com certo tom de desafio, febrilmente impaciente. — Aí nesse sujo pacotinho. Há pouco gritava ele como louco que haveria de trazer-me esta noite cem mil rublos e eu não fazia senão esperá-lo. Quero dizer que me pôs a preço: começou por dezoito mil, depois, de repente, subiu até quarenta mil, e, por fim, chegou aos cem mil. Cumpriu sua palavra! Oh! E como está pálido!.. Tudo isto se passou há pouco em casa de Gânia. Fôra lá visitar sua mãe, minha futura família, e ali a irmã dele me gritou na cara: "mas não há quem ponha para fora daqui essa desavergonhada?". E então Gânia, seu irmão, cuspiu-lhe na cara. É geniosa a senhorita!

— Nastássia Filípovna! — exclamou o general, em tom de censura.

Começara a compreender um pouco a coisa à sua maneira.

— Que é que há, general? Não está bem isto? Deixemos de resmungos! Que tenha durante cinco anos estado sentada em meu camarote no Teatro Francês, como uma virtude inacessível e tenha fugido de quem me seguia como uma selvagem e o olhasse como uma inocente orgulhosa, tudo isso não passou de sandices! Vejam os senhores: em sua presença veio e pôs esses cem mil rublos em cima da mesa e, certamente, tem já lá embaixo uma tróica à minha espera. Taxou-me em cem mil rublos! Gânia, vejo que ainda estás zangado comigo! Mas é certo que querias introduzir-me em tua família? A mim, a mulher de Rogójin? Não foi o que disse o príncipe esta tarde?

— Eu não disse que a senhora fosse a mulher de Rogójin. A senhora não pertence a Rogójin! — declarou o príncipe, com voz trêmula.

— Nastássia Filípovna, basta, minha querida, basta, meu bem! — saltou, de repente, Dária Alieksiéievna, sem poder conter-se. — Se tanta aversão inspiram, por que ligar-lhes importância? Será possível que pudesses entender-te com tais indivíduos mesmo por causa de cem mil rublos? Na verdade são cem mil rublos e isto é alguma coisa! Mas pega esses cem mil rublos e atira-os a eles, que é assim que é preciso tratá-los! Ai, se eu estivesse em teu lugar... mandaria todos eles... palavra!

Dária Alieksiéievna havia-se encolerizado. Era uma mulher boa e muito impressionável.

— Não se zangue, Dária Alieksiéievna! — disse-lhe, sorrindo, Nastássia Filípovna, — que eu ainda não falei a ele com cólera. Será que lhe fiz alguma censura? Francamente, não posso compreender como me ocorreu essa doidice de querer introduzir-me em uma família honrada. Vi a mãe dele, beijei-lhe a mão e se há pouco me portei assim em tua casa, Gânia, foi com toda a intenção, porque queria ver, pela derradeira vez, até onde podia chegar. Bem, causas-me deveras assombro. Muito esperava; mas isto não! Mas será que poderias aceitar-me sabendo que esse que aí está me dava pérolas de presente quase na véspera de teu casamento, e eu as aceitava? E Rogójin? Em tua casa, diante de tua mãe e de tua irmã, pôs-se a solicitar-me e tu, não obstante, depois disto, vieste a comprometer-te comigo e por pouco não trouxeste contigo tua irmã. Será verdade o que de ti disse Rogójin? Que por três rublos serias capaz de ir de quatro pés ao outro lado de Petersburgo?

— Sim, faria isso — disse, de repente, Rogójin, com voz tranquila, mas com ar de absoluta convicção.

— E isto poderia admitir-se, se estivesse morrendo de fome, mas, segundo dizem, ganhas bom ordenado! E além de tudo, por cima do escândalo, levar à tua casa uma mulher a quem odeias (porque sei muito bem que me odeias)! Não, agora já sou capaz de acreditar que tal homem seria capaz de matar outro por dinheiro. Cada qual vive possuído de tal ganância, hoje em dia, são todos tão dominados pela ideia do dinheiro que todos parecem ter enlouquecido. As próprias crianças querem ser usurárias! E há os que amarram um fio de seda em sua navalha de barba para firmar-lhe a lâmina e vão, devagar, por detrás, e degolam o amigo como a um cordeiro, segundo li há pouco. Bem, não passas de um sem-vergonha! Sou uma desavergonhada, mas tu ganhas de mim. Não falo desse que me enviava os ramos de flores...

— Mas é a senhora mesma, Nastássia Filípovna, é a senhora mesma? — e o general juntou suas mãos com sincera amargura. — A senhora tão delicada, de pensamentos tão refinados, exprimindo-se desse modo?! Que linguagem! Que estilo!

— É que agora estou bêbada, general — riu Nastássia Filípovna, de repente. — Quero divertir-me! Hoje é dia de meu aniversário, meu dia decisivo, e por muito tempo o estive aguardando! Dária Alieksiéievna, vês esse senhor dos raminhos de flores, esse *Monsieur des camélias* que está ali sentado e ri de mim...?

— Não rio, Nastássia Filípovna, mas escuto com a maior atenção — replicou Tótski, dignamente.

— Mas por que o estive suportando cinco anos justos e não o tirei de cima de mim? Não era isto que merecia? Ele é, simplesmente, como tinha de ser... Todavia considera-me culpada para com ele, porque, com a breca!, deu-me educação, manteve-me como a uma condessa, gastou dinheiro comigo, muito dinheiro, e até *procurou para mim lá* na aldeia um marido honrado e aqui a Gânia, e que pensavas tu? Não vivi com ele esses cinco anos, mas tomei-lhe o dinheiro e pensava que tinha direito a isto. Porque estava eu completamente transtornada. Tu dizes que pegue esses cem mil rublos e que o ponha para fora de minha casa, se me causa asco. É verdade que é um vilão... Faz já muito tempo que poderia estar casada, mas não com Gânia, porque este também me causa asco. E por que terei perdido cinco anos na minha raiva? Crerás ou não, mas eu, há quatro anos passados, pensei por algum tempo se não me casaria, sem mais nem menos, com o meu Afanássi Ivânovitch! Pensava então assim por pura fúria. Quantas coisas me ocorriam então? E na verdade assim teria feito. Ele mesmo costumava oferecer-se, creias ou não. Na verdade, mentia; mas não é menos certo que se deixava facilmente tentar e não se podia conter. Mas depois, louvado seja Deus, reconsiderei que não era ele digno de tanto ódio. E de repente invadiu-me tal repugnância dele que, embora tivesse querido casar comigo, não o teria aceitado. E durante cinco anos estive sustentando esta farsa! Não; agora prefiro ir para a sarjeta, que é o meu lugar! Ou caio na farra com Rogójin, ou amanhã mesmo me emprego como lavadeira! Porque, para que vocês saibam, não conto com coisa alguma. Partirei... deixarei tudo a ele, vou lhe deixar até o último vestido e, não tendo eu nada, quem irá querer encarregar-se de mim? Perguntem a Gânia: iria me aceitar? Não me aceitaria nem o próprio Fierdíchtchenko!

— Pode ser que Fierdíchtchenko não a aceitasse, Nastássia Filípovna; sou um homem sincero — interrompeu-a Fierdíchtchenko: — Mas o príncipe a aceitaria! Está a senhora aí a lamentar-se, mas deveria olhar para o príncipe. Tenho estado a vigiá-lo há muito tempo.

Nastássia Filípovna voltou-se com curiosidade para o príncipe.

— É verdade? — perguntou.

— É verdade — balbuciou Míchkin.

— O senhor me aceitaria assim, sem nada?

— Aceitaria, Nastássia Filípovna.

— Eis aqui um desenlace novo! — murmurou o general. — Era de esperar.

Míchkin, de olhos doloridos, severos e penetrantes, fitou o rosto de Nastássia Filípovna que continuava a mirá-lo.

— Eis aqui uma descoberta! — disse ela de repente, voltando-se de novo para Dária Alieksêievna. — Mas diz isto somente por causa de seu bom coração, estou certa. Encontrei um protetor. Mas afinal, pode ser que seja verdade o que dizem dele: que não é muito certo. Mas de que irás viver se estás tão enamorado que, embora um príncipe, estás pronto a casar-te com a querida de Rogójin?

— Vou casar-me com uma mulher honesta, Nastássia Filípovna e não com a mulher de Rogójin, — disse o príncipe.

— Diz o senhor que sou uma mulher honesta?

— Sim.

— Oh! Todas essas ideias... saem de romance! Estas, príncipe, são fantasias antiquadas, meu caro; mas hoje em dia o mundo mudou e tudo isto é absurdo! Além disso, como irás casar, quando tu mesmo estás ainda precisando de uma ama que cuide de ti?

Míchkin levantou-se e, com voz trêmula, tímida, mas ao mesmo tempo com ar de um homem profundamente convencido, afirmou:

— Nada sei disso, Nastássia Filípovna. Nada tenho visto da vida. A senhora tem razão, mas... eu considero que a senhora é quem me está fazendo uma honra, e não eu à senhora. Não sou nada, mas a senhora sofreu e desse inferno saiu pura, e isto é muito. Além disso, por que se envergonha e quer ir com Rogójin? Isto é um delírio... deu a senhora ao senhor Tótski setenta e cinco mil rublos e diz que abandona tudo quanto aqui se encontra. Ninguém aqui faria isto. Eu... amo-a, Nastássia Filípovna. Morreria pela senhora, Nastássia Filípovna. Não permitirei que ninguém diga uma palavra a seu respeito. Se somos pobres, trabalharei, Nastássia Filípovna...

Ao pronunciar o príncipe estas últimas palavras soaram risadas de Fierdíchtchenko e de Liébiediev e até o general resmungou algo com grande insatisfação. Ptítsin e Tótski não puderam deixar de sorrir, mas contiveram-se. Os demais limitaram-se a abrir as bocas, assombrados.

— ... Mas talvez não sejamos pobres, mas muito ricos, Nastássia Filípovna — continuou dizendo Míchkin, com a mesma voz tímida. — Eu, afinal de contas, não sei com certeza, e sinto não ter podido, durante o dia inteiro de hoje, averiguar nada. Mas, estando na Suíça, recebi carta de Moscou, de um tal Senhor Salázkin, na qual este me anunciava que eu estaria a ponto de receber uma riquíssima herança. Aqui está a carta...

Efetivamente, sacou o príncipe do bolso uma carta.

— Mas não estará ele delirando? — resmungou o general. — Esta é uma verdadeira casa de loucos!

Por um instante reinou silêncio.

— Ao que parece dizia o senhor, príncipe, que havia recebido carta de Salázkin — perguntou Ptítsin. — É um homem muito conhecido entre minhas relações; é muito entendido em negócios e se ele lhe diz isto, não pode deixar de ser verdade. Por felicidade conheço a letra dele porque não faz muito tempo tratamos um negócio... Se o senhor me permite dar uma olhada na carta, talvez eu possa dizer-lhe alguma coisa.

O príncipe, em silêncio, estendeu-lhe a carta.

— Mas como? Mas como? — exclamou o general, olhando a todos como que aturdido. — Será possível que exista essa herança?

Todos fitaram a vista em Ptítsin, que estava lendo a carta. A curiosidade geral recebera novo e extraordinário estímulo. Fierdíchtchenko não podia ficar quieto em seu lugar. Rogójin, olhava perplexo e, presa de terrível inquietação, pousava alternativamente seus olhares, ora no príncipe, ora em Ptítsin. Quanto a Liébiediev tampouco pode conter-se, saiu de seu canto, e, curvando-se, pôs-se a olhar a carta por cima do ombro de Ptítsin, com o aspecto de um homem que teme que por causa disso lhe vão dar um pescoção.

Capítulo XVI

— A coisa é certa — declarou, por fim, Ptítsin, dobrando a carta e devolvendo-a ao príncipe. — O senhor vai receber, sem o menor incômodo, em virtude do testamento de sua tia, que está a coberto de toda impugnação, uma quantia sumamente importante.

— Isto não é possível! — exclamou o general, como se lhe tivessem dado um tiro. Todos voltaram a abrir a boca.

Ptítsin explicou, dirigindo-se de preferência a Ivan Fiódorovitch, que uns cinco meses atrás, morrera uma tia do príncipe, a qual ele nunca tinha conhecido pessoalmente, a irmã mais velha de sua mãe, filha do comerciante moscovita do terceiro grêmio Papúchin, que havia falecido na miséria e na ruína. Mas o irmão mais velho do tal Papúchin, que também havia passado recentemente à melhor vida, era um comerciante opulento, segundo toda gente sabia. Fazia um ano que lhe tinham morrido, quase de uma vez, e no mesmo mês, seus dois únicos filhos. Isto o impressionou tanto que, pouco tempo depois, veio o velho a cair doente e também morreu. Era viúvo, não tinha nenhum herdeiro, exceto a tia do príncipe, sobrinha de Papúchin, mulher muito pobre e que vivia entre estranhos. Ao tempo de receber a herança, a mencionada tia já estava a morrer de hidropisia, mas imediatamente avisou o príncipe, valendo-se para isso de Salázkin, e apressou-se em fazer testamento. Pelo visto, nem o príncipe, nem o doutor com quem vivia ele na Suíça tinham querido aguardar a confirmação oficial, nem realizar averiguações, mas o príncipe, com a carta de Salázkin no bolso, resolvera transferir-se para a Rússia.

— Só uma coisa posso dizer-lhe, — concluiu Ptítsin, dirigindo-se ao príncipe — que tudo isto tem de ser indiscutível e legal e tudo quanto lhe escreve Salázkin, no tocante à legalidade irrefutável de seu caso, pode o senhor considerá-lo como dinheiro cantante e sonante no bolso. Felicito-o, príncipe! É possível que lhe caiba um milhão e meio, ou talvez mais. Papúchin era um comerciante riquíssimo.

— Viva o último príncipe da linhagem dos Míchkin! — gritou Fierdíchtchenko.

— Viva! — encareceu Liébiediev, com voz de bêbado.

— E eu que o havia tomado a meu serviço com vinte e cinco rublos de ordenado ao pobrezinho! Ah! Ah! Ah! Fantasmagoria e nada mais! — exclamou o general, quase paralisado de estupor. — Pois bem, felicito-o, felicito-o! — E, levantando-se de seu assento, foi abraçar o príncipe. Depois dele também se levantaram os demais e foram abraçar Míchkin. Até os indivíduos que se haviam retirado para trás do reposteiro irromperam na sala. Houve um vozear ruidoso, exclamações e até se ouviram vozes que reclamavam champanhe; todos se agitavam, todos faziam barulho. Por um momento, quase se esqueceram de Nastássia Filípovna e de que, apesar de tudo, era a dona da casa. Mas, pouco a pouco, quase de repente, todos se deram conta de que o príncipe acabava de fazer-lhe uma proposta de casamento. A coisa resultava agora três vezes mais louca e inusitada que antes. Tótski, profundamente assombrado, encolheu os ombros. Era quase o único que continuava sentado; os demais, em desordenado grupo, apinhavam-se em torno da mesa. Todos afirmavam depois que também Nastássia Filípovna estava naquele momento desorientada. Continuou sentada, e, por algum tempo, esteve fitando a todos com olhos estranhos, atônitos, como se não compreendesse e se esforçasse por compreender. Depois, de repente, encarou o príncipe e, arqueando ameaçadoramente as sobrancelhas, olhou-o *fixamente, mas aquilo* foi obra de um momento; talvez, de repente, lhe parecesse que tudo aquilo era uma pilhéria, uma burla, mas a vista do príncipe bastou para dissuadi-la. Reconsiderou, voltou a sorrir como não se dando clara conta de nada.

— Isto quer dizer que sou princesa! — balbuciou para si, como em tom de brinquedo e, olhando de súbito para Dária Alieksiéievna, pôs-se a rir. — Desenlace inesperado... não o aguardava, mas, senhores, façam o favor de sentar e de felicitar a mim e ao príncipe. Creio que alguns pediram champanhe. Fierdíchtchenko, vá dizer que tragam champanhe. Kátia, Pacha — disse ao ver de repente na porta suas duas criadinhas, — venham cá, vou casar, não ouviram? Com o príncipe que possui milhão e meio e é príncipe de Míchkin e vai casar comigo!

— Por Deus, *mátuchka,* já era hora! É preciso não perder tempo! — exclamou Dária Alieksiéievna, profundamente transtornada com o ocorrido.

— Sente-se a meu lado, príncipe — continuou Nastássia Filípovna. — Assim, aqui. Agora trarão o vinho. Felicitem-nos, senhores!

— Viva! — gritaram muitas vozes.

Muitos se precipitaram sobre o vinho, entre eles quase todos os do bando de Rogójin. Mas, ainda que gritassem e estivessem dispostos a gritar, muitos deles, não obstante toda a estranheza das circunstâncias da situação, pressentiam que a cena havia mudado. Outros estavam perplexos e aguardavam com desconfiança. Mas muitos também cochichavam uns aos outros que aquilo não podia ser mais vulgar, que muitos príncipes se casavam daquele modo e até com ciganas das barracas de campanha da estepe.

O próprio Rogójin estava de pé e olhava, com o rosto crispado num sorriso imóvel de incompreensão.

— Príncipe... meu caro... reconsidere! — murmurou o general com horror, acercando-se do lado do príncipe e puxando-o pela manga.

Nastássia Filípovna notou-o e pôs-se a rir às gargalhadas.

— Não, general! Agora sou também princesa, como o senhor ouviu!... o príncipe não consentirá que me ofendam! Afanássi Ivânovitch, felicite-me; agora poderá sentar-me em todas as partes ao lado de sua mulher. Então, que acha? Não vale nada ter um marido assim? Um milhão e meio e ainda por cima, príncipe; e além disso, segundo dizem, idiota, sujeito a ataques. Que mais se há de pedir? Agora é que começa a verdadeira vida! Chegaste tarde, Rogójin! Leva tuas cédulas, que vou casar-me com o príncipe e serei mais rica do que tu.

Mas Rogójin compreendeu, afinal, a coisa. Inexprimível sentimento refletia-se em seu rosto. Juntou as mãos e um gemido lhe escapou do peito.

— Retira-te! — gritou para o príncipe. Em torno dele todos se puseram a rir.

— És tu que tens de retirar-te — disse-lhe, triunfalmente, Dária Alieksiéievna. — Atiraste o dinheiro sobre a mesa, grosseirão! O príncipe vai se casar com ela e tu só a queres para divertir-te!

— Eu também me casarei com ela... neste momento, agora mesmo! Vou lhe dar tudo...

— Vai-te, bêbado de taberna, antes que seja preciso botar-te para fora! — repetiu indignada Dária Alieksiéievna.

As risadas redobraram.

— Ouviste, príncipe? — interpelou-o Nastássia Filípovna. — Olha como um rústico se dirige à tua noiva.

— Está bêbado — disse Míchkin. — Ele a ama muito.

— E não terás vergonha depois de pensar que tua noiva esteve a ponto de ir-se com Rogójin?

— *Isso foi coisa de delírio*; também a senhora agora está delirando, febril.

— E não terás vergonha tampouco, quando te disserem que tua mulher esteve vivendo à custa de Tótski?

— Não, não terei vergonha... A senhora não viveu à custa de Tótski por sua vontade.

— E nunca me jogará isso na cara?

— Nunca o farei.

— Está bem, olha: não te comprometas para a vida inteira!

— Nastássia Filípovna — disse Míchkin, serenamente e como que apiedado, — há um momento disse-lhe que consideraria como uma honra seu consentimento e que era a senhora que dispensava a mim uma honra e não eu à senhora. A senhora levou em brincadeira essas palavras, riu, e também ouvi em torno de mim risadas. É possível que me haja expressado grotescamente e que me tenha tornado ridículo. Mas, não obstante, acredito... saber o que é a honra e estou convencido de ter dito a verdade. A senhora agora queria perder-se de um modo irrevogável, porque depois nunca perdoaria isso a si mesma, ainda que não seja culpada de nada. Não é possível que sua vida esteja perdida por completo. Que importa que Rogójin se tenha aproximado da senhora, nem que Gravila Ardaliónovitch quisesse enganá-la? Por que a senhora fica sempre pensando nisto? O que a senhora fez, poucas seriam capazes de fazer, repito, e isso de querer ir com Rogójin foi efeito de uma crise. A senhora continua ainda sob o influxo dessa crise e o melhor que poderia fazer seria ir para a cama. Amanhã a senhora iria ser lavadeira, mas não ficaria com Rogójin. A senhora é orgulhosa, Nastássia Filípovna, mas é possível que seja também tão desgraçada que se julgue, efetivamente, a si mesma como culpada. É preciso acompanhar-lhe os passos, Nastássia Filípovna. Eu os acompanharei. Antes, ao ver seu retrato, acreditei reconhecer nele um rosto conhecido. Pareceu-me depois que a senhora me chamasse... Eu... Eu a respeitarei toda a vida, Nastássia Filípovna — terminou, de repente, o príncipe, como se, de súbito, se desse conta, ruborizando-se, da classe de gente diante da qual dissera tudo aquilo.

Ptítsin, também por pudor, baixou a cabeça e fixou os olhos no chão. Tótski, no seu íntimo, pensava: “Idiota; mas sabe que com a lisonja é que melhor se consegue tudo, naturalmente”. O príncipe notou também, lá dum canto, o fulgurante olhar de Gânia que parecia querer aniquilá-lo.

— Esse é um homem bom! — declarou, comovida, Dária Alieksiéievna.

— Um homem fino, mas perdido! — balbuciou à meia voz o general.

Tótski pegou o chapéu, pronto a ficar em pé com a intenção de retirar-se discretamente. Ele e o general trocaram um olhar para saírem juntos.

— Obrigado, príncipe; a mim ninguém me falou assim até agora — disse Nastássia Filípovna. — Todos queriam pagar-me um preço; mas nenhum homem decente teria querido casar-se comigo. Ouviu o senhor, Afanássi Ivânovitch? Que lhe parece o que acaba de dizer o príncipe? Não é verdade que se torna quase indecoroso? Rogójin, já é hora de te retirares. Mas não te retires. Hei de ver. Talvez ainda vá contigo. Aonde querias levar-me?

— A Ekatierinhof — informou Liébiediev, lá dum canto; mas Rogójin limitou-se a dar um safanão e abrir uns olhos imensos, como se não desse crédito a seus ouvidos. Estava completamente aturdido, como se lhe tivessem dado um golpe na cabeça.

— Mas que tens, que se passa contigo, querida? Estás verdadeiramente doente. Ou será que perdeste o juízo? — exclamou, assustada, Dária Alieksiéievna.

— Mas havias mesmo acreditado? — disse, rindo às gargalhadas, Nastássia Filípovna, saltando do divã. — Arruinar uma criança como aquela? Isto fica para

Afanássi Ivânovitch: é louco por crianças! Vamo-nos, Rogójin! Pega teu pacote de dinheiro! Nada de falar de casórios; mas dá-me os cobres. É possível que não queira casar-me contigo. Pensavas que eu queria casar-me, que ia deixar aí teu maço de notas? Que ideia! Sou uma desavergonhada! Fui a amante de Tótski... príncipe! Devias casar agora com Aglaia Iepántchina, príncipe, e não com Nastássia Filípovna, do contrário terás Fierdíchtchenko apontando o dedo do desprezo contra ti. Tu talvez não tenhas medo, mas eu terei, de arruinar-te e que venhas a censurar-me por isso depois. Quanto a dizeres que eu te faria uma honra, Tótski sabe tudo a respeito. E tu, Gânia, perdeste Aglaia Iepántchina, sabes? Se não tivesses regateado com ela, teria casado infalivelmente contigo. Assim são todos vocês; deveriam fazer sua escolha duma vez por todas: mulheres desonradas ou mulheres honradas! Se não, haverão de confundir-se irremediavelmente... Vejam, o general está olhando, de boca aberta.

— Isto é Sodoma... Sodoma! — repetiu o general, arqueando os ombros.

Também ele se levantou do divã; todos voltaram a pôr-se de pé. Nastássia Filípovna parecia estar enlouquecida.

— Será possível? — gemeu Míchkin, retorcendo as mãos.

— Mas tu pensavas que não? Talvez seja mesmo orgulhosa, embora seja uma desavergonhada. Tu me chamaste de perfeita esta tarde; bela espécie de perfeição que, simplesmente para vangloriar-se de ter desprezado um milhão e um principado, está querendo ir para a sarjeta! Que espécie de esposa seria eu depois disto? Afanassi Ivânovitch, eu realmente joguei fora um milhão, bem sabes! Como pudeste pensar que eu ficaria contente em casar com Gânia por causa dos teus setenta e cinco mil rublos? Podes reaver teus setenta e cinco mil rublos, Afanássi Ivânovitch, não subiste teu preço a cem; Rogójin foi mais além de ti. Eu mesma consolarei Gânia. Ocorreu-me uma ideia. Mas agora desejo alguma diversão; sou uma meretriz de rua! Estive dez anos numa prisão; agora vou gozar a vida. Vamos, Rogójin, apronta-te, vamos!

— Vamos! — rugiu Rogójin, quase delirante de alegria. — Ei, vocês, tragam vinho... Ah!

— Tragam vinho que quero beber. E música, haverá?

— Haverá! Haverá! Não se aproxime! — clamou Rogójin, ao ver que Dária Alieksiéievna se dirigia para Nastássia Filípovna. — Minha! Tudo meu! Rainha! Por fim!

Arquejava de alegria, ia e vinha em redor de Nastássia Filípovna e gritava a todos: "Não se aproximem!". Todo o bando havia já penetrado na sala. Uns bebiam, outros gritavam e riam às gargalhadas, todos estavam na disposição de ânimo mais exaltada e desenvolta. Fierdíchtchenko tratou de unir-se a eles. O general e Tótski tornaram a fazer um movimento para retirar-se despercebidamente. Também Gânia tinha o chapéu na mão, mas continuava, parado, em silêncio e parecia não poder acabar de afastar-se do quadro que se desenrolava diante de seus olhos.

— Não se aproximem! — gritava Rogójin.

— Mas por que berras assim? — disse-lhe, rindo, Nastássia Filípovna. — Sou ainda aqui a dona da casa; se quiser, posso pô-los para fora a pontapés. Ainda não me apossei de teu dinheiro, que aí está. Dá aqui esse maço de notas! Aqui neste *maço de notas estão cem mil rublos*. Ora, que maldade! Que dizes, Dária Alieksiéievna? Quererias que eu fizesse a desgraça dele? — e apontou para o príncipe. — Quando se casar, terão de arranjar-lhe ama; o general será sua ama-seca... Olha como o mima. Vê, príncipe: tua noiva ficou com o dinheiro porque é uma rameira e tu querias casar com ela! Mas por que choras? De pena ou de quê? Mas devias rir, como eu rio. — continuou Nastássia Filípovna, em cujas faces brilhavam duas grossas lágrimas. — Confia no tempo. Tudo passa! Mais vale desistir agora que depois... Mas por que todos chorais?... Até Kátia está chorando. Que é que tens, Kátia, meu bem? Deixo o bastante para ti e para Pacha. Já tomei minhas disposições. Mas agora, adeus! Obriguei-te, a ti, uma menina decente, a servir a mim, uma prostituta... É melhor assim, príncipe, verdadeiramente melhor; depois haverias de desprezar-me e não seríamos felizes! Não o jures, que não te creio! E que estupidez enorme teria sido!... Não, é melhor que nos despeçamos como amigos, do contrário, e sou também uma sonhadora, não levaria isso a nada! Eu mesma não sonhei contigo? Nisto tens razão: há muito que sonhava, quando ainda estava na aldeia com ele, naqueles cinco anos de solidão. Costumava pensar e sonhar, pensar e sonhar, e estava sempre a imaginar um homem como tu: bondoso, honrado, belo e tão bobo que de repente chegasse e me dissesse: "Você não tem culpa de nada, Nastássia Filípovna e eu a adoro!". Costumava sonhar assim, até quase perder o juízo... Mas quem vinha era aquele; uns dois meses no ano aparecia ali, desonrava, manchava, corrompia, pervertia e regressava. De modo que milhares de vezes tive vontade de atirar-me no reservatório. Mas era covarde, faltava-me a coragem, e agora... Rogójin, estás pronto?

— Prontíssimo! Não se aproximem!

— Pronto! — gritaram várias vozes a um só tempo.

— As tróicas nos aguardam com campainhas!

Nastássia Filípovna pegou o maço de notas.

— Gânia, ocorreu-me uma ideia: quero recompensar-te, pois, por que haverias de perder tudo? Rogójin, iria ele de quatro pés até o outro lado de Petersburgo por causa de três rublos?

— Iria!

— Bem, pois ouve, Gânia: quero ver o íntimo de tua alma pela última vez. Estiveste a atormentar-me por três meses inteiro; agora toca a minha vez. Vês este maço de notas, contendo cem mil rublos? Pois olha: agora mesmo vou atirá-lo à lareira, ao fogo, diante de todos. Todos serão testemunhas! Assim que o fogo pegar nele... vai de quatro pés à lareira, mas sem as luvas, de mãos nuas e com elas revolve o fogo e tira dele o maço de notas. Se o tirares... será teu... todos estes cem mil rublos serão teus! Só uma brasinha queimará teus dedinhos... mas leva em conta que são cem mil rublos, pense bem! Não levará muito tempo a tirá-los. E admirarei tua coragem, vendo como metes tuas mãos no fogo por causa de meu dinheiro. Todos são testemunhas de que o maço será teu. Mas se não o conseguires, ele vai se queimar todo. Não deixarei que ninguém toque nele. Ao largo! Ao largo todos! Meu dinheiro! É minha paga por uma noite com Rogójin. É meu este dinheiro, Rogójin?

— É teu, minha alegria! É teu, minha rainha!

— Então, todos para trás! Faço o que quero! Não interfiram! Fierdíchtchenko, atiça o fogo!

— Nastássia Filípovna, não posso erguer as mãos para isso — respondeu Fierdíchtchenko aturdido.

— Ah!— gritou Nastássia Filípovna, que, pegando as tenazes da lareira, separou duas toras ardentes e, assim que o fogo se reavivou, atirou nele o maço de notas.

Um grito vibrou em redor. Muitos até se persignaram.

— Ficou louca! Ficou louca! — gritaram em torno dela.

— Não... não... deveríamos amarrá-la? — sussurrou o general a Ptítsin. — Ou mandar chamar...? Porque ficou louca, ficou louca! Não vês que está louca?

— Não... não! É possível que nada tenha de louca, — murmurou Ptítsin, branco como o lenço e trêmulo, sem forças para afastar a vista do maço de notas que ardia.

— Está louca, sim! Não vês que está louca? — insistiu o general com Tótski.

— Já lhe havia dito que era uma mulher pitoresca — resmungou Afanássi Ivânovitch, que também ficara um tanto pálido.

— Mas olhe: são cem mil rublos!

— Senhor! Senhor! — ouviu-se em torno.

Todos se reuniram em redor da lareira, todos se acotovelavam para olhar, todos lançavam exclamações. Muitos haviam mesmo trepado em suas cadeiras para olhar por cima das cabeças. Dária Alieksiéievna dirigiu-se a outro quarto e, assustada como estava, murmurou não sei o que a Kátia e a Pacha. A beldade alemã deitou a correr.

— *Mátuchka,* rainha! Toda-poderosa! — clamou Liébiediev, ajoelhando-se diante de Nastássia Filípovna e estendendo as mãos para a lareira. — Cem mil rublos, cem mil! Eu mesmo os vi: empacotaram-nos diante de mim! Mãezinha misericordiosa! Deixa-me chegar até a lareira, vou me enfiar inteirinho dentro dela. Meterei no fogo toda a minha branca cabeça!... Minha mulher está doente; são treze filhinhos, todos órfãos; enterraram meu pai a semana passada; estava passando fome, Nastássia Filípovna!...

E ainda lançando este último grito, arrastou-se para a lareira.

— Saia daí! — exclamou Nastássia Filípovna, dando-lhe um empurrão. — Afastem-se todos! Gânia, por que estás aí quieto? Não tens vergonha? Arrasta-te! Aí está tua sorte!

Mas Gânia já havia sofrido demasiadas coisas naquele dia e naquela noite, não estando preparado para aquela última e inesperada experiência. O bando dividiu-se diante dele em duas metades, enquanto ele permanecia olhando fixamente os olhos de Nastássia Filípovna, a três passos de distância dela, que estava de pé junto da própria lareira e esperava, sem afastar dele seu olhar ardente e atento. Gânia, de fraque, de chapéu na mão e com luvas, achava-se diante dela em silêncio e aturdido, com as mãos cruzadas e olhando o fogo. Sorriso insensato vagava por seu rosto, branco como um pano. Na verdade, não podia apartar os olhos do fogo, do maço de notas que ardia; mas, ao que parecia, algo de novo passava por sua alma: parecia ter jurado reprimir seu ardor; não se movia de seu lugar; ao fim de uns instantes tornou-se claro a todos que não iria apanhar as notas, que não queria ir.

— Ah! Estão se queimando! Tem vergonha!... — gritou-lhe Nastássia Filípovna. — Depois terás que enforcar-te. Não falo por brinquedo.

O fogo, que se havia avivado ao princípio entre as duas toras que ardiam, amorteceu depois, ao cair-lhe em cima o maço de notas. Mas uma chamazinha azul brilhava ainda na borda inferior da tora de baixo. Finalmente, uma fina e comprida *linguazinha de fogo começou* a lamber também o maço, o fogo reavivou-se e correu para cima pelos papéis, pelos cantos, e de repente todo o maço se inflamou na lareira e uma clara chama subiu para o alto.

— *Mátuchka*... — continuou gritando Liébiediev, voltando a arrastar-se para diante; mas Rogójin afastou-o e tirou dali outra vez aos empurrões.

O próprio Rogójin se transformara num olhar imóvel. Não podia afastar-se de Nastássia Filípovna, estava embriagado, estava no sétimo céu.

— É uma rainha perfeita! — repetia a cada instante, dirigindo-se a cada um dos componentes do bando. — Que estilo! — gritava, sem saber o que dizia. — Vamos ver: qual de vocês, seus tratantes, seria capaz de fazer uma brincadeira dessas?

O príncipe observava triste e em silêncio.

— Eu, com os dentes, arranco ainda que seja um milhar! — propôs Fierdíchtchenko.

— Com os dentes, também eu me atrevo! — resmungou o sujeito dos punhos, por trás de todos, num arranco de resoluto desespero. — Dane-se tudo! Ardem, estão se consumindo todos! — exclamou, contemplando com assombro a labareda.

— Ardem, ardem! — gritaram todos ao mesmo tempo, adiantando-se para a lareira.

— Gânia, não hesites. Pela última vez te falo!

— Tira-os! — gritou Fierdíchtchenko, avançando para Gânia com decidida violência e puxando-o pela manga. — Tira-os, fanfarrão! Estão se queimando! Oh! condenado!

Gânia repeliu violentamente Fierdíchtchenko, deu meia volta e dirigiu-se à porta; mas não teria dado dois passos, quando cambaleou e caiu no chão.

— Um desmaio! — gritaram em torno dele.

— *Mátuchka*, estão se queimando!... — clamou Liébiediev.

— Estão se queimando inutilmente! — gritaram de todas as partes.

— Kátia, Pacha, atirem-lhe água, vinagre! — gritou Nastássia Filipovna, que pegou as tenazes da lareira e dela retirou o maço de notas. Quase toda a parte de fora havia ardido, consumindo-se; mas logo pôde ver-se que o interior estava intacto. O maço estava envolvido em três folhas de jornal e o dinheiro estava incólume. Todos respiraram mais livremente.

— Talvez haja se queimado um milharzinho; mas o resto está intacto! — exclamou Liébiediev, com júbilo.

— Tudo dele! Todo o maço para ele! Ouviram, senhores?... — gritou Nastássia Filípovna, atirando o maço de notas para o lado de Gânia. — Mas, apesar de tudo, não foi, resistiu. Isto quer dizer que o amor-próprio é ainda maior que o amor ao dinheiro. Não foi nada. Já está voltando a si! Senão, seria capaz de matar alguém... mas já está recobrando os sentidos!... General, Ivan Pietróvitch, Dária Alieksiéievna, Kátia, Pacha, Rogójin, ouviram? O maço de notas é dele. Eu lhe dou de presente, em absoluta propriedade, como recompensa... Bem, seja pelo que for. Digam-lhe! Que fique tudo aí, ao lado dele! Rogójin, em marcha! Adeus, príncipe. Pela primeira vez vi um homem. Adeus, Afanássi Ivânovitch, *merci*!...

Todo o grupo de Rogójin, com alvoroço, tumulto e vozerio, encaminhou-se para as peças que conduziam à saída, acompanhando Rogójin e Nastássia Filípovna. Na sala, as criadas opuseram-lhes a peliça; a cozinheira Marfa chegou correndo da cozinha. Nastássia Filípovna foi abraçando cada uma delas.

— Mas é possível, *mátuchka*, que nos deixe a todas? Mas aonde a senhora vai? E no dia do seu aniversário, num dia como este! — exclamavam as criadas, chorosas, beijando-lhe as mãos.

— Vou para a rua, Kátia, já o ouviste, pois ali tenho a minha sorte, se não, vou ser lavadeira. Basta de Afanássi Ivânovitch! Saúda o por mim, e não guardem má recordação de minha...

Míchkin, depressa, dirigiu-se para a porta, onde todos estavam subindo em quatro tróicas com campainhas. O general teve tempo de alcançá-lo na escada.

— Por favor, príncipe, tenha juízo — disse-lhe, agarrando-o pelo braço. — Deixe-a! Já viu o que ela é! Falo-lhe como pai...

Míchkin alcançou-lhe um olhar; mas, sem descerrar os lábios, libertou-se e desceu correndo a escada.

Na porta, donde acabavam de partir naquele mesmo instante as tróicas, viu o general o príncipe parar o primeiro coche e gritar ao cocheiro: "Para Ekatierinhof, atrás daquelas tróicas!" Depois partiu também o cavalinho cinzento do general, conduzindo-o à sua casa, animado de novas ilusões e planos e com as pérolas que, a despeito de tudo, não esquecera de levar consigo. Entre seus planos, por duas vezes apareceu-lhe a sedutora imagem de Nastássia Filípovna. O general suspirou:

"Que pena! Sinceramente é uma pena! É uma mulher perdida! Uma mulher louca! Mas está bem; agora já não é Nastássia Filípovna a mulher que convém ao príncipe."

Neste mesmo estilo, proferiram também algumas frases morais e de despedida outros dois convidados de Nastássia Filípovna, que haviam decidido andar um pouco a pé.

— Sabe o senhor, Afanássi Ivânovitch? Segundo dizem, entre os japoneses ocorrem coisas como essas — dizia Ivan Pietróvitch Ptítsin. — Parece que ali o insultado vai ver seu insultante e lhe diz: "Ofendeste-me e por isso vim abrir meu ventre em tua presença", e assim dizendo, efetivamente, abre os intestinos diante de quem o ofendeu, devendo sentir uma satisfação extraordinária, como se realmente se vingasse. Estranhos caracteres há neste mundo, Afanássi Ivânovitch.

— Mas o senhor pensa que houve algo nesse estilo? — respondeu-lhe, sorrindo, Afanássi Ivânovitch. — Hum! O senhor, mesmo assim, é homem de talento... e estabeleceu uma comparação magnífica. Mas o senhor também viu, meu caro Ivan Pietróvitch, que fiz tudo quanto foi possível; convirá comigo que não posso fazer impossíveis. E convirá também nisto: que aquela mulher reúne méritos extraordinários... qualidades brilhantes. Há um momento, eu lhe teria gritado (se tivesse podido permitir-me isso naquela Sodoma) que ela mesma era minha melhor justificativa diante de todas as suas acusações. Vamos ver: quem não se deixaria seduzir alguma vez por uma mulher assim, até perder o juízo e... tudo? Veja o senhor: aquele rústico, Rogójin, atirou-lhe aos pés cem mil rublos. Suponhamos que tudo quanto acaba de ocorrer seja efêmero, romântico, indecoroso; mas, em troca, é pitoresco; em troca, é original... o senhor não terá outro remédio senão reconhecer que é assim. Meu Deus, que não se poderia fazer com aquele caráter e aquela beleza! Mas, não obstante todos os esforços, e até a educação... tudo se perdeu. Um diamante sem facetar... Às vezes dizia-lhe eu isso.

E Afanássi Ivânovitch lançou um profundo suspiro.

Segunda parte

Capítulo primeiro

Dois dias depois daquela estranha aventura no serão de Nastássia Filípovna, com que terminamos a primeira parte de nosso relato, teve o Príncipe Míchkin de partir apressadamente para Moscou, a fim de entrar na posse de sua inesperada herança. Disseram então que havia também outras razões para essa partida precipitada; mas disto, bem como das peripécias do príncipe em Moscou, e, em geral, durante o tempo em que esteve ausente de Petersburgo é muito pouco o que podemos dizer. Esteve ausente o príncipe seis meses justos e ainda mesmo aqueles que tinham algumas razões para interessar-se por sua sorte muito pouco puderam saber dele em todo esse tempo. Chegaram, é verdade, aos ouvidos de alguns, ainda que também muito raramente, diferentes rumores; mas, além disso, em grande parte, estranhos e quase sempre contraditórios entre si. Onde mais, sem dúvida alguma, se interessavam pelo príncipe era em casa dos Iepántchini, dos quais, ao partir, ele nem sequer teve tempo de se despedir. O general, depois de tudo, tinha-se encontrado com ele então e até duas ou três vezes, tendo falado os dois a respeito de alguma coisa séria, mas se Iepántchin havia se encontrado com ele, não o comunicara a sua família. Mais ainda: a princípio, isto é, quase um mês inteiro depois da partida do príncipe, não se pôde falar dele na casa das Iepántchini. Somente a própria Generala Lisavieta Prokófievna chegou a dizer nos dois primeiros dias "que com o príncipe tivera ela uma decepção cruel". Depois, dois ou três dias em seguida, acrescentou, embora já sem nomear o príncipe, de uma maneira indeterminada, "que o traço dominante em sua vida (dela) consistia em equivocar-se continuamente a respeito das pessoas". E, finalmente, dez dias depois, concluiu, à guisa de sentença, causando algum aborrecimento às suas filhas que, "basta de equívocos! Não tornarei mais a cometê-los!". É preciso mencionar, de passagem, que em sua casa, durante muitíssimo tempo, prevaleceu uma disposição de ânimo algo desagradável. Havia ali certo pesadume, certa tensão, irritabilidade e propensão a discutir, andando todos amofinados. O general vivia ocupado dia e noite, sempre absorvido por seus negócios; raras vezes tinham-no visto mais atarefado e ativo, sobretudo em coisas do serviço. Seus parentes mal conseguiam avistá-lo. Pelo que se refere as Senhoritas Iepántchini, em voz alta, sem dúvida, nada disseram. É possível que, mesmo a sós consigo mesmas, tampouco falaram muito. Eram umas jovens orgulhosas, altivas e, até entre elas mesmas, cheias de vergonha, ainda que, além disso, se entendessem umas às outras não só à primeira palavra, mas ao primeiro olhar, e muitas vezes se entendiam sem abrir a boca.

Só uma coisa teria podido deduzir o observador imparcial, se ali houvesse um: que, a julgar pelos sinais manifestos, embora escassos, o príncipe, apesar de tudo, conseguira deixar em casa das Iepántchini uma impressão especial, não obstante ter ali estado uma só vez, e, além disso, um momento. É possível que essa impressão fosse de pura curiosidade, explicável por certos lances raros da vida do príncipe. Mas, fosse como fosse, o certo é que havia deixado essa impressão.

Pouco a pouco, até aqueles rumores que se haviam difundido pela cidade chegaram a envolver-se na bruma do desconhecido. Falavam, sim, de um principezinho e bobo, "ninguém podia dizer concretamente o seu nome", que havia entrado de repente na posse de riquíssima herança e contraído casamento com uma francesinha recém-chegada, uma conhecida cancanista do *Château des Fleurs,*[29] de Paris. Mas outros diziam que quem havia entrado na posse dessa herança tinha sido um general e quem se havia casado com a célebre cancanista francesa, um comerciante russo, imensamente rico, o qual no dia de seu casamento e por mero alarde, estando embriagado, tocara fogo em setecentas mil cédulas do último empréstimo, à luz de uma vela. Mas todos esses rumores não tardaram em extinguir-se para o que não pouco contribuíram as circunstâncias: Por exemplo, todo o bando de Rogójin, muitos indivíduos do qual teriam podido contar algo, transferiu-se, com seu chefe à frente, para Moscou, quase justamente na semana depois de uma orgia espantosa no cassino de Ekatierinhof, na qual tomara parte também Nastássia Filípovna. Muitos poucos dos interessados no assunto sabiam, graças a certos boatos, que Nastássia Filípovna, no dia seguinte ao que acontecera em Ekatierinhof, tinha fugido, desaparecido, tendo podido averiguar-se que havia tomado o rumo de Moscou, de sorte que a partida de Rogójin para Moscou vinha a coincidir, de certo modo, com tais rumores.

Correram também boatos, sobretudo a respeito de Gavrila Ardaliónovitch Ívolguin, o qual era também bastante conhecido em seu círculo social. Mas esses boatos continham uma circunstância, rapidamente espalhada, e que vinha a destruir completamente todas as más coisas que dele se tinha dito: que estava muito doente e não podia apresentar-se em parte alguma, na sociedade, nem tampouco na repartição. Depois de estar doente um mês restabeleceu-se; mas, não se sabe por que, demitiu-se de seu emprego na Companhia por Ações e em seu lugar colocou-se outro. Na casa do General Iepántchin não apareceu nem uma vez, a ponto de também o general ter de arranjar outro empregado. Os inimigos de Gavrila Ardaliónovitch podiam supor que, tão envergonhado estava com todas as coisas que lhe haviam sucedido, que sentia vergonha até de sair à rua. Mas na realidade, estava doente, esteve até atacado de hipocondria; ficou apreensivo, irritável. Varvara Ardaliónovna, naquele mesmo inverno, casou-se com Ptítsin; quantos os conheciam atribuíram diretamente aquele casamento à circunstância de não querer Gânia reatar suas ocupações e não só tinha deixado de sustentar sua família, mas começado ele próprio a precisar de amparo e proteção.

Notemos, de passagem, que tampouco a respeito de Gavrila Ardaliónovitch, jamais se falava em casa das Iepántchini, como se no mundo não existisse tal homem, ou mesmo tivesse estado naquela casa. E não obstante, ninguém ali ignorava "e até tinham ficado sabendo muito depressa" uma notabilíssima circunstância, a saber: que naquela mesma noite, para ele fatal, depois de sua aborrecida aventura em casa de Nastássia Filípovna, Gânia, ao voltar para a sua, não se deitou para dormir, mas ficou esperando a volta do príncipe com febril impaciência. Míchkin, que tinha ido a Ekatierinhof, dali voltou às seis horas da manhã. Gânia entrou então em seu quarto e colocou diante dele, sobre a mesa, o maço de notas salvo das chamas com o qual havia-o presenteado Nastássia Filípovna, quando estava ele privado dos sentidos. Rogou com insistência ao príncipe que, na primeira ocasião, devolvesse

29 Célebre cabaré de Paris.

o presente a, Nastássia Filípovna. Ao entrar Gânia no quarto do príncipe, ia com uma disposição de ânimo hostil e quase desesperada; mas entre ele e o príncipe trocaram-se algumas palavras, depois das quais Gânia permanecera ao lado de Míchkin duas horas, não cessando durante todo esse tempo de chorar amargamente. Separaram-se ambos como amigos.

Esta notícia, que tinha chegado ao conhecimento de todos os Iepántchini, era, segundo depois se confirmou, perfeitamente verídica. É sem dúvida raro que notícias dessa índole possam ser espalhadas e conhecidas tão depressa; todo o sucedido em casa de Nastássia Filípovna, por exemplo, foi sabido quase no dia seguinte, mesmo em casa dos Iepántchini e até com pormenores bastante exatos. A respeito das notícias referentes a Gavrila Ardaliónovitch, cabe supor que as teria levado ali Varvara Ardaliónovna, que, de repente, tinha começado a frequentar a casa das Senhoritas Iepántchini e não tardou mesmo em estabelecer com elas grande intimidade, o que causava grande assombro a Lisavieta Prokófievna. Mas Varvara Ardaliónovna, ainda que por alguma razão estimasse necessário ter intimidade daquele modo com as Iepántchini, seguramente não se proporia a falar-lhes de seu irmão. Era também bastante orgulhosa, somente que a seu modo, apesar de não levar em conta o travar amizade com pessoas que quase haviam posto para fora de sua casa seu irmão. Antes disso, já era amiga das Iepántchini, mas só as havia encontrado raras vezes. Pela sala, aliás, não passava nem agora, e subia, como que correndo, pela escada posterior. Lisavieta Prokófievna nunca a tinha recebido antes, nem a recebia tampouco agora, não obstante estimar muito Nina Alieksándrovna, a mãe de Varvara Ardaliónovna. Imaginava, zangava-se, atribuía ao trato com Vária os caprichos e ímpetos de rebeldia de suas filhas, as quais "já não sabiam que fazer para se opor a ela"; mas Varvara Ardaliónovna continuava a visitá-las, antes e depois de casada.

Transcorrido, porém, um mês depois da partida do príncipe, veio a Generala Iepántchini a receber da velha Princesa Bielokónskaia, que duas semanas antes tinha-se mudado para Moscou com sua filha casada, uma carta, e essa carta causou-lhe visível impressão. Embora nada tivesse dito às suas filhas, nem a Ivan Fiodórovitch a respeito da tal carta, por alguns indícios revelou à família que parecia algo excitada e até comovida. Começou a falar de um modo especialmente estranho com suas filhas e sempre de assuntos fora de propósito; era indubitável que algo queria dizer, mas que se continha. No dia em que recebeu aquela carta mostrou-se muito carinhosa com todos e até se pôs a dar beijos em Aglaia e em Adelaida; parecia sentir-se culpada para com elas, embora não pudessem as filhas adivinhar em quê. Até com Ivan Fiódorovitch, a quem durante todo o mês havia mantido abandonado, começou a mostrar-se mais condescendente. É certo que no dia seguinte esteve mais do que enfadada por culpa de seu sentimentalismo, e chegou ao extremo de brigar com todos na mesa; mas, à noite, tornou a aclarar-se o horizonte. Em geral, continuou uma semana inteira mostrando desenvolta disposição de ânimo, coisa que já fazia tempo não lhe sucedia.

Ao cabo, porém, de uma semana, tornou a receber carta da Bielokónskaia e dessa vez resolveu a generala romper o silêncio. Solenemente, revelou que "a *velha Bielokónskaia*" (não chamava nunca de outro modo a princesa, quando não estava em sua presença) lhe comunicava opiniões muito lisonjeiras a respeito desse... bicho raro, isto é, o príncipe. A velha havia-o procurado em Moscou, havia indagado notícias suas e ouvira falar muito bem dele, até que, por fim, o príncipe se apresentou em pessoa em sua casa, causando-lhe uma impressão sumamente grata. "Ela teve de convidá-lo a ir vê-la todos os dias, pela manhã, entre uma e duas horas, e ele todos os dias ia lá e até o presente não a havia desgostado", terminou a generala, acrescentando que, graças à *velha,* tivera o príncipe entrada em duas ou três casas principais. "Está bem isso de não se encerrar em seu canto e mostrar--se envergonhado como um tolo." As moças, a quem comunicava ela tudo isso, imediatamente observaram que sua mãe não lhes dizia tudo quanto se continha na carta. É possível que estivessem cientes disso por intermédio de Varvara Ardaliónovna, que podia saber, e sem dúvida sabia, tudo quanto Ptítsin conhecia do príncipe e de sua estada em Moscou. E é possível que Ptítsin soubesse mais do que ninguém a esse respeito. Mas era um homem extremamente reservado em questão de negócios, ainda que para Vária, naturalmente, não tivesse segredos. A generala encontrou nisto depois uma razão a mais para tomar birra a Varvara Ardaliónovna.

Mas, fosse como fosse, o gelo se rompera e, de repente, já foi possível falar do príncipe em voz alta. Além disso, uma vez mais manifestou-se a extraordinária impressão e o grande e desproporcionado interesse que despertara e continuava despertando o príncipe na casa das Iepántchini. A própria generala não pôde deixar de maravilhar-se com a impressão causada em suas filhas pelas notícias recebidas de Moscou. Mas também suas filhas, pela sua parte, assombraram-se por ver sua mãe, que tão solenemente havia declarado que "o traço predominante de toda a sua vida... tinha sido equivocar-se sempre a respeito das pessoas", impressionar-se tanto, ao mesmo tempo, pela deferência dispensada ao príncipe pela onipotente velha Bielokónskaia em Moscou, embora a ela tivesse custado muito pedido e rogo, pois a velha era, em certos casos, de dificílimo acesso.

Mas nem bem se rompeu o gelo e soprou novo vento, o general também começou a se manifestar. Verificou-se que ele também estava muito interessado. Naturalmente só o preocupava o aspecto prático do assunto. Pelo visto, ele, no interesse do príncipe, havia dado ordem a dois senhores de Moscou, muito influentes e dignos de confiança, para que não o perdessem de vista e, sobretudo, vigiassem seu tutor, Salázkin. Tudo quanto se dizia da herança, ou, por assim dizer, do fato da herança, resultava certo; mas a própria herança, afinal de contas não era tão considerável como se havia considerado a princípio. Os bens ficavam reduzidos à metade; tinham-se descoberto dívidas, tinham-se apresentado alguns aspirantes à herança e o príncipe, apesar de todos os assessores, havia se conduzido de modo menos prático. Bem, que Deus o proteja. Agora que o gelo do silêncio se havia rompido, o general se sentia feliz por falar disso com toda a franqueza de coração, porque "embora o moço não merecesse muito, afinal de contas merece." Mas o certo era *que não tinha cometido em tudo* isto senão tolices: apresentaram-se, por exemplo, credores do falecido comerciante trazendo documentos discutíveis, insignificantes, e alguns até sem documentos, e que se tinha passado? O príncipe havia atendido às reclamações deles, sem fazer caso das advertências de seus amigos, que em vão lhe asseguravam que aquela gentinha não tinha o menor direito. Mas ele lhes havia pago, porque alguns deles podiam ter emprestado, efetivamente, aquele dinheiro, ou sofrido quebra em seus interesses por culpa de Papúchin.

Observou a generala, a propósito disso, que também a Bielokónskaia lhe havia escrito nesse sentido e que, naturalmente, tinha sido aquilo uma tolice (uma tolice muito grande; mas que a um tolo não se lhe pode fazer voltar o juízo, acrescentava cortante, embora no rosto se lhe conhecesse quão de seu agrado era o modo de proceder daquele tolo). De todos os modos, ocorreu ao general, de repente, que sua Lisavieta Prokófievna sentia pelo tal príncipe o mesmo interesse que por um filho e que, além disso, estava agora notavelmente bem disposta para com Aglaia. Depois de fazer esse raciocínio e de lançar um olhar perscrutador a sua mulher, decidiu o general adotar a atitude de um homem muito atarefado.

Esta boa disposição de ânimo, porém, também não durou muito tempo. Não se haviam passado mais de duas semanas quando, de repente, mudou outra vez o vento, segundo dizia intimamente o general; a generala tornou a ficar de mau humor e ele próprio depois de encolher o ombro um par de vezes teve de deduzir que, no tocante a certas coisas e pessoas, reinava ali um silêncio glacial. Duas semanas antes havia ele recebido a concisa e, portanto, confusa, ainda que nem por isso menos fidedigna, notícia de que Nastássia Filípovna, que, a princípio, tinha vivido em Moscou, onde, depois de muito procurá-la, a encontrou Rogójin, havia voltado a levantar voo. Que aquele a havia procurado novamente e ela, por fim, havia consentido em casar-se com ele. Aquela era a primeira notícia. Mas depois, ao cabo de uns catorze dias, havia Sua Excelência recebido outra notícia que o havia emocionado não pouco: Nastássia Filípovna tinha tornado a escapar-se pela terceira vez, quase ao pé mesmo do altar, tendo ido ocultar-se no fundo da província. Mas era o caso que também havia desaparecido, de repente, de Moscou, o príncipe Míchkin, depois de confiar tudo quanto se referia à sua herança a Salázkin; "o que não se sabia é se havia seguido com ela ou em seu encalço, embora fosse claro que sua partida guardava relação com aquela fuga", concluía o general. Também a generala havia recebido notícias desagradáveis. Resultava que havia dois meses ninguém sabia mais nada do príncipe em Petersburgo e que em casa das Iepántchini não havia tornado a romper-se o gelo do silêncio. Mas Varvara Ardaliónovna continuava visitando as três jovens.

Para terminar duma vez com todos esses rumores, notícias e mudanças de humor, diremos ainda que em casa do General Iepántchin ocorreram muitas mutações até a primavera, pelo que não é de estranhar que, com o tempo, chegassem ali a esquecer por completo do príncipe, a respeito do qual nada sabiam, e que talvez quisesse que o esquecessem. No decorrer do inverno haviam concordado, pouco a pouco, em fazer naquele verão uma viagem ao estrangeiro; isto é, tinham-no decidido assim, Lisavieta Prokófievna e suas três filhas. Em compensação, não tinha o general tempo para distrações inúteis. Tinham tomado essa resolução porque as três jovens haviam concordado entre si que se seus pais não as levavam ao estrangeiro era porque estavam interessados em casá-las sem demora. Talvez que seus pais se tivessem convencido, por fim, de que também no estrangeiro era possível arranjar noivo e de que tal viagem não só não prejudicava mas até podia convir. Devemos acrescentar ainda que o casamento, outrora projetado, entre Afanássi Tótski e Alieksandra Iepántchina havia se desfeito de todo, sem ter chegado a nada de formal. Tinha-se desfeito por si só, sem intermédio de palavras nem de cenas de família. Desde a partida do príncipe não se havia tornado a falar disso da parte de nenhum dos dois interessados, e se a generala dissera que estava contente e dera graças, o certo é que a causa de tudo tinha sido o inverno e a especial disposição de ânimo em que se havia encontrado a família. O general, embora estivesse em desfavor e se sentisse culpado, andou longo tempo enganado; Afanássi Ivânovitch inspirava-lhe lástima: "Um capital como o dele e um homem de tamanha inteligência!". Pouco antes o general ficara sabendo que Afanássi Ivânovitch tinha se enamorado de uma francesinha da alta sociedade, marquesa e legitimista, ainda por cima; que o casamento já estava combinado e que Afanássi Ivânovitch pensava partir com sua esposa para Paris e depois para algum lugar na Bretanha. "Bem; pescou-o a francesinha", decidiu o general.

Mas as Iepántchini preparavam-se para partir antes do verão, quando, de repente, ocorreu uma circunstância que mudou todos os seus planos e a viagem foi adiada de novo, para grande deleite do general e de sua esposa. Chegou a Petersburgo, procedente de Moscou, um príncipe, o Príncipe Tsch***, homem, aliás, notável e conhecido por suas ótimas qualidades. Era uma dessas pessoas, ou melhor dito, desses homens de ação, modernos, honrados, modestos, que sincera e conscientemente desejam o que é útil, estão sempre trabalhando e se distinguem por essa condição rara e afortunada de sempre encontrarem trabalho. Não buscando notoriedade alguma, fugindo ao rancor e à verbosidade ociosa dos partidos, sem ter-se em conta de homem superior, compreendia o príncipe, não obstante, muito a fundo muitos dos acontecimentos que nos últimos tempos tinham-se consumado. Fora outrora funcionário do Estado e depois tomara parte nas questões agrárias. Era, além disso, utilíssimo correspondente de várias sociedades culturais da Rússia. Associado a um técnico amigo seu, havia contribuído com investigações e pesquisas à melhor instalação de uma das mais importantes vias férreas projetadas. Tinha trinta anos. Era homem da mais alta sociedade. E, além disso, rico, com um capital bom, sério, sólido, segundo dizia o general que havia tido ocasião, por motivo de um negócio bastante importante, de conhecer o príncipe em casa do conde, seu chefe. O príncipe, por certa curiosidade especial, nunca evitava travar conhecimento com homens de negócios russos. Sucedeu também que o príncipe chegou a conhecer igualmente a família do general. Adelaida Ivânovna, a do meio das três irmãs, causou-lhe uma impressão bastante forte. Na primavera o príncipe declarou-se. Adelaida achara-o muito simpático e muito simpático o tinha achado também Lisavieta Prokófievna. O general estava muito contente. Não é preciso dizer que o veraneio foi adiado. O casamento foi marcado para a primavera.

O veraneio, afinal de contas, podia realizar-se da mesma forma, tanto em meados como em fins do verão, ainda que fosse somente para que Lisavieta Prokófievna desse um passeiozinho de dois meses pelo estrangeiro em companhia das duas filhas que ainda continuariam com ela e se distraísse assim de seu pesar pela perda de Adelaida. Mas tornou a ocorrer nova circunstância: já em fins da primavera (o casamento de Adelaida demorou um tanto e foi adiado até meados do verão), o Príncipe Tsch*** apresentou em casa das Iepántchini um parente seu, distante, do qual, aliás, era bastante amigo. Era ele um tal Ievguéni Pávlovitch Radómski, homem ainda jovem, de vinte e oito anos, ajudante-de-campo, muito bonito, de distinta família, um rapaz de talento, brilhante, novo, extraordinariamente culto e... rico até um extremo inaudito. A respeito deste último ponto, era sempre o general muito cauteloso. Levou a efeito investigações. "Efetivamente, parece que há algo disto; mas, de todos os modos, é preciso comprová-lo melhor." A velha Bielokónskaia, em carta de Moscou, punha nas nuvens aquele jovem ajudante-de-campo, cheio de futuro. Somente um dos louvores que dele fazia era algo discutível: o jovem era um tanto despreocupado e, segundo asseguravam, um conquistador de corações infelizes. Ao ver Aglaia, começou a frequentar com assiduidade extraordinária a casa do General Iepántchin. Na verdade, ainda não se tinha dito nada, nem sequer se havia feito alguma alusão; mas, não obstante, os pais da moça pensavam que não se podia contar, naquele verão, com nenhuma viagem ao estrangeiro. É possível que a própria Aglaia fosse de opinião diferente.

Ocorreu tudo isto quase já nas vésperas da segunda aparição de nosso herói na cena de nossa narrativa. Por aquele tempo, a julgar pelas aparências, tinham-se esquecido por completo em Petersburgo do pobre Príncipe Míchkin. Se se houvesse apresentado agora diante daqueles que o haviam conhecido seguramente pensariam nele como caído do céu. Mas temos que anotar um fato, com o qual daremos por terminada nossa introdução.

Kólia Ívolguin, depois que o príncipe partiu, continuou, a princípio, levando sua vida de outrora, isto é, ia ao ginásio, à casa de seu amigo Ipolit, cuidava do general e ajudava Vária nas fainas domésticas, ou seja, servia-lhe de moço de recados. Mas os hóspedes não tardaram em desaparecer. Fierdíchtchenko foi-se embora, não se sabia para onde, três dias após o episódio em casa de Nastássia Filipovna, e logo se perdeu o rastro dele, pois cessou todo rumor a seu respeito; diziam que se embriagava em certo lugar; mas a coisa não se confirmou. O príncipe havia partido para Moscou: tinham-se acabado os hóspedes. Depois, quando Vária se casou, foram viver com ela e com Ptítsin, Nina Alieksándrovna e Gânia, no Ismáilovski Polk; no que se refere ao General Ívolguin, quase por aquela ocasião veio a ocorrer-lhe um acontecimento de todo imprevisível: meteram-no na cadeia por dívidas. Levou-o a isso sua amiga, a viúva do capitão, por causa de várias promissórias que ele lhe havia passado num montante de dois mil rublos. Tudo isso constituiu para ele verdadeira surpresa e o pobre general passou a ser "decididamente a vítima de sua inquebrantável fé na nobreza do coração humano, falando em geral". Tendo contraído o plácido hábito de assinar promissórias e letras, nem sequer supunha a possibilidade de torná-las efetivas na vida, imaginando que aquilo era assim. E resultou que não era. "Para que acredites depois disto em alguém, para que persistas em tua nobre credulidade!", exclamava ele, com amargura, entre seus novos amigos, na casa Taràssova,[30] com uma garrafa de vinho à sua frente e contando-lhes anedotas do assédio de Kars e do soldado ressuscitado. Aliás, ali o homem passava bastante bem. Ptítsin e Vária diziam que seu verdadeiro lugar era aquele; Gânia concordava inteiramente com eles. A pobre Nina Alieksándrovna era a única que chorava amargamente às ocultas (o que causava também muito espanto a seus familiares) e, eternamente enferma, arrastava-se com toda a frequência possível até o cárcere para ver o marido.

---

30 Um dos cárceres de São Petersburgo, a que se destinavam especialmente os condenados à perpétua, e assim chamada por ser Tarássov o nome do dono do imóvel.

Mas desde a época do acidente do general, segundo se exprimia Kólia e, em geral, desde o casamento de sua irmã, ele lhes escapou das mãos quase por completo, chegando ao extremo de, ultimamente, ser rara a noite em que ia dormir em sua casa. Segundo rumores, havia feito um sem número de novas amizades; além disso, começou a ser bastante conhecido na prisão dos devedores. Nina Alieksándrovna não podia passar sem ele; na casa, nem sequer o importunavam agora com sua curiosidade. Vária, que tão severamente o admoestava outrora, agora não lhe fazia a menor pergunta a respeito de suas escapatórias; quanto a Gânia, com grande assombro de seus parentes, falava-lhe e até costumava tratá-lo muito amistosamente, não obstante toda a sua hipocondria, coisa que não lhe ocorria jamais antes, pois Gânia, que tinha vinte e sete anos, não prestava, naturalmente, a menor atenção afetuosa a seu irmãozinho de quinze, a quem tratava com dureza, atiçando contra ele a severidade de todos e sempre ameaçando puxar-lhe as orelhas, forçando Kólia além dos últimos limites da paciência humana. Pode-se mesmo pensar que agora Kólia tornava-se às vezes, imprescindível a Gânia. Tinha-lhe causado funda impressão Gânia ter recusado aquele dinheiro e só por causa disso estava disposto a perdoar-lhe muitas coisas.

Haviam transcorrido três meses, a contar da partida do príncipe, quando chegou ao conhecimento dos Ívolguini o rumor de que Kólia de repente fizera amizade com as Iepántchini e que estas lhe dispensavam muito boa acolhida. Não tardou Vária em saber disso; Kólia, aliás, não se havia valido de Vária para fazer esse conhecimento, mas havia sido inteiramente coisa sua. Pouco a pouco, na casa do General Iepántchin foram-lhe tomando carinho. A generala, a princípio, não estava muito contente com ele; mas não tardou em tomar-lhe amizade pela sua sinceridade e porque não era adulador. Kólia não adulava, era completamente certo; conseguiu manter-se ali em plano igual e independente, embora costumasse ler para Lisavieta Prokófievna livros e jornais; mas estava sempre pronto a prestar serviços. Duas vezes, aliás, teve de discutir seriamente com a generala: disse-lhe em plena cara que ela era uma déspota e anunciou-lhe que não tornaria a pôr os pés em casa dela. Da primeira vez sobreveio a discussão a propósito da questão feminina; da segunda, originou-se de saber qual a melhor época do ano para pegar canários. Parecerá inverossímil, mas a generala, três dias depois daquela disputa, mandou-lhe um criado, com uma cartinha, rogando-lhe que voltasse lá; Kólia não teimou e foi imediatamente. Aglaia era a única que, sempre sem nenhum motivo, o olhava com prevenção e o tratava com altivez. Contudo era a Aglaia que estava destinado a causar assombro. Uma vez — era na semana de Páscoa, — aproveitando um momento em que estavam sós, Kólia entregou a Aglaia uma carta, limitando-se a dizer-lhe que o haviam encarregado de a entregar só a ela. Aglaia lançou um olhar ameaçador àquele "menino presumido"; mas Kólia não ficou esperando e retirou-se. A moça desdobrou a carta e leu:

> Houve um tempo em que a senhorita me honrou com sua confiança. É possível que agora já me tenha esquecido por completo. A que se deve que lhe dirija esta carta? Ignoro-o; mas senti o invencível anseio de lembrar-lhe, justamente à senhorita, a minha existência. Algumas vezes necessitei de todas três... mas de todas três só via a senhorita. Necessito da senhorita... necessito muitíssimo. Nada tenho a escrever-lhe a meu respeito, não tenho nada a

contar-lhe. Não é isto tampouco o que eu queria fazer. O que desejo imensamente é que seja feliz. É feliz? Eis tudo quanto queria dizer-lhe. Seu irmão

P. L. Míchkin.

Depois de ler esta breve e bastante absurda missiva, Aglaia, de repente, ficou toda ruborizada e pensativa. Seria difícil reproduzir o fio de seus pensamentos. Entre outras coisas perguntava a si mesma: "Deveria mostrar a carta a alguém?". Parecia um pouco envergonhada. Terminou, afinal, por deixar a carta em cima da mesinha de cabeceira, com um sorriso estranho e zombeteiro. No dia seguinte, tornou a apanhá-la e meteu-a dentro dum grosso livro, encadernado em couro, com o título na lombada (sempre fazia isto com seus livros, a fim de encontrá-los mais depressa quando deles necessitasse). E somente passada uma semana ocorreu-lhe olhar que livro era aquele: era *Dom Quixote de la Mancha*. Aglaia soltou uma, gargalhada sonora... sem saber por que.

Ignoramos também se deu parte de sua descoberta a alguma de suas irmãs.

Mas quando ainda estava lendo a carta, ocorreu-lhe pensar de repente se o príncipe teria escolhido aquele menino fátuo e fanfarrão para seu confidente e mais ainda, por seu único medianeiro. Embora afetando a maior indiferença, submeteu Kólia a um interrogatório. Mas aquele "menino", sempre muito melindroso, não prestou daquela vez a menor atenção ao desdém dela; em poucas palavras e bastante secamente, manifestou a Aglaia que, embora tivesse dado a Míchkin seu endereço permanente, quando ele ia partir de Petersburgo, oferecendo-lhe ao mesmo tempo os seus serviço, era aquela a primeira missão que ele lhe confiava e a primeira carta que lhe escrevia e, para confirmar suas palavras, mostrou uma carta a ele endereçada por Míchkin. Aglaia não teve escrúpulo em lê-la. A carta a Kólia dizia o seguinte:

Querido Kólia: Tenha a bondade de entregar a carta que vai junto com esta, lacrada, a Aglaia Ivânovna. Espero que todos estejam bem. Seu afeiçoado amigo

P. L. Míchkin.

— De todos os modos, é ridículo pôr sua confiança em um fedelho como você — disse Aglaia, agressivamente, devolvendo a carta a Kólia e passando desdenhosamente diante dele.

Aquilo era mais do que Kólia podia suportar. Note-se que, para aquela ocasião, tenha de propósito pedido a Gânia, sem explicar-lhe por que, para sair com a nova gravata verde dele. Sentiu-se cruelmente ofendido.

Capítulo II

Era em princípios de junho e fazia já uma semana que em Petersburgo desfrutavam de um tempo estranhamente bom. Os Iepántchini tinham uma magnífica *datcha* em Pávlovsk.[31] Lisavieta animou-se, começou a mover-se e, em dois dias, preparou tudo e transferiram-se para lá.

---

31 Lugar próximo a Petersburgo, onde a aristocracia costumava veranear.

Dois ou três dias após a partida dos Iepántchini, chegava, no trem da manhã, de Moscou, o Príncipe Liev Nikoláievitch Míchkin. Ninguém foi à estação recebê-lo; mas ao apear-se do vagão, avistou o príncipe, de repente, o estranho e ardente olhar de dois olhos que, entre a multidão, flechavam os viajantes. Observou mais atentamente, mas já não distinguiu mais nada. Sem dúvida fora aquilo um relâmpago; mas causou-lhe uma impressão desagradável. Fora disto, estava Míchkin triste e pensativo e parecia preocupado com alguma coisa.

Um carro conduziu-o a um hotel perto da Litiénaia. Era um hotelzinho ordinário. O príncipe alugou dois quartos nada grandes, escuros e mal mobiliados; asseou-se, vestiu-se, não pediu coisa alguma e, a toda a pressa, saiu para a rua, como se temesse perder tempo ou não encontrar alguém em casa.

Se algum dos que o tinham conhecido meio ano antes em Petersburgo, quando de sua primeira viagem, o visse agora, teria formulado a conclusão de que o aspecto exterior do príncipe tinha mudado para melhor. Mas não havia tal. A indumentária era a única coisa que nele havia experimentado uma mudança completa: vestia outra roupa cortada em Moscou por um bom alfaiate, mas que, apesar disso, apresentava seus defeitos. Era de um corte demasiado na moda (como sempre acontece com os alfaiates conscienciosos, mas de pouco talento), e, além disso, quem a usava era homem que não reparava em tais coisas, de sorte que o verdadeiro elegante que tivesse fixado olhar atento no príncipe, teria rido e não sem razão. Mas há gente que ri de tudo.

Míchkin tomou um coche e fez-se conduzir a Piéski. Em uma das ruas dali não teve dificuldade em encontrar uma casinha de madeira. Com assombro, verificou que a casinha tinha um aspecto bonito e limpo; que tudo nela parecia muito bem cuidado e que nem lhe faltava um canteiro onde cresciam flores. As janelas que davam para a rua estavam abertas e por elas saía uma voz cortante, contínua, quase em gritos, como se alguém estivesse lendo alto ou pronunciando um discurso; de quando em quando vinham interromper aquela voz umas sonoras gargalhadas. Míchkin atravessou o saguão, subiu a escadinha e perguntou pelo senhor Liébiediev.

— Está aí dentro — respondeu-lhe, abrindo a porta, a cozinheira, que levava as mangas arregaçadas até os cotovelos, apontando com um dedo a sala.

Naquela sala, forrada de papel azul escuro e arrumada com primor e até mesmo com algumas pretensões, isto é, com uma mesa redonda e um divã, um relógio de bronze dentro duma caixa de vidro, um espelho estreito na parede, e um pequeno candelabro antiquado com pingentes prismáticos, suspenso do teto por pequenas correntes de bronze, encontrava-se o Senhor Liébiediev, de pé no meio da peça, de costas para o príncipe, que entrava no momento. Estava de colete, mas sem paletó por causa do tempo, e, esmurrando o peito, discursava sobre não se sabia qual tema. Seus ouvintes eram: um menino duns quinze anos, com um rosto bastante alegre e inteligente e com um livro nas mãos; uma moça duns vinte anos, toda de luto e com um bebê nos braços; outra mocinha, duns treze anos, também de luto, que se ria muito, abrindo tremendamente a boca, e, finalmente, um indivíduo sumamente estranho, um rapazinho duns vinte anos, que estava estendido no divã, bastante bonito, moreno, de cabelos compridos e espessos, uns olhos negros e grandes e uma leve sombra de suíças e barba. Aquele ouvinte, ao que parecia, estava interrompendo e fazendo sem cessar objeções ao eloquente Liébiediev, e por causa disso, provavelmente, ria-se daquele modo o resto do público.

— Lukian Timofiéitch, Lukian Timofiéitch! Vamos, homem! Olhe para cá!... Ora, sempre há de ser o mesmo!

E, abanando as mãos, a cozinheira retirou-se, vermelha de cólera. Liébiediev voltou a vista e, ao reparar no príncipe, ficou um momento como que fulminado; depois correu para ele com um sorriso servil, mas no umbral pareceu perder de novo coragem, embora exclamasse:

— S... sereníssimo príncipe!

Mas, de repente, como se lhe faltassem as forças para proceder discretamente, deu meia volta e, sem mais nem menos fitou primeiro a jovem de luto, que trazia um menino nos braços, de um modo tão inesperado que ela recuou, mas deixando-a depois, fitou a menina de treze anos, que estava no umbral do quarto vizinho e que continuava a rir-se por efeito das gargalhadas recentes.

Ela não pode conter um gritou e correu depressa na direção da cozinha; Liébiediev bateu com o pé para aumentar-lhe o medo, mas encontrando o olhar de Míchkin, que o observava com atenção, disse, à guisa de desculpa

— Para mostrar... respeito. Ah! ah! ah!

— Tudo isto é inútil... — começou o príncipe.

— Um minuto, um minuto, um minuto... como um furação!

E Liébiediev, rápido, desapareceu. O príncipe olhou espantado para a jovem, para o menino e para o rapazola estendido no divã; todos estavam rindo. Míchkin também começou a rir.

— Ele foi vestir o paletó — disse o menino.

— Quanto lamento tudo isto! — começou o príncipe. — E eu que pensava... digam-me... será que ele...

— Se está bêbado, quer o senhor dizer? — gritou uma voz lá do divã. — Nem um pouquinho! Talvez haja bebido seus três ou quatro copinhos; bem, digamos mesmo cinco; mas, afinal que é isso?... o habitual!

Míchkin voltou-se para a voz do divã, mas naquele momento falou a jovem e, com a mais franca expressão em seu simpático semblante, disse:

— Pela manhã nunca bebe muito; se o senhor veio vê-lo para tratar de algum assunto, não demore em dizê-lo. Esta é a ocasião. Porque é possível que, se o senhor voltar à noite, o encontre bêbado. E, além disso, agora, à noite, dá para chorar e ler em voz alta as Sagradas Escrituras, porque faz cinco semanas que morreu nossa mãe.

— Saiu correndo porque lhe era difícil responder ao senhor — riu o rapaz do divã. — Apostaria como ele já o estaria enganando e neste mesmo momento está tramando alguma coisa!

— Somente cinco semanas! Somente cinco semanas! — disse Liébiediev, voltando já de paletó, piscando os olhos e tirando do bolso um lenço para enxugar as lágrimas. — órfãos!

— Mas por que vestiu um paletó tão rasgado? — perguntou a moça. — Ali, atrás da porta de seu quarto, tem o senhor um capote novinho. Será que não o viu?

— Contém a língua, inseto! — gritou-lhe Liébiediev. — Ai de ti!

E bateu com o pé. Mas dessa vez a moça pôs-se a rir.

— Não creia o senhor que me assusta, que eu não sou Tânia, não corro. Mas acabará despertando Liúbotchka e as convulsões se repetirão... Por que o senhor dá esses gritos?

— Pelo amor de Deus, não diga tal coisa! — Liébiediev ficou terrivelmente alarmado imediatamente e, dirigindo-se àquela de suas filhas que trazia o menino adormecido nos braços, benzeu-se várias vezes com um rosto amedrontado. — Senhor, protegei-a! Senhor, olhai por ela! Esse bebê é minha filhinha, Liúbov[32] — explicou ele ao príncipe, — tida de minha legítima esposa, a defunta Helena, que morreu de parto. E essa intrometida é minha filha Viera, que está de luto... E esse, esse, oh! Esse...

— Por que titubeias? — gritou-lhe o rapaz..— Continua, não te atrapalhes!

— Excelência! — exclamou, de repente, como com certo arrebatamento, Liébiediev. — Leu o senhor nos jornais o assassinato da família Jemárin?

— Li — disse o príncipe, com certo espanto.

— Pois aí tem o senhor o verdadeiro assassino da família Jemárin! É esse mesmo!

— O que o senhor quer dizer? — perguntou Míchkin.

— Quero dizer, alegoricamente falando, que esse é o futuro segundo assassino da futura segunda família Jemárin, a julgar por todos os sinais. Está se preparando para isso...

Todos puseram-se a rir. Ocorreu a Míchkin que Liébiediev poderia muito bem divagar daquele modo, porque pressentia suas perguntas e, não sabendo como responder a elas, propunha-se ganhar tempo.

— É um revoltado! Mete-se em conspirações! — gritou Liébiediev, como se não tivesse forças para conter-se. — Mas vamos ver, diga-me: será que eu posso, de direito, considerar um facínora semelhante, um fornicador, um monstro assim, como sobrinho meu; como filho legítimo de minha irmã Aníssia, a quem Deus tenha em sua glória?

— Oh! cala-te, beberrão!... O senhor acreditará, príncipe, que ele agora está pensando em meter-se a advogado e frequentando os tribunais? Tornou-se tão eloquente que só fala, em casa, a seus filhos, em tom altissonante. Fez um discurso perante o juiz de paz há uns cinco dias. E a quem pensa o senhor que ele defendeu? Não foi àquela velha que veio rogar-lhe e implorar-lhe e à qual um velho usurário roubou quinhentos rublos (tudo quanto possuía, tomou-lhe o sujeito), não, mas defendeu foi justamente o tal usurário, um judeuzinho que se chama Zaidler e que lhe prometeu cinquenta rublos...

— Cinquenta rublos, se ganhar e nada mais que cinco, se perder — exclamou Liébiediev, adotando, de repente, uma voz totalmente distinta, com uma suavidade como se nunca tivesse gritado.

— É claro que sofreu um fiasco. Já não estamos nos tempos antigos e só conseguiu que se rissem dele. Mas ficou tão satisfeito consigo mesmo e com sua obra! "Pensem os senhores — disse, — pensem meus honradíssimos senhores juízes, sem ter em conta as pessoas, quero dizer, com toda a imparcialidade, que este pobre ancião, a quem já não obedecem os pés, e que vive de seu honrado trabalho, ficaria sem seu derradeiro pedaço de pão. Recordem-se das sábias palavras do Doador de toda lei: 'Sejam juízes os benignos!'". E que pensa o senhor?... Pois todas as manhãs nos larga esse discurso a toda a família, palavra por palavra, como o soltou ali. Hoje foi a quinta vez; pouco antes de chegar o senhor estava repetindo-o, tão enamorado está de seu discursinho. Lambe os beiços de gosto. E agora já está preparando outra

32 Nome próprio feminino, significa amor.

defesa de não sei quem... O senhor é o Príncipe Míchkin, não é verdade? Kólia já me havia falado a seu respeito. Diz que nunca viu um homem de tanto talento como o senhor e que não há outro igual no mundo...

— De acordo! De acordo! Não há mesmo! — acreditou-se obrigado a confirmar imediatamente Liébiediev.

— Ora! Não creiam no que ele diga, pois não diz uma palavra verdadeira: Kólia gosta do senhor, mas esse aí não faz mais que adulá-lo. Pelo que me diz respeito, não tenho a intenção de adulá-lo, digo-lhe desde já. Mas o senhor é sem dúvida um homem de senso... Seja nosso juiz e decida nosso pleito. Vamos ver: quer que o príncipe seja nosso árbitro? — perguntou a seu tio. — Folgo muito que o senhor haja surgido em nosso caminho, príncipe.

— Bem, estou de acordo! — exclamou, decidido, Liébiediev, e, involuntariamente, voltou-se para o público, que já se havia reunido de novo.

— Mas qual é seu pleito? — perguntou Míchkin, franzindo a testa.

Doía-lhe a cabeça e, a cada momento, sentia mais claramente que Liébiediev o enganava e muito se alegrava com aquela perda de tempo.

— Bem. O caso é este: sou sobrinho dele. Nisto, por um raro acaso, não mentiu, pois em tudo mais sempre mente. Sou estudante, mas não terminei meus estudos, mas vou terminá-los sem falta, porque tenho caráter. Mas, no momento, aceitei, para poder viver, uma colocação na estrada de ferro, com um ordenado de vinte e cinco rublos por mês. Espontaneamente confesso e reconheço que ele me ajudou em duas ou três ocasiões. Mas agora o caso é que tinha vinte e cinco rublos e perdi-os no jogo. O senhor será capaz de acreditar, príncipe, que fui tão tolo, tão infinitamente tolo a ponto de perder esse dinheiro?

— E, além do mais, jogando com um tratante, com um velhaco a quem não devia pagar coisa alguma! — saltou Liébiediev.

— Será um velhaco, mas nem por isso posso deixar de pagar-lhe — continuou o jovem. — Que seja um patife, posso confirmá-lo, mas não porque me haja certa vez batido. Fique o senhor sabendo que se trata de um ex-oficial que perdeu a carreira, um alferes do Exército, que faz parte do bando de Rogójin, dedica-se agora a dar lições de boxe e se considera um mestre na sua arte. Agora que Rogójin o despediu, o pobre anda faminto pelo povoado, dando voltas sem rumo. O mais estúpido de tudo, porém, é que eu já sabia que classe de indivíduo era ele, isto é, que é um velhaco, um patife, um ladrão e, mesmo assim, pus-me a jogar com ele e, quando estava perdendo o último rublo (jogávamos jogo de azar), pensava comigo mesmo: "Se perder, irei ter com o tio Lukian, a ele farei minhas reverências e não me despedirá". Isto é uma baixeza... sim, é realmente uma baixeza! Uma baixeza consciente!

— É claro que é uma baixeza consciente! — repetiu Liébiediev.

— Bem, o senhor não cante vitória, espere um pouco — gritou, ressentido, o sobrinho. — Pois não se alegre! Vim vê-lo, príncipe, e confessei-lhe tudo; portei-me nobremente, pois não tratei de defender-me. Insultei a mim mesmo até mais não poder, aqui, diante de todas essas testemunhas. Para ocupar esse emprego de que lhe falei na estrada de ferro, não tenho remédio senão prover-me de roupa, pois ando andrajoso. Veja o senhor; veja o senhor que sapatos! Não é possível apresentar-me deste modo no emprego; mas se não me apresentar no prazo marcado, vão me substituir por outro, e voltarei para a rua e só Deus sabe quando arranjarei outra colocação. Não lhe peço, afinal de contas, senão quinze rublos e prometo-lhe nunca mais tornar a pedir-lhe nada, e, além disso, no transcurso dos três primeiros meses, vou lhe pagar tudo, até o derradeiro copeque. E cumprirei minha palavra. Sei manter-me meses inteiros a pão e *kvas*, porque sou homem de caráter. Nesses três meses vão me pagar setenta e cinco rublos. Juntamente com o anterior, fico devendo apenas trinta e cinco rublos e terei com que pagar. Bem; que cobre os juros que quiser, com os diabos! Será que ele não me conhece? Pergunte-lhe o senhor, príncipe; antes, nas outras vezes em que me ajudou, paguei-lhe ou não? Por que agora não quer me fazer um empréstimo? Toda a sua raiva está no fato de eu ter pago ao alferes; eis tudo e nada mais! Para que o senhor vá vendo o que é esse homem: nem para ele, nem para os outros!

— E não se vai embora! — gritou Liébiediev. — Planta-se aí e não se vai embora!

— Já lhe disse. Não me irei, enquanto não me der o dinheiro. Por que o senhor está rindo, príncipe? Será que não acredita que tenho razão?

— Não estou rindo, embora, na minha opinião, o senhor não tenha, efetivamente, razão de todo — declarou, involuntariamente, o príncipe.

— Ora, diga o senhor com franqueza que não tenho absolutamente razão. Não se amedronte: tire esse "de todo".

— Pois então, se quer, direi que não tem absolutamente razão.

— Ora se quero!... Isto é ridículo! Mas será que o senhor pensa que eu mesmo não sei que não está certo portar-se assim, que o dinheiro é dele e ele é senhor de sua vontade, ao passo que eu conto com a força? Mas o senhor, príncipe... não conhece a vida. Se não se dá uma lição a essa gente, nada se obtém deles. É necessário ensinar-lhes. Veja o senhor: tenho a consciência limpa; a respeito de minha consciência, não prejudicarei a ele em nada; vou lhe devolver tudo, com os juros correspondentes. Ele até vai experimentar uma satisfação moral: a de ver minha humilhação. Que mais pode pedir?... Para que há de servir, se não é de utilidade para ninguém? O senhor quer fazer o favor de me dizer que é que ele faz? Pergunte-lhe o que é que ele faz com os outros e como os engana! Cortem-me a cabeça, se já não enganou o senhor ou não tem pensado em enganá-lo de novo! O que, o senhor sorri, não acredita?

— Acho que nada disso tem relação com seu caso! — observou o príncipe.

— Pois há já três dias que estou caído aqui e que coisas tenho visto! — exclamou o jovem, sem escutá-lo. — Imagine o senhor que desconfia desse anjo, dessa criatura agora órfã, de minha prima, sua filha, e todas as noites vai verificar se tem amantes no quarto! Até aqui, onde estou, vem também, devagarinho, e se agacha a olhar debaixo do divã. A desconfiança o deixa louco; em todos os cantos vê ladrões. Passa a noite inteira levantando da cama a cada instante, e se põe a olhar as janelas, para ver se estão bem fechadas, e examina as portas e esquadrinha a estufa, e há noites em que faz isso sete vezes. Nos tribunais defende os velhacos e todas as noites se levanta três vezes para rezar, aqui mesmo, na sala, de joelhos, e dá cabeçadas no chão durante meia hora... E por quem reza, por quem pede, o beberrão?... Pois olhe: pela alma da Condessa Du Barry é que ele reza, pois o ouvi com meus próprios ouvidos. E Kólia também o ouviu. Pois é, está completamente louco!

— O senhor está vendo? o senhor ouve como me trata, príncipe? — gritou Liébiediev, rubro e como que, efetivamente, fora de si. — Mas não sabe uma coisa e é que, talvez eu, embora beberrão, caloteiro e facadista, só tenho um mérito, quando esse pilantra era ainda pequeno, mudava-lhe as fraldas, dava-lhe banho e na casa de minha pobre irmã viúva, Aníssia, eu, um pobretão como sou, passava as noites em claro, sem deitar-me; saía com os dois maiorzinhos e ia lá em baixo roubar lenha do porteiro, cantava-lhe canções de ninar, castanholava os dedos para ele e, de estômago vazio, ninava-o como uma ama-de-leite, e aí o tem o senhor, rindo-se de mim agora! E que te importa a ti que me haja persignado alguma vez pela defunta Condessa Du Barry? Eu, príncipe, há uns quatro dias li pela primeira sua biografia na *Enciclopédia*. Mas sabes tu quem era a Du Barry? Fala. Sabes ou não?

— Ora, será que pensas que és o único que sabe? — resmungou o jovem, ironicamente, mas de má vontade.

— Pois era uma condessa que, saindo da lama, soube ocupar o lugar de uma rainha, e a ela uma grande imperatriz, de seu próprio punho, escrevia, chamando-a *ma cousine*.[33] Um cardeal, o núncio do Papa, no *lever du roi*[34] (sabes tu o que era o *lever du roi*?), tinha de calçar-lhe as meias de seda, abraçado a seus pezinhos, e até mesmo tinha isso como uma honra, personagem tão importante e santo! Sabias tu isso? Pela cara, percebo que não sabias! Mas vamos ver, dize-me: como morreu? Responde, se sabes!

— Ora, vai passear! Deixa-me em paz!

— Pois sucedeu que, depois de tantas honras e de tanto poder, Samson a conduziu à guilhotina, Samson, o carrasco, apesar de inocente, para diversão das verdureiros de Paris. Só que ela não se deu conta do que lhe acontecia pelo medo com que estava. E eis que aquele tal lhe dobra o pescoço sob a lâmina e empurra-a com os pés; as verdureiras riem. E ela grita: *Encore un moment, Monsieur le Bourreau, encore un moment*! O que quer dizer: "Um minuto ainda, Senhor Carrasco, um minuto ainda!". E é possível que por causa daquela oração no derradeiro instante, Deus a tenha perdoado, porque miséria maior que essa é impossível o espírito humano imaginar. Sabes tu o que quer dizer a palavra miséria? Pois miséria é isso mesmo. Quando li a respeito desse grito da condessa, de "um minuto ainda", senti como se meu coração tivesse sido preso por um par de tenazes. E que te importa a ti, a um verme como tu, que, ao deitar-me à noite, me lembrasse de rezar por ela, que foi uma grande pecadora? Tanto mais quanto talvez me ocorresse rezar por ela ao pensar que, decerto, ninguém, nunca, desde que a terra existe, persignou a testa em memória dela, ou nem sequer pensou em fazê-lo. Talvez lhe fosse grato, no outro mundo, saber que havia um pecador tão grande quanto ela que, embora uma só vez, tinha rezado em sua intenção. Mas de que te ris? Não o crês, ateu? Mas tu que sabes? Além do mais, não me ouviste bem: eu não rezava simplesmente pela condessa Du Barry; eu dizia o seguinte: "Daí a paz, Senhor, à alma da grande pecadora Condessa Du Barry e a quantas com ela se pareçam", e isto é algo totalmente diverso, porque há muitas de tais pecadoras e modelos de mudanças da sorte que padeceram muito, que ali agora giram e gemem e esperam; e também por ti e pelos que contigo se parecem, homens agressivos e descarados, rezei eu então, somente não reparaste bem no que eu rezava.

33 Minha prima, fórmula de tratamento, que não envolve parentesco efetivo. Era, e é ainda hábito, entre os membros das Casas *reinantes*, utilizar como tratamento, na sua correspondência, os termos designativos dos graus de parentesco, em função da maior ou menor simpatia e afeição. O Rei dos Belgas, por exemplo, dava à Rainha Vitória, da Inglaterra, o tratamento de *Madame ma Soeur et Cousine*, embora eles só fossem primos.

34 "Acordar do Rei", aspecto do cerimonial cortesão, que conferia dignidade às pessoas da aristocracia escolhidas para executar atos comumente tidos por servis.

— Bem, basta, basta. Reza por quem queiras, o demônio te carregue, mas acaba! — interrompeu-o com raiva o sobrinho. — O senhor não sabia, príncipe, como ele é um homem lido? — acrescentou com certo sorrisinho cínico. — Passa o tempo todo lendo livros assim e também *Memórias*.

— Seu tio, não obstante... não deixa de ser um homem de coração — observou involuntariamente Míchkin. Aquele jovem ia lhe ficando cada vez mais antipático.

— Sai também o senhor a elogiá-lo? Olhe: já levou a mão ao coração e abriu a boca em forma de O, logo depois se enternece. Não é um desalmado, mas um patife e nisso está o mal. E como se isso fosse pouco, um beberrão, todo desaparafusado, como todo aquele que leva alguns anos bebendo, pelo que tudo se desmorona. Ama os filhos, damos de barato; estimava a defunta... De mim também gosta e, certamente, por Deus! vai me deixar algo em seu testamento.

— Não vou te deixar na... nada! — clamou com irritação Liébiediev.

— Ouça o senhor, Liébiediev — disse Míchkin, com voz firme, afastando-se do jovem. — Sei por experiência que o senhor é um homem ativo quando quer... Tenho agora o tempo marcado e se o senhor... Desculpe-me, quer dizer-me qual é seu nome de batismo, pois o esqueci?

— Ti... ti... Timofiéi.

— E que mais?

— Lukiánovitch.

Todos os presentes voltaram a rir.

— Mente! — gritou o sobrinho. — Também nisto mente! Ele, príncipe, não se chama Timofiéi Lukiánovitch, mas Lukian Timofiéievitch! Mas por que mentes, diz? Não é a mesma coisa para ti que sejas Lukian ou Timofiéi? E que importa isto ao príncipe? Mente por costume, posso assegurar ao senhor.

— Será verdade? — indagou o príncipe com impaciência.

— Lukian Timofiéievitch, efetivamente — assentiu e se confundiu Liébiediev, baixando, compungido, os olhos e levando de novo a mão ao coração.

— Mas por que é o senhor assim? Ai meu Deus!

— Para humilhar-me — balbuciou Liébiediev, inclinando cada vez mais e mais humildemente a cabeça.

— Ora que maneira de humilhar-se! Se pelo menos soubesse eu onde encontrar Kólia! — disse o príncipe, dando meia volta para retirar-se.

— Posso lhe dizer onde está Kólia — voltou a gritar o jovem.

— Não... não... não! — saltou com muita pressa Liébiediev. — Kólia passou a noite aqui, mas de manhã foi buscar seu pai, o general, a quem o senhor, príncipe, tirou da prisão, Deus sabe por que. Ontem mesmo o general prometera vir passar a noite aqui, mas não veio. O mais provável é que tenha ido dormir no seu hotel A Balança, que fica aqui perto. Kólia decerto estará ali também, se não estiver em Pávlovsk com os Iepántchini. Tem dinheiro e já ontem falava em ir para lá. De modo que, ou n'A Balança ou em Pávlovsk.

— Está em Pávlovsk, em Pávlovsk!... Mas passemos para lá, para lá, para o jardinzinho e... tomaremos café...

E Liébiediev pegou o príncipe pela mão e levou-o para fora. Saíram da sala, cruzaram o saguão e entraram pela porta do jardim. Ali, efetivamente, havia um jardinzinho minúsculo, mas encantador, no qual, graças ao bom tempo, já as árvores estavam lançando folhas. Liébiediev fez o príncipe sentar num banco de madeira pintado de verde, junto de uma mesa da mesma cor e fincada no chão, e sentou à frente de Míchkin. Ao cabo de um minuto apareceu, efetivamente, o café. O príncipe não o recusou. Liébiediev, serviu e, avidamente, continuava fitando-lhe o rosto.

— Desconhecia que o senhor possuísse está herdade — disse o príncipe, com o ar de um homem que pensa em algo totalmente diverso.

— Somos órfãos... — começou Liébiediev, assustado, mas deteve-se; o príncipe olhava ensimesmado o vácuo e já sem dúvida tinha-se esquecido de sua pergunta. Transcorreu um minuto; Liébiediev olhava e esperava.

— Bem, e então? — disse o príncipe, como que voltando a si. — Ah! Sim! Já sabe, Liébiediev, do que se trata. Vim cá por causa de sua carta. Fale.

Liébiediev ficou confuso, quis dizer alguma coisa, mas não fez senão abrir a boca sem nada dizer. Míchkin esperava e sorria tristemente.

— Creio compreendê-lo perfeitamente, Lukian Timofiéievitch. O senhor decerto não me aguardava. Acreditava que eu não haveria de mover-me de meu canto a seu primeiro aviso e só me escreveu para tranquilizar sua consciência. Mas bem vê que vim. Bem, basta, não me engane. Basta de servir a dois senhores. Rogójin esteve aqui durante três semanas. Sei de tudo. O senhor conseguiu entregá-la a ele como da outra vez, ou não?

— Aquele monstro averiguou tudo sozinho.

— Não o insulte. Tratou-o mal, sem dúvida...

— Bateu-me, bateu-me! — encareceu com terrível veemência Liébiediev. — E em Moscou atiçou contra mim um cachorro ao longo das ruas, um lebréu. Um cachorro terrível.

— O senhor faz pouco caso de mim, Liébiediev. Diga-me com seriedade: abandonou-o ela deveras em Moscou?

— Seriamente, seriamente que sim, quando já estava quase ao pé do altar. Pensou ele que era por um momento, ela porém fugiu e estabeleceu-se aqui em Petersburgo, e veio diretamente ver-me: "Salve-me, livre-me, Lukian, e não o diga ao príncipe...". Ela, príncipe, teme mais ao senhor ainda que a ele e nisto há... sabedoria! — E Liébiediev levou significativamente um dedo à testa.

— E o senhor agora voltou a reuni-los?

— Sereníssimo príncipe, como teria podido... como teria podido impedi-lo?

— Bem, basta; sei de tudo. Diga-me somente onde está ela, agora. Em casa de quem?

— Oh! Não! Não! Ela vive só. "Eu, disse ela, sou livre", e olhe, príncipe, insiste muito nisto: "Eu, diz ela, sou completamente livre!". Vive ainda em casa da minha sogra, como já lhe escrevi.

— E está ali agora?

— Ali, se não estiver em Pávlovsk, gozando do bom tempo, na casa de campo de Dária Alieksiéievna. "Eu, diz ela, sou completamente livre." Na noite de ontem mesmo, diante de Nikolai Ardaliónovitch, esteve a jactar-se muito de sua liberdade. Mau sinal este!

E Liébiediev se pôs a rir.

— Kólia vai com frequência vê-la?

— É um sujeito estonteado e louco, e não tem segredos.

— Faz muito tempo que o senhor não vai lá?

— Todos os dias, todos os dias.

— Esteve lá ontem?

— Não, anteontem.

— Que pena que tenha o senhor bebido hoje tanto, Liébiediev! Se assim não fosse, eu lhe faria uma pergunta.

— Não há tal! Não há tal!

Liébiediev aguçou o ouvido.

— Diga-me: como a deixou o senhor?

— Procurando...

— Procurando?

— Sim; parece que procura algo, como se tivesse perdido alguma coisa. Do casamento iminente afugentou até mesmo a ideia e toma como ofensa que lhe falem disso. Preocupa-se tanto com ele, como com uma casca de laranja, nem mais nem menos; quero dizer, mais, pois pensa nele com espanto e horror; até já proibiu que lhe mencionem o nome, ainda que se aviste com ele apenas quando é absolutamente indispensável... o que ele de sobra compreende. Mas é inevitável!... ela se mostra inquieta, sarcástica, falsa e violenta...

— Falsa, violenta?

— Violenta. Por pouco não me puxou os cabelos na última vez que fui vê-la para uma conversa. Eu havia começado a curá-la com o *Apocalipse*.

— Como é isso? — interrompeu-o Míchkin, pensando ter ouvido mal.

— Quero dizer com a leitura do *Apocalipse*. É uma senhora de imaginação inquieta. Ah! Ah! E, além disso, pude observar que é muito inclinada aos temas sérios, embora sejam de índole secundária. Gosta de mim, gosta de mim, e até me recebe com um respeito especial. Isto mesmo. Eu, na explicação do *Apocalipse*, estou forte e já venho interpretando-o há quinze anos. Está de acordo comigo em que nos achamos agora no terceiro cavalo, o negro, e o cavaleiro, que leva uma balança na mão, pôs tudo no século atual, está sujeito a peso e contrato, e todo o mundo busca unicamente seu próprio direito: "uma medida de trigo por um denário e três medidas de cevada por um denário", e até a alma livre e o coração puro e o corpo são e todos os dons de Deus querem conservar. Mas apenas com o direito não podem conservá-los e por trás vem o cavalo pálido e aquele cujo nome é Morte, e por trás dele o inferno... Quando nos encontramos, é disto que falamos e... muito influiu sobre ela.

— Mas o senhor crê em tudo isso? — perguntou Míchkin, pousando em Liébiediev um olhar estranho.

— Creio e explico-o. Porque sou um mendigo e um nu e um átomo no torvelinho humano... E quem honra a Liébiediev? Todos o olham com maus olhos e *pouco falta para que não o tratem a pontapés*. Veja o senhor: com esta explicação igualo-me ao mais poderoso na terra. Porque tenho inteligência! E um poderoso tremeu uma vez diante de mim... em sua cadeira curul, comovido pelo espírito. Sua Excelência, Nil Alieksiéievitch, há três anos, na véspera da Páscoa, tinha ouvido falar de mim, quando servia eu ainda em seu departamento e mandou-me expressamente chamar um dia a seu gabinete, por meio de Piotr Zakháritch e, a sós os dois, perguntou-me: "É verdade que és um expositor do Anti-Cristo?". Não me ocultei.

"Assim é", disse-lhe e comecei a expor-lhe e a explicar-lhe e não atenuei o horror, mas com toda a intenção desenvolvi a alegoria e lhe mostrei as cifras. Ele sorria, mas diante das cifras e outras coisas mais, pôs-se a tremer e rogou-me encarecidamente que fechasse o livro e me retirasse, designando-me para uma gratificação pela Páscoa e aconteceu que, no dia de São Tomé, entregou a Deus sua alma.

— Como foi isso, Liébiediev?

— Pois como lhe digo. Caiu do coche depois da refeição... bateu com a cabeça num frade-de-pedra e como um menino, como um menino ali ficou. Setenta e três segundo a certidão de óbito; rosadinho, grisalhinho, todo perfumado de essências, e sempre sorridente, sempre sorridente como um menino. Piotr Zakháritch lembrou-se então daquilo e me disse: "Tu o predisseste".

O príncipe fez menção de levantar-se. Liébiediev espantou-se e até ficou desconcertado ao ver que Míchkin se levantava.

— O senhor agora não mostra muito interesse pelas coisas. Eh! eh! — atreveu-se a observar com servilismo.

— Para lhe dizer a verdade, não me sinto muito bem... Tenho a cabeça pesada, por causa da viagem provavelmente — respondeu o príncipe, franzindo a testa.

— Se o senhor alugasse uma casinha de campo... — insinuou, timidamente, Liébiediev.

O príncipe permaneceu de pé, pensativo.

— Dentro de três dias, eu também, veja o senhor, mudo-me da cidade, com toda a minha gente, para uma casa de campo, tanto para cuidar da saúde do bebê como para fazer aqui, enquanto isso, as reparações necessárias. Vamos para Pávlovsk também.

— Também vai para Pávlovsk? — indagou, de repente, Míchkin. — Mas será que todo o mundo vai para Pávlovsk? E diz o senhor que tem também ali sua casa de campo?

— Nem todo mundo vai para Pávlovsk. Mas a mim, Ivan Pietróvitch Ptítsin cedeu uma casa de campo que comprou bem barata. O lugar é bom, elevado, verdejante, barato e de bom tom; há privadas. E veja o senhor, por isso todo mundo vai a Pávlovsk. Eu, aliás, só ocuparei um andar, mas a casa de campo...

— Alugou-a o senhor?

— Não... não... Não... não de todo.

— Pois ceda-a a mim — propôs-lhe, de súbito, o príncipe.

Pelo visto, era isso que Liébiediev queria. Havia três minutos ocorrera-lhe essa ideia. E, não obstante, não tinha necessidade de nenhum hóspede; tinha já um inquilino para a herdade, a quem ele próprio havia ido avisar de que talvez a alugasse. Liébiediev sabia com certeza que não se tratava de nenhum talvez, mas que certamente a alugaria. Mas agora, de repente, havia-lhe ocorrido uma ideia na sua opinião muito frutífera: alugar a casa de campo ao príncipe aproveitando-se dos vagos termos em que o outro se havia exprimido. "Uma verdadeira coincidência e virada completa no assunto" se levantou de repente diante de sua imaginação. Aceitou a proposta do príncipe quase com entusiasmo, tanto que, à pergunta dele a respeito do preço, fez um gesto evasivo:

— O que o senhor quiser; haveremos de combinar. O senhor não sairá perdendo.

Ambos saíram do jardim.

— Se o senhor quisesse, honradíssimo príncipe, eu poderia... eu poderia lhe comunicar algo muito interessante com referência ao mesmo assunto — murmurou Liébiediev, andando de costas de pura alegria, em redor do príncipe.

Este, se deteve.

— Dária Alieksiéievna tem também casa de campo em Pávlovsk.

— E com isso?

— É que certa pessoa é sua amiga e, pelo visto, tem intenção de visitá-la em Pávlovsk a miúdo, com certo objetivo.

— E que mais?

— Aglaia Ivânovna...

— Ah! basta, Liébiediev! — cortou Míchkin, com certa sensação desagradável, como se tivesse sido tocado em seu ponto doloroso. — Tudo isso... não é assim. Diga-me antes quando pensa o senhor mudar-se para lá. Por mim, quanto antes melhor, porque estou alojado num hotel...

Enquanto falavam, tinham saído do jardim e, sem entrar na casa, atravessaram o pátio e aproximaram-se da porta.

— O melhor será — sugeriu Liébiediev por fim — que se mude o senhor hoje mesmo do hotel para minha casa e depois de amanhã todos juntos partiremos para Pávlovsk.

— Vou ver — disse o príncipe, pensativo, e atravessou o umbral. Liébiediev acompanhou-o com a vista. Havia-o chocado a súbita introversão do príncipe. Ao sair, até havia esquecido de dizer-lhe adeus, até mesmo de fazer-lhe uma saudação com a cabeça, o que não dizia bem com a sua cortesia e deferência conhecidas de Liébiediev.

CAPÍTULO III

Já passava das onze. Sabia Míchkin que na casa dos Iepántchini, na cidade, só poderia encontrar agora o general, por motivos de serviço, e ainda assim raras vezes. Pensou que o general talvez o recebesse e logo em seguida quisesse levá-lo consigo a Pávlovsk, mas particularmente desejava fazer antes uma visita. Correndo o perigo de chegar tarde à casa do general e de ter de demorar até o outro dia sua partida para Pávlovsk, o príncipe decidiu procurar a casa que tinha tanto desejo de visitar.

Aquela visita era, aliás, em certo sentido, perigosa para ele. Duvidava e vacilava. Sabia que a casa se encontrava na Rua Gorókhova,[35] não longe da Rua Sadóvaia e decidiu-se a ir lá, com a esperança de tomar, durante o trajeto, uma resolução definitiva.

Chegado que foi ao cruzamento da Rua Gorókhovaia com a Sadóvaia, ele *mesmo* ficou admirado da força da emoção que sentia; não acreditava que tão dolorosamente tivesse de palpitar-lhe o coração. Uma casa, seguramente pela sua fisionomia pessoal, ainda de longe, começou a atrair sua atenção e Míchkin se lembrava depois de haver dito para si mesmo: "É com certeza aquela a casa". Com extraordinária curiosidade caminhou para ela, a fim de verificar seu acerto; sentia que,

35 Deturpação popular de Gorókhovaia Ulitsa, rua frequentemente mencionada na obra de Dostoiévski.

por alguma razão, não ia gostar nada de ter acertado. Aquela era uma casa grande, sombria, de três andares, de estilo indeterminado, de cor verde sujo. Algumas, aliás pouquíssimas casas desse estilo, edificadas em fins do século passado, conseguiram conservar-se quase sem mudança alguma, precisamente nessas ruas de Petersburgo (onde tudo muda tão depressa). Edificadas solidamente, com espessas paredes e janelas extraordinariamente fortes; na planta de baixo as janelas costumavam ter grades. Em geral, no andar térreo, estava instalada uma casa bancária. O *skópiets*, dono do banco, costumava viver em um dos andares de cima. Tanto por fora como por dentro mostravam algo de antipático e seco, tudo nelas parecia esconder-se e ocultar-se e porque tal impressão era produzida apenas pela fisionomia da casa... seria difícil explicar. As linhas arquitetônicas juntas possuem indubitavelmente seu segredo. Naquelas casas vivem quase exclusivamente comerciantes. Acercando-se da porta e fixando a vista em sua inscrição, leu o príncipe: "Casa do honrado cidadão herdeiro Rogójin".

Não mais hesitando, abriu a porta de vidro, que se fechou atrás dele com estrépito, e subiu pela escada senhoril até o segundo andar. A escada estava escura, era de pedra, de construção tosca e tinha as paredes pintadas de vermelho. O príncipe sabia que Rogójin, com sua mãe e seu irmão, ocupava todo o segundo andar daquela detestável casa. O homem que apareceu para abrir ao príncipe introduziu-o sem anunciá-lo e o fez andar por algum tempo; atravessaram uma sala de recepção, que tinha as paredes figurando mármore, com o chão soalhado de cara madeira de carvalho e móveis de 1820, toscos e pesadões; atravessaram também algumas saletas pequenas como caixas, que faziam voltas e ziguezagues; subiram duas ou três escadinhas e desceram outras tantas e, por fim, foram encontrar-se diante de uma porta, onde bateram. Abriu-lhes o próprio Parfien Siemiônitch; ao ver o príncipe, ficou a tal ponto pálido e imóvel em seu lugar, que durante algum tempo pareceu um ídolo de pedra, olhando com olhos imóveis e assustados e abrindo a boca num sorriso a tal ponto indeciso que só parecia que a visita do príncipe lhe figurava como algo impossível e quase prodigioso. Míchkin, embora de antemão esperasse algo nesse estilo, não deixou também de espantar-se.

— Parfien, talvez não seja oportuno, posso me retirar — disse, afinal, desconcertado.

— Oportuno! Oportuno! — disse Parfien, voltando a si por fim. — Faz favor, entra.

Tratavam-se por tu. Em Moscou tinham-se encontrado com frequência e reunido longo tempo e até alguns daqueles encontros tinham deixado no coração de ambas impressões bastante memoráveis. Agora fazia mais de três meses que não se viam.

A palidez e um como tremor convulsivo, ligeiro e fugaz, continuavam contraindo o rosto de Rogójin. Apesar de ter retido o visitante, continuava extraordinariamente agitado. Enquanto oferecia ao príncipe uma cadeira e fazia-o sentar ao lado da mesa, aquele voltou-se casualmente para olhá-lo e deteve-se sob a impressão de seu olhar estranhíssimo e grave. Sugeriu-lhe algo de sombrio, recente, penoso e fúnebre. Ainda em pé, imóvel, esteve contemplando um instante Rogójin diretamente nos olhos; estes pareciam brilhar-lhe ainda mais do que no primeiro momento. Finalmente, Rogójin pôs-se a rir, mas com algo ainda de confusão e desconcerto.

— Por que me olhas tão fixamente? — balbuciou. — Senta!

Míchkin sentou.

— Parfien — disse, — diz-me, francamente, se sabias que eu ia chegar hoje a Petersburgo.

— Que fosses chegar, já o imaginava, e olha, não me equivoco — declarou ele, rindo, sarcástico. — Mas por que haveria eu de saber que chegarias hoje?

Certa veemência brusca e o estranho nervosismo da pergunta que continha aquela resposta surpreenderam ainda mais o príncipe.

— Mas ainda que tivesses sabido que eu chegava hoje, por que te aborreceres assim? — murmurou suavemente o príncipe, espantado.

— E tu, por que perguntas?

— Há pouco, ao descer do trem, vi um par de olhos exatamente iguais a esses com que ainda há pouco me olhaste.

— Ora! E que olhos eram esses? — indagou, com suspeita, Rogójin. Pareceu ao príncipe que ele havia estremecido.

— Não sei; estavam entre a multidão; talvez tenha sido ilusão minha; começo agora a ter alucinações. Eu, irmão Parfien, sinto-me agora quase como estava há cinco anos, quando ainda me davam os ataques.

— Sim, é possível que te hajas equivocado, não sei... — murmurou Parfien.

O afetuoso sorriso de seu rosto era o oposto da postura dele em tal momento, como se com aquele sorriso ocultasse algo mas não inteiramente, apesar de todos os seus esforços.

— Vais para o estrangeiro de novo? — perguntou e acrescentou em seguida: — Lembras de quando, neste outono, vínhamos os dois no trem de Pskov, eu aqui e tu... com teu capuz, lembras, e tuas polainas?

E Rogójin, de repente, rompeu a rir, mas dessa vez com certa malignidade franca e como que se alegrando por conseguir exprimi-la de algum modo.

— Estás instalado aqui definitivamente? — perguntou o príncipe, passando, com o olhar, revista no gabinete.

— Sim. Esta é a minha casa. Onde querias que eu vivesse?

— Faz muito tempo que não nos víamos. Ouvi dizer tantas coisas que não me pareciam próprias de ti.

— O povo fala de tudo! — observou secamente Rogójin.

— Soube que dispensaste o bando todo; vieste morar na casa paterna e não fazes loucuras. Isto está muito bem. Moras só nesta casa ou vives aqui com toda a tua família?

— Esta casa é a de minha mãe. Passado esse corredor estão os seus aposentos.

— E onde vive teu irmão?

— Meu irmão, Siemion Siemiônovitch, ocupa uma ala da casa.

— É casado?

— Viúvo. Mas que te importa tudo isso?

Míchkin olhou-o, sem responder. De repente, havia ficado pensativo e parecia não ter ouvido a pergunta. Rogójin não insistiu e ficou na expectativa. Calaram-se.

— Adivinhei, ao vir, que esta era tua casa, a uma distância de cem passos — disse Míchkin.

— Por quê?

— Não tenho ideia. Tua casa possui a fisionomia de toda a tua família e de toda a tua vida rogojinesca, mas não me perguntes donde concluo isto, pois não poderia explicar. Desvario, sem dúvida alguma. Até me alarma que isso me preocupe tanto. Antes não teria pensado que vivesses numa casa como esta, e agora, ao vê-la, imediatamente pensei: "Uma casa assim tem de ser a dele!".

— Ora! — e Rogójin sorriu vagamente, sem compreender de todo o ambíguo pensamento do príncipe. — Esta casa foi edificada por meu avô — observou. — Todos os que viveram nela eram *skóptsi*, os Kholiudiákovi, e continuam ainda morando nela.

— Tem algo de sombrio. Vives em sombras — disse Míchkin, examinando o gabinete.

Era este um quarto espaçoso, de teto alto, escuro, ocupado por toda espécie de móveis: na sua maioria grandes mesas de oficina, uma escrivaninha, armários, nos quais eram guardados livros comerciais e papéis. O divã amplo e vermelho, forrado de couro, servia provavelmente de leito a Rogójin.

Míchkin notou que na mesa junto da qual estavam sentados havia dois livros. Um deles, a *História da Rússia*, de Solóviev, estava aberto e assinalado com uma marca. Das paredes pendiam, em molduras que tinham sido douradas e já estavam opacas e escuras, alguns quadros de pintura enegrecida, nos quais já era difícil distinguir alguma coisa. Em compensação, um retrato de homem, de tamanho natural, chamou imediatamente a atenção de Míchkin; representava um homem de uns cinquenta anos, com uma casaca europeia de compridas abas, duas medalhas no peito, uma barbicha curta e clara, grisalha, um rosto redondo e cor de palha e um olhar de mau gênio, hermético e revelador de um pesar.

— É teu pai? — perguntou o príncipe.

— Ele mesmo — respondeu Rogójin, com um sorrisinho antipático, como se fosse permitir-se uma piada a respeito de seu falecido pai.

— Não era "velho crente"?

— Não ia à igreja, embora seja certo que dissesse que o velho credo era melhor. Também estimava muito os *skóptsi*. Este era seu gabinete. Mas por que me fazes essa pergunta a respeito da "velha fé"?

— É aqui que pensas celebrar o casamento?

— Sim, a... aqui — respondeu Rogójin lentamente, embora, aliás, a inesperada pergunta lhe houvesse causado sobressalto.

— Em breve?

— Bem sabes que isso não depende de mim.

— Parfien, não sou teu inimigo e não quero impedir-te de nada. Torno a dizer-te, uma vez mais, o que já te disse em ocasião parecida com esta. Quando em Moscou esteve a ponto de realizar-se esse casamento, nada fiz para evitá-lo, bem o sabes. Na primeira vez, veio ela ver-me, desolada, quase que ao pé do altar, e implorou-me que a salvasse de ti. Limito-me a repetir suas próprias palavras. Depois, fugiu de mim também. Voltaste a procurá-la e tornaste a levá-la ao altar, e ela voltou a fugir de ti e procurou refúgio aqui. É verdade ou não? Assim me escreveu *Liébiediev* e por isso vim. Sei que já fizeram meias pazes, porque no trem contou-me um de seus antigos amigos, Zaliójev, se desejas sabê-lo. Mas vim aqui com uma intenção: quero convencê-la a que faça uma viagem ao estrangeiro e ali se restabeleça, pois tanto espiritual como fisicamente está necessitada de cuidado, ainda que o que mais me preocupa seja o seu estado mental. Não penso acompanhá-la ao estrangeiro, mas arranjar as coisas de modo que fique eu de fora. Digo-te a pura verdade. Mas se é certo que estão vocês outra vez em boa harmonia, não me deixarei ver, nem voltarei mais a esta casa. Sabes que não haverei de enganar-te, pois sempre fui sincero e leal para contigo. Nunca te ocultei minha convicção de que teu casamento com ela... seria, com certeza, sua ruína. E talvez mais ainda a tua. Se voltassem a se desentender, eu me tranquilizaria; mas não vás crer que vou trabalhar para isso ou interpor-me entre vocês. Sobre este ponto podes estar tranquilo e não tens que desconfiar de mim. Não sabes mesmo que nunca fui seriamente teu rival, nem sequer quando ela, fugindo de ti, correu a meus braços? Exibes de novo essa tua risadinha? Sei porque é esse riso. Temos vivido separados, eu e ela, até mesmo em cidades diferentes, e sabes disto muito bem. Já te expliquei uma vez que não a amo com amor, mas com piedade. Creio que o defini exatamente. Tu me disseste então que havias compreendido minhas palavras. Isso é verdade? Compreendeste mesmo? Mas com que ódio me fitas! Quando só vim aqui para tranquilizar-te, porque gosto de ti. Fiquei gostando muito de ti, Parfien. Agora vou embora e não voltarei mais aqui. Adeus.

Míchkin pôs-se de pé.

— Fica um pouco comigo — disse Parfien suavemente, apoiando a testa na palma da mão direita, sem levantar-se. — Havia muito que não te via.

O príncipe voltou a sentar-se. Ambos mantinham-se calados.

— Quando não estás diante de mim, sinto depois até raiva contra ti, Liev Nikoláievitch. Nestes três meses, em que não te vi, a cada instante, por Deus! enchia-me de raiva contra ti. Seria capaz de te agarrar e fazer não sei o quê! Assim mesmo, como estou dizendo. Agora, ainda não se passaram três quartos de hora que estás aqui e já se me foi toda a raiva e de novo volto a ter por ti o carinho de antes. Fica aqui...

— Quando estou a teu lado, acreditas em mim, e quando não estou, logo deixas de ter fé em mim e voltas às tuas suspeitas. Ora, *bátiuchka!* — respondeu o príncipe, afetuosamente e esforçando-se por dissimular seu sentimento.

— Dou crédito à tua voz, quando estou a teu lado. Porque, olha: compreendo que entre nós não há comparação possível; não me posso igualar a ti...

— Por que acrescentas isso? Ora, estás outra vez aborrecido! — disse Míchkin, olhando com assombro para Rogójin.

— Bem, irmão, nossa opinião não é pedida no caso — respondeu ele, — mas procedem sem consultar-nos. Nós, bem vês, amamos de uma maneira diferente; quer dizer que em tudo somos diferentes — continuou a dizer, em voz calma e depois de haver feito uma pausa. — Dizes que a amas por piedade. Pois eu não sinto por ela piedade alguma. Mais ainda: com bastante frequência inspira-me ódio. Agora *sonho com ela todas as noites* e sempre sonho que zomba de mim com outro. Assim é, irmão. Vai se casar comigo, mas não me dá a menor importância, como se eu fosse o sapato que se tira. Acreditarás que passo cinco dias sem ir vê-la, porque não me atrevo? Pergunto a mim mesmo: "Para que ir vê-la, se me cobriu de vergonha?".

— Cobriu-te de vergonha? Como foi isso?

— Como se não soubesses! Mas se foi procurar-te, deixando-me plantado ao pé do altar, como acabaste de dizer há um momento!

— Ora, não haverás de acreditar...

— E não me enganou com um oficial, com Ziemtiújnikov, lá em Moscou? Sei, com toda a certeza, que me enganou, e isto depois de ela mesma ter marcado data para o casamento.

— Isso não é possível! — exclamou Míchkin.

— Sei de boa fonte — corroborou Rogójin, com convicção. — Que, que te parece? Que não é mulher para isso? Pois, irmão, não falaremos mais disso, porque é assim mesmo. Isto não passa de um disparate. Contigo não será ela assim e pode ser que ela mesma tenha horror a isso; mas comigo é assim. Este é o fato. Olha-me, como se eu fosse o último dos vermes. Com Keller, com esse oficial, que se faz de boxeador, também sei com certeza que... se entendeu, somente com o objetivo de zombar de mim... Mas será que não sabias ainda que ela me enganava em Moscou? E o dinheiro, o dinheiro que lhe tenho dado!

— Sim... mas como, então, vais casar com ela?... Que não se passará depois? — indagou Míchkin, com espanto.

Rogójin olhou o príncipe pesada e estranhamente e não respondeu nada.

— Faz agora cinco dias que não vou vê-la — continuou depois de um minuto de silêncio. — Receio que me ponha para fora. "Sou ainda senhora de minha pessoa; se quiser poderei pôr-te para fora daqui e partir para o estrangeiro", diz ela. (Já me disse isto de que partiria para o estrangeiro) — observou como entre parênteses e fitando, de modo especial, os olhos de Míchkin. — Muitas vezes, na verdade, não faz senão assustar-me e rir, não sei por que, de mim. Mas de outras vezes franze realmente a testa, arqueia as sobrancelhas, não diz palavra e olha, e isto é o que mais temo nela. Uma vez disse a mim mesmo que não iria mais vê-la sem levar-lhe algum presente; mas não consegui outra coisa senão que risse de mim e até depois se pusesse furiosa. Deu de presente a Kátia, a criada, um xale que eu lhe tinha levado, xale que, muito embora tivesse vivido no luxo, nunca tinha visto outro igual. Quanto à data de nosso casamento, é assunto em que não se pode tocar. Estranha espécie esta de noivo, que tem medo de ir ver a noiva! De modo que fico aqui em casa, quieto, e quando não suporto mais, vou em segredo, e, às escondidas, ponho-me a rondar sua casa, ou me escondo atrás de uma esquina. Um dia, depois de ter estado assim de plantão até quase o amanhecer, perto de sua porta, pareceu-me ver não sei quê. Ela deve ter-me visto da janela. "Que farias tu — perguntou, — se eu te enganasse?" Não pude conter-me e respondi-lhe: "Bem sabes o que eu faria".

— Que é que ela sabe?

— Sei lá! — e Rogójin, sorriu, colérico. — Em Moscou não pude surpreendê-la com ninguém, por mais que a tivesse espreitado por muito tempo. Chamei-a de parte um dia e disse-lhe: "Prometeste casar comigo. Vais entrar a fazer parte de uma família honrada; mas sabes quem és agora?". E disse-lhe o que ela era.,

— Disseste-lhe isso?

— Disse-lhe.

— E que respondeu?

— Disse-me: "A ti, agora, nem para criado te quero, muito menos para marido". *Ao que lhe retruquei:* "Pois daqui não arredo pé, é o que te digo!". "Então chamarei Keller, — disse ela, — agora mesmo e vou lhe pedir que te ponha para fora de casa!" Avancei para ela e esbordoei-a até enchê-la de equimoses.

— Isso não pode ser! — exclamou o príncipe.

— Afirmo-lhe que foi assim — corroborou Rogójin, suavemente, mas com os olhos cintilantes. — Passei dia e meio, mal dormido, sem comer, nem beber; do quarto dela não saía; prostrava-me, de joelhos, a seus pés. "Morrerei — disse-lhe, — não irei daqui enquanto não me perdoares; mas se mandares pôr-me para fora... atiro-me à água, afogo-me, porque... que vai ser de mim sem ti?" Esteve ela como uma louca todo aquele dia; tão logo chorava, como se punha a dar-me pontapés e a insultar-me. Mandou chamar a todos, a Zaliójev, a Keller, a Semtiúchnikov, apontou-me, insultou-me: "Vamos, meus senhores, esta noite, todos juntos ao teatro; que fique ele aqui, se não quiser ir; não sou obrigada a ficar por causa dele. Embora não esteja eu aqui, vão te dar, Parfien Siemiônovitch, chá, pois provavelmente já deves estar com apetite". Voltou do teatro sozinha. "Aqueles são uns covardes e uns pobres-diabos — disse. — Tem medo de ti e também me temem; dizem: 'Ele não se vai e te matará'. Mas eu, quando entrar para meu quarto de dormir, não fecharei a porta atrás de mim, para que vejas que não te temo. Para que saibas e vejas. Tomaste chá?" "Não — respondi, — nem penso em tomá-lo". "Fazes questão de honra? Mas isto não te fica bem." E como disse, fez: não fechou seu quarto. De manhã saiu dele rindo. "Mas será que ficaste louco? — disse. — Porque se continuares assim, vais morrer de inanição." "Pois então, perdoa-me" — disse-lhe. "Não quero perdoar-te, não me caso contigo, já disse. Será que passaste a noite inteira nessa cadeira e não dormiste?" "Não — respondi, — não dormi!" "Que estupidez! Nem tampouco queres tomar chá ou comer alguma coisa?" "Já disse não... Perdoa-me!" "Olha que isso não te fica bem — disse ela. — É como uma sela numa vaca. Pensas que isso vai me deixar com medo? Que será uma desgraça para mim que estejas sem comer?" Zangou-se; mas não lhe durou muito a zanga e de novo começou a lançar-me pilhérias. E eu ficava espantado de ver que ela não me guardava rancor por aquilo. Porque ela é rancorosa e com outros guarda raiva por muito tempo. Mas, de repente, ocorreu-me a ideia de que seu desprezo por mim era tamanho que nem sequer podia guardar muito rancor contra mim. E era verdade. "Sabes — perguntou, — quem é o Papa de Roma?" "Já ouvi falar dele" "Tu, Parfien Siemiónovitch, de História Universal não sabes nada." "Não sei nada de nada, porque não estudei." "Pois olha — disse, — vou te dar algo para ler. Havia uma vez um Papa que se zangou com um imperador e este esteve três dias sem beber, nem comer, descalço, de joelhos, diante da porta de seu palácio, até que o Papa o perdoou. Sabes tu o que o dito imperador, naqueles três dias, prostrado de joelhos, pensou e os juramentos que fez?... Mas espera que eu mesma vou ler para ti." Levantou-se ligeira e voltou com um livro "São versos", disse, e começou a ler uns versos que narravam como o dito imperador, naqueles três dias jurou vingar-se do Papa por causa daquilo. "Não te agrada isto, Parfien Siemiônovitch?" "É certo — digo eu, — tudo isso que leste." "Ah! Tu mesmo o disseste, que é certo, o que quer dizer que talvez tu, também, hajas jurado a ti mesmo: 'quando se casar comigo, hei de vingar-me dela!'" "Não sei — respondi, — talvez haja tido esse pensamento." "Como é que não o sabes?" "Não sei — disse, — nem agora pensei em tal coisa." "Mas em que estás pensando agora?" "Que te moves de um lugar para outro, passas diante de mim e eu te olho e te acompanho com a vista; tuas saias fazem ruído e o meu coração desmaia; sais do quarto e lembro-me de cada uma de tuas palavras e da voz com que as disseste; e durante a noite, em coisa nenhuma pensava, senão que não fazia mais que ouvir como respiravas no sono e como um par de vezes te revolveste na cama..." "Mas tu — disse ela, rindo, — não pensas em que me bateste, nem te lembras disso?" "Talvez — respondi, — pense nisso, mas não sei." "E se eu não te perdoar e não me casar contigo?" "Já te disse que me atiraria à água e me afogaria." "Ora, ainda haverás de bater-me antes disso", disse e ficou pensativa. Depois aborreceu-se e retirou-se. Ao cabo de uma hora, voltou para meu lado, muito séria. "Vou casar contigo, Parfien Siemiônovitch — disse, — mas não porque tenha medo de ti, mas porque não me importa tua perdição. E para isso o que é melhor que o casamento? Senta que agora mesmo vão te trazer comida. E se casar contigo — acrescentou, — hei de ser para ti uma esposa fiel, disto não tenhas receio e com isto não te preocupes." Guardou silêncio um instante e depois disse: "Seja como for, não és um criado; antes eu pensava que eras um criado perfeito". Então marcou data para o casamento, mas uma semana depois, fugindo de mim, ia refugiar-se em casa de Liébiediev. Ao chegar eu lá, ela me disse: "Não nego o que disse: somente quero aguardar ainda tanto quanto me agrade, pois ainda sou dona de mim mesma. Portanto, espera, se quiseres". Assim estamos, pois, agora. Que pensas de tudo isso, Liev Nikoláievitch?

— Que pensas tu — devolveu o príncipe, olhando tristemente para Rogójin.

— Mas será que penso alguma coisa? — escapou-lhe. Quis acrescentar algo mais; guardou, porém, silêncio, com um pesar indizível. Míchkin levantou-se e de novo fez gesto de retirar-se.

— De qualquer modo, não te servirei de estorvo — disse suavemente, quase para si mesmo, como se respondesse a algum pensamento, íntimo, escondido.

— Sabes o que te digo? — animou-se, de súbito, Rogójin, cujos olhos cintilaram. — Que não compreendo como te conduzes desse modo para comigo. Será que deixaste de amá-la? Apesar de tudo, antes estavas triste, pude notá-lo. Por que depois vieste para cá a toda a pressa? Por compaixão? — e seu rosto se contraiu num sorriso mau. — Eh! eh!

— Pensas que te engano? — perguntou Míchkin.

— Não; creio em ti, somente não compreendo nada. O mais certo de tudo é que tua piedade parece mais forte ainda que meu amor.

Algo de maligno, e que a todo custo queria manifestar-se, assomou-lhe ao rosto.

— É que não distingues teu amor do ódio — sorriu o príncipe. — Mas o amor passará, e então será maior a desdita. Eu, irmão Parfien, já te disse...

O príncipe estremeceu.

— ...haverás de odiá-la por causa desse amor de agora, por causa desse suplício que agora estás padecendo. O que vejo de mais maravilhoso é que ela possa voltar a unir-se a ti. Quando me disseram isso a noite passada, mal o acreditei, e se visses quanta dor isso me causou! Porque ela já por duas vezes fugiu de teu lado e deixou-te plantado ao pé do altar, o que parece indicar que talvez tenha um pressentimento. Por que agora volta para teu lado? Por causa de teu dinheiro? Isto é um absurdo. Além disso, já o gastaste quase todo. Será somente pelo fato de casar-se? Encontraria muitos maridos! Qualquer um seria melhor do que tu, porque tu, sinceramente, talvez a mates um dia, e ela sem dúvida agora o compreenda de sobra. Será que a amas tanto? Na verdade, poderia ser assim... Ouvi dizer que há homens que buscam precisamente esses amores, somente que...

Míchkin deteve-se e ficou pensativo.

— Por que tornar a sorrir do retrato de meu pai? — indagou Rogójin que, com extraordinária atenção, observava toda mutação, toda expressão fugaz no rosto do príncipe.

— Por que sorrio? Porque me ocorreu pensar que, se não te houvesse sucedido essa desgraça, essa aventura de teu amor, terias ficado exatamente como teu pai e, em brevíssimo tempo, estarias aqui sentado em tua casinha, com tua mulher, dócil e submissa, de fala concisa e severa, sem ter fé em ninguém e sem necessitar de nada, amontoando unicamente dinheiro, silenciosa e sombriamente. Quando muito, louvarias alguma vez os velhos textos, irias te interessar pelo sinal da cruz feito com dois dedos, mas isto talvez já na velhice...

— Podes rir. Mas olha: isto mesmo, letra por letra, me disse ela não faz muito ao ver esse retrato. É prodigioso como concordais agora vós, dois, em tudo!

— Mas ela esteve aqui? — indagou Míchkin, com curiosidade.

— Esteve. Esteve olhando muito tempo o retrato e perguntou-me coisas a respeito do defunto. "Olha: és exatamente igual a ele — disse, rindo, por último, de mim. — Tu, Parfien Siemiônovitch, tens paixões violentas, paixões por causa das quais levantarias voo para a Sibéria, para o presídio, se não fosse teres inteligência, porque és muito inteligente." — Usou essas palavras, acredites ou não. Era a primeira vez que lhe ouvia tais palavras. — "Toda essa loucura atual em breve a terias deixado. E como és um homem inteiramente inculto, terias economizado dinheiro e te sentarias aí, como teu pai, nesta casa, com seus *skóptsi;* é possível que, no final, te convertesses a seu credo, e tanto amarias teu dinheiro que, não dois milhões, mas dez talvez chegasses a economizar; mas eras capaz de morrer de fome sobre os sacos de dinheiro, porque em ti tudo se torna paixão, tudo, até a paixão, tornas extrema." Assim, falou exatamente assim, com estas mesmas palavras. Nunca até então me havia falado desse modo. Porque ela comigo não diz senão desatinos ou põe-se a rir. E também dessa vez, começou a rir; mas depois ficou muito séria; percorreu toda a casa, esteve a examiná-la e parecia ter medo. "Mudarei tudo isto — disse, — vou modificar tudo, se não comprar outra casa para quando nos casarmos." "Não, não — disse ela, — não mudes nada aqui, pois assim viveremos. Junto de tua mãe quero viver, quando for tua mulher." Levei-a a ver mamãe. Portou-se com ela muito respeitosamente, como uma filha. Minha mãe, há já uns três anos, parece que não anda muito certa do juízo (está doente) e desde a morte de meu pai, parece uma criança; não pode falar, não pode andar, acena apenas com a cabeça para quem vai vê-la. Creio que se não lhe derem comida, leva três dias sem pedir alimento. Peguei a mão direita de mamãe e levantei-a: "Abençoe-a, mamãe, que ela vai ser minha esposa", e ela, cheia de sentimento, beijou a mão de minha mãe. "Muitos sofrimentos seguramente — disse, — deve ter passado tua mãe." Olha: notou este livro. "Como! Será que te puseste a ler a *História da Rússia?*" (Hás de saber que ela uma vez me disse em Moscou: "Devias estudar alguma coisa; lê pelo menos a *História da Rússia,* de Solóviev, porque não sabes nada de nada".) "Está bem — disse ela, — faz assim: lê. Eu mesma farei uma lista dos livros que deves ler primeiro, queres?" E nunca, nunca antes ela me havia falado assim, tanto que aquilo chegou ao extremo de causar-me assombro. Pela primeira vez respirei como homem vivente.

— Isto me alegra muito, Parfien Siemiônovitch — disse Míchkin, com sincero sentimento. — Muito me alegra. Quem sabe, talvez Deus os tenha predestinado um para o outro.

— Nunca será assim! — exclamou Rogójin, com amargura.

— Escuta, Parfien: se tanto a amas, por que não queres fazer por merecer sua estima? Mas se queres, por que tens tão poucas esperanças? Olha: há um momento, disse-te que para mim constituía um estranho enigma a questão de saber por que ela se aventura a casar contigo. Mas, embora não possa resolvê-lo, apesar de tudo, não tenho dúvida que para isso deve haver alguma razão suficiente, sensata. Ela está convencida de teu amor; mas também estará convencida de que possuis algumas boas qualidades. De outro modo, não seria possível. Isto mesmo que dizias há um momento vem confirmá-lo. Tu mesmo disseste que ela havia encontrado a possibilidade de falar-te numa linguagem totalmente diferente daquela em que até então te havia tratado e falado. Eras cheio de susceptibilidade e ciumento e exageras tudo quanto achas mau. Ela, com certeza, não pensa tão mal de ti como dizes. Porque o contrário significaria que ela se atira à água e se põe sob o cutelo ao casar contigo. Por acaso isso será possível? Quem, conscientemente, se atira à água ou se põe debaixo do punhal?

Com amargo sorriso, escutou Rogójin as ardentes palavras do príncipe. Sua convicção parecia já irrevogavelmente adotada...

— Com que olhos tão tristes me fitas neste momento, Parfien! — deixou o príncipe escapar-lhe com dó.

— À água ou ao punhal! — exclamou Rogójin finalmente. — Eh! Mas por que casa comigo, se comigo a espera, decerto, o punhal? Será que tu, príncipe, ainda não conseguiste até agora ter uma noção do que há na raiz de tudo isto?

— Não te compreendo.

— Mas como? Será possível que não compreendas deveras? Oh! oh! Dizem de ti que não és... muito bom. Ela ama outro homem... compreendo-o. Da mesma maneira que eu a amo, ama ela outro. E este outro, sabes quem é? Pois és tu! Mas, será que não o sabias?

— Eu?

— Tu! Ela, desde então, desde então mesmo, desde o dia de seu aniversário, te ama. Somente pensa que casar-se contigo é impossível, porque te mancharia e arruinaria todo o teu destino. "Eu — disse, — já se sabe quem sou." E continua dizendo isso até agora. Ela foi a primeira a me dizer isso, na minha cara. Teme manchar-te e perder-te, ao passo que casar-se comigo é possível: eu não sou nada... É isto que ela pensa de mim, repara isto também.

— Mas como veio fugindo de ti para mim e de mim...?

— E de ti voltou para mim. Ah! Poucas coisas lhe ocorrem de repente! Está agora como que tomada de febre. Algumas vezes grita para mim: "Caso-me contigo, como quem se atira dentro d'água! Não atrases este casamento!". Fica apressada, marca o dia; mas começa a correr o tempo... e então se assusta ou lhe ocorrem outras ideias; sabe Deus, por que o viste: chora, ri, esgota-se, febril. Mas que tem tampouco de estranho que tenha fugido de ti? Fugiu de ti então porque se deu conta do muito que te amava. Não tinha forças para estar a teu lado. Disseste ainda agora que eu a procurava em Moscou. Não é certo... Foi ela mesma quem veio me procurar, fugindo de ti. "Marca o dia — disse, — que estou pronta! Prepara champanhe! Iremos aos ciganos!", gritou. Se não fosse eu, desde muito tempo teria se jogado na água. Digo a verdade. E não se atira, porque é possível que eu seja ainda mais terrível que a água. Vai casar comigo por despeito. Se de fato casar comigo poderei te dizer, com certeza, que é por despeito...

— Mas como tu... como tu?!... — exclamou Míchkin e não terminou. Contemplava com espanto Rogójin.

— Por que não acabas? — disse este, rindo de um modo forçado. — Se queres, vou te dizer o que tu, neste mesmo instante, pensas de mim: "Como é possível que vá casar com ele? Como deixar que ela faça isto?". Decerto é isto que pensas.

— Não vim para isto, Parfien, asseguro-te, acredita. Não era este meu pensamento...

— É possível que não tenhas vindo para isto, nem tivesses esta ideia. Mas agora é certo que a tens. Ah! ah! Mas bem, basta! Por que te emocionas desse modo? Será que deveras não sabias disso? Causas-me espanto!

— Tudo isso são ciúmes, Parfien; tudo isso é doença, tudo isso são exageros teus... — balbuciou Míchkin, com extraordinária agitação. — Que tens?

— Detém-te! — disse Parfien, e, rapidamente, tomou da mão do príncipe uma faquinha, que aquele havia apanhado de cima da mesa, junto dos livros, e tornou a colocá-la em seu lugar.

— Eu acreditava saber; ao dirigir-me a Petersburgo, era como se o pressentisse... — continuou o príncipe. — Não queria vir aqui! Eu queria esquecer tudo isto, arrancá-lo do coração! Bem, adeus. Mas que estás fazendo?

Enquanto falava, Míchkin, distraído, havia tornado a pegar de cima da mesa a mesma faquinha de antes e outra vez Rogójin tirou-lhe da mão e a devolveu a seu lugar. Era aquele um punhalzinho de forma bastante simples, com cabo de chifre de cervo, desproporcionado em relação à lâmina, de sete polegadas de comprimento e de quase a largura usual.

Ao ver que o príncipe prestava especial atenção ao fato de ele ter lhe tirado duas vezes a faquinha da mão, Rogójin, com raiva, pegou-a, meteu-a em um livro e colocou este em outra mesa.

— Cortas com ele as folhas? — indagou o príncipe, porém algo ensimesmado, como ainda sob o domínio de uma profunda meditação.

— Sim, as folhas...

— É uma faca de jardineiro, não é verdade?

— Sim, de jardineiro. Será que com uma faca de jardineiro não se pode cortar as folhas?

— Sim, mas é... completamente nova.

— Bem; e que tem que seja nova? Será que não posso comprar uma faca nova? — clamou Rogójin, finalmente, com certa exasperação, irritando-se a cada palavra..

O príncipe estremeceu e olhou fixamente Rogójin.

— Ah! que sujeito sou eu! — disse, de repente, como se voltasse de todo a si. — Perdoa, irmão; quando tenho a cabeça pesada, como agora, e esta doença... fico completamente vago e ridículo. Não era isto que queria perguntar-te... mas não me lembro o quê. Adeus!

— Não é por aí — observou Rogójin.

— Confundi-me!

— Por aqui, por aqui; eu te guiarei.

Capítulo IV

Atravessaram três peças que o príncipe já havia cruzado antes. Rogójin ia um pouco na frente; Míchkin atrás dele. Entraram no salão grande. Ali, das paredes pendiam alguns quadros, todos retratos de bispos e paisagens, dos quais mal se podia distinguir alguma coisa. Em cima da porta do quarto contíguo estava pendurada uma tela, de forma bastante estranha, de cerca de duas jardas de largura e não mais de um pé de altura. Representava o Salvador, recém-descido da cruz. Míchkin fitou-o um instante, como se se recordasse de alguma coisa, embora, aliás, não se detivesse e se dispusesse a transpor o umbral da porta. Sentia a cabeça pesada e tinha pressa de ver-se quanto antes fora daquela casa. Mas Rogójin, de repente, parou diante do quadro.

— Olha todos esses quadros — disse. — Todos foram comprados por meu pai, por um ou dois rublos em leilões. Gostava de quadros. Um entendido veio vê-los e disse: "Porcaria; mas este (este de cima da porta que também tinha custado dois rublos) não é porcaria". Houve até quem oferecesse por ele a meu pai trezentos e cinquenta rublos. E Saviéliev Ivan Dmítritch, comerciante muito amante de pintura, chegou a oferecer-lhe até quatrocentos, e na semana passada disse a meu irmão Siemion Siemiônitch que daria por ele até quinhentos. Fiquei com ele.

— Mas esse quadro, esse quadro é uma cópia de Hans Holbein — disse Míchkin, que havia examinado o quadro, — e embora não seja muito entendido, creio que se trata de uma boa cópia. Tive ocasião de ver o original desse quadro no estrangeiro e não posso esquecê-lo. Mas... que tens?

Rogójin, de repente, deixou o quadro e pôs-se a andar para a frente. Sem dúvida uma distração e um humor especial estranhamente irritado, que de súbito se manifestava em Rogójin, teria podido explicar aquele movimento inesperado; mas ao príncipe pareceu-lhe, ainda assim, estranho que interrompesse de repente daquele modo o diálogo que não havia iniciado e nem sequer lhe respondesse.

— Escuta, Liev Nikoláievitch: faz muito tempo que queria perguntar-te uma coisa: crês em Deus?

— Que pergunta tão estranha e que olhar me lanças! — observou o príncipe, involuntariamente.

— Gosto de contemplar aquele quadro — balbuciou, depois de um silêncio, Rogójin, como se outra vez tivesse tornado a esquecer a pergunta.

— Aquele quadro! — exclamou, de repente, o príncipe, sob a impressão de um pensamento súbito. — Aquele quadro! Aquele quadro pode fazer mais de uma pessoa perder a fé!

— Sim, pode tirar-lhe a fé! — confirmou inesperadamente Rogójin.

Continuaram andando até a porta de saída.

— Mas — disse, de repente, o príncipe, parando, — que te sucede? Eu falava quase em tom de brincadeira e tu ficas tão sério. E por que me perguntas se creio em Deus?

— Por coisa nenhuma. Há tempos que queria perguntar-te isto. Porque, olha, agora há muitos que não creem. E dize-me: é verdade (estiveste no estrangeiro) o que ouvi um bêbado dizer, que entre nós, na Rússia, são mais numerosos os que não creem em Deus do que em outras terras? Isto pode encher-nos de orgulho, porque estamos neste ponto mais adiantados do que eles...

Rogójin riu-se causticamente; depois de haver formulado sua pergunta, abriu de repente a porta e, com a mão na fechadura, esperou que o príncipe saísse. Este sorriu, mas saiu. Rogójin acompanhou-o até o patamar da escada e fechou a porta atrás de si. Permaneceram ambos um diante do outro, com um aspecto que não parecia senão que se tinham esquecido de para onde iam e do que foram fazer. —

— Adeus! — disse Míchkin, estendendo-lhe a mão.

— Adeus! — respondeu Rogójin, apertando forte, mas de modo bastante maquinal, a mão que lhe era estendida.

Míchkin desceu um degrau e voltou-se.

— Quanto à questão de fé — começou ele, sorrindo (saltava aos olhos que não queria deixar Rogójin assim sem mais) e como se animando sob a impressão de uma recordação repentina, — quanto à fé, tive, a semana passada, em dois dias quatro encontros diferentes. Pela manhã tomei o trem de uma nova linha e durante quatro horas estive falando no vagão com um tal S***, que havia conhecido ali mesmo. Já antes disso ouvira falar muito a seu respeito e, entre outras coisas, tinham-me dito que era ateu. É homem, efetivamente, cultíssimo, e fiquei realmente satisfeitíssimo naquela ocasião por poder conversar com um homem verdadeiramente culto. Além disso, é homem de extrema educação, tanto que falava comigo como com um igual em posição e em saber. Não crê em Deus. Só uma coisa me chocou: que não falasse nada a este respeito durante todo o tempo, e me chocou precisamente porque já antes, sempre que falei com incrédulos ou li livros dessa índole, sempre me pareceu que, embora parecesse que falavam disso, na realidade não falavam. Fiz-lhe notar isso, mas provavelmente de um modo nada claro, ou não me saberia expressar, porque ficou ele sem entender-me... Aliás, hospedei-me numa estalagem do distrito, para passar a noite, e nela acabava de cometer-se um crime na noite anterior, de modo que toda a gente falava disso, quando eu cheguei. Dois camponeses, já de alguns anos, e que não estavam bêbados e eram amigos desde muito tempo, estiveram tomando chá e pediram um quarto para passar a noite. Mas um deles havia notado dois dias antes que o outro trazia um relógio de prata, pendente de uma correntinha de pérolas, que certamente não vira antes em seu poder. Aquele homem não era nenhum ladrão: era um homem honrado e, embora um camponês; nada pobre. Mas a tal ponto lhe havia agradado aquele relógio e tanto o havia fascinado, que não pôde, afinal, conter-se: pegou uma faca e, quando o amigo uma vez se voltou, chegou-se muito devagar por trás dele, tomou coragem, ergueu os olhos ao céu e, murmurando para si uma veemente súplica: "Senhor, perdoai-me pelo Cristo!", cortou a garganta do amigo de um só golpe, como a um cordeirinho e depois tirou-lhe o relógio.

Rogójin pôs-se a rir. Ria-se às gargalhadas, como presa de um ataque. Tornava-se estranho contemplar aquela risada depois de seu lúgubre humor de havia pouco.

— Gosto disso! Sim, é o melhor de tudo! — exclamou, convulsivamente, quase perdido o alento. — Um não crê em Deus e o outro crê tanto, que corta a garganta da gente, depois de rezar. Não, isto, irmão príncipe, não o duvides, isto ultrapassa tudo!

— De manhã saí a dar umas voltas pelo povoado — continuou Míchkin, não *bem se calou Rogójin, embora* ainda lhe tremesse de modo convulsivo e espasmódico o riso nos lábios, — e vejo, cambaleando pelo passeio de tábuas, um soldado embriagado, com a farda inteiramente rasgada. Aproxima-se de mim e diz: "Compre-me, senhor, esta cruz de prata. Dou-lhe por vinte copeques, nada mais, é de prata". Vejo em sua mão uma cruz que, provavelmente, acaba de tirar do pescoço, presa a um cordão azul muito gasto; mas uma simples cruz de estanho, segundo se podia verificar à simples vista, um tanto grande, oitavada, de autêntico estilo bizantino. Dei-lhe uma moeda de vinte copeques e pendurei depois a cruz em meu pescoço. No seu rosto via-se o contentamento que sentia e como se alegrava por ter podido enganar um senhorzinho tolo, e decerto iria logo para a taverna mais próxima beber a sua cruz. Hás de saber, irmão, que estava eu então sob o influxo de todas as impressões que atropeladamente recebia aqui na Rússia. Antes não tinha podido entender nada da Rússia: criara-me como um surdo-mudo e nos cinco anos que passei no estrangeiro, só me recordava dela de uma maneira quase fantástica. Continuei meu caminho e ia pensando: "Não, não julgarei levianamente esses que vendem o Cristo. Somente Deus pode saber o que esses corações bêbados e débeis encerram." Uma hora depois, ao voltar à estalagem, encontrei no caminho uma mulher jovem, com um bebê nos braços. Era uma mulher jovem ainda e o bebê teria umas seis semanas. E, de repente, vi que a mulher se benzia com muita devoção, com um fervor muito grande. "Por que te benzes, *mátuchka?*", perguntei-lhe (pergunto tudo e a todo mundo). Ela me respondeu: "Tão grande como a alegria de uma mãe que contempla o primeiro sorriso de seu filhinho é a de Deus, quando vê que um pecador se ajoelha e reza". Isto me disse a mulher, quase com as mesmas palavras, exprimindo assim um sentimento profundo, sutil e verdadeiramente religioso, um pensamento que encerra toda a essência do cristianismo, isto é, toda a representação de Deus, como nosso pai e a alegria de Deus com as criaturas, como a de um pai com seu filho... o que constitui o pensamento fundamental de Cristo. E era uma simples camponesa! Só que, isto sim, era mãe. E quem sabe se não seria a mulher daquele soldado? Olha, Parfien, vou responder à tua pergunta: a essência do sentimento religioso não pode, de modo algum, ser apreendida mediante representações racionais; não o afeta tampouco nenhuma má ação, nenhum crime e é independente de todo ateísmo. Trata-se e vai se tratar sempre de algo totalmente diverso; há aqui algo que os ateus passarão sempre por alto e de que nunca falarão, mas de que se desviarão. Mas o principal é que a notarás mais clara e rapidamente no coração russo que em qualquer outro. Esta é a minha conclusão. Foi esta uma das primeiras convicções que adquiri na Rússia. Há aqui algo a fazer, Parfien. Há muito que fazer aqui, em nosso mundo russo, acredita-me. Lembra-te de como em Moscou éramos da mesma opinião e falávamos... Não; não queria voltar aqui... E esta entrevista contigo fez-me mudar totalmente de ideia, mas totalmente. Porém... adeus, até a vista. Que Deus te guarde!

Voltou-se e começou a descer a escada.

— Liev Nikoláievitch! — exclamou, de súbito, Parfien, do alto, quando já o príncipe havia chegado ao primeiro patamar. — A cruz que o soldado te vendeu, está aí contigo?

— Sim.

E Míchkin parou.

— Mostra-me.

Outra coisa estranha. O príncipe refletiu um instante; depois, decidiu-se, e tornou a subir a escada, tirou a cruz e mostrou-a a Rogójin, mas sem desprendê-la do pescoço.

— Dá-me — disse Rogójin.

— Para quê? Será que queres...?

O príncipe não desejava separar-se de sua cruz.

— Quero usá-la e tu usarás a minha.

— Queres que troquemos as cruzes? Se queres, Parfien, por mim, com muito gosto... Sejamos irmãos!

O príncipe tirou sua cruz de estanho, e Parfien a dele, de ouro, e trocaram-nas. Parfien mantinha-se calado. Com doloroso assombro, notou Míchkin que a anterior desconfiança e o sorriso amargo e quase zombeteiro de antes voltavam a assomar ao rosto de seu irmão adotivo, quando menos por um instante. Em silêncio, agarrou Parfien, finalmente, a mão do príncipe e permaneceu algum tempo imóvel, como se não acabasse de decidir algo; por fim puxou-o e, com voz apenas perceptível, disse: "Vamos!". Cruzaram o patamar do primeiro andar e foi Rogójin bater a uma porta fronteira àquela por onde tinham saído. Abriram imediatamente. Uma velhinha, encurvada e com um lenço negro na cabeça, fez uma reverência silenciosa e submissa a Rogójin, que a interrogou rapidamente e, sem deter-se a escutar a resposta, conduziu o príncipe através de outras peças. De novo atravessaram aposentos sombrios, algo estranhos, de uma beleza fria, fria e severamente mobiliados, com móveis envoltos em capas brancas e limpas. Sem anunciar-se, Rogójin introduziu diretamente o príncipe numa peça reduzida, semelhante a uma saleta, dividida em duas metades por um tabique de madeira de caroba, pintado de vermelho, com duas portas laterais e além do qual, sem dúvida, havia uma alcova. Num canto da saleta, junto à estufa, numa cadeira, estava sentada uma velhinha que não tinha ainda aspecto de ser muito velha e até mostrava rosto sadio, simpático e redondo, mas já com todo o cabelo branco e (segundo era possível perceber à primeira olhadela) inteiramente caduca. Vestia um vestido de lã preta, com um xale negro no pescoço e trazia na cabeça uma touca branca e bonita com fitinhas pretas. Descansava os pés em um tamborete. Junto dela se encontrava outra velhinha muito limpinha, mais velha do que ela, também de luto e também com uma touca branca (provavelmente alguma amiga ali recolhida) e em silêncio tecia uma meia. Sem dúvida alguma, passavam as duas todo o tempo sem conversar. A primeira velhinha fitou a vista em Rogójin e no príncipe, sorriu para eles, e várias vezes cumprimentou, afetuosamente, o príncipe, com a cabeça, em sinal de satisfação.

— *Mátuchka* — disse Rogójin, beijando-lhe a mão, — apresento-te aqui meu grande amigo o Príncipe Nikoláievitch Míchkin. Trocamos as cruzes; teve-me como irmão uma temporada em Moscou, fez muitas coisas em meu favor. Abençoa-o, mãezinha, como se abençoasses um filho teu. Não, mamãe, assim não. Deixa que te ponha os dedos direito...

Mas a velha, antes que Parfien tivesse tido tempo de pegá-la, ergueu sua mão direita, fez com três dedos o sinal da cruz e por três vezes, piedosamente, benzeu o príncipe. Depois, afetuosa e terna, voltou a fazer-lhe uma inclinação de cabeça.

— Bem, vamos, Liev Nikoláievitch — disse Parfien. — Só para isto te trouxe aqui...

Quando de novo chegaram à escada, acrescentou:

— Olha, ela não percebe o que lhe dizem e não compreendeu nada de minhas palavras; mas abençoou-te, quer dizer que ela mesma o quis... Mas, adeus, porque para mim e para ti também já é tarde.

E abriu a porta.

— Deixa que te dê um abraço de despedida, estranho homem! — exclamou Míchkin, olhando-o com terna reprovação e fazendo menção de abraçá-lo.

Mas Parfien apenas levantou as mãos e imediatamente tornou a deixá-las cair. Não se decidia; deu meia volta para não ver o príncipe. Não queria abraçá-lo.

— Ora com efeito Eu, embora tenha tomado tua cruz, não hei de matar ninguém por causa de um relógio — resmungou de um modo imperceptível e, de repente, rompeu numa risada algo estranha. Imediatamente, todo o seu semblante mudou de expressão; ficou tremendamente pálido, os lábios tremeram-lhe, os olhos faiscavam. Ergueu os braços, abraçou fortemente o príncipe e, respirando com dificuldade, disse:

— Bem, toma-a, se é este o destino! Ela é tua! Desisto em teu favor!... Não te esqueças de Rogójin!

E soltando Míchkin, sem olhar para ele, entrou depressa em sua casa e fechou com estrépito a porta atrás de si.

CAPÍTULO V

Já era tarde, quase duas e meia, e o príncipe não encontrou Iepántchin em casa. Depois de deixar ali um cartão, decidiu entrar no hotel A Balança e perguntar por Kólia. Se não estivesse ali, lhe deixaria algumas linhas escritas. Em A Balança disseram-lhe que Nikolai Ardaliónovitch "tinha estado lá pela manhã, mas que ao retirar-se dissera que, se por acaso fosse alguém perguntar por ele, lhe dissessem que poderia ser que estivesse de volta as três. Se às três e meia não tivesse aparecido, seria sinal de que teria tomado o trem para Pávlovsk, com o objetivo de ir à chácara da Generala Iepántchina, onde ficaria para a ceia". Míchkin sentou-se a esperá-lo e como ali estivesse, pediu jantar.

Nem às três e meia, nem às quatro horas apareceu ali Kólia. O príncipe foi embora e ficou a andar maquinalmente, ao acaso. No princípio do verão, em Petersburgo, ocorrem por vezes dias magníficos: luminosos, quentes, serenos. Como se de encomenda, era aquele um desses raros dias. Durante algum tempo vagou Míchkin sem rumo. Conhecia pouco a cidade. Detinha-se por vezes nas entradas de ruas diante de algumas casas, nas praças e nas pontes, até que por fim entrou para descansar num restaurante. Às vezes, com grande curiosidade, punha-se a observar os transeuntes, mas o mais frequente era não olhar os transeuntes, nem o caminho que seguiam. Estava tomado de um cansaço e de uma inquietação dolorosos e ao mesmo tempo sentia uma desusada necessidade de estar só. Teria querido achar-se em plena soledade e entregar-se a essa apaixonada inquietação de um modo totalmente passivo, sem buscar a menor saída. Com aversão negava-se a resolver as questões que se lhe formulavam na alma e no coração. "Tenho por acaso a culpa de tudo isso?", murmurava intimamente, quase sem dar-se conta de suas palavras.

Às sete horas voltou inteiramente a seu juízo, na estação da estrada de ferro Tsarskosiélhskaia. A solidão não tardou em tornar-se insuportável; novo arrebatamento apoderou-se febrilmente de seu coração e, por um momento, uma luz radiosa iluminou aquela bruma em que gemia sua alma. Comprou passagem para

Pávlovsk e, com impaciência, deu-se pressa em subir ao trem; mas sem dúvida algo o perseguia e era realidade e não fantasia, como é possível que se inclinasse a pensar. Quase sentado lá no vagão, atirou de repente no chão a passagem e saiu à pressa da estação, dolorido e confuso. Pouco depois, nas ruas, pareceu recordar algo, de repente, imaginar, de repente, alguma coisa, algo que fazia tempo o trazia inquieto. Rapidamente, veio a ocorrer-lhe, com surpresa, que estivera fazendo alguma coisa por muito tempo, embora não tivesse consciência disso até aquele minuto. Fazia já várias horas, quando ainda estava no hotel A Balança e talvez antes de ir ali, que, sem perceber e subitamente, começou a buscar alguma coisa em torno de si. E se lhe passava aquilo, ainda que fosse por algum tempo, por uma meia hora, de repente outra vez começava a espairecer a vista inquieto e a procurar em torno de si.

Mas mal havia observado em si aquele movimento mórbido e até então de todo inconsciente, que havia tanto tempo o estava dominando, quando de maneira inopinada surgiu diante dele outra evocação, que o interessou de modo extraordinário; lembrou-se de que naquele instante em que notara que não fazia outra coisa senão procurar algo em torno de si, estava na calçada, parado diante do mostruário de uma loja e com grande curiosidade olhava os artigos nele expostos. Então quis comprová-lo com certeza; sim, de fato, estivera pouco antes, haveria cinco minutos talvez, diante do mostruário daquela loja, e não se dava conta que tivera uma alucinação ou havia figurado aquilo. Existiriam efetivamente aquela loja e aqueles artigos? Porque o caso era que se achava naquele dia num estado especialmente mórbido, quase no mesmo estado de outros tempos, quando começavam a dar-lhe os ataques de seu mal. Sabia que naquele tempo, logo antes dos ataques, tornava-se distraído ao extremo e, com frequência, confundia até as coisas e pessoas, quando não lhes prestava uma atenção muito forçada. Mas havia também uma razão especial para que tivesse aquele empenho em comprovar se tinha estado parado diante daquela loja; no número dos objetos expostos na vitrina figurava um no qual havia fixado a atenção muito bem e até o havia taxado em setenta copeques de prata; recordava-o perfeitamente, não obstante todo seu ensimesmamento e inquietação. Portanto, se existia aquela loja e aquele objeto se encontrava de verdade entre as mercadorias ali expostas, então era provável que se houvesse detido ali por causa do tal objeto. Quer dizer que aquele objeto tinha para ele um interesse tão poderoso, que atraía sua atenção até mesmo num instante em que era presa de uma tortura tão penosa, apenas saíra da estação. Arrepiou caminho, olhando quase com angústia, e seu coração palpitava-lhe de inquieta impaciência. Mas ali estava a loja, encontrou-a por fim! Estava já a quinhentos passos dela, quando lhe ocorreu voltar. Ali estava também o objeto, com o preço de setenta copeques marcado. "Seriam certamente setenta copeques; mais não vale!", corroborou agora e pôs-se a rir. Mas ria histericamente; sentia um grande mal-estar. Recordava, claramente agora que precisamente ali, estando parado diante daquela loja, tinha dado, de repente, meia volta, exatamente como havia feito naquela manhã, quando surpreendeu os olhos de Rogójin fixos nele. Depois de certificar-se de que não se havia enganado (embora se tivesse sentido perfeitamente seguro disso antes), deixou a loja e apressadamente afastou-se dali. Era necessário pensar em tudo aquilo depois. Era claro e certo agora que tampouco se havia equivocado na estação, que sem engano sucedera-lhe algo de real e relacionado com toda aquela sua inquietação interior. Mas certa aversão íntima insuportável tornou a apoderar-se dele; não queria pensar em nada, não queria pensar naquilo: pensava em algo totalmente diferente.

Pensava, entre outras coisas, em que em seu estado epiléptico havia um grau, quase imediatamente antes do ataque (supondo que estes o colhessem em estado de lucidez), em que, de repente, em meio da tristeza, da bruma, da opressão espiritual, seu cérebro por vezes parecia inflamar-se e, com extraordinário ímpeto, todas as suas forças vitais começavam subitamente a trabalhar em sua mais alta tensão. A sensação da vida, a consciência, quase se duplicava naqueles instantes, que se prolongavam como relâmpagos. Alma e coração iluminavam-se com insólita luz; todas as suas agitações, todas as suas dúvidas, toda a sua inquietação pareciam amansar-se de repente, sumir-se numa altíssima serenidade, repleta de júbilo, e de umas ilusões radiosas e harmoniosas, cheias de razão e de razões definitivas. Naqueles instantes aqueles vislumbres ainda não eram senão o pressentimento daquele segundo definitivo (nunca mais de um segundo), em que começava o verdadeiro ataque. Aquele segundo era sem dúvida insuportável. Ao recordar depois aquele momento, já restabelecido, costumava dizer a si mesmo com frequência que todos aqueles relâmpagos e vislumbres de suprema sensação e consciência de si mesmo, e talvez de uma existência suprema, não eram outra coisa senão enfermidade, a interrupção do estado normal, e, se era assim, então aquilo não era de modo nenhum uma existência suprema, mas, pelo contrário, devia ser reconhecida como a mais baixa. E, mesmo assim, apesar de tudo, teve de afinal chegar a uma consequência sumamente paradoxal: "Que importa que se trate de uma enfermidade — decidiu por fim. — Que importa, no fundo, que seja esta uma exaltação anormal, se o resultado é o mesmo, se a sensação experimentada, quando recordada e analisada já no estado de saúde, mostra-se num supremo grau de harmonia, de beleza; infunde um sentimento até então ignorado e não pressentido de plenitude, de medida, de paz e de uns inspirado e iluminado fundir-se na suprema síntese da vida?". Estas nebulosas expressões pareciam-lhe muito compreensíveis, ainda que no entanto demasiado débeis. Mas de que aquilo era realmente beleza e visão divina, de que aquilo era, efetivamente, a suprema síntese da vida, disso não podia duvidar, nem sequer admitir a dúvida. Não se apoderava dele naqueles instantes uma lucidez parecida com a do haxixe, do ópio ou do álcool, que aniquilava o raciocínio e excluía o juízo, anormal e irreal? Disto podia ele julgar, já restabelecido, no final do estado mórbido. Aqueles instantes eram de fato apenas um insólito esforço da própria consciência — se é possível exprimir esse estado com apenas uma palavra, — da consciência e, ao mesmo tempo, de auto sensibilidade, imediatas e em alto grau. Se naquele segundo, isto é, no último momento consciente, anterior ao ataque, tinha tempo para decidir-se de um modo claro e lúcido "Sim, por esse momento daria eu toda a vida!", era indubitável que aquele momento para ele valia a vida inteira. Aliás, ele não se aferrava à parte dialética de seu raciocínio; o estupor, a névoa mental, o idiotismo eram para ele a clara consequência daqueles supremos instantes. Seriamente, sem dúvida, não podia discutir-se. Na sua conclusão, isto é, na sua apreciação daquele instante, existia um erro; mas a realidade da sensação desconcertava-o não pouco. Que fazer, verdadeiramente, com a realidade? Porque aquilo existia, podia ele dizer a si mesmo, naquele segundo, que aquele segundo, por uma sorte ilimitada, sentia-o ele plenamente, e podia, até mesmo, valer por toda a sua vida.

“Nesse momento — assim disse uma vez a Rogójin em Moscou, na época em que ali conviviam, — nesse momento se me torna compreensível esta frase extraordinária de que ‘já não haverá mais tempo’. Seguramente — acrescentou ele, sorrindo, — é este o mesmo segundo em que não houve tempo para derramar-se o jarro, cheio de água até as bordas, do epiléptico Maomé, o qual, não obstante, nesse mesmo segundo teve tempo para passar em revista todas as moradas de Alá.” Sim, em Moscou, costumava encontrar-se com Rogójin e falar de outras coisas, além desta. “Rogójin disse há pouco que fui então para ele um irmão; disse isto hoje pela primeira vez”, pensou Míchkin.

Pensava em tudo isto, sentado em um banco, à sombra de uma árvore, no Jardim de Verão. Era perto de sete horas. O jardim estava deserto; algo de fúnebre difundiu-se no instante do pôr do sol. No seu atual estado contemplativo encontrava certo encanto. Aferrava-se, com evocações e espírito, a quantas coisas via e isto lhe agradava; queria esquecer algo: o presente, o real. Mas ao primeiro olhar em torno de si, imediatamente voltava a adquirir consciência daquele melancólico pensamento que com tantas ânsias desejava afugentar. Lembrou-se que, havia um momento, tinha falado com o moço do restaurante, na sobremesa, de um crime recente, sumamente estranho, que havia causado muito ruído e dado muito que falar. Mal, porém, se recordou desse detalhe, de novo voltou a ocorrer-lhe algo de estranho.

Violento, invencível desejo, quase uma tentação, subjugou, de repente, sua vontade. Levantou-se do banco e, saindo do jardim, encaminhou-se diretamente para o Lado Petersburguês. Pouco antes, à margem do Nieva, havia perguntado a um transeunte onde ficava o Lado Petersburguês, além do Nieva. Indicaram-lhe; mas então não foi lá. Além disso, fosse como fosse, teria sido inútil ir naquele dia, sabia-o. Havia tempo que conhecia o endereço; fácil lhe seria procurar a casa da parenta de Liébiediev; mas sabia quase com certeza que não haveria de encontrá-la em casa. “Certamente terá ido a Pávlovsk, pois de outro modo Kólia teria deixado algo em A Balança, segundo o combinado. E naturalmente, se agora fosse lá, não era com a intenção de vê-la.” Outra triste e dolorosa curiosidade o atraía. Nova e súbita ideia havia-lhe cruzado a imaginação... Para ele era, porém, já bastante satisfatório comprovar que andava e sabia aonde ia; um minuto depois já ia outra vez caminhando, pouco menos que sem rumo. Seguir considerando a respeito daquela sua súbita ideia tornou-se para ele em seguida enormemente aborrecido e quase impossível. Com atenção dolorosamente forçada contemplava tudo quanto lhe vinha aos olhos, contemplava o céu, o Nieva. Falou com um menino que encontrou no caminho. Era possível que seu estado epiléptico se estivesse agravando cada vez mais. A tormenta, ao que parecia, ia-se desencadeando, embora lentamente. Começaram a ouvir-se trovões longínquos. Iniciou-se um grande mormaço...

Sem saber por que, recordava agora, como recordamos por vezes um motivo musical impertinente e insistente até a estupidez, o sobrinho de Liébiediev, que vira não fazia muito. Estranhou o lembrar-se dele sob o pretexto daquele assassinato que o próprio Liébiediev lhe lembrara ao apresentá-lo. Sim; algo daquele crime lera muito recentemente. Muitas coisas tinha lido e ouvido dizer de sucessos análogos, *desde que estava na Rússia;* acompanhava tenazmente tudo aquilo. Havia pouco tinha-se interessado, até com excesso, nos seus comentários com o garçom do restaurante, precisamente a respeito desse mesmo assassinato dos Jemárini. O moço estava de acordo com ele, lembrava-se. Lembrava-se, igualmente, muito bem do moço: era um rapazola nada lerdo, sério e circunspecto, embora "só Deus soubesse quem fosse. Era difícil, numa terra nova, conhecer as pessoas novas". Contudo estava começando a ter uma fé apaixonada pela alma russa. Oh! quantas e quantas coisas tinha visto, inteiramente novas para ele, naqueles seis meses, e inauditas e inesperadas! Mas a alma alheia... uma treva, a alma russa, uma treva; para muitos, treva. Por exemplo, havia muito tempo que convivia com Rogójin, que o tratava fraternalmente... e, contudo; ele sabia como era Rogójin? Mas, em geral, por vezes, que caos em tudo isso, que confusão, que embrulhada! E que homem tão selvagem e fátuo aquele sobrinho de Liébiediev! "Que estou eu dizendo, porém?" (Míchkin continuava a sonhar.) "Matou ele aquelas criaturas, aquelas seis pessoas? Parece que estou misturando tudo... Como é estranho! Sinto-me um tanto tonto... Mas que rosto tão simpático e suave o da filha mais velha de Liébiediev, a que tinha o menino nos braços! Que expressão tão inocente, quase infantil e que riso tão pueril o dela!" Era estranho que se tivesse esquecido daquele rosto e só agora o recordasse. Liébiediev, que batia os pés para eles, decerto idolatrava a todos. Mas o mais certo, como dois e dois são quatro, era que Liébiediev idolatrava também seu sobrinho.

Mas, afinal de contas, por que ele se metia a formular juízos definitivos, ele que só os havia visto, naquele dia e a proferir tais apreciações? Porque o certo era que naquele mesmo dia Liébiediev havia-lhe proposto um enigma: ele havia esperado, por acaso, que Liébiediev fosse assim? Talvez já conhecesse antes aquele Liébiediev. Liébiediev e a Du Barry!... "Senhor! Se Rogójin cometer um assassínio, pelo menos não o fará tão às tontas e loucamente. Não haverá o mesmo caos. Uma arma fabricada segundo um modelo especial e o assassinato de seis pessoas perpetrado em completo delírio. Talvez possua Rogójin uma arma assim, feita segundo um desenho especial... Talvez a tenha... Mas... mas é coisa certa que Rogójin tenha de cometer assassinato?" Míchkin estremeceu de repente. "Não é um crime, não é uma vileza de minha parte pôr-me a enunciar de modo tão cinicamente franco tal proposição?", exclamou e rubores subiram-lhe ao rosto. Estava atônito; parou como que fulminado na rua. De repente lembrou-se também da estação ferroviária de Pávlovsk e da outra estação de Nikolaiev e da pergunta a Rogójin, cara a cara, a respeito daqueles olhos e da cruz de Rogójin que trazia agora consigo, e da bênção de sua mãe, a cujo lado ele mesmo o havia conduzido, e de seu último e convulsivo abraço, a última despedida de Rogójin, havia um momento, na escada. E depois de tudo aquilo como havia surpreendido a si mesmo na busca incessante de alguma coisa em torno de si e daquela loja e daquele objeto... Que ruindade! E depois de tudo isso, ia agora com um fim especial, com uma súbita ideia sua! Desolação e sofrimento tinham-se apoderado de sua alma. Míchkin quis voltar imediatamente ao hotel; chegou a dar meia volta e pôs-se a andar; mas, ao cabo de um minuto, deteve-se, refletiu e voltou de novo ao seu primeiro caminho.

Estava já no Lado Petersburguês, estava perto da casa; mas já não estava com o mesmo propósito, já não estava com aquela súbita ideia especial. E como teria podido ir? Sim, seu mal tornava? Disso não se podia duvidar; era possível que naquele mesmo dia lhe desse o ataque. O ataque tinha a culpa daquela tenebrosidade, o ataque tinha a culpa também daquela ideia. Agora a bruma se aclarava, o demônio ia-se embora, a dúvida se desvanecia, havia alvoroço em seu coração! E... quanto tempo já fazia que não a via, precisava ver e... sim, teria querido encontrar-se agora com Rogójin; pegaria em sua mão e ambos teriam ido ali juntos... Seu coração era puro. Não era ele o rival de Rogójin. Amanhã mesmo iria ver Rogójin e lhe diria que a tinha visto. Porque ele agora voava para ela, segundo dissera antes Rogójin, somente para vê-la! Talvez a encontrasse, talvez não tivesse ido para Pávlovsk!

Sim; era preciso deixar tudo isso bem claro agora para que todos pudessem ler claramente nos corações uns dos outros; para que não houvesse aquelas melancólicas e apaixonadas despedidas, como a de Rogójin havia pouco, e para que tudo se consumasse livremente e... à luz. Porventura não era Rogójin capaz de enfrentar a luz? Disse que não a amava desse modo, que nele não há compaixão, nada existe de piedade. É certo que depois acrescentou: "Tua piedade é mais poderosa do que meu amor"; mas ele se calunia a si mesmo. Hum!... Rogójin tinha ali aquele livro... Não será talvez piedade, não será um começo de piedade? Será que a mera presença daquele livro não está demonstrando que ele está absolutamente consciente de suas relações com ela? E o que me contou há pouco? Não; isto é mais profundo do que a simples paixão. E por acaso é simples paixão o que sugere seu rosto? Mais ainda: esse rosto pode inspirar paixão agora? Inspira compaixão, apodera-se de nossa alma... E uma recordação ardente, dolorosa, atravessou por um momento o coração do príncipe.

Sim, dolorosa. Recordou como ainda não havia muito tinha sofrido, ao notar nela, pela primeira vez, sinais de loucura. Sentiu então quase desespero. E como pôde deixá-la, quando fugiu de seu lado para ir ter com Rogójin? Ele mesmo deveria então ter corrido atrás dela e não ter ficado à espera de notícias. Mas... seria que Rogójin não tivesse até agora observado nela aqueles indícios de loucura? Hum!... Rogójin vê em tudo outras razões, razões passionais! E que ciúmes insensatos! Que quis dizer com aquela suposição naquela manhã? (Míchkin ficou de repente vermelho e seu coração pareceu pôr-se a tremer.)

Por que, afinal de contas, se lembrava daquilo? Havia ali insensatez em ambas as partes. Ele, o príncipe, amar aquela mulher apaixonadamente... seria absurdo, seria quase cruel, inumano. Sim, sim! Não, Rogójin caluniava a si mesmo; ele tinha um grande coração, que talvez sofresse e se compadecesse. Quando souber toda a verdade e vir que lamentável criatura é essa mulher delirante, meio louca, não lhe perdoará tudo quanto se passou, todas as suas dores? Não se converterá talvez em criado, irmão, amigo e tutor dela?... A piedade instruirá o próprio Rogójin. A piedade é o essencial e talvez a única lei da vida de todo o gênero humano. Oh! quão imperdoável e vilmente culpado ele era diante de Rogójin! Não, não era a alma russa uma treva, mas ele é quem tinha trevas na alma, quando podia imaginar tais horrores. Depois de algumas palavras veementes e coléricas de Rogójin, lá em Moscou, chamava-o agora de irmão, ao passo que ele... Mas aquilo era enfermidade e delírio! Tudo aquilo se acabaria!... Quão tristemente dissera pela manhã Rogójin que estava perdendo a fé!... Aquele homem devia estar sofrendo muito. Dissera que gostava de olhar aquele quadro; não é que goste, mas quer dizer que sente a necessidade de olhá-lo. Rogójin... é não só uma alma apaixonada, mas também um lutador; quer voltar por força à sua antiga fé. Tem dela agora uma necessidade agoniante... Sim! Acreditar em algo! Acreditar em algo! Mas quão estranha também aquela tela de Holbein!... Mas, ah! esta é a rua. E esta deve ser a casa, isto é, o número 16. Casa da Secretaria do Colégio Filípova. É aqui!

Míchkin tocou a campainha e perguntou por Nastássia Filípovna. A própria dona da casa respondeu-lhe que Nastássia Filípovna havia partido desde manhã para Pávlovsk, para a casa de Dária Alieksiéievna, "e poderia mesmo ocorrer que ali ficasse para passar alguns dias". A Senhora Filípova era uma mulher pequenina, de olhos penetrantes e rosto agudo, de quarenta anos, e olhava de uma maneira ladina e fixamente. Quando lhe perguntou o nome — pergunta a que, com toda intenção, deu um tom muito misterioso, o príncipe recusou-se a responder e já se dispunha a ir embora, quando, justamente neste ponto, reconsiderou, deu seu nome e rogou-lhe que participasse a Nastássia Filípovna sua visita. A Senhora Filípova escutou-o com atenção e fez uma cara de extrema reserva, como se quisesse dizer: "Já sei, não se preocupe!". O nome do príncipe pareceu ter causado grande impressão. Míchkin olhou-a, distraído, deu meia volta e saiu para a rua. Mas, ao sair da casa, seu aspecto era outro, diferente daquela com que entrara. Voltara a operar-se nele outra mudança e também em coisa de um segundo; estava outra vez pálido, sucumbido, atormentado e excitado; tremiam-lhe os joelhos e um sorriso vago, turvo, crispava-lhe os lábios arroxeados; sua súbita ideia tivera confirmação, de modo que era exata, e... tornava a crer em seu demônio!

Mas havia mesmo encontrado sua confirmação? Era de fato exata? Por que então tremia agora? A que se devia aquele suor frio de sua fronte, aquela sombra e frialdade de sua alma? Por que havia tornado a ver aqueles olhos? Mas não havia ele saído do Jardim de Verão precisamente para vê-los? Mas se aquela havia sido a sua súbita ideia! Tinha querido, intensamente, ver aqueles olhos de antes para convencer-se de uma vez de que havia de vê-los ali, naquela casa. Aquele frenético desejo havia-o levado ali... Por que agora lhe causava tanta impressão vê-los realmente? Parecia ter sido inesperado! Sim, eram aqueles mesmos olhos (que fossem aqueles mesmos olhos não havia a menor dúvida!), os mesmos que entre a multidão apinhada o haviam fitado, relampagueantes e fixos, quando se apeou do trem; os mesmos (exatamente os mesmos!) cujo olhar sentira pousado nele, aqueles olhos perto de suas costas, quando se dispunha a sentar em casa de Rogójin. Este mentiu, ao perguntar-lhe, com um sorriso irônico, frio, que olhos eram aqueles. E o príncipe, ainda um momento antes — a sentar no trem, na estação Tsarskosiélhskaia para ir ver Aglaia e ver de repente, outra vez, aqueles olhos, a terceira naquele dia, — tinha querido voltar à casa de Rogójin e dizer-lhe "que olhos eram aqueles!". Mas, em vez disso, saíra depressa da estação e tinha-se lembrado, primeiro, na metade do caminho, da vitrina daquela loja e de como tinha parado ali e taxado inconscientemente em setenta copeques um objeto com cabo de chifre de cervo. Aquele demônio estranho e cruel apoderara-se dele definitivamente e não queria soltá-lo. Aquele demônio, enquanto ele estava sentado no Jardim de Verão, abstraído em seus pensamentos, à sombra de uma tília, tinha-lhe *insinuado* que se Rogójin tinha-se sentido obrigado a acompanhá-lo naquele dia e seguir-lhe os passos, preso a seus calcanhares, seguramente, ao descobrir que Míchkin não fôra a Pávlovsk (o que era sem dúvida um fato terrível para Rogójin), teria ido ali à casa da Senhora Filípova e decerto ali ficara a tocaiá-lo, a ele, Míchkin, que naquela manhã lhe havia dado sua palavra de honra de que não iria vê-la e de que não viera a Petersburgo para isso. E, apesar disso, como se movido por um desejo frenético, tinha ido àquela casa. Mas que tinha de particular que ali se encontrasse realmente com Rogójin? Tinha visto apenas um homem desditoso, cujo estado de alma, sombrio e lúgubre, era, não obstante, demasiado compreensível. Aquele homem desventurado nem mais se ocultava agora. Sim, quando interrogara Rogójin a respeito daqueles olhos, ele se calara e não dissera a verdade; mas na estação Tsarskosiélhskaia estivera presente, sem ocultar-se; antes, fora ele, Míchkin, e não Rogójin, quem se ocultara. Mas agora, naquela casa, estivera de tocaia, a uns cinquenta passos de distância, um pouco de viés ao edifício: estivera parado na calçada, de braços cruzados, o coitado, e esperando. Ali estivera sem esconder-se, patente a todo mundo e desejoso, pelo visto, que o príncipe o visse. Esteve ali como acusador e juiz e não como... Não como quê?

Mas por que não correu para ele o príncipe? Por que deu um rodeio, como se não o tivesse visto, embora seus olhares se tivessem cruzado? (Sim, seus olhares tinham-se cruzado, tinham-se fitado mutuamente!) Ele mesmo não tinha querido, havia um instante, segurar Rogójin pela mão e levá-lo consigo até lá? Não queria ir vê-lo amanhã e dizer-lhe que tinha estado em casa dela? Ele não tinha se desprendido de seu demônio ao dirigir-se para ali, na metade do caminho, quando, de repente, a alegria havia-lhe enchido a alma? Ou era que, efetivamente, havia algo em Rogójin, isto é, em toda a imagem daquele dia, daquele homem, em toda a disposição para seguir adiante presente em suas palavras, gestos, atos, olhares, que pudesse justificar os terríveis pressentimentos do príncipe e as torturantes sugestões de seu demônio? Algo que por si mesmo saltasse à vista, mas que fosse difícil de analisar e de exprimir, impossível de justificar com suficientes razões, mas que, mesmo assim, produzia, apesar de toda essa dificuldade e impossibilidade, uma impressão total e irrefutável que sem propósito se convertia em convicção plena?...

Convicção de quê? (Oh! como atormentava o príncipe a hediondez, a baixeza daquela convicção, daquele mau pressentimento e como se culpava a si mesmo!) "Diz, se te atreves, de quê? — increpava-se sem pausa a si mesmo, em tom de censura e de repto. — Formula, atreve-te a exprimir todo teu pensamento, clara, exatamente, sem hesitações! Oh! sou um homem sem honra! — repetia a si mesmo, enojado e com rubor no rosto. — Com que olhos vou olhar agora esse homem por toda a minha vida! Oh! que dia este! Oh! meu Deus, que pesadelo!"

Houve um momento, no final daquele longo e doloroso caminho do Lado Petersburguês, em que, subitamente, se apoderou do príncipe a ânsia invencível de... ir diretamente à casa de Rogójin, esperá-lo ali, abraçá-lo cheio de vergonha e de lágrimas, dizer-lhe tudo e acabar com tudo de uma vez. Mas já estava em seu hotel... Quão pouco lhe tinha agradado antes aquele hotel, aqueles corredores, toda aquela casa, seu quarto; quão pouco lhe tinham agradado desde a primeira vista; com quanta aversão havia-se lembrado naquele dia várias vezes que teria de voltar para ali!... "Mas será que eu, hoje, como uma mulherzinha histérica, vou acreditar em toda classe de pressentimentos?!", pensou, com riso nervoso, parando na porta. Novo e insuportável acesso de vergonha, quase de desolação, pregou-o no seu lugar, mesmo na entrada. Ficou parado um minuto. Assim costuma ocorrer com as pessoas; uma recordação desagradável, subitânea, sobretudo provocadora de vergonha, mantém-nas cravadas um momento em seu lugar. "Sim, sou um homem sem coração e sem coragem!", repetiu a si mesmo,sobriamente e pôs-se de repente a andar; mas... voltou outra vez a parar.

A entrada da casa, que já de si era escura, estava na ocasião muito tenebrosa; uma grande nuvem de tempestade havia tragado a derradeira claridade da tarde e justamente ao tempo em que o príncipe se aproximava da porta, a nuvem rompeu-se de repente e se desfez em chuva. No momento em que se pôs de novo a andar, num arranque, depois de ter estado parado um instante, encontrava-se na própria entrada da casa, no portal. E de súbito, assombrado, no mais fundo do portal, na penumbra, junto do começo da escada, deu com a vista em um homem. Aquele homem parecia esperar alguma coisa, mas fugiu rapidamente e desapareceu. Míchkin não pôde distinguir claramente o tal homem e, sem dúvida, não poderia dizer com certeza quem fosse. Além disso, por ali podia desfilar muita gente; aquilo era um hotel e, a cada passo, ia e vinha gente pelos corredores. Mas, de repente, acometeu-lhe aquela mesma plena e irrefutável convicção de que conhecia aquele homem e aquele homem não era outro senão Rogójin. Um momento depois Míchkin lançou-se atrás dele, escada acima. O coração palpitava-lhe. "Agora mesmo vai decidir-se tudo!", disse a si mesmo com estranha convicção.

A escada pela qual o príncipe subia, vindo do portal, conduzia aos corredores do primeiro e do segundo andar, nos quais também havia aposentos destinados a hóspedes. Aquela escada, como as de todas as casas de edificação antiga, era de pedra, escura, estreita e girava em torno de um grosso pilar de pedra. No primeiro patamar, mostrava aquele pilar uma cavidade, em forma de nicho, de não mais de um passo de largura e meio de profundidade. Um homem, não obstante, poderia esconder-se ali. Por mais escuro que aquilo estivesse, ao chegar Míchkin ao patamar notou imediatamente que ali, naquele nicho, se ocultava um homem. A princípio, quis Míchkin passar de largo e não olhar para a direita. Já havia dado um passo, mas não pôde conter-se e voltou-se.

Os dois olhos de antes, os mesmos, encontraram-se, de repente, com seu olhar. O homem que estava escondido no nicho tivera tempo também para destacar-se dele um passo. Um segundo permaneceram ambos um em frente ao outro, quase a tocar-se. De súbito Míchkin agarrou o outro pelo ombro e fez com que desse meia volta para trás, para a escada, mais perto da luz; queria ver-lhe melhor a cara.

Os olhos de Rogójin cintilaram e um sorriso de raiva construiu-lhe o rosto. Tinha erguido a mão direita e algo reluzia nela; o príncipe não pensou em agarrá-la. Lembrava-se unicamente de que acreditava ter gritado:

— Parfien, não o creio!...

Depois, de repente, pareceu refulgir algo à sua frente; uma extraordinária claridade interior iluminou sua alma. Aquele gesto teria durado o espaço de meio segundo, mas ele, apesar disso, recordava o começo, o primeiro som de seu estranho grito, que lhe havia brotado do fundo do peito e que não teria havido força humana capaz de conter. Em seguida perdeu momentaneamente a consciência e mergulhou numa nova bruma.

Acometeu-o um daqueles ataques de epilepsia que havia muito tempo não lhe davam. É sabido que os ataques de epilepsia, sobretudo a própria epilepsia, produzem-se instantaneamente. Nesse instante, de repente, demuda-se extraordinariamente o semblante, sobretudo o olhar. Convulsões e espasmos apoderam-se de todo o corpo e de todas as feições do rosto. Um grito tremendo, inimaginável e a nada semelhante, escapa-se do peito; nesse grito parece desaparecer subitamente todo o humano, e não é possível, ou quando menos é muito difícil, que o espectador perceba e chegue a compreender que esse grito lançou-o o próprio homem. Chega até a imaginar que esse grito lançou-o outro, metido dentro daquele homem. Muitos, pelo menos, explicam desse modo sua impressão, e a não poucos o aspecto de um epiléptico atacado de seu mal infunde-lhes um espanto decidido e intolerável que tem algo de místico. É necessário supor que essa impressão de pavor súbito, agravada por todas as demais terríveis impressões desse instante, deixasse repentinamente cravado em seu lugar Rogójin, graças ao que salvou-se o príncipe da inevitável punhalada, já iminente. Não acertou logo tampouco em compreender que aquilo era o ataque e, assombrado, ao ver que Míchkin se afastava dele e de súbito tombava no chão e rodava escada abaixo, dando golpes com a nuca nos degraus de pedra, Rogójin lançou-se a toda a pressa escada abaixo, deu uma volta em torno do homem tombado e quase sem saber o que fazia, fugiu do hotel.

Entre convulsões, palpitações e espasmos, o corpo do príncipe havia rolado pelos degraus, que não eram mais do que quinze, até o pé mesmo da escada. Cinco minutos depois, tinham dado com o homem caído e um grupo formou-se em redor dele. Uma grande poça de sangue em torno de sua cabeça sugeria dúvidas: "Será que ele próprio caiu ou tratava-se de um crime?" Mas não tardaram alguns em certificar-se do ataque. Um dos hóspedes reconheceu no príncipe o inquilino recém-chegado. A incerteza resolveu-se com muita felicidade, graças a uma circunstância.

Kólia Ívolguin, que tinha prometido estar às quatro horas em A Balança e que, em vez disso, tinha ido a Pávlovsk, por súbito capricho recusou o jantar em casa da generala Iepántchini e regressou a Petersburgo, ao seu hotel, onde se apresentou pelas sete da noite. Sabedor pelo bilhete que ali havia deixado o príncipe de que este se achava na cidade, correu a procurá-lo no endereço que lhe dera no bilhete. Tendo sabido no hotel que o príncipe havia saído, desceu ao restaurante e ficou a esperá-lo, enquanto tomava chá e ouvia o órgão. Como tivesse ouvido por acaso comentar o ataque de epilepsia que alguém sofrera, correu para ali com certeiro pressentimento e reconheceu o príncipe. Imediatamente tomaram-se as medidas oportunas. Transportaram o príncipe para seu quarto; embora tivesse recuperado os sentidos, não chegou a ter cabal conhecimento senão passado longo espaço de tempo. O doutor, chamado para que lhe examinasse a lesão da cabeça, receitou-lhe umas compressas e declarou que as contusões não ofereciam o menor perigo. Quando, passada já uma hora, começou Míchkin a conhecer bastante bem os que o rodeavam, levou-o Kólia do hotel em um coche à casa de Liébiediev. Este acolheu o enfermo com desusado cuidado e com reverências. Por causa dele apressou sua viagem e três dias depois achavam-se todos em Pávlovsk.

Capítulo VI

A herdade de Liébiediev era pequena, porém cômoda e até bonita. Parte dela, a destinada a aluguel, mostrava-se especialmente aformoseada. No terraço, bastante espaçoso, por onde se entrava da rua na casa, tinham plantado várias laranjeiras, limoeiros e jasmineiros, em grandes vasos de madeira pintados de verde, o que apresentava, segundo Liébiediev, um aspecto sedutor. Algumas daquelas árvores tinha-as adquirido juntamente com a herdade e a tal ponto o encantava o efeito que faziam no terraço, que tinha decidido, dando graças à sorte, comprar em leilão outras arvorezinhas semelhantes em vasos para completar o conjunto. Quando todas as árvores já estavam na herdade e nela distribuídas, Liébiediev várias vezes naquele dia subiu e desceu a escada, do terraço à rua, e ali esteve a saborear sua posse, calculando cada vez a quantia que teria de pedir ao futuro inquilino da herdade. Ao príncipe, debilitado, deprimido e alquebrado de corpo, a herdade agradou muito. Aliás, no dia de sua mudança para Pávlovsk, isto é, no terceiro dia depois de seu ataque, tinha o príncipe já o aspecto de um homem quase são, embora por dentro não se sentisse ainda de todo restabelecido. Estava muito satisfeito com todos quantos vira em torno de si naqueles três dias: satisfeito com Kólia, que quase não se apartava um instante de seu lado; satisfeito com a família de Liébiediev (sem contar o sobrinho, que se havia metido não se sabia onde); satisfeito com o próprio Liébiediev; recebeu até com prazer a Generala Ívolguina, que tinha ido visitá-lo, estando ainda na cidade. No mesmo dia da viagem, que se realizou à tarde, reuniram-se em redor dele, no terraço, não poucos convidados; o primeiro a apresentar-se foi Gânia, a quem Míchkin mal reconheceu, a tal ponto havia mudado e enfraquecido durante aquele tempo. Vária e Ptítsin tinham também sua herdade em Pávlovsk. O próprio General Ívolguin era hóspede quase perpétuo de Liébiediev e até parecia ter-se mudado para ali com eles. Liébiediev fazia todos os esforços para evitar que ele importunasse o príncipe e para mantê-lo a seu lado; tratava-o amistosamente; saltava à vista que já eram antigos conhecidos. O príncipe percebeu que naqueles três dias eles haviam por vezes travado longas discussões, vociferando e brigando com bastante frequência, ao que parece a propósito de temas científicos, o que era evidente constituía uma satisfação para Liébiediev. Era caso de pensar que o general até lhe fazia falta. Mas aquela circunspecção a respeito do príncipe começou a ser imposta por Liébiediev à sua própria família, desde sua chegada a Pávlovsk. Sob o pretexto de não incomodar o príncipe, não permitia que ninguém se aproximasse dele, batia os pés, lançava-se contra suas filhas e punha-as para fora, sem excluir mesmo Viera com o bebê, à primeira suspeita de que se dirigissem para o terraço, onde se encontrava Míchkin, não obstante todas as súplicas que ele lhe fazia para que não afastasse ninguém.

— Em primeiro lugar, seria falta de respeito deixá-los passar; e depois, até para o senhor mesmo não está bem... — explicou-lhe, finalmente, à pergunta direta do príncipe.

— Por quê? — replicou-lhe Míchkin. — Na verdade, o senhor com todas essas atenções e delicadezas excessivas me mortifica. Sozinho, aborreço-me, já lhe disse mais de uma vez, e o senhor, com seus contínuos gestos de mão e seu andar em pontinhas de pé, crispa-me ainda mais os nervos.

O *príncipe* aludia ao fato de, embora pusesse para fora dali todos os seus familiares sob o pretexto de que o enfermo necessitava de absoluto repouso, não haver cessado Liébiediev de entrar, durante aqueles três dias, a cada momento, no quarto do príncipe, começando sempre por entreabrir a porta; assomar a cabeça, inspecionar o quarto, como se quisesse certificar-se de que ele continuava ali, que não havia fugido, para depois, em pontas de pés, com lentos e furtivos passos, aproximar-se da poltrona, de um modo que, por vezes, assustava, de repente, seu hóspede. Estava constantemente a perguntar-lhe se necessitava de alguma coisa e, quando Míchkin, afinal, lhe rogava que o deixasse em paz, dócil e sem replicar, dava meia volta e retirava-se novamente em pontas de pés para a porta, sem deixar de fazer gestos com a mão, até que se afastava de todo, como dando a entender que não falaria, que se ia embora, que não tencionava voltar, o que não era obstáculo para que dez ou quinze minutos depois, quando muito, já estivesse ali de novo. Kólia, que tinha livre acesso junto ao príncipe, inspirava, por esta única razão, profundíssimo ódio a Liébiediev e até mesmo um ressentido asco. Kólia havia observado que Liébiediev estava escutando uma boa meia hora atrás da porta o que ele falava com o príncipe, e assim, claro está, participou a Míchkin.

— O senhor parece considerar-me coisa sua e como que me tem sob chave — protestou o príncipe. — Mas eu, pelo menos na herdade, quero que não seja assim e esteja o senhor certo de que hei de receber a quem quiser e de sair quando bem entender.

— Disso não resta dúvida — assentiu, movendo os braços, Liébiediev.

O príncipe examinou-o atentamente dos pés à cabeça.

— Diga-me, Lukian Timofiéievitch: trouxe para cá aquele armariozinho que tinha pendurado à cabeceira de sua cama?

— Não, não trouxe.

— Ficou lá então?

— Não é possível trazê-lo; é necessário arrancá-lo da parede... Está muito preso, muito preso.

— E não há aqui nenhum como ele?

— E talvez melhor, e talvez melhor; comprei-o com a herdade.

— Ah! Quem foi que o senhor proibiu que entrasse há pouco? Há uma hora?

— Ora... o general. Efetivamente, não o deixei passar, porque não está bem. Eu, príncipe, sinto pelo general profundíssimo respeito; é um grande homem, não lhe parece? Bem, pois olhe o senhor: apesar de tudo... é melhor, sereníssimo príncipe, que o senhor não o receba.

— E por que, permita-me o senhor a pergunta, Liébiediev, e por que entrou o senhor agora de pontas de pés e se aproximou de mim com todo o ar de quem tem de comunicar algum segredo?

— Uma baixeza, uma baixeza, reconheço-o — respondeu Liébiediev inesperadamente, dando, com pesar, uma pancada no próprio peito. — Mas é que o general poderia abusar demais de sua hospitalidade.

— Como abusar demais de minha hospitalidade?

— Sim. Em primeiro lugar, já está disposto a vir morar em minha casa. E isto ainda vai; mas é que depois o homem faz questão até de parentesco. A mim já me considera como parente; resulta que somos parentes, por afinidade. Por mim, está bem. Mas também o senhor, sereníssimo príncipe, segundo me explicou minuciosamente, é seu sobrinho segundo por parte de mãe... Ontem mesmo esteve a explicar-me com toda espécie de pormenores. Mas se é o senhor parente dele, também é meu, por parte dele, isto é, segundo a nova teoria. Mas isto ainda pode passar... é uma pequena fraqueza, como se diz, e nada mais. Mas acaba precisamente de assegurar-me que durante toda a sua vida, desde que era alferes, até o dia onze de junho do ano passado, nunca teve sentadas à sua mesa menos de duzentas pessoas. E chegou, por fim, a coisa ao extremo de já nem se levantarem mais, de modo que por espaço de trinta dias estavam a devorar diariamente pelo menos umas quinze horas, desde o almoço até a ceia, contando a comida do meio dia e tomando chá nos intervalos. E preste o senhor bem atenção: tudo seguidamente, sem a menor interrupção, nem mesmo deixar tempo para mudar as toalhas, e se um se levantava e ia embora, vinha outro e se sentava... e nos dias de festa e de gala, e no dia do milênio do império russo havia até trezentos convidados. É de fazer arrepiar os cabelos! Mas isto é um mau sintoma! E receber em sua casa homens que medem a hospitalidade por essa escala infinita deve ser... mais que comprometedor! Por isso, veja o senhor, pensava eu que talvez fosse hóspede demais para o senhor!

— Mas noto que o senhor e ele se dão muito bem...

— Damo-nos como irmãos! Mas eu o levo em brincadeira. Que somos um tanto parentes, vá lá. Faz-me honra. E afinal de contas, reconheço que, apesar dos duzentos convidados e dos trezentos do milênio de nossa pátria, é um homem extraordinário. Sim... sou a sinceridade em pessoa. Mas o senhor, príncipe, dignou-se aludir antes a um segredo, no sentido de que eu me aproximava do senhor sempre como se tivesse que comunicar-lhe algum segredo. Bem, pois desta vez o senhor acertou: tinha vindo precisamente para comunicar-lhe um segredo. Certa senhora acaba de manifestar-me que deseja, a todo transe, ter uma entrevista a sós com o senhor.

— Por que a sós? Não é necessário. Eu mesmo irei vê-la e, se for preciso, hoje mesmo.

— Não é naturalmente necessário — e Liébiediev começou a agitar as duas mãos. — Não lhe incomoda o que o senhor possa pensar. Além disso, o monstro vem por aqui todos os dias perguntar pela sua saúde. Sabia-o?

— O senhor a chama de monstro com demasiada frequência e isto me parece muito suspeito.

— Por favor, o senhor não deve ter nenhuma espécie de suspeita... e além disso, só queria explicar-lhe — Liébiediev deu-se pressa em desviar a conversa, — que a referida senhora não tem medo do senhor, mas de outra pessoa totalmente diversa...

— De quem, pois? Diga-me de uma vez tudo quanto tenha de dizer-me — apressou-se Míchkin, impaciente, porque, na verdade, irritavam-no os ares de mistério de Liébiediev.

— Mas se é este precisamente o segredo!

E Liébiediev riu-se de um modo ambíguo.

— O segredo de quem?

— O do senhor. De quem havia de ser? Sereníssimo príncipe, não se lembra de que me proibiu de falar uma palavra sequer a esse respeito? — disse Liébiediev, pavoneando-se e, depois de certificar-se bem de que havia conseguido exasperar a curiosidade do príncipe até um grau de nervosa impaciência, terminou, de repente, de um modo completamente inesperado: — O senhor tem medo de Aglaia Ivânovna.

Míchkin franziu a testa e permaneceu silencioso um instante.

— Por Deus, Liébiediev, vou-me embora de sua herdade! — exclamou, de repente. — Onde estão Gavrila Ardaliónovitch e Ptítsin? Na casa do senhor? Será que também quer afastá-los de mim?

— Virão agora mesmo; virão sem demora. O general virá também com eles. Abrirei as portas de par em par a todos; chamarei todos os meus filhos, todos, todos, agora mesmo, agora mesmo — murmurou Liébiediev, assustado, gesticulando, e lançou-se diligentemente para a porta; mas depois reconsiderou, correu outra vez e voltou de novo à primeira.

Naquele momento apareceu Kólia no jardim, saltou ligeiro os degraus até a varanda e anunciou que atrás dele vinham visitas: Lisavieta Prokófievna e suas três filhas.

— Deixo entrarem Ptítsin e Gavrila Ardaliónovitch? Sim ou não? E o general? — perguntou, rápido, Liébiediev, a quem aquela notícia havia posto num estado de grande agitação.

— Por que não? A todos, a todos que queiram entrar. Asseguro-lhe, Liébiediev, que, desde o primeiro momento, o senhor está um pouco enganado a meu respeito; não faz mais que incorrer em erros. Não tenho motivo algum para ocultar-me de ninguém, nem menos para esconder-me — disse, rindo, Míchkin.

Ao ver isso, acreditou Liébiediev que estava também obrigado a rir. Não obstante sua extraordinária emoção, achava-se Liébiediev também visivelmente contente.

A notícia dada por Kólia era exata; havia-se adiantado somente uns passos às Iepántchini, para anunciá-las, de sorte que, de repente, surgiram visitas de ambos os lados pelo terraço, as Iepántchini; e procedentes do interior da casa, Ptítsin, Gânia e o General Ívolguin.

As Iepántchini acabavam de ter conhecimento da enfermidade do príncipe, na sua casa de campo em Pávlovsk, por intermédio de Kólia, e até aquele momento havia a generala sofrido uma perplexidade aborrecida. Três dias antes, sem ir mais longe, o general tinha mostrado à sua família o cartão do príncipe, cartão esse que infundiu em Lisavieta Prokófievna a inquebrantável convicção de que o príncipe havia ido a Pávlovsk na intenção de vê-los, por isso havia deixado seu cartão. Em vão asseguravam-lhe suas filhas que quem não lhes havia escrito uma carta em meio ano não iria dar-se agora tanta pressa, tendo tantos assuntos a ocupá-lo em Petersburgo... vá-se saber quais! A generala ficou decididamente aborrecida diante daquela observação e disse estar disposta a apostar algo em como o príncipe se apresentaria no dia seguinte, ainda que já fosse tarde. Passou no dia seguinte esperando a manhã inteira; aguardando-o para a hora do almoço; de tarde, e quando já havia escurecido de todo, Lisavieta Prokófievna ficou uma fúria contra todos e brigou com todos, sem mencionar, é claro, nenhuma vez o nome do príncipe. Tampouco se disse palavra a respeito dele em todo o terceiro dia. Como escapasse a Aglaia dizer imediatamente depois do almoço que a mamãe estava enfadada porque o príncipe não aparecia e o general fizesse notar, logo depois, que disso ele não tinha culpa, Lisavieta Prokófievna levantou-se e, cheia de cólera, deixou a mesa. Finalmente, já ao cair da tarde, apresentou-se Kólia com notícias de tudo e com a descrição de todas as aventuras do príncipe, segundo as sabia ele. O resultado foi que Lisavieta Prokófievna assumiu um ar triunfal; mas, não obstante, passou a censurar fortemente Kólia: "Esse aí passa o dia inteiro dando voltas por aqui e nunca vai embora, e agora bem poderia ter-nos mandado umas linhas contando o que havia, se não achava próprio vir em pessoa". Kólia quis imediatamente zangar-se com aquela frase "e nunca vai embora", mas deixou *isso para outra ocasião* e se a tal frasezinha não tivesse sido tão ofensiva, seria perdoada ali mesmo, a tal ponto haviam-no impressionado a emoção e a inquietude de Lisavieta Prokófievna, ao ter conhecimento da enfermidade do príncipe. Insistiu longo tempo sobre a necessidade imprescindível de seguir para Petersburgo, a fim de contratar ali alguma celebridade médica de primeira grandeza e trazê-la à pressa no primeiro trem. Mas suas filhas dissuadiram-na e não quiseram separar-se de sua mãezinha quando ela se dispôs em seguida a visitar o príncipe.

— Está no leito de morte — disse, azafamando-se, Lisavieta Prokófievna — e haveremos de andar com cerimônias! É ou não é amigo nosso?

— Sim, mas meter-se na água sem haver sondado sua profundidade não é prudente — observou Aglaia.

— Bem, pois não venhas tu e farás muito bem; se Ievguéni Pávlovitch chegar, não haverá ninguém aqui para recebê-lo.

Depois daquelas palavras, Aglaia, naturalmente, dispôs-se logo a acompanhar as outras, o que, por outra parte, sem necessidade disso, já tinha pensado fazer. O Príncipe Tsch***, que estivera a conversar com Adelaida, a instâncias desta, logo se prestou a acompanhá-las. O príncipe já antes, no princípio de sua amizade com as Iepántchini, havia mostrado muito interesse por Míchkin, quando elas lhe falaram dele. Veio a verificar que era amigo dele, tendo-se conhecido recentemente em alguma parte e que haviam vivido juntos duas semanas não se lembrava em que povoado. Haveria uns três meses daquilo. O Príncipe Tsch*** contou-lhes também muitas coisas a respeito de Míchkin e, em geral demonstrou sentir por ele grande simpatia; de modo que agora, com sincero prazer, ia visitar seu antigo amigo. O General Ivan Fiódorovitch dessa vez não estava em casa. Ievguéni Pávlovitch não havia tampouco ainda chegado.

Da herdade de Liébiediev à das Iepántchini não havia mais de trezentos passos. A primeira impressão desagradável de Lisavieta Prokófievna, na residência em que se achava Míchkin, consistiu em encontrá-lo rodeado de uma caterva inteira de visitas, sem falar que, na tal caterva, havia duas ou três pessoas pelas quais sentia decidida aversão; a segunda, em seu assombro ao achar com aspecto de saúde perfeita, elegantemente trajado e sorridente, o jovem que saía a seu encontro, em vez de encontrá-lo moribundo no leito de morte, segundo esperava. Chegou a deter-se perplexa, com grandíssima satisfação de Kólia, o qual, sem dúvida, podia muito bem ter-lhe dito, antes de sair ela às carreiras de sua herdade, que não havia tal moribundo, nem tal leito de morte. Mas assim não o fez, imaginando o velhaco a cômica ira que haveria de dominar a generala que, segundo seus cálculos, haveria sem dúvida de aborrecer-se ao encontrar o príncipe, seu sincero amigo, completamente restabelecido. Kólia foi tão pouco delicado que, em voz alta, celebrou seu triunfo, com o objetivo de acabar de irritar Lisavieta Prokófievna, com quem estava continuamente em rixa, e por vezes muito seriamente, apesar da amizade que os unia.

— Espera um pouco, meu caro, não te apresses. Não estragues teu triunfo! — replicou Lisavieta Prokófievna, sentando-se na cadeira que lhe ofereceu o príncipe.

Liébiediev, Ptítsin, o General Ívolguin apressaram-se a oferecer assento às jovens. O general ofereceu cadeira a Aglaia e Liébiediev ofereceu também assento ao Príncipe Tsch*** e o fez com uma reverência de todo o busto, em sinal de respeito. Vária, segundo seu costume, com entusiasmo e em voz baixa, pôs-se a falar com as jovens.

— O certo é, príncipe, que pensava encontrar-te quase de cama, pois até esse ponto o medo exagerava-me as coisas e por coisa alguma no mundo hei de mentir;

há um momento causou-me muita raiva ver bom o teu rosto; mas foi coisa de um instante, até que tive tempo de pensar. Sempre ajo e falo mais sensatamente, quando tenho tempo de pensar e creio que o mesmo se passa contigo. Mas é possível que me alegrasse menos com o restabelecimento de um filho, se o tivesse, do que com o teu; e se não o crês, a vergonha será para ti e não para mim. Mas esse meninote malicioso permite-se fazer esta e outras brincadeiras neste estilo. Tu, pelo que se vê, tomaste-o sob tua proteção, mas, previno-te de que, uma bela manhã, acredita-me, recusarei a continuar desfrutando por mais tempo de sua amizade.

— Mas que fiz eu de mau? — perguntou Kólia. — Embora lhe tivesse anunciado que o príncipe estava já quase restabelecido, a senhora não quis acreditar, porque imaginá-lo no seu leito de morte era muito mais interessante.

— Vais ficar muito tempo aqui? — perguntou Lisavieta Prokófievna a Míchkin.

— Todo o verão e talvez mais.

— Estás só? Não te casaste?

— Não, não me casei — e o príncipe sorriu da ingenuidade daquela pergunta.

— Não há motivo para rir; as coisas acontecem. Vou falar-te desta herdade. Por que não vieste para a nossa? Temos toda uma ala vazia. Embora, afinal, seja como quiseres. É esse o homem de quem és inquilino? Esse? — acrescentou, à meia voz, apontando para Liébiediev. — Esse que está fazendo tantas caretas?

Naquele instante chegou ao terraço Viera, que vinha dos aposentos internos, carregando, como sempre, o bebê nos braços. Liébiediev, que andava em redor das cadeiras e decididamente não sabia o que fazer com sua pessoa, mas que ao mesmo tempo não se resolvia, de modo algum, a ir-se embora, lançou-se, de repente, para Viera, ameaçando-a com as mãos, expulsá-la do terraço e até mesmo, esquecendo-se do momento, deu umas patadinhas no chão.

— Será que está louco? — acrescentou, de repente, a generala.

— Não, é...

— Bêbado, talvez? Não é nada brilhante tua companhia — declarou a generala, abarcando com o olhar todos os demais circunstantes. — Afinal de contas, porém, que moça linda! Quem é?

— É Viera Lukiánovna, a filha desse Liébiediev.

— Ah! É muito simpática! Gostaria de conhecê-la.

Mas Liébiediev, que havia ouvido os elogios de Lisavieta Prokófievna, saiu ele próprio à busca de sua filha para apresentá-la.

— Órfãos, órfãos!... — gemeu, aproximando-se. — E essa menininha que traz nos braços, orfãzinha, irmãzinha dela, minha filha Liúbov, havida em legítimo matrimônio com minha Helena, que acaba de deixar-me, minha defunta esposa, falecida há seis semanas, de parto, por vontade do Senhor... Sim... faz as vezes de mãe, embora seja só irmã, e nada mais que irmã, nada mais, nada mais...

— E tu, *bátiuchka,* não passas de um tolo, se me queres desculpar. Mas basta; hás de compreender o que penso — declarou, de repente, Lisavieta Prokófievna, sem poder dissimular sua extraordinária indignação.

— A pura verdade! — E Liébiediev inclinou-se ainda mais respeitosa e profundamente.

— Ouça, Senhor Liébiediev: é certo o que contam do senhor, que explica o *Apocalipse?* — perguntou Aglaia.

— A pura verdade... há quinze anos.

— Ouvi falar do senhor. Os jornais falaram a seu respeito, não é mesmo?

— Não, foi isso a respeito de outro intérprete, de outro; mas esse morreu e resto eu agora — declarou Liébiediev, fora de si de alegria.

— Faça-me o favor, explique-me algo dele um desses dias, já que somos vizinhos. Não entendo nada do *Apocalipse*.

— Devo adverti-la, Aglaia Ivânovna, que tudo isso que ele diz não passa de charlatanice, acredite-me — intrometeu-se rapidamente o General Ívolguin, que sentado ao lado de Aglaia Ivânovna, aguardava, como que sobre brasas, o ansiado momento de entrar na conversa — Sem dúvida há certos privilégios numas férias — continuou a dizer, — e certas satisfações, e receber um intruso tão extraordinário como esse para que interprete o *Apocalipse* é uma diversão como outra qualquer, e até uma diversão notável, do ponto de vista da inteligência; mas eu... a senhorita, ao que parece, me olha com estupefação. Tenho a honra de apresentar-me: sou o General Ívolguin. Carreguei-a em meus braços, Aglaia Ivânovna.

— Muito prazer em conhecê-lo. Sou amiga de Varvara Ardaliónovna e de Nina Alieksándrovna — balbuciou Aglaia, lutando, com todas as suas forças, para não disparar na gargalhada.

Lisavieta Prokófievna ficou vermelha de raiva. Algo que fazia tempo lhe fervia no íntimo reclamava, de repente, saída. Não podia suportar o General Ívolguin, de quem outrora, mas já havia muito tempo, fora amiga.

— Mentes, *bátiuchka,* segundo teu costume; jamais a carregaste nos braços — declarou, indignada.

— A senhora se esqueceu, mamãe; carregou-me, deveras, em Tver — confirmou, de repente, Aglaia. — Morávamos então em Tver. Tinha eu seis anos de idade, na ocasião, e lembro-me bem. Fez para mim um arco e uma flecha e ensinou-me a atirar. Cheguei a matar uma rolinha. Lembra-se de que matamos uma rolinha juntos?

— Para mim fez um capacete de papelão e uma espada de pau. Também me lembro — exclamou Adelaida.

— Também eu me lembro dele — corroborou Alieksandra. — Vocês brigaram por causa da rolinha ferida e foram colocadas em cantos separados. Adelaida ficou num canto, com o capacete e a espada.

Ao dizer a Aglaia que a tinha carregado nos braços, dissera aquilo o general somente para início de conversa e unicamente porque quase sempre costumava iniciar assim o diálogo, quando se dirigia a jovens, por considerar oportuno travar amizades com eles. Mas daquela vez ocorreu, como que de propósito, que dissera a verdade, e também, como que de propósito, tinha-se ele mesmo esquecido daquela verdade. De modo que, quando Aglaia, de repente, saiu afirmando que os dois *juntos haviam matado uma rolinha*, sua memória iluminou-se subitamente e recordou tudo aquilo até em seus mínimos pormenores, como por vezes costumam recordar os já entrados em anos algum episódio do passado remoto. É difícil dizer o que podia haver naquela evocação para que causasse efeito tão poderoso sobre o pobre general que, segundo seu costume, estava um tanto embriagado; mas o certo é que, de repente, ficou extraordinariamente emocionado.

— Lembro, lembro de tudo!... — exclamou. — Eu era na época capitão do Estado-maior. Você... muito pequenina, muito bonitinha. Nina Alieksándrovna... Gânia... Eu frequentava vossa casa... era recebido. Ivan Fiódorovitch...

— E vês agora até que ponto desceste! — interrompeu-o a generala. — Isto quer dizer, afinal de contas, que apesar da bebida não perdeste teus nobres sentimentos, já que assim te comoves. Mas fizeste tua mulher sofrer muito. Em vez de dirigir teus filhos pelo bom caminho, vais tu mesmo parar na cadeia por caloteiro. Anda, *bátiuchka*, vai-te daqui a outra parte, põe-te atrás da porta, num canto, e chora; recorda tua antiga inocência, porque talvez Deus te perdoe. Anda, anda, falo sério. Nada melhor para a emenda que recordar o passado com arrependimento.

Mas não teve necessidade de repetir duas vezes que lhe falava seriamente. O general, como sempre costuma acontecer aos ébrios, era muito sensível e, como todos os ébrios demasiado decadentes, não podia suportar a recordação de seu passado feliz. Assim, levantou e, com tranquilidade, encaminhou-se para a porta, o que fez com que Lisavieta Prokófievna sentisse em seguida compaixão por ele.

— *Bátiuchka* Ardalion Alieksándrovitch! — exclamou. — Fica aqui ainda um momento; todos somos pecadores; quando sentires que a consciência te doa menos, vem ver-me, vais sentar junto de mim e falaremos do passado. É mesmo possível que seja eu cinquenta vezes mais pecadora do que tu. Mas, bem, adeus, vai-te, nada tens que fazer aqui — disse, de repente, assustada diante da possibilidade de que ele voltasse.

— Não vá agora atrás dele — disse Míchkin, detendo Kólia, que se dispunha a correr atrás de seu pai. — Do contrário, ficará imediatamente furioso e tudo terá sido inútil.

— Tem razão; deixa-o em paz; vai buscá-lo dentro duma meia hora — decidiu Lisavieta Prokófievna.

— Veja-se o que lhe acontece por haver falado a verdade uma vez em sua vida: acaba chorando! — atreveu-se a comentar Liébiediev.

— Ora, *bátiuchka*, tu também deves ser muito bonzinho, se é certo o que de ti tenho ouvido — disse Lisavieta Prokófievna, interrompendo-o imediatamente.

A respectiva situação de todos os visitantes, reunidos em torno de Míchkin, foi-se pouco a pouco definindo. O príncipe estava naturalmente em condições de apreciar e apreciava todo o grau de simpatia que sentiam por ele a generala e suas filhas, e, naturalmente, foi absolutamente sincero ao dizer-lhes que naquele mesmo dia, antes que elas chegassem, já havia pensado em fazer-lhes uma visita, não obstante sua enfermidade e o adiantado da hora. Correndo a vista pelas visitas dele, observou Lisavieta Prokófievna que era ainda possível levar a efeito sua intenção. Ptítsin, que era pessoa de muita polidez e de muito tato, deu-se pressa em levantar e retirar-se para os aposentos de Liébiediev, a quem procurou levar com insistência a sair consigo. Este prometeu acompanhá-lo sem demora. Enquanto isso, Vária entrara em conversa com as jovens e ali continuou. Tanto ela como Gânia estavam muito contentes porque o general havia-se retirado; o próprio Gânia não tardou a seguir Ptítsin. Durante aqueles poucos minutos que permaneceu no terraço com as Iepántchini guardou uma atitude discreta, conduziu-se com dignidade e não se desconcertou diante dos enérgicos olhares de Lisavieta Prokófievna que por duas vezes passou-o em revista da cabeça aos pés. Efetivamente, quem o tivesse conhecido antes teria podido pensar que estava muito mudado. Aquilo agradou a Aglaia.

— Foi Gavrila Ardaliónovitch que se retirou? — perguntou, de repente, como costumava fazê-lo, em voz alta, brusca, interrompendo com sua interpelação a conversa das demais pessoas e sem dirigir-se em particular a nenhuma delas.

— Sim — respondeu Míchkin.

— Pois mal o reconheci. Mudou muito e... para melhor.

— Fico muito contente por ele — disse Míchkin.

— Esteve muito doente — disse Vária, com compassiva alegria.

— Mas em que foi que mudou para melhor? — perguntou Lisavieta Prokófievna, com raivosa dúvida e quase assustada. — Donde tiraste isto? Não há tal melhora. Que melhora é essa que vês?

— Não há nada melhor que o "pobre cavalheiro" — exclamou, de súbito, Kólia, que estava todo o tempo de pé, por trás da cadeira de Lisavieta Prokófievna.

— Isto mesmo pensava eu — disse o Príncipe Tsch***, que se pôs a rir.

— Dessa mesma opinião sou eu — assentiu Aglaia triunfalmente.

— Mas de que "pobre cavalheiro" estais falando? — indagou a generala, olhando perplexa e contrariada para todos; mas, ao ver que Aglaia ficava rubra, acrescentou de mau humor: — Deverá ser qualquer sandice. Porque, que negócio é esse de pobre cavalheiro?

— Será por acaso a primeira vez que esse rapazinho, seu favorito, deforma as palavras alheias? — replicou Aglaia com altiva indignação.

Quase sempre, em toda explosão de cólera de Aglaia (e costumava encolerizar-se com muita frequência), apesar de toda a sua seriedade e crueldade aparentes, mostrava tanto da colegial impaciente e incapaz de fingir que por vezes era impossível, ao olhá-la, as pessoas não começarem a rir, o que aumentava sua zanga, pois não compreendia por que riam, nem como podiam, como se atreviam a rir. Riram agora também suas irmãs, o Príncipe Tsch*** e o próprio Príncipe Liev Nikoláievitch, que, não se sabia por que, ficou também vermelho. Kólia ria e pavoneava-se. Aglaia zangou-se seriamente e ficou duplamente bela. Sentava-lhe muito bem sua agitação e até se aborreceu consigo mesma por esse motivo.

— Não têm sido poucas as palavras suas que também falseou! — acrescentou.

— Baseei-me numa declaração da própria senhorita! — replicou Kólia. — Haverá um mês estava a senhorita lendo o *Dom Quixote* e fez essa declaração de que não há nada melhor que um pobre cavalheiro. Não sei a propósito de quem diria isso: se a propósito de Dom Quixote ou de Ievguéni Pávlovitch, ou de alguma outra pessoa; mas dizia-o a propósito de alguém, e disso se falou longamente...

— Vejo que te permites ir demasiado longe, meu rapaz, com tuas conjeturas — *repreendeu-o, mal-humorada, Lisavieta.*

— Mas serei o único? — insistiu, implacável, Kólia. — Todos então disseram o mesmo e agora também o dizem e, se não, há um momento que o Príncipe Tsch***, Adelaida Ivânovna e todos puseram-se do lado do pobre cavalheiro, o que quer dizer que esse pobre cavalheiro sem dúvida existe; e creio que, se não fosse Adelaida Ivânovna, estaríamos todos já cansados de saber quem é o pobre cavalheiro.

— E agora a culpa é minha! — riu Adelaida.

— Não quis pintar o retrato dele... disso é que é culpada. Aglaia Ivânovna rogou-lhe, naquela ocasião, que pintasse o retrato do pobre cavalheiro e até lhe explicou todo o assunto do quadro que ela imaginara, não se lembra? Mas a senhora não quis...

— Mas como ia eu pintá-lo? De acordo com o poema, deduz-se que aquele pobre cavalheiro

> ... A ninguém as feições
> mostrou, pois nunca erguia
> do seu elmo a viseira...

Como podia eu desenhar-lhe então o rosto? Que iria pintar? A viseira? O herói anônimo?

— Não compreendo nada. Que viseira é essa? — exclamou, irritada, a generala, que já começava a compreender de sobra que designavam alguém com essa denominação (provavelmente, já de muito tempo antes convencionada) de pobre cavalheiro. Mas chocou-a, sobretudo, que o Príncipe Liev Nikoláievitch se perturbasse também e, afinal, se desconcertasse de todo, como um menino de dez anos. — Mas não iriam acabar aquelas bobagens? Iriam explicar ou não o que queria dizer isso do cavalheiro pobre? Tratava-se de um segredo tão terrível que não podia ser revelado?

Mas todos continuaram rindo.

— Trata-se simplesmente de uns estranhos versos russos — adiantou, por fim, o Príncipe Tsch***, que, pelo visto, queria quanto antes mudar de conversa, — referentes ao pobre cavalheiro, um fragmento sem começo nem fim. Haverá coisa de um mês estávamos de bom humor na sobremesa e pusemo-nos, como de costume, a procurar um assunto para os futuros quadros de Adelaida Ivânovna. A senhora sabe que, faz muito tempo, a preocupação de toda a família é procurar assunto para os quadros de Adelaida Ivânovna. E alguém, não me recordo quem, trouxe à baila o pobre cavalheiro.

— Aglaia Ivânovna! — exclamou Kólia.

— É muito possível, talvez; só que não me lembro... — prosseguiu o Príncipe Tsch***. — Uns puseram-se a rir desse assunto; outros acharam que não se podia pensar em nenhum outro mais elevado, mas que, para representar o pobre cavalheiro, era preciso, em todo o caso, dar-lhe um rosto. E então começamos a escolher entre os conhecidos, sem que nenhum nos satisfizesse. E assim ficou a coisa. Eis tudo. Não compreendo por que ocorreu a Nikolai Ardaliónovitch trazer agora tudo isso à baila. Que na ocasião nos fez rir, é certo; mas agora já não tem um tico de interesse.

— Ora, para dizer alguma nova sandice, incômoda e ofensiva — decretou Lisavieta Prokófievna.

— Não há tal sandice, nada senão o mais profundo respeito — declarou Aglaia de modo completamente inesperado, com voz grave e séria, que havia conseguido plenamente dominar e vencer sua perturbação anterior. Mais ainda: a julgar por certos indícios, era possível pensar, ao fitá-la, que se alegrava pelo fato de levar adiante a brincadeira, e essa mudança radical aconteceu no momento em que se tornou visível a perturbação crescente de Míchkin, que chegou a atingir proporções extraordinárias.

— Dão risada como uns loucos e logo depois vêm com essa de profundo respeito. Idiotas! Respeito por quê? Diz de uma vez, seja como for, por que vens de repente com isso de profundo respeito?

— Ora, porque existe — continuou Aglaia, com a mesma seriedade e gravidade anteriores, em resposta à pergunta quase colérica de sua mãe, — porque nos tais versos se descreve primeiro um homem capaz de sentir um ideal e depois como, tendo uma vez sentido esse ideal, nele crê e, já animado dessa fé, consagra-lhe toda a sua vida. O que nem sempre acontece nestes tempos. Ali, naqueles versos, não se diz em que consistia precisamente o ideal do cavalheiro pobre; mas salta à vista que seria alguma luminosa imagem, imagem de beleza delicada, e o cavalheiro enamorado, em vez de uma faixa, pendurava ao pescoço um rosário. Na verdade, fala-se ali de certa divisa obscura e não declarada: as letras A.N.B. que trazia escritas em seu escudo...

— A.N.D. — corrigiu Kólia.

— Mas eu digo A.N.B. — interrompeu-o Aglaia, aborrecida. — Seja como for, a coisa está clara: tudo parecia o mesmo a esse pobre cavalheiro, fosse quem fosse e fizesse o que fizesse sua dama. Bastava-lhe tê-la escolhido e posto sua fé em sua graciosa beleza para adorá-la eternamente. Nisto consistia também seu mérito: em que, mesmo se depois ela viesse a ser uma ladra, ele devia continuar acreditando nela e rompendo lanças por sua formosura. O poeta quis, segundo parece, compendiar em uma figura extraordinária toda a enorme concepção do amor platônico do cavalheiro medieval, puro e elevado. É claro que se trata de um ideal. Nesse pobre cavalheiro, tal sentimento chegou a seu último grau até o ascetismo. É força reconhecer que a capacidade de tal sentimento significa muito e que sentimentos semelhantes constituem, por si mesmos, uma qualidade profunda e muito digna, por um lado, de elogio, sem falar de Dom Quixote. O pobre cavalheiro é esse mesmo Dom Quixote, somente que sério e não cômico. Eu, a princípio, não compreendia e dava risada; mas agora amo o pobre cavalheiro e, principalmente, respeito suas façanhas.

Terminou dessa forma Aglaia e, ao olhá-la, teria sido difícil compreender se falava a sério ou de brincadeira.

— Bem, louco ele e loucas suas façanhas! — sentenciou a generala. — Mas tu, menina, mentiste: recitaste uma lição e creio mesmo que isto não te fica bem. Em todo o caso, não são boas maneiras. Que versos são esses? Vamos ouvi-los, pois decerto os sabes de cor. Quero de todo jeito conhecer esses versos. Sempre detestei poesia; sabia que nada de bom podia vir dela. Por Deus, príncipe, tenha paciência, pois, pelo que vejo, eu também vou precisar dela! — disse, fitando o Príncipe Liev Nikoláievitch. Estava muito aborrecida.

Míchkin tentou dizer alguma coisa, mas estava demasiado perturbado para poder falar. Aglaia foi a única que, tendo tomado tantas liberdades na sua tirada, não se mostrou de modo algum confusa, e até parecia alegrar-se. Levantou imediatamente, com a mesma seriedade e gravidade de antes e, com o ar de quem já estava de antemão preparada e só aguardava um convite, caminhou para o meio do terraço e plantou-se diante de Míchkin, que continuava sentado em sua cadeira. Todos, com certo assombro, voltaram-se para olhá-la e quase todos — o Príncipe Tsch***, suas irmãs, sua mãe, — com uma sensação de constrangimento diante daquele novo capricho, que já ia um tanto longe. Mas era evidente que Aglaia gostava precisamente daquela afetação com que dava princípio à cerimônia de recitar os versos. Lisavieta

Prokófievna estava a ponto de fazê-la voltar à sua cadeira, mas no mesmo instante em que Aglaia ia começar a declamar a conhecida balada, dois novos visitantes, que vinham da rua falando em voz alta, apareceram no terraço. Eram o General Iepántchin e um jovem que lhe seguia os passos. A entrada deles causou certo rebuliço.

Capítulo VII

O jovem que acompanhava o general era um indivíduo de vinte e oito anos, alto, forte, com rosto bonito e inteligente, olhos negros, grandes e brilhantes, que lançavam um olhar cheio de malícia e graça. Aglaia nem sequer lhe prestou atenção e continuou recitando seus versos, olhando com afetação para o príncipe e não se dirigindo a outra pessoa senão a ele. Míchkin não deixou de compreender que tudo aquilo era feito com algum fim especial. Mas, pelo menos, vieram os novos visitantes melhorar um tanto o constrangimento da posição dele. Ao vê-los, levantou, cumprimentou de longe com a cabeça o general, fez-lhe sinal de não interromper o recitativo e voltou depressa para sua cadeira, donde, apoiada a mão direita no espaldar, continuou escutando a balada em uma posição mais cômoda e não tão ridícula como sentado. Pela sua parte, Lisavieta Prokófievna, com gesto imperioso, estendeu sua mão duas vezes para os que entravam, intimando-os a deterem-se. O príncipe, entre outras coisas, mostrava demasiado interesse pelo novo visitante que acompanhava o general; adivinhava claramente que não era outro senão Ievguéni Pávlovitch Radómski, de quem já ouvira falar muito e no qual mais de uma vez havia pensado. A única coisa que o despistava era o traje à paisana: tinha ouvido dizer que Ievguéni Pávlovitch era militar. Um sorriso zombeteiro vagava pelos lábios do novo visitante durante todo o tempo que durou a recitação dos versos, como se já tivesse notícia do cavalheiro pobre.

"É possível que tudo isso seja ideia dele", pensou consigo o príncipe.

Mas outra coisa muito diferente se passava com Aglaia. A afetação e veemência primeiras, com que iniciara seu recitativo, sucederam uma grande seriedade e uma extraordinária compenetração com a alma e o pensamento do poeta, pronunciando com tal intenção cada palavra daqueles versos e declamando-os com tão sublime simplicidade que acabou não só por atrair a atenção geral, mas também, ao exprimir o elevado espírito da balada, veio a justificar a forçada gravidade com que tão solenemente se colocara no centro do terraço. Naquela gravidade só se podia ver agora a infinitude e também a ingenuidade de seu entusiasmo pelo poema que se havia comprometido a recitar. Brilhavam-lhe os olhos e um leve e mal perceptível calafrio de inspiração e fervor cruzou duas vezes seu belíssimo rosto. Declamou:

Taciturno e discreto,
De rosto grave e pálido,
Valente e retraído,
Há séculos passados
Vivia no Ocidente
Misérrimo fidalgo.
Certa vez — na verdade,
Do seu elmo a viseira.
De sua visão pleno,
De amor fiel e casto,
Com sangue em seu escudo
A.M.D. traçou.
Quando na Terra-Santa,
Os bravos paladinos

Incrível é o caso!
Viu ele uma visão
Que extático o deixou
E tomou para sempre
Seu coração escravo.
Desde aquela hora e ponto,
O espírito inflamado
Recusa outras mulheres
Olhar ou lhes falar.
Do pescoço lhe pende
Rosário em vez de faixa
Que lhe ajuda a contar
Das orações o número.
E desde aquele instante
A ninguém as feições
Mostrou, pois nunca erguia

Os nomes invocavam
De suas bem-amadas,
Lumen coeli — clamavam
Seus lábios, — *Sancta Rosa!*
Com tal fervor gritava,
Que o inimigo o ânimo
Num instante perdia,
Como se fulminado.
No seu longe castelo
Em terra do Ocidente,
Até que a morte veio,
Sozinho ele viveu,
Sempre longe do mundo.
Sempre calado e plácido.
Sempre isolado e triste,
Até o último alento.

Recordando depois toda aquela cena, Míchkin atormentou-se longo tempo com uma questão para ele insolúvel: como era possível unir sentimento tão delicado e sincero e tão manifesta e maligna burla? Aquilo tinha sido uma burla, disso não podia duvidar; compreendia-o claramente e não lhe faltavam razões: enquanto recitava, permitiu-se Aglaia trocar as letras A.M.D. pelas letras N.F.B. Aquilo não tinha sido um equívoco, nem tampouco tinha ouvido mal. Disso não podia duvidar também (depois ficou demonstrado que assim havia sido). Em todo o caso, a atuação de Aglaia, indubitavelmente uma brincadeira, embora atrevida e forte em excesso, tinha sido coisa preparada. Do pobre cavalheiro falavam todos (e todos se riam) havia um mês. E, não obstante, por mais que procurasse lembrar-se Míchkin, resultava que Aglaia havia proferido aquelas letras, não só sem o menor aspecto de brincadeira ou burla e sem recalcar absolutamente aquelas letras para fazer ressaltar seu sentido oculto, senão que, pelo contrário, com tal seriedade impassível, com tão inocente e ingênua simplicidade, que teria sido possível pensar-se que aquelas mesmas letras estavam também na balada e que assim figuravam impressas no livro. Algo pouco confortável e desagradável atormentava o príncipe.

Era fora de dúvida que Lisavieta Prokófievna não havia compreendido nem notado a troca de letras, nem a alusão. O General Ivan Fiódorovitch não entendeu outra coisa senão que tinham declamado uns versos. Dos demais ouvintes, muitos compreenderam e admiraram a ousadia daquela atuação e daquela intenção, mas calaram-se e fizeram todo o possível por se dar por desentendidos. Mas Ievguéni Pávlovitch (Míchkin apostaria qualquer coisa) não só tinha compreendido, mas até se esforçou por dar a entender que tinha compreendido: sorriu de um modo bastante brincalhão.

— Que beleza! — exclamou a generala, com verdadeiro deleite. — De quem são esses versos?

— De Púchkin, mamãe. Não nos envergonhe, pois toda a gente sabe disso — replicou Adelaida.

— É de admirar que não seja eu mais estúpida com as filhas que tenho! — contradisse, rispidamente, Lisavieta Prokófievna. — Que escândalo! Agora mesmo, assim que chegarmos em casa, havereis de dar-me esses versos de Púchkin!

— Mas se em casa não temos, segundo creio, nada de Púchkin!

— Desde tempos imemoriais — interrompeu-a Alieksandra, — andam por lá dois tomos muito estragados.

— Pois mandaremos imediatamente à cidade, Fiódor ou Alieksiéi, a comprá-los, pelo primeiro trem... É melhor Alieksiéi. Aglaia, vem cá!... Dá-me um beijo. Recitaste muito bem. Mas se o fizeste sinceramente — acrescentou, quase com um fio de voz, — tenho pena de ti; se recitaste com ironia, então não aplaudo teus sentimentos, embora, em todo o caso, tivesse sido melhor que não tivesses recitado nada. Compreendes? Bem; vai-te, menina. Depois tornaremos a falar disto, mas agora não vamos ficar toda a vida aqui.

Enquanto isso, Míchkin cumprimentava o General Ivan Fiódorovitch e este o apresentava a Ievguéni Pávlovitch Radómski.

— Apanhei-o de passagem. Acabava de apear-se do trem. Ficou sabendo que eu vinha para cá e de que estáveis todos aqui.

— Soube que o senhor estava também aqui — interrompeu-o Ievguéni Pávlovitch, — e como já fazia tempo que tinha decidido procurar, fosse como fosse, não só sua amizade, mas também a de seus amigos, não quis perder tempo. Está enfermo? Acabo de saber...

— Estou bastante bem e folgo muito em conhecê-lo. Ouvi falar muito do senhor e até falei a seu respeito com o Príncipe Tsch*** — respondeu Liev Nikoláievitch, estendendo-lhe a mão.

Trocaram recíprocas cortesias, apertaram-se as mãos e olharam-se nos olhos. Num instante a conversação generalizou-se. Observou Míchkin (agora observava rápida e avidamente e era até possível que visse o que não havia) que o traje civil de Ievguéni Pávlovitch produzira ali impressão geral, demasiado viva, a ponto de fazer esquecer e apagar todas as impressões anteriores. Seria possível pensar que naquela troca de traje se ocultava algo de particularmente grave. Adelaida e Alieksandra, perplexas, interrogavam Ievguéni Pávlovitch. O Príncipe Tsch***, seu parente, mostrava também grande inquietude; o general falava quase emocionado. Aglaia foi a única que, curiosa, mas perfeitamente tranquila, olhou um momento para Ievguéni Pávlovitch, como se quisesse comprovar tão somente se o traje civil lhe sentava melhor que o militar. Mas, passados um instante, voltou a cabeça e não tornou mais a olhá-lo. Lisavieta Prokófievna tampouco queria perguntar coisa alguma, embora fosse possível que estivesse também algo intranquila. Míchkin imaginou que Ievguéni Pávlovitch não fosse muito do agrado dela.

— Ele me surpreendeu, causou-me assombro — afirmou Ivan Fiódorovitch, como resposta a todas as perguntas. — Não queria acreditar quando há pouco o encontrei em Petersburgo. Mas por que tão depressa? Este é o enigma! E ele é o primeiro a dizer que não é preciso quebrar os móveis!

Da conversa que se seguiu, vieram a saber que Ievguéni Pávlovitch tinha falado em reformar-se havia muito tempo, mas que nunca falava a sério, de modo que era impossível acreditar nele. Além disso, das coisas sérias falava sempre com ar tão jocoso, que não era possível dar-lhe crédito, sobretudo quando ele não queria que lhe dessem.

— É apenas por uma temporada, por uns poucos meses e nada mais. Um ano, quando muito, e estarei na lista de reforma — disse, sorrindo, Radómski.

— Mas se não tinha necessidade nenhuma disso, pelo menos do que sei a seu respeito — disse o general, ainda com veemência. — Mas a visita às minhas propriedades? O senhor mesmo aconselhou e, além disso, quero fazer uma viagem ao estrangeiro...

A conversa, aliás, demorou em mudar; mas, apesar de tudo, produziu uma inquietação especial, que se prolongou por muito tempo, na opinião de Míchkin, que observava tudo, com máxima atenção, e que dava a entender que em tudo aquilo havia algo de particular.

— De modo que temos outra vez o pobre cavalheiro em cena? — perguntou Ievguéni Pávlovitch, aproximando-se de Aglaia.

Com grande estupefação de Míchkin, ela olhou-o perplexa e inquisitivamente, como se quisesse dar-lhe a entender que entre eles não havia margem para falar do cavalheiro pobre e que ela nem sequer havia compreendido a pergunta.

— Já é tarde, já é tarde para mandar Alieksiéi à cidade comprar o Púchkin! — discutia Kólia com Lisavieta Prokófievna, argumentando com todas as suas forças. — Já lhe disse três mil vezes: é tarde!

— Sim, efetivamente, para mandar agora à cidade é tarde — interveio Ievguéni Pávlovitch, deixando Aglaia. — Creio que em Petersburgo já estarão fechadas as livrarias, pois são quase nove horas — afirmou, olhando o relógio.

— Já que esperou até agora, pode esperar até amanhã — observou Adelaida.

— E, além disso, tampouco está bem — atalhou Kólia, — que as pessoas da alta sociedade se interessem por demais pela literatura. Pergunte a Ievguéni Pávlovitch. É muito mais decente preocupar-se com um coche amarelo de rodas vermelhas.

— Repetes outra vez frases de algum jornal — observou Adelaida.

— Pois se não pode falar senão assim, tirando frases de jornais! — acentuou Ievguéni Pávlovitch. — Colhe frases inteiras das revistas de crítica. Há muito que tenho a satisfação de conhecer a conversa de Nikolai Ardaliónovitch, mas desta vez não copiou dos jornais. Nikolai Ardaliónovitch aludia maldosamente ao meu coche amarelo de rodas vermelhas. Dá-se, porém, que acabo de trocá-lo de modo que chega você tarde com sua ironia...

Míchkin prestava ouvidos ao que dizia Radómski. Pareceu-lhe que se conduzia admiravelmente, com modéstia e jovialidade e agradou-lhe, sobretudo, ver que tratasse tão de igual para igual e tão amistosamente Kólia, que o havia criticado.

— Que é isso? — perguntou Lisavieta Prokófievna, fitando Viera, a filha de Liébiediev, que estava diante dela com uns livros de grandes dimensões, magnificamente encadernados e quase novinhos, nas mãos.

— Púchkin — respondeu Viera. — Nosso Púchkin. Papai mandou que eu os trouxesse.

— Mas como? Será possível? — exclamou, maravilhada, Lisavieta Prokófievna.

— Não é nenhum presente, não é nenhum presente! Não me atreveria a tal! — exclamou por cima do ombro de sua filha o próprio Liébiediev. — A preço de custo. Este é o nosso Púchkin pessoal, da família, edição de Ânnienkov,[36] agora quase impossível de encontrar... por seu preço. Ofereço-a com veneração, desejando

36 Famoso editor russo, contemporâneo de Dostoiévski. Foi a esposa dele, uma das três mulheres de dezembristas, quem entregou um Evangelho a Dostoiévski em Tobolsk, quando ia ele, condenado, a caminho do exílio e da prisão.

vendê-la e ao mesmo tempo acalmar a nobre impaciência dos sentimentos literários de Vossa Excelência.

— Se a vendes, está bem. Não sairás perdendo; mas não faças essas visagens, paizinho. Também ouvi falar de ti; dizem que és muito instruído? Teremos de conversar algum dia. Queres levar tu mesmo os livros à minha casa?

— Com a maior veneração e... respeito — disse, muito contente, Liébiediev, que já havia tomado os livros das mãos de sua filha, com extraordinária satisfação.

— Bem, não vás perdê-los! Leva-os, mesmo sem respeito, mas com uma condição — acrescentou a generala, olhando-o com firmeza, — só até a soleira da porta, pois hoje não te recebo. Em compensação, manda tua filha Viera imediatamente, se quiseres, gosto muito dela.

— Por que não lhe fala o senhor a respeito daquelas pessoas? — disse Viera, dirigindo-se a seu pai com impaciência. — Acabarão entrando assim mesmo, pois já estão ficando impacientes. Liev Nikoláievitch — acrescentou, dirigindo-se a Míchkin, que já havia pegado o chapéu para acompanhar as Iepántchini, que se dispunham a retirar-se, — estão lá fora quatro indivíduos que querem falar com o senhor. Estão esperando há muito tempo e furiosos com papai porque não os deixa entrar.

— Que é que querem? — perguntou o príncipe.

— Dizem que se trata de um assunto; mas são de tal natureza, que acabarão armando um escândalo se não forem recebidos, ou o esperarão no jardim. Creio, Liev Nikoláievitch, que seria melhor que o senhor os recebesse imediatamente e os despachasse duma vez... para que o deixem em paz. Gavrila Ardaliónovitch e Ptítsin estão falando com eles, mas não estão querendo deixar-se convencer a ir embora.

— É o filho de Pávlichtchev, o filho de Pávlichtchevl Não vale a pena, não vale a pena! — disse Liébiediev, gesticulando vivamente. — Não vale realmente a pena ouvi-lo; seria impróprio de dignidade do senhor, sereníssimo príncipe, receber gente como essa. É esta a minha opinião. Não vale verdadeiramente a pena...

— O filho de Pávlichtchev!... Meu Deus! — exclamou o príncipe, presa de suma agitação. — Já sei o que é... Mas eu... eu recomendei todo esse negócio a Gavrila Ardaliónovitch. E Gavrila Ardaliónovitch disse-me há uma hora...

Naquele momento apareceu Gavrila Ardaliónovitch na varanda, seguido de Ptítsin. Na sala próxima ouviu-se ruído, alvoroço, através do qual só se percebia, a intervalos, a voz forte do General Ívolguin que, evidentemente, queria dominar a dos outros. Kólia correu para lá.

— É uma coisa muito interessante! — observou, de repente, Ievgueni Pávlitch gritando tão alto que todos o ouviram.

"De modo que ele já sabe!", pensou Míchkin.

— Como? Um filho de Pávlichtchev? Mas... pode haver um filho de Pávlichtchev? — clamou, admirado, o General Iepántchin, olhando interrogativamente a todos. Com estupefação notou que todos pareciam saber algo daquilo que ele ignorava de todo.

A expectativa geral e o patente interesse dos circunstantes teriam chamado a atenção do menos atento, mas causava indizível assombro a Míchkin que um assunto *que só a ele dizia respeito, fosse já* tão conhecido e tamanho interesse despertasse.

— Seria muito oportuno que o senhor despachasse esse negócio imediatamente — disse Aglaia, adotando, de repente, uma seriedade chocante e aproximando-se de Míchkin, — e espero que nos permita a todos sermos testemunhas. Querem atirar-lhe lama, príncipe! O senhor deve justificar-se e alegro-me de antemão pelo senhor!

— Sim, também eu desejaria ver rechaçada essa pretensão revoltante — exclamou, excitada, a generala. — Caro príncipe, não tenha contemplações; bata-lhes forte, como merecem! Meus ouvidos já estão doendo com essa história escandalosa, e sabe Deus a raiva que me causa. Além disso, seria interessante ver essa gentinha. Mande-os entrar, que nós continuaremos aqui. Tens muita razão, Aglaia, no que acabas de dizer. Ouviu o senhor falar a esse respeito, príncipe? — e se dirigiu ao Príncipe Tsch***.

— Oh! sim. Na casa da senhora. Mas o que sobretudo me interessa é... ver de perto esses rapazinhos — respondeu o Príncipe Tsch***.

— Serão mesmo niilistas esses indivíduos?

— Não, niilistas não são — adiantou-se Liébiediev, que estava também muito agitado. — São outra classe especial de indivíduos. Dizia meu sobrinho que vão mais além dos niilistas. O senhor não pense que vai desconcertá-los com sua presença. Não são dos que se perturbam, excelência. Os niilistas, apesar de tudo, costumam ser instruídos, até mesmo cultos, ao passo que esses outros... vão mais além, porque são antes de tudo homens de ação. É uma espécie de continuação do niilismo, mas eles não seguem pelo caminho reto, e sim de través e de soslaio, nem se contentam com manifestar-se em artigos de jornal, mas vão diretos à ação. Não se trata, por exemplo, de demonstrar a insensatez de Púchkin, nem a necessidade imprescindível de fraccionar a Rússia; não, reclamam, agora como um direito simplesmente, se se deseja algo em extremo, não se deter diante de nenhum obstáculo, ainda que seja preciso sufocar umas oito pessoas. Mas, príncipe, apesar de tudo, não o aconselharia a...

Mas Míchkin já se havia levantado para abrir a porta aos tais visitantes.

— O senhor os calunia, Liébiediev — disse, sorrindo. — O senhor tem muita raiva de seu sobrinho. Não lhe faça caso, Lisavieta Prokófievna. Asseguro-lhe que os Górski e os Danílovi são simples casos isolados e que estes estão... apenas equivocados. Mas preferiria não recebê-los aqui, diante de todos. Perdoe, Lisavieta Prokófievna; entrarão aqui e a senhora poderá vê-los, mas depois sairei com eles. Façam o favor de entrar, senhores!

Imediatamente inquietou-o outro pensamento para ele doloroso. Como um relâmpago cruzou-lhe a mente esta ideia: não seria coisa convencionada de antemão com alguém tratar daquele assunto precisamente naquela hora e naquela ocasião, diante de testemunhas, e talvez esperando seu descrédito e não o seu triunfo? Mas sentiu-se muito triste diante daquela sua "monstruosa e malévola suspeita". Morreria se alguém viesse a saber daquele seu pensamento e no mesmo instante em que entravam seus novos visitantes, estava disposto, com toda a sinceridade, a se achar, em comparação com quantos o rodeavam, na conta do último dos últimos no que se referia à moral.

Entraram cinco homens, os quatro visitantes e, atrás deles, o General Ívolguin, afogueado, cheio de agitação e com um fortíssimo ataque de eloquência. "Esse está, seguramente, de meu lado!", pensou, com um sorriso, Míchkin. Kólia introduziu-se entre eles; falava com muito ardor com Ipolit que era do número dos visitantes. Ipolit escutava-o e ria.

O príncipe mandou os visitantes sentar. Todos eles eram tão jovens, até mesmo tão precoces, que teria podido causar assombro não só sua visita como todos os cumprimentos com que entraram. Ivan Fiódorovitch Iepántchin, por exemplo, que de nada sabia, nem nada compreendia daquele novo assunto, experimentou até indignação ao ver-se na presença daqueles rapazolas e teria decerto protestado se não lhe tivessem parecido estranhos os ardores que tomava sua esposa pelos interesses particulares do príncipe. Ficou ali, afinal, por curiosidade e em parte também por bondade de coração, esperando poder ser útil e, em todo caso, impor-se com sua autoridade. Mas a saudação que de longe lhe fez o General Ívolguin, ao entrar, levou-o a fechar de novo a cara. Assim, pois, franziu o cenho e decidiu manter um silêncio obstinado.

Do número dos quatro jovens um deles era aquele tenente reformado do bando de Rogójin, de trinta anos de idade, boxeador e que havia uma vez dado quinze rublos a um pobre. Adivinhava-se que vinha acompanhando os outros para infundir-lhes coragem na qualidade de amigo sincero e, em caso necessário, prestar-lhes sua ajuda. Entre os demais, o primeiro posto e o primeiro papel correspondiam àquele indivíduo que designavam com a denominação de "filho de Pávlichtchev", embora se tivesse apresentado como Antip Burdóvski.[37] Era um jovem pobre e mal vestido, com um sobretudo com as mangas ensebadas a ponto de espelharem, um colete gorduroso, abotoado até em cima, uma roupa interior perdida não se sabia onde, uma gravata preta, de seda, engordurada até mais não poder e retorcida como uma corda, com as mãos sujas, com a cara sumamente amarelada, louro e, se é lícito assim exprimir-nos, com um ar ingenuamente descarado. Era de estatura mais que baixa, magrelo, de uns vinte e dois anos. Nem a mais leve ironia, nem a mais leve reflexão acusava seu rosto; antes, pelo contrário, um pleno e absoluto convencimento do próprio direito e ao mesmo tempo algo como uma estranha e incessante ansiedade de ser e sentir-se insultado. Falava com emoção, atrapalhando-se e comendo as letras, como se não articulasse de todo as palavras, mas como se fosse gago ou mesmo estrangeiro, não obstante ser de origem russa.

Acompanhava-o, em primeiro lugar, o sobrinho de Liébiediev, que os leitores já conhecem, e além dele, Ipolit. Era Ipolit um jovem de uns dezessete anos ou talvez dezoito, com uma expressão de rosto inteligente, mas sempre irritada e no qual a enfermidade deixara marcas espantosas. Estava magro como um esqueleto, pálido, amarelado; seus olhos soltavam faíscas e duas manchas vermelhas brilhavam em suas faces. Tossia continuamente; cada uma de suas palavras, quase cada respiração sua, era acompanhada de estertor. Saltava à vista que era um tuberculoso em último grau. Parecia que só lhe restavam duas ou três semanas de vida. Estava muito cansado e foi o primeiro que se deixou cair numa cadeira. Os demais, ao entrar, fizeram muitos cumprimentos e mostraram-se mesmo algo embaraçados, embora se mantivessem num aspecto grave e era provável que temessem comprometer de algum modo sua dignidade, o que destoava demasiado de sua reputação de gente que desprezava as inúteis frivolidades mundanas, os preconceitos e quase tudo no mundo exceto seus interesses pessoais.

— Antip Burdóvski — apresentou-se o "filho de Pávlichtchev", atrapalhando-se e *balbuciando*.

37 Literalmente: sem substância, insubstanciado.

— Vladímir Doktorienko — clara e enfaticamente e como que se gloriando de ser Doktorienko, apresentou-se o sobrinho de Liébiediev.

— Keller! — balbuciou o tenente reformado.

— Ipolit Tieriêntiev — disse o último, inesperadamente, com voz aguda.

Todos, por fim, sentaram em fila, nas cadeiras fronteiras ao príncipe; todos, logo depois de se apresentar, franziram a testa e, para ganhar coragem, passavam de mão em mão seus bonés; todos dispuseram-se a falar e todos, apesar disso, mantinham-se calados, aguardando algo com ar de desafio, que queria dizer: "Não, irmãozinho, mentes; não nos enganarás!". Pressentia-se que bastaria que algum, para começar, proferisse a primeira palavra, para que em seguida todos se pusessem a falar ao mesmo tempo, interrompendo-se e cortando a palavra uns aos outros.

Capítulo VIII

— Não esperava nenhum dos senhores — começou Míchkin. — Até hoje mesmo estive enfermo, mas seu assunto — dirigindo-se a Antip Burdóvski, — há um mês que o recomendei a Gavrila Ardaliónovitch Ívolguin, segundo então os avisei. Aliás, não recuso dar uma explicação pessoal, quero apenas que convenham os senhores que é esta uma hora... convido-os a passar comigo para outra sala, se não vai ser coisa para muito tempo... Estão aqui agora estes amigos meus e creiam os senhores...

— Amigos... até onde o senhor queira, mas, não obstante, permita o senhor — atalhou-o, de repente, com tom insistente, embora sem levantar ainda de todo a voz, o sobrinho de Liébiediev, — que lhe digamos que teria o senhor podido conduzir-se para conosco de uma maneira mais delicada e não fazer-nos ficar duas horas à espera no quarto de seus criados.

— Sem dúvida... e eu... isso é modo de proceder de um príncipe?! E o senhor... o senhor creio que é general. Mas não sou seu criado! E eu, eu... — balbuciou, de repente, com anormal emoção, Antip Burdóvski, com os lábios trêmulos, lançando perdigotos, mas falando tão atropeladamente de súbito, que depois de umas dez palavras não foi mais possível entendê-lo.

— É isso proceder como príncipe?! — clamou Ipolit, com voz aguda e sibilante.

— Se a coisa fosse comigo — declarou o boxeador, — isto é, se me afetasse isso diretamente, como a homem bem nascido, então eu, no lugar de Burdóvski... eu...

— Senhor, acabo de saber há um minuto que os senhores estavam aqui, por Deus! — tornou a repetir Míchkin.

— Nós não tememos seus amigos, príncipe, sejam o que forem, porque estamos em nosso direito — tornou a afirmar o sobrinho de Liébiediev.

— Mas que direito tem o senhor, permita-me a pergunta — volveu a gritar Ipolit, mas já sumamente acalorado, — de ventilar o caso de Burdóvski na presença de seus amigos? Não queremos para nada a opinião de seus amigos: sabe-se muitíssimo bem qual poderá ser a opinião de seus amigos!...

— Mas se o senhor, afinal, Senhor Burdóvski, não quer que falemos aqui — conseguiu, por fim, intercalar o príncipe, sumamente excitado diante daquele começo, — propus-lhe justamente passar para outra sala. Mas repito-o a todos os senhores, somente há um momento foi que soube...

— Mas não tem direito, não tem direito, não tem direito!... Seus amigos!... Ora bolas! — tornou a gaguejar Burdóvski, girando em redor de si o olhar, com desafio e ameaça e acalorando-se tanto mais quanto mais aumentava seu receio. — O senhor não tem direito!

E depois de ter dito isso, deteve-se abruptamente, como se se lhe tivesse acabado a corda e fixando os olhos míopes, sulcados de grossas veiazinhas vermelhas, ficou olhando inquisitivamente para o príncipe, com o corpo todo avançado para a frente. Mas dessa vez experimentou Míchkin tal assombro que ficou também em silêncio e se pôs a olhá-lo, de olhos escancarados e sem dizer palavra.

— Liev Nikoláievitch! — chamou, de repente, Lisavieta Prokófievna. — Lê isto imediatamente, agora mesmo, pois se relaciona diretamente com teu caso.

Estendeu-lhe depressa um semanário humorístico e indicou-lhe com o dedo um artigo. Quando já estavam entrando os visitantes, Liébiediev chegou-se por um lado a Lisavieta Prokófievna, a cujos favores aspirava e, sem dizer palavra, tirando de seu bolso de lado, aquela revista, havia-lhe posto diante dos olhos, indicando-lhe uma coluna assinalada, que Lisavieta Prokófievna apressou-se em ler, mostrando-se surpresa e terrivelmente emocionada.

— Não seria melhor não ler em voz alta? — murmurou Míchkin, muito mortificado. — Lerei sozinho... depois...

— O melhor é que leias, que leias agora mesmo, em voz alta! Em voz alta! — disse Lisavieta Prokófievna a Kólia, que havia conseguido abrir caminho até ela. — Alto, diante de todos, para que todos possam ficar sabendo.

Lisavieta Prokófievna era uma senhora veemente e caprichosa, tanto que, de repente e de uma vez, sem parar para pensar, costumava levantar âncora e lançar-se ao alto mar sem consultar o tempo. Inquieto, Ivan Fiódorovitch estremeceu. Mas enquanto todos, no primeiro momento, sem querer, ficavam em seu lugar e aguardavam, perplexos, Kólia abriu a revista e começou a ler em voz alta a passagem que lhe indicara Liébiediev, que havia deslizado até ele:

> PROLETÁRIOS E NOBRES HERDEIROS.
> UM EPISÓDIO DOS LATROCÍNIOS DIÁRIOS E DE TODOS OS DIAS.
> PROGRESSO! REFORMA! JUSTIÇA!

"Casos estranhos sucedem em nossa chamada Santa Rússia, em nossa época de reformas e de iniciativas de grandes Companhias, época de nacionalismos e de centenas de milhões, que se vão todos os anos para o estrangeiro, época de fomento da indústria e de paralisação de mãos laboriosas, etc., etc. Seria coisa de nunca acabar, senhores. De modo que vamos diretamente ao assunto, Ocorreu estranho episódio a um dos nobres herdeiros de nossa decadente aristocracia *(De profundis!)*, daqueles nobres herdeiros, aliás, cujos negócios se perdem definitivamente na roleta, cujos pais se viram obrigados a servir como *junkers* e tenentes e, em geral, morriam condenados por algum inocente desfalque na Administração, e cujos filhos, semelhantes ao herói de nosso relato, ou se acreditavam idiotas, ou incorrem em *delitos de pena capital*, sendo absolvidos a título de lição, ou, finalmente, acabam dando lugar a uma dessas anedotas que assombram o público e cobrem de ignomínia o nosso tempo, já sem isso por demais difamado. Nosso nobre herdeiro, haverá meio ano, calçando polainas à moda estrangeira e tremendo de frio sob um capote ordinário, voltava pelo inverno à Rússia vindo da Suíça, onde tinha estado a curar-se de sua idiotice (sic!). É forçoso reconhecer que é um sujeito de sorte sem falar de sua interessante doença, de que se curara na Suíça (é possível curar-se a idiotice, podeis imaginar tal coisa?), — e que pode servir de prova da verdade do provérbio russo: "De certa classe de gente... é o mundo!". Julgai vós mesmos: tendo ficado, quando ainda criança de leite, órfão de pai, segundo dizem, um tenente que faleceu em vésperas de ser julgado em Conselho de Guerra, por causa do súbito desaparecimento no jogo de todo o dinheiro destinado à sua Companhia, e talvez também por haver maltratado barbaramente com as baquetas um subordinado seu (lembrais-vos dos velhos tempos, senhores?), veio a ser adotado por um riquíssimo proprietário russo. Este proprietário russo — chamemo-lo P***, era dono, no áureo tempo passado, de quatro mil almas servis (almas servis!) — compreendeis, senhores, essa expressão? Eu não a compreendo. É preciso consultar um dicionário explicativo; "a tradição é recente, mas custa trabalho acreditar nela", era ele, pelo visto, um desses russos ociosos e vagabundos que passam a vida vadia no estrangeiro; no verão, nas águas, e no inverno, no parisiense *Château des Fleurs*, onde deixam, além de seu tempo, somas enormes. Pode-se afirmar redondamente que, pelo menos, uma terça parte da renda dos antigos servos tragava-a o *Château des Fleurs* (ditoso ele!). Seja como for, o referido P*** criou o senhorzinho órfão como um príncipe, deu-lhe preceptores e professoras (sem dúvida bonitas), que para esse feito mandou vir de Paris. Mas o senhorzinho herdeiro, último de sua estirpe, era idiota. As professoras do *Château des Fleurs* não serviram de nada e até os vinte anos nosso perfilhado não conseguiu aprender língua nenhuma, nem mesmo o russo. Esta última coisa, aliás, é perdoável. Afinal, pela cabeça russo-feudal de P*** cruzou a fantasia de que lá na Suíça poderiam instruir o idiota; fantasia, afinal de contas, lógica. O preguiçoso e proprietário podia imaginar que por dinheiro se pode comprar até talento no mercado, muito mais na Suíça. Transcorreram cinco anos de tratamento na Suíça, a cargo de certo professor, e o dinheiro gasto ascendeu a mil rublos. O idiota, como é natural, não pode tornar-se inteligente, mas, segundo dizem, começou a parecer um homem, sem dúvida, no que se refere a pecar. De repente, morre P***. Testamento, claro está, não deixou; os negócios habitualmente andavam atrapalhados; havia uma caterva, ansiosa, de aspirantes à herança, além do senhorzinho, último de sua estirpe, que estava tratando sua inata idiotice na Suíça. Embora idiota, intentou, contudo, enganar seu professor e contam que dois longos anos conseguiu estar em casa dele de graça, ocultando-lhe a morte de seu protetor. Mas o professor era um charlatão também. Alarmado afinal com a absoluta falta de dinheiro e mais ainda com o apetite de seu parasita, que já estava com vinte e cinco anos, calçou-lhe suas velhas polainas, deu-lhe de presente seu capote rasgado e expediu-o, por caridade, em um carro de terceira classe *nach Russland*[38], para se ver livre dele. Qualquer um diria que a sorte havia voltado costas a nosso herói. Mas eis a verdade: a fortuna, que havia matado de fome províncias inteiras, verte todos os seus dons, de repente, sobre o aristocrata, como a nuvem de Krilov, que passa ligeira sobre os campos

38 Para Rússia. Forma de indicar, em tabuletas afixadas na parte externa dos vagões, o destino de cada uma das unidades dos trens que, da Alemanha, partiam para o estrangeiro.

ressecos e vai derramar-se no mar. Quase no mesmo instante em que voltava ele da Suíça a Petersburgo, morre em Moscou um parente de sua mãe (que tinha sido, naturalmente, de família de comerciante), um velho comerciante, sem filhos, barbudo e velho-crente, deixando uns tantos milhões indiscutíveis, redondos, cortantes e sonantes (se os tivéssemos, leitores!), tudo para nosso aristocrata, tudo para nosso barão, que estivera a tratar sua idiotice na Suíça. Bem; então mudaram as coisas. Em torno de nosso barão com polainas, que se havia enamorado de certa beldade, de virtude fácil, reuniu-se de repente toda uma pandilha de amigos e amigalhotes, apareceram-lhe até parentes e, como se ainda fosse pouco, toda uma série de senhoritas distintas, doidas para casar, porque, que mais pedir? um aristocrata, milionário, idiota... tudo numa só peça, um marido como não se encontraria nem com uma lanterna, nem que fosse de encomenda..."

— Isto... isto não compreendo! — exclamou Ivan Fiódorovitch no mais alto grau de indignação.

— Não leia mais, Kólia — rogou Míchkin, com voz implorante. Ouviram-se exclamações de todos os lados.

— Lê! Lê, seja o que for! — ordenou Lisavieta Prokófievna, fazendo visíveis esforços para conter-se. — Príncipe! Se o senhor não deixar que ele prossiga... brigaremos.

Não era possível outra coisa. Kólia, sufocado, vermelho, cheio de emoção, com voz agitada, prosseguiu a leitura:

"Mas enquanto nosso rapidamente feito milionário se encontrava, por assim dizer, na glória, sobreveio uma circunstância completamente secundária. Numa belíssima manhã apresentou-se em sua casa um visitante de rosto fleumático e grave, com uma maneira cortês de exprimir-se, porém digno e justo, vestido modesta e decentemente, de ideias com tendências marcadamente progressistas, o qual, em duas palavras, lhe explicou o objeto de sua visita. Era... um advogado famoso; havia-o encarregado de um caso um jovem cujo nome revelou. O dito jovem é, nem mais, nem menos, o filho do falecido P***, embora use outro nome. O libidinoso P*** havia seduzido em sua juventude uma honrada e pobre senhorita da classe de seus servos, mas educada à europeia (tirando vantagem, sem dúvida, de seus direitos senhoriais nos velhos tempos da servidão) e tendo percebido as invisíveis, porém iminentes consequências daquelas relações, deu-se pressa em casá-la com um homem trabalhador e que estava a serviço do Estado, de nobre caráter e que já fazia tempo amava a referida senhorita. A princípio, continuou ajudando os recém-casados, mas não tardou que o marido, impulsionado pelo seu nobre caráter, rejeitasse toda ajuda daquela procedência. Transcorreu algum tempo e, pouco a pouco, foi P*** esquecendo-se, tanto da jovem como do filho de ambos, que vivia com ela, e depois, como é notório, veio a morrer *ab intestato*. A tudo isto, seu filho, que havia nascido no seio de um matrimônio legal, embora criado com outro nome e completamente adotado pelo nobre caráter do marido de sua mãe, o qual também morreu, deixando os dois de todo desamparados, ele e sua mãe enferma, cheia de achaques, inválida, numa província *remota, procur*ava na capital ganhar dinheiro com seu honesto trabalho cotidiano, dando aulas em casa de uns comerciantes, com o qual custeava a princípio os estudos no ginásio, e depois, o assistir como ouvinte as conferências, úteis para ele, que tinha em mira seu futuro progresso. Mas que representam uns vinténs de um comerciante russo em troca de algumas aulas, quando se tem uma mãe enferma, inválida, que, finalmente, com sua morte ocorrida na distante província, quase veio a causar-lhe um alívio? Chegou agora o momento de formular-se uma pergunta: "Como, de acordo com a justiça, haveremos de julgar o nosso aristocrata?". Vós, leitores, pensareis, sem dúvida, que ele disse o seguinte, a si mesmo: "Desfrutei toda a minha vida das dádivas de P***; na minha educação, nas minhas professoras e no tratamento de minha idiotice, foram gastos dez mil rublos na Suíça; eis que agora disponho de milhões, ao passo que o filho de P***, com seu nobre caráter e que não tem a menor culpa do modo de proceder de seu esquecido e libertino pai, vive com dificuldades, dando aulas. Tudo quanto correspondeu a mim, de acordo com a justiça, deve passar para ele. Estas enormes quantias que me foram adjudicadas, na realidade não são minhas. Foi este apenas um erro cego da Fortuna. Eram devidas ao filho de P***. Deveriam tê-las dado a ele e não a mim, filho do capricho fantástico. Se eu fosse realmente grato, sensato e justo, daria agora ao filho dele a metade de meus milhões. Mas como eu, antes de tudo, sou um homem sensato e sei muito bem que, judicialmente, nada me pode reclamar, não lhe darei a metade de meus milhões. Mas como não dar-lhe nada não estaria tampouco bem (nosso aristocrata esquecia-se de dizer a si mesmo que tampouco seria discreto), devo, pelo menos, devolver-lhe aquelas dezenas de milhares de rublos que seu pai gastou para curar-me de minha idiotice. Com isso não faço mais do que satisfazer a minha consciência e a justiça. Porque, que teria sido de mim se P***, em vez de adotar-me, reconhecesse seu filho natural?".

"Mas, não, respeitados leitores. Nossos aristocratas não costumam meditar deste modo. Em que pese toda a eloquência do advogado, que só por afeto ao jovem e quase contra a vontade deste se entusiasmara com a empresa de fazer valer perante o atual milionário e ex-idiota os foros da honra e da justiça, e apresentar-lhe além disso as vantagens da prudência, o idiota educado na Suíça mostrou-se inflexível. E que foi que fez em vez disso? Pois o que fez foi, e continuou sendo, imperdoável, e não se pode desculpá-lo invocando qualquer enfermidade interessante; esse milionário, que mal acaba de descalçar as polainas de seu professor, não compreendeu sequer que o filho de seu benfeitor, que pensa nobremente e se mata de trabalhar dando aulas, não implorava nenhuma proteção benévola, mas apenas o que lhe cabe em direito, e nem sequer o pedia ele próprio, mas seus amigos é que pediam por ele. Inchado de orgulho e entontecido pelo poder dos milhões, que lhe permitem agora impunemente pisotear os deserdados, vai nosso aristocrata e saca do porta-moedas uma nota de cinquenta rublos e a envia com toda a insolência, como uma esmola, àquele nobre jovem. Negais-vos a crer, respeitados leitores? Sentis-vos revoltados, penalizados, lançais gritos de indignação? Mas foi isso que ele fez! Naturalmente, devolveram-lhe no mesmo instante o dinheiro, atiraram-lhe à cara. Mas que solução se há de esperar agora, no estado em que se acham as coisas? Juridicamente, não há que esperar nada; segundo a lei escrita, não se pode atacá-lo; não resta outro recurso senão dar publicidade ao caso. Assim, pois, o entregamos ao juízo do público, garantindo, para terminar, a exatidão de quanto deixamos escrito. Tivemos conhecimento de que um de nossos mais famosos humoristas, ao inteirar-se deste caso, compôs delicioso epigrama que merece vir a público, não só num jornal de província, mas na imprensa da capital, como descrição de costumes, por isso queremos reproduzi-lo aqui:

O caro Liova[39] em cinco longos anos
De Schneider na capa andava bem quentinho.
Viveu como criança, às vezes divertindo-se
Com qualquer pueril e tolo brinquedinho.
Depois voltou à pátria, apertado em polainas,
E viu-se de milhões herdeiro, de repente,
O estudante roubando, alegre, sem remorso,
O príncipe demente!"

Depois que Kólia terminou a leitura, apressou-se em devolver a revista ao príncipe, retirou-se sem dizer palavra para o canto mais próximo, e ali cobriu o rosto com as mãos. Sentia uma vergonha insuportável e sua sensibilidade infantil, que ainda não tivera tempo de acostumar-se à lama, revoltava-se de maneira insuportável. Parecia-lhe que tivesse ocorrido algo de inaudito, algo que de um golpe deitava por terra tudo quanto existia antes e que também ele se tivesse feito culpado por ter lido aquilo em voz alta.

Também os demais pareciam sentir algo de semelhante.

A situação se tornava mais penosa para as jovens que estavam envergonhadas. Lisavieta Prokófievna guardava dentro de si uma raiva tremenda e talvez se arrependesse também amargamente de ter-se intrometido no caso; agora se mantinha em silêncio. A Míchkin sucedia o que costuma ocorrer em transes parecidos às pessoas muito tímidas: sentia a tal ponto vergonha pelo procedimento dos outros, a tal extremo se envergonhava por causa de seus visitantes, que no primeiro momento nem sequer se atrevia a olhá-los. Ptítsin, Vária, Gânia, até Liébiediev, todos mostravam um aspecto de certa confusão. O mais estranho de tudo era que Ipolit e o "filho de Pávlichtchev" pareciam também algo atônitos; o sobrinho de Liébiediev mostrava igualmente visível descontentamento. O boxeador era o único que continuava completamente tranquilo, cofiando o bigode, com grave aspecto e a vista um tanto baixa, mas não de vergonha e pelo contrário, como por efeito de uma nobre modéstia e de um triunfo bastante evidente. Tudo indicava que aquele artigo fora muito de seu agrado.

— O diabo sabe o que é isso — murmurou à meia voz Ivan Fiódorovitch. — Cinquenta lacaios devem ter-se reunido para escrevê-lo.

— Mas permita-me o senhor que lhe pergunte, cavalheiro: como se atreve a ofender com semelhantes suposições? — disse, todo trêmulo, Ipolit.

— É que isso, isso, para um homem de condição nobre... Convenha o senhor, general, se é de condição nobre... que isso é ofensivo — resmungou o boxeador, estremecendo também de repente, torcendo o bigode e arqueando os ombros e todo o corpo.

— Em primeiro lugar, o senhor não precisa chamar-me de cavalheiro, e, além disso, não estou de modo algum disposto a dar-lhe explicações — respondeu-lhe, secamente, Ivan Fiódorovitch, que, terrivelmente aborrecido, levantou-se de seu lugar e, sem dizer palavra, dirigiu-se para a saída do terraço e ficou de pé no primeiro patamar, de costas para os presentes, com grandíssimo desgosto de parte de Lisavieta Prokófievna, que não pensava ainda em mover-se de seu lugar.

39 Diminutivo, masculino, de Liev.

— Senhores, senhores, deixem-me, afinal, falar! — exclamou Míchkin, com pesar e emoção, — e façam-me o favor: falemos de modo que possamos entender-nos! Não ligo, para nada, importância a esse artigo, mas olhem, senhores, nada disso é verdade, nada de quanto diz o artigo. Assim o afirmo, porque os senhores mesmos o sabem. É vergonhoso, de fato, de modo que me causaria grande surpresa, se algum dos senhores o tivesse escrito.

— Até este mesmo instante nada sabia desse artigo — declarou Ipolit. — Não o aprovo.

— Eu, embora estivesse ciente de que o haviam escrito, tampouco teria aconselhado sua publicação, porque é prematuro — acrescentou o sobrinho de Liébiediev.

— Eu sabia dele, mas é que tenho direito... eu... — balbuciou o "filho de Pávlichtchev".

— Como! Foi o senhor quem escreveu isso? — perguntou Míchkin, olhando com curiosidade para Burdóvski. — Não é possível!

— Podemos recusar reconhecer-lhe o direito de formular semelhantes perguntas — intrometeu-se o sobrinho de Liébiediev.

— Não fiz mais do que mostrar meu assombro diante da possibilidade de ter o Senhor Burdóvski... mas... quero dizer-lhes que se os senhores já deram publicidade a esse caso, por que, há momentos, deram-se por ofendidos por querer eu falar dele diante de meus amigos?

— Acabemos de uma vez! — murmurou Lisavieta Prokófievna.

— E também, príncipe, — exclamou Liébiediev, abrindo caminho por entre as cadeiras, impaciente e quase febril, — esquece-se o senhor de que somente sua benevolência e a incomparável bondade de seu coração puderam aceitar recebê-los e ouvi-los, e que nenhum direito têm de reclamar assim, tanto mais quanto deste caso já havia o senhor encarregado Gavrila Ardaliónovitch e ao assim fazê-lo o senhor também se deixou levar por sua excessiva bondade, e que agora, sereníssimo príncipe, encontrando-se rodeado de seus amigos, não pode o senhor sacrificar tal companhia em honra desses senhores, e poderia dizer a todos eles que tomassem imediatamente o caminho da porta, coisa que eu, como dono da casa, veria com o maior prazer...

— Perfeitamente justo! — gritou o General Ívolguin, de repente, lá do fundo da sala.

— Basta, Liébiediev, basta, basta — começou Míchkin. Mas uma explosão de indignação apegou-lhe as palavras.

— Não, perdoe o senhor, príncipe, perdoe o senhor. Isto agora já basta! — disse o sobrinho de Liébiediev, com voz que dominava todas as outras. — Agora é preciso expor o caso com toda a clareza e firmeza, porque está visto que não o compreendem. Aqui se atravessam textos jurídicos e, em virtude desses textos, ameaçam-nos pôr-nos para fora! Mas será verdade que o senhor, príncipe, nos tenha como tão ignorantes que não compreendamos até que extremo o caso não é jurídico e que se lançarem mão da lei não teremos direito de reclamar-lhe nem um rublo? Mas nós precisamente compreendemos que, se bem que não nos assista nenhum direito jurídico, assiste-nos, em compensação, o direito humano, natural, o direito do intelecto sadio e da voz da consciência, e concedemos que esse nosso direito não esteja escrito em nenhum código humano. Não importa.

O homem nobre, honrado, ou o que é o mesmo, o homem de intelecto sadio é obrigado a mostrar-se nobre e honrado e até mesmo naqueles pontos que não constam do código. Daí termos nós vindo sem temor algum de que nos atirassem na rua (como acabam de ameaçar-nos), porque não só não pedimos, mas reclamamos, e sem ter em conta o avançado da hora (embora não tenhamos vindo em hora tão avançada, mas apenas nos fizeram esperar no quarto dos criados), o termos vindo, repito, sem temer nada, deve-se a termos suposto que o senhor é um homem de intelecto sadio, isto é, um homem de honra e de consciência. Sim, é verdade, vimos não humildemente, não como aduladores e parasitas seus, mas de fronte erguida; não em tom de súplica, mas com exigências livres e altivas (ouça-o bem: não em tom de súplica, mas exigindo, tenha-o bem presente). Nós, com dignidade e franqueza, formulamos-lhe esta pergunta: "Reconhece-se o senhor justo ou injusto no caso Burdóvski? Reconhece-se protegido e é possível que até salvo da morte por Pávlichtchev?". Se assim se reconhece (isto salta à vista), então está o senhor disposto ou acha justo, por consciência, ao embolsar agora esses milhões, recompensar o necessitado filho de Pávlichtchev, embora use agora o nome de Burdóvski? Sim ou não? Se sim, isto é, em outras palavras, se tem o senhor o que em nossa língua chamamos de honra e consciência, e eu mais justamente chamo de intelecto sadio, neste caso aceda o senhor às nossas pretensões e o assunto está liquidado. Satisfaça-nos sem mais súplicas nem gratidão de nossa parte; não as espere de nós, uma vez que o senhor não faz por nós nada, senão justiça. Se não quer dar-nos satisfação, isto é, se responde não, neste caso vamos embora imediatamente e corta-se a questão. Dizemos-lhe na cara, na presença de todas estas testemunhas, que o senhor é um homem de pouca inteligência e de baixa cultura; que para diante não se atreverá o senhor, nem terá o direito de chamar-se homem de honra e de consciência, pois quer comprar bastante barato esse direito. Acabei. Deixo formulada a pergunta. Ponha-nos para fora daqui, se se atrever. Pode fazê-lo: conta com a força. Mas tenha presente que nós, apesar de tudo, exigimos e não suplicamos. Exigimos e não suplicamos!...

O sobrinho de Liébiediev, que se havia exaltado muito, fez uma pausa.

— Exigimos, exigimos, exigimos e não pedimos!... — clamou Burdóvski, que se pôs vermelho como um camarão.

Depois daquelas palavras do sobrinho de Liébiediev, operou-se um movimento geral e até ergueram-se murmúrios, embora saltasse à vista que ninguém queria intrometer-se naquele assunto, com a única exceção, talvez, de Liébiediev, que parecia estar atacado de febre. (Coisa estranha: Liébiediev que, evidentemente, estava da parte do príncipe, parecia experimentar certa satisfação de orgulho familiar depois do discurso de seu sobrinho; pelo menos, com certo aspecto especial de satisfação, passeou o olhar pelos presentes.)

— Na minha opinião — começou Míchkin, bastante sereno, — o senhor, Doktorienko, em tudo quanto acaba de dizer tem razão mas só pela metade, e até lhe concedo que em metade um tanto crescida, e estaria completamente de acordo com o senhor se não houvesse passado algo por alto em suas palavras. O que o *senhor passou por alto*, não tenho concretamente forças, nem estou em condições de exprimi-lo com exatidão; mas para que suas palavras sejam plenamente justas falta-lhes algo. Mas vejamos melhor o caso, senhores: digam-me com que objetivo publicaram esse artigo? Porque em todo ele não há uma só palavra verdadeira: tudo se reduz a uma pura calúnia; de modo que, na minha opinião, cometeram os senhores uma vilania.

— Permita o senhor!

— Cavalheiro!

— Isso... isso... isso...! — clamaram ao mesmo tempo, agitados, os visitantes.

— No que toca ao artigo — ressaltou Ipolit, com voz aguda, — no que toca a esse artigo, já lhe disse que nem eu, nem os outros o aprovamos. Escreveu-o este — e apontou o boxeador, que estava sentado junto dele. — Escreveu-o de uma maneira indecorosa, estou de acordo; redigiu-o sem gramática e com um estilo como o que empregam os soldadores como ele. É estúpido e, além disso, descarado, estou de acordo; assim lhe digo todos os dias em plena cara. Mas, não obstante, tinha meia razão; a publicidade é o direito legal de todos e, portanto, também de Burovski. Pelas suas necessidades, responda ele mesmo. No que se refere ao meu protesto em nome de todos contra a presença de seus amigos, considero necessário explicar-lhe, cavalheiro, que protesto unicamente para fazer valer nosso direito, mas na realidade desejávamos nós também que houvesse testemunhas, e há pouco, antes de entrar, todos nós, quatro, éramos dessa opinião. Fossem quais fossem suas testemunhas, ainda que fossem amigos seus, não podiam deixar de reconhecer o direito de Burdóvski (porque é evidente, matemático). De modo que é até melhor que essas testemunhas sejam amigos do senhor: dessa maneira ressaltará a verdade com maior força.

— É verdade; tínhamos concordado nisso — afirmou o sobrinho de Liébiediev.

— Mas, então, por que antes, às primeiras palavras, armaram os senhores tanta gritaria e alvoroço, se era o que desejavam? — exclamou, admirado, Míchkin.

— A respeito do artigo, príncipe — interveio o boxeador, que estava doido para fazer o seu discursinho e animando-se de um modo simpático (cabe suspeitar que sobre ele exercia visível e poderoso influxo a presença das senhoras) — a respeito do artigo, reconheço, efetivamente, que sou seu autor, não obstante acabar de criticá-lo meu amigo enfermo, a quem tenho o costume de perdoar tudo, em razão de seu estado. Escrevi-o eu e publiquei-o no periódico de um amigo leal, como trabalho enviado por um correspondente. Os versos são a única coisa que não é minha, pois saíram, efetivamente, da pena de um famoso humorista. Não fiz mais do que ler o artigo para Burdóvski, e não por inteiro, e ele imediatamente autorizou-me a publicá-lo, ainda que, concordarão os senhores comigo, pudesse eu também tê-lo publicado sem sua autorização. A publicidade é o direito de todos, nobre e benéfico direito. Espero que o senhor mesmo, príncipe, será suficientemente adiantado para não negá-lo...

— Não vou negar nada, mas o senhor deve reconhecer que seu artigo...

— É duro, quer o senhor dizer? Mas olhe aqui: trata-se do interesse da sociedade, reconheça-o, e finalmente, como deixar passar um caso tão flagrante? Tanto pior para os culpados; mas antes de tudo está o interesse público. Pelo que se refere a algumas inexatidões, a algumas hipérboles, por assim dizer, convirá o senhor comigo em que, em primeiro lugar, está a importância da iniciativa e, antes de tudo, estão o fim e a intenção; o que importa é o exemplo benéfico e depois pode-se passar ao caso particular. E além disso há o estilo e o valor cômico... e, de fato, todos escrevem desse modo, reconheça-o. Ah! ah! ah!

— Sim, mas asseguro-lhes que os senhores seguiram um caminho completamente errado! — exclamou Míchkin. — O senhor publicou esse artigo supondo que eu teria de negar-me absolutamente a dar satisfação ao Senhor Burdóvski e, provavelmente, com a intenção de intimidar-me e vingar-se de algum modo. Mas que sabia o senhor? Talvez esteja eu decidido a dar satisfação a Burdóvski. Eu, francamente, diante de todos, digo-lhe que estou disposto a dar-lhe satisfação...

— Eis aqui, finalmente, a palavra inteligente e nobre, de um homem inteligente e nobre! — declarou o boxeador.

— Senhor! — explodiu dos lábios de Lisavieta Prokófievna.

— Isto é insuportável! — resmungou o general.

— Permitam-me, senhores, permitam-me expor-lhes o assunto — rogou o príncipe. — Há umas cinco semanas, Senhor Burdóvski, apresentou-se em minha casa, em S***, o seu agente e representante Tchebárov. O senhor descreveu-o muito bem, Senhor Keller, em seu artigo — e Míchkin dirigiu-se, sorrindo, de repente, ao boxeador. — Não simpatizei com ele. Verifiquei desde o primeiro momento que naquele tal Tchebárov se encontrava a chave de todo este caso e que, para falar francamente, tirara ele vantagem de sua ingenuidade, Senhor Burdóvski, para levá-lo a fazer essa reclamação.

— Não tem o senhor o direito de... eu... não sou um ingênuo... é... — balbuciou Burdóvski, em grande excitação.

— O senhor não tem nenhum direito de fazer tais suposições — interveio, autoritário, o sobrinho de Liébiediev.

— Isto é sumamente ofensivo! — guinchou Ipolit. — Suposição ofensiva, falsa e extemporânea!

— Sou culpado, senhores, sou culpado! — apressou-se em declarar Míchkin. — Tenham a bondade de perdoar-me. É que eu tinha pensado que o melhor seria expressar-nos com inteira franqueza, mas... como queiram os senhores. Disse ao tal Tchebárov que, não estando eu em Petersburgo, encarregaria imediatamente um amigo, dando-lhe plenos poderes, de solucionar esse caso, e assim o comuniquei ao senhor, Burdóvski. Digo-lhes, senhores, com toda a franqueza, que o assunto pareceu-me duvidoso, precisamente por estar nele metido Tchebárov... Oh! não se ofendam, senhores. Por Deus, não se ofendam! — clamou Míchkin, assustado, advertindo de novo sinais de dignidade ofendida, em Burdóvski, e de agitação e protesto em seus amigos. — Isto não pode referir-se ao senhor, pessoalmente, embora eu diga que o caso me pareceu duvidoso. Não conhecia então ainda pessoalmente nenhum dos senhores, nem tampouco os seus nomes. Julgava apenas por Tchebárov. Falo em geral, porque... se os senhores soubessem quão terrivelmente venho sendo enganado desde que entrei em posse dessa herança...

— Príncipe, o senhor é tremendamente ingênuo — observou, sarcástico, o sobrinho de Liébiediev.

— E, além do mais, príncipe e milionário. Com seu coração, talvez, e sem talvez, bom e simples, não pode o senhor subtrair-se, sem dúvida, à lei geral — declarou Ipolit.

— *É possível*, é muito possível, senhores — apressou-se em dizer Míchkin, — embora não compreenda a que lei geral o senhor se refere. Mas continuo: só lhes rogo que não se ofendam sem motivo. Juro que não tenho o menor desejo de ofendê-los. E afinal de contas, senhores, que é isso? Não se pode dizer uma palavra sincera, sem que no mesmo momento se deem por ofendidos? Mas, em primeiro lugar, fiquei muitíssimo chocado que existisse um filho de Pávlichtchev e que vivesse numa situação tão espantosa como a que Tchebárov me descreveu. Pávlichtchev era meu protetor e amigo de meu pai. Ah! por que descreveu o senhor tão falsamente em seu artigo o meu pai, Senhor Keller? Não houve aquele desfalque na caixa da Companhia, nem aquela ofensa a um inferior... Disto estou firmemente convencido. E como pôde mover-se sua mão para estampar calúnia semelhante? Mas o que escreveu o senhor a respeito de Pávlichtchev é totalmente intolerável. Chamou aquele nobre homem de libertino frívolo, tão ousada, tão redondamente, como se, de fato, dissesse a verdade, quando, no entanto, era o homem mais virtuoso do mundo! Era mesmo notavelmente culto; mantinha correspondência com muitas personalidades científicas importantes e investiu muito dinheiro no fomento da ciência. No que diz respeito ao seu bom coração, às suas boas obras, oh! sem dúvida teve o senhor toda a razão ao dizer que era eu então quase idiota e não podia compreender nada (embora soubesse falar e compreender o russo), mas posso agora apreciar tudo quanto recordo no seu verdadeiro valor...

— Permita-me — guinchou Ipolit, — não lhe parece isso demasiado sentimental? Nós não somos meninos. O senhor disse que ia tratar diretamente o assunto e já são dez horas, não se esqueça.

— Muito bem, cavalheiros — concordou Míchkin, imediatamente. — Depois de minha primeira desconfiança, decidi que podia estar equivocado e que Pávlichtchev podia, efetivamente, ter tido esse filho. Mas chocou-me muito que esse filho, tão prontamente, quero dizer, tão publicamente, entregasse o segredo de seu nascimento e, sobretudo, lançasse a desonra ao nome de sua mãe. Porque já naquela ocasião Tchebárov ameaçou-me com a publicidade...

— Que coisa ridícula! — gritou o sobrinho de Liébiediev.

— O senhor não tem o direito... não tem o direito... — clamou Burdóvski.

— Um filho não é responsável pela má conduta de seu pai e a mãe não tem culpa nenhuma — tornou a guinchar Ipolit, com veemência.

— Isto seria uma razão a mais para poupá-la, penso eu... — aventurou-se Míchkin a dizer.

— O senhor não é simplesmente ingênuo, príncipe, mas é possível que seja algo mais — disse o sobrinho de Liébiediev, com um sorriso sarcástico.

— Mas que direito tinha o senhor...? — guinchou Ipolit, com voz que não parecia natural.

— Nenhum, nenhum! — apressou-se em interrompê-lo o príncipe. — Nisto tem o senhor razão, reconheço-o. Mas aquilo foi algo involuntário e imediatamente disse a mim mesmo que meus sentimentos pessoais não deviam influir de modo algum sobre o assunto, porque, se eu me acreditava obrigado a dar satisfação às exigências do Senhor Burdóvski, em atenção a meus sentimentos para com Pávlichtchev, obrigado estava a fazer assim em qualquer caso, isto é, respeitasse ou não respeitasse eu o Senhor Burdóvski. Só fiz menção disso, senhores, porque, apesar de tudo, parecia-me antinatural que um filho revelasse assim tão publicamente o segredo de sua mãe... Em resumo: o que vinha eu tirar a claro de tudo isso era que Tchebárov era um canalha e induzira, com falsidade, o Senhor Burdóvski a cometer essa baixeza.

— Mas isto é intolerável! — gritaram seus visitantes, alguns dos quais até se levantaram de seus assentos.

— Senhores! foi justamente por causa disso que deduzi ser o Senhor Burdóvski um homem simples e desvalido, um homem que se deixava facilmente influenciar por trapaceiros e portanto estava eu muito mais obrigado a prestar-lhe minha ajuda, como a um "filho de Pávlichtchev"... em primeiro lugar, opondo-me às pretensões do Senhor Tchebárov e, além disso, com oferecer-lhe minha adesão e amizade, servir-lhe de guia, e, em terceiro lugar, resolvi entregar-lhe dez mil rublos, isto é, tudo quanto, segundo meus cálculos, teria podido haver gasto comigo Pávlichtchev.

— Como! Só dez mil rublos? — exclamou Ipolit.

— Ora, príncipe, o senhor não se mostra forte em matemática, ou então se mostra forte demais, embora se faça passar por simplório — gritou o sobrinho de Liébiediev.

— Não concordaria em receber os dez mil rublos — disse Burdóvski.

— Antip, aceita! — sugeriu-lhe o boxeador, num apressado e distinto murmúrio, acercando-se dele por trás do espaldar da cadeira de Ipolit. — Aceita-os e depois veremos.

— Escute-me, Senhor Míchkin — guinchou Ipolit. — Compreenderá o senhor que não somos uns imbecis? Não temos nada de tolos, como certamente pensarão seus amigos e essas senhoras que com tanta indignação zombam de nós, e especialmente esse senhoraço — e apontava Ievguéni Pávlovitch, — a quem, naturalmente, não tenho a honra de conhecer, mas do qual creio ter ouvido falar...

— Com licença, senhores, com licença! Tornam a não me compreender! — disse Míchkin, excitado. — O senhor, Keller, não avaliou bem meu capital no seu artigo: não herdei milhões e só possuo talvez a oitava ou décima parte do que o senhor crê. Além disso, não é absolutamente certo que foram gastos comigo dez mil rublos. O Professor Schneider só cobrava seiscentos rublos por ano e ainda assim só os cobrou nos três primeiros anos. Tampouco é verdade que Pávlichtchev tivesse estado alguma vez em Paris em busca de professoras... esta é outra calúnia. Estou certo de que Pávlichtchev gastou comigo, no total, muito menos de dez mil rublos; mas, afinal, já convencionamos essa quantia em números redondos e não há por que discuti-la. Mas não posso oferecer ao Senhor Burdóvski mais do que recebi, mesmo que o quisesse, pois do contrário feriria sua delicadeza; o que de mim se exige é o pagamento de uma dívida, não uma esmola. Não explico a mim mesmo como é que os senhores não compreendam isso. Mas quisera compensar tudo isso com minha amizade, com poder ajudá-lo e ser-lhe útil em todos os sentidos, pois não há dúvida de que o enganaram. Não é possível que seja outra coisa, pois só assim sou capaz de entender que haja podido incorrer em semelhante... em semelhante erro, como o de permitir a publicação nesse artigo do Senhor Keller de parágrafos referentes à sua mãe... Por que voltam os senhores a indignar-se, de novo? Não se pode falar com os senhores duas palavras com tranquilidade! Assim não poderemos entender-nos! E de que me havia equivocado em minhas suposições pude convencer-me agora com meus *próprios olhos* — afirmou Míchkin, esforçando-se por apaziguar os ânimos, sem perceber que só conseguia excitá-los mais.

— Como! De que é que está o senhor convencido?

Pareciam querer lançar-se contra ele, de pura indignação.

— Permitam-me, senhores. Em primeiro lugar, pude conhecer agora o Senhor Burdóvski e já vejo o que ele é... Um inocente a quem todo mundo engana! Um homem indefeso, que eu quisera tomar sob minha proteção. E, além disso, Gavrila Ardaliónovitch (que há tempos me mantinha sem notícias sobre a marcha do assunto, pois andei de viagem e depois estive aqui em Petersburgo três dias enfermo) acaba de comunicar-me hoje mesmo, há uma hora, ao voltarmos a ver-nos, que pela primeira vez percebeu os planos de Tchebárov, que tem provas e que Tchebárov é justamente aquilo que eu presumia que fosse. Já sei, meus senhores, que muita gente me tem como idiota, e desse número é Tchebárov; que tenho fama de homem de quem se pode arrancar facilmente o dinheiro e ele quer agora enganar-me, pondo em contribuição meus sentimentos para com Pávlichtchev. Mas o principal, ouçam-me, meus senhores, deixem-me falar até o fim, é que pôde comprovar-se já que o Senhor Burdóvski não é filho de Pávlichtchev. Há uma hora me comunicou Gavrila Ardaliónovitch que tem disso as provas mais terminantes. Vamos ver, senhores: como encaram agora o assunto? Resulta que não merece crédito nenhum tudo quanto os senhores tinham forjado. Estão ouvindo os senhores? Provas positivas. Não posso crê-lo, não creio ainda, asseguro-o aos senhores. Ainda duvido, pois Gavrila Ardaliónovitch não teve hoje tempo de explicar-me tudo com detalhes. Mas de que Tchebárov é um canalha, disso não tenho já dúvida nenhuma! Ele, e ninguém mais do que ele, foi quem meteu o pobre Senhor Burdóvski e todos os senhores, que apoiam seu amigo (que necessite desse apoio é compreensível), em um negócio fraudulento, pois no fundo de tudo isto não há senão fraude e trapaça.

— Que negócio é esse de trapaça?... Como é que não é filho de Pávlichtchev?... Será possível? — ouviram-se várias exclamações. Todo o bando de Burdóvski mostrava uma excitação e um assombro indizíveis.

— Trapaça, é claro! Que outro nome querem os senhores dar às pretensões do Senhor Burdóvski, quando não tem ele o menor parentesco com Pávlichtchev? Naturalmente, nem pode dizer que não sabia. Mas por isso digo que é digno de compaixão, por causa de sua candura, e não pode ser deixado sem defesa, do contrário também entraria nessa trapaça. Mas estou certo de que não se dá conta disso. Também me vi em situação análoga até minha viagem à Suíça; também proferia palavras incoerentes... a gente quer expressar-se e não consegue... Explico-me: posso muito bem simpatizar com ele, porque também sou algo assim... deixem-me falar. E, finalmente, apesar de tudo isso, não obstante já não ser "filho de Pávlichtchev", e ser tudo isso uma mistificação, não modifico minha resolução e estou disposto a entregar-lhe esses dez mil rublos, em lembrança de Pávlichtchev. Saibam os senhores que, antes de apresentar-se o Senhor Burdóvski, tinha eu a intenção de fundar, com esses dez mil rublos, uma escola em memória de Pávlichtchev. Mas agora será o mesmo investi-los numa escola ou dá-los ao Senhor Burdóvski, já que o Senhor Burdóvski, embora não seja "filho de Pávlichtchev", é quase como se o fosse, já que tão maldosamente o enganaram e se tinha sinceramente em conta de "filho de Pávlichtchev." Escutem também, senhores, o que dirá Gavrila Ardaliónovitch. Terminemos duma vez com este assunto. Não se aborreçam, não se zanguem. Venham sentar. Gavrila Ardaliónovitch vai explicar-nos tudo agora mesmo e eu, confesso-o, estou ansioso por conhecer todos os pormenores. Diz que esteve até em Psk***, com sua mãe, Senhor Burdóvski, que não morreu, segundo fizeram o senhor escrever nesse artigo... Sentem, senhores, sentem!

O príncipe sentou e outra vez conseguiu fazer que sentassem os componentes do bando de Burdóvski, que tinham já levantado. Durante os últimos dez ou vinte minutos tinha falado com calor, impetuosamente, com atropelada impaciência, levado para um lado e outro, lutando por dirigir-se a todos, por dominar as demais vozes e não pôde deixar de deplorar amargamente o ter deixado escapar algumas frases e suposições. Se não o tivessem exacerbado e tirado dos eixos, não se teria excedido em pôr em destaque, tão franca e precipitadamente, diante de todos, algumas de suas presunções e sinceridades supérfluas. Mas ainda não tinham sentado, quando já uma contrição ardente acertou-lhe o coração; além de haver ofendido Burdóvski, ao atribuir-lhe de público a mesma enfermidade de que se havia curado na Suíça, o oferecimento dos dez mil rublos, em vez de fundar com eles uma escola, havia sido formulado, na sua opinião, de um modo grosseiro e imprudente, como um donativo, e principalmente por havê-lo feito em presença de estranhos. "Teria sido melhor esperar e deixar para amanhã, a sós, o fazer-lhe essa proposta — pensou depois o príncipe. — Mas agora já não posso retificar isso. Sim, sou um idiota, um verdadeiro idiota!", decidiu para si, num arranque de vergonha e de insuportável vergonha.

Enquanto isso, Gavrila Ardaliónovitch, que tinha até então permanecido de parte, num obstinado silêncio, adiantou-se, diante do convite do príncipe, pôs-se a seu lado e, tranquila e claramente, começou a expor os resultados das gestões que o príncipe lhe havia confiado. Todos escutavam com extraordinária curiosidade, especialmente toda a turma de Burdóvski.

Capítulo IX

— O senhor não negará — começou ele, encarando Burdóvski, que o escutava com extrema atenção, os olhos cheios de admiração fixos nele, e visivelmente agitado — não negará, nem quererá negar o senhor, sem dúvida, seriamente, que veio a este mundo dois anos justos depois de haver-se casado sua respeitável mãe com o secretário do colégio, o Senhor Burdóvski, seu pai. A data de seu nascimento demonstra-se facilmente com fatos, tanto que a mistificação, bastante ofensiva para o senhor e sua mãe, que desse fato faz em seu artigo o Senhor Keller, só se pode atribuir à travessa fantasia pessoal do dito senhor, que imaginava corroborar com isso os direitos do senhor e secundar seus interesses. O Senhor Keller diz que lhe leu previamente seu artigo, embora não todo... sem dúvida não o leu até esse trecho.

— Não lhe li até aí, efetivamente — deixou escapar o boxeador. — Mas todos os fatos que exponho me foram comunicados por uma pessoa competentíssima e eu...

— Perdoe-me, Senhor Keller — interrompeu-o Gavrila Ardaliónovitch, — deixe-me falar. Asseguro-lhe que haverá de chegar a vez de seu artigo e então poderá o senhor dar-nos suas explicações; mas agora será melhor que levemos as coisas *por ordem. De um modo* inteiramente casual, com o auxílio de minha irmã, Varvara Ardaliónovitch Ptítsina, consegui de sua íntima amiga, Viera Alieksiéievna Zubkova, proprietária e viúva, uma carta do falecido Nikolai Andriéievitch Pávlichtchev, que este lhe havia escrito vinte e quatro anos antes, do estrangeiro. Tendo entrado em contato com Viera Alieksiéievna, por indicação dela, dirigi-me ao coronel reformado Timofiéi Fiódorovitch Viazóvkin, parente longe e grande amigo, em seu tempo, do Senhor Pávlichtchev. Pude obter dele outras duas cartas de Nikolai Andriéievitch, também datadas do estrangeiro. Com essas três cartas, pelas datas e pelos fatos nelas anotados, demonstra-se matematicamente, sem a menor possibilidade de hesitação nem dúvida, que Nikolai Andriéievitch tinha partido para o estrangeiro (onde passou três anos seguidos), ano e meio justos antes que o senhor nascesse, Burdóvski. Sua mãe, como todo mundo sabe, nunca saiu da Rússia... Neste momento não vou ler as referidas cartas. Agora já é tarde; apenas farei constar o fato. Mas se quiser, Senhor Burdóvski, honrar-me amanhã com a sua visita à hora que o senhor designar pela manhã e comparecer com testemunhas (quantas o senhor quiser), além de peritos, para o exame da letra, não tenho a menor dúvida de que o senhor não poderá deixar de convencer-se da verdade palmar do fato que aqui exponho. Se assim fosse, todo esse assunto, naturalmente, cairia pela base e tudo por si mesmo se resolveria.

Outra vez tornaram a produzir-se um movimento geral e uma profunda agitação. O próprio Burdóvski levantou-se, de repente, de sua cadeira.

— Se assim for, terei sido enganado; mas não foi Tchebárov, foi antes, muito antes. Não preciso de peritos, não preciso de entrevista nenhuma. Creio no que o senhor diz e recuso... não aceito os dez mil rublos... Adeus!

Pegou seu boné e afastou a cadeira para retirar-se.

— Se não acha inconveniente, Senhor Burdóvski — deteve-o Gavrila Ardaliónovitch, com voz calma e afável, — fique ainda, por uns cinco minutos ao menos. Deste assunto destacam-se mais alguns fatos sumamente importantes, sobretudo para o senhor, e, em todo o caso, muito curiosos. Na minha opinião, não é possível que o senhor fique ignorante deles e creio que o senhor mesmo folgaria em ver este assunto esclarecido de todo...

Burdóvski sentou-se em silêncio, um tanto cabisbaixo e como que abstraído. Tomou também assento, depois dele, o sobrinho de Liébiediev, que se havia levantado para acompanhá-lo; este último, embora não tivesse perdido a serenidade nem a ousadia, estava visivelmente preocupado. Ipolit mostrava-se muito abatido, triste e como que estupefato. Naquele momento, aliás, tossia tão fortemente que até manchou de sangue o lenço. O boxeador estava quase apavorado.

— Ah! Antip! — exclamou com amargura. — Não te dizia eu... anteontem, que podia acontecer que talvez não fosses filho de Pávlichtchev?

Ouviram-se risadas contidas e dois ou três riram mais forte que os outros.

— O fato que neste momento acaba de aduzir, Senhor Keller — encareceu Gavrila Ardaliónovitch, — é inapreciável. Não obstante, tenho pleno direito, baseando-me em dados exatíssimos, de afirmar que o Senhor Burdóvski, ainda que, sem dúvida, conhecesse bastante bem a data de seu nascimento, ignorava a circunstância dessa estada de Pávlichtchev no estrangeiro, onde passou grande parte de sua vida, voltando apenas à Rússia por temporadas. Além disto, esse fato de sua viagem naquela ocasião é em si muito pouco notável para que dele se lembrassem, ao cabo de vinte longos anos, até mesmo os próprios amigos íntimos de Pávlichtchev, sem falar do Senhor Burdóvski, que ainda não havia nascido. Sem dúvida não pareceu impossível realizar investigações agora; mas estou obrigado a reconhecer que os dados que pude encontrar chegaram a meu conhecimento de modo completamente fortuito e não puderam ser muitos; assim é que, para o Senhor Burdóvski e até para Tchebárov, reunir esses dados teria sido verdadeiramente quase impossível, no caso de haverem pensado nisso. Mas talvez não tivessem pensado...

— Permita-me, Senhor Ívolguin — atalhou-o novamente Ipolit, nervoso. — Mas a que vem toda essa algaravia? Perdoe-me. O assunto já está bastante esclarecido. Todos damos por exato o fato principal. Para que prolongar este jogo pesado e ofensivo? É possível que queira o senhor envaidecer-se com o acerto de suas indagações, demonstrar perante nós e perante o príncipe que bom homem de negócios, que bom pesquisador é o senhor. A não ser que tenha a intenção de empreender a desculpa e defesa de Burdóvski, dizendo que se meteu nessa embrulhada por sua imprevisão. Mas isto é uma insolência, cavalheiro! De suas justificações e desculpas não necessita Burdóvski, segundo deveria o senhor saber. Isto para ele é ofensivo, já está passando agora bastante da conta, encontra-se em posição nada confortável e esta é uma coisa que o senhor deveria adivinhar, compreender...

— Basta, Senhor Tieriêntiev, basta! — conseguiu interrompê-lo Gavrila Ardaliónovitch. — Acalme-se, não se acalore, pois, segundo parece, está bastante doente! Tenho pena do senhor. Neste caso, se o deseja, termino, isto é, vejo-me obrigado a expor resumidamente os fatos que, a meu ver, merecem ser conhecidos em toda a sua integridade — acrescentou, observando certa agitação geral, semelhante à impaciência. — Desejo unicamente expor com provas, para que se inteirem todos os interessados no assunto, que sua mãe, Senhor Burdóvski, só gozou da ajuda e do interesse de Pávlichtchev por ser irmã daquela moça da classe servil da qual esteve Nikolai Andriéievitch tão enamorado em sua mocidade, que sem dúvida nenhuma teria casado com ela, se a moça não tivesse morrido de repente. Tenho provas de que este fato familiar, de todo ponto exato e verídico, é muito pouco conhecido e está até completamente esquecido. Poderia explicar também como tomou a seu cargo o Senhor Pávlichtchev, a mãe do senhor, quando estava ela com dez anos de idade, para educá-la como filha sua; como lhe consignou depois um dote considerável e como todas essas deferências provocaram rumores sumamente alarmantes entre os numerosos parentes de Pávlichtchev, os quais chegaram mesmo a pensar que ele ia casar-se com sua afilhada, embora tudo tivesse vindo afinal a parar no fato de haver-se ela enamorado (e também posso provar isto com toda exatidão) pelo empregado do Cadastro, um tal Burdóvski, quando tinha vinte anos. A este respeito funcionam em meu poder alguns fatos exatíssimos que demonstram como seu pai, Senhor Burdóvski, que não era de modo algum um homem prático, logo depois de haver recebido os quinze mil rublos do dote da mãe do senhor, deixou o serviço, meteu-se em empresas mercantis, foi enganado, perdeu seu capital e, não podendo suportar a miséria, entregou-se à bebida, do que veio a adoecer e, por último, morreu prematuramente, oito anos depois de haver-se casado com sua mãe, Senhor Burdóvski. Depois, segundo testemunho pessoal de sua mãe, ficou esta na miséria e não se sabe o que teria sido dela, não fosse a constante e generosa ajuda de Pávlichtchev, que chegou a dar-lhe até setecentos rublos por ano. Há, além disso, inúmeras testemunhas de que tinha ele pelo senhor, quando era menino, grande carinho. Desses testemunhos, e também das afirmações de sua mãe, é possível concluir que ele gostava tanto do senhor principalmente porque o senhor tinha, quando pequeno, aspecto de gago, de doente, todos os sinais de criança infeliz, digna de dó (e Pávlichtchev, segundo resulta de provas fidedignas, sentiu toda a sua vida especial e terna inclinação por tudo quanto era por natureza coibido e maltratado, principalmente em crianças, fato, a meu ver, de grande importância para o nosso caso). Finalmente, posso ufanar-me, graças a exatíssimas informações desse fato principal, de que nesse afeto extraordinário que pelo senhor sentia Pávlichtchev (graças ao qual entrou o senhor para o ginásio e fez seus estudos sob especial vigilância), foi fazendo nascer, pouco a pouco, entre os parentes e familiares de Pávlichtchev, a ideia de que fosse o senhor filho dele e seu pai um marido enganado. Mas o principal de tudo isso é que essa ideia não chegou a converter-se em convicção cabal e geral senão nos últimos anos da vida de Pávlichtchev, quando todos se inquietavam pelo testamento e quando os fatos iniciais já tinham sido esquecidos e resultavam impossíveis as pesquisas. Sem dúvida alguma, essa ideia chegou também a ocorrer-lhe e apoderou-se por completo de sua alma. Sua mãe, a quem tive a honra de conhecer pessoalmente, embora estivesse a par desses rumores, não sabe na hora presente (ocultei-lhe também isto) que o senhor, seu filho, figura no número dos influídos por eles. Encontrei sua respeitabilíssima mãe, Senhor Burdóvski, em Psk***, doente e na mesma pobreza extrema em que ficou, quando morreu Pávlichtchev. Com lágrimas de gratidão manifestou-me que, somente por sua causa e pela ajuda que o senhor lhe presta, continua ainda vivendo no mundo; espera do senhor no futuro e tem uma fé ardente nos êxitos que o aguardam.

— Isto já é intolerável! — declarou, de repente, o sobrinho de Liébiediev, em voz alta e impaciente. — A que vem toda essa novela?

— Repugnante, indecente! — gritou com energia Ipolit. Mas Burdóvski não advertiu nada e nem sequer se moveu.

— A que vem isso? Por que isso? — assombrou-se astutamente Gavrila Ardaliónovitch, dispondo-se, maldosamente, a exprimir todas as suas conclusões. — Em primeiro lugar, o Senhor Burdóvski pode ter agora a plena convicção de que o Senhor Pávlichtchev lhe tinha esse carinho porque era de seu natural ser generoso e não porque fosse ele seu filho. Era indispensável levar só este fato ao conhecimento do Senhor Burdóvski, que confirmava e aplaudia, há pouco, o Senhor Keller, após a leitura de seu artigo. Falo assim, porque o tenho na conta de um homem honrado, Senhor Burdóvski. Em segundo lugar, resulta provado que não houve o menor intento de fraude, nem sequer de parte de Tchebárov: é este também um ponto de importância para mim, já que o príncipe, há um instante, em seu acaloramento, disse que eu era da opinião de que houvera uma fraude encoberta em todo esse desgraçado negócio. Mas o que houve realmente em tudo isto foi, pelo contrário, uma plena convicção de ambas as partes e, embora se admita que Tchebárov seja um grande canalha, neste caso, efetivamente, não passou de um rábula enredador e trapaceiro. Esperava ganhar muito dinheiro como advogado e seus cálculos não só eram sutis e magistrais, mas exatíssimos: baseavam-se na facilidade com que o príncipe solta o dinheiro e nos seus nobres sentimentos de veneração pelo defunto Pávlichtchev; e apoiavam-se, finalmente (o que é mais importante que tudo), nas conhecidas ideias cavalheirescas do príncipe no referente aos deveres da honra e da consciência. No que se refere especialmente ao Senhor Burdóvski, pode-se também afirmar que este, graças a certa convicção sua, deixou-se impressionar a tal ponto por Tchebárov e todo o seu bando, que iniciou o caso sem nenhum móvel interessado, quase inteiramente para servir a verdade, ao progresso e à Humanidade. Agora, depois dos fatos expostos, já se verá, creio, bem claro que o Senhor Burdóvski é um homem de bem, a despeito de todas as aparências, e que o príncipe pode oferecer-lhe agora, com mais solicitude e gosto do que antes, sua ajuda amistosa e esse apoio ativo a que aludiu, há um momento, ao falar da escola e de Pávlichtchev.

— Alto lá, Gavrila Ardaliónovitch, detenha-se! — clamou Míchkin, com sincero susto. Mas já era tarde.

— Disse-o, por três vezes o disse — gritou, exasperado, Burdóvski, — que não quero dinheiro! Não o aceitarei, porque... não quero! Vou-me embora!

E estava mesmo a ponto de sair correndo do terraço. Mas o sobrinho de Liébiediev segurou-o pela mão e sussurrou-lhe algo ao ouvido. Apressou-se ele a voltar e, tirando do bolso um envelope selado de grandes dimensões, deixou-o em cima da mesa que havia ao lado do príncipe.

— Aí está o dinheiro! Não se riam! Não se riam! O dinheiro!

— Duzentos e cinquenta rublos, que o senhor teve a ousadia de enviar-lhe, a título de donativo, por intermédio de Tchebárov — explicou Doktorienko.

— No artigo falava-se de cinquenta! — clamou Kólia.

— Sou eu o culpado! — disse Míchkin, aproximando-se de Burdóvski. — Sou muito culpado para com o senhor, Burdóvski; mas não lhe mandei esse dinheiro a título de donativo, creia-me! Também me tornei agora culpado... há um momento incorri também em culpa para com o senhor — Míchkin estava muito agitado, mostrava um aspecto de cansaço e fraqueza e suas palavras eram incoerentes. — Falei de fraude; mas não me referia ao senhor, estava enganado. Dizia que o senhor... é a mesma coisa que eu: um doente. Mas o senhor não é o mesmo que eu. O senhor dá aulas, sustenta sua mãe. Eu disse que o senhor havia difamado sua mãe, quando o fato é que o senhor a ama; ela mesma o disse... Eu ignorava isso. Gavrila Ardaliónovitch não chegou a dizer-me antes... incorri em culpa. Tomei a liberdade de oferecer--lhe dez mil rublos; mas fiz mal. Não devia ter procedido desse modo, e agora... é impossível arranjar as coisas, porque o senhor me despreza...

— Mas esta é uma casa de loucos! — exclamou Lisavieta Prokófievna!

— É sem dúvida um manicômio! — afirmou Aglaia, sem poder conter-se e num tom decisivo.

Mas suas palavras se perderam no barulho geral: todos falavam alto, todos discutiam, uns brigavam, outros riam. Ivan Fiódorovitch Iepántchin achava-se no cúmulo da indignação e, com aspecto de homem ofendido, esperava Lisavieta Prokófievna. O sobrinho de Liébiediev disse a última palavra:

— Sim, príncipe, é preciso fazer-lhe essa justiça: sabe aproveitar-se de seu... bem, de sua doença (para exprimir-me mais decorosamente). O senhor soube oferecer de modo tão astuto sua amizade e seu dinheiro, que agora é impossível que um homem honrado os aceite. Isto é já ingenuidade demais, se não é demasiada velhacaria... o senhor saberá melhor do que eu.

— *Com licença, senhores* — exclamou Gavrila Ardaliónovitch, que, no ínterim, havia desenrolado o maço de cédulas. — Aqui não há duzentos e cinquenta rublos, mas apenas cem. Digo isto, príncipe, para que não haja engano.

— Calma, calma — disse o príncipe, agitando as mãos para Gavrila.

— Não, nada de calma! — saltou logo o sobrinho de Liébiediev. — Para nós soa como ofensa essa sua calma, príncipe. Nós não andamos com rebuços; procedemos às claras; sim, aí não há mais do que cem rublos e não duzentos e cinquenta; mas talvez não é o mesmo?

— Não... não, não o é — apressou-se em dizer Gavrila Ardaliónovitch, com ar de ingênua dúvida.

— Não me interrompa o senhor; não somos tão imbecis como o senhor imagina, senhor advogado — exclamou o sobrinho de Liébiediev, furioso. — É certo que cem rublos não são a mesma coisa que duzentos e cinquenta, e a coisa não é a mesma, mas o importante é o princípio; aqui a iniciativa é o principal e o fato de faltarem aí cento e cinquenta rublos é apenas um detalhe secundário. O principal é que Burdóvski não aceita seu donativo, príncipe, que lhe arroja à cara e assim sendo, o mesmo faz cem como duzentos e cinquenta rublos. Burdóvski não quis aceitar os dez mil; nem tampouco teria devolvido os cem rublos, se não fosse honesto. Esses cento e cinquenta rublos deu-os ele a Tchebárov como honorários pela sua atuação junto ao príncipe. Agora dê risada de sua falta de astúcia, de sua inexperiência em negócios; o senhor, sem necessidade disso, fez o possível para ridicularizar-nos, mas não se atreve a dizer que não somos homens honrados. Esses cento e cinquenta rublos, cavalheiro, traremos todos nós ao príncipe, estamos dispostos a devolver até o último rublo e devolveremos tudo, com os juros correspondentes. Burdóvski é pobre, Burdóvski não tem milhões, e Tchebárov, ao regressar de sua diligência, apresentou-lhe a conta. Esperávamos ter ganho... Quem, em lugar dele, teria agido de outro modo?

— Como que quem? — exclamou o Príncipe Tsch***.

— Vou perder o juízo! — gritou Lisavieta Prokófievna.

— Isto me faz lembrar — disse Ievguéni Pávlovitch, pondo-se a rir, e que havia muito estava observando de pé, — a recente e famosa defesa de um advogado que, fazendo valer como justificação a pobreza de seu cliente que matara, sozinho, de uma assentada, seis pessoas, para roubá-las, formulou, de repente, esta conclusão, pouco mais ou menos: “É natural que ao meu defendido, que estava na miséria, tivesse ocorrido cometer esse sêxtuplo homicídio, e a quem, no lugar dele, não teria ocorrido?”. Disse algo assim, somente que muito engraçado.

— Basta! — gritou, de súbito, Lisavieta Prokófievna, quase que tremendo de raiva. — Já é hora de pôr fim a esta mixórdia!

Estava terrivelmente excitada. Ergueu, ameaçadora, a fronte e, com gesto desafiador, altivo e impaciente, passou os faiscantes olhos por toda aquela gente, sem mesmo distinguir em tal instante amigos e inimigos. Era aquela nuvem, por longo tempo reprimida, mas que, por fim, se rasga, de raiva, quando o aborrecimento principal se converte numa ânsia imediata, numa necessidade urgente de brigar com alguém. Os que conheciam Lisavieta Prokófievna compreenderam imediatamente que lhe ocorria algo de especial. Ivan Fiódorovitch disse no dia seguinte ao Príncipe Tsch*** que “costuma ficar assim; mas como naquela noite só muito de longe em longe, uma vez em três anos e nunca mais a miúdo”. “Nunca mais a miúdo!”, acrescentou, pensativo.

— Basta, Ivan Fiódorovitch! Deixe-me! — exclamou Lisavieta Prokófievna. — Para que me oferece você agora o seu braço? Não soube tirar-me daqui antes disso.

Você é homem, é a cabeça da família. Deveria ter-me pegado pela orelha e tirado daqui, se me tivesse mostrado tão estúpida que não quisesse obedecer-lhe. Quando menos por causa de suas filhas deveria ter feito isso! Agora, já sem necessidade de você, vou sozinha, mas a vergonha durará o ano inteiro. Espere que quero agradecer ainda ao príncipe. Obrigado, príncipe, pelo prazer que nos proporcionou! Tive grande satisfação em ouvir essa rapaziada... É uma vileza, uma vileza! É um caos, algo informe, algo que não se vê nem em sonhos! Mas é possível que haja muitos desse tipo?... Cala-te, Aglaia! Cala-te, Alieksandra! Isto não vos incumbe!... Não se aproxime de mim, Ievguéni Pávlovitch, já estou farta do senhor! De modo que tu, rico, ainda lhes pedes perdão! — insistiu, encarando Míchkin. — "Sou culpado por haver-lhe oferecido um capital..." Mas tu, insolentezinho, de que te atreves a rir? — exclamou, fitando, de súbito, o sobrinho de Liébiediev. — "Nós não queremos esse dinheiro; reclamamos e não pedimos." Como se não soubesse ele que esse idiota, amanhã mesmo, irá oferecer-lhes sua amizade e seu dinheiro! Haverás de ir? Irás ou não irás?

— Irei — declarou Míchkin, com voz serena e plácida.

— Estão ouvindo? Era com isso que contavas — disse ela, voltando a encarar Doktorienko. — Pois isso é, para ti, como se já tivesses o dinheiro no bolso, e por isso te gabas, e tentas impressionar-nos... Mas, não, meu pombinho; busca outros malucos, que bem te percebo... vejo todo o teu jogo.

— Lisavieta Prokófievna! — exclamou Míchkin.

— Vamo-nos daqui, Lisavieta Prokófievna. Já é muito tarde e levemos conosco o príncipe — disse o Príncipe Tsch***, com toda a tranquilidade possível e sorrindo.

As moças tinham-se postado a um canto, quase assustadas; o general estava assustado, decididamente; todos os presentes estavam assombrados. Alguns, que se achavam a alguma distância mais, abafavam o riso e cochichavam entre si; a cara de Liébiediev exprimia o último grau do entusiasmo.

— Encontrará escândalo e caos em todas as partes, senhora — disse, embora bastante desconcertado, o sobrinho de Liébiediev.

— Mas não como estes! Mas não como estes daqui, *bátiuchka,* não como estes! — encareceu Lisavieta Prokófievna, com fúria, como se atacada de histeria. — Mas deixem-me! — exclamou, dirigindo-se aos que pretendiam acalmá-la. — Não, como o senhor mesmo, Ievguéni Pávlovitch, contou há um momento desse advogado que, em vista da causa, disse que não havia nada de mais natural que matar, por motivo de pobreza, seis pessoas, pois assim está ocorrendo nestes tempos. Eu, até agora, não havia ouvido coisa semelhante. Agora tenho explicação para tudo! Mas esse gago não chegará a matar também? — e apontou Burdóvski, que a olhava, pasmado. — Apostaria como acabará matando! Teu dinheiro, teus dez mil rublos, não os aceita. É possível que, por consciência, não os aceite mas chegará uma noite em que te matará e sacará do cofre o dinheiro. Vai sacá-los por consciência! Isto, para ele, não é desonroso. Isto será um arrebatamento de nobre desespero, será uma negação, será o diabo sabe o quê... Ufa! Tudo está revolto, todos andam de pés para cima. Há moça que se cria em sua casa e, de repente, em meio da rua, sobe num coche. "Mamãe, há dias que sou a mulher de Kárlitch ou de Ivânitch, por isso, adeus!" Parece-lhes bem portar-se desse *modo? Digno do respeito* natural? O problema feminino? Aí têm os senhores esse menino — e apontou para Kólia, — que já se mete a discutir a respeito do que significa o "problema feminino". Concedamos que tua mãe seja uma imbecil; mas porta-

-te humanamente como ela... Por que entraram vocês antes de cabeças tão erguidas? "Não ouseis cortar-nos o passo; chegaremos. Presta-nos todo o respeito; mas não ouses falar diante de nós. Concedei-nos todas as honras, até mesmo as inexistentes, mas nós vos trataremos pior que ao último dos lacaios." Buscam verdades, defendem o direito; mas, em seu artigo, o caluniam como hereges! "Exigimos, não imploramos, e não ouvireis nenhuma frase de gratidão de nossos lábios, porque fazeis assim para dar satisfação à vossa consciência." Esta é a moral de vocês. Mas se de tua parte não deverá haver gratidão alguma, também o príncipe pode dizer-te, a modo de réplica, que não sente a menor gratidão por Pávlichtchev, já que Pávlichtchev praticava o bem unicamente para tranquilizar sua consciência. Mas o caso é que contavas precisamente com essa gratidão dele para com Pávlichtchev, porque ele não te tomou nenhum dinheiro emprestado, nem nada te deve, e assim sendo, com que contavas tu senão com a gratidão dele? Como é que a recusas? Loucos! De selvagem e inumana tacham a sociedade porque despreza a mulher caída. Mas se chamas de inumana a sociedade, reconhecerás também que essa mulher teve de sofrer dessa sociedade. Mas sendo assim, como tu mesmo a expões nos jornais diante dessa mesma sociedade e exiges que disso não se queixe? Loucos! Vaidosos! Não creem em Deus, não creem no Cristo. Mas a tal ponto estais corroídos de vaidade e orgulho, que acabareis comendo-vos uns aos outros, em verdade vos digo. E não é isto um caos, e um escândalo e uma mixórdia? E depois disto, esse desgraçado será capaz de arrastar-se, pedindo-vos perdão! Mas será que existem muitos de vossa laia? De que rides? De desonrar-me eu juntamente convosco? Se desonrada estou, não há nada que fazer... Mas não te atrevas a rir de mim, imbecilzinho! — e encarou Ipolit. — Mal podes respirar, e pervertes os outros. És o que mais deitou a perder esse menino — e tornou a apontar para Kólia. — Tu, e ninguém mais do que tu, o perverteste; tu o tornas ateu; tu não crês em Deus e tu mesmo não tens idade bastante para te flagelares a ti mesmo. Mas vão todos para o diabo! De modo que irás amanhã procurá-los, Príncipe Liev Nikoláievitch? Irás? — perguntou, de novo, ao príncipe, ofegante.

— Irei.

— Depois disto não quero mais saber de ti! — Deu meia volta para retirar-se, mas voltou-se, outra vez, de repente. — Irás também ver esse ateu? — apontou para Ipolit. — Mas, por que te ris de mim? — gritou de um modo antinatural e, de súbito, avançou para Ipolit, sem poder suportar suas risadas.

— Lisavieta Prokófievna!... Lisavieta Prokófievna!... Lisavieta Prokófievna!.... — gritaram ao mesmo tempo de todos os lados. — *Mamacha,* isto é uma vergonha! — exclamou Aglaia em voz alta.

— Não se preocupe, Aglaia Ivânovna — respondeu Ipolit, tranquilamente, tendo-lhe Lisavieta Prokófievna agarrado a mão que, sem saber por que, apertava com força; estava diante dele e parecia traspassá-lo com seus furiosos olhos. — Não se preocupe; sua mamãe mesma vê que é impossível arremeter contra um homem que está nas últimas... Estou pronto a explicar-lhe a razão de minhas risadas... Muito me alegrará, com sua licença...

Mas, de repente, deu-lhe um ataque de tosse e durante todo um minuto não pôde dominá-lo.

— Está morrendo, bem se vê, e não deixa a oratória! — exclamou Lisavieta Prokófievna, soltando a mão dele e olhando-o com terror, ao ver como enxugava o sangue dos lábios. — Por que te metes a falar? O que deves fazer, simplesmente, é ir para a cama...

— Assim o farei... — respondeu Ipolit, serenamente, estertorando e quase num sussurro. — Assim que voltar para casa, me deitarei... Sei muito bem que dentro dumas duas semanas estarei morto... Assim me disse a semana passada o próprio B***. De modo que, se a senhora me permite, vou lhe dizer duas palavras de despedida.

— Mas estás louco ou que é que se passa contigo? Absurdo! O que tens que fazer é curar-te e deixar de discursos! Vai-te, vai-te, deita-te! — gritou Lisavieta Prokófievna, assustada.

— Vou me deitar e não me levantarei até que morra — disse, sorrindo, Ipolit. — Já a noite passada teria de boa vontade me deitado para não me levantar mais; decidi, porém, deixar isso para amanhã, quando os pés já se terão negado a sustentar-me... com o fim de vir aqui... só que estou já muito cansado...

— Senta, senta. Por que estás de pé? Aqui tens uma cadeira — exclamou Lisavieta Prokófievna e ela mesma lhe ofereceu assento.

— Obrigado — continuou Ipolit, com voz serena. — Sente-se a senhora diante de mim e conversaremos... É absolutamente preciso que conversemos, Lisavieta Prokófievna; agora já não há mais remédio... — e tornou a sorrir-lhe. — Pense a senhora que hoje é o último dia em que ando ao ar livre e entre pessoas, e que dentro de duas semanas estarei, decerto, debaixo da terra. Quero dizer que é como se estivesse me despedindo das pessoas e da natureza. Embora nada tenha de sentimental, imagine a senhora, gosto muito de que todo esse assunto tenha sido ventilado aqui, em Pávlovsk, porque, afinal de contas, no campo veem-se árvores.

— Mas para que falar tanto? — objetou Lisavieta Prokófievna, cada vez mais assustada. — Estás com febre. Há um momento gritavas e vociferavas e agora mal podes respirar. Descansa!

— Já estou melhorando. Mas por que a senhora não quer ceder ao meu derradeiro desejo?... A senhora não sabe há quanto tempo venho sonhando com conhecê-la, Lisavieta Prokófievna! Ouvi falar muito da senhora, por meio de Kólia. Foi este o único que não me abandonou... A senhora é uma mulher original, uma mulher excêntrica. Vejo-o agora por mim mesmo... Sabe que já tenho um pouco de carinho pela senhora?

— Meu Deus! E eu que estive a ponto de bater-lhe!

— Conteve-a Aglaia Ivânovna! Se não estou equivocado. Porque essa é sua filha Aglaia Ivânovna, não? É tão formosa que, antes, ao entrar, ao primeiro olhar, adivinhei que era ela, embora nunca a tenha visto. Deixe-me contemplar uma beleza pela última vez em minha vida — disse Ipolit, com certo sorriso forçado, contraído. — Está aqui também o príncipe, e o marido da senhora e toda uma audiência. Por que haveria a senhora de negar meu último desejo?

— Uma cadeira! — gritou Lisavieta Prokófievna; mas depois foi ela mesma pegar uma, sentando-se nela diante de Ipolit. — Kólia — ordenou, — vai-te com ele agora mesmo, leva-o à sua casa e amanhã sem falta, eu...

— *Se a senhora me permit*isse, pediria ao príncipe uma xicarazinha de chá... Estou muito cansado. Não queria a senhora, Lisavieta Prokófievna, levar o príncipe à sua casa para oferecer-lhe chá? Pois fique aqui. Passaremos o tempo juntos e, sem dúvida, o príncipe dará chá a todos nós. Perdoe-me que me ponha a dar ordens... Mas sei que a senhora é boa e o príncipe também... Todos nós somos bons até um grau cômico...

Míchkin pôs-se em movimento. Liébiediev saiu da sala a toda a pressa e atrás dele, Viera.

— Na verdade — decidiu, cortante, a generala, — fala, mas baixinho e sem te agitares tanto! Causaste-me piedade, príncipe! Não sou digna de tomar chá em tua casa; mas seja, ficarei, ainda que sem pedir perdão a ninguém! A ninguém! Seria absurdo!... Aliás, se te falei mal, perdoa-me, isto é, se quiseres. Eu, afinal, não retenho ninguém — e voltou-se, de repente, com ar de desusado enfado para seu marido e suas filhas, como se estes se tivessem feito culpados de algo horrendo para com ela. — Sei ir sozinha para casa...

Mas não a deixaram terminar. Todos se aproximaram e rodearam-na, solícitos. Míchkin apressou-se em rogar a todos que ficassem para tomar o chá e desculpou-se por não haver pensado nisso antes. Até o general ficou tão amável que balbuciou umas palavras tranquilizadoras e carinhosamente perguntou a Lisavieta Prokófievna: "Não estaria muito fresco no terraço?". Esteve a ponto de perguntar também a Ipolit: "Está há muito tempo na Universidade?", mas se conteve. Ievguéni Pávlovitch e o Príncipe Tsch* * * puseram-se, de repente, muito amáveis e alegres; os semblantes de Adelaida e Alieksandra exprimiram, além do prolongado assombro, grande satisfação; numa palavra: estavam todos visivelmente contentes por ter terminado a crise de Lisavieta Prokófievna. Aglaia era a única que parecia zangada e mantinha-se em silêncio, sentada à distância. Ficaram também todos os demais visitantes; nenhum quis ir, nem sequer o General Ívolguin, a quem Liébiediev, de passagem, havia segredado algo ao ouvido, provavelmente não de todo agradável, já que o general se retirou de imediato para um canto. Míchkin aproximou-se para convidar também Burdóvski e todo o seu bando, sem esquecer ninguém. Murmuraram eles, com aspecto acanhado, que aguardavam Ipolit e, imediatamente, retiraram-se para o extremo do terraço, donde voltaram a sentar-se em fila. O chá devia estar já preparado havia muito em casa de Liébiediev, porque não tardaram em trazê-lo. Deram onze horas.

Capítulo X

Ipolit molhou os lábios na xícara de chá que lhe oferecera Viera Liébiediev; pousou a xícara em cima da mesa e, de repente, como aturdido, quase fora de si, girou a vista em seu redor.

— Veja a senhora, Lisavieta Prokófievna, essas xícaras — e as palavras saíam-lhe atropeladas ao falar, de um modo estranho, — que são de porcelana e, segundo parece, de uma porcelana magnífica, Liébiediev conserva-as sempre guardadas no armário, por trás dos cristais, escondidinhas e nunca as tira para fora... Vieram no dote de sua mulher... e agora as tira para fora em sua honra, naturalmente, para que a senhora veja quão contente ele está...

Quis acrescentar algo, mas não conseguiu.

— Atrapalhou-se. Já o esperava! — murmurou, de repente, Ievguéni Pávlovitch ao ouvido do príncipe. — É perigoso, não é verdade? O sinal mais certo de que se prepara para dizer uma extravagância que irá surpreender a própria Lisavieta Prokófievna.

Míchkin olhou-o interrogativamente.

— O senhor não teme as extravagâncias? — acrescentou Ievguéni Pávlovitch. — Eu tampouco; até me agradam, ainda que não fossem senão para que a nossa querida Lisavieta Prokófievna levasse o que mereceu, e agora mesmo, sem ver isso, não me retiro. Mas o senhor parece estar com febre.

— Depois, deixe-me agora. Sim, não me sinto bem — respondeu Míchkin, distraída e até impacientemente.

Tinha ouvido seu nome; falavam dele.

— A senhora não acredita? — indagou Ipolit, com um riso histérico. — É natural, mas o príncipe acreditou desde o primeiro momento e não mostrou o mínimo assombro.

— Ouviu, príncipe? — perguntou Lisavieta Prokófievna, voltando-se para ele. — Ouviu?

Soaram risadas. Liébiediev apressou-se em abrir caminho até pôr-se diante de Lisavieta Prokófievna.

— Ele estava dizendo que esse palhaço aí, teu hospedeiro, foi quem corrigiu o artigo desse cavalheiro referente a ti, que acabam de ler.

Assombrado, o príncipe fitou Liébiediev.

— Por que estás tão calado? — e Lisavieta Prokófievna chegou a dar uma pancada com o pé, no chão.

— Bem, e com isso? — murmurou o príncipe, que continuava a fitar Liébiediev. — Estou vendo que o corrigiu.

— Deveras? — e Lisavieta Prokófievna voltou-se rápida para Liébiediev.

— É a pura verdade, excelência! — respondeu Liébiediev em tom firme e resoluto, levando a mão ao coração.

— Parece que se ufana disso! — e Lisavieta Prokófievna por pouco não salta da cadeira.

— Um vilão, um vilão! — balbuciou Liébiediev, dando punhadas no peito e curvando cada vez mais a cabeça.

— Mas que tenho eu que ver com que sejas um vilão? Pensas que dizendo um vilão tudo se arranja? E não te causa vergonha, príncipe, tratar com gente dessa laia? Digo-te outra vez. Nunca te perdoarei.

— A mim o príncipe perdoa! — disse Liébiediev, convicto e contrito.

— Só por pura nobreza — disse Keller, de repente, que se havia aproximado, forte e sonoramente, encarando Lisavieta Prokófievna, — só porque sou nobre, senhora, e para não descobrir um amigo, mantive silêncio a respeito das correções, não obstante haver ele querido deitar-nos pela escada abaixo, segundo os senhores ouviram. Para restabelecer a verdade, confesso que, efetivamente, recorri a ele, dando-lhe seis rublos; porém não para que me emendasse o estilo, mas para que, como pessoa informada que era, me indicasse os fatos que eu, na sua maior parte, *desconhecia*. No tocante às polainas, ao apetite em casa do professor suíço e aos cinquenta rublos em vez dos duzentos e cinquenta... em resumo: toda essa parte corresponde a ele e por tudo isso lhe paguei seis rublos; mas não me corrigiu o estilo.

— Devo advertir — atalhou-o Liébiediev, com impaciência quase febril e voz trêmula, entre risadas cada vez mais gerais dos presentes, — que só lhe corrigi a primeira metade do artigo; mas como daí não passamos e discutimos por causa de uma ideia, não lhe corrigi a segunda metade, por isso lhe saiu tão mal escrita (um disparate completo!). De modo que não se deve me atribuir...

— Vejam por que é que se acaloram tanto! — exclamou Lisavieta Prokófievna.

— Permita-me uma pergunta — disse Ievguéni Pávlovitch, dirigindo-se a Keller. — Quando corrigiram o artigo?

— Ontem de manhã — respondeu Keller. — Reunimo-nos, dando-nos palavra de honra de manter o segredo.

— E se arrastava diante de ti e jurava-te fidelidade! Eis que gentinha! Olha: não quero o teu Púchkin e não vá tampouco tua filha ver-me!

Lisavieta Prokófievna fez menção de levantar, mas, de repente, fitou Ipolit que ria.

— Escuta, meu caro: pensas pôr-me daqui para fora com tuas risadas?

— Deus me livre! — e Ipolit simulou um sorriso. — Mas é que a mim o que mais irrita é sua extraordinária excentricidade, Lisavieta Prokófievna. Confesso: levei a conversa a respeito de Liébiediev de propósito; sabia que iria causar-lhe profunda impressão, somente à senhora, porque o príncipe, efetivamente, lhe perdoa, decerto já lhe perdoou... e até é possível que já ande buscando em sua imaginação alguma desculpa para ele, não é verdade, príncipe?

Ofegava, penosamente, e sua emoção tornava-se maior a cada palavra.

— Mas como? — exclamou, colérica, Lisavieta Prokófievna, espantada com aquele tom dele. — Que é isso?

— Já tinha ouvido contar muitas coisas da senhora nesse estilo... e com grande prazer... já aprendera a estimá-la intensamente... — prosseguiu Ipolit.

Dizia uma coisa, mas de modo como se quisesse dizer aquelas mesmas palavras num sentido totalmente diverso. Falava com tons de zombaria e, ao mesmo tempo, dava mostras de estranha agitação, fazendo girar a cada momento o olhar em redor de si, confundindo-se e atrapalhando-se visivelmente a cada palavra, tudo o que, unido a seu aspecto de tísico e a seus olhos, que cintilavam estranhamente, continuava atraindo sobre ele a atenção involuntária de todos.

— Teria motivos de assombrar-me, embora nada conheça do mundo (estou certo disto), diante do fato de que a senhora ficasse em nossa companhia, indivíduos a seu ver indecorosos, e, mais ainda, ficassem também essas... senhoritas a escutar um assunto escandaloso, muito embora já tenham lido de tudo nos romances. É possível que eu, afinal, não sei... porque haveria de assombrar-me. Mas, em todo o caso, quem senão a senhora poderia ficar... a instâncias de um menino (bem, sim, de um menino, também o reconheço), para que passasse a noite com ele e tomasse... parte em tudo e... viesse a sentir vergonha no dia seguinte... (Devo admitir, aliás, que não me exprimo bem.) Aplaudo tudo isso grandemente e inspira-me profundo respeito, embora a julgar pela cara que faz sua Excelência, seu marido, não esteja ele achando graça nenhuma em tudo isso... Ih! ih! ih! — riu, acabando de atrapalhar-se e, de súbito, sobreveio-lhe tal ataque de tosse, que não pôde continuar a falar durante alguns minutos.

— Fica até sem fôlego! — declarou Lisavieta, fria e cortante, contemplando-o com severa curiosidade. — Bem, rapazes, basta! Já é hora!

— Permita-me também, cavalheiro, que lhe faça observar de minha parte — disse, de repente, Ivan Fiódorovitch, nervosamente, acabando de perder a paciência, — que minha esposa se encontra aqui, em casa do Príncipe Liev Nikoláievitch, nosso comum amigo e vizinho, e que, em todo caso, não é ao senhor, um frangote, que incumbe julgar a conduta de Lisavieta Prokófievna, assim como tampouco falar do que se reflete em minha cara. Não, senhor. E se minha mulher ficou aqui — continuou dizendo, cada vez mais nervoso a cada palavra, — foi, antes, cavalheiro, por uma curiosidade, compreensível nestes tempos, de ver de perto uns jovens estranhos. Eu também fiquei, da mesma maneira que, por vezes, para a gente na rua, quando vê algo de notável e que se pode ver como... como... como...

— Como uma coisa rara — completou Ievguéni Pávlovitch.

— Muito bem dito, exatamente — festejou Sua Excelência, que se atrapalhara um tanto em sua comparação. — Isto mesmo: como uma coisa rara. Mas, em todo o caso, a mim o que mais assombra e até atenaza, se é lícito, de acordo com a Gramática, assim me exprimir, é que o senhor, meu rapazola, seja até esse ponto incapaz de compreender que se Lisavieta Prokófievna ficou agora aqui a instâncias suas é porque está o senhor doente, se é que efetivamente vai o senhor morrer, por compaixão, por causa de suas palavras queixosas, cavalheiros, e nenhuma lama poderá jamais macular o seu nome, suas qualidades, nem seu significado... Lisavieta Prokófievna! — terminou, pondo-se vermelho, o general. — Se te parece que devemos ir, despeçamo-nos de nosso bom príncipe, e...

— Obrigado pela lição, general — interrompeu-o Ipolit, séria e inesperadamente, fitando-o pensativo.

— Vamo-nos, mamãe, que isto não acaba nunca! — disse Aglaia com impaciência, levantando-se de sua cadeira.

— Dois minutos ainda, Senhor Ivan Fiódorovitch, se me permite — disse Lisavieta Prokófievna, voltando-se com dignidade para seu marido. — Penso que ele está com febre e delira, simplesmente. Convencem-me disso seus olhos. Não é possível deixá-lo assim. Liev Nikoláievitch! Não poderia passar ele a noite contigo aqui, para não ter de voltar hoje a Petersburgo? *Cher prince*, espero que não esteja aborrecido — interpelou ela, bruscamente, o Príncipe Tsch*** — Vem cá, Alieksandra; deixa que te arranje os cabelos, meu bem.

Ajeitou-lhe os cabelos, que nada tinham a ajeitar e beijou-a. Só para isto a havia chamado.

— Considerava vocês capazes de desenvolvimento mental — tornou a dizer Ipolit, saindo de sua meditação. — Sim! Era isso o que queria dizer! — exclamou, alvoroçado, como que recordando. — Porque Burdóvski quer sinceramente proteger sua mãe, não é verdade? E, no entanto, verifica-se que acaba difamando-a. O príncipe, por sua parte, quer ajudar a Burdóvski; com toda a pureza de coração oferece-lhe sua terna amizade e dinheiro e talvez seja o único de todos vocês que não lhe tenha aversão, e, no entanto, aí os têm os senhores feitos inimigos um do outro... Ah! ah! ah! Todos vocês detestam Burdóvski porque pensam que ele se portou de maneira tão feia e indelicada com sua mãe, não é? Todos vocês morrem de amores pela beleza e delicadeza da forma. É só isso que estimam, não é verdade? (Há algum tempo vinha eu suspeitando de que só estimavam isso!) Pois bem, sabem que talvez nenhuma de vocês queira tanto à sua mãe como Burdóvski. O senhor, príncipe, já sei, enviou dinheiro, em segredo, por intermédio de Gânia, à mãe de Burdóvski e até aposto também... ih! ih! ih! — riu histericamente, — aposto também que o próprio Burdóvski o acusa agora de haver procedido de forma pouco delicada e com pouco respeito para sua mãe. Juro que assim será. Ah! ah! ah!

De novo, faltou-lhe a respiração e rompeu a tossir.

— Bem, é tudo? Já disseste tudo? Pois então vai dormir agora, tens febre — interrompeu-o, com impaciência, Lisavieta Prokáfievna, que não afastava dele seu olhar inquieto. — Ai! meu Deus! ei-lo que continua a falar.

— Ao que parece, o senhor está rindo. Por que haverá de rir de mim? — interpelou Ipolit, de repente, inquieto e nervoso, a Ievguéni Pávlovitch, que, efetivamente, pusera-se a rir.

— Queria unicamente perguntar-lhe, senhor... Ipolit... Perdoe-me: esqueci-me de seu nome de família.

— Senhor Tieriêntiev — disse o príncipe.

— Isto mesmo: Tieriêntiev. Obrigado, príncipe. Há pouco o ouvi, mas perdera-o de memória... Queria perguntar-lhe, Senhor Tieriêntiev, se é verdade isso que me disseram, que o senhor acredita que lhe bastaria falar um quarto de hora, de uma janela ao povo, para que toda a gente ficasse convencida e todos o seguissem.

— Talvez tenha dito mesmo... — respondeu Ipolit, como que se lembrando. — Devo ter certamente dito — acrescentou, de súbito, voltando a animar-se e olhando fixamente Ievguéni Pávlovitch. — Que tem isso de particular?

— Nada. Só perguntei para comprovar.

Ievguéni Pávlovitch ficou calado, mas Ipolit continuou a olhá-lo numa expectativa impaciente.

— Mas será possível que não acabem com isso? — e Lisavieta Prokófievna encarou Ievguéni Pávlovitch. — Acabe logo, meu caro, pois tem de ir deitar-se. Não sabe disso? — Mostrava-se muito desgostosa.

— De minha parte, não hei de acrescentar muito mais — disse, sorrindo, Ievguéni Pávlovitch, — senão que tudo quanto ouvi seus companheiros dizerem, Senhor Tieriêntiev, e tudo quanto o senhor acaba de expor, com indubitável talento, funda-se na teoria do direito triunfante, diante de tudo e por cima de tudo, e até com exclusão de tudo mais, e até antes de averiguar-se em que consiste o direito. Estou equivocado?

— Claro que está. Eu mesmo não o compreendo... Que mais?

Num canto soaram rumores. O sobrinho de Liébiediev murmurou algo à meia voz.

— Quase nada mais — disse Ievguéni Pávlovitch. — Só queria observar que daí pode inferir-se diretamente o direito da força, isto é, o direito dos simples punhos e do capricho pessoal, como, afinal de contas, costuma ocorrer no mundo. Também Proudhon baseava-se no direito da força. Na Guerra de Secessão norte-americana muitos liberais dos mais avançados puseram-se do lado dos plantadores, alegando que os negros são negros, inferiores aos brancos e, portanto, sustentando o direito da força dos brancos...

— E que mais?

— Que os senhores, pelo visto, não negam o direito do forte.

— E que mais?

— Que os senhores são consequentes. Só queria notar que o direito do forte não dista muito do direito do tigre e do crocodilo, nem tampouco de Danílov e Górski.[40]

— Não sei. E que mais?

Ipolit mal escutava Ievguéni Pávlovitch e se lhe respondia "Bem", "E que mais?", fazia-o seguindo inveterado costume nas discussões e não por atenção ou curiosidade.

— Já não há mais... Era tudo.

— Eu, aliás, não me aborreço com o senhor — terminou Ipolit, de repente, de um modo completamente inesperado, e quase maquinalmente estendeu sua mão e sorriu. Ievguéni Pávlovitch espantou-se a princípio, mas depois, com a mesma seriedade, apertou a mão que lhe era estendida como numa despedida.

— Não posso deixar de acrescentar — disse com o mesmo tom, ambiguamente respeitoso, — que lhe agradeço a atenção com que me escutou, pois, segundo numerosas observações, nunca os nossos liberais são capazes de tolerar que alguém tenha convicções próprias e logo saem respondendo a seus adversários com insultos, quando não com algo pior...

— Diz o senhor muito bem — observou o General Ivan Fiódorovitch e, pondo as mãos atrás das costas, com gesto de grande aborrecimento, dirigiu-se para a saída do terraço, de onde, cheio de tédio, bocejou.

— Bem, já basta, meu caro — disse, de repente, Lisavieta Prokófievna a Ievguéni Pávlovitch. — Já me estás cansando.

— É tarde... — exclamou, de repente, Ipolit, preocupado e quase assustado, olhando a todos com atenção. — Estive a retê-los. Queria dizer-lhes tudo... Pensei que todos... pela última vez... foi um capricho...

Era visível que se animava a intervalos, que por alguns momentos quase se via livre da febre, voltando a si e que, em geral, falava aos saltos e dizia coisas que desde muito antes havia pensado e aprendido nas longas e tediosas horas de enfermidade, no leito, na solidão e na sombra.

— Bem, adeus! — disse bruscamente. — Creem os senhores que é para mim fácil dizer-lhes adeus? Ah! ah! ah! — pôs-se a rir, visivelmente contrariado com sua *inábil* pergunta e, de repente, como que aborrecido porque não conseguia dizer o que queria, num tom agudo e nervoso, exclamou: — Excelência, tenho a honra de pedir-lhe perdão pelos meus despropósitos, se me crê digno dessa honra, e... a todos os senhores, a começar pelo general!...

Tornou a rir; mas aquele foi já o riso de um louco. Assustada, Lisavieta Prokófievna dirigiu-se para ele e pegou-lhe uma das mãos. Ele a fitou, com o mesmo riso, mas que já não continuava, parecendo ter-se detido e gelado em seu rosto.

— Sabem os senhores que vim aqui para ver árvores? Estão vendo-as, senhores? Aquelas... — e apontou para as árvores do jardim. — Não é verdade que é ridículo? Não é? — perguntou ele, seriamente, a Lisavieta Prokófievna e, de súbito, ficou pensativo; depois, ao cabo de um momento, ergueu a cabeça e pôs-se a esquadrinhar, curioso, os presentes. Buscava Ievguéni Pávlovitch, que estava ali perto, à direita, no mesmo lugar de antes, mas havia-se esquecido disso e procurava-o em seu *redor*. — Ah! o senhor não se havia ido! — encontrara-o afinal. — Há um instante

40 Nomes de dois criminosos russos.

o senhor ria muito por eu ter dito aquilo de aparecer numa janela e dirigir-me ao povo por um quarto de hora... Mas o senhor sabe que ainda não completei dezoito anos? E estendido naquele leito ou de pé diante daquela janela levei tanto tempo meditando em toda espécie de coisas... que... um morto não tem idade, sabe o senhor? Ainda na semana passada pensava eu nisto quando passava, insone, a noite... Sabem os senhores o que causa mais medo? O que mais temem os senhores é nossa sinceridade, embora nos desprezem. Também esta ideia me ocorreu naquela noite... Pensava a senhora, Lisavieta Prokófievna, que eu queria zombar da senhora? Não; não tinha nem a mais remota intenção de zombar da senhora, não desejava senão louvá-la... Kólia me disse que o príncipe pensa que a senhora é uma menina... Está bem... Mas vamos ver... ainda me resta algo a dizer.

Cobriu o rosto com as mãos, reconcentrando as ideias.

— Há pouco, quando fizeram os senhores menção de retirar-se, ocorreu-me de repente que a nenhum de todos quantos estão aqui presentes haveria eu de tornar a ver jamais, jamais... E é esta também a última vez que vejo árvores; em breve terei somente diante de mim a parede de ladrilho vermelho da casa Meyer... diante de minha janela... Pois bem, diz-lhes tudo isto, experimenta dizer-lhes, aí tens uma linda jovem... És um morto, pois então apresenta-te como tal, diz-lhes que um cadáver pode dizer tudo e que a Princesa Mária Alieksiéievna não teria nada a censurar.[41] Ah! ah! ah! Não riem? — acrescentou, girando um olhar inquieto em redor de si. — Mas sabem os senhores as coisas que me ocorreram com a cabeça no travesseiro? Convenci-me de que a natureza é muito irônica... Há pouco diziam os senhores que eu era ateu, mas sabem que a tal natureza... Por que tornam os senhores a rir? São terrivelmente cruéis!... — disse, de repente, contemplando seus ouvintes com expressão de censura e tristeza. — Não perverti Kólia — terminou num tom totalmente distinto, grave e convicto, como se lhe cruzasse a mente uma recordação.

— Ninguém, ninguém zomba de ti aqui, fica tranquilo — disse Lisavieta Prokófievna, com dolorosa emoção. — Amanhã virá ver-te outro médico, pois o teu enganou-se. Mas senta-te, não fiques aí de pé. Estás com febre... Ah! Que vamos fazer com ele agora? — exclamou, toda ansiosa, fazendo-o sentar-se numa poltrona.

Na face da generala brilhava uma pequenina lágrima. Ipolit, ao vê-la, quedou-se, atônito, depois estendeu timidamente o braço para o rosto de Lisavieta Prokófievna, pôs um dedo naquela lágrima e sorriu como uma criança.

— Eu... a... — começou, agitado, — não sabe a senhora como a... Ele me falava a cada instante da senhora com um entusiasmo... Sim, ele... Kólia... Quanto me agrada seu entusiasmo!... Eu não o perverti! É o único amigo que deixo... gostaria de deixar a todos como amigos, a todos... mas não tenho nenhum... Quis ser um homem de ação, estava em meu direito... Oh! e quantas coisas desejava! Agora já nada quero, renuncio a toda vontade, jurei a mim mesmo não querer mais nada. Que busquem eles a verdade sem mim. Sim, a natureza é irônica! Porque, se não — continuou, com súbita veemência, — por quê cria os seres superiores para depois rir-se deles? Ao único ser que na terra se reconheceu perfeito deu-lhe por missão a Natureza dizer palavras que fizeram correr torrentes de sangue, nas quais teria

41 Alusão à famosa comédia de Griboiédov, *A desgraça de ter talento*, em que Famússov, o protagonista, lamentando a desgraça a que se refere o título da obra e ao falatório a que dará lugar, exclama: "Meu Deus! que dirá agora a Princesa Mária Alieksiéievna?".

podido afogar-se a humanidade inteira, se todo esse sangue se tivesse derramado de uma vez. Oh! é melhor que eu morra! Também eu chegaria a dizer alguma mentira horrível, porque assim o disporia a Natureza... Não perverti ninguém... Queria viver para a felicidade de todos os homens, para a busca, para a difusão da verdade... De minha janela, contemplava o muro da casa Meyer e imaginava que só precisaria estar falando um quartinho de hora para convencer todo o mundo, todo o mundo, e a única vez em minha vida em que me ponho em contato é com os senhores, já que não com as massas. Pois bem, que sucede? Nada. O resultado é me desprezarem. De modo que sou um imbecil, um ser inútil, para o qual já chegou a hora de desaparecer. E me vou sem ter conseguido deixar de mim uma só recordação! Nem um eco, nem uma marca, nem um ato, não difundi uma única ideia! Não zombem de um imbecil! Esqueçam-no, esqueçam-no para sempre... suplico-lhes; não tenham a crueldade de lembrar-se dele! Sabem que se não estivesse tísico, me mataria?...

Embora parecesse ter vontade de continuar falando muito tempo ainda, ficou calado, de repente, deixou-se cair em sua poltrona e, cobrindo o rosto com as mãos, rompeu a chorar como uma criança.

— Bem, mas que vamos fazer agora com ele? — exclamou Lisavieta Prokófievna, que, aproximando-se do enfermo, lhe pegou a cabeça e a estreitou fortemente contra seu peito, enquanto ele soluçava convulsivamente. — Vamos, vamos, vamos, não chores, que és um bom rapaz! Deus te perdoará tua ignorância. Vamos, sê homem... Depois vais te envergonhar de ter chorado.

— E lá — disse Ipolit, esforçando-se por erguer um pouco a cabeça, — tenho um irmão e umas irmãzinhas, todos pequeninos, inocentes... e ela os perverterá. A senhora é uma santa! A senhora também é... uma menina. Salve-os. Tire-os dela... ela... é uma desgraça. Ajude-os, socorra-os! Deus lhe dará cem por um, pelo amor de Deus, pelo amor de Cristo!...

— Vamos fala, Ivan Fiódorovitch, que faremos agora? — gritou nervosamente Lisavieta Prokófievna. — Suplico-te! Rompe esse majestoso silêncio! Advirto-te de que se não tomares uma decisão eu é que passarei a noite aqui! Já estou farta de teu despotismo!

A generala falava com exaltação e cólera e aguardava resposta imediata. Mas, em transes como aquele, os circunstantes, por muitos que sejam, limitam-se a observar em silêncio; não querem carregar responsabilidades e reservam sua opinião para depois. Entre as pessoas reunidas na casa do príncipe havia algumas que, como Varvara Ardaliónovna, por exemplo, teriam sido capazes de ficar ali até o dia seguinte sem dizer uma palavra. A irmã de Gânia, que estava sentada um pouco à parte, não tinha aberto ainda a boca, mas olhava a todos com uma atenção extraordinária. Talvez tivesse razões para isso.

— Minha opinião, minha amiga — respondeu o general, — é que estaria aqui mais a propósito uma enfermeira que essa exaltação tua. Talvez também seja necessário durante a noite algum homem com o qual se possa contar. De todos os modos, é preciso consultar o príncipe e... deixar em seguida o enfermo para que *descanse. Amanhã voltaremos a pensar nele.*

— Vai dar meia noite e nós nos vamos. Nós o levamos, ou deixamo-lo com o senhor? — perguntou Doktorienko ao príncipe, em tom de enfado.

— Se os senhores quiserem, podem ficar para fazer-lhe companhia — respondeu Míchkin. — Há lugar para todos.

De repente, em meio da unânime surpresa de todos os presentes, Keller adiantou-se rápido para o general.

— Excelência — disse, com entusiasmo, — se é preciso um homem de confiança para passar a noite, não tenho inconveniente em sacrificar-me pelo meu amigo... Se visse que alma, excelência! Já faz muito tempo que considero esse rapaz um grande homem, excelência! Meu artigo sofra da falta de cultura; mas ele, quando se põe a fazer crítica, derrama pérolas, excelência!

Ivan Fiódorovitch afastou-se do boxeador, num gesto de desespero.

— Se o senhor ficar, ficarei muito satisfeito; teria sem dúvida dificuldades para regressar a Petersburgo — replicou o príncipe às prementes interpelações de Lisavieta Prokófievna.

— Estás com sono, não é verdade? Se não queres, *bátiuchka*, vou levá-lo para minha casa; mas, meu Deus, se tu tampouco podes manter-te de pé! Estás mal?

Lisavieta Prokófievna, que não havia encontrado o príncipe no leito de morte, a julgar pelo seu bom semblante, havia imaginado que estivesse ele muito melhor do que, na realidade, se achava. Mas a enfermidade recente, as penosas recordações a ela ligadas, os incômodos daquela tarde, o incidente do "filho de Pávlichtchev," e agora o de Ipolit, haviam exacerbado a sensibilidade do príncipe até o deixar em estado febril. Além disso, nova preocupação, temor quase poderia dizer-se, lia-se em seus olhos, e contemplava, inquieto, Ipolit, como se ainda esperasse algo de sua parte.

De repente, Ipolit levantou-se, com o rosto horrivelmente lívido e demudado, como que agoniado de vergonha. Manifestava-se esse sentimento, sobretudo, no olhar de ódio e medo que fixou nos presentes e no vago sorriso que encrespava seus lábios trêmulos. De repente baixou os olhos e, com aquele mesmo sorriso, foi, cambaleante, reunir-se a Burdóvski e Doktorienko, que estavam à entrada do terraço. Tinha decidido ir com eles.

— Receava-o! — exclamou o príncipe. — Tinha de ocorrer!

Ipolit voltou-se bruscamente para ele, possuído duma raiva louca que fazia estremecerem todos os músculos de seu rosto. — Ah! "Receava-o! Tinha de ocorrer!" Com que então pensava isso? Pois fique sabendo que se a algum dos presentes odeio... — gritou com voz rouca e sibilante, que saía de sua boca misturada com saliva, — odeio-os a todos... mas ao senhor, ao senhor, espírito jesuítico, alminha de mel, idiota, milionário, benfeitor, é a quem mais detesto no mundo! Desde muito tempo que o compreendi e o odiava; desde a primeira vez que ouvi falar do senhor, detestava-o com todas as forças de minha alma... Foi o senhor quem tramou tudo isso! O senhor quem me provocou este ataque! Levou um moribundo a desonrar-se; o senhor, e mais ninguém que o senhor, tem a culpa de minha covardia! Se vivesse por mais tempo, iria matá-lo! Não necessito para nada de suas bondades, de ninguém as aceitaria!... Ouvem-no? De ninguém quero nada. Estava delirando! Não tenham o atrevimento de cantar vitória!... Maldigo-os a todos de uma vez para sempre!

Faltou-lhe a respiração e teve de calar-se.

— Envergonhou-se de suas lágrimas! — disse em voz baixa Liébiediev a Lisavieta Prokófievna. — Tinha de ser assim! Ah! que honrem o príncipe! Tinha lido em sua alma...

Mas a generala não se dignou nem sequer olhá-lo; erguido, orgulhosamente, o busto e deitada para trás a cabeça, olhava toda aquela gentinha com curiosidade desdenhosa. Depois que Ipolit acabou de falar, Ivan Fiódorovitch encolheu os ombros. Sua mulher fitou-o, zangada, como que lhe pedindo conta daquele gesto. Depois encarou o príncipe. — Obrigado, príncipe; obrigado, excêntrico amigo, pelo grato serão que a todos nos proporcionou. Agora estou certa de que estarás contente, pois conseguiste complicar-nos a todos em tuas extravagâncias... Basta, meu amigo, e obrigado por nos teres proporcionado ocasião de conhecer-te bem!

Com mão trêmula ajeitou o xale, enquanto aguardava que eles se fossem. Naquele instante chegou o coche que Doktorienko havia mandado chamar, havia um quarto de hora, pelo filho de Liébiediev, o que estudava no ginásio. Seguindo o exemplo de sua esposa, fitou o general também o príncipe:

— Efetivamente, não teria podido esperar... depois de tudo... depois de todas as amistosas relações... e... finalmente... Lisavieta Prokófievna...

— Não, não! Como se pode fazer isso? — exclamou Adelaida, zangada com seus pais e, aproximando-se de Míchkin, estendeu-lhe a mão.

Com o olhar cansado, perdido, o príncipe sorriu, talvez sem vê-la. De repente, soou um cálido e rápido murmúrio em seu ouvido:

— Se não puser para fora daqui, imediatamente, toda essa gente sórdida, não terei outro jeito senão odiá-lo enquanto viver, enquanto viver!

Era Aglaia; estava como louca, como fora de si; mas antes que Míchkin tivesse podido vê-la, já se havia afastado. Aliás, já não havia ninguém a quem pôr para fora. Os amigos de Ipolit se haviam metido com ele num coche, que naquele mesmo instante partia.

— Bem, afinal, pensa você em continuar ainda muito tempo aqui, Ivan Fiódorovitch? Que diz? — perguntou Lisavieta Prokófievna.

— Agora mesmo, minha cara... eu estou pronto, sem dúvida, e... querido príncipe!...

O general estendeu a mão para despedir-se de Míchkin, mas não esperou que este, que parecia muito distraído, lhe estendesse a dele, e saiu à pressa atrás de sua esposa que, irada e barulhenta, descia as escadas. Adelaida e seu noivo e Alieksandra despediram-se cordialmente do príncipe e também o próprio Ievguéni Pávlovitch, que era o único que havia conservado o bom humor.

— Bem vê o senhor como eu tinha razão. É pena que também o senhor tenha de sofrer agora! — disse em voz baixa, com o mais lisonjeador sorriso, ainda que talvez houvesse naquele sorriso algo de zombaria.

Aglaia foi-se embora sem se despedir.

Mas as surpresas daquela noite não haviam atingido ainda o seu fim.

Mal saíra Lisavieta Prokófievna da escada para o pequeno caminho que serpenteava pelo jardim, quando, de repente, uma magnífica carruagem, uma caleça aberta, puxada por dois pomposos cavalos brancos, passou pela frente da casa de campo do príncipe. No fundo do coche iam sentadas duas senhoras luxuosamente *trajadas. Mas, de súbito*, quando já tinham deixado para trás a varanda uns dez passos, a carruagem parou; uma das senhoras voltou-se pressurosa para trás, como se tivesse visto um amigo com o qual tivesse fatalmente de trocar duas palavras.

— Ievguéni Pávlovitch! Mas és tu? — clamou, de repente, uma bela voz clara, que fez o príncipe estremecer e talvez alguém além dele. — Ora, que alegria ter-te encontrado, afinal! Mandei-te um portador à cidade, isto é, dois. Passamos o dia inteiro à tua procura!

Ievguéni Pávlovitch parou, como ferido por um golpe, no patamar da escada. Também Lisavieta Prokófievna se deteve, mas não de susto e espanto como Ievguéni Pávlovitch; olhou a elegante dama com o mesmo frio desprezo com que momentos antes contemplara aquela gentinha e depois fitou interrogativa Ievguéni Pávlovitch.

— Alegra-te!... — prosseguiu a clara voz. — Rogójin pagou, a pedido meu, a promissória de trinta mil rublos que passaste a Kupfer. Agora já podes estar tranquilo por uns três meses. Com Biskup e outros usurários haveremos de entender-nos, uma vez que somos velhos amigos. De modo que, como vês, tudo vai às mil maravilhas. Vamos, alegra-te! Até amanhã!

Os cavalos arrancaram e a carruagem desapareceu com a mesma rapidez com que aparecera.

— É uma louca! — disse, finalmente, Ievguéni Pávlovitch, ficando vermelho de cólera até a fronte e olhando sem compreender em redor de si. — Não entendo uma palavra do que disse. Que promissórias são essas? E quem será ela?

Mas Lisavieta Prokófievna continuou a olhá-lo fixamente; durante dois segundos permaneceram cruzados seus olhares; depois voltou-se ela, de repente, com orgulho, e continuou mais depressa seu caminho para casa. Os demais a seguiam.

Ao fim de um minuto, Ievguéni Pávlovitch, muito excitado, voltou-se em busca do príncipe na varanda.

— Príncipe, diga-me a verdade: não sabe o senhor o que quer dizer isso?

— Não tenho a menor ideia! — respondeu Míchkin, que também se encontrava num estado de tensão e de excitação mórbidas.

— Não, de fato?

— Pode crer-me.

— Sim, eu também não sei — disse Ievguéni Pávlovitch, pondo-se a rir de repente. — Por Deus! não tenho a menor ideia de nenhuma promissória, pode o senhor acreditar-me totalmente, asseguro-lhe sob palavra de honra... Mas que é que tem? Vai desmaiar?....

— Oh! não, não! Certamente não, não!...

Capítulo XI

Três dias tardaram os Iepántchini a perdoar o príncipe. Para dizer a verdade, o príncipe, como de costume, lançou a si mesmo toda a culpa, de modo que aguardava, sem sombra de dúvida, seu castigo, embora desde o princípio tivesse a convicção íntima de que Lisavieta Prokófievna não haveria de zangar-se com ele, seriamente, sendo mais provável que se aborrecesse mais consigo mesma. Por isso, três dias depois, antes que lhe chegasse o perdão, achava-se num estado de completa prostração moral. Acrescentavam-se a isso, além do mais, outras coisas que o atormentavam, sobretudo uma que, no transcurso daqueles três dias, graças à crescente desconfiança do príncipe, foi aumentando progressivamente de proporções, tornando-se cada vez mais angustiosa. (Censurava-se violentamente, desde algum tempo, sua absurda e excessiva confiança e sua sinistra e má desconfiança.) Em resumo: até a tarde do terceiro dia, aquele episódio da excêntrica dama que falara com Pávlovitch esteve a exercer um influxo verdadeiramente enigmático, de proporções quase pavorosas. A questão mais inquietante para ele era — prescindindo por completo de todos os demais aspectos desagradáveis do incidente — se seria ele o único culpado daquela monstruosidade, ou somente não exprimia ele tudo quanto pensava. Mas no tocante à troca das letras A.M.D. por N.F.B., era de opinião que não devia ver nisso senão uma burla inocente, uma travessura infantil, de sorte que suas longas cavilações sobre esse ponto pareciam-lhe vergonhosas e, até certo ponto, desonrosas.

Aliás, no dia seguinte ao daquele espantoso serão, teve o príncipe o prazer de receber a visita do Príncipe Tsch*** e de Adelaida. Tinham ido vê-lo, sobretudo para saber de sua saúde. Adelaida descobrira no jardim uma velha árvore encantadora, um salgueiro chorão, de ramos longos e pendentes, de um verdor tenro e viçoso; de passagem — tinham saído sem rumo, a dar um passeio, — tinha Adelaida resolvido pintar decididamente, mas decididamente mesmo, aquela árvore. E daquela árvore estiveram falando quase todo o tempo, pelo menos uma meia hora... o Príncipe Tsch*** estivera tão atento e amável que havia perguntado a Míchkin milhares de coisas, recordando-lhe como se tinham conhecido naquela cidade provinciana, e nenhum deles fez a menor alusão à noite passada. Finalmente, não pôde, contudo, Adelaida conter-se: pôs-se a rir e confessou que havia ido vê-lo, até certo ponto, às ocultas. Mas foi isso tudo quanto deixou transparecer: não muito, mas, verdadeiramente, não tão pouco, pois daquele "às ocultas" podia-se facilmente calcular o estado de ânimo de seus pais. Mas nem de sua mãe, nem de Aglaia, nem sequer de Ivan Fiódorovitch, disse Adelaida uma palavra, e, ao retirar-se para continuar seu passeio, não convidara Míchkin a fazer-lhes companhia... e a que fosse visitá-los tampouco dissera nada. Sim, a este respeito, não foi mais reveladora uma breve alusão de Adelaida ao falar das últimas aquarelas que havia pintado e manifestar, de repente, vivos desejos de que o príncipe as julgasse. "Mas como poderei mostrá-las? — disse. — Espere! Pedirei a Kólia, quando for hoje lá em casa... ou senão eu mesma as trarei amanhã, quando sair a passeio com o príncipe", decidiu rapidamente, muito alegre por ter encontrado solução para aquele problema.

Já se despediam, quando o Príncipe Tsch*** pareceu recordar subitamente uma coisa.

— Ah! a propósito! — disse, dirigindo-se ao Príncipe Míchkin. — Não sabe, pelo menos, meu caro Liev Nikoláievitch, quem era aquela dama que ontem disse a Ievguéni Pávlovitch aquelas palavras enigmáticas?

— Era Nastássia Filípovna — respondeu Míchkin. — Não sabia o senhor que era ela? Não sei é quem fosse a outra senhora que a acompanhava no coche...

— Pois eu sei; ouvi-o dizer! — atalhou-o, rápido, o Príncipe Tsch *** — Mas que significava aquilo que lhe disse? Isto é um verdadeiro enigma... tanto para mim como para todos...

O Príncipe Tsch*** falava com extrema e evidente perplexidade.

— Falou de não sei qual promissória de Ievguéni Pávlovitch — replicou Míchkin com bastante simplicidade, — que Rogójin resgatou de mãos de um usurário, a instâncias dela, e esperará que lhe seja paga.

— Ouvi isso, príncipe, ouvi isso. Mas o fato é que é uma coisa impossível: Ievguéni não assinou nenhuma promissória. Que necessidade tem disso? Com o dinheiro que possui!... É certo que haja assinado, em alguma ocasião, alguma dessas promissórias e que mais de uma vez tirei-o de apuros... Mas com um capital como o dele, assinar promissórias a usurários e depois ficar preocupado por esse motivo... não, não é possível, nem se deve pensar! E igualmente impossível é que se tuteiem, ele e Nastássia Filípovna... isto é para mim o mais enigmático! Jura ele não ter entendido uma palavra sequer de tudo isso e eu acredito nele de bom grado. A coisa é, meu caro príncipe, que... eu queria perguntar-lhe se não sabia o senhor algo por acaso... Isto é, se... por acaso não teria chegado algo a seus ouvidos...

— Não, não sei de nada e asseguro-lhe que não tenho a menor parte em nada disso.

— Mas, querido príncipe, quem pensa tal coisa? Como o senhor é estranho! Parece outro hoje. Como eu teria podido imaginar, nem mesmo remotamente, algo disso? O senhor misturado em semelhante enredo?... Mas é que o senhor está hoje excitado...

Abraçou-o e beijou-o cordialmente.

— Mas que quer dizer isso de semelhante enredo? Não vejo aqui sinal de semelhante enredo!

— Não? Pois é indubitável que aquela pessoa quis pôr algum obstáculo, para não sei que, no caminho de Ievguéni Pávlovitch, atribuindo-lhe, diante das pessoas que se achavam presentes, qualidades que não tem, nem pode ter — replicou o Príncipe Tsch***, com certa sequidão.

Tal resposta pareceu desconcertar não pouco o Príncipe Liev Nikoláievitch. Mas, apesar disso, olhou, impassível, para o Príncipe Tsch***, que, de repente, guardou silêncio.

— E não existirão, simplesmente, tais promissórias? Não será mesmo, como disse ela literalmente ontem? — perguntou, de súbito, Míchkin, acometido de nervosa impaciência, mas sua voz dava sinais de que não estava seguro.

— Mas julgue o senhor mesmo: que pode haver de comum entre Ievguéni Pávlovitch e... ela e, além do mais, Rogójin?... Creia-me: possui ele, efetivamente, um grande capital. Sei isso de fonte certa. E ainda haverá de caber-lhe outra grande fortuna por parte de seu tio. Nastássia Filípovna não fez senão simplesmente...

De novo calou-se o Príncipe Tsch***, de modo inteiramente súbito. Saltava aos olhos que não queria exprimir diante do príncipe o que pensava de Nastássia Filípovna.

— Mas, assim sendo, conhecem-se os dois? — perguntou Míchkin, depois de breve pausa.

— Assim parece, com efeito. Ele tem sido um rapaz um tanto louco. Mas se assim foi, embora ambos se conheçam, faz muito tempo, contudo, que não se veem... *isto é... digamos... dois ou três* anos. Ele era muito amigo de Tótski. Mas de uma amizade tão íntima, de uma verdadeira amizade a ponto de se tutearem, nem se pode falar. Nunca houve entre ele e ela tanta intimidade, nunca. O senhor sabe muito bem que ela há muito tempo não reside em Petersburgo. E a maioria ignora que tenha voltado a morar aqui. Aquele coche e aqueles cavalos há uns três dias que os vi aqui pela primeira vez.

— Uma parelha magnífica! — observou Adelaida. — Ah! sim. A parelha de cavalos é impecável!

Despediram-se, contudo, do príncipe, muito amistosamente, podendo dizer-se mesmo que fraternalmente.

Mas para o Príncipe Liev Nikoláievitch foi aquela visita de extraordinária importância. É certo que já havia imaginado muitas coisas desde a noite anterior (e talvez desde antes); mas até que recebeu aquela visita, não se atreveu a dar por justificados os seus temores. Mas agora, pelo menos, era claro que o Príncipe Tsch***, que, naturalmente, formava para si uma ideia falsa de tudo aquilo, não andava longe, não obstante, da verdade ao presumir uma trama.

"Aliás — pensou consigo o príncipe, — talvez tenha em segredo uma ideia exata de tudo, mas não quer revelá-la a ninguém e por isso apresenta as coisas sob falsa cor."

Fosse como fosse, estava já certo de uma coisa: de que Adelaida e o Príncipe Tsch* * * (sobretudo este último) tinham ido visitá-lo com a esperança de ficar sabendo, por intermédio dele, de algo mais concreto. Mas, neste caso, não tinham outro remédio senão imaginá-lo metido na trama. E, além disso, se realmente tudo aquilo era de tanta importância, por força devia ter *ela* algum objetivo terrível... mas que objetivo?... "Como atormentam esses pensamentos! E como é possível dissuadi-la de algo, quando já meteu isso na cabeça? Mas é impossível, completamente impossível, desde que se convenceu da necessidade de realizar seus planos!" Míchkin sabia disso muito bem por experiência própria. "Ela é louca! Ela é louca!"

Mas naquela manhã ele tinha demasiados problemas que o atormentavam; todos surgiam agora duma vez e exigiam rápida solução, e tinha de meditar em todos longamente. Daí estar o príncipe muito sério e abatido. Veio distraí-lo um pouco Viera Liébiedieva, com sua irmãzinha Liúbotchka e, rindo, pôs-se a contar-lhe algo. Não tardou em apresentar-se também sua outra irmã, a que abria tanto a boca quando ria, e a esta seguiu-se depois o filho de Liébiediev, o aluno do ginásio, que também cooperou em distrair o príncipe e dizer, com vivacidade, que a estrela chamada Absinto, no *Apocalipse,* que foi cair nas fontes das águas, segundo a interpretação de seu pai, não era senão a rede ferroviária que hoje se estende por toda a Europa. Míchkin não acreditou que Liébiediev desse essa interpretação ao texto e resolveu perguntar-lhe isso na primeira oportunidade conveniente. Soube também Míchkin, por intermédio de Viera Liébiedieva, que o Senhor Keller havia ficado na casa na última noite e não dava sinal de ir-se embora tão depressa, pois, sobretudo, havia encontrado no General Ívolguin um companheiro e bom amigo. Aliás, declarou, contudo, que só ficaria a morar com eles para completar sua educação. Em geral, Míchkin ia gostando cada dia mais dos filhos de Liébiediev.

Kólia não apareceu durante todo o dia; fora de manhã a Petersburgo (Liébiediev fora lá também muito cedo... a negócios, como dizia). E assim, aguardou o príncipe, com impaciência, a chegada de Gavrila Ardaliónovitch, que lhe havia prometido visitá-lo para despedir-se.

Às sete horas da noite apresentou-se com toda a pontualidade, imediatamente depois do jantar. Bastou-lhe olhá-lo, para que Míchkin acreditasse adivinhar que não ignorava ele o mínimo detalhe do que ocorrera na noite anterior. Como poderia ser de outro modo, tendo tão bons ajudantes como sua irmã Varvara e seu cunhado Ptítsin? Entre Gânia e o príncipe existiam umas relações algo estranhas. Míchkin, por exemplo, havia-lhe recomendado o caso de Burdóvski e até lhe havia rogado de modo especial que se encarregasse dele. Mas, não obstante essa confiança e outros laços mais que os uniam, restavam entre eles certos extremos que, por convenção mútua, nunca tocavam. Parecera a Míchkin que Gânia desejava mostrar-se para com ele plena e amistosamente sereno; e assim, ao vê-lo agora entrar, convenceu-se, em sumo grau, de que era chegado o momento de romper o gelo a respeito dos referidos extremos. Apenas não dispunha Gânia de muito tempo: sua irmã estava à sua espera nos aposentos de Liébiediev e os dois tinham pressa.

Mas se Gânia esperava toda uma série de perguntas impacientes, manifestações involuntárias ou declarações e efusões do coração, teve grande decepção. Durante todo o tempo de sua visita esteve o príncipe como que alheado, pelo menos, muito pouco comunicativo e bastante ensimesmado.

O príncipe não fez toda uma série de perguntas a Gânia, ou melhor, a única pergunta que este teria esperado. De modo que Gânia decidiu manter-se reservado. Nem por isso deixou de falar, de rir e brincar sem interrupção todo o tempo de sua visita. Numa palavra: entreteve o príncipe durante os vinte minutos que com ele ficou da maneira mais amável, mas sem fazer a menor alusão ao ponto principal.

Entre outras coisas, informou-o que Nastássia Filípovna se achava havia já quatro dias em Pávlovsk e já havia atraído a atenção geral para sua pessoa. Vivia em uma casinha, de nenhuma aparência, com Dária Alieksiéievna, numa Rua dos Marinheiros, se não estava equivocado; mas que sua carruagem era a mais imponente que havia em Pávlovsk. Havia-se já reunido em torno dela todo um tropel de adoradores velhos e jovens, pelos quais se deixava às vezes acompanhar a cavalo. Continuava sendo muito volúvel no seu trato com os homens, mas, apesar disso, tinha uma caterva à sua disposição, se dela necessitasse. Um jovem, proprietário de uma casa de campo em Pávlovsk, já havia rompido, por sua culpa, com a noiva, e um velho general, também por sua culpa, amaldiçoara seu filho. Habitualmente saía a passeio com uma jovem belíssima, parenta de Dária Alieksiéievna. A tal jovem, de uns dezesseis anos, tinha uma voz prodigiosa, e cantava tão bem à tarde, que a insignificante casinha de Dária Alieksiéievna chamava a atenção de toda Pávlovsk. Aliás, Nastássia Filípovna portava-se bem em todas as partes e trajava de maneira discreta, embora sempre com tal elegância que todas as senhoras de Pávlovsk a invejavam pelo seu bom gosto, sua beleza e seu soberbo coche.

— O excêntrico incidente de ontem — disse, por fim, Gânia, — obedecerá, naturalmente, a alguma intenção especial, e, assim, não se deve perdê-la de vista. Para poder censurar sua conduta seria preciso espioná-la ou apelar para a calúnia, o que, afinal de contas, seria o meio mais rápido e seguro — terminou, esperando que o príncipe lhe perguntasse, sem dúvida, por que atribuía àquela extravagância *uma intenção especial* e *por* que considerava a calúnia o meio mais seguro e rápido.

Mas o príncipe nada disse.

Então pôs-se Gânia a falar ao príncipe, sem perguntas a responder, a respeito de Ievguéni Pávlovitch, coisa tanto mais estranha quanto não havia motivo para isso. Na sua opinião, Ievguéni Pávlovitch nunca fora amigo de Nastássia Filípovna e mesmo agora mal a conhecia, pois lhe havia sido apresentada quatro dias antes, no passeio; e tampouco podia admitir-se, por certas razões, que tivesse visitado sua casa. No tocante à promissória, podia muito bem haver algo de verdade nessa história (isso o afirmava Gânia com certeza notável; pelo visto Ptítsin o havia informado). A fortuna de Ievguéni Pávlovitch era enorme; "mas suas condições financeiras achavam-se, em parte, um tanto turvas", acrescentou laconicamente, e com isto se calou. Tampouco disse uma palavra mais a respeito de Nastássia Filípovna. Finalmente, depois de Gânia, chegou Varvara Ardaliónovna; permaneceu ali um minuto; explicou (também sem que ninguém lhe perguntasse) que era muito possível que Ievguéni Pávlovitch, naquele mesmo dia ou no dia seguinte, partisse para Petersburgo, que seu marido (Ivan Pietróvitch Ptítsin) também tinha de ir lá, a negócios de Ievguéni Pávlovitch, e que, efetivamente, alguma coisa tinha acontecido. Ao retirar-se, acrescentou que Lisavieta Prokófievna, naquele dia, estava de um humor infernal; mas que o mais estranho era que Aglaia havia brigado com toda a família, não só com seus pais, mas também com suas duas irmãs e que "aquilo não era nenhum bom sinal". Depois de haver insinuado, como de passagem, esta última coisa (que para o príncipe era muito significativa), os dois irmãos se despediram. Do assunto do filho de Pávlichtchev não fez Gânia tampouco menção, talvez por falsa modéstia, talvez também em respeito aos sentimentos do príncipe apesar do que lhe apresentou este uma vez mais os agradecimentos pela difícil solução do caso.

Ficou Míchkin extremamente satisfeito quando afinal conseguiu estar sozinho. Saiu para o terraço, e dirigiu-se, pelo caminhozinho, para o jardim. Queria meditar e tomar uma decisão. Mas essa decisão não era daquelas que se pensam, mas precisamente daquelas que não se meditam, daquelas que, simplesmente, se adotam. Sentia um desejo irreprimível de deixar ali tudo aquilo e voltar para lá, para o ponto donde tinha vindo, para algum lugar mais longínquo ainda, para a solidão mais profunda; sair naquele momento mesmo e sem sequer despedir-se de ninguém. Pressentia que, se permanecesse ali nem que fossem uns dias mais, fatalmente se fundiria naquele mundo de modo irrevogável e que aquele mundo, dali por diante, pesaria sobre ele como uma carga. Mas não se deteve a pensar nisso nem dez minutos e logo decidiu que escapar dali era impossível, que isso viria a ser uma pusilanimidade; que tinha diante de si tais problemas, que era seu dever agora resolvê-los, ou pelo menos contribuir com todas as suas forças para resolvê-los. Preocupado com tais pensamentos, voltou para casa, tendo seu passeio durado menos de um quarto de hora. Sentia-se completamente desditoso naquele instante.

Liébiediev não estava ainda em casa, mas ao cair da tarde apresentou-se diante do príncipe o boxeador Keller, não embriagado, mas com desejo de fazer confidências e expandir-se. Explicou, sem mais rodeios, que tinha ido contar ao príncipe toda a sua vida e que para isso ficara em Pávlovsk. Expulsá-lo era absolutamente impossível: não, por coisa nenhuma do mundo teria ido embora. Keller dispôs-se a falar longa e extensamente, mas, de repente, quase às primeiras palavras, foi diretamente à conclusão e revelou que a tal ponto havia perdido todo vestígio de moral (unicamente por não crer no Altíssimo) que até havia roubado.

— Imagine o senhor!

— Ouça, Keller. Se eu estivesse em seu lugar não faria tal confissão, se não houvesse necessidade especial — disse-lhe Míchkin. — Mas talvez o senhor se calunie de propósito.

— Ao senhor, somente ao senhor, e com o único fim de que contribua para minha própria ilustração! A ninguém mais; morrerei e sob a mortalha levarei meu segredo! Mas, príncipe, se o senhor soubesse, se o senhor somente soubesse quão difícil é em nossos tempos encontrar dinheiro! De onde tirá-lo, quer o senhor dizer-me? Uma resposta: "Traz ouro e brilhantes e em troca te daremos dinheiro". Isto é precisamente o que não tenho. Pode o senhor compreender isso? Eu, afinal, me aborreci. "E por esmeraldas — digo — dão os senhores?" "Por esmeraldas também damos." "Bem; está bem — digo e pego o chapéu e retiro-me. — Que o diabo carregue vocês todos, seus patifes! Sim, por Deus!"

— Mas o senhor tinha, por acaso, esmeraldas?

— Que esmeraldas haveria de ter? Oh! príncipe, quão ingênuo e cândido é o senhor ainda e quão pastoralmente, pode-se dizer, encara o senhor a vida!

Míchkin começou a sentir, afinal, não dó, mas algo assim como remorso de consciência. Até lhe ocorreu a ideia: "Não seria possível fazer algo desse homem mediante uma boa influência?". Sua influência pessoal estimava-a ele, por certas razões, altamente inútil, não por humildade, mas por causa de modo próprio de ver as coisas. Pouco a pouco, foram travando mais intrincada conversa, a ponto de já não se quererem separar. Keller confessava com anormal facilidade coisas que não era possível imaginar que alguém pudesse confessar. Ao iniciar cada relato, começava por assegurar redondamente que se achava arrependido e que por dentro estava afogado em lágrimas, e, mesmo assim, contava-o logo como se se orgulhasse de sua conduta e, ao mesmo tempo, por vezes de uma maneira tão cômica que, por fim, tanto ele como o príncipe acabavam rindo às gargalhadas como loucos.

— O principal é que o senhor tem uma espécie de confiança pueril e uma retidão pouco frequente — disse, por fim, o príncipe. — Sabe que só com isso o senhor já compensa muitas coisas?

— Nobre, nobre, cavalheirescamente nobre! — afirmava, contrito, Keller. — Mas olhe, príncipe: somente em sonhos e, por assim dizer, por bravata, porque jamais passei às vias de fato. E por quê? Não posso compreender.

— Não desespere. Agora já se pode com certeza afirmar que o senhor me deu plena conta de tudo; pelo menos parece que, ao que me contou, já não há mais nada a acrescentar, não é?

— Nada? — exclamou Keller, com certo pesar. — Oh! príncipe, até que ponto compreende o senhor, à moda suíça, se assim posso dizer, a natureza humana!

— Mas será que ainda pode acrescentar algo? — exclamou Míchkin, com tímido espanto. — Mas então, que é que o senhor esperava de mim, Keller? Diga-o, faça o favor! E também, por que veio com sua confissão?

— Do senhor? Que ia esperar? Em primeiro lugar, porque dá gosto ver sua simpleza de espírito; com o senhor a gente gosta de sentar e conversar; eu, pelo *menos, sei que tenho diante de* mim um homem de bem. E em segundo lugar... em segundo lugar...

Confundiu-se.

— Será que queria pedir-me dinheiro? — insinuou o príncipe, com muita seriedade e simplicidade, até mesmo com certa timidez. Keller estremeceu; rapidamente, com o mesmo assombro de antes, fitou o rosto de Míchkin e descarregou um forte murro sobre a mesa. — O senhor, com essas coisas, desconcerta a qualquer um! Olhe, príncipe: tem o senhor uma simplicidade de alma, uma inocência como nem na Idade de Ouro as houve, e, de repente, ao mesmo tempo, penetra através do homem como uma flecha com a mais profunda observação psicológica. Mas permita-me, príncipe: isto requer uma explicação, porque eu... eu estou, simplesmente, estupefato. Naturalmente, afinal de contas, minha intenção era mesmo pedir-lhe dinheiro; mas o senhor me fez essa pergunta como se não encontrasse nisso nada de repreensível, como se fosse inteiramente lógico.

— Sim... no senhor teria de ser lógico.

— E não se indigna?

— Eu? Por quê?

— Ouça, príncipe: fiquei aqui esta noite, em primeiro lugar, por minha especial estima ao arcebispo francês Bourdaloue (até as três da madrugada estive a saboreá-lo em casa de Liébiedev) ; e em segundo lugar, e isto é o mais importante (e me persigno com todas as cruzes que é a pura verdade), fiquei porque queria, por assim dizer, fazendo-lhe uma confissão geral, sincera, contribuir para minha própria edificação. Com este pensamento adormeci, às quatro da madrugada, afogado em lágrimas. O senhor crerá agora nas palavras de um homem de caráter nobre? Assim que despertei, sinceramente cheio de lágrimas interiores e, por assim dizer, exteriores (porque, finalmente, rompi a chorar, lembro-me), ocorreu-me um pensamento infernal: "Por que não pedir-lhe, como remate, depois da confissão, algum dinheiro?". Assim, pois, preparei-me para a confissão com lágrimas de pesar, mas também com a ideia de que essas lagriminhas me aplainariam o caminho, para que o senhor, enternecendo-se, me soltasse uns cento e cinquenta rublozinhos. O senhor acha que isso é uma ruindade?

— Desde logo, acho que isso não é exato, mas que lhe ocorreu simplesmente com a outra coisa. Dois pensamentos que se fundem, isto sucede com bastante frequência. A mim, pelo menos, a cada passo. E, além do mais, penso que isso não é boa coisa; e olhe, Keller: isso é o que mais censuro a mim mesmo. Parecia-me que aquilo de que falava se referia a mim mesmo. Já me tem até ocorrido pensar às vezes — prosseguiu Míchkin, muito séria, sincera e profundamente interessado, — que também assim ocorria com todo o mundo, tanto que comecei a consolar-me, porque desses pensamentos dúplices é terrivelmente difícil a gente se ver livre; sei por experiência. Só Deus sabe como surgem e se engendram. Mas o senhor não deve chamar a isso, sem mais nem menos, uma ruindade. Agora eu também voltarei a ter medo desses pensamentos. De todos os modos, eu não sou juiz. Mas, mesmo assim, no meu modo de ver, não se pode chamar a isso, simplesmente, uma ruindade, como o senhor pensa. O senhor tencionava, por meio de suas lágrimas, arrancar dinheiro de mim; mas o senhor mesmo jurou que sua confissão tinha outro objetivo, nobre e desinteressado; quanto ao dinheiro, necessita dele para divertir-se, não é? Pois isto, logo após tal confissão, acusa naturalmente covardia. Mas também renunciar à bebida, ainda que seja por um momento! Isto é impossível. Que fazer? O melhor será deixá-lo à sua consciência, que lhe parece?

Míchkin, com insólita curiosidade, fitou Keller. O problema dos pensamentos dúplices, evidentemente, havia tempo que o preocupava.

— Bem; por que, depois disto, chamam ao senhor de idiota? Não tenho explicação para isto! — exclamou Keller.

O príncipe ficou um tanto vermelho.

— O pregador Bourdaloue não teria poupado assim um homem; mas o senhor poupou-me e julgou-me humanamente. Para castigar-me e para demonstrar que estou comovido, já não quero cento e cinquenta rublos; o senhor vai dar-me somente vinte e cinco, e é bastante. É tudo quanto necessito, pelo menos para umas duas semanas. Antes de duas semanas não virei pedir mais dinheiro. Queria dar um presentinho a Agachka, mas não o merece. Oh! querido príncipe, que Deus o bendiga!

Foi-se embora, afinal. Liébiediev entrou por fim, imediatamente após seu regresso da cidade. Percebendo a nota de vinte e cinco rublos na mão de Keller, franziu a testa. Mas Keller deu-se pressa em escapulir-se assim que se viu provido de dinheiro e prontamente tratou de pôr-se ao fresco. Liébiediev começou logo a falar mal dele.

— O senhor é injusto; ele está deveras sinceramente arrependido — fez-lhe notar, finalmente, Míchkin.

— Sim, só vendo esse arrependimento! O mesmo que eu ontem: "Sou um vilão, um vilão!"; mas fique o senhor sabendo, tudo isso não passa de palavras.

— Também no seu caso não eram mais que palavras? Eu acreditava...

— Bem; ao senhor, só ao senhor, digo a verdade; porque o senhor vê através da gente. Palavras e fatos, e mentira e verdade, tudo se dá em mim ao mesmo tempo e com sinceridade absoluta. A verdade e o fato consistem, em mim, numa contrição sincera, creia ou não o senhor, mas juro; e a palavra e a mentira, no pensamento infernal (e sempre presente) de como enganar o homem, de como, através das lágrimas, fingir arrependimento. Por Deus que é assim! A outro não lhe diria; ia começar a rir ou cuspiria em mim; mas o senhor, príncipe, o senhor julga com humanidade!

— Ora, isso mesmo, exatamente, acaba de dizer-me o outro — exclamou Míchkin, — e parece que os dois como que se orgulham disso! O senhor também me maravilha, só que ele é mais sincero, ao passo que o senhor, decididamente, fez disso uma profissão. Bem; basta, não franza a testa, Liébiediev, nem leve a mão ao coração. Não tem nada para me dizer? Porque decerto veio por causa de alguma coisa...

Liébiediev fez uma careta e pôs-se a gesticular.

— Estive a esperá-lo o dia inteiro para fazer-lhe uma pergunta. Diga-me a verdade sinceramente, pelo menos uma vez em sua vida. O senhor teve alguma participação naquele caso do coche de ontem?

Liébiediev voltou a caretear, começou a rir, esfregou as mãos e até mesmo, por fim, espirrou. Mas apesar de tudo isso, não disse nada.

— Já vejo que sim, que teve parte.

— Mas indiretamente, só indiretamente. Digo-lhe a pura verdade! Não tive outra participação senão a de fazer saber a determinada pessoa que se havia reunido *na minha casa toda aquela* gente e que certas pessoas estariam presentes.

— Já sei que o senhor mandou lá seu filho; ele mesmo me disse há pouco. Mas quer dizer-me que trama é essa? — exclamou Míchkin, com impaciência.

— Essa trama não é minha, não é minha — gesticulou Liébiediev, — mas de outros, de outros, e, melhor dito: não é uma trama, mas uma fantasia.

— Mas de que se trata? Explique-o, por Cristo! Não compreende o senhor que isso me afeta diretamente? Tenha em conta que estão difamando Ievguéni Pávlovitch.

— Príncipe, sereníssimo príncipe! — tornou a gesticular Liébiediev. — O senhor não deixa a gente dizer toda a verdade; já comecei a dizê-la, mas o senhor não me permitiu que continuasse...

Míchkin ficou calado e pensativo.

— Bem, está bem: diga a verdade — disse, com certo esforço, evidentemente depois de dura luta.

— Aglaia Ivânovna... — começou Liébiediev imediatamente.

— Cale a boca! Cale a boca! — gritou Míchkin, insistentemente, ficando todo rubro de indignação e é possível que também de vergonha. — Isto não pode ser, tudo isto é um absurdo! Tudo isto forjou-o o senhor e outros loucos da mesma laia! E que eu não torne a ouvir mais isto!

Naquela noite, a hora já avançada, às onze, apresentou-se Kólia com um montão de notícias. Notícias de duas espécies: de Petersburgo e de Pávlovsk. Apressou-se em contar as principais das petersburguesas (sobretudo, referentes a Ipolit e à história da noite anterior), para logo depois tornar a elas de novo, e passou às de Pávlovsk. Havia três horas que regressara de Petersburgo e, sem ver o príncipe, dirigira-se diretamente à casa dos Iepántchini. "Que horror aquele!" Naturalmente, em primeiro plano figurava o coche; mas decerto haveria algo mais, algo que tanto ele como o príncipe ignoravam. "Eu, naturalmente, não sou nenhum espião e não quis perguntar-lhes nada. Aliás, receberam-me muito bem, tão bem como eu não esperava. Mas a seu respeito, príncipe, não me disseram uma palavra." O mais principal e notável de tudo era que Aglaia acabava de ter uma discussão com sua família por causa de Gânia. Quanto a pormenores do caso... ignoravam-se. Mas somente pelo fato de ter sido a discussão e horrível por culpa de Gânia ("imagine o senhor!"), cresce de importância a coisa. O general chegara tarde, e chegou de cara fechada, em companhia de Ievguéni Pávlovitch, ao qual dispensaram a melhor acolhida, e o tal Ievguéni Pávlovitch estava assombrosamente alegre e de ótimo humor. A notícia mais importante era que Lisavieta Prokófievna, com muita calma, havia mandado chamar Varvara Ardaliónovna, que estava conversando com as moças, e expulsara-a para sempre de sua casa, aliás, do modo mais estranho — a própria Varvara lhe havia contado. — Mas ao sair Vária da casa de Lisavieta Prokófievna e despedir-se das moças, ignoravam estas ainda que a haviam posto para fora e que se despedia delas pela última vez.

— Mas se Varvara Ardaliónovna acaba de estar aqui às sete! — exclamou, assombrado, o príncipe.

— Pois a puseram de lá para fora às oito. Sinto muito por causa de Vária e também sinto muita pena por causa de Gânia... Sempre têm que andar tramando intrigas; não podem viver senão assim. Eu nunca pude saber o que é que forjam, nem o quero averiguar tampouco. Mas asseguro-lhe, meu querido e bom príncipe, que Gânia tem coração. É um homem, sem dúvida alguma, em muitos sentidos, perdido; mas tem, ainda assim, qualidades que vale a pena buscar para descobrir, e não me perdoarei nunca não o ter compreendido antes. Não sei se continuarei visitando os Iepántchini depois dessa história de Vária. Na verdade, coloquei-me, desde o primeiro momento, numa posição de independência; mas, apesar de tudo, terei de pensar nisso.

— Creio que você tem, sem motivo, demasiada compaixão por seu irmão — observou Míchkin. — Se até esse extremo chegou a coisa, é que Gavrila Ardaliónovitch se torna perigoso aos olhos de Lisavieta Prokófievna e, portanto, que certas esperanças dele tinham sido encorajadas.

— Como, que esperanças? — exclamou Kólia, atônito. — Mas será que imagina o senhor que Aglaia...? Isto não pode ser!

O príncipe guardou silêncio.

— O senhor é demasiado cético, príncipe — disse Kólia ao fim de alguns minutos. — Venho observando que, desde algum tempo, o senhor se tornou demasiado cético. O senhor começa a não crer em nada e a fazer toda espécie de suposições... Acabo de usar com toda exatidão a palavra cético.

— Acho que sim, ainda que, afinal de contas, eu mesmo não saiba ao certo.

— Mas rejeito agora a palavra cético: achei outra explicação — exclamou, de repente, Kólia. — O senhor não é cético; o que está é com ciúmes. O senhor tem ciúmes infernais de Gânia, por culpa de certa senhorita orgulhosa!

Ao dizer aquilo, estremeceu Kólia dos pés à cabeça e soltou gargalhadas, como talvez nunca tivesse feito. Ao ver que o príncipe ficava todo vermelho, aumentou Kólia ainda mais as risadas. Achava muita graça na ideia de que o príncipe estivesse com ciúmes de Aglaia. Mas calou-se em seguida, ao observar que o príncipe sofria sinceramente. Depois, muito sério e preocupado, continuou falando com o príncipe uma hora e meia ainda.

No dia seguinte, Míchkhin teve de viajar para Petersburgo, por motivo de um assunto inadiável, que o entreteve ali a manhã inteira. Ao voltar a Pávlovsk, já às cinco da tarde, encontrou-se na estação com Ivan Fiódorovitch. Este pegou-lhe rapidamente a mão e, girando o olhar em torno de si, como assustado, levou o príncipe consigo para um vagão de primeira, a fim de fazerem juntos a viagem. Ardia em desejo de falar de algo importante.

— Antes de tudo, querido príncipe, não te zangues comigo, que eu, de minha parte, se alguma zanga tinha, já me passou. Por mim, teria vindo ver-te ontem, ontem mesmo; mas não sabia como Lisavieta Prokófievna encararia isso... Minha casa é... simplesmente um inferno; uma esfinge enigmática aposentou-se nela e, por mais que eu faça, não compreendo. Quanto a ti, creio que és o menos culpado de todos, ainda que, sem dúvida, grande parte do que ocorre seja causado por ti. Olha, príncipe: isso de ser filantropo é muito bonito, mas até certo ponto. Eu mesmo talvez esteja agora gozando o fruto de o ter sido. Amo, sem dúvida, a virtude e estimo Lisavieta Prokófievna, mas...

O general continuou por longo tempo nesse estilo, mas suas palavras acusavam estranha incoerência. Era evidente que estava muito alterado e sumamente desconcertado por algo em alto grau incompreensível.

— Para mim não há dúvida que tu não tens nada que ver com isto — explicou-*se, finalmente, mais claro.* — Mas não vás ver-nos por algum tempo, peço-te como amigo, até que o vento mude... Pelo que se refere a Ievguéni Pávlovitch — exclamou com extraordinária veemência, — aquilo é uma calúnia absurda, uma rematada calúnia! Aquela acusação é uma intriga, que obedece ao desejo de malograr tudo e fazer que briguemos. Olha, príncipe: digo-te ao ouvido: entre mim e Ievguéni Pávlovitch não se disse ainda nem uma palavra sequer, entendes? Não há entre nós o menor compromisso, mas pode acontecer que se diga essa palavra e talvez logo e até talvez muito depressa. É isto que tratam de impedir. Por quê? Eis aí o que não explico a mim mesmo. Ela é uma mulher estranha, uma mulher excêntrica; tenho tanto medo dela, que mal consigo dormir. E que coche, que cavalos brancos, que bom gosto, sobretudo isso que chamamos o *chic* francês. Quem lhe terá dado? Por Deus, que pequei. Pensei mal anteontem de Ievguéni Pávlovitch. Mas parece que isso não pode ser, e se não pode ser, por que quer ela estragar tudo? Este, este é o enigma! Para não perder Ievguéni Pávlovitch? Mas repito-te e juro-te que ele não a conhece e que essas promissórias são uma mentira. E com que descaro o tratou por *tu* em plena rua! Pura insolência! Está claro que é preciso responder a isso com o desprezo e que Ievguéni Pávlovitch é digno de toda estima. Fiz Lisavieta Prokófievna ver isso... Agora vou revelar-te meu mais íntimo pensamento: estou firmemente convencido de que ela fez isso para vingar-se de mim pelo que se passou, embora não seja eu culpado de nada para com ela. Só de recordá-lo, fico cheio de vergonha. Apresentou-se agora de novo, quando eu já pensava que havia desaparecido para sempre. E Rogójin? Por onde anda? Podes dizer. Eu já a supunha casada com ele.

Numa palavra: o homem estava totalmente desconcertado. Durante quase uma hora de caminho falou só ele, propondo problemas que ele próprio resolvia, apertando a mão do príncipe, que, pelo menos, ficou convencido de que não suspeitava absolutamente dele o general. O que era importante para Míchkin. Acabou falando do tio de Ievguéni Pávlovitch, diretor de certa fábrica de Petersburgo: um cargo importante, setenta anos, *viveur*, gastrônomo e, em geral, um velhote muito simpático...

— Ah! ah! ah! Sei que ouviu falar de Nastássia Filípovna e até a conhece. Fui vê-lo agora; não recebe; está doente. Mas é tão rico, tão rico, tem um nome e... queira Deus que viva muitos anos. Mas afinal deixará tudo a Ievguéni Pávlovitch... Mas eu, apesar de tudo, receio... Não sei o que, mas receio. Parece que algo se condensa no ar, algo assim como um morcego que revoluteia. A desgraça ronda, e receio, receio...

Capítulo XII

Eram sete horas da noite. Dispunha-se Míchkin a sair para o jardim. De repente, Lisavieta Prokófievna, sozinha, apresentou-se diante dele no terraço.

— Antes de tudo, não tenhas a ousadia de imaginar — começou — que vim pedir-te perdão! Nada disso! És aqui o culpado.

O príncipe manteve-se em silêncio. — Não és o culpado?

— *Sou tão culpado* quanto a senhora. Aliás, nem eu, nem a senhora, nenhum de nós dois, somos culpados de nada. Anteontem tinha-me como culpado; mas agora reconsiderei e creio que não é assim.

— De modo que é isso que dizes! Bem; está bem. Escuta-me e senta, porque não tenho a intenção de ficar em pé.

Ambos sentaram.

— Em segundo lugar, nem uma palavra a respeito daqueles mal-educados rapazolas! Vou ficar aqui sentada, conversando contigo uns dez minutos. Vim ver--te para averiguar uma coisa (haverias de pensar Deus sabe o quê!), e se me dizes uma palavra sequer a respeito daqueles rapazolas insolentes, levanto, vou embora e rompo contigo definitivamente.

— Está bem — respondeu Míchkin.

— Permite que te faça uma pergunta: enviaste, haverá dois meses ou dois meses e meio, aí pela Páscoa, uma carta a Aglaia?

— Enviei, sim.

— E com que fim? Que dizia essa carta? Vamos, mostra-me!

Lisavieta Prokófievna lançava fogo pelos olhos e quase tremia de impaciência.

— Não a tenho em meu poder — respondeu Míchkin assombrado e com uma timidez terrível. — Se ainda está intacta, quem a tem é Aglaia Ivânovna.

— Não finjas! De que lhe falavas nela?

— Não finjo, nem temo coisa alguma. Não vejo nenhuma razão para não escrever-lhe...

— Cala-te! Depois falarás. Que dizia a carta? Por que ficas tão vermelho?

O príncipe refletia.

— Não conheço seus pensamentos, Lisavieta Prokófievna. Só vejo uma coisa e é que essa carta não foi de seu agrado. Convenha a senhora comigo em que poderia eu negar-me a responder à sua pergunta; mas para demonstrar-lhe que nada temo a respeito dessa carta, nem me pesa havê-la escrito e jamais haverei de ruborizar--me por causa dela (o príncipe ficou duplamente ruborizado), vou lhe dizer a carta, porque creio que a sei de cor.

Dito isto, recitou-lhe Míchkin a carta quase literalmente, tal como era.

— Que bobajada! Que quererás tu dizer com tudo isso? — indagou Lisavieta Prokófievna, cortante, depois de ter ouvido o recitado da carta com extraordinária atenção.

— Eu mesmo não sei direito; sei somente que meus pensamentos eram absolutamente sinceros. Tive naquela ocasião momentos cheios de vida e de extraordinárias ilusões.

— Que ilusões?

— É difícil explicar; mas não as que a senhora imagina neste instante... Ilusões, bem; numa palavra: ilusões para o futuro e a alegria de não ser ali de todo um estranho, um forasteiro. Penetrava-me de repente um grande amor pela minha pátria. Numa manhã de sol, peguei da pena e escrevi essa carta; por que a escreveria a ela?... Ignoro. Por vezes deseja a gente ter um amigo a seu lado; e eu, pelo visto, sentia falta de um amigo... — acrescentou, depois de uma pausa, o príncipe.

— Mas será que estás enamorado dela?

— Não... não. Eu... escrevi-lhe como a uma irmã; e assinava como irmão...

— Hum! De propósito; compreendo.

— É muito difícil responder-lhe essas perguntas, Lisavieta Prokófievna.

— Já sei o que é difícil para ti; mas em nada me interessa o que seja difícil para ti. Ouve, responde-me a verdade, como se estivesses diante de Deus: tu me mentiste ou não?

— Eu não minto.

— Dizes deveras que não estás enamorado?

— Creio que completamente, deveras.

— Ora, creio! Mandaste-a por intermédio do menino?

— Pedi a Nikolai Ardaliónovitch...

— Um menino! Um menino! — atalhou-o Lisavieta Prokófievna, nervosa. — Não sei quem é esse Nikolai Ardaliónovitch... Que menino?

— Nikolai Ardaliónovitch...

— Um menino, digo-te eu!

— Não, não um menino, mas Nikolai Ardaliónovitch — respondeu finalmente o príncipe, com firmeza e bastante calma.

— Bem, está bem, meu caro. Está bem! Vai para tua conta — por um minuto dominou sua agitação e respirou. — E que é isso do pobre cavalheiro?

— Ignoro-o absolutamente. Nisso não tenho parte nenhuma. Deve tratar-se de uma pilhéria.

— Muito agradável inteirar-se de tudo isso de supetão! Mas será que ela pode interessar-se por ti? Se ela mesma te chamou de maluco e de idiota!

— A senhora não precisava me dizer isso — observou Míchkin, num tom de censura e quase em voz baixa.

— Não te zangues. É uma menina dominadora, louca, uma menina mimada... Se lhe dá veneta, há de fatalmente insultar as pessoas em voz alta e de zombar delas em sua cara! Eu era igual. Somente, não cantes vitória, meu caro, não é tua. Não quero crer que seja, nem nunca será! Digo para que tomes tuas providências. Ouve: jura-me que não estás casado com aquela!

— Lisavieta Prokófievna, que diz a senhora? — e Míchkin esteve quase a dar um salto de pura estupefação.

— Mas não estiveste a ponto de casar-te?

— A ponto de casar-me, estive — balbuciou Míchkin, baixando a cabeça.

— Segundo isto, estás enamorado dela, não é assim? Foi por causa dela que vieste aqui agora? Por causa dela?

— Não vim casar-me — respondeu Míchkin.

— Há para ti algo de sagrado neste mundo?

— Há, sim.

— Jura-me que não vieste casar-te com essa.

— Juro-lhe por tudo quanto a senhora queira!...

— Acredito em ti; beija-me. Finalmente, respiro, aliviada. Mas vê bem uma coisa: Aglaia não te ama; tomei minhas providências e não será tua, enquanto eu viva estiver! Ouviste?

— Ouvi.

O príncipe ficou tão vermelho que não pôde olhar de frente para Lisavieta Prokófievna.

— Pois não esqueças. Esperava-te como se espera a Providência (não eras digno disso!); molhava à noite o travesseiro com minhas lágrimas... Não por tua causa, meu caro, fica tranquilo; era outro o meu pesar, perene, e sempre o mesmo. Mas vou dizer-te por que te aguardava com tanta impaciência: porque ainda creio que

Deus mesmo te enviou a mim como amigo e irmão. Não tenho ninguém, senão a velha Bielokónskaia e esta também levantou voo e, além do mais, era estúpida como um carneiro, por causa de sua idade. Agora, responde-me, simplesmente, sim ou não. Sabes por que aquela tal soltou anteontem aqueles gritos lá do coche?

— Palavra de honra que nisso não tenho parte nenhuma, nem sei de nada!

— Basta. Acredito em ti. Agora já penso de outro modo a esse respeito. Mas ontem mesmo, de manhã, ainda lançava toda a culpa a Ievguéni Pávlovitch. Todas as vinte e quatro horas de anteontem e a manhã de ontem. Agora, sem dúvida, não posso deixar de dar-lhe razão; salta à vista que zombaram dele como de um tolo por alguma causa, por algo, por algum fim (só isto já é suspeito; mas não se casará com ele Aglaia, digo-te eu!). Concedo que seja um homem excelente, mas será mesmo assim! Eu antes hesitava, mas agora já estou verdadeiramente decidida: "Ponha-me primeiro dentro do ataúde e enterre-me, para depois dar-lhe sua filha." Assim o disse hoje a Ivan Fiódorovitch. Estás vendo a confiança que tenho em ti? Estás vendo?

— Vejo e compreendo.

Lisavieta Prokófievna contemplou com olhos penetrantes o príncipe. Talvez quisesse certificar-se da impressão que lhe havia causado a notícia referente a Ievguéni Pávlovitch.

— De Gavrila Ardaliónovitch nada sabes?

— Pelo contrário... Sei muitas coisas.

— Sabes ou não sabes que se correspondia com Aglaia?

— De jeito nehum; isto não sabia — Míchkin mostrou-se admirado e até estremeceu. — Como? Disse a senhora que Gavrila Ardaliónovitch mantém correspondência com Aglaia Ivânovna? Isto não pode ser!

— Desde muito pouco. Para isso a irmã dele plainou-lhe o caminho: trabalhou como uma ratazana.

— Não acredito — repetiu Míchkin, com firmeza, depois de um instante de reflexão e emoção. — Se assim fosse, eu saberia eu com toda certeza.

— Por acaso haveria ele de acolher-se a teu peito e confessar-te tudo entre lágrimas? Ora, que bobo que és! Que bobo! Todo o mundo te engana como a... como a... E não te dá vergonha ter essa confiança nele? Será que não vês como te engana em toda a extensão da palavra?

— Sei muito bem que alguma vez me engana — murmurou o príncipe, involuntariamente, à meia voz, — e ele sabe que eu sei... — acrescentou e não acabou o que queria dizer.

— Sabe e continua tão confiado! Só faltava isto! Aliás, de ti não se podia esperar outra coisa. E não sei por que hei de assombrar-me. Meu Deus! Mas será que já houve algum dia um homem semelhante? Ufa! Mas não sabes que esse Ganhka e essa Varka[42] puseram-na em relações com Nastássia Filípovna?

— A quem? — perguntou Míchkin.

— A Aglaia.

— Não acredito! Isto não pode ser! Com que fim?

Saltou da cadeira.

42 Diminutivos depreciativos de Gavrila — que é nome de homem — e Varvara, respectivamente.

— Eu também não acredito, embora haja provas. É uma menina voluntariosa, uma menina fantástica, uma menina louca. Uma menina má, má, má! Levaria mil anos dizendo que ela é má! Todas elas se portam agora para comigo de um modo que até essa galinha molhada que é Alieksandra, até essa, fugiu-me da mão. Mas ainda assim não acredito! Talvez porque não queira acreditar — acrescentou como que para si. — Por que não foste ver-nos? — e voltou a encarar, de repente, o príncipe. — Por que não foste lá em casa todos esses três dias? — gritou-lhe, outra vez, com impaciência.

Míchkin pôs-se a expor-lhe as razões, ela, porém, tornou a interrompê-lo.

— Todos te acham tolo e te enganam! Foste ontem à cidade. Apostaria qualquer coisa em como te puseste de joelhos e rogaste àquele pilantra que recebesse os dez mil rublos!

— Não me ocorreu tal coisa. Nem sequer fui vê-lo, e, além do mais, não é um pilantra. Mas escreveu-me uma carta.

— Mostra-me essa carta.

Míchkin tirou de sua carteira um papelzinho e entregou-o a Lisavieta Prokófievna. O papelzinho dizia:

> Meu caro senhor: Não tenho, sem dúvida, o menor direito, aos olhos dos outros, de ter amor-próprio. Na opinião dos outros, sou demasiado insignificante para isso. Mas se assim é aos olhos dos outros, não o é aos olhos do senhor. Estou de sobra convencido de que o senhor seja melhor que os demais. Não estou de acordo com Doktorienko e discuti com ele por causa dessa convicção. Do senhor não aceitarei nunca nem um copeque, mas o senhor socorreu minha mãe e isto me obriga a ser-lhe grato, ainda que seja isto uma fraqueza. Em todo caso, olho-o de outro modo e acho necessário dizer-lhe. Depois disto, suponho que não possam existir entre nós mais relações de espécie alguma.
>
> *Antip Burdóvski*
>
> P.S. — A quantia que faltava para completar os duzentos rublos vai ser paga, sem falta, no transcurso do tempo.

— Que disparate! — concluiu Lisavieta Prokófievna, largando a carta. — Não valeu a pena a leitura. Por que sorris?

— Reconheça que também lhe causou prazer lê-la.

— Como? Essa mixórdia, podre de vaidade? Mas tu mesmo não vês que todos eles perderam o juízo por força do orgulho e da vaidade?

— Sim; mas, apesar disso, ele assume a culpa, rompeu com Doktorienko e quanto mais vaidoso for, mais lhe terá custado isso à sua vaidade. Oh! que criança é a senhora, Lisavieta Prokófievna!

— Queres afinal que te dê um tabefe?

— Não; nada disso. Mas por que se alegra com a carta e o dissimula? Por que se envergonha de seus sentimentos? Veja a senhora: assim lhe ocorre em tudo.

— Não te atrevas a dar um passo agora para ver-me — explodiu Lisavieta Prokófievna, empalidecendo de cólera. — Não quero respirar mais desde agora o ar que respiras! Nunca!...

— E dentro de três dias, a senhora mesma virá convidar-me a ir à sua casa... Mas vejamos: por que se envergonha? Se são esses seus melhores sentimentos, por que se envergonha deles? Com isso só consegue a senhora mortificar-se.

— Jamais te convidarei, nem que morra! Esquecerei teu nome! Já o esqueci!

Lançou-se para fora dos aposentos do príncipe...

— Já me haviam proibido de pôr os pés em sua casa — gritou-lhe Míchkin em seu encalço.

— O quê?... Quem te proibiu?

Olhou para trás um instante, como se a tivessem picado com uma agulha. Míchkin hesitava em responder; sentia que, sem querer, havia soltado por demais a língua.

— Quem te proibiu? — insistiu Lisavieta Prokófievna.

— Foi Aglaia Ivânovna...

— Quando? Agora conta tudo!

— Esta manhã mandou dizer-me que nunca mais tivesse o atrevimento de pôr lá os pés.

Lisavieta Prokófievna deteve-se como que hipnotizada, mas estava refletindo.

— Que te mandou dizer? Quem enviou a ti? Aquele menino? Ou disse-o de viva voz? — tornou a perguntar, de repente.

— Escreveu-me uma carta — disse Míchkin.

— Onde está? Mostra, quero ver agora mesmo!

O príncipe refletiu um instante, mas tirou do bolso do colete um pedacinho de papel no qual estava escrito:

> Príncipe Liev Nikoláievitch! Se depois de tudo quanto ocorreu, tiver o senhor a intenção de surpreender-me fazendo uma visita à nossa casa de campo, eu, esteja o senhor certo disto, não estarei entre os que se alegrarão com isto.
>
> *Aglaia Iepântchina*

Lisavieta Prokófievna refletiu um instante; depois, de súbito, avançou para o príncipe, agarrou-o por uma mão e puxou-o.

— Agora mesmo! Vem! Há de ser agora mesmo, neste mesmo instante! — exclamou, num arrebatamento de emoção e impaciência extraordinárias.

— Mas veja a senhora que me expõe...

— A quê? Inocente, simplório! Não pareces homem! Vamos, agora vou eu ver tudo com meus próprios olhos...

— Mas o chapéu, pelo menos, deixe-me apanhar...

— Aqui tens teu horrendo chapéu, vamos! Nem sequer tem bom gosto para escolher suas roupas!... Ela escreveu que... hum! depois do que aconteceu... de um modo febril... — balbuciou Lisavieta Prokófievna, arrastando atrás de si o príncipe e sem soltar-lhe a mão nem um instante sequer. — Há pouco ficou zangada contigo, disse que eras um imbecil porque não ias... de outro modo não te teria escrito uma carta tão absurda. Uma carta inconveniente! Indigna de uma senhorita de boa *família! bem educada, inteligente*, sim, inteligente!... Hum! — continuou, — sim, sem dúvida, exasperava-a que não fosses, mas não teve em conta que assim não se pode escrever a um idiota, porque haverá de tomar o que está escrito ao pé da letra. Mas que estás escutando? — gritou, ao dar-se conta de que havia falado demais. — Ela necessita de um bobo como tu, para rir dele. Há muito tempo que não via outro igual, por isso reclama tua presença! E eu também folgo muito, mas muito mesmo, que zombe de ti agora... folgo muito; é justamente o que mereces. E ela sabe como fazer isso! Oh! Sabe muito bem!...

Terceira parte

Capítulo primeiro

Com muita frequência queixamo-nos da ausência de homens práticos na Rússia. Políticos, por exemplo, temos de sobra; generais, da mesma forma; contamos também, em abundância, com plenipotenciários de toda espécie; mas homens práticos não temos nenhum. Pelo menos todos se queixam de que não os temos. Nem sequer temos podido organizar um pessoal ferroviário decente em muitas linhas, e também não foi possível estabelecer na Rússia uma companhia de vapores apenas passável. Estamos constantemente ouvindo falar de choques de trens em alguma linha recém-inaugurada ou da queda de uma ponte com trem e tudo, ou de que um trem teve de invernar na intempérie, vendo-se obrigado a ficar parado na neve cinco dias, quando a viagem devia durar somente um par de horas. De vez em quando nos dizem que há milhares de toneladas de carga apodrecendo nos vagões de alguma estação e que às vezes têm de esperar em vão três meses até continuar sua rota. E me disseram (embora seja difícil de acreditar) que ao apresentar-se um enviado do consignatário ao chefe da estação, para pedir-lhe que ativassem a expedição das mercadorias, recebeu do superintendente um murro no ouvido, alegando depois o esmurrador que assim o fizera por excesso de zelo. Haveria de pensar-se que temos número suficiente de funcionários e mais que suficiente número de pessoas a serviço do Estado; sim, até poderíamos sentir vertigem diante de seu número incalculável; todos serviram ao Estado, todos o estão servindo e todos têm a intenção de entrar a servi-lo. Como com tais elementos não se poderia organizar uma boa administração, ainda que só fosse a de uma companhia de navegação?

A esta pergunta costuma dar-se uma resposta muito simples, tão simples, que custa trabalho acreditar na exatidão de tal explicação. É certo que todos, na Rússia, serviram, estão servindo ou hão de servir ao Estado, e assim levamos já dois séculos, de acordo com o mais perfeito modelo germânico: dos bisavós aos bisnetos... Mas precisamente os empregados, precisamente eles, são as criaturas menos práticas do mundo e, além do mais, chegou-se entre nós ao extremo de considerar o saber abstrato e a falta de toda noção prática como quase a primeira virtude e a melhor recomendação para um funcionário. Mas desviamo-nos um tanto do assunto: queríamos falar apenas dos homens práticos. No que diz respeito a estes, ninguém poderá negar que a indecisão e a mais absoluta carência de iniciativa própria têm sido bem vistas... e continuam a ser estimadas na Rússia, como o mais seguro e melhor indício de homem prático. Mas por que havemos de fazer somente a nós esta censura... supondo que este critério seja uma censura? A falta de originalidade constitui em todas as partes, em todo o mundo, e desde muito tempo, a melhor qualidade e a melhor recomendação de um homem tido em conceito de ativo, utilitário e prático, e pelo menos noventa e nove por cento de todos os homens (e pode ser uma estimativa baixa) têm sido sempre desse parecer, e, no máximo, um de cada cento terá pensado e pensará agora de outro modo.

O inventor e o gênio são considerados quase sempre no princípio de sua carreira (e não poucas vezes no final dela também), pela sociedade, como imbecis declarados; esta é uma ideia muito velha e de todos sabida. Assim, por exemplo, depois de haver já muitos decênios que toda a gente leva seu dinheiro aos bancos e ali junta milhões a quatro por cento, pareceria natural que o povo deixasse por fim em paz os bancos e lançasse por iniciativa própria a maioria dos milhões à febre da especulação ou os deixasse perderem-se em mãos de trapaceiros... e isto é o que pediriam o decoro e até mesmo a moral. Sobretudo a moral. Mas quando se é de tal índole que a rouquidão moral e a decorosa falta de originalidade são avaliadas, segundo a convicção geral, como a qualidade mais indispensável que há de ter um homem ativo e útil, seria demasiado desconhecido e até indecoroso mudar de repente de maneira de ser. Que mãe, por exemplo, que ame com ternura seu filho, não se assustará e até é possível que adoeça de angústia, ao ver que seu filho ou sua filha saem um pouco da linha? "Não, mais vale que seja feliz e viva contente, sem originalidade", pensa toda mãe que se preocupe com seus filhos. E nossas amas, que se desvelam pelos bebês, desde tempos imemoriais, cantam para niná-los: "Andarás vestido de ouro, chegarás a ser general!". Efetivamente. Até nossas amas de meninos consideram isso de ser general como o símbolo da felicidade russa; portanto podemos dizer que é este o ideal que nosso povo forma de uma felicidade plácida, realizada. E, naturalmente; depois de ter saído bem de um exame e de ter servido trinta e cinco anos ao Estado... qual de nós não poderia chegar, afinal, a ser general e ter acumulada certa quantia no Banco? Desse modo o homem russo, quase sem nenhum esforço, alcançou finalmente a noção do homem ativo e prático. Na realidade, aquele de nós que não pudesse chegar a ser general, seria o homem original, ou, em outros termos, inquieto. Talvez haja nisto um equívoco; mas, falando em termos gerais, parece ser certo, e nossa sociedade tem sido inteiramente justa ao definir seu ideal do homem prático. Mas já estamos divagando: queríamos apenas expor algumas manifestações explicativas a respeito da família, já nossa amiga, dos Iepántchini. Esses indivíduos, ou quando menos os mais discretos membros dessa família, padeciam constantemente de uma condição, quase comum a todos eles, de todo ponto oposta a essas virtudes de que acabamos de falar. Não compreendendo o fato de todo (por ser difícil de compreender), costumavam recear, ainda assim, que na sua família não andava tudo como nas demais. Nas demais tudo era plano; na deles, escabroso; as demais marchavam na linha... eles descarrilhavam a cada passo. As demais sentiam por tudo timidez moral, ao passo que a deles não. É verdade que Lisavieta Prokófievna chegava mesmo a assustar-se demasiado; mas, apesar de tudo, ela não tinha esse temor moral mundano de que eles falavam. Aliás, é muito possível que fosse *Lisavieta Prokófievna a única* em sentir ali esse temor; as moças eram ainda jovens, embora muito perspicazes e irônicas, e o general, ainda que também perspicaz (não sem esforço), nos casos difíceis limitava-se a dizer: "Hum!" e afinal de contas abrigava todas as suas esperanças em Lisavieta Prokófievna. De modo que sobre esta última pesava a responsabilidade. E não é que, por exemplo, essa família se distinguisse por alguma iniciativa especial ou que saísse dos eixos por um consciente desejo de originalidade, pois isto teria sido inteiramente indecoroso. Oh! não! Na realidade não havia nada disso, isto é, nenhum fim consciente, e, apesar disso, afinal de contas, verificava-se que a família dos Iepántchini, embora muito honrada, não era, em resumidas contas, como deve ser, em geral, toda família honrada. Nos últimos tempos, Lisavieta Prokófievna se culpava de tudo, acusando seu desgraçado caráter... o que aumentava ainda mais seus sofrimentos. Ela mesma estava a cada momento chamando-se de estúpida, indecente e ridícula. Atormentava-se por ninharias; torturava-se sem cessar, não encontrando saída para o contratempo mais comum e exagerando continuamente suas desditas.

Já no começo de nosso relato dissemos que os Iepántchini gozavam de geral e efetiva estima. Até o próprio General Ivan Fiódorovitch, homem de origem algo obscura, era recebido em todas as partes sem discussão e com respeito. Ele merecia tal respeito, em primeiro lugar, como homem de riqueza e de alguma reputação, e em segundo lugar também como homem inteiramente irrepreensível, embora não lá muito inteligente. Mas certa estupidez de espírito parece ser a condição indispensável, ou pouco menos, se não de todo homem prático, pelo menos de todo sério acumulador de dinheiro. Finalmente, possuía o general maneiras discretas, era modesto, sabia calar-se e ao mesmo tempo não deixava que o pisassem... e não por causa de seu generalato, mas como homem de honra e de nobreza. O principal de tudo é que era homem de poderosas influências. Pelo que se refere a Lisavieta Prokófievna, esta, como já explicamos mais acima, era também de boa família, ainda que entre nós não se faça muito caso disso, se não trouxer consigo as indispensáveis relações poderosas. Mas gozava ela também de tais relações; estimavam-na e, afinal, tinham por ela afeição pessoas de tão alto coturno, que, a exemplo destas, naturalmente, todas por força haveriam de estimá-la e recebê-la. Não há dúvida de que suas preocupações com sua família não tinham o menor fundamento, havia para elas poucas causas que eram por ela ridiculamente exageradas. Mas quando alguém tem uma verruga no nariz ou na testa, parece-lhe que toda gente não tem outra coisa a fazer no mundo senão olhar-lhe a verruga, rir dela e desprezá-lo, ainda que o tal com a verruga tivesse descoberto a América. Tampouco há dúvida alguma de que em sociedade tinham, efetivamente, Lisavieta Prokófievna por uma extravagante; mas isto não era obstáculo para que, sem discussão, a respeitassem; mas acontecia que Lisavieta Prokófievna concluíra por não acreditar que fosse assim... e nisto consistia toda a sua desgraça. Ao olhar suas filhas atormentava-se com a suspeita de que estava lhes estragando o futuro, de que tinha um gênio extremamente insuportável, do qual, como era natural, sempre punha a culpa às suas filhas e a Ivan *Fiódorovitch, com os quais* levava dias inteiros brigada, não obstante amá-los até a abnegação e quase apaixonadamente.

O que mais a mortificava era a suspeita de que suas filhas eram tão extravagantes como ela própria e que não havia, nem devia haver no mundo moças iguais a elas. "Viraram niilistas, eis tudo!", dizia sempre consigo mesma. Durante o último ano, e sobretudo de algum tempo àquela parte, tão triste pensamento apoderava-se cada vez mais dela. "Em primeiro lugar, por que não se casam? — estava a perguntar sempre a si mesma. — Para atormentar sua mãe... Nisto puseram toda a finalidade de sua vida e isto se deve às novas ideias, a essa condenada questão feminina! Porventura Aglaia já não pensou, há meio ano, em cortar seus magníficos cabelos? (Meu Deus, eu mesma não tinha cabelo semelhante na idade dela!) Pois é: já estava com a tesoura nas mãos e eu, para dissuadi-la, tive até de ajoelhar-me a seus pés!... Bem; ela, naturalmente, fez aquela maldade para dar um desgosto à sua mãe, porque é uma menina má, voluntariosa, caprichosa e, sobretudo, má, má, má! Mas não ocorreu também a essa gorda da Alieksandra, à imitação da outra, cortar suas tranças e não já por maldade, mas por capricho e de boa-fé, por ser simplesmente imbecil, por tê-la convencido Aglaia de que com o cabelo cortado dormiria melhor e não lhe doeria a cabeça? E quantos, quantos, quantos noivos... em cinco anos, que já vão, não tiveram! E, na verdade, eram todos muito bons rapazes, até bonitos! Que esperam, por que não se casam? Só pode ser para mortificar sua mãe!... Não há outra razão senão esta! Não há outra! Não há outra!"

Finalmente, saiu também o sol para seu coração maternal; pelo menos uma de suas filhas, Adelaida, ia casar. "Ainda que seja apenas uma, é o mesmo que tirar-me um peso do peito", dizia Lisavieta Prokófievna, quando lhe ocorria exprimir-se em voz alta (no seu íntimo empregava expressões incomparavelmente mais ternas). E quão bem e quão distintamente desenrolara-se a coisa! Até na boa sociedade falava-se disso com respeito. Um homem conhecido, príncipe, com fortuna, bonito e que, além do mais, lhe havia conquistado o coração. Que mais poderia pedir-se? Mas por Adelaida temia menos do que pelas suas outras filhas, embora suas afeições artísticas preocupassem também por vezes não pouco o sempre duvidoso coração de Lisavieta Prokófievna. "Em compensação, tem um gênio alegre e, além disso, é muito discreta... A moça não vai afundar", consolava-se afinal de contas. Aglaia era a que mais inquietação lhe dava. Digamos, a propósito disto, que, no tocante à mais velha, Alieksandra, Lisavieta Prokófievna mesma não sabia dizer se lhe causava ou não inquietação. Parecia-lhe que já era uma moça inteiramente malograda. Vinte e cinco anos... Nada, ficaria solteira. "E bonita como é!" Lisavieta Prokófievna chegava até a chorar por ela, à noite, quando, na mesma hora, dormia Alieksandra Ivânovna um sono placidíssimo. "Mas que será ela no íntimo... niilista ou imbecil?" De que não era imbecil, disto estava, aliás, muito convencida Lisavieta Prokófievna; tinha em grande apreço o bom juízo de Alieksandra Ivânovna e gostava de se aconselhar com ela. Mas de que fosse uma galinha molhada, disto sim, não tinha a menor dúvida. "Mansa, a ponto de não se poder brigar com ela!... Aliás, as galinhas molhadas nada têm de mansas... Qual! Já me pregaram uma...!"

Lisavieta Prokófievna sentia inexplicável e apaixonada simpatia por Alieksandra Ivânovna, muito mais que por Aglaia, que era seu ídolo. Mas os bruscos rompantes (em que principalmente se manifestavam sua solicitude e sua simpatia maternais), os ralhos e apelidos, como esse de galinha molhada, só provocavam o riso, e nada mais, de Alieksandra. Costumava acontecer que Lisavieta Prokófievna se zangasse terrivelmente e ficasse fora de si pela mínima coisa. Alieksandra Ivânovna gostava muito, por exemplo, de dormir até tarde e costumava, em geral, ter muitos sonhos, só que estes se distinguiam sempre por sua extraordinária vacuidade e inocência: os sonhos de uma menina de sete anos. Pois até essa mesma ingenuidade houve de exasperar sua mãe. Uma vez veio Alieksandra Ivânovna a ver em sonhos nove galinhas e por culpa disso tiveram de brigar mãe e filha... Por quê? É difícil explicar. Uma vez, uma só vez tinha conseguido sonhar algo um pouco original: sonhou com um frade, que estava só em um quarto escuro, no qual não se atrevia ela a entrar. Foram contar logo tal sonho, com ar de triunfo, a Lisavieta Prokófievna, suas outras duas filhas, que não podiam conter o riso; mas a mãe tornou a zangar-se então também e chamou as três de imbecis. "Hum!... Mansa como uma boba: é uma completa galinha molhada; nada a abala e, mesmo assim, é triste, parece tão triste por vezes! Por que essa tristeza? Por quê?" Por vezes formulava esta pergunta a Ivan Fiódorovitch e, segundo seu costume, de um modo histérico, ameaçador, com ar de esperar imediata resposta. Ivan Fiódorovitch fazia "hum!", franzia o cenho, encolhia os ombros e decidia por fim, abrindo os braços: "Precisa de marido!".

— Contanto que Deus não lhe dê um como você, Ivan Fiódorovitch — explodia, finalmente, como uma bomba, Lisavieta Prokófievna. — Que não seja, nos seus juízos e apreciações como você, Ivan Fiódorovitch; que não seja tão grosseiro como você, Ivan Fiódorovitch...

Ivan Fiódorovitch punha-se a salvo imediatamente, enquanto Lisavieta Prokófievna se acalmava depois de seu estouro. Naturalmente, naquela mesma noite já se mostrava bastante atenciosa, serena, carinhosa e respeitosa para com Ivan Fiódorovitch, para com seu impiedoso ofensor Ivan Fiódorovitch; para com seu bom, querido e estimado Ivan Fiódorovitch, porque ela, toda a sua vida, amou e esteve apaixonada pelo seu Ivan Fiódorovitch, fato de que ele estava bem ciente e por isso estimava infinitamente a sua Lisavieta Prokófievna.

Mas sua principal e constante tortura era Aglaia.

"Inteiramente, inteiramente como eu; meu vivo retrato em todos os sentidos — dizia a si mesma Lisavieta Prokófievna. — Um diabinho voluntarioso, antipático! Niilista, extravagante, louca, má, má, má! Oh! meu Deus, que desgraçada vai ser!"

Mas, como já dissemos, o sol, ao sair, tudo embelezou e iluminou num instante. Houve quase um mês inteiro na vida de Lisavieta Prokófievna em que esta respirou livre de todas as suas inquietudes. Por motivo do próximo casamento de Adelaida, havia-se falado, também em sociedade, a respeito de Aglaia e, além disso, Aglaia portava-se em todas as partes com rara correção, com muito tino e muita fascinação. Um pouco orgulhosa, sim; mas isto lhe sentava tão bem!... Quão carinhosa, quão lisonjeadora estivera todo aquele mês com sua mãe!... "Na verdade, com esse Ievguéni Pávlovitcb é preciso ter muito cuidado, muito cuidado mesmo; é preciso estudá-lo a fundo, embora Aglaia não pareça estimá-lo mais do que aos outros!" E, com tudo isso, tornara-se de repente muito estranha... E como estava bonita, meu Deus, quão bonita! Cada dia mais! E daqui que...

E eis que esse antipático principezinho, esse idiotinha maltrapilho, viera *transtornar tudo de novo* e *revirar* tudo pelo avesso na casa! Mas que se havia passado?

Para outros não se teria passado nada, seguramente. Mas não para Lisavieta Prokófievna, que na ordem e disposição dos assuntos mais correntes, por culpa de sua contínua inquietação, sempre estava vendo algo próprio para assustá-la às vezes até um limite mórbido, enchendo-a de um medo torturante, inexplicável e, por isso mesmo, penosíssimo. Que seria dela, quando agora, de repente, por entre todo o cúmulo de suas ridículas e infundadas inquietações, começou a discernir, efetivamente, algo que tinha, na realidade, aparências de coisa grave, algo que, na verdade, justificava o alarme e a dúvida e a suspeita?

"Mas como se atreveram, como se atreveram a escrever-me essa condenada carta anônima, dizendo-me que aquela criatura tem relações com Aglaia — pensava Lisavieta Prokófievna, durante todo o caminho, levando a reboque o príncipe, e já em sua casa e depois de fazê-lo sentar-se em torno da mesa redonda, onde estava reunida no momento toda a família. — Como se atreveram sequer a pensá-lo? Morreria de vergonha, se desse o menor crédito a isso ou se mostrasse a carta anônima a Aglaia. Que zombaria contra nós, os Iepántchini! E tudo, tudo por culpa de Ivan Fiódorovitch; tudo por culpa de você, Ivan Fiódorovitch! Ah! Por que não fomos passar o verão em Ieláguinskaia *datcha?* Eu dizia que devíamos ir para Ieláguinskaia *datcha!* É possível que tenha sido Varka a autora da carta anônima, bem sei, embora seja possível talvez... mas de tudo tem culpa Ivan Fiódorovitch. Essa jogada aquela criatura fez por conta de suas antigas relações, para ressaltar a imbecilidade dele, como já riu às gargalhadas de sua estupidez e puxou-o pelo nariz, quando lhe levou aquelas pérolas... Mas o caso é que nos comprometeste a mim e a tuas filhas, Ivan Fiódorovitch; a tuas filhas, que são umas jovens, umas senhoritas, umas senhoritas da melhor sociedade e casadouras; ali estavam, ali se encontravam, tudo ouviram e também as misturaste nessa história daqueles rapazes. Alegra-te, pois também ali estiveram e ouviram tudo! Não lhe perdoarei tampouco, não lhe perdoarei tampouco a esse principezinho, nunca lhe perdoarei! E por que terá estado Aglaia três dias atacada de histerismo, por que terá estado quase que brigada com suas irmãs, até mesmo com Alieksandra, a quem sempre beija as mãos como a uma mãe... pois a tal ponto a ama? Por que nesses três dias foi um mistério para todos? Por que ontem e hoje não fez mais do que louvar e sentir falta de Gavrila Ardaliónovitch? Por que me falam na carta anônima desse pobre cavalheiro, quando ela não mostrou a carta do príncipe nem às suas próprias irmãs? E por que... por que, por que eu, como uma gata enciumada, fui agora correndo buscá-lo e o trouxe para casa? Meu Deus! Devo estar louca para ter feito isto! Dispor-me a falar com um jovem a respeito dos segredos de minhas filhas e, além disso... sim, além disso, de uns segredos como esses, que o afetam quase a ele mesmo! Meu Deus! ainda bem que ele é idiota e... e... e amigo da casa! Mas estará Aglaia enamorada desse imbecil? Meu Deus! que coisas digo! Hum!... Somos uns originais... Deveriam exibir-nos dentro de uma redoma, a mim em primeiro lugar, a dez copeques a entrada. Não lhe perdoarei isso, Ivan Fiódorovitch; nunca lhe perdoarei. E por que ela agora não o tratará com desagrado? Prometeu fazer isso e não faz! Longe disso, longe disso, fica a olhá-lo, abobada, não despega os lábios nem se retira, mas fica ali muito quieta, e depois de ter-lhe mandado dizer que não aparecesse mais em sua casa... Ele está completamente pálido. E esse maldito, esse condenado Ievguéni Pávlovitch que não deixa ninguém dizer uma palavra!... E como fala! Não deixa mais ninguém falar. Eu logo me teria inteirado de tudo, se tivesse podido canalizar a conversa para isso..."

Míchkin estava, efetivamente, sentado, bastante pálido, à mesa redonda, e parecia, ao mesmo tempo, muito conturbado e por momentos possuído de um entusiasmo *para ele próprio* incompreensível, que se apoderava de sua alma. Oh! e como temia olhar para aquele lado, para aquele ponto da mesa, de onde o olhavam fixamente dois olhos negros muito conhecidos e como ao mesmo tempo desfalecia de felicidade por estar outra vez ali, entre eles, e ouvir vozes amigas... depois do que ela lhe havia escrito! "Senhor! que irá dizer agora?" Não tinha ele dito ainda uma palavra e com esforço ouvia o extrovertido Ievguéni Pávlovitch, o qual poucas vezes se havia mostrado tão animado e contente como naquela noite. Míchkin escutava-o e esteve longo tempo sem compreender nada. A não ser Ivan Fiódorovitch, que ainda não havia regressado de Petersburgo, estavam ali todos reunidos. Também se achava presente o Príncipe Tsch***. Segundo parecia, tinham-se ali reunido por um pouco de tempo, antes do chá, para ir depois ouvir a banda de música. A conversa que se desenrolava tinham-na iniciado antes da chegada do príncipe. De repente surgiu no terraço Kólia, que vinha só Deus sabia donde. "Pelo visto, recebem-no aqui como antes", pensou Míchkin.

A casa de campo dos Iepántchini era uma casa suntuosa, no estilo dos chalés suíços, rodeada, com delicado gosto, por todas as partes, de flores e trepadeiras. Dava volta a toda a propriedade um pequeno, porém lindíssimo e florido jardim. Estavam todos sentados no terraço, como na casa de Míchkin; somente aquele terraço era mais amplo e elegante.

O tema da conversa parecia interessar pouco a todos; como parecia, tinha-se ele transformado num debate acalorado e sem dúvida queriam já todos mudar de assunto; mas Ievguéni Pávlovitch parecia empenhar-se mais, por isso mesmo, em insistir nele, sem reparar na impressão que causava; a chegada de Míchkin pareceu animá-lo mais ainda. Lisavieta Prokófievna franzia o cenho, embora não percebesse bem tudo. Aglaia, que estava sentada de parte, quase a um canto, não se retirava, escutava e guardava tenaz silêncio.

— Permita-me — disse com calor Ievguéni Pávlovitch. — Não digo nada contra o liberalismo. O liberalismo não é nenhum pecado; é uma parte indispensável na formação do todo que, sem isso, se desintegraria ou amorteceria; o liberalismo tem o mesmo direito à vida que o mais nobre conservadorismo; mas combato o liberalismo russo e torno a repetir: combato precisamente porque o liberal russo não é um liberal russo, mas um liberal não russo. Deem-me um liberal russo e eu, imediatamente, vou abraçá-lo na presença de todos.

— Mas só se ele quiser abraçar o senhor — disse Alieksandra Ivânovna, que estava dominada de uma animação extraordinária. Tinha até as faces mais coradas que de costume.

"Eis aí — pensava consigo Lisavieta Prokófievna, — fica dormindo até a hora da comida, não diz palavra e, de repente, uma vez por ano, entusiasma-se e se põe a disparatar de um modo que deixa a gente sem fôlego."

Percebeu Míchkin um instante que não parecia agradar nem um pouco a Alieksandra Ivânovna que Ievguéni Pávlovitch se exprimisse com aquele bom humor excessivo, dissertasse sobre um tema sério e parecesse entusiasmar-se e, por outro lado, fizesse pensar, ao mesmo tempo, que estava falando em brincadeira.

— Eu acabava de afirmar, quando o senhor chegou, príncipe — prosseguiu Ievguéni Pávlovitch, — que, entre nós, até agora, só tem havido liberais de duas classes sociais: a dos proprietários rurais, já passada, e a dos intelectuais. E como estas duas classes sociais se separaram finalmente em duas castas distintas e tanto mais hão de distinguir-se quanto mais tempo se passar, de geração em geração, tudo quanto fizeram e fazem torna-se perfeitamente antinacional...

— Como? Mas tudo quanto se tem feito... é antirrusso? — objetou o Príncipe Tsch***.

— Antinacional; ainda que seja russo, é antinacional; os liberais, entre nós, não são russos, nem tampouco são russos os conservadores todos... e esteja certo de que a nação não aceitará o que fizeram os proprietários rurais e os intelectuais, nem agora, nem depois...

— Está bem! Mas como é possível que o senhor esteja convencido de semelhante paradoxo, supondo-se que fale sério? Não posso compartilhar de semelhantes apreciações a respeito do proprietário rural russo; o senhor mesmo é um — objetou com calor o Príncipe Tsch***.

— Mas é que eu não falo do proprietário rural russo no sentido em que o senhor o toma. É uma classe respeitável, embora só o seja pelo fato de pertencer eu a ela; sobretudo agora que já deixou de existir...

— Será que também na literatura nada encontra de nacional? — atalhou-o Alieksandra Ivânovna.

— De literatura não entendo; mas a literatura russa, a meu ver, não tem nada de russa, excetuando-se, talvez, Lomonóssov,[43] Púchkin e Gógol.

— Em primeiro lugar, isto já não é tão pouco e, além do mais, um deles pertencia ao povo e os outros dois... à classe dos proprietários de terras — sorriu Alieksandra.

— É verdade; mas não cante vitória. Precisamente porque só esses três, entre todos os escritores russos, conseguiram, até agora, dizer algo efetivamente seu, algo pessoal, não tomado de ninguém; por isso mesmo esses escritores converteram-se em nacionais. Quem fala das gentes russas, escreve ou faz algo próprio, seu, não colhido nem tomado emprestado, imediatamente passa a ser nacional, ainda que se expresse mal em russo. Isto é para mim um axioma. Mas não começamos falando de literatura. Iniciamos nossa conversa com o tema dos socialistas e daí surgiu a discussão. Bem; pois eu sustento que não há nem um socialista russo, nem nunca o tivemos tampouco, porque todos os nossos socialistas procedem também dos proprietários de terras ou dos intelectuais. Todos os nossos socialistas declarados, rotulados, tanto os daqui como os de fora, não são, na sua maioria, senão liberais da classe proletária dos tempos da servidão legal. Por que se riem? Deem-me cá seus livros, dê-me cá suas teorias, suas memórias, e eu, que não sou nenhum crítico literário, comprometo-me a escrever para os senhores uma crítica literária convincentíssima, na qual demonstrarei de um modo claro, como a luz do dia, que cada página desses livros, folhetos e memórias foi escrita, antes de tudo, por um velho proprietário russo. Sua iracunda, sua indignação, sua agudeza... são próprias da classe possuidora de terras (até em Famússov); seu entusiasmo, suas lágrimas, são lágrimas positivas, sinceras, mas... de proprietários de terras. De proprietários de terras e de intelectuais... Outra vez estão rindo e o senhor também, príncipe?... Nem mesmo o senhor está de acordo comigo?

Efetivamente, puseram-se todos a rir e Míchkin também riu. — Ainda não posso dizer de um modo tão terminante se estou ou não de acordo com o senhor

43 Uma das personagens mais notáveis da Rússia do século XVIII, depois do reinado de Pedro, o Grande. Filho dum pescador, foi ao mesmo tempo poeta, historiador, gramático e físico. É sobretudo conhecido pelas suas odes à Imperatriz Catarina.

— declarou Míchkin, deixando subitamente de rir e estremecendo, com o ar de um colegial apanhado numa travessura. — Mas asseguro-lhe que o escuto com extraordinário gosto...

Ao dizer isto, quase lhe faltou a respiração e até um suor frio correu-lhe pela testa. Eram aquelas as primeiras palavras que pronunciava desde que estava ali. Tentou girar a vista em redor de si; mas não o conseguiu. Ievguéni Pávlovitch surpreendeu seu gesto e sorriu.

— Eu, senhores, vou expor-lhes um fato — continuou, no mesmo tom anterior, isto é, com extraordinária paixão e veemência e, ao mesmo tempo, quase sorrindo de suas próprias palavras, — um fato cuja observação e descoberta tenho a honra de atribuir a mim só; pelo menos, ninguém antes de agora falou ou escreveu a respeito dele. Neste fato se revela toda a realidade do liberalismo russo da índole do que falo. Em primeiro lugar, que significa o liberalismo, falando em termos gerais, senão a luta (acertada ou errônea, esta é outra questão) contra a atual ordem de coisas? É assim ou não é? Bem; pois o fato a que me refiro é o de que o liberalismo russo não é um ataque à atual ordem de coisas, mas um ataque à substantividade mesma de nossas coisas, às próprias coisas, e não somente à sua ordem, não à ordem russa, mas à própria Rússia. Meu liberal chegou ao extremo de negar a própria Rússia, isto é, de odiar e bater em sua mãe. Todo acontecimento russo de desgraça e fracasso provoca-lhe o riso e quase lhe causa entusiasmo. Detesta os costumes nacionais, a história russa, tudo. Se alguma justificativa pode ter é talvez a de que não sabe o que faz, e toma seu ódio à Rússia pelo mais frutuoso liberalismo. (Oh! com que frequência tropeça a gente aqui com liberais que são aplaudidos pelos demais e que é possível que sejam, no fundo, os mais absurdos, os mais rombudos e perigosos conservadores, sem que eles mesmos o saibam!) Esse ódio à Rússia, ainda não faz muito, consideravam-no alguns de nossos liberais quase que como o verdadeiro amor à pátria, e se ufanavam de ver melhor que os outros em que devia consistir; mas agora já se tornaram mais francos e até as palavras "amor pátrio" lhes causam rubor; suprimem e eliminam o conceito como nocivo e insignificante. Este fato é exato, respondo por isso, e era preciso fazer ressaltar alguma vez plenamente a verdade de um modo simples e franco; mas, ao mesmo tempo, este fato é de tal natureza, que nunca, em nenhuma parte, no transcurso dos séculos, em nenhuma nação se produziu; de modo que poderia tratar-se de um fato casual e chamado a desaparecer; de acordo. Não pode haver em parte alguma um liberal que odeie sua pátria. Como explicar sua presença entre nós? Pois apelando para o mesmo de antes... para o fato de que o liberal russo não é, até agora, um liberal russo; nada mais, na minha opinião.

— Tomo por brincadeira tudo quanto disseste, Ievguéni Pávlovitch — declarou o Príncipe Tsch***, seriamente.

— Não conheço todos os liberais e não me atrevo a julgá-los — disse Alieksandra Ivânovna, — *mas ouvi com indignação* o raciocínio do senhor. O senhor pega um fato particular e eleva-o à condição de regra geral, e, provavelmente, incorre em calúnia.

— Um fato particular? Ah! Surgiu afinal a palavra! — exclamou Ievguéni Pávlovitch. — Príncipe, qual é sua opinião: este é um fato particular?

— Também eu me vejo obrigado a dizer que tenho conhecido e tratado pouco com liberais — disse Míchkin, — mas me parece que é possível que o senhor tenha sua parte de razão e que o liberalismo russo, de que falou, propende, até certo ponto, a odiar a própria Rússia e não só sua ordem de coisas. Sem dúvida que só até certo ponto... É claro que não seria justo aplicar isso a todos...

Perturbou-se e não terminou a frase. Apesar de toda a sua emoção, interessava-o extraordinariamente a polêmica. Tinha o príncipe uma qualidade especial, que consistia na extraordinária ingenuidade da atenção com que sempre escutava quanto despertava seu interesse e nas respostas que dava quando, nesses casos, lhe faziam diretamente perguntas. No seu rosto, e até na atitude de seu corpo, pareciam transluzir essa ingenuidade, essa boa-fé que não suspeitavam nem de zombarias, nem de humorismos. Mas, embora Ievguéni Pávlovitch havia já tempo só o interpelasse com certo sorrisinho especial, agora, ao ouvir sua resposta, olhou-o muito sério, como se não esperasse dele resposta semelhante.

— De modo que... mas é o senhor bastante estranho — disse. — Respondeu-me deveras a sério, príncipe?

— Mas não estava o senhor a perguntar-me a sério? — replicou-lhe Míchkin, admirado.

Todos puseram-se a rir.

— Não se fie, o senhor, — disse Adelaida. — Ievguéni Pávlovitch não faz mais do que zombar sempre de todos. Se soubesse o senhor com que super-seriedade nos fala por vezes de certas coisas!...

— Creio que essa é uma discussão enfadonha, da qual os senhores não conseguirão tirar nada a claro — observou, cortantemente, Alieksandra. — Por que não damos um passeio?

— Sim, está uma tarde belíssima — exclamou Ievguéni Pávlovitch. — Mas para demonstrar-lhes que desta vez falava perfeitamente a sério, e, sobretudo, para demonstrar ao príncipe (o senhor, príncipe, desperta-me um interesse extraordinário e juro-lhe que não sou nem de longe o homem frívolo que devo parecer... ainda que seja, com efeito, um homem frívolo), e se me permitem os senhores, farei ao príncipe uma última pergunta, que me inspira uma curiosidade especial, e com isso termino. Esta pergunta passou-me pela imaginação, como que de propósito, há duas horas (veja o senhor, príncipe, eu também penso às vezes em coisas sérias), e decidi: "Vejamos o que diz o príncipe". Há um momento falavam de um caso particular. Esta frase significa muito entre nós, é ouvida a cada passo. Há pouco, todos falavam e escreviam a respeito desse horrível assassinato de seis pessoas por aquele... jovem, e do estranho discurso de seu defensor, dizendo que, pobre como era seu cliente, havia, é natural, de ocorrer-lhe matar suas seis vítimas. Se não o disse assim literalmente, o sentido é este, ou algo parecido. Na minha opinião pessoal, esse advogado, ao exprimir tão estranho pensamento, estava plenamente convencido de proferir a frase mais liberal, humana e progressista que se poderia proferir nestes tempos. Bem; vamos ver. Qual a sua opinião: essa subversão de conceitos e convicções, essa possibilidade de um critério tão tranquilo e notável, constituem um fato particular ou geral?

Todos puseram-se a rir.

— *Particular, naturalmente* particular — disseram Alieksandra e Adelaida, rindo.

— E permite-me torne a recordar-te, Ievguéni Pávlovitch — acrescentou o Príncipe Tsch***, — que tua brincadeira já está muito gasta.

— Que pensa o senhor, príncipe? — interrogou Ievguéni Pávlovitch, sem acabar de escutá-lo, surpreendendo, fixo nele, o olhar curioso e sério do Príncipe Liev Nikoláievitch. — Que lhe parece: é particular ou geral esse fato? Eu, confesso-o, pensando no senhor, fiz a mim mesmo esta pergunta.

— Não, não é um fato particular — asseverou o príncipe, tranquila, mas firmemente.

— Mas, por favor, Liev Nikoláievitch! — exclamou o Príncipe Tsch***, com certo enfado. — Não vê o senhor que ele quer pescá-lo?... Decididamente, está brincando e resolveu fincar-lhe o dente.

— Eu imaginava que Ievguéni Pávlovitch falava sério — disse Míchkin, ficando vermelho e baixando os olhos.

— Querido príncipe — prosseguiu o Príncipe Tsch***, — lembre-se do que falamos em certa ocasião, haverá uns três meses: falamos, concretamente, de que nossos novos tribunais, embora de criação recente, já haviam revelado advogados notáveis e cheios de talento. E quantos veredictos dignos de elogios foram pronunciados pelos júris! Sentia-me então bem feliz por vê-lo regozijar-se com esse progresso... Conviemos que tínhamos motivo de sentir-nos orgulhosos... Essa defesa inepta e esse estranho argumento não são decerto senão um acidente, um caso entre mil.

O Príncipe Liev Nikoláievitch refletiu um instante, depois respondeu no tom mais convicto, embora sem elevar o timbre da voz e com um matiz de timidez:

— Quis simplesmente dizer que essa depravação das ideias e da inteligência (para me servir da expressão de Ievguéni Pávlovitch) é encontrada com muita frequência e constitui, ai! muito mais um fenômeno geral que um caso particular. Se não fosse tão comum, não se veriam crimes inimagináveis como esses...

— Crimes inimagináveis? Mas eu lhe asseguro que os crimes de outrora eram, tanto como hoje, numerosos e espantosos. Visitei prisões, os de hoje. Sempre os houve, não só em nosso país, mas em toda parte, e creio que serão cometidos outros durante muito tempo ainda. A diferença reside nisto: que outrora não havia entre nós tão grande publicidade; atualmente a imprensa e a opinião pública deles se apoderam; daí a impressão de que nos achamos em presença de um fenômeno novo. É seu erro, seu bem ingênuo erro, príncipe. Pode crer-me — concluiu o Príncipe Tsch* * *, com um sorriso zombeteiro.

— Sei perfeitamente — disse Míchkin, — que os crimes eram outrora, tanto como hoje, numerosos e espantosos. Visitei prisões, não há muito tempo, e tive ocasião de travar conhecimento com alguns condenados e acusados. Há mesmo criminosos mais monstruosos do que aqueles de que falamos. Existem os que, tendo matado uma dezena de pessoas, não sentem nem sombra de remorso. Mas eis o que observei: o celerado mais endurecido e mais despojado de remorsos sente-se, no entanto, *criminoso, isto é,* na sua consciência, dá-se conta de que agiu mal, se bem que não experimenta por isso nenhum arrependimento. E era o caso de todos aqueles prisioneiros. Mas os criminosos de que fala Ievguéni Pávlovitch não querem mais considerar-se como tais; no seu foro íntimo, acham que tiveram o direito a seu lado e que agiram bem ou quase isso. Há, na minha opinião, uma terrível diferença. E note que são todos gente moça, isto é, que a idade deles é aquela em que o homem está mais desarmado contra a influência das ideias desmoralizantes.

O Príncipe Tsch*** deixara de sorrir e escutava Míchkin com ar perplexo. Alieksandra Ivânovna, que desde muito tempo estava com uma observação a fazer, conservou-se em silêncio como se uma consideração particular a tivesse retido. Quanto a Ievguéni Pávlovitch, olhava Míchkin com surpresa evidente e, desta vez, sem a menor ironia.

— Mas que tem, meu caro senhor, para fitá-lo com esse ar espantado? — interveio, de súbito, Lisavieta Prokófievna. — Acreditava que ele fosse menos inteligente do que o senhor e incapaz de raciocinar à sua maneira?

— Não, senhora, não cria isso — disse Ievguéni Pávlovitch. — Mas uma coisa me espanta, príncipe (desculpe minha pergunta) se o senhor capta e penetra assim o sentido desse problema, como pôde o senhor (ainda uma vez, desculpe-me), nesse estranho caso, há alguns dias... o caso de Burdóvski, se não me engano, como, digo eu, não pôde notar a mesma depravação das ideias e do senso moral? O caso era, entretanto, idêntico. Pensei observar naquele momento que o senhor não se apercebia disso absolutamente.

— Ora! saiba, meu caro senhor, — disse Lisavieta Prokófievna, acalorando-se, — que, se nós todos que estamos aqui o notamos e de nossa sagacidade tiramos motivo de superioridade sobre o príncipe, foi ele, no entanto, quem recebeu hoje uma carta de um deles, do principal, daquele que tinha a cara cheia de espinhas, lembras-te, Alieksandra? Nessa carta, pede-lhe perdão, à sua maneira, naturalmente, e declara ter rompido relações com o camarada que tanto o instigava então; lembras-te, Alieksandra? E acrescenta que é agora ao príncipe a quem concede mais confiança. Nenhum de nós recebeu ainda uma carta semelhante, se bem que estejamos habituados a tratar de cima o seu destinatário.

— E Ipolit também se mudou, para vir se instalar em nossa casa! — exclamou Kólia.

— Como? Já está aqui? — perguntou Míchkin, não sem certa inquietação.

— Chegou logo depois de sua saída com Lisavieta Prokófievna. Fui eu quem o trouxe de carro.

Esquecendo completamente que acabara de fazer o elogio do príncipe, Lisavieta Prokófievna explodiu de repente:

— Aposto que ele subiu ontem ao sótão daquele mau sujeito para lhe pedir perdão de joelhos e lhe rogar que viesse instalar-se aqui! Viste-o ontem? Confessaste isto mesmo há pouco. Foste lá ou não? Puseste-te de joelhos, sim ou não?

— Ele não se pôs absolutamente de joelhos — exclamou Kólia. — Muito pelo contrário! Ipolit pegou ontem a mão do príncipe e beijou-a duas vezes. Fui testemunha da cena; a isto se limitou a explicação entre eles; tendo o príncipe simplesmente acrescentado que ele passaria melhor na casa de campo, Ipolit respondeu imediatamente que se instalaria aqui, desde que se sentisse menos mal.

— Você não faz bem, Kólia — balbuciou o príncipe, levantando-se e pegando seu chapéu. — Por que conta isso? Eu...

— Aonde vais? — perguntou Lisavieta Prokófievna, detendo-o.

— Não se atormente, príncipe — continuou Kólia, com animação. — Não vá vê-lo e perturbar lhe o repouso; ele adormeceu após as fadigas da viagem. Está encantado. Francamente, príncipe, creio que seria muito melhor que não se encontrassem hoje; deixe para amanhã para que ele não se perturbe de novo. Disse esta manhã que há bem uns seis meses que não se sentia tão bem disposto e tão forte. Tosse mesmo três vezes menos.

Notou Míchkin que Aglaia havia mudado bruscamente de lugar para se aproximar da mesa. Não ousava olhá-la, mas todo o seu ser sentia que naquele instante os olhos negros da moça estavam pousados sobre ele; aqueles olhos exprimiam certamente a indignação, talvez a ameaça; o rosto de Aglaia devia estar rubro.

— Parece-me, Nikolai Ardaliónovitch, que você fez mal em trazê-lo para cá, se se trata daquele rapaz tuberculoso que se pôs a chorar outro dia e convidou os presentes para seu enterro — observou Ievguéni Pávlovitch. — Falou com tanta eloquência da parede que se ergue diante de sua casa, que sentirá falta dessa parede, creiam-me!

— Nada de mais verdadeiro: brigará contigo, se atracará contigo e vai embora... É o que te espera.

E Lisavieta Prokófievna, com um gesto cheio de dignidade, puxou para si sua cesta de costura, esquecendo-se de que todos já se tinham levantado para sair a passeio.

— Lembro-me da ênfase com que falou ele daquela parede — continuou Ievguéni Pávlovitch. — Deu a entender que, sem aquela parede, não poderia morrer com eloquência. Faz questão de morrer com eloquência.

— Pois bem e depois? — murmurou o príncipe. — Se o senhor não o quer perdoar, passará ele sem seu perdão e morrerá da mesma forma... Veio instalar-se aqui por causa das árvores.

— Oh! quanto a mim, perdoo-lhe tudo. Pode dizer-lhe.

— Não é assim que se deve compreender a coisa — disse Míchkin, mansamente e como a contragosto, com os olhos fixos num ponto do soalho. — É preciso que o senhor mesmo consinta em aceitar o perdão dele.

— E por que motivo? Que mal lhe fiz eu?

— Se o senhor não compreende, não insisto... Mas o senhor compreende perfeitamente. Seu desejo era então... abençoar-nos a todos e receber também sua bênção. Eis tudo.

O Príncipe Tsch*** trocou um rápido olhar com algumas das pessoas presentes.

— Meu bom e caro príncipe — disse ele, bastante vivamente, mas pesando suas palavras, — não é fácil de realizar o paraíso na terra, e o que o senhor procura é, em suma, o paraíso. A coisa é difícil, príncipe, bem mais difícil do que o imagina seu excelente coração. Fiquemos onde estamos, creia-me; sem o que cairemos todos na confusão e então...

— Vamos ouvir a música — disse Lisavieta Prokófievna, num tom imperativo. E, com um movimento de cólera, ficou em pé. Todos a imitaram.

Capítulo II

Míchkin aproximou-se, de repente, de Ievguéni Pávlovitch e pegou-lhe a mão.

— Ievguéni Pávlovitch, — disse, num tom de estranha exaltação, — fique convencido de que o considero, apesar de tudo, como um nobre coração e como o melhor dos homens; dou-lhe minha palavra.

Ievguéni Pávlovitch ficou tão surpreendido que deu um passo para trás. Por um instante, reprimiu violenta vontade de rir; mas, examinando o príncipe de mais perto, verificou que ele parecia estar fora de si ou pelo menos se encontrava num estado completamente fora do comum.

— Aposto, príncipe — exclamou, — que não era isso o que o senhor tinha intenção de me dizer e que talvez não seja a mim que essas palavras se dirigem!... Mas que tem? Não estaria sentindo-se mal?

— É possível, é bem possível. O senhor deu prova de muita sutileza observando que talvez não seja ao senhor que me dirijo.

Depois de dizer isto, sorriu de uma maneira singular e quase cômica. Em seguida, pareceu de súbito exaltar-se:

— Não me recorde minha conduta de há três dias! — exclamou. — Não tenho cessado de me envergonhar dela desde então... Sei que não tive razão.

— Mas... que coisa tão terrível praticou o senhor?

— Vejo que o senhor seja talvez quem mais se envergonhe por minha causa, Ievguéni Pávlovitch. O senhor cora, o que é indício dum excelente coração. Vou me retirar imediatamente, acredite.

— Mas que é que tem ele? Não seria assim que começam os seus acessos? — perguntou com ar apavorado Lisavieta Prokófievna a Kólia.

— Não se inquiete, Lisavieta Prokófievna; não estou com acessos e não demorarei em me retirar. Sei que... sou naturalmente um doente. Estive doente durante vinte e quatro anos, ou, mais exatamente, até a idade de vinte e quatro anos. Considere-me como ainda doente agora. Vou me retirar imediatamente, imediatamente, estejam certos. Não coro, porque seria isto, não é? uma coisa estranha corar por causa de minha doença. Mas sou demais na sociedade. Não é por amor-próprio que faço esta observação... Refleti bem durante estes três dias e concluí que meu dever era prevenir-vos sincera e lealmente na primeira oportunidade. Há certas ideias, certas ideias elevadas de que evitarei falar para não ser alvo da zombaria de todos. O Príncipe Tsch*** fez há pouco uma alusão a isto... Não há um gesto meu que não seja insólito, ignoro o senso da medida. Minha linguagem não corresponde aos meus pensamentos e, por causa disso, os estraga. Não tenho também o direito... Além disso, sou suspeitoso. Estou... estou convencido de que ninguém pode ofender-me nesta casa e que sou nela estimado mais do que mereço. Mas sei (e sem possibilidade de dúvida) que vinte e quatro anos de doença com certeza vão deixar traços e que é impossível que não se zombe de mim... de tempos em tempos... não é verdade?

Correu pelos presentes um olhar circular como se aguardasse uma resposta e uma decisão. Todos ficaram penosamente surpresos com aquela saída inesperada e mórbida, que nada motivava e que deu origem a um incidente singular.

— Por que se expressa desse modo aqui? — exclamou bruscamente Aglaia. — Por que lhes diz isto... a essa gente?

Parecia no paroxismo da indignação; seus olhos fulguravam. O príncipe, que ficara mudo diante dela, foi invadido por uma palidez súbita. Aglaia explodiu:

— Não há aqui uma só pessoa que seja digna de ouvir essas palavras! Todos, quaisquer que sejam, não valem o seu dedo mindinho, nem o seu espírito, nem o seu coração. O senhor é mais honesto que eles todos; o senhor excede a todos em nobreza, em bondade, em inteligência. Há aqui pessoas indignas de apanhar o lenço que lhe acaba de cair das mãos... Então por que se humilha e se põe abaixo de todos? Por que transtorna tudo dentro de si? Por que não há de ter orgulho?

— Meu Deus! Quem teria acreditado nisto? — exclamou Lisavieta Prokófievna, juntando as mãos.

— Viva o pobre cavalheiro! — exclamou Kólia, entusiasmado.

— Calem-se!... Como ousam ofender-me aqui, na casa da senhora? — disse brutalmente à sua mãe, Aglaia que se sentia presa duma dessas explosões de histeria em que não se conhecem limites, nem obstáculos. — Por que me perseguem todos, do primeiro ao último? Por que, príncipe, estão todos a importunar-me, há três dias, por sua causa? Por coisa alguma do mundo, eu casaria com o senhor. Saiba que jamais o faria, a nenhum preço! Meta bem isto na cabeça! Será que se pode desposar uma criatura tão ridícula como o senhor? Olhe-se, pois, neste momento, num espelho e veja o aspecto que tem!.., Por que me aborrecem pretendendo que vou casar com o senhor? O senhor deve saber! Sem dúvida está conivente com eles!

— Ninguém jamais te importunou! — balbuciou Adelaida, espantada.

— Ninguém teve jamais essa ideia! Jamais se tratou disso! — exclamou Alieksandra Ivânovna.

— Quem a aborreceu? Quando a aborreceram? Quem pôde dizer-lhe coisa semelhante? Ela delira ou está em seu juízo? — perguntou Lisavieta Prokófievna, fremente de cólera e dirigindo-se a todos os presentes.

— Todos o fizeram; todos sem exceção repetiram-me isso aos ouvidos nestes três dias! Pois bem, jamais me casarei com ele! — proferiu Aglaia, num tom dilacerante.

E logo depois pôs-se a chorar, ocultou o rosto no lenço e deixou-se cair sobre uma cadeira.

— Mas ele nem mesmo te ped...

— Eu não a pedi em casamento, Aglaia Ivânovna — disse o príncipe, como que involuntariamente.

— O quê? Que quer dizer? — exclamou Lisavieta Prokófievna, num tom em que se misturavam a surpresa, a indignação e o espanto.

Não podia crer em seus ouvidos. O príncipe pôs-se a murmurar palavras entrecortadas:

— Quis dizer... quis dizer... Quis somente explicar a Aglaia Ivânovna... ou antes ter a honra de explicar-lhe que não tive absolutamente a intenção... de ter a honra de pedir-lhe a mão... e mesmo no futuro... Não tenho em todo este caso nenhuma falta a censurar-me, nenhuma, Aglaia Ivânovna, Deus é testemunha! Jamais tive a intenção de pedir-lhe a mão; a própria ideia jamais me ocorreu e jamais me ocorrerá, haverá de ver; não tenha dúvida! Tudo isto deve ser uma calúnia que alguma pessoa má lançou contra mim. Mas pode estar tranquila!

Assim falando havia-se aproximado de Aglaia. Ela afastou o lenço que ocultava seu rosto e lançou lhe um rápido olhar. Viu o rosto aterrorizado, compreendeu o sentido de suas palavras e explodiu numa gargalhada tão franca e tão zombeteira que contagiou Adelaida, a qual, também depois de haver olhado o príncipe, abraçou sua irmã e pôs-se a rir, com o mesmo riso infantil e irresistível. Vendo-as, Míchkin também começou a rir. Repetia, com uma expressão de alegria e de felicidade:

— Ah! Deus seja louvado! Deus seja louvado!

Então, por sua vez, Alieksandra não se aguentou mais e rompeu cordialmente a rir. A hilaridade das três irmãs parecia não ter fim.

— Vejamos, estão loucas! — resmungou Lisavieta Prokófievna.

— Ora elas nos causam medo, ora...

Mas o riso havia contagiado o Príncipe Tsch***, Ievguéni Pávlovitch e até o próprio Kólia, que não se podia mais conter e olhava alternadamente uns e outros. O príncipe fazia o mesmo.

— Vamos passear! Vamos! — exclamou Adelaida. — Venham todos e o príncipe também! O senhor não tem razão nenhuma para retirar-se, príncipe, gentil como o senhor é. Ele não é gentil, Aglaia? Não é verdade, mamãe? Além disso, preciso de todo jeito dar-lhe um beijo... pela sua explicação de há pouco com Aglaia. Não há remédio. Mamãe, querida mamãe, permite que eu o beije? Aglaia, permites-me que beije o teu príncipe! — exclamou a espevitada jovem.

E, juntando o gesto à palavra, lançou-se para Míchkin e beijou-lhe a testa. Ele lhe tomou as mãos e apertou-as com tanto vigor que Adelaida esteve a ponto de lançar um grito. Olhou-a com uma alegria infinita e, levando repentinamente a mão da moça a seus lábios, beijou-a três vezes.

— Vamos! A caminho! — disse Aglaia. — Príncipe, o senhor será meu cavalheiro. Permites, mamãe? Ele não é um noivo que acaba de recusar-me? Não é verdade, príncipe, que renunciou a mim para sempre? Mas não é assim que se dá o braço a uma dama. Será que o senhor não sabe como se deve dar o braço? Está bem, agora; vamos na frente. Quer que caminhemos na frente de todos e em *tête-à-tête?*

Falava sem parar e ria ainda de vez em quando.

— Louvado seja Deus! Louvado seja Deus! — repetia Lisavieta Prokófievna, sem saber ao certo de que é que ela se regozijava. "Eis uma gente bem estranha!", pensou o Príncipe Tsch***, pela centésima vez, talvez, desde que frequentava aquela família, mas... aquela gente estranha lhe agradava. Talvez não experimentasse absolutamente o mesmo sentimento a respeito de Míchkin. Quando saíram para o passeio, ele tinha o ar carrancudo e um rosto preocupado.

Era Ievguéni Pávlovitch que parecia mais bem disposto. Durante todo o caminho e até a estação,[44] foi divertindo Alieksandra e Adelaida; estas riam, com tanta complacência, da tagarelice dele que ele acabou por suspeitar que elas nem mesmo escutavam o que lhes dizia. Sem que se explicasse por que, esta ideia provocou nele um súbito ataque de riso, em que entrava tanta franqueza quanta espontaneidade (tal era o seu caráter!). As duas irmãs, animadas pelo melhor humor, não tiravam os olhos da mais moça, que caminhava na frente com Míchkin. A atitude de Aglaia parecia-lhes evidentemente um enigma. O Príncipe Tsch*** dedicava-se sem descanso a entreter Lisavieta Prokófievna com coisas indiferentes. Talvez quisesse distraí-la de seus pensamentos, mas só conseguia aborrecê-la terrivelmente. Ela parecia completamente estonteada; respondia ao acaso ou então não respondia nada.

Aglaia Ivânovna não tinha, entretanto, acabado de intrigar os que a cercavam naquela noite. Seu derradeiro enigma foi reservado exclusivamente ao príncipe. Ela estava a cem passos da casa de campo, quando murmurou rapidamente a seu cavalheiro que se mantinha obstinadamente mudo:

44 Logradouro onde se apresentavam as bandas de música em Pávlovsk.

— Olhe à direita.

O príncipe obedeceu.

— Olhe mais atentamente. Vê um banco, no parque, lá em baixo, perto daquelas três grandes árvores... um banco verde?

O príncipe respondeu afirmativamente.

— Agrada-lhe o lugar? Venho por vezes bem cedo, cerca das sete horas, quando todos estão ainda dormindo, sentar-me ali, sozinha.

O príncipe conveio, balbuciando, que o lugar era encantador.

— E agora, afaste-se; não quero andar mais de braços dados com o senhor. Ou antes, dê-me o braço, mas não me diga mais uma palavra. Quero ficar a sós com meus pensamentos...

A recomendação era em todo caso supérflua; mesmo que não lhe tivessem determinado, o príncipe não teria certamente proferido uma palavra no decorrer do passeio. Seu coração bateu com violência, quando ouviu a referência àquele banco. Mas um minuto depois recompusera-se e afastou, envergonhado, o tolo pensamento que lhe surgira na mente.

Como se sabe, ou pelo menos como toda a gente afirma, o público que frequenta a estação de Pávlovsk é "mais escolhido" durante a semana que nos domingos ou feriados, quando ali aparece "toda espécie de gente", vinda de Petersburgo. Sem estar com trajes domingueiros, nem por isso o público dos dias úteis deixa de trajar com mais gosto. É de bom tom ir ouvir música ali. A orquestra é talvez a melhor de todas as que tocam entre nós nos jardins públicos e seu repertório inclui peças novas. A atmosfera de família e mesmo de intimidade que reina naquelas reuniões, delas não exclui a correção, nem a mais cerimoniosa etiqueta. Estando o público quase que exclusivamente composto de famílias em vilegiatura em Pávlovsk, toda a gente vai lá para se encontrar. Muitas pessoas encontram nesse passatempo um verdadeiro prazer que é o único motivo de sua presença, mas outras são atraídas apenas pela música. Os escândalos são ali extremamente raros, mas sempre estoura algum por vezes, mesmo durante a semana; é, aliás, uma coisa inevitável.

Naquele dia, a tardinha estava encantadora e o público era bastante numeroso. Como todos os lugares próximos da orquestra estavam ocupados, o nosso grupo instalou-se em cadeiras um tanto afastadas, perto da saída da esquerda. A multidão e a música haviam distraído um tanto Lisavieta Prokófievna e divertido suas filhas; elas haviam trocado olhares com alguns de seus conhecidos e enviado, com acenos de cabeça, pequenas saudações amáveis a outros. Tiveram também tempo de examinar os trajes e de notar algumas extravagâncias que comentavam com sorrisos irônicos. Ievguéni Pávlovitch mostrava-se, também ele, pródigo em numerosos cumprimentos. Já havia sido notado que Aglaia e Míchkin estavam juntos. Alguns rapazes conhecidos aproximaram-se em breve da mãe e de suas filhas; dois ou três ficaram a conversar; eram amigos de Ievguéni Pávlovitch. Um deles era um jovem oficial, muito belo rapaz, cheio de vivacidade e graça. Apressou-se em travar conversa com Aglaia e fez todos os esforços para captar a atenção da moça, que se mostrava muito amável e mesmo muito jovial com ele. Ievguéni Pávlovitch pediu ao príncipe permissão para apresentar-lhe aquele amigo; se bem que Míchkin só tivesse compreendido pela metade o que dele se queria, realizou-se a apresentação: os dois homens cumprimentaram-se e apertaram-se as mãos. O amigo de Ievguéni Pávlovitch fez uma pergunta à qual o príncipe não respondeu ou respondeu mastigando as palavras duma maneira tão estranha que o oficial fitou-o bem nos olhos e depois olhou para Ievguéni Pávlovitch; tendo então compreendido por que este o apresentara, sorriu quase imperceptivelmente e voltou-se de novo para Aglaia. Ievguéni Pávlovitch foi o único a observar que a moça havia de súbito corado naquele instante.

Quanto ao príncipe, nem notava que outros conversavam com Aglaia e se desfaziam em amabilidades para com ela. Melhor ainda: havia momentos em que tinha ele o ar de esquecer que estava sentado ao lado dela. Dominava-o por vezes a vontade de ir embora para não sabia onde, de desaparecer completamente; desejava um retiro sombrio e solitário onde ficasse sozinho com seus pensamentos e onde ninguém pudesse encontrá-lo. Ou, pelo menos, encontrar-se em sua casa, no terraço, mas sem ninguém a seu lado, nem Liébiediev, nem as crianças; queria se jogar sobre um divã, com o rosto metido na almofada e ficaria assim um dia, uma noite, depois outro dia. Noutros momentos, sonhava com as montanhas, sobretudo certo lugar alpestre que lhe era sempre grato recordar e que fora seu passeio predileto, quando morava lá; daquele lugar avistava-se a aldeia no fundo do vale, o filete nervoso, apenas visível, da cascata, as nuvens brancas e um velho castelo abandonado. Quanto desejaria encontrar-se agora lá e não ter em mente senão um pensamento... um só pensamento para toda a sua vida, mesmo que ela durasse mil anos! Pouco importava, na verdade, que o esquecessem totalmente aqui. Era mesmo necessário; melhor teria valido que nunca o tivessem conhecido e que todas as imagens que tinham passado diante de seus olhos não fossem senão um sonho! Aliás, sonho ou realidade, não era tudo uma coisa só? Depois punha-se, de repente, a observar Aglaia e ficava cinco minutos sem destacar seu olhar do rosto da moça, mas esse olhar era totalmente insólito: parecia fixar um objeto situado a duas vertas dali, ou então um retrato e não a própria pessoa.

— Por que me fita assim, príncipe? — perguntou ela, parando subitamente de falar e de rir com os que a cercavam. — O senhor me causa medo; tenho sempre a impressão de que o senhor quer estender sua mão para tocar-me o rosto e palpá-lo. Não é, Ievguéni Pávlovitch? Não dá esta impressão a maneira que ele tem de olhar?

Míchkin ouviu estas palavras e mostrou-se surpreso por ver que se dirigiam a ele. Pareceu entender-lhes o sentido, se bem que, talvez, duma maneira imperfeita. Não respondeu, mas, tendo verificado que Aglaia ria e todos os outros com ela, sua boca abriu-se e e ele também riu com os outros. A hilaridade redobrou então em torno dele; o oficial que, de seu natural, devia ser muito alegre, retorcia-se de tanto rir. Aglaia murmurou à parte, num brusco movimento de cólera:

— Idiota!

— Meu Deus! Será possível que ela escolha semelhante... Não está perdendo totalmente a cabeça? — murmurou, cheia de raiva, Lisavieta Prokófievna.

— É uma brincadeira. É a repetição da brincadeira de outro dia com o cavalheiro pobre, nada mais — cochichou com segurança Alieksandra ao ouvido de sua mãe. — Ela recomeça a implicar com ele a seu modo. Somente esta zombaria ultrapassa as medidas, é preciso pôr um termo a isso, mamãe! Ainda há pouco ela fazia *contorções de comediante* e seus modos afetados nos causaram espanto.

— Ainda bem que ela está tratando com semelhante idiota — murmurou Lisavieta Prokófievna, a quem, apesar de tudo, a observação da filha havia aliviado.

O príncipe, entretanto, ouvira chamarem-no de idiota. Estremeceu, mas de modo algum por causa desse qualificativo que esqueceu imediatamente. É que, no meio da multidão, não longe do lugar onde estava sentado, de lado (não teria podido indicar com exatidão nem o lugar, nem a direção), acabava de entrever um rosto pálido, de cabelos escuros e cacheados, e cujo sorriso bem como o olhar eram bem conhecidos seus. Aquele rosto não fez senão aparecer. Talvez fosse efeito de sua imaginação. Não restou dessa visão em sua memória senão um sorriso crispado, dois olhos e uma gravata verde-claro, denotando certa pretensão a elegante da parte do personagem entrevisto. Perde-se este entre a multidão ou então metera-se dentro da estação? Era o que o príncipe não teria podido precisar.

Mas um momento depois ele começou de súbito a escutar ansiosamente os arredores. Aquela primeira aparição poderia pressagiar ou anunciar uma segunda. Era mesmo certo. Como esquecera a possibilidade de semelhante encontro, quando se haviam encaminhado para a estação? É verdade que naquele momento não percebera para onde ia, visto a disposição de espírito em que se encontrava. Se tivesse sabido ou podido mostrar-se mais atento, teria notado desde um bom quarto de hora que Aglaia se virava de vez em quando com inquietação e parecia procurar com os olhos alguma coisa em torno de si. Agora que a própria nervosidade dele se tornava mais visível, a emoção e a perturbação de Aglaia acentuavam-se e, cada vez que ele olhava para trás, ela fazia logo o mesmo movimento. Aqueles alarmes não deviam tardar em justificar-se.

Pela saída lateral, perto daquela em que o príncipe e os Iepántchini haviam tomado lugar, viu-se, de súbito, surgir um bando de pelo menos dez pessoas. À frente do bando marchavam três mulheres, duas das quais eram tão extraordinariamente belas que não causava admiração arrastarem após si tantos adoradores. Mas estes, como também elas mesmas, tinham um ar particular que os diferençava completamente do público reunido para ouvir música. Quase toda a assistência os notou assim que apareceram, mas o maior número não demonstrou perceber a presença deles, com exceção de alguns rapazes que sorriram e trocaram observações em voz baixa. Era, aliás, impossível não notar os recém-chegados, pois se manifestavam com ostentação, falavam ruidosamente e riam. Podia-se supor que havia entre eles pessoas em estado de embriaguez, se bem que vários estivessem trajados com elegância e distinção. Mas notavam-se ainda indivíduos tão estranhos de aspecto como de trajes e cujo rosto parecia singularmente avermelhado. Enfim, havia naquele bando alguns militares e até mesmo pessoas de certa idade. Alguns dos personagens estavam vestidos com apuro, com roupas largas e de bom corte; usavam anéis e botões de punho magníficos; suas perucas e suíças eram dum negro de azeviche; afetavam ar de nobreza, se bem que sua fisionomia exprimisse antes orgulho; eram pessoas dessas de quem, no mundo, se foge como da peste. Sem dúvida, entre nossos centros suburbanos de reunião, há alguns que se distinguem por uma preocupação excepcional de decência e por uma reputação especial de bom tom. Mas o homem mais circunspecto nunca está certo de que, em algum momento de sua vida, não possa receber em cima da cabeça um tijolo destacado da casa vizinha. Era esse tijolo que ia cair sobre o público de escol reunido em torno da orquestra.

Para ir da estação à pracinha, onde estava instalada a orquestra, era preciso descer três degraus. O bando parou diante daqueles degraus, hesitando em descê-

-los. Uma das mulheres adiantara-se e somente dois de seus acompanhantes ousaram segui-la. Um era um homem entre duas idades, cujo ar era bastante modesto e o exterior correto sob todos os aspectos, mas discernia-se nele um desses desenraizados que nunca conhecem ninguém e que ninguém conhece O outro estava bastante mal vestido e tinha uma aparência das mais equívocas. Fora esses dois, ninguém acompanhou a dama excêntrica; esta, aliás, ao descer os degraus, nem mesmo se voltou, mostrando com isso quão indiferente lhe era que a seguissem ou não. Continuava a rir e falando alto; a extrema elegância e a riqueza de seu traje pecavam por ostentosas. Passou diante da orquestra para se dirigir à outra extremidade da pracinha, onde uma caleça parada ao longo da estrada parecia esperar alguém.

Havia mais de três meses que o príncipe não a via. Desde seu regresso a Petersburgo não se passara um dia sem que ele tivesse projetado fazer-lhe uma visita; talvez um pressentimento oculto o tivesse retido. Não conseguia, pelo menos, dar-se conta do sentimento que experimentaria em sua presença, embora se esforçasse, não sem apreensão, por imaginar essa entrevista. A única coisa que lhe aparecia claramente era que seria penosa. Várias vezes, no curso daqueles seis meses, evocara a primeira impressão que nele causara o rosto daquela mulher; mesmo quando tivera sob seus olhos apenas seu retrato, aquela impressão, lembrava-se ele, fora-lhe bastante dolorosa. O mês que passara na província e durante o qual a vira quase que diariamente trouxera-lhe tão vivos alarmes que ele afugentava por vezes de seu espírito até mesmo a lembrança daquele passado recente. Houvera sempre na fisionomia daquela mulher alguma coisa que o atormentava. Numa conversa com Rogójin descrevera o que experimentava como "um sentimento de compaixão infinita". E era a verdade: a simples vista do retrato da jovem mulher despertava em seu coração todos os terrores da compaixão. Aquele sentimento de comiseração levado até à dor jamais o deixara e o dominava ainda agora sem trégua. Melhor ainda: ia-se acentuando.

E no entanto a explicação que dera a Rogójin não o satisfazia mais. Somente agora sua aparição inesperada lhe revelava, como numa intuição imediata, a lacuna dessa explicação, lacuna que não podia ser preenchida senão pelas palavras que exprimem o horror, sim, o horror! Naquele minuto, dava-se plenamente conta disso. Tinha suas razões para estar convencido, absolutamente convencido de que ela era louca. Imaginai um homem amando uma mulher mais que tudo no mundo ou pressentindo a possibilidade de semelhante paixão e vendo, de repente, essa mulher acorrentada por trás de uma grade de ferro, sob o bastão de um guarda: eis mais ou menos a natureza da emoção de que era presa o príncipe.

— Que tem o senhor? — cochichou-lhe Aglaia apressadamente, olhando-o e puxando-o ingenuamente pelo braço.

Ele voltou a cabeça para ela, encarou-a e viu luzir em seus olhos negros uma chama para a qual não teve explicação então. Fez um esforço para sorrir para a moça e depois, esquecendo-se dela de repente, voltou seu olhar para a direita, fascinado de novo por uma extraordinária visão.

Naquele momento Nastássia Filípovna passava bem ao lado das cadeiras ocupadas pelas senhoritas. Ievguéni Pávlovitch estava a ponto de contar a Alieksandra Ivânovna uma história que deveria ser interessante e bastante engraçada, a julgar pela vivacidade e pela animação de seu começo. O príncipe recordou-se mais tarde de que Aglaia havia de súbito dito à meia voz: "Ah! que...".

Esta interjeição ficara no ar. A moça parou de repente, deixando sua frase inacabada. Mas o que havia dito bastava. Nastássia Filípovna, que passava sem ter o ar de reparar em ninguém, voltou-se de súbito para o lado delas e fingiu descobrir a presença de Ievguéni Pávlovitch.

— Oh! que surpresa! Ei-lo aqui! — exclamou ela, parando bruscamente. — Ora não se consegue botar-lhe a mão, mesmo mandando recados expressos, ora é ele encontrado onde menos se esperava que estivesse... Acreditava que estivesses lá em baixo... em casa de teu tio!

Ievguéni Pávlovitch ficou totalmente rubro. Lançou para Nastássia Filípovna um olhar cheio de raiva, depois apressou-se em voltar os olhos para outro lado.

— Como? Não o sabes? Nada sabe ele ainda! Mas é incrível! Ele suicidou-se! Teu tio rebentou os miolos com um tiro esta manhã! Soube-o há pouco, há umas duas horas; agora a metade da cidade o sabe. Deu um rombo de 350.000 rublos no Tesouro do Estado; outros falam de 500.000. E eu que sempre havia contado com que ele te deixasse uma fortuna! Comeu tudo. Era um velho devasso... Enfim, adeus, *bonne chance!* Será que não irás deveras? Tiveste o faro de retirar-te do serviço no bom momento! Mas onde tenho eu a cabeça? Tu sabias de tudo, já o sabias, talvez mesmo desde ontem...

Tomando este tom de impudente provocação e ostentando uma intimidade imaginária com o interpelado, Nastássia Filípovna tinha evidentemente um fim; não podia mais subsistir a respeito nenhuma dúvida. A princípio Ievguéni Pávlovitch tinha acreditado poder livrar-se do caso sem escândalo, fingindo não prestar atenção alguma à provocadora. Mas as palavras desta atingiram-no como um raio: à notícia da morte de seu tio ficou branco como um pano e voltou-se para a insolente. Naquele instante Lisavieta Prokófievna levantou-se rapidamente e, levando todo o seu pessoal, retirou-se quase correndo. Somente o príncipe Liev Nikoláievitch e Ievguéni Pávlovitch ficaram ainda um momento: o primeiro parecia perplexo, o segundo não se recompusera de sua emoção. Mas os Iepántchinni não haviam dado ainda uns vinte passos, quando formidável escândalo ocorreu.

O oficial, grande amigo de Ievguéni Pávlovitch, que conversava com Aglaia, manifestou a mais viva indignação.

— O que é preciso aqui é simplesmente o chicote. Não há outro meio de acalmar essa criatura — disse ele, quase em voz alta. (Ievguéni Pávlovitch, ao que parecia, havia-lhe feito confidências.)

Nastássia Filípovna voltou-se imediatamente para ele, com os olhos cintilantes. Arrancou das mãos de um rapaz que se mantinha a dois passos dela e que ela não conhecia uma fina chibata de junco e com ela vergastou, com todas as suas forças, o rosto do insultador. A cena foi rápida como o relâmpago... Fora de si, o oficial lançou-se sobre a jovem mulher que seus acompanhantes acabavam de abandonar: o senhor maduro conseguira eclipsar-se totalmente e seu companheiro, tendo-se posto de parte, ria a bandeiras despregadas. A polícia teria sem dúvida se interposto um minuto mais tarde, e, neste caso, teria Nastássia Filípovna passado um mau bocado, se não lhe tivesse sobrevindo um socorro inesperado: o príncipe, que se conservava também a dois passos dela, conseguiu prender por trás o braço do oficial. Libertando-se, assestou este no peito de Míchkin um golpe violento que o fez ir cair a três passos dali sobre uma cadeira. Mas já Nastássia Filípovna tinha a seu lado dois novos defensores. Diante do oficial agressor acabava de plantar-se o boxeador, autor do artigo que o leitor conhece e antigo membro ativo do bando de Rogójin. Apresentou-se com ênfase.

— Keller, oficial reformado! Se quer brigar, capitão, e aceitar-me como defensor do sexo frágil, estou às suas ordens. Sou de primeira força no boxe à inglesa. Não se precipite, capitão. Lamento a afronta sangrenta que recebeu, mas não posso permitir que se esmurre em público uma mulher. Se o senhor prefere ajustar contas de outra maneira, como convém a um ca... a um cavalheiro, neste caso, capitão, deve naturalmente compreender-me...

Mas o capitão havia-se dominado e não lhe dava mais atenção. Nesse instante Rogójin saiu da multidão, agarrou Nastássia Filípovna rapidamente pelo braço e arrastou-a dali. Ele também parecia bastante alterado: estava pálido e tremente. Enquanto levava a jovem, achou tempo de rir, com sarcasmo diante do oficial e de dizer num tom de comerciante satisfeito:

— Ora essa! Que houve com o senhor? Está com a cara ensanguentada!

Completamente senhor de si e tendo compreendido com que espécie de gente estava lidando, o oficial cobrira o rosto com o lenço e, voltando-se polidamente para o príncipe, que acabava de repor-se em pé, disse-lhe:

— É o Príncipe Míchkin a quem tive o prazer de conhecer?

— Ela é louca! É uma alienada! Garanto-lhe! — respondeu o príncipe com voz entrecortada, estendendo-lhe maquinalmente as mãos trementes.

— Não posso, sem dúvida, vangloriar-me de saber tanto quanto o senhor a este respeito, mas tenho necessidade de conhecer o seu nome.

Cumprimentou-o com um movimento de cabeça e afastou-se. A polícia chegou justamente cinco minutos depois que os derradeiros atores daquela cena tinham desaparecido. O escândalo não durara, aliás, mais de dois minutos. Uma parte do público se levantara e retirara. Algumas pessoas tinham-se contentado com mudar de lugar. Outras mostravam-se encantadas com o incidente. Outras por fim nele encontravam um assunto apaixonante de conversa. Em uma palavra: a coisa acabou como de costume. A orquestra recomeçou a tocar. O príncipe seguiu a família Iepántchin. Se, depois de ter sido empurrado e de ter caído sentado sobre uma cadeira, tivesse tido a ideia ou o tempo de olhar à sua esquerda, teria visto, a vinte passos de si, Aglaia parada para observar a cena, a despeito dos apelos de sua mãe e de suas irmãs que se achavam já a certa distância. O Príncipe Tsch*** correra para ela e acabara por conseguir que ela se retirasse o mais depressa possível. Aglaia havia-os alcançado — Lisavieta Prokófievna recordou-o mais tarde — em tal estado de perturbação que não deveria ter-lhes ouvido os apelos. Mas dois minutos mais tarde, ao entrar no parque, ela disse, no tom indiferente e desenvolto que lhe era habitual:

— Quis ver como acabaria a comédia.

CAPÍTULO III

O que acontecera na estação havia como que enchido de terror a mãe e as moças. Dominada pela perturbação e pela emoção, Lisavieta Prokófievna levara-as para casa numa espécie de fuga precipitada. De acordo com suas ideias e sua maneira de ver, aquele acontecimento fora demasiado revelador para não fazer germinar pensamentos decisivos no seu espírito, não obstante toda a agitação e susto que a dominavam. Toda a família compreendia, aliás, que algo de anormal se passara e que talvez mesmo um segredo extraordinário começava a revelar-se. Malgrado as asseverações anteriores e explicações do Príncipe Tsch***, Ievguéni Pávlovitch aparecia agora "sob sua verdadeira luz" e a descoberto; estava desmascarado e "sua ligação com aquela criatura formalmente estabelecida". Tal era a opinião de Lisavieta Prokófievna e até mesmo de suas duas filhas mais velhas. Mas esta dedução não tinha outro efeito senão acumular ainda mais os enigmas. Sem dúvida haviam as duas moças ficado abaladas, no seu foro íntimo, pelo terror excessivo e pela fuga pouco disfarçada demais de sua mãe; todavia, na confusão do primeiro momento, não tinham querido alarmá-la ainda mais com suas perguntas. Além disso, tinham a impressão de que sua irmã caçula, Aglaia Ivânovna, sabia talvez mais sobre aquele assunto do que elas duas e sua mãe. O Príncipe Tsch*** estava sombrio como a noite e mergulhado, também ele, em suas reflexões. Durante todo o caminho Lisavieta Prokófievna não lhe dirigiu uma só palavra; sem que, aliás, ele parecesse perceber esse mutismo. Adelaida fez uma tentativa de perguntar-lhe: "De que tio se tratava ainda há pouco e que se passou mesmo em Petersburgo?", Resmungou ele, de cara fechada, uma resposta bastante vaga, alegando certas informações a pedir e o absurdo de todo aquele caso. "Disto não cabe dúvida!", replicou Adelaida, que renunciou a saber mais alguma coisa. Aglaia dava prova duma calma extraordinária; quando muito, ela observou, no caminho, que se estava andando demasiado depressa. Num certo momento olhou para trás e avistou Míchkin que se esforçava por alcançá-los; sorriu com um ar zombeteiro e não se voltou mais para o lado dele.

Quase no limiar da casa de campo encontraram Ivan Fiódorovitch que, mal chegara de Petersburgo, partia ao encontro deles. Suas primeiras palavras foram para pedir informação de Ievguéni Pávlovitch. Mas sua mulher passou a seu lado com ar ameaçador, sem responder-lhe e nem mesmo olhá-lo. Leu ele imediatamente nos olhos de suas filhas e do Príncipe Tsch* * * que havia tempestade na casa. Aliás, mesmo antes desta verificação, seu próprio rosto refletia uma expressão insólita de inquietação. Pegou imediatamente pelo braço do Príncipe Tsch*** e trocou com ele algumas palavras em voz baixa. A julgar pela perturbação que revelava a fisionomia deles, quando subiram para o terraço, a fim de alcançar Lisavieta Prokófievna, podia-se conjecturar que acabavam de saber uma notícia extraordinária.

Todos acabaram reunindo-se em cima, no quarto de Lisavieta Prokófievna; somente Míchkin ficou no terraço, onde se sentou a um canto com ar de esperar alguma coisa. Ele mesmo não sabia o que fazia ali e não lhe viera a ideia de retirar-se vendo o rebuliço que reinava na casa. Parecia ter se esquecido do universo inteiro e que estava pronto a ficar plantado durante dois anos sem interrupção no lugar onde o pusessem. Lá de cima, chegava-lhe, de vez em quando, os ecos de uma conversação agitada. Não poderia dizer quanto tempo passou sentado naquele canto. Era tarde e a noite caíra. De repente, Aglaia apareceu no terraço; parecia calma, mas um pouco pálida. Mostrou um sorriso matizado de surpresa ao perceber o príncipe que ela evidentemente não esperava encontrar ali, sentado numa cadeira.

— Que faz aqui? — perguntou, aproximando-se dele.

O príncipe, confuso, balbuciou alguma coisa e levantou-se precipitadamente; mas tendo-se Aglaia sentado logo junto dele, retomou seu lugar. Ela o esquadrinhou com uma olhadela rápida, depois olhou através da janela sem nenhuma intenção aparente e por fim voltou a fitá-lo.

Míchkin pensou:

"Talvez ela tenha vontade de dar risada. Mas não, se fosse este o caso, ela não se teria contido!"

— Deseja tomar chá? — perguntou ela, após algum silêncio. — Darei ordem para servi-lo.

— Não... não sei...

— Como não pode saber se quer ou não? Ah! a propósito: se alguém o provocasse a duelo, que faria? É uma pergunta que gostaria de fazer-lhe.

— Mas... quem então... ninguém tem intenção de provocar-me a duelo.

— Afinal, se isto acontecesse, o senhor teria medo?

— Creio que sim... ficaria bastante amedrontado.

— Seriamente? Então é um poltrão?

— N... não, talvez não. O poltrão é aquele que tem medo e se põe em fuga. O que tem medo, mas não foge não é mais um poltrão, — disse, sorrindo, o príncipe, após um momento de reflexão.

— E o senhor, o senhor não fugiria?

— Pode ser que eu não fuja — disse ele, rindo, afinal, às perguntas de Aglaia.

— Pois eu, embora mulher, jamais fugiria — observou ela com uma ponta de despeito. — Aliás, o senhor zomba de mim e faz suas caretas habituais para se tornar mais interessante. Diga-me: é geralmente a doze passos que se atira nos duelos? Por vezes mesmo a dez? Tem-se certeza, neste caso, de ser morto ou ferido.

— Nos duelos é raro atingir-se o alvo.

— Como isso? Púchkin foi morto.

— Talvez por acaso.

— Absolutamente: era um duelo de morte e ele foi morto.

— A bala certamente o atingiu muito mais baixo do que o ponto visado por Dantes, que devia ser o peito ou a cabeça. Ninguém visa ao lugar onde ele foi tocado; seu ferimento foi pois efeito dum acaso, dum erro de tiro. Foram pessoas competentes que me disseram isto.

— E eu falei a um soldado que me declarou que, segundo o regulamento, as tropas deviam visar a meio corpo, quando se desdobram em atiradores. É o termo regulamentar: "a meio corpo". Não se visa nem ao peito, nem à cabeça, mas à meia altura do homem. Um oficial que, depois, foi por mim interrogado a respeito, confirmou-me a exatidão dessa afirmativa.

— É com efeito justa, para o tiro a grande distância.

— E o senhor sabe atirar?

— Jamais atirei.

— Talvez o senhor nem mesmo saiba carregar uma pistola.

— Não sei. Ou antes, sei a maneira de fazer, mas jamais fiz ou tentei eu mesmo.

— *É o mesmo que dizer* que não sabe, porque é uma operação que exige prática! Ouça-me bem e retenha o que lhe vou dizer: o senhor compra em primeiro lugar boa pólvora para pistola; é preciso que não esteja úmida mas bem seca (é, parece, indispensável). Deve ser de um grão muito fino. Peça-a dessa qualidade e não vá comprar pólvora para canhão. Quanto às balas, é preciso, dizem, que a gente mesmo as prepare. O senhor tem pistolas?

— Não, não tenho necessidade delas — respondeu o príncipe, rindo, de repente.

— Ah! que tolice! Não deixe de comprá-las e boas. Escolha uma marca francesa ou inglesa; dizem que são as melhores. Em seguida, tome pólvora, o suficiente para encher um dedal, dois talvez, e derrame-a no cano da pistola. É preciso talvez forçar a dose. Recheia-o com fêltro (parece que o feltro é indispensável, não sei por que) ; pode-se encontrá-lo em qualquer parte, num colchão por exemplo, ou em certas almofadas de porta. Depois de socada a bucha, introduza a bala. Entenda-me bem: a pólvora em primeiro lugar e a bala depois; de outro modo o tiro não parte. Por que ri? Quero que o senhor se exercite todos os dias e várias vezes por dia no tiro e que aprenda a atingir o alvo. Fará isso?

O príncipe continuava a rir. Aglaia bateu com o pé, cheia de despeito. Seu ar de gravidade em semelhante conversa intrigou um tanto o príncipe. Sentia vagamente que deveria indagar de certos pontos, fazer perguntas a respeito de assuntos em todo caso mais sérios que a maneira de carregar uma pistola. Mas isso saíra-lhe da cabeça: não tinha mais outra sensação senão a de vê-la sentada diante dele e contemplá-la. O assunto com o qual pudesse ela entretê-lo naquele momento era-lhe quase indiferente.

Por fim o próprio Ivan Fiódorovitch desceu do andar superior e apareceu no terraço; ia sair e parecia aborrecido, preocupado e decidido.

— Ah! Liev Nikoláievitch, estás aqui?... Aonde vais agora? — perguntou a Míchkin, se bem que não tivesse este nenhuma vontade de mover-se. — Vem, tenho umas coisinhas a dizer-te.

— Adeus — disse Aglaia, que estendeu a mão ao príncipe.

O terraço já estava bastante escuro, de modo que Míchkin não pode ver distintamente naquele instante as feições da moça. Um minuto depois, quando o general e ele já haviam saído da casa de campo, ficou de repente muito vermelha e crispou com força a mão direita.

Aconteceu que Ivan Fiódorovitch devia seguir o mesmo caminho que ele. A despeito da hora tardia, tinha pressa de ir ao encontro de alguém para tratar de um negócio. Mas no momento pôs-se a falar ao príncipe num tom precipitado, confuso e um tanto incoerente; o nome de Lisavieta Prokófievna surgia muitas vezes em meio de suas palavras. Se Míchkin tivesse sido mais capaz de atenção naquele momento, teria talvez adivinhado que seu interlocutor procurava arrancar dele algumas informações ou antes queria lhe fazer, redondamente, uma pergunta, mas sem conseguir abordar o ponto essencial. Para vergonha sua, estava o príncipe tão distraído que não ouviu a princípio o que lhe dizia o general e, quando este se plan-*tou diante dele para* lhe fazer uma pergunta viva, foi-lhe forçoso confessar que não havia compreendido nada.

O general encolheu os ombros.

— Vocês todos são umas criaturas bem esquisitas, sob todos os pontos de vista! — continuou ele, dando livre curso à sua eloquência. — Estou-te dizendo que não entendo um pouquinho sequer as ideias e temores de Lisavieta Prokófievna. Está verdadeiramente histérica, chora, diz que nos vilipendiaram, desonraram.

Quem? Como? Com quê? Quando e por que? Tive culpas, reconheço, graves culpas, mas afinal o encarniçamento daquela mulher violenta (que além do mais se conduz mal) é daqueles a que a polícia pode cortar duma vez; conto ir hoje mesmo ver alguém e tomar providências. Tudo pode regularizar-se tranquilamente, de manso, até mesmo com condescendência, pondo-se em ação nossas relações e sem nenhum escândalo. Convenho ainda que o futuro está cheio de acontecimentos e que restam muitas coisas a esclarecer; estamos em presença de uma trama. Mas se ninguém aqui sabe de nada e se lá em baixo não há maior compreensão, se eu nada ouvi dizer, nem tu tampouco, nem um terceiro, nem um quarto, nem um quinto, então, pergunto-te eu, quem afinal de contas está ao corrente do caso? Como explicas isto, a menos que se admita que estejamos diante duma semi-miragem, dum fenômeno irreal, como quem dissesse o clarão da lua... ou qualquer outra visão fantástica?

— Ela está louca — balbuciou o príncipe numa súbita e dolorosa evocação de tudo quanto se passara naquele dia.

— Admitamos, se é disso que falas! Pensei mais ou menos como tu e dormi tranquilo com essa ideia. Mas agora verifico que mais razão têm os outros e não creio na loucura dela. Evidentemente aquela mulher não tem senso comum, mas não é louca; tem mesmo muita inteligência. Sua saída de hoje a respeito do Capitão Alieksiéievitch demonstra-o por demais. Agiu com canalhice ou pelo menos com certo jesuitismo para alcançar um fim preciso.

— Que Capitão Alieksiéievitch?

— Ah! meu Deus, Liev Nikoláievitch! Não me estás escutando de modo nenhum! Comecei falando-te do Capitão Alieksiéievitch. Estou tão transtornado que os braços e as pernas ainda me tremem. Foi por isso que voltei tão tarde hoje da cidade. O Capitão Alieksiéievitch Radómski, o tio de Ievguéni Pávlovitch...

— Pois bem?... — exclamou o príncipe.

— Estourou os miolos esta manhã, ao romper do dia, às sete horas. Era um septuagenário respeitável, um epicurista. E justamente como o disse ela, deu um desfalque, um desfalque considerável na caixa!

— Mas donde pôde ela...

— Saber isto? Ah! ah! Mas bastou mostrar-se para que todo um estado maior se agrupasse em torno dela. Sabes que personagens a frequentam agora ou disputam "a honra de conhecê-la". Nada há de espantoso em que os seus visitantes que chegam da cidade tenham-na posto ao corrente de alguma coisa, porque toda Petersburgo conhece já a notícia, como aliás a metade ou talvez a totalidade de Pávlovsk. Mas aquela fina observação dela, segundo me contaram, a respeito da farda Pávlovitch, isto é, do fato de ter este pedido muito a propósito sua reforma! Que insinuação infernal! Não, isto não revela loucura. Decerto recuso-me a crer que Ievguéni Pávlovitch tenha podido profetizar a catástrofe, isto é, saber que ela ocorreria em tal data, às sete horas da manhã, etc. Mas pode ter tido o pressentimento. Quando penso que o Príncipe Tsch*** e eu, e nós todos, estávamos persuadidos de que ele herdaria do velho! É terrível, afinal! De resto, compreende-me bem, não estou fazendo nenhuma acusação contra Ievguéni Pávlovitch, apresso-me em declarar-te. Mesmo asssim, há nisso qualquer coisa de suspeito. O Príncipe Tsch*** encontra-se no cúmulo da consternação. Tudo isso sobreveio de uma maneira tão estranha!

— Mas que há de suspeito na conduta de Ievguéni Pávlovitch?

— Absolutamente nada! Comportou-se da maneira mais correta. Não fiz aliás nenhuma alusão a isso. Sua fortuna pessoal está, penso eu, fora de causa. Lisavieta Prokófievna, como é natural, não quer nem mesmo ouvir falar dele... Mas o mais grave são todas essas catástrofes domésticas ou, para melhor dizer, todos esses contratempos, enfim... não sabe mesmo que nome lhes dar... Tu, Liev Nikoláievitch, és, propriamente, falando, um amigo da família; pois bem, imagina que acabamos de saber (ainda que a coisa não seja certa) que Ievguéni Pávlovitch teria se declarado a Aglaia, há mais de um mês, e teria, ao que parece, recebido uma recusa categórica!

— Não é possível! — exclamou o príncipe com veemência.

— Mas sabes de alguma coisa a respeito? — disse o general, que estremeceu de espanto e ficou como que pregado no chão. — Vês, meu caríssimo amigo, talvez eu tenha errado e faltado ao tato falando-te disto, mas é porque tu... tu és... um homem diferente. Talvez saibas algo de particular?

— Não sei de nada... a respeito de Ievguéni Pávlovitch — murmurou Míchkin.

— Nem eu tampouco! Eu... meu caro amigo, juraram enterrar-me, sepultar-me; não se querem dar conta de que isto é penoso para um homem e que eu não o suportaria. Ainda há pouco houve uma cena terrível! Falo-te como a meu próprio filho. E o mais grave é que Aglaia tem o ar de zombar de sua mãe. Quanto à recusa que teria ela dado há um mês a Ievguéni Pávlovitch e à explicação bastante decisiva que teriam tido, são conjeturas de suas irmãs... conjeturas aliás plausíveis. Mas trata-se de uma criatura autoritária e caprichosa a tal ponto que nem se pode imaginar. Tem todos os nobres impulsos da alma, todas as qualidades brilhantes do coração e do espírito, tem tudo isto, admito-o; mas é tão caprichosa, tão zombeteira! Em suma, tem um caráter diabólico e cheio de fantasias. Ainda há pouco zombou abertamente de sua mãe, de suas irmãs, do Príncipe Tsch***. Nem mesmo falo de mim, que estou raramente ao abrigo de suas zombarias, mas eu, quem sou eu? Sabes como lhe quero, até mesmo com suas zombarias, e tenho a impressão de que, por esta razão, aquela capetinha gosta particularmente de mim, quero dizer mais que dos outros. Aposto como já teve ela ocasião de exercer contra ti sua ironia. Encontrei vocês dois há pouco conversando após a tempestade que estourou lá em cima; estava sentada a teu lado como se não se tratasse de nada.

O príncipe ficou tremendamente vermelho e crispou a mão, mas não disse uma palavra.

— Meu caro, meu bom Liev Nikoláievitch! — exclamou de repente o general com calor e efusão. — Eu... e até mesmo Lisavieta Prokófievna (que, afinal, recomeçou a tratar-te com aspereza e que me trata também da mesma maneira por tua causa, não sei explicar por que) gostamos, não obstante, de ti, sinceramente, e estimamos-te a despeito de tudo; quero dizer, a despeito das aparências. Mas convém, meu caro amigo, convém tu mesmo, que repentino enigma, que mortificação ouvir de repente aquela diabinha (estava ali, plantada diante de sua mãe, e mostrava o mais profundo desprezo por todas as nossas perguntas, sobretudo pelas que eu lhe fazia, porque cometi a besteira de tomar o tom severo de chefe da família; o diabo me leve! banquei o tolo)... ouvi-la, digo, dar-nos friamente e com um ar zombeteiro uma explicação: "Aquela louca (foi a palavra que ela empregou e tive a surpresa de vê-la repetir tua própria frase: 'será que não puderam perceber isso mais cedo?') meteu na própria cabeça casar-me a qualquer preço com o Príncipe Liev Nikoláievitch e é esta a razão pela qual procura indispor-nos com Ievguéni Pávlovitch!". Foi tudo quanto ela disse, sem mais explicações, explodiu na gargalhada; ficamos todos boquiabertos, enquanto ela saía, batendo com a porta. Depois contaram-me o incidente de hoje com ela e contigo e... e... Escuta, meu caro amigo, não és um homem susceptível e tens bastante senso, notei-o, mas... não te zangues se te disser que ela zomba de ti. Palavra! Zomba de ti como uma criança, de modo que não deves zangar-te com ela, mas a coisa é esta. Não tenhas falsas ideias; ela se diverte à tua custa como à nossa, por simples ociosidade. Vamos, adeus! Conheces nossos sentimentos. Sabes bem que são sinceros a teu respeito. São imutáveis, nada os fará jamais variar... mas... devo entrar aqui, adeus! Poucas vezes tenho-me sentido tão fora dos eixos como hoje (é assim mesmo que se diz?)... Que vilegiatura, hem?

Tendo ficado só numa encruzilhada, Míchkin inspecionou os arredores, atravessou rapidamente uma rua e aproximou-se da janela iluminada de uma casa de campo; desenrolou então um papelzinho que havia conservado fortemente apertado na mão direita, durante toda a sua conversa com Ivan Fiódorovitch e, à fraca luz que emanava daquela janela, leu o seguinte:

> Amanhã às sete horas da manhã estarei no banco verde, no parque, à sua espera. Decidi-me falar-lhe de um assunto muito importante e que lhe diz diretamente respeito.
>
> P.S. — Espero que não mostre este bilhete a pessoa alguma. Experimentei certo escrúpulo ao fazer-lhe semelhante recomendação, mas refletindo bem, o senhor a merece. Acrescentando-a, pensei em seu caráter ridículo e corei de vergonha.
>
> Segundo P.S. — É aquele mesmo banco verde que lhe mostrei há pouco. O senhor deveria envergonhar-se de ser eu obrigada a dizer-lhe isto também.

O bilhete fora escrito à pressa e dobrado de qualquer jeito, sem dúvida um instante antes da descida de Aglaia ao terraço. Tomado duma emoção indizível e que confinava com o medo, o príncipe apertou de novo com força o papelzinho em sua mão e afastou-se da janela iluminada com a precipitação de um ladrão surpreendido. Mas aquele brusco movimento lançou-o contra um senhor que se encontrava justamente atrás dele.

— Venho-o seguindo, príncipe — disse o homem.

— É o senhor, Keller? — exclamou o príncipe com espanto.

— Estou à sua procura, príncipe. Esperei-o nas proximidades da Vila dos Iepántchini, onde naturalmente não podia penetrar. Segui seus passos, quando o senhor se pôs a caminho com o general. Estou às suas ordens, príncipe; disponha de Keller. Estou pronto a sacrificar-me e até mesmo a morrer, se for preciso.

— Mas... por quê?

— Ora! Vai haver decerto um duelo! Aquele Tenente Molovtsov, conheço-o, isto é, não pessoalmente... não engolirá aquela afronta. As pessoas como Rogójin e eu, olha-as ele como ralé, naturalmente e não talvez sem razão; de modo que só quererá tomar satisfações do senhor. O senhor é que terá de pagar os vidros quebrados, príncipe! Segundo o que ouvi dizer, tomou ele informações a respeito do senhor e amanhã sem falta um de seus amigos irá procurá-lo, se já não o espera em sua casa. Se o senhor me der a honra de me escolher como testemunha, estou pronto a arriscar-me a ir parar na cadeia. Foi para dizer-lhe isto, príncipe, que o procurava.

— Então o senhor também me vem falar de duelo? — exclamou o príncipe, desatando a rir, para enorme surpresa de Keller. Ria a mais não poder. Keller, que tivera o aspecto de quem estava sobre brasas enquanto não se desincumbira de sua missão de propor-se como testemunha, pareceu quase ofendido diante de uma hilaridade tão exuberante.

— Não obstante, príncipe, o senhor agarrou-o pelos braços, esta tarde! Um gentil-homem não pode absolutamente suportar uma coisa dessas, ainda mais em público.

— Mas ele me assestou um murro no peito! — exclamou o príncipe, sempre a rir. — Não há razão para que nos batamos! Vou me desculpar com ele e ficará tudo resolvido. E se for preciso que nos batamos, vamos nos bater! Que ele recorra às armas; não exijo nada de melhor. Ah! ah! sei agora carregar uma pistola. Imagine o senhor que acabam de ensinar-me isto há um instante. Sabe carregar uma pistola, Keller? É preciso primeiro comprar pólvora para pistola, isto é, pólvora que não seja úmida, nem grossa como a que se emprega para os canhões. Começa-se por meter a pólvora, arranca-se feltro da almofada de uma porta, depois coloca-se por cima. É preciso tomar cuidado para não meter a bala antes da pólvora, porque então o tiro não partiria. Está-me ouvindo, Keller? O tiro não partiria! Ah! ah! Não é esta uma razão magnífica, amigo Keller? Ah! Keller, sabe que vou agora mesmo dar-lhe um abraço? Ah! ah! ah! Mas como surgiu o senhor agora tão de repente diante de mim? Venha, pois, assim que puder à minha casa, para beber champanhe. Vamos nos embriagar de champanhe! Sabe que tenho doze garrafas na adega de Liébiediev? Ele as vendeu anteontem para a possibilidade de uma "ocasião". Comprei-as todas. Foi no dia seguinte à minha chegada. Reunirei a todos! Mas diga-me, vai dormir esta noite?

— Como de costume, príncipe.

— Pois então tenha belos sonhos! Ah! ah! ah!

O príncipe atravessou a estrada e desapareceu no parque, deixando Keller perplexo e um tanto decepcionado. Ainda não vira o príncipe num estado de espírito tão esquisito e nem o teria jamais imaginado assim.

"Talvez esteja febril, porque é um homem nervoso sobre o qual tudo isso causou impressão, mas não terá decerto medo. Ora, as pessoas de sua qualidade não são nada medrosas — pensou Keller. — Hum! Champanhe. A notícia não deixa de ter interesse. Doze garrafas; uma dúzia é já uma guarnição respeitável. Aposto que Liébiediev recebeu esse champanhe de um desses a quem anda emprestando dinheiro, a título de penhor. Hum.. Afinal, é bastante gentil esse príncipe; é, na verdade, a espécie de homem que me agrada; em todo o caso não é o momento de hesitar... se há champanhe, é preciso agarrar a ocasião..."

Era exato, com efeito, que o príncipe se encontrava num estado quase febril.

Vagou muito tempo pelas trevas do parque e acabou por encontrar-se indo e vindo por certa alameda. Tinha consciência de já ter percorrido trinta ou quarenta vezes aquela alameda entre o banco e uma velha árvore, elevada e fácil de reconhecer, que se encontrava a cem passos mais longe. Quanto a se lembrar daquilo em que havia pensado no curso daquelas idas e vindas de pelo menos uma hora no parque, não teria conseguido, mesmo que tivesse tentado. Surpreendeu-se, aliás, a pensar numa coisa que lhe provocou de repente uma risada; não tinha ela, entretanto, nada de risível,. mas tudo lhe provocava hilaridade. Veio-lhe ao espírito que a hipótese dum duelo tinha podido nascer em outras cabeças além da de Keller e que, portanto, a exposição que lhe haviam feito a respeito da maneira de carregar uma pistola talvez não fosse efeito do acaso... ("Ora essa! — disse a si mesmo, de repente, parando, como que assaltado por uma outra ideia. — Ainda há pouco, quando ela desceu ao terraço e encontrou-me no canto, ficou estupefata por me ver ali; sorriu... falou-me de chá. Contudo, tinha já este bilhete na mão. Sabia, pois, sem dúvida alguma, que eu estava no terraço. Então por que se mostrou surpresa? Ah! ah! ah!")

Tirou o bilhete do bolso e beijou-o, mas logo depois deteve-se e voltou a ficar pensativo:

"É bem estranho! Sim, bem estranho!" — proferiu ao fim de um minuto com um tom de tristeza. Nos momentos de alegria extrema, sentia-se sempre dominado pela tristeza, sem saber ele mesmo por que. Lançou em redor de si um olhar intrigado e admirou-se de ter vindo parar naquele lugar. Invadido por grande lassidão, aproximou-se do banco e sentou. Em redor dele reinava profundo silêncio. A música parara lá na estação. Talvez não houvesse mais ninguém no parque. Devia ser mais de onze horas e meia. A noite estava calma, tépida, e clara; uma noite de Petersburgo no começo de junho; mas no parque frondoso e sombrio, na alameda onde ele se encontrava, as trevas eram quase completas.

Se naquele momento alguém lhe tivesse dito que, ele estava enamorado, apaixonadamente enamorado, teria repelido essa ideia com estupor e talvez mesmo com indignação. E se esse alguém tivesse acrescentado que as poucas palavras de Aglaia eram um bilhete de amor, um convite a um encontro amoroso, teria corado de confusão diante do autor de semelhante suposição e era capaz talvez de desafiá-lo a um duelo. Nisto era perfeitamente sincero, não tendo tido jamais uma dúvida sequer a esse respeito e não admitindo o menor equívoco quanto à possibilidade de ser amado por aquela moça, nem tampouco amá-la ele próprio. Semelhante ideia iria enchê-lo de vergonha: a possibilidade de amar a um "homem como ele" lhe surgiria como uma coisa monstruosa. A seus olhos, o que podia haver de real nisso reduzia-se a uma simples travessura da moça, travessura que ele aceitava com soberana indiferença, achando aquilo um excesso na ordem das coisas para que se emocionasse com isso. Sua preocupação e seus cuidados centralizavam-se em outra coisa, bem diversa. Dera inteira confiança às palavras do general quando na sua emoção, lhe havia este incidentemente revelado que ela zombava de toda a gente e dele, Míchkin, em particular. Não se sentira de modo algum ressentido; na sua opinião, não poderia ser de outro modo. O essencial se reduzia para ele ao fato de que, no dia seguinte; bem cedo, iria tornar a vê-la, sentaria, ao lado dela naquele banco verde e olharia para ela, ouvindo-a explicar como se carrega uma pistola. Não precisava mais que isso. Uma ou duas vezes perguntou a si mesmo a respeito de qual assunto quereria ela conversar com ele e qual pudesse ser esse assunto importante que diretamente o envolvesse. Não teve, aliás, em nenhum momento a menor dúvida sobre a realidade desse caso "importante" por causa do qual lhe marcavam entrevista; mas, no momento, não sonhava quase com isso e nem mesmo era tentado a deter nisso seu pensamento.

Um rumor de passos lentos sobre a areia da alameda fez com que levantasse *a cabeça. Um homem, cujos traços* era difícil distinguir, na escuridão, aproximou-se do banco e sentou-se a seu lado. O príncipe inclinou-se para ele, quase tocando-o, e reconheceu o rosto pálido de Rogójin.

— Já supunha que andarias vagando por aqui. Não demorei em encontrar-te — murmurou entre dentes Rogójin.

Era a primeira vez que se reviam desde seu encontro no corredor do hotel. O príncipe ficou tão desconcertado com o aparecimento inesperado de Rogójin que lhe foi preciso algum tempo para poder coordenar seus pensamentos; uma sensação pungente avivou-se em seu coração. Rogójin deu-se visivelmente conta da impressão que produzira; se bem que no primeiro momento tivesse parecido perturbado, exprimiu-se com uma facilidade que tinha certo afetamento, todavia o príncipe não tardou em observar que havia nele menos afetação do que perturbação, se certo constrangimento transparecia em seus gestos e em sua conversa, era simples aparência; no fundo da alma, aquele homem não podia mudar.

— Como me descobriste... aqui? — perguntou Míchkin, para dizer alguma coisa.

— Foi Keller quem me informou (passei em tua casa), dizendo me: "ele foi ao parque". Bem, pensei: acertei!

— Que queres insinuar com este: "acertei"? — perguntou o príncipe, com inquietação.

Rogójin sorriu, com um ar dissimulado, mas esquivou-se a uma explicação.

— Recebi tua carta, Liev Nikoláievitch. É inútil dares-te tanto trabalho... em pura perda! Agora, é da parte dela que venho procurar-te, quer absolutamente que a vás ver; tem algo de urgente a dizer-te. Espera-te hoje mesmo.

— Irei amanhã. Volto imediatamente para casa; queres vir... até lá?

— Para fazer o quê? Disse-te tudo. Adeus.

— Então não queres ir? — perguntou brandamente o príncipe.

— És um homem estranho, Liev Nikoláievitch; a gente não pode deixar de achar-te surpreendente.

E Rogójin sorriu com sarcasmo.

— Por que isto? Donde te vem agora essa animosidade contra mim? — replicou o príncipe com calor, mas não sem tristeza. — Vês tu mesmo agora que todas as tuas conjeturas careciam de fundamento! Aliás, duvidava bem de que teu ódio contra mim não se desarmara e sabes por que? Porque atentaste contra minha vida; eis a razão pela qual tua aversão persiste. Pois eu te digo que só me recordo de um Parfien Rogójin: aquele com o qual fraternizei naquele dia trocando nossas cruzes. Escrevi-te isto na minha carta de ontem para que esqueças até mesmo aquele momento de delírio e não me tornes a falar dele absolutamente. Por que te afastas de mim? Por que ocultas tua mão? Repito-te que, para mim, a cena de outrora não foi senão um momento de delírio. Leio agora em ti tudo quanto se passou naquele dia, como o leria em mim mesmo. Aquilo que imaginaste não existia e não podia existir. Então por que haveria inimizade entre nós?

— Mas tu és capaz de ter inimizade? — tornou a rir, sarcástico, Rogójin, em resposta às palavras calorosas e espontâneas do príncipe. (Mantinha-se com efeito a dois passos dele e dissimulava suas mãos.)

— É para mim doravante totalmente impossível frequentar tua casa, Liev Nikoláievitch — acrescentou ele, à guisa de conclusão, num tom lento e sentencioso.

— Diz-me: é tão grande assim o teu ódio?

— Não te amo, Liev Nikoláievitch. Por que então haveria de frequentar tua casa? Ora, príncipe, tens tudo duma criança: quando ela quer um brinquedo, precisa dele imediatamente, mas nada compreende do mesmo. Tudo quanto me dizes, escreveste-o tal e qual em tua carta. Mas será que não tenho fé em ti? Creio em cada uma de tuas palavras, sei que jamais me enganaste e que não me enganarás. E apesar disso, não gosto de ti. Escreves-me que te esqueceste de tudo, que te lembras do Rogójin com o qual trocaste tua cruz, e não do Rogójin que brandiu uma faca contra ti. Mas donde conheces meus sentimentos? (Soltou de novo uma risada sarcástica.) Talvez desde aquele dia não me tenha arrependido uma vez sequer de meu ato, ao passo que tu, príncipe, tu já me enviaste teu perdão fraternal. Talvez que na noite daquela cena, tenha eu pensado em coisa totalmente diversa, é que aquilo...

— Esqueceste aquilo — completou o príncipe. — É isso que eu penso! Aposto que foste imediatamente tomar o trem para Pávlovsk, que vieste para o coreto e a seguiste e espionaste no meio da multidão, como fizeste hoje. Crês ter-me causado surpresa? Mas se não tivesses estado então numa disposição de espírito que não te permitia pensar senão numa coisa, não terias talvez podido erguer a faca contra mim... Tive o pressentimento de teu ato desde a manhã, vendo-te o rosto; com que jeito estavas? Foi sem dúvida no momento em que trocávamos nossas cruzes que esta ideia começou a trabalhar dentro de mim. Por que me conduziste naquele momento junto de tua velha mãe? Esperavas assim deter teu braço? Mas não, não podes ter pensado nisso; como eu, não tiveste senão um sentimento... Tivemos ambos o mesmo sentimento. Se não tivesses erguido o braço contra mim (foi Deus que o desviou!), como sustentaria eu hoje o teu olhar? Tinha eu essa suspeita bem cravada ao meu espírito: em resumo, pecamos ambos por desconfiança (não franzas a testa! Vamos, por que ris?). "Não me arrependi", dizes. Mas terias querido arrepender-te e, no entanto, talvez não tivesses sido capaz disso, tanto mais que não gostas de mim. Mesmo que eu fosse, em relação a ti, inocente como um anjo, não poderias suportar-me e assim será enquanto acreditares que não é a ti que ela ama, mas a mim. Isto não passa de ciúme. Mas eis a ideia em que estive refletindo esta semana e que desejo, Parfien, que fiques conhecendo: sabes que ela te ama agora mais que não importa quem, e seu amor é tanto que quanto mais te faz ela sofrer, mais te ama? Ela jamais te dirá isto, mas é preciso saber compreendê-la. Porque, apesar de tudo, quer, afinal, ela casar-se contigo? Ela mesma vai te revelar um dia. Há mulheres que querem ser amadas assim e é justamente este o caso dela. Teu caráter e teu amor devem fasciná-la! Sabes bem que uma mulher é capaz de torturar cruelmente um homem, de torná-lo ridículo, sem sentir o menor remorso de consciência. Porque, cada vez que ela te olha; diz a si mesma: "agora vou fazer com que sofra mil mortes; mas depois meu amor o recompensará..."

Rogójin, que havia escutado o príncipe até o fim, desatou a rir.

— Diz-me, então, príncipe, não caíste também tu mesmo nas mãos de uma mulher da mesma espécie? O que ouvi contar a teu respeito seria verdade?

Míchkin sentiu um estremecimento brusco.

— Como? Que pudeste ouvir dizer? — perguntou ele. Parou, presa duma extrema perturbação.

Rogójin continuava a rir. Escutara o príncipe com certa curiosidade, talvez mesmo com certo prazer: o bom humor e o caloroso ímpeto de seu interlocutor causavam-lhe viva impressão e reconfortavam-no...

— Não somente ouvi dizer; fiquei convencido, vendo, que é verdade — acrescentou ele. — Vejamos: alguma vez falaste como acabas de fazer? É para dizer que outro homem fala pela tua, boca. Se eu não tivesse ouvido coisa semelhante a teu respeito, não teria vindo aqui procurar-te até no parque e à meia noite.

— Não te compreendo absolutamente, Parfien Siemiônovitch.

— Há muito tempo que ela me deu explicações teu respeito e essas explicações pude verificá-las ainda há pouco vendo a pessoa ao lado da qual estavas sentado ouvindo música. Ontem e hoje jurou-me ela que estavas perdidamente apaixonado por Aglaia Iepántchina. Isto me é indiferente, príncipe; não me interessa; se tu não mais a amas, ela não cessou de amar-te. Sabes bem que ela quer a todo preço casar-te com a outra? Jurou-o a si mesma, eh! eh! eh! Disse-me: "Para casar contigo é preciso que se cumpra uma condição; no dia em que eles forem para a igreja, nós iremos também". É uma coisa que é e sempre foi incompreensível para mim: ou ela te ama perdidamente ou.... Mas se ela te ama, como pode querer casar-te com uma outra? Disse ainda: "Quero vê-lo feliz". Portanto, ela te ama.

— Disse-te e escrevi que ela... não estava em seu juízo — disse o príncipe que escutara Rogójin com doloroso sentimento.

— Deus o sabe! Talvez te enganes nisto aliás, hoje, quando à trouxe do coreto; marcou ela o dia: "Vamos nos casar com toda certeza dentro de três semanas e talvez antes", disse. Jurou sobre o ícone; que beijou. De modo que o caso depende agora de ti, príncipe; eh! eh! eh!

— Tudo isto não passa de delírio! O que me predizes não acontecerá nunca, nunca! Amanhã irei ver vocês.

— Como podes dizer que ela está louca? — observou Rogójin. — Por que estaria sã de espírito para todos e louca exclusivamente para ti? Como lhe seria possível escrever as cartas que escreve ela? Se estivesse louca, bastaria a leitura dessas cartas para que se percebesse seu estado.

— Que cartas? — perguntou Míchkin, com espanto.

— As que escreveu à outra, que as leu. Não o sabes? Então ficarás sabendo: ela própria te mostrará, essas cartas.

— É impossível acreditar nisto — exclamou o príncipe.

— Oh! vejo bem, Liev Nikoláievitch, que não passaste do começo. Paciência; haverás de ter tua polícia particular, montarás tu mesmo guarda dia e noite, conhecerás cada passo que soar, se somente...

— Acabemos com isto e não quero ouvi-lo nunca, mais! — exclamou Míchkin. — Escuta-me, Parfien: um momento antes de tua chegada, passeava eu por aqui; de repente pus-me a rir, sem saber por que. Acabava de me lembrar de que amanhã é justamente o dia de meu aniversário de nascimento. Falta pouco para meia noite. Vem esperar comigo a aurora desse dia. Tenho vinho; vamos bebê-lo; tu me desejarás aquilo que eu não consigo desejar a mim mesmo neste momento; é preciso que parta de ti esse desejo; eu farei votos pela tua felicidade perfeita. Se não queres, devolve-me minha cruz! Não me devolveste essa cruz no dia seguinte. Ela está contigo? Ainda a trazes contigo agora?

— *Sim, trago-a comigo* — respondeu Rogójin

— Então partamos Não quero, sem ti, sair ao encontro de uma nova vida, porque para mim foi uma nova vida que começou! Não sabes, Parfien, que minha nova vida começou hoje?

— Agora vejo e sei por mim mesmo que ela começou. Vou comunicar isto a *ela*. Não estás em teu estado normal, Liev Nikoláievitch.

Capítulo IV

Foi com vivo espanto que, ao aproximar-se da sua casa de campo, em companhia de Rogójin, viu o príncipe o terraço brilhantemente iluminado e ocupado por numerosa e barulhenta companhia. As pessoas ali reunidas mostravam-se cheias de entusiasmo, riam estrondosamente e vociferavam; pareciam discutir em altos gritos; ao primeiro olhar podia-se perceber que o tempo passava ali alegremente. E, com efeito, quando subiu ao terraço, encontrou Míchkin toda aquela gente a beber e ainda por cima, champanhe. Aquela festinha devia estar durando já um bom momento porque muitos dos presentes tinham tido oportunidade de pôr-se na mais alegre posição de ânimo. Eram todos conhecidos do príncipe mas o que era estranho era vê-los reunidos ali, como se tivessem sido convidados quando não havia ele feito convite nenhum e que era por mero acaso que acabava de lembrar-se do dia de seu aniversário.

— Deves ter dito a alguém que oferecerias champanhe; então acorreram — murmurou Rogójin, acompanhando o príncipe ao terraço. — Conhecemos isto; basta associar-lhes... — acrescentou num tom mordaz, sem dúvida evocando mentalmente um passado pouco remoto.

O bando inteirinho cercou o príncipe depois de havê-lo acolhido com gritos e felicitações. Alguns convivas mostravam-se por demais barulhentos, outros muito mais calmos; mas desde que se soube que se tratava do aniversário dele, todos se aproximaram um por um, apressando-se em dar-lhe os parabéns. A presença de certas pessoas, por exemplo, de Burdóvski, intrigou o príncipe; mas o que mais o espantou foi encontrar Ievguéni Pávlovitch em semelhante companhia; não queria dar crédito a seus olhos e ficou quase assombrado ao reconhecê-lo.

Nisto Liébiediev, muito vermelho e quase em estado de exaltação, acorreu para dar explicações; estava bastante tocado. Expôs com volubilidade que toda aquela gente se reunira da maneira mais natural do mundo e até mesmo por acaso. O primeiro de todos fora Ipolit, que chegara à noite; sentindo-se muito melhor e querendo esperar no terraço a chegada do príncipe, deitara-se num divã. Depois viera Liébiediev reunir-se a ele, seguido em breve de toda a sua família, ou, para melhor dizer, de suas filhas e do General Ívolguin. Burdóvski chegara com Ipolit, a quem fazia companhia. Gânia e Ptítsin, passando perto da casa de campo, tinham *entrado, ao que parece, havia* pouco (sua chegada coincidira com o incidente na estação); depois Keller aparecera, anunciando que era o aniversário do príncipe e reclamando champanhe. Ievguéni Pávlovitch estava lá havia uma meia hora. Kólia insistira com todo o vigor para que se servisse champanhe e se organizasse uma festa. Liébiediev apressara-se em trazer vinho.

— Mas é meu vinho, meu vinho? — ele balbuciou, dirigindo-se a Míchkin. — Sou eu que faço as despesas, a fim de festejá-lo e felicitá-lo, e haverá também um pequeno banquete, de frios; minha filha está tratando disso. Ah! príncipe, se soubesse o senhor qual o assunto que estamos discutindo! Lembra-se, daquela frase do *Hamlet*: "ser ou não ser"? Eis um tema moderno, bem-moderno! Perguntas e respostas... E o Senhor Tieriêntiev acha-se no cúmulo da animação... não quer ir dormir! Aliás, só bebeu um gole de champanhe, um gole só, isto não lhe pode fazer mal... Aproxime-se, príncipe; e decida o debate! Todos o esperavam, todos contavam com sua finura de espírito...

O príncipe notou o olhar doce e acariciante de Viera Liébiedieva que também abria vivamente passagem para chegar até ele. Foi a primeira a quem estendeu ele a mão; ela corou de prazer e desejou-lhe "uma vida feliz a partir daquele dia". E imediatamente correu para a cozinha onde estava a preparar as comidas. Mas, mesmo antes da chegada do príncipe, desde que pudera livrar-se por um instante de sua tarefa, aparecera no terraço para ouvir atentamente as discussões apaixonadas e sem fim que os convivas, animados pelo vinho, consagravam às questões mais abstratas e mais estranhas para a moça. Sua irmã mais moça dormia de boca aberta no quarto ao lado, sentada em cima de uma arca. Quanto ao menino de Liébiediev, estava ali ao lado de Kólia e de Ipolit; pela expressão arrebatada de seu rosto adivinhava-se que ficaria bem ali sem mudar de lugar ainda umas dez horas seguidas, gozando a conversa.

— Eu o esperava de modo especial e sinto-me encantado por vê-lo chegar tão feliz — disse Ipolit, quando o príncipe lhe tomou a mão, logo depois de haver apertado a de Viera.

— E como sabe que me sinto "tão feliz"?

— Vê-se isso no seu rosto. Cumprimente esses senhores e trate logo de vir sentar-se aqui, junto de nós. Eu o esperava de modo especial — repetiu ele, apoiando significativamente esta última frase.

O príncipe lhe perguntou se não era perigoso para sua saúde estar acordado, até tão tarde. Respondeu que ele próprio estava admirado de nunca ter-se sentido tão melhor quanto naquela noite, quando três dias antes estivera à morte.

Burdóvski levantou-se bruscamente e murmurou que viera "assim mesmo", para "acompanhar" Ipolit; também se sentia encantado; na sua carta "escrevera besteiras", mas estava agora "simplesmente encantado"... Não terminou sua frase, apertou com vigor a mão do príncipe e tornou a sentar-se.

Depois que cumprimentou a todos, Míchkin aproximou-se de Ievguéni Pávlovitch. Este logo o pegou pelo braço:

— Tenho apenas duas palavras a dizer-lhe — disse, à meia voz. — Trata-se de um acontecimento muito importante; isolemo-nos um minuto.

— Duas palavras — cochichou uma segunda voz no outro ouvido de Míchkin, enquanto que outra mão lhe segurava o braço livre. Teve o príncipe a surpresa de ver um rosto desgrenhado, vermelho, jovial e picante, que reconheceu logo ser o de Fierdíchtchenko. Este surgira não se sabia de onde.

— *Lembra-se de* Fierdíchtchenko? — perguntou ele.

— Donde saiu o senhor? — perguntou Míchkin.

— Está arrependido! — exclamou Keller, que se aproximara precipitadamente. — Tinha-se escondido, não queria aparecer ao senhor. Ocultava-se lá em baixo, num canto. Está arrependido, príncipe, sente-se culpado.

— Mas de que, de que então?

— Fui eu que o encontrei, príncipe, trouxe-o logo; é um dos meus melhores amigos, mas está arrependido.

— Encantado, senhores; vão tomar lugar com o resto dos convivas, volto imediatamente — disse afinal o príncipe, para se ver livre deles; tinha pressa em ouvir Ievguéni Pávlovitch.

— A gente se distrai em sua casa — observou este último, — e passei a esperá-lo uma agradável meia hora. Eis do que se trata, meu caro Liev Nikoláievitch; arranjei tudo com Kúrmichev e vim cá tranquilizá-lo; não precisa inquietar-se; aceitou a coisa com muito bom senso, muito bom senso mesmo; tanto mais quanto, na minha opinião, era ele quem não tinha razão.

— Que Kúrmichev?

— Ora, mas... aquele oficial a quem o senhor agarrou há pouco pelo braço... Estava tão furioso que queria enviar-lhe amanhã suas testemunhas para exigir-lhe reparação.

— Basta, que disparate!

— Evidentemente, é um disparate e acabaria decerto por um disparate; mas há entre nós gente assim...

— O senhor veio talvez ainda com uma outra intenção, Ievguéni Pávlovitch.

— Oh! naturalmente! Tinha ainda outra intenção — replicou ele rindo. — Amanhã, meu caro príncipe, ao romper do dia, parto para Petersburgo por causa daquela desgraçada história (o caso de meu tio, lembra-se?). Imagine que tudo aquilo é exato e que toda a gente o sabia, menos eu. Fiquei de tal modo transtornado que nem mesmo tive tempo de ir lá (à casa dos Iepántchini); não poderei ir, tampouco amanhã, pois estarei em Petersburgo, compreende? Talvez não regresse nestes três dias; em resumo, meus negócios vão mal. Sem exagerar a importância do acontecimento, pensei ainda assim que devia explicar-me com o senhor, com toda a sinceridade, sem adiar por mais tempo, isto é, antes de minha partida. Agora, se o permitir, ficarei aqui e esperarei que a reunião se dissolva; não tenho, aliás, outra coisa a fazer, estou tão agitado que não conseguiria dormir. Enfim, se bem que haja impudência e incorreção em apegar-se assim a um homem, quero dizer francamente que vim solicitar sua amizade, meu caríssimo príncipe. O senhor é um homem sem igual, no sentido de que não mente em nenhum instante e que, talvez, mesmo, nunca minta. Ora, há um negócio para o qual tenho necessidade de um amigo e de um conselheiro, porque agora me encontro positivamente no número das criaturas infelizes...

Pôs-se de novo a rir.

— Há apenas um inconveniente — disse Míchkin, após um minuto de reflexão. — O senhor quer esperar a partida deles, mas só Deus sabe quando isso se dará! Não seria preferível que fôssemos agora ao parque? Francamente, eles podem muito bem esperar-me. Pedirei desculpas.

— Não, não, tenho minhas razões para não querer que se suspeite que estamos procurando ter uma conversa extraordinária. Há aqui pessoas que estão muito intrigadas com as nossas relações, não sabe disso, príncipe? Vale muito mais a pena que se verifique que entretemos as melhores relações na vida corrente e não somente em circunstâncias excepcionais, compreende? Eles se retirarão dentro de umas duas horas, mais ou menos. Eu lhe tomarei cerca de vinte minutos, uma meia hora quando muito.

— Pois não! Com muito gosto! Estou muito contente; não eram precisas essas explicações. Faço questão além disso de agradecer-lhe vivamente suas cordiais palavras a respeito de nossas relações de amizade. Desculpe-me se estou um tanto distraído hoje. Sabe que me é absolutamente impossível dar provas de atenção neste, momento?

— Estou vendo, estou vendo — murmurou Ievguéni Pávlovitch com um leve sorriso. Achava-se naquela noite de um humor muito alegre.

— Que é que o senhor vê? — perguntou Míchkin, estremecendo.

— Não suspeita então, meu caro príncipe, — prosseguiu Ievguéni Pávlovitch, continuando a sorrir e sem responder diretamente à pergunta, — não suspeita então que minha visita não possa ter outro fim senão cercá-lo e arrancar do senhor, sem ter ar disso, algumas informações?

— Que o senhor tenha vindo para me obrigar a falar, isto não tem dúvida — disse o príncipe, pondo-se igualmente a rir. — Talvez mesmo haja prometido a si mesmo abusar um pouco de minha candura. Mas para falar a verdade, não o temo; além disso, neste momento tudo isso me é indiferente, acredita-o? E depois... como estou antes de tudo convencido de que o senhor é um excelente homem, acabaremos sempre, afinal de contas, por tornar-nos amigos. O senhor muito me agradou, Ievguéni Pávlovitch. O senhor é... na minha opinião, um homem muito, muito de bem!

— Bem, em todo caso, é bastante agradável ter relações com o senhor, por qualquer motivo que seja — concluiu Ievguéni Pávlovitch. — Beberei uma taça à sua saúde. Estou encantado por tê-lo encontrado. — Ah! exclamou, de repente, interrompendo-se —, aquele Senhor Ipolit instalou-se em sua casa?

— Sim.

— Não vai morrer agora logo, penso?

— Por que essa pergunta?

— Por coisa nenhuma; passei meia hora em companhia dele...

Durante toda esta conversa à parte, Ipolit, que esperava o príncipe, não afastara os olhos nem deste último, nem de Ievguéni Pávlovitch. Animou-se febrilmente, quando eles voltaram à mesa. Estava inquieto e superexcitado; o suor perolava-lhe a testa. Seus olhos cintilantes e esgazeados exprimiam um alarme incessante, uma impaciência mal definida. Seu olhar ia dum objeto a outro, duma pessoa a outra, sem se fixar em parte alguma. Se bem que tivesse tomado até então parte ativa na barulhenta conversa que prosseguia em torno de si, seu entusiasmo era puramente febril; no íntimo, não participava daquela conversação; sua maneira de raciocinar era incoerente e exprimia-se num tom zombeteiro, negligente e paradoxal, Não terminava suas frases e parava bem no meio duma discussão que ele próprio travara com calor um minuto antes. O príncipe soube com surpresa e pesar que lhe haviam *permitido beber na*quela noite duas taças de champanhe; a taça que já começara a beber, era a terceira. Mas só soube disto mais tarde; no momento não se achava em condições de observar o que quer que fosse.

— Sabe que estou encantado pelo fato de ser hoje justamente o dia de seu aniversário?— exclamou Ipolit.

— Por quê?

— Vai ver; ponha-se depressa à mesa. Em primeiro lugar, por esta razão de estar... todo o seu mundo aqui bem completo. Acertei ao pensar que viria muita gente; pela primeira vez em minha vida meu cálculo deu certo! Que pena que não tenha sabido antes o dia de seu nascimento! Teria trazido meu presente... ah! ah! ah! Mas quem sabe? Talvez o tenha em meu bolso. Falta ainda muito tempo para o dia amanhecer?

— Faltam quando muito umas duas horas até o aurora — Ptítsin falou, depois de ter consultado seu relógio.

— Mas que importa a aurora, pois se pode passar bem sem ela neste momento para ler lá fora? — observou alguém

— É que desejo ver ainda um bocadinho de sol. Pode-se beber à saúde do sol, príncipe? Que pensa o senhor?

Ipolit fazia tais perguntas num tom duro, dirigindo-se a todos bruscamente, como se desse ordens; mas ele próprio não parecia perceber isso.

— Pois seja, bebamos. Somente, você faria bem se se acalmasse, Ipolit. Não é mesmo?

— O senhor está sempre me mandando dormir, príncipe, é uma espécie de ama de menino para mim. Depois que o sol aparecer e começar a "ressoar no céu" (de quem é este verso: "o sol ressoou no céu"? Não tem sentido, mas, é bonito!), iremos nos deitar então, Liébiedev! O sol é a fonte da vida? Que querem dizer estas palavras "fontes de vida" no *Apocalipse*? Ouviu falar da "Estrela do Absinto", príncipe?

— Disseram-me que Liébiedev reconhece nessa "Estrela do Absinto" a rede europeia das ferrovias.

— Ah! não, com licença, isto não é possível! — exclamou Liébiedev, sobressaltando-se e agitando os braços, como se quisesse refrear o riso geral, que se desencadeava. — Com licença! Com estes senhores... com todos estes senhores — disse ele, voltando-se bruscamente para o príncipe, — há questões a respeito das quais... eis o que é...

E, sem cerimônia, descarregou dois pequenos murros secos sobre a mesa, o que fez a assistência redobrar a hilaridade.

Liébiedev achava-se no mesmo estado de todas as noites, mas desta vez havia-se aquecido e exaltado mais que de costume por causa da longa discussão "científica" anterior; em semelhantes casos ostentava um desprezo sem limites pelos seus contraditores.

— Isto não está direito, senhores! Tínhamos convencionado, há uma meia hora, que não interromperíamos, nem riríamos enquanto um de nós falasse, deixando a cada qual completa liberdade de exprimir todo o seu pensamento; e liberdade também aos ateus em seguida para anunciarem eles próprios suas objeções se fizessem questão disso. Demos ao general a presidência dos debates. Que procedimento é esse então? Seria possível desse modo perturbar quem quer que expusesse as ideias mais elevadas, mais profundas!

— Pois então fale, fale pois! Ninguém o impedirá! — exclamaram várias vozes.

— Fale, mas não divague!

— Que é que é essa "Estrela do Absinto"? — perguntou alguém.

— Não tenho a menor ideia! — respondeu o general, que havia retomado, com ar importante, seu lugar de presidente.

— Adoro essas questões e essas querelas, príncipe, quando tem um objetivo científico, bem entendido — balbuciou então Keller, remexendo-se em sua cadeira, com um ar de verdadeiro êxtase e de impaciência. — Um objetivo científico e político — acrescentou, voltando-se de repente para Ievguéni Pávlovitch que estava sentado ao lado dele. — Veja só, acho apaixonante ler nos jornais os resumos dos debates no Parlamento inglês. Entendamo-nos; não é o fundo desses debates que me encanta (não sou político, o senhor bem sabe), mas a maneira pela qual os oradores se tratam mutuamente e se comportam, por assim dizer, no seu papel de políticos: "o nobre visconde que se assenta diante de mim", "o nobre conde que partilha de meu ponto de vista", "meu nobre contraditor cuja proposta assombrou a Europa"; todas essas pequenas locuções, todo esse parlamentarismo de um povo livre, eis o que me encanta! Deleito-me com isso, príncipe. No íntimo da alma sempre fui um artista, juro-lhe, Ievguéni Pávlovitch!

— Então, conclui o senhor que as estradas de ferro são amaldiçoadas? — exclamou de seu canto Gânia, num tom agressivo. — Seriam a perdição da humanidade, o veneno caído sobre a terra para corromper "as fontes de vida"?

Gavrila Ardaliónovitch achava-se, naquela noite num estado excepcional de nervosismo, do qual espontava, segundo a impressão do príncipe, uma espécie de júbilo. Era evidente que sua pergunta não passava de uma brincadeira para provocar Liébiediev, mas ele próprio não tardou a acalorar-se.

— Não, as estradas de ferro, não! — replicou Liébiediev, que se sentia ao mesmo tempo fora de si mesmo e embriagado de prazer. — Por si mesmas as estradas de ferro não podem corromper as fontes de vida. O que é maldito, é o conjunto; é, em suas tendências, todo o espírito científico e prático de nossos últimos séculos. Sim, pode muito bem acontecer que tudo isso seja efetivamente maldito!

— A maldição é certa ou somente possível? É aqui muito importante saber em que ficamos — indagou Ievguéni Pávlovitch.

— A maldição é certa, tudo quanto há de mais certo! — confirmou Liébiediev, com veemência.

— Não se entusiasme, Liébiediev. De manhã, você se mostra mais bem disposto — observou Ptítsin, sorrindo.

— Sim, mas à noite sou mais franco. À noite, sou mais cordial, mais sincero! — replicou com calor Liébiediev, voltando-se para ele. — Sou mais simples, mais preciso, mais honesto, mais respeitável. Com isso ofereço sem dúvida flanco a vossas críticas, senhores, mas pouco me importo. Lanço-vos agora um desafio a todos, ateus que sois: como salvareis o mundo? Que caminho normal lhe abristes para a salvação, vós, cientistas, industriais, defensores do sindicato, do salariado e de tudo mais? Por meio de que salvareis o mundo? Pelo crédito? Que é o crédito? A que vos levará?

— *O senhor é bastante* curioso! — observou Ievguéni Pávlovitch.

— E na minha opinião, aquele que não se interessa por estas questões não passa de um ocioso gozador do grande mundo! Sim, senhor!

— O crédito levará pelo menos à solidariedade geral, ao equilíbrio dos interesses — observou Ptítsin.

— Mas a nada mais! Não tendes outro fundamento moral senão a satisfação do egoísmo individual e das necessidades materiais. A paz universal, a felicidade coletiva resultando da necessidade! Permiti-me que vos pergunte: é bem assim que devo compreender, meu caro senhor?

— Mas a necessidade comum a todos os homens de viver, de beber e de comer, unida à convicção absoluta e científica de que essas necessidades não podem ser satisfeitas senão pela associação universal e pela solidariedade dos interesses, eis o que me parece uma concepção bastante poderosa para servir de ponto de apoio e de "fonte de vida" à humanidade dos séculos por vir — observou Gânia que começava a exaltar-se seriamente.

— A necessidade de beber e de comer, isto é, o instinto de conservação apenas...

— Mas já não é muito esse instinto? É a lei moral da humanidade...

— Quem lhe disse isso? — exclamou bruscamente Ievguéni Pávlovitch. — É uma lei, é verdade, mas nem mais nem menos normal que a lei de destruição, isto é, de autodestruição. Será que a conservação constitui a única lei normal da humanidade?

— Ah! ah! ah! — exclamou Ipolit, voltando-se vivamente para o lado de Ievguéni Pávlovitch.

Examinou-o com intensa curiosidade, mas, tendo percebido que ele ria, pôs-se a rir também; depois, dando uma cotovelada em Kólia que estava sentado a seu lado, perguntou-lhe as horas; ele mesmo tirou o relógio de prata do rapaz e olhou avidamente os ponteiros. Afinal, como se já se tivesse esquecido de tudo, estendeu-se no divã, pôs as mãos por trás da cabeça e ficou a fitar o teto. Mas meio minuto depois, estava de novo sentado à mesa, de busto erguido e escutando a verborreia de Liébiediev, que estava no paroxismo da exaltação.

— Eis uma ideia astuciosa e irônica, uma ideia provocante! — disse este último, lançando-se com avidez ao paradoxo de Ievguéni Pávlovitch. — Mas essa ideia é justa, se bem que só a tenha o senhor lançado para atiçar a controvérsia. Cético, como é, na sua qualidade de homem da sociedade e de oficial de cavalaria (aliás bastante dotado), não se dá conta o senhor mesmo de toda a profundeza e de toda a justeza dessa ideia! Sim, meu senhor! A lei da autodestruição e a lei da autoconservação têm no mundo potência igual. O diabo continuará a servir-se tanto de uma como da outra para dominar a humanidade durante um tempo cujo limite nos é desconhecido. Ri? Não acredita no diabo? A negação do diabo é uma ideia francesa; uma ideia frívola. Sabe quem é o diabo? Conhece seu nome? E, ignorando até mesmo seu nome, o senhor zomba de sua forma a exemplo de Voltaire; ri de seu pés caprinos, de sua cauda e de seus chifres que são invenção dos senhores mesmos, porque o espírito impuro é um espírito grande terrível, que nada tem a ver com os pés caprinos e os chifres que os senhores lhe atribuíram. Mas não é dele que se trata no momento...

— Que sabe o senhor disso? — exclamou de repente Ipolit, explodindo numa gargalhada convulsiva.

— Eis uma reflexão judiciosa e sugestiva, — aprovou Liébiediev. — Mas, repito-o, não se trata disso. A questão era saber, se as "fontes de vida" não se enfraqueceram em virtude do desenvolvimento...

— Das estradas de ferro? — perguntou Kólia.

— Não das estradas de ferro, jovem e impetuosa criatura, mas da tendência a que as estradas de ferro podem servir, por assim dizer, de imagem e de figuração plástica. Correr, vibrar, locomover-se ruidosamente, segundo dizem, pelo bem da humanidade! Um pensador isolado do mundo deplora essa trepidação: "A humanidade está-se tornando demasiado barulhenta e demasiado industrial, à custa de sua paz de espírito". "Pois seja; mas o barulho dos vagões que levam o pão para os homens famintos vale talvez mais que a paz de espírito", replica triunfalmente outro pensador que anda por toda parte e se afasta do outro com desdém. E eu, o abjeto Liébiediev, não creio nos vagões que transportam o pão para a humanidade! Porque, se uma ideia moral não os dirige, esses vagões podem friamente excluir do direito ao pão que transporta boa parte do gênero humano. Já se tem visto isto.

— São os vagões que podem friamente excluir...? — objetou alguém.

— Já se tem visto isto — repetiu, Liébiediev, sem se dignar prestar atenção à pergunta: — Malthus era um filantropo. Mas, com uma base moral vacilante, um filantropo não passa de um canibal. E nada digo de sua vaidade, porque se os senhores ferem o orgulho de não importa qual desses inúmeros amigos da humanidade, ele estará pronto a pôr fogo aos quatro cantos do globo para satisfazer seu mesquinho rancor. Aliás, para ser imparcial preciso acrescentar que somos todos assim, a começar por mim, o mais abjeto de todos; eu seria talvez o primeiro a levar combustível e a pôr-me a salvo em seguida. Mas não se trata tampouco agora disso!

— De que se trata pois, afinal?

— Ele nos aborrece!

— Trata-se da anedota seguinte que remonta aos séculos passados, porque estou na obrigação de falar-lhes dum tempo distante. Na nossa época, na nossa pátria que os senhores amam, espero, como eu a amo, senhores, porque, no que me diz respeito, estou pronto a derramar por ela até a derradeira gota de meu sangue...

— Aos fatos! Aos fatos!

— Na nossa pátria, como na Europa, terríveis fomes gerais afligem a humanidade, até onde se possa calculá-las e alcance minha memória, uma vez pelo menos em cada quarto de século, ou, em outras palavras, a cada vinte e cinco anos. Não discuto da exatidão do número, mas o fato é que as fomes são relativamente raras.

— Relativamente a quê?

— Ao século XII e aos séculos que o precederam e seguiram. Porque, naquela época, segundo o testemunho dos autores, as fomes gerais abatiam-se sobre a humanidade todos os dois ou, pelo menos todos os três anos, se bem que, em semelhantes circunstâncias, recorresse o homem à antropofagia, mas às ocultas. Um desses antropófagos de então, ao aproximar-se da velhice, declarou espontaneamente e sem nenhum constrangimento que, no curso de sua longa e miserável existência, havia, ele próprio, matado e comido, no mais profundo segredo, sessenta monges e algumas crianças, seis quando muito, número ínfimo em relação à quantidade de religiosos consumidos. Quanto aos leigos adultos, parece que jamais os provara.

— Isto não é possível — exclamou, num tom meio ofendido o próprio presidente, o general. — Costumo discutir com ele muitas vezes, senhores, sempre a respeito de questões dessa espécie, mas na maior parte do tempo ele vem com histórias tão absurdas de fazer doerem os ouvidos, sem nem um tico de veracidade!

— General, lembre-se do cerco de Kars! E os senhores fiquem sabendo que minha anedota é a pura verdade. Acrescentarei pela minha parte, que a realidade, se bem que submetida a leis imutáveis, é quase sempre incrível e inverossímil. Por vezes mesmo, quanto mais um acontecimento é real, tanto menos é verossímil.

— Mas será acaso possível comer assim sessenta monges? — perguntaram, rindo, os ouvintes.

— É claro que não os comeu ele duma vez; levou talvez quinze ou vinte anos. Nestas condições a coisa é perfeitamente compreensível e natural...

— E natural?

— Sim, natural! — replicou Liébiediev, com uma obstinação de pedante. — Aliás, o monge católico é, de seu natural, comunicativo e curioso; nada mais fácil do que atraí-lo para um bosque ou qualquer lugar afastado e ali fazê-lo sofrer a sorte descrita há pouco. Todavia, não contesto que o número das pessoas comidas seja excessivo e traia mesmo uma tendência à intemperança.

— Talvez seja verdade, senhores — observou, de repente, o príncipe.

Tinha até então mantido silêncio e acompanhado a discussão sem intervir. Rira cordialmente por várias vezes nos momentos de hilaridade geral. Via-se que estava encantado por se sentir cercado de toda aquela alegria, de todo aquele barulho e até mesmo por verificar que se bebia com o mesmo entusiasmo. Teria podido não abrir a boca durante todo aquele serão. Mas veio-lhe subitamente a ideia de dar sua opinião, e o fez com tanta gravidade que todos os convivas voltaram para ele um olhar cheio de curiosidade.

— Quero precisar um ponto, senhores: a frequência das fomes no passado. Se bem que conheça mal a história, ouvi eu mesmo falar delas também. Mas parece que não podia ser de outro modo. Por ocasião de minha estada nas montanhas suíças, admirei bastante as ruínas de velhos castelos feudais, empoleirados nos flancos de montanha, sobre rochedos abruptos e uma altura de pelo menos uma meia versta (isto é, de várias verstas seguindo-se as veredas). Sabe-se o que é um castelo; um verdadeiro maciço de pedras. Isto representa um trabalho tremendo, inimaginável, trabalho que, sem dúvida, foi executado por todas aquelas pobres criaturas que eram os servos. Estes estavam, além do mais, obrigados a pagar toda espécie de taxas e a sustentar o clero. Como achariam eles tempo para sustentar a si mesmos e cultivar a terra? Eram então pouco numerosos para poder fazê-lo; a maior parte morria de fome e não tinha, na verdade mesmo, o que comer. Ocorreu-me por vezes perguntar a mim mesmo como não se extinguiram aquelas populações totalmente, como resistiram e puderam suportar tal existência. Afirmando que houve casos de antropofagia, e talvez em muito grande número, Liébiediev está falando certamente a verdade; somente não vejo a razão pela qual meteu os monges no caso, nem aonde quer chegar com isso.

— Quis decerto dizer que no século XII só se podia comer os monges, porque eram os únicos gordos — observou Gavrila Ardaliónovitch.

— Eis uma reflexão magnífica e perfeitamente justa — exclamou Liébiediev, — pois o nosso homem não havia tocado nos leigos! Nem um só leigo em vista de sessenta exemplares do clero. É uma verificação terrível, de alcance histórico e de valor estatístico; um desses fatos com a ajuda dos quais um homem inteligente reconstitui o passado, porque ele prova, com uma precisão aritmética, que o clero era então pelo menos sessenta vezes mais próspero e mais bem nutrido que todo o resto da humanidade. Talvez fosse mesmo sessenta vezes mais gordo.

— Que exagero, Liébiediev, que exagero! — exclamou-se entre os ouvintes com explosões de riso.

— Admito que a ideia tenha alcance histórico, mas aonde quer o senhor chegar? — replicou o príncipe. (Falava com tal seriedade, tal ausência de ironia ou de zombaria para com Liébiediev, de quem toda a assistência se ria, que do contraste entre seu tom e o dos outros se desprendia um involuntário efeito cômico; por um pouco ele também teria começado a rir, mas não cuidava disso.)

— O senhor não vê, príncipe, que se trata de um louco? — cochichou-lhe Ievguéni Pávlovitch. — Disseram-me ainda há pouco, aqui, que o gosto pela rabulice e pela retórica judiciária virou-lhe a cabeça e quer passar nos exames. Aguardo uma bela paródia!

— Estou-me encaminhando para uma conclusão sensacional — continuou Liébiediev, com voz tonante. — Mas analisemos, antes de tudo, a situação fisiológica e jurídica desse criminoso. Vemos que ele (chamemos-lhe, se quiserem, meu cliente), malgrado a completa impossibilidade de encontrar outra alimentação, manifesta, por diversas vezes, no curso de sua curiosa carreira, o propósito de se arrepender e de renunciar à carne monacal. Isto se destaca claramente dos fatos: dizem-nos que abocanhou cinco ou seis crianças. Comparativamente, a cifra é insignificante; mas, de um outro ponto de vista, tem sua eloquência. É evidente que meu cliente se vê assaltado por terríveis remorsos (porque ele é um homem religioso, um homem de consciência, como poderei prová-lo): desejoso de atenuar seu pecado, na medida do possível, substituiu, a título de ensaio, por seis vezes, o regime monacal pelo regime leigo. Que se trata, no caso, de ensaios, isto também está fora de contestação; porque, se não se tivesse ele proposto variar seu cardápio, a cifra de seis seria irrisória; por que seis em vez de trinta? (Calculo metade por metade de monges e leigos.) Mas se se trata de um ensaio unicamente inspirado pelo desespero e pelo terror diante do sacrilégio e da ofensa feita às gentes da igreja, então a cifra seis torna-se mais do que compreensível; seis tentativas para apaziguar seus remorsos de consciência eram mais que suficientes, visto como não podiam dar resultado satisfatório. Em primeiro lugar, na minha opinião, a criança é demasiado pequena, ou para melhor dizer, demasiado fraca. Meu cliente teria de, em certas ocasiões, ingerir três ou cinco vezes mais crianças que monges; diminuído qualitativamente seu pecado, viria, afinal de contas, a achar-se aumentado quantitativamente. Decerto, senhores, coloco-me, para assim raciocinar, no estado de alma de um criminoso do século XII. Eu, homem do século XIX, teria talvez raciocinado de outro modo; previno-os disso, de modo que não tenham os senhores nenhum motivo para zombar de mim; de sua parte, general, isto se torna totalmente inconveniente. Em segundo lugar, a criança constitui — é esta uma opinião toda pessoal — uma carne pouco nutritiva, talvez mesmo adocicada e insípida por demais, não sustentando aquele que a consome e não lhe deixando senão remorsos de consciência. Eis agora minha conclusão, senhores, minha peroração; ela lhes dará a solução de um dos maiores problemas de então e de hoje. O criminoso *acabou por ir denunciar*-se ao clero e entregar-se às autoridades. Perguntamos nós que suplícios daquele tempo o esperavam, que roda, que fogueira, que fogos! Quem pois o obrigava a ir denunciar-se? Por que tendo-se simplesmente detido no número de sessenta, não haver guardado seu segredo até o derradeiro suspiro? Por que não se ter limitado a renunciar aos monges e a fazer penitência levando vida de eremita? Por que afinal não se ter feito ele próprio monge? Eis aí a solução do enigma! Existia, pois, uma força superior à da fogueira e do fogo, superior mesmo a um hábito de vinte anos! Havia, pois, uma ideia mais poderosa que todas as calamidades, carestias, torturas, peste e lepra e todo esse inferno que a humanidade não teria podido suportar sem esta mesma ideia mediante a qual os corações se unem e são guiados, as fontes de vida são fertilizadas. Mostrem-me, pois, alguma coisa que se aproxime dessa força em nosso século de vícios e de estradas de ferro... Seria preciso dizer "em nosso século de barcos a vapor e de estradas de ferro". Digo "em nosso século de vícios e de estradas de ferro", porque estou bêbado, mas falo a verdade. Mostrem-me uma ideia que exerça sobre a humanidade atual uma ação e tenha apenas a metade daquela. E ousem dizer depois disso que as fontes de vida não foram enfraquecidas, perturbadas, sob essa "estrela", sob essa rede que envolve todos os homens. E não pensem em impor-se a mim com sua prosperidade, com suas riquezas, com a raridade das fomes e com a rapidez dos meios de comunicação! As riquezas são mais abundantes, mas as forças declinam; não há mais pensamento que crie um elo entre os homens; tudo relaxa, tudo amolece, estamos todos amolecidos. Sim, todos, todos, todos nós estamos amolecidos!... Mas basta! Não é disto que se trata agora; trata-se de mandar servir a ceia de frios preparada para nossos hóspedes, não é respeitabilíssimo príncipe?

Liébiediev estivera a ponto de provocar em alguns de seus ouvintes verdadeira indignação (é justo fazer notar que se continuava, durante todo esse tempo, a desarrolhar garrafas). Mas desarmou imediatamente todos os adversários: com aquela conclusão inesperada que anunciava a ceia, conclusão que ele mesmo qualificou de "hábil manobra de advogado para uma reviravolta". Risadas joviais provocaram nova animação entre os presentes; todos se levantaram da mesa e puseram-se a andar pelo terraço para desentorpecer as pernas. Somente Keller ficou descontente com o discurso de Liébiediev e manifestou extrema turbulência.

— Ele ataca a instrução, exalta o fanatismo do século XII, mas é tudo fingimento, sem mesmo ter a menor pureza de coração; e permitam-me perguntar-lhes: com que dinheiro ele se tornou proprietário desta casa? — dizia em voz alta, detendo todos os convivas, uns após outros.

— Conheci um verdadeiro intérprete do *Apocalipse* — disse, no canto oposto, o general a outras pessoas e notadamente a Ptítsin, a quem segurara por um botão de seu paletó. — Era o falecido Grigóri Siemiônovitch Burmístrov. Aquele, sim, sabia comover os corações. Começava pondo os óculos, depois abria um livro grande e velho, encadernado em couro negro. Tinha uma barba grisalha e trazia duas medalhas obtidas por motivo de obras de caridade. Punha-se a ler num tom rude e severo; diante dele os generais se curvavam e as damas desmaiavam. Mas esse aí concluiu anunciando uma ceia de frios! Isto não tem pé nem cabeça!

Ouvindo o general, Ptítsin sorria e mantinha o ar de um homem que vai pegar seu chapéu para retirar-se; mas não se resolvia a isto ou se esquecia sempre de sua resolução. Antes de se haverem retirado da mesa, Gânia cessara bruscamente de beber e repelira seu copo para longe; uma nuvem lhe ensombrecera o rosto. Quando todos se levantaram, aproximou-se ele de Rogójin e sentou-se a seu lado. Era possível acreditar que estivessem em franca harmonia. Rogójin que, no começo, estivera por várias vezes a ponto de escapulir-se às ocultas, permanecia agora sentado, imóvel e de cabeça baixa. Também ele parecia ter esquecido suas veleidades de fuga. Durante toda a noite não havia bebido uma só gota de vinho. Estava absorto em suas reflexões. Por momentos erguia os olhos e fitava, um a um, todos os presentes. Agora sua atitude fazia pensar que atrasava sua partida à espera de alguma coisa extremamente importante para ele.

O príncipe havia bebido apenas umas duas ou três taças; estava simplesmente alegre e nada mais. Quando se levantou da mesa, seus olhos encontraram os de Ievguéni Pávlovitch; lembrou-se de que devia ter uma explicação com ele e sorriu-lhe com ar afetuoso. Ievguéni Pávlovitch fez-lhe um aceno de cabeça e mostrou lhe bruscamente Ipolit que dormia estendido no divã e sobre o qual fixava naquele momento um olhar perscrutador.

— Diga-me, príncipe, por que esse garoto se introduziu em sua casa? — ele perguntou, de súbito e com uma expressão tão evidente de despeito e até mesmo de ódio que o príncipe ficou surpreendido. — Aposto que ele não tem boas intenções!

— Notei, ou pelo menos me pareceu, Ievguéni Pávlovitch — respondeu o príncipe, — que o senhor se mostra muito interessado por ele, hoje, não é verdade?

— Acrescente ainda que, nas circunstâncias particulares em que me encontro, tenho outra coisa em mente; de modo que sou o primeiro a admirar-me de não ter podido, durante toda a noite, desviar meus olhos daquela fisionomia antipática.

— Seu rosto é belo...

— Ora, ora, olhe! — exclamou Ievguéni Páviovitch, puxando o príncipe pelo braço. — Olhe!

De novo Míchkin, lançou a seu interlocutor um olhar espantado.

Capítulo V

Ipolit, que, ao fim da dissertação de Liébiediev, havia de repente adormecido em cima do divã, acordou em sobressalto, como se alguém lhe tivesse dado uma pancada no costado. Estremeceu, sentou, olhou em redor de si e empalideceu. A vista do que o cercava seu rosto exprimiu certo temor, mas quando lhe voltou a memória e recordou tudo, esse temor degenerou quase em terror.

— Como? Eles se vão? Está acabado? Terminou tudo? O sol se levantou? — perguntou ele, com angústia, agarrando a mão de Míchkin. — Que horas são? Por Deus, diga-me a hora! Adormeci. Dormi muito tempo? — acrescentou, com uma expressão quase de desespero, como se tivesse deixado passar, ao dormir, algo de que dependia pelo menos todo o seu destino.

— Você dormiu sete ou oito minutos — respondeu-lhe Ievguéni Pávlovitch.

Ipolit olhou-o com ansiedade e refletiu alguns instantes.

— Ah! só? Eu, portanto...

Nisto aspirou o ar com força, como se se sentisse aliviado dum peso extraordinário. Compreendera enfim que nada "estava acabando", que ainda não havia *amanhecido*, que os convivas só haviam saído da mesa para ir comer uma refeição e que a única coisa que havia cessado fora a tagarelice de Liébiediev. Sorriu e as maçãs de seu rosto coloriram-se de duas manchas vermelhas, reveladoras da tísica.

— Mas, pelo que vejo, contava o senhor os minutos, enquanto eu dormia, Ievguéni Pávlovitch — disse ele, num tom zombeteiro. — Percebi que durante toda a noite não tirou o senhor os olhos de mim... Ah! Rogójin! Acabo de vê-lo em sonho — cochichou ele ao príncipe, franzindo o cenho e mostrando, com um aceno de cabeça, o lugar da mesa onde estava sentado Parfien Siemiônovitch. — Ah! sim! A propósito — disse ele, saltando bruscamente dum assunto a outro, — onde está o orador? Onde está Liébiediev? Não acabou então seu discurso? De que falou? É verdade, príncipe, que o senhor disse certa vez que "a beleza" salvaria o mundo? Senhores — exclamou ele, tomando todos os presentes como testemunhas, — o príncipe acredita que a beleza salvará o mundo! E eu acredito que, se ele tem ideias loucas é porque está enamorado. Senhores, o príncipe está enamorado. Ainda há pouco, assim que ele entrou, tive disto a convicção. Não endureça, príncipe! O senhor me causaria compaixão. Qual a beleza que salvará o mundo? Foi Kólia quem me contou essa opinião... O senhor é cristão fervoroso? Kólia me disse que o senhor mesmo se denomina cristão.

O príncipe contemplou-o atentamente e não replicou.

— Não me responde? Pensa talvez que gosto muito do senhor? — acrescentou, de repente, Ipolit, como se lhe fugisse tal reflexão.

— Não, não penso isto. Sei que você não gosta de mim.

— Como! Mesmo depois do que se passou ontem? — Fui sincero para com o senhor ontem?

— Eu sabia, também ontem, que você não gostava de mim.

— Quer o senhor dizer que é porque o invejo, porque tenho inveja do senhor? Sempre acreditou nisso e ainda acredita, mas para que falar-lhe disso? Quero beber mais champanhe. Keller, sirva-me.

— Não deve beber mais, Ipolit, não deixarei que o faça...

E o príncipe afastou dele a taça.

— Tem razão, afinal... — aquiesceu ele, imediatamente, com um ar sonhador. — Diriam, sem dúvida, que... mas que me importa o que diriam?! Não é mesmo, não é? Que digam depois o que quiserem, não é, príncipe? E que nos importa, a todos nós, o que nos acontecerá depois?... Aliás, acabo de ter um sonho. Que sonho horrível esse! Somente agora é que me lembro. Não lhe desejo sonhos semelhantes, príncipe, se bem que, na verdade, não goste do senhor. Aliás, se não se gosta de alguém, não é esta uma razão para se lhe desejar mal, não é verdade? Mas por que faço todas estas perguntas? Por que todas estas interrogações? Dê-me sua mão;quero apertá-la bem forte; eis como, assim... De qualquer forma o senhor estendeu-me a mão. Sente, portanto, que lhe aperto sinceramente... Pois seja; não beberei mais. Que horas são? É inútil dizer-me, aliás; já sei. Soou a hora. O momento chegou. Como é? Estão servindo comida lá naquele canto? Então a mesa está livre? Perfeito! Senhores, eu... Toda essa gente nem mesmo me escuta... Tenho a intenção de ler um artigo, príncipe; a comida é certamente mais interessante, porém...

Bruscamente e da maneira mais inesperada, tirou de seu bolso de lado um grande envelope de tamanho oficial, selado com um grande sinete vermelho e colocou-o à sua frente em cima da mesa.

Esse gesto imprevisto produziu seu efeito sobre os presentes que estavam maduros, mas... não para uma leitura. Ievguéni levantou-se, sobressaltado, de sua cadeira; Gânia aproximou-se vivamente da mesa; Rogójin fez o mesmo, mas com a cara desgostosa e carrancuda de quem sabe o que está para vir. Liébiediev, que andava por ali perto, avançou com um olhar inquisidor e começou a examinar o envelope, tentando adivinhar-lhe o conteúdo.

— Que tem você aí? — o príncipe perguntou, num tom inquieto.

— Aos primeiros albores do sol, vou me deitar, príncipe; como já disse; palavra de honra, verá! — exclamou Ipolit. — Mas... mas... será que os senhores me acreditam incapaz de deslacrar este envelope? — acrescentou, lançando em redor de si um olhar de desafio que parecia dirigir se a todos sem distinção.

Míchkin notou que ele tremia da cabeça aos pés. Tomou a palavra em nome dos presentes.

— Nenhum de nós pensa nisso. Por que nos atribui esse pensamento e acredita que... Que ideia engraçada essa de fazer uma leitura para nós! Que tem você aí, Ipolit?

— Que é que é? Que é que se passa com ele ainda? — perguntavam em redor. Todos se aproximaram; alguns já estavam comendo. O envelope e seu sinete vermelho atraíam os convivas como um ímã.

— Foi o que eu mesmo escrevi ontem, logo depois de ter-lhe dado minha palavra de que viria instalar-me em sua casa, príncipe. Passei nisso todo o dia de ontem, depois a noite; terminei esta manhã. Antes da madrugada, tive um sonho...

— Não seria melhor deixar isso para amanhã? — interrompeu, timidamente, o príncipe.

— Amanhã "não haverá mais tempo" — replicou Ipolit, com uma risada histérica. — Afinal, não tenham medo nenhum, a leitura levará quarenta minutos, ou, quando muito, uma hora... E veja o senhor o interesse que todos demonstram por ela: todos se aproximam, todos olham para meu envelope. Se eu não tivesse posto este meu artigo dentro de um envelope lacrado, não teria ele despertado curiosidade nenhuma.. Ah! ah! ah! Eis a atração do mistério! Quebrarei o lacre ou não, senhores? — exclamou ele, rindo, com aquele seu riso, singular e dardejando sobre o auditório olhos cintilantes. — Mistério! Mistério! Lembra-se, príncipe, de quem anunciou que "não haveria mais tempo"? Foi o Anjo imenso e poderoso do *Apocalipse*.

— É melhor não ler — exclamou bruscamente Ievguéni Pávlovitch, com um ar de inquietação tal que muitas pessoas ficaram admiradas.

— Não leia — exclamou igualmente o príncipe, pousando a mão sobre o envelope.

— Como, ler agora? Mas vamos cear — observou alguém.

— Um artigo? Sem dúvida está destinado a uma revista? —perguntou outo.

— Talvez seja enfadonho — acrescentou um terceiro.

— Mas de que se trata então? — indagaram os outros.

O gesto de apreensão do príncipe havia espantado o próprio Ipolit.

— Então... não o leio? — cochichou-lhe este, num tom receoso, enquanto um sorriso crispado contraía seus lábios arroxeados. Não o leio? —murmurou, inquirindo em torno de si todos os olhos e todos os rostos e procurando agarrar-se ainda àquela expansividade que todos ainda há pouco manifestavam. — O senhor... tem medo? — perguntou; voltando-a de novo para Míchkin

— Medo de quê? — replicou este, cuja fisionomia se alterava de minuto em minuto.

— Teria alguém uma moeda de vinte copeques? — disse, de súbito, Ipolit, saltando, como se o tivessem arrancado da cadeira.

— Uma moeda miúda qualquer?

— Eis aqui! — disse logo Liébiediev, apresentando uma moeda.

A ideia de que o doente perdera o juízo acabava de dominar-lhe o espírito.

— Viera Lukiánovna! — chamou precipitadamente Ipolit. — Tome esta moeda e atire-a sobre a mesa: cara ou coroa? Se for coroa, lerei!

Viera olhou com terror a moeda, depois Ipolit, depois seu pai e, erguendo a cabeça com a ideia de que não deveria olhar a moeda, lançou-a sobre a mesa com um gesto canhestro. Foi coroa.

— É preciso ler! — murmurou Ipolit como que esmagado pelo decreto da sorte. Não teria ficado mais pálido se tivesse ouvido sua sentença de morte: — Aliás, — exclamou, estremecendo após meio minuto de silêncio, — que é isto? Será que acabo de jogar meu destino?

Lançou pela assistência um olhar circular, em que se traduzia o mesmo desejo de se expandir e de chamar para si a atenção. Depois voltando-se bruscamente para o príncipe, exclamou com tom de sincero espanto:

— Eis um estranho traço psicológico... um traço incompreensível, príncipe — repetiu, animando-se e no tom de um homem que volta a si. — Note isto e lembre-se disto depois, uma vez que o senhor anda recolhendo, parece, documentos referentes à pena de morte... Disseram-me isso... ah! ah! ah! Oh! meu Deus! que absurda tolice.

Sentou-se no divã, apoiou os dois cotovelos sobre a mesa e pôs a cabeça entre as mãos.

— É até uma vergonha!.. — prosseguiu. — Mas que me importa que seja uma vergonha? — E erguendo logo a cabeça, pareceu obedecer a uma resolução súbita: — Senhores! senhores.!.. Vou quebrar o lacre de meu envelope... eu... eu não obrigo, no entanto, ninguém a ouvir-me!

Com as mãos trêmulas de emoção, quebrou o lacre e tirou de dentro do envelope algumas folhas de papel de carta cobertas de uma letra miúda, que colocou diante de si e começou a arrumar.

— Mas que é isso? Que há? Que é que vai ser, lido? — murmuram vários dos presentes com ar sombrio. Outros guardavam silêncio, mas todos tinham sentado e observavam a cena com curiosidade. Talvez aguardassem, com efeito, um acontecimento extraordinário. Viera agarrou-se à cadeira de seu pai e tinha tanto medo que mal conseguia reter suas lágrimas, Kólia não estava menos amedrontado. Liébiediev, que já estava sentado, levantou-se de súbito, pegou as velas e aproximou-se de Ipolit para que este visse mais claro ao ler.

— Senhores, é... os senhores vão ver logo em seguida o que é — acrescentou, não se sabia por que, Ipolit e, sem transição, começou a ler: "Explicação Indispensável". Epígrafe: "*Aprés moi le déluge!*".[45] Com os diabos! exclamou ele, com o tom de um homem que acaba de se queimar. — Como pude eu escrever a sério tão tola epígrafe?... Escutem, senhores!... Asseguro-lhes que tudo isto não é, talvez, afinal de contas, senão uma tremenda tolice! São apenas alguns pensamentos meus... Se acreditam, que há nisto algo de misterioso ou... de proibido.... numa palavra...

45 Depois de mim, o dilúvio!

— Seria melhor que lesse, sem preâmbulo — interrompeu-o Gânia.

— Está procurando um rodeio! — acrescentou um outro.

— Mera tagarelice! — lançou Rogójin que até então permanecera calado.

Ipolit fitou-o de repente; no momento em que seus olhares se cruzaram, Rogójin sorriu amarga e dolorosamente, depois pronunciou estas palavras estranhas:

— Não é assim que devia proceder neste caso, meu rapaz, não é...

Decerto ninguém compreendeu o que Rogójin queria dizer. Mas sua frase causou na assistência uma impressão um tanto singular: a mesma ideia pareceu ocorrer a todos. Sobre Ipolit, o efeito desta frase foi terrível: pôs-se a tremer tão intensamente que Míchkin esteve a ponto de estender-lhe a mão para evitar que ele caísse e teria certamente lançado um grito, se a voz não lhe houvesse ficado presa na garganta. Ficou um minuto inteiro sem poder articular uma palavra. Respirava penosamente e não desfitava os olhos de Rogójin. Afinal, retomando o folego à custa dos maiores esforços proferiu:

— Então foi o senhor... o senhor... foi o senhor...

— Que é que eu fui? Que queres dizer? — replicou Rogójin com o ar de não ter compreendido.

Mas Ipolit ficou todo rubro e, arrebatado por uma espécie de raiva súbita, gritou com voz desabrida e violenta:

— Foi o senhor que veio à minha casa, a semana passada, de noite, depois de uma hora, no mesmo dia em que fui vê-lo pela manhã. Foi o senhor! Confesse-o: foi o senhor?

— Na semana passada, de noite? Será que não perdeste o juízo, rapaz?

O "rapaz" calou-se ainda um instante, levou o dedo indicador à testa e tomou o aspecto de quem medita. Mas sob seu pálido sorriso, que o medo transformava num ricto, brotou de súbito uma expressão de astúcia e até mesmo de triunfo.

— Foi o senhor! — repetiu, quase à meia voz, mas com o acento da mais completa convicção. — O senhor foi à minha casa e ficou sentado uma hora e até mesmo mais, sem dizer palavra, numa cadeira, perto da janela: foi entre meia noite e duas horas; partiu antes das três... Sim, foi mesmo o senhor! Por que me causou medo? Por que me foi atormentar? Não tenho explicação para isto, mas era o senhor!

No seu olhar acendeu-se de súbito um imenso clarão de ódio, mas nem por isso deixou de estremecer de terror.

— Agora mesmo, senhores, irão saber de tudo, eu... eu... escutem...

E de novo, pegou precipitadamente as folhas de seu manuscrito que se haviam misturado e invertido; esforçou-se por ordená-las; aquelas folhas tremiam entre seus dedos frementes e levou muito tempo para as poder pôr em ordem.

— Está louco ou delira! — murmurou Rogójin, com voz apenas inteligível.

Por fim começou a leitura. Durante os cinco primeiros minutos o autor daquele artigo inesperado teve dificuldade em recuperar o fôlego e leu duma maneira incoerente e desigual. Mas sua voz firmou-se pouco a pouco e conseguiu ele comunicar plenamente o sentido do que lia. Por vezes apenas uma tosse bastante violenta, o interrompia; chegado à metade de sua leitura, ficou intensamente rouco. Sua *exaltação, que crescia* gradativamente, acabou por atingir o paroxismo, enquanto se acentuava, com a mesma velocidade, a impressão mórbida sentida pelo auditório. Eis o artigo em sua íntegra:

Explicação indispensável

Après moi le déluge

"Ontem de manhã o príncipe veio ver-me; entre outras coisas propôs-me que me instalasse em sua casa de campo. Sabia que ele não deixaria de insistir neste ponto; estava certo de que me declararia sem rebuços que 'seria melhor para mim morrer no meio dos homens e das árvores', para usar de sua expressão. Mas hoje não empregou a palavra morrer; disse que 'seria melhor para mim continuar ali minha existência', o que, aliás, no meu caso, vem a dar, mais ou menos, no mesmo. Perguntei-lhe o que queria dizer com aquelas 'árvores' de que fala tão frequentemente e por que estava sempre a encher-me os ouvidos com aquela referência. Tive a estupefação de ouvi-lo responder-me que fora eu mesmo quem, na noite passada, declarara ter vindo a Pávlovsk para ver as árvores pela derradeira vez. Observei-lhe que, para morrer, era-me perfeitamente indiferente estar debaixo das árvores ou olhar um muro de tijolos diante de minha janela; por causa das duas semanas que me restavam de vida, não pagava a pena ter tantas cerimônias. Concordou imediatamente comigo, mas pensava que a verdura e o ar puro acarretariam certamente uma modificação no meu estado físico e mudariam meus sonhos e os efeitos de minha superexcitação, talvez a ponto de torná-los toleráveis. Objetei-lhe, de novo, rindo, que ele falava como um materialista. Replicou-me com seu habitual sorriso que sempre fora materialista. Como não mente nunca, não era aquela uma frase no ar. Seu sorriso é bondoso; examinei-o então com mais atenção. Não sei se agora gosto dele ou não; não tenho tempo, no momento, para quebrar a cabeça com esta questão. O ódio que lhe tinha há cinco meses, notem bem, começou a diminuir completamente no curso do último mês. Quem sabe? Fui talvez a Pávlovsk sobretudo para vê-lo: Mas... por que desertei então de meu quarto? O condenado à morte não deve deixar o seu canto; se eu não tivesse tomado agora uma resolução definitiva e se me tivesse, pelo contrário, resignado a esperar minha derradeira hora, não teria certamente abandonado meu quarto por coisa alguma do mundo e não teria aceitado a proposta de vir 'morrer' em casa dele, em Pávlovsk.

"É preciso que me apresse para terminar sem falta antes de amanhã toda esta 'explicação'. Quer dizer que não terei tempo de relê-la, nem de corrigi-la; vou relê-la amanhã ao comunicá-la ao príncipe e a duas ou três testemunhas que conto encontrar em casa dele. Como não haverá aqui uma só palavra que não seja a pura, a suprema e solene verdade, estou curioso de saber que impressão experimentarei eu mesmo no momento em que fizer esta leitura. Aliás, fiz mal em escrever estas palavras 'suprema e solene verdade'; de qualquer modo, não vale a pena mentir, para quem tem quinze dias de vida, pois não vale a pena viver quinze dias. É a melhor prova de que não escreverei senão a verdade. (N.B. — Uma ideia que não se deve *perder de vista:* não estarei louco neste momento, ou para melhor dizer, em certos momentos? Afirmaram-me positivamente que chegados à derradeira fase de sua doença, os tísicos têm instantes de desvario. Verificar isto amanhã pela impressão que produzirá a leitura sobre os ouvintes. Este problema deve ser a qualquer preço resolvido da maneira mais exata; sem o que nada se pode compreender.)

"Parece-me que acabo de escrever uma tolice enorme; mas, como o disse, não tenho tempo para corrigir; além disso, prometo a mim mesmo deixar intencionalmente este manuscrito sem a menor correção, mesmo que perceba que me contradigo a cada cinco linhas. Quero justamente submeter, amanhã, à prova da leitura, a lógica de meu pensamento, e assegurar-me de que noto os meus erros; saberei assim se todas as ideias que amadureci neste quarto, no curso destes derradeiros meses, são verdadeiros ou se não se trata apenas de um delírio.

"Se pretendesse, há dois meses, abandonar completamente meu quarto, como vou fazer, e dizer adeus ao muro de Meyer, estou certo de que teria sentido tristeza. Agora não sinto mais nada, se bem que deva deixar amanhã para sempre este quarto e aquele muro! Portanto, meu ser está hoje dominado pela convicção de que, por duas semanas, não vale a pena ter saudades ou abandonar-se a qualquer sentimento. E todos os meus sentidos obedecem talvez já a esta convicção. Mas é bem verdade? É verdade que minha natureza esteja completamente domada? Se me infligissem tortura neste momento, iria decerto gritar; não diria que não vale a pena gritar e sentir dor, quando não se tem mais de quinze dias de vida...

"Todavia é exato que só me restam quinze dias de vida e não mais? O que contei em Pávlovsk era mentira; B*** não me disse nada absolutamente e nem mesmo jamais me viu; mas há uma semana trouxeram-me o estudante Kislórodov; é um materialista, um ateu e um niilista; justamente por isso é que o mandei chamar; tinha necessidade de um homem que me dissesse enfim a verdade bem nua sem contemplações nem rebuços. Foi o que ele fez, não somente com prontidão e sem circunlóquios, mas até mesmo com visível prazer (o que, na minha opinião, passava da medida). Declarou-me brutalmente que me restava cerca de um mês de vida; talvez um pouco mais, se as circunstâncias fossem favoráveis, talvez também muito menos. Podia acontecer, segundo ele, que eu morresse subitamente, amanhã por exemplo; tem-se visto isto. Ainda anteontem, uma jovem senhora tísica, que mora no quarteirão de Kolomna e cujo caso se assemelha ao meu, preparava-se para ir ao mercado fazer suas provisões; sentindo-se subitamente indisposta, estendera-se sobre um sofá, lançou um suspiro e entregou a alma. Kislórodov[46] relatou-me todos estes pormenores com certa afetação de insensibilidade e de indiferença, como se me fizesse a honra de considerar-me, a mim também, como um ser superior, penetrado do mesmo espírito de negação que ele e não tendo naturalmente nenhuma pena de deixar a vida. Finalmente, um fato ficava estabelecido: eu tinha um mês de vida e nada mais! A este respeito estou completamente convencido de que ele não se enganou.

"Fiquei muito surpreendido quando o príncipe adivinhou que eu tinha pesadelos; disse, ao pé da letra que em Pávlovsk 'os efeitos de minha superexcitação e de meus sonhos' mudariam. Por que falou de meus sonhos? Ou é ele um médico, ou um espírito de uma penetração extraordinária, capaz de adivinhar muitas coisas. (Mas que, todas as contas feitas, seja um 'idiota', isto não oferece dúvida.) Justamente antes de sua chegada, eu acabava de ter tido um belo sonho na verdade (como agora tenho centenas). Havia adormecido uma hora, creio, antes de sua visita e via-me num quarto que não era o meu. Era maior e mais alto, mais bem mobiliado, compunha-se de um armário, de uma cômoda, de um sofá e de meu leito, que era comprido e largo *com uma coberta verde* de seda acolchoada. Naquele quarto, percebi um animal

46 Literalmente: oxigenado, aéreo. O nome tem intenção irônica, talvez alusiva ao ateísmo do personagem.

horrendo, uma espécie de monstro. Parecia-se com um escorpião, mas não era um escorpião; era algo de mais repelente e de mais horrível. Acreditei ver uma espécie de mistério no fato de que não existiam animais daquela espécie na natureza e que não obstante, havia aparecido um expressamente em minha casa. Examino à vontade: era um réptil pardo e escamoso, de sete polegadas de comprimento; sua cabeça tinha a grossura de dois dedos; mas seu corpo ia-se afinando gradualmente para a cauda, cuja extremidade não tinha mais do que um sexto de polegada de espessura. A quase duas polegadas da cabeça duas patas se destacavam de parte e doutra do tronco, com o qual formavam um ângulo de quarenta e cinco graus, tanto que, visto do alto, tomava o animal o aspecto de um tridente. Não vi muito distintamente sua cabeça, mas notei nela dois pequenos tentáculos muito curtos e igualmente pardos que se assemelhavam a duas grossas extremidades. Encontravam-se dois pequenos tentáculos idênticos na extremidade da cauda e na extremidade de cada pata; ou seja, oito ao todo. Aquele animal corria muito depressa pelo quarto, apoiando-se sobre suas caudas. Durante sua carreira; seu corpo e suas patas torciam-se como serpentes com uma prodigiosa velocidade, apesar de sua carapaça ser uma coisa horrível de ver-se. Eu sentia um medo atroz de que o animal me picasse, porque me haviam dito que ele era venenoso. Mas o que mais me atormentava era saber quem o tinha enviado para o meu quarto, que desígnio se punha em prática contra mim e que é que aquele mistério ocultava. O animal dissimulava-se debaixo da cômoda, debaixo do armário e se refugiava nos cantos. Sentei numa cadeira e dobrei minhas pernas por baixo de mim. O animal atravessou lestamente o quarto em diagonal e desapareceu em alguma parte perto da minha cadeira. Procurei-o com os olhos cheios de espanto, mas, como estivesse sentado com as pernas encolhidas sob o corpo, esperava que ele não subiria pela cadeira. De repente, ouvi um leve crepitar por trás de mim, não longe de minha nuca. Voltei-me e vi o réptil que subia ao longo da parede; encontrava-se já à altura de minha cabeça e roçava mesmo meus cabelos com sua cauda que girava e ondulava com uma agilidade extrema. Dei um salto e o monstro desapareceu. Não ousava meter-me na cama, com medo de que ele se introduzisse sob o travesseiro. Minha mãe e não sei qual pessoa conhecida sua entraram então no quarto. Puseram-se a dar caça ao réptil. Estavam mais calmas do que eu não manifestavam mesmo nenhum terror, mas não compreendiam nada daquilo. De repente, o monstro reapareceu; rastejava desta vez, com um movimento muito lento, como se tivesse uma intenção particular; suas contorções moles davam-lhe um ar ainda mais repugnante; atravessou de nova o quarto como da primeira vez, dirigindo se para a porta. Nesse momento minha mãe abriu a porta e chamou Norma, nossa cadela; era um enorme terra-nova de pelo negro e crespo; morrera havia cinco anos. Precipitou-se dentro do quarto e parou, como que petrificada, diante do réptil, que, por sua vez, deixou de avançar mas continuou a torcer-se e a bater no soalho com suas patas e com a extremidade de sua cauda. Os animais são inacessíveis, se não me engano, aos terrores místicos; mas naquele momento pareceu-me que havia alguma coisa de completamente estranho e místico no espanto de Norma; era de crer que ela adivinhava, como eu, naquele animal uma aparição, fatídica e misteriosa. Recuou lentamente enquanto o réptil avançava com prudência e a passos contados; tinha ele o aspecto de dispor-se a saltar sobre ela para picá-la. Mas a despeito de seu terror e se bem que tremesse toda, Norma fixava no animal olhos cheios de raiva. Num momento dado, descobriu progressivamente seus temíveis caninos, abriu sua enorme goela vermelha, tomou impulso e lançou-se resolutamente sobre o monstro que apanhou entre os dentes. O animal fez, parece, um violento esforço para libertar-se, porque Norma teve de tornar a pegá-lo e desta vez no ar. Por duas vezes meteu-o na boca, mantendo-o sempre no ar como se quisesse engoli-lo. A carapaça estalou sob seus dentes; a cauda e as patas do animal desbordavam e se agitavam duma maneira terrível. Bruscamente Norma lançou um uivo de dor; o réptil havia conseguido, apesar de tudo, picar-lhe a língua. Gemendo de dor, a cadela descerrou os dentes. Vi então em sua goela o réptil, semiesmagado, que continuava a debater-se; de seu corpo mutilado escorria sobre a língua da cadela um liquido branco e abundante semelhante ao que sai de uma barata quando esmagada... Foi nesse momento que acordei e o príncipe entrou."

Ipolit interrompeu de súbito sua leitura, como sob o império duma espécie de confusão.

— Senhores — disse ele, — não reli este artigo e parece-me, confesso-o, que escrevi muita coisa inútil. Esse sonho...

— É a verdade — apressou-se Gânia a dizer.

— Convenho que há aqui demasiadas impressões pessoais, quero dizer, dizendo respeito exclusivamente à minha pessoa...

Ao preferir estas palavras, parecia Ipolit extenuado; enxugava com o lenço o suor de sua testa.

— Sim! o senhor se interessa por demais por si mesmo — disse Liébiediev, com voz sibilante.

— Mas, senhores, ainda uma vez, não obrigo ninguém; os que não quiserem ouvir-me, podem retirar-se.

— Ele põe as pessoas para fora... da casa alheia — murmurou Rogójin, num tom mal perceptível.

— E se nos retirássemos todos? — disse inopinadamente Fierdíchtchenko, que até então não havia ousado erguer a voz.

Ipolit baixou os olhos de repente e agarrou seu manuscrito. Mas ergueu logo a cabeça; suas pupilas brilhavam, duas manchas vermelhas coloriam suas faces; olhou fixamente Fierdíchtchenko:

— O senhor não gosta absolutamente de mim — disse.

Risadas explodiram, mas a maioria não lhe fez eco. Ipolit corou terrivelmente.

— Ipolit — disse Míchkin, — me dê seu manuscrito e vá deitar-se, lá no meu quarto. Conversaremos antes de adormecer e retomaremos amanhã a conversa, mas com a condição de que não volte a esses papéis. Quer?

— Será possível? — exclamou Ipolit, lançando-lhe um olhar de real surpresa. — Senhores — exclamou, num novo acesso de excitação febril, — trata-se de um tolo episódio no qual não soube conduzir-me bem. Não interromperei mais minha leitura. Quem quiser escutar, que escute...

Engoliu a pressa um gole d'água, tratou logo de apoiar os cotovelos sobre a mesa para escapar aos olhares e retomou, com obstinação, sua leitura. Sua confusão não tardou, aliás, a desaparecer.

"*A ideia de que* não vale a pena viver por algumas semanas começou, creio, a obsedar-me há um mês, quando contava eu não ter mais do que quatro semanas diante de mim. Mas não me dominou totalmente senão há três dias, na noite em que voltei de Pávlovsk. Na primeira vez em que senti essa ideia penetrar-me até o mais profundo de mim mesmo, estava no terraço em casa do príncipe e acabava justamente de decidir-me a fazer da vida uma derradeira experiência. Tinha querido ver os homens e as árvores (admitamos que tenha sido eu quem assim se exprimiu); havia-me acalorado e tomara a defesa de Burdóvski, 'meu próximo'; deixara-me levar à ilusão de que todos os ouvintes me abririam os braços para me estreitar entre eles, que solicitariam meu perdão e que eu pediria o deles; numa palavra, acabei como um rematado imbecil. E foi então que se revelou em mim essa 'suprema convicção'. Essa 'convicção', pergunto a mim mesmo agora, como pude viver seis longos meses sem a ver? Sabia categoricamente que estava tuberculoso e meu caso era incurável; não tinha ilusões a respeito e via claramente o meu estado. Mas quanto mais claramente o via, mais ávido estava de viver; aferrava-me à existência e queria prolongá-la a qualquer custo. Admito que tenha podido então arrebatar-me contra o destino tenebroso e surdo à minha voz, que havia, sem saber por que, decidido esmagar-me como a uma mosca. Mas por que não me confinei exclusivamente nessa raiva? Por que, de fato, comecei a viver, quando sabia que isto não me era mais permitido? Por que entreguei-me a essa tentativa, prevendo-a sem resultado? E, no entanto, chegara ao ponto de não poder mais ler livros e de renunciar à leitura; para que ler, instruir-me, durante seis meses? Mais de uma vez esta reflexão me fez atirar para longe o livro começado.

"Sim, aquela parede da casa Meyer poderia dizer muita coisa. Nela inscrevi muitas coisas. Não havia sobre aquela parede suja uma única mancha que eu não conhecesse de memória. Maldita parede! E apesar de tudo, é me mais querida do que todas as árvores de Pávlovsk, ou antes deveria ser, se, presentemente, não me fosse tudo indiferente.

"Lembro-me agora com que ávido interesse pus-me a acompanhar a vida deles; jamais experimentara antes semelhante curiosidade. Esperava por vezes com impaciência e azedume o regresso de Kólia, quando estava eu doente a ponto de não poder sair do quarto. Aprofundava de tal maneira todas as bagatelas, interessava-me tão vivamente por todos os diz-que-diz, que me tornei, creio, um mexeriqueiro. Não compreendia, por exemplo, como as pessoas que tinham em si tanta vida não conseguiam enriquecer (não o compreendo aliás até mesmo hoje). Conheci um pobre-diabo que, segundo me disseram depois, morrera de fome; lembro-me de que essa notícia me pôs fora de mim; se se tivesse podido ressuscitar aquele desgraçado, eu o teria, creio, exterminado.

"Acontecia-me, por vezes, sentir-me melhor durante longas semanas e poder mesmo descer à rua; mas a rua acabou por me fatigar, a ponto de me manter, voluntariamente, enclausurado dias inteiros, quando teria podido sair como toda a gente. Não podia suportar a vista de pessoa que formigavam em torno de mim, pelos passeios, sempre preocupadas, sombrias, inquietas. De que servia sua sempiterna tristeza, sua agitação incessante e vã, aquela raiva eterna e profunda (porque são maus, maus, maus!)? De quem a culpa de que sejam eles infelizes e não saibam viver, quando tem diante de si uma perspectiva de sessenta anos de existência? Por que se deixou Zarnítsin morrer de fome, tendo diante de si sessenta anos? E cada um, mostrando seus farrapos e suas mãos calosas, zanga-se e exclama: 'Trabalhamos como bestas de carga, andamos num cortado, vivemos famélicos como cães e na miséria! Outros não trabalham não sofrem e são ricos!' (O eterno estribilho!) Ao lado deles, se afadiga da manhã à noite um pobre-diabo, todo engelhado, mas de 'berço nobre', como Ivan Fomitch Súrikov, que mora aqui acima de nós; tem sempre os cotovelos rotos e a roupa sem botões. Faz recados para uma porção de gente e exerce não se sabe qual profissão e isto o ocupa da manhã à noite. Entabulem conversa com ele, vai lhes dizer que é 'pobre, necessitado, miserável; sua mulher morreu porque ele não tinha dinheiro para comprar-lhe remédios; no inverno, seu filhinho morreu de frio; sua filha mais velha amasiou-se'... Geme e choraminga sem cessar. Oh! nunca senti, nem então, nem agora nenhuma piedade por esses imbecis, digo-o com orgulho! Por que esse indivíduo não é um Rothschild? De quem a culpa de não ter ele milhões como Rothschild, de não ter uma montanha de imperiais e de napoleões de ouro, uma montanha tão alta como aquela que se vê na feira durante o carnaval? Uma vez que lhe é dado viver, tem tudo em seu poder. De quem a culpa se não compreende isso?

"Oh! doravante tudo me é indiferente; não tenho mais tempo para zangar-me. Mas então, então, repito, mordia eu, literalmente meu travesseiro durante a noite e rasgava de raiva minha coberta. Oh! que sonhos tinha eu naquele momento e que desejos. Desejava de coração alegre que me atirassem imediatamente à rua; malgrado meus dezoito anos, mal vestido, mal coberto; que me deixassem absolutamente só, sem casa, sem trabalho, sem um pedaço de pão, sem parentes, sem um só conhecido, na cidade imensa, faminto e maltratado (tanto melhor), mas com saúde. Então teria mostrado...

"Que teria eu mostrado?

"Podem crer-me inconsciente do grau de rebaixamento a que me afundei, antes de dizer isto, nesta minha 'Explicação'? Quem, pois, não me tomará por um infeliz rapazola que nada sabe da vida, esquecendo-se de que não tenho mais de dezoito anos, porque viver como tenho vivido desde seis meses, é atingir a idade em que os cabelos branqueiam! Mas que zombem se quiserem e que se trate tudo isso como simples contos! Porque são realmente contos que contei a mim mesmo. Povoei com eles noites inteiras e lembro-me de todos atualmente.

"Mas devo repeti-los agora que, mesmo para mim, o tempo dos contos já passou? E para que? Causaram-me prazer, quando vi claramente que me era interdito estudar a gramática grega, como fora minha ideia tendo refletido que morreria antes de chegar à sintaxe, parei desde a primeira página e atirei o livro para debaixo da mesa. Ficou lá; proibi que Matriona o recolhesse.

"Pode acontecer que aquele em cujas mãos cair minha 'Explicação' e tiver a paciência de lê-la até o fim, me tome por um louco ou mesmo por um colegial, ou mais verossimilhante por um condenado à morte, ao qual parece, como é justo, que, exceto ele nenhum homem fez bastante caso da vida, que ela é gasta com demasiada leviandade, que dela se goza com demasiada displicência e não bastante consciência e que, portanto, do primeiro ao último, todos os homens são indignos dela. E depois? Declaro que meu leitor terá se enganado e que minhas opiniões não são em nada influenciadas pela minha condenação à morte. Perguntem-lhes, *perguntem-lhes apenas como todos*, sem exceção, compreendem a felicidade? Ah! fiquem certos de que não foi quando descobriu a América, mas, aquando esteve a ponto de descobri-la que Colombo foi feliz. Fiquem persuadidos de que o momento culminante de sua felicidade situou-se três dias antes da descoberta do Novo Mundo, quando a equipagem, em desespero se revoltou e esteve a ponto de dar meia volta para regressar à Europa. Não se tratava aqui do Novo Mundo, que teria podido mesmo afundar-se. Colombo morreu tendo-o apenas visto e sem saber, no íntimo, o que tinha descoberto. O que conta é a vida, somente a vida; é a procura ininterrupta, eterna, da vida e não sua descoberta! Mas de que serve esta tagarelice? Conjeturo que tudo isto tem tal aparência de lugar comum que me tomarão, sem dúvida, por um colegial de classes primárias que faz uma composição sobre o 'nascer do dia'. Será dito que quis talvez exprimir alguma coisa, mas que, a despeito de todo o meu desejo, não consegui... 'explicar-me'. Todavia, acrescentarei que, em toda ideia de gênio, em todo pensamento novo ou mesmo simplesmente sério que nasce num cérebro humano, há sempre um resto que é impossível comunicar aos outros, ainda mesmo quando a isso se consagrassem volumes inteiros e se repisasse a coisa durante trinta e cinco anos. Esse resto nunca sairá do cérebro da gente e nele ficará para sempre; morre-se sem tê-lo transmitido a ninguém e talvez nele se contenha o essencial de nosso pensamento. Se eu tampouco não consigo, presentemente, fazê-los sentir tudo quanto sofri durante estes seis meses, pelo menos vai se compreender que eu talvez tenha pago demasiado caro a 'convicção suprema' a que cheguei agora. Eis o que entendi necessário pôr a claro em minha 'Explicação', por um motivo que eu sei.

"Mas retomo o fio de minha narrativa.

Capítulo VI

"Não quero mentir; durante estes seis meses a realidade mais de uma vez retomou-me e arrastou-me a ponto de me fazer esquecer minha condenação, ou antes de me levar a não querer pensar mais nela e pôr-me a trabalhar. A este propósito, relembrarei as condições nas quais vivia então. Há cerca de oito meses, quando meu mal piorou, rompi todas as minhas relações e deixei de ver meus antigos camaradas. Como sempre havia sido de humor bastante intratável, eles não tiveram problema em me esquecer; teriam, aliás, esquecido, mesmo se outro tivesse sido meu gênio. Minha vida em casa, isto é, 'em família', era a de um solitário. Há cerca de cinco meses, enclausurei-me de uma vez por todas e isolei-me completamente dos meus. Estavam acostumados a dobrar-se às minhas vontades e ninguém tinha coragem de entrar em meu quarto, salvo nas horas marcadas para fazer a arrumação e trazer-me o jantar. Minha mãe tremia diante de minhas ordens e nem mesmo ousava queixar-se em minha presença, quando por vezes me decidia eu a deixá-la entrar. Batia continuamente nas crianças, para que não fizessem barulho e não me incomodassem; é verdade, queixava-me muitas vezes dos gritos delas. Imagino como elas devem amar-me agora! Creio ter também atormentado bastante o Viérni[47] Kólia, para chamá-lo ainda com o mesmo nome que lhe dei. Nestes últimos tempos também ele me fazia sofrer, tudo isto estava na ordem natural das coisas, tendo os homens sido criados para fazerem sofrer

47 Literalmente: leal, fiel.

uns aos outros. Todavia, notei que ele suportava meu mau humor como se tivesse jurado a si mesmo poupar um doente. Isto naturalmente me irritou; tive também a impressão que metera ele na cabeça imitar a 'humildade cristã' do príncipe, o que não deixava de ser um tanto ridículo. Esse rapaz tem o entusiasmo da juventude de modo que imita tudo quanto vê. Mas pareceu-me por vezes que chegara o momento de convidá-lo a formar sua personalidade própria. Gosto muito dele. Atormentei também Súrikov, que mora por cima de nós e que faz, da manhã à noite, Deus sabe que serviços! Passei meu tempo a demonstrar-lhe que sua miséria só era imputável a ele próprio, tanto que acabou por ficar com medo e não pôs mais os pés em minha casa. É um homem muito humilde, excessivamente humilde. (N.B. — Pretende-se que a humildade é uma força terrível; é preciso pedir ao príncipe explicações a este respeito, porque a expressão é dele.) Mas quando subi, no mês de março, à casa deles para ver como tinham deixado 'gelar-se', como contava seu próprio filhinho, sorri involuntariamente diante do cadáver do menino e recomecei a explicar a Súrikov que 'a culpa era dele'. Então os lábios daquele pobre homem definhado puseram-se de súbito a tremer; pousou-me a mão sobre o ombro e, com a outra, apontou-me a porta: 'Saia, senhor!', disse-me, docemente, quase num murmúrio. Saí; seu gesto agradou-me muito, agradou-me mesmo no momento em que fui posto para fora; todavia suas palavras deixaram-me muito tempo depois, quando as relembrei, uma impressão estranha e penosa, algo como um sentimento de desprezadora comiseração a seu respeito, sentimento que teria bem querido não experimentar. Mesmo sob o golpe duma tal ofensa (porque bem sinto que, sem ter tido a intenção, eu o havia ofendido), aquele homem não fora capaz de se zangar! Se seus lábios se tinham posto a tremer, não havia sido de modo algum sob o domínio da cólera, juro-lhes; agarrara-me o braço e lançara sua soberba apóstrofe: 'Saia, senhor!', sem a menor cólera. Estava naquele momento cheio de dignidade, a ponto de contrastar mesmo aquela dignidade com seu rosto (o que era na verdade de um efeito bastante cômico), mas não havia nele nem sombra de irritação. Talvez ele tivesse sentido um súbito desprezo por mim. Desde então, tenho-o encontrado duas ou três vezes na escada; apressou-se em cumprimentar-me, erguendo o chapéu, o que nunca fizera antes. Mas não se detinha mais como outrora; passava rapidamente a meu lado com um ar confuso. Mesmo que me desprezasse, era ainda à sua maneira: 'com humildade'. Talvez me fizesse aqueles cumprimentos com o chapéu por simples temor, porque era eu o filho de sua credora: sempre deve dinheiro à minha mãe e encontra-se na incapacidade absoluta de pagar-lhe. Esta suposição é mesmo a mais provável. Tive a ideia de explicar-me com ele a este respeito; estou certo de que ao final de dez minutos ele teria me pedido perdão; mas refleti que valia mais a pena deixá-lo tranquilo.

"Naquela época, isto é, em meados de março, quando Súrikov deixou seu filho 'gelar', senti-me subitamente muito melhor e essa melhora durou cerca de duas semanas. Pus-me a sair, na maior parte das vezes ao cair da noite. Gostava dos crepúsculos de março, quando o frio fica intenso e os lampiões de gás se acendem; ia por vezes passear até muito longe. Um dia, na Rua das Seis Lojas, um *sujeito com ar de gentil-homem*, mas cujas feições eu não distinguia, passou diante de mim no escuro; trazia um pacote embrulhado em papel e estava vestido com um paletó gasto, demasiado curto para ele e demasiado leve para a estação. Quando chegou perto de um lampião, a dez passos mais ou menos à minha frente, vi que alguma coisa caía de seu bolso. Apressei-me em apanhar o objeto. Era tempo, porque um indivíduo metido num comprido cafetã já se havia precipitado para ele; mas vendo-o em minha mão, lançou-me uma olhadela e passou de largo. O tal objeto era uma grande carteira de marroquim de forma antiga; estava quase a rebentar de papéis, mas não sei por que, adivinhei, à primeira olhadela, que devia conter tudo, menos dinheiro. O transeunte que a havia perdido já estava a uns quarenta passos à minha frente; iria em breve perder-se em meio da multidão. Corri atrás dele e chamei-o; mas, como não podia eu gritar outra coisa senão 'ei!', ele nem mesmo se voltou. De repente, meteu-se ele à esquerda, por uma porta de casa. Quando cheguei àquela porta, onde reinava profunda escuridão, não havia mais ninguém. A casa era uma dessas imensas construções que os especuladores mandam erguer para dividi-las em pequenos apartamentos; alguns desses imóveis chegam a ter uma centena deles. Transpondo o portão, acreditei ver no ângulo direito e ao fundo dum vasto pátio alguém que se afastava, mas as trevas impediram-me de distinguir melhor. Corri até aquele canto e descobri a entrada de uma escada estreita, muito suja e sem iluminação. Ouvindo no alto os passos precipitados de um homem que subia, meti-me pela escada, contando alcançá-lo antes que lhe abrissem a porta. Foi o que aconteceu. Os lances de escada eram muito próximos, mas o número deles pareceu-me infinito e fui perdendo o fôlego. Uma porta se abriu e se fechou no quinto andar. Adivinhei-o, quando me achava ainda a uns três patamares abaixo. Precisei de alguns minutos para chegar ao quinto andar, retomar fôlego e procurar a campainha. Por fim veio abrir a porta uma camponesa que, numa cozinha muito estreita, atiçava o fogo de um samovar. Ouviu minhas perguntas em silêncio, não compreendeu certamente nada e, sempre sem descerrar os dentes, fez-me entrar para uma peça vizinha. Era um quartinho, muito baixo e cujo miserável mobiliário reduzia-se ao estritamente necessário; sobre um imenso leito com cortinados estava deitado um indivíduo que a mulher chamou de Tieriêntitch e que me pareceu estar embriagado. Um coto de vela ardia em cima de uma mesa numa palmatória de ferro, ao lado de uma garrafa de aguardente quase vazia. Sem se levantar Tieriêntitch resmungou uns sons inarticulados para meu lado e mostrou-me com a mão a porta contígua. A mulher desaparecera, de modo que não me restava senão empurrar aquela porta. Foi o que fiz e penetrei no quarto ao lado.

"Este era ainda menos largo e menor do que o outro a ponto de não saber eu como mover-me dentro dele. Uma cama estreita colocada no ângulo obstruía quase toda a peça; o resto do mobiliário compunha-se de três cadeiras ordinárias, empilhadas de toda espécie de farrapos, e de uma grosseira mesa de cozinha diante de um velho divã recoberto de encerado, tudo tão apertado que mal se podia passar entre a mesa e a cama.

"Uma vela de sebo numa palmatória de ferro, semelhante à do outro quarto, estava colocada em cima da mesa. Um bebê de três semanas no máximo vagia, deitado na cama; uma mulher doente e pálida 'mudava-lhe' ou antes, rearranjava-lhe as fraldas. Parecia jovem ainda e estava negligentemente vestida; via-se que começava a refazer-se do parto. Quanto à criança, não parava de gritar, à espera do magro seio de sua mãe. Sobre o divã dormia outra criança, uma menininha de três anos, sobre a qual haviam lançado uma roupa que tinha o ar de um fraque. Perto da mesa estava um homem vestido com uma sobrecasaca muito gasta (já havia tirado seu paletó que colocara sobre a cama), desamarrando um pacote embrulhado em papel azul que continha duas libras de pão branco e duas pequenas salsichas. Havia também sobre a mesa um bule de chá cheio e restos de pão preto. Debaixo da cama podia-se distinguir uma mala aberta e dois pacotes contendo trapos.

"Numa palavra: era uma confusão tremenda. O homem e a mulher causaram--me à primeira vista o efeito de serem pessoas distintas, mas reduzidas pela miséria àquele estado de degradação em que a desordem se impõe a ponto de não se reagir mais contra ela, de criar-se o hábito dela e de acabar não somente sem se poder passar sem ela, mas ainda de encontrar no seu aumento cotidiano não sei que amargo prazer de vingança.

"Quando entrei, o homem que acabava de chegar desembrulhava suas provisões e conversava com sua mulher num tom de extremo nervosismo; a mulher não havia ainda acabado de pôr a fralda no bebê e já se pusera a choramingar; é provável que as notícias trazidas pelo marido fossem más como de costume. O rosto do homem pareceu-me distinto e até mesmo simpático. Devia ter cerca de vinte e oito anos, era moreno, magro, usava suíças negras e trazia o queixo escanhoado. Tinha ar melancólico e seu olhar era triste, mas com certo matiz de altivez mórbida, facilmente irritável. Minha chegada provocou uma cena estranha.

"Há pessoas que encontram um prazer extremo em sua irascibilidade, sobretudo quando ela atinge (o que acontece sempre muito depressa) seu diapasão mais elevado; naquele momento era mesmo possível dizer que encontram mais satisfação em ser ofendidas do que em não ser. Em troca, essas pessoas irascíveis experimentam depois as dores do arrependimento, se, está bem entendido, são inteligentes e estão em condições de compreender que se deixaram arrebatar dez vezes mais do que seria razoável. Aquele senhor olhou-me um momento com estupefação, enquanto que o olhar da mulher exprimia o medo, como se o aparecimento de um ser humano no quarto deles tivesse constituído um acontecimento terrível. Mas de súbito, antes que tivesse eu tido tempo de balbuciar duas palavras, avançou ele para mim com uma espécie de raiva. Estava profundamente magoado por ver um homem bem vestido permitir-se entrar sem cerimônias no seu canto e mergulhar olhares naquele lastimável interior do qual tinha ele próprio vergonha. Decerto saboreava ao mesmo tempo uma espécie de alegria à ideia de transferir para alguém o despeito que lhe causavam seus malogros. Acreditei mesmo um instante que ele ia bater-me; tornou-se pálido como uma mulher dominada por um ataque de histerismo, o que assustou terrivelmente sua mulher.

"— Como ousou entrar aqui assim? Saia! — gritou ele, tremendo a ponto de mal poder articular as palavras.

"Mas de repente viu sua carteira em minhas mãos.

"— Creio que o senhor deixou cair isto — disse eu, num tom calmo e seco quanto possível (era, aliás, o tom que convinha).

"De pé, diante de mim, como que fulminado de espanto, o homem esteve algum tempo como que sem nada compreender. Depois, num gesto rápido, tateou seu bolso, abriu uma boca parvamente e bateu na testa.

"— Meu Deus! Onde a encontrou? De que maneira?

"Expliquei-lhe em poucas palavras e num tom ainda mais seco como havia apanhado a carteira, como correra atrás dele, chamando-o, e enfim como o seguira quatro a quatro degraus pela escada, de certo modo às cegas.

"— Oh! meu Deus! — exclamou ele, dirigindo-se à sua mulher. — São todos os meus papéis, meus derradeiros instrumentos, tudo enfim!... Oh! senhor, sabe que serviço acaba de prestar-me? Era um homem perdido!

"Entrementes eu havia pegado a maçaneta da porta para sair sem responder, mas sufocava e fui sacudido por um brusco acesso de tosse, tão violento que mal me podia manter de pé. Vi o homem voltar-se para todos os lados à procura de uma cadeira livre para mim; pegou afinal nos trapos que se amontoavam numa cadeira, atirou-os no chão e fez-me sentar a toda a pressa, mas com precaução. Meu acesso de tosse prolongou-se ainda durante pelo menos três minutos. Quando voltei a mim, estava ele sentado a meu lado em outra cadeira que havia sem dúvida também desembaraçado de seus andrajos e olhava-me fixamente.

"— O senhor tem o ar de... estar sofrendo — disse ele, de repente, no tom que tomam habitualmente os médicos ao abordar seus doentes. — Eu mesmo sou... médico (não empregou a palavra "doutor"). — E ao dizer isto, mostrou com um gesto o quarto, como para protestar contra sua situação atual. — Vejo que o senhor...

"— Sou tuberculoso — articulei, laconicamente, levantando-me.

"Ele também se levantou, dum salto.

"— Talvez exagere... Tratando-se...

"Estava muito perturbado e não conseguia recompor-se; conservava a carteira em sua mão esquerda.

"— Oh! não se inquiete! — interrompi-o, de novo, pegando a maçaneta da porta. — Fui examinado a semana passada por B*** (tornei, ainda aqui, a mencionar B***) e meu caso é claro. Desculpe-me!

"Tinha eu mais uma vez intenção de abrir a porta e deixar o doutor confuso, agradecido e esmagado de vergonha, mas minha maldita tosse atacou-me justamente naquele momento. O doutor obrigou-me então a sentar-me e insistiu para que eu repousasse; voltou-se para sua mulher que, sem mudar de lugar, dirigiu-me algumas palavras amáveis de gratidão. Ao fazer isto, perturbou-se de tal maneira que suas faces secas e descoloridas avermelharam-se. Fiquei, mas tomei o ar de alguém que deseja deixar parecer a todo momento um temor extremo de ser importuno (era o ar que convinha). Notei que o arrependimento atormentava o doutor.

"— Se eu... — começou ele, interrompendo-se a cada instante e saltando duma frase a outra, — sou-lhe tão grato e agi tão mal para com o senhor... eu... como vê... — mostrou de novo o quarto, — neste momento encontro-me numa tal situação...

"— Oh! — disse eu, — não há nada que ver; o caso nada tem de novo. O senhor provavelmente perdeu seu lugar e veio à capital para explicar-se e procurar outro.

"— Mas como... o senhor sabia? — perguntou admirado.

"— Isto se vê à primeira vista — respondi, num tom de involuntária ironia. — Muitas pessoas chegam aqui vindas da província, cheias de esperanças; dão seus passos e providências e vivem assim ao dia a dia.

"Pôs-se ele a falar com um ardor súbito; seus lábios tremiam; devo dizer que suas lamentações e sua narrativa me comoveram; fiquei em casa dele cerca de uma hora. Expôs-me sua história que, aliás, nada tinha de extraordinária. Médico na província, a serviço do Estado, fora vítima de intrigas às quais fora misturado até mesmo o nome de sua esposa. Seu orgulho revoltara-se e perdera a paciência. Nisto, tendo uma modificação no pessoal administrativo sido favorável a seus inimigos, haviam trabalhado à socapa contra ele, do que resultou uma queixa; teve de abandonar seu lugar e vir, com seus derradeiros recursos, a Petersburgo para apresentar explicações. Ali, como sempre, mantiveram-no em longa espera antes de conceder-lhe audiência; depois ouviram-no, depois despacharam-no, depois fizeram-lhe promessas, depois repreenderam-no severamente, depois ordenaram-lhe que expusesse seu caso por escrito, depois recusaram-se a receber seu memorial e convidaram-no a apresentar um requerimento. Em resumo, andara para lá e para cá durante cinco meses e gastara tudo quanto possuía; os vestidos de sua mulher estavam, até o último, no monte-de-socorro; foi naquele momento que lhes nascera um bebê e... e... 'hoje me comunicaram a recusa definitiva ao meu requerimento; não tenho, por assim dizer, mais pão, não tenho mais nada e minha mulher acaba de dar à luz. Eu.. eu...'

"Ergueu-se bruscamente e voltou o rosto. Sua mulher chorava a um canto; o menino recomeçou a vagir. Abri meu canhenho e pus-me a redigir algumas notas. Quando acabei e me levantei, vi-o plantado diante de mim a olhar-me com uma curiosidade receosa.

"— Tomei nota de seu nome — disse-lhe, — e de tudo mais: a localidade onde o senhor serviu, o nome de seu governador, as datas e os meses. Tenho um camarada de escola chamado Bakmútov cujo tio, Piotr Matviéievitch Bakmútov, é conselheiro efetivo de Estado e diretor de departamento...

"— Piotr Matviéievitch Bakmútov! — exclamou o médico, numa espécie de tremor. — Mas é dele que quase todo esse caso depende!

"E de fato, na história do médico e seu desenlace, para o qual contribuí de uma maneira tão inesperada, tudo se encadeou e arranjou, segundo as previsões, como num romance. Disse àquelas pobres criaturas que não procurassem ter em mim esperança alguma; tendo em vista ser eu mesmo um pobre colegial (exagerava de propósito a humildade de minha posição, porque havia muito tempo que terminara meus estudos no colégio). Acrescentei que eles não tinham necessidade de saber meu nome, mas que iria naquele mesmo instante a Vassílievski Óstrov procurar meu amigo Bakmútov. Estava certo de que seu tio, o conselheiro efetivo de Estado, velho solteirão, sem filhos, adorava meu camarada apaixonadamente, vendo nele o derradeiro rebento de sua família. 'Talvez, disse eu, ao terminar, possa esse camarada fazer alguma coisa por vós e, por mim, com seu tio, sem dúvida'.

"— Se me deixassem pelo menos explicar-me diante de Sua Excelência! Se conseguisse poder obter a honra de justificar-me de viva voz! — exclamou ele, tremendo como se tivesse febre, enquanto seus olhos cintilavam.

"Foi mesmo esta a expressão que empregou: 'Se conseguisse poder obter a honra...' Depois de ter repetido mais uma vez que o negócio decerto fracassaria e que todos os nossos esforços seriam inúteis, acrescentei que, se não voltasse eu a vê-los no dia seguinte de manhã, isto quereria dizer que tudo estaria acabado e que *não tinham eles* mais nada a esperar. Levaram-me à porta com muitas saudações e pareciam ter quase perdido a cabeça. Não esquecerei jamais a expressão de seus rostos. Tomei um fiacre e dirigi-me imediatamente ao Vassílievski Óstrov.

"Tínhamos vivido numa contínua inimizade, aquele Bakmútov e eu, durante vários anos de colégio. Em casa pensávamos nele como uma espécie de aristocrata; era pelo menos assim que o havia eu qualificado. Estava sempre muito bem trajado e chegava em carro próprio. Não era orgulhoso; era um excelente camarada, de um perpétuo bom humor, por vezes mesmo muito espirituoso, sem ter grande inteligência; entretanto, era sempre o primeiro da classe e eu jamais fui primeiro em coisa nenhuma. Todos os seus condiscípulos gostavam dele, exceto eu. Durante aqueles poucos anos, procurou por diversas vezes aproximar-se de mim, mas eu me havia cada vez mais afastado dele, com um ar sempre esquivo e irritado. Havia cerca de um ano que não mais o vira; estava na Universidade. Quando entrei em casa dele, cerca das nove horas da noite (não sem formalidades cerimoniosas, porque criados me anunciaram), recebeu-me a princípio com espanto e mesmo de maneira pouco afável. Mas não tardou em reencontrar sua jovialidade e desatou subitamente a rir, olhando-me:

"— Que ideia foi essa sua de vir ver-me, Tieriêntiev? — exclamou com a cordial sem-cerimônia que lhe era habitual; seu tom mostrava-se por vezes impertinente, porém nunca ofensivo; era um traço aquele que me agradava nele e que, no entanto, causava minha aversão por ele. — Mas que há então? — exclamou, como que assustado. — Está muito doente?

"A tosse reaparecera; deixei-me cair sobre uma cadeira e mal pude recuperar o fôlego.

"— Não se inquiete — disse-lhe. — Estou tísico. Tenho um pedido a fazer-lhe.

"Surpreendido, sentou-se, enquanto lhe contava eu toda a história do doutor, explicando-lhe que poderia ele fazer alguma coisa de sua parte, dada a influência considerável que exercia sobre o tio.

"— Farei sim, farei sim, sem falta; amanhã mesmo falarei com meu tio; estou mesmo muito contente e você contou-me tudo isso tão bem... Mas como lhe veio a ideia, Tieriêntiev, de dirigir-se a mim, apesar de tudo?

"— Tudo depende de seu tio neste caso; além disso, Bakmútov, nós sempre fomos inimigos e, como é você um nobre caráter, pensei que não oporia uma recusa a um inimigo — acrescentei eu, com uma ponta de ironia.

"— Igualzinho a Napoleão fazendo apelo à hospitalidade da Inglaterra! — exclamou ele, entre risadas. — Sim, farei o necessário, hei de fazê-lo! Irei mesmo imediatamente, se for possível! — apressou-se em acrescentar, vendo que eu me levantava com ar grave e severo.

"Efetivamente, aquele negócio arranjou-se duma maneira totalmente inesperada e para nossa completa satisfação. Ao fim de seis semanas nosso médico obteve novo lugar numa outra província; pagaram-lhe a remoção e deram-lhe mesmo, um subsídio. Suponho que Bakmútov levou o doutor a aceitar dele um adiantamento a título de empréstimo; ia vê-lo muitas vezes quando eu mesmo cessara de propósito minhas visitas; se, por acaso, o doutor vinha à minha casa, recebia-o quase secamente; durante aquelas seis semanas encontrei Bakmútov uma ou duas vezes, e nos revimos uma terceira quando festejamos a partida do doutor. Bakmútov deu em sua casa um jantar de despedida com champanhe; a mulher do doutor compareceu também, mas retirou-se cedo para atender ao bebê. Era no começo de maio, a noite estava bela e o globo enorme do sol descia no golfo. Bakmútov levou-me à casa; passamos pela

Nikoláievski Most e estávamos um tantinho ébrios. Falou-me ele de sua viva satisfação pelo feliz resultado do caso; agradeceu-me por não sei o que, explicou-me o bem-estar que sentia por ter praticado uma boa ação e pretendeu atribuir-me todo o mérito disso. Não deu razão às numerosas pessoas que professam e pretendem hoje que uma boa ação individual não tem significação alguma.

"Uma irresistível vontade de falar apoderou-se também de mim: — Aquele que se incumbe de praticar um ato individual de caridade — comecei eu, — atenta contra a natureza do homem e despreza a dignidade pessoal do favorecido. Em contraposição, a organização da 'caridade social' e a questão da liberdade individual são duas coisas diferentes, mas que não se excluem. A boa ação particular continua a existir porque corresponde a uma necessidade do homem: à necessidade vital de exercer uma influência direta sobre seu próximo. Havia em Moscou um velho general, quero dizer 'um conselheiro efetivo de Estado', portador de nome alemão. Passara sua vida a visitar as prisões e os criminosos; cada grupo de condenados cujo envio para a Sibéria se preparava sabia de antemão que teria a visita daquele velhinho no Monte dos Pardais. Ele se desincumbia de sua tarefa com muita seriedade e compaixão; chegava, passava em revista todos os forçados, enfileirados em redor dele, parando diante de cada um, informando-se de suas necessidades, quase nunca lhes pregando moral e chamando a todos de 'meus pobres amigos'. Distribuía dinheiro, enviava-lhes as coisas indispensáveis, meias; roupa de baixo, tecidos; por vezes trazia-lhes livrinhos de religião que dava àqueles que sabiam ler, profundamente convencido de que os folheariam durante a viagem e dariam conhecimento do conteúdo deles aos que não sabiam ler... Interrogava-os raramente a respeito de seus malfeitos; quando muito escutava aqueles que enveredavam por si mesmos pelo caminho das confidências. Não fazia nenhuma diferença entre os criminosos, pondo-os a todos no mesmo nível. Falava-lhes como a irmãos; eles próprios acabavam por considerá-lo como um pai.

"Se notava no grupo uma mulher com uma criança nos braços, aproximava-se dela, acariciava o pequeno e estalava os dedos para diverti-lo. Foi assim que passou sua longa vida até morrer; afinal de contas chegou a ser conhecido em toda a Rússia e em toda a Sibéria, pelo menos entre os condenados. Um homem que estivera na Sibéria contou-me que ele próprio fora testemunha da maneira pela qual os criminosos mais endurecidos se lembravam do general, embora este, ao visitar as turmas de deportados, raramente tivesse meios de dar mais de vinte copeques a cada um deles. É verdade que aquelas pessoas não falavam dele nem em termos muito calorosos, nem mesmo num tom muito sério. Por vezes, um daqueles 'infelizes', que talvez massacrara uma dúzia de pessoas ou assassinara seis crianças pelo único prazer de matar (diz-se que havia celerados dessa espécie), lançava um suspiro e exclamava: 'Que terá acontecido ao bom do velho general? Quem sabe se ainda vive?'. Vinha-lhe esta reflexão sem razão aparente e talvez uma única vez no curso dos vinte anos de sua pena. Acompanhava-a mesmo de um sorriso, talvez. E nada mais. Mas quem lhe diz que uma semente não fora lançada para sempre naquela alma pelo 'velinho' de quem o homem guardava ainda a lembrança após vinte anos? Pode você conhecer, Bakmútov, a influência dessa comunhão de um ser humano com outro sobre o destino deste último?... Há nisso toda uma vida, uma possibilidade infinita de ramificações que nos escapa. O melhor e o mais sagaz jogador de xadrez não pode prever senão um número restrito de jogadas de seu adversário; falou-se, como de um prodígio, de um jogador francês que podia calcular dez jogadas de antemão. Ora, quantas jogadas há e quantas combinações que nos escapam? Lançando a semente, praticando não importa sob que forma seu 'ato de caridade', sua boa ação, dá você uma parte de sua personalidade e recebe una parte da do outro; há uma comunhão entre os dois seres de vocês; um pouco de atenção, e eis você já recompensado pelo saber, pelas descobertas completamente inesperadas. Acabará necessariamente por considerar sua boa obra como uma ciência; dominará toda a sua vida e talvez a encha inteiramente. Por outra parte, todos os seus pensamentos, todas as sementes que você lançou e talvez já estejam esquecidas tomarão raiz e crescerão. Aquele que as recebeu de você vai comunicá-las a outrem. E quem sabe que parte lhe caberá no futuro na solução dos problemas de que depende o destino da humanidade? E se seu saber e toda uma vida devotada a esse gênero de ocupação o elevam enfim a alturas donde possa você semear em grande e legar ao universo um pensamento imenso, então... etc. E falei ainda longamente sobre este tema.

"— E dizer que a vida lhe é negada! — exclamou Bakmútov, com o ar de dirigir veemente censura a um terceiro.

"Naquele momento, estávamos debruçados sobre o parapeito da ponte e olhávamos o Nieva.

"— Sabe qual o pensamento que me veio ao espírito? — perguntei, debruçando-me mais sobre a balaustrada.

"— Seria o de lançar-se dentro do rio? — perguntou Bakmútov quase aterrorizado. (Talvez tivesse lido este pensamento em meu rosto.)

"— Não, no momento, limito-me ao seguinte raciocínio. Ei-lo: restam-me agora dois ou três meses de vida, talvez quatro; mas tomemos, por exemplo, o momento em que não me restarão senão dois meses e suponhamos que naquele momento queira eu praticar uma boa ação que exija um esforço, andanças, e complicações, no gênero daquelas que me ocasionou o caso do doutor. Neste caso, eu precisaria renunciar a essa boa ação, por falta de tempo, e procurar outra que seja de menor importância e caiba dentro de meus meios (se, todavia, a paixão de praticar boas ações me leve a este ponto). Convenha você que é esta uma ideia engraçada!

"O pobre Bakmútov estava bastante inquieto a meu respeito; acompanhou-me até meu quarto e teve a delicadeza de não se crer obrigado a consolar-me; manteve-se quase todo o tempo em silêncio. Ao despedir-se de mim, apertou-me calorosamente a mão e pediu permissão para voltar a ver-me. Respondi-lhe que, se quisesse voltar à minha casa a título de 'consolador' (porque, mesmo silenciosa, sua visita teria um objetivo de consolação e lhe expliquei isso), sua presença seria para mim apenas um *memento mori*. Deu de ombros, mas conveio que tinha eu razão; separamo-nos bastante cortesmente, contra minha expectativa.

"Foi durante essa noite e no curso da noite seguinte que senti germinar em mim minha 'suprema convicção'. Aferrava-me avidamente àquele novo pensamento, analisava-o com fervor em todos os seus meandros e sob todos os seus aspectos (passei a noite em claro). E quanto mais o aprofundava, mais me penetrava dele, mais ele me enchia de terror. Um medo atroz acabou por dominar-me; não mais me deixou nos dias que se seguiram. Por vezes, sua simples evocação bastava para me fazer passar pelos transes dum novo pavor. Concluí disso que minha 'suprema convicção' encravara-se em mim com demasiada força para que não provocasse fatalmente um desenlace. Mas não tinha eu bastante audácia para decidir-me. Três semanas depois essas tergiversações cessaram e a audácia me veio, graças a uma circunstância muito estranha.

"Anoto aqui, em minha explicação, todos esses números, todas essas datas. Decerto, isso será para mim mais tarde indiferente, mas agora (e talvez somente neste instante) quero que aqueles que terão de julgar meu ato possam ver claramente por meio de qual cadeia de deduções lógicas cheguei à minha 'suprema convicção'.

"Escrevi mais acima que adquiri a audácia decisiva que me fazia falta para pôr em prática essa 'suprema convicção' não, pelo que creio, por meio de dedução lógica, mas em seguida a um choque imprevisto, a um acontecimento anormal que podia não ter absolutamente nenhuma ligação com a marcha do assunto.

"Há cerca de dez dias, fez-me Rogójin uma visita a propósito duma questão que lhe dizia respeito e da qual não cabe falar aqui. Nunca o vira antes, mas ouvira falar muito dele. Dei-lhe todas as informações de que ele necessitava e não tardou em retirar-se. Como era aquilo o único objetivo de sua vinda, as coisas poderiam ter ficado nisso entre nós. Mas ele me havia vivamente interessado e, durante o dia inteiro, fui dominado por pensamentos tão estranhos que me decidi a pagar sua visita no dia seguinte. Ele não escondeu seu descontentamento por me ver e deixou-me mesmo 'delicadamente' entender que não tínhamos de prolongar nossas relações. Mas apesar de tudo passei uma hora curiosíssima, como provavelmente a passou também ele. O contraste entre nós era tão absoluto que não pudemos deixar de dar-nos conta disso, eu sobretudo. Eu era o homem cujos dias estão contados; ele, pelo contrário, estava cheio de vida impulsiva, todo entregue à paixão do momento, sem se preocupar com suas 'supremas' deduções, algarismos ou o que quer que seja, sem pensar no que... no que... digamos: no que não fosse objeto de sua loucura. Que o Senhor Rogójin me perdoe esta expressão e ponha-a na conta da inabilidade de um escritor medíocre no exprimir seu pensamento. A despeito de sua pouca amabilidade, deu-me a impressão de um homem de espírito, capaz de compreender muitas coisas, se bem que não se interessasse por aquilo que não lhe dissesse diretamente respeito. Não fiz nenhuma alusão à minha 'suprema convicção', mas, graças a certos indícios, tive a sensação de que lhe bastara ouvir-me para adivinhá-la. Mantinha-se em silêncio; esse homem é prodigiosamente taciturno. No momento de retirar-me, sugeri-lhe que, a despeito das diferenças e do contraste que nos separavam — *les extrémités se touchent* [48] — (traduzi-lhe isto em russo), ele próprio não estivesse talvez tão afastado dessa "suprema convicção", quanto se podia crer. Ao que me respondeu com uma careta intratável e amarga, mas levantou-se e foi buscar meu boné, fingindo que acreditava que eu me dispunha a retirar-me; sob pretexto de me acompanhar por polidez, pôs-me simplesmente fora de sua lúgubre morada. Esta me impressionara: parecia um cemitério; entretanto, creio que ela lhe agrada e isto se compreende; ele vive uma vida demasiado intensa e demasiado direta para que não experimente a necessidade de um ambiente mais amável.

48 Os extremos se tocam.

"Esta visita a Rogójin havia-me cansado muito. Aliás, tinha-me sentido indisposto desde manhã; ao anoitecer, senti grande fraqueza e deitei-me, por momentos uma febre intensa me invadia e me fazia até delirar. Kólia ficou a meu lado até às onze horas. Lembro-me, no entanto, de tudo quanto ele me disse e de tudo quanto falamos. Mas quando, a intervalos, meus olhos se fechavam, revia sempre Ivan Fomitch que, no meu sonho, se tornara milionário. Não sabia que fazer de seus milhões, quebrava a cabeça para encontrar um lugar para eles e, tremendo à ideia de ser roubado, acabava resolvendo-se a enterrá-los. Aconselhei-o, em vez, a mandar fundir essa fortuna e não enterrá-la inutilmente, e confeccionar com ela um pequeno ataúde de ouro para o menino que ele havia deixado 'gelar', depois de ter previamente exumado o corpo. Súrikov acolhia este conselho irônico com lágrimas de gratidão e apressava-se em pô-lo em prática. Eu cuspia no chão e deixava-o plantado ali. Quando recobrei cabalmente os sentidos, Kólia assegurou-me que eu não havia dormido absolutamente e que, durante todo aquele tempo, não cessara de falar-lhe de Súrikov. Tinha eu minutos de angústia e de agitação extraordinárias; de modo que Kólia se retirou cheio de inquietação. Levantei-me para fechar a porta à chave, quando ele saiu. Nesse momento lembrei-me bruscamente de um quadro que havia visto de manhã em casa de Rogójin, numa das salas mais sombrias de sua casa, por cima duma porta. Ele próprio o havia mostrado ao passar e eu ficara, creio, uns cinco minutos diante daquele quadro que, embora destituído de qualquer valor artístico, lançara-me em singulares inquietações.

"Representava o Cristo no momento da descida da cruz. Se não me engano, têm os pintores o hábito de figurar o Cristo quer sobre a cruz, quer após a descida da cruz, com um reflexo de beleza sobrenatural em seu rosto. Aplicam-se em conservar lhe esta beleza mesmo em meio dos mais atrozes tormentos. Não havia nada dessa beleza no quadro de Rogójin; era a reprodução perfeita de um cadáver humano trazendo a marca de sofrimentos sem conta padecidos mesmo antes da crucificação; viam-se os traços das feridas, dos maus tratos e dos golpes sofridos da parte dos guardas e da populaça, quando carregava a cruz e caía sob seu peso; enfim as da crucificação que Ele sofrera durante seis horas (pelo menos segundo meu cálculo). Era, na verdade, o rosto de um homem que acabavam de descer da cruz; conservava muito de vida e de calor; a rigidez não cumprira ainda sua obra de modo que o rosto do morto refletia o sofrimento, como se não tivesse cessado de senti-lo (foi isto muito bem apanhado pelo artista). Além do mais, era aquele rosto de uma implacável verdade: tudo nele era natural; era bem o de não importa que homem após torturas semelhantes.

"Sei que a Igreja cristã professou, desde os primeiros séculos, que os sofrimentos do Cristo não foram simbólicos, mas reais, e que, na cruz, seu corpo foi submetido, sem nenhuma restrição, às leis da Natureza. O quadro representava, pois, um rosto terrivelmente desfigurado pelos golpes, tumefacto, coberto de atrozes e sangrentas equimoses, os olhos abertos e marcados pelo brilho vítreo da morte, com as pupilas reviradas. Mas o mais estranho era a questão singular e apaixonante que sugeria a vista daquele cadáver de supliciado: se todos os seus discípulos, seus futuros apóstolos, as mulheres que o tinham seguido e se mantiveram ao pé da cruz, os que tinham fé nele e o adoravam, se todos os seus fiéis tiveram semelhante cadáver sob os olhos (e aquele cadáver devia ser certamente assim), como puderam eles crer, em face de semelhante visão, que o mártir ressuscitaria? Mesmo a contra gosto, a gente diz a si mesmo: se a morte é uma coisa tão terrível, se as leis da natureza são tão poderosas, como se pode triunfar delas? Como ultrapassá-las, quando não cederam elas diante daquele mesmo que havia, durante sua vida, subjugado a natureza, obrigando-a a obedecer-lhe, que dissera 'Talitha cumi!' e a menina se levantara, 'Lázaro, vem para fora!' e o morto saíra do sepulcro? Quando se contempla aquele quadro, imagina-se a natureza sob o aspecto de um animal enorme, implacável e mudo. Ou antes, por mais inesperada que pareça a comparação, seria mais justo, muito mais justo, assemelhá-la a uma enorme máquina de construção moderna que, surda e insensível, tivesse estupidamente agarrado, esmagado e engolido um grande Ser, um Ser sem preço, valendo ele só toda a natureza, todas as leis que a regem, toda a terra, a qual talvez nem mesmo tenha sido criada senão para a aparição desse Ser!

"Ora, o que aquele quadro me pareceu exprimir, é essa noção duma força obscura, insolente e estupidamente eterna, à qual tudo está sujeito e que nos domina malgrado nosso. Os homens que cercavam o morto, se bem que o quadro não apresentasse nenhum, devem ter sentido uma angústia e uma consternação tremendas naquela noite que destruía de um golpe todas as suas esperanças e quase sua fé. Devem ter-se separado presas dum terrível assombro, muito embora cada um deles mantivesse no íntimo de si mesmo um pensamento prodigioso e inextirpável. E se o Mestre tivesse podido ver sua própria imagem na véspera do suplício, teria Ele podido marchar para a crucificação e para a morte como o fez? É esta ainda uma questão que nos vem involuntariamente ao espírito, quando olhamos aquele quadro.

"Durante a hora e meia que se seguiu à partida de Kólia, estas ideias dominaram-me o espírito. Careciam de nexo e eram sem dúvida delirantes, mas revestiam-se por vezes também de uma aparência concreta. Pode a imaginação revestir duma forma determinada o que, na realidade, não a tem? Parecia-me, por momentos, ver aquela força infinita, aquele ser surdo, tenebroso e mudo, materializar-se duma maneira estranha e indescritível. Lembro-me de ter tido a impressão de que alguém que segurava uma vela me tomava pela mão e me mostrava uma tarântula enorme, repugnante, assegurando-me de que era mesmo aquele ser tenebroso, surdo e todo-poderoso, e rindo-se da indignação que eu manifestava.

"Acende-se sempre à noite, em meu quarto, uma pequena lâmpada diante do ícone; embora baça e vacilante, seu clarão permite distinguir os objetos e pode-se até ler sob sua luz. Penso que era um pouco mais de meia noite; eu não dormia absolutamente e estava deitado, de olhos abertos; de repente, a porta de meu quarto entreabriu-se e Rogójin entrou.

"Entrou, tornou a fechar a porta, olhou-me sem dizer uma palavra e dirigiu-se de mansinho para a cadeira que se encontra no canto do quarto, quase abaixo da lâmpada. Fiquei bastante surpreendido e a observá-lo na expectativa do que iria ele fazer. Pôs os cotovelos sobre uma mesinha e fitou-me em silêncio. Dois ou três minutos decorreram assim e seu mutismo, lembro-me, ofendeu-me vivamente e irritou-me. Por que ele não se decidia a falar? Achava, decerto, estranho que ele viesse à *minha* casa a uma *hora* tão tardia, mas não me lembro de que isso me houvesse causado maior espanto. Pelo contrário: se bem que eu lhe tivesse, de manhã, claramente exposto meu pensamento, sabia entretanto que ele o havia compreendido;

ora, esse pensamento era duma maneira tal que valia a pena vir a tornar falar dele, mesmo a uma hora tão avançada. Assim pensei que ele viera para este fim. Na despedida, pela manhã, houve certa hostilidade e lembro-me mesmo de que ele me havia, uma ou duas vezes, olhado com um ar bastante sarcástico. Era aquela mesma expressão de sarcasmo que eu lia agora em seu olhar e pela qual me sentia ofendido. Quanto a ter realmente diante de mim Rogójin em pessoa e não uma visão ou uma alucinação do delírio, isto não me pareceu a princípio causar a menor dúvida. Essa ideia nem me veio mesmo ao espírito.

"Entretanto, continuava ele sentado e a olhar-me com seu sorriso zombeteiro. Virei-me com cólera no meu leito, pus o cotovelo sobre o travesseiro e tomei o partido de imitar-lhe o silêncio, ainda que esse silêncio se prolongasse indefinidamente. Não sei por que, queria absolutamente que fosse ele o primeiro a falar. Penso que uns vinte minutos se passaram assim. De repente, veio-me uma ideia: quem sabe? talvez não fosse Rogójin, mas apenas uma aparição.

"Jamais tivera a menor aparição, nem durante minha doença, nem antes. E desde minha infância até aquele momento, isto é, até aqueles últimos tempos, se bem que não acreditasse de modo algum em aparições, sempre me parecera que, se chegasse a ver uma pelo menos, morreria na mesma hora. No entanto, quando me veio a ideia de que não era Rogójin mas um fantasma, lembro-me de que não vim a sentir medo nenhum. Melhor ainda, fiquei mesmo decepcionado. Coisa estranha: a questão de saber se tinha diante de mim um fantasma ou Rogójin em pessoa não me preocupava, nem me perturbava, como teria sido natural; parecia-me que tinha então o espírito alhures. Por exemplo, preocupava-me muito mais saber por que Rogójin, que estava de manhã de roupão e de chinelos, trazia agora um fraque, um colete branco e uma gravata branca. Disse a mim mesmo: se é uma aparição, não tenho medo; então por que não me levantar e me aproximar para certificar-me eu mesmo do que é? Talvez, aliás, não o ousasse e tivesse medo. Mas apenas veio-me a ideia de que tinha medo, senti-me de súbito totalmente gelado; um arrepio correu--me pelas costas e meus joelhos puseram-se a tremer. Naquele momento mesmo, Rogójin, como se tivesse adivinhado meu terror, retirou o braço sobre que se encostara, endireitou-se e abriu a boca como se fosse começar a rir. Fitava-me obstinadamente. Senti-me invadido por tal raiva que me deu vontade de me atirar sobre ele; mas, como havia jurado a mim mesmo não romper o silêncio em primeiro lugar, não me movi de meu leito; não estava, aliás, ainda certo de que fosse um espectro e não Rogójin em pessoa.

"Não me recordo mais quanto tempo essa cena durou; não saberia dizer tampouco, se tive ou não intervalos de sonolência. Rogójin acabou por se levantar e, depois de ter me examinado com toda calma e atenção, como quando entrara, mas desta vez sem sarcasmo, dirigiu-se a passos surdos, quase nas pontas dos pés, para a porta, abriu-a e saiu, tornando a fechá-la atrás de si. Não me levantei; não me lembro quanto tempo fiquei ainda estendido, os olhos abertos e entregue a meus pensamentos. Que pensamentos? Deus o sabe. Não me lembro tampouco de como foi que adormeci.

"No dia seguinte, levantei-me depois das nove horas, ouvindo baterem à minha porta. Está combinado em minha casa que, se eu mesmo não abrir minha porta depois das nove horas e não chamar para me servirem o chá, Matriona deverá vir bater. Abrindo-lhe a porta, perguntei a mim mesmo: como pode ele entrar, uma vez que a porta estava fechada? Informei-me e adquiri a certeza de que o verdadeiro Rogójin jamais pôde penetrar em meu quarto, estando todas as portas à noite fechadas à chave.

"Foi este incidente que acabo de descrever com tantos detalhes, que me decidiu a deter definitivamente minha 'resolução'. Não procede esta, pois, da lógica do raciocínio, mas dum sentimento de repulsa. Não posso continuar numa existência que se reveste de formas tão estranhas e tão ferinas para mim. Aquele fantasma deixou-me humilhado. Não sinto a coragem de dobrar-me a uma força que se disfarça de tarântula. E não foi senão quando me vi afinal, ao crepúsculo, em face de uma resolução integral e definitiva, que experimentei uma impressão de alívio. Não era todavia senão uma primeira fase: ia eu atravessar a segunda em Pávlovsk, mas, sobre isso, já me expliquei suficientemente."

Capítulo VII

"Eu possuía uma pistolinha de bolso que arranjara quando era ainda criança, na idade ridícula em que começamos a apaixonar-nos pelas histórias de duelos e de ataques de salteadores; sonhava que era provocado em duelo e que me portava valentemente diante da pistola do adversário. Há um mês, examinei essa pistola e armei-a. Na caixa onde estava, encontrei duas balas e uma pequena pera contendo duas ou três cargas de pólvora. Essa pistola não vale nada, desvia-se e não alcança a mais de quinze passos, mas, aplicada diretamente sobre a têmpora, pode sem dúvida bastar para rebentar-nos o crânio.

"Decidi morrer em Pávlovsk, ao surgir do sol, depois de haver descido ao parque para não causar perturbação na casa de campo. Minha 'explicação' bastará para orientar o inquérito policial. Os amadores de psicologia e os interessados poderão deduzir dela tudo quanto lhes aprouver; todavia, não quereria que este manuscrito fosse entregue à publicidade. Rogo ao príncipe que guarde dela um exemplar em sua casa e remeta o outro a Aglaia Ivânovna Iepántchina. Tal é minha vontade. Lego meu esqueleto à Academia de Medicina, no interesse da ciência.

"Não reconheço a ninguém o direito de julgar-me e sei que escapo agora a toda jurisdição. Há pouco tempo, uma ideia engraçada veio-me à cabeça: se me desse a veneta, de repente, de matar alguém, ou mesmo de massacrar de um golpe uma dezena de pessoas, ou de cometer qualquer malfeito atroz, o mais atroz que se possa perpetrar no mundo, em que embaraço eu não colocaria o tribunal a meu respeito, eu, que não tenho senão duas ou três semanas de vida, estando abolidos o interrogatório e a tortura? Morreria confortável e mimadamente no hospital, cercado pela solicitude dos médicos, talvez muito mais à vontade e mais aquecido que em minha casa. Não compreendo como este pensamento não surge no espírito das pessoas que se encontram no meu caso, não fosse senão a título de brincadeira. Talvez o tenham com efeito; entre nós, como alhures, não faltam farsantes.

"*Mas, se não reconheço* juízes acima de mim, nem por isso deixo de saber que haverão de julgar-me, ainda mesmo que viesse a tornar-me um réu surdo e mudo. É por isso que não quero partir sem deixar uma réplica, uma réplica livre e sem constrangimento, não para me justificar — oh! não! não tenho a intenção de pedir perdão a quem quer que seja — mas para minha própria satisfação.

"Eis em primeiro lugar uma estranha reflexão: quem, em virtude de que direito e por qual motivo, poderia contestar-me o direito de dispor minha vida durante essas duas ou três semanas? Que tribunal seria competente nessa matéria? A quem serviria que não somente eu seja condenado, mas que, no interesse da moral, suporte o tempo de minha punição? Será que realmente isto pode ser necessário a alguém? A causa da moral ganharia com isso? Compreendo perfeitamente que, se na plenitude da saúde, atentasse contra uma vida 'que poderia ter sido útil a meu próximo', etc., eu poderia ser censurado, em nome da velha moral rotineira, por haver disposto dessa vida sem autorização ou por qualquer outro malfeito. Mas agora, agora que já ouvi minha sentença de morte? A que moral pode ser sacrificado meu resto de vida, o derradeiro estertor com o qual se exalará o derradeiro átomo de minha existência, enquanto escutarei as consolações do príncipe que, é certo, com suas demonstrações cristãs, chegará a esta feliz conclusão: será mesmo melhor, afinal, que eu morra? (Os cristãos de sua espécie chegam sempre a esta ideia, é o seu estribilho predileto.) E que me querem eles pois com suas ridículas 'árvores de Pávlovsk'? Adoçar as derradeiras horas de minha vida? Não compreendem eles que, quanto mais me esquecer, mais me deixarei seduzir por este derradeiro fantasma de vida e de amor por trás do qual esperam roubar a meus olhos a parede da casa Meyer e tudo o que aí está escrito com tanta franqueza e ingenuidade, mais infeliz me tornarão? Que me importam vossa natureza, vosso parque de Pávlovsk, vossos nascer e pôr de sol, vosso céu azul e vossas minas prósperas, se sou o único a ser olhado como inútil, como o único excluído, desde o começo, desse banquete sem fim? Que necessidade tenho eu de todo esse esplendor quando a cada minuto, a cada segundo, devo saber, sou obrigado a saber que, mesmo este ínfimo mosquito, zumbindo neste momento em torno de mim num raio de sol, tem o direito de participar desse banquete e desse coro da natureza; conhece o lugar que lhe está reservado, gosta dele, é feliz; ao passo que eu, somente eu, sou um rebotalho e somente a covardia até hoje impediu-me de compreendê-lo?

"Oh! sei bem que o príncipe e todos os outros quereriam levar-me a renunciar a estas expressões 'insidiosas e malignas'; quereriam ouvir-me entoar, em nome da moral triunfante, a famosa e clássica estrofe de Millevoye:

> Oh! possam ver vossa beleza sagrada
> Tantos amigos, surdos aos meus adeuses!
> Morram eles idosos, seja sua morte chorada,
> E um amigo haja a fechar-lhes os olhos!

"Mas acreditai, acreditai bem, ó almas simples! Nessa estrofe edificante, nessa *bênção acadêmica do mundo* em verso francês, há tanto fel oculto, tanto ódio implacável e que se compraz em si mesmo, que o próprio poeta pôde enganar-se, tomando esse ódio por lágrimas de enternecimento. Morreu nesta ilusão; paz às suas cinzas! Sabei que existe um limite à mortificação que inspira ao homem a consciência de seu próprio nada e de sua impotência, limite além do qual essa consciência mergulha-o num gozo grandioso.

"É verdade, a humildade é, neste sentido, uma força, enorme, convenho; mas essa força não é aquela que a religião aí encontra.

"Ah! a religião! Admito a vida eterna; talvez a tenha sempre admitido. Quero bem crer que a consciência seja um archote aceso pela vontade duma força suprema, que reflita em si o universo e que haja dito: "Eu sou!". Quero bem crer ainda que essa mesma força suprema lhe ordene de repente que se extinga, por alguma razão longínqua e obscura, e mesmo sem sombra de explicação. Seja, admito tudo isto. Mas resta eterna a questão: que necessidade há de acrescentar ainda minha resignação a essa sujeição? Não pode bem simplesmente me devorar, sem ainda exigir que eu cante os louvores daquele que me devora? É possível que alguém lá em cima se sinta realmente ofendido pelo fato de eu não querer esperar duas semanas mais? Não creio nada disso; suponho com infinitamente mais verossimilhança que minha frágil existência seja um átomo necessário à perfeição da harmonia universal, que sirva para um acréscimo ou um corte, para um contraste ou para outra coisa; da mesma maneira que o sacrifício cotidiano de um milhão de seres seja uma necessidade; sem este sacrifício, o mundo não poderia subsistir (este pensamento, notemo-lo, não é absolutamente generoso em si mesmo). Mas passemos! Convenho que, de outro modo, isto é, se os homens não se tivessem devorado uns aos outros, teria sido impossível organizar o mundo; admito mesmo que eu não compreenda nada dessa organização. Mas, em compensação, eis o que deveras sei: desde o momento em que me foi dado tomar consciência de que 'eu sou' que tenho eu que ver com o fato do mundo ser organizado obliquamente e não possa existir de outro modo? Quem pois me julgará de acordo com isto, e a respeito de que me julgará? Pensai disso o que quiserdes, é tão inconcebível quanto injusto.

"E, no entanto, jamais pude, malgrado meu desejo, imaginar que a vida futura e a Providência não existissem. O mais provável é que tudo isto exista, mas que não entendamos nada da vida futura, nem das leis que a regem. Ora, se é coisa difícil e mesmo impossível de compreender, é possível me transformar em responsável pela minha incapacidade em captar o inconcebível? Pretendem, é verdade — e é esta certamente a opinião do príncipe, — que aqui é preciso que a gente se incline e obedeça sem raciocinar, por puro senso moral, e acrescentam que minha docilidade encontrará no outro mundo sua recompensa. Nós rebaixamos por demais a Providência emprestando-lhe nossas ideias, pelo despeito de não poder compreendê-la. Mas repito que, se não podemos compreender a Providência, é difícil que o homem carregue a responsabilidade de uma incompreensão que tem para ele a força de uma lei. E se assim é, como, como me haveriam de julgar por não ter podido compreender a vontade verdadeira e as leis da Providência? Não, será melhor deixar a religião de parte.

"Aliás, basta. Ao chegar a estas linhas, o sol já se terá decerto erguido e começará a 'ressoar no céu', difundindo por todo o universo forças imensas, incalculáveis! Assim seja! Morrerei contemplando a face dessa fonte de vigor e de vida, duma vida que eu não quereria mais. Se tivesse dependido de mim não ter nascido, não teria decerto aceitado a existência em tão irrisórias condições. Mas resta-me ainda a faculdade de morrer, se bem que não disponha eu senão de um resto de vida já condenada. Este poder é bem pouca coisa e nem tão grande coisa é também minha revolta.

"Uma derradeira explicação: se morro, não é que não tenha coragem de suportar essas três semanas. Oh! teria encontrado certamente as forças necessárias e, se o tivesse querido, teria extraído uma consolação suficiente do sentimento da ofensa que me é feita. Mas não sou um poeta francês e não faço questão desse gênero de consolo. Enfim, há nisso uma tentação: condenando-me a só viver três semanas, a natureza tão rigorosamente limitou meu campo de ação que o suicídio é talvez o único ato que eu possa praticar e levar a cabo por minha própria vontade. Pois bem, por que não haveria eu de querer aproveitar a derradeira possibilidade de agir que se me oferece? Um protesto pode por vezes ter seu valor..."

Tendo afinal terminado a leitura da "Explicação", Ipolit parou... Em casos extremos, um homem nervoso, se está exasperado e fora de si, pode levar a franqueza ao derradeiro grau de cinismo. Então não teme mais nada e está pronto a provocar não importa qual escândalo; e até se alegraria com isso. Lança-se sobre as pessoas, com a intenção confusa, mas decidida, de se precipitar um minuto mais tarde do alto dum campanário e de liquidar assim duma vez todos os embaraços que sua conduta terá podido criar-lhe. Este estado é habitualmente anunciado por um esgotamento gradual das forças físicas. A tensão excessiva, anormal, que até então havia sustentado Ipolit, atingira esse paroxismo. O corpo daquele adolescente de dezoito anos, esgotado pela doença, parecia tão fraco como a folha trêmula arrancada da árvore. Mas, desde que — pela primeira vez depois de uma hora — pousou os olhos sobre o auditório, seu olhar e seu sorriso traduziram logo a aversão mais altiva, mais desdenhosa e mais ferina. Tinha pressa em desafiar os assistentes. Mas estes também estavam cheios de indignação. Todos se levantaram da mesa com alvoroço e cólera. A fadiga, o vinho, a tensão dos nervos acentuavam a desordem e a atmosfera deletéria, se assim se pode dizer, daquela reunião.

Ipolit levantou-se de sua cadeira dum salto, tão bruscamente como se dela o houvessem arrancado.

— O sol já saiu! — exclamou ele vendo iluminarem-se as copas das árvores e mostrando-as ao príncipe como se aquilo fosse um milagre. — O sol já saiu!

— Pensava talvez que ele não saísse? — observou Fierdíchtchenko.

— Ainda um dia ardente que se anuncia! — murmurou, com uma expressão de tédio e de displicência, Gânia, que, de chapéu na mão, se espreguiçava e bocejava. — Iremos ter ainda um mês de seca?... Partimos ou ficamos, Ptítsin?

Ipolit ouviu aquelas palavras com um espanto vizinho do estupor. Tornou-se de súbito terrivelmente pálido e pôs-se todo a tremer. — O senhor afeta para ofender-me uma indiferença muito inepta — disse ele a Gânia, fitando-o bem dentro dos olhos. — O senhor é um patife!

— Oh! isto passa dos limites! — berrou Fierdíchtchenko. — Que sem-cerimônia fenomenal!

— *Não passa de um imbecil!* — disse Gânia. Ipolit dominou-se um tanto.

— Compreendo, senhores — começou ele, sempre tremendo e interrompendo-se a cada palavra, — que tenha podido merecer vosso ressentimento pessoal e... lamento ter-vos infligido a leitura desta obra de delírio (mostrou seu manuscrito); aliás, lamento também não vos ter massacrado mais... (pôs-se a sorrir estupidamente). Não é, Ievguéni Pávlovitch, não fui massacrante? — disse ele, avançando para o interpelado. — Fui, sim ou não? Fale!

— Um tanto longo, mas quanto ao mais...

— Diga seu pensamento por completo! Não minta, pelo menos uma vez em sua vida! — intimou-o Ipolit, sem deixar de tremer.

— Oh! isto me é perfeitamente indiferente! Faça-me, rogo-lhe, o favor de me deixar tranquilo — disse Ievguéni Pávlovitch, voltando-se com desagrado.

— Boa noite príncipe! — disse Ptítsin, aproximando-se de Míchkin.

— Mas ele vai agora mesmo estourar os miolos! Que fazem? Olhem-no! — exclamou Viera, precipitando-se para Ipolit; estava ela no auge do terror e chegou mesmo a agarrar-lhe as mãos. — Ele disse que se suicidaria ao sair do sol; que fazem?

— Ele não se matará! — murmuraram, num tom de ódio, várias vozes, entre elas a de Gânia.

— Senhores, tenham cuidado! — exclamou Kólia, que também segurou a mão de Ipolit. — Olhem-no ao menos! Príncipe! Príncipe! como é que fica o senhor indiferente?

Em redor de Ipolit agruparam-se Viera, Kólia, Keller e Burdóvski, agarrando-o.

— É o direito dele, o direito dele!... — balbuciava Burdóvski, aliás com o ar dum homem que perdeu completamente a cabeça.

— Permita, príncipe: que disposições conta tomar? — perguntou Liébiediev a seu locatário; estava embriagado e sua exasperação tornava-se insolente.

— De que disposições fala o senhor?

— Não, permita; sou o dono da casa, sem querer faltar-lhe ao respeito... Admito que o senhor também está em sua casa; mas não quero histórias semelhantes sob meu próprio teto... Não!

— Ele não se matará; esse rapaz é um farsante! — exclamou inopinadamente o General Ívolguin, com tanta segurança quanto indignação.

— Muito bem, general! — aclamou Fierdíchtchenko.

— Sei bem que ele não se matará, general, respeitabilíssimo general, mas no entanto... Porque afinal sou o dono disto aqui.

Tendo-se despedido do príncipe, Ptítsin estendeu a mão a Ipolit. — Escute, Senhor Tieriêntiev — disse ele, de repente, — no seu caderno, creio, fala-se em seu esqueleto; lega-o à Academia de Medicina, não é? É mesmo de seu esqueleto que se trata, são os seus ossos que o senhor lega?

— Sim, são meus ossos...

— Ah! bom. É que pode haver mal-entendidos. Parece que já ocorreu o fato.

— Por que o irrita? — interveio bruscamente o príncipe.

— O senhor o fez chorar — acrescentou Fierdíchtchenko.

Mas Ipolit não chorava absolutamente. Fez gesto de escapar-se, mas as quatro pessoas que o cercavam agarraram-no incontinenti. Estouraram risadas.

— Ele contava bem com isso: que lhe paralisassem as mãos; foi por isso que nos leu seu caderno — observou Rogójin. — Adeus, príncipe. Ficamos muito tempo sentados; os ossos doem.

— Em seu lugar e no caso de ter você realmente a intenção de suicidar-se, Tieriêntiev — disse, rindo, Ievguéni Pávlovtitch, — cuidaria bem de pôr meu projeto em execução depois de semelhantes cumprimentos, quando não fosse senão para *fazer-lhes raiva*.

— Têm uma vontade atroz de ver como me suicidarei! — alcançou-lhes Ipolit, com ar de querer atirar-se contra Pávlovitch.

— Sentem-se decepcionados pela falta de semelhante espetáculo.

— Então o senhor também acredita que eles não assistirão a isso?

— Não tenho a intenção de incitá-lo a fazer tal coisa; pelo contrário, creio-o muito capaz de estourar os miolos. Mas sobretudo não se zangue... — respondeu Ievguéni Pávlovitch, num tom arrastado e protetor.

— Só agora é que me dou conta do erro enorme que cometi, lendo-lhes meu caderno — disse Ipolit, olhando Ievguéni Pávlovitch com tão súbita expressão de confiança que parecia pedir conselho a um amigo.

— Sua situação é ridícula, mas... Francamente, não sei que conselho dar-lhe — replicou Ievguéni Pávlovitch, sorrindo.

Ipolit fixou nele, silenciosamente, um olhar intratável e obstinado. Parecia perder a intervalos a consciência do que se passava.

— Ah! nada disso! permitam, senhores, é essa uma maneira de agir? — disse Liébiediev. — Ele declara que "rebentará os miolos no parque para não incomodar ninguém". Então ele acredita que não incomodará ninguém, se for matar-se no jardim, a três passos daqui?

— Senhores... — começou o príncipe.

— Não, permita-me, sereníssimo príncipe — interrompeu Liébiediev, exasperado. — O senhor mesmo vê que não se trata duma brincadeira: a metade pelo menos de seus hóspedes partilha desta convicção: que depois do que acabamos de ouvir, a honra obriga-o a matar-se. Portanto, como dono da casa e na presença de testemunhas, requeiro o concurso do senhor!

— Que é preciso, pois, fazer, Liébiediev? Estou pronto a secundá-lo.

— Eis o que: é preciso em primeiro lugar que ele nos entregue a pistola que se gabou de trazer consigo, com as munições. Se consentir nisso, permito mesmo que ele passe a noite aqui, visto seu estado doentio, mas com a condição de que exerça eu vigilância sobre ele. Mas, amanhã, é preciso que ele se vá para onde bem entender. Desculpe-me, príncipe! Se ele não entregar sua arma, vou agarrá-lo por um braço, o general vai agarrá-lo pelo outro e mandaremos imediatamente chamar a polícia, a quem caberá então o caso. A título de amigo, o Senhor Fierdíchtchenko irá avisar o posto.

O alvoroço foi geral: Liébiediev acalorava-se e perdia as medidas; Fierdíchtchenko preparava-se para ir à Polícia; Gânia repetia com insistência que não haveria nenhuma tentativa de suicídio. Quanto a Ievguéni Pávlovitch, mantinha-se calado.

— Príncipe, aconteceu-lhe alguma vez cair do alto de uma torre? — perguntou em voz baixa Ipolit.

— Meu Deus! Não — respondeu ingenuamente o príncipe.

— Pensa, pois, que não tenha eu previsto todo esse ódio? — cochichou de novo Ipolit cujos olhos cintilavam e que olhava o príncipe com o ar de esperar dele efetivamente uma resposta. — Basta! — exclamou ele, de repente, dirigindo-se a todos. — Não tive razão... mais que qualquer outro! Liébiediev, aqui está a chave (tirou seu porta-moedas e dele extraiu um anel de aço do qual pendiam três ou quatro pequenas chaves) é essa, a penúltima... Kólia lhe mostrará... Kólia! Onde está Kólia? — perguntou ele, olhando para Kólia sem o ver. — Ah! sim! Pois bem! Será ele que lhe mostrará. Ajudou-me ainda há pouco a arrumar a mala. Vá com ele, Kólia; no gabinete do príncipe, debaixo da mesa... encontrará minha mala... com esta pequena chave... em baixo, num cofrezinho... minha pistola e o polvorinho. Foi o próprio Kólia quem lhe pôs as balas ainda há pouco. Ele lhe mostrará, Senhor Liébiediev. Mas exijo a condição de que, amanhã de manhã, quando eu partir para Petersburgo, o senhor me entregue a pistola. Entendeu? Não faço isto por sua causa, mas por causa do príncipe.

— Isto já vai melhor! — disse Liébiediev, pegando a chave.

E com um sorriso sarcástico, correu para o quarto vizinho. Kólia parou, como se tivesse uma objeção a fazer, mas Liébiediev arrastou-o consigo.

Ipolit via os assistentes rirem. O príncipe observou que os dentes dele matraqueavam como sob o efeito de um violento arrepio.

— Que canalhas todos eles! — murmurou ele de novo ao ouvido do príncipe, num tom exasperado. Para falar-lhe, inclinava-se sempre de seu lado e baixava a voz.

— Deixe-os; você está bem fraco...

— Imediatamente, imediatamente... Vou-me embora imediatamente.

De repente, abraçou o príncipe.

— O senhor pensa talvez que eu esteja louco — disse, olhando-o com um riso estranho.

— Não, mas você...

— Imediatamente, imediatamente, cale-se; não diga nada, espere... Vou fitá-lo bem nos olhos... Fique como está, para que eu o fite. É a um homem que vou apresentar minhas despedidas.

Parou e, imóvel e silencioso, contemplou Míchkin durante uns dez segundos. Estava totalmente pálido, o suor perolava-lhe a testa e sua mão apertava estranhamente o príncipe, como se temesse deixá-lo escapar.

— Ipolit! Ipolit! Que tem você então? — exclamou Míchkin.

— Imediatamente... Basta isto... Vou deitar-me. Quero beber um copo à saúde do sol!... Quero, quero sim, deixe-me!

De seu lugar, agarrou rapidamente a taça, depois se levantou e dum salto dirigiu-se à entrada do terraço. O príncipe ia correr atrás dele mas, como que de propósito, quis o acaso que no mesmo momento, Ievguéni Pávlovitch lhe estendesse a mão para despedir-se. Passou-se um minuto de súbito, ouviu-se um clamor geral no terraço, seguido de extraordinária confusão.

Eis o que se passara.

Chegando justamente à descida do terraço, Ipolit se detivera, segurando a taça na mão esquerda, e havia metido a outra mão no bolso direito de seu paletó. Keller afirmou depois que tinha ele já a mão naquele bolso no momento em que conversava com o príncipe, enquanto que com a esquerda lhe segurava o ombro e o colarinho; fora mesmo esse gesto da mão esquerda que havia despertado nele, Keller, a primeira suspeita. Seja como for, movido por certa apreensão, Keller também se lançara atrás de Ipolit. Mas também ele não chegara a tempo. Vira somente um objeto brilhante na mão direita de Ipolit e, quase no mesmo momento, o cano de uma pequena pistola de bolso apoiado na fonte do doente. Precipitara-se para segurar-lhe o braço, mas nesse segundo, Ipolit havia puxado o gatilho. Ouviu-se o estalido seco e cortante do gatilho, mas o tiro não partiu. Keller pegou Ipolit pelo meio do corpo; o qual deixou-se cair como que privado dos sentidos; talvez se acreditasse morto de verdade. A pistola já estava nas mãos de Keller. Apoderaram-se de Ipolit, arrastaram uma cadeira para ele, sentaram-no e todos o rodearam, gritando e fazendo perguntas. Depois de ter ouvido o estalido do gatilho, viam o homem vivo, sem o menor arranhão. O próprio Ipolit estava sentado, sem nenhuma noção do que se passava; passeava em torno de si um olhar desvairado. Naquele momento, Liébiediev e Kólia entraram às carreiras.

— A arma falhou? — perguntava-se duma parte e doutra.

— Talvez a pistola não estivesse carregada — insinuaram alguns.

— Estava carregada! — disse Keller, examinando a arma. — Mas...

— Como pôde o tiro falhar?

— Não tinha cápsula — declarou Keller.

É difícil descrever a penosa cena que se seguiu. O terror geral do primeiro momento não tardou em dar lugar à hilaridade; algumas pessoas mesmo desmandaram-se em gargalhadas, achando na situação motivo para maligno deleite. Ipolit soluçava e torcia os braços, como presa de uma crise de nervos; lançava-se contra todos, até mesmo contra Fierdíchtchenko, a quem apertou com as duas mãos e ao qual jurou que se esquecera de pôr a cápsula, "esquecimento completamente acidental e involuntário". Acrescentou que "todas as cápsulas", em número de dez, estavam ali, no bolso de seu colete (e mostrava-as a todos); com medo de que o tiro partisse por acaso em seu bolso e com a ideia de que teria sempre tempo de fazê-lo no momento querido, mas disto perdera de repente a lembrança.

Dirigia-se alternativamente ao príncipe e a Ievguéni Pávlovitch; suplicava a Keller que lhe entregasse a pistola para que pudesse provar que "sua honra, sim, sua honra... ", mas que, agora, estava "desonrado para sempre!".

Acabou por se deixar cair, tendo positivamente perdido os sentidos. Levaram-no para o gabinete do príncipe, e Liébiediev, completamente desembriagado, mandou imediatamente chamar um médico, ficando ele próprio à cabeceira do doente com sua filha, seu filho, Burdóvski e o general. Depois que levaram Ipolit inanimado, Keller postou-se no meio da sala e, diante de todos os presentes, proclamou, com tom decidido, destacando e escandindo cada palavra:

— Senhores, se algum dos senhores emitir ainda uma vez, em voz alta e em minha presença, a suposição de que a cápsula pode ter sido esquecida voluntariamente e se pretende que o infeliz rapaz não fez senão representar uma comédia, terá de avir-se comigo!

Ninguém lhe respondeu. Os convivas tinham-se enfim dispersado em grupos e retiravam-se à pressa. Ptítsin, Gânia e Rogójin partiram juntos.

O príncipe ficou muito surpreendido ao ver Ievguéni Pávlovitch mudar de ideia e retirar-se antes da explicação pedida.

— Não queria o senhor ter uma conversa comigo, após a saída dos convivas? — perguntou-lhe.

— É justo — disse Ievguéni Pávlovitch, sentando bruscamente e fazendo Míchkin sentar a seu lado. — Mas no momento mudei de opinião. Confesso-lhe que estou bastante emocionado, como o senhor mesmo, aliás. Minhas ideias acham-se em desordem; além disso, o negócio a respeito do qual queria explicar-me com o senhor é demasiado importante, tanto para mim quanto para o senhor. Veja, príncipe, eu quereria, pelo menos uma vez em minha vida, praticar uma ação perfeitamente honesta; quero dizer, isenta de qualquer segunda intenção. Ora, creio que no presente, no minuto atual, não me sinto totalmente capaz desta ação; talvez o senhor esteja no mesmo caso... de sorte que... e... afinal, adiaremos esta explicação para mais tarde. Pode ser que a questão se esclareça para o senhor e para mim, se deixarmos escoarem-se dois ou três dias; é o tempo que pretendo passar em Petersburgo.

Levantou-se outra vez, de modo que não se compreendia mais por que se sentara. Míchkin teve a impressão de que ele estava descontente e enraivecido e acreditou discernir no seu olhar uma expressão de hostilidade que nele não se via antes.

— A propósito, o senhor vai agora para o lado do doente?

— Vou, sim... tenho temores — disse o príncipe.

— Não os tenha; ele viverá ainda umas seis semanas; talvez mesmo se restabeleça aqui. Mas o melhor seria pô-lo amanhã para fora.

— Talvez eu também o tenha excitado, sem dar-me conta disso... nada dizendo. Pode ter acreditado que eu duvidava igualmente de que pudesse matar-se. Que pensa disso, Ievguéni Pávlovitch?

— Nada, absolutamente. O senhor é demasiado bom em se preocupar ainda com isso. Ouvira dizer, sem jamais ter tido ocasião de verificar, que um homem podia matar-se expressamente para atrair para si cumprimentos ou por despeito de não os ter recebido. E sobretudo não teria jamais acreditado que se pudesse dar tão franca manifestação de sua fraqueza. Mas, seja como for, ponha-o amanhã para fora.

— Acredita que ele renovará sua tentativa de suicídio?

— Não; não recomeçará mais. Mas tome cuidado com esses tipos russos à Lacenaire! Repito-lhe: o crime é o refúgio por demais habitual dessas nulidades impotentes, trabalhadas pela impaciência e pela inveja.

— Seria então um Lacenaire?

— A essência é a mesma; talvez somente a situação é que difira. Verá se aquele senhor não é capaz de massacrar dez pessoas, nem que fosse para "fazer uma brincadeira", segundo a expressão de que ele mesmo se serviu, quando leu sua "Explicação". Agora, estas palavras vão me fazer não dormir.

— Suas apreensões talvez sejam exageradas.

— O senhor é espantoso, príncipe; o senhor não o julga capaz de matar agora dez pessoas?

— Teria receio em responder-lhe; tudo isto é por demais estranho, mas, mas...

— Bem, como queira! — concluiu Ievguéni Pávlovitch, num tom exacerbado. — E afinal é o senhor um homem tão corajoso! Trate simplesmente de não ser o senhor mesmo uma das dez vítimas!

— O mais provável é que ele não matará ninguém — disse Míchkin olhando Ievguéni Pávlovitch, com um ar pensativo.

Este riu malignamente.

— Adeus! Já é tempo! A propósito, notou que ele legou a Aglaia Ivânovna uma cópia de sua confissão?

— *Sim, notei-o e... isto* faz-me refletir.

— Eis o que nos traz às dez vítimas — disse Ievguéni Pávlovitch, rindo de novo; depois saiu.

Uma hora após, entre três e quatro horas da manhã, o príncipe desceu ao parque. Tentara dormir em sua casa, mas sem êxito, por causa das violentas palpitações de seu coração. Não obstante, toda a casa voltara à ordem e estava tão calma quanto possível; o doente adormecera e o médico que viera vê-lo declarara que ele não corria nenhum perigo imediato. Liébiediev, Kólia, Burdóvski tinham-se deitado em seu quarto para vigiá-lo por turnos não havia, pois, nada a temer.

Entretanto, a inquietação do príncipe crescia de minuto a minuto. Errou pelo parque, lançando em redor de si olhares distraídos, e parou, surpreso, ao chegar à clareira que se abre diante da estação e ver as fileiras de bancos vazios e estantes da orquestra. Chocou-o o aspecto daquele lugar que achou, sem saber explicar por que, tremendamente feio. Arrepiou caminho e tomou a estrada que seguira na véspera com as Iepántchini para se dirigir à estação. Chegado ao banco verde, que era o lugar do encontro indicado, sentou-se e explodiu num brusco e ruidoso ataque de riso, que logo censurou com a mais viva indignação. Sua angústia não o deixava; sua vontade era ir-se embora não sabia para onde... à toa. Por cima de sua cabeça, um passarinho cantava; pôs-se a procurar com os olhos na folhagem. De súbito, o pássaro voou com toda a rapidez; lembrou-lhe, no mesmo instante, aquele mosquito "zumbindo num ardente raio de sol", a propósito do qual Ipolit escrevera que "conhecia seu lugar nesse coro da natureza", em que somente ele, Ipolit, era um intruso. Esta frase, que já lhe havia ferido a atenção então, voltou-lhe agora ao espírito. E uma recordação desde muito tempo adormecida despertou nele e iluminou-se duma claridade súbita.

Fora na Suíça, durante o primeiro ano e mesmo durante os primeiros meses de seu tratamento. Olhavam-no então como um perfeito idiota; não podia mesmo exprimir-se corretamente e não compreendia por vezes o que lhe perguntavam. Dirigiu-se um dia para a montanha, num dia de sol claro, e vagou muito tempo, atormentado por um pensamento pungente, mas que não chegava a formular. Descobria diante de si um céu esplendoroso, a seus pés um lago, todo em redor um horizonte luminoso e tão vasto que parecia sem limites. Havia contemplado longamente aquele espetáculo, com o coração apertado pela angústia. Lembrava-se agora de ter estendido os braços para aquele oceano de luz e de azul e de ter derramado lágrimas. Torturava-o a ideia de ser estranho a tudo aquilo. Que banquete era então aquele, aquela festa sem fim para a qual se sentia atraído desde muito tempo, desde sempre, desde sua infância, sem jamais ter podido dele participar? Todas as manhãs, o sol assim se levanta radioso; todas as manhãs, o arco-íris se desenha acima da cascata; todas as noites o cimo nevado da mais alta montanha dos arredores se acendia, lá no horizonte, de flamas purpúreas; cada "mosquito que zumbe em torno dele, num ardente raio de sol, participa desse coro da natureza: conhece seu lugar, gosta dele, é feliz". Cada talo de erva cresce e é feliz! Cada ser tem seu caminho e conhece-o; chega e *torna a partir, cantando*; mas ele, só ele nada sabe, nada compreende, nem os homens, nem as vozes da natureza, porque é em toda parte um estranho, um rebotalho. Oh! não tinha podido então exprimir-se nestes termos, nem formular assim seu problema; seu sofrimento era surdo e mudo; mas, agora, imaginava ter naquela época dito tudo isto sob essa forma e parecia-lhe que Ipolit tomara emprestado seu "mosquito" à sua linguagem e às suas lágrimas de então. Estava convencido disto sem saber demasiado por que e este pensamento fazia-lhe o coração palpitar.

Adormeceu sobre o banco, mas sua agitação perseguiu-o até mesmo no sono. No momento de adormecer, lembrou-se da suposição de que Ipolit mataria dez pessoas e sorriu diante do absurdo desta ideia. Em redor dele reinava claro e majestoso silêncio; o sussurro das folhas parecia acentuar ainda mais a serenidade e a solidão ambientes. Teve numerosos sonhos, todos angustiantes e que o fizeram estremecer sem cessar. Por fim uma mulher aproximou-se dele; ele a conhecia, conhecia-a a ponto de sofrer por causa disso; podia sempre chamá-la, designá-la, mas — coisa estranha! — tinha ela agora um rosto totalmente diverso daquele que sempre lhe vira e experimentava dolorosa repulsa em reconhecê-lo sob seus novos traços. Havia naquele rosto tal expressão de arrependimento e de medo que se diria que aquela mulher era uma grande criminosa e que acabava de cometer um malfeito atroz. Uma lágrima tremia em sua face lívida. Ela o chamou com um gesto e pousou um dedo, sobre seus lábios como para convidá-lo a segui-la sem rumor. Seu coração desfaleceu; por coisa alguma, por coisa alguma no mundo queria ver nela uma criminosa, mas sentia que um acontecimento terrível ia sobrevir e influiria em toda a sua vida. Ela parecia querer lhe mostrar alguma coisa, não longe dali, no parque. Levantou-se para segui-la, mas uma risada límpida e fresca ressoou de repente perto dele; uma mão encontrou-se de repente na sua; agarrou-a, apertou-a fortemente e despertou.

Aglaia estava diante dele, rindo às gargalhadas.

Capítulo VIII

Ria, mas ao mesmo tempo estava indignada.

— Dormindo! O senhor adormeceu! — exclamou ela, num tom de espanto e de desprezo.

— Mas é a senhora! — balbuciou o príncipe, que não havia ainda recobrado bem a consciência e a reconheceu com surpresa. — Ah! sim! aquele encontro marcado... Adormeci aqui.

— Bem o percebi.

— Ninguém mais me despertou a não ser a senhora? Nenhuma outra pessoa esteve aqui? Pensava que havia aqui... outra mulher.

— Outra mulher aqui?

O príncipe recobrou-se enfim completamente.

— Não era senão um sonho — disse, com ar pensativo. — Mas num momento como este, este sonho é estranho... Sente.

Puxou-a pela mão e a fez sentar no banco ele próprio tomou lugar ao lado dela e mergulhou em suas reflexões. Aglaia não rompeu o gelo e contentou-se em olhá-lo fixamente. Ele também a olhava, mas por vezes com o ar de não vê-la à sua frente. Ela foi ficando corada.

— Ah! sim — disse ele, estremecendo, — Ipolit, deu um tiro em si mesmo.

— Quando? Em sua casa? — perguntou ela, sem parecer muito admirada. — Ontem à noite, creio, estava ainda vivo. Como pôde o senhor vir dormir aqui depois *de tal acontecimento?* — exclamou ela, animando-se.

— Mas ele não morreu; a pistola falhou.

A pedido de Aglaia, Míchkin teve de contar, imediatamente, com bastantes detalhes, tudo quanto se passara na noite que findara. Ela o convidava continuamente a apressar sua narração, ela mesma, porém, interrompia-o com perguntas incessantes e quase sem ligação com o caso. Prestou notadamente grande interesse pelo que dissera Ievguéni Pávlovitch e interrogou mesmo o príncipe diversas vezes a respeito desse ponto.

— Basta! É preciso que eu me apresse — concluiu ela, quando o relato chegou ao fim. — Não temos senão uma hora a passar aqui, devo estar em casa às oito horas sem falta, para que não se saiba que vim aqui. E estou aqui para tratar dum assunto; tenho muitas coisas a comunicar-lhe. Mas o senhor fez-me perder o fio das ideias. Quanto a Ipolit, creio que a pistola não podia deixar de falhar; está bem de acordo com o personagem. Mas o senhor está certo de que ele tenha querido verdadeiramente suicidar-se e que não foi uma comédia?

— Não, não era uma comédia.

— É com efeito o mais provável. Então estipulou por escrito que o senhor devia trazer-me sua confissão? Por que o senhor não a trouxe?

— Mas ora, porque ele não morreu! Vou lhe pedir.

— Leve-a para mim sem falta e não lhe peça nada. Isto não poderá deixar de ser-lhe agradável, porque talvez quis matar-se para que eu lesse em seguida sua confissão. Rogo-lhe, Liev Nikoláievitch, não ria do que digo: esta suposição pode muito bem ser certa.

— Não estou rindo, porque eu mesmo a tenho como muito provável.

— O senhor também? É possível que tenha tido a mesma ideia? — perguntou ela, com uma brusca estupefação.

Ela o interrogava à pressa e falava com rapidez, mas parecia por vezes perturbar-se e deixava muitas vezes sua frase inacabada; a todo instante, apressava-se em preveni-lo disto ou daquilo; em geral, sua agitação era extrema e, se bem que seu olhar se mostrasse seguro, e mesmo provocador, estava talvez, no íntimo, muito intimidada. Sentada na extremidade do banco, trajava da maneira mais simples, trazia um vestido comum que lhe sentava muito bem. Por várias vezes estremeceu e corou. Ficara profundamente assombrada ao ouvir o príncipe garantir que Ipolit dera um tiro em si mesmo para que ela lesse sua confissão.

— Não resta dúvida — explicou Míchkin, — ele queria que, independentemente da senhora, nós todos o elogiássemos...

— Como? Todos o elogiassem?

— Isto é... como explicar-lhe isto? É muito difícil de exprimir. Tinha ele certamente o desejo de ver toda a gente, solícita, em torno dele, protestando-lhe seus sentimentos de afeto e de estima e suplicando-lhe que vivesse. É bem possível que tenha pensado na senhora mais do que nos outros, pois que num momento semelhante citou-lhe o nome... se bem que não se tenha talvez ele próprio dado conta de que pensava na senhora...

— Não compreendo mais nada disso: pensava em mim sem se dar conta de que pensava em mim? Contudo, sim, creio compreender. Sabe que eu mesma, quando era uma menina de treze anos, tive talvez trinta vezes a ideia de me envenenar e de tudo explicar numa carta a meus pais? Via-me deitada num caixão; todos os meus choravam em redor de mim e se censuravam por ter sido tão duros para comigo... Por que sorri ainda? — acrescentou ela, vivamente, franzindo as sobrancelhas. — Em que pensa quando se isola em seus devaneios? Acredita-se talvez um marechal que derrota Napoleão?

— Pois bem! Palavra de honra, é justamente nisto que penso, sobretudo quando adormeço! — replicou Míchkin, rindo. — Somente, não é Napoleão que eu derroto, mas os austríacos.

— Não estou absolutamente disposta a pilheriar com o senhor, Liev Nikoláievitch. Eu mesma irei ver Ipolit. Peço-lhe que o previna. Quanto ao senhor, acho muito má, porque muito grosseira, a maneira pela qual o senhor vê e julga a alma de um homem como Ipolit. O senhor não tem ternura. Vê apenas a verdade; portanto, é injusto.

O príncipe pôs-se a refletir.

— É a senhora que se mostra injusta para comigo, ao que parece, porque não acho nada de mal no ter ele tido tal pensamento, visto como toda a gente também está inclinada a isso; tanto mais que talvez ele não o tenha tido absolutamente e que tudo não passasse duma simples veleidade... Desejava encontrar-se uma derradeira vez na sociedade dos homens, merecer-lhes a estima e o afeto; são excelentes sentimentos esses; somente que, neste caso, a coisa não foi bem sucedida; a doença e não sei que mais ainda foram a causa disso. Aliás, há pessoas a quem tudo sai bem e outras que fracassam em tudo quanto empreendem...

— O senhor decerto pensou no senhor mesmo ao dizer isto? — observou Aglaia.

— Sim — replicou Míchkin, sem prestar atenção à malícia da pergunta.

— Em todo o caso, no seu lugar, não adormeceria. Como que então, não importa onde o senhor se encontra, deixa-se assim vencer pelo sono? É bem feio isso.

— Mas passei a noite toda acordado e depois andei a passear por aqui, fui ao local da música...

— Que música?

— Lá onde havia uma orquestra ontem à noite. Em seguida vim para cá, sentei, refleti longamente e adormeci.

— Ah! deveras? Isto muda as coisas em sua vantagem... E por que foi ao local da música?

— Não sei assim, sem motivo...

— Bem, bem, tornaremos a falar disso. O senhor me interrompe todo tempo. Que tenho eu que ver que o senhor tenha ido ao local da música? Com que mulher sonhou?

— Tratava-se de... de... a senhora viu-a...

— Compreendo, compreendo perfeitamente. O senhor tem por ela muito... Como lhe apareceu ela, sob que aspecto? Afinal de contas, não quero saber de nada — acrescentou ela com um brusco mau humor. — Não me interrompa!

Parou um momento, como para retomar fôlego ou para tentar reprimir um movimento de despeito.

— Eis tudo de quanto se trata e por que lhe marquei este encontro. Quero propor-lhe que seja meu amigo. Que tem para olhar-me assim? — acrescentou ela, meio encolerizada.

Míchkin a olhava de fato, naquele momento, com muita atenção, tendo notado que ela ficava toda vermelha. Em semelhante caso, quanto mais ela corava, mais parecia zangar-se consigo mesma, o que se lia nas cintilações de seus olhos. Em geral, ao fim de um minuto, passava sua cólera contra seu interlocutor, tivesse ele culpa ou não, pondo-se a provocar questões. Tendo consciência de seu caráter intratável e de seu pudor, intervinha habitualmente pouco na conversa; mais taciturna que suas irmãs, pecava mesmo por excesso de mutismo. Em circunstâncias particularmente delicadas, como aquela, em que não podia dispensar-se de falar, travava a conversação com uma altivez afetada e certo ar de desafio. Pressentia sempre o momento em que ia corar ou começar a corar.

— Talvez não queira aceitar minha proposta? — perguntou ao príncipe, olhando-o com arrogância.

— Oh! Pelo contrário, quero muito. Somente, não era isto absolutamente necessário... isto é, que estivesse eu longe de imaginar que fosse necessário formular semelhante proposta — disse o príncipe, confuso.

— Em que pensava então? Por que o teria feito vir aqui? Que tem na cabeça? Talvez, afinal, encare-me como uma tolinha, como fazem todos lá de casa.

— Não sabia que a encaravam como a uma tolinha; eu... eu não a considero assim.

— Não me considera assim? Isto denota muita inteligência de sua parte. E é sobretudo dito com muito espírito

— Para mim — prosseguiu o príncipe, — a senhora é mesmo talvez por vezes cheia de espírito. De modo que, proferiu ainda há pouco uma frase muito sensata. Era a propósito de minha opinião a respeito de Ipolit: "vê apenas a verdade; portanto, é injusto." Vou me recordar desta reflexão e vou meditar sobre ela.

Aglaia corou subitamente de prazer. Todas estas reviravoltas operavam-se nela com uma rapidez extraordinária e perfeita espontaneidade. Míchkin ficou encantado também e pôs-se a rir de alegria, fitando-a.

— Escute-me — continuou ela. — Esperei muito tempo pelo senhor para contar-lhe tudo isto. Esperei-o desde o momento em que o senhor me escreveu aquela carta lá, e até mesmo antes... Já ouviu ontem à noite a metade do que tinha eu a dizer-lhe: tenho-o na conta do homem mais honesto e mais direito; se dizem do senhor que tem o espírito... enfim, que o senhor é por vezes um doente mental, é uma injustiça. Convenci-me disto e tenho defendido minha convicção. Porque, se efetivamente é o senhor um doente mental (não me queira mal por dizer isto; entendo-o de um ponto de vista superior), a inteligência principal é, em compensação, mais desenvolvida no senhor que entre qualquer deles, num grau mesmo de que não têm eles ideia alguma. Porque há duas inteligências: uma fundamental e a outra secundária. Não é? Não é bem isto?

— Talvez seja assim — articulou Míchkin, com voz apenas perceptível; seu coração batia e palpitava violentamente.

— Estava certa de que o senhor me compreenderia — continuou ela, num tom solene. — O Príncipe Tsch*** e Ievguéni Pávlovitch nada compreendem desta distinção entre as duas inteligências. Alieksandra tampouco. Mas imagine só: mamãe a percebeu!

— A senhora se assemelha muito a Lisavieta Prokófievna.

— Como? Deveras? — disse Aglaia, com surpresa.

— Asseguro-lhe.

— Obrigada — disse ela, depois de um instante de reflexão. — Estou encantada porque pareço com mamãe. Então, o senhor a estima muito? — acrescentou, sem se dar conta da ingenuidade de sua pergunta.

— Muito, com efeito, e sinto-me feliz por ver que a senhora também o haja compreendido imediatamente.

— Sinto-me igualmente feliz com isso, porque tenho notado que, por vezes... zombam dela. Mas escute-me: o essencial é que tive tempo de refletir antes de fazer recair afinal minha escolha no senhor. Não quero que zombem de mim em casa, nem que me tratem ali como uma pequena desmiolada; não quero que me importunem... Compreendi tudo isto de repente e recusei categoricamente Ievguéni Pávlovitch, porque não quero que se esteja todo o tempo a querer casar-me! Quero... quero... bem! quero fugir de casa! E foi o senhor a quem escolhi para me ajudar a fazer isso.

— Fugir de casa?! — exclamou Míchkin.

— Sim, sim e sim: fugir de casa! — exclamou ela, bruscamente, num violento movimento de cólera. — Não quero mais, não quero mais que me obriguem ali a ficar corando continuamente. Não quero corar nem diante deles, nem diante do Príncipe Tsch***... nem diante de Ievguéni Pávlovitch, nem diante de quem quer que seja, e foi por isto que o escolhi. Com o senhor, quero poder falar de tudo; de tudo, mesmo das coisas mais importantes, quando me aprouver; de seu lado, não deverá jamais esconder-me nada. Quero que haja pelo menos um homem com o qual eu possa falar de tudo como comigo mesma. Puseram-se de repente a dizer que eu o esperava e o amava. Foi mesmo antes de sua chegada e eu não lhes havia mostrado sua carta. Agora, repetem todos a mesma coisa. Quero ser ousada e não ter nenhum temor. Não quero ir aos bailes a que me levam; quero tornar-me útil. Há já muito tempo que queria partir. Há vinte anos que me conservam enclausurada e só pensam em casar-me. Não tinha senão catorze anos quando, tão tola como era, sonhava já em fugir. Agora, tudo combinei e esperava-o para pedir-lhe toda espécie de informações sobre a vida no estrangeiro. Não vi uma única catedral gótica; quero ir a Roma, visitar laboratórios científicos; quero estudar em Paris; preparei-me e trabalhei todo o ano passado; li uma quantidade enorme de livros, entre outros todos os que são proibidos. Alieksandra e Adelaida podem ler tudo, é-lhes permitido; mas a mim proíbem e vigiam. Não quero discutir com minhas irmãs, mas já declarei desde muito tempo à minha mãe e a meu pai que tencionava mudar radicalmente de existência. Decidi ocupar-me com educação de meninos e confiei no senhor, porque o senhor me disse que gostava de crianças. Crê que possamos ocupar-nos juntos de educação, senão agora, pelo menos mais tarde? Faremos os dois obra útil; não quero ser uma filha de general... Diga-me: o senhor é um homem muito instruído?

— Oh! absolutamente!

— É pena; e eu que acreditava... como pude imaginar isso? Não importa, assim mesmo o senhor me guiará, pois que foi o senhor a quem escolhi.

— É absurdo, Aglaia Ivânovna.

— Quero, quero fugir de casa! — exclamou ela, enquanto que, de novo, seus olhos faiscavam. — Se o senhor não consentir, casarei com Gavrila Ardaliónovitch. Não quero que, na minha família, me olhem com uma mulher vil que me acusem Deus sabe de quê!

— Mas está em seu bom senso ou não? — exclamou Míchkin, que estivera a ponto de saltar de seu lugar. — De que a acusam e quem a acusa?

— Todo o mundo lá de casa: minha mãe, minhas irmãs, meu pai, o Príncipe Tsch***... até mesmo o seu desprezível Kólia! Se nada me dizem em rosto, nem por isso deixam de pensar. Já lhes declarei abertamente a todos, à minha mãe e a meu pai. Mamãe esteve doente o dia inteiro e, no dia seguinte, Alieksandra e papai disseram-me que eu não me dava mesmo conta de minhas divagações, nem das palavras que empregava. Então repliquei-lhes redondamente que, agora, compreendia tudo, que apanhava o sentido de todas as palavras, que não era mais uma menininha e que já lera, dois anos antes, dois romances de Paul de Kock, expressamente para pôr-me ao corrente de tudo, ao ouvir isto, mamãe quase se sentiu mal.

Uma ideia estranha atravessou a mente do príncipe. Olhou fixamente para Aglaia e sorriu. Tinha dificuldade em crer diante de si aquela mesma moça altiva que lhe lera outrora, com tão provocante altivez, a carta de Gavrila Ardaliónovitch. Não chegava a compreender como, numa bela moça de gênio tão arrogante e tão intratável, podia revelar-se semelhante criança que, com efeito, não dominava talvez todas as palavras que empregava.

— Sempre viveu em casa, Aglaia Ivânovna? — perguntou ele. — Quero dizer: jamais foi à escola, não estudou num pensionato?

— Jamais fui a parte alguma; sempre me mantiveram fechada em casa como numa garrafa e, dessa garrafa, só sairei para casar. Por que ainda esse sorriso irônico? Noto que, o senhor também tem o ar de zombar de mim e de tomar o partido deles — acrescentou ela, franzindo o cenho, num ar ameaçador. — Não me irrite; não sei eu mesma o que se passa em mim... Estou certa de que o senhor veio aqui todo convencido de que eu estava apaixonada pelo senhor e que lhe marcava uma entrevista! — acrescentou ela, num tom de cólera.

— De fato, tive medo disto ontem — confessou candidamente o príncipe (estava bastante comovido), — mas hoje, estou persuadido de que a senhora...

— Como! — exclamou Aglaia, cujo lábio inferior se pôs subitamente a tremer, — teve medo de que eu... ousou pensar que eu... Meu Deus! O senhor supunha talvez que o chamava aqui para que nos surpreendessem e o obrigassem a casar-se comigo...

— Aglaia Ivânovna! Como a senhora não tem vergonha? Como um pensamento tão baixo pôde nascer no seu coração puro e inocente? Aposto que a senhora mesma não acredita uma só palavra do que acaba de dizer e até mesmo... não sabe o sentido de suas palavras!

Aglaia ficou de cabeça baixa, inerte, como apavorada com o que tinha dito.

— Não tenho vergonha nenhuma — balbuciou ela. — Aliás, donde sabe o senhor que tenho um coração inocente? Como ousou, neste caso, dirigir-me uma carta de amor?

— Uma carta de amor? Minha carta, uma carta de amor? Aquela carta era a expressão do mais profundo respeito; emanava do fundo de meu coração, num dos momentos mais penosos de minha existência. Pensei então na senhora como numa luz... eu...

— Vamos, está bem, está bem! — interrompeu ela, bruscamente, mas num tom totalmente diverso que denotava profundo arrependimento e quase terror.

Inclinou-se mesmo para ele e, sempre a se esforçar para não fitar-lhe o rosto, fez o gesto de tocar-lhe o ombro para convidá-lo de uma maneira mais persuasiva a não se aborrecer. — Está bem — repetiu ela, com extrema confusão, — sinto que me servi duma expressão estúpida. Era simplesmente... para experimentá-lo. Faça de conta que eu não disse nada Se lhe ofendi, perdoe-me. Rogo-lhe: não me olhe nos olhos; desvie o rosto. O senhor acaba de declarar que era uma ideia muito baixa; exprimi-a de propósito para excitá-lo. Acontece-me por vezes ter medo do que tenho vontade de dizer e de repente aquilo me escapa. E o senhor disse que tinha escrito aquela carta num dos momentos mais penosos de sua existência. Sei de que momento o senhor quer falar — proferiu ela baixando a voz e baixando novamente a vista para o chão.

— Oh! se pudesse a senhora tudo saber!

— Sei de tudo! — exclamou ela, num novo acesso de emoção. — O senhor partilhou naquela ocasião seu apartamento com aquela mulher vil, em companhia da qual o senhor fugiu...

Não estava mais vermelha, porém lívida, ao pronunciar estas palavras. Súbito levantou, como movida por uma mola inconsciente, mas se dominou logo e tornou a sentar. Muito tempo ainda seu lábio continuou a tremer. Houve um minuto de silêncio. Míchkin estava estupefato com aquela saída inesperada e não sabia a que atribuí-la.

— Eu não o amo absolutamente! — disse, de súbito, num tom cortante.

O príncipe não respondeu. O silêncio reinou de novo durante um minuto.

— Amo Gavrila Ardaliónovitch... — confessou ela, com uma voz precipitada e apenas inteligível, baixando ainda mais a cabeça.

— Não é verdade! — replicou Míchkin, quase num murmúrio.

— Então estou mentindo? No entanto, é verdade; dei-lhe minha palavra anteontem, neste mesmo banco.

O príncipe fez um gesto de espanto e ficou um instante a sonhar.

— Isto não é verdade — repetiu ele, num tom decidido. — A senhora inventou tudo isto...

— O senhor é duma cortesia que causa espanto. Saiba que ele se emendou; ama-me mais do que à própria vida. Queimou a mão diante de mim, unicamente para provar isso.

— Queimou a mão?

— Sim, a mão. Acredite-o ou não, pouco me importa.

De repente o príncipe calou-se. Aglaia não brincava; estava zangada.

— Vejamos. Será que ele trouxe para cá uma vela para queimar a mão? Não vejo como de outra maneira teria podido...

— Sim... uma vela. Que há de inverossímil nisto?

— Uma vela inteira ou um toco de vela num candelabro?

— Pois bem! sim... não... uma meia-vela... um toco de vela... uma vela inteira. Isto dá na mesma, não insista! Trouxe até fósforos, se faz questão de saber. Acendeu a vela e conservou durante uma meia-hora seu dedo sobre a chama. Parece-lhe isso impossível?

— Vi-o ontem de noite; seus dedos não traziam sinal nenhum de queimadura.

Aglaia soltou uma gargalhada infantil. Depois voltou-se rapidamente para o príncipe, com um ar de confiança pueril, enquanto que um sorriso vagava-lhe ainda nos lábios.

— Sabe por que acabo de contar-lhe esta mentira? Porque notei que, quando a gente resolve mentir, o melhor meio de tornar sua invenção verossímil é o de nela introduzir habilmente um detalhe que saia da banalidade, um detalhe excêntrico, excepcional ou mesmo totalmente inaudito. Tenho observado isto. Somente, este expediente não me deu bom resultado, porque não soube...

Ela voltou a ensombrecer-se de repente, como à evocação duma lembrança. Continuou, pousando sobre ele um olhar grave e até mesmo entristecido:

— Se um dia recitei-lhe a poesia do "Cavalheiro pobre", era na intenção de... fazer-lhe o elogio, mas ao mesmo tempo de confundi-lo pela sua conduta e mostrar-lhe que sabia de tudo...

— É bem injusta para comigo... para com a infeliz que tratou ainda há pouco em termos tão cruéis, Aglaia.

— É porque sei tudo, tudo, que me exprimi nestes termos! Sei que o senhor lhe ofereceu sua mão diante de toda a gente, há seis meses. Não me interrompa: bem vê que comprovo, mas não comento. Foi depois disso que ela fugiu com Rogójin; em seguida, viveu o senhor com ela em não sei qual aldeia ou vila; depois deixou-o para juntar-se a outro. (Aglaia ficou terrivelmente vermelha.) Posteriormente, voltou para Rogójin que a ama como... como um louco. Enfim o senhor, como homem do mesmo modo bastante inteligente, veio correndo para cá, atrás dela, assim que soube que ela voltara a Petersburgo. Ontem de noite, precipitou-se para defendê-la e, há um instante, sonhava com ela... Bem vê que sei de tudo. Foi por ela, não é, por ela que o senhor voltou aqui?

Míchkin curvou triste, pensativo, a cabeça, sem suspeitar do olhar fulgurante que Aglaia dardejava sobre ele.

— Foi por ela — respondeu em voz baixa, — foi por ela, mas somente a fim de saber... Não creio que ela possa ser feliz com Rogójin, se bem que... em resumo, não veja o que poderia eu fazer por ela, mas vim.

Estremeceu e olhou Aglaia. Esta havia-o escutado com ar hostil.

— Se veio sem saber por que, é que de verdade a ama muito — articulou ela, por fim.

— Não! — replicou Míchkin. — Não; eu não a amo. Oh! se soubesse com que terror evoco o tempo que passei com ela!

Bastaram estas palavras apenas para fazer um arrepio correr-lhe pelo corpo.

— Diga-me tudo — ordenou Aglaia.

— Não há nisto nada que a senhora não possa saber. Não sei por que, era justamente à senhora, e à senhora somente, que eu queria contar tudo isto; talvez porque, com efeito, tenha pela senhora muita afeição. Aquela infeliz mulher está profundamente convencida de que é a criatura mais decaída e mais perversa que exista no mundo. Oh! não lhe cause vergonha, não lhe lance a pedra! Ela própria se tem por demais torturado com o sentimento de sua infância imerecida! E de que é ela culpada, Deus meu? Nos seus acessos de exaltação, grita sem cessar que não reconhece em si nenhuma falta, que é a vítima dos homens, a vítima de um devasso e de um celerado. Mas, declare-lhe ela o que declarar, saiba que é ela a primeira a não acreditar no que diz; pelo contrário, conscientemente, é... a si mesma que ela acusa. Quando me esforçava por dissipar essas trevas, ela experimentava tais sofrimentos que jamais meu coração se curará enquanto guardar a recordação daqueles atrozes momentos. Tenho a impressão de que me atravessaram o coração uma vez para sempre. Abandonou-me, sabe por que? Unicamente, para provar-me sua ignomínia. Mas o mais terrível de tudo é que ela própria ignorava talvez que seu objetivo era fornecer-me essa prova somente a mim; acreditava fugir para obedecer à irresistível vontade de cometer uma ação vergonhosa que lhe permitisse dizer em seguida: "Mais uma ignomínia praticaste! Não passas mesmo de uma infame criatura!". Oh! talvez não compreenda isto, Aglaia! Sabe que, nessa perpétua consciência de sua ignomínia, se dissimula talvez uma volúpia atroz e contra a natureza, a satisfação duma espécie de vingança contra alguém? Por vezes consegui restituir-lhe de certa forma a visão da luz ambiente. Mas em breve se revoltava e chegava a acusar-me de querer elevar-me acima dela (o que estava muito longe de meu pensamento); finalmente, declarava-me sem rebuços, quando lhe propunha casamento, que não pedia a ninguém nem piedade condescendente, nem assistência, e recusava-se a que alguém "a elevasse até ele". A senhora viu-a ontem; acredita, pois, que seja ela feliz em semelhante companhia e que seja aquele o ambiente que lhe convém? Não sabe quanto ela é culta e quanto sua inteligência é aberta! Tem-me por vezes mesmo assombrado!

— Será que o senhor lhe fazia lá... sermões como este que acaba de fazer?

— Oh! não! — prosseguiu Míchkin, com ar sonhador, sem notar o tom da pergunta. — Ficava calado quase todo o tempo. Queria muitas vezes falar, mas, na verdade, não achava, muitas vezes, o que dizer. A senhora sabe que há circunstâncias em que o melhor é calar-se. Oh! eu a amava; sim, amava-a muito; mas depois... depois... ela adivinhou tudo.

— Adivinhou o quê?

— Que eu não tinha por ela senão compaixão, que... eu não a amava mais.

— Que sabe o senhor? Talvez ela amasse realmente aquele... proprietário com o qual partiu.

— Não: sei de tudo. Ela não fez senão zombar dele.

— E do senhor, jamais zombou?

— Meu Deus, não! Isto é, por vezes, zombou por maldade; nesses momentos, acabrunhava-me com censuras furiosas e ela mesma sofria! Mas... em seguida:.. Oh! não evoque essas lembranças, não me faça recordar mais!

Ocultou o rosto entre as mãos.

— E sabe que ela me escreve quase todos os dias? — perguntou Aglaia.

— Então, é verdade? — exclamou o príncipe, transtornado. — Disseram-me, mas recusava-me a crer.

— Quem lhe disse isso? — perguntou Aglaia, com ar apavorado.

— Foi Rogójin quem me contou ontem, mas em termos vagos.

— Ontem? Ontem de manhã? Em que momento do dia? Antes ou depois da orquestra?

— *Depois; foi de noite*, entre onze horas e meia-noite.

— Ah! bem! se foi Rogójin... Mas sabe de que fala ela nessas cartas?

— Nada me causa espanto. Ela é uma louca!

— Aqui estão essas cartas — Aglaia tirou de seu bolso três cartas em envelopes que atirou à frente do príncipe. — Há uma semana inteira, roga-me, implora-me, suplica-me que me case com o senhor. Ela é... seja, ela é inteligente, embora demente, e o senhor tem razão quando diz que ela tem muito mais espírito do que eu... Escreve-me que está encantada comigo, que procura todos os dias ocasião de ver-me, nem que seja de longe. Assegura-me que o senhor me ama, que ela o sabe, que o notou desde muito tempo e que o senhor lhe falou a meu respeito, quando morava com ela. Quer vê-lo feliz; diz-se certa de que somente eu posso dar-lhe felicidade... Escreve de uma maneira tão esquisita... tão estranha... Não mostrei suas cartas a ninguém, esperava-o. Sabe o que isto significa? Não adivinha?

— Loucura. Isto prova que ela perdeu o juízo — declarou Míchkin, cujos lábios puseram-se a tremer.

— O senhor não chora?

— Não, Aglaia, não, não choro — disse Míchkin, olhando-a.

— Que devo fazer? Que me aconselha? Não posso continuar recebendo essas cartas.

— Oh! Deixe-a, rogo-lhe! — exclamou o príncipe. — Que pode fazer nessas trevas? Vou me esforçar por conseguir que ela não lhe escreva mais.

— Se o senhor fala assim, é porque é um homem sem coração! — exclamou Aglaia. — Não vê pois o senhor que não é a mim que tem ela tanto afeto, mas ao senhor? É só ao senhor que ela ama! Será possível que tenha chegado a tudo notar nela, menos isto? O senhor sabe o que há embaixo disto tudo, o que revelam essas cartas? Ciúme, e mesmo pior do que ciúme! Ela... Acredita que ela casará realmente com Rogójin, como diz em suas cartas? Matava-se no dia seguinte ao do nosso casamento!

Míchkin estremeceu e seu coração desfaleceu. Olhou Aglaia com surpresa: sentia uma impressão singular ao verificar que aquela criança já se havia tornado desde muito uma mulher.

— Deus é testemunha, Aglaia, de que sacrificaria minha vida para restituir-lhe a paz da alma e a felicidade! Mas... não posso mais amá-la, e ela o sabe!

— Pois bem! Sacrifique-se, pois que isso lhe assenta tão bem! É um filantropo tão notável. E não me chame "Aglaia"... Ainda há pouco, o senhor disse "Aglaia" e nada mais... Deve trabalhar pela ressurreição dela; está obrigado a isto; seu dever é tornar a partir com ela, para abrandar e acalmar seu coração. É, aliás, mesmo a ela que o senhor ama!

— Não posso sacrificar-me, se bem que tivesse tido uma vez a intenção... e talvez ainda a tenha agora. Mas sei, sem dúvida alguma, que comigo ela estaria perdida; por isso afasto-me dela. Devia vê-la hoje às sete horas; talvez não vá. Seu orgulho não me perdoará jamais meu amor e nós sucumbiremos os dois! Isto não é natural, mas aqui tudo é contra a natureza. A senhora diz que ela me ama; mas é isto amor? Semelhante sentimento pode existir depois do que eu suportei? Não, não é amor; é outra coisa!

— Como ficou pálido o senhor! — disse Aglaia, com súbito medo.

— Não é nada; não dormi; sinto-me fraco... É a verdade; falamos então a seu respeito, Aglaia...

— Então, é verdade? O senhor realmente pôde falar de mim com ela? E... e como pôde amar-me, não me tendo visto senão uma vez ao todo?

— Não sei. Nas minhas trevas de então, tive como que um sonho... talvez uma aurora nova luziu a meus olhos. Não sei por que foi a princípio para a senhora que meu pensamento partiu. Não lhe menti, quando lhe escrevi que ignorava como isto se dera. Não era senão um sonho por meio do qual eu escapava aos meus terrores de então... Em seguida, pus-me de novo a trabalhar; minha intenção era não voltar antes de três anos...

— Portanto o senhor voltou por causa dela?

Havia um tremor na voz de Aglaia.

— Sim, por causa dela.

Dois minutos de profundo silêncio decorreram. Aglaia levantou.

— Se o senhor diz — retomou ela, com voz hesitante, — se o senhor mesmo acredita que essa... que a sua infeliz é uma louca, suas extravagâncias não me dizem respeito... Rogo-lhe, Liev Nikoláievitch, que pegue essas três cartas e as devolva de minha parte! E... — exclamou ela, brutalmente, — se ela permitir-se escrever-me ainda uma linha sequer, diga-lhe que me queixarei a meu pai, que a mandará meter numa casa de correção...

Míchkin teve um sobressalto e observou com terror o furor inesperado de Aglaia; depois uma espécie de nevoeiro caiu bruscamente diante dele...

— A senhora não pode ter semelhantes sentimentos... Não é verdade! — balbuciou ele.

— É verdade! É a verdade! — exclamou Aglaia, quase fora de si.

— Que é que é verdade? Que verdade? — perguntou bem perto dali uma voz espantada.

Lisavieta Prokófievna estava diante deles.

— A verdade é que estou decidida a casar-me com Gavrila Ardaliónovitch, que o amo e que amanhã fugirei de casa com ele! — gritou Aglaia para sua mãe. — Ouviu? Sua curiosidade está satisfeita? Isto lhe basta?

E partiu correndo para casa.

— Ah! não, meu bom amigo, o senhor não irá escapulir-se agora — disse Lisavieta Prokófievna, retendo o príncipe. — Faça-me o prazer de vir explicar-se em minha casa... Ah! quanta complicação! E isto após uma noite em claro!...

Míchkin seguiu-a.

Capítulo IX

Chegada em casa, Lisavieta Prokófievna parou na primeira peça; não tendo condições para ir mais longe, deixou-se cair, completamente sem forças, em um sofá e esqueceu-se até de mandar o príncipe sentar. Era uma sala bastante grande, com uma mesa redonda no meio e uma lareira; flores amontoavam-se sobre prateleiras em baixo da janela; no fundo, uma porta envidraçada dava para o jardim. Logo chegaram Adelaida e Alieksandra, cujos olhares espantados pareceram interrogar o príncipe e sua mãe.

No campo, tinham as moças o hábito de levantar-se cerca das nove horas; somente Aglaia se levantava, havia dois ou três dias um pouco mais cedo e ia passear no jardim, não às sete horas, mas às oito ou mesmo mais tarde. Lisavieta Prokófievna, presa de suas diversas preocupações, não havia, com efeito, pregado olho durante toda a noite; estava de pé desde as oito horas com o objetivo de ir ao jardim encontrar Aglaia, que acreditava já de pé; mas não a encontrou nem no jardim, nem no seu quarto de dormir. Vivamente alarmada, despertou suas outras duas filhas. A criada informou que Aglaia Ivânovna saíra para o parque antes das sete horas. Suas irmãs riram maliciosamente ao saber dessa nova fantasia de sua extravagante caçula e observaram à sua mãe que Aglaia seria ainda bem capaz de zangar-se, caso fossem à sua procura no parque; na opinião delas, estaria sentada, com um livro na mão, sobre o banco verde de que falara três dias antes e a respeito do qual quase brigara com o Príncipe Tsch***; este havia mesmo declarado nada achar de notável no lugar diante do qual estava aquele banco colocado. Chegando em plena entrevista e surpreendendo as estranhas palavras de sua filha, Lisavieta Prokófievna experimentara um terror intenso que se justificava por bastantes razões. Mas, depois de haver levado o príncipe consigo, teve medo das consequência de sua iniciativa, "porque Aglaia não podia ter encontrado o príncipe no parque e travado a conversa com ele, sem falar da possibilidade de terem marcado a entrevista de antemão"?

— Não vás crer, meu caro príncipe — disse ela, num esforço para dominar-se — que te trouxe aqui para te submeter a um interrogatório... Meu bom amigo, após o que se passou ontem de noite, teria talvez preferido não te tornar a encontrar por muito tempo...

Ia deter-se de repente.

— Mas presumo que a senhora bem gostaria de saber como Aglaia Ivânovna e eu nos encontramos hoje? — terminou o príncipe.

— Bem, é certo que desejaria saber! — replicou Lisavieta Prokófievna, com arrebatamento. — Não tenho medo de que me falem cara a cara; não ofendo ninguém, não quis ofender ninguém...

— Mas naturalmente: não há nada de ofensivo em querer saber isto; a senhora é mãe. Encontramo-nos hoje, Aglaia Ivânovna e eu, junto ao banco verde, justamente às sete horas da manhã, em virtude de um aviso que ela me deu ontem. Entregou-me ontem à noite uma carta em que me dizia que era preciso que ela me encontrasse para conversar comigo a respeito dum assunto importante. Tivemos, pois, uma entrevista e falamos durante uma hora de assuntos que lhe diziam exclusivamente respeito. Eis tudo.

— É evidentemente tudo, meu amigo; nenhuma dúvida de que não seja tudo! — declarou num tom digno Lisavieta Prokófievna.

— Muito bem, príncipe — disse Aglaia, entrando bruscamente na sala. — Agradeço-lhe de todo o coração ter-me julgado incapaz de rebaixar-me aqui a uma mentira. Está satisfeita, mamãe, ou tem a intenção de levar mais adiante o interrogatório?

— Sabes bem que jamais me aconteceu até aqui ter de corar diante de ti... se bem que, talvez, tivesses achado prazer nisso — replicou Lisavieta Prokófievna, no tom de alguém que dá uma lição. — Adeus, príncipe! Desculpe-me tê-lo incomodado. Espero que fique convencido de minha invariável estima pelo senhor.

Míchkin fez logo uma saudação à mãe e à filha, depois retirou-se sem dizer uma palavra. Alieksandra e Adelaida esboçaram um sorriso e puseram-se a cochichar entre si. Lisavieta Prokófievna lançou-lhes um olhar severo.

— O que nos causa alegria — disse, rindo, Adelaida, — é ver o príncipe cumprimentar com ar tão majestoso; tem ele em geral o ar de um saco e de repente ei-lo que assume maneiras... maneiras à Ievguéni Pávlovitch.

— A delicadeza e a dignidade são qualidades que emanam do coração e que os mestres de dança não ensinam — concluiu sentenciosamente Lisavieta Prokófievna.

E subiu para seu quarto, sem mesmo lançar um olhar a Aglaia. Quando o príncipe regressou à casa, cerca das nove horas, encontrou no terraço Viera Lukiánovna e uma criada. Acabavam de arrumar e de varrer, depois da noite tumultuosa da véspera.

— Graças a Deus, pudemos terminar a limpeza antes de sua chegada! — disse alegremente Viera.

— Bom dia. Estou com um pouco de dor de cabeça; dormi mal; gostaria bem de dormir um pouco.

— Quer repousar aqui, no terraço, como ontem? Está bem. Direi a todos que não venham acordá-lo. Papai saiu.

A criada retirou-se; Viera fez menção de segui-la, mas mudou de ideia e aproximou-se do príncipe com um ar preocupado.

— Príncipe, tenha piedade daquele... infeliz. Não o mande embora hoje.

— Não o mandarei embora de modo algum. Fará o que lhe aprouver.

— Não fará nada no momento... Não seja severo com ele.

— Decerto que não; por que haveria de ser?

— E depois... não ria dele; é o essencial.

— Certamente que não.

— Sou ridícula dizendo isto a um homem como o senhor — disse Viera, corando. — Embora o senhor esteja fatigado — acrescentou ela, rindo e já meio voltada para a porta, — tem neste momento os olhos tão bondosos... tão felizes.

— Estão verdadeiramente felizes? — perguntou Míchkin, com vivacidade.

E pôs-se a rir francamente.

Mas Viera, que tinha a simplicidade e a sem-cerimônia dum rapaz, ficou de súbito toda confusa e ainda mais vermelha; sem cessar de rir, saiu bruscamente.

"Que... mocinha encantadora...", pensou Míchkin e esqueceu-a imediatamente. Retirou-se para o canto do terraço onde estava o divã, diante de uma mesinha, sentou-se, cobriu o rosto com as mãos e ficou nesta posição uma dezena de minutos. Bruscamente, mergulhou com inquietude a mão em seu bolso de lado e dele retirou três cartas.

Mas de novo a porta se abriu e Kólia apareceu. Míchkin sentiu-se quase alegre por causa daquela ocasião de tornar a guardar as cartas e de adiar a leitura.

Kólia sentou-se no divã.

— Eis um verdadeiro acontecimento! — disse ele, entrando logo no seu assunto, com aquela franqueza própria de sua idade. — Qual sua opinião agora a respeito de Ipolit? Perdeu sua estima?

— Por que, afinal?... Mas, Kólia, estou fatigado... Além disso, seria penoso para mim voltar ao assunto... Como vai ele, entretanto?

— Dorme e não acordará sem dúvida antes de duas horas. Compreendo; o senhor não se deitou em casa; foi ao parque... naturalmente, estava emocionado... Não era para menos!

— Como sabe que fui ao parque e não dormi em casa?

— Viera acaba de me dizer. Recomendou-me que não entrasse; mas não pude conter-me, queria vê-lo, nem que fosse um minuto. Passei estas duas horas na cabeceira do doente; agora, é a vez de Kóstia[49] Liébiediev. Burdóvski foi embora. Afinal, deite-se, príncipe, boa... não, bom dia! Mas o senhor sabe, estou estupefato!

— Evidentemente... tudo isso...

— Não, príncipe, não; o que me causa estupefação é a "confissão". E sobretudo a passagem em que ele fala da Providência e da vida futura. Há ali um pensamento gigantesco!

Míchkin olhou afetuosamente Kólia que viera, sem dúvida, para conversar com ele a respeito do pensamento gigantesco.

— Mas o essencial, o essencial, não é tanto esse pensamento quanto as circunstâncias em cujo meio ele germinou. Se tivesse sido formulado por Voltaire, Rousseau, Proudhon, eu a teria lido, marcado, todavia não me teria chamado a atenção no mesmo grau. Mas que um homem que está certo de não ter mais que dez minutos de vida para viver se exprima assim, é um rude exemplo de orgulho! É a mais alta manifestação de independência da dignidade humana; isto equivale a enfrentar abertamente... Não, isto denota uma força de alma gigantesca! E vir sustentar depois que ele esqueceu de propósito a cápsula, é baixeza, falta de senso! Mas o senhor sabe, ontem ele nos enganou; é um matreiro; eu não preparei absolutamente a mala com ele e jamais vi-lhe a pistola; foi ele mesmo quem arrumou tudo; tanto que me deixou interdito ao contar aquela história. Viera disse que o senhor o deixará aqui; juro-lhe que não haverá nenhum perigo, tanto mais quanto todos exercemos sobre ele uma vigilância de todos os instantes.

— E qual de vocês o velou esta noite?

— Kóstia Liébiediev, Brudóvski e eu. Keller esteve um instante, mas não tardou a ir dormir em casa de Liébiediev, porque não havia onde ele dormisse em nosso quarto. Foi lá também que Fierdíchtchenko passou a noite; saiu às sete horas. O general continua em casa de Liébiediev; agora, também ele saiu... Creio bem que Liébiediev tem a intenção de vir encontrá-lo dentro em pouco; procurou-o, não sei por que, e perguntou por duas vezes onde o senhor estava. Devo deixá-lo entrar ou fazê-lo esperar, se o senhor for repousar? Eu mesmo vou dormir. Ah! sim, não vá esquecer-me: fui testemunha há pouco de uma excentricidade do general. Burdóvski despertou-me um pouco depois das seis horas, ou antes, justamente às seis horas, para que eu procedesse ao meu turno à cabeceira do doente; saí por um minuto e tive a surpresa de encontrar o general tão bêbado que nem me reconheceu; ficou plantado diante de mim como um poste, depois recuperou-se e crivou-me de perguntas: "E então, como vai o doente? Vinha saber notícias...". Informei-o. "Tudo isto está muito bom e bonito — acrescentou ele, — mas me levantei e vim cá sobretudo para te prevenir; tenho razões de crer que não se pode dizer tudo em presença do Senhor Fierdíchtchenko e... que é preciso ter muito cuidado com ele." Compreende, príncipe?

49 Diminutivo de Konstantin, enquanto que Kólia o é de Nikolai.

— Será possível? Aliás... para nós é indiferente.

— Sim, sem dúvida, é indiferente; não somos franco-maçons. Fiquei mesmo surpreendido por ver que o general queria vir acordar-me naquela noite expressamente para isso.

— Fierdíchtchenko saiu, diz você?

— Às sete horas; foi ter comigo à cabeceira do doente e me disse que ia acabar a noite em casa de Vílkin — um famoso bêbado, esse tal Vílkin! — Bem, vou-me embora! Mas eis Lukian Timofiéievitch... O príncipe quer dormir, Lukian Timofiéievitch, volte para donde veio!

— Nada mais que um minuto, respeitadíssimo príncipe! Trata-se de um assunto importante para mim — declarou Liébiediev, com uma saudação cerimoniosa.

Exprimia-se à meia voz, num tom afetado, mas penetrado da gravidade do que tinha a dizer. Acabava de entrar da rua e, não tendo mesmo tido tempo de ir à sua casa, conservava ainda o chapéu na mão. Seu rosto mostrava-se preocupado, com uma expressão excepcional de gravidade. Míchkin convidou-o a sentar-se.

— Perguntou por mim duas vezes. Talvez continue inquieto a respeito dos incidentes da noite de ontem...

— Refere-se àquele rapaz da noite de ontem, príncipe? Oh! não: ontem minhas ideias achavam-se em desordem... mas hoje não tenciono *contrekarikovat* suas intenções no que quer que seja.

— Contra... como disse?

— Disse: contrariar. É uma palavra de origem francesa como tantas outras que passaram para a língua russa; mas não faço questão dela particularmente.

— Que tem o senhor hoje, Liébiediev, para estar tão grave e solene? Tem o ar de escandir as palavras — disse o príncipe, com um leve sorriso.

— Nikolai Ardaliónovitch! — disse Liébiediev, dirigindo-se a Kólia, num tom quase enternecido. — Devo comunicar ao príncipe um assunto que diz respeito mais especialmente...

— Bem, compreendo; não me diz respeito! Adeus, príncipe! — disse Kólia, retirando-se imediatamente.

— Gosto muito desse rapaz porque tem uma inteligência viva — disse Liébiediev, acompanhando-o com os olhos. — Embora um pouco maçante, é esperto. Uma grande desgraça me aconteceu, honradíssimo príncipe, ontem à noite ou esta manhã ao nascer do dia... não posso precisar ainda o momento exato.

— Que é que há?

— Desapareceram quatrocentos rublos do bolso interno de meu paletó. Honradíssimo príncipe, fui roubado! — acrescentou Liébiediev, com um sorriso amargo.

— Perdeu quatrocentos rublos? É pena.

— Sobretudo para um homem pobre que vive nobremente de seu trabalho.

— Sem dúvida, sem dúvida. Como aconteceu a coisa?

— A culpa é do vinho. Dirijo-me ao senhor como à Providência, estimadíssimo príncipe. Esta soma de quatrocentos rublos foi-me paga ontem à tardinha, às cinco horas, por um devedor. Voltei para cá de trem. Minha carteira estava no meu bolso. Ao tirar meu uniforme para vestir meu sobretudo, coloquei meu dinheiro nele, na intenção de tê-lo à mão. Contava entregá-lo à noite a alguém que o pedira... Esperava o homem de negócios.

— A propósito, Lukian Timofiéievitch, é exato que o senhor mandou anunciar nos jornais que emprestava dinheiro sob penhor de objetos de ouro e de prata?

— Esse anúncio foi publicado por intermédio de um homem de negócios; não traz nem meu nome nem meu endereço. Como só tenho um pequeno capital e minha família aumentou, há de convir o senhor que um juro honesto...

— Mas sim, mas sim! Não se trata senão de uma informação; desculpe-me tê-lo interrompido.

— O homem de negócios não veio. Nisto trouxeram para cá esse infeliz. Depois do jantar, eu já estava um tanto "alto". Depois vieram nossos visitantes; bebeu-se... chá e... para desgraça minha caí num excesso de alegria. Quando Keller chegou, tarde da noite, anunciou-nos que era o aniversário do senhor e que era preciso servir champanhe; então, meu caro e respeitadíssimo príncipe, eu que tenho um coração (o senhor deve já sem dúvida tê-lo notado, porque o mereço) não direi sentimental mas agradecido, do que me orgulho, acreditei de meu dever tirar a roupa velha e tornar a vestir meu uniforme para aguardar o momento de felicitá-lo em pessoa e festejá-lo duma maneira mais solene. Assim fiz, príncipe, e o senhor deve bem ter notado que fiquei de uniforme a noite inteira. Mas ao trocar de roupa, esqueci a carteira em meu sobretudo... Há razão em dizer-se que, quando Deus quer punir alguém, começa por lhe tirar a razão. Esta manhã, às sete horas e meia, ao despertar, saltei da cama como um louco para ir direto ao sobretudo. O bolso estava vazio. Nem sinal de carteira.

— Ah! é desagradável!

— Eis a palavra: é desagradável. Com o tato que o caracteriza, encontrou o senhor imediatamente a expressão apropriada — acrescentou Liébiediev, não sem malícia.

— Mas, no entanto, como... — disse, após um instante de reflexão, inquieto, Míchkin, — isto é sério?

— É a palavra: sério. Ainda uma expressão feliz, príncipe, para caracterizar...

— Vejamos, Lukian Timofiéievitch, que adianta catar palavras? Não são as palavras que importam... Admite que, estando embriagado, pôde ter deixado cair a carteira de seu bolso?

— É possível. Tudo é possível no estado de embriaguez, para empregar a expressão de que o senhor se serviu com tanta franqueza, honradíssimo príncipe. Mas julgue o senhor mesmo; se deixei cair minha carteira de meu bolso ao tirar meu sobretudo, o objeto deveria ter sido encontrado no parque. Onde está ele então?

— Não o teria o senhor guardado na gaveta de alguma mesa?

— Cascavilhei tudo, explorei tudo. Aliás, não pus a carteira em parte alguma e não abri nenhuma gaveta; lembro-me disso perfeitamente.

— Olhou em seu armarinho?

— Foi a primeira coisa que fizer dei-lhe várias olhadas esta manhã... E depois, por que teria eu ido metê-la no armarinho, sereníssimo príncipe?

— Confesso-lhe, Liébiediev, que isso me inquieta. Será que alguém a encontrou no chão?

— Ou então tirado do meu bolso! Não há outra explicação.

— Isto me inquieta vivamente, porque, quem poderia ter feito tal coisa?... Eis a questão!

— Não há dúvida alguma, é a questão essencial. O senhor acerta com espantosa justeza, ilustre príncipe, as palavras devidas, as ideias e as definições que pintam a situação...

— Ah! Lukian Timofiéievitch, chega de zombarias! Aqui...

— Zombarias? — exclama Liébiediev, erguendo os braços.

— Vamos, vamos! — está bem, não me zango. Minha preocupação é bem outra... Receio ver acusarem-se pessoas. De quem suspeita?

— A questão é muito delicada e bastante complicada! Não posso suspeitar da criada; ficou todo o tempo na cozinha. Meus filhos estão, também, fora de suspeita...

— Naturalmente.

— Por consequência, só pode ser um dos visitantes.

— Mas será possível?

— É da mais absoluta e da mais completa impossibilidade. Entretanto, a coisa não pôde passar-se de outro modo. Quero mesmo admitir, todavia, e estou mesmo convencido de que o roubo, se roubo houve, foi cometido, não de noite, quando todos estavam reunidos, mas antes, no decorrer da noite ou mesmo cerca do amanhecer, por uma das pessoas que passaram a noite aqui.

— Ah! meu Deus!

— Ponho naturalmente fora de causa Burdóvski e Nikolai Ardaliónovitch que, aliás, nem mesmo entraram em minha casa.

— Nem mesmo que tivessem entrado! Quem passou a noite em sua casa?

— Contando comigo, somos quatro os que passaram a noite em dois quartos contíguos: o general, Keller, o Senhor Fierdíchtchenko e eu. Foi, pois, um de nós quatro que deu o golpe.

— O senhor quer dizer um dos três; mas qual?

— Entrei na conta para ser justo e fazer as coisas regularmente; mas o senhor convirá, príncipe, que não pude roubar a mim mesmo, se bem que já se haja visto casos desse gênero no mundo...

— Ah! Liébiediev, como sua tagarelice é enfadonha! — exclamou o príncipe impaciente. — Vá logo ao fato. Por que tantos rodeios?

— Restam, pois, três pessoas. Comecemos pelo Senhor Keller, homem versátil, amante da bebida e em certos casos suspeito de liberal, pelo menos no que concerne ao bolso alheio; além do mais, com inclinação, por assim dizer, mais própria de uma cavalheiro antigo do que de um liberal. Passou a primeira parte da noite no quarto do doente e somente a uma hora bastante avançada é que apareceu no meu quarto sob pretexto de não poder dormir no soalho.

— O senhor suspeita dele?

— Suspeitei. Quando depois das sete horas da manhã, saltei da cama como um louco e bati na testa, fui imediatamente acordar o general que dormia o sono da inocência. Tomando em consideração a estranha desaparição de Fierdíchtchenko, circunstância que já era de natureza a despertar nossas suspeitas, decidimos os dois revistar Keller que estava estendido como... como... quase como um tronco. Exploramos cuidadosamente seus bolsos sem neles encontrar um cêntimo sequer; não havia *mesmo um bolso que* não estivesse furado. Um lenço de algodão azul de quadrados, que só se poderá pegar com pinças; um bilhetinho amoroso escrito por alguma qualquer criada de quarto, reclamando dinheiro e fazendo ameaças; enfim páginas soltas do folhetim que o senhor sabe; eis tudo quanto encontramos. O general decidiu que Keller estava inocente. Para tirar a coisa melhor a limpo, acordamo-lo, não sem dificuldade; mal pôde compreender de que se tratava; estava ali, de boca escancarada, com sua cara de bêbado, seu ar estúpido e inocente, até mesmo imbecil. Não tinha sido ele.

— Ah! quanto me alegro! — exclamou Míchkin, com um satisfeito suspiro de alívio. — Receava por ele!

— Receava por ele? Tinha, pois, razões para isso? — insinuou Liébiediev, piscando os olhos.

— Oh! não, disse isto sem refletir — replicou o príncipe. — Exprimi-me muito tolamente ao dizer que receava. Peço-lhe, Liébiediev, que não repita isso a ninguém...

— Príncipe, príncipe! Suas palavras ficarão no meu coração... no fundo de meu coração. Estão ali como num túmulo! — declarou Liébiediev, com solenidade, apertando seu chapéu contra o peito.

— Está bem, está bem... Foi então Fierdíchtchenko? Quero dizer que o senhor suspeita de Fierdíchtchenko.

— De quem poderia suspeitar senão dele? — disse Liébiediev, baixando a voz e olhando fixamente para o príncipe.

— Sim, naturalmente... de qual outro suspeitar? Não obstante, onde estão as provas?

— As provas existem. Em primeiro lugar, sua desaparição às sete horas ou mesmo antes das sete horas da manhã.

— Sei: Kólia contou-me que Fierdíchtchenko entrou no seu quarto para lhe anunciar que iria acabar a noite em casa de... esqueci o nome, um de seus amigos, afinal.

— Vílkin. De modo que Nikolai Ardaliónovitch já lhe havia falado disso?

— Nada me disse a respeito do roubo.

— Não o sabe porque, no momento, conservo o caso secreto. Portanto, Fierdíchtchenko vai para a casa de Vílkin. Não há nada de surpreendente, ao que parece, em que um bêbado vá à casa de outro bêbado, mesmo ao nascer do dia e sem motivo plausível, não é? Mas aqui se desenha uma pista; ao partir, indica aonde vai... Agora, príncipe, acompanhe-me com atenção. Por que fez ele isso? Por que entra de propósito no quarto de Nikolai Ardaliónovitch, dando uma volta, para comunicar-lhe que "vai acabar a noite em casa de Vílkin"? Quem pode ter interesse em saber que ele sai e, mais precisamente, que ele vai à casa de Vílkin? Por que dar parte disso? Não, é uma treta, uma treta de ladrão! Isto quer dizer: "Vejam, faço questão de não dissimular meus passos; como poderia eu depois disto ser suspeito de roubo? Um ladrão indica o lugar para onde vai?". É um excesso de precaução para desviar as suspeitas e apagar, por assim dizer, seus passos na areia... Compreendeu-me, honradíssimo príncipe?

— Compreendi muito bem. Mas é uma prova bem fraca.

— Eis uma segunda: a pista revela-se falsa e o endereço dado inexato. Uma hora após, isto é, às oito horas, fui bater à porta de Vílkin; mora aqui perto, na Piátaia Úlitsa; aliás, é meu conhecido. Nada de Fierdíchtchenko. Consegui, é verdade, saber de uma criada surda como um pote, que uma hora antes havia alguém deveras feito violentos esforços para entrar e arrancara mesmo a campainha. Mas a criada não abrira, ou porque não quis acordar o Senhor Vílkin; mora aqui perto, na Piátaia Úlitsa;[50] aliás, é meu conhecido.

— E são estas todas as suas provas? É pouco.

— Príncipe, sobre quem dirigir minhas suspeitas? Reflita — concluiu Liébiediev, num tom de lacrimosa obsequiosidade, mas com um sorriso levemente insidioso.

— O senhor deverá efetuar nova busca nos quartos e nas gavetas — disse Míchkin, com um ar preocupado, após um instante de reflexão.

— Já foi feito! — suspirou Liébiediev, com expressão ainda mais enternecida.

— Hum!... Mas por que, por que teve o senhor de tirar seu sobretudo? — exclamou Míchkin, batendo com cólera sobre a mesa.

— Esta pergunta é de uma antiga comédia. Mas, excelente príncipe, o senhor leva muito a sério o meu infortúnio! Não mereço tanto. Quero dizer que eu só, não mereço isto. Todavia, o senhor também se zanga por causa do culpado... por causa dessa criatura insignificante que é o Sr. Fierdíchtchenko?

— Também sim, efetivamente! O senhor me encheu de preocupação — interrompeu Míchkin, com ar distraído e descontente. — Em suma, que conta fazer... se está tão convencido assim da culpabilidade de Fierdíchtchenko?

— Príncipe, honradíssimo príncipe, a qual outro acusar? — perguntou Liébiediev, fazendo contorções e tomando um tom cada vez mais patético. — Não se pode pensar em outro, e a impossibilidade absoluta de suspeitar de alguém que não seja o Senhor Fierdíchtchenko constitui, por assim dizer, uma acusação a mais contra ele; é a terceira prova! Porque, ainda uma vez, a qual outro acusar? Não posso, no entanto, suspeitar do Senhor Burdóvski! Não é mesmo?

— Ora, que absurdo!

— Nem tampouco do general, não é?

— Que tolice essa! — disse o príncipe, quase num tom de cólera, voltando-se com impaciência sobre o divã.

— Decerto que é uma tolice! Ah! ah! ah! Que original aquele general e quanto me fez rir! Saímos ainda há pouco juntos a procurar Fierdíchtchenko em casa de Vílkin... Será preciso dizer-lhe que se mostrou ele mais surpreso do que eu, quando fui acordá-lo, logo que verifiquei minha perda? A ponto de ter mudado de fisionomia, corado, empalidecido e ser por fim tomado de tão nobre acesso de indignação, que eu nem podia imaginar. É um caráter admirável! Mente sem descanso, por fraqueza, mas é um homem de sentimentos muito elevados; apesar disso é tão ingênuo que sua inocência mesma inspira a mais completa confiança. Já lhe disse, honradíssimo príncipe, que tenho por ele não somente um fraco, mas até mesmo afeição. Parou de repente no meio da rua, entreabriu seu paletó e mostrou-me o peito: "Revista-me! — disse-me ele. — Revistaste Keller, por que não me revistas? A Justiça o exige!". Seus braços e suas pernas tremiam, seu rosto estava completamente branco e causava mesmo pena ver. Pus-me a rir e disse-lhe: "Escute, general, se um outro me tivesse dito isto do senhor, teria imediatamente cortado minha cabeça com minhas próprias mãos, a teria posto sobre um grande prato e a teria eu mesmo dado de presente a todos aqueles que houvessem suspeitado do senhor: "Estão vendo *esta cabeça? — eu lhes teria dito.* — Respondo sobre ela pela probidade dele. E não

50 Literalmente: Quinta Rua.

somente dou minha cabeça em penhor, seria capaz de entrar no fogo por ele". "Eis — acrescentei, — como responderia pelo senhor!" Então lançou-se ele em meus braços, sempre no meio da rua, derramou algumas lágrimas e, tremendo, apertou-me tão fortemente contra o peito, que quase me sufoquei com um acesso de tosse. "Tu és — me disse ele, — o único amigo que me resta no meu infortúnio!" É um homem tão sensível! Naturalmente aproveitou para contar-me, enquanto caminhávamos, uma anedota de circunstância: tinham-no também uma vez suspeitado, na sua mocidade, de ter roubado quinhentos mil rublos; mas, no dia seguinte mesmo, lançara-se ele numa casa em chamas e salvara o conde que havia suspeitado dele, ao mesmo tempo que Nina Alieksándrovna, então mocinha. O conde abraçara-o e foi depois desse acontecimento que ele se casou com Nina Alieksándrovna. No dia seguinte descobrira-se nos escombros o cofrezinho de ferro que continha o dinheiro desaparecido. De fabricação inglesa, com uma fechadura de segredo, essa caixinha deslizara, não se sabe como, para debaixo do soalho, de modo que até o incêndio ninguém a havia encontrado. Esta história é inventada de ponta a ponta, mas nem por isso deixou ele de pôr-se a choramingar ao falar de Nina Alieksándrovna. É uma mulher digna, Nina Alieksándrovna, embora não goste de mim!

— Não tem o senhor relações com ela?

— Quase nenhuma, mas desejaria de todo o coração ter, quando não para justificar-me perante ela. Nina Alieksándrovna tem contra mim a prevenção de que sou eu que incito agora seu marido à embriaguez. Não sou eu quem o corrompe; até mesmo refreio; evito talvez que tenha companhias mais perigosas. Além disso, é para mim um amigo e confesso-lhe que não o abandonarei mais, doravante, a ponto de dizer que, aonde ele for, eu irei, porque só se pode agir sobre ele pelo sentimento. Deixou agora por completo de frequentar a sua "capitoa", se bem que, secretamente, arda de desejo de ir vê-la e por vezes mesmo suspire por ela, sobretudo de manhã, quando se levanta e calça as botas; não saberia dizer por que isto lhe acontece justamente naquele momento; a desgraça é não ter ele um soldo e não pode aparecer em casa dela sem dinheiro. Não lhe pediu ele dinheiro, honradíssimo príncipe?

— Não, não me pediu.

— Está acanhado. Queria pedir-lhe; confessou-me mesmo sua intenção de importuná-lo a este respeito, mas não ousou, porque o senhor lhe emprestou recentemente dinheiro e pensou que lhe recusaria agora. Confiou-me isto como amigo.

— E o senhor mesmo, não lhe dá dinheiro?

— Príncipe! Honradíssimo príncipe! Não somente dinheiro, mas, por assim dizer, minha própria vida eu daria por aquele homem... Quando digo minha vida, exagero; sem dar minha vida, estaria pronto a padecer febre, ou um abcesso, ou um resfriado, no caso de absoluta necessidade, bem entendido; porque o tenho por um grande homem, embora desclassificado. Eis tudo. Com mais forte razão, se se trata de dinheiro...

— Então o senhor dá-lhe dinheiro?

— Não, isto não; não lhe dei dinheiro e ele próprio sabe que não lhe darei; mas é apenas a fim de moderá-lo e corrigi-lo. Agora, sua ideia fixa é ir comigo a Petersburgo, para onde seguirei no encalço do Senhor Fierdíchtchenko, porque tenho a certeza de que ele está ali. O general está todo cheio de ardor, de chamas, mas prevejo que assim que chegar a Petersburgo, vai me largar para ir ver sua capitoa. Confesso que o deixarei partir de propósito e que combinamos separar-nos desde a chegada para melhor êxito, por vias diferentes, na detenção do Senhor Fierdíchtchenko. Vou deixá-lo pois, escapar; depois, de repente, cairei sobre ele, de improviso, e o surpreenderei em casa da capitoa; minha intenção é sobretudo causar-lhe vergonha, lembrando-lhe seus deveres de pai de família e sua dignidade de homem em geral.

— Somente, não arme barulho, Liébiediev, pelo amor de Deus, nada de barulho! — disse baixinho o príncipe, presa de viva inquietação.

— Oh! não; apenas para confundi-lo e ver a cara que fará, porque a fisionomia pode revelar bastantes coisas, honradíssimo príncipe, notadamente em um homem como ele! Ah! príncipe, por maior que seja a minha desgraça, não posso, mesmo neste momento, impedir-me de pensar nele e na sua emenda. Tenho uma grande súplica a fazer-lhe, estimadíssimo príncipe; é mesmo, confesso-o, o objetivo particular de minha presença aqui. O senhor conhece a família do general e chegou mesmo a ser seu hóspede; se o senhor aceitasse, excelente príncipe, facilitar-me a tarefa, no interesse apenas do general e para sua felicidade...

Liébiediev juntou as mãos numa atitude implorativa.

— De que se trata? Em que posso ajudá-lo? Convença-se de que desejo vivamente captar todo o seu pensamento, Liébiediev.

— Foi esta convicção apenas que me trouxe à sua presença! Seria possível agir por intermédio de Nina Alieksándrovna, a fim de instituir uma vigilância e, de certo modo, acompanhar todos os passos de Sua Excelência no seio de sua própria família. Infelizmente não mantenho relações... Além disso, Nikolai Ardaliónovitch, que adora o senhor, por assim dizer, com todo o ardor de sua jovem alma, poderia sem dúvida ajudar igualmente...

— Ah! não!... — Nada de meter Nina Alieksándrovna nisto... Deus nos guarde de tal! E Kólia tampouco... Talvez, aliás, não penetre eu ainda o seu pensamento, Liébiediev.

— Mas não há nada a penetrar! — exclamou Liébiediev, dando um salto em sua cadeira. — Nada mais do que um sentimento de delicadeza e de solicitude para com ele! É este todo o remédio de que precisa o nosso doente. Permite-me, príncipe, que eu considere o general um doente?

— Isto não faz mais que provar seu bom coração e seu espírito.

— Vou explicar-me com a ajuda de um exemplo, tirado da prática, para maior clareza. Veja o senhor o homem com quem temos de lidar: sua única fraqueza é, no momento, aquela capitoa, diante da qual está proibido de apresentar-se sem dinheiro e em cuja casa conto surpreendê-lo hoje, para bem dele. Admitamos mesmo que não se trate mais somente dessa fraqueza, mas dum verdadeiro crime ou de algum ato contrário à honra (ainda que seja ele absolutamente incapaz disso) mesmo neste caso, digo que tudo se obteria dele por meio apenas do que se poderia chamar um nobre sentimento de ternura, porque é um homem duma extrema sensibilidade. Creia que, antes de cinco dias, não se aguentaria mais, começaria a falar e confessaria tudo entre lágrimas; sobretudo se a ação for feita tanto com habilidade quanto com nobreza e se sua família e o senhor mantiverem uma vigilância, de qualquer forma, sobre seus *passos... Oh! excelente príncipe!* — exclamou Liébiediev, sobressaltando-se como sob o golpe duma inspiração. — Não afirmo decerto que ele seja sem dúvida alguma... Continuo, por assim dizer, pronto a derramar imediatamente todo o meu sangue por ele; mas convenha que a má conduta, a embriaguez, a capitoa, tudo isto reunido pode ir muito longe.

— Estou decerto sempre disposto a ajudá-lo nesse caso — disse Míchkin, levantando-se. — Mas confesso, Liébiediev, que tenho uma terrível apreensão. Vejamos: o senhor tem sempre a ideia... em uma palavra, o senhor mesmo disse que suspeita do Senhor Fierdíchtchenko.

— Mas de quem suspeitar, senão dele? De quem, sinceríssimo príncipe? — continuou Liébiediev, sorrindo e juntando de novo as mãos, com um ar compungido.

O príncipe franziu o cenho e levantou-se.

— Veja o senhor, Lukian Timofiéievitch, em semelhante caso é uma coisa terrível enganar-se. Esse Fierdíchtchenko... não quereria falar mal dele... mas esse Fierdíchtchenko... palavra, quem sabe? talvez tenha sido ele mesmo!... Quero dizer que seria ele talvez mais capaz... que qualquer outro, de fazer isso.

Liébiediev escancarou bem os olhos e os ouvidos. Míchkin, cada vez mais sombrio, andava pelo terraço de ponta a ponta e esforçava-se para não olhar seu interlocutor.

— Veja o senhor — disse ele, atrapalhando-se mais, — fizeram-me saber... disseram-me do Senhor Fierdíchtchenko que, além disso, seria um homem diante do qual é preciso que a gente se mantenha de sobreaviso e nada diga... demais, compreendeu? Repito-lhe porque talvez seja ele, com efeito, mais capaz que qualquer outro de... enfim, para evitar um erro, porque está nisto o principal, compreende?

— Mas quem lhe comunicou essa observação a respeito do Senhor Fierdíchtchenko? — perguntou Liébiediev com vivacidade.

— Cochicharam-ma assim mesmo; aliás, eu mesmo não acredito em nada disso... sinto-me muito contrariado por me encontrar na obrigação de relatar-lhe essa opinião; asseguro-lhe que não lhe dou nenhum crédito... é algum diz-que-diz absurdo... Oh! como fui tolo em repeti-lo!

— É que este detalhe é importante, príncipe — disse Liébiediev, todo trêmulo de emoção, — muito importante neste momento, não no que toca ao Senhor Fierdíchtchenko, mas quanto à fonte por meio da qual chegou ao conhecimento do senhor. — Isto dizendo, Liébiediev corria em redor do príncipe e esforçava-se em regular seu passo com o dele. — Eis, príncipe, o que devo também fazer que o senhor saiba agora: esta manhã, quando íamos juntos à casa de Vílkin, o general, depois de ter-me contado a história do incêndio, todo fremente ainda duma indignação bastante natural, pôs-se inopinadamente a fazer insinuações a respeito do Senhor Fierdíchtchenko. Mas o fez com tanta incoerência e inabilidade que não pude impedir-me de fazer-lhe algumas perguntas; suas respostas convenceram-me de que todas as suas informações eram de invenção de Sua Excelência... simples efeito de sua expansibilidade; por que, se ele mente, é unicamente por falta de saber conter as expansões de seu coração. Agora julgue o senhor mesmo: se ele mentiu, do que estou persuadido, como pôde sua mentira chegar aos ouvidos do senhor? Compreenda, príncipe, que aquela opinião lhe veio sob a inspiração do momento; quem, pois, pode dela dar conhecimento ao senhor? Este ponto é importante e... por assim dizer...

— Foi Kólia quem acabou de me repetir isto; a reflexão foi-lhe feita por seu pai que o havia encontrado na antecâmara entre seis e sete horas, no momento em que saía não se sabe por que.

E Míchkin contou tudo pormenorizadamente.

— Pois bem! Eis o que se pode chamar uma pista! — disse Liébiediev, esfregando as mãos e rindo em surdina. — É o que eu pensava! Isto quer dizer que, cerca das seis horas da manhã, Sua Excelência interrompeu seu sono inocente de propósito para ir acordar seu filho bem-amado e avisá-lo do perigo extraordinário que se corre na companhia do Senhor Fierdíchtchenko! Depois disso é forçoso reconhecer que o Senhor Fierdíchtchenko é um homem perigoso e admirar a solicitude paternal de sua Excelência, ah! ah! ah!

— Escute, Liébiediev — disse Míchkin, num tom da mais viva inquietação, — escute: é preciso ir com calma! Não faça barulho! Rogo-lhe, Liébiediev, suplico... Com esta condição, juro-lhe que o ajudarei. Mas que ninguém saiba de nada, ninguém!

— Esteja convencido, boníssimo, sinceríssimo e generosíssimo príncipe — exclamou Liébiediev, atuado por uma inspiração decisiva, — esteja convencido de que tudo isso morrerá em meu nobre coração! Marchemos a passos de lobo e de mãos dadas! A passos de lobo e de mãos dadas! Daria mesmo todo o meu sangue... ilustríssimo príncipe; minha alma é baixa, meu espírito é baixo. Mas pergunte a um homem baixo, ou melhor ainda, a não importa que patife, se prefere ele ter negócio com um patife de sua espécie ou com uma criatura da mais perfeita grandeza de alma, tal como o senhor, sinceríssimo príncipe? Responderá que prefere a grandeza de alma; e este é o triunfo da virtude! Adeus, honradíssimo príncipe! A passos de lobo... a passos de lobo e... de mãos dadas!

Capítulo X

Míchkin compreendeu enfim por que se sentira gelado todas as vezes que levara a mão a tocar aquelas três cartas e por que havia adiado a leitura delas até a noite. De manhã, quando se estendera sobre seu divã, sem ter podido decidir-se a abrir nenhum dos três envelopes, dormira com um sono agitado; um sonho penoso havia-o imediatamente oprimido, no qual vira aquela mesma "criminosa" avançar para ele. Olhava-o, enquanto lágrimas brilhavam nos seus longos cílios; convidava-o de novo a segui-la. E, como na véspera, despertara na dolorosa evocação daquele rosto. Quis ir incontinenti à casa *dela*, mas não achou forças para tal; então, quase em desespero, acabou por abrir as cartas e se pôs a lê-las.

Aquelas cartas assemelhavam-se também a um sonho. Por vezes tem-se sonhos estranhos, inimagináveis, contrários à natureza; ao despertar, são evocados com nitidez e então uma anomalia nos fere. A gente se lembra sobretudo de que a razão não nos faltou em momento algum de nosso sonho. A gente se lembra mesmo de ter agido com infinita astúcia e lógica, durante um tempo bastante longo, enquanto que assassinos nos cercavam, armavam-nos emboscadas, dissimulavam seus desígnios e faziam-nos propostas amigáveis, quando suas armas já estavam prontas e eles não esperavam senão um sinal. A gente se lembra enfim do ardil graças ao qual os enganamos, dissimulando-nos a seus olhos; mas adivinhamos que eles haviam descoberto nosso estratagema e que apenas fingiam ignorar nosso *esconderijo*; então recorremos a novo subterfúgio e conseguimos ainda uma vez enganá-los. Tudo isto nos vem claramente à memória. Mas como conceber que, nesse mesmo lapso de tempo, a nossa razão tenha podido admitir absurdos e inverossimilhanças tão manifestos quantos aqueles que formigavam em nosso sonho? Um de nossos assassinos transformou-se em mulher à nossa vista, depois essa mulher em anãozinho astuto e repugnante. E nós, nós aceitamos logo tudo isso como um fato, quase sem a menor surpresa, no momento mesmo em que nosso entendimento se entregava, por outro lado, a um vigoroso esforço e a prodígios de energia, de astúcia, de penetração e de lógica.

Por que ainda, quando a gente desperta e se reintegra na vida real, sente-se quase sempre, e por vezes com extraordinária intensidade de impressão, que acaba de deixar, com o domínio do sonho, um enigma sem solução? Sorrimos do absurdo de nosso sonho e temos ao mesmo tempo o sentimento de que aquele montão de extravagâncias encerra uma espécie de pensamento, um pensamento real pertencendo à nossa vida atual, alguma coisa que existe e sempre existiu em nosso coração. É como se uma revelação profética, esperada por nós, nos fosse trazida em nosso sonho; dela nos resta uma forte emoção, alegre ou dolorosa, mas a gente não chega nem a compreender, nem a lembrar-se nitidamente de que consistia ela.

Foi mais ou menos o que se passou no espírito de Míchkin, após a leitura daquelas cartas. Mas, antes mesmo de abri-las, sentira que sua existência apenas, a possibilidade apenas dessa existência, tinha já algo de pesadelo. Como se decidira ela a escrever à outra? — perguntava a si mesmo, passeando à noite, sozinho (por vezes mesmo sem se lembrar onde estava). Como pudera ela escrever a respeito daquilo e como um sonho tão insensato pudera nascer-lhe na cabeça? Mas aquele sonho tornara-se realidade e, o que o espantava mais, ao ler as cartas, é que ele próprio não estava longe de crer na possibilidade e até mesmo na legitimidade daquele sonho. Sim, não havia dúvida que fosse um sonho, um pesadelo, uma loucura; mas havia também lá algo de dolorosamente real, de cruelmente justo que legitimava sonho, pesadelo e loucura.

Durante várias horas em seguida, manteve-se ele num estado vizinho do delírio, pensando no que havia lido; relembrava sem cessar certas passagens, nelas detinha seu pensamento e meditava-as. Por vezes mesmo era tentado a dizer a si mesmo que havia pressentido e conjeturado tudo aquilo; parecia-lhe ter lido, num passado distante, aquelas cartas e haver nelas encontrado o germe de todas as angústias, de todos os sofrimentos e de todos os temores que experimentara depois.

A primeira carta começava assim:

> Quando abrir esta carta, procure em primeiro lugar a assinatura. Essa assinatura vai lhe dizer tudo e tudo lhe fará compreender; não preciso pois de justificar-me a seus olhos, nem de me explicar. Se fosse eu de algum modo sua igual, poderia a senhora ofender-se com semelhante descaro; mas quem sou eu e quem é a senhora? Somos tão opostas e vivo tão fora de sua órbita que me seria impossível ofendê-la, mesmo se tivesse disso a intenção.

Mais adiante escrevia:

> Não veja em minhas palavras a exaltação mórbida de um espírito desequilibrado, se lhe digo que a senhora representa para mim a perfeição. Vi-a,

vejo-a todos os dias. Note que não a julgo; não é o raciocínio, mas um simples ato de fé que me leva a olhá-la como perfeita. Mas tenho uma culpa a seu respeito: amo-a. É proibido amar a perfeição; devemos limitar-nos a reconhecê-la como tal, não é verdade? E entretanto sinto amor pela senhora. Sem dúvida, institui o amor uma igualdade entre os seres; mas fique tranquila: mesmo nos meus mais secretos pensamentos, não a rebaixei ao meu nível. Acabo de escrever "fique tranquila", mas será que pode a senhora sentir intranquilidade?... Se isto for possível, beijaria as marcas de seus passos. Oh! não me considero de modo algum sua igual... Olhe a assinatura, apresse-se em olhá-la!

Noto todavia (escrevia numa outra carta) que a uno a ele sem ter jamais feito esta pergunta: a senhora o ama? Ele a amou quando só a havia visto uma vez. Evocou-a como "a luz"; é sua própria expressão, ouvia-a de sua boca. Mas não tenho necessidade disto para compreender que a senhora é para ele a luz. Vivi um mês inteiro com ele e foi então que compreendi que a senhora também o amava; a senhora e ele formam um só a meus olhos.

Como é isso? (escrevia ainda) Ontem passei perto da senhora e pareceu-me que a senhora corava. É impossível; trata-se de uma aparência. Se a levassem à mais imunda espelunca e lhe mostrassem o vício a nu, não teria a senhora de que ruborizar-se: não poderia nunca sentir-se ofendida. A senhora pode odiar todas as pessoas baixas e abjetas, mas por solicitude pelos outros, por aqueles a quem elas ultrajam, não porque o sinta pessoalmente. Porque à senhora nada pode ofender. Tenho a impressão, veja só, de que a senhora deve até amar-me. A senhora é para mim o que é para ele: um espírito luminoso; ora, não se pode odiar um anjo, mas ele não pode deixar de amar. Pode-se amar a todos os homens sem exceção, a todos os semelhantes nossos? Eis uma pergunta que tenho feito muitas vezes a mim mesma. Decerto que não; é mesmo contra a natureza. O amor à humanidade é uma abstração através da qual não se ama senão a si mesmo. Mas se isto não nos é possível, o mesmo não acontece com a senhora; como poderia a senhora não amar não importa quem, quando não se acha no nível de ninguém e nenhuma ofensa, nenhuma indignação poderia tocá-la sequer? Só a senhora pode amar sem egoísmo; só a senhora pode amar, não pela senhora, mas por aquele a quem ama. Oh! quanto me seria cruel saber que a senhora sente, por minha causa, vergonha ou cólera! Seria a sua perda; cairia de repente ao meu nível...

Ontem, depois de havê-la encontrado, voltei para casa e imaginei um quadro. Os artistas pintam sempre o Cristo de acordo com os dados do Evangelho; eu o teria figurado de outro modo. Eu o teria representado sozinho, porque, afinal, havia momentos em que seus discípulos o deixavam só. Não teria colocado ao lado dele senão uma criancinha. Essa criança teria brincado a seu lado; talvez lhe tivesse ele contado alguma coisa na sua linguagem ingênua. O Cristo já a teria escutado, mas agora medita. Sua mão repousa ainda, num gesto de esquecimento involuntário, sobre os cabelos louros da criança. Olha para longe, para o horizonte; um pensamento vasto como universo reflete-se em seus olhos; seu rosto está triste. A criança calou-se; com o cotovelo sobre os joelhos do Cristo e a face apoiada na mãozinha, tem a cabeça erguida e olha-o fixamente, com aquele ar pensativo que têm por vezes os pequeninos. O sol se põe... Eis o meu quadro! A senhora é pura e toda a sua perfeição está na sua pureza. Oh! lembre-se apenas disto! Que lhe importa minha paixão a seu respeito? A senhora me pertence doravante e, toda a minha vida, estarei junto da senhora... Vou morrer brevemente.

Enfim, lia-se na derradeira carta:

Pelo amor de Deus não pense nada de mim. Não creia tampouco que me humilho escrevendo-lhe assim, visto como sou dessas criaturas que sentem em rebaixar-se uma volúpia e mesmo um sentimento de orgulho. Não; tenho minhas consolações, mas é uma coisa difícil de explicar-lhe, para mim seria muito difícil dar-me eu mesma conta claramente disso, se bem que isso me atormente. Mas sei que não me posso humilhar, mesmo por acesso de orgulho. Da humildade que a pureza do coração dá, sou incapaz. Portanto, não me humilho nem duma maneira nem de outra.

Por que tenho vontade de uni-los: pela senhora ou por mim? Por mim, naturalmente; tudo se resolve nisto, no que a mim se refere, há muito tempo que o disse a mim mesma... Soube que sua irmã Adelaida declarou um dia, olhando meu retrato, que com semelhante beleza podia-se revolucionar o mundo. Mas renunciei ao mundo. Parece-lhe ridículo ver-me escrever isto, quando me encontra coberta de rendas e enfeitada de diamantes, na companhia de ébrios e de gente desclassificada? Não preste atenção a isso; já não existo mais quase e não o ignoro; Deus sabe o que tomou em mim lugar de minha personalidade. Leio minha sorte cada dia em olhos terríveis sempre cravados em mim, mesmo quando não estão diante de mim. Esses olhos, agora, se calam (calam-se sempre), mas conheço-lhes o segredo. Esse homem mora numa casa sombria e cheia de tédio, que oculta um mistério. Estou convencida de que ele tem, numa gaveta, uma navalha cuja lâmina está envolta em seda, como a daquele assassino de Moscou que também vivia com sua mãe e pensava em cortar um pescoço. Durante todo o tempo em que estive em casa deles, tive constantemente a impressão de que devia haver em alguma parte, sob o soalho, um cadáver oculto talvez por seu pai, recoberto por um encerado; como o que foi encontrado em Moscou, e igualmente cercado de frascos de água de Tchadanovski; poderia mesmo mostrar-lhe o canto onde deve estar esse cadáver. Ele está sempre calado, mas sei bem que sua paixão por mim é tal que não poderia deixar de transformar-se em ódio. O casamento da senhora e o meu acontecerão no mesmo dia; ficou assim decidido com ele. Não tenho segredos para ele. Seria capaz de matá-lo por medo... Mas ele me matará antes que eu a isto me resolva... Acaba de rir vendo-me escrever isto e acha que eu deliro. Sabe que é à senhora que estou escrevendo.

Havia nessas cartas ainda muitos outros pensamentos delirantes. Uma delas, a segunda, ocupava com letra muito miúda duas folhas de papel de grande formato.

O príncipe saiu por fim do parque escuro onde, como na véspera, havia vagado por muito tempo. A noite pálida e transparente pareceu-lhe mais clara que de costume. "Será tão cedo ainda?", pensou ele. (Havia-se esquecido do relógio.) Pensou ouvir uma música ao longe: "Deve ser na estação — disse ainda a si mesmo. — Não foram lá hoje, decerto." No momento em que fazia esta reflexão, percebeu que estava diante da casa deles; bem havia duvidado de que acabaria chegando ali. Com o coração desfalecente, subiu ao terraço.

Estava deserto; ninguém veio ao seu encontro. Esperou um momento, depois abriu a porta que dava acesso à sala. "Esta porta nunca fica fechada", pensou, rapidamente. A sala também estava vazia; a escuridão era ali quase completa. De pé, no meio da sala, Míchkin mantinha-se indeciso. De repente, uma porta se abriu e Alieksandra Ivânovna entrou com uma vela na mão. À vista do príncipe, teve um movimento de surpresa e parou numa atitude interrogativa. Evidentemente, estava apenas atravessando a peça duma porta à outra e não esperava encontrar ninguém.

— Como se dá que esteja aqui? — perguntou ela por fim.

— Eu... entrei de passagem...

— Mamãe não está passando bem, e Aglaia tampouco. Adelaida está-se preparando para deitar-se e eu vou fazer o mesmo. Ficamos sozinhas a noite toda em casa. Papai e o Príncipe Tsch*** estão em Petersburgo.

— Vim... vim à sua casa... agora...

— Sabe que horas são?

— Na verdade, não...

— Meia noite e meia. Deitamo-nos sempre à uma hora.

— Ah! Eu pensava que eram... nove horas e meia.

— Isto não tem importância! — disse ela, rindo. — Mas por que não veio antes? Talvez o estivessem esperando.

— Eu... pensava... — balbuciou ele, retirando-se.

— Adeus! Toda a gente rirá amanhã.

Voltou para casa pelo caminho que contornava o parque. Seu coração batia, suas ideias confundiam-se e tudo se revestia em torno dele de uma aparência de sonho. De repente, aquela mesma visão que já lhe aparecera duas vezes no momento em que acordava, surgiu diante de seus olhos. A mesma mulher saiu do parque e plantou-se diante dele, como se o tivesse esperado naquele lugar. Estremeceu e parou; ela tomou-lhe a mão e apertou-a com força. "Não, não é uma aparição!"

E eis que estava ela enfim face a face com ele pela primeira vez, desde sua separação. Falava-lhe, mas ele a olhava em silêncio; seu coração transbordava e doía-lhe. Jamais haveria de esquecer aquele encontro e sentiria a mesma dor ao evocá-lo. Como uma louca, ajoelhou-se diante dele, bem no meio da estrada. Ele recuou com espanto, enquanto ela procurava retomar-lhe a mão para beijá-la. E, da mesma maneira que outrora, no seu sonho, via ele agora lágrimas brilharem-lhe nos cílios longos.

— Levanta! Levanta — murmurou-lhe ele, com espanto, procurando erguê-la. — Levanta depressa!

— És feliz? És feliz? — perguntou ela. — Diz-me somente uma palavra: és feliz agora? Hoje, neste momento? Foste à casa dela? Que te disse?

Não se levantava, não o escutava. Interrogava febrilmente e falava num tom precipitado, como se alguém a viesse perseguindo.

— Parto amanhã, como o ordenaste. Não reaparecerei mais... É a derradeira vez que te vejo, a derradeira! É bem agora a derradeira vez!

— Acalma-te. Levanta! — proferiu ele, num tom de desespero. Ela o contemplava avidamente, apertando-lhe as mãos.

— Adeus! — disse por fim.

Levantou e afastou-se a toda a pressa, quase correndo. O príncipe viu surgir de súbito, ao lado dela, Rogójin que a tomou pela mão e levou-a.

— *Espera-me, príncipe!* — gritou ele. — Voltarei dentro de cinco minutos.

Reapareceu com efeito ao fim de cinco minutos. Míchkin esperava com paciência no mesmo lugar.

— Meti-a no carro — disse Rogójin. — A caleça esperava lá em baixo, na esquina da rua, desde às dez horas. Ela pensava que passarias a noite inteira na casa da outra. Comuniquei-lhe com toda a exatidão o que me escreveste há pouco. Não lhe dirigirá mais cartas; está prometido. E, de acordo com teu desejo, deixará amanhã Pávlovsk. Queria ver-te uma derradeira vez, se bem que lhe houvesses recusado uma entrevista; foi aqui que te esperamos, sobre este banco junto do qual devias passar de volta.

— Foi ela quem te trouxe?

— E com isso? — disse Rogójin, num sorriso. — O que vi aqui nada me trouxe de novo. Não leste então as cartas?

— E tu, na verdade, as leste? — perguntou Míchkin, atingido por essa ideia.

— Decerto que sim! Ela mesma mostrou-me todas. Lembras-te da alusão à navalha, ah! ah! ah!

— Ela é louca! — exclamou o príncipe, torcendo as mãos.

— Quem sabe? Talvez não — murmurou Rogójin à meia voz, como em aparte.

O príncipe não replicou.

— Bem, adeus! — disse Rogójin. — Eu também parto amanhã. Não me guardes rancor! Mas, diz-me, meu caro — acrescentou ele, dando uma brusca reviravolta, — por que não respondeste à sua pergunta? És feliz ou não?

— Não, não e não! — exclamou Míchkin, com a expressão dum imenso pesar.

— Não faltaria mais nada se me dissesses "sim"! — exclamou Rogójin, com sarcasmo.

E afastou-se, sem se voltar.

Quarta parte

Capítulo primeiro

Decorrera uma semana desde a entrevista dos dois heróis de nossa narrativa no banco verde.

Numa radiosa manhã, Varvara Ardaliónovna Ptítsina, que fora fazer algumas visitas a conhecidos, voltou de muito mau humor, pelas dez horas e meia.

Há pessoas das quais é difícil dizer alguma coisa que as descreva de uma vez sob seu aspecto mais típico e mais bem caracterizado. São aquelas que se convencionou chamar as pessoas "ordinárias", o "vulgo", e que constituem, com efeito, a imensa maioria da sociedade. Nos seus romances e suas novelas, em geral os escritores se esforçam para escolher tipos sociais e representá-los sob a forma mais pitoresca e mais estética. Na vida, esses tipos não se encontram tão completos senão no estado de exceção, o que não os impede de ser quase mais reais que a própria realidade. Podkoliósin,[51] enquanto tipo, é talvez exagerado mas não é uma ficção. Quantas pessoas de espírito, quando conheceram o Podkoliósin de Gógol, imediata-

---

51 Protagonista da comédia de Gógol, *O casamento*. Tipo de caráter fraco, com assomos de independência. Já maduro, é levado por conselhos de amigos a casar, mas foge pela janela no dia do casamento.

mente encontraram, entre seus amigos e conhecidos, dezenas, talvez mesmo centenas de indivíduos que se assemelhavam àquele personagem como uma gota d'água a outra? Mesmo antes de Gógol, sabiam que seus amigos se pareciam com Podkoliósin; o que ignoravam era o nome a dar àquele tipo. Na realidade, é bem raro que os noivos fujam saltando pela janela no momento do casório, porque, de parte qualquer outra consideração, é um gesto fora do alcance da maioria. Entretanto, muitos noivos, entre as pessoas estimáveis e não desprovidas de espírito, sentiram-se, no momento de casar no estado d'alma de Podkoliósin. Todos os maridos não gritam mais tampouco, a todo propósito: *"Tu l'as voulu, George Dandin"*.[52] Mas, meu Deus, quantos milhões e milhões de vezes os maridos do universo inteiro não repetiram esse grito do coração depois de sua lua-de-mel, quando não no dia seguinte mesmo ao de seu casamento?

Assim, sem nos estendermos mais a respeito desta questão, limitemo-nos a comprovar que na vida real, os relevos característicos desses personagens se esbatem, mas que todos esses Georges Dandin e todos esses Podkoliósini existem de verdade: agitam-se e circulam cotidianamente diante de nós, mas sob traços atenuados. Acrescentemos, para acabar e esgotar o assunto, que o tipo integral de George Dandin, tal como o criou Molière, pode bem encontrar-se na vida, mas raramente; e acabemos com esta digressão que começa a virar crítica literária de revista.

Não obstante, uma questão se propõe sempre a nós: que deve fazer um romancista que apresenta a seus leitores tipos absolutamente "vulgares", se quiser torná-los um tanto interessantes? É absolutamente impossível excluí-los da narrativa, porque essas pessoas vulgares constituem a cada instante, e na maior parte, uma trama necessária aos diversos acontecimentos da vida; eliminando-os, haveria prejuízo à veracidade da obra. Por outra parte, povoar os romances de tipos ou simplesmente de personagens estranhos e extraordinários, seria cair na inverossimilhança, ou mesmo na insipidez. Na nossa opinião, o autor deve esforçar-se por descobrir matizes interessantes e sugestivos, mesmo entre as pessoas vulgares. Mas quando, por exemplo, a característica mesma dessas pessoas reside em sua sempiterna vulgaridade, ou, melhor ainda, quando a despeito de todos os seus esforços para sair da banalidade e da rotina, nelas recaem irremediavelmente, então adquirem certo valor típico; tornam-se representativas da mediocridade que não quer continuar a ser o que é e que visa, a todo preço, à originalidade e à independência, sem dispor de nenhum meio para atingi-las.

A esta categoria de pessoas "vulgares" ou "comuns" pertencem alguns personagens de nossa narrativa, a respeito dos quais (confesso-o) o leitor não foi esclarecido. São notadamente Varvara Ardaliónovna Ptítsina, seu marido o Senhor Ptítsin e seu irmão Gavrila Ardaliónovitch.

Não há nada de mais vexatório que ser, por exemplo, rico, de boa família, de aspecto distinto, passavelmente instruído, nada tolo, até mesmo bom, e não ter, entretanto, nenhum talento, nenhum traço pessoal, nenhuma singularidade mesmo, nada pensar de seu; enfim, ser positivamente "como todo o mundo". É-se rico, mas não tanto como Rothschild; tem-se um nome honrado, mas sem lustre; tem-se boa presença, mas não se produz nenhuma impressão; recebeu-se uma educação

---

52 Tu o quiseste, George Dandin.

conveniente, mas que não encontra em que empregar-se; não se é destituído de inteligência, mas não se tem ideias próprias; tem-se coração, mas nenhuma grandeza d'alma; e assim por diante sob todos os aspectos.

Há, pelo mundo, uma multidão de pessoas dessa natureza, mais mesmo do que se poderia crer. Dividem-se, como todos os homens, em duas categorias principais: os de vistas curtas e os "mais inteligentes". Os primeiros são os mais felizes. Um homem "vulgar", de vistas curtas, pode muito facilmente acreditar-se extraordinário e original e comprazer-se sem comedimento com tal ideia. Bastou a certas senhoritas nossas cortar os cabelos, usar lunetas azuis e afirmar-se niilistas para logo se persuadirem de que essas lunetas lhes conferiam "convicções" pessoais. Bastou a tal homem descobrir em seu coração um átomo de sentimento humanitário e de bondade para ficar convencido imediatamente de que ninguém possui sentimento igual e de que ele é um pioneiro do progresso social.

A um outro bastou assimilar um pensamento que ouviu formular ou leu em um livro sem começo nem fim, para imaginar que esse pensamento é seu próprio e germinou no seu cérebro. É um caso espantoso de impudência na ingenuidade, se é possível dizer assim; por mais inverossímil que pareça, é constantemente encontrado. Essa fé cândida e descuidosa dum tolo que não duvida nem de si nem de seu talento foi admiravelmente reproduzida por Gógol no assombroso tipo do Tenente Pirogov. Pirogov não duvida de que é um gênio e mesmo mais que um gênio; duvida tão pouco que nem mesmo põe isso em questão; aliás, não há questões para ele. O grande escritor viu-se obrigado, afinal de contas, a surrá-lo para dar uma satisfação ao sentimento moral do leitor. Mas verificou que seu herói em nada se mostrou afetado por isso e, tendo-se sacudido depois da surra, havia muito simplesmente comido um pastelzinho para restaurar-se. De modo que perdeu a coragem e abandonou assim seus leitores. Sempre lamentei que Gógol houvesse situado seu Pirogov num posto tão baixo, porque esse personagem é tão cheio de si mesmo que nada poderia impedi-lo de acreditar-se, por exemplo, um grande capitão, à medida que suas dragonas engrossassem, de acordo com o tempo de serviço e a promoção. Que digo: acreditar-se? Não duvidaria de modo algum se o nomeiam general, que lhe falta para ser grande capitão? E quantos guerreiros dessa laia não chegam a espantosos fiascos nos campos de batalha? E quantos Pirogov não houve entre nossos literatos, nossos sábios, nossos propagandistas! Disse "não houve"; mas existem certamente ainda atualmente...

Gavrila Ardaliónovitch, que é um dos heróis de nosso romance, pertencia à segunda categoria; a dos medíocres "mais inteligentes", ainda que, da cabeça aos pés, ardessem nele ânsias de ser original. Observamos mais acima que esta segunda categoria é muito mais infeliz que a primeira. Isto se deve a que um homem "vulgar" mais inteligente, mesmo se se acredita na ocasião (e mesmo durante toda a sua vida) dotado de gênio e de originalidade, nem por isso deixa de guardar em seu coração o verme da dúvida que o rói a ponto de acabar por vezes num completo desespero. Se se resigna, permanece não obstante definitivamente intoxicado pelo sentimento da vaidade reprimida.

Aliás, tomamos um caso extremo: a maior parte do tempo, a sorte dessa categoria inteligente de homens medíocres está longe de ser tão trágica, quando muito acontece-lhes vir a sofrer pouco ou muito do fígado ao fim de certo número de anos. A isto se reduz a infelicidade deles. Todavia, antes de se acalmar e resignar-se, praticam tais pessoas por vezes tolices durante muito tempo, desde sua juventude à sua maturidade, e sem outro móvel que não seja o desejo de exibir originalidade.

Encontram-se mesmo casos estranhos; veem-se pessoas direitas, em mal de originalidade, tornar-se por vezes capazes de uma baixeza. Veja-se por exemplo um desses infelizes: é um homem honesto e até mesmo bom, providência de sua família, que mantém e faz viver com seu trabalho não somente os seus mas até estranhos. Que lhe acontece? Não tem tranquilidade a vida inteira! A consciência de haver tão bem cumprido seus deveres de homem não consegue serená-lo; pelo contrário, este pensamento o irrita: "Eis, diz ele, em que deu minha vida; eis o que me amarrou braços e pernas; eis o que me impediu de inventar a pólvora! Sem essas obrigações, teria talvez descoberto a pólvora ou a América; não sei com certeza o que, mas teria decerto descoberto alguma coisa!".

O que mais caracteriza essas pessoas é que passam efetivamente sua vida sem chegar a saber exatamente o que devem descobrir e que estão sempre em véspera de descobrir: a pólvora ou a América? Mas o sofrimento em que os mergulha a expectativa angustiosa dessa descoberta teria sido neles igual ao de um Colombo ou de um Galileu.

Gavrila Ardaliónovitch metera-se por esse caminho, mas não havia dado nele senão os primeiros passos. Havia diante dele uma longa perspectiva de incoerências. Quase desde a infância, seu coração fora ulcerado pelo sentimento profundo e constante de sua mediocridade, junto a um desejo irresistível de convencer-se de sua plena independência. Era um rapaz invejoso, de apetites violentos, que parecia ter nascido com um nervosismo exacerbado. Tomava por energia a impetuosidade de seus desejos. Sua ambição desenfreada de se distinguir levava-o por vezes aos destemperos mais despropositados; no momento, porém, de dar o salto, sua razão sempre se sobrepunha. Isto o matava. Talvez, se a ocasião se ensejasse, fosse capaz de cometer a mais baixa das vilanias, a fim de realizar tal ou qual de seus sonhos; mas como que de propósito, assim que chegava ao momento decisivo, o sentimento da honestidade reapoderava-se dele e desviava-o de tal torpeza. (As pequenas vilanias encontravam-no sempre disposto a praticá-las.) A pobreza e a decadência em que caíra sua família inspiravam-lhe desgosto e aversão. Mesmo para com sua mãe, afetava altivez e desdém, muito embora dando-se conta perfeitamente de que a reputação e o caráter dela eram, no momento, o melhor apoio para a carreira dele. Logo que entrara para o serviço de Iepántchin, dissera a si mesmo: "Já que é preciso praticar baixezas, pratiquemo-las até o fim, contanto que eu tire partido disso!". Mas quase nunca as praticava até o fim. Por que mesmo teria metido na cabeça que lhe era absolutamente preciso praticar baixezas? Aglaia, com sua recusa, havia-o simplesmente amedrontado; não havia, porém, renunciado por isso às suas intenções para com a moça e, houvesse o que houvesse, esperava com paciência, sem entretanto jamais crer seriamente que ela pudesse consentir a ponto de aceitar-lhe as propostas.

Depois, por ocasião de seu caso com Nastássia Filípovna, dera-se de súbito conta de que o dinheiro era o meio de chegar a tudo. Naquela época, não se passava dia que não repetisse ele a si mesmo: "Se é preciso praticar uma vilania, pratiquemo-la!". E experimentava ao usar de tal linguagem uma satisfação misturada de certa apreensão. "Se uma vilania é necessária, que seja pelo menos levada até o fim!", dizia a si mesmo a cada instante, para se dar coragem. "A rotina hesita em caso semelhante; mas nós, nós não hesitaremos!"

Tendo fracassado no caso de Aglaia e sentindo-se acabrunhado pelas circunstâncias, perdera toda a coragem e levara ao príncipe o dinheiro que lhe fora atirado por uma mulher demente depois de havê-lo recebido de um homem não menos louco. Posteriormente, arrependeu-se mil vezes daquela restituição, mas sem jamais deixar de tirar disso vaidade. Chorou sem parar durante os três dias que o príncipe passou em Petersburgo. Mas foi também durante esses três dias que amadureceu seu ódio contra Míchkin; não lhe perdoava a comiseração fora de lugar com a qual vira-o praticar um ato — a restituição de semelhante soma — "do qual bem poucas pessoas teriam tido coragem".

Confessava nobremente que a única causa de toda a sua angústia era o dilaceramento incessante de sua vaidade e este sentimento torturava-o. Só muito mais tarde deu-se conta e se convenceu da feição séria que teriam podido tomar seus negócios com uma criatura tão pura e tão estranha como Aglaia. Então o arrependimento corroeu-o; largou seu serviço e caiu na melancolia e no abatimento.

Vivia agora em casa de Ptítsin, que o sustentava bem como a seu pai e a sua mãe. Ostentava desprezo por ele, mas escutava seus conselhos e era quase sempre bastante prudente para solicitá-los. Uma coisa entre outras o aborrecia: era ver que Ptítsin se preocupava pouco em tornar-se um Rothschild e não se propunha atingir esse objetivo. "Já que és um usurário, vai ao menos até o fim; aperta as pessoas, arranca-lhes o dinheiro, faz de ti uma personalidade, torna-te rei em Israel!"

Ptítsin era um homem modesto e tranquilo: contentava-se com sorrir; um dia, entretanto, achou necessário ter uma explicação seria com Gânia e o fez com certa dignidade. Demonstrou-lhe que nada fazia que não fosse honesto e que não havia razão alguma para que o tratasse de judeu; que se o dinheiro valia tanto, nada tinha ele com isso; que sua maneira de proceder era correta e proba; que, em suma, não era senão uma espécie de agente naquelas espécies de transações e que, afinal, graças à sua pontualidade nos negócios, começava a gozar de excelente reputação junto a pessoas perfeitamente distintas, tanto que o campo de suas operações ia-se alargando. "Não chegarei a ser um Rothschild — acrescentava, sorrindo, — e não tenho motivo de vir a sê-lo; terei uma casa, talvez mesmo duas, na Litiénaia, e vou me contentar com isso." Pensava à parte: "quem sabe? Talvez mesmo umas três!", mas não exprimia nunca este sonho e guardava-o no seu foro íntimo. A natureza gosta de gente dessa espécie e mima-a; gratificará Ptítsin não com três, mas com quatro casas, precisamente porque, desde sua infância, ele percebeu que não seria jamais um Rothschild. Mas, em troca, não irá ela decerto além das quatro casas; será o limite da fortuna de Ptítsin.

Dum caráter bem diferente era a irmã de Gavrila Ardaliónovitch. Também ela era dominada por veementes desejos, mais teimosos mesmo que ardorosos. Tinha muito bom senso na direção de um negócio e dele não largava mão quando chegava a seu termo. Também ela, na verdade, era dessas pessoas "medíocres" que sonham ser originais; mas, em compensação, dera-se bem depressa conta de *que não tinha uma* sombra de originalidade pessoal e que não se afligia por isso além da conta; quem sabe? talvez por efeito dum sentimento particular de orgulho. Deu, com muita decisão, seus primeiros passos na vida prática esposando o

Sr. Ptítsin. Mas, naquela ocasião, não disse a si mesma: "já que é preciso praticar baixezas, pratiquemo-las até o fim, contanto que alcance meu objetivo", como não teria deixado de exprimir-se em tal caso Gavrila Ardaliónovitch (eram quase os mesmos termos de que se servira ele dando, como irmão mais velho, sua aprovação ao casamento). Bem longe disto: Varvara Ardaliónovna casara depois de ter-se assegurado positivamente de que seu futuro esposo era um homem modesto, agradável, quase culto e incapaz por coisa alguma no mundo de cometer uma grossa vilania. Das pequenas vilanias não cuidava Varvara Ardaliónovna: são bagatelas e, aliás, quem delas está isento? Não se pode querer o ideal! Além disso, sabia que, casando-se, asseguraria um asilo para sua mãe, seu pai e seus irmãos. Vendo seu irmão infeliz, queria ir-lhe em socorro, a despeito de todos os precedentes mal entendidos de família. Ptítsin instava, amigavelmente, é claro, para que entrasse para a administração. Dizia-lhe por vezes, num tom de brincadeira: "Desprezas os generais e o generalato, mas olha bem: eles acabarão todos por se tornar generais por sua vez; se viveres, verás". — "Mas — pensava sarcasticamente Gânia, — donde tiram eles que eu desprezo os generais e o generalato?"

Para poder ajudar seu irmão, Varvara Ardaliónovna resolvera alargar seu campo de ação; introduziu-se na casa dos Iepántchini, prevalecendo-se sobretudo de recordações da infância; ela e seu irmão tinham brincado, quando eram crianças, com as meninas Iepántchini. Notemos aqui que, se perseguira ela alguma quimera fazendo-se receber na casa dos Iepántchini, teria talvez saído da categoria na qual ela mesma se confinara; mas não era uma quimera que perseguia; guiava-se de acordo com um cálculo bastante razoável que baseava na maneira de ser daquela família. Estudara sem descanso o caráter de Aglaia. Dera-se como tarefa aproximar os dois, Aglaia e seu irmão, um do outro. Talvez obtivesse algum resultado. Talvez também cometesse o erro de dar valor demais a Gânia e esperar dele o que não podia ele dar em tempo algum, nem de nenhuma forma. Em todo o caso, manobrou com bastante habilidade do lado dos Iepántchini: passavam-se semanas sem que pronunciasse o nome de seu irmão; mostrava-se sempre duma retidão e duma sinceridade perfeitas; sua conduta era simples, mas digna. Não temia esquadrinhar o fundo de sua consciência, porque não encontrava ali nada que merecesse censura e era isso para ela um acréscimo de força. Por vezes somente descobria em si uma tendência para a cólera, um amor-próprio muito vivo e talvez mesmo uma vaidade espezinhada; fazia esta observação sobretudo em certos momentos, entre outros quase todas as vezes que voltava da casa dos Iepántchini.

E eis que, desta vez ainda, estava de mau humor ao voltar da casa deles. Através desse humor apontava uma expressão de amarga zombaria. Ptítsin morava em Pávlovsk numa casa de madeira de mesquinha aparência mas espaçosa, que dava para uma estrada poeirenta. Aquela ia tornar-se em breve propriedade sua, embora já estivesse em ponto de vendê-la a um terceiro. Subindo o patamar, ouviu Varvara Ardaliónovna um barulho extraordinário no andar superior; eram seu irmão e seu pai que vociferavam. Entrou na sala e viu Gânia que corria dum lado para outro da peça, pálido de cólera e prestes a arrancar os cabelos. Ao ver isto, seu rosto ensombreceu-se e ela se deixou cair com ar fatigado no sofá, sem tirar seu chapéu. Sabia que se se calasse um minuto mais e não indagasse a causa daquela agitação seu irmão não deixaria de zangar-se; de modo que se apressou em perguntar-lhe:

— Sempre a mesma história?

— Como, a mesma história! — exclamou Gânia. — A mesma história? Não, não é mais a mesma história, é agora o diabo sabe o quê! O velho está a ponto de ficar danado... A mãe urra. Por Deus! Vária, toma isto como quiseres, mas boto-o pela porta afora, ou então... ou então eu mesmo vou embora! — acrescentou ele, sem dúvida dando-se conta de que não se pode pôr para fora as pessoas em casa alheia.

— É preciso ser indulgente — murmurou Vária.

— Indulgente por quê? com quem? — replicou Gânia, inflamado de cólera. — Com suas torpezas? Não, diz o que quiseres, é impossível! Impossível, impossível, impossível! E que maneiras! Faz das suas e ainda quer ficar de cima. "Não quero atravessar a porta, põe abaixo a muralha!"... Que tens? Teu rosto está todo decomposto.

— Meu rosto não tem nada de extraordinário — replicou Vária, de mau humor.

Gânia olhou-a mais atentamente.

— Estiveste lá? — perguntou, de súbito.

— Sim.

— Espera um instante, os gritos recomeçam. Que vergonha! E num momento como este ainda por cima!

— Um momento como este? O momento presente nada tem de particular.

Gânia fitou sua irmã com um olhar ainda mais penetrante.

— Soubeste de alguma coisa? — perguntou ele.

— Nada de inesperado, pelo menos. Soube que tudo quanto se supunha era verdade. Meu marido foi mais clarividente do que nós dois; o que ele predisse desde o começo é fato consumado. Onde está ele?

— Saiu. Que é que é um fato consumado?

— O príncipe está oficialmente noivo; é negócio concluído. Foram as mais velhas que me falaram. Aglaia deu seu consentimento; cessaram mesmo de segredinhos. (Até aqui tudo lá era cercado de mistério.) O casamento de Adelaida foi adiado mais uma vez, a fim de que os dois casamentos possam ser celebrados ao mesmo tempo, no mesmo dia. Que coisa poética! Um verdadeiro poema! Farias melhor compondo um epitalâmio do que correndo inutilmente para um lado e outro da sala. Esta noite a Bielokónskaia irá visitá-los; chegou a propósito; haverá convidados. Apresentarão o príncipe à princesa, se bem que ela já o conheça; será anunciado, ao que parece, nessa ocasião o contrato de noivado. Crê-se somente que, ao entrar no salão da festa, já presentes os convidados, ele faça cair e quebre algum objeto, ou então ele mesmo caia no chão; é bem capaz disto.

Gânia escutou com muita atenção, mas, para grande espanto de sua irmã, aquela notícia tão acabrunhante para ele não pareceu de modo algum abalá-lo.

— Pois bem! Era claro! — disse, após um momento de reflexão. — De modo que está tudo acabado! — acrescentou, com um sorriso estranho, olhando o rosto de sua irmã com um ar astucioso e continuando a calcorrear de cá para lá, embora menos agitado.

— Ainda bem que tomas a coisa com filosofia; na verdade, folgo muito com *isto — disse Vária.*

— Sim, fica-se livre; tu, pelo menos.

— Creio que te servi sinceramente, sem discutir, nem importunar-te; não te perguntei que felicidade contavas encontrar ao lado de Aglaia.

— Mas procurei eu... a felicidade ao lado de Aglaia?

— Vamos, rogo-te, não banques o filósofo! Era certamente assim. Mas nossa conta está liquidada: fomos enganados. Vou te confessar que jamais olhei esse casamento como um negócio sério; se me ocupei com isso, foi somente um jogo de azar e baseando meus cálculos no caráter fantástico de Aglaia; queria sobretudo agradar-te. Havia noventa probabilidades em cem para que tal projeto abortasse. E até agora eu mesma ainda não sei a que te propunhas.

— Agora, tu e teu marido haveis de forçar-me a arranjar um emprego público; vou ouvir sermões sobre a perseverança e a força de vontade, sobre a necessidade de contentar-me com pouco, e assim por diante; conheço isso de cor — disse Gânia, estourando na gargalhada.

"Tem ele nova ideia na cabeça!", pensou Vária.

— E lá, como os pais tomam a coisa? Estão contentes? — perguntou bruscamente Gânia.

— Não têm cara disso. Aliás, podes julgar por ti mesmo; se Ivan Fiódorovitch está satisfeito, a mãe mostra-se apreensiva; já antes repugnava-lhe ver nele um noivo para sua filha; é coisa conhecida.

— Não é isto que me interessa; o príncipe é um noivo impossível, inimaginável, é claro. Falo da situação presente: como estão as coisas? Ela deu o consentimento formal?

— Até aqui ela não disse "não"; eis tudo. Mas com ela não podia ser de outro modo. Sabes a que extravagâncias têm-na levado sua timidez e seu pudor. Quando menina, metia-se nos armários e ali ficava encolhida duas ou três horas, somente para evitar ter de aparecer diante de visitas. Depois cresceu como uma vara, mas o caráter ficou o mesmo. Sabes, tenho razões de crer que há, com efeito nesse negócio algo de sério, mesmo do lado dela. Parece que de manhã à noite ri ela até mais não poder, pensando no príncipe; é para enganar; encontra com certeza ocasião de deslizar ao ouvido uma palavrinha, porque está ele radiante, em plena glória... Dizem que ele é extremamente ridículo. Ouvi isso deles mesmos. Pareceu-me também que as mais velhas zombavam abertamente de mim.

O rosto de Gânia acabou por ensombrecer-se. Talvez Vária se tivesse estendido de propósito sobre esse capítulo, para sondar os verdadeiros pensamentos de seu irmão. Mas naquele momento as vociferações recomeçaram no andar de cima.

— Vou pô-lo para fora — rugiu Gânia, como que encantado por encontrar um derivativo a seu despeito.

— E então recomeçará ele a deblaterar por toda parte contra nós, como fez ontem.

— Como ontem? Que quer dizer isso? Ontem? Mas será que... — perguntou Gânia, com súbito pavor.

— Ah! meu Deus! Não sabes então? — continuou Vária.

— Como... então é verdade que ele foi lá? — exclamou Gânia, rubro de vergonha — e de cólera. — Meu Deus! mas tu, que vens de lá, soubeste de alguma coisa? O velho foi lá? Sim ou não?

E precipitou-se para a porta. Vária lançou-se em seu encalço e agarrou-o com as duas mãos.

— Então? Que é isso? Aonde vais? — perguntou ela.— Se o puseres para fora neste momento, vai nos fazer passar por coisas ainda piores. Irá à casa de toda a gente!

— Que fez ele lá? Que disse ele?

— Elas não souberam repetir-me claramente, porque não o compreenderam. Sei somente que causou medo a todas. Procurava Ivan Fiódorovitch, mas este estava ausente; então pediu para falar com Lisavieta Prokófievna. Começou rogando-lhe que lhe obtivesse um lugar, que o empregasse na administração; depois pôs-se a queixar-se de nós, de mim, de meu marido, de ti sobretudo... Falou um bocado de coisas.

— Não pudeste saber quais? — perguntou Gânia,— abalado por um tremor convulsivo.

— Não era fácil! Ele próprio não devia compreender bem o que dizia; talvez também não me tenham elas contado tudo,

Gânia pôs as mãos na cabeça e correu para uma janela. Vária sentou-se junto da outra janela.

— É engraçada, essa Aglaia! — observou ela, de súbito. — Deteve-me para dizer-me: "Apresente a seus pais a homenagem particular de minha consideração pessoal; hei de encontrar, certamente por estes dias ocasião de ver seu papai". E disse isto num tom tão sério! É bem estranho...

— Não será uma zombaria? Tens certeza?

— Não, não era uma brincadeira e isto é que é estranho.

— Ela está ou não ao corrente do negócio do velho? Que pensas?

— Ignora-se esse negócio em casa deles; não tenho nenhuma dúvida a respeito. Mas tu me dás a ideia de que Aglaia poderia bem conhecê-lo. Só ela está ao corrente, porque suas irmãs ficaram igualmente surpresas por ouvirem-na encarregar-me com tanta seriedade de cumprimentar nosso pai. E por que seria justamente a ele que enviaria suas saudações? Se ela conhece o negócio, é que o príncipe lhe contou!

— Não é preciso muita perspicácia para saber que ele lhe contou! Um ladrão! Não faltava senão isto. Um ladrão na nossa família e o "chefe da família"!

— Ora, é uma infantilidade! — exclamou Vária, muito zangada. — Uma história de bêbados e nada mais. E quem a inventou? Liébiediev, o príncipe... belos personagens eles próprios, o suprassumo da inteligência! Não ligo a mínima importância a este incidente.

— O velho é um ladrão e um bêbado — prosseguiu Gânia, com amargura. — Eu, sou um pobretão; o marido de minha irmã é um usurário. Havia em nossa casa com que seduzir Aglaia: uma bela família na verdade!

— Esse marido de tua irmã, esse usurário te...

— Alimenta-me, não é? Não te constranjas, rogo-te.

— Por que te exaltas? — disse Vária, contendo-se. — Não compreendes nada; és como um escolar. Pensas que tudo isso possa ter-te prejudicado aos olhos de Aglaia? Não conheces seu caráter; é capaz de recusar o partido mais magnífico para fugir com um estudante e aceitar morrer de fome junto dele num sótão; eis seu sonho! Nunca te deste conta de a que ponto te terias tornado interessante aos olhos dela, se tivesses sido capaz de suportar nossa situação com firmeza e altivez. O príncipe empalmou-a, em primeiro lugar, porque não a procurou, em seguida porque passa por idiota aos olhos de toda a gente. Somente a perspectiva de transtornar sua família por causa dele é o que a encanta no momento! Ai! vocês, homens, não compreendem nada!

— Está bem, veremos se compreendemos ou não compreendemos — murmurou Gânia, com ar enigmático. — Mas de qualquer forma gostaria bem que ela não conhecesse o caso do velho. Pensei que o príncipe contivesse a língua e não deixasse escapar coisa alguma. Conseguira conter Liébiediev; mesmo a mim, a despeito de minha insistência, não quis contar-me tudo...

— Vês, pois, tu mesmo que o negócio veio a espalhar-se sem que ele houvesse contribuído para isso. Mas que te importa agora? Que esperas? E se te restasse uma esperança, isto não poderia dar-te senão uma auréola de mártir aos olhos delas.

— Ora, malgrado todo esse romantismo, ela teria medo do escândalo! Tudo tem seus limites e ninguém se compromete além de certo limite; todas vocês são iguais.

— Aglaia ter medo? — exclamou Vária, lançando a seu irmão um olhar de desprezo. — Tua alma é bem baixa! Tanto vale uma como o outro. Que ela seja olhada como ridícula e extravagante, vá lá! Mas em compensação é de caráter mil vezes mais nobre que nós todos.

— Bem, está bem, não te zangues! — murmurou de novo Gânia, com ar de suficiência.

— Lamento simplesmente minha mãe — prosseguiu Vária. — Receio que a história de meu pai já tenha chegado a seus ouvidos. Tenho bem medo disso!

— Ela a conhece decerto — observou Gânia.

Vária levantara-se para subir ao andar de cima, aos aposentos de Nina Alieksándrovna. Parou e olhou seu irmão com olhar intrigado.

— Quem então terá feito isso?

— Ipolit, provavelmente. Presumo que logo que se instalou aqui, deu-se pressa em contar isso à nossa mãe.

— Mas, me diz, rogo-te, como ele pode conhecer esse negócio? O príncipe e Liébiediev convieram que não falariam a ninguém e o próprio Kólia o ignora.

— Ipolit? Soube de tudo isso por si mesmo. Não podes imaginar como aquela criatura é astuta e mexeriqueira, nem que faro possui para descobrir todas as histórias sujas, tudo quanto tenha caráter escandaloso. Podes acreditar ou não, mas estou convencido de que ele já conseguiu ganhar ascendência no espírito de Aglaia. Se assim não for, será. Rogójin entrou igualmente em relação com ele. Como ascendência? E que vontade tem esse Ipolit agora de pregar-me uma má peça! Olha-me como a um inimigo pessoal; compreendi isso desde muito tempo. Mas pergunto a mim mesmo que adianta isso de parte de um moribundo? Ele não sabe com quem se meteu. Verás: a derradeira palavra caberá a mim e não a ele.

— Por que tê-lo trazido para cá, se o odeias a este ponto? E vale a pena querer ter a derradeira palavra contra ele?

— Foste tu mesma quem me aconselhou a trazê-lo para cá.

— Pensei que ele seria útil. Mas sabes que ele próprio se apaixonou por Aglaia e lhe escreveu? Fizeram-me perguntas... Aposto que também escreveu a Lisavieta Prokófievna.

— A este respeito ele não é perigoso! — disse Gânia, rindo malignamente. — Aliás, deve tratar-se de outra coisa. Que esteja apaixonado, é bem possível, trata-se de um garoto! Mas... não se porá ele a escrever cartas anônimas à velha? É uma nulidade cheia de fel, tão enfatuada de si mesma!... Estou certo, sei sem dúvida nenhuma que ele me descreveu perante ela como um intrigante, foi por aí que começou. Fui bastante idiota, confesso, por ter falado demais com ele; pensava que serviria a meus interesses; não fosse senão para se vingar do príncipe; é um indivíduo tão dissimulado! Oh! agora, sei muito bem quem ele é! Quanto a esse roubo, foi pela mãe dele, a capitoa, que tomou conhecimento do caso. Foi por causa dela que o velho se decidiu a dar o golpe. Sem a menor consideração Ipolit me fez saber que o "general" havia prometido quatrocentos rublos à mãe dele. Disse isto assim sem cerimônia, sem circunlóquios. Então compreendi tudo. Fitava-me bem nos olhos com uma espécie de volúpia. Repetiu isto decerto a mamãe, somente pelo prazer de dilacerar-lhe o coração. E por que ele não morre, me diz, rogo-te? Não se comprometeu ele a morrer dentro de três semanas? E desde que está aqui, engordou! Sua tosse começa a passar; disse mesmo ontem à noite que, há já dois dias, não escarrava mais sangue.

— Manda-o embora.

— Não o odeio, desprezo-o — disse Gânia, com um ar de orgulho. — Ainda que, sim, confesso, odeio-o! — exclamou, subitamente, num assomo de cólera. — E lhe direi cara a cara, mesmo que esteja no seu leito de agonia! Se pudesses ler a confissão dele!... Meu Deus, que ingênua impudência! É o Tenente Pirogov, é Nosdriov ao trágico e é sobretudo um garoto! Com algum prazer, teria-lhe dado umas palmadas no traseiro naquele momento, justamente para espantá-lo. Agora quer vingar-se de toda a gente porque o efeito que esperava fracassou naquele dia... Mas que é que há? O barulho recomeça lá em cima! Vejamos, afinal, que significa isto? Não o tolerarei mais! — exclamou ele, dirigindo-se a Ptítsin que entrava na sala. — Que há? A que não havemos de chegar em nossa casa?... É... é...

Mas o barulho aproximava-se rapidamente. A porta abriu-se de repente e o velho Ívolguin, cheio de cólera, congestionado, transtornado, fora de si, lançou-se também para Ptítsin. Atrás dele entraram Nina Alieksándrovna, Kólia e, por último, Ipolit.

Capítulo II

Ipolit instalara-se havia já cinco dias na casa de Ptítsin. A separação arranjara-se bastante naturalmente, sem arrancos nem briga, entre o príncipe e ele; não somente não tiveram discussão, mas ainda davam a impressão de terem se separado em bons termos. O próprio Gavrila Ardaliónovitch, tão hostil a Ipolit na noite que relatamos, fora visitá-lo dois dias após o acontecido; obedecia sem dúvida a uma *segunda intenção que lhe viera* de repente. Rogójin pôs-se também a frequentar o doente, não se sabia por qual motivo. No começo, o príncipe pensara que o "pobre rapaz" encontraria vantagem em mudar-se de sua casa. Mas quando trocou de casa, sublinhou Ipolit que ia instalar-se em casa de Ptítsin, "que tivera a bondade de oferecer-lhe um abrigo"; como de propósito, não disse uma palavra a respeito de Gânia, muito embora este último tivesse insistido para que o recebessem na casa. Gânia dera-se conta disso e esta ofensa ficou-lhe atravessada bem fundo no coração.

Dissera a verdade quando anunciara à sua irmã que o doente estava-se restabelecendo. Com efeito, Ipolit sentia-se um pouco melhor do que antes, coisa perceptível logo à primeira vista. Entrou na sala sem se apressar, atrás dos outros, com um sorriso irônico e malévolo nos lábios. Nina Alieksándrovna dava sinais de vivo pavor. (Mudara consideravelmente e emagrecera no decorrer daqueles últimos seis meses desde que casara sua filha e viera morar em casa dela, tinha o ar de não mais se meter nos negócios de seus filhos.) Kólia estava preocupado e como que perplexo; muitas coisas lhe escapavam naquela "loucura do general", como dizia, porque ignorava naturalmente as razões verdadeiras da nova barafunda que reinava na casa. Mas vendo seu pai manifestar a todo momento e a todo propósito um humor tão rixento, tornava-se claro a seus olhos que ele havia bruscamente mudado e não era mais, por assim dizer, o mesmo homem. O próprio fato do velho ter parado completamente de beber, havia três dias, avivava sua inquietação. Sabia que ele tinha rompido com Liébiediev e com o príncipe e que havia mesmo discutido com ele. Acabava justamente de trazer para casa uma meia garrafa de vodca comprada com seu próprio dinheiro.

— Asseguro-lhe, mamãe — afirmava ele a Nina Alieksándrovpa, quando se achavam ainda no andar superior, — asseguro-lhe que é melhor deixá-lo beber. Há três dias que não bebe nada, daí provem seu humor negro. Na verdade, seria bom, eu lhe levava aguardente, mesmo quando ele estava na prisão, por dívidas...

O general abriu a porta de par em par e parou na soleira, a tremer de indignação.

— Meu caro senhor — ele gritou para Ptítsin com voz tonitroante — se realmente resolveu sacrificar a esse fedelho e a esse ateu o ancião respeitável que é seu pai, ou pelo menos, o pai de sua mulher, e que lealmente serviu a seu soberano, saiba que a partir de agora meus pés não pisarão mais o chão de sua casa. Escolha, senhor, escolha agora mesmo: ou eu, ou... esse parafuso. Sim, esse parafuso! Esta palavra veio-me por acaso; mas é bem como parafuso! Porque ele me fura a alma à maneira de um parafuso sem nenhuma contemplação... Justamente como um parafuso!

— Por que não um saca-rolhas? — interveio Ipolit.

— Não, um saca-rolhas não, porque não tens diante de ti uma garrafa, mas um general. Tenho condecorações, distinções honoríficas... e tu, tu não tens nada. Ou ele, ou eu! Decida, senhor, e imediatamente! — gritou ele de novo para Ptísin, num tom exasperado.

Kólia aproximou dele uma cadeira sobre a qual ele se deixou cair, quase sem forças.

— Na verdade, seria muito bom se ele tirasse uma soneca — murmurou Ptísin, aturdido.

— Tem ainda o topete de proferir ameaças! — cochichou Gânia à sua irmã.

— Uma soneca? — exclamou o general. — Não estou embriagado, meu caro senhor, e o senhor me insulta. Vejo — prosseguiu ele, levantando de novo, — que aqui tudo e todos estão contra mim. Estou farto! Vou-me embora... Mas saiba, meu caro senhor, saiba...

Fizeram-no sentar outra vez sem deixá-lo acabar e rogaram-lhe que se acalmasse. Gânia, furioso, retirou-se para um canto. Nina Alieksándrovna tremia e soluçava.

— Mas que lhe fiz eu? De que se queixa ele? — disse Ipolit num tom de pilhéria.

— Pretende você não lhe ter feito nada? — interveio, de repente, Nina Alieksándrovna. — Sobretudo você é quem deveria ter vergonha e... é crueldade atormentar um velho... mais especialmente quando se está na situação em que você se encontra.

— Em primeiro lugar, senhora, qual é, pois, a minha situação? Tenho um respeito grande pela senhora, pela senhora em particular e pessoalmente, mas...

— É um parafuso! — exclamou o general. — Perfura-me a alma e o coração! Quer converter-me ao ateísmo! Saiba, seu fedelho, que já estava eu coberto de honras, quando você ainda não era nascido. Não passa de um verme atormentado pela inveja, um verme cortado em dois, um verme que tosse... e que morre de ódio e de impiedade... Por que Gavrila trouxe-o para cá? Todos são contra mim, desde os estranhos até meu próprio filho,

— Basta de representar tragédia! — gritou Gânia. — Seria muito melhor que não nos andasse a difamar por toda a cidade!

— Como? Eu desonrar-te, fedelho? A ti? Só posso fazer-te honra e de modo algum desonrar-te!

Dera um pulo, não se podia mais retê-lo; mas Gavrila Ardaliónovitch havia, ele também, perdido visivelmente as estribeiras.

— Tem o topete de falar de honra! — exclamou malignamente Gânia.

— Que disseste? — trovejou o general, lívido de cólera, dando um passo para ele.

— Digo que me bastaria abrir a boca para que... — começou bruscamente Gânia, que não chegou a terminar a frase.

Estavam ambos face a face, presas duma violenta comoção, sobretudo Gânia.

— Gânia, que fazes? — exclamou Nina Alieksándrovna, lançando-se para reter seu filho.

— Tolices e mais tolices de todos os lados! — exclamou Vária, indignada. — Vamos, mamãe, acalme-se!

E agarrou-se à sua mãe.

— Se o poupo, é por minha mãe — declarou Gânia, num tom trágico.

— Fala! — urrou o general, no cúmulo da exasperação. — Fala, sob pena de seres amaldiçoado por teu pai... fala!

— Espere por essa! Muito medo tenho de sua maldição! De quem a culpa de estar o senhor há oito dias como um louco? Digo: há oito dias, está vendo? Conheço a data... Tome cuidado em não me levar ao extremo, direi tudo. Por que se arrastou ontem até a casa dos Iepántchini? E ainda quer que se respeite sua velhice, seus cabelos brancos, sua dignidade de pai de família? Muito bonito!

— Cala-te, Gânia! — exclamou Kólia. — Cala-te, imbecil!

— Em que, pois, eu o ofendi? — insistiu Ipolit, sempre num tom que orçava pela insolência. — Por que ele me trata de parafuso, não o ouviram? Foi ele quem *me veio importunar: veio há* pouco contar-me a história de um tal Capitão Ieropiégov. Não faço questão absolutamente nenhuma de participar de sua sociedade, general; o senhor mesmo sabe que a evitei outrora... Que me importa o Capitão Ieropiégov? Confesse-o o senhor mesmo... Não foi por causa do Capitão Ieropiégov que vim instalar-me aqui. Limitei-me a exprimir bem alto ao general a opinião de que esse Capitão Ieropiégov podia muito bem nunca ter existido. Nisto a mostarda subiu-lhe ao nariz.

— Não há dúvida nenhuma: esse capitão jamais existiu — disse Gânia, num tom cortante.

O general ficou aturdido. Lançou em redor de si olhares de louco. As palavras de seu filho tinham-no impressionado pela sua brutal segurança. No momento não encontrou uma palavra sequer para replicar. Mas a reflexão de Gânia provocou um acesso de riso de Ipolit.

— Ouviu-o? — disse ele. — Seu próprio filho lhe diz que jamais existiu esse Capitão Ieropiégov.

Completamente transtornado, o velho balbuciou:

— Falei de Kapiton Ieropiégov e não dum capitão... Kapiton... tenente-coronel reformado, Ieropiégov... Kapiton.

— Não há tampouco nenhum Kapiton! — voltou Gânia a afirmar, fora de si.

— Como... por que não teria havido? — balbuciou o general, enquanto o sangue lhe subia às faces.

— Vamos, acalmem-se! — intervieram Ptítsin e Vária.

— Cala-te, Gânia! — gritou de novo Kólia.

Mas estas intervenções restituíram o aprumo ao general.

— Como não existiu? Por que não teria existido? — interpelou ele o filho, num tom de ameaça.

— Porque não existiu, eis tudo. Não existiu, é completamente impossível! Tenha-o como dito. Não insista, repito-lhe.

— E dizer que é meu filho... é meu próprio filho. Aquele que eu... Oh! meu Deus! Ousa pretender que Ieropiégov; Ierochka Ieropiégov não existiu!

— Ora, com efeito! Ainda há pouco era Kapiton, agora: é Ierochka! — intrometeu-se Ipolit.

— Falo de Kapitochka, meu senhorzinho, e não de Ierochka! Trata-se de Kapiton, Capitão Alieksiéievitch, quero dizer Kapiton... tenente-coronel... reformado... que se casou com Mária... Mária Pietrovna Su... Su... em suma, meu amigo e camarada... Sutúguin... Estivemos juntos na escola de cadetes. Derramei por ele... protegi-o com meu corpo... mas ele foi morto. Ousa-se dizer que não houve Kapitochka Ieropiégov! Que ele não existiu!

O general vociferava, furioso, mas sentia-se que sua emoção procedia de uma outra causa bem diversa da questão em litígio. Na verdade, teria certamente tolerado em outros tempos uma suposição. Muito mais ferina que a da inexistência do Kapiton Ieropiégov. Teria gritado, discutido; ficaria arrebatado, mas teria acabado por subir ao andar de cima para ir deitar-se. Desta vez, por uma singular estranheza do coração humano, a taça transbordava pelo simples fato de terem posto em dúvida a existência de Ieropiégov, por mais anódina que fosse essa ofensa. O velho ficou rubro, levantou os braços ao céu e urrou:

— Basta! Minha maldição... Saio desta casa! Nikolai, toma minha mala de viagem... parto.

Precipitou-se para fora, no paroxismo da cólera. Nina Alieksándrovna, Kólia e

Ptítsin lançaram-se no seu encalço.

— Vês o que fizeste? — perguntou Vária à seu irmão. — Quem sabe? Talvez ele volte para lá. Que vergonha! Que vergonha!

— Pois que não roube! — exclamou Gânia, quase sufocando de raiva.

De repente seu olhar encontrou o de Ipolit; súbito tremor dominou-o.

— Quanto a você, meu caro senhor — exclamou, — devia ter lembrado de que afinal de contas está sob teto alheio e... gozando aqui de hospitalidade, não lhe cabia irritar um velho que evidentemente está louco.

Ipolit esteve também a ponto de deixar-se arrebatar, mas conteve-se logo.

— Não concordo absolutamente com sua opinião quanto à pretensa loucura de seu papai — disse ele, com calma. — Tenho, pelo contrário, a impressão de que está mais sensato que nos últimos tempos. Palavra! Não acha? Tornou-se tão cauteloso, tão desconfiado, tem as orelhas à escuta, pesa cada uma de suas palavras... Quando me falou desse Kápitochka tinha lá sua ideia: imagine que queria ele levar-me a...

— Ah! Que diabos preciso eu saber para onde ele o queria levar! Peço-lhe que não banque o sabido comigo e não me venha com rodeios, senhor! — disse Gânia num tom gritante. — Se conhecesse também a verdadeira razão pela qual aquele velho se encontra em semelhante estado (e você espionou tão bem dentro de minha casa durante estes últimos dias que não poderia deixar de conhecê-la), deveria abster-se rigorosamente de irritar aquele... infeliz e de atormentar minha mãe, exagerando um negócio que nada tem de sério; é uma simples história de ébrios, nada mais; não está absolutamente provada e não faço dela nenhum caso... Mas você, você precisa atormentar, espionar porque você... você é...

— Um parafuso — escarneceu Ipolit.

— Por que você é um sujeito vil; atormentou pessoas durante uma meia hora e procurou enlouquecê-las, fazendo o gesto de matar-se com uma pistola que nem mesmo estava carregada. Desempenhou uma comédia vergonhosa; você é um simulador de suicídio... um saco de bílis montado em cima de duas pernas! Fui eu que lhe dei hospitalidade; engordou aqui; não tosse mais; e eis sua maneira de ser reconhecido...

— Duas palavras somente, peço-lhe; sou hóspede de Vária Ardaliónovitch e não seu. O senhor não me deu hospitalidade nenhuma e creio ainda por cima que o senhor mesmo se beneficia da do senhor Ptítsin. Há quatro dias, roguei à minha mãe que me arranjasse um alojamento em Pávlovsk e viesse ela mesma instalar-se nele, porque, com efeito, sinto-me melhor, embora não tenha engordado aqui e continue a tossir. Minha mãe mandou-me dizer ontem de noite que o apartamento estava pronto e que eu me apressasse em anunciar-lhes, por minha vez, que vou, mudar-me para lá hoje mesmo, depois de ter agradecido à sua mamãe e à irmã; minha decisão está tomada desde ontem de noite. Desculpe-me tê-lo interrompido; o senhor tinha, se me não engano, ainda bastante coisas a dizer.

— Oh! se é assim... — disse Gânia, num frêmito.

— Se é assim, permita-me que me assente — acrescentou Ipolit, tomando tranquilamente a cadeira que o general havia ocupado. — Porque afinal estou doente. Assim, agora estou pronto a escutá-lo, tanto mais que será nossa derradeira conversa e, talvez, mesmo nosso derradeiro encontro.

Gânia teve de repente um escrúpulo.

— Fique bem certo de que não me rebaixarei a regular contas com você — disse ele, — e se você...

— Faz mal em tomar a coisa assim do alto — cortou-lhe a palavra Ipolit. — Eu, de minha parte, prometi a mim mesmo, desde o dia de minha chegada aqui, não me recusar o prazer de dizer-lhe umas quatro verdades, quando nos separássemos. Eis justamente o momento de pôr esse projeto em execução, quando o senhor tiver acabado de falar, bem entendido.

— E eu, peço-lhe que saia desta sala.

— Melhor será que fale o senhor; depois, vai se arrepender de não ter dito tudo quanto lhe oprime o coração.

— Acabe com isso, Ipolit; tudo isso é profundamente vergonhoso, faça-me o favor de acabar com isso! — disse Vária.

Ipolit ficou em pé:

— Se me calo, será por pura deferência a uma dama — disse ele, rindo. — Como lhe aprouver, Vária Ardaliónovna; por sua causa estou pronto a abreviar, mas somente a abreviar esta conversa, porque uma explicação entre seu irmão e eu tornou-se absolutamente indispensável e não me resignaria por coisa alguma do mundo a partir deixando dúvidas atrás de, mim...

— Digamos a palavra bem simplesmente: você é um mexeriqueiro — exclamou Gânia: — Por isso é que não se decide a partir sem ter vomitado suas comadrices.

— Está vendo que não é mais senhor de sua vontade — observou Ipolit, friamente. — Com franqueza, terá pesar de não exprimir tudo quanto tem a dizer. Ainda uma vez, cedo-lhe a palavra. Falarei depois do senhor.

Gavrila Ardaliónovitch não respondeu e olhou-o com desprezo.

— Não quer? Prefere manter-se até o fim em seu papel? À vontade. Quanto a mim, serei tão breve quanto possível. Duas ou três vezes hoje ouvi lançarem-me em rosto a hospitalidade que me foi concedida. Isto não é justo. Convidando-me a vir instalar-me aqui, sua intenção era prender-me nos fios de sua rede. Supunha que eu queria vingar-me do príncipe. Além disso, ouviu dizer que Aglaia Ivânovna havia revelado simpatia por mim e lera minha confissão. Imediatamente lhe veio a ideia de que eu me dedicaria inteiramente aos seus interesses; teve a esperança de encontrar talvez em mim um auxiliar. Não direi mais a respeito. De sua parte não peço tampouco nem confissão nem confirmação. Basta-me deixá-lo diante de sua consciência e saber que, agora, nós nos compreendemos às mil maravilhas um ao outro.

— Deus sabe que história imagina você com a coisa mais simples! — exclamou Vária.

— Eu não disse? É um mexeriqueiro e um patife — disse Gânia.

— Permita, Vária Ardaliónovna, que eu continue. Certamente, não posso amar, nem respeitar o príncipe. Mas é um homem duma real bondade, ainda que... bastante ridículo. Não tenho, pois, a menor razão para odiá-lo. Não deixei seu irmão ver entretanto que percebia que ele me excitava contra o príncipe; contava com o desenlace para ter ocasião de rir. Sabia que seu irmão teria língua bastante comprida e se meteria na mais falsa das posições. Foi o que aconteceu... Estou pronto agora a poupá-lo, mas unicamente em atenção à senhora, Vária Ardaliónovna.

Todavia, depois de ter-lhe mostrado que não é tão fácil apanhar-me na armadilha, quero ainda explicar-lhe por que fazia eu tanta questão de pôr seu irmão numa posição ridícula para comigo. Saiba que o fiz por ódio, confesso-o sinceramente. No momento de morrer (porque morrerei, apesar de tudo, se bem que haja engordado, como pretende), no momento de morrer, digo eu, senti que iria para o paraíso com muito mais tranquilidade se conseguisse ridicularizar pelo menos um representante dessa inumerável categoria de pessoas que me perseguiram durante toda a minha vida e às quais toda a minha vida tenho odiado. Seu estimável irmão oferece a imagem impressionante dessa espécie de pessoas. Eu o odeio, Gavrila Ardaliónovitch, e — isto o surpreenderá talvez — unicamente porque o senhor é o tipo, a encarnação, a personificação e a perfeitíssima expressão da mediocridade mais impudente, mais enfatuada, mais chata e mais repugnante! O senhor é a mediocridade inchada, a que não duvida de nada e se envolve numa serenidade olímpica; o senhor é a rotina das rotinas! Jamais a sombra de uma ideia pessoal germinará no seu espírito ou no seu coração. Mas sua inveja não conhece limites; o senhor está firmemente convicto de que é um gênio de primeira ordem. Todavia, a dúvida o persegue em seus momentos de melancolia e sente então acessos de cólera e de inveja. Oh! há ainda pontos negros no seu horizonte; não desaparecerão senão no dia em que o senhor se tornar perfeitamente cretino, o que não haverá de tardar. O senhor tem, no entanto, uma carreira ainda longa e variada à sua frente; não acho que ela será alegre e rejubilo-me com isso. Para começar, predigo que não obterá a mão de certa pessoa.

— Mas é intolerável! — exclamou Vária. — Quer ou não acabar, insultador infame?

Pálido e fremente, Gânia mantinha-se em silêncio. Ipolit calou-se, olhou-o fixamente, gozando-lhe o embaraço, voltou os olhos para Vária, sorriu, depois cumprimentou e saiu sem acrescentar uma só palavra.

Gavrila Ardaliónovitch teria podido queixar-se, com direito, de seu destino e de sua má sorte. Vária ficou alguns instantes sem ousar dirigir-lhe a palavra; nem mesmo o olhou, enquanto ele andava a grandes passadas dum lado para outro da sala. Finalmente, ele se aproximou duma janela e voltou as costas à sua irmã. Vária pensou no provérbio russo: "um bastão tem sempre duas pontas". O barulho recomeçou no andar de cima.

— Vais lá? — perguntou bruscamente Gânia à sua irmã, vendo-a levantar. — Espera: olha isto.

Avançou e lançou sobre a cadeira diante dela um papelzinho, dobrado em forma de bilhete.

— Meu Deus! — exclamou Vária, erguendo os braços. O bilhete continha apenas sete linhas:

> Gavrila Ardaliónovitch, tendo-me convencido de seus bons sentimentos para comigo, resolvi pedir conselho a respeito de um negócio importante para mim. Desejaria encontrá-lo amanhã às sete horas da manhã em ponto, no banco verde. Não é longe de nossa casa. Vária Ardaliónovna, que deve sem falta acompanhá-lo, conhece muito bem aquele lugar.
>
> A.I.

— Depois disto, vá a gente entendê-la! — disse Vária Ardaliónovna, que marcou sua surpresa abrindo os braços.

Por menos disposto que estivesse a tomar ares de conquistador, não pôde Gânia entretanto dissimular seu triunfo, sobretudo após as mortificantes predições de Ipolit. Um sorriso sincero de vaidade satisfeita iluminou-lhe o rosto; a própria Vária estava radiante de alegria.

— E isto no mesmo dia em que se anuncia em casa deles o noivado! Agora tenta, pois, saber o que ela quer!

— Na tua opinião, a respeito de que vai ela falar-me amanhã? — perguntou Gânia.

— Pouco importa; o essencial é que, pela primeira vez, desde seis meses, ela mostra o desejo de ver-te. Escuta-me, Gânia: seja o que for e qualquer que possa ser o giro que essa entrevista tomar, lembra-te de que é uma coisa importante, excessivamente importante! Nada de embaraços desta vez; não cometas ratas, mas não sejas tampouco demasiado tímido; abre o olho! Será que ela não suspeitou do desígnio que eu tinha em vista, frequentando-lhes a casa durante estes seis meses? Imagina que nem uma palavra me disse hoje a respeito. Não deu demonstração de nada. É preciso dizer-te que entrei às ocultas; a velha não sabia que eu estava lá; pois se soubesse teria talvez me posto para fora. Foi por ti que corri este risco; queria saber a todo custo...

Os gritos e o barulho recomeçaram com mais intensidade lá em cima. Várias pessoas desciam a escada.

— Por coisa alguma do mundo deve-se consentir nisso agora! — exclamou Vária, ofegante e espantada. — É preciso evitar a sombra que seja de um escândalo. Vai e pede-lhe perdão.

Mas o pai de família já havia chegado à rua. Atrás dele, Kólia seguia com a mala. Nina Alieksándrovna soluçava, de pé, no patamar; sua vontade era correr atrás de seu marido, mas Ptítsin a retinha.

— A senhora só fará excitá-lo mais ainda — dizia-lhe. — Ele não tem para onde ir; dentro duma meia hora haverão de trazê-lo; já falei a respeito com Kólia; deixe-o fazer suas loucuras.

— Por que essas bravatas? Onde irá o senhor assim? — gritou Gânia da janela. — Não sabe nem mesmo onde ir!

— Volte, papai! — gritou Vária. — Os vizinhos estão ouvindo.

O general parou, voltou-se, estendeu a mão e gritou enfaticamente:

— Que a maldição esteja sobre essa casa!

— Será preciso ainda ouvi-lo dizer isso em tom teatral? — murmurou Gânia, fechando a janela com estrondo.

Com efeito os vizinhos estavam à escuta. Vária saiu precipitadamente da sala.

Assim que ela saiu, Gânia apanhou o bilhete, de cima da mesa, levou-o aos lábios, estalou a língua e ensaiou um passo de dança.

CAPÍTULO III

O escândalo provocado pelo general teria sido sem consequências em qualquer outro tempo. Já fora o herói de incidentes extravagantes e imprevistos da mesma espécie, embora bastante raramente, porque era, afinal, um homem muito pacífico e de tendências até boas. Cem vezes talvez tentara lutar contra os hábitos desregrados contraídos por ele no curso daqueles últimos anos. Lembrava-se de repente que era "pai de família", reconciliava-se com sua mulher e vertia lágrimas sinceras. Tinha por Nina Alieksándrovna um respeito que chegava até a adoração porque ela lhe perdoava tantas coisas sem dizer uma palavra e conservava por ele sua ternura a despeito do envilecimento e do ridículo em que ele caíra. Mas essa luta magnânima contra a desordem de sua vida não durava geralmente muito tempo; era ele também, no seu gênero, um homem demasiado "ardoroso", para suportar a vida de penitência e ociosidade que levava no seio de sua família e acabava revoltando-se. Tinha então acessos de furor que talvez censurasse a si próprio no instante mesmo em que a eles se abandonava, mas que não tinha a força de dominar. Puxava briga com os seus, punha-se a discutir com ênfase que pretendia ser eloquência e exigia que se lhe testemunhasse um respeito desmedido, inimaginável, depois afinal de contas eclipsava-se e ficava mesmo muito tempo sem reaparecer em sua casa. Havia dois anos não tinha mais senão uma ideia bastante vaga do que se passava em sua casa ou só vinha a tomar conhecimento das coisas por ouvir dizer; cessara de entrar nestes detalhes que para ele não tinham mais o mínimo interesse.

Mas desta vez o escândalo revestia-se duma forma insólita. Era de crer que ocorrera um acontecimento que toda a gente conhecia, mas de que ninguém ousava falar. O general só voltara havia três dias oficialmente ao seio da família, isto é, para o lado de Nina Alieksándrovna; mas em lugar de testemunhar humildade e arrependimento, como por ocasião de suas precedentes "reaparições", dava pelo contrário os sinais duma extraordinária irritabilidade. Mostrava-se loquaz, agitado; dirigia a quem chegasse discursos inflamados, com o ar de avançar contra seus interlocutores; mas falava de questões tão variadas e tão inesperadas que era impossível descobrir o objeto verdadeiro de sua atual inquietação. Exceto uns momentos de alegria, estava a maior parte do tempo absorvido, sem saber exatamente ele próprio por que. Começava uma história a respeito dos Iepántchini, do príncipe, de Liébiediev, e de repente interrompia-se, ficava calado e respondia com um sorriso obtuso e prolongado aos que o interrogavam sobre a continuação da história; não tinha mesmo o ar de notar que o interrogavam. Passara a derradeira noite a suspirar e a gemer, dando trabalho a Nina Alieksándrovna que, por descargo de consciência, esquentara sem cessar para ele, cataplasmas. Perto do amanhecer, adormecera bruscamente, mas quatro horas mais tarde seu despertar deu lugar ao acesso violento e desordenado de hipocondria, que resultara na disputa com Ipolit e a "maldição sobre esta casa".

Tinha-se igualmente notado no curso daqueles três dias que caíra ele num excesso contínuo de vaidade, que se traduzia numa susceptibilidade anormal. Kólia afirmava à sua mãe com insistência que aquele humor rabugento era imputável à privação da bebida, talvez também à ausência de Liébiediev com o qual o general se ligara intimamente naqueles últimos tempos.

Uma briga inesperada surgira entre eles, três dias antes, o que lançara o general em grande cólera; tivera mesmo uma espécie de cena com o príncipe. Kólia havia rogado a este último que lhe explicasse o motivo daquilo e acabara por adivinhar que também Míchkin lhe ocultava alguma coisa. Podia-se supor, como o fizera Gânia com muita verossimilhança, que uma conversa particular se realizara entre

Ipolit e Nina Alieksándrovna; mas parecia então estranho que aquele mau sujeito, tratado abertamente de mexeriqueiro por Gânia, não se tivesse dado o prazer de pôr Kólia ao corrente. Podia muito bem dar-se que Ipolit não fosse o mau "patife" que Gânia pintara ao falar à sua irmã, e que sua maldade fosse de gênero bem diverso. Se, aliás, dera conhecimento de alguma coisa a Nina Alieksándrovna, não fora provavelmente com a única intenção de lhe "dilacerar o coração". Não esqueçamos que os motivos das ações humanas são habitualmente muito mais complexos e mais variados do que afinal os imaginamos; é raro que se desenhem com nitidez. O melhor é, por vezes, para o narrador, limitar-se à simples exposição dos acontecimentos. É o que faremos em nossos esclarecimentos ulteriores sobre a catástrofe que acaba de transtornar a vida do general, porque nos encontramos na obrigação absoluta de conceder, malgrado nosso, a esse personagem de segundo plano mais interesse e lugar que não lhe havíamos reservado até aqui em nossa narração.

Os acontecimentos haviam-se sucedido na ordem seguinte:

Depois de sua viagem a Petersburgo para encontrar Fierdíchtchenko, voltara Liébiediev no mesmo dia a Pávlovsk com o general. Nada fizera saber de particular ao príncipe. Se este último não estivesse então de tal modo distraído e absorvido por outras preocupações importantes para ele, não teria tardado em perceber que Liébiediev, não somente não lhe havia dado nenhuma explicação nos dias que se tinham seguido, mas até mesmo procurara evitar encontrá-lo. Quando por fim veio a notar isto, lembrou-se com espanto de que, durante aqueles dois dias, nos seus encontros acidentais com Liébiediev, vira este radiante de bom humor e quase sempre em companhia do general. Os dois amigos não se deixavam um instante. O príncipe ouvia por vezes, no andar de cima, conversações ruidosas e animadas, discussões cordiais, entrecortadas de explosões de riso. Uma vez mesmo, a uma hora muito avançada da noite, os ecos inesperados de um estribilho militar e báquico chegaram-lhe aos ouvidos. Reconheceu a voz de baixo enrouquecido do general. Mas a canção interrompeu-se de repente e seguiu-se um silêncio. Depois travou-se uma conversa num tom avinhado e prosseguiu em viva animação durante cerca de uma hora. Pôde-se em breve adivinhar que lá em cima os dois amigos já bem "tocados" abraçavam-se e que finalmente um deles acabara por se pôr a chorar. De repente, rebentou violenta discussão, que se aplacou bem poucos instantes depois.

Durante todo esse tempo Kólia achava-se num estado de espírito particularmente preocupado. O príncipe não era encontrado quase nunca em casa durante o dia e só voltava por vezes bastante tarde; informavam-no então de que Kólia o havia procurado e perguntado por ele o dia inteiro. Mas quando o encontrava, o rapaz nada tinha de especial a comunicar-lhe; a não ser que estava francamente "descontente" com o general e com sua conduta atual. "Andam por aí — dizia ele, — embriagam-se num botequim da vizinhança; abraçam-se e discutem em plena rua, ora um, ora outro; excitam-se mutuamente e não se podem separar." Como o príncipe observasse que não era aquilo senão a repetição do que se passava antes quase todos os dias, Kólia não teve o que responder e foi incapaz de definir o objeto de sua presente inquietação.

No dia seguinte ao em que ouvira a canção báquica e a discussão, dispunha-se Míchkin a sair cerca das onze horas, quando de repente o general surgiu diante dele. Estava dominado por viva emoção e tremia quase.

— Há muito tempo que procuro a honra e a ocasião de encontrá-lo, honradíssimo Liev Nikoláievitch. Sim, há muito tempo, muitíssimo tempo, — murmurou ele, apertando a mão do príncipe quase a ponto de causar-lhe dor, — muito, muitíssimo tempo!

Míchkin convidou-o a sentar.

— Não, não sentarei e afinal estou retendo-o; ficará para outra vez. Creio que posso felicitá-lo pela... satisfação... dos desejos de seu coração.

— Que desejos de meu coração?

O príncipe perturbou-se. Pareceu-lhe, como à maior parte das pessoas colocadas no seu caso, que ninguém via, nem adivinhava e nem compreendia nada.

— Tranquilize-se! Não o magoarei nos seus sentimentos mais delicados. Passei por lá e soube e sei que um nariz estranho... para assim me exprimir... segundo o provérbio... não se deve meter onde não tem o que fazer. É uma verdade que verifico todos os dias. Vim cá por causa de outro negócio, um negócio importante, muito importante, príncipe.

Tendo-lhe de novo rogado que sentasse, Míchkin deu-lhe o exemplo.

— Pois seja! Por um momento... Passei aqui para pedir-lhe um conselho. É certo que minha vida carece de fins positivos, mas, em respeito a mim mesmo... e, duma maneira geral, preocupado com esse espírito prático de que o russo vive tão desprovido... desejo criar uma situação para mim, para minha mulher e meus filhos... Em suma, príncipe, procuro um conselho.

O príncipe aplaudiu calorosamente essa intenção.

— Mas tudo isto é sem importância — apressou-se em acrescentar o general. — Vim cá por uma questão diversamente grave. Decidi-me a abrir-lhe meu coração, Liev Nikoláievitch, como a um homem na sinceridade e na generosidade do qual tenho tanta confiança que... que... Minhas palavras não o surpreendem, príncipe?

O príncipe, embora sem especial espanto, nem por isso deixava de observar seu visitante com muita atenção e curiosidade. O velho estava um pouco pálido, um ligeiro frêmito passava por instantes em seus lábios, suas mãos agitavam-se sem cessar. Sentado havia alguns minutos, já se havia levantado bruscamente umas duas vezes, depois tornara logo a sentar, sem parecer dar-se conta de sua agitação. Havia livros sobre a mesa; enquanto continuava a falar, pegou um deles, abriu-o, lançou-lhe uma olhadela, tornou a fechá-lo imediatamente e recolocou-o no lugar. Depois pegou um outro que não abriu mas conservou todo o resto do tempo em sua mão direita, brandindo-o sem parar.

— Basta! — exclamou, de repente. — Vejo que lhe estou tomando muito tempo.

— Mas absolutamente, peço-lhe, prossiga; escuto-o pelo contrário com interesse e procuro adivinhar...

— Príncipe! desejo ter uma situação que obrigue ao respeito... quero gozar da estima de mim mesmo... e de meus direitos.

— Um homem que tem semelhante desejo é já digno de todo o respeito.

O príncipe pronunciara esta frase tirada dum manual com a firme convicção de que seria do mais feliz efeito. Sentia, instintivamente, que colocando a propósito uma frase desse gênero, ao mesmo tempo oca e agradável, podia-se subjugar subitamente e acalmar a alma de um homem como o general, sobretudo na situação em que ele se encontrava. Em todo o caso, era preciso não se despedir de tal visitante senão depois de ter-lhe aliviado o coração, nisto estava o problema

A frase agradou muito ao general que a achou lisonjeira e tocante. Enterneceu-se, mudou depressa de tom e lançou-se em longas e entusiásticas explicações. Mas, a despeito dos esforços e da atenção que o general exibiu, Míchkin não compreendeu coisa alguma. O general discorreu durante cerca de dez minutos, exprimindo-se com calor e volubilidade, como um homem que não consegue libertar à sua vontade a multidão de ideias de que está possuído. As lágrimas acabaram por subir-lhe aos olhos. Entretanto não proferia senão frases sem pé nem cabeça, palavras inesperadas, pensamentos desalinhavados que se apressavam e se acotovelavam uns aos outros na incoerência de seu enunciado.

— Mas já chega! O senhor deve ter-me compreendido e sinto-me tranquilo —concluiu bruscamente, levantando — Um coração como o do senhor não pode deixar de compreender um homem que sofre. Príncipe, o senhor tem a nobreza do ideal. Que são os outros ao lado do senhor? Mas o senhor é jovem e eu o abençoo. Afinal de contas vim pedir-lhe que marque uma hora para uma entrevista importante: nesta entrevista está minha principal esperança. Não procuro senão uma amizade e um coração, príncipe; jamais pude dominar as exigências do meu.

— Mas por que não agora? Estou pronto a escutá-lo.

— Não, príncipe, não — interrompeu com ardor o general. — Agora não! Agora é um sonho! O negócio é demasiado, demasiadíssimo importante! Essa hora de entrevista decidirá da minha sorte. Essa hora será minha e não quereria que, num instante tão sagrado, pudéssemos ser interrompidos por não importa quem, pelo primeiro insolente que aparecesse. — Curvou-se para o príncipe e cochichou-lhe com uma estranha expressão de mistério, quase de terror: — Um imprudente que não vale o calcanhar... o calcanhar de seu pé; príncipe bem amado! Ora, já não digo do meu pé. Olhe bem que não é de meu pé que se trata, porque me respeito demasiado para falar disso sem rebuços! Mas somente o senhor é capaz de compreender que, abstendo-me disso, em caso semelhante, de falar de meu calcanhar, dou talvez prova duma altivez e duma dignidade extraordinárias. Exceto o senhor, ninguém compreenderá isto, e ele menos que qualquer outro. Ele não compreende nada, príncipe; acha-se numa incapacidade absoluta de compreender. É preciso ter coração para compreender.

Míchkin acabava por experimentar um mal-estar vizinho do terror. Marcou entrevista com o general para o dia seguinte à mesma hora. O general retirou-se reanimado, reconfortado e quase acalmado. A noite, entre seis e sete horas, o príncipe mandou chamar Liébiediev para vir um instante à sua casa.

Liébiediev acorreu com a maior pressa: era para ele "uma honra atender àquele convite", disse ao entrar. Tinha o ar de haver esquecido que se ocultara do príncipe durante três dias e havia ostensivamente evitado encontrá-lo. Sentou-se na beira duma cadeira fazendo caretas e sorrisos; seus olhos curiosos mostraram uma expressão ridente; esfregou as mãos e deu-se o ar de um homem totalmente ingênuo que se dispõe a ouvir uma notícia capital esperada desde muito tempo, mas pressentida por toda a gente. Teve esta atitude o dom de irritar o príncipe; ia lhe ficando claro que todos quantos o cercavam tinham-se posto de repente a esperar alguma coisa dele e olhavam-no com a intenção de felicitá-lo, por causa de certo acontecimento ao qual se reportavam as alusões, os sorrisos e as piscadelas de olhos. Keller, também, já havia passado três vezes à pressa, com o visível desejo de congratular-se com ele lançara-se de cada vez a falar de modo pomposo e obscuro, mas desapareceu sem acabar o que dizia. (Naqueles últimos dias vinha bebendo desbragadamente e ouvia-se o estardalhaço que fazia em alguma sala de bilhar.) O próprio Kólia, malgrado sua tristeza, por duas ou três vezes fizera alusões enigmáticas ao falar com o príncipe.

Este perguntou redondamente e não sem irritação a Liébiediev o que pensava ele do estado atual do general e donde provinha a inquietação que este último revelava. Relatou-lhe em poucas palavras a cena anterior.

— Cada qual tem suas preocupações, príncipe... sobretudo em um século tão estranho e tão atormentado como o nosso; eis aí! — respondeu Liébiediev, num tom bastante seco. E calou-se com o ar ofendido dum homem a quem acabam de cruelmente privar de suas esperanças.

— Que filosofia! — disse Míchkin, sorrindo.

— A filosofia seria necessária, muito necessária ao nosso século, do ponto de vista prático, mas não cuidam dela, é um fato! Quanto a mim, respeitadíssimo príncipe, concedeu-me o senhor sua confiança num caso que conhece, mas limitando-a a um certo grau e aos fatos conexos com esse caso... Compreendo-o e não me queixo disso absolutamente.

— Será Liébiediev, que alguma coisa o aborreceu?

— Não, absolutamente não, meu honradíssimo e esplendorosíssimo príncipe! — exclamou Liébiediev com exaltação e levando a mão ao coração. — Pelo contrário, compreendi imediatamente que não merecia ser honrado com sua alta confiança, à qual aspiro, nem pela minha posição no mundo, nem pelo meu desenvolvimento intelectual e moral, nem pela minha fortuna, nem pelo meu passado, nem por meus conhecimentos. E se posso servir-vos, será unicamente como um escravo ou um mercenário, e de nenhum outro modo... Não estou aborrecido, estou é triste.

— Ora, vamos, Lukian Timofiéievitch!

— De nenhum outro modo! Acontece o mesmo agora, no caso presente. Como meu coração e meu pensamento o acompanham, disse a mim mesmo ao encontrá-lo: "Sou indigno duma expansão amiga, mas talvez na qualidade de dono da casa poderia receber, no momento oportuno e em data prevista, por assim dizer, uma ordem ou pelo menos um aviso em vista de certas mudanças iminentes e inesperadas"...

Ao pronunciar estas palavras, dardejava Liébiediev seus olhos agudos sobre o príncipe que o observava com surpresa. Não havia perdido a esperança de satisfazer sua curiosidade.

— Decididamente não compreendo nada — exclamou Míchkin, quase num tom de cólera, — e... o senhor é o mais terrível dos intrigantes! — concluiu num franco e súbito acesso de riso.

Liébiediev apressou-se em rir com ele. Pelo seu olhar radioso adivinhava-se que suas esperanças tinham-se tranquilizado e até mesmo acrescido.

— Sabe o que vou dizer-lhe, Lukian Timofiéievitch? Não se agaste: admiro-me de sua ingenuidade e de algumas outras pessoas ainda! Vocês esperam com tanta candura uma revelação de minha parte, neste momento preciso, neste minuto, que sinto escrúpulo e confusão em não ter nada a dizer para satisfazê-los. Entretanto, juro-lhe que não tenho absolutamente nenhuma confidência a fazer-lhes. Podem pôr isto na cabeça!

E Míchkin recomeçou a rir.

Liébiedíev assumiu um ar digno. Decerto sua curiosidade o fazia por vezes pecar por excesso de ingenuidade e por indiscrição, mas nem por isso deixava de ser um homem bastante astuto, tortuoso e mesmo, em certos casos, capaz de manter um silêncio cheio de astúcia. Por causa de suas repulsas contínuas, Míchkín fizera dele quase um inimigo. Entretanto, se o príncipe o repelia, não o fazia por desprezo, mas porque a curiosidade de Liébiediev se lançava sobre um assunto delicado. Poucos dias antes o príncipe encarava ainda alguns de seus sonhos como um crime, ao passo que Lukian Timofiéievitch, não vendo na sua recusa em falar senão um sinal de aversão pessoal e de desconfiança a seu respeito, saía de coração ulcerado e tinha ciúme por causa dele não só de Kólia e Keller, mas ainda de sua própria filha, Viera Lukiánovna. Naquele instante mesmo, tinha talvez o desejo sincero de comunicar ao príncipe uma notícia que o teria interessado no mais alto grau, mas encerrou-se num sombrio mutismo e guardou suas confidências para si.

— Em que posso pois eu ser-lhe útil, honradíssimo príncipe, uma vez que afinal é o senhor que acaba de... me mandar chamar? — disse ele, após um silêncio.

O príncipe ficou também sonhador durante um instante.

— É o seguinte: queria falar do general e... desse roubo a respeito do qual o senhor me falou...

— Que roubo?

— Ora, parece que agora o senhor não me compreende mais! — Meu Deus, Lukian Timofiéievitch, que comédia representa sempre o senhor? Falo do dinheiro, do dinheiro, dos quatrocentos rublos que o senhor perdeu outro dia com sua carteira e a respeito dos quais me veio falar aqui, de manhã, antes de viajar para Petersburgo. Compreendeu-me, afinal?

Liébiediev, com voz arrastada, como se só agora acabasse de dar-se conta do que lhe perguntavam, respondeu:

— Ah! o senhor quer falar daqueles quatrocentos rublos! Obrigado, príncipe, pelo sincero interesse que tem por mim; é excessivamente lisonjeiro para mim, mas... já os encontrei há muito tempo.

— Encontrou-os? Ah! louvado seja Deus!

— Esta exclamação parte dum nobre coração, porque quatrocentos rublos não são pouca coisa para um miserável que ganhou penosamente sua vida e sustenta seus numerosos órfãos...

— Não é disto que lhe falo! Decerto estou encantado pelo fato de haver o senhor encontrado esse dinheiro — retificou logo Míchkin, — mas... como o achou?

— Da maneira mais simples: debaixo da cadeira na qual estava colocado meu sobretudo; evidentemente a carteira teria caído do bolso.

— Como? Debaixo da cadeira? É impossível, pois que o senhor me disse ter procurado por todos os cantos. Como não a teria visto no lugar onde estava ela mais em evidência?

— É que justamente olhei para ali! Lembro-me muito bem de ter olhado para ali. Pus-me de quatro pés sobre o parquete e, sem me fiar nos meus próprios olhos, afastei a cadeira e tateei naquele lugar com minhas mãos. Não vi senão um lugar tão limpo quanto a palma de minha mão e no entanto continuei a tatear. Estas hesitações se apoderam sempre do espírito de um homem que quer absolutamente encontrar alguma coisa... quando o objeto perdido é importante ou sua desaparição lhe causa pesar: vê bem que nada há no lugar em que procura e entretanto olhará ali umas quinze vezes.

— Admitamos; mas como pôde ser isso?... Não chego a compreender bem — murmurou o príncipe, confuso. — O senhor começou dizendo que não havia nada naquele lugar e de repente era lá que a carteira estava?

— Sim, foi lá que ela foi encontrada de repente.

Míchkin fixou em Liébiediev um olhar estranho.

— E o general? — perguntou ele, de súbito.

— O general? Que quer o senhor dizer? — perguntou Liébiediev, afetando de novo o ar de quem não compreende.

— Bom Deus, pergunto-lhe o que lhe disse o general, quando o senhor encontrou a carteira debaixo da cadeira. Não tinham feito juntos a procura?

— Sim, antes. Mas desta vez confesso que não lhe disse nada; preferi deixá-lo ignorar que havia encontrado sozinho minha carteira.

— Mas... por que isso?... E o dinheiro estava completo?

— Verifiquei o conteúdo da carteira; estava tudo ali, não faltava um rublo sequer.

— O senhor poderia pelo menos ter-me comunicado isso — observou Míchkin, com ar sonhador.

— Receava incomodá-lo, príncipe, por causa de suas preocupações pessoais que, talvez, fossem extraordinárias, se ouso assim exprimir-me. Eu mesmo, aliás, fingi nada ter encontrado. Depois de ter aberto a carteira e verificado seu conteúdo, tornei a fechá-la e recoloquei-a debaixo da cadeira.

— Por quê?

— Uma simples ideia que me deu; estava curioso de ver o que se passaria depois — disse Liébiediev, rindo com sarcasmo bruscamente e esfregando as mãos.

— Então está a carteira há dois dias embaixo da cadeira?

— Oh! não! só ficou lá vinte e quatro horas. Meu desejo, como vê, era que o general também a encontrasse. Dizia a mim mesmo, com efeito: se acabei descobrindo-a, não há razão para que o general não note, também ele, um objeto colocado em evidência debaixo de uma cadeira e que, por assim dizer, fura os olhos da gente. Levantei e tornei a pôr no lugar a cadeira várias vezes, de tal maneira que a carteira chamava a atenção, mas o general não se apercebeu de nada. Isto durou vinte e quatro horas. Deve-se acreditar que ele se acha agora muito distraído; não se pode compreender isso: fala, conta histórias, ri às gargalhadas, e de repente ei-lo que fica furioso contra mim, ignoro por qual razão. Saímos do quarto; mas deixei expressamente a porta aberta; ele hesitou um momento e pareceu querer dizer alguma coisa; sem dúvida estava amedrontado à ideia de deixar ali uma carteira contendo semelhante soma, mas, em lugar de fazer alusão a isso, ficou de súbito rubro de raiva. Na rua, largou-me ao fim duns dois passos e tomou outra direção. Só viemos a encontrar-nos na hospedaria à noite.

— Mas afinal retirou o senhor a carteira de sob a cadeira?

— Absolutamente; desapareceu daquele lugar durante a noite.

— E onde está agora?

— Mas ei-la — disse de súbito Liébiediev, erguendo-se em todo o seu tamanho e olhando satisfeito o príncipe. — Encontrou-se de repente aqui, na aba de meu sobretudo. Veja, se quer o senhor mesmo certificar-se, apalpe aqui.

Com efeito, na aba esquerda de seu sobretudo, bem na frente, um inchaço chamava a atenção; apalpando-o, podia-se logo adivinhar a presença duma carteira de couro que, por um bolso furado, havia deslizado sob o forro.

— Tirei-a daqui para examiná-la. O dia todo estava ali. Tornei a metê-la no mesmo lugar e é assim que a trago desde ontem de manhã numa das minhas abas; bate-me até nas pernas.

— E finge não notá-la?

— Não noto nada, ah! ah! ah! E imagine, honradíssimo príncipe, se bem que este assunto seja indigno de reter tanto sua atenção, que meus bolsos estão sempre em bom estado. Bastou uma noite para que semelhante buraco nele se abrisse! Examinei esse buraco com curiosidade; é como se tivessem arrancado o pano com um canivete; inacreditável, não é mesmo?

— E... o general?

— Não deixou de estar zangado, nem ontem nem hoje; seu descontentamento é terrível. Por instantes entretanto a alegria e o vinho tornam-no obsequioso; depois torna-se sentimental até às lágrimas e de repente então arrebata-se a ponto de me causar medo, palavra! Porque afinal, príncipe, não sou homem de guerra. Ontem, enquanto estávamos juntos na hospedaria, a aba de meu sobretudo se pôs como por acaso sob os olhos dele; o chumaço formava um relevo bem visível. O general olhava-o de soslaio e a cólera invadia-o. Desde muito tempo já não me olha mais de frente, salvo quando está embriagado ou sentimental; mas ontem, fixou-me por duas vezes com tais olhos que senti um arrepio correr-me pelas costas. Aliás, tenho a intenção de encontrar amanhã a carteira; mas daqui até lá conto divertir-me ainda uma noite com ele.

— Por que o atormenta assim? — exclamou o príncipe.

— Eu não o atormento, príncipe! Não! — replicou Liébiediev com ardor. — Gosto sinceramente dele e... respeito-o. Acredite ou não, ainda ficou mais querido; tenho muita estima por ele.

Liébiediev proferiu estas palavras com um ar tão sério e tão sincero que o príncipe ficou indignado.

— Gosta dele e atormenta-o dessa forma! Vejamos: nada mais do que recolocando o objeto perdido em evidência, primeiro debaixo da cadeira, em seguida no seu sobretudo, deu-lhe ele a prova de que não queria ludibriá-lo e que lhe pedia ingenuamente perdão. Entende o senhor? Pede-lhe perdão! Quer dizer que conta com a delicadeza dos seus sentimentos e que tem fé na sua amizade por ele. E o senhor *humilha dessa maneira um homem... tão honesto!*

— Oh! muito honesto, príncipe; muito honesto! — replicou Liébiediev, cujos olhos cintilavam. — Somente o senhor; nobilíssimo príncipe, seria capaz de pronunciar uma palavra tão justa! É por isso que lhe sou devotado até a adoração por mais apodrecido de vícios que eu seja! Minha decisão está tomada. Vou descobrir a carteira agora, neste mesmo instante, sem esperar para amanhã. Veja: tiro-a sob suas vistas; ei-la: eis aqui todo o dinheiro, completo, segure-o, tome-o, nobilíssimo príncipe, e guarde-o até amanhã. Amanhã ou depois de amanhã vou retomá-lo. Mas sabe, príncipe, que este dinheiro teve de passar a primeira noite em alguma parte debaixo de uma pedra de meu jardinzinho? Que pensa disso?

— Evite dizer-lhe de supetão que reencontrou a carteira. Deixe-o perceber de boa fé que não há mais nada na aba de seu sobretudo; ele compreenderá.

— Será uma boa ideia? Não seria melhor dizer-lhe que a encontrei e fingir não haver percebido nada até aqui?

— Não creio — respondeu o príncipe, pensativo. — Não, agora é demasiado tarde; seria mais perigoso; na verdade, faria melhor o senhor não dizendo nada! Mostre-se bondoso para com ele, mas... não tenha por demais o ar de quem desempenha um papel decorado e... e... sabe o senhor...

— Sei, príncipe, sei; quero dizer que prevejo que não farei nada disso, sem dúvida, porque, para assim agir, seria preciso ter um coração como o seu. Aliás, ele próprio é irritável e tomou atitudes censuráveis; olha-me por vezes agora do alto; ora soluça e me abraça, ora me humilha bruscamente e trata-me com desprezo; a qualquer momento desses exibirei de propósito a aba de meu sobretudo sob seu nariz. Ah! ah! ah! Até logo, príncipe, vejo bem que o estou retendo e que perturbo seus sentimentos mais interessantes, se posso dizer...

— Mas, pelo amor de Deus, guarde o segredo, como antes!

— A passos de lobo, a passos de lobo!

Mas embora o caso parecesse liquidado, o príncipe continuava preocupado, mais preocupado talvez do que antes. Esperava com impaciência a entrevista que devia ter no dia seguinte com o general.

Capítulo IV

A entrevista estava marcada para entre onze horas e meio dia, mas o príncipe teve de atrasar-se, em virtude de uma circunstância totalmente imprevista. Ao voltar para casa, encontrou o general à sua espera. A primeira vista, notou que ele estava descontente, talvez justamente por causa daquela espera. Tendo-se desculpado, apressou-se Míchkin em sentar, mas com uma sensação de timidez esquisita, como se seu visitante fosse de porcelana e temesse ele a cada instante parti-lo. Até ali não se sentira jamais intimidado na presença do general e essa ideia nem mesmo lhe teria vindo à mente. Não tardou a perceber que tinha diante de si um homem totalmente diverso do da véspera: a confusão e a distração tinham dado lugar, no general, a uma extraordinária contenção; era de crer que havia tomado alguma resolução irrevogável. Se bem que aquele sangue frio fosse mais aparente que real, sua atitude nem por isso era menos nobre e desembaraçada, com um matiz de dignidade contida. Começou mesmo por falar ao príncipe num certo tom de condescendência, como o que mostram as pessoas cuja desenvoltura ou a soberba se alia ao sentimento duma ofensa não merecida. Exprimia-se num tom afável, mas com uma ponta de amargura na voz.

— Eis o livro do senhor que levei outro dia — disse ele com ar grave, mostrando um volume colocado em cima da mesa. — Obrigado.

— Ah! sim, leu aquele artigo, general? Como o achou? É curioso, não é? — disse Míchkin, agarrando com avidez a ocasião de travar a conversa sobre um assunto tão neutro quanto possível.

— É talvez curioso, mas mal escrito e certamente absurdo. Pode-se mesmo dizer que as mentiras nele formigam.

O general falava com autoridade, deixando a voz arrastar-se um pouco.

— Sim, mas é uma narrativa tão simples: o autor é um velho soldado que foi testemunha da permanência dos franceses em Moscou; certos traços são encantadores. Aliás, as memórias de testemunhas oculares são sempre preciosas qualquer que seja a personalidade do narrador. Não é?

— No lugar do editor não teria imprimido isso. Quanto às memórias de testemunhas oculares em geral, dá-se mais crédito a um impostor grosseiro mas engraçado, que a um homem que tem valor e mérito. Conheço tais memórias sobre o ano de 1812 que... Príncipe, tomei uma resolução: saio desta casa, da casa do Sr. Liébiediev.

O general olhou o príncipe com ar solene.

— O senhor tem seu aposento em Pávlovsk na casa... na casa de sua filha... — aventurou Míchkin, não sabendo que dizer. Lembrou-se naquele momento de que o general viera consultá-lo a respeito de um negócio extraordinário do qual dependia seu destino.

— Em casa de minha mulher; em outros termos, em minha casa e na casa de minha filha.

— Desculpe, eu...

— Deixo a casa de Liébiediev, meu caro príncipe, porque rompi com esse homem. Rompi ontem à noite, lamentando não ter feito isso há mais tempo. Exijo respeito, príncipe, e desejo receber demonstrações dele até mesmo das pessoas às quais dou, por assim dizer, meu coração. Príncipe, dou muitas vezes meu coração e sou quase sempre enganado. Aquele homem era indigno de minha amizade.

— Há nele muita desordem — observou discretamente o príncipe, — e também certos traços... mas apesar de tudo isso tem coração, seu espírito é malicioso e por vezes divertido.

As expressões rebuscadas do príncipe e seu tom diferente lisonjearam o general, se bem houvesse ainda por vezes no olhar dele clarões de desconfiança. Mas o tom do príncipe era tão natural e tão sincero que não podia subsistir dúvida.

— Que tenha ele também qualidades — continuou o general, — fui o primeiro a reconhecê-lo, quando estive a ponto de dar minha amizade àquele indivíduo. Porque não tenho necessidade nem de sua casa nem de sua hospitalidade, tendo eu mesmo uma família. Não procuro desculpar-me de meus defeitos; sou intemperante; bebi vinho com ele e agora deploro este erro talvez. Mas não foi unicamente o atrativo da bebida (desculpe, príncipe, a crueza de linguagem de um homem ulcerado) que me ligou a ele. Fui justamente seduzido por aquelas qualidades a que fez o senhor alusão. Mas há um limite a tudo, até mesmo às qualidades. Quando ele tem a impudência de afirmar à gente, de súbito, que em 1812, sendo ainda menino, perdeu sua perna esquerda e enterrou-a no cemitério de Vagánhkovskoi em Moscou, isto passa da medida e testemunha sua falta de respeito, sua insolência.

— Talvez não passasse de uma pilhéria, de uma história para fazer rir.

— Compreendo, Uma fábula inocente, inventada para fazer rir, mesmo se é grosseira, não fere o coração humano. Por vezes mesmo veem-se pessoas mentir por amizade, se quiser, para serem agradáveis a seu interlocutor. Mas, se se deixar transparecer uma falta de respeito e se, por esta falta de respeito, quer-se mostrar à gente que está farto de nós, então um homem que tem dignidade não tem outro recurso senão desviar-se e interromper tudo, a fim de repor o ofensor em seu lugar.

Ao pronunciar estas palavras o general ficara vermelho.

— Mas Liébiediev não podia estar em 1812 em Moscou: é demasiado moço para isso; é ridículo!

— É já uma razão. Mas admitamos que já estivesse no mundo naquela época. Como ousa ele afirmar que um caçador francês atirou-lhe uma bala de canhão e arrancou-lhe assim a perna, à maneira de passatempo? Que tenha apanhado essa perna, levando-a para casa, enterrando-a no cemitério de Vagánhkovskoi e colocado por cima um monumento em que se pode ler de um lado: "Aqui, jaz a perna do secretário do colégio Liébiediev". Do outro: "Repousa querido despojo, esperando a ressurreição"? Como pode ele pretender que cada ano manda dizer uma missa de *requiem* por essa perna (o que é já por si um sacrilégio) e efetua, nessa ocasião, uma viagem a Moscou? Convida-me mesmo a acompanhá-lo àquela cidade para me mostrar o túmulo e também o canhão francês, que está no Kremlim com as peças conquistadas; é, assegura ele, a décima primeira peça a partir da entrada, um falconete de tipo fora de moda.

— Sem contar que tem ele bem suas duas pernas! — disse, rindo, Míchkin. — Asseguro-lhe que é uma pilhéria inocente; não é preciso zangar-se.

— Mas permita-me que dê também minha opinião; que possa parecer ter ele duas pernas, isto não torna necessariamente inverossímil sua narrativa; assegura que tem uma perna artificial fornecida por Tchernosvítov.

— É verdade: parece que se pode dançar com uma perna de Tchernosvítov.

— Sei disso, aliás, pois que Tchernosvítov, quando inventou sua perna artificial, correu logo a mostrar-me. Mas esta invenção é muito mais recente... Além disso afirma Liébiediev que sua defunta mulher jamais soube, no curso de sua união, que ele tinha uma perna de pau. Fiz-lhe notar todos os absurdos dessa história. Replicou-me: "Se pretendes ter sido pajem da câmara junto a Napoleão em 1812, permite-me também ter enterrado minha perna no cemitério de Vagánhkovskoi".

— Como, será que... — disse o príncipe, que parou, confuso.

Também o general mostrou-se um tanto perturbado, mas recuperou-se imediatamente e, olhando o príncipe com uma altivez em que transparecia um matiz de ironia, disse-lhe com voz persuasiva:

— Acabe seu pensamento, príncipe, acabe. Sou indulgente; diga tudo. Confesse: parece-lhe engraçado ter diante do senhor um homem caído a esse grau de humilhação e... de inutilidade e saber que esse homem foi testemunha em pessoa de grandes acontecimentos? Ele ainda não lhe contou... mexericos?

— Não, Liébiediev não me disse nada, se é de Liébiediev que o senhor fala...

— *Hum... teria acredit*ado o contrário. De fato, nossa conversa travou-se a propósito desse... estranho artigo aparecido nos *Arquivos*. Sublinhei-lhe o absurdo, tendo eu mesmo assistido aos acontecimentos relatados... Sorri, príncipe, e me encara?

— Meu Deus, não, eu...

— Tenho o aspecto bastante jovem — continuou o general, num tom muito lento, — mas sou um pouco mais velho do que pareço. Em 1812, tinha eu dez ou doze anos. Não conheço minha idade com exatidão; rejuvenesceram-me na minha folha de serviço e eu mesmo tive a fraqueza de cortar uns tantos anos no curso de minha carreira.

— Asseguro-lhe, general, que não vejo nada de estranho em que o senhor estivesse em Moscou em 1812 e... naturalmente de ter recordações a contar... como todos aqueles que viveram aquela época. Um de nossos autobiógrafos começa seu livro contando que, em 1812, era menino de peito e que os soldados franceses nutriram-no de pão em Moscou.

— O senhor bem vê — observou o general com condescendência, — que o meu caso, sem ter nada de excepcional, sai ainda assim do comum. Acontece muitas vezes que a verdade pareça inverossímil. Pajem de câmara! Isto soa estranhamente, decerto. Mas a aventura de um menino de dez anos explica-se precisamente pela sua idade. Ela não me teria acontecido aos quinze anos, pela razão muito simples de que naquela idade não teria fugido de nossa casa de madeira, na rua Stáraia Basmánnaia, no dia da entrada de Napoleão em Moscou; não teria fugido à autoridade de minha mãe, que se deixara surpreender pela chegada dos franceses e tremia de medo. Aos quinze anos, teria partilhado de seu terror; aos dez anos não temia nada; meti-me por entre a multidão até o patamar do palácio, no momento em que Napoleão se apeava de seu cavalo.

— Com efeito, o senhor observou muito justamente que é aos dez anos que a gente se pode mostrar mais intrépido — aprovou Míchkin, timidamente.

Atormentava-o a ideia de que fosse corar.

— Sem dúvida, e tudo se passou com a simplicidade e o natural que só pertencem à vida real. Sob a pena de um romancista, a aventura teria caído na futilidade e na inverossimilhança.

— Oh! é bem isto! — exclamou Míchkin. — Este pensamento também me ocorreu e até mesmo recentemente. Conheço um caso verídico de assassinato, cujo motivo era o roubo de um relógio; os jornais falaram disso depois. Se um autor tivesse imaginado esse crimes, as pessoas familiarizadas com a vida do povo bem como os críticos teriam logo gritado que isso era inverossímil. Mas lendo esse fato policial nos jornais, a gente percebe que ele é desses que nos esclarecem sobre as realidades da vida russa. O senhor observou muito bem isto, general! — concluiu com veemência o príncipe, encantado por não ter o ar de haver corado.

— Não é isso mesmo? Não é isso mesmo? — exclamou o general, cujos olhos brilhavam de contentamento. — Um garoto, um menino, inconsciente do perigo, mete-se entre a multidão para ver o esplendor do cortejo, os uniformes e afinal o grande homem a respeito de quem tanto lhe encheram os ouvidos. Porque havia então vários anos que só se falava dele. O mundo estava cheio de seu nome. Bebi-o, por assim dizer, com o leite de minha ama. Napoleão passa a dois passos de mim; surpreende por acaso o meu olhar. Trazia eu uma roupa de menino nobre; vestiam-me bem. Sozinho, assim trajado no meio daquela multidão, convenha o senhor mesmo...

— Sem dúvida, isto deve ter-lhe atraído a atenção e provado que toda a gente não partira, que até mesmo nobres tinham ficado em Moscou com seus filhos.

— Justamente! Era ideia dele atrair os boiardos! Quando fixou em mim seu olhar de águia, deve ter visto brilhar uma réplica em meus olhos. "*Voilà un garçon bien éveillé!* — disse ele. — *Qui est ton père?*[53]" Respondi-lhe logo, com uma voz quase sufocada pela emoção: "Um general morto no campo de honra defendendo sua pátria". — "*Le fils d'un boyard et d'un brave par-dessus le marché! J'aime les boyards. M'aimes-tu, petit?*"[54] A pergunta fora rápida; minha resposta não o foi menos: "O coração russo é capaz de distinguir um grande homem, mesmo no inimigo de sua pátria!". Para dizer a verdade; não me lembro se me exprimi literalmente assim... era um menino... mas o sentido de minhas palavras era seguramente esse. Napoleão ficou admirado refletiu um instante e disse às pessoas da comitiva: "Gosto da altivez desse menino! Mas se todos os russos pensam como ele então...". Não terminou e entrou no palácio. Misturei-me à sua comitiva e corri atrás dele. Já as pessoas do cortejo abriam-me passagem, considerando-me um favorito. Tudo isso se passou num piscar d'olhos... Lembro-me somente que, ao chegar à primeira sala, o imperador parou de repente diante do retrato da Imperatriz Ekatierina, contemplou-o longamente com um ar sonhador e exclamou afinal: "Foi uma grande mulher!". E seguiu seu caminho. Ao fim de dois dias toda a gente me conhecia no palácio e no Kremlim. Chamavam-me *le petit boyard*. Só voltava para casa à noite; os meus estavam quase loucos. No dia seguinte, o pajem de câmara de Napoleão, Barão de Bazancourt, morreu, esgotado pelas fadigas da campanha. Napoleão lembrou-se de mim; vieram buscar-me e levaram-me sem nenhuma explicação; experimentaram em mim o uniforme do defunto, que era um menino de doze anos e apresentaram-me ao imperador vestido com esse uniforme. Fez-me um sinal com a cabeça e então me explicaram que eu obtivera o favor de ser nomeado pajem de câmara de Sua Majestade. Senti-me feliz porque já sentia desde muito tempo ardente simpatia por ele... e depois, o senhor convirá, um brilhante uniforme era bem próprio para seduzir a criança que eu era então. Usava um fraque verde escuro, ornado de botões dourados, com abas estreitas e compridas e mangas com enfeites vermelhos; bordados de ouro cobriam as abas, as mangas e o colarinho que era alto, direito e aberto; calções colantes brancos, de camurça, um colete de seda branca, meias de seda e sapatos com fivelas. Quando o imperador dava um passeio a cavalo e estava eu no cortejo, calçava botas altas de montar. Se bem que a situação não fosse brilhante e se previssem já imensos desastres, nem por isso deixava de estar em rigor a etiqueta, na medida do possível. Era mesmo tanto mais pontualmente observada quanto se pressentia com mais força a aproximação daquelas calamidades.

— Sim, decerto... — balbuciou Míchkin, com ar quase perturbado, — suas memórias ofereceriam... um interesse extraordinário.

Não havia dúvida de que o general repetia o que tinha contado na véspera a Liébiediev; assim, suas palavras corriam copiosamente. No entanto, lançou naquele momento novo olhar de desconfiança para príncipe.

— Minhas memórias? — repetiu, com redobramento de orgulho. — Fala-me o senhor de escrever minhas memórias? Isto não me tentou, príncipe! Se quiser, estão já escritas, mas... tenho-as debaixo de chave. Que as publiquem, quando a terra

53 Eis um rapaz bem esperto!...Quem é teu pai?

54 O filho de um boiardo e de um valente acima do comum! Gosto dos boiardos. Gostas de mim, menino?

cobrir meus olhos, e então sem dúvida alguma serão traduzidas em várias línguas, não por causa de seu valor literário, decerto que não! mas pela importância dos acontecimentos grandiosos de que fui, embora criança, testemunha ocular. Mais ainda, foi graças à minha jovem idade que penetrei no quarto mais íntimo, por assim dizer, do "grande homem"! À noite, ouvia os gemidos daquele "gigante na adversidade"; não tinha ele motivo para ocultar seus gemidos e suas lágrimas a uma criança, se bem que eu já compreendesse que a causa de seu sofrimento era o silêncio do Imperador Alieksandr.

— É verdade: escreveu-lhe cartas... para lhe propor a paz — insinuou timidamente Míchkin.

— No fundo não sabemos que propostas continham suas cartas, mas escrevia todos os dias, a cada hora, e carta após carta! Estava terrivelmente agitado. Uma noite em que estávamos sós, precipitei-me com lágrimas nos olhos para ele (oh! como o amava!): "Pedi, pedi, majestade, perdão ao Imperador Alieksandr!", gritei-lhe. Evidentemente deveria ter-lhe dito: "Fazei a paz com o Imperador Alieksandr"; mas, como uma criança, exprimi singelamente todo o meu pensamento. "Oh! meu menino! — respondeu-me ele, andando para lá e para cá, — oh! meu menino! — tinha ele o ar de esquecer que tinha eu apenas dez anos e sentia mesmo prazer em falar comigo, — oh! meu menino, estou pronto a beijar os pés do Imperador Alieksandr, mas em troca voto ódio eterno ao rei da Prússia e ao imperador da Áustria e... enfim... tu não entendes nada de política!" Pareceu lembrar de súbito da pessoa a quem se dirigia. Calou-se, mas seus olhos lançaram ainda por muito tempo clarões. Pois bem! imagine que relato todos esses fatos, eu que fui testemunha dos acontecimentos mais consideráveis, e os publique agora: veja daqui todos os críticos, todas as vaidades literárias, todas as invejas, o espírito partidário e... ah! não, muito obrigado!

— Quanto ao espírito partidário, o senhor tem perfeitamente razão e aprovo-o — replicou Míchkin, com brandura, após um instante de reflexão. — Por exemplo, li não faz muito o livro de Charras sobre a campanha de Waterloo. É visivelmente um livro sério, e os especialistas afirmam que foi escrito com muita competência. Mas a cada página transparece a alegria de rebaixar Napoleão. O autor teria ficado arrebatado, parece, se tivesse podido negar a Napoleão qualquer sombra de talento, mesmo nas outras campanhas. Ora esse espírito partidário está fora de lugar numa obra tão séria. Tinha o senhor muito que fazer no seu serviço junto ao... imperador?

O general estava no auge da satisfação. A observação do príncipe, pela sua gravidade e sua simplicidade, dissipara suas derradeiras suspeitas.

— Charras! Oh! também eu fiquei indignado e até lhe escrevi na ocasião, mas... não me recordo bem agora mais... O senhor pergunta se meu serviço era por demais absorvente? Oh! não! tinham-me nomeado pajem de câmara, mas já então eu não levava isso a sério. Depois não tardou Napoleão em perder toda esperança duma reaproximação com os russos; nestas condições devia também esquecer-me, visto como me atraíra para si por política, se apesar disso... se apesar disso não se tivesse ligado a mim por afeto pessoal, ouso dizer agora. Quanto a mim, era o coração que me levava para ele. Não exigiam muito de mim no meu serviço; devia somente aparecer de vez em quando no palácio e... acompanhar o imperador nos seus passeios a cavalo. Era tudo. Eu montava bastante bem a cavalo. Ele tinha o hábito de sair antes do jantar; sua comitiva era comumente formada por Davout, pelo mameluco Roustan, por mim.....

— Constant — acrescentou quase maquinalmente Míchkin.

— Não, Constant não fazia parte dela; fora então levar uma carta... à Imperatriz Josefina; seu lugar fora ocupado por dois oficiais ordenanças e alguns ulanos poloneses... Era essa toda a sua comitiva, sem falar, bem entendido, nos generais e marechais que Napoleão levava consigo para estudar o terreno, distribuir tropas, e consultá-los... Tanto quanto me lembre agora, era Davout que se via mais vezes ao lado dele. O homem era enorme, corpulento; tinha sangue-frio, usava óculos e olhava a gente com um olhar estranho. Era com ele que o imperador gostava mais de conferenciar. Apreciava-lhe as ideias. Lembro-me de que, em certa circunstância, conservaram-se em conferência por vários dias seguidos; Davout vinha de manhã e de noite; havia, entre eles, frequentes discussões; por fim Napoleão pareceu a ponto de ceder. Estavam ambos no gabinete; e eu, em terceiro lugar, mas não me prestavam nenhuma atenção. De repente o olhar de Napoleão pousou por acaso em mim e um pensamento singular refletiu-se em seus olhos. "Menino! — disse-me ele bruscamente, — que pensas tu? Se eu passasse para a religião ortodoxa e libertasse os servos de vocês, será que os russos me seguiriam?" "Nunca!" — exclamei, indignado. Napoleão ficou impressionado com minha resposta. "No clarão de patriotismo que passou pelos olhos desse menino — disse ele, — acabo de ler a opinião de todo o povo russo. Isto basta, Davout! Tudo isto não passa de fantasia! Mostre-me seu outro projeto."

— Mas havia uma grande ideia no projeto que ele abandonava — disse o príncipe, vivamente interessado. — Assim o senhor acredita que aquele projeto era obra de Davout?

— Pelo menos eles o tinham organizado juntos. A ideia partia certamente de Napoleão; era a ideia da águia. Mas o outro projeto encerrava também uma ideia... Era o famoso *conseil du lion*,[55] como Napoleão chamou aquele projeto de Davout. Consistia em encerrar-se no Kremlim com todo o exército, construir ali abarracamentos, redutos fortificados, dispor baterias, matar o maior número de cavalos para deles fazer carnes salgadas, depois arrebatar aos habitantes pela pilhagem todo o trigo possível, a fim de manter-se até a primavera. Chegados os belos dias, tentariam abrir passagem através dos russos. Este plano seduziu vivamente Napoleão. Fazíamos todos os dias excursões a cavalo em redor dos muros do Kremlim; indicava ele então onde era preciso derrubar, onde era preciso construir o local duma luneta, duma meia-lua, duma fileira de fortins de madeira: golpe de vista, rapidez, decisão! Tudo ficou por fim determinado. Davout insistia em obter-se uma resolução definitiva. Encontraram-se de novo a sós comigo. Napoleão recomeçou a andar para lá e para cá, de braços cruzados. Eu não podia desviar meus olhos de seu rosto; meu coração batia. "Vou lá", disse Davout. "Aonde?", perguntou Napoleão. "Fazer preparar a salgação da carne dos cavalos", respondeu Davout. Napoleão estremeceu; era seu destino que iria jogar-se. "Menino — disse-me ele, de repente, — que pensas de nosso projeto?" Bem entendido, fazia-me esta pergunta à maneira de *um homem de inteligência* superior que, no derradeiro minuto, joga a sorte de sua

55 Conselho do leão. Alusão à famosa fábula de La Fontaine.

decisão. Em lugar de responder a Napoleão, voltei-me para Davout e lhe disse, como sob o efeito duma inspiração: "Parta a toda a pressa para seu país, meu general!" O projeto estava arruinado. Davout ergueu os ombros e saiu, murmurando: *"Bah! il devient superstitieux!"*[56] E no dia seguinte era dada a ordem de efetuar a retirada.

— Tudo isto é dum extraordinário interesse — o príncipe articulou, em voz muito baixa, — se as coisas se passaram assim... ou antes quero dizer... — ele retificou, vivamente.

Sua própria narração embriagava o general a ponto de ele ser talvez incapaz de recuar diante das piores impudências.

— Oh! príncipe! — ele exclamou. — O senhor diz: "se as coisas se passaram assim!". Mas dou-lhe minha palavra, minha narração está abaixo, bem abaixo da realidade! Tudo quanto lhe contei só se refere a incidentes políticos de muito fraco interesse. Mas repito-lhe que fui testemunha das lágrimas noturnas e dos gemidos daquele grande homem. Nenhum outro pode dizer tanto! É verdade que, para o fim, ele já não chorava mais; não lhe restavam mais lágrimas; não fazia senão gemer uma vez ou outra; seu rosto tornava-se cada vez mais carrancudo. Era de dizer que a eternidade já estendia sobre ele sua asa sombria. Por vezes, à noite, passávamos horas inteiras sozinhos, em silêncio. O mameluco Roustan roncava na sala vizinha; é espantoso quanto aquele homem tinha o sono pesado. "Em compensação, é-me fiel, a mim e à minha dinastia", dizia Napoleão, falando dele. Um dia em que eu estava bem triste, o imperador notou lágrimas nos meus olhos. Olhou-me enternecidamente. "Tu compartilhas de meus pesares! — exclamou ele — És o único, talvez, com uma outra criança, meu filho, *le roi de Rome,* a partilhar de minha dor; todos os outros me odeiam; quanto a meus irmãos, serão os primeiros a trair-me diante da adversidade!" Pus-me a soluçar e precipitei-me para ele ; então ele não se conteve mais: abraçamo-nos e misturamos nossas lágrimas. "Escrevei — disse-lhes chorando, — escrevei uma carta à Imperatriz Josefina!" Napoleão estremeceu, recolheu-se um momento e replicou: "Acabas de lembrar-me o terceiro coração que me ama; obrigado, meu amigo!". E, imediatamente, escreveu a Josefina uma carta que foi levada mesmo no dia seguinte por Constant.

— O senhor agiu muito bem — disse o príncipe. — Em meio dos maus pensamentos que o assaltavam, despertou nele um bom sentimento.

— Justamente, príncipe! Como o senhor explica isto bem, deixando-se levar pelos impulsos de seu coração! — exclamou o general entusiasmado; e, coisa estranha, lágrimas verdadeiras brilharam em seus olhos. — Sim, príncipe, aquele espetáculo tinha sua grandeza. E sabe o senhor que estive a ponto de acompanhá-lo a Paris? Neste caso teria certamente seguido em sua "deportação para a ilha tropical", mas ai! nossos destinos divergiram! Deixamo-nos, ele partiu para aquela ilha tropical onde, talvez, num minuto de cruel pesar, teria lembrado das lágrimas do pobre menino que o havia abraçado e perdoado em Moscou; quanto a mim, enviaram-me para o corpo de cadetes onde não encontrei senão uma dura disciplina e camaradas grosseiros... ai! tudo desmoronou depois! No dia da retirada, Napoleão me disse: "Não quero arrebatar-te de tua mãe, levando-te comigo. Mas desejaria fazer alguma coisa por ti". Já estava na sela. "Escrevei-me uma frase, como lembrança, no álbum

56 Ora essa! ele está ficando supersticioso!

de minha irmã", disse eu, timidamente, porque estava ele sombrio e muito agitado. Voltou, pediu uma pena, pegou o álbum. "Que idade tem tua irmã?", perguntou-me, com a pena na mão. "Três anos", respondi. "*Petite fille alors.*" E escreveu no álbum:

Ne mentez jamais.
Napoleón, votre ami sincère.[57]

Tal conselho, em tal momento! Convenha, príncipe...

— Sim, é significativo.

— Aquela folha de álbum foi colocada sob uma redoma numa moldura dourada; minha irmã guardou-a toda a sua vida em seu salão, no lugar de honra. Morreu de parto e depois... não sei o que aconteceu àquele autógrafo... mas... Ah! meu Deus! Já duas horas! Quanto tempo o retive, príncipe! É imperdoável!

— Pelo contrário, — balbuciou Míchkin, — o senhor me cativou tanto e... afinal.... oferece isto tanto interesse, estou-lhe tão reconhecido!

O general apertou, de novo, a ponto de causar-lhe dor, a mão do príncipe. Fitou nele os olhos brilhantes com o ar de um homem que bruscamente se assenhoreou de si e cujo espírito é atravessado por uma ideia inesperada.

— Príncipe — disse ele, — o. senhor é tão bom, tão simples de espírito que me inspira por vezes compaixão. Contemplo-o com enternecimento. Oh! que o bom Deus o abençoe! Desejo que sua vida comece afinal e floresça... no amor. A minha está acabada. Oh! perdão, perdão!

Saiu depressa, ocultando o rosto nas mãos. O príncipe não podia pôr em dúvida a sinceridade de sua emoção. Compreendia também que o velho partia com a embriaguez de seu êxito. Mas sentia confusamente que tratava com um desses palradores que, deleitando-se com sua mentira até eles próprios esquecerem-se dela, nem por isso deixam de manter, no auge de sua ebriedade, a impressão íntima de que não lhes estão dando crédito e que não se pode neles acreditar. Na sua presente disposição, o velho podia fazer um exame de consciência, ter um acesso de vergonha e sentir-se ofendido, suspeitando de que o príncipe lhe houvesse testemunhado excessiva compaixão. "Não terei tido culpa de havê-lo deixado exaltar-se daquela maneira?" — perguntava a si mesmo, com inquietação. De repente, não se conteve mais e explodiu numa grande gargalhada que durou quase dez minutos. Esteve em seguida a ponto de censurar-se aquela hilaridade, mas reconsiderou e compreendeu que nada tinha a incriminar-se, já que o general lhe merecia imensa comiseração.

Seus pressentimentos realizaram-se. Naquela mesma noite recebeu um bilhete estranho, lacônico, mas peremptório. O general fazia-lhe saber que rompia com ele para sempre, que mantinha sua estima por ele e seu reconhecimento, mas que, mesmo da parte dele, recusava-se a aceitar "testemunhos de compaixão mortificantes para a dignidade de um homem já suficientemente desditoso sem isso".

Quando o príncipe soube que ele vivia recluso em casa de Nina Alieksándrovna, quase se tranquilizou a seu respeito. Mas, como já vimos, o general foi fazer um escândalo em casa de Lisavieta Prokófievna. Não podemos contar aqui esse in*cidente por miúdo; relatemos* em duas palavras o objeto da conversa mantida. Lisa-

57 Uma menininha então... /Não minta nunca./Seu amigo sincero. Napoleão.

vieta Prokófievna, a princípio atemorizada com as divagações, deixou-se tomar de indignação ouvindo-o fazer amargas reflexões a respeito de Gânia. Foi posto vergonhosamente para fora. De modo que passou a noite e a manhã em tal estado de supraexcitação que, perdendo todo domínio de si mesmo, acabara por correr para a rua quase como um louco.

Kólia não compreendia senão pela metade o que se passava e mantinha a esperança de agir sobre seu pai por intimidação.

— Pois bem! por onde iremos vagar agora? Que acha, general? — disse ele. — O senhor não quer ir à casa do príncipe; brigou com Liébiediev; não tem dinheiro e eu nunca o tive eis-nos agora bem no meio da rua como em cima de um monte de favas.

— É mais agradável estar com mulheres do que em cima de um monte de favas[58] — murmurou o general. — Este... trocadilho valeu-me o mais vivo êxito... no círculo dos oficiais em 44... Sim... em mil... oitocentos... e quarenta e quatro!... Já não me lembro mais... Ah! não me fales! "Onde está minha mocidade? Onde está meu frescor?" como exclamava... Quem é que dizia isto, Kólia?

— É uma citação de Gógol, em *Almas mortas*, papai — respondeu Kólia, lançando a seu pai um olhar inquieto.

— *Almas mortas!* Ah! sim, mortas! Quando me enterrares, escreve no meu túmulo: "Aqui jaz uma alma morta!". "A desgraça me persegue!" Quem disse isto, Kólia?

— Não sei, não, papai.

— Ieropiégov não existiu! Ierochka Ieropiégov!... — exclamou ele, num tom exasperado, parando no meio da rua. — E é, meu filho, meu próprio filho quem assim me desmente! Ieropiégov, que foi durante onze meses um verdadeiro irmão para mim e, por causa do qual tive aquele duelo... Um dia o Príncipe Vigoriétski, nosso capitão lhe disse, enquanto bebíamos: "Teria curiosidade de saber, Gricha, onde ganhaste tua cruz de Sant'Ana". — "Nos campos de batalha de minha pátria, eis onde as ganhei!" Eu exclamo: "Bravo, Gricha!". Pois bem, foi isso a causa de um duelo. Depois ele casou-se com... Mária Pietrovna Su... Sutúguina, e veio a morrer mais tarde no campo de batalha... Uma bala ricocheteou sobre a cruz que eu trazia no peito e foi atingi-lo na testa. "Não esquecerei jamais!", exclamou ele, e caiu morto. Eu... eu servi com honra, Kólia; servi nobremente, mas a desgraça, "a desgraça me persegue!". Tu e tua mãe vireis ao meu túmulo... "Pobre Nina!" Era assim que eu a chamava outrora, Kólia, há muito tempo; nos primeiros tempos, e isto lhe causava prazer... Nina! Nina! que fiz eu de tua existência? Como podes tu amar-me, alma resignada? Tua mãe tem a alma de um anjo, Kólia; estás-me ouvindo? A alma de um anjo!

— Eu sei, papai. Meu pai querido, voltemos para casa, para o lado de mamãe! Ela queria vir correndo atrás do senhor. Por que hesita? Parece até que o senhor não compreende... Ora vamos! Por que chora?

O próprio Kólia chorava e beijava as mãos de seu pai.

— Tu me beijas as mãos, as minhas mãos?

— Pois bem, sim, as suas mãos, as suas mãos. Que há nisso de espantoso? Vamos, por que se põe o senhor a gritar em plena rua, o senhor, um general, um homem de guerra? Venha!

---

58 Trocadilho intraduzível formado com os plurais dos têrmos *bobov* (fava) e *baba* (comadre).

— Que o bom Deus te abençoe, meu querido menino, pelo respeito que conservaste por este perdido do teu velho pai, apesar da desgraça, sim, apesar do opróbrio de que está coberto... Possas tu ter um filho que se pareça contigo... *Le roi de Rome*... Oh! "a maldição esteja sobre esta casa!".

— Mas que se passa então? — exclamou Kólia, com arrebatamento. — Que aconteceu? Por que não quer mais voltar para casa? Perdeu a razão?

— Vou te explicar, vou te explicar, vou te dizer tudo; não chores, poderiam nos ouvir... *Le roi de Rome*... Oh! como me sinto desconsolado e triste! "Minha ama, onde está teu túmulo?"[59] Quem disse isto, Kólia?

— Não sei, não sei quem tenha podido dizer isso. Vamos imediatamente para casa, imediatamente! Reduzirei Gânia a pedaços, se for preciso... Mas aonde vai o senhor ainda?

O general arrastava-o para o patamar de uma casa vizinha.

— Aonde vai? Essa casa não é a nossa!

O general sentara-se no patamar e puxava Kólia pelo braço para junto dele.

— Inclina-te, inclina-te! — murmurou ele. — Vou te dizer tudo... Minha vergonha... inclina-te... Presta atenção, vou dizer no teu ouvido...

— Mas que tem o senhor? — exclamou Kólia, espantado, mas, mesmo assim, aproximando o ouvido.

— *Le roi de Rome*... — articulou o general que parecia também todo trêmulo.

— O quê? Por que o senhor fala todo o tempo do rei de Roma?... Que significa isso?

— Eu... eu... — balbuciou de novo o general, agarrando-se cada vez mais ao ombro de "seu menino", — eu... quero... que... quero tudo di... Mária, Mária... Pietrovna Su... Su... Su...

Kólia libertou-se da mão dele, agarrou-o pelos ombros e fitou-o assombrado. O velho tornara-se cor de púrpura, seus lábios roxeavam-se e ligeiras convulsões corriam-lhe pelo rosto. De repente abateu-se e se deixou cair suavemente nos braços de Kólia.

— Um ataque cerebral! — exclamou Kólia, em alto brado, que ecoou pela rua.

Acabava afinal de compreender a realidade.

CAPÍTULO V

Na verdade, Varvara Ardaliónovna, ao conversar com seu irmão, havia exagerado um tanto a exatidão de suas informações a respeito do noivado do príncipe com Aglaia Iepántchina. Pode ser que, como mulher perspicaz, haja adivinhado o que devia passar-se num futuro próximo. Pode ser também que, despeitada por ver desfazer-se um sonho (no qual ela mesma, na realidade, jamais acreditara), não tenha podido recusar-se a satisfação bem humana de exagerar aquela desgraça e verter nova gota de fel no coração de seu irmão, se bem que tivesse por este uma afeição e uma simpatia sincera. Em todo caso, não podia ter recebido de suas amigas, as senhoritas Iepántchini, informações tão exatas; tudo se limitara a alusões,

59 Paráfrase à estrofe XLVI do canto VIII do poema *Ievguéni Onéguin*, de Púchkin.

a frases inacabadas, a silêncios, a enigmas. Talvez também as irmãs de Aglaia tivessem arriscado intencionalmente uma indiscrição para disso tirar alguma coisa de Varvara Ardaliónovna. Enfim, não é tampouco inverossímil que tenham cedido ao prazer muito feminino de alfinetar um pouco sua amiga, embora camaradas de infância. Não podiam deixar de ter entrevisto, ao fim de tanto tempo, pelo menos algo do desígnio que tinha em vista a jovem mulher.

Por outra parte, estava talvez o príncipe também enganado, embora de boa-fé, quando afirmava a Liébiediev que nada tinha a comunicar-lhe e que nada de particular sobreviera em sua vida. Na realidade, cada qual se encontrava em presença dum fenômeno singular: nada acontecera e no entanto tudo se passava como se alguma coisa muito importante tivesse acontecido. Foi isto que, movida pelo seu seguro instinto de mulher, Varvara Ardaliónovna havia adivinhado.

De qualquer maneira é muito difícil expor logicamente como todos os membros da família Iepántchin tiveram, no mesmo momento, o pensamento comum de que um acontecimento capital ocorrera na vida de Aglaia e ia decidir a sua sorte. Mas desde que esse pensamento lhes entrou na cabeça, todos convieram imediatamente que já haviam desde muito tempo encarado e previsto claramente uma eventualidade que se tornara evidente desde o incidente do cavalheiro pobre e mesmo antes; somente antes recusavam-se a crer em semelhante absurdo.

É o que afirmavam as irmãs de Aglaia. É claro que Lisavieta Prokófievna tudo predissera e tudo compreendera antes dos outros; desde muito antes "o coração lhe doía". Mas tenha essa sua perspicácia funcionado desde muito ou desde pouco tempo, o fato é que o príncipe só lhe causava agora uma ideia desagradável porque lhe deixava a razão confusa. Havia aqui uma questão a resolver imediatamente; ora, não somente não podia a infeliz Lisavieta Prokófievna resolver essa questão, mas ainda não conseguia mesmo expô-la com nitidez. O caso era delicado: "Era ou não o príncipe um bom partido? O negócio era bom ou mau? Se era mau (o que parecia fora de dúvida), qual a razão disso? Se era bom (o que era igualmente possível), sobre que basear-se para assim julgar?"

O chefe da família, Ivan Fiódorovitch, começou, bem entendido, por manifestar seu espanto, depois confessou que, "na verdade, também ele suspeitara de algo nesse gênero durante todo aquele tempo; se bem que intermitentemente!". Sentindo pesar sobre si o olhar severo de sua esposa, calou-se; mas foi apenas por uma manhã, porque à noite, achando-se a sós com ela, viu-se obrigado a explicar-se.

Arriscou então, com certa audácia, algumas reflexões bastante inesperadas "Afinal, de que se trata?... (Uma pausa.) Certamente tudo isto é bastante estranho se todavia é verdade, o que não quero discutir, mas... (Nova pausa.) Por outro lado, considerando as coisas bem de frente, o príncipe é um rapaz bem encantador, palavra! E... e, vejamos, traz um nome que pertence à nossa família; tudo isto poderia parecer reerguer, de certa forma, o nosso nome de família desconsiderado aos olhos do mundo, claro que olhando a coisa deste ponto de vista, porque... Enfim, o mundo, o mundo é o mundo. E depois, afinal de contas, o príncipe não é pobre, embora sua fortuna não seja lá muito considerável. Tem... e... e...

Nisto, Ivan Fiódorovitch perdeu a eloquência e calou-se de repente.

Essa maneira de ver de seu marido pôs Lisavieta Prokófievna fora de si. A seus olhos tudo quanto se passara era "uma tolice imperdoável e até mesmo criminosa, uma fantasmagoria absurda e inepta". Em primeiro lugar "esse principezinho é um doente, um idiota; em seguida é um imbecil que não conhece o mundo e não é capaz de manter nele seu lugar: a quem apresentá-lo? onde introduzi-lo? É um democrata inconveniente, desprovido de todo grau hierárquico e depois... que diria a Bielokónskaia? Foi este o marido que sonhamos para Aglaia?" Este último argumento era naturalmente decisivo. Seu coração de mãe sangrava e fremia a este pensamento que lhe arrancava lágrimas dos olhos, se bem que no mesmo instante se erguesse daquele mesmo coração uma voz que lhe dizia: "em que não seria o príncipe o genro de que precisas"? Eram as objeções de sua própria consciência que davam a Lisavieta Prokófievna mais preocupações.

As irmãs de Aglaia não viam com maus olhos o projeto de casamento com o príncipe; não achavam mesmo nisso nada de tão estranho; em suma, teriam muito bem podido ficar de súbito do lado dele, se não se tivessem comprometido a manter-se em silêncio. Uma vez por todas, notara-se entre os familiares de Lisavieta Prokófievna que, quanto ela mais insistia e se encarniçava em combater um projeto familiar em discussão, tanto mais parecia que já estivesse eventualmente favorável a esse projeto.

Alieksandra Ivânovna não podia deixar de dar sua opinião. Desde muito tempo sua mãe, habituada a tomá-la como conselheira, dirigia-se a ela sem cessar para saber sua opinião e sobretudo consultar-lhe a memória: "como chegaram as coisas a este ponto? por que ninguém percebeu isto? por que não se falou disto? Que significava aquela mesquinha brincadeira do 'cavalheiro pobre'? Por que somente ela, Lisavieta Prokófievna, era condenada a preocupar-se por todos, a tudo reparar, a tudo adivinhar, enquanto os outros ficavam à toa", etc., etc.

Alieksandra Ivânovna mostrou-se a princípio reservada e contentou-se em notar que era muito da opinião de seu pai, quando dizia este que o casamento de um príncipe Míchkin com uma senhorita Iepántchina poderia ser visto pela sociedade como bastante satisfatório. Pouco a pouco encorajou-se a ponto de acrescentar que o príncipe não era absolutamente um "bobo" e nunca o fora; quanto à sua posição social, ninguém podia prever sobre qual base se julgaria, dali a alguns anos, o valor de um homem na Rússia, nem se este valor dependeria dos êxitos duma carreira oficial ou de qualquer outra base de apreciação. Ao que mamãe replicou logo, e vivamente, que Alieksandra "era uma livre pensadora e tudo isto por causa dessa maldita questão feminina". Meia hora depois partiu para a cidade e dirigiu-se à Kámieni Óstrov para ver a Bielokónskaia, que acabava justamente de regressar a Petersburgo, mas só devia permanecer ali pouco tempo. A Bielokónskaia era madrinha de Aglaia.

Aquela "velha dama" ouviu todas as confidências febris e desesperadas de Lisavieta Prokófievna, mas, em vez de mostrar-se comovida pelas lágrimas e angústias maternais da visitante, olhou-a com um ar zombeteiro. Seu caráter era singularmente despótico; não podia admitir num mesmo pé de igualdade as pessoas a que estava ligada, mesmo por uma amizade de longa data. Tratava deliberadamente Lisavieta Prokófievna como a uma protegida, da mesma maneira que o fizera trinta e cinco anos antes, e não podia habituar-se a suas atitudes de impaciência e independência. Observou, entre outras coisas, que "aquelas senhoras pareciam ter, como sempre, exagerado as coisas e feito duma mosca um elefante"; o que acabava de ouvir não bastava para convencê-la de que um acontecimento sério ocorrera efetivamente; não seria melhor esperar e ver o que aconteceria? O príncipe, na sua opinião, era "um rapaz bastante conveniente, se bem que doente, esquisito e duma excessiva nulidade. O pior é que ele sustentava abertamente uma amante". Lisavieta Prokófievna compreendeu muito bem que a Bielokónskaia estava algo aborrecida pelo fracasso de Ievguéni Pávlovitch, seu recomendado.

Voltou para Pávlovsk ainda mais irritada do que estava quando partira, e mostrou isso logo aos seus dizendo que "tinham perdido o juízo", que ninguém dirigia seus negócios daquela maneira, que não se via daquilo senão na sua família. "Por que essa pressa? Que se passou? Por mais que procure, não encontro razão alguma para pensar que alguma coisa haja realmente acontecido! Esperem os acontecimentos. Tantas coisas podem atravessar a mente de Ivan Fiódorovitch! Será preciso fazer de uma mosca um elefante?" etc., etc.

A conclusão era que se devia ficar com calma, encarar friamente a situação e ter paciência. Mas ai! a calma não durou dez minutos. O relato do que ocorrera durante a ida da mamãe à Kámieni Óstrov deu ocasião a uma primeira infração ao sangue-frio prescrito. (A visita de Lisavieta Prokófievna à Princesa Bielokónskaia realizara-se pela manhã; fora na véspera que o príncipe aparecera depois da meia-noite acreditando que não eram ainda dez horas.) Interrogadas febrilmente a este respeito por sua mãe, as irmãs de Aglaia forneceram-lhe vários detalhes. Começaram dizendo que "nada se passara absolutamente"; o príncipe chegara; Aglaia fizera-o esperar uma meia hora antes de apresentar-se; depois, assim que entrara, propusera-lhe uma partida de xadrez; o príncipe não conhecia nada desse jogo e sofrera xeque-mate num abrir e fechar olhos; cheia de alegria com o triunfo, Aglaia tratara de envergonhá-lo pela sua ignorância e de tal modo rira dele que dava pena vê-lo. Depois propusera-lhe uma partida de cartas, um jogo de "doidos". Mas desta vez deu-se o contrário: o príncipe era tão forte nesse jogo que o jogava como... como um professor. Revelava nele uma verdadeira mestria. Não adiantava Aglaia trapacear, trocar as cartas e surripiar-lhe as vazas. Ele a batia em cada partida. Jogaram cinco. Ela ficou tão zangada, que perdeu toda a compostura e lançou ao príncipe palavras tão mordazes e impertinentes que ele cessou de rir e ficou mesmo pálido, ouvindo-a dizer que "não poria mais os pés naquela sala enquanto ele ali estivesse" e que fora um desrespeito da parte dele vir vê-las e ainda por cima à meia-noite, "depois de tudo quanto se havia passado". Dito isto saíra, batendo a porta. O príncipe retirara-se com cara de enterro, malgrado todas as boas palavras das irmãs de Aglaia.

Um quarto de hora após sua partida, Aglaia tornara de repente a descer do andar superior para o terraço; sua pressa fora tanta que nem mesmo tivera tempo de enxugar seus olhos, em que se viam sinais de lágrimas. Aparecera porque Kólia acabava de trazer um ouriço-cacheiro. Todas se puseram a mirar o bichinho; interrogado, Kólia respondeu que ele não era seu, mas que seu camarada Kóstia Liébiediev, outro colegial, e ele haviam-no comprado, ao mesmo tempo que um machado, a um camponês que haviam encontrado. Kóstia ficara na rua porque não ousara entrar com seu machado. O camponês não queria a princípio vender senão o ouriço e pedira por ele cinquenta copeques, mas haviam-no persuadido a desfazer-se também de seu machado, que lhes podia ser útil e era, aliás, muito bem fabricado.

Aglaia pôs-se a suplicar a Kólia que lhe vendesse imediatamente o ouriço; insistiu de tal maneira que chegou a ponto de chamá-lo "querido Kólia". Este resistiu durante muito tempo, mas por fim, não podendo conter-se, chamou Kóstia Liébiediev que subiu, com seu machado na mão, com um ar muito constrangido. Então soube-se de repente que o ouriço não lhes pertencia absolutamente, mas era propriedade dum terceiro colegial, Pietrov, que lhes havia confiado uma pequena quantia para comprar a *História* de Schlosser, da qual um quarto colegial, precisando de dinheiro, procurava desfazer-se a baixo preço. Tendo saído à procura desse livro, deixaram-se tentar, em caminho, e compraram o ouriço, de sorte que em lugar da *História* de Schlosser levavam a Pietrov o animal e o machado. Mas Aglaia insistiu com tanta tenacidade que acabaram por ceder e lhe venderam o ouriço. Mal ficou ela de posse do animal, instalou-o, ajudada por Kólia, numa cesta trançada, cobriu-o com um guardanapo e encarregou o colegial de levá-lo, de sua parte, sem demora, à casa do príncipe, rogando a este que aceitasse aquele presente "em testemunho de sua profunda estima". Kólia aceitou com bom humor aquela incumbência e prometeu cumpri-la, mas apressou-se em perguntar o que significava aquele presente e de que era símbolo o ouriço. Aglaia respondeu-lhe que isso não era da conta dele. Replicou Kólia que, com toda a certeza, semelhante presente ocultava um sentido alegórico. Aglaia enfadou-se e disse-lhe que ele era um fedelho e nada mais. Ao que ele respondeu dizendo que, se não respeitasse nela a mulher e se seus princípios não o retivessem, ia lhe mostrar imediatamente como sabia responder a semelhante afronta. Finalmente, nem por isso deixou de desincumbir-se com entusiasmo do encargo levando, em companhia de Kóstia Liébiediev, o ouriço à casa do príncipe. Aglaia não lhe guardou rancor; vendo-o sacudir com muita força a cesta, gritou-lhe do terraço: "Meu caro Kólia, por favor, não o deixe cair!". Kólia tampouco deu demonstração de que haviam tido uma rusga: parou para responder lhe com a mais viva solicitude: "Não, não o deixarei cair, Aglaia Ivânovna; fique bem tranquila!". E saiu correndo. Aglaia desatou a rir e subiu depressa para seu quarto; estava radiante e manteve seu bom humor o dia inteiro.

Estas notícias transtornaram Lisavieta Prokófievna. Não havia de que, parecia. Mas tal era seu estado de espírito, que ele lhe fazia ver as coisas de outro modo. Sua inquietação era excitada ao mais alto ponto e o que a avivava sobretudo era aquele ouriço. Que significava ele? Não seria um sinal convencionado? Um subentendido? Mas que queria dizer? Seria uma espécie de telegrama?O pobre Ivan Fiódorovitch, que havia assistido ao interrogatório de suas filhas, acabou de pô-la fora de si com a resposta que deu. Para ele, não havia por baixo daquilo nenhuma mensagem convencionada. "O mais simples, disse ele, é pensar que um ouriço é um ouriço e nada mais. Pode ser também um símbolo de amizade, de esquecimento das ofensas e de reconciliação, em suma, uma pilhéria. em todo o caso inocente e venial."

Notemos entre parêntesis que o general estava com a verdade. De volta à sua casa, depois de ter sido escarnecido e posto para fora por Aglaia, entregava-se Míchkin havia uma meia hora ao mais sombrio desespero, quando viu de repente aparecer Kólia com o ouriço. Logo o céu se iluminou perante seus olhos; parecia que ele *voltava à vida. Interrogou Kólia,* ficando suspenso de seus lábios, fazendo-lhe dez vezes a mesma pergunta, rindo como uma criança e apertando a qualquer propósito as mãos dos dois colegiais, que também riam e o olhavam cheios de alegria. Um fato estava certo: Aglaia perdoava e era-lhe possível voltar à casa dela naquela noite mesmo; era para ele mais do que essencial, era tudo.

— Como somos ainda crianças. Kólia! E... e... como é bom ser criança! — acabou por exclamar na sua alegria.

— Ela está simplesmente enamorada do senhor, príncipe, eis tudo — respondeu Kólia num tom de autoridade e de importância.

O príncipe corou, mas desta vez não disse uma palavra. Kólia pôs-se a rir e bater palmas ao fim de um instante, Míchkin partilhou de sua alegria e, desde aquele momento até a noite, consultou seu relógio a cada cinco minutos para ver quanto tempo se passara e quanto lhe restava a esperar.

Mas a excitação ia aumentando. Lisavieta Prokófievna já não podia mais se conter e estava a ponto de sofrer uma crise de nervos. A despeito das objeções de seu marido e de suas filhas, mandou imediatamente chamar Aglaia para lhe fazer uma derradeira pergunta e dela receber uma resposta clara e decisiva. "É preciso acabar com isso duma vez por todas, liquidar este negócio e não mais falar dele! Senão — acrescentou ela, — não viverei até a noite!" Foi então somente que se compreendeu a que ponto de confusão as coisas tinham chegado. Foi impossível arrancar de Aglaia uma só palavra: simulou profundo espanto, um acesso de indignação, depois riu às gargalhadas e zombou do príncipe como de todos os que a interrogavam. Lisavieta Prokófievna foi meter-se na cama e só reapareceu na hora do chá, no momento em que se supunha que o príncipe chegaria. Palpitava de emoção esperando a chegada deste, e quando ele se apresentou pouco faltou para que não tivesse um ataque histérico.

Quanto ao príncipe, entrou com ar receoso, como alguém que avança, tateando; mostrava um sorriso estranho ao olhar todas as pessoas presentes e parecia perguntar-lhes por que Aglaia não estava na sala. Ficara consternado ao notar, desde sua chegada, a ausência da moça. Estava-se naquele noite em família; não havia ninguém estranho. O Príncipe Tsch*** ficara retido em Petersburgo por causa dos negócios consecutivos à morte do tio de Ievguéni Pávlovitch. Lisavieta Prokófievna lamentou sua ausência. "Teria ele decerto encontrado algo para dizer, se estivesse ali!" Ivan Fiódorovitch tinha um semblante intensamente preocupado. As irmãs de Aglaia mostravam-se graves e mantinham silêncio como se assim tivessem combinado. Lisavieta Prokófievna não sabia por que lado começar a conversa. Bruscamente descarregou sua indignação a propósito das estradas de ferro e olhou o príncipe com uma expressão de desafio.

Ai! Aglaia continuava ausente e o príncipe sentia-se perdido. Desconcertado e balbuciante, tentou exprimir a ideia de que haveria o maior interesse em melhorar a rede ferroviária, mas tendo-se Adelaida posto de súbito a rir, ele se viu de novo sem saber o que dizer. Naquele instante entrou Aglaia com ar calmo e grave. Retribuiu cerimoniosamente ao príncipe seu cumprimento e veio sentar-se com solene lentidão no lugar mais em vista da mesa redonda. Fixou no príncipe um olhar inquisitivo. Toda a gente compreendeu que chegara o momento de dissipar os mal-entendidos.

— Recebeu meu ouriço? — perguntou ela, num tom seguro e quase acerbo.

— Sim — respondeu Míchkin, corando e sentindo-se desfalecer.

— Explique-nos imediatamente o que pensa disso. É indispensável para a tranquilidade de mamãe e de toda a nossa família.

— Vejamos, Aglaia! — disse bruscamente o general com inquietação.

— Isto ultrapassa todas as medidas! — reforçou logo Lisavieta Prokófievna, num movimento de espanto.

— Não se trata aqui de medidas, mamãe — replicou a moça com sequidão. — Enviei hoje um ouriço ao príncipe e desejo saber sua maneira de pensar. Estou escutando-o, príncipe.

— Que entende por minha maneira de pensar, Aglaia Ivânovna?

— Mas... a respeito do ouriço.

— Quer dizer... presumo, Aglaia Ivânovna, que deseja saber como o recebi... o ouriço... ou, mais exatamente, como compreendi... aquele envio... dum ouriço; neste caso, suponho... que em uma palavra...

Perdeu o fôlego e calou-se.

— Pois bem! o senhor não disse grande coisa! — tornou Aglaia, após uma pausa de cinco segundos. — Está bem, consinto em deixar de lado o ouriço. Mas muito me satisfaz poder afinal pôr termo a todos os mal-entendidos que se foram acumulando. Vai me permitir saber de sua própria boca se tem ou não a intenção de me pedir em casamento?

— Ah! meu Deus! — exclamou Lisavieta Prokófievna.

O príncipe estremeceu e teve um movimento de recuo. Ivan Fiódorovitch estava petrificado. As duas irmãs de Aglaia franziram o cenho.

— Não minta, príncipe, diga a verdade! Por sua causa, perseguem-me com estranhas perguntas. Têm essas indagações uma base qualquer? Fale!

— Não a pedi em casamento, Aglaia Ivânovna — respondeu Míchkin, animando-se, bruscamente, — mas... a senhora mesma sabe a que ponto a amo e que confiança tenho na senhora... mesmo neste momento...

— Fiz-lhe uma pergunta: pede a minha mão, sim ou não?

— Peço-a — respondeu ele com voz extinta.

Houve na assistência uma sensação profunda.

— Não é assim que essas coisas se tratam, meu caro amigo — declarou Ivan Fiódorovitch, vivamente emocionado. — É... é quase impossível, se é a isto que queres chegar, Glacha...[60] Desculpe, príncipe, desculpe, meu caro amigo!... Lisavieta Prokófievna! — acrescentou ele, chamando a mulher em socorro, — seria preciso... aprofundar...

— Recuso-me, recuso-me! — exclamou Lisavieta Prokófievna, com um gesto de negação.

— Permita-me, mamãe, que diga também minha palavra; creio ter igualmente voto no capítulo num negócio deste gênero: trata-se dum momento decisivo na minha existência (foi esta mesma a expressão que usou Aglaia). Quero eu mesma saber e fico satisfeita de ter a todos por testemunhas... Deixe-me, pois, perguntar-lhe, príncipe, de que maneira conta o senhor assegurar minha felicidade se "nutre tais intenções"?

— Na verdade, não sei como responder-lhe, Aglaia Ivânovna... que resposta pode dar-se a semelhante pergunta? E depois... será bem necessária?

— O senhor me parece perturbado e oprimido; repouse um instante e retome forças: beba um copo d'água; aliás, vão trazer-lhe imediatamente chá.

60 Diminutivo de Aglaia.

— Eu a amo, Aglaia Ivânovna, eu a amo muito; não amo senão a senhora e... Não brinque, rogo-lhe, eu a amo muito.

— Mas no entanto o negócio é importante; não somos crianças e é preciso ver a coisa de um modo positivo... Dê-se ao trabalho de nos explicar agora em que consiste sua fortuna.

— Ora, ora, Aglaia! que é que te deu? Não é assim, não, deveras... — balbuciou Ivan Fiódorovitch, com ar consternado.

— Que vergonha! — murmurou Lisavieta Prokófievna, bastante alto para ser ouvida.

— Ela está louca! — acrescentou Alieksandra, no mesmo tom.

— Minha fortuna... isto é, meu dinheiro? — perguntou Míchkin, surpreso.

— Precisamente.

— Tenho... tenho neste momento cento e trinta e cinco mil rublos — murmurou o príncipe, corando.

— Não mais? — admirou-se Aglaia com franqueza e sem corar sequer. — Aliás, pouco importa; quando se sabe ser econômico... Tem intenção de arranjar emprego?

— Desejava prestar exame de professor...

— Excelente ideia; é um meio certo de aumentar nossos recursos. Pensa tornar-se gentil-homem de câmara?

— Gentil-homem de câmara? Nunca pensei nisso, mas...

Desta vez as duas irmãs não se aguentaram mais e dispararam a rir. Desde muito tempo já notara Alieksandra, por certas contrações nervosas do rosto de Aglaia, sinais dum riso que ela se esforçava por conter, mas que não tardaria a explodir duma maneira irresistível. Aglaia quis tomar um ar ameaçador diante da hilaridade das irmãs, mas não pôde conter-se um segundo mais e abandonou-se a um acesso quase histérico de riso louco. Por fim, levantou-se dum salto e saiu da sala correndo.

— Sabia bem que tudo isto acabaria em explosões de riso — exclamou Adelaida. — Previ-o desde o começo, desde a história do ouriço.

— Não, isto não o permitirei, não o permitirei! — exclamou Lisavieta Prokófievna, num súbito acesso de cólera; e saiu no encalço de Aglaia.

Suas filhas seguiram-na do mesmo modo. Só ficaram na sala o príncipe e o chefe da família.

— Escuta, Liev Nikoláievitch, imaginaste coisa semelhante? — disse o general com brusquidão, mas sem parecer saber ele mesmo exatamente o que queria dizer. — Não, seriamente, falando seriamente!

— Vejo que Aglaia Ivânovna zombou de mim — respondeu o príncipe com tristeza.

— Espera, meu amigo, vou lá; fica aqui... porque....Explica-me, pelo menos tu, Liev Nikoláievitch, como tudo isto aconteceu e o que significa o negócio, por assim dizer, no seu conjunto? Confesso, meu amigo, que sou o pai; não obstante, por pai que seja, não compreendo nada disso; então, tu, pelo menos; explica-me!

— Amo Aglaia Ivânovna; ela o sabe... e, creio, desde muito tempo.

O general ergueu os ombros.

— É estranho, estranho... E tu a amas muito?

— Amo-a muito.

— É estranho, tudo isto me parece estranho. Quero dizer semelhante surpresa, tal golpe... Vês, meu caro amigo, não é tua fortuna que me preocupa (embora a acreditasse mais elevada), mas... penso na felicidade de minha filha... enfim... és capaz, por assim dizer, de fazer... essa felicidade? E depois... de que se trata: duma brincadeira da parte dela ou duma declaração sincera? De ti, não falo; mas da parte dela?

Neste momento ouviu-se por trás da porta a voz de Alieksandra Ivânovna; a moça chamava o pai.

— Espera, meu amigo, espera! Espera e reflete, volto imediatamente... — disse ele à pressa e correu quase amedrontado a atender ao chamado de Alieksandra.

Encontrou sua mulher e sua filha desfeitas em lágrimas, uma nos braços da outra. Eram lágrimas de felicidade, de enternecimento e de reconciliação. Aglaia beijava as mãos, as faces, os lábios de sua mãe; as duas mulheres abraçavam-se com efusão.

— Eis, Ivan Fiódorovitch, olha-a agora, é ela, é ela inteirinha! — disse Lisavieta Prokófievita.

Aglaia voltou do peito de sua mãe seu olhar banhado de lágrimas, mas radiante de felicidade; olhou seu pai, explodiu numa sonora risada, depois, lançando-se para ele, apertou-o estreitamente em seus braços e beijou-o repetidamente. Em seguida lançou-se de novo sobre sua mãe, ocultou seu rosto no peito dela a fim de que ninguém pudesse vê-la e se pôs de novo a chorar. Lisavieta Prokófievna cobriu-a com a ponta de seu xale.

— Pois bem! Então? Tu nos pregas cada uma, cruel criança que és! — disse ela, mas desta vez com uma expressão de alegria e como se respirasse mais livremente.

— Cruel, sim cruel! — exclamou, de súbito, Aglaia. — Sou uma má filha, uma mimada! Diga-o a papai. Ah! sim, ele está aqui! Está aqui, papai? O senhor ouve? — disse ela, rindo por entre as lágrimas.

— Minha querida, meu ídolo! — disse o general arrebatado de alegria, beijando a mão de sua filha, que o deixou fazer isso. — Então, tu amas aquele... jovem?

— Não, não e não! Não posso suportá-lo... esse vosso jovem; não posso suportá-lo! — exclamou Aglaia, de repente, erguendo a cabeça. — E se o senhor ousar dizer-me isto ainda uma vez, papai... falo-lhe seriamente, entendeu? Falo seriamente!

Falava, com efeito, a sério; estava vermelha e seus olhos fulguravam. O pai, espantado, ficou mudo, mas, por trás de Aglaia, Lisavieta Prokófievna lhe fez um sinal; compreendeu que aquele sinal queria dizer: "Não lhe faças perguntas!".

— Se é assim, meu anjo, será como te agrada; faz o que quiseres. Mas ele está lá na sala, sozinho, esperando. Não seria bom dar-lhe delicadamente a entender que deverá retirar-se?

Por sua vez, o general piscou o olho para Lisavieta Prokófievna.

— Não, não, é inútil e o "delicadamente" é demais. Vão os senhores mesmos; eu irei logo depois. Quero pedir perdão a esse... jovem, porque o ofendi.

— E ofendeste gravemente mesmo — reforçou, com ar sério, Ivan Fiódorovitch.

— Então... será melhor que fiquem aqui todos; irei primeiro sozinha. Irão em seguida, imediatamente depois. Será preferível.

Já estava na porta, quando deu de repente meia volta.

— Sinto que vou rir! Estou morrendo de vontade de rir! — declarou, com tristeza.

Mas no mesmo instante se voltou e correu ao encontro do príncipe.

— Pois bem! Que é que isto significa? Que pensas? — perguntou à pressa Ivan Fiódorovitch?

— Tenho medo de dizê-lo — respondeu Lisavieta Prokófievna, no mesmo tom precipitado. — Para mim, a coisa é clara.

— Não o é menos para mim. Clara como o dia. Ela ama.

— É pouco: está apaixonada — interveio Alieksandra Ivânovna. — Mas ela não poderia ter encontrado alguém melhor?

— Que Deus a abençoe, se tal é o seu destino! — disse Lisavieta Prokófievna, benzendo-se devotamente.

— É o seu destino, eis a verdade — confirmou o general, — e não se foge a seu destino!

Voltaram todos para a sala onde nova surpresa os aguardava.

Não somente Aglaia não disparara a rir, como o temia, ao abordar o príncipe, mas até fora quase com um acento de timidez que lhe havia dirigido a palavra.

— Perdoe a uma moça tola e desmiolada, a uma criança mimada (tomou-lhe a mão) e creia mesmo que temos todos imenso respeito pelo senhor. Permiti-me lançar o ridículo sobre sua bela... sua boa candura. É preciso que veja nisso apenas uma travessura de criança. Perdoe-me ter insistido em um absurdo que não deveria, certamente, ter consequências...

Aglaia sublinhou estas últimas palavras com uma entonação particular.

O pai, a mãe e as irmãs entraram no momento mesmo na sala para assistir à cena e ouvir aquela frase que os surpreendeu: "um absurdo que não deveria, certamente, ter consequências...". Ficaram mais impressionados ainda com o tom sério com que Aglaia a pronunciara. Interrogaram-se com os olhos; mas o príncipe não tinha o ar de haver compreendido e estava radiante.

— Por que fala assim? — murmurou ele. — Por que é a senhora quem... me pede... perdão...?

Queria mesmo acrescentar que não era digno de que lhe pedissem perdão. Quem sabe? Talvez tivesse apanhado o sentido da frase sobre o "absurdo que não deveria ter consequências". Mas, dada sua estranheza de espírito, talvez essas mesmas palavras o tivessem cumulado de alegria. Sem dúvida alguma achava-se no auge da felicidade só em pensar que poderia voltar a ver Aglaia, que lhe seria permitido falar com ela, ficar a seu lado, passear em sua companhia. Talvez esta perspectiva lhe tivesse bastado para toda a sua vida! (Lisavieta Prokófievna parecia também temer, por instinto, aquele humor acomodatício que adivinhava nele; sentia assim muitas apreensões íntimas que não seria capaz de exprimir.)

Seria difícil descrever o grau de animação e entusiasmo de que deu provas Míchkin naquela noite. Estava tão alegre que sua alegria se comunicava aos que o viam; foi o que disseram depois as irmãs de Aglaia. Mostrou-se loquaz, o que não lhe acontecia havia seis meses, desde aquela manhã em que conhecera os Iepántchini. Desde o dia em que regressara a Petersburgo, visível e deliberadamente, tinha-se, encerrado em mutismo. Pouco tempo antes daquela noite, dissera diante de todos ao Príncipe Tsch*** que se acreditava obrigado a guardar silêncio, porque não tinha o direito de rebaixar uma ideia pela sua maneira de exprimi-la. Foi quase o único a falar durante o serão. Estava muito verboso e respondia às perguntas com clareza, bom humor e prolixidade. Nada, aliás, na sua conversação, deixava perceber seus sentimentos amorosos; não emitiu a princípio senão pensamentos graves, por vezes mesmo obscuros. Expôs também algumas de suas opiniões e observações pessoais; tudo isto teria degenerado em ridículo se não se houvesse expressado em termos "também escolhidos", como convieram mais tarde os seus ouvintes.

É certo que o general gostava dos assuntos de conversa sérios; não obstante, Lisavieta Prokófievna e ele acharam, para si, os do príncipe demasiado sábios, a tal ponto que a fisionomia deles, ao fim do serão, já mostrava sinais de aborrecimento. Mas o príncipe animou-se de tal modo que acabou contando anedotas, algumas bem divertidas, das quais foi o primeiro a rir, tanto que os ouvintes fizeram o mesmo, menos por causa das próprias anedotas que pelo efeito de sua contagiosa alegria. Quanto a Aglaia, quase não abriu a boca durante o serão; em compensação não deixou de ouvir Míchkin e contemplava-o com maior avidez ainda.

— Veja como o contempla; não desfita dele os olhos; bebe cada uma de suas palavras; está como que fascinada! — dizia Lisavieta Prokófievna a seu marido. — Mas se se dissesse que ela o ama, ela viraria o mundo de pernas para o ar.

— Que fazer? É o destino! — respondeu o general, erguendo os ombros. E muito tempo ainda repetiu aquela sentença que gostava de formular. Acrescentemos que, na qualidade de homem de negócios, via com mau olho muitos dos aspectos da situação presente, a começar pela sua falta de clareza. Mas estava decidido a calar-se e a conformar sua maneira de pensar... com a de Lisavieta Prokófievna.

A alegria da família durou pouco. No dia seguinte Aglaia teve nova altercação com o príncipe, e o mesmo aconteceu em todos os dias que se seguiram. Durante horas inteiras tratava zombeteiramente o príncipe, fazendo dele quase um bobo. É verdade que passavam por vezes uma hora ou duas no jardim sob o caramanchão; mas notou-se que o príncipe lia para ela quase durante todo aquele tempo um jornal ou um livro.

— Sabe duma coisa? — interrompeu-o ela, num dia em que Míchkin lia um jornal. — Notei que sua instrução deixa enormemente a desejar. Nada sabe de uma maneira satisfatória; se lhe perguntam alguma coisa, é incapaz de dizer o que fez tal personagem, a data de tal acontecimento, o objeto de tal tratado. Causa dó.

— Já lhe disse que tenho pouca instrução — respondeu Míchkin.

— Então que lhe resta? Que estima posso ter pelo senhor depois disto? Continue sua leitura; ou antes, não, basta, pare de ler.

Naquela mesma noite provocou novo e rápido incidente que a todos pareceu muito enigmático. O Príncipe Tsch*** voltara. Mostrou-se muito afável com ele e lhe fez numerosas perguntas a respeito de Ievguéni Pávlovitch. (O Príncipe Liev Nikoláievitch ainda não tinha chegado.) De repente o Príncipe Tsch*** permitiu-se uma alusão a uma "nova e próxima mudança na família"; lembrou uma reflexão que escapara a Lisavieta Prokófievna e cujo sentido era que valeria mais a pena adiar ainda o casamento de Adelaida para celebrar as duas bodas ao mesmo tempo. A estas palavras Aglaia foi dominada por uma cólera inimaginável: tratou tudo aquilo de "suposições absurdas" e chegou a ponto de dizer, entre outras coisas, que "não *tinha a intenção de substituir* as amantes de quem quer que fosse".

Estas palavras surpreenderam a todos, mas sobretudo a seus pais. Lisavieta Prokófievna insistiu, no decorrer de um conselho secreto que manteve com seu marido, em que uma explicação decisiva se realizasse com o príncipe a propósito de Nastássia Filípovna.

Ivan Fiódorovitch jurou que aquilo não passava de uma "saída" provocada em Aglaia por um sentimento de "pudor"; aquela saída não se teria dado se o Príncipe Tsch*** não tivesse falado de casamento, porque a própria Aglaia sabia pertinentemente que não se tratava senão de uma calúnia proveniente de pessoas mal intencionadas e que Nastássia Filípovna ia casar-se com Rogójin. Acrescentou que o príncipe estava fora de causa naquele negócio, não existindo aquela ligação que lhe atribuíam e nem tendo mesmo jamais existido, para dizer toda a verdade.

Quanto ao príncipe, nada perdia de seu bom humor e continuava gozando de sua felicidade. Notava, decerto, por vezes uma expressão de tristeza e de impaciência nos olhos de Aglaia, mas atribuía esta expressão a outro motivo bem diverso e aquela nuvem furtava-se por si mesma à sua vista. Uma vez convencido, nada podia mais abalar sua convicção. Talvez sua quietude fosse excessiva; era, pelo menos, a impressão de Ipolit, que o havia encontrado por acaso no parque.

— Pois bem! Não estava eu certo no dia em que lhe disse que o senhor estava enamorado? — começou ele abordando e detendo o príncipe.

Este estendeu-lhe a mão e felicitou-o pelo seu "bom aspecto". O próprio doente parecia ter retomado coragem, o que acontece bem frequentemente com os tísicos.

Abordando o príncipe, sua intenção era sobretudo dizer-lhe algo de ferino a respeito de seu ar feliz; mas desistiu logo dessa ideia e passou a falar de si próprio. Extravasou-se em jeremiadas intermináveis e bastante incoerentes.

— O senhor não haveria de crer — concluiu ele, — a que ponto são todos lá irritáveis, mesquinhos, egoístas, vaidosos, ordinários. Acredita que me aceitaram com a condição expressa de que eu morra o mais depressa possível? De modo que estão furiosos por ver que, em lugar de entregar a alma, sinto-me melhor. Que comédia! Aposto que o senhor não me acredita!

Míchkin absteve-se de replicar.

— Por vezes mesmo me vem a ideia de voltar a instalar-me na sua casa — acrescentou negligentemente Ipolit. — Então o senhor não acredita que eles sejam capazes de recolher um homem com a condição de que ele trate de morrer tão depressa quanto possível?

— Pensei que ao convidá-lo eles tinham em vista um objetivo de outra natureza.

— Ah! ah! O senhor não é de todo tão simples de espírito como se gosta de dizer! Não chegou o momento, sem o que eu lhe teria revelado certas coisas a respeito desse sujeitinho Gânia e das esperanças que ele acaricia. Procuram miná-lo, príncipe: empregam-se nisso inexoravelmente e... causa mesmo dó ver o senhor adormecer em semelhante serenidade. Mas ai! o senhor não pode ser de outro modo!

— É disso que você me lamenta? — disse o príncipe, rindo. — Então, segundo você, seria mais feliz se fosse mais inquieto.

— Mais vale ser infeliz e saber que ser feliz e... enganado. O senhor parece não tomar a sério uma rivalidade... daquele lado?

— Suas alusões a uma rivalidade são um tanto cínicas, Ipolit; lamento não ter o direito de responder-lhe. Quanto a Gavrila Ardaliónovitch, você me confessará que ele dificilmente pode manter a calma após tudo o que perdeu, se ainda tiver um conhecimento mesmo parcial de seus negócios. Parece-me preferível encarar as coisas deste ângulo. Ele ainda tem tempo de emendar-se? Tem longos anos diante de si e a vida é tão rica de ensinamentos... mas, afinal de contas... afinal de contas — balbuciou o príncipe que perdera de súbito o fio das ideias, — quanto a isso de minar-me... não compreendo mesmo de que fala você; é melhor deixar de lado esta conversa, Ipolit.

— Deixemo-la de lado, no momento; tanto mais que o senhor não pode dispensar-se de exibir sua generosidade. Sim, príncipe, é preciso tocá-lo com o dedo, e mesmo então o senhor não acredita. Ah! ah! Mas diga-me: não sente agora um profundo desprezo por mim?

— Por quê? Seria pelo fato de haver você sofrido e sofrer mais do que nós?

— Não, mas porque sou indigno de meu sofrimento.

— Aquele que pôde sofrer mais que os outros é, por este mesmo fato, digno desse acréscimo de provações. Quando Aglaia Ivânovna leu sua confissão, desejou vê-lo, mas...

— Ela está usando de evasivas... isto lhe é impossível, compreendo, compreendo... — interrompeu Ipolit, como se quisesse desviar o mais depressa possível a conversação. — A propósito, dizem que foi o senhor que lhe leu em voz alta toda aquela mixórdia; na verdade, foi aquilo escrito e... feito num acesso de delírio. Não concebo como se pode ser, não digo bastante cruel (seria humilhante para mim), mas bastante pueril, vaidoso e vingativo para me censurar aquela confissão e dela servir-se como de uma arma contra mim! Não tenha receio, não é do senhor que falo...

— Mas lamento vê-lo renegar aqueles papéis, Ipolit, porque transpiram sinceridade. Mesmo as passagens mais ridículas, e elas são numerosas (Ipolit fez uma violenta careta), são resgatadas pelo sofrimento, porque era ainda afrontar o sofrimento fazer aquelas confissões e... talvez fosse um grande ato de coragem. O pensamento a que você obedeceu inspirava-se decerto em um sentimento nobre, quaisquer que tenham podido ser as aparências. Quanto mais nisso reflito, mais disso me convenço, juro-lhe. Não o julgo; dou-lhe minha opinião e lamento ter-me calado então...

Ipolit corou. Teve um momento a ideia de que o príncipe representava uma comédia e lhe estendia uma armadilha; mas observando-lhe o rosto não pôde impedir-se de crer em sua sinceridade. Suas feições tornaram-se serenas.

— E dizer que tenho de morrer! — proferiu ele (esteve a ponto de acrescentar: "um homem como eu!"). — O senhor não pode imaginar como aquele seu Gânia me causa horror: imaginou, a título de objeção, que, entre os ouvintes de minha confissão, haverá talvez três ou quatro que morram antes de mim! Que ideia! Crê que é uma consolação para mim, ah! ah! ah! Em primeiro lugar, eles ainda não estão mortos; em seguida, ainda quando essas pessoas falecessem, com efeito, antes de mim, convenha o senhor que seria para mim um miserável conforto. Ele julga as pessoas à sua medida. Aliás, foi ele ainda mais longe; insultou-me simplesmente dizendo-me que um homem que se respeita deve em tal caso morrer em silêncio e que, em todo esse negócio, só houvera de minha parte egoísmo! *É um pouco forte! Não, é nele* que se encontra o egoísmo! Que refinamento, ou antes, que egoísmo espesso têm essas pessoas sem entretanto disso se aperceberem!... Leu, príncipe, a morte dum tal Stiepan Gliébov,[61] no século XVIII? Caiu-me sob os olhos ontem por acaso...

— Quem era esse tal Stiepan Gliébov?

— Um homem que morreu empalado no reinado de Pedro, o Grande.

— Ah! meu Deus! já sei quem é! Ficou quinze horas empalado, suportando um grande frio, com uma peliça nos ombros, e morreu demonstrando a mais extraordinária força calma. Sim, li isto... Mas a que quer chegar?

— Deus concede semelhantes mortes a certas pessoas; mas não a nós. Acredita o senhor que não seria eu capaz de morrer como Gliébov?

— Oh! absolutamente! — disse o príncipe, com ar confuso. — Quis somente dizer que você... ou antes eu não quis dizer que você não se parecesse com Gliébov... mas... que você... teria antes sido naquela época...

— Adivinho: quer dizer que teria eu sido um Ostermann[62] e não um Gliébov; é mesmo isto?

— Que Ostermann? — admirou-se o príncipe.

— Ostermann, o diplomata Ostermann, o contemporâneo de Pedro, o Grande — balbuciou Ipolit, um tanto confuso.

Seguiu-se um silêncio cheio de perplexidade.

— Oh! de jeito nenhum! Não foi o que quis dizer — disse Míchkin, num tom arrastado e após um momento de meditação. — Não tenho a impressão de que... você pudesse jamais ter sido um Ostermann.

Ipolit fez uma careta.

— Vou dizer-lhe afinal por que tenho esta ideias — apressou-se em acrescentar o príncipe com a visível intenção de retificar-se. — É porque as pessoas daquela época (juro-lhe que isto sempre me feriu a atenção) eram muito diferentes das da nossa; eram como uma outra raça; sim, deveras, uma outra espécie humana... Naqueles tempos era-se de certo modo o homem duma só ideia; nossos contemporâneos são mais nervosos, mais desenvolvidos, mais sensíveis, capazes de seguir duas ou três ideias ao mesmo tempo... O homem moderno é mais amplo. Isto impede, garanto-lhe, que se seja duma só peça, como se era nos séculos passados... Eu... só pensei nisto ao fazer minha observação, não...

— Compreendo, o senhor tenta agora consolar-me da ingenuidade que empregou em me contradizer. Oh! ah! ah! O senhor é uma perfeita criança, príncipe! Em suma, noto que vocês todos me tratam como... como a uma xícara de porcelana. Isto não tem importância, não me zango. Em todo caso, nossa conversação tomou uma direção bastante engraçada; o senhor é por vezes uma perfeita criança, príncipe. Saiba entretanto que eu ambicionaria ser bem diferente de um Ostermann; não valeria a pena ressuscitar dentre os mortos para tornar-me um Ostermann... Afinal, vejo que é preciso que eu morra o mais rapidamente possível, sem o que eu mesmo... Deixe-me. Adeus! Vamos, está bem: diga-me o senhor mesmo que maneira de morrer olha como preferível para mim? Quero dizer: como a mais... virtuosa. Vamos, fale!

---

61 Stiepan Bogdánovitch Gliébov, amante da primeira esposa, repudiada, de Pedro, o Grande, Ievdókia Lopúkhova. Tomou parte na rebelião organizada pelo clero, em torno dessa princesa e de seu filho, o czaréviche Alieksiéi. Acusado no processo instaurado contra ele, em 1718, foi punido pelo czar e condenado à empalação.

62 Andriéi Ivânovitch Ostermann (1686-1747), filho de um pastor da Vestfália, foi para a Rússia aos 18 anos. Pedro, o Grande, colocou-o no Ministério dos Estrangeiros. Foi mais tarde deportado para a Sibéria.

— Passe junto de nós perdoando-nos nossa felicidade! — disse o príncipe com voz mansa.

— Ah! ah! ah! É bem o que eu pensava! Esperava inevitavelmente algo neste estilo! No entanto, o senhor... no entanto, o senhor... Vamos, está bem! Ah! as pessoas eloquentes! Adeus! Adeus!

Capítulo VI

A notícia dada por Varvara Ardaliónovna a seu irmão era perfeitamente exata: deveria haver um sarau na casa de campo dos Iepántchini e contava-se com a presença da Princesa Bielokónskaia. Os convites eram justamente para aquela noite. Mas ela falara disso com mais irritação do que era necessária. Sem dúvida o sarau fora decidido precipitadamente e em meio duma agitação totalmente supérflua, mas a razão estava em que, naquela família, "nada se fazia como nas outras". Tudo tinha sua explicação na impaciência de Lisavieta Prokófievna, que "não queria permanecer na incerteza", e nas palpitantes angústias que inspirava aos pais a felicidade de sua filha querida.

Além disso, a Princesa Bielokónskaia estava realmente de partida; ora, como sua proteção tinha muito peso na sociedade e esperava-se que ela se interessaria pelo príncipe, contavam os pais com a toda poderosa recomendação da "velha dama" para abrir ao noivo de Aglaia as portas da boa sociedade. Supondo-se, pois, que houve um lado insólito naquele casamento, ele apareceria muito menos sob a capa de semelhante proteção. A dificuldade estava em que os pais não eram eles próprios capazes de cortar esta questão: "oferece o casamento projetado algo de insólito e até que ponto? Ou não é tudo nele natural?". A opinião franca e amigável de pessoas de autoridade e competência teria sido bastante oportuna naquele momento em que, em consequência da atitude de Aglaia, nada de decisivo fora ainda concluído.

Em todo caso era indispensável introduzir cedo ou tarde o príncipe na sociedade, da qual não fazia ele a menor ideia. Ou, para dizer de outro modo, tinha-se a intenção de "mostrá-lo". Nem por isso devia o sarau deixar de guardar um caráter de simplicidade e só reunir "amigos da casa", em reduzido número. Além da Princesa Bielokónskaia, contava-se com a esposa dum importantíssimo personagem e alto dignitário. No referente a jovens, só se esperava Ievguéni Pávlovitch que devia, vindo, acompanhar a Princesa Bielokónskaia.

Míchkin soubera três dias antes que aquela senhora viria, mas só ouviu falar do sarau na véspera do dia em que devia realizar-se. Notou naturalmente o semblante preocupado dos membros da família, e algumas alusões constrangidas fizeram-no compreender que não estavam muito garantidos do efeito que ele poderia produzir. Mas, instintivamente e do primeiro ao último, os Iepántchini consideravam-no como incapaz, na sua simplicidade, de perceber as inquietações que inspirava; assim olhavam-no todos com um sentimento íntimo de ansiedade.

Ele não ligava, aliás, quase nenhuma importância ao acontecimento; bem outra era sua preocupação. Aglaia tornava-se de hora em hora mais caprichosa e mais sombria; isto o matava. Quando soube que Ievguéni era também esperado, manifestou viva alegria e disse que havia muito desejava vê-lo. Por uma razão que não conseguiu discernir, essas palavras desagradaram a todos. Aglaia saiu da sala mal-humorada; somente tarde da noite, passadas as onze horas, no momento em que o príncipe ia retirar-se, aproveitou ela a ocasião de levá-lo à porta para dizer-lhe algumas palavras a sós.

— Desejaria que não viesse aqui em casa amanhã durante o dia e só aparecesse à noite, quando todos esses... convidados já estiverem aqui. Sabe que damos uma recepção?

Pronunciou ela suas palavras num tom de impaciência e de dureza; era a primeira vez que fazia alusão ao sarau. Também a ela a ideia daquela recepção era quase intolerável; todos o haviam notado. Ela talvez tivesse uma furiosa vontade de caçar briga com seus pais a este propósito, mas um sentimento de altivez e de pudor havia-a retido. O príncipe compreendeu imediatamente que ela também tinha temores a respeito dele mas não queria confessar o motivo. Ele próprio experimentou de súbito uma sensação de temor.

— Sei, sim. Fui convidado — respondeu ele.

Ela sentia um constrangimento visível em ir mais longe.

— Pode-se falar-lhe seriamente, nem que fosse uma vez apenas em sua vida? — disse ela, explodindo de cólera, sem saber por que, mas sem poder dominar-se.

— Pode, escuto-a; estou encantado — balbuciou o príncipe. Aglaia calou-se um instante, depois decidiu-se a falar, mas com uma repugnância manifesta.

— Não quis discutir com eles a este respeito: há casos em que não se pode fazê-los ouvir a razão. Sempre tive aversão por certas regras de conduta mundanas às quais mamãe se sujeita. Não falo de papai; não há nada a pedir-lhe. Mamãe é certamente uma mulher de nobre caráter; tente propor-lhe alguma coisa baixa e verá! Isto não impede que ela se incline diante desse... mundo vil. Não falo da Bielokónskaia: é uma velha má e de má natureza, mas tem espírito e sabe manter a todos na mão; tem pelo menos isto a seu favor. Oh! que baixeza! E é ridículo: sempre pertencemos à classe média, à mais média que seja; por que querer empurrar-nos para a alta sociedade? Minhas irmãs também caem na mesma extravagância; foi o Príncipe Tsch*** quem lhes virou a cabeça. Por que está tão contente por saber que Ievguéni Pávlovitch virá?

— Escute, Aglaia — disse Míchkin, — tenho a impressão de que sente grande medo de que eu tome pau amanhã... nessa sociedade.

— Medo por sua causa? — disse Aglaia toda rubra. — Por que haverei de ter medo por sua causa? Que me importa que... se cubra de vergonha? Que é que tenho eu com isso? E como pode empregar semelhantes expressões? Que significa essa expressão "tomar pau"? É uma frase baixa e vulgar.

— É uma... frase de colegial.

— Aí está: é uma frase de colegial! Uma frase vil. Tem ao que parece a intenção de empregar termos desse gênero amanhã na conversa. Procure ainda em casa em seu dicionário outras palavras do mesmo gosto: estará certo de causar seu efeito! É pena que saiba apresentar-se convenientemente num salão; onde aprendeu isso? Saberá também beber decentemente uma xícara de chá, quando todos o olharem para ver como o fará?

— Creio que saberei.

— Tanto pior: perderei uma ocasião de rir às suas custas. Quebre pelo menos o vaso da China que está na sala. Tem valor. Faça-me o favor de quebrá-lo. É um presente. Mamãe perderá a cabeça e começará a chorar diante de toda a gente, em tanta estima o tem! Faça um desses seus gestos habituais: dê uma pancada naquele vaso e quebre-o. Sente-se de propósito a seu lado.

— Pelo contrário, procurarei sentar-me tão longe quanto possível; obrigado por ter-me alertado.

— Assim de antemão, você tem medo de seus gestos! Aposto que vai escolher um "tema" sobre o qual discorrer, um tema sério, sábio, elevado. Como isto será... de bom gosto!

— Penso que seria tolo... se não fosse a propósito.

— Escute uma vez por todas — disse ela, enfim, perdendo a paciência — se começar a tratar de um assunto como a pena de morte, ou a situação econômica da Rússia, ou a teoria segundo a qual "a beleza salvará o mundo", pois bem!... ficarei encantada e me divertirei muito, mas... previno-o: não reapareça mais diante de mim depois disso! Está-me entendendo? Falo sério! Desta vez falo seriamente!

Proferiu com efeito esta ameaça num tom sério; havia mesmo em suas palavras e no seu olhar uma expressão insólita que o príncipe jamais observara nele até então e que, decerto, não se assemelhava absolutamente a uma vontade de pilheriar.

— Pois bem! está fazendo tanta questão que terei seguramente um acesso de "loquacidade" e até mesmo... talvez... quebre o jarro. Há um momento não tinha medo, mas agora temo tudo. Estou certo de que fracassarei.

— Neste caso, cale-se. Sente-se e fique calado.

— Será impossível; estou convencido de que o temor me fará discorrer e me fará também quebrar o jarro. Talvez escorregue e me estenda no piso encerado ou cometerei qualquer inépcia do mesmo gênero, porque isto já me aconteceu; sonharei com isto a noite inteira. Por que me falou a este respeito?

Aglaia olhou-o com olhar sombrio.

— Sabe de uma coisa? Gostaria mais de não vir cá absolutamente amanhã! Cairei doente e estará tudo feito! — disse ele, num tom decidido.

Aglaia bateu o pé e empalideceu de cólera.

— Meu Deus! Já se viu coisa semelhante?! Ele não virá, quando é especialmente para ele que... Oh! Deus! que prazer ter de tratar com semelhante... com um homem tão insensato como você!

— Está bem, virei, virei! — interrompeu o príncipe, vivamente. — E dou-lhe minha palavra de honra de que não direi uma só palavra durante toda a noite. Farei assim.

— E será muito bem. Acaba de dizer: "cairei doente". Onde vai buscar tais expressões? É de propósito que me fala nesse tom? Procura aborrecer-me, não é?

— Perdão; é também uma frase de colegial; não a empregarei mais. Compreendo muito bem que você... tenha temores a meu respeito... (Vamos, não se zangue!) e isto me causa um prazer enorme. Não pode crer quanto tenho medo agora e quanto suas palavras me enchem de alegria. Mas todo esse temor é pueril; é absurdo, *juro-lhe. Deus é testemunha*, Aglaia! Só a alegria ficará! Gosto muito de vê-la tão criança, tão corajosa, tão boa menina! Ah! Aglaia, quão encantadora pode ser você!

Aglaia estava a ponto de zangar-se, mas naquele instante um sentimento que ela própria não esperava invadiu lhe de súbito toda a alma.

— Não me censurará um dia... mais tarde, as palavras grosseiras que acabo de dirigir-lhe? — perguntou bruscamente.

— Ora essa! Em que pensa? E por que cora de novo? Eis que seu olhar se torna mais uma vez sombrio! Ele é por vezes demasiado sombrio, Aglaia. Você não tinha esse olhar outrora. Sei donde vem...

— Cale-se, cale-se!

— Não, é melhor dizê-lo. Há muito tempo que queria dizê-lo; já falei disso, mas... não bastou, porque você não me acreditou. Entre nós, há ainda assim uma criatura...

— Cale-se, cale-se, cale-se, cale-se! — interrompeu-o vivamente Aglaia, agarrando-lhe o braço com veemência e olhando-o, dominada duma espécie de terror.

Naquele momento chamaram-na. Satisfeita com aquele pretexto, deixou-o e retirou-se precipitadamente.

Míchkin teve febre a noite inteira. Coisa estranha: tinha febre todas as noites, desde algum tempo. Desta vez, num estado vizinho do delírio, uma ideia o perseguia: se no dia seguinte, diante de toda a gente, tivesse um ataque? Já não tivera ataques em estado de lucidez? Este pensamento gelou-o; viu-se, a noite inteira, numa sociedade espantosa, inaudita, no meio de gente estranha. O fato capital era que se pusera a "discorrer"; sabia que devia calar-se e, no entanto, falava todo o tempo, esforçando-se por convencer seus ouvintes de alguma coisa. Ievguéni Pávlovitch e Ipolit estavam entre os convidados e pareciam em termos de estreita intimidade.

Despertou depois das oito horas com dor de cabeça, ideias em desordem e singulares impressões. Teve um desejo impetuoso, mas irracional, de ver Rogójin e de conversar longamente com ele. A propósito de quê? Ele próprio de nada sabia. Depois, sem mais motivo, tomou a resolução de encontrar Ipolit. Tinha no coração algo tão doloroso que os incidentes que ocorreram naquela manhã, embora produzindo nele impressão intensa, não conseguiram, entretanto, esgotar toda a sua atenção. Contou-se no número desses incidentes a visita de Liébiediev.

Este veio procurá-lo bem cedo, um pouco depois das nove horas; estava quase completamente embriagado. Se bem que Míchkin se tivesse mostrado medíocre observador nos últimos tempos, nem por isso deixou de admirar-se, como de uma coisa que saltava aos olhos, do desalinho de Liébiediev desde que o general Ívolguin saíra de sua casa, isto é, fazia três dias. Estava agora sujo e coberto de manchas, com a gravata torta e a gola do sobretudo mostrava rasgões. Chegava ao ponto de armar barulho em casa, ouvindo-se seus gritos do outro lado do pequeno pátio. Viera aparecera um dia, toda chorosa e contara diversas coisas.

Diante do príncipe, ele começou a falar num tom totalmente estranho, batendo no peito e acusando-se de não sei qual malfeito... — Está feito... recebi a recompensa de minha traição e de minha baixeza... Recebi uma bofetada! — concluiu ele, afinal, com acento trágico.

— Uma bofetada? De quem?... Tão cedo assim?

— Tão cedo assim? — repetiu Liébiediev, com um sorriso sarcástico. — A hora nada tem que ver com o caso... mesmo quando se trata dum castigo físico... mas é um castigo moral... uma bofetada moral, e não física, que recebi!...

Sentou-se de repente sem mais cerimônia e começou a contar seu caso. Como a narrativa fosse muito incoerente, Míchkin franziu o cenho e fez menção de retirar-se. Mas algumas palavras de súbito o surpreenderam. Ficou como que petrificado de surpresa... O Senhor Liébiediev contava coisas estranhas.

Tinha a princípio falado, parecia, de certa carta, a propósito da qual pronunciara o nome de Aglaia Ivânovna. Depois, inopinadamente, pusera-se a acusar em termos amargos o próprio príncipe; dava a entender que fora ofendido por ele. A crer-se nele, o príncipe havia-o, no começo, honrado com sua confiança a propósito de negócios que diziam respeito a certo "personagem" (era Nastássia Filípovna), depois havia rompido completamente com ele e havia-o afastado duma maneira ignominiosa e até mesmo ultrajante, a ponto de, na derradeira vez, haver grosseiramente evitado habilmente uma "inocente pergunta a respeito da eventualidade duma mudança próxima na casa". Com lágrimas de bêbado, confessou Liébiediev que depois daquela afronta não podia mais tolerar a situação, tanto mais quanto sabia... uma porção de coisas... por meio de Rogójin, de Nastássia Filípovna e de uma amiga desta, de Varvara Ardaliónovna... e até mesmo... e até mesmo... e até mesmo da própria Aglaia Ivânovna: "Imagine que isto se deu por intermédio de Viera, de minha bem amada Viera, minha filha única... mas sim! afinal ela não é única, pois que tenho três. Mas quem escreveu a Lisavieta Prokófievna para informá-la e ainda sob o mais profundo segredo? Ah! ah! Quem levou a seu conhecimento todos os fatos e gestos... de Nastássia Filípovna? Ah! ah! ah! quem é esse correspondente anônimo?, pergunto-lhe eu".

— Talvez seja o senhor mesmo — exclamou Míchkin.

— Justamente — replicou com dignidade o bêbado. — E hoje mesmo, às oito horas e meia, há uma meia hora... não, há três quartos de hora, fiz saber àquela nobilíssima mãe que tinha a comunicar-lhe uma aventura... sugestiva. Informei-a por um bilhete que a criada foi levar pela entrada de serviço. Ela me recebeu.

— Acaba de estar com Lisavieta Prokófievna? — perguntou Míchkin que não queria crer no que ouvia.

— Acabo de vê-la e recebi uma bofetada... moralmente falando. Ela me devolveu a carta, atirou-me mesmo à cara sem a haver aberto... e até me botou aos empurrões para fora... moralmente, não fisicamente... aliás, pouco faltou para que não fosse fisicamente!

— Que carta era essa que ela lhe lançou à cara sem abrir?

— Mas será que... ah! ah! ah! Como não lhe disse ainda? Parece-me que já lhe falei... Recebera uma cartinha para fazê-la chegar...

— Uma carta de quem? Para quem?

Certas "explicações" de Liébiediev eram extremamente difíceis de compreender e tinha-se dificuldade em destrinçar nelas o que quer que fosse. O príncipe pôde somente discernir que a carta fora entregue bem cedo por uma criada a Viera *Liébiediev para que esta a fizesse chegar ao seu destino...* "como precedentemente... como precedentemente, a certa personalidade e da parte da mesma pessoa..." (a uma deu a qualificação de "pessoa", à outra a de "personalidade", para marcar a baixeza desta e a grande diferença que há entre a nobilíssima e ingênua filha de um general e... uma "camélia"). Seja como for, a carta foi escrita por uma "pessoa", cujo nome começa pela letra *A*...

— Será possível? Terá ela escrito a Nastássia Filípovna? É absurdo! — exclamou Míchkin.

— Pois é assim mesmo; somente as cartas foram enviadas, se não a Nastássia Filípovna, pelo menos a Rogójin, o que dá na mesma... Houve mesmo uma carta da pessoa cujo nome começa por um *A* dirigida ao Sr. Tieriêntiev, para que ele a fizesse chegar — acrescentou Liébiediev, com um piscar de olhos e um sorriso.

Como ele pulava a cada instante dum assunto a outro e esquecia o que tinha começado a dizer, o príncipe calou-se para lhe permitir que contasse tudo. Mas um ponto permanecia muito obscuro: passavam as cartas pelas mãos dele ou pelas de Viera? Afirmando que escrever a Rogójin ou escrever a Nastássia Filípovna era tudo a mesma coisa, deixava ele entender que aquelas cartas, se existiam, não passavam provavelmente por ele. Tornava-se difícil compreender por qual acaso a atual pudera cair em suas mãos; o mais verossímil era que ele a houvesse subtraído duma maneira qualquer das mãos de Viera... havia-se sorrateiramente apoderado dela, levara-a a Lisavieta Prokófievna com uma intenção. Tal foi a hipótese que o príncipe acabou por admitir.

— O senhor perdeu o juízo! — exclamou, tomado de extrema perturbação.

— Não de todo, honradíssimo príncipe — replicou Liébiediev, não sem malícia. — Para falar a verdade, minha primeira ideia era de entregá-la ao senhor em mão própria para prestar-lhe serviço... mas refleti que este serviço seria mais oportuno lá e que era preferível levar tudo ao conhecimento da mais nobre das mães... tanto mais quanto já a havia eu prevenido uma vez por carta anônima. E no bilhete que enviei ainda há pouco para lhe pedir que me recebesse às oito e vinte, assinei da mesma maneira: "seu correspondente secreto". Mandaram-me entrar imediatamente, e até mesmo com certa pressa, pela escada de serviço... levando-me à presença da muito nobre mãe...

— E depois?

— O senhor já sabe: quase me bate; pouco faltou mesmo, tanto que me considero batido. Quanto à carta, atirou-me à cara. É verdade que deu mostras de que desejaria guardá-la, mas vi, notei que mudava de ideias; jogou-a, dizendo: "Já que encarregaram um indivíduo de tua laia de transmiti-la, pois bem! transmite-a!"... Estava mesmo ofendida. Que não tenha tido vergonha de dizer semelhante coisa na minha presença, prova que estava ofendida. É uma mulher de caráter violento!

— Onde se encontra agora a carta?

— Tenho-a em meu poder: ei-la.

Entregou ao príncipe o bilhete de Aglaia a Gavrila Ardaliónovitch. Era este bilhete que esse último devia mostrar triunfalmente à sua irmã duas horas mais tarde.

— Esta carta não pode ficar em suas mãos.

— Eu lha entrego, eu lha entrego — disse Liébiediev com ardor. — Agora estou de novo a seu dispor, sou todo seu, da cabeça ao coração; torno a entrar a seu serviço após uma traição passageira! Golpeie o coração, mas poupe minha barba, como dizia Tomás Morus... na Inglaterra e na Grã Bretanha. *Mea culpa, mea culpa,* como diz o papai de Roma... isto é, o papa de Roma, mas eu o chamo de "papai de Roma".

— Esta carta deve ser imediatamente enviada — insistiu o príncipe. — Encarrego-me disso.

— Não valeria mais a pena, delicadíssimo príncipe, não seria preferível fazer... assim?

E isto dizendo, esboçou Liébiediev uma mímica estranha e obsequiosa. Pôs-se a agitar-se na cadeira como se o tivessem picado com uma agulha; piscava os olhos com ar matreiro e indicava alguma coisa com as mãos.

— O quê? — perguntou Míchkin com ar ameaçador.

— Em primeiro lugar, teria sido melhor abrir a carta! — sugeriu Liébiediev num tom insinuante e quase confidencial.

O príncipe saltou com tal expressão de cólera que Liébiediev esteve a ponto de pôr-se em fuga; mas tendo alcançado a porta, parou à espera de perdão.

— Ah! Liébiediev! como se pode, como se pode chegar a esse degrau de desordem e de baixeza em que o senhor caiu? — exclamou Míchkin, com um acento de profunda tristeza.

As feições de Liébiediev serenaram.

— Sou ordinário! Sou ordinário! — disse ele, logo se aproximando; tinha lágrimas nos olhos e batia no peito.

— Mas são infâmias!

— Precisamente: infâmias. É a palavra justa.

— Por que esse hábito de agir assim... estranhamente? No fundo, não passa o senhor... de um espião! Por que escrever uma carta anônima para alarmar... uma mulher tão nobre e tão boa? Por que afinal não teria Aglaia Ivânovna o direito de escrever a quem bem lhe parecesse? Foi para queixar-se que o senhor foi lá hoje? Que esperava desse passo? Quem o levou a tal denúncia?

— Obedeci apenas a uma atraente curiosidade e... ao desejo de prestar serviço a uma alma nobre, sim! — balbuciou Liébiediev. — Mas agora estou inteiramente ao seu dispor, sou de novo todo seu. Enforque-me, se quiser!

— Será que se apresentou nesse estado em casa de Lisavieta Prokófievna? — perguntou Míchkin, com uma curiosidade misturada de desgosto.

— Oh! não... estava mais sóbrio... e até mesmo mais decente; foi depois de haver recebido aquela humilhação que me pus... no estado em que me vê.

— Bem, está bem! Deixe-me!

Entretanto teve de reiterar várias vezes esse pedido antes que seu visitante se decidisse afinal a partir. Mesmo depois de ter aberto a porta, Liébiediev voltou na ponta dos pés até o meio da sala e recomeçou sua mímica a respeito da maneira de abrir uma carta; mas não ousou juntar a palavra ao gesto e saiu, com um sorriso tranquilo e afável nos lábios.

De toda a sua tagarelice, bastante penosa de ouvir, um fato capital, extraordinário, se destacava: Aglaia passava por violenta crise de inquietação, de perplexidade; alguma coisa a atormentava vivamente ("o ciúme", cochichava a si mesmo Míchkin). Outra comprovação se impunha: era que, com certeza, pessoas mal intencionadas a alarmavam e já era bastante estranho que depositasse tanta confiança nelas. Sem nenhuma dúvida, desígnios particulares, talvez nefastos... em todo o caso que não se assemelhavam a nada haviam amadurecido naquela cabecinha inexperiente, mas ardente e altiva...

Essas deduções mergulharam Míchkin num extremo temor e sua perturbação foi tal que não soube mais que partido tomar. Sentia-se diante de uma eventualidade que era preciso impedir a todo preço. Olhou ainda uma vez o endereço da carta lacrada: oh! no que a ele se referia, não tinha ele nem dúvida, nem inquietação, porque sua fé lhe impedia; a angústia que lhe suscitava aquela carta era doutra espécie: não tinha confiança em Gavrila Ardaliónovitch. E entretanto esteve a ponto de remeter-lhe a carta pessoalmente; saiu mesmo de casa com esta intenção, mas, de caminho, reconsiderou. Como que de propósito, estava quase a chegar à casa de Ptítsin, quando encontrou Kólia; encarregou-o então de entregar a carta em mãos de seu irmão, como se ela lhe tivesse sido pessoalmente confiada por Aglaia Ivânovna. Kólia não fez nenhuma pergunta e entregou a carta, de sorte que Gânia não suspeitou de que ela tivesse passado pelas mãos de tantos intermediários.

De volta a casa, rogou Míchkin a Viera Lukiánovna que viesse vê-lo e lhe disse o que era preciso para acalmá-la, porque até então estivera a procurar, chorando, aquela carta. Ficou consternada ao saber que ela lhe fora tirada por seu pai. (Mais tarde confiou-lhe haver servido, às ocultas, de intermediária entre Rogójin e Aglaia Ivânovna; não havia ocorrido ao espírito da moça que pudesse haver naquilo algo de contrário aos interesses do príncipe...)

Este último tinha as ideias em completa confusão. Quando vieram dizer-lhe, da parte de Kólia, que o general estava doente, mal compreendeu de que se tratava. Mas o forte abalo que aquele acontecimento provocou em seu espírito foi-lhe salutar. Passou quase todo o dia, até a noite, em casa de Nina Alieksándrovna (para onde naturalmente haviam transportado o doente). Não pôde prestar quase nenhum socorro, mas há pessoas cuja presença causa satisfação em certos momentos penosos. Kólia estava tremendamente abalado e chorava como se tivesse uma crise de nervos; nem por isso deixou de estar todo o tempo atarefado: saiu à procura de um médico e achou três, correu à casa do farmacêutico, do barbeiro. Reanimaram o general, mas este não recuperou o conhecimento; os médicos opinaram que "em todo o caso, estava em perigo". Varvara e Nina Alieksándrovna não deixavam o doente. Gânia estava transtornado e abatido, mas não queria subir e temia mesmo ver seu pai; torcia as mãos e, numa conversa disparatada, que teve com o príncipe, achou meio de dizer que "era uma grande desgraça que, como de propósito, ocorria em semelhante momento"! O príncipe acreditou compreender a alusão presente nestas últimas palavras.

Ipolit não se achava mais em casa dos Ptítsini. Ao anoitecer, chegou Liébiediev; desde a "explicação" da manhã até aquele momento havia dormido sem interrupção. Estava agora mais ou menos desembriagado e vertia lágrimas sinceras diante do estado do general, como se tratasse de seu próprio irmão. Acusava-se em altas vozes, sem dizer com exatidão qual fosse a culpa, e fatigava Nina Alieksándrovna repetindo-lhe a cada instante que era ele a causa de tudo, e nenhum outro senão ele... que só agira por amável curiosidade... e que o "defunto" (não se sabia por que se obstinava em designar assim o general que ainda estava vivo) era mesmo homem de gênio! Insistia com uma seriedade estranha a respeito o gênio do general, como se essa comprovação tivesse naquele momento enorme utilidade. Vendo a sinceridade de suas lágrimas, Nina Alieksándrovna acabou por dizer-lhe sem nenhum ar de censura e até mesmo num tom afável: "Vamos! Que Deus venha em seu auxílio; não chore, ora essa! O bom Deus o perdoará!". Estas palavras e o tom com que foram proferidas causaram em Liébiediev tal impressão que durante toda a noite não se afastou mais de Nina Alieksándrovna (e durante os dias que se seguiram, até a morte do general, ficou quase da manhã à noite em casa deles). Duas vezes no correr do dia vieram pedir notícias do velho à casa de Nina Alieksándrovna, da parte de Lisavieta Prokófievna.

À noite, às nove horas, quando o príncipe apareceu no salão dos Iepántchini, já cheio de convidados, Lisavieta Prokófievna pôs-se logo a fazer-lhe perguntas com interesse e pormenores a respeito do doente; respondeu com um tom de importância à Princesa Bielokónskaia que havia perguntado: "De que doente se trata e quem é Nina Alieksándrovna?". Aquilo agradou muito ao príncipe. Ele próprio, nas explicações que deu a Lisavieta Prokófievna, falou "muito bem", como se exprimiram mais tarde as irmãs de Aglaia: falara "com modéstia, calma e dignidade, sem palavras inúteis nem gesticulação; entrou na sala muito bem e estava decentemente trajado". Não somente não "escorregara no parquete encerado", como se receava na véspera, mas causara mesmo em toda gente uma boa impressão.

Por sua vez, depois de ter sentado e passado em revista a assistência, notara imediatamente que aquela sociedade nada tinha de comum com os fantasmas com que Aglaia o havia amedrontado no dia anterior, nem com seus pesadelos da noite precedente. Era a primeira vez em sua vida que descobria um canto daquilo a que se dá o nome atemorizador de "o mundo". Havia muito tempo já que, por efeito de certas intenções suas, particulares, ardia em desejo de penetrar naquele círculo encantado; de modo que estava vivamente intrigado pela primeira impressão que nele experimentaria. Essa primeira impressão foi encantadora. Desde o começo pareceu-lhe que todas aquelas pessoas estavam feitas para se juntar; que os Iepántchini não davam um "sarau" e que não tinha diante de si convidados, mas unicamente "íntimos"; ele próprio se sentia na situação dum homem que reencontra, após uma curta separação, pessoas de que é amigo devotado e das quais partilha as ideias. O encanto e a distinção de suas maneiras, sua simplicidade e sua aparente sinceridade produziam um efeito quase feérico. Não podia mesmo vir-lhe ao espírito que bonomia, nobreza de maneiras, belo espírito, sentimento elevado de dignidade, tudo isso não fosse talvez senão cenografia. Na sua maioria os convidados eram mesmo, a despeito de sua aparência exterior imponente, pessoas bastante insignificantes; sua suficiência impedia-as aliás de perceberem por si mesmas que numerosas qualidades nelas eram inconscientes, tomadas de empréstimo ou herdadas, não implicavam nenhum mérito pessoal. No encantamento de sua primeira impressão, o príncipe não foi nem mesmo tentado a suspeitar disso. Via, por exemplo, aquele velho, importante dignitário, que teria podido ser seu avô, interromper-se para dar ouvidos a um rapaz tão inexperiente como era ele, Míchkin. E aquele velho senhor não somente o escutava, mas ainda parecia fazer caso de sua opinião, tão afável se mostrava com ele, tão sincera era sua benevolência, embora fossem estranhos um ao outro e se vissem pela primeira vez. Talvez fosse aquela polidez refinada que agiu sobre a natureza ardente e impressionável de Míchkin. Talvez também tivesse chegado ele num estado de alma que o predispunha ao otimismo.

Ora, os liames que ligavam todos aqueles personagens aos Iepántchini, como os que os uniam uns aos outros, eram no íntimo muito mais frouxos do que acreditava o príncipe, desde que lhes fora apresentado e os ficara conhecendo. Havia ali pessoas que não teriam jamais e a preço algum reconhecido os Iepántchini como seus iguais. Havia mesmo delas que se detestavam fundamentalmente; a velha Bielokónskaia toda a sua vida "desprezara" a mulher do "velho dignitário" e aquela, por sua vez, distava muito de ter afeto a Lisavieta Prokófievna.

O "dignitário", que fora o protetor dos Iepántchini, desde a juventude deles e que naquela noite ocupava em casa deles o lugar de honra, aparecia aos olhos de Ivan Fiódorovitch com uma importância tão considerável que na sua presença teria sido o general incapaz de experimentar qualquer outro sentimento que não fosse o da veneração e do temor; teria até desprezado sinceramente a si mesmo se tivesse se acreditado um instante sequer seu igual e tivesse cessado de ver no personagem um Júpiter Olímpico.

Havia ali também pessoas que desde anos não se encontravam e só sentiam indiferença umas pelas outras, se não inimizade; apesar disso naquele momento se encontravam como se tivessem se visto na véspera, na mais cordial e na mais agradável das companhias.

A reunião não era aliás numerosa. Além da Princesa Bielokónskaia, do "velho dignitário", que era com efeito um alto personagem, e sua esposa, notava-se ainda um oficial general, barão ou conde, de nome alemão; esse homem extraordinariamente taciturno tinha a reputação de entender de maneira maravilhosa os negócios de Estado e passava mesmo por uma espécie de sábio. Era um desses administradores olímpicos que conhecem "tudo, exceto a Rússia" e emitem a cada cinco anos "uma ideia cuja profundeza causa sensação" e cuja expressão, tornada proverbial, chega aos ouvidos das mais altas personalidades; um desses funcionários que, após uma carreira duma duração interminável (até mesmo prodigiosa), morrem geralmente numa situação muito boa, repletos de emolumentos consideráveis, se bem que nenhuma grande ação deslumbrante tenham em seu ativo e até mesmo manifestem certa aversão por elas. Era aquele general, na administração, superior imediato de Ivan Fiódorovitch, que, por impulso de um coração reconhecido e mesmo por um amor-próprio particular, olhava-o também como seu protetor, embora o outro não se considerasse de modo algum como o benfeitor de Ivan Fiódorovitch e manifestasse por ele certa indiferença; conquanto lhe aceitasse de boa vontade os serviços diversos, seria capaz de substituí-lo imediatamente se quaisquer considerações, mesmo de ordem secundária, lhe tivessem feito sentir a oportunidade.

Havia ainda na assistência um personagem importante, de certa idade, que passava por parente de Lisavieta Prokófievna, se bem que não o fosse. Gozava de um posto e de uma situação invejáveis; era um homem rico e bem nascido, corpulento e de vigorosa saúde. Falava muito e tinha reputação de descontente (no sentido mais lícito da palavra) e até mesmo de bilioso (coisa que aliás lhe agradava). Suas maneiras eram as de um aristocrata inglês; seus gostos eram ingleses (por exemplo, gostava do rosbife sangrento, dos arreios de cavalos, do serviço dos lacaios, etc.). Era íntimo do "dignitário", a quem procurava por todo jeito. Além disso, Lisavieta Prokófievna acariciava a estranha ideias de que aquele velhote (de costumes um tanto levianos e grande amador do sexo feminino) pudesse um dia vir a pensar em querer fazer a felicidade de Alieksandra, pedindo-lhe a mão.

Abaixo desses convidados da qualidade mais elevada e mais imponente, vinha uma categoria de convidados mais jovens, mas que brilhavam igualmente pela distinção. Eram, além do Príncipe Tsch*** e de Ievguéni Pávlovitch, o encantador Príncipe N., bem conhecido pelos seus êxitos entre o belo sexo em toda a Europa. Com cerca de quarenta e cinco anos, tinha ainda um belo porte e possuía surpreendente talento narrativo. Se bem que seu patrimônio já estivesse bastante desfalcado, guardara o hábito de viver de preferência no estrangeiro.

Enfim, uma terceira categoria agrupava aquelas pessoas que não pertencem ao "círculo fechado" da sociedade, mas que podem por vezes ser nela encontradas, tais como os próprios Iepántchini. Guiados por certo tato que lhes servia de linha de conduta, gostavam os Iepántchini de misturar, nas raras ocasiões em que recebiam, a alta sociedade com as pessoas de uma camada menos elevada, representando o escol da "sociedade média". Chegava-se mesmo a elogiar os Iepántchini por isso e dizia-se deles que sabiam manter sua posição e tinham tato, elogio que os enchia de orgulho.

Um dos representantes dessa sociedade média era um engenheiro, com posto de coronel, homem sério e muito ligado ao Príncipe Tsch***, que o introduzira em casa dos Iepántchini; era aliás sóbrio de palavras na sociedade e usava ostensivamente no índice da mão direita um largo anel, sem dúvida um presente do imperador.

Havia afinal um poeta e literato de origem alemã, mas, de inspiração russa; era um homem de cerca de trinta e oito anos, de maneiras perfeitamente convenientes: podia-se sem temor introduzi-lo na boa sociedade. Tinha certo ar agradável, embora houvesse nele algo de antipático. Trajava irrepreensivelmente. Pertencia a uma família alemã das mais burguesas, porém muito considerada. Sabia aproveitar das circunstâncias para se insinuar sob a proteção dos altos personagens e ali manter-se em boas graças. Traduzira outrora do alemão em versos russos a obra de um grande poeta germânico e dera a essa tradução uma dedicatória útil. Tinha a arte de fazer valerem suas relações de amizade com um célebre poeta russo hoje falecido (há toda uma categoria de escritores que gostam assim de exibir, sua intimidade com um autor ilustre, quando este já está morto). Fora recentemente introduzido em casa dos Iepántchini pela mulher do "alto dignitário". Essa dama passava por protetora dos homens de letras e dos sábios; e, de fato, arranjara uma pensão para um ou dois escritores por intermédio de pessoas altamente colocadas, sobre as quais exercia influência. Tinha, com efeito, em seu gênero, certo ascendente. De cerca de quarenta e cinco anos (jovem portanto em relação ao marido que era um velho); fora bela e gostava ainda, graças a um defeito comum a muitas mulheres de sua idade, de se vestir com afetação. Sua inteligência era medíocre e sua competência em literatura bastante discutível. Mas proteger os homens de letras era mania nela, tanto como trajar-se com rebuscamento. Dedicavam-lhe muitas obras e traduções; dois ou três autores tinham, com sua autorização, publicado cartas que lhe haviam dirigido sobre assuntos muito importantes...

Tal era a sociedade que o príncipe tomara por moeda do melhor quilate e por ouro sem liga. Além disso, estavam todas aquelas pessoas naquela noite, como se de propósito, cheias de otimismo e encantadas consigo mesmas, Cada qual estava persuadido de que sua visita fazia grande honra aos Iepántchini. Mas ai! Míchkin nem chegava a suspeitar de tais sutilezas. Não lhe vinha ao espírito, por exemplo, que, tendo os Iepántchini tomado uma decisão tão grave quanto aquela de que dependia a felicidade de sua filha; não teriam ousado dispensar-se de apresentá-lo, ele, o Príncipe Liev Nikoláievitch, àquele velho dignitário, protetor titulado da família. E aquele velhinho, que teria recebido com a mais perfeita calma a notícia de que uma catástrofe se abatera sobre os Iepántchini, ficaria com certeza ofendido se estes tivessem casado a filha sem consultá-lo e, por assim dizer, sem seu consentimento. O Príncipe N***, aquele encantador rapaz, indiscutivelmente cheio de espírito e de coração nas mãos, tinha a convicção absoluta de que seu aparecimento naquela noite no salão dos Iepántchini era um acontecimento comparável ao nascer do sol. Punha-os a cem pés abaixo dele e era justamente dessa nobre e cândida ideia que extraía ele sua amável desenvoltura e sua afabilidade para com eles. Sabia muito bem que teria de contar naquela noite alguma coisa para encantar a sociedade e a isso se dispunha mesmo com certo ar de inspiração. Escutando um pouco mais tarde sua narrativa, o Príncipe Liev Nikoláievitch teve a impressão de que jamais ouvira nada de comparável àquela inspiração cintilante e àquele humor cuja ingenuidade tinha algo de comovedor na boca de um Dom João como o Príncipe N***. Não suspeitava de quão velha, murcha e repisada, era aquela história, que podia passar entre os ingênuos Iepántchini por novidade, por improvisação brilhante, espontânea e sincera de um conversador encantador e espirituoso, mas que, em qualquer outro salão, teria sido julgada supremamente enfadonha. O próprio rimador alemão, se bem que afetasse tanta amabilidade quanto modéstia, não estava menos inclinado a crer que sua presença honrava a casa.

Mas Míchkin não via o avesso nem as interioridades da situação. Aglaia não previra aquele erro de cálculo. Ela mesma brilhara em todo o esplendor de sua beleza durante aquele sarau. As três moças estavam em traje de gala, mas sua aparência não era muito berrante e seus penteados apresentavam um estilo próprio. Sentada ao lado de Ievguéni Pávlovitch, Aglaia falava e brincava com ele num tom de extrema intimidade. Mostrava-se ele um tanto mais grave que de costume, sem dúvida em atenção à importância dos dignitários presentes. Aliás era desde muito tempo conhecido nas reuniões mundanas; se bem que jovem, era olhado como participante da sociedade. Viera naquela noite com um crepe no chapéu, o que lhe valera elogios da Princesa Bielokónskaia: em circunstâncias semelhantes outro homem do mundo não teria talvez feito tanto por causa da morte de um tio semelhante. Lisavieta Prokófievna manifestou igualmente sua satisfação, mas parecia sobretudo presa de uma excessiva preocupação.

Míchkin notou que Aglaia o havia olhado uma ou duas vezes com atenção e parecera contente com seu aspecto. Pouco a pouco sentiu seu coração dilatar-se de felicidade. Os pensamentos "fantásticos" e as apreensões que o tinham antes assaltado (após sua conversa com Liébiediev) pareciam-lhe agora, através de bruscas mas frequentes evocações, como sonhos sem ligação com a realidade, inverossímeis e mesmo ridículos! (Já durante todo o dia seu desejo mais caro, se bem que inconsciente, fora demonstrar a si mesmo que não devia crer naqueles sonhos.) Falava pouco e limitava-se a responder às perguntas. Por fim, guardou um silêncio completo e ficou a ouvir os outros com o ar de um homem que está no paraíso. Pouco a pouco uma espécie de inspiração apoderou-se dele, prestes a extravasar-se na primeira ocasião... Entretanto, se retomou a palavra foi por acaso, para responder a uma pergunta e, segundo todas as aparências, sem nenhuma intenção premeditada...

Capítulo VII

Enquanto contemplava com ar de suprema satisfação Aglaia que continuava com Ievguéni Pávlovitch e o Príncipe N*** uma conversa alegre, o personagem idoso, de maneiras de anglômano, entretinha-se, na outra extremidade do salão, com o "dignitário". No correr duma narrativa animada, ele pronunciou de repente o nome de Nikolai Andriéievitch Pávlovitch. O príncipe voltou-se imediatamente para o lado deles e se pôs a acompanhar a conversa.

Tratava-se de novos regulamentos e de certas perturbações de posse que deles resultavam para os grandes proprietários da província de Z***. O relato do anglômano devia conter algo de divertido, porque o velhinho acabou por se pôr a rir, ao ouvir seu interlocutor extravasar sua bílis. Este expunha com facilidade, com o tom arrastado de um homem rabugento e acentuando molemente as vogais, as razões pelas quais se vira obrigado, sob o novo regime, a vender pela metade uma esplêndida propriedade que possuía naquela província, embora não tivesse propriamente necessidade de dinheiro. Ao mesmo tempo, era-lhe preciso conservar-se de posse de outra em mau estado, que só lhe dava prejuízos e o obrigava além disso a sustentar um processo oneroso. "Para evitar ainda um processo por motivo dos bens provenientes da sucessão Pávlichtchev, preferi desinteressar-me. Ainda uma ou duas heranças como essa e estarei arruinado. Havia no entanto lá umas três mil *dimiatini* de excelente terra que davam lucro!"

Ivan Fiódorovitch notara a extrema atenção que o príncipe prestava àquela conversa. Tendo-se, de súbito, aproximado dele, dissera-lhe à meia voz:

— Escuta... Ivan Pietróvitch é aparentado com o falecido Nikolai Andriéievitch Pávlichtchev... Procuravas, creio, parentes?

Ivan Fiódorovitch não tivera até então olhos senão para seu chefe, o general. Mas tendo percebido, desde alguns instantes, que Liev Nikoláievitch estava notadamente isolado, experimentara certa inquietação. Assim tentava introduzi-lo mais ou menos na conversa, apresentando-o de certa forma uma segunda vez e recomendando-o às "personalidades".

— Liev Nikoláievitch foi educado por Nikolai Andriéievitch Pávlichtchev após a morte de seus pais — deixou ele ouvir, depois de ter encontrado o olhar de Ivan Pietróvitch.

— En-can-tado — observou este, — e lembro-me mesmo muito bem do senhor. Desde o momento em que Ivan Fiódorovitch nos apresentou um ao outro, eu o reconheci imediatamente, até mesmo de rosto. O senhor não mudou muito na verdade, se bem que não tivesse senão dez ou onze anos, quando o vi. Suas feições têm qualquer coisa que me ficou na memória...

— O senhor me conheceu menino? — perguntou Míchkin, numa espécie de estupor.

— Oh! há bem tempo! — continuou Ivan Pietróvitch. — Era em Zlatoviérkhovo, onde vivia então o senhor em casa de umas minhas primas. Eu ia lá outrora bastante frequentemente; não se lembra de mim? Isto nada tem de espantoso... O senhor se achava então... em não sei que estado de doença e lembro-me bem de ter ficado impressionado ao vê-lo...

— Não me lembro de nada! — afirmou o príncipe com calor.

Ivan Pietróvitch acrescentou muito gravemente algumas palavras de explicação que surpreenderam e comoveram o príncipe: as duas velhas senhoritas, parentas do falecido Pávlichtchev, que viviam na sua propriedade de Zlatoviérkhovo e às quais confiara a educação do príncipe, eram também primas dele. Como toda a gente, não sabia Ivan Pietróvitch quase nada dos motivos a que obedecera Pávlichtchev para interessar-se assim pelo principezinho, seu pupilo. "Não pensei então em informar-me lá a respeito", disse ele; todavia mostrou que tinha excelente memória, porque até se lembrava de que a mais velha das primas, Marfa Nikítichna, era muito severa com o principezinho que lhes fora confiado; "a ponto — acrescentou ele, — de ter eu discutido uma vez com ela a propósito do senhor, porque desaprovava seu sistema de educação que consistia em prodigar varadas sobre um menino doente, o que... convenha o senhor mesmo...". A mais moça, pelo contrário, Natália Nikítichna, mostrava-se cheia de ternura pelo pobre menino... Devem estar agora as duas na província de Z***, onde herdaram de Pávlichtchev uma propriedade bem bonitinha (mas estarão ainda vivas? Não sei de nada). Marfa Nikítichna tinha, eu creio, a intenção de entrar para um convento; aliás, não o afirmo: pode ser que tenha eu ouvido isto a propósito de outra pessoa... Ah! já sei: disseram isto a propósito da mulher de um médico...

Míchkin escutava aquelas palavras, com olhos brilhantes de alegria e de enternecimento. Declarou por sua vez, com uma vivacidade extraordinária, que não perdoaria jamais a si próprio ter viajado pelo interior do país, durante os seis últimos meses e não ter achado ocasião de ir ver suas antigas educadoras. Cada dia tivera intenção de fazê-lo, mas fora constantemente impedido disso pelas circunstâncias... Desta vez, entretanto, estava bastante disposto a dirigir-se a qualquer custo à província de Z***.

— De modo que o senhor conhece Natália Nikítichna? Que admirável, que santa mulher! Marfa Nikítichna também... desculpe-me, mas parece-me que o senhor se engana a seu respeito. Ela era severa, mas... como não perder a paciência... com o idiota que era eu então? (Ih! ih! ih!) Na verdade, era eu completamente idiota naquele tempo, não o acredita? (Ah! ah! ah!) Aliás... aliás o senhor me viu naquela época e... Como se dá que não me lembre do senhor, diga-me só? De modo que o senhor... ah! meu Deus! será possível que o senhor seja realmente parente de Nikolai Andriéievitch Pávlichtchev?

— Ga-ran-to-lhe — disse, com um sorriso, Ivan Pietróvitch, examinando o príncipe.

— Oh! não quis absolutamente dizer que... duvidava... e afinal pode-se duvidar disso (eh! eh! eh!)... um pouco mesmo que seja? Sim, um pouco mesmo que seja? (Eh! eh! eh!) Mas eu queria dizer que o falecido Nikolai Andriéievitch Pávlichtchev era um homem admirável! um homem tão generoso! Palavra de honra!

Míchkin não se sentia oprimido, mas de certa forma "agarrado pela garganta pelo excesso de ternura de seu coração", segundo a expressão de que se serviu Adelaida, no dia seguinte, falando com seu noivo, o Príncipe Tsch***.

— Mas, meu bom Deus! — observou Ivan Pietróvitch, rindo, — por que não posso ser mesmo o parente de um homem tão ge-nero-so?

— Deus meu! — exclamou Míchkin, cuja confusão se manifestava por uma precipitação e uma animação crescentes, — eu... disse mais uma vez uma tolice, mas... isto devia acontecer, porque eu... eu... eu... minha palavra traiu de novo meu pensamento! Mas também que sou eu, afinal, pergunto-lhe, diante de coisas tão *interessantes... de tão enormes* interesses? E em comparação com um homem tão magnânimo? Porque Deus é testemunha de que era o mais magnânimo dos homens, não é? Não é?

O príncipe tremia da cabeça aos pés. Donde lhe vinha aquela brusca emoção, por que se deixava dominar totalmente por semelhante enternecimento, aparentemente em desproporção com o assunto da conversa, é o que teria sido difícil explicar. Mas achava-se naquele momento em tal estado de emotividade que experimentava um sentimento de ardente gratidão, sem demasiado saber de que e para com quem; talvez fosse mesmo para Ivan Pietróvitch, talvez também para com todas as pessoas presentes. Transbordava de felicidade. Ivan Pietróvitch havia acabado de sondá-lo com um olhar mais esquadrinhador; o "dignitário" fixava-o também com muita atenção. A Princesa Bielokónskaia lançava-lhe olhares coléricos e apertava os lábios. O Príncipe N***, Ievguéni Pávlovitch, o Príncipe Tsch***, as senhoritas, todo mundo parara de falar e prestava atenção. Aglaia manifestava sinais de terror e Lisavieta Prokófievna estava positivamente também com medo. Eram estranhas a mãe e as filhas: depois de ter deliberado e chegado à conclusão de que o príncipe faria melhor mantendo-se em silêncio o sarau inteiro, haviam sentido apreensão, vendo-o completamente sozinho num canto do salão, encantado com sua sorte. Alieksandra já havia pensado em atravessar todo o salão para se aproximar dele com precaução e levá-lo para seu grupo onde se encontrava o Príncipe N***, ao lado da Princesa Bielokónskaia. E agora que o príncipe se lançara a conversar, a inquietação delas redobrava.

— O senhor tem razão de dizer que era um homem admirável — disse Ivan Pietróvitch, num tom sentencioso e deixando de sorrir. — Sim... era um homem excelente. Um homem excelente e digno — acrescentou depois de uma pausa. — Digno mesmo, pode-se dizer, de toda estima — insistiu, depois de nova pausa. — E... e é bastante agradável verificar que de sua parte...

— Não foi esse Pávlichtchev que teve uma história... estranha... com um padre... o padre... esqueci seu nome, mas isto causou na ocasião grande sensação! — declarou o "dignitário", esforçando-se por lembrar-se.

— O Padre Gouraud, um jesuíta — acudiu Ivan Pietróvitch. — Sim, tem aí o senhor o que são nossos homens admiráveis e dignos de estima! No entanto, Pávlichtchev era de boa família, tinha fortuna, era camareiro e... se houvesse permanecido no serviço público... mas eis que de repente abandona suas funções e todas as suas relações para abraçar o Catolicismo e fazer-se jesuíta. Fez isto com uma espécie de entusiasmo e quase às escâncaras. Francamente, morreu a tempo... sim; toda a gente o disse então...

O príncipe não mais se conteve.

— Pávlichtchev... Pávlichtchev convertido ao Catolicismo? É impossível! — exclamou ele, num tom de assombro.

— Como "impossível"? — murmurou Ivan Pietróviteh, num tom grave. — É muito dizer, meu caro príncipe, e o senhor há de reconhecer... Aliás, tem o senhor o falecido em tão alta estima... era com efeito um homem de um grande coração e *é a isto que atribuo sobretudo* o êxito daquele intrigante do Gouraud. Mas pode o senhor indagar de mim os aborrecimentos e dissabores que tive depois por causa desse caso... e precisamente com esse mesmo Gouraud! Imagine — acrescentou ele, voltando-se para o velhote, — que queriam até mesmo impugnar a herança; tive de recorrer às medidas mais enérgicas... para levá-los a desistir... porque eles sabem o que fazem. São uma gente espantosa! Mas, graças a Deus, isto se passava em Moscou; dirigi-me imediatamente ao conde e fizemos... que ele voltasse à razão...

— Não acreditará o senhor quanto me entristeceu e impressionou! — exclamou de novo o príncipe.

— Lamento-o; mas no fundo tudo aquilo não era sério e teria acabado, como sempre, em fumaça. Estou convencido disto. No verão passado — continuou, dirigindo-se de novo ao velhote, — a condessa K*** recolheu-se igualmente, dizem, a um convento católico no estrangeiro; nossos compatriotas não têm força nenhuma de resistência, quando se acham às voltas com esses... ludibriadores... sobretudo no estrangeiro.

— Tudo isso, penso eu, provém de nossa lassidão — disse, sentenciosamente, o velhote. — E depois tem essa gente uma maneira de pregar com tanta... elegância, tanta personalidade... e sabem fazer medo à gente. Fizeram medo a mim mesmo, confesso-o. Foi em 1832, em Viena; somente não sucumbi, pus-me em fuga, ah! ah! ah! Palavra de honra! tive de pôr-me em fuga!

— Ouvi dizer então, meu bom amigo, que fugiste naquela ocasião de Viena para Paris em companhia de uma bela mulher, a Condessa Lievítskaia. Foi por causa dela e não por causa de um jesuíta que abandonaste o serviço público — interveio, de súbito, a Bielokónskaia.

— Bem! Mas tudo isso não deixou de ocorrer por causa de um jesuíta — replicou o velhote, sorrindo, à evocação duma agradável recordação. — O senhor parece ter sentimentos muito religiosos, o que é agora bastante raro entre os jovens — acrescentou ele, num tom benevolente, endereçado ao Príncipe Liev Nikoláievitch, que escutava de boca aberta e parecia sempre aterrorizado.

Era claro que o velhote desejava conhecer melhor o príncipe e tinha suas razões para começar a interessar-se vivamente por ele.

— Pávlichtchev era um espírito lúcido e um cristão, um verdadeiro cristão — declarou subitamente o príncipe Míchkin. — Como teria ele podido adotar uma confissão... que não é cristã? Porque o Catolicismo é uma fé que nada tem de cristã!

Seus olhos fulguravam e olhava em redor de si, como para abarcar toda a assistência de um só golpe de vista.

— Ora, isto é ir um pouco longe! — resmungou o velhote, lançando a Ivan Pietróvitch um olhar de surpresa.

— Então o Catolicismo não é uma confissão cristã? — perguntou este último, voltando-se na sua cadeira. — Que é então?

— É antes de tudo uma religião que nada tem de cristã — replicou Míchkin, com viva emoção e num tom excessivamente cortante: — Eis o primeiro ponto. O segundo é que, na minha opinião, o Catolicismo romano é pior que o próprio ateísmo! Sim, é esta a minha opinião! O ateísmo se limita a proclamar o nada, mas o Catolicismo vai mais longe: prega um Cristo que ele desfigurou, caluniou, vilipendiou, um Cristo contrário à verdade. Prega o Anticristo, juro-lhes! É desde muito tempo minha convicção pessoal e me fez sofrer a mim mesmo... O Catolicismo romano crê que a Igreja não se pode manter sobre a terra sem exercer um poder político universal e apregoa: *Non possumus!* Para mim não chega mesmo a constituir uma religião; é, para falar com propriedade, a continuação do Império Romano do Ocidente; *tudo nele está subordinado* a esta ideia, a começar pela fé. O Papa apropriou-se de um território, de uma soberania temporal e brandiu o gládio; desde então, nada mudou a não ser ter-se acrescentado ao gládio a mentira, a intriga, a impostura, o fanatismo, a superstição e a perversidade; zombou-se dos sentimentos populares mais sagrados, mais puros, mais cândidos, mais ardentes; tudo, tudo foi trocado por dinheiro, por um miserável poder temporal. E não será isto a doutrina do Anticristo? Como não haveria o Catolicismo de engendrar o ateísmo? O ateísmo saiu do próprio Catolicismo romano! Foi pelos seus adeptos que ele começou: poderiam acreditar em si mesmos? Fortificou-se com a aversão que inspiravam; é o produto da mentira deles e de sua impotência moral. O ateísmo! Entre nós a incredulidade não se encontra ainda senão em certas castas, entre os "desarraigados", segundo a felicíssima expressão de Ievguéni Pávlovitch; mas lá na Europa, são massas enormes de povo que começam a perder a fé; outrora sua irreligião provinha da ignorância e da mentira; hoje deriva do fanatismo e do ódio contra a Igreja e contra o Cristianismo!

Míchkin parou, ofegante. Falara com intensa pressa. Estava pálido e sufocado. Os assistentes trocavam olhares espantados; afinal o velhote se pôs francamente a rir. O Príncipe N*** pegou seu lornhão e examinou atentamente Liev Nikoláievitch. O poetastro alemão saiu do canto onde até então estivera e aproximou-se da mesa, com um sorriso hostil nos lábios.

— O senhor ex-a-ge-ra muito — disse Ivan Pietróvitch, com voz arrastada, com um ar de aborrecimento e até mesmo de constrangimento. — Essa Igreja conta também com representantes dignos de todo o respeito e que são pessoas virtuosas...

— Nunca falei dos representantes da Igreja enquanto indivíduos. Falei do Catolicismo romano em sua essência, de Roma. Será que a Igreja poderá desaparecer por completo? Jamais disse isto!

— De acordo, mas tudo isso é conhecido e é supérfluo a isso voltar; além do mais... é do domínio da Teologia...

— Oh! não, não! Não é exclusivamente do domínio da Teologia, respondo-lhe eu! Isto nos toca de muito mais perto do que pensa o senhor. Todo o nosso erro está justamente aí: não podemos ainda afazer-nos à ideia de que esta questão não é simplesmente teológica! Não se esqueça de que o socialismo é, também ele, um produto do Catolicismo e de sua essência. Como seu irmão, o ateísmo, nasceu do desespero; representa uma reação moral contra o Catolicismo, visa a apropriar-se da autoridade espiritual que a religião perdeu, a estancar a sede ardente da alma humana e a procurar a salvação, não no Cristo, mas na violência! Aqui, como no Catolicismo, vemos pessoas que querem assegurar a liberdade pela violência, a união pelo gládio e pelo sangue! "É proibido crer em Deus, é proibido possuir, é proibido ter uma personalidade, fraternidade ou morte, ao preço de dois milhões de cabeças." Foi dito: "Vós os conhecereis pelas suas obras". E não queirais acreditar que tudo isto seja anódino e sem perigo para nós. Oh! é preciso reagirmos, e o mais depressa possível! É preciso que nosso Cristo, que guardamos e que eles nem mesmo conheceram, resplandeça e afaste o Ocidente! Devemos agora erguer-nos diante deles, não para morder o anzol do jesuitismo, mas para infundir-lhes nossa civilização russa. E que não nos venham contar que eles sabem pregar com elegância como alguém disse ainda há pouco...

— Mas permita, permita! — replicou Ivan Pietróvitch, com um ar muito inquieto, lançando olhares em redor de si e manifestando mesmo sinais de terror. — Suas ideias são certamente louváveis e cheias de patriotismo, mas tudo isso é exagerado ao mais alto ponto e... melhor seria ficar nisso...

— Não, não há nenhum exagero, estou antes abaixo da verdade, precisamente porque me sinto impotente para exprimir todo o meu pensamento, mas...

— Ah! per-mi-ta!

O príncipe calou-se. Imóvel sobre sua cadeira, a cabeça erguida, lançava sobre Ivan Pietróvitch um olhar inflamado.

— Parece-me que o senhor levou ao trágico a aventura de seu benfeitor — observou o velhote, num tom afável e sem perder a calma. — O senhor está superexcitado... talvez por causa do isolamento em que vive. Se frequentasse mais os homens (e o mundo, espero, fará boa acolhida ao jovem notável que o senhor é), acalmaria seu ardor e veria que tudo isso é muito mais simples... Aliás, esses casos são tão raros.... minha opinião é que uns provêm de nossa saciedade, os outros... do tédio...

— Sim, é exatamente isto — exclamou Míchkin. — Eis uma ideia magnífica! É "o tédio", é "nosso tédio" causa disso; não é a saciedade! Nesse ponto o senhor se engana; longe de estarmos repletos, estamos sedentos! Ou, para melhor dizer, somos devorados por uma sede febril! E... não creia que seja um fenômeno tão negligenciável que dele só devamos rir; desculpe-me, é preciso saber pressentir! Quando nossos compatriotas tocam ou creem ter tocado a margem, experimentam tal alegria que se transportam logo aos extremos; por que isso? O caso de Pávlichtchev o espanta; o senhor pensa que ele ficou louco ou que sucumbiu por excesso de bondade; ora, não é isso. Não é somente para nós, é para a Europa inteira que o arrebatamento da alma russa em semelhantes circunstâncias é assunto de espanto. Quando um russo passa para o Catolicismo, não deixa de fazer-se jesuíta e se enfileira entre os membros mais ocultos da ordem. Se se torna ateu, não hesita em pedir que se extirpe pela força, isto é, também pelo gládio, a crença em Deus! Donde vem esse súbito fanatismo? Não sabe? Vem de que o russo crê ter encontrado uma pátria nova, por falta de ter percebido que tinha uma aqui, e de que essa descoberta o cumula de alegria. Encontrou a margem, a terra; nela se precipita e cobre-a de beijos! Não é somente por vaidade, não é sob o império de um sentimento de mesquinha enfatuação que os russos se fazem ateus ou jesuítas; é por angústia moral, por sede da alma, por nostalgia de um mundo mais elevado, duma terra firme, duma pátria que substitua aquela na qual deixaram de crer porque jamais a conheceram! O russo passa muito facilmente ao ateísmo, mais facilmente do que não importa qual outro povo do mundo. E nossos compatriotas não se tornam simplesmente ateus, têm fé no ateísmo, como se fosse uma nova religião; não percebem que é no nada que colocam sua fé. Tanta sede de crer temos nós! "Quem terra não tem sob seus pés, também não tem Deus." Este pensamento não é meu. Foi-me expresso por um comerciante que era velho-crente e que encontrei em viagem. Na verdade, não se exprimiu assim; disse: "Quem renegou sua pátria, também renegou seu Deus!". Basta que imaginem que se encontraram na Rússia homens de alta cultura capazes de entrar na seita Khlistóvstvo...[63] E em que, pergunto a mim mesmo, em que são os *khlisti* piores que os niilistas, os jesuítas, os ateus? Talvez sua doutrina seja mais profunda. Mas eis ao que leva a angústia da alma!... Mostrem aos companheiros sedentos e inflamados de Colom-

63 De *khlistat*, chicotear, fustigar. Seita de fanáticos que data de finais do século XVIII. Os seus adeptos, chamados *khlisti*, e também os *skóptsi* (adeptos da seita que tinha por base o voto de castidade), incluíram o chicoteamento no seu ritual, que se fazia dançando em torno da fogueira e fustigando-se a si próprios e aos outros.

bo as margens do Novo Mundo; descubram ao homem russo o "Mundo" russo; permitam-lhe que encontre esse ouro, esse tesouro que a terra dissimula a seus olhos! Façam-lhe ver a renovação futura de toda a humanidade e sua ressurreição, que talvez só lhe possa sobrevir pelo pensamento russo, pelo Deus russo e pelo Cristo russo, e verão que gigante poderoso e justo, prudente e dócil, se erguerá diante do mundo estupefato e aterrorizado; porque não esperam eles de nós senão o gládio e a violência e, julgando por si mesmos, não podem imaginar nosso poder sob outros aspectos exteriores que não sejam os da barbárie. Tem sido sempre assim até o presente e este preconceito só fará crescer no futuro. E...

Mas neste momento produziu-se um acontecimento que interrompeu o discurso do orador da maneira mais inesperada.

Toda aquela tirada enfebrecida, todo aquele fluxo de palavras apaixonadas e tumultuosas, exprimindo um caos de pensamentos entusiastas e desordenados que se entrechocavam, era o índice de uma disposição mental particularmente perigosa no rapaz, cuja efervescência se declara de súbito e sem razão aparente. Entre as pessoas presentes, todas aquelas que conheciam o príncipe ficaram surpresas (e algumas mesmo envergonhadas) com a sua saída, tão pouco em harmonia com sua atitude habitualmente reservada se não tímida, marcada em qualquer outra circunstância por um tato incomum e por um sentimento instintivo das mais altas conveniências. Não se chegava a compreender a causa daquele destempero, que não era certamente a revelação referente a Pávlichtchev. No canto em que se encontravam as senhoras, achava-se que ele havia enlouquecido e a Princesa Bielokónskaia confessou mais tarde que "se aquela cena tivesse durado um momento mais, ela teria fugido". Os "velhinhos" tinham quase perdido o sangue-frio desde o primeiro instante de estupor. Sem mover-se de sua cadeira, o general alto funcionário havia mostrado semblante de descontentamento e de severidade. O coronel mantinha uma impassibilidade absoluta. O alemão empalidecera, mas continuava a sorrir com um ar falso, olhando em torno de si para ver como os outros reagiriam. Contudo, todo aquele "escândalo" teria podido terminar da maneira mais simples e mais natural, talvez mesmo em um minuto. Ivan Fiódorovitch, que fora tomado de assombro, mas se recuperara mais depressa que os outros, fizera já diversas tentativas para pôr um dique à facúndia do príncipe; não o tendo conseguido, aproximava-se agora dele com firmeza e decisão. Um minuto mais e, se isto fosse necessário, teria talvez resolvido fazê-lo retirar-se amigavelmente, sob pretexto de que estivesse doente, o que talvez fosse verdade e de que, em todo o caso, estava ele, Ivan Fiódorovitch, plenamente convencido... Mas as coisas tomaram outro rumo.

Desde sua entrada no salão, fora Míchkin sentar-se o mais longe possível do vaso chinês a propósito do qual Aglaia tanto o havia amedrontado. Coisa apenas crível: depois do que ele lhe havia dito na véspera, uma convicção indomável, um estranho, um inverossímil pressentimento tinham-no advertido de que não poderia evitar quebrar aquele vaso, quaisquer que fossem os esforços que fizesse para conjurar semelhante desgraça. Ora, eis o que aconteceu. No curso do sarau, outras impressões tão fortes quanto agradáveis haviam-lhe invadido a alma; já falamos delas; fizeram-no esquecer-se de seu pressentimento. Quando ouvira pronunciar o nome de Pávlichtchev e que Ivan Fiódorovitch o levara para onde se achava Ivan Pietróvitch, a fim de apresentá-lo de novo a este, aproximaram-se da mesa e sentara-

-se numa cadeira ao lado do enorme e magnífico vaso da China colocado sobre um pedestal, quase à altura de seu cotovelo e pouco atrás dele.

No momento em que pronunciava as derradeiras palavras de seu discurso, levantou-se bruscamente, fez com o braço um gesto amplo e imprudente, e um movimento de ombros involuntário e... um grito geral reboou! O vaso oscilou, pareceu a princípio indeciso e prestes a cair sobre a cabeça de um dos velhinhos; depois pendeu de súbito para o lado oposto, onde se encontrava o alemão, o qual teve apenas tempo de dar um salto de terror, e tombou no chão. Exclamações responderam ao barulho; preciosos destroços juncavam o tapete! O terror e o medo apoderaram-se dos presentes. Quanto ao príncipe, seria difícil e quase supérfluo descrever seus sentimentos! Mas não podemos dispensar-nos de assinalar que uma impressão singular invadiu-o justamente naquele momento e se diferenciou logo de uma multidão de outras, penosas ou aterrorizantes: o que mais o impressionava, não era a vergonha, nem o escândalo, nem o medo, nem o imprevisto do acidente, era o cumprimento da profecia! Não teria podido explicar a si mesmo o que aquela comprovação tinha de tão impressionante; sentia somente que ela lhe atingia o coração e enchia-o dum pavor quase místico. Passou-se um instante: pareceu-lhe que tudo se alargava em redor dele e que o pavor se esvanecia diante de uma sensação de luz, de alegria, de êxtase; perdeu a respiração e... Mas esse fenômeno foi de curta duração. Graças a Deus, não era aquilo! Retomou fôlego e olhou em torno de si.

Esteve muito tempo como inconsciente da confusão que o cercava. Ou antes, compreendia e via bem tudo quanto se passava, mas se sentia como fora do acontecido, tal como um personagem invisível de conto de fadas, observando numa sala onde é introduzido pessoas estranhas mas que lhe despertam interesse. Viu apanharem os cacos, ouviu conversas rápidas e percebeu que Aglaia o fixava: estava pálida e tinha um ar estranho, muito estranho, mas sem nenhuma expressão de ódio e ainda menos de cólera; examinava-o com espanto, mas seus olhos estavam cheios de simpatia, enquanto lançava aos outros um olhar faiscante. Delicioso sofrimento invadiu de repente o coração de Míchkin.

Notou afinal com estupefação que todos os presentes haviam-se tornado a sentar e até mesmo riam como se de nada se tratasse! Outro minuto se passou: a hilaridade redobrou; divertiam-se agora com seu hipnotizado mutismo, mas com bom humor e num tom cordial. Várias pessoas lhe dirigiram a palavra nos termos mais afáveis, sobretudo Lisavieta Prokófievna, que ria ao falar e dizia algo de muito gentil. De repente, sentiu Ivan Fiódorovitch bater-lhe de leve e cordialmente no ombro. Ivan Pietróvitch ria igualmente. Mas o melhor, o mais agradável e o mais simpático foi o velhote: pegou Míchkin pela mão e, apertando-a delicadamente e nela batendo de leve com a palma de sua outra mão, exortou-o a se tranquilizar, como o teria feito com uma criança apavorada, o que agradou extremamente ao príncipe; afinal, fez com que sentasse bem perto dele. Míchkin contemplava o rosto do velho com encantamento: tinha nisso tanto prazer que mal conseguia retomar o fôlego e não tinha força para pronunciar uma palavra.

— Como? — balbuciou ele afinal. — É bem verdade que me perdoa? E... a senhora também, Lisavieta Prokófievna?

Tornaram-se mais fortes as risadas; lágrimas encheram os olhos de Míchkin; não podia ele acreditar naquilo; estava encantado.

— Decerto era um magnífico vaso. Há bem uns quinze anos que o conhecia... sim, quinze anos... — insinuou Ivan Pietróvitch.

— Ora, que grande desgraça! Também o homem chega a seu fim. Haveremos de ficar desolados por causa de um pote de barro? — disse em voz alta Lisavieta Prokófievna. — Será que isto, na verdade, tanto te abalou, Liev Nikoláievitch? — acrescentou ela, com expressão de temor. — Vamos, meu amigo, basta! Na verdade, me dás medo.

— E me perdoam tudo? Não somente o vaso, mas tudo? — perguntou o príncipe. Fez menção de se levantar, mas o velhote tornou a pegar-lhe a mão. Recusava-se a largá-lo.

— *C'est très curieux et c'est très sérieux!* — cochichou ele por cima da mesa a Ivan Pietróvitch, bastante alto aliás para que o príncipe pudesse ouvi-lo.

— Com que então não ofendi nenhum de vós? Não podeis imaginar quanto este pensamento me torna feliz. Aliás, não podia ser de outro modo: poderia eu ofender aqui a quem quer que fosse? Fazer tal suposição já seria ofender-vos.

— Acalme-se, meu amigo, o senhor exagera. Não precisa mostrar-se tão reconhecido; o sentimento é belo, mas passa da medida.

— Não vos sou apenas reconhecido... adjuro-vos, sinto-me feliz contemplando-vos. Talvez me exprima tolamente, mas é preciso que eu fale, é preciso que me explique... ainda que não fosse senão em respeito a mim mesmo.

Era alvo de movimentos impulsivos que denotavam a perturbação e a febre; muito provavelmente suas palavras não exprimiam sempre o que teria ele querido dizer. Tinha o ar de pedir permissão para falar. Seu olhar deu com a Princesa Bielokónskaia.

— Não te constranjas, meu caro, continua, continua, não te sufoques — observou ela. — O que te aconteceu ainda há pouco veio de te teres sufocado. Mas fala sem temor; esses cavalheiros já viram muitas outras coisas e mais estranhas do que tu, não lhes causarás espanto. Deus sabe que és difícil de compreender; mas quebraste aquele vaso e fizeste medo a todos.

O príncipe escutava-a, sorrindo.

— Foi mesmo o senhor — perguntou ele, de súbito, ao velhote, — quem salvou da deportação, há três meses, o estudante Podkhúmov e o empregado Chvábrin?

O velhote corou levemente e murmurou alguma coisa para convidá-lo a acalmar-se.

— Do senhor ouvi dizer — continuou ele, dirigindo-se a Ivan Pietróvitch, — que, na província de N***, concedeu gratuitamente madeira de construção a camponeses que moravam em suas terras e tinham sofrido um incêndio, se bem que após sua emancipação tivessem agido para com o senhor de uma maneira censurável.

— Oh! é exagero! — murmurou Ivan Pietróvitch, aliás com um ar agradavelmente lisonjeado; desta vez tinha razão em falar em exagero, porque não se tratava senão de um falso boato que chegara aos ouvidos do príncipe.

— E a senhora, princesa, — continuou Míchkin, voltando-se incontinenti para a princesa Bielokónskaia, com um sorriso radiante, — não me acolheu há seis meses em Moscou e tratou como a um filho em virtude de uma carta de recomendação de Lisavieta Prokófievna? Como a um filho seu também deu-me então um conselho que não esquecerei jamais. Lembra-se?

— Que é que te dei? — proferiu a Princesa Bielokónskaia, de mau humor. — És um bom rapaz, mas ridículo; quando te dão dois níqueis, agradeces como se te tivessem salvo a vida. Acreditas que seja louvável isso? Na realidade, é desagradável.

Estava a ponto de zangar-se totalmente, mas se pôs bruscamente a rir e desta vez com uma expressão de benevolência. O rosto de Lisavieta Prokófiévna serenou-se igualmente e Ivan Fiódorovitch ficou radiante.

— Eu bem dizia que Liev Nikoláievitch era um homem tão... um homem que... em resumo, contanto que não te ponhas a ofegar, ao falar, como o observou a princesa... — balbuciou o general, num tom de jovial satisfação, repetindo as palavras da Princesa Bielokónskaia, que o haviam impressionado.

Somente Aglaia parecia triste; entretanto continuava corada, talvez por efeito da indignação.

— Ele é realmente muito gentil — repetiu o velhote a Ivan Pietróvitch.

O príncipe se achava num estado de agitação crescente. Com a fala cada vez mais precipitada, anormal, exaltada, continuou:

— Entrei aqui com o coração atormentado, eu... eu tinha medo de vós e tinha medo de mim. Tinha principalmente medo de mim. Quando regressei a Petersburgo, prometera a mim mesmo ver, custasse o que custasse, nossos homens de primeiro plano, aqueles que pertencem às famílias de velha fonte, das quais eu mesmo faço parte, sendo dos primeiros pelo nascimento. Porque estou agora com príncipes como eu, não é verdade? Desejava conhecer-vos, era necessário, completamente necessário!... Sempre ouvira dizer muito mal de vós, mais mal que bem: tinham-me falado de vossa estreiteza de espírito, do exclusivismo dos vossos interesses, de vossa mentalidade retrógrada, de vossa pouca instrução, de vossos hábitos ridículos; oh! escreveu-se tanta coisa a vosso respeito! De modo que estava cheio de curiosidade e de perturbação ao vir aqui hoje. Era-me preciso ver por mim mesmo e criar para mim uma convicção pessoal sobre esta questão: é verdade que a camada superior da sociedade russa não vale mais nada; que passara de seu tempo, que sua vitalidade de outrora estava esgotada e que não é mais capaz senão de morrer, embora ainda teimando em lutar por mesquinha inveja contra os homens... do futuro e barrar-lhes a passagem, sem se dar conta de que está ela própria moribunda? Já antes, dava eu bastante crédito a esta maneira de ver, porque nunca tivemos verdadeira aristocracia, além de uma casta de cortesãos que se distinguia pelo seu uniforme ou... pelo acaso; mas agora essa nobreza desapareceu completamente, não é verdade?

— Ora essa! Não é totalmente assim — disse Ivan Pietróvitch, rindo com sarcasmo.

— Bem, ei-lo de novo arrebatado! — murmurou a Princesa Bielokónskaia, perdendo a paciência.

— *Laissez-le dire!*[64] Está tremendo todo — disse, em voz baixa, o velhote.

O príncipe estava decididamente fora de si.

— E que foi que vi? Vi pessoas cheias de delicadeza, de franqueza e de inteligência. Vi um velho testemunhar afetuosa atenção a um garoto como eu e escutá-*lo até o fim. Vejo pessoas* capazes de compreender e de perdoar; são bem russos

64 Deixem-no falar!

e homens bons, quase tão bons e cordiais como os que encontrei lá fora; não valem menos em todo o caso. Imaginai minha agradável surpresa! Oh! permiti que a exprima! Ouvira muitas vezes dizer e eu mesmo muitas vezes acreditei que, no mundo, tudo se reduzia a belas maneiras, a um formalismo fora de moda, mas que a seiva estava extinta. Ora, verifico por mim mesmo agora que tal não pode ser o caso entre nós. Pode-se acreditar que sejais agora todos jesuítas e impostores? Ouvi ainda há pouco o relato do Príncipe N***. Não é esse um humor cheio de sinceridade e de espontaneidade? Não é isso verdadeira bonomia? Será que semelhantes palavras possam sair da boca de um homem... morto, de um homem cujo coração e cujo talento estariam ressequidos? Será que mortos poderiam ter-me acolhido como vós me acolhestes? Será que não há nisto um elemento... para o futuro, um elemento que justifique as esperanças? Será que pessoas semelhantes não possam compreender e ficar para trás?

— Rogo-lhe ainda uma vez mais, acalme-se, meu caro amigo; falaremos de tudo isto num outro dia e é com prazer que eu... — disse o "dignitário" com um sorriso levemente zombeteiro.

Ivan Pietróvitch pigarreou e voltou-se em sua cadeira; Ivan Fiódorovitch recomeçou a agitar-se; seu superior, o general, ocupado em conversar com a esposa do dignitário, deixou de prestar qualquer atenção ao príncipe; mas a dama escutava-o em parte e olhava-o frequentemente.

— Pois bem! Não! É melhor que eu fale! — continuou o príncipe num novo acesso febril, dirigindo-se ao velhote num tom de confiança, até mesmo confidencialmente. — Aglaia Ivânovna proibiu-me ontem de falar e indicou-me mesmo os assuntos que eu não devia abordar; sabe que sou ridículo quando me meto a tratá-los. Estou com vinte e sete anos e dou-me conta, entretanto, de que me porto como uma criança. Não tenho o direito de exprimir meu pensamento; há muito tempo que o disse; só foi em Moscou, com Rogójin que pude falar de coração aberto... Lemos juntos Púchkin, lemo-lo inteirinho; ele não o conhecia, nem mesmo de nome... Temo sempre que meu ar ridículo comprometa meu pensamento e desacredite a ideia principal. Não tenho gesticulação feliz. Os gestos que faço são sempre fora de tempo, o que provoca risadas e envilece a ideia. Falta-me também o senso da medida, e isto é grave, é mesmo o mais grave... Sei que o melhor que posso fazer é ficar quieto e calar-me. Quando me sinto tranquilo e guardo silêncio, pareço mesmo muito razoável e tenho, além disso, vagar para refletir. Mas agora é melhor que fale. Vós me olhais com tanta benevolência que me decidi a fazê-lo; há tanto encanto em vossas feições! Ontem dei minha palavra a Aglaia Ivânovna de que me calaria durante todo o sarau.

— *Vraiment*?[65] — disse o velhote, sorrindo.

— Mas há momentos em que digo a mim mesmo que não tenho razão em pensar assim: a sinceridade é mais importante do que o gesto, não é mesmo?

— Às vezes.

— Quero explicar-vos tudo, tudo, tudo, tudo! Oh! sim! Achais que sou um utopista? Um ideólogo? Oh! não! Juro-vos que meus pensamentos são todos tão simples... Não me acreditais? Sorris? Escutai... sou por vezes covarde porque perco a

65 Deveras?

fé em mim; ainda há pouco, ao vir aqui, pensava: "Como lhes dirigirei a palavra? Em que termos travarei a conversa para que me compreendam ainda que um pouco?" Sentia viva apreensão, mas éreis vós sobretudo o objeto de meu terror. E, contudo, que razão tinha eu para temer? Não era vergonhoso o meu medo? Que importa que para um só homem progressista haja tal multidão de retrógrados e de maus? Minha alegria provém de estar eu agora convencido de que, no fundo, essa multidão não existe e que só há elementos cheios de vida. A ideia de sermos ridículos não deve aliás perturbar-nos, não é mesmo? Decerto somos; somos frívolos, temos hábitos desagradáveis, aborrecemo-nos, não sabemos ver nem compreender; somos todos assim, todos, vós, eu, e eles também! Com que então, não se agastam por me ouvirem dizer-vos em rosto que sois ridículos? Se assim é, não se pode ver em vós artífices de progresso? Vou vos dizer mesmo que é por vezes bom e mesmo melhor ser ridículo: fica-se mais inclinado ao perdão mútuo e à humildade; não nos é dado compreender tudo duma vez e a perfeição não se atinge duna só golpe! Para chegar à perfeição é preciso começar por não compreender muitas coisas. Aquele que apreende demasiado depressa, apreende sem dúvida mal. Digo isso a vós que já soubestes compreender tantas coisas... sem compreendê-las. Não sinto agora mais medo de vós; escutais sem cólera um rapaz como eu falar-vos neste tom, não é? Decerto que sim! Oh! sabereis esquecer, sabereis perdoar aqueles que vos ofenderam e também aqueles que vos não ofenderam, porque é mais difícil perdoar aqueles que vos não ofenderam, justamente porque não têm eles nenhuma culpa e, por consequência, vosso ressentimento é destituído de fundamento. Eis o que eu espera das pessoas da alta sociedade, eis o que eu tinha pressa em dizer-vos ao chegar aqui, sem saber em que termos o faria... O senhor ri, Ivan Pietróvitch? Pensa que sou um democrata, um apologista da igualdade, que sou aqui advogado deles e que é por eles que receio? — acrescentou Míchkin, com um riso convulsivo (soltava a cada instante uma risadinha curta e exaltada). — Não, é por vós que temo, por vós todos e por nós todos ao mesmo tempo. Eu mesmo sou um príncipe de antiga linhagem em meio de outros príncipes. Falo para nossa salvação comum, a fim de que nossa casta não desapareça sem proveito algum nas trevas, porque nada previu, porque só faz discutir e tudo perder. Por que desaparecer e ceder o lugar aos outros, quando podemos manter nossas posições de vanguarda e à frente da sociedade? Sejamos homens progressistas e permaneceremos os primeiros. Tornemo-nos servidores para ser superiores.

Teve uma brusca veleidade de levantar-se de sua cadeira, mas o velhote continuava a retê-lo e fixava nele olhos em que a inquietação crescia.

— Escutai! Sei que falar não significa nada; mais vale pregar com o exemplo e pôr-se simplesmente à obra... Já comecei... e... e será que realmente pode-se ser infeliz? Oh! que importam minha aflição e minha desgraça se sinto em mim a força de ser feliz? Não compreendo, sabei-o, que se possa passar ao lado de uma árvore sem experimentar ao vê-la um sentimento de felicidade, ou falar a um homem sem ser feliz por amá-lo... Oh! as palavras me faltam para exprimir isto... mas quantas belas *coisas vemos a cada passo* e cuja beleza o próprio homem mais degradado sente? Olhai a criança, olhai a aurora do Criador, olhai a erva que brota, olhai os olhos que vos contemplam e que vos amam...

No curso desta tirada e, enquanto falava, o príncipe se levantara. O velhote seguia-o já com olhar de susto. Lisavieta Prokófievna agitou os braços e exclamou: "Ah! meu Deus!". Adivinhara antes de todos o que se passava. Aglaia precipitou-se para o príncipe e chegou justamente a tempo de recebê-lo em seus braços; aterrorizada, com as feições transtornadas pelo pesar, a moça ouviu o urro selvagem do "espírito que havia feito cambalear e vencera" o desgraçado! Este jazia agora sobre o tapete e alguém lhe havia à pressa posto uma almofada sob a cabeça.

Ninguém esperara tal desenlace. Ao fim de um quarto de hora, o Príncipe N***, Ievguéni Pávlovitch e o velhote tentaram reanimar o sarau, mas uma meia hora depois todos os convidados se separaram, não sem exprimir muitas palavras de condolências e de pesar, entremeadas de comentários sobre o incidente. Ivan Pietróvitch emitiu, entre outras, a opinião de que "aquele rapaz era eslavônio ou algo de parecido, mas que seu caso não era perigoso". O velhote não disse nada. É verdade que, em todos, no dia seguinte e no outro, aquelas disposições deram lugar a um movimento de mau humor. Ivan Pietróvitch chegou a sentir-se ofendido, embora pouco gravemente. O superior de Ivan Fiódorovitch mostrou por este, durante algum tempo, certa frieza. O alto dignitário, "protetor" dos Iepántchini, fez também, de seu lado, algumas reflexões sentenciosas ao chefe da família, acrescentando todavia em termos lisonjeadores que se interessava enormemente pela sorte de Aglaia. Era um homem que, de fato, não carecia de bondade, mas um dos motivos da curiosidade que testemunhara naquela noite pelo príncipe era a história das relações anteriores dele com Nastássia Filípovna; a pouca coisa que ouvira contar havia-o vivamente intrigado e teria querido fazer perguntas àquele respeito.

Depois do sarau, no momento de partir, disse a Princesa Bielokónskaia a Lisavieta Prokófievna:

— Que te direi? Ele é ao mesmo tempo bom e mau; se queres minha opinião, mais mau do que bom. Tu mesma vês que espécie de homem é: um doente!

Lisavieta Prokófievna decidiu em seu foro íntimo que o príncipe era um noivo "impossível" e, durante a noite, jurou a si mesma "que enquanto viva fosse, jamais casaria ele com Aglaia". Levantou-se de manhã na mesma disposição. Mas um pouco depois do meio dia, à hora do almoço, caiu numa singular contradição consigo mesma.

A uma pergunta, aliás bastante discreta de sua irmã, Aglaia replicou, num tom frio mas arrogante:

— Nunca lhe dei minha palavra, jamais o olhei como meu noivo. É-me tão indiferente como o primeiro que aparecer.

Lisavieta Prokófievna imediatamente esquentou-se.

— Não esperava essa linguagem de tua parte — disse ela num tom pesaroso. — Que seja um partido impossível, sei de sobra, e louvado seja Deus que o caso só tenha terminado desta maneira! Mas não teria acreditado que te exprimirias assim! Tinha feito de ti ideia bem diversa. Eu teria posto para fora todos os convidados de ontem para só ficar com ele. Eis a opinião que tenho dele!...

Parou de súbito, espantada com o que acabava de dizer. Ah! se tivesse podido saber até que ponto estava sendo naquele momento injusta para com sua filha! Tudo já estava decidido no espírito de Aglaia; esta também esperava sua hora, a hora decisiva para ela, e toda alusão, toda aproximação imprudente causava-lhe no coração uma ferida profunda.

Capítulo VIII

Para Míchkin também, aquela manhã começou sob a influência de penosos pressentimentos. Talvez pudesse explicá-los pelo seu estado mórbido, mas entrava na sua tristeza algo de tão mal definido que estava naquilo a causa principal de seu sofrimento. Sem dúvida achava-se diante de casos concretos duma precisão dolorosa e pungente, mas sua tristeza ia além de tudo o que ele evocava ou imaginava; compreendia que não conseguiria sozinho acalmar sua angústia. Pouco a pouco enraizou-se nele a expectativa de um acontecimento extraordinário e decisivo que lhe sobreviria naquele dia. O ataque que tivera na véspera fora um tanto benigno; dele não lhe restavam outras perturbações senão uma disposição à hipocondria, um peso na cabeça e dores nas pernas. Seu cérebro estava relativamente lúcido, se bem que tivesse a alma dolorida. Levantou-se bastante tarde e logo a recordação da noite precedente lhe voltou com nitidez; retomou mesmo, mais ou menos, consciência de que o tinham trazido para casa uma meia hora depois de seu ataque.

Soube que os Iepántchini já haviam mandado saber notícias de sua saúde. Às onze e meia, vieram pedi-las pela segunda vez; isto causou-lhe prazer. Viera Liébiediev foi uma das primeiras pessoas a visitá-lo e a oferecer-lhe seus serviços. Assim que ela o viu, desatou subitamente a chorar; mas, quando o príncipe a tranquilizou, pôs-se a rir. Emocionou-o a viva compaixão que a moça lhe testemunhava, tomou--lhe a mão e beijou-a, o que a fez corar.

— Ah! que está fazendo! que está fazendo! — exclamou ela, com medo, retirando rapidamente sua mão.

Não tardou em deixar o quarto presa duma perturbação singular, não sem ter tido tempo de contar que seu pai correra de manhã bem cedo à casa do "defunto" (como chamava o general), a fim de saber se ele não morrera durante a noite. Acrescentara que, segundo a opinião comum, o doente não duraria muito tempo.

Antes do meio dia o próprio Liébiediev, voltando para casa, apresentou-se ao príncipe, mas somente "por um minuto e a fim de saber notícias de sua preciosa saúde", etc. Além disso, queria fazer uma visita ao "pequeno armário". Não cessava de gemer e de lançar exclamações, tanto que o príncipe não demorou em despedi--lo, o que não o impediu de aventurar perguntas a respeito do acesso da véspera, se bem que fosse evidente que já conhecesse detalhadamente o caso.

Depois dele acorreu Kólia, que também só vinha por um minuto; mas este estava realmente com pressa; dominado por veemente e sombria inquietação. Começou por pedir francamente ao príncipe, e com insistência, que lhe explicasse tudo quanto lhe ocultavam e acrescentou que já lhe haviam contado quase tudo na véspera. Sua emoção era intensa e profunda.

O príncipe contou a ele a verdade com toda a simpatia de que era capaz; expôs os fatos com completa exatidão; foi um golpe tremendo para o pobre rapaz que não achava uma palavra para dizer e se pôs silenciosamente a chorar. Míchkin sentiu que era aquela uma das impressões que ficam para sempre e que marcam na vida de um adolescente uma solução de continuidade. Apressou-se em dar-lhe parte da maneira pela qual encarava o acontecimento, acrescentando que, na sua opinião, a morte do velho provinha talvez sobretudo do terror que a má ação cometida deixara em seu coração; era uma reação de que nem toda gente teria sido capaz. Os olhos de Kólia cintilavam quando o príncipe acabou de falar:

— Que canalhas Gânia, Vária e Ptítsin! Não discutirei com eles, mas a partir de agora cada um de nós seguirá seu caminho! Ah! príncipe, experimentei desde ontem muitos sentimentos novos; é uma lição para mim! Considero agora meu dever sustentar minha mãe; embora esteja ela em casa de Vária ao abrigo de necessidades, não é isto...

Lembrou-se de que o esperavam e levantou-se precipitadamente; depois, tendo perguntado à pressa pela saúde do príncipe e recebido a resposta, acrescentou com vivacidade:

— Não há mais outra coisa? Ouvi dizer que ontem... (aliás nada tenho com isso), mas se algum dia tiver o senhor necessidade, para o que quer que seja, dum servidor fiel, estou à sua disposição. Parece-me que nenhum de nós é feliz, não é mesmo? Mas... não lhe faço perguntas, não lhe faço perguntas...

Quando ele se retirou, Míchkin mergulhou ainda mais profundamente em suas reflexões. Todos lhe profetizavam a desgraça, todos já haviam tirado suas conclusões, todos tinham o ar de saber uma coisa que ele ignorava, Liébiediev fazia perguntas insidiosas, Kólia fazia alusões diretas, Viera chorava. Acabou por fazer um gesto de despeito. "Maldita e doentia sensibilidade!", disse para si mesmo.

Seu rosto asserenou-se cerca das duas horas, quando viu as senhoras Iepántchini virem fazer-lhe uma visita "por um minutinho". Era bem com efeito uma visita de um minuto que as trazia. Lisavieta Prokófievna declarara logo, após o almoço, que iriam todas juntas dar um passeio. Dissera isto num tom de comando, cortante, seco e sem explicação. Todos saíram, isto é, a mamãe, as senhoritas e o Príncipe Tsch***. Lisavieta Prokófievna enveredou diretamente numa direção oposta à que se tomava cada dia. Todos compreenderam de que se tratava, mas guardaram silêncio por temor de irritar a mamãe, que marchava à frente sem se voltar, como para evitar as censuras ou as objeções. Por fim Adelaida fez-lhe notar que não era preciso andar tão depressa para passear e que não se conseguiria acompanhá-la.

— A propósito — disse de súbito Lisavieta Prokófievna, voltando-se de repente, — estamos passando agora perto da casa dele. Pense o que pensar Aglaia e aconteça o que acontecer em seguida, não é um estranho para nós; ainda menos agora que se sente infeliz e está doente. No que a mim se refere pelo menos, vou fazer-lhe uma visita. Siga-me quem quiser; cada qual tem liberdade de continuar seu passeio.

Naturalmente, todos entraram. O príncipe, como convinha, apressou-se em pedir mais uma vez desculpa por causa do vaso que quebrara na véspera e... por causa do escândalo.

— Ora, não é nada! — respondeu Lisavieta Prokófievna. — Não é o vaso que me causa pena, és tu. De modo que reconheces agora tu mesmo que houve escândalo: é sempre no dia seguinte de manhã que a gente vem a perceber... mas isto tampouco tem consequências, porque todos veem atualmente que não és responsável.

Enfim, adeus! Se tiveres força, dá um passeio e em seguida dorme de novo, é o conselho que te dou. Se te der na veneta, vem à nossa casa como dantes. Fica convencido de uma vez por todas que, aconteça o que acontecer, continuarás ainda assim como amigo da casa, ou pelo menos meu. Posso pelo menos responder por mim...

Ouvindo protestar assim seus sentimentos, todos apressaram-se em fazer-lhe eco. Retiraram-se. Mas na sua pressa ingênua de dizer algo amável e reconfortante, praticaram uma crueldade de que a própria Lisavieta Prokófievna não se dera conta. O convite a voltar "como dantes" e a restrição "ou pelo menos meu" soavam de novo como uma advertência. O príncipe relembrou a atitude de Aglaia; sem dúvida dirigira-lhe ao entrar e ao sair um sorriso encantador, mas não proferira uma palavra, mesmo quando todos os outros haviam protestado sua amizade; todavia por duas vezes fixara nele o olhar. Seu rosto estava mais pálido que de costume, como depois de uma noite em claro. O príncipe resolveu ir sem falta vê-las na mesma noite "como dantes" e consultou febrilmente seu relógio.

Três minutos após a partida das Iepántchini, entrou Viera.

— Liev Nikoláievitch, acabo de receber um recado confidencial de Aglaia Ivánovna para o senhor.

Míchkin ficou tão emocionado que se pôs a tremer. — Um bilhete?

— Não, um recado de viva voz. Mal teve tempo de falar-me. Roga-lhe insistentemente que não se ausente durante todo o dia, nem mesmo por um minuto, até as sete horas ou mesmo nove horas da noite. Não a ouvi precisar bem este ponto.

— Mas... por que isso? Que significa isso?

— Não sei de nada. Ela apenas me encarregou imperiosamente de dar-lhe este recado.

— Empregou ela esse termo: "imperiosamente"?

— Não, ela não se exprimiu com tanta nitidez; mal teve tempo de falar-me, voltando-se. Felizmente, aproximei-me dela. Mas pela sua fisionomia via-se que se tratava duma ordem, imperiosa ou não. Olhou-me duma maneira tal que o coração me desfaleceu...

Míchkin fez ainda uma ou duas perguntas, mas não conseguiu saber mais; em contraposição, sua inquietação aumentou. Ao ficar só, estirou-se sobre o divã e recaiu em suas conjeturas: "Estará talvez alguém em casa delas antes das nove horas e tem ainda medo de que não me entregue a alguma excentricidade na presença das visitas?", disse a si mesmo afinal e pôs-se novamente a esperar a noite com impaciência, olhando seu relógio.

Mas a explicação do enigma foi-lhe dada bem antes da noite, sob a forma de uma nova visita e mesmo de um segundo e não menos angustiante enigma: justamente uma meia hora após a partida das Iepántchini, apresentou-se Ipolit; estava tão cansado e tão extenuado que entrou sem dizer uma palavra, caiu literalmente numa cadeira como que privado de conhecimento e foi abalado por intolerável acesso de tosse acompanhada de escarros sanguíneos. Seus olhos cintilavam e manchas vermelhas apareciam-lhe nas faces. O príncipe murmurou-lhe algumas palavras a que ele não respondeu, limitando-se durante um tempo bastante longo ainda a fazer um gesto com a mão para que não o incomodassem. Afinal recuperou-se.

— Vou-me embora! — proferiu com esforço e com uma voz rouca.

— Quer que o acompanhe?... — perguntou Míchkin, levantando-se. Mas parou ao lembrar-se que acabavam de proibir-lhe que saísse.

Ipolit se pôs a rir.

— Não é da casa do senhor que me vou embora — continuou ele, com a mesma voz estertorante e sem fôlego. — Muito pelo contrário, julguei necessário vir conversar com o senhor a respeito de um negócio... sem o que não o teria incomodado. Vou para lá e desta vez definitivamente, creio. Acabou-se! Não digo isto para solicitar-lhe comiseração, asseguro-lhe... meti-me mesmo na cama esta manhã, às dez horas, com a ideia de não mais me levantar até aquele momento. Mas mudei de opinião e levantei-me ainda vez para vir aqui... porque era necessário.

— Seu estado causa pena. Deveria ter-me chamado, em vez de dar-se esse incômodo.

— Bem, basta disso. O senhor lamentou-me, portanto satisfez as exigências da polidez mundana... Ah! esquecia-me: como vai passando?

— Estou bem. Ontem não estava... completamente.

— Sei, contaram-me. O vaso da China é que se ressentiu. Que pena eu não estar lá! Mas chego ao fato. Em primeiro lugar, tive hoje o prazer de ver Gavrila Ardaliónovitch comparecer a uma entrevista com Aglaia Ivânovna perto do banco verde. Admirei a que ponto pode um homem ter um ar de tolo. Mostrei isso à própria Aglaia Ivânovna após a partida de Gavrila Ardaliónovitch... Creio que nada lhe causa espanto, príncipe — acrescentou ele, olhando com ar céptico o plácido rosto de seu interlocutor. — Dizem que não se admirar de nada é a marca de um grande espírito: na minha opinião podia-se ver nisso também o índice de uma profunda toleima... Contudo, não é no senhor que penso ao dizer isto, desculpe-me... Sinto-me muito infeliz hoje na escolha de minhas expressões.

— Sabia desde ontem que Gavrila Ardaliónovitch... — começou Míchkin, que parou, de repente, visivelmente perturbado, se bem que a Ipolit não lhe agradasse que se mostrasse tão pouco emocionado.

— Sabia? Eis uma notícia! Aliás, não se dê ao trabalho de contar-me... E não assistiu hoje à entrevista?

— Você deve saber, uma vez que você mesmo lá esteve.

— O senhor poderia ter estado oculto por trás duma moita. Contudo sinto-me alegre por sua causa, porque já pensava que Gavrila Ardaliónovitch o passara para trás.

— Peço-lhe para não me falar disso, Ipolit, sobretudo nesse tom.

— Tanto mais quanto o senhor já sabe de tudo.

— Você se engana. Nada quase me contaram e Aglaia Ivânovna sabe com certeza que não estou ao corrente de nada. Ignorava mesmo tudo dessa entrevista... Diz você que houve uma entrevista? Pois bem! Está direito, deixemos isto...

— Mas como compreendê-lo? Ora diz que sabia, ora que não sabia. Acrescenta: "Está direito, deixemos isso". Ah! isso não! Não seja tão confiante! Sobretudo se não sabe de tudo. E é justamente porque não sabe nada que é confiante. Ou conhece o senhor os cálculos daqueles dois personagens, o irmão e a irmã? Talvez suspeite... Está bem, está bem, não falemos mais nisso — acrescentou, surpreendendo um gesto de impaciência do príncipe. — Vim aqui para um negócio pessoal a respeito do qual quero... explicar-me. O diabo me carregue, nem mesmo se pode morrer sem dar uma explicação! É terrível o número de explicações que tenho a dar! Quer ouvir-me?

— Fale, escuto-o.

— Não obstante, mudo ainda de ideia: começarei ainda assim pelo que diz respeito a Gânia. Imagina o senhor isto? Marcaram também para mim hoje uma entrevista no banco verde! Não quero aliás mentir: fui eu que insisti para obter essa entrevista, prometendo revelar um segredo. Não sei se cheguei demasiado cedo (creio com efeito que adiantei a hora), mas acabava apenas de tomar lugar ao lado de Aglaia Ivânovna, quando vi aparecer Gavrila Ardaliónovitch e Vária Ardaliónovna, de braços dados como em passeio. Mostraram-se estupefatos e até mesmo confusos por me verem ali, porque não esperavam por isso. Aglaia Ivânovna corou, e acredite o senhor o que quiser, ela mesma perdeu um tanto a compostura, quer por causa de minha presença, quer simplesmente por ver Gavrila Ardaliónovitch que estava verdadeiramente bonito demais. Afinal o fato é que ela ficou toda vermelha e desatou a situação num piscar d'olhos da maneira mais cômica. Levantou-se a meio, respondeu ao cumprimento de Gavrila Árdaliónovitch e ao sorriso obsequioso de Vária Ardaliónovna, depois disse-lhes num tom brusco e decidido: "'Quis simplesmente exprimir-lhes em pessoa a satisfação que me inspiram a sinceridade e a cordialidade de seus sentimentos; podem acreditar que, no dia em que eu tiver necessidade de fazer apelo a eles, não deixarei de fazê-lo...". Nisto os despacha com um sinal de cabeça e eles se foram, desconcertados ou triunfantes, não o saberia dizer. Quanto a Gânia, nenhuma dúvida de que haja ficado com cara de bobo: nada compreendeu e ficou rubro como uma lagosta (sua fisionomia pode por vezes mostrar uma expressão espantosa!). Mas Vária Ardaliónovna compreendeu, creio, que era preciso desaparecer o mais depressa possível e que não se podia pedir mais a Aglaia Ivânovna; arrastou seu irmão. É mais sensata que ele e estou convencido de que agora ela triunfa. Quanto a mim, fora ali para entender-me com Aglaia Ivânovna a respeito da entrevista projetada com Nastássia Filípovna.

— Com Nastássia Filípovna?! — exclamou Míchkin.

— Ah! ah! ah! Parece-me que está perdendo sua fleugma e começa a espantar-se! Estou contentíssimo por ver que o senhor quer assemelhar-se a um homem. Em troca, vou diverti-lo. Veja o que se ganha, quando se quer mostrar serviçal às jovens senhoritas de alma nobre: recebi dela hoje uma bofetada.

— Moralmente falando, entende-se! — exclamou involuntariamente Míchkin.

— Sim, não fisicamente. Creio que não haveria mão para se levantar contra um homem no meu estado; mesmo uma mulher, mesmo Gânia não me bateria! Entretanto, ontem, houve um momento em que acreditei mesmo que ele ia atirar-se contra mim... Aposto que adivinho seu pensamento neste instante. O senhor diz a si mesmo: "Pois seja, não é preciso bater-lhe; em compensação, é bem possível, mesmo necessário sufocá-lo devidamente durante seu sono, com um travesseiro ou um pano molhado...". Leio neste momento este pensamento em seu rosto.

— Jamais tive semelhante ideia! — protestou Míchkin, com enfado.

— *Não sei... esta noite* sonhei que um indivíduo me sufocava com um pano molhado... Vamos, vou lhe dizer quem era: imagine que era Rogójin! Que pensa disso? Pode-se sufocar um homem por meio de um pano molhado?

— Ignoro-o...

— Ouvi dizer que a coisa era possível. Está bem, não falemos mais disso. Agora, vejamos: por que sou eu um mexeriqueiro? Por que hoje ela me chamou de mexeriqueiro? E note que ela só fez isso depois de ter-me escutado até a derradeira palavra e até mesmo me interrogou... Eis bem as mulheres! Por meio dela foi que entrei em relações com Rogójin, personagem aliás interessante; por meio dela que arranjei um encontro com Nastássia Filípovna. Talvez a haja eu ferido no seu amor-próprio, quando deixei entender que ela queria aproveitar os "restos" de Nastássia Filípovna. Não o nego; sempre lhe repeti isto, mas o fiz no seu interesse; escrevi-lhe duas cartas neste tom e exprimi-me da mesma maneira hoje, por ocasião de nossa entrevista... Bem intimamente ainda, tomei a peito dizer-lhe que era mortificante para ela... Além disso, essa palavra "restos" não é minha; tomei-a emprestada a outros; pelo menos toda a gente a empregava em casa de Gânia, ela mesma o confirmou. Então com que direito ela me trata de mexeriqueiro? Estou vendo, estou vendo: de certo tem o senhor neste momento uma furiosa vontade de rir às minhas custas e aposto que me aplica estes versos estúpidos:

> Pode bem ser que, no meu triste declínio,
> O amor venha a brilhar, num sorriso de adeus.[66]

Ah! ah! ah! — exclamou ele, de repente, num acesso de riso convulsivo, seguido dum ataque de tosse. — Note — acrescentou com uma voz estertorante, — como esse tal Gânia é inconsequente: fala de "restos" e ele mesmo, não é de "restos" que procura aproveitar-se?

Míchkin permaneceu muito tempo em silêncio, aterrorizado.

— Você falou de uma entrevista com Nastássia Filípovna? — balbuciou enfim.

— Vamos, será possível que o senhor verdadeiramente ignore que haverá hoje uma entrevista entre Aglaia Ivânovna e Nastássia Filípovna? Graças aos passos que dei, foi esta última convidada por intermédio de Rogójin e por iniciativa de Aglaia Ivânovna a vir expressamente de Petersburgo; encontra-se neste momento bem perto de sua casa, em companhia de Rogójin, na casa em que morava anteriormente da mesma senhora, Dária Alieksiéievna... uma amiga dela, de reputação bastante duvidosa; é lá, naquela casa equívoca, que Aglaia Ivânovna irá hoje para ter uma entrevista cordial com Nastássia Filípovna e resolver diversos problemas. Vão tratar de aritmética. Não o sabia? Palavra de honra?

— É incrível!

— Tanto melhor se é incrível. Mas donde o sabe? Entretanto, num buraco como este em que vivemos, uma mosca não pode voar sem que todo o mundo seja informado. Afinal, eu o preveni e o senhor pode ficar-me grato. Bem, até a vista! No outro mundo, provavelmente. Ainda uma palavra: se agi de modo baixo para com o senhor, é que... não tenho razão para sacrificar-lhe meus interesses. Por favor, convenha: por que tomaria os seus? Foi a ela que dediquei minha "confissão" (não o sabia?). E com que prontidão aceitou minha homenagem! Ah! ah! ah! Mas para com ela, agi sem baixeza; nada tenho de que me culpar para com ela; foi ela quem

66 Versos do poema *A alegria extinta dos anos loucos,* de Púchkin.

me envergonhou e pôs numa situação falsa... Aliás, mesmo para com o senhor, não tenho culpa nenhuma; se me permiti para com ela esta alusão aos "restos" e outras do mesmo gênero, em compensação lhe indico o dia, a hora e o lugar da entrevista, revelo-lhe o avesso das cartas... É claro que o falo por despeito e não por grandeza de alma. Adeus, sou tagarela como um gago ou como um tísico; abra o olho, tome suas medidas e o mais depressa possível, se é digno que o chamem de homem. A entrevista vai se realizar esta noite, com certeza.

Ipolit dirigiu-se para a porta, mas, chamado pelo príncipe, deteve-se no limiar.

— De modo que, segundo você, Aglaia Ivânovna irá hoje em pessoa à casa de Nastassia Filípovna? — perguntou Míchkin. Manchas vermelhas coloriam suas faces e sua testa.

— Não sei com certeza, mas é provável — respondeu Ipolit, lançando um olhar para trás. — Aliás, não pode ser de outra maneira. Nastássia Filípovna não irá à casa dela, não é? A entrevista não pode tampouco realizar-se em casa dos pais de Gânia, onde há um moribundo. Que me diz do general?

— Veja, somente por esta razão é impossível! — objetou o príncipe. — Como sairia ela, a supor que o queira? Você não conhece... os hábitos daquela casa. Ela não pode ir sozinha à casa de Nastássia Filípovna; é uma pilhéria!

— Vou lhe dizer uma coisa, príncipe: ninguém salta pela janela; mas em caso de incêndio o cavalheiro mais correto e a dama mais distinta não hesitarão em fazer isso. Se a necessidade se mete, forçoso será que nossa senhorita passe por ela e vá ter à casa de Nastássia Filípovna. Mas será que em casa delas, não deixam essas senhoritas ir a parte alguma?

— Não, não é o que quero dizer...

— Pois bem! Se não é o caso, será suficiente descer o patamar e seguir sempre em frente, embora não volte mais para casa. Há circunstâncias em que a gente queima seus navios e em que nos proibimos até o retorno à casa paterna; a vida não se compõe apenas de almoços, de jantares, de príncipes Tsch***! Parece-me que o senhor toma Aglaia Ivânovna por uma menininha ou por uma colegial; disse-lhe isto e ela, creio, é de minha opinião. Espere seis ou sete horas... Se eu estivesse em seu lugar, poria lá alguém de vigia para saber o momento exato em que ela deixará a casa. O senhor poderia pelo menos mandar Kólia; ele se prestaria a fazer de espião de boa vontade, esteja certo disto, no seu interesse naturalmente... tudo isto é tão relativo... Ah! ah! ah!

Ipolit saiu. Não tinha Míchkin nenhuma razão para encarregar quem quer que fosse de espionar por sua conta, mesmo se ele fosse capaz de tal procedimento. Compreendia agora, mais ou menos, por que Aglaia lhe havia dado aquela ordem de ficar em casa; talvez tivesse a intenção de vir procurá-lo. Talvez também quisesse retê-lo em casa justamente para que ele não surgisse inesperadamente na hora da entrevista... Podia ser bem este o caso. A cabeça lhe girava e parecia-lhe ver todo o quarto dançar em torno dele. Estendeu-se no divã e fechou os olhos.

Duma maneira ou doutra, o caso tomava um rumo decisivo, definitivo. Não, não tomava Aglaia por uma menininha, nem por uma colegial. Dava-se conta disso agora: havia muito tempo já que tinha medo e era justamente alguma coisa desse gênero que temia. Mas por que queria ela vê-la? Um arrepio passou-lhe por todo o corpo; estava de novo todo febril.

Não, não a considerava como uma criança! Nos últimos tempos, algumas de suas maneiras de ver, algumas de suas palavras tinham-no enchido de susto. Doutras vezes parecera-lhe que ela fazia um esforço sobre-humano para se dominar, para se conter, e lembrava-se de ter experimentado um sentimento de medo. É verdade que todos aqueles dias cuidara de não evocar aquelas recordações e de afugentar as ideias negras. Mas que se ocultava no fundo daquela alma? A questão atormentava-o desde muito tempo, se bem que tivesse fé em Aglaia. E eis que tudo aquilo iria resolver-se e esclarecer-se naquele dia mesmo! Terrível pensamento! E de novo "aquela mulher"! Por que sempre lhe parecera que ela não deixaria de intervir no momento decisivo para partir seu destino como um fio apodrecido? Se bem que semi-delirante, estava pronto a jurar que esse pressentimento jamais o deixara. Se se esforçara por esquecê-lo, naqueles derradeiros tempos, era apenas porque tinha medo. Então? Amava-a ou odiava-a? Não fez a si mesmo a pergunta uma única vez no correr do dia; nisto seu coração era puro, sabia que amava... O que o aterrorizava, não era tanto o encontro das duas mulheres, nem a estranheza desse encontro, nem seu motivo que ele não conhecia ainda, nem a incerteza que sentia quanto ao resultado da aventura; era a própria Nastássia Filípovna. Lembrou-se alguns dias mais tarde de que, naquelas horas de febre, quase continuamente acreditou ver seus olhos, seu olhar e ouvir sua voz, sua voz que proferia palavras estranhas ainda que não lhe tivesse ficado senão pouca coisa na memória após aqueles momentos de delírio e de angústia. Guardou a vaga impressão de que Viera lhe trouxera o jantar e que havia comido, mas não se lembrou de que tivesse em seguida dormido ou não. Sabia somente que a nitidez das percepções não lhe voltara naquela noite senão a partir do momento em que Aglaia surgira subitamente no terraço. Levantara-se sobressaltado de seu divã e fora a seu encontro até o meio da peça. Eram sete horas e um quarto. Aglaia estava só; vestida simplesmente e, como que à pressa, trazia um leve manto com capuz Seu rosto estava pálido como por ocasião da derradeira entrevista deles, mas seus olhos brilhavam com um clarão vivo e frio; jamais descobrira expressão semelhante em seu olhar. Ela encarou-o atentamente.

— Você está todo pronto — disse ela em voz baixa e num tom que parecia calmo, — vestido, com o chapéu na mão; concluo disso que o preveniram. Sei quem: foi Ipolit?

— Sim, ele me falou... — balbuciou Míchkin mais morto que vivo.

— Pois bem, partamos: você sabe que é preciso absolutamente que me acompanhe. Penso que está com forças para sair.

— Tenho forças, sim, mas... será possível?

Parou de súbito e não foi mais capaz de articular uma palavra. Foi sua única tentativa para reter aquela insensata; desde aquele momento seguiu-a como um escravo. Qualquer que fosse a confusão de seus pensamentos, nem por isso deixava de compreender de que ela iria lá mesmo sem ele e que assim era ele obrigado de qualquer maneira a acompanhá-la. Adivinhava a força de resolução da moça e não se sentia capaz de deter aquele impetuoso impulso.

Caminharam em silêncio e não trocaram quase palavra alguma durante o trajeto. Notou ele somente que ela conhecia bem o caminho; quando ele lhe propôs entrarem por um beco um pouco mais afastado, porém menos frequentado, ela escutou-o, pareceu pesar o pró e o contra e respondeu laconicamente: "Dá no mesmo!".

Quando se acharam bem perto da casa de Dária Alieksiéievna (velha e vasta construção de madeira), uma senhora suntuosamente trajada saía acompanhada de uma moça: tomaram lugar numa soberba caleça que esperava diante do patamar; riam e conversavam barulhentamente e nem um olhar sequer lançaram aos que chegavam. Depois que a caleça afastou-se, abriu-se a porta de novo e Rogójin, que os esperava, fê-los entrar e depois fechou a porta.

— Além de nós quatro não há neste momento ninguém em toda a casa — disse ele em voz alta, lançando ao príncipe um olhar estranho.

Nastássia Filípovna esperava-os na primeira peça. Estava também trajada com a maior simplicidade, toda de preto. Levantou para vir ao encontro deles, mas não sorriu e nem mesmo estendeu a mão ao príncipe. Seu olhar inquieto fixou-se com impaciência em Aglaia. Sentaram distantes uma da outra: Aglaia no sofá, a um canto da peça, e Nastássia Filípovna perto da janela. O príncipe e Rogójin ficaram de pé; ninguém os convidou a sentar, aliás. O príncipe examinou de novo Rogójin com uma perplexidade à qual se misturava uma sensação de sofrimento, mas ele mantinha nos lábios o mesmo sorriso. O silêncio prolongou-se alguns instantes ainda.

Enfim uma nuvem sinistra passou pela fisionomia de Nastássia Filípovna: seu olhar, sempre fixo na visitante, tomou uma expressão de obstinação, de dureza, quase de ódio. Aglaia estava visivelmente perturbada, mas não intimidada. Ao entrar, mal lançara um olhar à sua rival e, de pálpebras baixas, numa atitude de espera, parecia refletir. Por uma ou duas vezes e por assim dizer inadvertidamente, percorreu a sala com o olhar; seu rosto refletiu a aversão, como se tivesse temido sujar-se em semelhante lugar. Ajeitou maquinalmente seu vestido e mudou mesmo uma vez de lugar, com um ar inquieto, para se aproximar. Era duvidoso que tivesse consciência de todos os seus movimentos, mas, embora instintivos, nem por isso deixavam de ser ofensivos. Por fim decidiu-se a enfrentar com firmeza o olhar fulgurante de Nastássia Filípovna, onde imediatamente leu com nitidez o ódio de uma rival. A mulher compreendeu a mulher. Estremeceu.

— A senhora conhece, sem dúvida, a razão pela qual a convoquei — proferiu ela ao fim de um momento, mas em voz muito baixa e até fazendo pausas por duas vezes para acabar aquela curta frase.

— Não, não sei de nada — respondeu Nastássia Filípovna, num tom seco e cortante.

Aglaia corou. Talvez lhe parecesse de súbito espantoso, inverossímil, encontrar-se agora sentada ao lado daquela mulher, na casa "daquela criatura", e sentia a necessidade de ouvir a resposta de Nastássia Filípovna. Aos primeiros acentos da voz desta, uma espécie de arrepio correu-lhe pelo corpo. Naturalmente nada de tudo isto escapou à "outra".

— A senhora compreende tudo... mas de propósito faz que não compreende — disse quase em voz baixa Aglaia, fitando no chão um olhar triste.

— Por que faria isso? — replicou Nastássia Filípovna, com um sorriso mal *perceptível.*

— A senhora vai abusar de minha situação... do fato de me encontrar sob seu teto — replicou Aglaia, com uma inabilidade que frisava pela ridículo.

— A senhora é que é responsável por esta situação e não eu! — exclamou com vivacidade Nastássia Filípovna. — Não fui eu quem a fez vir aqui, foi a senhora quem me convidou para esta entrevista da qual, até agora, ignoro a razão.

Aglaia ergueu a cabeça com arrogância.

— Retenha a língua; não vim aqui para lutar por meio dessa arma, que é a sua...

— Ah! De modo que então veio aqui para "lutar"? Imagine que eu a acreditava... mais espiritual...

Trocaram um olhar cujo ódio não tentaram dissimular. No entanto, uma daquelas mulheres era a mesma que escrevera pouco antes à outra cartas bastante comovedoras. Toda a simpatia desaparecera desde o primeiro encontro, desde as primeiras palavras. Como explicar isto? Parecia que naquele minuto nenhum dos quatro personagens presentes naquela sala pensava em admirar-se. O príncipe que, ainda na véspera, não acredita na possibilidade duma cena semelhante, mesmo em sonho, a ela assistia agora com o ar de tê-la pressentido desde muito tempo. O sonho mais extravagante assumira de repente a forma da realidade mais crua e mais concreta. Naquele momento, uma das duas mulheres experimentava tal desprezo pela sua rival e tão vivo desejo de manifestar-lhe esse desprezo (talvez mesmo não tivesse vindo senão para isto, como afirmou Rogójin no dia seguinte) que a outra não pôde resguardar-se em nenhuma atitude tomada de antemão, quaisquer que fossem o capricho de seu caráter, a desordem de seu espírito e a morbidez de sua alma; nada teria resistido ao desdém cheio de fel e bem feminino de Aglaia. O príncipe estava certo de que Nastássia Filípovna não falaria das cartas em primeiro lugar; vendo-se o cintilar dos olhos da jovem mulher, adivinhava-se quanto lhe custava tê-las escrito. Mas teria dado ele a metade de sua vida para que Aglaia tampouco delas falasse.

Esta última pareceu de repente recuperar o domínio de si mesma. — A senhora não me compreendeu — disse ela. — Não vim aqui para... discutir com a senhora, embora não a estime. Vim... vim... para lhe falar humanamente. Convidando-a para esta entrevista, tinha de antemão decidido qual o assunto, e não me afastarei de minha intenção, ainda que a senhora não fosse capaz de me compreender de todo. Tanto pior para a senhora e não para mim. Queria responder ao conteúdo de suas cartas e fazê-lo de viva voz, porque isto me parecia mais cômodo. Escute, pois, minha resposta a todas as suas cartas. Tive compaixão do Príncipe Liev Nikoláievitch desde o primeiro dia em que o conheci, e este sentimento fortificou-se em mim, quando soube tudo quanto se tinha passado no seu sarau. Tive piedade dele, porque é um homem de tal simplicidade de espírito que acreditou poder ser feliz... com uma mulher... dum caráter como o seu. O que temia por ele, aconteceu: a senhora não soube amá-lo, fez que sofresse, depois abandonou-o. Se não soube amá-lo, foi por causa de seu excesso de orgulho... não, engano-me, não é orgulho que é preciso dizer, mas vaidade... e mesmo não é isto ainda: a senhora é egoísta até... a loucura; as cartas que me dirigiu são a prova disso. A senhora não poderia amar um ser tão simples como ele; talvez mesmo, em seu foro íntimo, o tenha desprezado e ridicularizado; a senhora não podia amar senão o seu opróbrio e essa ideia fixa de que a desonraram e ultrajaram. Se fosse menor a sua ignomínia ou se mesmo não existisse de todo, a senhora haveria de sentir-se desgraçada... (Aglaia pronunciou estas palavras com uma espécie de volúpia; sua elocução era precipitada, mas empregava expressões que premeditara no tempo em que não acreditava, mesmo em sonhos, na possibilidade da entrevista atual; seguia com um olhar cheio de ódio o efeito de suas palavras no rosto transtornado de Nastássia Filípovna.) — Lembra-se de certa carta que ele me escreveu? Nela dizia que a senhora a conhecia e até mesmo a lera. Foi lendo essa carta que compreendi tudo e compreendi bem; ele mesmo confirmou-me ultimamente, palavra por palavra, tudo quanto lhe digo neste momento. Depois dessa carta, esperei. Adivinhei que a senhora seria obrigada a vir aqui, porque não poderia passar sem Petersburgo: é ainda muito jovem e muito bela para viver na província... Estas palavras não são, aliás, tampouco minhas — acrescentou ela, enquanto seu rosto ficava carmesim; a vermelhidão não haveria mais de desaparecer de seu rosto durante todo o tempo que falou. — Quando tornei a ver o príncipe, senti por ele viva dor e ofensa. Não ria; se ri, é porque é indigna de compreender isto...

— A senhora bem vê que não rio — replicou Nastássia Filípovna, num tom triste e severo.

— Aliás, isto me é indiferente, ria tanto quanto queira. Quando eu mesma o interroguei, disse-me ele que não mais a amava desde muito tempo e até mesmo que sua lembrança lhe era penosa, mas que a lamentava e que pensando na senhora sentia o coração como "para sempre traspassado". Devo acrescentar ainda que jamais encontrei no curso de minha vida um homem que o iguale pela simplicidade nobre da alma e pela confiança sem limites. Depois de ouvi-lo, compreendi que quem quisesse poderia enganá-lo e que aquele que o tivesse enganado poderia contar com seu perdão; eis por que o amei...

Aglaia parou um instante, aterrada, perguntando a si mesma como pudera proferir aquela palavra; mas ao mesmo tempo uma imensa altivez brilhou no seu olhar, parecia que tudo doravante se lhe tornara indiferente, ainda mesmo que "aquela mulher" se pusesse a rir da confissão que acabava de escapar-lhe.

— Disse-lhe tudo e agora deve ter decerto compreendido o que espero da senhora.

— Talvez o haja compreendido, mas diga-o a senhora mesma — respondeu calmamente Nastássia Filípovna.

O rosto de Aglaia inflamou-se de cólera.

— Queria perguntar-lhe — articulou ela num tom firme o destacando as palavras, — com que direito se imiscui nos sentimentos dele para comigo? Com que direito ousou escrever-me aquelas cartas? Com que direito declara a todo momento, a mim e a ele, que o ama, depois de havê-lo a senhora mesma abandonado e fugido de maneira tão ofensiva e... tão ignominiosa?

— Não declarei nem à senhora, nem a ele que o amava, mas... — replicou Nastássia Filípovna com esforço, — mas... a senhora tem razão, fugi dele... — acrescentou com voz quase extinta.

— Como! Não declarou "nem a ele, nem a mim" que o amava? — exclamou Aglaia. — E suas cartas? Quem lhe pediu que bancasse de correio matrimonial e me cercasse para que eu me casasse com ele? Não será isto uma declaração? Por que se interpõe entre nós? Acreditava a princípio que a senhora queria, pelo contrário, provocar em mim aversão por ele, imiscuindo-se em nossas relações, a fim de que eu rompesse com ele. Somente mais tarde é que compreendi o íntimo de seu pensamento: a senhora imaginou simplesmente executar uma ação sublime praticando todos esses fingimentos... Vejamos, seria a senhora capaz de amá-lo, a senhora que tanto ama a sua vaidade? Por que não partiu bem simplesmente daqui, em lugar de me escrever aquelas cartas ridículas? Por que não se casa agora com esse homem de bem, que tanto a ama e que lhe fez a honra de oferecer-lhe sua mão? A razão é mais do que clara: se se casar com Rogójin, como poderá continuar seu papel de mulher ultrajada? Retiraria disso até mesmo um excesso de honra! Ievguéni Pávlovitch disse da senhora que leu poesia demais e que era demasiado instruída para sua... posição; que gostava mais de ler que de trabalhar; acrescente a isto vaidade e eis todos os seus objetivos...

— E a senhora, também não é uma ociosa?

O diálogo tomara demasiado depressa um tom de crueza inesperado. Inesperado, porque Nastássia Filipovna, ao partir para Pávlovsk, abrigara ainda algumas ilusões, embora augurando mais mal do que bem daquela entrevista. Mas Aglaia fora imediatamente arrastada como numa queda em montanha e não pudera resistir à terrível sedução da vingança. Nastássia Filípovna ficou mesmo surpresa ao vê-la naquele estado; confusa desde o primeiro instante, olhava-a sem acreditar em seus olhos. Era uma mulher saturada de leituras poéticas, como o supunha Ievguéni Pavlóvitch, ou perdera simplesmente a razão, como estava convencido o príncipe? O fato é que, a despeito do cinismo insolente que exibia por vezes, era muito mais pudica, mais terna, mais confiante do que se teria tentado crer. Na verdade, havia nela muito de romanesco e de quimérico, mas ao lado do capricho encontravam-se também sentimentos fortes e profundos. O príncipe dera-se conta disso: uma expressão de sofrimento pintou-se em seu rosto. Aglaia percebeu-o e fremiu de ódio.

— Como ousa falar-me nesse tom? — disse ela, com uma intraduzível arrogância para responder à observação de Nastássia Filípovna.

— A senhora provavelmente entendeu mal — replicou esta com surpresa. — Em que tom lhe falei?

— Se quisesse ser uma mulher honesta, por que não rompeu com seu sedutor Tótski, bem simplesmente... sem tomar atitude teatral? — ripostou Aglaia, a propósito de nada.

— Que sabe a senhora de minha situação para permitir-se julgar-me? — replicou Nastássia Filípovna, toda fremente e empalidecendo terrivelmente.

— Sei que em lugar de ir trabalhar, a senhora fugiu com Rogójin, o homem do dinheiro, para depois posar de anjo decaído. Não me admira que Tótski tenha estado a ponto de dar um tiro nos miolos por causa desse anjo decaído!

— Basta! — proferiu Nastássia Filípovna, num tom de repugnância e com expressão dolorosa. — A senhora me compreendeu tanto quanto... quanto a criada de quarto de Dária Alieksiéievna, que levou há pouco seu noivo aos tribunais. Essa a compreenderia melhor...

— Suponho que é uma moça honesta que vive de seu trabalho. Por que fala com tanto desprezo de uma criada de quarto?

— Não desprezo aqueles que trabalham, mas desprezo a senhora quando fala de trabalhar.

— Se tivesse querido ser honesta, teria se tornado lavadeira.

As duas mulheres levantaram-se, pálidas, e mediram-se com o olhar.

— Aglaia, acalme-se! Está sendo injusta! — exclamou o príncipe, aterrorizado.

Rogójin não sorria mais, escutava, porém, com os lábios cerrados e os braços cruzados.

— Ora só! Olhem-na! — disse Nastássia Filípovna, tremendo de raiva. — Veja, essa senhorita! E eu que a tomava por um anjo! Como veio aqui sem sua governanta, Aglaia Ivânovna Quer... quer que lhe diga imediatamente, bem na cara, sem disfarce, por que veio ver-me? Teve medo, eis por que veio!

— Medo de você? — perguntou Aglaia fora de si, no seu ingênuo e insolente assombro de ver sua rival ousar falar-lhe daquele modo.

— Sim, medo de mim! Se se decidiu a vir aqui, é que tinha medo de mim. Não se despreza a quem se teme. Quando penso que pude respeitá-la, mesmo até este momento! E quer que lhe diga a causa de suas apreensões a meu respeito e o fim principal de sua visita? Quis indagar por si mesma a qual de nós duas ele tem mais amor. Porque a senhora é terrivelmente ciumenta...

— Ele já me disse que a odiava... — balbuciou Aglaia, num fio de voz.

— Pode ser que sim; é possível que eu não seja digna dele... somente penso que a senhora mentiu! Ele não pode odiar-me e não pôde ter-lhe dito isso! Aliás estou disposta a perdoá-la... tendo em vista sua situação... se bem que tenha tido mais alta opinião a seu respeito. Acreditava-a mais inteligente e mais bela também, palavra!... Enfim, fique com seu tesouro... Veja, ele a olha, não está em si! Leve-o, mas com uma condição: saia daqui imediatamente! Saia neste mesmo instante!...

Deixou-se cair numa cadeira, a chorar convulsivamente. Mas de súbito seus olhos brilharam com novo clarão; olhou fixamente para Aglaia e levantou-se:

— E queres que agora mesmo... eu lhe dê uma ordem, uma ordem, entendes? Não será preciso mais para que ele te abandone imediatamente, a fim de ficar junto de mim para todo o sempre e casar-se comigo; quanto a ti, voltarás correndo sozinha para tua casa. Queres? Queres? — exclamou como louca e sem talvez acreditar-se capaz de usar de tal linguagem.

Amedrontada, lançara-se Aglaia para a porta, mas deteve-se no limiar, petrificada e escutou.

— Queres que afaste Rogójin? Pensavas que ia eu casar-me com Rogójin para dar-te prazer? Mas vou gritar diante de ti: "Vai-te embora, Rogójin!" e direi ao príncipe: "Lembras-te de tua promessa?". Meu Deus! por que desci tanto aos olhos deles? Tu, príncipe, não me garantiste que, acontecesse o que me acontecesse, tu me seguirias e não me abandonarias nunca? Não me afirmaste que me amavas, que me perdoarias tudo e que me resp... Sim, disseste isto também! E fui eu que fugi de ti, unicamente para conceder-te tua liberdade? mas agora não quero! Por que me tratou ela como a uma desavergonhada? Pergunta a Rogójin se sou uma desavergonhada, ele dirá! Agora que ela me cobriu de vergonha, e ainda por cima sob teus olhos, vais afastar-te de mim e partir com ela, de braços dados? Sê então maldito após semelhante ação, porque és o único homem em quem tive confiança. Vai-te! Rogójin, não tenho mais necessidade de ti! — exclamou ela num movimento de demência.

As palavras escapavam penosamente de seu peito; suas feições estavam alteradas, seus lábios ressequidos. Evidentemente não acreditava uma palavra do que acabava de dizer num acesso de bravata, mas queria prolongar a ilusão durante um instante ainda. A crise era tão violenta que podia provocar a morte, pelo menos assim o pensava o príncipe.

— Aí o tens! Olha-o! — gritou ela afinal para Aglaia, apontando-lhe o príncipe. — Se ele não vier imediatamente a mim, se não te largar por mim, então toma-o, cedo-o, não o quero mais!...

As duas mulheres permaneceram imóveis, como na expectativa da resposta do príncipe a quem olhavam com um ar demente. Mas ele, talvez, não tivesse percebido toda a violência daquele apelo. Era mesmo certo. Não discernia diante de si senão aquele rosto em que se liam o desespero e a loucura e cuja vista "havia traspassado seu coração para sempre", como dissera um dia a Aglaia. Não pôde tolerar por mais tempo aquele espetáculo e, mostrando Nastássia Filípovna, voltou-se para Aglaia, num tom de prece e de censura:

— Será possível? Não vê... como é ela infeliz?

Não pôde dizer mais; um olhar terrível de Aglaia tirou-lhe o uso da palavra. Viu naquele olhar tanto sofrimento e ao mesmo tempo um ódio tão imenso que juntou as mãos, lançou um grito e precipitou-se para ela. Mas era demasiado tarde. Não suportara que ele houvesse hesitado até mesmo um segundo; com o rosto oculto nas mãos, lançara-se para fora da sala, exclamando: "Ah! meu Deus!". Rogójin havia-lhe seguido os passos para abrir-lhe a porta de saída.

O príncipe precipitou-se também atrás dela, mas no limiar, dois braços o apertaram. O rosto desfeito, transtornada, Nastássia Filípovna o olhava fixamente; seus lábios arroxeados balbuciaram: — Corres atrás dela? Atrás dela?...

Caiu desmaiada nos braços dele. Levantou-a e transportou-a para seu quarto onde a instalou numa cadeira. Depois ficou curvado sobre ela, numa expectativa perplexa. Um copo d'água estava em cima de uma mesinha. Rogójin, que havia voltado, lançou um pouco do conteúdo dele no rosto da moça. Ela abriu os olhos e ficou um minuto sem compreender; mas tendo de súbito recuperado os sentidos, estremeceu e precipitou-se para o príncipe:

— És meu, és meu! — exclamou ela. — Ela partiu, a altiva senhorita? Ah! ah! ah! — exclamou ela, num acesso de riso convulsivo. — Ah! ah! ah! Eu o havia cedido àquela senhorita! Por que isto? Por quê? Estava louca! sim, louca!... Rogójin, vai-te embora! Ah! ah! ah!

Rogójin olhou-os atentamente, tomou seu chapéu sem dizer palavra e saiu. Dez minutos mais tarde estava o príncipe sentado ao lado de Nastássia Filípovna e a contemplava, acariciando-lhe suavemente o rosto e os cabelos com ambas as mãos, como se faz a uma criança. Ria às gargalhadas, ouvindo-a rir e estava pronto a desfazer-se em lágrimas, quando a via chorar. Não dizia nada, estava atento a seu balbucio exaltado e incoerente, do qual nada compreendia, mas que escutava com um doce sorriso. Assim que via surgir novo acesso de pesar e de lágrimas, de censuras e de queixas, recomeçava a acariciar-lhe a cabeça e a passar-lhe ternamente, as mãos sobre as faces, consolando-a e convencendo-a como a uma menina.

Capítulo IX

Duas semanas se haviam passado desde o episódio relatado no capítulo anterior. A situação dos personagens de nossa narrativa modificara-se nesse intervalo a tal ponto que nos seria extremamente difícil ir mais longe, sem entrar em explicações particulares. E, entretanto, sentimos que nosso dever é limitar-nos a uma simples exposição dos fatos e abster-nos, tanto quanto possível, desse gênero de explicação. Isto pela razão muito simples de que nós mesmos tivemos em muitos casos dificuldade em esclarecer os acontecimentos.

Semelhante advertência parecerá sem dúvida ao leitor tão estranha quão pouco inteligível: como se pode contar acontecimentos a respeito dos quais não se obteve nem uma ideia nítida, nem uma opinião pessoal? Para não nos colocarmos numa posição ainda mais falsa, trataremos de aclarar nosso pensamento por um exemplo, na esperança de fazer o leitor benevolente compreender o embaraço diante do qual nos encontramos, com esta vantagem de que o exemplo escolhido não constituirá uma digressão, mas, pelo contrário, a continuação direta e imediata da narrativa.

Assim, quinze dias mais tarde, isto é, no começo de julho (e mesmo no curso daquelas duas semanas) a história de nosso herói, e sobretudo sua última aventura, tomaram um rumo extravagante e completamente divertido. Quase incrível e entretanto quase fora de dúvida, esta história se espalhou progressivamente em todas as ruas vizinhas das casas de campo de Liébiediev, de Ptítsin, de Dária Alieksiéievna e dos Iepántchini; em suma, em quase toda a cidade e até mesmo nos arredores. Toda a sociedade, ou pouco faltou — gente da região, moradores das casas de campo ou citadinos vindos para ouvir a orquestra — fez circular a mesma anedota com mil variantes; resultava dela que um príncipe fizera um escândalo numa casa distinta e conhecida e abandonara uma senhorita de família da qual já era noivo para se afeiçoar a uma cortesã. Rompendo todas as suas relações, desafiando as ameaças e a indignação do público manifestara, contra todas as conveniências, a intenção de desposar proximamente aquela mulher perdida, em Pávlovsk mesmo, aberta e publicamente, de cabeça erguida e encarando a todos.

Esta anedota era embelezada por vários pormenores escandalosos e neles se misturavam numerosos nomes conhecidos e importantes; apresentavam-na sob cores fantásticas e misteriosas e, por outra parte, apoiavam-na sobre fatos irrefutáveis e evidentes; tanto que a curiosidade geral que despertava e os mexericos que fazia nascer eram decerto bastante desculpáveis.

A interpretação mais isenta, mais sutil e, ao mesmo tempo, mais plausível do acontecimento fora posta em circulação pelas compadrices de alguns daqueles indivíduos sérios e razoáveis que, em cada esfera da sociedade, descobrem sempre o meio de explicar um acontecimento aos outros e encontram neste exercício não somente sua vocação, mas muitas vezes também sua consolação.

Segundo a versão deles, tratava-se de um rapaz de boa família, de um príncipe, quase rico, pobre de espírito, mas democrata e imbuído daquele niilismo contemporâneo que o Senhor Turguéniev focalizou. O rapaz em questão, que mal sabia falar o russo, apaixonara-se pela filha do General Iepántchin e conseguira fazer-se receber na casa como noivo. Mas havia enganado aquela família com um procedimento que lembrava aquele do seminarista francês cuja aventura foi recentemente publicada. Este último, ao sair do seminário, deixara intencionalmente que lhe fosse conferido o sacerdócio, prestara-se a todos os ritos, genuflexões, beijos litúrgicos, etc., e pronunciara todos os votos; depois, no dia seguinte, numa carta pública a seu bispo, declarara que não acreditava em Deus e considerava uma infâmia enganar o povo vivendo às suas custas; assim demitia-se de sua recente dignidade e fazia publicar sua carta nos jornais liberais.

A exemplo daquele ateu, o príncipe, diziam, comparecera a um sarau solene dado pelos pais da moça, no curso do qual haviam-no apresentado a numerosos e eminentes personagens, para fazer uma espetacular profissão de fé, insultar respeitáveis dignitários e repudiar sua noiva de uma maneira pública e ultrajante. Ao resistir aos criados encarregados de expulsá-lo, quebrara um magnífico vaso da China.

Acrescentava-se um traço característico dos costumes contemporâneos: aquele jovem desmiolado amava na realidade sua noiva, a filha do general, mas rompera com ela unicamente para fazer profissão de niilismo. E, para tornar o escândalo mais estrondoso, dera-se a satisfação de desposar perante todos uma mulher perdida, a fim de demonstrar com isso que, segundo sua convicção, não havia nem mulheres perdidas, nem mulheres virtuosas, mas unicamente a mulher livre. Não acreditava nas velhas classificações mundanas, mas somente na "questão feminina". Enfim, pretendia ele que a mulher perdida tinha a seus olhos ainda mais mérito do que aquela que não o era.

Esta explicação pareceu bastante plausível e foi adotada pela maior parte das pessoas em vilegiatura em Pávlovsk, com tanto mais facilidade por ela encontrar sua confirmação em fatos cotidianos. É verdade que muitos detalhes permaneciam incompreensíveis. Contava-se que a pobre moça amava de tal modo seu noivo (alguns diziam seu "sedutor") que fora procurá-lo no dia seguinte ao em que a abandonara e isto se dera na casa de sua amante. Outros asseguravam, pelo contrário, que ele a havia atraído de propósito à casa daquela mulher, por puro niilismo, isto é, para cobri-la de vergonha e de opróbrio.

Seja como for, o interesse despertado por este incidente se avivava de dia para dia, tanto mais quanto nenhuma dúvida subsistia sobre a efetiva iminência daquele escandaloso casamento.

Agora, se nos pedissem esclarecimentos — não sobre a marca niilista do acontecimento, oh! não! — mas simplesmente sobre a medida em que o casamento projetado respondia aos votos do príncipe, sobre o objeto real dos desejos de nosso herói, sobre seu estado d'alma naquele momento e sobre outras questões do mesmo gênero, estaríamos, confessemo-lo, bastante embaraçado para responder. Sabemos somente que o casamento ficou com efeito decidido e que o príncipe encarregou Liébiediev, Keller e um amigo de Liébiediev, que lhe haviam apresentado na ocasião, de tomarem todas as disposições tanto na igreja como na casa. Ordem foi dada para não se olharem despesas. Nastássia Filípovna insistira em que a cerimônia se realizasse o mais depressa possível. A insistentes pedidos de Keller, o príncipe escolheu-o para cavalheiro de honra. A noiva, por seu lado, escolheu Burdóvski, que consentiu com entusiasmo. E o casamento foi marcado para o começo de julho.

Além dessas precisões da maior exatidão, conhecemos ainda certos detalhes que positivamente nos desconcertam, porque estão em contradição com o que precede. É assim que temos toda a razão de crer que o príncipe, depois de ter encarregado Liébiediev e colegas de fazer todos os preparativos, esqueceu-se quase imediatamente de mestre-de-cerimônia, cavalheiros de honra e casamento. Talvez se tivesse apressado em se livrar dessas preocupações sobre outros com o único fim de não mais pensar naquilo ele próprio, e mesmo apagá-las o mais depressa possível de sua memória.

Mas neste caso, em que pensava ele? De que queria guardar lembrança? Quais eram suas intenções? Não é duvidoso que não haja sofrido nenhum constrangimento (por exemplo da parte de Nastássia Filípovna). Fora bem esta última que quisera apressar o casamento; fora ela e não o príncipe quem imaginara aquele casamento; mas dera ele seu livre consentimento e até mesmo o fizera com ar distraído, como se se tivesse tratado duma coisa bastante banal.

Conhecemos grande número de fatos tão estranhos quanto este, mas, na nossa opinião, longe de contribuir para esclarecer o acontecimento, não podem, acumulando-se, senão obscurecê-lo mais. Citemos entretanto ainda um exemplo.

Sabemos pertinentemente que, durante aquelas duas semanas, o príncipe passou dias e noites inteiras com Nastássia Filípovna, a quem acompanhava a passeio e ao coreto. Todos os dias saía com ela de caleça; se passava uma hora sem vê-la, começava a se inquietar por ela (havia, pois, todas as aparências de que ele a amava sinceramente). Durante longas horas, ouvia-a falar, com um sorriso doce e terno, qualquer que fosse o assunto com que ela o entretinha; ele próprio mantinha-se quase sempre calado.

Mas sabemos também que várias vezes, e mesmo muitas vezes, durante aqueles mesmos dias, ele se dirigia, de repente, à casa dos Iepántchini, sem fazer disso mistério a Nastássia Filípovna, a quem tais visitas punham em desespero. Sabemos que os Iepántchini recusaram recebê-lo até o fim da estada deles em Pávlovsk e opuseram-se constantemente a que houvesse uma entrevista com Aglaia. Ele se retirava sem dizer uma palavra e voltava no dia seguinte, como se se tivesse esquecido da desfeita da véspera, para sofrer naturalmente outra desfeita.

Sabemos ainda que uma hora, talvez mesmo menos, depois que Aglaia saíra precipitadamente da casa de Nastássia Filípovna, já estava o príncipe em casa dos Iepántchini, convencido de que encontraria ali a moça. Sua chegada lançou a casa em comoção e medo, porque Aglaia ainda não havia voltado e tinha-se por intermédio dele a primeira notícia da visita que ela vinha de fazer a Nastássia Filípovna em companhia dele. Contou-se depois que Lisavieta Prokófievna, suas filhas e até mesmo o Príncipe Tsch*** tinham-no tratado então com bastante dureza e inimizade, significando-lhe em termos encolerizados que não queriam mais suas visitas nem sua amizade, sobretudo quando Vária Ardaliónovna chegou inopinadamente para anunciar a Lisavieta Prokófievna que Aglaia Ivânovna estava em casa dela havia uma hora, num estado horrível, e não queria mais, parecia, voltar à sua casa.

Esta última notícia, que abalou, mais do que a todos, Lisavieta Prokófievna, verificou-se perfeitamente verídica. Com efeito, ao sair da casa de Nastássia Filípovna, teria Aglaia preferido morrer a reaparecer aos olhos dos seus; de modo que se refugiara em casa de Nina Alieksándrovna. Vária Ardaliónovna achara, de seu lado, necessário, avisar sem demora Lisavieta Prokófievna de tudo quanto se passara. A mãe e suas filhas correram imediatamente à casa de Nina Alieksándrovna e o pai, Ivan Fiódorovitch, foi juntar-se a elas assim que chegou em casa. O Príncipe Liev Nikoláievitch seguiu atrás das senhoras Iepántchini, a despeito da despedida e das palavras magoantes que recebera; mas, por ordem de Vária Ardaliónovna, lá também foi impedido de chegar até Aglaia.

O caso terminou da maneira seguinte: quando Aglaia viu que sua mãe e suas irmãs choravam por causa dela, mas não lhe faziam censuras, lançou-se em seus braços e voltou logo com elas para casa.

Contou-se também — mas este boato permaneceu bastante impreciso — que Gavrila Ardaliónovitch mostrara-se mais uma vez um desastrado, pois tendo ficado a sós com Aglaia, enquanto Vária Ardaliónovna corria à casa de Lisavieta Prokófievna, achou dever aproveitar a ocasião para se pôr a fazer-lhe declarações de amor. Ouvindo-o, Aglaia esqueceu seu pesar e suas lágrimas e estourou em risadas; depois fez-lhe bruscamente uma pergunta estranha: estaria ele pronto, para provar seu amor, a queimar o dedo na chama de uma vela? Parece que Gavrila Ardaliónovitch ficou desconcertado e aturdido diante dessa proposta e que, vendo-lhe a cara perplexa, foi Aglaia tomada dum ataque de riso louco e fugiu para o andar de cima, onde estavam os aposentos de Nina Alieksándrovna e onde seus parentes a encontraram um momento depois. Este incidente foi narrado no dia seguinte ao príncipe por Ipolit, que, não podendo mais deixar seu leito, mandou chamá-lo de propósito para lhe comunicar. Ignoramos como estava ele próprio informado, mas o caso é que, quando Míchkin ouviu contar o episódio do dedo e da vela, foi sacudido por tamanha hilaridade que o próprio Ipolit ficou espantado. Mas um instante depois pôs-se a tremer e a chorar perdidamente...

Em geral, durante aqueles dias, mostrou-se presa de viva inquietação, de uma perturbação insólita, de uma angústia mal definida. Ipolit declarou, com toda a crueza que ele lhe parecia um homem atacado de alienação mental; entretanto não se podia dar ainda a esta conjetura uma base positiva.

Ao expor todos estes fatos, que nos recusamos a explicar, nossa intenção não é absolutamente a de justificar a conduta de nosso herói aos olhos do leitor. Longe disto: estamos prontos a partilhar da indignação que esta conduta provocou mesmo entre seus amigos. A própria Viera Liébiediev ficou revoltada durante algum tempo; Kólia e Keller mostraram-se igualmente indignados; este último só veio a mudar de atitude quando foi convidado a ser cavalheiro de honra no casamento. Quanto a Liébiediev, sua indignação era tão sincera que o levou a urdir contra Míchkin uma intriga a que nos referiremos mais adiante.

Em princípio, subscrevemos sem reserva algumas palavras vigorosas, e mesmo marcadas de profunda psicologia, que Ievguéni Pavlovitch dirigiu sem rebuços ao príncipe, no decorrer de uma conversa íntima, seis ou sete dias após a cena em casa de Nastássia Filípovna. Notemos a este propósito que além dos Iepántchini, as pessoas que mantinham com eles laços diretos ou indiretos creram-se obrigadas a romper toda relação com o príncipe. O Príncipe Tsch***, por exemplo, voltou-se quando o encontrou e não lhe retribuiu o cumprimento. Todavia Ievguéni Pávlovitch não temeu comprometer-se fazendo-lhe uma visita, embora tivesse voltado a frequentar todos os dias a casa dos Iepántchini, onde era mesmo recebido com manifesta cordialidade.

Justamente no dia seguinte ao em que eles deixaram Pávlovsk, dirigiu-se à casa de Míchkin. Estava, ao entrar, ao corrente dos boatos que corriam na cidade; talvez mesmo houvesse contribuído por sua parte em propagá-los. Míchkin ficou encantado ao vê-lo e encaminhou toda a conversa para os Iepántchini. Esta entrada em assunto franca e direta desatou a língua de Ievguéni Pávlovitch e permitiu-lhe ir direto ao fato.

O príncipe ignorava ainda a partida dos Iepántchini. Esta notícia consternou-o e fez com que empalidecesse; mas ao fim de um minuto, abanou a cabeça com um ar confuso e sonhador e conveio que "era coisa inevitável"; depois apressou-se em indagar da "nova residência deles".

Durante esse tempo, Ievguéni Pávlovitch observava-o com atenção; surpreendia-o bastante a pressa que punha seu interlocutor em interrogá-lo; a candura de suas perguntas, sua emoção, seu tom de estranha sinceridade, sua inquietação, seu nervosismo, tudo isto não podia deixar de impressioná-lo. Entretanto, informou o príncipe com afabilidade e duma maneira circunstanciada a respeito de todos os acontecimentos: tornou-o conhecedor de muitas coisas, porque era o primeiro informante que vinha da casa dos Iepántchini. Confirmou que Aglaia estivera realmente doente e que passara três noites com febre e insônia; estava melhor agora e fora de perigo, mas encontrava-se em estado de extrema supraexcitação... "Felizmente ainda reina paz completa na casa! Procura-se não falar do passado, não somente na presença de Aglaia, mas até mesmo quando ela não está. Os pais já conceberam o projeto de fazer no outono uma viagem ao estrangeiro, logo depois do casamento de Adelaida. Aglaia recebeu em silêncio as primeiras alusões a este projeto."

Quanto a ele, Ievguéni Pávlovitch, iria talvez também ao estrangeiro. O próprio Príncipe Tsch*** poderia decidir a ausentar-se por um mês ou dois com Adelaida, se seus negócios o permitirem. Somente o general ficaria. Toda a família achava-se presentemente em Kólmino, a umas vinte verstas de Petersburgo, numa de suas propriedades em que havia espaçosa casa de campo. A Princesa Bielokónskaia não havia partido ainda para Moscou e parecia demorar de propósito. Lisavieta Prokófievna insistira vivamente na impossibilidade de permanecer em Pávlovsk depois de tudo quanto ali se passara; Ievguéni Pávlovitch lhe transmitia diariamente os rumores que corriam na cidade. Os Iepántchini não mais acreditavam ser possível ir à Ieláguinskaia Datcha.

— Bem — acrescentou Ievguéni Pávlovitch, — convirá, com efeito, o senhor mesmo, príncipe, que a situação era insustentável... sobretudo para quem sabia o que se passava a cada hora em casa do senhor e após as visitas cotidianas que o senhor lá fazia, apesar da recusa em recebê-lo...

— Sim, sim, tem razão. Eu queria ver Aglaia Ivânovna... — respondeu o príncipe, que voltou a abanar a cabeça.

— Ah! meu caro príncipe — exclamou de repente Ievguéni Pávlovitch, num tom patético e triste, — como pôde o senhor permitir então... tudo quanto se passou? Certamente era por demais inesperado para o senhor... Admito, de boa vontade, que não tenha podido impedir-se de perder a cabeça... nem reter aquela moça no seu acesso de demência; estava acima de suas forças! Mas o senhor deveria compreender quão sério e poderoso era o sentimento que... levava aquela moça para o senhor. Ela não quis partilhar o senhor com uma outra... como pôde desleixar e partir semelhante tesouro?

— Sim, sim, tem razão; fui culpado — retomou Míchkin, angustiado de pesar. — Digo-lhe: somente Aglaia, somente ela considerava Nastássia Filípovna daquele modo... Ninguém, exceto ela, a julgava daquela maneira...

— Mas justamente o que é exasperante é que não havia em tudo isso nada de *sério!* — exclamou Ievguéni Pávlovitch, arrebatando-se. — Desculpe-me, príncipe, mas... eu... refleti no caso; meditei longamente; conheço todos os antecedentes do caso; sei o que se passou há seis meses, nada de tudo isso era sério. Não havia nisso senão um arrebatamento de espírito e da imaginação, uma quimera, uma fumaça; somente o ciúme apavorado duma mocinha sem experiência pôde tomar a coisa ao trágico!

E aqui, sentindo-se completamente à vontade, Ievguéni Pávlovitch deu livre curso à sua indignação. Em termos sensatos e claros e, repitamo-lo, com uma psicologia muito penetrante, retraçou nos olhos do príncipe o quadro das relações deste com Nastássia Filípovna. Sempre tivera o dom da palavra; desta vez elevou-se até a eloquência.

— Houve nisso, desde o começo — disse ele, — algo de falso. Ora, o que começa pela mentira deve acabar pela mentira; é uma lei natural. Não partilho da maneira de ver das pessoas que o tratam de idiota; fico mesmo indignado quando ouço isto; o senhor tem espírito demais para merecer tal qualificativo; mas, convenha o senhor mesmo, que é duma estranheza que o diferencia de todos os homens. Cheguei à conclusão de que a causa de tudo quanto se passou reside antes de tudo no que chamarei sua inexperiência congênita (note, príncipe, esta expressão: "congênita") e na sua anormal ingenuidade. Acrescentarei a isto sua fenomenal ausência de senso da medida (defeito do qual o senhor muitas vezes se tem convencido) e enfim um enorme afluxo de ideias especulativas que sua extraordinária sinceridade tem tomado até aqui por convicções autênticas, naturais e imediatas! Confesse o senhor mesmo, príncipe, que suas relações com Nastássia Filípovna basearam-se desde o começo numa noção de democracia convencional (exprimo-me assim para abreviar) e por assim dizer sob o encanto da "questão feminina" (para abreviar ainda mais). Saiba que conheço em todos os seus detalhes a cena estranha e escandalosa que se desenrolou em casa de Nastássia Filípovna, quando Rogójin trouxe seu dinheiro. Se o senhor quiser, vou analisar o senhor mesmo e mostrar-lhe sua própria imagem como num espelho, tanto conheço eu o fundo do caso e a razão pela qual tomou tal rumo! Quando o senhor era jovem e vivia na Suíça, tinha a nostalgia de sua pátria e a Rússia o atraía como um país desconhecido, uma terra prometida. Leu então muitos livros sobre a Rússia; eram talvez obras excelentes, mas foram-lhe nocivas; voltou ao solo natal cheio de ardor e sedento de atividade; lançou-se por assim dizer à obra. E eis que, desde o primeiro dia de sua chegada, lhe contam a história triste e pungente duma criatura ultrajada, ao senhor que é cavalheiresco e casto, e trata-se de uma mulher! Naquele mesmo dia, o senhor a vê, fica enfeitiçado pela sua beleza, sua beleza fantástica e demoníaca (veja o senhor, reconheço que ela é bela). Acrescente a isto o estado de seus nervos, sua epilepsia, a influência deprimente de nosso degelo em Petersburgo; acrescente a circunstância que, durante aquele primeiro dia passado numa cidade desconhecida e quase fabulosa para o senhor, foi testemunha de numerosas cenas e encontrou muita gente; travou conhecimento duma maneira completamente inesperada com três belas pessoas, as senhoritas Iepánchini, e entre elas Aglaia; leve ainda em conta a fadiga, a vertigem, o salão de Nastássia Filípovna e o ambiente que ali reinava e… Vejamos, que poderia o senhor esperar de si mesmo naquele momento, diga-me?

— Sim, sim — disse o príncipe, abanando a cabeça e ficando corado. — Sim, o senhor está quase certo. Com efeito, não havia dormido na noite anterior, no vagão, nem na outra e não me sentia lá muito bem...

— Pois bem! sim, é a isto que quero chegar! — continuou Ievguéni Pávlovitch, que cada vez mais se acalorava. — É claro que, embriagado pelo entusiasmo, o senhor se precipitou sobre a oportunidade de exibir de público sua magnanimidade declarando que o senhor, príncipe de nascimento e homem puro, não considerava como desonrada uma mulher perdida não por sua culpa, mas pela de um odioso libertino do grande mundo. Meu Deus! é tão compreensível! Mas não está aí a questão, meu caro príncipe; o que se trata de saber é se seu sentimento era verdadeiro, sincero, natural, ou se procedia somente duma exaltação cerebral. Que pensa o senhor? Se no templo perdoou-se a uma mulher dessa espécie, nem por isso se lhe disse que ela agia direito, nem que era ela digna de todas as honras e de todo o respeito! Será que seu bom senso não pôs por si mesmo as coisas nos lugares três meses mais tarde? Admitamos que ela seja inocente — é uma questão a respeito da qual não quero insistir, — não é menos verdade que suas aventuras não justificam de modo algum seu intolerável e diabólico orgulho, sua impudência, seu insaciável egoísmo. Desculpe-me, príncipe, se me deixo arrebatar, mas...

— Sim, tudo isto é possível, pode dar-se que o senhor tenha razão... — balbuciou de novo o príncipe. — Ela é, com efeito, por demais superexcitada, e o senhor tem certamente razão, mas...

— O senhor quer dizer que ela é digna de piedade, meu bom príncipe? Mas tinha o senhor o direito, por piedade para com ela e para lhe comprazer, de cobrir de vergonha outra jovem bem nascida e pura, e humilhá-la sob aqueles olhos cheios de desprezo e de ódio? Onde se deterá a piedade, depois disto? Não é isto um incrível exagero? Quando se ama uma jovem, pode-se rebaixá-la assim diante de sua rival e abandoná-la por outra aos olhos desta última, depois de havê-la honestamente pedido em casamento?... Porque o senhor lhe pediu a mão, fez sua declaração em presença de seus pais e de suas irmãs! Depois disto, príncipe, permita que lhe pergunte, o senhor é um homem de honra? E... o senhor não enganou uma jovem divina afirmando-lhe que a amava?

— Sim, sim, o senhor tem razão! Ah! sinto que sou culpado! — proferiu o príncipe com um acento de indizível pesar.

— Mas isto basta? — exclamou Ievguéni Pávlovitch com indignação. — Basta exclamar: "Ah! sou culpado!"? O senhor é culpado, mas persiste nos seus erros. Onde estava então seu coração, seu coração de "cristão"? O senhor viu naquele momento a expressão do rosto dela: refletia menos sofrimento que o da outra, da sua, daquela que os separava? Como, diante daquele espetáculo, o senhor permitiu o que se passou? Como?

— Mas... eu nada permiti absolutamente... — balbuciou o desgraçado príncipe.

— Como! Nada permitiu?

— Dou-lhe minha palavra. Não compreendo ainda, na hora atual, como tudo aquilo aconteceu... Eu... corri então atrás de Aglaia Ivânovna, mas Nastássia Filípovna desmaiou e depois não me deixam aproximar-me de Aglaia Ivânovna.

— Pouco importa! O senhor devia ter corrido atrás de Aglaia Ivânovna e deixado a outra desmaiada!

— Sim... sim, devia... teria morrido! Ela teria se matado, o senhor não a conhece, e... isto daria no mesmo, teria eu contado tudo depois a Aglaia Ivânovna e... Veja, Ievguéni Pávlovitch, noto que o senhor parece não saber de tudo. Diga-me, por que *não me deixam aproximar*-me de Aglaia Ivânovna? Eu lhe explicaria tudo. Compreenda isto: todas duas estiveram a falar então de fora, completamente de fora da questão; daí veio a desgraça... Não consigo explicar-lhe isto claramente, mas talvez consiga fazê-lo a Aglaia... Ah! meu Deus, meu Deus! O senhor me fala de seu rosto naquele minuto, quando ela se pôs em fuga... Oh! meu Deus, lembro-me dele!... Vamos, vamos lá!

O príncipe levantara-se de repente e procurava arrastar Ievguéni Pávlovitch pela manga do paletó.

— Aonde?

— Vamos à casa de Aglaia Ivânovna, vamos lá agora mesmo!...

— Mas já lhe disse que ela não se encontra em Pávlovsk; e, aliás, que iríamos fazer à casa dela?

— Ela compreenderá, ela compreenderá! — murmurou o príncipe, juntando as mãos na atitude da prece. — Ela compreenderá que não é isto, que é coisa completamente diversa!

— Como coisa completamente diversa? Vocês vão mesmo casar, não é? Portanto o senhor persiste... Vão casar ou não?

— Sim!... vou casar, sim, vou casar!

— Então por que diz que não é isto?

— Não, não é isto, não é isto! Pouco importa que eu case, não é nada!

— Como pode dizer o senhor que isto importa pouco, que não é nada? Não se trata, no entanto, de uma bagatela! O senhor desposa uma mulher a quem ama para fazer-lhe a felicidade. Aglaia Ivânovna o vê e o sabe. Isto é coisa sem importância?

— Sua felicidade? Oh! não. Apenas caso, bem simplesmente; ela faz questão disso; e aliás que tem que me case? Eu... Vejamos, tudo isto é indiferente! Se tivesse agido de outra maneira, ela estaria certamente morta. Vejo agora que aquele casamento com Rogójin era uma loucura. Compreendi agora tudo quanto não compreendia antes. Eis o que lhe direi: quando elas se ergueram uma contra a outra, não pude suportar a vista do rosto de Nastássia Filípovna... O senhor não sabe, Ievguéni Pávlovitch — acrescentou ele, baixando misteriosamente a voz, — jamais o disse a quem quer que seja, jamais, nem mesmo a Aglaia, mas não posso suportar o rosto de Nastássia Filípovna... Ainda há pouco, o senhor descreveu bem o sarau em casa dela; mas há um pormenor que lhe escapou, porque o senhor o ignorava: é que eu contemplava seu rosto. Já pela manhã, vendo seu retrato, não tinha podido tolerar-lhe a expressão... Veja o senhor: Viera, a filha de Liébiediev, tem olhos inteiramente diversos. Eu... eu tenho medo do rosto de Nastássia Filípovna! — acrescentou ele, num tom de extremo pavor.

— O senhor tem medo?

— Sim; ela é louca! — cochichou ele, empalidecendo.

— Está bem certo disso? — perguntou Ievguéni Pávlovitch, com um semblante extremamente intrigado.

— Sim, com certeza; agora tenho certeza; convenci-me totalmente disso nestes dias agora!

— Então que faz o senhor, infeliz? — exclamou Ievguéni Pávlovitch, com assombro. — O senhor casa então sob o império duma espécie de temor? Não se compreende isso... Talvez mesmo não a ame.

— Oh! sim, amo-a de toda a minha alma! Imagine, pois... é uma criança; está agora tal qual uma perfeita criança! Oh! o senhor não sabe de nada!

— E, ao mesmo tempo, garantiu a Aglaia Ivânovna que a amava?

— Oh! sim, sim!

— Como explica isso? Pretende então amar as duas?

— Oh! sim, sim!

— Vamos, príncipe, reflita no que diz!

— Sem Aglaia eu... é absolutamente preciso que a veja! Eu... eu morrerei em breve, dormindo, pensei que estava morrendo esta noite durante meu sono. Oh! se Aglaia soubesse, se ela soubesse tudo... quero dizer absolutamente tudo! Porque o essencial, aqui, é saber tudo! Por que não nos é dado nunca saber tudo a respeito de uma pessoa, quando é necessário, quando essa outra pessoa está em falta?... De resto, não sei mais o que digo; confundi-me; o senhor lançou-me numa tremenda comoção... Será possível que ela esteja ainda com a mesma fisionomia que tinha quando fugiu? Oh! sim, sou culpado! O mais provável é que todos os erros estejam de meu lado. Não sei ainda com exatidão em que eles consistem, mas sou culpado... Há alguma coisa que não saberia explicar-lhe, Ievguéni Pávlovitch, por falta de palavras para exprimi-la, mas... Aglaia Ivânovna compreenderá! Oh! sempre pensei que ela compreenderia.

— Não, príncipe, ela não compreenderá! Aglaia Ivânovna amou-o humanamente, como uma mulher e não como... um puro espírito. Quer que lhe diga, meu pobre príncipe? O mais verossímil é que o senhor jamais amou nem uma nem outra!

— Não sei... talvez, talvez; o senhor tem razão a respeito de vários pontos, Ievguéni Pávlovitch. O senhor é superiormente inteligente, Ievguéni Pávlovitch. Ah! eis que a cabeça recomeça a doer-me. Vamos à casa dela! Vamos lá, pelo amor de Deus! pelo amor de Deus!

— Mas se lhe digo que ela não se acha mais em Pávlovsk! Está em Kólmino.

— Vamos a Kólmino! Partamos imediatamente!

— É im-pos-sí-vel — disse Ievguéni Pávlovitch, com voz arrastada. E ficou em pé.

— Escute: vou escrever uma carta; o senhor a levará!

— Não, príncipe, não! Dispense-me de semelhantes encargos. Não posso incumbir-me disso.

Separaram-se. Ievguéni Pávlovitch levava uma impressão estranha: chegara à convicção de que o príncipe estava de espírito um tanto desarranjado. "Que significa aquele rosto que ele teme e ama tanto? E ao mesmo tempo, não é impossível que, longe de Aglaia, morra com efeito, de modo que a jovem jamais saberia a que ponto ele a ama. Ah! ah! E como pode ele amar duas mulheres? E cada uma com um gênero de amor diferente? Eis o que é curioso... Pobre idiota! E que vai ele tornar-se agora?"

Capítulo X

Entretanto o príncipe não morreu antes de seu casamento, nem no estado de vigília, nem "dormindo", como o havia predito a Ievguéni Pávlovitch. Talvez dormisse mal e tivesse maus sonhos; mas durante o dia, no convívio com seus semelhantes, parecia bem disposto e até mesmo satisfeito; se por vezes mostrava o ar bastante absorvido, era quando estava só. Apressaram-se os preparativos do casamento, que deveria realizar-se oito dias após a visita de Ievguéni Pávlovitch. Diante de semelhante precipitação, os amigos mais íntimos do príncipe, se é que os tivera, deveriam ter eles próprios renunciado à esperança de ver seus esforços "salvarem" o pobre louco. Correu o boato de que a visita de Ievguéni Pávlovitch fora levada a efeito, em certa medida, por instigação do General Ivan Fiódorovitch e de sua mulher, Lisavieta Prokófievna. Mas se todos dois, por um excesso de sua bondade, tivessem podido desejar "salvar" do abismo o desgraçado demente, deviam limitar-se a esta única e tímida tentativa; nem sua situação, nem talvez mesmo seus sentimentos (coisa natural) permitiam-lhes um esforço mais sério. Já dissemos que até mesmo os mais íntimos do príncipe se haviam erguido contra ele. Viera Liébiediev limitava-se a derramar lágrimas, quando estava só; ficava, aliás, a maior parte do tempo em casa e vinha mais raramente do que outrora fazer-lhe visita.

Neste ínterim, havia Kólia enterrado seu pai. O velho morrera em consequência de um novo ataque sobrevindo cerca de oito dias após o primeiro. O príncipe tomou grande parte no luto da família; passou, durante os primeiros dias, horas inteiras junto de Nina Alieksándrovna; assistiu às exéquias e à cerimônia religiosa. Muitas pessoas notaram que sua chegada à igreja e sua partida provocaram na assistência cochichos involuntários. O mesmo se dera na rua e no parque; quando ele passava, a pé ou de carro, as conversas animavam-se, apontavam-no e pronunciavam-se seu nome, bem como o de Nastássia Filípovna. Ela foi procurada nas exéquias do general, mas lá não compareceu. A "capitoa" não compareceu também, tendo Liébiediev conseguido retê-la em casa. O serviço fúnebre causou no príncipe uma impressão forte e dolorosa. A uma pergunta de Liébiediev, respondeu em voz baixa que era a primeira vez que assistia a um enterro de acordo com o rito grego, além de uma cerimônia semelhante que se lembrava de ter visto, quando criança, numa igreja de aldeia.

— Sim, como acreditar que o homem deitado naquele ataúde seja o mesmo a quem, há tão pouco tempo, demos a presidência de nossa reunião, lembra-se? — perguntou em voz baixa Liébiediev. — Mas a quem está procurando?

— Nada, parecera-me que...

— Não será Rogójin?

— Está aqui?

— Está na igreja.

— Bem me pareceu com efeito avistar seus olhos — murmurou o príncipe com o semblante perturbado, — mas que importa... Por que está ele aqui? Convidaram-no?

— Nem mesmo se pensou nisso. Aliás, a família não o conhece. Toda gente pode entrar na igreja. Por que está tão surpreso? Encontro-o agora muitas vezes. Na semana passada já o vi quatro vezes aqui, em Pávlovsk.

— Ainda não o vi uma vez sequer... desde então — balbuciou Míchkin.

Como Nastássia Filípovna não mais lhe tivesse dito tampouco que encontrara Rogójin uma única vez "desde aquele tempo", concluiu daí o príncipe que ele tivesse suas razões para não se deixar ver. Durante todo aquele dia pareceu muito absorvido; em contraposição, Nastássia Filípovna mostrou-se duma jovialidade excepcional, jovialidade que se prolongou por toda a noite.

Kólia, que fizera as pazes com o príncipe antes da morte de seu pai, propôs-lhe (revestindo-se o caso de premente urgência) que convidasse para seus cavalheiros de honra Keller e Burdóvski. Responsabilizou-se pela boa aparência do primeiro e acrescentou que ele seria talvez "útil". Quanto a Burdóvski, toda recomendação era supérflua, visto como era um homem "tranquilo e modesto". Nina Alieksándrovna e Liébiediev fizeram observar ao príncipe que se o casamento já estava decidido, pelo menos podia ele dispensar-se de celebrá-lo em Pávlovsk em uma época em que a temporada mundana se achava no apogeu. Por que tanta publicidade? Não seria melhor que a cerimônia se realizasse em Petersburgo e até mesmo em casa? O príncipe compreendeu perfeitamente bem a preocupação que refletiam aqueles temores, mas limitou-se a responder com laconismo e simplicidade que era o desejo formal de Nastássia Filípovna.

No dia seguinte, tendo Keller sabido que fora escolhido como cavalheiro de honra, veio por sua vez apresentar-se ao príncipe. Parou na soleira; assim que o viu, ergueu a mão direita e, com o indicador levantado no ar, exclamou no tom de um homem que profere um juramento.

— Não bebo mais!

Depois aproximou-se do príncipe, apertou-lhe as duas mãos, sacudindo-as com força e declarou que, na verdade, sentira a princípio despeito ao saber do que se tinha passado; manifestara mesmo este sentimento no curso de uma partida de bilhar; mas esse despeito provinha apenas do fato de que sua impaciente amizade teria querido ver o príncipe casar com uma Princesa de Rohan ou pelo menos de Chabot; mas agora se dava conta de que os pensamentos do príncipe eram pelo menos doze vezes mais nobres que os de todo o seu círculo "tomado em bloco"! Porque o que ele procurava não era o brilho, nem a riqueza nem mesmo a honra, mas apenas a verdade. As simpatias das altas personalidades são por demais conhecidas; mas o príncipe era ele próprio demasiado elevado pela sua educação para não ser, duma maneira geral, posto na mesma fila que elas! "Mas a canalha e a ralé são duma opinião bem diversa; na cidade, em casa de particulares, nas reuniões, nas casas de campo, no concerto, nos botequins, nas salas de bilhar, não se fala, não se tagarela senão a respeito do acontecimento próximo. Ouvi mesmo dizer que lhe preparam uma assuada debaixo de suas janelas, e isto, por assim dizer, na primeira noite! Se tiver necessidade, príncipe, da arma de um homem de bem, estou pronto a trocar nobremente meia dúzia de tiros antes que o senhor deixe, no dia seguinte de manhã, seu leito nupcial." Deu mesmo o conselho de dispor no pátio uma mangueira de incêndio como medida preventiva contra a multidão sedenta, ao voltar da igreja; mas Liébiediev se opôs a isso dizendo que, se se pusesse tal mangueira em ação, sua casa seria destruída de alto a baixo.

— Asseguro-lhe, príncipe, que esse Liébiediev urdiu intrigas contra o senhor. Querem pôr o senhor sob tutela; o senhor pode imaginar coisa igual? Querem privá-lo do exercício de sua vontade e do uso de seu dinheiro, isto é, dos dois bens que distinguem cada um de nós de um quadrúpede! Ouvi dizer isso, ouvi-o perfeitamente dizer! É a pura verdade.

O príncipe lembrou-se confusamente de já ter ouvido dizer alguma coisa desse gênero, mas não lhe havia prestado naturalmente atenção. Limitou-se a rir da reflexão de Keller e esqueceu-o também imediatamente. O fato é que Liébiediev *andava muito atarefado* desde certo tempo; aquele homem fabricava sempre planos sob o estímulo de uma inspiração, mas, no seu ardor em executá-los, dispersava seus esforços em todos os sentidos e se afastava do alvo que a princípio determinara para si; de modo que não fora por isso bem sucedido na vida. Mais tarde, quase no dia do casamento, veio confessar-se ao príncipe (era uma mania dele de sempre vir exprimir seu arrependimento àqueles contra os quais havia feito intrigas, sobretudo quando suas intrigas haviam fracassado). Declarou-lhe que nascera para ser um Talleyrand e que, por uma sorte inexplicável, ficara um simples Liébiediev. Nisto descobriu todo o seu jogo, que interessou vivamente o príncipe. A acreditar nele, começara por se meter em busca de altas proteções para ter um apoio em caso de necessidade, e fora para este efeito procurar o General Ivan Fiódorovitch. Este parecera embaraçado e, embora querendo muito bem ao "jovem", declarara que, "por mais vivo que fosse seu desejo de salvá-lo, as conveniências não lhe permitiam intervir". Lisavieta Prokófievna não quisera nem vê-lo, nem ouvi-lo. Ievguéni Pávlovitch e o Príncipe Tsch*** tinham-se recusado com um simples gesto. Entretanto ele, Liébiediev, não havia perdido a coragem: consultara experimentado homem de lei, um venerando ancião de que era amigo íntimo e quase seu protetor; esse jurista concluíra que a interdição do príncipe era perfeitamente possível com a condição de que testemunhas qualificadas certificassem sua desordem mental e sua demência completa; o essencial era, aliás, dispor de altas influências. Liébiediev não perdera a paciência e fizera mesmo vir um dia um médico à casa do príncipe. Este médico era outro velho venerando em vilegiatura em Pávlovsk; trazia ao pescoço o colar da Ordem de Santa Ana; Liébiediev levara-o sob pretexto de mostrar-lhe sua propriedade e havia-o apresentado ao príncipe, estando entendido que suas conclusões lhe seriam comunicadas a título amigável, por assim dizer, e não sob uma forma oficial.

O príncipe lembrou-se dessa visita do doutor; lembrou-se de que, na véspera, Liébiediev insistira com ele para convencê-lo de que estava doente; depois de ter categoricamente recusado os socorros da medicina, achara-se de repente em presença daquele doutor; a crer em Liébiediev, acabavam de sair ambos da casa do Senhor Tieriêntiev, que estava muito mal, e o médico tinha a respeito dele uma comunicação a fazer-lhe. Aprovara Liébiediev e recebeu o doutor com muita afabilidade. A conversa encaminhou-se logo para o doente, Ipolit; desejando o doutor conhecer mais amplos detalhes sobre a cena do suicídio, o príncipe o havia encantado com sua narrativa e suas explicações do acontecimento. Falara-se do clima de Petersburgo, da doença do próprio príncipe, da Suíça, de Schneider. O príncipe havia de tal maneira interessado seu interlocutor pela exposição do sistema terapêutico de Schneider que o retivera durante duas horas. Fizera-o, além disso, fumar excelentes charutos e Liébiediev lhe servira um licor delicioso trazido por Viera. Mesmo sendo casado e pai de família o médico mostrara-se tão solícito com ela, que Viera se sentiu profundamente indignada. Separaram-se como amigos. Ao sair, o doutor declarara a Liébiediev: "Se se quisesse pôr sob tutela todas as pessoas que são como o príncipe, quem se deveria então tomar como tutores?". Liébiediev replicara-lhe num tom trágico, invocando a proximidade do acontecimento, mas o doutor, depois de abanar a cabeça com ar malicioso e finório, concluíra: "É preciso deixar as pessoas casar como bem lhes parecer". Além do mais, segundo ouvira dizer, a pessoa de que se tratava não era simplesmente de uma beleza incomparável, motivo já suficiente para fazer girar a cabeça de um homem rico, mas possuía ainda capitais que lhe vinham de Tótski e de Rogójin, bem como pérolas, diamantes, xales e móveis. Em suma, essa escolha, longe de testemunhar a tolice e estranheza do príncipe, revelava pelo contrário naquele caro rapaz um espírito sagaz e uma inteligência de homem do mundo que sabe calcular. O doutor acreditara-se pois fundamentado para tirar dali um diagnóstico inteiramente favorável ao príncipe...

Esta conclusão causara em Liébiediev uma viva impressão; assim terminou ele suas confidências declarando ao príncipe:

— Doravante não encontrará mais em mim senão um homem devotado e prestes a derramar seu sangue pelo senhor; foi para dizer-lhe isto que vim cá.

Durante aqueles últimos dias, foi Míchkin também distraído por Ipolit, mas este o mandava muitas vezes chamar. Sua família ocupava não longe dali uma casinha. Os meninos, isto é, o irmão e a irmã de Ipolit, tinham pelo menos o recreio do campo; podiam escapar ao doente descendo ao jardim; mas a desgraçada "capitoa" ficava à sua mercê e era sua vítima. Míchkin passava seu tempo a reconciliá-los e a restabelecer a paz entre eles; o doente continuava a chamá-la sua "enfermeira", não se podendo conter, no entanto, no desprezá-lo pelo seu papel de mediador. Estava muito ressentido com Kólia, porque este quase não o visitava mais, pois tivera de ficar, primeiro, à cabeceira do leito de morte de seu pai, depois junto à sua mãe viúva. Por fim tomou como alvo de suas brincadeiras o próximo casamento do príncipe com Nastássia Filípovna; e tão bem andou que o príncipe, indignado e fora de si, cessou de ir vê-lo. Dois dias depois a "capitoa" chegou de manhã cedo e, com lágrimas nos olhos, suplicou-lhe que fosse à casa dela, sem o que ele a engoliria viva. Acrescentou que desejava ele revelar-lhe um grande segredo. O príncipe cedeu. Ipolit exprimiu o desejo de se reconciliar e, dizendo isto, pôs-se a chorar; mas, secadas suas lágrimas, tornou-se naturalmente ainda mais acerbo, sem todavia ousar dar livre curso à sua cólera. Sentia-se bastante mal e tudo indicava que não tardaria muito a morrer. Não tinha nenhum segredo a revelar, mas espalhava-se em objurgatórias extremadas e duma emoção talvez afetada para pôr o príncipe "em guarda contra Rogójin". "É um homem que não larga o que lhe pertence; não está à nossa medida, príncipe; se quiser dizer alguma coisa, nenhum escrúpulo o reterá"... etc., etc. Míchkin pôs-se a interrogá-lo mais pormenorizadamente para dele arrancar fatos precisos. Mas Ipolit não invocou outro argumento senão sensações ou impressões pessoais. Por fim teve a imensa satisfação de lançar o terror na alma do príncipe. Este havia começado por evitar certas questões dum caráter especial e se limitara a sorrir, ouvindo darem-lhe um conselho como aquele: "Fuja, até mesmo para o estrangeiro; o senhor poderá casar-se lá, encontram-se em toda parte sacerdotes russos". Mas ao fim dum instante concluiu Ipolit com esta ideia: "Temo sobretudo por Aglaia Ivânovna; Rogójin sabe bem quanto o senhor a ama; amor por amor; o senhor arrebatou-lhe Nastássia Filípovna; ele matará Aglaia Ivânovna; muito embora não seja ela mais nada para o senhor, nem por isto deixará o senhor de sofrer, não é verdade?". Seu fim fora atingido: o príncipe saiu todo transtornado da casa dele.

Aquelas advertências a respeito de Rogójin sobrevieram na véspera do casamento. Naquela noite, o príncipe teve com Nastássia Filípovna a derradeira entrevista antes do casamento. A jovem mulher perdera o poder de acalmá-lo; naqueles últimos tempos até mesmo ela só conseguia aumentar-lhe a perturbação. Alguns *dias antes, no decorrer* de seus encontros íntimos, ficara ela apavorada pelo ar de tristeza de Míchkin. Fizera todos os esforços para alegrá-lo, tentara mesmo distraí-lo, cantando. Na maior parte das vezes procurava ela na sua memória tudo quanto pudesse diverti-lo. O príncipe fingia quase sempre divertir-se muito; por vezes ria francamente, arrastado pela vivacidade de espírito e pelo belo humor com que a jovem mulher contava alguma coisa, quando estava bem disposta, o que era muitas vezes o caso. Quando o via rir, ficava contentíssima e se sentia orgulhosa de si mesma ao verificar a impressão nele produzida. Mas agora se tornava quase de hora em hora mais triste e mais preocupada. O príncipe tinha sobre ela uma opinião já definida, sem o que tudo nela lhe teria naturalmente parecido enigmático e ininteligível. Nem por isso permanecia menos essencialmente convencido de que ela poderia ainda ressuscitar para a vida normal. Tivera razão em dizer a Ievguéni Pávlovitch que a amava com um amor profundo e sincero; nesse amor, com efeito, havia como um ímpeto de ternura por uma criança raquítica e doente a quem teria sido difícil e mesmo impossível abandonar à sua própria vontade. Não se abria com ninguém a respeito dos sentimentos que ela lhe inspirava e repugnava-lhe abordar esse tema, quando o curso da conversa não permitia mais evitá-lo. Na intimidade, não diziam jamais a palavra "sentimento", como se tivessem concordado em assim fazer. Em sua conversa, habitualmente alegre e cheia de entusiasmo, toda gente podia tomar parte. Dária Alieksiéievna contou mais tarde que não sentira, durante todos aqueles dias, senão encantamento e alegria ao contemplá-los.

A opinião que tinha Míchkin do estado moral e mental de Nastássia Filípovna afastava de seu espírito, em certa medida, muitas outras incertezas. Era agora uma mulher completamente diferente daquela que ele conhecera três meses antes. Assim não experimentava mais surpresa ao vê-la insistir no apressamento da cerimônia, depois de ter outrora repelido a ideia do casamento com lágrimas, maldições e censuras. "Assim, dizia ele a si mesmo, não tem ela mais medo, como naquele tempo, de causar minha desgraça, casando-se comigo." Uma volta tão rápida à confiança em si mesma não lhe parecia natural. Aquela certeza Nastássia Filípovna não havia retirado somente de seu ódio contra Aglaia, porque era capaz de sentimentos mais profundos. Ela também não lhe vinha do temor de partilhar a existência de Rogójin. Sem dúvida, esses motivos e outros ainda podiam ter tido seu peso, mas, para o príncipe, a razão mais clara da reviravolta era justamente aquela de que ele suspeitava desde muito tempo: a pobre alma doente não pudera suportar aquela prova.

Se bem que ela pusesse fim às suas incertezas, pelo menos até certo ponto, esta explicação não lhe deixou, apesar disso, durante todo aquele tempo, nem trégua, nem repouso. Por vezes esforçava-se por não pensar em nada. Quanto ao casamento, parecia bem que naquele momento ele o tenha de fato encarado como uma formalidade insignificante; tinha em muito pouca conta seu próprio destino para julgar de outro modo. As objeções e alegações, do gênero daquelas que lhe fizera Ievguéni Pávlovitch, não teria encontrado absolutamente nada a responder, sentindo-se incompetente em semelhante matéria; assim fugia a qualquer conversa dessa natureza.

Notou, aliás, que Nastássia Filípovna não sabia e não compreendia senão demasiado bem o que era Aglaia para ele. Não falava nisso, mas ele lera no seu "rosto", quando por vezes ela o surpreendera (nos primeiros dias) preparando-se para ir à casa dos Iepántchini. Depois da partida destes, pareceu radiosa. Por mais medíocre observador e por menos perspicaz que ele fosse, atormentara-o a ideia de que Nastássia Filípovna pudesse tomar o partido de praticar qualquer escândalo, a fim de obrigar Aglaia a deixar Pávlovsk. O rumor e os boatos que corriam nas casas de campo a respeito do casamento eram certamente entretidos por uma parte por Nastássia Filipovna, com o objetivo de exasperar sua rival. Como era difícil encontrar os Iepántchini, ela fez o príncipe subir um dia em sua caleça e deu ordem de passar justamente sob as janelas da casa deles. Foi para Míchkin uma surpresa atroz; deu-se conta dela, como sempre, quando era demasiado tarde e o carro já ultrapassara a casa. Não disse nada, mas, após esse incidente, esteve doente durante dois dias. Nastássia Filípovna evitou renovar a experiência.

Durante os dias que precederam o casamento, ela se tornou bastante pensativa. Acabava sempre por afugentar sua tristeza e recuperar a alegria, mas essa alegria era mais calma, menos expansiva, menos radiante que outrora. O príncipe redobrava de atenções. Intrigava-o não ouvi-la referir-se nunca a Rogójin. Uma só vez, cerca de cinco dias antes do casamento, Dária Alieksiéievna mandou chamá-lo para que fosse imediatamente porque Nastássia Filípovna estava muito mal. Encontrou-a num estado vizinho da demência: gritava, tremia, clamava que Rogójin estava oculto no jardim contíguo à casa de campo, que ela acabava de vê-lo e que ele a mataria de noite... ia matá-la à faca! Durante o dia inteiro não recuperou a calma. Mas à noite, tendo ido passar um instante em casa de Ipolit, o príncipe soube da "capitoa", que regressava da cidade aonde a haviam chamado pequenos negócios, que Rogójin fora procurá-la, em Petersburgo, e havia-a interrogado sôbre Pávlovsk. Perguntou Míchkin a que horas se realizara essa visita; a "capitoa" indicou-lhe pouco mais ou menos a hora em que Nastásia Filípovna acreditara ter visto Rogójin no jardim. A coisa podia explicar-se como um simples caso de miragem. Tendo a própria Nastássia Filípovna ido pedir mais amplos detalhes à "capitoa", obteve desta as mais tranquilizadoras informações.

Na véspera do casamento, o príncipe deixou Nastássia Filípovna num estado de vivo entusiasmo: acabava de receber de sua costureira de Petersburgo o vestido que devia vestir no dia seguinte, vestido de noiva, toucado, etc. Míchkin não esperava vê-la apaixonar-se tanto por sua indumentária; gabou-lhe todos os detalhes e avivou assim a felicidade da jovem mulher. Mas ela não conseguia ocultar o íntimo de seu pensamento: ouvira já dizer que a população de Pávlovsk estava indignada e que alguns gaiatos preparavam uma assuada com acompanhamento de música e declamação de versos escritos de propósito para o caso; todos esses preparativos eram mais ou menos aprovados pelo resto da sociedade. Justamente por isso queria ela reerguer a cabeça e deslumbrar toda gente com o gosto e suntuosidade de seu traje. "Que gritem, que assobiem, se ousarem!" Só em pensar nisto seus olhos dardejavam faíscas. Nutria, além disso, uma secreta esperança que evitava formular em voz alta; imaginava que Aglaia, ou pelo menos uma pessoa por ela enviada, se encontraria incógnita na multidão na igreja, e a examinaria; daí todos os seus preparativos.

Tais eram os pensamentos em que ela estava mergulhada às onze horas da noite, quando o príncipe a deixou. Mas não havia ainda soado meia noite, quando chegou ao príncipe um chamado de Dária Alieksiéievna para que "fosse o mais depressa possível porque as coisas iam muito mal". Encontrou sua noiva em pranto; fechada em seu quarto, dominava-a um acesso de desespero, uma crise de nervos. Durante muito tempo não ouviu ela nada do que lhe diziam através da porta fechada; por fim abriu-a, deixou entrar apenas o príncipe, tornou a fechar logo a porta e caiu de joelhos diante dele. (Tal foi pelo menos a versão que deu mais tarde Dária Alieksiéievna, que conseguira entrever uma parte da cena.)

— Que é que estou fazendo? Que é que estou fazendo? Que é que estou fazendo de ti? — exclamava ela, abraçando convulsivamente os pés de Míchkin.

O príncipe ficou durante uma hora inteira junto dela; ignoramos o que disseram entre si. Dária Alieksiéievna contou que ao fim daquela hora separaram-se em termos afetuosos e com ar feliz. O príncipe mandou ainda uma vez, durante a noite, pedir notícias de sua noiva, mas esta já estava adormecida. De manhã, antes que ela acordasse, dois enviados do príncipe se apresentaram ainda em casa de Dária Alieksiéievna; um terceiro lhes sucedeu, encarregado de transmitir de volta que "Nastássia Filípovna está cercada neste momento de um verdadeiro enxame de modistas e de cabeleireiros vindos de Petersburgo; não se ressente mais da crise de ontem; está ocupada com seus enfeites como pode estar semelhante beldade na preparação do casamento; neste instante precisamente, mantém um conselho extraordinário para combinar os diamantes com que deve ataviar-se e a maneira pela qual os disporá". Míchkin ficou completamente tranquilo.

O curso dos incidentes provocados pelo casamento foi reconstituído mais tarde, como se segue, por pessoas informadas e cujo testemunho parece verídico.

A cerimônia nupcial devia realizar-se às oito horas da noite. Nastássia Filípovna estava pronta desde as sete horas. Desde as seis horas, grupos de ociosos começaram a reunir-se em torno da casa de campo de Liébiediev e, mais ainda, perto da casa de Dária Alieksiéievna. Cerca das sete horas, começou a igreja também a encher-se. Viera Liébiedieva e Kólia sentiam vivas apreensões por causa do príncipe; tinham entretanto muito que fazer em casa, estando encarregados de preparar os aposentos de Míchkin para a recepção e refeição. Na verdade, nenhuma reunião estava prevista após a cerimônia religiosa; além das pessoas cuja presença era exigida para a celebração do casamento, Liébiediev convidara Ptítsin, Gânia, o médico condecorado com o colar de Santa Ana e Dária Alieksiéievna. Quando o príncipe indagou da razão pela qual aquele médico "que mal se conhecia" fora convidado, Liébiediev respondeu-lhe com o ar de um homem contente consigo mesmo: "Uma condecoração no pescoço, um personagem considerado; é para a galeria". Esta reflexão fez o príncipe rir.

Vestidos de fraque e com luvas, Keller e Burdóvski tinham um aspecto bastante conveniente; somente Keller inspirava ainda algum temor ao príncipe e a seu círculo por causa de seu gênio bem manifestamente batalhador; olhava com olhos bem hostis os basbaques aglomerados em torno da casa.

Enfim, às sete horas e meia, o príncipe dirigiu-se de carro à igreja. Notemos a este propósito que fizera questão de não negligenciar nenhum dos costumes tradicionais; tudo se passava publicamente, aos olhos de todos e "da maneira que convinha". Na igreja, rompeu caminho, como pôde, por entre a multidão, em meio de cochichos e de exclamações repetidas; estava precedido de Keller, que lançava à direita e à esquerda olhares ameaçadores. Retirou-se Míchkin momentaneamente para trás do altar, enquanto o boxeador ia buscar a noiva. Diante da casa de Dária Alieksiéievna viu ele uma multidão duas ou três vezes mais densa e talvez também duas ou três vezes mais insolente do que aquela que estacionava em redor da casa de campo do príncipe. Subindo o patamar, ouviu exclamações de tal natureza que não se conteve mais e esteve a ponto de dirigir ao público uma reprimenda apropriada; felizmente foi impedido de fazê-lo por Burdóvski e pela própria Dária Alieksiéievna que acorrera ao patamar; ambos apoderaram-se dele e levaram-no à força para o interior da casa. O boxeador, muito excitado, apressou a partida. Nastássia Filípovna levantou-se, lançou um derradeiro olhar para o espelho e notou com um riso forçado, como o contou mais tarde Keller, que estava "pálida como uma morta"; depois, tendo-se inclinado piedosamente diante do ícone, saiu para o patamar. Um rumor saudou seu aparecimento. Para falar a verdade, no primeiro momento, ouviram-se risadas, aplausos irônicos e talvez assobios; mas ao fim de um instante outras exclamações explodiram

— Que bela mulher!

— Não é a primeira nem a última!

— O casamento cobre tudo, imbecis!

— Não, vê se encontras uma beleza igual! Viva! — exclamavam os mais próximos.

— Uma princesa! Por uma princesa como essa venderia eu a alma! — exclamou um empregado de repartição. — Uma noite ao preço de minha vida![67]

Nastássia Filípovna avançou; seu rosto estava pálido como um lenço, mas seus grandes olhos negros lançavam sobre os curiosos olhares ardentes como carvões acesos. A multidão não pôde suportar aqueles olhares; a indignação deu lugar aos clamores de entusiasmo. A portinhola do carro estava aberta e já Keller estendia a mão à noiva, quando esta lançou um grito e, deixando o patamar, avançou direta sobre a multidão. As pessoas do cortejo ficaram paralisadas de assombro; o público se afastou diante dela e a cinco ou seis passos do patamar apareceu de súbito Rogójin. Ela havia percebido seu olhar em meio de toda aquela multidão. Correu para ele como uma louca e lhe agarrou as duas mãos:

— Salva-me! Leva-me! Salva-me e leva-me para onde quiseres, agora mesmo!

Rogójin agarrou-a quase no ar e carregou-a por assim dizer para seu coche. Depois, num átimo, tirou uma cédula de cem rublos de seu porta-moedas e estendeu-a ao cocheiro.

— Para a estação! Se chegares antes da partida do trem, terás outros cem rublos!

Saltou para o coche ao lado de Nastássia Filípovna e fechou a portinhola. Sem um instante de hesitação, o cocheiro fustigou os cavalos. Mais tarde, Keller, contando o acontecido, desculpou-se de ter-se deixado apanhar desprevenido: "Um segundo mais e eu me teria recomposto; não teria deixado que tal acontecesse!" Burdóvski e ele estiveram a ponto de tomar outro carro que se encontrava ali para lançar-se em perseguição dos fugitivos, mas quase imediatamente reconsideraram, pretextando "que era demasiado tarde e que não a fariam voltar à força".

— E depois o príncipe não quererá isso! — decidiu Burdóvski, todo transtornado.

Rogójin e Nastássia Filípovna chegaram à estação a tempo. Depois que desceram do coche e quase no momento de subirem ao vagão, Rogójin parou à pressa uma moça que passava, com um lenço na cabeça e envolta num mantôzinho escuro, velho, mas ainda conveniente.

— Queres aceitar cinquenta rublos pelo teu mantô? — perguntou-lhe ele, estendendo-lhe bruscamente o dinheiro.

---

67 Verso do poema *As noites do Egito*, de Púchkin.

Antes que ela se recuperasse de seu assombro e compreendesse de que se tratava, havia-lhe ele introduzido na mão os cinquenta rublos, tirara-lhe o mantô e o lenço e lançara-os sobre os ombros e a cabeça de Nastássia Filípovna. O traje demasiado faustoso desta teria atraído os olhares e causado sensação no vagão. Somente em seguida é que a moça compreendeu a razão pela qual lhe haviam comprado por tal preço coisas sem valor.

A notícia da aventura chegou à igreja com uma rapidez incrível. Quando Keller abriu passagem até o príncipe, numerosas pessoas que ele não conhecia absolutamente precipitaram-se para ele, a fim de interrogá-lo. Falava-se bem alto, abanava-se a cabeça, havia mesmo risadas; ninguém quis sair da igreja: todos desejavam ver como o noivo acolheria a notícia.

Ele empalideceu, mas recebeu aquela notícia com calma, dizendo com uma voz apenas perceptível: "Eu tinha medo, mas não esperava ainda assim isto..." Depois, em seguida a um instante de silêncio, acrescentou: "De resto... dado seu estado... está totalmente na ordem das coisas". Esta conclusão foi mesmo qualificada mais tarde por Keller de "filosofia sem exemplo". O príncipe saiu da igreja sem perder sua calma e sua serenidade: pelo menos muitas das pessoas o notaram e comentaram depois essa atitude. Parecia ter um vivo desejo de regressar à sua casa e de isolar-se o mais cedo possível; mas não lhe facultaram isto. Vários de seus convidados seguiram-no ao seu quarto, entre outros Ptítsin, Gavrila Ardaliónovitch e o doutor, que não tinha tanto quanto os outros intenção de ir-se embora. Além disso, toda a casa estava literalmente assaltada pelos basbaques. O príncipe ouviu Keller e Liébiediev manterem violenta discussão com indivíduos perfeitamente desconhecidos que tinham o ar de funcionários e queriam a toda a força invadir o terraço. Aproximou-se e indagou de que se tratava. Depois, afastando polidamente Liébiediev e Keller, dirigiu-se num tom cheio de cortesia a um senhor corpulento que tinha cabelos grisalhos e que, trepado nos degraus do patamar, estava à frente dum grupo de invasores, convidou-o a fazer-lhe a honra de sua visita. O senhor ficou confuso, mas nem por isso deixou de aceitar; depois veio um segundo, depois um terceiro. Sete ou oito outros indivíduos destacaram-se da multidão e entraram igualmente, dando-se ares da maior desenvoltura; seu exemplo não foi seguido e ouviu-se em breve os próprios basbaques a censurar aqueles intrusos.

Ofereceram-se cadeiras aos recém-vindos, travou-se a conversação e serviu-se o chá; tudo isso se fez com modéstia, mas muito convenientemente, o que não deixou de surpreender um pouco aqueles hóspedes inesperados. Houve sem dúvida certas tentativas para alegrar a conversa e dirigi-la para o assunto "querido"; arriscaram-se algumas questões indiscretas e algumas observações "maliciosas". O príncipe respondeu a todos com tanta simplicidade, bonomia e ao mesmo tempo dignidade e confiança no decoro de seus hóspedes que as questões extemporâneas cessaram por si mesmas. Pouco a pouco o rumo da conversa tornou-se quase sério. Um senhor, tomando a palavra, afirmou de repente, num tom indignado que não venderia terras, acontecesse o que acontecesse; esperaria, veria o que aconteceria; "as empresas valem mais do que o dinheiro"; "sim, meu caro senhor — ele concluiu, — eis em que consiste meu sistema econômico, fique sabendo!". Como se dirigia ao príncipe, este aprovou-o com calor, se bem que Liébiediev lhe tivesse cochichado ao ouvido que aquele senhor jamais tivera o menor pedaço de terra sob o sol.

Cerca de uma hora se passou. Acabaram de tomar chá. Os visitantes tiveram escrúpulo em ficar mais muito tempo. O doutor e o senhor de cabelos grisalhos despediram-se do príncipe de modo comovedor. Todos aliás despediram-se com barulhentas efusões. Acompanharam seus votos de pensamentos no gênero deste: "não há motivo para desolar-se, talvez o que se passou seja para o melhor", e assim por diante. Houve pessoas, é verdade, que se atreveram a pedir champanhe, mas os visitantes mais idosos fizeram-nos guardar as conveniências.

Quando toda aquela gente se retirou, Keller inclinou-se para Liébiediev e disse-lhe:

— Se nos tivessem deixado agir, tu e eu teríamos gritado, travado uma luta; nos teríamos coberto de vergonha e teríamos atraído a polícia. Mas ele conquistou de uma vez novos amigos e ainda por cima, que amigos! Eu os conheço!

Liébiediev, que estava bastante embriagado, proferiu, com um suspiro:

— O que foi oculto aos sábios e aos prudentes, foi revelado às crianças. Há muito tempo que apliquei ao príncipe esta frase, mas agora acrescentarei que a própria criança foi preservada e salva do abismo por Deus e por todos os seus santos!

Cerca das dez horas e meia, deixaram enfim o príncipe só. Estava com dor de cabeça. Kólia foi o último a retirar-se, após tê-lo ajudado a tirar seu traje de noivo. Despediram-se com calorosos protestos de amizade. Kólia não insistiu a respeito do acontecimento do dia, mas prometeu voltar no dia seguinte bem cedo. Assegurou mais tarde que o príncipe não o havia prevenido de nada e tinha-o deixado na ignorância de suas intenções ao despedir-se dele. Em breve não ficou quase mais ninguém na casa. Burdóvski fora para a casa de Ipolit, Keller e Liébiediev partiram não se sabe para onde. Somente Viera Liébiedieva ficou ainda algum tempo para restituir ao apartamento seu aspecto habitual. No momento de retirar-se foi ver o que o príncipe fazia. Estava sentado à sua mesa, com os dois cotovelos apoiados e o rosto oculto nas mãos. Ela se aproximou de mansinho e lhe tocou o ombro. O príncipe olhou-a com surpresa e levou quase um minuto a reunir suas recordações; quando se dominou e compreendeu tudo, manifestou brusca e veemente emoção. Acabou por pedir-lhe, com viva insistência, que fosse bater-lhe à porta do quarto, no dia seguinte de manhã, à hora do primeiro trem, às sete horas. A moça prometeu; nisto conjurou-a a nada falar daquilo a pessoa alguma, o que ela prometeu igualmente. Enfim, quando, a porta já escancarada, estava Viera a ponto de ir-se, ele a reteve pela terceira vez, tomou-lhe as mãos, beijou-as, depois deu-lhe um beijo na testa e disse-lhe: "Até amanhã!", com um acento "insólito". Tal foi pelo menos a narrativa de Viera. Saiu presa de sérias apreensões a respeito dele. No dia seguinte tranquilizou-se mais ou menos quando bateu, como fora combinado, um pouco antes das sete horas para preveni-lo de que o trem de Petersburgo partia dentro de um quarto de hora. Ele lhe pareceu, quando abriu a porta, ter o aspecto perfeitamente bem disposto e até mesmo sorridente. Mal tirara a roupa para passar a noite, mas assim mesmo dormira. Disse que pensava poder voltar durante o dia. Tudo levava a crer que Viera era a única pessoa à qual ele achou então possível e necessário anunciar sua intenção de ir a Petersburgo.

CAPÍTULO XI

Uma hora depois, ele já estava naquela cidade e, entre nove e dez horas, tocava a campainha da casa de Rogójin. Passara pela entrada principal e um longo momento se passou antes que lhe respondessem. Enfim a porta do apartamento da velha Rogójina se abriu e uma criada idosa e de aparência respeitável se mostrou.

— Parfien Siemiônovitch não está em casa — declarou ela sem abrir completamente a porta. — A quem procura?

— Parfien Siemiônovitch.

— Não está lá.

A criada examinou o príncipe com estranha curiosidade.

— Poderia pelo menos dizer-me se ele passou a noite aqui? E... ontem ele regressou só?

A criada continuou a fixá-lo e não respondeu.

— Nastássia Filípovna não esteve com ele aqui ontem... ontem de noite?...

— Mas permita-me pelo menos que lhe pergunte, quem é mesmo o senhor?

— O Príncipe Liev Nikoláievitch Míchkin; nós nos conhecemos bem, Parfien e eu.

— Ele não está em casa.

A criada baixou os olhos.

— E Nastássia Filípovna?

— Não sei de nada.

— Espere, escute-me! Quando ele voltará?

— Não sei tampouco.

A porta tornou a fechar-se. O príncipe decidiu voltar uma hora mais tarde. Lançou uma olhadela para o pátio e viu o porteiro.

— Parfien Siemiônovitch está em casa?

— Sim.

— Como puderam dizer-me há um instante que ele estava ausente?

— Disseram-lhe isso no apartamento dele?

— Não; foi a criada de sua mãe quem disse, mas toquei à porta de Parfien Siemiônovitch e ninguém me abriu.

— Pode ser que ele tenha saído — concluiu o porteiro, — porque ele não previne quando se ausenta. Por vezes mesmo leva a chave consigo e o apartamento fica fechado três dias seguidos.

— Estás bem certo de que ele estava em casa ontem?

— Sim. Acontece-lhe por vezes passar pela porta da frente; então não o vejo.

— E Nastássia Filípovna estava com ele ontem?

— Não sei de nada. Ela vem bastante raramente. Se tivesse vindo, creio que a teríamos visto.

Míchkin saiu e ficou a andar algum tempo pelo passeio, com ar perplexo. As janelas do apartamento de Rogójin estavam completamente fechadas e as do apartamento ocupado por sua mãe quase todas abertas. O dia estava claro e quente. O príncipe atravessou a rua e deteve-se no passeio oposto, para olhar ainda uma vez as vidraças; não somente estavam fechadas, mas as cortinas brancas quase todas baixadas.

Ficou ali cerca de um minuto e, coisa estranha, pareceu-lhe ver a fímbria de uma das cortinas levantar-se e a figura de Rogójin mostrar-se para desaparecer imediatamente. Esperou um pouco e esteve a ponto de subir e tocar de novo, mas mudou de ideia e resolveu voltar uma hora mais tarde. "Quem sabe? Talvez não tivesse passado de uma ilusão..."

O essencial para ele agora era dirigir-se a toda a pressa para o quarteirão do Regimento Ismáilovski, o derradeiro endereço de Nastássia Filípovna. Sabia que, três semanas antes, quando lhe havia pedido que abandonasse Pávlovsk ela se instalara naquele bairro em casa de uma de suas amigas, viúva de um professor; era uma respeitável mãe de família que alugava um belo apartamento mobiliado do qual lhe provinha a maior parte de seus recursos. Era de acreditar que, tendo ido residir em Pávlovsk, houvesse Nastássia Filípovna retido aquele apartamento. E era sobretudo provável que ela tivesse passado ali a noite depois de ter sido para lá levada sem dúvida na véspera por Rogójin. O príncipe tomou um fiacre. De caminho, refletiu que devia ter começado suas buscas por lá, diante da improbabilidade de ter-se a jovem dirigido diretamente, à noite, para a casa de Rogójin. Lembrou-se então de que o porteiro dissera que ela raramente ia lá. Se ela raramente ia lá, por que teria ido agora para a casa dele? Enquanto procurava animar-se com tais raciocínios consoladores, chegou o príncipe mais morto do que vivo ao quarteirão do Regimento Ismáilovski.

Ali, ficou estupefato ao saber que a viúva do professor não tivera notícias de Nastássia Filípovna, nem naquele dia, nem na véspera. Melhor ainda: toda a família acorreu para vê-lo como se fosse um fenômeno. Todas as crianças, meninas entre sete e quinze anos, separadas umas das outras por um ano de distância, vieram atrás de sua mãe e cercaram o príncipe, a quem fitavam de boca aberta. Depois delas chegou uma tia magra e amarela, com um lenço preto na cabeça, e por fim, a avó da família, uma senhora muito velha que usava óculos. A viúva do professor insistiu com o príncipe para que entrasse e sentasse, o que ele fez. Compreendeu logo que todas aquelas pessoas o conheciam perfeitamente e sabiam que ele deveria ter casado na véspera; adivinhou que ardiam de vontade de interrogá-lo a respeito daquele casamento e de saber por qual milagre vinha indagar deles onde se achava uma mulher que deveria naquele momento estar com ele em Pávlovsk, mas que, por delicadeza, abstinham-se de interrogar.

Satisfez-lhes em poucas palavras a curiosidade referente ao casamento. As exclamações de surpresa foram tais que teve de contar, resumidamente, quase tudo quanto se tinha passado. Finalmente aquele conselho de senhoras cheias de sabedoria e de emoção decidiu que ele devia, custasse o que custasse e antes de tudo, ir de novo bater à casa de Rogójin, fazer-se introduzir e obter dele todos os esclarecimentos. Se ele estivesse realmente ausente (o que exigia ser tirado a claro) ou se recusasse falar, então o príncipe devia dirigir-se ao quarteirão do Regimento Siemiônovsk, à casa de uma senhora alemã, amiga de Nastássia Filípovna e que vivia com sua mãe; talvez, sob o efeito da emoção e no seu desejo de ocultar-se, tivesse ido a fugitiva passar a noite em casa daquelas pessoas.

Quando o príncipe se levantou estava muito abatido e, como as senhoras o disseram mais tarde, "terrivelmente pálido"; suas pernas dobravam-se literalmente sob ele. Através do palavrório, acabou por compreender que elas propunham agir de acordo com ele e lhe pediam seu endereço na cidade. Como não o tivesse, aconselharam-lhe que alugasse um quarto num hotel. Míchkin refletiu e deu o endereço do hotel onde precedentemente se hospedara e onde, cinco semanas antes, tivera um ataque. Depois disto, voltou à casa de Rogójin.

Desta vez, não somente não lhe abriram a porta do apartamento de Rogójin, mas até mesmo a da habitação da velha senhora permaneceu fechada. Desceu ao pátio e se pôs, não sem trabalho, à procura do porteiro; este que estava ocupado, olhou-o e mal lhe respondeu, mas lhe deu não obstante categoricamente a entender que Parfien Siemiônovitch "partira bem cedo para Pávlovsk e não regressaria durante o dia".

— Esperarei; talvez regresse à noite.

— Talvez não antes de uma semana; quem sabe?

— Em todo o caso passou a noite aqui?

— Quanto a isto, sim...

Tudo aquilo era suspeito e obscuro. O porteiro podia muito bem ter recebido no intervalo novas instruções. Ainda há pouco, estivera loquaz; agora mal descerrava os lábios. O príncipe mesmo assim decidiu voltar ainda uma vez duas horas mais tarde e mesmo, se fosse necessário, ficar de tocaia diante da casa. No momento, restava-lhe a esperança de ir buscar informações com a alemã. Dirigiu-se, pois, a toda a pressa ao quarteirão do Regimento Siemiônovski.

Mas nem mesmo conseguiu que a bela alemã lhe desse ouvidos. Por algumas palavras que ela deixou escapar, acreditou compreender que havia brigado quinze dias antes com Nastássia Filípovna, de modo que nada mais ouvira a seu respeito desde aquela época; agora proclamava bem alto que não tinha por ela mais interesse algum, "ainda mesmo que ela casasse com todos os príncipes do mundo". Míchkin apressou-se em despedir-se. Veio-lhe a ideia, entre outras, de que a jovem mulher houvesse talvez partido para Moscou, como outrora, e que Rogójin a havia sem dúvida seguido, supondo-se mesmo que não houvesse partido com ela. "Se pelo menos se pudesse encontrar um traço qualquer da passagem deles!"

Lembrou-se, entrementes, de que devia alugar um quarto no hotel. Correu a procurar uma Rua da Fundição, onde encontrou imediatamente o que precisava. O criado perguntou-lhe se não desejava comer alguma coisa; por distração respondeu que "sim" e ficou furioso contra si mesmo, porque a refeição o fez perder uma meia hora; só um pouco mais tarde concluiu que nada o obrigava a comer a refeição servida. No ar sufocante daquele corredor escuro, teve a impressão de ser invadido por uma sensação estranha, angustiante e que tendia, ao que parecia, a transformar-se num pensamento; mas este pensamento embrionário não chegava a definir-se. Saiu do hotel fora de si; a cabeça girava-lhe. Aonde devia, pois, ir? De novo correu para a casa de Rogójin.

Rogójin não havia regressado; o príncipe cansou-se de tocar a campainha de seu apartamento, ninguém deu sinal de vida; tocou então em casa da velha; abriram-lhe e declararam-lhe uma vez mais que Parfien Siemiônovitch estava ausente e só voltaria talvez dentro de uns três dias. Sentiu um mal-estar ao verificar que o olhavam com expressão insólita de curiosidade. Desta vez não ouve jeito de encontrar o porteiro.

Como da vez anterior, passou Míchkin para o passeio oposto onde se pôs a andar para baixo e para cima, num calor acabrunhante, durante uma meia hora ou mais, mantendo os olhos fixos nas janelas. Desta vez nada se moveu: as janelas permaneceram fechadas e as cortinas brancas imóveis. Ficou decisivamente convicto de que se enganara da primeira vez; aliás, as vidraças estavam tão sujas e não haviam sido lavadas desde tanto tempo que teria sido difícil ver através delas, se é que se achasse alguém por trás.

Reconfortado por esta ideia, voltou ao quarteirão do Regimento Ismáilovski, à casa da viúva do professor. Já o esperavam ali. A senhora fora a três ou quatro lugares e até mesmo à casa de Rogójin, mas sem sombra de resultado. O príncipe escutou em silêncio, entrou no quarto, sentou-se no sofá e pôs-se a olhar os que o cercavam com o ar de um homem que não compreende o que lhe estão dizendo. Fenômeno singular: ora sua faculdade de observação parecia superaguda, ora tornava-se incrivelmente distraída. Toda a família declarou mais tarde ter ficado espantada naquele dia com a estranheza da atitude do príncipe; "talvez fosse já a manifestação de seu desarranjo mental". Por fim levantou-se e pediu para ver os aposentos ocupados por Nastássia Filípovna. Eram dois grandes quartos, altos, claros e belamente mobiliados, pelos quais ela devia ter pago bastante caro. Aquelas senhoras contaram depois que o príncipe havia examinado cada objeto daquele apartamento; tendo visto sobre um velador um romance francês, *Madame Bovary*, proveniente de um gabinete de leitura, dobrou o canto da página na qual o livro ficara aberto e pediu permissão para levá-lo. Depois, embora lhe tivessem observado que aquele volume era emprestado, guardou-o no bolso. Sentou-se perto de uma janela aberta e, vendo sobre uma mesa de jogo inscrições a giz, perguntou quem tinha jogado ali. Responderam-lhe que Nastássia Filípovna jogava todos os dias uma partida de cartas com Rogójin; jogavam "burro", "preferência", "moleiro", "uíste", "trunfo", em suma, todos os jogos, e tinham tomado tal hábito bem recentemente, depois que Nastássia Filípovna deixara Pávlovsk para instalar-se em Petersburgo. Queixara-se um dia de aborrecer-se porque Rogójin passava noites inteiras sem dizer uma palavra e não tinham assunto nenhum de conversa; muitas vezes ela chorava. Na noite seguinte, Rogójin tirou de repente do bolso um baralho; imediatamente Nastássia Filípovna desatou a rir e puseram-se ambos a jogar. O príncipe perguntou onde estavam as cartas de que se haviam eles servido. Não puderam mostrar-lhe, porque Rogójin, ao retirar-se, metia no bolso o baralho que servira na noite e trazia sempre outro novo no dia seguinte.

As senhoras aconselharam o príncipe a voltar ainda uma vez à casa de Rogójin e bater com mais força à sua porta; mas "de noite; não agora; talvez então alguma coisa terá sido esclarecida". A viúva do professor ofereceu-se para ir ela própria durante o dia a Pávlovsk, à casa de Dária Alieksiéievna, para saber se lá não se soubera de nada. Convidaram o príncipe a voltar às dez horas da noite, quando menos para combinar um plano de ação para o dia seguinte. A despeito de todas as consolações e de todos os encorajamentos, um desespero total invadia a alma do príncipe. Acabrunhado por indizível pesar, voltou a pé ao seu hotel. Sentia-se como que esmagado num torno em Petersburgo, cuja atmosfera é sufocante e carregada de poeira durante o verão. Acotovelava pessoas grosseiras ou bêbados e encarava os transeuntes sem saber por que. Talvez tivesse dado muitos passos e voltas inúteis; a noite caía quase quando reentrou em seu quarto. Resolveu repousar um pouco e voltar em seguida à casa de Rogójin, como lhe tinham aconselhado. Tendo-se então sentado em seu divã, pôs os cotovelos sobre a mesa e mergulhou em suas reflexões.

Deus sabe quanto tempo ficou naquela posição e tudo quanto lhe passou pela cabeça. "Tinha medo de muitas coisas e sentia com dor e angústia os terríveis progressos daquele medo. Pensou em Viera Liébiedieva; depois perguntou a si mesmo se Liébiediev não teria conhecimento de tudo aquilo; disse a si mesmo que, mesmo se ele não soubesse de nada, poderia informar-se mais depressa e mais facilmente que ele, Míchkin. Em seguida evocou a lembrança de Ipolit e lembrou-se de que Rogójin ia vê-lo. Enfim lembrou-se do próprio Rogójin: vira-o recentemente no enterro, depois no parque, e também bastante perto de seu quarto, naquele corredor onde o havia tocaiado com uma faca na mão e oculto num canto. Lembrou-se de seus olhos, de seus olhos que o fixavam então nas trevas. Estremeceu: o pensamento que se esboçava ainda há pouco em seu espírito ia-se destacando agora com nitidez.

Este pensamento era mais ou menos o seguinte: se Rogójin estivesse em Petersburgo, de nada valeria esconder-se mais ou menos tempo, acabaria sempre por voltar a encontrar o príncipe, com boas ou más intenções, provavelmente no mesmo estado de espírito da outra vez. Pelo menos, se Rogójin achasse necessário, por uma razão qualquer, vir encontrá-lo, seria naturalmente aqui, neste mesmo corredor. "Não conhecendo meu endereço, é provável que me suponha hospedado no mesmo hotel que antes; em todo o caso será aqui que me procurará... se tiver veemente necessidade de ver-me. E quem sabe? Talvez essa necessidade fosse mesmo imperiosa."

Assim raciocinava e este raciocínio parecia-lhe perfeitamente plausível. Se começasse a analisá-lo, não teria podido explicar, por exemplo, porque de súbito ele se tornaria tão necessário a Ragójin, ou porque era impossível supor que não se encontrariam mais. Mas um pensamento era-lhe penoso: "se for feliz, não virá — dizia a si mesmo ainda, — mas virá, se for infeliz; ora, sente-se certamente infeliz...".

Sendo está sua convicção, deveria ter esperado Rogójin no hotel, em seu quarto; mas, como se não pudesse suportar sua nova ideia, levantou-se dum salto, pegou seu chapéu e saiu precipitadamente. A escuridão era já quase completa no corredor. "Se ele surgisse subitamente daquele canto e me detivesse na escada?", pensou ele, ao passar ao lado do lugar fatal. Mas ninguém apareceu. Transpôs a porta, passou para o passeio, olhou com surpresa o fervilhar da multidão nas ruas no momento do pôr do sol (espetáculo habitual em Petersburgo durante a canícula), depois dirigiu-se para a Rua das Ervilhas. A cinquenta passos do hotel, no primeiro cruzamento, alguém na multidão tocou-o com o cotovelo e lhe disse à meia voz, bem perto do ouvido:

— Liev Nikoláievitch, meu irmão, siga-me, é preciso.

Era Rogójin.

Coisa estranha: Míchkin pôs-se imediatamente a contar-lhe, com alegre volubilidade e mal tendo tempo de terminar as palavras, como o tinha esperado um instante antes no corredor do hotel.

— Estive ali — respondeu rápido Rogójin. — Vamos!

Míchkin ficou surpreendido com aquela resposta, mas dois minutos pelo menos decorreram entre o momento em que a compreendeu e aquele em que se admirou dela. Ficou então com medo e pôs-se a observar Rogójin. Este o precedia a cerca de meio passo; olhava fixo à sua frente e não prestava atenção alguma aos passantes, a cuja aproximação se acautelava maquinalmente.

— Por que não perguntaste por mim no hotel... já que lá foste? — perguntou de súbito o príncipe.

Rogójin parou, olhou-o, refletiu, depois disse, como se não tivesse percebido bem a pergunta.

— Escuta, Liev Nikoláievitch, caminha sempre em frente até a minha casa. Tu a conheces. Eu seguirei pelo outro lado da rua. Mas não me percas de vista, para chegarmos juntos.

Nisto, atravessou o calçamento e passou para o outro passeio, enquanto verificava se o príncipe se punha a caminho. Vendo que ele estava parado e o olhava de olhos arregalados, indicou-lhe com a mão a direção da Rua das Ervilhas, depois continuou a andar, voltando-se sem cessar para vigiar o príncipe e incentivá-lo a continuar. Recuperou confiança, quando verificou que Liev Nikoláievitch o havia compreendido e não atravessava a rua para alcançá-lo. Teve Míchkin a ideia de que Rogójin espreitava a passagem de alguém e que, temendo não conseguir, tomara o outro passeio. "Somente, por que não disse qual era a pessoa que era preciso espreitar?" Caminharam assim cerca de quinhentos passos. De repente, o príncipe começou a tremer sem saber por que. Rogójin continuava a voltar-se, mas a intervalos mais espaçados. Não se aguentando mais, o príncipe chamou-o com um gesto. Rogójin atravessou logo a rua.

— Nastássia Filípovna está em tua casa?

— Está lá.

— E ainda há pouco, eras tu que me olhavas à janela, por trás da cortina?

— Sim.

— Como, tu?...

Mas o príncipe não soube nem como acabar sua frase, nem que pergunta fazer. Além do mais seu coração batia tão violentamente que sentia dificuldade em falar. Rogójin também se calou e olhou com o mesmo olhar de antes, isto é, com uma expressão pensativa.

— Bem, já vou — disse ele, de súbito, preparando-se para atravessar a rua. — Tu, avança também. Caminhemos separadamente... é preferível... cada qual de seu lado... verás.

Quando, cada qual num passeio diferente, entraram por fim na Rua das Ervilhas e se aproximaram da casa de Rogójin, sentiu o príncipe de novo suas pernas dobrarem-se, a ponto de ter quase dificuldade de andar. Eram cerca de dez horas da noite. As janelas da ala habitada pela velha tinham permanecido abertas; em casa de Rogójin tudo estava fechado e, na sombra crepuscular, as cortinas baixadas pareciam dum branco ainda mais cru. Míchkin aproximou-se da casa e parou no passeio oposto; vendo Rogójin subir o patamar e fazer-lhe sinal, foi até ele.

— O porteiro nem sabe que voltei. Disse há pouco que ia a Pávlovsk e repeti a mesma coisa à criada de minha mãe — cochichou Rogójin, com um sorriso astuto e quase satisfeito. — Entraremos sem que ninguém nos ouça.

Estava já com a chave na mão. Ao subir a escada, voltou-se para o príncipe e fez-lhe sinal de pisar mais de leve. Abriu sem rumor a porta de seu apartamento, deixou Míchkin passar, avançou com circunspecção atrás dele, tornou a fechar a porta e meteu a chave no bolso.

— *Vamos* — disse, em voz baixa.

Cochichava desde que começara a falar ao príncipe na calçada da Rua da Fundição. A despeito de sua calma aparente, adivinhava-se nele uma profunda perturbação interior. Quando penetraram na sala que precedia o gabinete, ele se aproximou da janela e, com um ar de mistério, chamou o príncipe para junto de si.

— Estás vendo? Quando tocaste a campainha em minha casa esta manhã, eu estava aqui e imediatamente adivinhei que devias ser tu. Aproximei-me da porta na ponta dos pés e ouvi-te falar com a Pafnútievna. Ora, desde o romper do dia havia-lhe eu dado ordens para que, se tocassem a campainha de meu apartamento, e fosses tu, alguém de tua parte ou qualquer outra pessoa, não respondesse sob nenhum pretexto. Esta recomendação visava mais particularmente ao caso em que viesses tu mesmo indagar a meu respeito, e eu lhe havia dado o teu nome. Depois, quando saíste, veio-me a ideia de que talvez te tivesses posto de tocaia na rua ou mandado alguém espionar. Foi então que me aproximei desta janela e que afastei a cortina para lançar uma olhadela: estavas lá, de pé, a olhar-me... Eis como as coisas se passaram.

— Onde está então... Nastássia Filípovna? — perguntou o príncipe, com voz estrangulada.

— Ela está... aqui — articulou lentamente Rogójin, após breve hesitação.

— Mas onde?

Rogójin ergueu os olhos para o príncipe e fitou-o.

— Está bem; podes vir.

Exprimia-se sempre em voz baixa, lentamente e com o mesmo ar de estranha distração. Mesmo contando como havia erguido a cortina, parecia, a despeito de sua expansão, querer falar coisa bem diversa.

Entraram no gabinete. Tinham sido feitas ali certas mudanças desde a derradeira visita de Míchkin. Uma cortina de brocado dividia a peça em duas e separava, conservando duas passagens nas extremidades, o gabinete propriamente dito da alcova onde se encontrava o leito de Rogójin. Aquela pesada cortina estava corrida e fechava as passagens. A peça estava muito escura; as noites "brancas" de Petersburgo estavam em declínio e, não fosse a lua cheia, seria difícil distinguir o que quer que fosse naquele apartamento, cujas cortinas baixadas aumentavam a escuridão. Na verdade podiam-se distinguir ainda as figuras, embora bastante confusamente. A de Rogójin estava pálida como de costume; seus olhos fixavam no príncipe um olhar cintilante, mas imóvel.

— Devias acender uma vela — disse Míchkin.

— Não, não é preciso — respondeu Rogójin que, tomando seu companheiro pela mão, obrigou-o a sentar.

Ele próprio sentou diante dele; sua cadeira estava tão próxima que seus joelhos quase se tocavam. Um velador encontrava-se entre eles, um pouco ao lado.

— Senta-te, repousemos um instante — disse ele, com ar convidativo.

Reinou um minuto de silêncio. Depois Rogójin prosseguiu no tom que se toma quando, para não abordar de frente a questão principal, trava-se a conversa sobre detalhes ociosos:

— Já sabia que te hospedarias no mesmo hotel; no momento em que entrei no corredor, disse a mim mesmo: quem sabe, talvez ele esteja lá, também, a esperar-me, neste instante, como eu mesmo o espero? Estiveste na casa da viúva do professor?

— Sim — pronunciou a custo o príncipe cujo coração batia violentamente.

— Também imaginei isso. Disse a mim mesmo que isto daria ainda que falar... Depois tive a ideia de trazer-te aqui para que passemos esta noite juntos...

— Rogójin, onde está Nastássia Filípovna? — murmurou de repente Míchkin, levantando. Tremia da cabeça aos pés.

Rogójin ficou em pé também.

— Está ali — disse em voz baixa, mostrando a cortina, com um movimento da cabeça.

— Dorme? — cochichou o príncipe.

De novo Rogójin olhou-o fixamente, como no começo.

— Pois bem! Então, vamos lá!... Tu somente... mas vamos!

Correu a cortina, parou e voltou-se para Míchkin.

— Entra! — disse ele, convidando-o com um gesto a avançar.

O príncipe passou adiante.

— Está escuro aqui — disse ele.

— Vê-se! — murmurou Rogójin.

— Distingo apenas... o leito.

— Aproxima-te mais — insinuou Rogójin em voz baixa.

O príncipe deu ainda um passo ou dois e parou. Permaneceu de pé, escrutando um ou dois minutos; entretanto, junto ao leito, os dois homens mantinham-se silenciosos. Na calma de morte que reinava naquele lugar, teve o príncipe a impressão de que se ouviam as batidas de seu coração tão violentas eram elas. Seus olhos acabaram por discernir o leito todo: alguém nele dormia numa imobilidade rígida; não se percebia o menor ruído, nem a mais leve respiração. Um lençol branco cobria o dormente da cabeça aos pés e mal desenhava a forma de seus membros; o relevo dos contornos revelava apenas a presença de um corpo humano. Em redor, em desordem, sobre a cama e a seus pés, junto da própria cama, em cima das cadeiras, inclusive no chão, jaziam vestes, um belo vestido de seda branca, flores, fitas. sobre uma mesinha de cabeceira cintilavam diamantes ali pousados negligentemente. Na extremidade do leito, um montão de rendas brancas deixava passar a ponta dum pé nu que parecia esculpido em mármore e mantinha uma imobilidade aterrorizante. Quanto mais o príncipe olhava, mais o silêncio daquele quarto lhe parecia profundo, mortal. De repente uma mosca despertou, pôs-se a zumbir, voou por cima do leito e pousou sobre a cabeceira. Míchkin sentiu um arrepio.

— Saiamos — disse Rogójin, tocando-lhe no braço.

Deixaram a alcova e retomaram lugar em suas cadeiras, sempre defronte um do outro. O príncipe tremia cada vez mais e não desviava do rosto de Rogójin seu olhar interrogador.

— Tu vês, Liev Nikoláievitch? — disse por fim Rogójin. — Noto que tremes quase como quando tua doença se acerca de ti; lembras-te como era isso em Moscou? Ou então como ocorreu uma vez antes do teu ataque. Pergunto a mim mesmo o que farei agora de ti...

Míchkin escutava-o atentamente, esforçando-se por compreender e continuando a interrogar com os olhos.

— Foste tu? — perguntou por fim, mostrando a cortina com um aceno de cabeça.

— Fui eu...— cochichou Rogójin, baixando a fronte. Ficaram cinco minutos sem trocar palavra.

Rogójin voltou de súbito à sua ideia, como se a pergunta do príncipe não a tivesse distraído.

— Compreendes? Se tivesses agora um acesso de teu mal, teu grito poderia ser ouvido na rua ou no pátio e adivinhariam que há gente aqui; viriam bater à porta e entrariam... porque todos me acreditam ausente. Se nem mesmo acendi uma vela, foi para que da rua ou do pátio nada se visse. Com efeito, quando me ausento, levo minhas chaves e ninguém entra aqui, mesmo para arrumar, durante três e até quatro dias. Foi a regra que estabeleci. Assim arranjemo-nos para que não se saiba que passamos a noite...

— Espera — disse o príncipe. — Perguntei há pouco ao porteiro e à velha criada se Nastássia Filípovna não viera passar a noite aqui... Estão já então ao corrente.

— Não o ignoro. Disse a Pafnútievna que Nastássia Filípovna viera aqui ontem e que regressara ao fim de uns dez minutos para Pávlovsk. Ninguém sabe que ela passou a noite aqui, ninguém. Entrei ontem com ela aqui tão furtivamente como hoje contigo. Pelo caminho, dizia a mim mesmo que ela não haveria de querer entrar às ocultas, mas calculara mal! Ela falava baixo, andava na ponta dos pés e arrepanhava o vestido em torno de si para que ele não grugrulejasse; a mim mesmo impôs silêncio com um gesto, na escada. Era sempre de ti que tinha medo. No trem seus terrores atingiam quase a loucura; foi ela mesma quem pediu para passar a noite aqui. Minha primeira ideia fora levá-la à casa da viúva do professor, mas não houve jeito de convencê-la. "Lá, me disse ela, o príncipe me encontrará ao romper do dia; esconde-me e amanhã, à primeira hora, fugirei para Moscou!" De Moscou, pensava seguir para Orel. Deitou-se na cama repetindo que iríamos para Orel...

— Espera: que contas tu fazer agora, Parfien?

— Olha: tu me inquietas com teu tremor que não para! Vamos passar a noite aqui, juntos. Não tenho outra cama senão aquela, mas combinei isto: pegaremos as almofadas dos dois divãs e faremos para ti e para mim um leito no chão, perto da cortina; dormiremos assim um perto do outro. Depois, quando entrarem, examinarão o quarto, procurarão, não tardarão a descobri-la e levá-la daqui. Vão me interrogar, confessarei que fui eu e me levarão logo. Pois bem! que ela repouse por agora perto de nós, perto de ti e de mim!...

— Sim, isto mesmo! — aprovou o príncipe com ardor.

— Portanto não vamos dizer nada e não deixaremos que a levem!

— Por coisa alguma do mundo! — disse resolutamente Míchkin. — Não, não e não, não deixaremos que a levem!

— É bem minha intenção, meu rapaz: não deixaremos que ninguém a arrebate de nós! Passaremos esta noite tranquilamente. Fiquei o dia inteiro ao lado dela, salvo uma ausência de uma hora esta manhã, depois à noite fui procurar-te. Tenho um temor, é que com este calor sufocante o corpo comece a feder. Sentes alguma coisa?

— Pode ser, não estou bem certo. Mas de manhã o fedor se acentuará, decerto.

— Cobri-a com um encerado um bom encerado americano e puxei o lençol por cima. Coloquei em redor quatro frascos destapados de água de Tchadanovski; estão lá ainda.

— Sim, como lá embaixo... em Moscou?

— Por causa do fedor, meu caro. Se soubesses como repousa... Amanhã de manhã, quando raiar o dia, olha-a. Pois bem! então? Nem podes mesmo mais te levantar? — disse Rogójin, com surpresa e apreensão, vendo que o príncipe tremia a ponto de não poder ficar de pé.

— Minhas pernas recusam-se — murmurou Míchkin. — É o efeito do terror... eu sei... Quando o terror passar, eu me levanto...

— Espera, vou fazer nossa cama e então te deitarás... eu me estenderei a teu lado... e escutaremos... porque, meu amigo, não sei, meu amigo, não sei ainda tudo agora, por isso é que te previno a fim de que tu, tu saibas de antemão...

Balbuciando estas frases incoerentes, Rogójin pusera-se a preparar a cama. Era visível que, desde a manhã talvez, tivesse pensado na maneira de dispô-la. Passara a noite precedente sobre o divã; mas sobre o divã não havia lugar para dois e ele fazia questão absoluta de que repousassem juntos; assim arrastou com grande dificuldade dum lado para outro do quarto as almofadas de todos os tamanhos tiradas dos dois divãs, a fim de arranjar uma cama diante da cortina. Conseguiu-o mais ou menos, depois, aproximando-se do príncipe com uma expressão de ternura e exaltação, segurou-o por sob os braços, ergueu-o e ajudou-o a alcançar a cama. Percebeu então que o príncipe recuperara a força de andar sozinho; portanto "seu terror começava a passar"; e, no entanto, continuava a tremer. Cedeu-lhe a melhor almofada, a da esquerda, e estendeu-se todo vestido do lado direito, com as mãos cruzadas sob a nuca.

— Com efeito, meu amigo — continuou ele, de repente, — está fazendo calor e o fedor não deixará de se desprender... Receio abrir as janelas. Há, é verdade, em casa de minha mãe jarros de flores, muitas flores e de um perfume delicioso; tinha pensado em trazê-los para aqui, mas isto despertaria a atenção de Pafnútievna, porque ela é curiosa.

— Ela é curiosa — confirmou Míchkin.

— Poderíamos ter comprado ramalhetes... cercá-la completamente de flores. Mas refleti, meu amigo, que isto partia o coração: vê-la assim coberta de flores!

— Dize-me... — perguntou Míchkin, confundindo-se como um homem que procura em sua memória o que tem a perguntar, mas o esquece desde que se recordou, — dize-me, com que fizeste isso? Com uma faca? Com a faca que sabes?

— Sim, com aquela.

— Espera ainda! Quero também perguntar-te, Parfien... tenho muitas perguntas a fazer-te, sobre toda espécie de assuntos... mas dize-me em primeiro lugar para que eu saiba a que me ater: tinhas a intenção de matá-la antes de nosso casamento, com uma facada, na entrada da igreja? Sim ou não?

— Não sei se o queria ou não... — disse secamente Rogójin, surpreendido com a pergunta e até mesmo com ar de não a ter entendido.

— Nunca levaste a faca contigo, quando foste a Pávlovsk?

— Nunca a levei. A respeito dessa faca, eis tudo quanto posso dizer-te, Liev Nikoláievitch — acrescentou ele, após uma pausa. — Tirei-a esta manhã de uma gaveta trancada a chave, porque tudo se passou entre três e quatro horas. Ficara sempre em minha casa entre as páginas de um livro... E... e... eis ainda uma coisa que me espantou: a faca penetrou sob o seio esquerdo, três ou quatro polegadas de profundidade... e o sangue mal jorrou: uma meia colher de sopa, não mais...

— Isto, sim, isto eu sei — disse o príncipe levantando-se sob o efeito de uma emoção terrível. — Li isto... é o que se chama uma hemorragia interna... Acontece mesma não correr uma gota sequer de sangue. É quando o golpe atinge diretamente o coração...

— Para, estás ouvindo? — interrompeu-o de súbito Rogójin, sentando, cheio de pavor, sobre sua almofada. — Estás ouvindo?

— Não! — respondeu, olhando-o, o príncipe com o mesmo acento de terror subitâneo.

— Andam! Estás ouvindo? Na sala...

Ambos prestaram ouvidos.

— Estou ouvindo — cochichou Míchkin, com segurança.

— Andam?

— Andam.

— Será preciso fechar a porta?

— Sim...

Correram o ferrolho e tornaram a deitar-se. Seguiu-se um longo silêncio.

De repente Míchkin se pôs de novo a cochichar no mesmo tom precipitado e confuso. Parecia que tendo retomado o fio de seu pensamento, temia vê-lo escapar-se de novo.

— Ah! sim — disse ele, sobressaltando-se em sua almofada, — sim, eu queria perguntar-te... aquelas cartas! As cartas... Disseram-me que jogavas cartas com ela.

— Sim — respondeu Rogójin, ao fim dum momento.

— Onde estão... essas cartas?

— Ei-las... — disse Rogójin, depois de um silêncio mais prolongado. — Olha.

Tirou de seu bolso e estendeu a Míchkin um baralho enrolado em papel e que já servira. O príncipe tomou-o, mas dava a impressão de não saber o que fazia. Novo e pungente sentimento de tristeza apertou-lhe o coração; acabava de compreender que naquele momento e desde muito tempo já dizia e fazia coisa bem diversa da que teria devido dizer e fazer. Aquelas cartas, por exemplo, que tinha na mão e que tanta felicidade lhe causavam não serviriam mais de nada, de nada. Ficou em pé e juntou as mãos num gesto de aflição. Rogójin, estendido e imóvel, não pareceu notar aquele movimento, mas seus olhos fixos e escancarados flamejavam na escuridão. O príncipe sentou numa cadeira e contemplou seu companheiro com terror. Uma meia hora decorreu assim; bruscamente Rogójin, esquecendo-se de que era preciso falar baixo, exclamou num ruidoso ataque de riso:

— O oficial, lembras-te daquele oficial... como o chicoteou ela durante o concerto? Ah! ah! ah! Lembras-te? E o cadete... o cadete... o cadete que deu um salto..

Míchkin sobressaltou-se, presa dum novo terror. Como Rogójin tivesse de repente se acalmado, inclinando-se suavemente para ele, sentou a seu lado e se pôs a observá-lo. Seu coração batia com força e ele respirava penosamente. Rogójin não voltava mais a cabeça para ele e tinha mesmo ar de havê-lo esquecido. Mas Míchkin olhava-o sempre e esperava. O tempo passava, a aurora se aproximava.

Por instantes Rogójin começava subitamente a gaguejar, com voz aguda, palavras destituídas de sequência e a lançar gritos entrecortados de risadas; então o príncipe estendia sobre ele sua mão trêmula, tocava-lhe levemente a cabeça, acariciava-lhe os cabelos e as faces... era tudo quanto podia fazer! Seus arrepios haviam voltado e mais uma vez suas pernas fugiam-lhe ao controle. Uma sensação inteira*mente nova invadira* seu coração e enchia-o de uma angústia infinita.

Era agora dia claro. Afinal estendeu-se na sua almofada, extenuado de fadiga e de desespero, e encostou seu rosto ao de Rogójin, lívido e imóvel. Lágrimas correram de seus olhos sobre as faces de Rogójin, mas talvez não as sentisse ele jorrar e nem mesmo delas tinha consciência...

O caso é que, várias horas mais tarde, quando a porta se abriu, encontrou-se o assassino em delírio e privado de consciência. O príncipe estava sentado ao lado dele, imóvel e silencioso sobre sua almofada: toda vez que o doente gritava ou delirava, apressava-se em passar sua mão trêmula sobre seus cabelos e suas faces, num gesto de carícia e de aquietação. Mas não compreendia mais nada já das perguntas que lhe faziam e não reconhecia mais as pessoas que entravam e o cercavam. Se o próprio Schneider tivesse chegado da Suíça naquele momento para ver seu antigo pensionista, teria lembrado do estado no qual este se encontrava por ocasião de seu primeiro ano de tratamento na Suíça, e com um gesto de desânimo teria dito como então: "Idiota!".

Capítulo XII / Conclusão

A viúva do professor correu a Pávlovsk e foi direta à casa de Dária Alieksiéievna, que desde a véspera estava consternada. Contou-lhe tudo quanto sabia lançando-a assim num estado de terror que nada pôde acalmar. As duas senhoras resolveram imediatamente entender-se com Liébiediev, transtornado também ele na sua dupla qualidade de amigo do príncipe e de proprietário do apartamento por ele alugado. Viera Liébiedieva comunicou tudo quanto sabia, Dária Alieksiéievna, Viera e Liébiediev concordaram, a conselho deste último, ir a Petersburgo para impedir o mais cedo possível "o que podia muito bem acontecer". Foi assim que no dia seguinte de manhã, cerca das onze horas, o apartamento de Rogójin foi aberto pela polícia na presença de Liébiediev, das senhoras e do irmão de Rogójin, Siemion Siemiônovitch, que morava na outra ala da casa. A operação foi sobretudo facilitada pelo depoimento do porteiro; que declarou ter visto na véspera à noite Parfien Siemiônovitch entrar cautelosamente pelo patamar com um companheiro. Depois deste testemunho não se hesitou mais em arrombar a porta de entrada na qual havia-se em vão tocado a campainha.

Rogójin ficou de cama dois meses com uma inflamação cerebral. Quando se restabeleceu, foi processado e julgado. Forneceu a respeito do crime os esclarecimentos mais sinceros, mais exatos e mais satisfatórios, à fé dos quais foi o príncipe posto fora de causa desde o começo do processo. No julgamento, manteve-se constantemente calado. Não contradisse o hábil e eloquente advogado encarregado de sua defesa, quando este demonstrou com tanta clareza quanto lógica que o crime fora cometido em consequência de um acesso de febre cerebral, cujos começos eram bem anteriores ao drama e nos quais se devia ver a consequência dos desgostos do acusado. Mas nada acrescentou em apoio desta tese e, como na instrução do processo, limitou-se a evocar, com lucidez e precisão, os menores detalhes do acontecimento. Beneficiou-se Rogójin com circunstâncias atenuantes e foi condenado a quinze anos de trabalhos forçados na Sibéria. Ouviu sem se mover o veredicto e com um ar "pensativo". Salvo uma parte relativamente insignificante, gasta nas orgias dos primeiros tempos, sua enorme fortuna passou para seu irmão, Siemion Siemiônovitch, que ficou radiante. Sua velha mãe vive ainda e parece por vezes lembrar-se, se bem que de maneira confusa, de seu bem-amado filho Parfien. Deus poupou a seu espírito e a seu coração a consciência da desgraça terrível que lhe visitou o lar.

Liébiedíev, Keller, Gânia, Ptítsin e muitos outros personagens de nosso romance continuam a viver como no passado; nada mudaram e não temos quase nada a dizer deles. Ipolit morreu em meio de uma agitação tremenda, um pouco mais cedo do que o esperava, cerca de quinze dias depois da morte de Nastássia Filípovna. Kólia ficou profundamente abalado por causa daqueles acontecimentos; reaproximou-se de sua mãe duma maneira definitiva. Nina Alieksándrovna preocupa-se demais por ele e acha-o demasiado meditativo para sua idade; talvez venha a ser um homem de bem. Contribuiu pela sua parte para a adoção das medidas que decidiram da sorte posterior do príncipe. Desde muito tempo já destacara Ievguéni Pávlovitch dentre todos os conhecidos que fizera naqueles últimos tempos. Foi o primeiro a ir vê-lo e contou-lhe tudo quanto sabia do que acontecera e da situação atual do príncipe. Não se havia enganado: Ievguéni Pávlovitch deu provas da mais calorosa solicitude pela sorte do desditoso "idiota" que, graças a seu esforços e providências, foi internado de novo no estabelecimento suíço de Schneider.

O próprio Ievguéni Pávlovitch partiu para o estrangeiro, na intenção de ficar bastante tempo na Europa; com toda a franqueza qualifica-se de "homem perfeitamente inútil na Rússia". Vai visitar bastantes vezes, pelo menos uma vez por mês, seu amigo doente em casa de Schneider, mas este se mostra cada vez mais preocupado; abana a cabeça e dá a entender que os órgãos do pensamento estão completamente alterados e, se não julga ainda o caso incurável, nem por isso deixa de entregar-se às conjeturas mais pessimistas. Ievguéni Pávlovitch parece ficar muito abalado com isso, porque é homem de coração; provou-o aceitando corresponder-se com Kólia e respondendo mesmo por vezes às cartas dele.

Uma singularidade de seu caráter revelou-se, além disso, naquela ocorrência; como é de todo crédito para ele, apressamo-nos em anotá-la. Após cada uma de suas visitas ao Instituto Schneider, além do que escreve a Kólia, envia Ievguéni Pávlovitch a outra pessoa de Petersburgo uma carta expondo-lhe em termos tão detalhados e tão simpáticos quanto possíveis o estado de saúde do príncipe. Ao lado das demonstrações da mais respeitosa deferência, exprime essa correspondência (com crescente liberdade) certas maneiras de ver expostas com a mais franca cordialidade, certas ideias, certos sentimentos; em uma palavra, é a primeira manifestação de alguma coisa que se assemelha a um sentimento de amizade e de intimidade... A pessoa que se encontra assim em correspondência (na verdade bastante espaçada) com Ievguéni Pávlovitch e merece de sua parte tantas atenções e respeito não é outra senão Viera Liébiedieva. Não pudemos saber com exatidão de que maneira se travaram estas relações; tiveram seguramente por origem a desgraça do príncipe, desgraça que tanto pesar causou a Viera que a fez adoecer; quanto às outras circunstâncias dessa ligação, elas nos são desconhecidas.

Se falamos dessa correspondência foi principalmente porque nela se encontraram por vezes informações a respeito dos Iepántchini e em particular de Aglaia Ivânovna. Numa carta datada de Paris e um pouco confusa, Ievguéni Pávlovitch anunciou que, dominada por uma paixão fulminante por um conde polonês emi*grado,* Aglaia casara-se com ele contra a vontade de seus pais que só haviam cedido afinal para evitar um escândalo enorme. Em seguida, após cerca de seis meses de silêncio, comunicou à sua correspondente, numa longa carta cheia de detalhes, que encontrara na Suíça, por ocasião de sua última visita ao Professor Schneider, toda a família Iepántchin (menos, naturalmente, Ivan Fiódorovitch retido por seus negócios em Petersburgo), bem como o Príncipe Tsch***. O encontro com eles fora incomum: todos acolheram Ievguéni Pávlovitch com grandes transportes de alegria; Adelaida e Aliéksandra tinham-lhe mesmo expressado sua gratidão por causa de sua "solicitude angélica para com o desgraçado príncipe". Ao verificar a doença e decadência de Míchkin, Lisavieta Prokófievna pusera-se a chorar de todo o coração. Evidentemente, seu rancor desaparecera. O Príncipe Tsch*** enunciara naquela ocasião verdades marcadas de oportunidade e de bom senso. Ievguéni Pávlovitch tivera a impressão de que a intimidade entre ele e Adelaida não era ainda completa; mas, com a ajuda do tempo, o caráter impetuoso da jovem mulher não deixaria de dobrar-se com afetuosa espontaneidade ao bom senso e à experiência do Príncipe Tsch***. Aliás fora a família terrivelmente afetada pelas lições que os acontecimentos lhe haviam infligido, sobretudo a derradeira aventura de Aglaia com o conde polonês. Em seis meses, não somente todos os temores que tinham sentido concedendo a mão de Aglaia tinham-se realizado, mas haviam sobrevindo dissabores que nem tinham imaginado. Descobriu-se que o conde polonês não era conde e que, se efetivamente era emigrado, seu passado era obscuro e duvidoso. Seduzira o coração de Aglaia pela extraordinária nobreza de alma com que sentia as torturas de sua pátria e a havia arrebatado a tal ponto que até mesmo antes de casar, filiara-se a um comitê de emigrados para a restauração da Polônia. Tornara-se, além disso, penitente assídua de um padre de renome, que lhe captara o espírito e dela fizera uma fanática. Quanto à fortuna colossal do conde, de que Lisavieta Prokófievna e o Príncipe Tsch*** tinham tido testemunhos quase irrecusáveis, passara ao estado de quimera. Bem melhor ainda: cerca de seis meses após o casamento, o conde e seu amigo, o célebre confessor, tinham conseguido que Aglaia rompesse totalmente com sua família. Havia alguns meses já que a jovem não via os seus... Em suma, haveria bem muitas coisas a contar a este respeito se Lisavieta Prokófievna, suas filhas e até mesmo o Príncipe Tsch***, "aterrorizados" por causa de todos esses acontecimentos, não tivessem temido abordá-los em suas conversas com Ievguéni Pávlovitch, embora sabendo que este não tivera necessidade deles para conhecer a história dos derradeiros caprichos de Aglaia Ivânovna.

A pobre Lisavieta Prokófievna teria querido voltar à Rússia; no dizer de Ievguéni Pávlovitch, criticava tudo quanto era estrangeiro, com amargura e preconceito: "Não sabem em parte alguma cozer pão convenientemente e no inverno gelam como camundongos numa adega; enfim tive pelo menos a satisfação de chorar à russa por causa daquele desgraçado!". Assim se exprimiu ela, mostrando com emoção o Príncipe Míchkin que não a reconhecia mais de modo algum.

E, despedindo-se de Ievguéni Pávlovitch, concluiu, quase num tom de cólera:

— *Basta de manias! É tempo de voltar* ao bom senso. Tudo isto, todos os países estrangeiros de vocês, toda a sua famosa Europa, não passa de fantasia, e nós todos, no estrangeiro, não somos senão fantasia... lembrem-se do que lhes digo, verão por si mesmos!

O ETERNO MARIDO

O ETERNO MARIDO (1870)

CAPÍTULO PRIMEIRO / *VIELHTCHÁNINOV*[1]

Começava o verão, e Vielhtcháninov, contra sua expectativa, achava-se retido em Petersburgo. Sua viagem ao sul da Rússia fora adiada; além disso, seu processo arrastava-se, não lhe vendo ele o fim. Esse processo — um pleito por motivo duma propriedade — estava tomando mau rumo. Três meses antes, parecia muito simples, quase indiscutível e, subitamente, tudo mudara. "De resto, acontece o mesmo com todas as coisas; tudo se estraga", repetia sem cessar a si mesmo, de mau humor. Contratara um advogado hábil, caro e conhecido, não havia poupado dinheiro; mas, por impaciência e desconfiança, ele próprio se ocupara com seu processo: pusera-se a escrever relatos que o advogado se apressava em destruir; frequentava os tribunais, mandava fazer investigações e, na realidade, retardava tudo; por fim o advogado se queixara e fizera-o comprometer-se a partir para sua casa de campo. Mas ele não conseguia tomar essa decisão. A poeira, o calor sufocante, as noites brancas de Petersburgo, que superexcitam e enervam, de tudo isso gozava bem na cidade. Morava, lá para os lados do Bolchói Tieatr[2], em um apartamento que alugara havia pouco e que não lhe agradava. "Nada lhe agradava!" Sua hipocondria aumentava dia a dia; mas desde muito tempo era a ela inclinado.

Era um homem que vivera muito e largamente; com seus trinta e oito ou trinta e nove anos, estava longe de ser ainda jovem, e toda aquela "velhice", como dizia ele, lhe chegara "quase que absolutamente de improviso"; ele mesmo compreendia que o que o havia tão cedo envelhecido não era a quantidade mas, por assim dizer, a qualidade dos anos, e que, se notava enfraquecer antes da idade, era mais depressa por dentro que por fora. Ao vê-lo, aparentava ser ainda um homem jovem. Era um latagão, forte e louro, com uma cabeleira espessa, sem um fio branco na cabeça, e uma grande barba loura, que lhe caía quase até o meio do peito. A princípio, achava-se que tivesse aspecto inculto e negligenciado; mas, examinando-se mais atentamente, descobria-se logo um homem bastante bem educado, e afeiçoado às maneiras do melhor mundo. Conservara modos desembaraçados, altivos e até mesmo elegantes, a despeito do canhestrismo brusco que adquirira. E tinha ainda aquela afoiteza arrogante e aristocrática, de cujo grau ele mesmo não tivesse suspeita, se bem que seu espírito fosse não somente aberto, mas sutil e dotado de incontestáveis qualidades de inteligência.

A cor de seu rosto claro e rosado tivera outrora uma delicadeza toda feminina e atraíra para ele a atenção das mulheres; agora ainda dizia-se ao olhá-lo: "Que bela saúde! Sangue e leite!". Apenas, aquela "bela saúde" achava-se cruelmente atacada pela hipocondria. Seus grandes olhos azuis, há dez anos, haviam feito numerosas conquistas: eram olhos tão claros, tão alegres, tão descuidosos, que retinham mal-

1 Literalmente: grandioso, opulento.

2 Grande Teatro.

grado seu o olhar que os encontrava. Hoje, nas proximidades dos quarenta anos, a clareza e a bondade tinham-se quase extinto naqueles olhos já cercados de leves rugas; o que exprimiam agora era, pelo contrário, o cinismo de um homem gasto pelos costumes libertinos, a astúcia, a maior parte das vezes o sarcasmo, ou ainda um matiz novo, que não se conhecia neles outrora, um matiz de tristeza e de sofrimento, duma tristeza distraída e como que sem objetivo, mas profunda. Essa tristeza manifestava-se sobretudo quando ele estava só. E o estranho é que esse homem, que, havia apenas dois anos, era jovial, alegre e dissipado, que com grande perfeição contava histórias muito agradáveis, tivesse chegado presentemente a preferir a todas as coisas a solidão completa. Rompera deliberadamente com seus numerosos amigos, dos quais talvez tivesse podido não se separar, mesmo depois da ruína total de sua fortuna. Para falar a verdade, o orgulho o havia ajudado nisso: seu orgulho suspeitoso tornava-lhe intolerável o convívio com seus antigos amigos; e, pouco a pouco, chegara ao isolamento. Nem por isso os sofrimentos de seu orgulho vieram a ser atenuados; bem pelo contrário. Mas, exasperando-se, tomaram uma forma particular, toda nova: veio a sofrer por vezes por motivos inesperados, que outrora não existiam para ele, nos quais outrora nem mesmo chegara a pensar, por motivos "superiores" aqueles aos quais até então dera atenção, — "supondo-se que seja exato exprimir-me assim e que haja verdadeiramente motivos superiores e motivos inferiores", acrescentava ele próprio.

Era verdade, chegara mesmo a ser obsedado por motivos "superiores", nos quais antes nem teria pensado. O que, no íntimo de si mesmo, entendia como motivos superiores, eram os motivos de que (para grande espanto seu) ninguém pode verdadeiramente rir a sós; — a sós, entende-se, porque, diante dos outros, é coisa bem diversa! Sabia muito bem que, na primeira ocasião, e desde o dia seguinte, largaria as secretas e piedosas injunções de sua consciência, que mandaria passear bem tranquilamente todos aqueles "motivos superiores", dos quais seria o primeiro a rir. E era assim que as coisas se passavam, exceto o ter ele conquistado bastante notável independência de espírito para com os "motivos inferiores", que o tinham até então inteiramente governado. Acontecia mesmo por vezes que, ao se levantar, pela manhã, tivesse vergonha dos pensamentos e dos sentimentos que tivera durante sua insônia da noite. (E sofria, nos últimos tempos, frequentes insônias.) Notara, desde longa data, que era levado a um extremo de escrúpulo, quer se tratasse de coisas importantes ou de futilidades. Resolvera-se também a acreditar o menos possível em si mesmo. No entanto, ocorriam às vezes fatos dos quais não era possível contestar a realidade. Nos derradeiros tempos, por vezes, durante a noite, seus pensamentos e seus sentimentos se modificavam a ponto de se tornarem quase o oposto do que é normal, e muitas vezes não se assemelhavam mais em nada aos que tivera durante o dia. Isto muito o impressionou. Foi consultar um médico famoso, que conhecia muito bem. Naturalmente, falou-lhe num tom de brincadeira. O médico respondeu que o fato da alteração e mesmo do desdobramento dos pensamentos e das sensações à noite, em estado de insônia, é um caso muito comum nos homens "que pensam intensamente e que, sentem intensamente"; que por vezes as convicções de toda uma vida mudam subitamente, por completo, sob a ação deprimente da noite e da insônia; que se vê por vezes a tomada, sem mais nem menos, de resoluções totalmente fatais; que tudo isso aliás comporta bastante graus; — que, enfim, se acontece ressentir o indivíduo muito vivamente o desdobramento de sua personalidade, vindo por isso a sofrer, é sinal de uma verdadeira doença, sendo preciso, neste caso, agir sem demora. O melhor é modificar radicalmente seu gênero de vida, mudar de regime, ou mesmo viajar; um purgante, sem dúvida alguma, faria bom efeito.

Vielhtcháninov não quis ouvir mais; seu caso era perfeitamente claro: estava doente.

"É, pois, tudo quanto havia nessa obsessão que eu atribuía a algo de superior: uma doença e nada mais!", exclamava ele com amargura. Não se resignava a confessar-se isso.

Em breve, o que ele não tinha sentido senão de noite produziu-se igualmente durante o dia, mas com uma acuidade mais penetrante; e agora, sentia uma alegria maliciosa e sarcástica, em lugar do enternecimento cheio de saudades que experimentava outrora. Via surgir na sua memória, cada vez mais frequentemente, "subitamente e Deus sabe por que", certos acontecimentos de sua vida anterior, épocas antigas de sua vida, e esses acontecimentos apresentavam-se a ele de uma maneira estranha. Desde muito tempo queixava-se de ter perdido a memória: esquecera os rostos das pessoas que conhecera muito bem, e que, quando o encontravam, mostravam-se magoadas; acontecia-lhe esquecer inteiramente um livro que lera seis meses antes. E eis que, apesar dessa perda evidente da memória, fatos de um período muito antigo, fatos esquecidos desde doze ou quinze anos, apresentavam-se bruscamente à sua imaginação, com uma tão grande precisão de cada detalhe, com uma tão grande vivacidade de impressão, como se os revivesse. Algumas dessas coisas que lhe subiam à consciência tinham estado até então de tal modo completamente abolidas que o próprio fato de vê-las reaparecer parecia-lhe estranho. Tudo isto ainda não era nada: as ressurreições desse gênero produzem-se em todo homem que viveu muito. Mas o importante é que esses acontecimentos lhe voltavam à memória sob um aspecto modificado, inteiramente novo, inesperado, e lhe apareciam sob um ângulo no qual jamais havia sonhado. Por que tal ou tal ato de sua vida passada lhe causava hoje o efeito de um crime? Não lhe teria isto produzido grande preocupação, na verdade, se fosse simplesmente uma sentença abstrata proferida por seu espírito, porque conhecia demasiado bem a natureza sombria, singular e doentia de seu espírito para ligar alguma importância a essas decisões. Mas sua reprovações tinham uma repercussão mais profunda, chegava a ponto de maldizer-se, quase a explodir em lágrimas interiores. Que teria ele dito, não havia dois anos, se lhe tivessem predito que um dia haveria de chorar?

O que lhe voltou a princípio à memória foram não estados de sensibilidade, mas coisas que outrora o haviam melindrado; lembrava-se de certos fracassos mundanos, de certas humilhações; recordava-se, por exemplo, das "calúnias de um intrigante", em consequência das quais deixara de ser recebido numa casa, — ou ainda como, não havia muito tempo, sofrera uma ofensa premeditada e pública, sem disso pedir satisfação; — como um dia, numa sociedade de senhoras do melhor mundo, fora atingido por um epigrama bastante agudo, ao qual nada achara que responder. Lembrava-se ainda de duas ou três dívidas de honra, contraídas para com pessoas que ele não via mais e a respeito das quais acontecia-lhe dizer mal. Sofria também, mas somente em seus piores momentos, com a ideia de que havia esperdiçado da maneira mais tola duas fortunas, uma e outra importantes. Mas em breve foi a vez das lembranças e saudades de ordem "superior".

De repente, por exemplo, "sem mais nem menos", surgiam, do fundo dum esquecimento absoluto, a figura dum bom e velho funcionariozinho, grisalhante e cômico, a quem um dia, fazia muito tempo, muito tempo mesmo, havia ele ofendido, impunemente, por pura fanfarronada: fizera-o apenas para encaixar uma frase engraçada que se tornou famosa e que depois passou a espalhar-se. Esquecera tão completamente toda essa história que nem conseguia recordar o nome do velhinho; e no entanto revia todos os detalhes da cena com uma nitidez extraordinária. Lembrava-se muito bem de que o velho defendera a reputação de sua filha, uma filha já idosa e que vivia com ele, e a respeito da qual haviam espalhado na cidade boatos malévolos. O velhinho replicou e zangou-se, mas de súbito desatara a chorar diante de toda a sociedade, o que causou certa impressão. Acabaram enchendo-o de champanhe e zombando dele. E quando agora, "sem mais nem menos", Vielhtcháninov revia o pobre velhinho soluçante, com as mãos no rosto, como uma criança, parecia-lhe que não era possível que o tivesse para sempre esquecido. E, coisa estranha, essa história, que outrora achara muito engraçada, causava-lhe agora a impressão oposta; sobretudo certos detalhes, sobretudo o rosto oculto nas mãos.

Recordava-se também como, para se divertir, difamara a honestíssima esposa de um professor e como a difamação chegara aos ouvidos do marido. Vielhtcháninov em breve deixara aquela cidadezinha e não soubera que consequências tivera sua difamação; mas, de súbito, agora, perguntou a si mesmo como tudo aquilo pudera ter acabado, e sabe Deus até onde suas conjeturas o teriam levado, se uma recordação muito mais recente não lhe houvesse voltado bruscamente ao espírito: o de uma moça de pequena família burguesa, que jamais lhe agradara, de quem mesmo se envergonhava, e da qual, sem saber demasiado como, tivera um filho; havia abandonado a mãe e o filho, sem mesmo um adeus (falta de tempo, é verdade), quando deixara Petersburgo. Mais tarde, durante um ano inteiro, procurara tornar a encontrar aquela moça, sem conseguir. As lembranças desse gênero se apresentavam às centenas, cada qual fazendo reviver dezenas de outras.

Já dissemos que seu orgulho havia tomado uma forma singular. Havia momentos, raros, é verdade, em que esquecia seu amor-próprio a ponto de ser indiferente para ele não ter mais carruagem própria, correr aos tribunais a pé, negligente no trajar; se acontecia que um ou outro de seus antigos amigos o mirava na rua com olhar zombeteiro, ou fingia não reconhecê-lo, seu orgulho era tal que ele nem mais se perturbava. E era muito sinceramente que não mais se perturbava. Era, para falar a verdade, coisa bastante rara: esses eram momentos passageiros em que se esquecia de si mesmo; mas, duma maneira geral, é certo que sua vaidade se desinteressava pouco a pouco de objetos que outrora o afetavam e concentrava-se num único objeto, sempre presente a seu espírito.

"Sim — pensava ele, com sarcasmo (era sempre sarcástico, quando pensava em si mesmo) — há alguém, sem dúvida, que se ocupa em tornar-me melhor e que me sugere todas essas recordações malditas, e todas essas lágrimas de arrependimento. Seja. E daí? Tudo isso é pólvora perdida. Estão muito bem as lágrimas de arrependimento, mas não estou certo de que, com meus quarenta anos, meus quarenta anos de uma existência estúpida, não tenho uma migalha de livre arbítrio? Que amanhã a mesma tentação se apresente, que, por exemplo, tenha de novo um interesse qualquer em espalhar o boato de que a mulher do professor aceitava com prazer o que eu lhe oferecia, e vou recomeçar, bem sei, sem a menor hesitação, e serei tanto mais vil e mais pérfido que o farei pela segunda vez, e não mais pela primeira. Que amanhã aquele principezinho, a quem, há onze anos, quebrei uma perna com um tiro de pistola, venha a ofender-me de novo, vou me apressar em provocá-lo e isto lhe custará uma segunda perna de pau. Todos esses regressos ao passado, é pólvora perdida, e não há um tiro sequer que acerte. De que servem tais recordações, quando nem sei mesmo libertar-me suficientemente de mim no presente?"

Não encontrou professora a quem difamar, nem perna a quebrar, mas a simples ideia de que esses fatos podiam renovar-se na ocasião, esmagava-o quase... por vezes. — Não se pode estar sempre sob o domínio das recordações; é bem preciso que haja entreatos, em que se possa respirar e distrair.

É o que fazia Vielhtchâninov: estava totalmente disposto a aproveitar os entreatos para se distrair; mas, quanto mais o tempo marchava, mais a existência se tornava penosa para ele em Petersburgo. Aproximava-se julho. Vinha-lhe muitas vezes uma vontade súbita de largar tudo ali, seu processo e o resto, partir para alguma parte, não importa onde, imediatamente, para alguma parte da Crimeia, por exemplo. Uma hora depois, geralmente, ria de seu projeto: "Todos esses malditos pensamentos, não há clima, não há sul que possa acabar com eles; agora que estão aqui, não há meio de que, eu, um homem metódico, a eles escape; e depois não há razão...

"Por que partiria eu? — continuava ele a filosofar, com amargura. — Há por aqui tanta poeira e faz um calor tão sufocante! Esta casa é tão suja! Há naqueles tribunais em que passo meu tempo, entre todos os homens de negócios, tantas preocupações enervantes, tantos cuidados acabrunhantes! Há em todas essas pessoas que enchem a cidade, nesses rostos que desfilam da manhã à noite, um egoísmo tão ingênua e tão sinceramente exibido, uma audácia tão grosseira, uma covardia tão mesquinha, uma covardia tão baixa, que, para falar muito seriamente, isto aqui é o paraíso para um hipocondríaco. Tudo é franco, tudo se expõe, ninguém se dá ao trabalho de dissimular, como fazem nossas damas por toda parte, no campo, nas águas ou no estrangeiro; sim, deveras, tudo merece aqui a mais completa estima, somente por sua franqueza e por sua simplicidade... Não partirei! Rebentarei aqui, mas não partirei!"

Capítulo II / *O homem do crepe*

Era o dia 3 de julho. O ar estava pesado, o calor sufocante. Naquele dia, Vielhtchâninov teve uma enormidade de coisas a fazer. Andou para lá e para cá a manhã inteira: uma visita deveria tomar-lhe o serão, uma visita à casa de um conselheiro de Estado, homem competente, que lhe podia ser útil e que ele devia ir ver com urgência em sua casa de campo, muito longe, em alguma parte, à margem do Tchórnaia Riétchka.

À noite, pois, pelas seis horas, Vielhtchâninov entrou para jantar num restaurante de aparência duvidosa, mas francês, situado no Próspekt Niévski, perto da

Politseiski Most.[3] Sentou-se no seu canto habitual, à mesinha que lhe era reservada, e ordenou seu jantar. Cada dia jantava por um rublo, não incluído o vinho, de que só extraordinariamente usava, visto o mau estado de seus negócios. Admirava-se muitas vezes de que se pudesse comer tão mal; e, no entanto, engolia até a derradeira migalha, e cada vez devorava com maior apetite, como se não comesse havia três dias. "Deve ser doença", pensava ele, quando notava isso.

Naquela noite, tomou lugar à mesinha com as piores disposições de espírito; lançou violentamente seu chapéu num canto, pôs os cotovelos sobre a mesa e ficou pensativo. Se algum vizinho tivesse feito o mínimo ruído, ou se o garçom não o tivesse imediatamente compreendido, ele, que geralmente sempre se mostrava cortês e que sabia, quando preciso, permanecer impassível, teria feito, sem dúvida alguma, barulho e talvez um escândalo.

Servida a sopa, Vielhtcháninov pegou sua colher, mas, de repente, com um gesto brusco, lançou-a sobre a mesa e quase saltou de cima de sua cadeira. Um pensamento imprevisto apoderara-se dele, de súbito. Num instante, Deus sabe como, acabava de compreender o motivo de sua angústia, daquela angústia estranha que o torturava desde vários dias, que o oprimia, Deus sabe como e Deus sabe por que, sem um momento de alívio. Eis que, de repente, compreendia-o e via esse motivo, tão distintamente como os cinco dedos de sua mão.

— O chapéu!... — murmurou ele, como iluminado. — Sim, esse maldito chapéu, com aquele abominável crepe: eis a causa de *tudo*!

Vielhtcháninov pôs-se a refletir; mas, quanto mais meditava, mais sombrio se tornava, mais "todo o acontecimento" lhe parecia estranho. "Mas... mas... há bem naquilo um acontecimento?", objetava ele, sempre desconfiado. "Que há em tudo aquilo que se assemelhe a um acontecimento?"

Eis o que se passara:

Cerca de quinze dias antes, — na verdade, ele não se lembrava com exatidão, mas devia ter sido isso mesmo, — encontrara, pela primeira vez, na rua, em alguma parte, sim, na esquina das ruas Podiatchiéskaia e Miechtchánskaia, um homem que trazia um crepe no chapéu. Aquele senhor era como toda a gente e nada tinha de particular; passou depressa, mas, ao passar, lançou a Vielhtcháninov um olhar extremamente direto e que atraiu extraordinariamente sua atenção. Teve no mesmo momento a impressão de que conhecia aquele rosto. Decerto, havia-o encontrado em alguma parte.

"Ora! — pensou ele, — não tenho encontrado, da mesma forma, em minha vida, milhares de rostos? Não podemos lembrar-nos de todos."

Vinte passos mais longe havia esquecido aquele encontro, malgrado a impressão que lhe causara. Não obstante, aquela impressão durou o dia inteiro, estranhamente: era como uma irritação, sem objeto, e muito particular.

Agora, quinze dias depois, lembrava-se de tudo aquilo claramente. Lembrava-se também de que não pudera compreender então donde lhe vinha aquela irritação, a ponto de não ter tido mesmo a ideia de uma aproximação possível entre seu mau humor de toda a noite e seu encontro da manhã. Mas o homem teve cuidado de não se deixar esquecer: no dia seguinte, ele surgiu diante de Vielhtcháninov, no

3 Ponte da Polícia.

Próspekt Niévski e, como da primeira vez, fixou-o de uma maneira estranha. Vielhtcháninov cuspiu em sinal de desdém; depois, mal acabara de cuspir, espantou-se do que acabava de fazer. "Há, evidentemente, fisionomias que nos causam, não sabemos por que, uma aversão invencível."

— Não há dúvida, já o encontrei em alguma parte — murmurou ele, com ar pensativo, uma meia hora ainda depois do encontro.

E, de novo, durante todo o serão, esteve dum humor desagradável. À noite, teve um sono muito agitado mas não lhe ocorreu a ideia de que o homem de luto pudesse ser a causa de seu mal-estar, se bem que naquela noite ele lhe voltasse frequentemente à memória. Até mesmo censurava a si próprio que "semelhante bobagem" tomasse tanto lugar em suas recordações, e decerto ficou bastante humilhado por ter de atribuir-lhe a inquietação que o agitava, se pudesse nisso pensar.

Dois dias mais tarde, tornou a encontrá-lo, desta vez numa multidão, num desembarcadouro do Nieva. Desta vez, Vielhtcháninov teria de boa vontade jurado que "o homem do crepe" o reconhecera e que a multidão logo os havia separado. Acreditava bastante que ele iniciara o gesto de estender-lhe a mão; talvez mesmo o tivesse chamado pelo nome. O resto, Vielhtcháninov não havia entendido distintamente; no entanto... "Mas quem é, pois, esse canalha? Por que não vem a mim, se com efeito me conhece e quer aproximar-se de mim?", pensava ele com cólera, enquanto saltava em um fiacre para se fazer conduzir ao convento de Smólni.

Meia hora mais tarde, discutia calorosamente com seu advogado, mas o serão e a noite tornaram a causar nele a angústia mais fantástica.

"Será que eu tive um derrame de bílis?" — perguntou a si mesmo, com inquietude, olhando-se em um espelho.

Depois cinco dias se passaram sem que encontrasse "ninguém", e sem que "o canalha" desse sinal de vida. E, no entanto, não era capaz de esquecer o homem do crepe!

"Mas por que hei de ocupar-me assim com ele? — pensava Vielhtcháninov. — Hum! Decerto, ele também tem muitos negócios em Petersburgo. Mas de quem está de luto?... Reconheceu-me, evidentemente... Eu não... E por que essa gente usa crepe?... Isso não lhes assenta... Creio bem que se o visse de mais perto, seria capaz de reconhecê-lo..."

E era como se alguma coisa começasse a agitar-se em suas recordações, era como uma palavra que se sabe bem, que foi esquecida, e que a gente se esforça o mais que pode por lembrar. Sabe-se perfeitamente essa palavra; sabe-se que se sabe; sabe-se o que ela quer dizer, gira-se em torno dela, e não se pode agarrá-la. "Era... era, há muito tempo... era em alguma parte... havia lá... havia lá... Que o diabo leve o que havia lá ou não! Vale a pena a gente se incomodar tanto por causa daquele canalha?" Pusera-se terrivelmente encolerizado.

Mas à noite, quando se lembrou de sua cólera "terrível", experimentou grande confusão, como se alguém o tivesse surpreendido praticando um mal. Ficou inquieto com isso e espantado: "É preciso que haja uma razão para que eu me deixe assim arrebatar inconsideradamente... a propósito duma simples lembrança..." Não *foi até o fim* de seu pensamento.

No dia seguinte, sentiu uma cólera ainda mais violenta; mas, desta vez, pareceu-lhe que havia uma razão e que estava absolutamente no seu direito. "Jamais se viu insolência semelhante!" Tratava-se dum quarto encontro com o homem do crepe que, de novo, tinha como que surgido de debaixo da terra.

Eis a história.

Vielhtcháninov acabava de apanhar afinal, de passagem, na rua, aquele conselheiro de Estado, aquele homem importante a quem procurava desde tanto tempo. Aquele funcionário, que ele pouco conhecia, e que lhe podia ser útil no seu negócio, havia manifestamente tudo feito para não se deixar apanhar e para evitar encontrar-se com ele. Encantado por encontrá-lo, enfim, Vielhtcháninov caminhava ao lado dele, sondando-o com o olhar, despendendo tesouros de habilidade para conduzir o velho matreiro a um tema de conversa que lhe permitisse arrancar-lhe a preciosa palavra, tão desejada; mas o finório estava precavido, respondia com pilhérias, ou calava-se. E eis que, de repente, naquele momento difícil e decisivo, o olhar de Vielhtcháninov deu, no passeio oposto, com o homem do crepe. Estava parado, olhava fixamente para eles; seguia-os, era claro, e, sem nenhuma dúvida, zombava deles!

— O diabo o carregue! — exclamou, cheio de furor, Vielhtcháninov, que logo se despedira do funcionário, e que atribuía todo o malogro de seus esforços à aparição súbita do "insolente". — O diabo o carregue! Creio deveras que ele me espione! Não há dúvida alguma, segue-me. É pago para isso, e... e... por Deus, zomba de mim! Por Deus, vai ter de entender-se comigo! Se tivesse uma bengala!... Vou comprar uma bengala! Não posso suportar isto! Quem é esse indivíduo? É preciso que eu saiba quem é.

Passaram-se três dias após esse quarto encontro, quando encontramos Vielhtcháninov em seu restaurante, fora de si, e como que desmoronado. A despeito de seu orgulho, era bem preciso que fizesse confissão disso, era bem o seu estado. Bem examinado tudo, era forçado a convir que seu ânimo e a angústia estranha que o sufocava, havia quinze dias, não tinham outra causa senão o homem de luto, aquele "coisa nenhuma".

"Estou hipocondríaco, é verdade; estou sempre pronto a fazer duma mosca um elefante, é ainda verdade; mas tudo isto seria menos penoso, se não passasse de mera imaginação? Se semelhante patife pode permitir-se transtornar completamente um homem, então... então..."

Desta vez, com efeito, ao quinto encontro, que tivera lugar naquele dia e que pusera Vielhtcháninov fora de si, o elefante não passava de uma mosca. O homem passara, mas, desta vez, não encarara Vielhtcháninov, não dera sinal de conhecê-lo: andava de olhos baixos e parecia muito desejoso de não ser notado. Vielhtcháninov dirigira-se para ele e lhe gritara a plenos pulmões:

— Diga duma vez, homem do crepe! Foge agora? Pare! Quem é o senhor?

A pergunta, e toda essa interpelação, não tinham espécie alguma de sentido. Mas Vielhtcháninov só se deu conta disso depois de ter gritado. O homem assim interpelado voltou-se, detivera-se um instante, parecera hesitar, sorrira, parecera querer dizer ou fazer alguma coisa, ficara extremamente indeciso, depois afastara-se bruscamente sem olhar para trás. Vielhtcháninov acompanhava-o com o olhar, estupefato.

"Serei eu que o persigo — pensou ele, — e não ele a mim?..."

Quando acabou de jantar, correu Vielhtcháninov à casa de campo do funcionário. Não estava. Responderam-lhe "que ele não havia voltado desde manhã, que não voltaria sem dúvida antes das três ou quatro horas da madrugada, porque estava na cidade, em casa de seu sobrinho". Vielhtcháninov sentiu-se "ofendido" a ponto de ser seu primeiro movimento ir à casa do tal sobrinho. Mas de caminho refletiu que isto o levaria longe, saltou do fiacre a meio do caminho e dirigiu-se, a pé, para sua casa, perto do Bolchói Tieatr. Sentia necessidade de andar. Era-lhe preciso uma boa noite de sono para acalmar o abalo de seus nervos, e, para dormir, necessitava fatigar-se. Só chegou em casa, pois, às onze e meia, porque a distância era grande, e entrou derreado.

O apartamento que Vielhtcháninov havia alugado no mês de março, depois de ter tido um trabalhão para encontrá-lo — desculpando-se, depois, de que "não tinha residência fixa e só momentaneamente morava em Petersburgo... por causa daquele maldito processo", — estava longe de ser tão incômodo, tão pouco conveniente quanto ele próprio se comprazia em dizer. A entrada, é preciso reconhecê-lo, era um pouco sombria, suja mesmo. Não havia outra, aliás, senão o portão. Mas o apartamento, situado no segundo andar, compunha-se de duas peças muito claras, muito altas, e separadas por uma antecâmara semi-obscura. Uma dessas duas peças tinha vista para o pátio; a outra, para a rua. À primeira estava contíguo um gabinete que podia servir de quarto de dormir, mas onde Vielhtcháninov pusera livros e papéis. Escolhera a segunda para seu quarto, servindo de leito o divã. A mobília dessas peças oferecia ao olhar certo aspecto de conforto, se bem que, na realidade, se achasse bastante gasta. Aqui e ali alguns objetos de valor, vestígios de tempos melhores: bibelôs de bronze, de porcelana; grandes e autênticas alcatifas; dois quadros de boa qualidade, tudo numa grande desordem, sob uma poeira acumulada desde a partida de Pielagueia, a moça que servia a Vielhtcháninov e que, repentinamente, deixara-o, para regressar à casa de seus pais, em Nóvgorod.

Quando ele pensava nesse fato estranho duma moça colocada assim em casa de um homem que, por coisa alguma do mundo, haveria de ter querido mentir à sua qualidade de cavalheiro, o rubor subia às faces de Vielhtcháninov. No entanto, nunca tivera de que se queixar daquela Pielagueia. Entrara para seu serviço no momento em que ele alugara seu apartamento, isto é, na primavera, vinda da casa de uma moça que ia morar no estrangeiro. Pielagueia era muito cuidadosa e não demorou a pôr em ordem tudo quanto lhe era confiado. Vielhtcháninov, após a partida da moça, não quis arranjar outra criada. "Não valia a pena, para tão pouco tempo, tratar um criado..." Aliás, detestava a criadagem. Ficou, pois, decidido que os quartos seriam arrumados todas as manhãs pela irmã da porteira, Mavra, a quem deixava, ao sair, a chave da porta que dava para o pátio. Na realidade, Mavra não fazia nada, ganhava seu salário e provavelmente furtava. Tudo isto tornara-se indiferente para ele e até mesmo lhe agradava que a casa ficasse vazia.

Mas, no entanto, seus nervos se revoltavam por vezes, nas horas de aborrecimento, diante de toda aquela "sujeira", e acontecia-lhe muitas vezes, quando entrava em casa, só entrar para seu quarto com desgosto.

Naquela noite, Vielhtcháninov, mal se despiu, lançou-se sobre o leito, firmemente decidido a não pensar em nada, e, custasse o que custasse, dormir "no mesmo instante". Coisa estranha: mal sua cabeça pousou no travesseiro, o sono dele se apoderou. Havia bem um mês que tal não lhe sucedia.

Vielhtcháninov dormiu assim três horas inteiras, três horas cheias daqueles pesadelos que se tem nas noites de febre. Sonhou que cometera um crime, um crime que ele negava e de que o acusavam, de comum acordo, pessoas que chegavam de toda parte. Uma multidão enorme apinhara-se e entrava sempre gente pela porta escancarada. Depois toda a sua atenção se concentrava num homem estranho, que conhecera muito bem outrora, que morrera, e que agora se apresentava subitamente a ele. O mais penoso é que Vielhtcháninov não sabia quem era aquele homem, esquecera-se de seu nome e não podia recordá-lo; tudo quanto sabia é que havia outrora gostado muito dele. Todas as pessoas ali presentes esperavam daquele homem a palavra decisiva, uma acusação formal contra Vielhtcháninov ou sua justificação. Mas o homem permanecia sentado junto à mesa, imóvel, obstinadamente silencioso. O rumor não cessava, a irritação aumentava; de repente, Vielhtcháninov, exasperado pelo silêncio do homem, bateu nele: e logo sentiu um alívio estranho. Seu coração, apertado pelo terror e pelo sofrimento, recomeçou a bater tranquilamente. Uma espécie de raiva tomou-o, deu um segundo golpe, depois um terceiro, depois, como que embriagado de furor e de medo, numa embriaguez que atingia o desvario, bateu, acalmando-se ao mesmo tempo, bateu sem contar, sem parar. Queria aniquilar tudo, tudo aquilo. De repente, aconteceu o seguinte: todos lançaram um grande grito de terror e correram para a porta, e no mesmo instante três toques vigorosos de campainha fizeram-se ouvir tão fortemente que parecia quererem arrancá-la. Vielhtcháninov despertou, abriu os olhos, saltou de seu leito, correu para a porta; estava certo de que os toques de campainha eram reais, que não tinham sido coisa de sonho, que alguém estava ali e queria entrar. "Seria bastante estranho que um ruído tão nítido, tão real não passasse de um sonho!"

Com grande surpresa sua, o toque de campainha era mesmo um sonho. Abriu a porta, saiu para o patamar, lançou um olhar à escada: decididamente, ninguém. O cordão da campainha pendia imóvel. Surpreso, mas satisfeito, voltou para o quarto. Acendeu uma vela e lembrou-se de que a porta estava apenas encostada, que não estava fechada nem com chave nem com ferrolho. Acontecera-lhe muitas vezes tal esquecimento, sem que ligasse a isso a menor importância. Pielagueia várias vezes o advertira. Voltou à antecâmara, abriu ainda uma vez a porta, lançou ainda uma olhadela para fora, depois tornou a fechar e correu simplesmente os ferrolhos, sem tocar na chave. Nesse momento, o relógio bateu duas horas e meia: dormira três horas.

Seu sonho havia-o de tal modo posto nervoso que não quis voltar para a cama imediatamente e preferiu passear uma meia hora pelo quarto, "o tempo de fumar um charuto". Vestiu-se sumariamente, aproximou-se da janela, ergueu a espessa cortina de seda e depois o estore branco. Já a aurora aclarava a rua. As claras noites de estio de Petersburgo tinham sempre abalado fortemente seus nervos. Nos derradeiros tempos, haviam tornado suas insónias tão frequentes, que tivera, duas semanas antes, de suspender em suas janelas espessas cortinas de seda que o defendiam perfeitamente da luz exterior. Deixando entrar a luz do dia e esquecendo a vela acesa em cima da mesa, pôs-se a passear de ponta a ponta, todo entregue a uma sensação de sofrimento pungente. Persistia a impressão que lhe deixara seu sonho. Experimentava sempre uma dor profunda à ideia de que pudera levantar a mão contra aquele homem e bater nele.

"Mas aquele homem não existe, nunca existiu! Toda essa história de que me aflijo não passa de um sonho!"

Resolutamente, como se nesse ponto se concentrassem todas as suas preocupações, pôs-se a pensar que decididamente estava doente, "um homem doente".

Sempre lhe fora penoso reconhecer que envelhecia ou que sua saúde era má, e, nas suas horas negras, punha certo encarniçamento em exagerar um ou outro desses males, propositadamente, para zombar de si mesmo.

— É a velhice! Sim, envelheço terrivelmente — ele murmurou, andando para lá e para cá. — Perco a memória, tenho visões, sonhos, ouço toques de campainha... O diabo me leve! Sei por experiência que pesadelos desse gênero são em mim sinal de febre... Estou bem certo de que toda essa "história" de crepe não é talvez senão também um sonho. Decididamente, tinha razão ontem: sou eu que me encarniço em sua perseguição, e não ele. Fiz de mim mesmo um monstro e tenho medo, corro a salvar-me embaixo da mesa. E depois, por que é que o chamo de canalha? Talvez seja um homem muito de bem. Seu aspecto não é muito agradável, é verdade; mas afinal nada tem de particularmente feio. Traja como toda gente. Há somente o seu olhar... Vamos, eis-me ainda a preocupar-me com ele! Que diabo me importa o seu olhar? Não posso então viver sem pensar nesse... nesse patife?

Entre todos esses pensamentos que se davam caça em sua cabeça, houve um que lhe apareceu claramente e que lhe causou dor: surgiu nele de súbito a convicção de que o homem do crepe fora outrora um de seus amigos íntimos e que agora, quando o encontrava, aquele homem zombava dele porque conhecia um grande segredo de seu passado, e o via agora tão decadente. Foi maquinalmente à janela para abri-la e respirar a frescura da noite, e... e, bruscamente, estremeceu todo: pareceu-lhe que diante dele se produzia algo de prodigioso, de inaudito.

Não chegou a abrir a janela; vivamente introduziu-se no ângulo do vão e ali se ocultou: — além, bem em frente da casa, no passeio deserto, acabava de ver o homem do crepe. O homem estava de pé, com o rosto voltado para a janela; não o havia certamente percebido, olhava para a casa, curiosamente, como se procurasse alguma coisa. Pareceu refletir: levantou a mão, tocou a fronte com o dedo. Por fim decidiu-se: lançou rapidamente um olhar em torno de si, depois, na ponta dos pés, a pequenos passos, atravessou a rua, muito depressa... Ei-lo que se aproxima da porta, da portinha de serviço, que no verão não se fecha muitas vezes antes das três horas da madrugada. "Ele vem à minha casa", pensou repentinamente Vielhtcháninov, e o mais depressa possível, caminhando também nas pontas dos pés, atravessou a antecâmara, correu para a porta, e... parou diante, pregado pela expectativa, com a mão direita trêmula segurando o ferrolho da porta, toda a atenção tendida para o rumor dos passos na escada.

O coração batia-lhe tão forte que teve medo de não ouvir o desconhecido subir na ponta dos pés. Com efeito, não ouvia nada, mas sentia tudo com uma lucidez decuplicada. Era como se o sonho de ainda há pouco tivesse se fundido com a realidade. Vielhtcháninov era de natureza corajosa. Gostava por vezes de levar até a afetação o desprezo pelo perigo, mesmo quando ninguém o via, unicamente para agradar a si mesmo. Mas, hoje, era outra coisa. O hipocondríaco doentio de pouco *antes estava transfigurado*; era agora um homem totalmente diverso. Um riso nervoso, silencioso, sacudia-lhe o peito. Através da porta fechada, adivinhava cada movimento do desconhecido.

"Ah! ei-lo que entra, sobe, olha em torno de si; escuta na escada, mal respira; caminha a passos de lobo... Ah!... pega a maçaneta da porta, puxa, tenta abrir. Imagina que não conservo a porta fechada. Sabia, pois, que, por vezes, esqueço-me de fechá-la?... De novo, puxa a maçaneta... Pensará ele que a fechadura vai ceder dessa maneira?... É pena, hem? ter de ir embora! É pena, voltar sem nada ter conseguido!"

E, com efeito, tudo devia ter-se passado assim como Vielhtcháninov havia adivinhado: alguém, com efeito, estava ali, atrás da porta, havia, suavemente e sem rumor, experimentado a fechadura e puxado a maçaneta; "e, sem nenhuma dúvida, tinha sua ideia". Vielhtcháninov estava decidido a saber a explicação do enigma; esperava o momento com uma espécie de impaciência; ardia de vontade de puxar bruscamente o ferrolho, de escancarar a porta, de se encontrar face a face com seu espantalho e dizer baixinho: "Mas que faz aqui, meu caro senhor?". Foi o que aconteceu: quando escolheu o momento, puxou bruscamente o ferrolho, escancarou a porta e quase dá um encontrão no homem do crepe.

CAPÍTULO III / *PÁVIEL PÁVLOVITCH TRUSÓTSKI*[4]

O outro pareceu ficar cravado no chão, imóvel e mudo. Ficaram assim, um diante do outro, na soleira da porta, sem se mover, os olhos nos olhos. Isto durou alguns momentos, mas, de repente, Vielhtcháninov reconheceu seu visitante!

No mesmo momento, compreendeu o visitante manifestamente que Vielhtcháninov o havia reconhecido: isto passou como um clarão em seus olhos. Todo o seu rosto logo se dilatou num sorriso, todo repleto de afeição.

— É mesmo a Alieksiéi Ivânovitch que tenho o prazer de falar? — perguntou ele com voz tão suave que chegava a ser cômica, nas circunstâncias.

— Mas o senhor mesmo não é Páviel Pávlovitch Trusótski? — exclamou Vielhtcháninov, com o ar de um homem que adivinha.

— Conhecemo-nos, há nove anos, em T***, e, se me permite lembrá-lo, fomos bons amigos.

— Sim, sem dúvida... é possível... mas afinal são três da madrugada, e o senhor há uns dez minutos tenta verificar se minha porta estava fechada ou não.

— Três horas? — exclamou o outro, que consultou seu relógio, tomado de espanto. — É verdade, três horas! Perdoe-me, Alieksiéi Ivânovitch, deveria ter pensado nisto antes de ter vindo; estou completamente confuso. Vou-me embora; me explico em outra ocasião, mas agora...

— De jeito nenhum! Se tem algo a dizer, é melhor dizê-lo imediatamente! — interrompeu Vielhtcháninov. — Faça-me o prazer de entrar para cá, para o meu quarto. É isto que o senhor queria, imagino; não veio de noite unicamente para experimentar a fechadura...

Ele estava transtornado, espantado e sentia que não era mais senhor de si. Estava envergonhado: que havia, em suma, de misterioso e de inquietante em toda aquela fantasmagoria? Tanta emoção por ter visto surgir a tola figura dum Páviel Pávlovitch!... No entanto, no fundo, não achava aquilo tão simples; pressentia algu-

4 Nome forjado. De *trus*, medroso.

ma coisa, confusamente, com terror. Ofereceu uma cadeira a seu visitante, sentou com um movimento brusco em seu leito, a um passo da cadeira, e, inclinado para diante, com as palmas das mãos abertas pousadas nos joelhos, esperou que o outro falasse. Olhava-o avidamente e fazia esforço para se recordar. Coisa estranha, o outro se calava, parecia não compreender que "era preciso" que se explicasse imediatamente; pelo contrário, fitava Vielhtcháninov com um ar de expectativa. Talvez tivesse medo, bem simplesmente, e sentia-se mal à vontade, como um camundongo numa ratoeira. Mas Vielhtcháninov explodiu:

— O que o senhor quer? — exclamou. — Não é, no entanto, um fantasma ou um sonho! Veio, então, aqui para fingir-se assombração? É preciso que o senhor se explique, *bátiuchka*![5]

O visitante agitou-se e começou timidamente:

— Vejo que o senhor está sobretudo espantado pelo fato de eu aparecer a semelhante hora, e... em condições tão particulares... Quando penso em tudo quanto se passou outrora, e na maneira pela qual nos despedimos... sim, é bastante estranho... Aliás, eu não tinha, absolutamente, a intenção de entrar, e, se isto aconteceu, foi mesmo por acaso...

— Como, por acaso! Mas eu o vi, de minha janela, atravessar furtivamente a rua na ponta dos pés.

— Ah! o senhor me viu? Então, juro-lhe, sabe mais a este respeito do que eu próprio. Mas impaciento-o... Ora, eis o que é: cheguei a Petersburgo, há três semanas, para tratar de negócios... Sim, sou mesmo Páviel Pávlovitch Trusótski; o senhor me reconheceu perfeitamente. Eis qual é o meu negócio: trato de obter transferência de serviço para outra governadoria, com aumento de vencimentos... Não, não totalmente isto... Enfim, veja o senhor, o essencial é que ando por aqui há três semanas e que, palavra de honra, eu mesmo retardo o meu caso... sim, o caso de minha permuta... e que, se isto se arranjar, palavra, tanto pior, esquecerei que foi arranjado e não poderei sair de sua Petersburgo na minha situação. Arrasto-me por aí como se não tivesse mais objetivo, e como se estivesse contente de não mais o ter... na minha situação!...

— Mas afinal que "situação"? — interrompeu Vieltcháninov.

O visitante ergueu os olhos para ele, pegou seu chapéu e, com uma dignidade cheia de grandeza, mostrou o crepe.

— Pois bem, sim, que "situação"?

Vieltcháninov olhava com um olhar atônito o crepe e mais ainda o rosto de seu visitante. De repente um rubor cobriu-lhe as faces e ele sentiu uma emoção terrível:

— Com que então, Natália Vassílievna?

— Sim, Natália Vassílievna! Em março passado... A tísica... quase de repente, em dois ou três meses!... E eu fiquei, como o senhor vê!

Dizendo estas últimas palavras, o visitante, com uma expressão de tristeza, abriu seus braços estendidos, com a mão esquerda segurando o chapéu com o crepe, e deixou cair sua cabeça calva sobre o peito, durante quase dez segundos.

---

5 Sinônimo arcaico de pope. Utilizado também, na linguagem do povo, como sinônimo de pai, aplicado ao próprio pai ou a pessoas de respeito, às quais se quer tratar com consideração e afeto ao mesmo tempo. Também exclamação: Ah, *bátiuchka!* Meu pai! Meu Deus!

Esse ar e esse gesto restituíram de súbito a calma a Vielhtcháninov; um sorriso irônico, até mesmo agressivo, deslizou-lhe pelos lábios, mas apagou-se no mesmo instante: a notícia da morte daquela mulher, que ele conhecera e havia muito tempo, causava-lhe uma impressão inesperada, muito profunda.

— É possível — murmurou ele. — Mas por que não veio ter comigo franca e abertamente?

— Agradeço-lhe sua simpatia, vejo-a e sou a ela sensível... Embora...

— Embora...

— Embora estejamos separados desde muitos anos, o senhor tomou imediatamente pelo meu pesar, por mim mesmo, um interesse tão verdadeiro que tenho para com o senhor, não o duvide, um vivo reconhecimento. É tudo quanto queria dizer. Não me enganei nas minhas amizades, pois que aqui posso encontrar agora mesmo meus amigos mais sinceros (só lhe citarei Stiepan Mikháilovitch Bagaútov); mas, na verdade, Alieksiéi Ivânovitch, desde nossas relações de outrora, e, deixe-me dizê-lo, porque tenho memória fiel, desde nossa velha amizade, nove anos se passaram sem que o senhor tenha voltado a ver-nos; nem mesmo houve troca de cartas.

Parecia que ele cantava uma ária aprendida e todo o tempo que falou manteve os olhos fixos em terra, nada perdendo, entretanto, do que se passava. Vielhtcháninov tornara-se senhor de si. Ouvia e olhava Páviel Pávlovitch com impressões estranhas, cuja intensidade ia em crescendo e, de repente, quando ele se calou, as ideias mais singulares e mais imprevistas invadiram-lhe a cabeça.

— Mas como se dá que não o haja reconhecido até agora? — exclamou ele. — Encontramo-nos cinco vezes na rua.

— Com efeito, lembro-me; dava a cada instante com o senhor e, duas ou três vezes, pelo menos...

— Quer dizer que era eu quem dava a cada instante com o senhor e não o senhor comigo.

Vielhtcháninov levantou-se e, de repente, desatou em violenta gargalhada, inesperada. Páviel Pávlovitch permaneceu silencioso, olhou atentamente e logo prosseguiu:

— Se o senhor não me reconheceu é que, a princípio, tenha-se talvez esquecido de mim. E depois, aconteceu que tive varíola, da qual trago sinais no rosto.

— Varíola? Com efeito, é varíola. Mas como?...

— Como a peguei? Tudo acontece, Alieksiéi Ivânovitch. Pega-se.

— É bem engraçado. Mas continue, continue, caro amigo!

— Pois bem, embora já o tenha encontrado...

— Espere! Por que, pois, disse ainda há pouco "pega-se"? É preciso falar de maneira menos trivial. Mas continue, continue!

Sentia-se cada vez mais alegre. A opressão que o sufocava desaparecera completamente.

Marchava a grandes passos pelo quarto, de ponta a ponta.

— É verdade, já o encontrei, e estava resolvido, desde minha chegada a Petersburgo, a vir procurá-lo; mas, repito-lhe, acho-me, presentemente, em tal situação de espírito... acho-me de tal modo transtornado desde o mês de março...

— Transtornado desde o mês de março?... Ah! sim, perfeitamente!... Perdão, o senhor não fuma?

— Eu? O senhor sabe, desde o tempo de Natália Vassílievna...

— Ah! sim! Mas desde o mês de março?...

— Talvez um cigarrinho.

— Eis um cigarro. Acenda-o, e... prossiga! Prossiga; é excessivamente...

E Vielhtcháninov acendeu um charuto e tornou a sentar-se no leito, enquanto falava. Páviel Pávlovitch interrompeu-o:

— Mas o senhor mesmo não se acha um pouco agitado? Vai passando realmente bem?

— Ora! Ao diabo a minha saúde! — exclamou Vielhtcháninov de mau humor. — Continue, pois.

O visitante, por sua vez, vendo a agitação de Vielhtcháninov, sentiu-se mais seguro e mais senhor de si mesmo.

— Que quer que continue? — perguntou ele. — Imagine em primeiro lugar, Alieksiéi Ivânovitch, um homem morto, verdadeiramente morto; um homem que, após vinte anos de casamento, muda de vida, põe-se a vagar pelas ruas poeirentas, sem objetivo, como se andasse pela estepe, quase inconsciente, duma inconsciência que lhe proporciona ainda alguma calma. É verdade: encontro por vezes um conhecido, até mesmo um verdadeiro amigo, e sigo, de propósito, para não abordá-lo neste estado de inconsciência. Em outros momentos, pelo contrário, lembra-se a gente de tudo com intensidade, sente-se uma necessidade tão imperiosa de ver uma testemunha desse passado para sempre desaparecido, sente-se bater tão fortemente o coração que é preciso absolutamente, quer seja de dia, quer seja de noite, correr a lançar-se nos braços de um amigo, ainda mesmo quando fosse preciso para isso despertá-lo às quatro horas da madrugada. Pode ser que tenha escolhido mal minha hora, mas não me enganei a respeito do amigo, porque, agora, sinto-me plenamente reconfortado. Quanto à hora, acreditava, garanto-lhe, que era apenas meia-noite. A gente bebe o próprio pesar e fica-se de certo modo embriagado. E então, não é mais pesar, é como uma nova natureza que sinto bater em mim...

— Como se exprime! — disse com voz surda Vielhtcháninov, de súbito, voltando a ficar sombrio.

— É mesmo, tenho uma maneira estranha de exprimir-me.

— E... não está brincando?

— Brincando? — exclamou Páviel Pávlovitch, num tom de tristeza ansiosa. — Brincando? No momento em que lhe declaro...

— Ah! não diga mais nada, rogo-lhe.

Vielhtcháninov levantou-se e voltou a andar pelo quarto. Passaram-se cinco minutos assim. O visitante quis levantar, mas Vielhtcháninov gritou-lhe:

— Fique sentado! Fique sentado!

E o outro, docilmente, deixou-se cair de novo em sua cadeira.

— Meu Deus, como está mudado! — retomou Vielhtcháninov, plantando-se diante dele, como se acabasse apenas de reparar nisso. — Terrivelmente mudado! Extraordinariamente! É um homem totalmente diverso!

— Não é de surpreender: nove anos!

— Não, não, não é uma questão de idade. Não foi seu físico que mudou, mas o senhor tornou-se um outro homem!

— Ah! sim, é possível. Nove anos!

— Ou não seria antes a partir do mês de março?

— Ah! ah! — fez Páviel Pávlovitch, com um sorriso malicioso, — o senhor gosta de brincar... Mas, vejamos, já que faz questão, que mudança vê o senhor?

— Pois bem, eis aqui. O Páviel Pávlovitch de outrora era um homem completamente sério, decente e talentoso. O de agora não passa de um *vaurien*.[6]

Vielhtcháninov chegara àquele ponto de nervosismo em que os homens mais senhores de si vão por vezes mais longe do que querem em palavras.

— *Vaurien!* Acha?... Não tenho mais talento? Nada de talento — disse complacente Páviel Pávlovitch.

— Ao diabo o talento! Agora o senhor é inteligente, simplesmente isto.

"Estou sendo insolente — pensava Vielhtcháninov, — mas esse canalha é ainda mais insolente do que eu!... Enfim, que quer ele?"

— Ah! meu querido Alieksiéi Ivânovitch — exclamou, de repente, o visitante, agitando-se em sua cadeira. — Que fazer, agora? Nosso lugar não é mais no mundo, na brilhante sociedade do grande mundo! Somos dois velhos e verdadeiros amigos, e, agora que nossa intimidade se tornou mais completa, nós nos relembraremos um ao outro a preciosa união de nossos dois afetos, entre os quais a falecida era um elo mais precioso ainda!

E, como que transportado pelo ímpeto de seus sentimentos, deixou de novo cair a cabeça e ocultou o rosto por trás do chapéu. Vielhtcháninov fitava-o, com uma mistura de inquietação e de repugnância.

"Vejamos, não seria tudo isso senão uma farsa? — pensou ele. — Não, não, não! Não tem ar de embriagado... mas, afinal, pode ser que esteja bêbado: está com a cara bem vermelha. De resto, bêbado ou não, dá tudo no mesmo... Enfim, que me quer ele? Que quer de mim esse canalha?"

— Lembra-se, lembra-se? — exclamou Páviel Pávlovitch, afastando pouco a pouco seu chapéu, e cada vez mais exaltado pelas suas recordações. — Lembra-se de nossas excursões ao campo, de nossos serões, de nossos bailes e de nossos pequenos jogos na casa de Sua Excelência, o muito hospitaleiro Siemion Siemiônovitch? E nossas leituras, à noite, nós três? E nossa primeira entrevista, quando o senhor chegou uma manhã à minha casa para me consultar a respeito de seu caso? Lembra-se de que estava a ponto de impacientar-se, quando Natália Vassílievna entrou, como, ao fim de dez minutos, o senhor já se tornara nosso melhor amigo, como assim o permaneceu um ano inteiro, inteiramente como em *A provinciana*, a peça do Senhor Turguiéniev...

Vielhtcháninov passeava lentamente, com os olhos no chão, escutava com impaciência, com repugnância, mas escutava atentamente.

— Nunca pensei em *A provinciana* — interrompeu ele, — e nunca lhe aconteceu outrora falar com essa voz de falsete, nesse estilo que não é o seu. Para que tudo isso?

— É verdade, outrora eu me mantinha mais calado — retomou a palavra, vivamente, Páviel Pávlovitch. — O senhor sabe, outrora preferia escutar, quando a falecida falava. O senhor se lembra como ela conversava, com que espírito... Quanto a *A provinciana* e em particular quanto a Stupiéndiev, o senhor tem razão: éramos

6 Velhaco, tratante, patife; era francês no original.

nós, a querida falecida e eu, que, muitas vezes, pensando no senhor, assim que o senhor se retirava, comparávamos nosso primeiro encontro com aquela peça... e, com efeito, a analogia era impressionante. E em particular quanto a Stupiéndiev...

— Que o diabo leve esse seu Stupiéndiev! — exclamou Vielhietcháninov, batendo com o pé, deixando-se arrebatar ao ouvir aquele nome, que despertava em seu espírito uma lembrança inquietante.

— Stupiéndiev? Mas é o nome do marido em *A provinciana* — continuou Páviel Pávlovitch, com sua voz mais suave. — Mas tudo isto se refere a outra série de minhas caras recordações, à época que se seguiu à sua partida, quando Stiepan Mikháilovitch Bagaútov nos fazia o favor de sua amizade, absolutamente como o senhor, mas, durante cinco anos inteiros.

— Bagaútov? Qual Bagaútov? — replicou Vielhtcháninov, plantando-se em pé diante de Páviel Pávlovitch.

— Ora, Bagaútov, Stiepan Mikháilovitch Bagaútov, que nos concedeu sua amizade justamente um ano depois do senhor... e... absolutamente como o senhor.

— Oh sim! Por Deus, sim... Mas eu o conheço — continuou Vielhtcháninov, — esse Bagaútov!... Ele estava, creio, exercendo alguma função na sua província?...

— Isso mesmo, exercia funções junto ao governador. Era de Petersburgo... Um rapaz elegante... da melhor sociedade! — exclamou Páviel Pávlovitch, num verdadeiro arrebatamento.

— Mas sim, mas perfeitamente! Onde tenho, pois, a cabeça? Então, ele também?...

— Ele também, sim, ele também — repetiu Páviel Pávlovitch, com o mesmo ímpeto, agarrando no voo a palavra imprudente de seu interlocutor, — ele também! Foi então que representamos *A provinciana*, num teatro de amadores, em casa de Sua Excelência, o muito hospitaleiro Siemion Siemiônovitch. Stiepan Mikháilovitch fazia o papel do conde, a falecida fazia "a provinciana", e eu... eu devia representar o papel do marido, mas tomaram-me esse papel, por desejo da falecida, que pretendia ser eu incapaz de desempenhá-lo.

— Mas que engraçado Stupiéndiev o senhor faz!... Em primeiro lugar, o senhor é Páviel Pávlovitch Trusótski, e não Stupiéndiev — interrompeu violentamente Vielhtcháninov, que não podia mais conter-se e tremia quase de irritação. — Vejamos, permita: Bagaútov está aqui, em Petersburgo. Eu mesmo o vi, vi-o na primavera. Por que não vai à casa dele?

— Mas vou todos os dias à casa dele, desde três semanas. Não me recebem. Está doente, não pode mais receber. Imagine que, com efeito, soube, de muito boa fonte, que está verdadeiramente muito doente. Eis um amigo esse! Um amigo de cinco anos! Ah! Alieksiéi Ivânovitch, disse e repito: há momentos em que a gente tem vontade de estar debaixo da terra, e em outros momentos, pelo contrário, gostaria de tornar a encontrar algum daqueles que viram e viveram nosso tempo passado, para chorar com ele, sim, unicamente para chorar!...

— Vejamos, chega por hoje, não é? — disse secamente Vielhtcháninov.

— Oh! sim! mais do que chega! — disse Páviel Pávlovitch, levantando-se imediatamente. — Meu Deus! são quatro horas! Como egoisticamente o incomodei!

— Escute, irei vê-lo por minha vez e espero... Vejamos! Diga-me bem francamente... Não está bêbado hoje?

— Bêbado? Mas de jeito nenhum...

— Não bebeu ao vir para cá, ou antes?

— O senhor sabe, Alieksiéi Ivânovitch, o senhor está com febre.

— Amanhã irei vê-lo antes de uma hora.

— Sim — interrompeu, com insistência, Páviel Pávlovitch, — sim, o senhor fala como num delírio. Notei-o desde um momento. Estou verdadeiramente desgostoso... Sem dúvida, meu desajeito... sim, vou-me embora, vou-me embora. Mas o senhor, Alieksiéi Ivânovitch, deite e trate de dormir.

— Mas o senhor não me disse onde mora! — disse Vielhtcháninov por trás dele, enquanto ele saía.

— Não lhe disse? No Hotel Pokrov!

— Que é o Hotel Pokrov?

— É bem perto de Pokrov, no beco... Bom, eis que esqueci o nome do beco e o número. Enfim, é bem perto de Pokrov...[7]

— Haverei de achar.

— Adeus.

E já estava na escada.

— Espere! Espere! — gritou bruscamente Vielhtcháninov. — O senhor não irá escapar-se assim, sem mais!

— Como? Escapar-me? — exclamou o outro, arregalando os olhos e parando no terceiro degrau.

Por toda resposta Vielhtcháninov tornou a fechar vivamente a porta, deu uma volta à chave e correu o ferrolho; depois voltou a entrar no quarto e cuspiu com desgosto, como se acabasse de tocar em algo de sujo. Ficou de pé, no meio do quarto, imóvel, cinco grandes minutos e, de repente, sem se despir, lançou-se sobre seu leito e adormeceu instantaneamente. A vela esquecida em cima da mesa consumiu-se até o fim.

Capítulo IV / *A mulher, o marido e o amante*

Vielhtcháninov dormiu profundamente e só acordou às nove horas e meia. Levantou então, sentou em seu leito e pôs-se a pensar na morte "daquela mulher".

A impressão que sentira com a notícia daquela morte tinha algo de turvo e de doloroso. Havia dominado sua agitação diante de Páviel Pávlovitch; mas, agora que estava só, todo aquele passado velho de nove anos reviveu subitamente diante dele com uma nitidez extrema.

Aquela mulher, Natália Vassílievna, a mulher "daquele Trusótski", fora sua amada, ele fora seu amante, quando, a propósito dum caso de herança, permanecera um ano inteiro em T***, se bem que a regularização de seu caso não reclamasse permanência tão longa. A verdadeira causa fora aquela ligação. Aquela ligação e aquela paixão haviam-no dominado tão inteiramente que estivera como que escravizado a Natália Vassílievna e teria praticado sem hesitar a coisa mais louca e mais insensata para satisfazer o mínimo capricho daquela mulher. Jamais, nem antes, nem depois,

7 Quarteirão de Petersburgo.

semelhante aventura lhe acontecera. Pelo fim do ano, quando a separação se tornou inevitável, Vielhtcháninov, à aproximação da data fatal, sentira-se desesperado, se bem que aquela separação devesse ser de curta duração: perdera a cabeça a ponto de propor raptar Natália Vassílievna, de levá-la para sempre para o estrangeiro. Foi precisa toda a resistência tenaz e zombeteira daquela mulher que, a princípio, por tédio ou por brincadeira, parecera ter achado o projeto sedutor, para obrigá-lo a partir sozinho. E depois? Menos de dois meses após a separação, Vielhtcháninov, em Petersburgo, estava a fazer a si mesmo esta pergunta para a qual não encontrava resposta: amara verdadeiramente aquela mulher, ou fora vítima de uma ilusão? E não era nem por volubilidade, nem porque começasse nova paixão que fazia a si mesmo esta pergunta. Naqueles dois primeiros meses que se seguiram ao seu regresso para Petersburgo, ficou tomado duma espécie de estupor que o impedia de notar qualquer mulher, embora houvesse retomado sua vida mundana e tivesse ocasião de ver muitas. E sabia bem, a despeito de todas as perguntas que fazia a si mesmo, que, se voltasse a T***, recairia imediatamente sob o encanto dominador daquela. Cinco anos mais tarde, estava ainda convencido disso como no primeiro dia, mas esta comprovação não lhe causava senão mau humor e só se recordava daquela mulher com antipatia. Tinha vergonha daquele ano passado em T***. Não podia compreender como pudera ter estado tão "estupidamente" amoroso, ele, Vielhtcháninov! Todas as suas recordações daquela paixão só lhe davam desgosto: corava de vergonha até quase chorar. Pouco a pouco, entretanto, reencontrou certa quietude; procurava esquecer e quase o havia conseguido. E eis que, de súbito, após nove anos, tudo aquilo ressuscitava duma maneira estranha diante dele, à notícia da morte de Natália Vassílievna.

Agora, sentado em seu leito, perseguido por ideias sombrias que se comprimiam em desordem na sua cabeça, não sentia, não via distintamente senão uma coisa: é que, apesar do abalo que lhe causara a notícia, se sentia perfeitamente calmo à ideia de sabê-la morta: "Não tenho, então, por ela mais nem mesmo uma saudade?", perguntou a si mesmo. A verdade é que toda aquela antipatia que tivera outrora por ela acabava de desfazer-se e podia, naquele momento, julgá-la sem preconceito. A opinião que dela formara, no curso dos nove anos de separação, é que Natália Vassílievna era o tipo da provinciana, da mulher da "boa sociedade" da província, e que talvez era ele o único que perdera a cabeça por causa dela. De resto, sempre duvidara de que essa opinião pudesse ser errônea e sentia isso agora. Os fatos a contradiziam evidentemente: aquele Bagaútov estivera, também ele, durante vários anos, a ela ligado e era claro que, também ele, fora "subjugado". Bagaútov era na verdade um rapaz do melhor mundo de Petersburgo, "uma nulidade como nenhuma outra", dizia Vielhtcháninov e que só podia mesmo abrir seu caminho em Petersburgo. E aquele homem havia sacrificado Petersburgo, isto é, todo o seu futuro, e ficara cinco anos em T***, unicamente por causa daquela mulher! Acabara por voltar a Petersburgo, mas é bem possível que tivesse sido unicamente porque o haviam mandado passear, "como um chinelo velho". Era preciso, pois, que tivesse havido naquela mulher algo de extraordinário, o dom de cativar, de subjugar e de dominar!

No entanto, parecia-lhe bem que ela não possuía o que é preciso para cativar e subjugar. "Vejamos! Estava longe de ser bela; não sei mesmo se não era simplesmente feia." Quando Vielhtcháninov a conheceu, tinha ela já vinte e oito anos. Seu rosto não era bonito; animava-se ela por vezes agradavelmente, mas seus olhos eram realmente feios; tinha o olhar excessivamente duro. Era muito magra. Sua instrução era muito medíocre; tinha o espírito bastante firme e penetrante, mas estreito. Suas maneiras eram as de uma dama da sociedade provinciana; com isto, é preciso dizê-lo, muito tato; tinha gosto excelente; sobretudo, trajava com perfeição. Seu caráter era decidido e dominador; impossível entender-se com ela pela metade: "tudo ou nada". Tinha, nos negócios difíceis, uma firmeza e uma energia surpreendentes. Sua alma era generosa e, ao mesmo tempo, injusta sem limitação. Não era possível discutir com ela; para ela duas vezes dois não significava nada. Jamais, em nenhum caso, teria reconhecido sua injustiça ou seus erros. As infidelidades sem nome a seu marido jamais lhe pesaram na consciência. Era perfeitamente fiel a seu amante, mas somente enquanto ele não a aborrecesse. Gostava de fazer seus amantes sofrerem, mas gostava também de compensá-los. Era apaixonada, cruel e sensível.

Odiava a depravação nos outros, julgava-a com uma dureza implacável e era ela própria depravada. Teria sido absolutamente impossível levá-la a dar-se conta de sua própria depravação. "É muito sinceramente que ela ignora — julgava já Vielhtcháninov, quando ainda se achava em T***. — É uma dessas mulheres — pensava ele, — que nasceram para ser infiéis. Não há risco de que mulheres dessa espécie caiam enquanto são donzelas: é lei de sua natureza esperarem para isso que estejam casadas. O marido é o primeiro amante delas, mas jamais antes do casamento. Não há mais honestas que elas para o casamento. Naturalmente, é sempre o marido o responsável pelo primeiro amante. E isto continua assim, com a mesma sinceridade: até o fim estão elas persuadidas de que são perfeitamente honestas, perfeitamente inocentes".

Estava Vielhtcháninov convencido de que existem mulheres desse gênero; e estava igualmente convencido de que existe um tipo de maridos correspondente a esse tipo de mulheres e não tendo outra razão de ser senão corresponder a isso. Para ele, a essência dos maridos desse gênero consiste em serem, por assim dizer "eternos maridos" ou, para melhor dizer, em serem toda a sua vida unicamente maridos, e nada mais. "O homem dessa espécie vem ao mundo e cresce unicamente para casar, e, logo que casa, torna-se, imediatamente, algo de complementar de sua mulher, ainda mesmo quando tenha um caráter pessoal e resistente. A marca distintiva de tal marido é o ornamento que se conhece. É-lhe tão impossível não usá-lo como ao sol não luzir, e não somente é-lhe interdito jamais saber disso, mas ainda é-lhe interdito jamais conhecer as leis de sua natureza." Vielhtcháninov acreditava firmemente na existência desses dois tipos, e Páviel Pávlovitch Trusótski, em T***, representava exatamente a seus olhos um desses tipos. O Páviel Pávlovitch que acabava de deixá-lo não era naturalmente mais aquele que conhecera em T***. Achara-o prodigiosamente mudado, mas sabia bem que não podia ele ter deixado de mudar e que era aquilo a coisa mais natural do mundo: o verdadeiro Senhor Trusótski, aquele que ele conhecera, só podia ter sua realidade completa enquanto vivesse sua mulher; o que restava agora era uma parte daquele todo e nada mais, alguma coisa que fora deixado à aventura, algo de surpreendente e que não se assemelhava a nada.

Quanto ao que fora o verdadeiro Páviel Pávlovitch, o de T***, eis a lembrança que dele guardara Vielhtcháninov e que lhe voltou ao espírito:

"Rigorosamente falando, o Páviel Pávlovitch de T*** era marido e nada mais." Assim, por exemplo, se era ao mesmo tempo funcionário, era unicamente porque se tornava preciso que cumprisse uma das partes essenciais do papel de marido: tomara posição na hierarquia dos funcionários para garantir à sua mulher sua situação na sociedade de T***, sendo, por si mesmo, um funcionário muito zeloso. Tinha então trinta e cinco anos; possuía certa fortuna, bastante considerável mesmo. Não mostrava no seu serviço uma capacidade bastante notável, nem, aliás, uma incapacidade bastante notável. Era recebido na melhor sociedade oficial e bem acolhido em toda parte. Toda a gente, em T***, mostrava-se cheia de atenções para com Natália Vassílievna; a isso não ligava ela muita importância, recebendo todas as homenagens como coisas devidas; sabia receber com perfeição e educara tão bem Páviel Pávlovitch que ele igualava em distinção de maneiras às sumidades do governo. "Talvez mesmo — pensava Vielhtcháninov — ele tivesse espírito; mas como Natália Vassílievna não gostava que ele falasse muito, não tinha ele ocasião de mostrá-lo. Talvez mesmo tivesse, de nascença, qualidades e defeitos; mas estas qualidades estavam ocultas e seus defeitos eram mais ou menos sufocados logo que apontavam." Por exemplo, Vielhtcháninov lembrava-se de que Trusótski era naturalmente inclinado a zombar do próximo: via-se proibido formalmente de fazer isso. Gostava por vezes de contar alguma anedota: só lhe era permitido contar coisas muito insignificantes e muito brevemente. Gostava de sair, de ir ao clube, beber com amigos; tiraram-lhe bem depressa essas vontades. E o maravilhoso é que com tudo isto não se podia dizer que aquele marido vivesse sob o chinelo de sua esposa. Natália Vassílievna mostrava toda a aparência da mulher perfeitamente obediente e talvez ela própria estivesse convencida de sua obediência. Talvez Páviel Pávlovitch amasse Natália Vassílievna até a inteira abnegação de si mesmo; mas isso era impossível de saber, tendo-se em vista a maneira pela qual ela havia organizado a vida deles.

Durante seu ano de estada em T***, Vielhtcháninov, mais de uma vez, tinha perguntado a si mesmo se aquele marido nada havia notado da ligação deles. Havia mesmo interrogado, a este respeito, muito seriamente, Natália Vassílievna, que, de cada vez, se encolerizara, e, invariavelmente, respondera que um marido nada sabe dessas coisas, e não pode jamais saber, e que "tudo isso não lhe diz respeito de modo algum". Outro detalhe curioso: jamais zombava de Páviel Pávlovitch; não o achava nem feio, nem ridículo, teria-o mesmo defendido com firmeza se alguém se tivesse permitido alguma impolidez a seu respeito. Não tendo tido filhos, tivera de consagrar-se exclusivamente à vida mundana; mas amava o seu lar. Os prazeres mundanos não a absorveram jamais completamente e gostava das ocupações domésticas, do trabalho de casa. Páviel Pávlovitch lembrava havia pouco seus serões de leituras comuns; era verdade: Vielhtcháninov lia, Páviel Pávlovitch lia também, e até mesmo lia muito bem em voz alta, para grande espanto de Vielhtcháninov. Natália Vassílievna, durante aquele tempo, bordava e escutava tranquilamente. Liam-se romances de Dickens, algum artigo de uma revista russa, por vezes algo de "sério". Natália Vassílievna apreciava bastante a cultura de Vielhtcháninov, mas em *silêncio, como uma coisa* concedida, da qual não havia mais razão para falar. Em geral, os livros e a ciência deixavam-na indiferente, como uma coisa útil, mas que lhe era estranha. Páviel Pávlovitch mostrava-se por vezes entusiasmado.

Aquela ligação rompeu-se subitamente, no momento em que a paixão de Vielhtcháninov, que só fizera crescer, quase lhe arrebatava o juízo. Expulsaram-no, bem simplesmente, de repente, e isso foi arranjado tão bem que ele partiu sem se dar conta de que o haviam posto fora "como um chinelo velho". Um mês e meio antes de sua partida, chegara a T*** um jovem oficial de artilharia, que acabava de sair da Escola. Foi recebido em casa dos Trusótski: em lugar de três, havia quatro agora. Natália Vassílievna acolheu o rapaz com muita benevolência, mas tratou-o como a um menino. Vielhtcháninov não duvidou de nada; não chegou mesmo a compreender, no dia em que foi informado que a separação se tornara necessária. Entre as cem razões por meio das quais Natália Vassílievna lhe demonstrou que ele devia partir, sem hesitação, de imediato, havia esta: estava grávida, era preciso, pois, que ele desaparecesse imediatamente; nem que fosse por três ou quatro meses, a fim de que, dentro de nove meses, fosse mais difícil a seu marido fazer a conta, se lhe ocorresse alguma suspeita. O argumento era de muita urgência. Vielhtcháninov suplicou-lhe com ardor que fugisse com ele para Paris ou para a América, depois partiu sozinho para Petersburgo, "sem a menor suspeita". Acreditava que iria por uns três meses, quando muito; de outro modo, nenhum argumento seria capaz de fazê-lo a partir, por preço algum. Dois meses mais tarde, recebia em Petersburgo uma carta em que Natália Vassílievna lhe rogava que não voltasse mais, porque ela amava outro; quanto à gravidez, havia-se enganado. Esta derradeira explicação era supérflua; via claro agora: lembrou-se do jovem oficial. Ficou tudo terminado para sempre. Alguns anos mais tarde, soube que Bagaútov fora a T*** e ali permanecera cinco anos inteiros. Disse a si mesmo, para explicar-se a duração daquela ligação, que Natália Vassílievna devia ter envelhecido grandemente e tornara-se mais fiel.

Ficou ali, sentado em seu leito, perto de uma hora; por fim, voltou a si, chamou Mavra, pediu seu café, bebeu-o vivamente, vestiu-se e, justamente às onze horas, pôs-se à procura do Hotel Pokrov. Vieram-lhe alguns escrúpulos a respeito de toda a sua entrevista com Páviel Pávlovitch e era preciso que os esclarecesse.

Toda a fantasmagoria da noite, explicava-a a si mesmo pelo acaso, pela embriaguez manifesta de Páviel Pávlovitch, talvez por outra coisa ainda, mas o que no íntimo de si mesmo não chegava a compreender era o motivo pelo qual ia agora reatar relações com o marido de outrora, quando tudo estava definitivamente acabado entre eles. Alguma coisa o atraía: havia tornado a sentir uma impressão toda particular, e dessa impressão se destacava alguma coisa que o atraía.

Capítulo V / *Lisa*

Páviel Pávlovitch não tinha absolutamente pensado em "escapar", e Deus sabe por que Vielhtcháninov lhe havia feito aquela pergunta: provavelmente, porque ele próprio havia perdido a cabeça. À primeira pergunta que fez numa lojinha de Pokrov, indicaram-lhe o hotel, a dois passos, num beco. No hotel, disseram-lhe que o Senhor Trusótski ocupava um apartamento mobiliado em casa de Maria Sisoievna, no pavilhão, ao fundo do pátio. Enquanto subia a escada de pedra, estreita e suja, do pavilhão, até o segundo andar, ouviu choro. Era choro de criança, de uma criança de sete a oito anos; a voz era queixosa. Ouviam-se soluços abafados que rebentavam, e, ao mesmo tempo, ruído de passos, gritos que se procurava atenuar, sem conseguir, e a voz rouca de um homem. O homem esforçava-se, ao que parecia, por acalmar a criança, fazia tudo para que não a ouvissem chorar, mas fazia ele mesmo mais barulho que ela; as explosões de sua voz eram rudes e a criança parecia pedir perdão. Vielhtcháninov meteu-se por um estreito corredor sobre o qual se abriam duas portas de cada lado; encontrou uma mulher muito grande, muito gorda, vestida desleixadamente, à qual perguntou por Páviel Pávlovitch. Ela apontou com o dedo a porta donde vinham os soluços. O rosto largo e vermelhaço daquela mulher de quarenta anos exprimia indignação.

— Isto o diverte! — resmungou ela, dirigindo-se para a escada.

Vielhtcháninov ia bater à porta, mas reconsiderou, abriu e entrou. O quarto era pequeno, entulhado de móveis simples, de madeira pintada; Páviel Pávlovitch estava de pé, no meio, semi-vestido, sem colete, sem paletó, o rosto vermelho e transtornado; por meio de gritos, de gestos, de golpes talvez mesmo, pareceu a Vielhtcháninov que ele procurava acalmar uma menina de oito anos, trajada pobremente, embora a modo duma senhorita, com um vestido curto de lã negra. A menina parecia estar em plena crise nervosa, soluçava convulsivamente, torcia as mãos para Páviel Pávlovitch como se quisesse abraçá-lo, suplicar-lhe, enternecê-lo. Num piscar de olhos a cena mudou: à vista do estranho, a menina lançou um grito e fugiu para um quartinho contíguo; Páviel Pávlovitch, acalmando-se de repente, expandiu-se todo num sorriso — exatamente o mesmo que mostrara na noite anterior, quando, sem aviso, Vielhtcháninov lhe havia aberto a porta.

— Alieksiéi Ivânovitch! — exclamou ele, no tom da mais profunda surpresa. — Como poderia eu esperar?... Entre, então, rogo-lhe! Aqui, no divã... ou antes, não, aqui, na cadeira... Mas como eu estou!...

E apressou-se em vestir o paletó, esquecendo-se de pôr o colete.

— Ora essa, nada de cerimônia; fique como estava.

E Vielhtcháninov sentou numa cadeira.

— Não, não, deixe-me fazer... Ora, assim estou mais apresentável. Mas por que se põe aí nesse canto? Ora! na cadeira, aqui, perto da mesa... Não esperava...

Sentou numa cadeira de palha, bem perto de Vielhtcháninov, para vê-lo bem de face.

— Por que não me esperava? Não lhe disse, esta noite, que viria com certeza a esta hora?

— Sim, mas acreditava que o senhor não viesse. E depois, ao acordar, tanto mais me lembrava de tudo quanto se passara, tanto mais desesperava de torná-lo a ver ainda algum dia.

Vielhtcháninov lançou um olhar em torno de si. O quarto achava-se numa completa desordem, o leito desfeito, roupas lançadas ao acaso, em cima da mesa copos onde se havia bebido café, migalhas de pão, uma garrafa de champanhe aberta, cheia até a metade, com um copo ao lado. Lançou um olhar para o quartinho vizinho: tudo estava silencioso ali. A menina se calara, não se movia.

— Com que então, o senhor bebe, agora? — disse Vielhtcháninov, mostrando o champanhe.

— Oh! não bebi tudo... — murmurou Páviel Pávlovitch todo confuso.

— Vamos, o senhor mudou bastante!

— Sim, um hábito bem mau! Asseguro-lhe, foi desde aquele momento... Não minto... Não posso conter-me... Mas esteja tranquilo, Alieksiéi Ivânovitch, não estou embriagado neste momento, e não direi tolices, como esta noite, em sua casa... Juro-lhe, tudo isto foi a partir daquele momento... Ah! se alguém me tivesse dito, há apenas seis meses, que eu mudaria, e me tivesse mostrado, num espelho, aquele que sou agora, não teria acreditado nele, decerto!

— O senhor estava bêbado então, esta noite?

— Sim — confessou, em voz baixa, Páviel Pávlovitch, confuso, baixando os olhos. — Veja, não estava completamente bêbado, mas tinha estado. É preciso que lhe explique... porque, após a embriaguez, torno-me mau. Quando saio da embriaguez, sou mau, fico como louco e sofro terrivelmente. É talvez o pesar que me faz beber. Pode então acontecer que diga muitas coisas estúpidas e ferinas. Devo ter parecido bastante estranho, esta noite.

— Não se lembra?

— Como! Não me lembro? Lembro-me muito bem.

— Veja, Páviel Pávlovitch, eu também refleti e é preciso que lhe diga... Mostrei-me para com o senhor, esta noite, um tanto vivo, um pouco impaciente demais, confesso-o. Acontece por vezes não me sentir muito bem e sua visita de todo inesperada, de noite...

— Sim, de noite, de noite! — disse Páviel Pávlovitch, abanando a cabeça, como condenando a si próprio. — Como pôde isso acontecer? Mas, decerto, não teria eu entrado em sua casa, por coisa alguma do mundo, se o senhor não me tivesse aberto a porta... teria partido... Já havia ido à sua casa, Alieksiéi Ivânovitch, há oito dias, e não o encontrei... Talvez não tivesse mais voltado lá! Sou um pouco orgulhoso, Alieksiéi Ivânovitch, se bem que saiba... de minha situação. Cruzamo-nos na rua e dizia a mim mesmo de cada vez: "Eis que ele não me reconhece, eis que ele volta o rosto". Nove anos, é muita coisa, e eu não me decidia a abordá-lo. Quanto a esta noite... tinha esquecido a hora. E tudo é culpa disso (mostrava a garrafa) e de meus sentimentos... É idiota, é muito idiota! E se o senhor não fosse o homem que é — uma vez que, ainda assim, o senhor vem, depois de minha conduta desta noite, por atenção ao passado, — teria eu perdido toda a esperança de recuperar de novo algum dia a sua amizade.

Vielhtchâninov escutava com atenção: aquele homem falava com sinceridade, parecia-lhe, até mesmo com alguma dignidade. E, no entanto, não tinha nenhuma confiança.

— Diga-me, Páviel Pávlovitch, não está só então aqui? Quem é essa menina que estava aqui, quando entrei?

Páviel Pávlovitch ergueu as sobrancelhas com um ar de surpresa, depois, com um olhar franco e amável, disse, sorrindo:

— Como? Aquela menina? Mas é Lisa!

— Que Lisa? — balbuciou Vielhtchâninov.

E, de repente, algo nele se agitou. A impressão foi súbita. Ao entrar, ao ver a criança, ficara um tanto surpreso, mas não tivera nenhum pressentimento, nenhuma ideia.

— Mas a nossa Lisa, a nossa filha Lisa — insistiu Páviel Pávlovitch, sempre sorridente.

— Como, sua filha? Mas Natália... a falecida Natália Vassílievna teria tido filhos? — perguntou Vielhtcháninov com uma voz quase estrangulada, surda, mas calma.

— É claro que sim... Meu Deus! é verdade, o senhor não podia sabê-lo. Onde tenho eu então a cabeça? Foi depois de sua partida que o bom Deus nos favoreceu...

Páviel Pávlovitch agitou-se em sua cadeira, um pouco emocionado, mas sempre amável.

— Não soube de nada — disse Vielhtcháninov, ficando muito pálido.

— Com efeito, com efeito!... Como o teria sabido? — continuou Páviel Pávlovitch com voz enternecida. — Tínhamos perdido toda a esperança, a falecida e eu; o senhor lembra-se bem... E eis que, de repente, o bom Deus nos abençoou! O que senti, só Ele o sabe. Aconteceu, um ano, justamente, depois de sua partida. Não, não foi um ano exato... Espere!... Vejamos, se não me engano, o senhor partiu em outubro, ou talvez em novembro?

— Parti de T*** no começo de setembro, a 12 de setembro; lembro-me muito bem...

— Sim, deveras? Em setembro? Hum!... mas onde tenho eu então a cabeça? — disse Páviel Pávlovitch, muito surpreso. — Afinal, se é bem isto, vejamos: o senhor partiu a 12 de setembro e Lisa nasceu a 8 de maio; faz, pois... setembro, outubro, novembro, dezembro, janeiro, fevereiro, março, abril, oito meses depois de sua partida, mais ou menos!... E se o senhor soubesse como a falecida...

— Quero vê-la, traga-a aqui... — interrompeu Vielhtcháninov, com voz abafada.

— Imediatamente, agora mesmo — disse com vivacidade Páviel Pávlovitch, sem acabar sua frase.

E logo passou para o quartinho onde se encontrava Lisa.

Três ou quatro minutos decorreram. No quartinho cochichava-se vivamente, bem baixo; depois ouviu-se a voz da menina: "Ela roga que a deixem tranquila", pensou Vielhtcháninov. Afinal, apareceram.

— Está muito acanhada — disse Páviel Pávlovitch, — é tão tímida, tão orgulhosa... o retrato perfeito da falecida!

Lisa entrou, de olhos secos e baixos. Seu pai trouxe-a pela mão. Era uma menina esbelta, delgada e muito bonita. Ergueu vivamente seus grandes olhos azuis para o estranho, com curiosidade, olhou-o seriamente, depois, em seguida, baixou os olhos. Havia no seu olhar a gravidade que têm as crianças quando, sozinhas na presença de um desconhecido, se refugiam num canto e de lá observam, com ar desconfiado, o homem que nunca viram; mas talvez houvesse ainda naquele olhar outra expressão, outra coisa além desse pensamento de criança, — pelo menos era o que Vielhtcháninov acreditou ter percebido. O pai levou-a pela mão até ele.

— Olha, aqui está um amigo que conheceu a mamãe; gostava muito de nós; não deves ter medo dele. Dá-lhe a mão.

A criança inclinou-se um pouco e estendeu timidamente a mão.

— *Natália Vassílievna* não queria que ela aprendesse a fazer a reverência; ensinou-a a cumprimentar assim, à inglesa, inclinando-se ligeiramente e estendendo a mão — explicou ele a Vielhtcháninov, olhando-o fixamente.

Vielhtcháninov sentia-se vigiado; mas nem procurava mesmo dissimular mais sua perturbação. Mantinha-se sentado, imóvel, segurando em sua mão a mão de Lisa e fitando com atenção a criança. Mas Lisa estava absorta, esquecia sua mão na mão do estranho e não tirava os olhos de seu pai. Escutava com ar receoso tudo quanto ele dizia. Vielhtcháninov reconheceu imediatamente aqueles grandes olhos azuis, mas o que mais o impressionava era a admirável e delicadíssima brancura de seu rosto e a cor de seus cabelos: era por estes indícios que se reconhecia nela. A forma do rosto e a linha dos lábios, pelo contrário, lembravam nitidamente Natália Vassílievna.

Entretanto, Páviel Pávlovitch pusera-se a contar alguma história com muito calor e sentimento; mas Vielhtcháninov não o escutava. Só pegou a derradeira frase:

— ... De modo que, Alieksiéi Ivânovitch, o senhor não pode imaginar a nossa alegria, quando o bom Deus nos fez este presente. Desde o dia em que ela nasceu, tornou-se tudo para mim, e dizia a mim mesmo que se Deus me tomasse a minha felicidade, Lisa pelo menos me restaria. Disto, pelo menos, estava eu certo!

— E Natália Vassílievna? — perguntou Vielhtcháninov.

— Natália Vassílievna? — careteou Páviel Pávlovitch. — O senhor bem a conhecia. Lembra-se de que ela não gostava de falar; foi somente no seu leito de morte... mas então contou tudo! Sim, no dia que precedeu sua morte, eis que de repente fica nervosa, zanga-se: grita que com todos aqueles remédios querem matá-la, que não tem senão uma simples febre, que nossos dois médicos de nada entendem; que Koch (lembra-se? o médico militar, aquele velho) a deixaria de pé em quinze dias... Ainda cinco horas antes de morrer, lembrou-se de que dentro de três semanas era preciso ir felicitar, no campo, sua tia, a madrinha de Lisa, pelo seu aniversário...

Vielhtcháninov levantou-se bruscamente, sempre sem largar a mão de Lisa. Naquele olhar que a criança mantinha preso sobre seu pai, parecia-lhe ver uma espécie de censura.

— Ela não está doente? — perguntou ele, vivamente, com um ar estranho.

— Doente? Não creio, mas... o estado de nossos negócios... — disse Páviel Pávlovitch, com uma amargura inquieta, — e depois, a criança é estranha, nervosa... depois da morte de sua mãe, esteve doente quinze dias... é histeria... Soluçava, quando o senhor chegou!... Ouves, Lisa, ouves?... E por quê? Sempre a mesma razão: porque eu saio, deixo-a sozinha, e não a amo mais como no tempo de sua mamãe; é sua grande censura. E é com esta ideia absurda que fica a imaginar coisas, quando só deveria pensar em seus brinquedos. É verdade que aqui ela não tem ninguém com quem brincar.

— Então estão sós aqui os dois?

— Absolutamente sós... Há uma mulher que vem fazer a arrumação, uma vez por dia.

— E o senhor sai e deixa-a assim, sozinha?

— Que quer que eu faça? Veja, ontem, saí, e fechei-a à chave ali naquele quartinho e foi por isto que tivemos hoje tantas lágrimas. Mas, vejamos, poderia eu fazer de outro modo? Julgue o senhor mesmo, há dois dias ela desceu sem mim ao pátio, e um garoto atirou-lhe uma pedra na cabeça; então, começou a chorar e a dirigir-se a todas as pessoas que estavam no pátio, para perguntar-lhes onde me encontrava. Reconheço que isto não está bem... Saio por uma hora e só volto no dia seguinte de manhã, como fiz esta noite!... E a proprietária foi obrigada a abrir a porta já que eu não estava aqui, tendo mandado chamar um serralheiro! Imagine o escândalo! Têm-me como um monstro. E tudo isto porque não estou com a cabeça no lugar...

— Papai! — disse a menina, com voz medrosa e inquieta.

— Ora, outra vez na mesma! Vais recomeçar? Que foi que te disse ainda há pouco?

— Não vou fazer mais, não vou fazer mais — gritou Lisa, aterrorizada, torcendo as mãos.

— Vejamos, não podem continuar a viver assim — interveio, de súbito, Vielhtcháninov, com impaciência e voz forte. — Vejamos... vejamos, o senhor tem fortuna; como mora então em semelhante pavilhão, em semelhante baiúca?

— Este pavilhão? Mas vamos partir talvez dentro de oito dias, e gastamos, mesmo assim, muito dinheiro, e não adianta ter alguma fortuna...

— Está bem, está bem — interrompeu Vielhtcháninov, com uma impaciência crescente e seu tom significava: "É inútil, sei de antemão tudo quanto vais dizer e sei tudo o que isto vale." — Escute, vou propor-lhe uma coisa. O senhor acaba de dizer que conta partir dentro de oito dias, digamos quinze. Há aqui uma casa onde me acho como em família, onde me encontro completamente como em casa, desde vinte anos. São os Pogoriéltsevi. Sim, Alieksandr Pávlovitch Pogoriéltsev, o conselheiro secreto; poderá ser-lhe útil para o seu caso. Estão agora no campo. Têm uma casa de campo muito confortável. Klávdia Pietrovna Pogoriéltseva é para mim como uma irmã, como uma mãe. Tem oito filhos. Deixe-me levar-lhe Lisa; eu mesmo o farei, para não perder tempo. Eles a acolherão com alegria e a tratarão como filha, sua própria filha!

Mostrava-se espantosamente impaciente e não o dissimulava mais.

— Não é possível — disse Páviel Pávlovitch, com uma careta em que Vielhtcháninov percebeu malícia, mas olhando-o bem nos olhos, perguntou-lhe:

— Por quê? Impossível por quê?

— Por que não posso deixar a criança ir assim... Oh! sei bem que com um amigo tão sincero como o senhor... não é isto... mas afinal são pessoas da alta roda e não sei como lá ela será recebida.

— Acabo de dizer-lhe, no entanto, que sou recebido em casa deles como se fosse na de minha própria família! — exclamou Vielhtcháninov, quase com cólera. — Klávdia Pietrovna vai recebê-la tão bem quanto possível, com uma palavrinha minha... como se fosse minha filha... O diabo o carregue! O senhor mesmo bem sabe que diz tudo isto unicamente para falar!

Bateu com o pé.

— E depois — continuou o outro, — será que tudo isto não parecerá bastante singular? Será preciso sempre que vá vê-la, uma vez ou outra; não deve ela ficar absolutamente sem seu pai. E... como irei eu a uma casa de nobres?

— Digo-lhe que é uma família muito simples, sem pretensão! — gritou Vielhtcháninov. — Digo-lhe que há muitas crianças lá. Ela renascerá, lá naquela casa. Vou apresentá-lo já desde amanhã mesmo, se quiser. E o senhor vai precisar sem falta ir lá agradecer-lhes; iremos todos os dias, se quiser...

— Sim, mas...

— *É absurdo! E o* que é exasperante, é que o senhor mesmo sabe que suas objeções são absurdas! Vejamos, o senhor virá passar a noite em minha casa e depois, amanhã de manhã, partiremos de modo a estar lá ao meio dia.

— O senhor se excede em gentileza! Até passar uma noite em sua casa!... — assentiu Páviel Pávlovitch, enternecido. — É bondade demais!... E onde é a casa de campo deles?

— Em Liesnói.

— Mas com esse vestido? Em casa duma família tão distinta, mesmo no campo... Na verdade... O senhor compreende... O coração de um pai!

— Pouco importa o vestido: ela está de luto; não pode usar outro. O vestido com que está é perfeitamente conveniente. Apenas roupa de baixo um pouco mais limpa, um fichu.

Com efeito, o fichu e a roupa branca que se viam deixavam bastante a desejar.

— Imediatamente — disse Páviel Pávlovitch, solícito. — Vou dar-lhe imediatamente a roupa de baixo necessária. Está em casa de Mária Sisóievna.

— Então seria preciso arranjar um carro — disse Vielhtcháninov, — e muito depressa, se fôr possível.

Mas surgiu um obstáculo: Lisa resistiu com todas as suas forças. Escutara com terror e se Vielhtcháninov, enquanto procurava persuadir Páviel Pávlovitch, tivesse tido tempo de olhá-la com um pouco de atenção, teria visto em seu semblante a expressão do mais intenso desespero.

— Não irei — disse ela, enérgica e gravemente.

— Eis, está vendo?... tal qual a mãe!

— Não sou como mamãe! não sou como mamãe! — gritou Lisa, torcendo desesperadamente suas mãozinhas, como se se defendesse da censura de parecer-se com sua mãe. — Papai, papai, se o senhor me abandonar...

De repente, voltou-se para Vielhtcháninov, que ficou aterrorizado:

— E o senhor, se o senhor me levar, eu...

Não pôde dizer mais nada; Páviel Pávlovitch havia-a segurado pela mão, e, brutalmente, com cólera, arrastava-a para o quartinho. Vieram de lá, durante alguns minutos, cochichos e soluços abafados. O próprio Vielhtcháninov ia entrar ali, quando Páviel Pávlovitch voltou e lhe disse com um sorriso contrafeito que ela estaria imediatamente pronta para partir. Vielhtcháninov fez esforço para não olhá-lo e desviou a vista.

Mária Sisóievna entrou: era a mulher que ele havia encontrado no corredor. Trazia roupa branca que arrumou numa bonita sacola para Lisa.

— Ora, Mária Sisóievna! — resmungou Páviel Pávlovitch.

— Pois bem e então? Não será um inferno, isto aqui? Não será uma vergonha portar-se como o senhor faz diante de uma criança que está em idade de compreender?... Quer um carro, *bátiuchka?* Para Liesnói, não é?

— Sim, sim.

— Pois bem, então, boa viagem!

Lisa apareceu muito pálida, de olhos baixos e pegou a sacola. Não lançou um olhar sequer a Vielhtcháninov; continha-se; não se lançou, como ainda havia pouco, nos braços de seu pai, para dizer-lhe adeus: era claro que nem mesmo olhá-lo queria. O pai beijou-a formalmente na testa e acariciou-a; os lábios da criança cerraram-se, seu queixo tremeu, mas continuava a não erguer os olhos para seu pai. Páviel Pávlovitch estremeceu, suas mãos tremeram; Vielhtcháninov percebeu isto, se bem que se obrigou com todas as suas forças a não olhá-lo. Tinha apenas um desejo, partir o mais depressa possível. "Tudo isto não é culpa minha — pensava ele, — era bem preciso que isto acontecesse." Desceram. Mária Sisoievna beijou Lisa e foi então somente, quando já estava ela no carro, que Lisa ergueu os olhos para seu pai, juntou as mãos e lançou um grito.

Um momento ainda e teria se atirado para fora do carro, para correr para ele, mas já os cavalos tinham iniciado a marcha.

Capítulo VI / *Nova fantasia de um ocioso*

— Está-se sentindo mal? — perguntou Vielhtchâninov, espantado. — Vou mandar parar, mandar trazer um copo d'água...

Ela ergueu para ele um olhar violento, cheio de censuras.

— Para onde me leva? — disse, com voz seca e cortante.

— Para a casa de pessoas excelentes, Lisa. Estão agora no campo; a casa é muito agradável; há lá muitas crianças, que irão todas gostar de você; são muito gentis... Não fique zangada comigo, Lisa, só lhe quero bem...

Um amigo que o tivesse visto naquele momento acharia que ele estava estranhamente mudado.

— Como o senhor é... como é... Oh! como o senhor é mau! — exclamou Lisa, sufocada pelos soluços, olhando-o com seus belos olhos brilhantes de cólera.

— Mas, Lisa, eu...

— O senhor é mau, mau, mau!

Cerrava os punhos. Vielhtchâninov estava aniquilado.

— Lisa, minha Lísotchka, se você soubesse o pesar que me causa!

— É mesmo verdade que ele virá amanhã? É bem verdade? — perguntou ela, com voz imperiosa.

— Sim, sim, é mesmo verdade! Eu mesmo o trarei; irei buscá-lo e trazê-lo.

— O senhor não pode, ele não virá — murmurou Lisa, baixando os olhos.

— Por quê?... Será que ele não gosta de você, Lisa?

— Não, ele não gosta de mim.

— Diga-me, ele a tem feito sofrer?

Lisa olhou-o com olhar sombrio e não respondeu. Depois voltou-se e manteve os olhos baixos, obstinadamente. Ele tentou acalmá-la, falou-lhe com entusiasmo, numa espécie de febre. Lisa escutava com ar desafiante e hostil, mas escutava. Ele se sentia feliz por vê-la tão atenta; pôs-se a explicar-lhe o que é um homem que bebe. Dizia-lhe que gostava também do pai dela e que velaria por ele. Lisa ergueu por fim os olhos e olhou-o com firmeza. Ele lhe contou como conhecera a mamãe dela e notou que Lisa se interessava pelo seu relato. Pouco a pouco a criança começou a responder às suas perguntas, mas de má vontade, por monossílabos, com um ar suspeitoso. Às perguntas mais importantes, não respondia nada; mantinha um silêncio obstinado a respeito de tudo quanto se relacionava com suas relações com seu pai.

Enquanto lhe falava, Vielhtchâninov pegou-lhe a mão, como anteriormente e manteve-a entre as suas, não tendo a menina retirado a dela. Lisa não continuou silenciosa até o fim; acabou respondendo-lhe, em termos confusos, que amara mais seu pai que sua mãe, porque outrora ele a amava muito e sua mãe a amava menos; mas que a mamãe, no momento de morrer, havia-a beijado com muito ardor e chorado muito, quando todos tinham saído do quarto e elas haviam ficado a sós... e que agora amava mais a sua mãe que a tudo no mundo e a amava cada dia mais.

Mas a criança era muito altiva: quando percebeu que se tinha posto a falar, deteve-se e calou-se. Agora era com uma expressão de ódio que olhava para Vielhtcháninov, que a havia levado a contar-lhe tanta coisa. Para o fim da viagem, seus nervos haviam-se acalmado, mas conservava-se pensativa, com ar sombrio, selvagem, duro. Parecia, entretanto, sofrer menos à ideia de que a conduziam à casa de desconhecidos, a uma casa onde nunca estivera. O que a obcecava era outra coisa e Vielhtcháninov adivinhava-o: tinha vergonha dele, tinha vergonha que seu pai a tivesse abandonado tão facilmente a um outro, que a tivesse como que lançado às mãos de outrem.

"Está doente — pensava ele, — muito doente talvez; fizeram-na sofrer demasiado... Ah! o bêbado, a abjeta criatura! Compreendo-te agora!..." Apressou o cocheiro. Contava para ela, com o campo, o ar livre, o jardim, as crianças, a mudança, uma vida nova; e, em seguida, após isto... Quanto ao que aconteceria, depois disto, não pensava absolutamente; estava todo entregue à esperança. Só via uma coisa: é que jamais havia sentido o que sentia agora e que jamais, em toda a sua vida, não o esqueceria! "Ei-lo, o verdadeiro fim da vida! Ei-la, a verdadeira vida!", pensava ele, todo arrebatado.

As ideias vinham-lhe à cabeça em multidão, mas não se detinha nelas, recusava-se a entrar nos detalhes. Tomadas em grosso, as coisas eram simples, seguiriam sem ser preciso pôr a mão nelas. O plano de conjunto desenhava-se por si mesmo: "Haverá meio — pensava ele, — reunindo todas as nossas forças, de despachar esse miserável. Não importa que nos tenha confiado Lisa senão por pouco tempo, será preciso que a deixe em Petersburgo, em casa dos Pogoriéltsevi, e que se vá embora sozinho: Lisa ficará para mim. Eis tudo: por que maiores preocupações? E depois... e depois, afinal de contas, é bem isso que ele mesmo deseja, de outro modo por que a atormentaria como faz?"

Chegaram afinal. A casa dos Pogoriéltsevi era, com efeito, um encantador ninhozinho. Uma turma barulhenta de crianças veio espalhar-se pelo patamar, para acolhê-los. Havia muito tempo que Vielhtcháninov não aparecia e a alegria das crianças foi extrema, porque gostavam muito dele. Antes mesmo que ele se apeasse do carro, os maiores gritaram-lhe:

— Como é? E o seu processo? Como vai seu processo?

E todos os outros, até o menor, repetiram a pergunta, com risadas. Era um hábito mexer com ele a respeito de seu processo. Mas quando viram Lisa, cercaram-na logo, e puseram-se a examiná-la, com a curiosidade silenciosa e atenta das crianças. No mesmo instante, Klávdia Pietrovna saía da casa e, atrás dela, seu marido. Também eles, a primeira pergunta que fizeram foi indagar dele, rindo, em que pé estava o processo.

Klávdia Pietrovna era uma mulher de trinta e sete anos, morena, forte, ainda bonita, de tez viçosa, rosada. Seu marido era um homem de cinquenta e cinco anos, inteligente e fino, sobretudo muito bom. A casa deles era na verdade para Vielhtcháninov "um canto familiar", como ele dizia. Eis por que.

Vinte anos antes, Klávdia Pietrovna estivera a ponto de casar-se com Vielhtcháninov, quando era ele ainda estudante, quase um menino. Fora o primeiro amor, o amor ardente, o amor absurdo e admirável. Tudo isso acabara ao casar-se com Pogoriéltsev. Tornaram a encontrar-se, cinco anos mais tarde, e o amor deles de outrora tornou-se uma amizade franca e calma. Da antiga paixão não subsistia senão uma espécie de luz aquecedora, que coloria e aquecia suas relações de amizade. Nada havia que não fosse puro e inatacável na recordação que Vielhtcháninov conservava do passado e tanto mais a ela se apegava porque talvez fosse uma coisa única em sua vida. Aqui, nesta família, era simples, ingênuo e bom, dedicava-se a pequenos cuidados com as crianças, jamais se zangava, aquiescia a tudo, sem reserva. Mais de uma vez declarou aos Pogoriéltsevi que viveria ainda algum tempo no mundo e que em seguida viria instalar-se em casa deles definitivamente, para nunca mais abandoná-los. Consigo mesmo, pensava neste projeto com a maior seriedade.

Deu a respeito de Lisa todas as explicações necessárias; de resto, a expressão de seu desejo bastava, sem nenhuma explicação. Klávdia Pietrovna beijou "a órfã" e prometeu fazer tudo quanto dela dependesse. As crianças pegaram Lisa e levaram-na para brincar no jardim. Depois de uma meia hora de conversa animada, Vielhtcháninov levantou-se e despediu-se. Estava tão impaciente por partir que todos se deram conta disso. Todo mundo ficou surpreso: ficara três semanas sem aparecer e eis que se ia embora ao fim duma meia hora. Jurou, rindo, que voltaria no dia seguinte. Notaram que ele estava bastante agitado; de repente, pegou a mão de Klávdia Pietrovna e, sob o pretexto de ter-se esquecido de dizer-lhe alguma coisa muito importante, levou-a a uma peça vizinha.

— Lembra-se do que lhe disse — a você só, porque seu próprio marido o ignora, — do ano que vivi em T***?

— Lembro-me muito bem; você me falou muitas vezes a respeito.

— Não diga que "falei"; diga que me confessei e somente a você! Jamais lhe disse o nome daquela mulher; era a mulher desse Trusótski. Ela morreu e Lisa é sua filha... e minha filha!

— Deveras? Não se engana? — perguntou Klávdia Pietrovna, um tanto perturbada.

— Estou certo, inteiramente certo de que não me engano — disse Vielhtcháninov, com ardor.

E contou-lhe tudo, tão brevemente quanto pôde, vivamente, com volubilidade. Klávdia Pietrovna, desde muito tempo, sabia de tudo, exceto o nome da mulher. Vielhtcháninov sempre estivera cheio de terror à ideia somente de que alguém pudesse encontrar a Senhora Trusótskaia e admirar-se de que ele pudesse ter sentido ter tanto amor por ela, a ponto de haver dissimulado até aquele dia o nome daquela mulher à própria Klávdia Pietrovna, sua amiga mais íntima.

— E o pai não sabe de nada? — perguntou ela, quando ele terminou a sua narrativa.

— Não... Sabe... Afinal, é precisamente isto que me atormenta: não consigo ver claro nisso — continuou Vielhtcháninov com calor. — Ele sabe, ele sabe... vi-o claramente hoje e esta noite. Mas até que ponto sabe, eis o que é preciso que eu tire a limpo e é por isto que preciso partir imediatamente. Ele deve ir à minha casa esta noite. Não consigo saber donde ele poderia saber — quero dizer: saber *tudo*...

A respeito de Bagaútov, não há dúvida, sabe de tudo. Mas quanto a mim?... Você conhece as mulheres! Em casos assim, não têm embaraço em dar confiança a seus maridos. De nada valeria um anjo descer do céu, é em sua mulher que o marido acreditaria, e não no anjo... Não abane a cabeça, não me condene; eu me condeno a mim mesmo, condenei-me há muito tempo, há bem muito tempo!... Veja, ainda há pouco, em casa dele, estava de tal modo convencido de que ele sabe tudo, que me traí, eu próprio, diante dele... Acredita? Estou envergonhado por havê-lo recebido esta noite com a mais baixa estupidez... Vou lhe contar isso tudo mais tarde, pormenorizadamente... É claro que ele foi à minha casa com a intenção de me dar a compreender que sabia da ofensa e conhecia o ofensor. Foi a única razão daquela visita estúpida, em estado de embriaguez... Mas, afinal, isto é bem natural da parte dele! Quis certamente encher-me de confusão. Eu, ainda há pouco, e esta noite, não pude conter-me. Procedi como um imbecil. Traí-me. Também, por que ele chegou num momento em que eu estava tão pouco senhor de meus nervos?... Afirmo-lhe que ele atormentava Lisa, a pobrezinha, unicamente para vingar-se!... Asseguro-lhe: é um pobre homem, mas não um mau homem. Agora tem o ar exato de um sujeito grotesco, ele que era outrora um homem tão perfeitamente colocado; mas, na verdade, é bem natural que tenha acabado por ficar perturbado. Veja, minha amiga, é preciso ser caridoso. Veja, minha caríssima amiga, quero mostrar-me bem outro para com ele; quero ser muito bondoso para com ele. Será uma boa obra. Porque, afinal, sou eu que tenho toda a culpa. Escute, é preciso que saiba: uma vez, em T***, tive de repente necessidade de quatro mil rublos e ele me arrumou no mesmo instante, sem querer recibo, com uma verdadeira alegria de me prestar serviço, e eu aceitei, recebi o dinheiro de suas mãos, você entende?, como das mãos de um amigo.

— Seja, sobretudo, mais prudente — respondeu Klávdia Pietrovna a este fluxo de palavras, um pouco inquieta. — Agitado como você está, tenho na verdade receio por você. Certamente, Lisa é no momento minha filha, mas há ainda em tudo isto tantas coisas indecisas!... O essencial é que doravante você seja mais circunspecto; é preciso absolutamente ser mais circunspecto quando sente tanta felicidade e tanto entusiasmo. Você mostra-se demasiado generoso, quando se sente feliz — acrescentou ela com um sorriso.

Saíram todos para acompanhar Vielhtcháninov até seu carro; as crianças levaram Lisa, que brincava com elas no jardim. Olhavam-na agora com mais estupefação do que à chegada. Lisa tomou um ar totalmente esquivo, quando Vielhtcháninov a beijou, diante de toda gente, disse-lhe adeus e prometeu-lhe de novo, de uma maneira formal, voltar no dia seguinte com seu pai. Até o fim permaneceu ela silenciosa, sem fitá-lo, mas de repente tomou-lhe as mãos, levou-o de parte, fixou nele olhos suplicantes: queria dizer-lhe alguma coisa. Ele a levou para a peça vizinha.

— Que há, Lisa? — perguntou ele, com voz terna e persuasiva. Ela, porém, olhava-o sempre com um olhar receoso e levou-o para mais longe ainda, até um canto afastado; não queria que pudessem vê-los. — Diga, Lisa, que há?

Ela se calava, não ousava resolver-se a falar; seus olhos azuis permaneciam fixos nele e um terror desvairado pintava-se em suas feições de criança.

— Ele... ele se enforcará! — disse ela, baixinho, como em delírio.

— Quem se enforcará? — perguntou Vielhtcháninov, espantado.

— Ele, ele!... Já esta noite quis enforcar-se! — disse a criança,com uma voz precipitada, sem fôlego. — Sim, eu o vi! Antes queria também enforcar-se, contou-me, contou-me! Quer isso há muito tempo, sempre quis... Vi-o, esta noite...

— Não é possível! — murmurou Vielhtcháninov, totalmente perplexo.

De repente ela agarrou as mãos dele e beijou-as; chorava, sufocada pelos soluços, rogava-lhe, suplicava-lhe — e ele nada conseguia compreender daquela crise de nervos. E sempre, depois disso, em estado de vigília ou em sonho, reviu aqueles olhos enlouquecidos da criança desvairada que o olhava com terror e com um derradeiro resto de esperança.

"Ela o ama então, na verdade, tanto assim? — pensou ele, com um sentimento de ciúme, enquanto voltava para a cidade, num estado de impaciência febril. — Ainda há pouco ela mesmo me disse que amava mais a sua mãe... Quem sabe? Talvez não o ame absolutamente, talvez o odeie!... Enforcar-se? Por que diz ela que ele quer enforcar-se? Aquele imbecil, enforcar-se!... É preciso que eu saiba e imediatamente! É preciso acabar com isso, o mais cedo possível, e definitivamente!"

Capítulo VII / *O marido e o amante se beijam*

Tinha um desejo imperioso de *saber,* imediatamente. "Esta manhã, estava eu todo confuso; não consegui dominar-me — pensava ele, lembrando-se de seu primeiro encontro com Lisa, — mas agora é preciso que consiga saber." Para apressar as coisas, esteve a ponto de fazer-se conduzir diretamente à casa de Trusótski, mas reconsiderou logo: "Não, é melhor que ele venha à minha casa; enquanto espero, é preciso que me ocupe em pôr um fim a esses meus malditos negócios".

Correu aos seus negócios com uma pressa febril; mas ele próprio sentiu, desta vez, que estava bastante distraído e impossibilitado de reter a atenção. Às cinco horas, quando ia jantar, veio-lhe subitamente ao espírito uma ideia estranha que nunca tivera: talvez não fizesse, com efeito, senão retardar a solução de seu negócio, com sua mania de meter-se em tudo, de tudo baralhar, de correr aos tribunais, de importunar seu advogado que fugia dele. Esta hipótese divertia-o. "Dizer que se esta ideia me tivesse vindo ontem, eu ficaria desolado!", notou ele. E sua alegria redobrou.

Com toda essa alegria, sua distração e sua impaciência aumentavam. Pouco a pouco foi ficando meditativo e seu pensamento inquieto flutuava dum assunto a outro, sem chegar a nenhuma decisão clara a respeito do que mais lhe importava.

"Preciso daquele homem — concluiu. — É preciso que leia até o íntimo dele; e depois, será preciso pôr um fim a tudo. Só há uma solução: um duelo!"

Quando entrou em casa às sete horas, não encontrou lá Páviel Pávlovitch, o que lhe causou extrema surpresa. Depois passou da surpresa à cólera, da cólera à tristeza, e enfim, da tristeza ao medo. "Deus sabe como tudo isso acabará!", repetia ele, ora caminhando a grandes passos pelo quarto, ora estirado sobre seu divã, sempre com o olho em seu relógio. Por fim, cerca das nove horas, Páviel Pávlovitch chegou. "Se esse homem quiser brincar comigo, nenhuma melhor ocasião do que agora, *tão pouco* senhor de mim me sinto", ele pensava, aparentando seu ar mais alegre e mais acolhedor.

Perguntou-lhe vivamente, de bom humor, por que tardara tanto a vir. O outro sorriu com um olhar malicioso, sentou com grande desembaraço e atirou displicentemente sobre uma cadeira o chapéu de crepe. Vielhtcháninov percebeu logo aquela atitude e ficou de sobreaviso.

Tranquilamente, sem frases inúteis, sem agitação supérflua, deu-lhe conta de seu dia: contou-lhe como se passara a viagem, com que satisfação fora Lisa acolhida, o benefício para sua saúde; depois, insensivelmente, como se se esquecesse de Lisa, passou a não falar senão dos Pogoriéltsevi. Louvou-lhes a bondade, a velha amizade que o unia a eles, falou do homem excelente e distinto que era Pogoriéltsev e outras coisas semelhantes. Páviel Pávlovitch ouvia com ar distraído e lançava de vez em quando a seu interlocutor um sorriso incisivo e sarcástico.

— O senhor é um homem ardente — murmurou, por fim, com uma risadinha de escárnio.

— E o senhor, o senhor está hoje de muito mau humor — disse Vielhtcháninov, num tom zangado.

— E por que eu não seria mau como toda a gente? — exclamou Páviel Pávlovitch, saltando fora de seu canto.

Parecia não ter esperado senão uma ocasião para explodir.

— O senhor tem toda a liberdade! — disse Vielhtcháninov, sorrindo. — Pensei que lhe havia acontecido alguma coisa.

— Sim, aconteceu-me alguma coisa — exclamou o outro, ruidosamente, como se se orgulhasse disso.

— Que foi então?

Páviel Pávlovitch tardou um pouco a responder:

— Sempre nosso amigo Stiepan Mikháilovitch que faz das suas!... Sim, perfeitamente, Bagaútov, o mais galante cavalheiro de Petersburgo, o jovem da melhor sociedade!

— Será que se recusou ainda uma vez recebê-lo?

— De jeito nenhum: desta vez recebeu-me, consentiu que o visse, que contemplasse seu semblante... Somente, não era mais senão o semblante de um morto.

— Como? O quê? Bagaútov morreu? — disse Vielhtcháninov, com uma estupefação intensa, se bem que não houvesse naquilo nada que devesse causar-lhe tamanho espanto.

— Perfeitamente! Ele mesmo!... Ah! o bravo, o único amigo de seis anos!... Foi ontem cerca do meio dia que ele morreu e eu nada soube!... Quem sabe? Talvez tenha morrido no instante mesmo em que ia eu saber notícias dele! Enterram-no amanhã; já está amortalhado. Acha-se num ataúde de veludo roxo, com galões dourados... Morreu dum ataque de febre nervosa... Deixaram-me entrar, pude rever-lhe as feições. Apresentei-me como seu amigo íntimo, foi por isso que me deixaram entrar... Veja um pouco, rogo-lhe, o que fez comigo, esse caro amigo de seis anos! Talvez só por causa dele é que vim a Petersburgo!

— Mas vejamos, não vai se zangar contra ele — disse Vielhtcháninov, sorrindo. — O senhor não vai pensar que ele morreu de propósito!

— Como então? Mas tenho muita pena dele, do caríssimo amigo!... Veja tudo quanto para mim ele significava.

E de repente, da maneira mais inesperada, Páviel Pávlovitch levou dois dedos à sua fronte calva, e, entesando-os, de ambos os lados, em forma de corno, pôs-se a rir, com um riso calmo, prolongado. Ficou assim durante todo um meio minuto, olhando com uma insolência maldosa bem dentro dos olhos de Vielhtcháninov. Este ficou estupefato, como se visse um espectro: mas sua estupefação só durou um instante; um sorriso zombeteiro, friamente provocante, desenhou-se lentamente em seus lábios.

— Que quer dizer tudo isso? — perguntou, displicentemente, arrastando as palavras.

— Isto quer dizer... o que o senhor bem sabe! — respondeu Páviel Pávlovitch tirando por fim os dedos da testa.

Ambos se calaram.

— O senhor é sem dúvida um homem de coração! — continuou Vielhtcháninov.

— Mas por quê? Porque lhe mostrei isto?... Sabe duma coisa? O senhor faria muito melhor, Alieksiéi Ivânovitch, se me oferecesse alguma coisa. Dei-lhe a beber em T***, durante um ano inteiro, sem faltar um dia... Mande, pois, trazer uma garrafa, estou com a garganta seca.

— Com prazer; deveria tê-lo dito antes... Que quer tomar?

— Não diga "quer'" diga *queremos*. É preciso que bebamos juntos, não é?

E Páviel Pávlovitch olhava-o bem firme nos olhos, com um ar de desafio, com uma espécie de inquietação estranha.

— Champanhe?

— É claro. Ainda não chegamos à aguardente.

Vielhtcháninov levantou-se sem pressa, tocou chamando Mavra e deu-lhe a ordem.

— Beberemos à nossa feliz e alegre reunião, após nove anos de separação! — exclamou Páviel Pávlovitch, numa explosão de riso absurdo e que não foi adiante. — Agora, é a sua vez, é o senhor quem resta como meu único e verdadeiro amigo! Acabado, Stiepan Mikháilovitch Bagaútov! É como diz o poeta:

Acabou-se o grande Pátroclo,
O vil Tersite inda é vivo!

E, ao pronunciar o nome de Tersite, designava a si mesmo com o dedo.

"Vamos, pois, animal! explica-te mais depressa, porque não gosto de subentendidos", pensava Vielhtcháninov. A cólera fervia nele e fazia grande esforço por conter-se.

— Mas vejamos, diga-me — falou-lhe, zangado, — se tem queixas certas contra Stiepan Mikháilovitch (não o chamava mais bem simplesmente Bagaútov), deveria sentir uma alegria muito viva pela morte de seu ofensor; por que, então, parece estar zangado?

— Alegria? Que alegria? Por que alegria?

— Na verdade, julgo assim, pondo-me no seu lugar.

— Ah! ah! ah! neste caso engana-se o senhor bastante a respeito de meus sentimentos. O sábio disse: "Um inimigo morto, está bem; um inimigo vivo, é ainda melhor...". Ah! ah! ah!

— Mas enfim o senhor o viu vivo, todos os dias durante cinco anos, penso, e teve todo o tempo para contemplá-lo — disse Vielhtcháninov, duma maneira maligna e agressiva.

— Mas eu sabia então, eu sabia então? — exclamou vivamente Páviel Pávlovitch, saltando de novo de seu canto; e ele parecia sentir uma alegria em ver vir enfim a pergunta que esperava desde muito tempo. — Mas, vejamos, Alieksiéi Ivânovitch, por quem, pois, o senhor me toma?

E no seu olhar brilhou de súbito uma expressão toda nova, toda imprevista, que transfigurou repentinamente seu rosto até ali torcido por um riso de escárnio mau e repugnante.

— Como! O senhor não sabia de nada? — disse Vielhtcháninov, cheio de estupefação.

— Ah! deveras! imaginava o senhor que eu sabia?! Ah! esses Joves! Para outros, um homem não passa de um cão, e acreditais que todo mundo é feito segundo o modelo de vossas miseráveis mediocridades!... Eis o que tenho para vós! Pegai!

Bateu violentamente com o punho sobre a mesa, mas logo depois ele próprio se assustou com tanto barulho, olhou em torno de si, com um olhar medroso.

Vielhtcháninov retomara toda a sua segurança.

— Escute, Páviel Pávlovitch, para mim é perfeitamente indiferente, convenha, que o senhor soubesse ou não. Se não soube, isto lhe faz honra, evidentemente, se bem que... De resto, não compreendo de jeito nenhum porque o senhor me tomou para seu confidente.

— Não me referia ao senhor... não se zangue... não me referia ao senhor... — gaguejou Páviel Pávlovitch, com os olhos baixos.

Mavra entrou, trazendo o champanhe.

— Ah! aqui está! — exclamou Páviel Pávlovitch, visivelmente encantado com a interrupção. — Taças, *mátuchka,*[8] taças! Perfeito!... Bem, é tudo de quanto precisamos. Está desarrolhado? Admirável, encantadora criatura! Muito bem, pode deixar-nos.

Havia retomado coragem; de novo olhou Vielhtcháninov bem de rosto, com ar audacioso.

— Confesse, pois — disse ele, rindo, escarninho, — que tudo isso o intriga tremendamente, que tudo isso está longe de ser para o senhor "perfeitamente indiferente", como quis bem dizê-lo, e que ficaria logrado se eu me levantasse agora mesmo e me fosse embora, sem nada explicar.

— O senhor está completamente errado; não ficaria logrado de maneira nenhuma.

"Mentes!", dizia o sorriso de Páviel Pávlovitch.

— Pois bem, então, bebamos! — E encheu os copos.

— Bebamos — continuou ele, erguendo sua taça, — à saúde póstuma daquele pobre amigo, Stiepan Mikháilovitch.

— Não beberei um brinde semelhante — disse Vielhtcháninov, que pousou sua taça.

8 A mulher do pope. Termo arcaico, utilizado também pelo povo ao se dirigir à mãe, ou a pessoas respeitosas, às quais se quer tratar com consideração e afeto ao mesmo tempo.

— Mas por quê? É um brindezinho encantador.

— Então me diga, o senhor estava embriagado ao chegar?

— Ora! Bebi um pouco. Por que isso?

— Oh! nada de particular. Somente tinha acreditado ver, na noite passada, e sobretudo esta manhã, que o senhor tinha um pesar sincero pela morte de Natália Vassílievna.

— E quem lhe diz que meu pesar é menos sincero agora? — disse Páviel Pávlovitch, saltando de novo, como movido por uma mola.

— Não é isso que quero dizer; mas enfim o senhor mesmo reconhece que pode ter-se enganado a respeito de Stiepan Mikháilovitch, e isto tem importância.

Páviel Pávlovitch escarneceu e piscou o olho.

— Ah! como o senhor está ansioso para saber por qual meio vim a tomar conhecimento do que se refere a Stiepan Mikháilovitch!

Vielhtcháninov corou:

— Repito-lhe mais uma vez que isto é indiferente para mim. — "Se o pusesse para fora com sua garrafa!", pensava ele. E sua cólera subia, e seu rosto se tornava cor de púrpura.

— Ora! Tudo isto não tem importância — disse Páviel Pávlovitch, como se quisesse tornar a dar-lhe coragem. E encheu sua taça.

— Vou explicar-lhe em seguida como soube de tudo e satisfazer sua ardente curiosidade... porque o senhor é um homem ardente, Alieksiéi Ivânovitch, um homem terrivelmente ardente! Ah! ah! ah! Somente, dê-me um cigarro, pois que desde o mês de março...

— Aqui está.

— Ah! sim, foi a partir do mês de março que me estraguei, Alieksiéi Ivânovitch, e eis como tudo isso aconteceu. Escute. A tísica, você bem sabe, caro amigo — tornava-se ele cada vez mais familiar, — a tísica é uma doença curiosíssima. Na maior parte das vezes o tísico morre sem quase tomar conhecimento disso. Posso lhe dizer que, cinco horas antes do fim, Natália Vassílievna projetava ainda ir ver, quinze dias mais tarde, uma tia dela, que morava a quarenta verstas de lá. Por outra parte, você conhece certamente o hábito, ou, para melhor dizer, a mania que têm muitas mulheres, e talvez também muitos homens, a mania de conservar as velhas correspondências amorosas... O mais seguro é lançá-las ao fogo, não é? Pois bem! não, elas precisam fechar o menor farrapo de papel como preciosidade em cofrezinhos ou estojos; chegam a classificar tudo isso, bem numerado, por anos, por categorias, por séries. Não sei se acham nisso uma consolação; mas é certo que devem encontrar nisso agradáveis recordações... Quando Natália Vassílievna projetava ir visitar sua tia cinco horas antes do fim, é claro que, de modo algum, pensava que ia morrer; nem mesmo pensava uma hora antes, quando ainda chamava o Doutor Koch. Ele chegou assim que ela morreu e o cofrezinho de madeira negra, incrustado de nácar e de prata, ficou lá, em cima de sua escrivaninha. E era um cofrezinho encantador, com uma minúscula chavezinha, um cofrezinho de família, que lhe vinha de sua avó. Pois bem! naquele cofrezinho havia de tudo, mas tudo, o que se chama *tudo: tudo sem exceção, tudo* desde vinte anos, classificado por anos e por dias. E como Stiepan Mikháilovitch tinha um gosto muito acentuado pela literatura, havia na caixinha bem umas cem cartas escritas por ele, suficientes para fazer um romance bastante apaixonado, para uma revista. É verdade que aquilo durara cinco anos. Algumas cartas estavam anotadas pela mão de Natália Vassílievna... É agradável para um marido, não acha?

Vielhtcháninov refletiu um momento e lembrou-se que jamais havia escrito a Natália Vassílievna a menor carta ou o menor bilhete. De Petersburgo escrevera duas cartas, mas eram dirigidas aos dois esposos, como fora combinado. Nem mesmo respondera à derradeira carta de Natália Vassílievna, aquela com que o despedira.

Quando acabou sua narrativa, Páviel Pávlovitch calou-se por um minuto inteiro, com seu sorriso insolente e interrogativo.

— Por que não responde à minha pequena pergunta? — disse ele, com insistência.

— Que pequena pergunta?

— Relativamente aos sentimentos agradáveis que experimenta um marido descobrindo a caixinha.

— Ora! que me importa! — disse Vielhtcháninov, com ar agitado, ficando em pé e caminhando pelo quarto de ponta a ponta.

— Aposto que você está dizendo a si mesmo neste momento: "Que animal! fazendo ele próprio exibição de sua desonra!". Ah! ah! ah! Você é um homem cheio de escrúpulo!

— Não penso em nada disso. Bem pelo contrário. O senhor está extremamente excitado por causa da morte do homem que o ofendeu, e depois, bebeu muito vinho. Nada vejo nisso de extraordinário; compreendo perfeitamente por que fazia o senhor questão de que Bagaútov vivesse e aprecio muito bem seu desaponto, mas...

— E por que, então, na sua opinião, eu fazia tanta questão de que Bagaútov vivesse?

— Isto é problema seu.

— Aposto que você pensava num duelo!

— O diabo o leve! — exclamou Vielhtcháninov, cada vez menos senhor de si. — O que eu pensava é que um homem direito... num caso dessa espécie, não se rebaixa ao falatório destemperado, às caretas estúpidas, aos gemidos ridículos e aos subentendidos repugnantes que só fazem degradar aquele que os emprega, mas age franca e abertamente, sem reticências... um homem reto, é claro!

— Ah! ah! ah! E então não sou eu um homem direito?

— Isto, ainda uma vez, é problema seu... mas, afinal, por que diabo, depois disso, tinha o senhor tanta necessidade de que Bagaútov vivesse?

— Por quê? Ora, pelo menos para ver, o querido amigo! Teríamos mandado buscar uma garrafa e a beberíamos juntos.

— Ele teria recusado beber com o senhor.

— Mas por quê? *Noblesse oblige!* Você bebe comigo, ora esta! Por que teria sido ele mais delicado?

— Eu? Não bebi com o senhor.

— E por que, pois, de repente, tanto orgulho?

Vielhtcháninov desatou a rir, um riso nervoso e agitado.

— Oh! mas o senhor é com certeza verdadeiramente feroz! E eu que acreditava que o senhor apenas era um "eterno marido"!

— Como, um "eterno marido"? Que entende você por isso? — perguntou Páviel Pávlovitch, de orelha atenta.

— Oh! nada, um tipo de marido... Leva muito tempo a contar. E depois, vejamos, é preciso que o senhor se vá; já é hora. O senhor me aborrece!

— E por que "feroz"? Você disse "feroz".

— Disse-lhe, em tom de brincadeira, que o senhor é verdadeiramente feroz.

— Que entende por isso? Rogo-lhe, Alieksiéi Ivânovitch, diga, pelo amor de Deus ou pelo amor do Cristo!

— Vamos, basta! — exclamou Vielhtcháninov, encolerizado. — Já é hora, retire-se!

— Não, ainda não é bastante! — disse Páviel Pávlovitch, com voz vibrante. — É possível que o aborreça, mas não me irei embora assim, porque antes de ir quero beber com você, tocar os nossos copos. Bebamos, e depois irei, mas não antes!

— Vejamos, Páviel Pávlovitch, vai ou não para o diabo?

— Irei para o diabo, mas depois que tivermos bebido! Você disse que não queria beber comigo; pois bem! eu, eu quero que você beba comigo!

Não escarnecia mais, não dissimulava mais. Em todos os traços de seu rosto, operara-se uma transformação tão completa que Vielhtcháninov ficou estupefato.

— Ora, vamos, Alieksiéi Ivânovitch, bebamos; vamos, não haverá de recusar-me! — continuou Páviel Pávlovitch, agarrando-lhe fortemente a mão e fixando nele um olhar estranho.

Manifestamente, tratava-se agora de outra coisa que não um copo de vinho.

— Afinal, se quer assim, — murmurou o outro. — Mas, veja, já está no fundo...

— Restam justamente dois copos e o fundo não está turvo; vamos, bebamos e toquemos os copos! Tenha a bondade de pegar sua taça.

Tocaram as taças e beberam.

— Pois bem! agora... já que é assim...Ah!

Páviel Pávlovitch levou a mão à testa e ficou assim alguns instantes. Vielhtcháninov esperava; acreditava que, desta vez, o outro iria dizer tudo, até a derradeira palavra. Mas Páviel Pávlovitch não disse nada. Olhava Vielhtcháninov calmamente, a boca torcida num sorriso careteante e sarcástico.

— Afinal, que quer de mim, seu bêbado? Você zomba de mim! — exclamou Vielhtcháninov com uma voz furiosa, batendo com o pé.

— Não grite, não grite, por que gritar? — disse o outro, muito depressa, acalmando-o com um gesto. — Não estou zombando!... Ah! você sabe o que é, o que presentemente é para mim?

E, com um movimento rápido, pegou-lhe a mão e beijou-a. Vielhtcháninov não teve tempo de retirá-la.

— Eis o que é você para mim, agora. E agora, vou-me para todos os diabos!

— Espere, fique! — exclamou Vielhtcháninov. — Esquecia-me de dizer-lhe...

Páviel Pávlovitch estava já perto da porta; voltou.

— Veja — disse Vielhtcháninov, com uma voz quase baixa, muito depressa, corando e desviando a vista; — é conveniente que você vá amanhã sem falta à casa *dos Pogoriéltsevi, para* conhecê-los e agradecer-lhes... mas sem falta!...

— Decerto, sem falta! É por demais natural — respondeu Páviel Pávlovitch, com uma solicitude insólita, fazendo sinal com a mão de que era supérfluo insistir.

— Tanto mais quanto Lisa está muito desejosa de vê-lo. Prometi-lhe...

— Lisa? — repetiu Páviel Pávlovitch, — Lisa? Você sabe o que ela foi para mim, Lisa,o que ela foi e o que ela é? (E ele gritava, como que arrebatado.) Mas tudo isso... tudo isso ficará para mais tarde... No momento, não basta que você tenha bebido comigo, Alieksiéi Ivânovitch, preciso absolutamente duma outra satisfação...

Pousou seu chapéu sobre uma cadeira e, de novo, como ainda havia pouco, um tanto ofegante, olhou Vielhtcháninov bem no rosto.

— Beije-me, Alieksiéi Ivânovitch — disse ele, bruscamente.

— Você está bêbado! — gritou o outro, recuando.

— Bêbado! Meu Deus, sim, mas isto não importa; beije-me, Alieksiéi Ivânovitch... Ah! é preciso que você me beije! Eu mesmo lhe beijei a mão, eu, há pouco!

Vielhtcháninov ficou um momento silencioso, como se tivesse recebido uma paulada na cabeça. Depois, com um gesto brusco, inclinou-se para Páviel Pávlovitch, que estava ali, bem junto dele, e beijou-o nos lábios que tresandavam horrivelmente a vinho. Tudo isso foi tão rápido, tão estranho, que ele não soube jamais se verdadeiramente o havia beijado.

— Ah! Agora... agora!... — exclamou Páviel Pávlovitch, num arrebatamento de ébrio, com os olhos brilhantes. — Ah! você vê? É o que dizia a mim mesmo: "Como? então ele também? Mas então, se é verdade, em quem, pois, acreditar?".

E começou a chorar.

— Então, você compreende que amigo é agora para mim!...

Pegou seu chapéu e saiu à pressa. Vielhtcháninov ficou alguns instantes de pé, cravado no lugar, como após a primeira visita de Páviel Pávlovitch.

"Ora! é um ébrio e um grotesco! nada mais!" e deu de ombros. "Nada mais, decerto!", acentuou energicamente, depois que se desvestiu e se meteu na cama.

Capítulo VIII / *Lisa está doente*

No dia seguinte, de manhã, enquanto esperava Páviel Pávlovitch, que prometera ser pontual, para ir à casa dos Pogoriéltsevi, Vielhtcháninov passeou pelo quarto, tomou seu café, fumou e meditou: a cada instante, tinha a impressão de ser um homem que, ao despertar, lembra de, na véspera, ter levado uma bofetada. "Hum!... ele sabe perfeitamente bem como foram as coisas e quer vingar-se de mim servindo-se de Lisa!", pensava ele e enchia-se de medo.

O vulto delicado e triste da criança surgiu diante dele. O coração batia-lhe à ideia de que naquele mesmo dia, em breve, dentro de duas horas, veria *sua* Lisa. "Não há dúvida — concluiu ele com ardor, — nela está doravante toda a minha vida e meu único objetivo. Que me importam todas as bofetadas e todos os regressos ao passado?... Para que serviu minha vida até agora? Desordem e pesares... Mas, agora, tudo mudou: é outra coisa!"

A despeito de sua exaltação, as preocupações invadiam-no cada vez mais.

"Ele se vingará de mim por meio de Lisa, é claro! E vai se vingar em Lisa. Por meio dela é que me atingirá... Hum!... Decerto não tolerarei mais suas afrontas de ontem! — E corou ao recordá-las. — Mas ele não chega e já é meio dia!"

Esperou ainda, até meio dia e meia, e sua angústia aumentava. Páviel Pávlovitch não chegava. Por fim a ideia de que se ele não vinha, era unicamente para aumentar ainda mais suas afrontas da véspera, esta ideia, que voltava desde muito tempo ao fundo de sua alma, apoderou-se dele inteiramente e transtornou-o. "Ele sabe que me tem seguro: como posso agora apresentar-me diante de Lisa, sem ele?"

Por fim não pôde mais resistir: à uma hora, fez-se transportar à pressa a Pokrov. Disseram-lhe que Páviel Pávlovitch não havia dormido em casa, que regressara de manhã, às nove horas, que não se detivera mais de um quarto de hora e que tornara a partir. Vielhtcháninov escutava as explicações da criada, de pé, diante da porta de Páviel Pávlovitch. cuja maçaneta atormentava maquinalmente. Quando ela acabou, ele cuspiu, largou a porta e pediu que o conduzissem à presença de Mária Sisóievna. Esta, tendo sabido que ele estava ali, acorreu no mesmo instante.

Era uma excelente mulher, "uma mulher de sentimentos muito generosos", como dela dizia Vielhtcháninov, quando contou em seguida a Klávdia Pietrovna sua conversa com ela... Imediatamente, depois de ter-lhe pedido notícias da menina, deixou-se ficar conversando a respeito de Páviel Pávlovitch. Como dizia ela, "não fosse a menina, já o teria mandado passear há muito tempo. Já o haviam transferido do hotel para o pavilhão por causa da desordem de sua vida. Na verdade é um crime trazer mulheres para casa, quando se tem uma filha em idade de compreender!... E grita para ela então: "Olha, ela é que será tua mãe, quando eu quiser!". Imagine o senhor que a mulher que ele trouxe cuspiu-lhe ela mesma na cara, cheia de nojo. E ele lhe disse ainda duma outra vez: "Tu não és minha filha, és uma bastarda".

— Como! — exclamou Vielhtcháninov apavorado.

— Ouvi-o com meus próprios ouvidos. É um bêbado, que não sabe o que diz, é verdade: mas, afinal, tudo isso não se deve dizer diante de uma criança! Não importa que ela seja pequena, tudo isso entra-lhe no espírito e ali fica! A pequena chora; vejo-o bem, ela sofre extremamente. Há alguns dias, houve em nossa casa uma desgraça: alguém, um comissário, segundo diziam, veio alugar um quarto, uma noite; no dia seguinte, de manhã, tinha-se enforcado. Dizem que perdeu no jogo. Junta gente, Páviel Pávlovitch não estava em casa; a pequena, sem vigilância, sai; eu mesma entro no corredor, entre as pessoas, e vejo-a, do outro lado, olhando o enforcado, com um ar estranho. Levei-a dali o mais depressa. E, imagine o senhor, logo ela se põe a tremer de febre, fica toda escura e, mal entra no quarto, cai no chão, toda rígida. Fiz-lhe massagens, bati-lhe nas mãos, tive grande trabalho em fazê-la voltar a si. É epilepsia, não? Desde aquele momento começou ela a viver penosamente. Quando o pai entrou, ficou ciente de tudo; começou por beliscá-la fortemente, porque, veja o senhor, gosta de beliscá-la em lugar de bater-lhe. Depois serviu-se dum bom copo de vinho e, em seguida, ele se volta para ela e lhe diz, para amedrontá-la: "Eu também vou me enforcar e será por tua causa que me enforcarei. Olha, é com esta corda que me enforcarei". E faz um nó na frente dela. E então a pequena perdeu a cabeça, lançou-se a ele, agarrando-o com suas mãozinhas e gritou-lhe: "Não o farei mais! Não faço mais!". Ah! dá pena!

Vielhtcháninov esperava coisas bem estranhas, mas aquela narrativa consternou-o tão fortemente que não podia crer que fosse verdadeira. Mária Sisóievna contou-lhe ainda muitos outros fatos. Uma vez, por exemplo, se ela não tivesse estado lá, Lisa talvez tivesse se jogado pela janela. Quando se despediu de Mária

Sisóievna, estava como que embriagado: "Eu o matarei, como a um cão, com uma paulada na cabeça!", repetia para si mesmo.

Pegou um carro para ir à casa dos Pogoriéltsevi. Antes de sair da cidade, o carro teve de parar numa encruzilhada, perto duma pequena ponte sobre a qual desfilava um longo enterro. As proximidades da ponte estavam atravancadas pelas carruagens estacionadas e uma multidão compacta via-se ali, a olhar. O enterro era rico, a fila dos carros longa. De repente, em um daqueles carros, viu Vielhtcháninov aparecer a figura de Páviel Pávlovitch. Não teria acreditado nos seus olhos, se o outro não se tivesse debruçado na portinhola e não o tivesse cumprimentado, com um aceno de mão e um sorriso. Evidentemente, estava encantado com o encontro. Vielhtcháninov pulou do carro e, a despeito da multidão e dos guardas, deslizou até a portinhola do carro, que já ia entrando pela ponte. Páviel Pávlovitch estava só.

— Por que não veio? — gritou Vielhtcháninov. — Como está aqui?

— Presto as derradeiras homenagens... não grite, não grite!... presto as derradeiras homenagens — disse Páviel Pávlovitch, com um piscar jovial de olhos. — Acompanho os despojos mortais de meu excelentíssimo amigo Stiepan Mikháilovitch.

— Tudo isso é absurdo, estúpido bêbado! — gritou ainda mais forte Vielhtcháninov, um momento confuso. — Vamos, desça imediatamente e venha comigo. Vamos, imediatamente!

— Não é possível... é um dever...

— Vou levá-lo à força — berrou Vielhtcháninov.

— E eu gritarei, eu gritarei! — disse Páviel Pávlovitch, com sua mesma explosão de riso jovial, como se a brincadeira o divertisse e encolhendo-se no fundo do carro.

— Atenção! atenção! O senhor vai ser atropelado! — gritou um guarda.

E, de fato, um carro chegava à ponte, com grande barulho, em sentido inverso ao do cortejo. Vielhtcháninov teve de saltar de lado; outras carruagens e a multidão atiraram-no mais longe. Cuspiu de despeito e voltou ao seu carro.

"Dá na mesma, de qualquer maneira não teria sido possível levá-lo naquele estado!", ele pensava, inquieto e em plena confusão.

Quando contou a Klávdia Pietrovna as histórias de Mária Sisóievna e o estranho encontro naquele enterro, ela ficou pensativa:

— Tenho medo por você — disse-lhe. — Precisa romper todas as relações com esse homem e quanto mais depressa, melhor.

— Ora! É um ébrio e um grotesco, eis tudo! — exclamou Vielhtcháninov, com arrebatamento. — Vou ter medo dele? E como você quer que eu rompa todas as relações com ele, quando existe Lisa? Não se esqueça de Lisa!

Lisa estava deitada, muito doente. A febre apoderara-se dela na véspera, à noite, e esperava-se um médico de renome, que haviam mandado chamar na cidade desde manhã bem cedo. Vielhtcháninov ficou inteiramente transtornado. Klávdia Pietrovna levou-a à cabeceira da doente.

— Observei-a ontem com muita atenção — ela disse, antes de entrar. — É orgulhosa e triste. Tem vergonha de se encontrar aqui, abandonada por seu pai. Na minha opinião toda sua doença é esta.

— Como! Abandonada? Por que pensa que ele a abandonou?

— Oh! o simples fato de deixá-la vir para cá, para uma casa totalmente desconhecida, com um homem... quase igualmente desconhecido, ou quando menos...

— Mas fui eu mesmo que a tomei, que tive de tomá-la à força. Não vejo...

— Meu Deus, não é de mim que se trata, é de Lisa, que é uma criança, e que vê as coisas assim... Pela minha conta, estou certa de que ele não virá nunca.

Quando viu que Vielhtcháninov havia chegado sozinho, Lisa não se mostrou surpresa. Sorriu tristemente e virou para a parede sua cabecinha toda ardente de febre. Não respondeu nada às tímidas palavras de consolo, nem às quentes promessas de Vielhtcháninov, que se comprometeu a trazer-lhe seu pai no dia seguinte, sem falta. Ao afastar-se dela, ele começou a chorar.

O médico só chegou à noite. Depois que examinou a doente, amedrontou a todos desde a primeira palavra, dizendo que deveriam tê-lo chamado mais cedo. Quando lhe afirmaram que ela só começara a sofrer na véspera à noite, a princípio não quis acreditar.

— Tudo depende da maneira como vai passar a noite — concluiu ele.

Redigiu sua receita e partiu, prometendo estar lá no dia seguinte, logo que possível. Vielhtcháninov queria de todo jeito ficar em vigília durante a noite; mas Klávdia Pietrovna suplicou-lhe que fizesse ainda uma tentativa "para trazer aquela besta".

— Desta vez — disse Vielhtcháninov, com exaltação, — desta vez ele virá, mesmo que seja preciso amarrá-lo e carregá-lo!

A ideia de amarrá-lo e de carregá-lo como a um embrulho apoderou-se dele, obcecando-o.

— Agora acabou, não me sinto de modo algum culpado para com ele! — disse a Klávdia Pietrovna, despedindo-se dela. — Renego todas as minhas tolices sentimentais e todas as minhas choradeiras de ontem — acrescentou, indignado.

Lisa estava estendida, de olhos fechados, e parecia dormir; parecia estar melhor. Quando Vielhtcháninov inclinou-se sobre ela, com precaução, para, antes de partir, beijar discretamente alguma coisa dela, nem que fosse apenas a orla de seu vestido, ela abriu de repente os olhos, como se o tivesse esperado e lhe disse em voz baixa:

— Leve-me daqui!

Era uma súplica doce e triste, em que nada restava da irritação exaltada da véspera, mas na qual se sentia como que resignação, como que a certeza de que a súplica não seria atendida. Quando Vielhtcháninov, desesperado, tentou explicar-lhe que era impossível, fechou os olhos e não disse nada mais, como se não o ouvisse, nem o visse.

De volta à cidade, fez-se conduzir diretamente a Pokrov. Eram dez horas da noite; Páviel Pávlovitch não estava em casa. Vielhtcháninov esperou-o uma meia hora, indo e vindo pelo corredor, num estado de impaciência dolorosa. Mária Sisóievna acabou por fazer-lhe compreender que Páviel Pávlovitch não voltaria antes do amanhecer do dia seguinte.

— Virei, portanto, ao nascer do dia.

E partiu, regressando para casa.

Ficou estupefato quando, ao chegar, soube de Mavra que o estranho da véspera *estava lá, à espera,* desde as dez horas.

— Bebeu chá em nossa casa e depois mandou procurar vinho, da mesma forma que ontem, dando uma cédula de cinco rublos.

Capítulo IX / *Visão*

Páviel Pávlovitch instalara-se confortavelmente. Estava sentado na mesma cadeira da véspera, fumava um cigarro e acabava de encher o quarto e último copo da garrafa. O bule de chá e a xícara ainda pela metade estavam ali perto dele, em cima da mesa. Seu rosto cor de púrpura irradiava satisfação. Tirara seu paletó e ficara de colete.

— Você me desculpe, caríssimo amigo — disse ele, percebendo Vielhtcháninov e levantou para vestir o paletó. — Tirei-o para estar mais à vontade...

Vielhtcháninov aproximou-se dele, com ar ameaçador:

— Está completamente bêbado? Pode-se ainda fazer que você compreenda?

Páviel Pávlovitch hesitou um instante.

— Meu Deus... não... não de todo... Prestei as derradeiras homenagens ao defunto e... não, não de todo.

— Está em condições de compreender-me?

— Mas foi precisamente para isto que estou aqui, para compreendê-lo...

— Neste caso — prosseguiu Vielhtcháninov, com uma voz estrangulada pela cólera, — neste caso começarei por dizer-lhe, sem mais nada, que você é um miserável.

— Se você começa por aí, aonde, com os diabos, irá acabar? — disse Páviel Pávlovitch, que, manifestamente, estava ficando com medo.

Mas Vielhtcháninov prosseguiu sem ouvi-lo:

— Sua filha está morrendo, está gravemente doente. Você abandonou-a, sim ou não?

— Moribunda?... Deveras?...

— Está doente, muito doente, perigosamente doente.

— Oh! uma simples crise, talvez...

— Ora! Não diga besteiras. Está perigosamente doente. Você já deveria ter ido lá, pelo menos para...

— Para agradecer a hospitalidade? Ah! sim! Sei muito bem! Alieksiéi Ivânovitch, meu caro, meu perfeito amigo — gaguejou ele, pegando-lhe a mão com as suas duas, com um enternecimento de bêbado, as lágrimas nos olhos, como se implorasse seu perdão, — Alieksiéi Ivânovitch, não grite, não grite... Que eu morra, que caia agora mesmo no Nieva... De que serve, nas circunstâncias atuais?... Quanto ao que se refere aos Pogoriéltsevi, sempre haverá tempo...

Vielhtcháninov conteve-se e conseguiu dominar-se.

— Você está bêbado e não compreendo o que quer dizer — disse ele duramente. — Estou sempre disposto a me entender com você e faço questão disso o mais breve possível... Ia precisamente... Mas, antes de tudo, eis a minha decisão: você vai passar a noite aqui. Amanhã de manhã vou levá-lo e iremos. Não o largarei — gritou com voz trovejante. — Vou amarrá-lo e carregá-lo até lá com minhas próprias mãos!... Vejamos, esse divã lhe servirá?

E designava um divã largo e fofo, que formava par, contra a parede de frente, com aquele sobre o qual ele próprio dormia.

— Mas, rogo-lhe, não importa onde...

— Não importa onde, não: aqui neste divã! Tome, aqui estão lençóis, um cobertor, um travesseiro... (Vielhtcháninov tirou tudo isto dum armário e lançou-o vivamente a Páviel Pávlovitch que estendia os braços, com ar resignado.) Vamos, faça sua cama, imediatamente!

Páviel Pávlovitch ali estava, de pé, no meio do quarto, os braços carregados, como que indeciso, com um largo sorriso de bêbado na cara de bêbado. A uma segunda injunção de Vielhtcháninov, que trovejava, pôs-se depressa em ação. Afastou a mesa e, resfolegante, desdobrou e arrumou os lençóis. Vielhtcháninov foi ajudá-lo; estava satisfeito com a docilidade e a perturbação de seu hóspede.

— Acabe de esvaziar seu copo e deite-se — ordenou; sentia que era preciso comandar. — Foi você quem mandou buscar vinho?

— Ah! sim, fui eu... É que, Alieksiéi Ivânovitch, sabia bem que você não consentiria mais em mandá-lo buscar.

— Ainda bem que compreendeu isto, mas há outra coisa ainda que é preciso que você compreenda. Declaro-lhe que minha resolução está tomada: não vou suportar mais todas as suas caretas, nem todas as suas carícias de bêbado!

— Oh! mas pode com certeza acreditar, Alieksiéi Ivânovitch — disse o outro, sorrindo, — compreendo maravilhosamente que tudo isso não era possível senão uma vez.

Diante desta resposta, Vielhtcháninov, que caminhava pelo quarto, súbito parou diante de Páviel Pávlovitch, com ar solene.

— Páviel Pávlovitch, fale franco! Você é inteligente, repito, mas declaro que está indo pelo caminho errado. Fale franco, aja abertamente, e, dou minha palavra de honra, responderei a todas as suas perguntas.

Páviel Pávlovitch sorriu de novo com seu largo sorriso, que bastava para exasperar Vielhtcháninov.

— Vamos! Nada de segredinhos! Vejo claro até no seu íntimo. Repito, dou minha palavra de honra que responderei a tudo, e que você receberá de mim todas as satisfações possíveis... quero dizer todas as satisfações, possíveis ou não! Oh! como gostaria que você me compreendesse!

— Pois bem! Já que você se mostra tão bondoso — disse Páviel Pávlovitch, com ar circunspecto, — fiquei extremamente intrigado ontem, quando você se serviu da palavra "feroz"...

Vielhtcháninov cuspiu e pôs-se de novo a caminhar, mais vivamente, pelo quarto.

— Oh! não, Alieksiéi Ivânovitch, não cuspa porque estou curioso para saber isso. Vim de propósito para descobrir... Oh! sim, minha língua está mal dependurada hoje, mas você será muito indulgente. Li alguma coisa, numa revista, a propósito dos indivíduos do tipo "feroz" e do tipo "bonachão". Veio-me isto à lembrança esta manhã... somente, não me recordo mais o que, e, na verdade, não compreendi bem... Ora, eis aqui, por exemplo, o que eu quero saber: Stiepan Mikháilovitch Bagaútov era do tipo "feroz" ou do tipo "bonachão"? De qual dos dois?

Vieltcháninov continuava calado e andando. Parou bruscamente e falou com raiva.

— O homem do tipo "feroz" é o homem que se teria apressado em derramar *veneno no copo de* Bagaútov, no momento de beber champanhe com ele em honra da amizade tão felizmente renovada, como você fez ontem comigo. Mas um homem desta espécie não teria ido conduzi-lo ao cemitério, como você fez não há muito, sabe o diabo por quais motivos secretos, baixos e vis, e teria evitado todas essas suas caretas sujas!

— É bem certo que não teria ido lá — disse Páviel Póvlovitch, — mas na verdade você me trata...

— O homem do tipo "feroz" — prosseguiu Vielhtcháninov, com ardor, sem nada ouvir, — não é homem para se fazer de Deus sabe lá o quê, para posar de justiceiro severo e escrupuloso, para estudar seu caso, como pedante, para dele tirar assunto para uma lição, para choramingar, caretear, lançar-se ao pescoço dos outros e sentir-se satisfeito com esse emprego de seu tempo!... Vamos, diga a verdade: é certo que você quis enforcar-se?

— Oh! você sabe, é bem possível, numa hora de embriaguez... não me recordo... Mas, vejamos, Alieksiéi Ivânovitch, gente como nós não pode, no entanto, usar veneno! Além do fato de eu ser um funcionário bem destacado, tenho algum dinheiro e é bem possível que pense em casar de novo.

— E depois, corre-se o risco dos trabalhos forçados.

— Perfeitamente! E é muito desagradável, se bem que, atualmente, o júri conceda, de boa vontade, as circunstâncias atenuantes. Olhe, Alieksiéi Ivânovitch, veio-me à memória esta manhã, enquanto me achava no carro, uma historinha muito engraçada, que preciso contar-lhe. Você falava ainda há pouco do homem "que se atira ao pescoço dos outros". Lembra-se talvez de Siemion Pietróvitch Livtsov, que chegou a T***, quando você lá esteve? Pois bem, ele tinha um irmão caçula, um bonitão de Petersburgo, como ele, que se achava em função junto ao governador de V*** e era muito apreciado. Aconteceu-lhe um dia brigar com Golubienko, o coronel, numa reunião; havia ali senhoras e, entre elas, a dama de seu coração. Sentiu-se muito humilhado, mas engoliu a ofensa e não disse palavra. Pouco depois, Golubienko tomou-lhe a dama de seu coração e pediu-a em casamento. Que você acha que fez Livtsov? Pois bem, tratou de tornar-se amigo íntimo de Golubienko; melhor ainda, pediu para ser o cavalheiro de honra; no dia do casamento, desempenhou sua função; depois, quando eles receberam a bênção nupcial, aproximou-se do noivo para felicitá-lo e beijá-lo, e então, diante da nobre sociedade em peso, diante do governador, eis que Livtsov assesta uma grande facada no ventre de Golubienko que tomba no chão!... Seu próprio cavalheiro de honra! É bem aborrecido! E depois não é tudo! O que há de bom é que, depois da facada, ele se vira para a direita e para a esquerda: "Ai! que fiz eu? ai! que fiz eu?", e soluça, e se agita, e se abraça ao pescoço de toda gente, até mesmo das damas: "Ai! que fiz eu?"... Ah! ah! ah! É de rebentar de rir. Só havia o pobre de Golubienko que fazia dó; mas afinal, salvou-se.

— Não entendo por que você me conta essa história — disse Vielhtcháninov, secamente, com os supercílios contraídos.

— Apenas por causa da facada — disse Páviel Pávlovitch, sempre rindo. — Aqui está um fedelho que, por terror, desrespeita todas as conveniências, atira-se ao pescoço das senhoras, na presença do governador... e tudo isso não impede que lhe tenha muito bem aplicado sua facada e feito o que queria fazer!... É só por isso que lhe conto.

— Vá para o diabo! — berrou Vielhtcháninov, com uma voz totalmente mudada, como se alguma coisa nele se tivesse quebrado. — Vá para o diabo com seus subentendidos, seu velhaco! Você quer me deixar com medo, tratante, covarde... covarde... covarde! — gritou ele, fora de si, resfolegando após cada palavra.

Páviel Pávlovitch, de repente, ficou como transfigurado. Sua embriaguez desapareceu; seus lábios tremeram.

— Então, é você, Alieksiéi Ivânovitch, "você", que me trata de covarde, a "mim"?

Vielhtcháninov voltava a si.

— Estou pronto a pedir-lhe desculpas — disse ele, após um momento de reflexão, que o encheu de terror, — mas com uma condição, é que você mesmo, imediatamente, se decida a agir francamente.

— No seu lugar, Alieksiéi Ivânovitch, teria pedido desculpas, sem condições.

— Pois bem, seja!... — (Houve um momento de silêncio.) — Peço-lhe desculpas; mas você mesmo há de convir, Páviel Pávlovitch, que, após tudo isso, posso considerar-me como estando quites para com você... não falo somente do caso presente!... quero dizer, no que se refere a todo o negócio.

— Mas... que espécie de contas pode haver entre nós? — disse Páviel Pávlovitch, sorrindo, de vista baixa.

— Pois bem, se é assim, tanto melhor, tanto melhor! Vamos, esvazie seu copo e deite-se, porque não quero deixá-lo partir...

— Ah! sim! o vinho... — disse Páviel Pávlovitch, um pouco perturbado.

Aproximou-se da mesa, para esvaziar seu copo. Talvez já tivesse bebido muito; mas o caso é que sua mão tremia e derramou ele uma parte do vinho no chão, em sua camisa e no seu colete. Contudo, bebeu até a última gota, como se tivesse pena de deixar alguma; depois pousou o copo em cima da mesa, com precaução, e foi docilmente para seu leito, para se desvestir.

— Mas não seria melhor... que eu não ficasse aqui esta noite? — disse ele, de repente. Já havia tirado uma de suas botas e conservava-a entre as mãos.

— De jeito nenhum, não seria melhor! — respondeu, violentamente, Vielhtcháninov, que andava para lá e para cá, sem olhá-lo.

O outro acabou de tirar a roupa e deitou. Um quarto de hora depois, Vielhtcháninov também deitou e apagou a vela.

Começou a adormecer, sem achar tranquilidade. Algo de novo, de mais confuso ainda que todo o resto, algo que ele não havia previsto, oprimia-o agora e, ao mesmo tempo, sentia-se como que envergonhado daquela angústia. Ia adormecendo quando um rumor despertou-o. Lançou logo a vista para o leito de Páviel Pávlovitch. O quarto estava escuro (as cortinas estavam fechadas), mas pensou ver que Páviel Pávlovitch não estava mais deitado, sentara no leito.

— Que tem? — perguntou Vielhtcháninov.

— A sombra! — disse Páviel Pávlovitch, depois de um silêncio, com uma voz surda, apenas perceptível.

— Que sombra?

— Lá, no outro quarto, perto da porta, acho que vi uma sombra.

— A sombra de quem? — perguntou Vielhtcháninov, após um silêncio.

— De Natália Vassílievna.

Vielhtcháninov saltou de seu leito, lançou uma olhadela para a antecâmara, depois para a peça vizinha, cuja porta continuava sempre aberta. Não havia cortinas nas janelas e os estores leves faziam entrar um pouco de luz.

— Não há nada naquele quarto; você está bêbado, volte a dormir! — disse Vielhtchâninov, que deitou e se cobriu com em seu cobertor.

Páviel Pávlovitch tornou também a deitar, sem dizer uma palavra.

— Já lhe aconteceu ver fantasmas? — perguntou de súbito Vielhtchâninov, dez minutos mais tarde.

— Uma vez só — disse Páviel Pávlovitch, com voz apagada. Depois o silêncio reinou de novo.

Vielhtchâninov não sabia com certeza se dormiu ou não. Uma hora se passou, depois, de repente, estremeceu: era ainda um rumor que o despertava, não sabia de nada, mas pareceu-lhe que havia lá, na noite negra, algo de branco, de pé, a alguma distância dele, no meio do quarto. Ergueu-se no seu leito e olhou por um minuto inteiro.

— É você, Páviel Pávlovitch? — perguntou, com voz fraca. Aquela voz alterada, no silêncio e nas trevas, causou nele mesmo estranha impressão.

Não obteve resposta, mas não havia mais a menor dúvida: havia alguém ali, de pé.

— É você, Páviel Pávlovitch? — repetiu mais forte, tão fortemente que Páviel Pávlovitch, se estivesse dormindo tranquilamente em seu leito, teria certamente despertado em sobressalto e respondido.

Não veio resposta, mas pareceu-lhe que a forma branca, agora quase distinta, movia-se, aproximava-se dele. Uma coisa estranha se passou: ele teve de súbito uma sensação que já sentira ainda há pouco, a sensação de algo que se rompia nele e gritou, com todas as suas forças, com uma voz rouca, estrangulada, sufocando-se quase a cada palavra:

— Bêbado grotesco, se você imagina que vai me fazer ficar com medo, fique sabendo que vou me virar para o lado da parede, vou me cobrir todo, até mesmo a cabeça, em meu cobertor, e não me mexerei, a noite inteira... para lhe mostrar quanto estou ligando para você... E não importa que fique você aí, de pé, até de manhã, prolongando essa farsa. Cuspo em você!...

E cuspiu com raiva na direção do que pensava ele que fosse Páviel Pávlovitch. Depois, virou-se, com um movimento brusco, para a parede, enrolou-se no seu cobertor, e ficou sem se mover, como morto. Fez-se um silêncio terrível. Não sabia, não podia saber se o fantasma avançava para ele, ou se se mantinha imóvel, e seu coração batia, batia, batia. Cinco minutos se passaram; depois, de repente, ouviu, a dois passos de si, a voz de Páviel Pávlovitch, fraca e toda queixosa.

— Sou eu, Alieksiéi Ivânovitch, levantei para procurar... (E nomeou um objeto indispensável.) Não encontrei um junto de minha cama... quis vir ver, muito devagarinho, perto da sua.

— Por que não disse nada... quando eu chamei? — perguntou Vielhtchâninov, com voz estrangulada, após um longo silêncio.

— Tive medo. Você gritou tão alto... tive medo.

— Ali, no canto, à esquerda... na mesinha... Acenda a vela...

— Oh! agora não vale a pena... — disse Páviel Pávlovitch, com voz muito mansa, — hei de achar, decerto... perdoe-me, Alieksiéi Ivânovitch, tê-lo incomodado... senti-me, de repente, completamente ébrio...

Vielhtcháninov não respondeu. Ficou deitado, com o rosto voltado para a parede, o resto da noite, sem se mexer. Queria manter seu compromisso e provar-lhe que o desprezava? — Ele mesmo não sabia o que tinha; o abalo fora tão violento que ficara como que perdido, e passou-se muito tempo antes que pudesse dormir. Quando despertou, no dia seguinte, às dez horas, teve um sobressalto, e encontrou-se sentado em seu leito, como movido por uma mola... Mas Páviel Pávlovitch não estava mais no quarto! O leito estava vazio, em desordem; fugira ao romper do dia.

— Eu bem sabia disso! — disse Vielhtcháninov, batendo na testa.

Capítulo X / *No cemitério*

O médico previra com justeza: o estado de Lisa piorou mais do que Vielhtcháninov e Klávdia Pietrovna haviam imaginado na véspera. Quando Vielhtcháninov chegou, de manhã, a doente ainda se encontrava em pleno conhecimento, se bem que ardesse em febre; ele jurou mais tarde que ela lhe havia sorrido e que lhe havia mesmo estendido a mãozinha. Era verdade, ou não passava de uma ilusão consoladora que dava a si mesmo? Não era mais tempo de verificar. Ao cair da noite, ela perdeu o conhecimento e assim ficou até o fim. No décimo dia, após sua chegada à casa dos Pogoriéltsevi, morreu.

Os dias que precederam a morte foram terríveis para Vielhtcháninov. Os Pogoriéltsevi temeram por ele. Passou com eles a maior parte daquele período de angústias. Durante os derradeiros dias, ficou horas inteiras sozinho, não importava onde, num canto, sem pensar em nada; Klávdia Pietrovna vinha por vezes distraí-lo, mas ele mal respondia e por vezes deixava ver que aquelas conversas lhe eram penosas. Ela não era capaz de acreditar que ele sofresse tanto. Somente as crianças conseguiam distraí-lo; ria mesmo com elas às vezes; mas, a todo instante, levantava e ia nas pontas dos pés ver a doente. Pareceu-lhe várias vezes que ela o reconhecia. Não tinha esperança alguma de vê-la curar-se, como ninguém mais; não podia, porém, afastar-se do quarto em que ela morria, e mantinha-se habitualmente na peça vizinha.

Duas vezes, no curso daquele período, foi tomado duma necessidade extrema de agir. Partiu, correu a Petersburgo, foi ver os médicos mais reputados e reuniu-os em consultas: a derradeira realizou-se na véspera mesma da morte. Três dias antes, Klávdia Pietrovna lhe dissera que era indispensável encontrar, custasse o que custasse, o Senhor Trusótski: "Em caso de morte, seria mesmo impossível enterrá-la sem a presença de seu pai". Vielhtcháninov respondera, com ar distraído, que lhe escreveria. O velho Pogoriéltsev declarara então que o faria procurar pela polícia. Vielhtcháninov acabara escrevendo uma carta muito lacônica e levara-a em pessoa ao hotel. Páviel Pávlovitch estava ausente, como de hábito, e teve de confiar a carta a Mária Sisóievna.

Lisa morreu por fim, numa admirável noite de verão, enquanto o sol se punha. Foi como se Vielhtcháninov saísse de um sonho. Quando a levaram, quando a vestiram com um vestidinho cor-de-rosa, o vestido de festa de uma das meninas da casa, quando a deitaram, de mãos juntas, sobre a mesa do salão, coberta de flores, aproximou-se de Klávdia Pietrovna e, de olhos cintilantes, declarou-lhe que ia procurar "o assassino" e que o traria imediatamente. Não quis ouvir nenhum conselho, recusou adiar para o outro dia e partiu para a cidade.

Sabia onde encontrar Páviel Pávlovitch. Quando, durante aqueles derradeiros dias, fora a Petersburgo, não o fizera apenas para ver os médicos. Parecera-lhe, por vezes, que, se pudesse levar a Lisa seu pai, ela voltaria à vida ouvindo-lhe a voz; e depois, desencorajado, renunciara a procurá-lo. Páviel Pávlovitch morava ainda no mesmo lugar, mas era inútil pensar em encontrá-lo em casa. "Passa às vezes três dias sem dormir aqui, sem mesmo voltar para cá — contava Mária Sisóievna. — Quando por acaso volta, o bêbado, fica uma hora e torna a partir; nem mais a decência conserva." O garçom do hotel informou Vielhtcháninov que, desde muito tempo já, Páviel Pávlovitch ia estar com moças que moravam na Avenida Vosniessiénski. Vielhtcháninov não teve dificuldade em encontrar as moças. Depois dele lhes dar presentes e dinheiro, elas lembraram-se bem depressa de seu cliente — o chapéu com o crepe chamara-lhes a atenção — e se queixaram muito de não mais o ver. Uma delas, Kátia, declarou "que era muito fácil encontrar Páviel Pávlovitch", uma vez que ele não largava mais Machka Prokhvóstova.[9] Kátia não pensava poder encontrá-lo imediatamente; mas prometeu de modo formal que o faria no dia seguinte. E Vielhtcháninov teve de submeter-se a contar com a ajuda dela.

Voltou, pois, no dia seguinte, às dez horas, foi buscar Kátia e se pôs à procura com ela. Ele mesmo ainda não decidira o que faria com Páviel Pávlovitch, se o mataria no mesmo instante, ou não iria além de anunciar-lhe a morte de sua filha e explicar-lhe que sua presença no enterro era indispensável. As primeiras pesquisas não deram resultado: souberam que Machka Prostakova[10] brigara com Páviel Pávlovitch, havia três dias, e que um empregado de banco havia aberto a cabeça de Páviel Pávlovitch com um tamborete. Por fim, às duas horas da manhã, Vielhtcháninov, no momento em que saía de um cabaré que lhe haviam indicado, deu cara a cara com ele.

Páviel Pávlovitch estava completamente embriagado; duas mulheres o arrastavam para o cabaré; uma delas sustentava-o pelo braço; um latagão seguia-as de perto, gritando em altos berros e fazendo a Páviel Pávlovitch furiosas ameaças. Gritava, entre outras coisas, "que ele o havia explorado e envenenado sua vida...". Tratava-se visivelmente de dinheiro. As mulheres estavam com um medo terrível e apressavam-se o mais que podiam. Quando avistou Vielhtcháninov, Páviel Pávlovitch correu para ele, de mãos estendidas, e gritou, como se o estivessem estrangulando:

— Irmãozinho, socorra-me!

O latagão que os seguia assim que viu o vulto temível de Vielhtcháninov, desapareceu num piscar de olhos. Páviel Pávlovitch, orgulhoso com sua vitória, mostrava-lhe o punho, lançava gritos de triunfo; mas Vielhtcháninov agarrou-o violentamente pelos ombros e, sem saber ele próprio por que, pôs-se a sacudi-lo, com toda a força de seus braços de tal maneira que os dentes de Páviel Pávlovitch matraqueavam. Páviel Pávlovitch parou logo de gritar e olhou-o com uma estupefação imbecil de bêbado. Não sabendo sem dúvida que fazer, Vielhtcháninov fez força sobre ele e obrigou-o a sentar num marco de esquina.

---

9 Literalmente: vigarista. Valendo-se da semelhança com o sobrenome da personagem, Prostakova, dão-lhe esta alcunha que melhor assenta com sua condição moral.

10 Literalmente: simplória.

— Lisa morreu! — disse-lhe.

Páviel Pávlovitch continuava a olhá-lo, sentado naquele marco, e mantido em equilíbrio por uma das mulheres. Acabou por compreender e seus traços se modificaram, num aspecto de tristeza.

— Ela morreu... — murmurou ele, com ar estranho.

Se simplesmente mostrou seu largo e ignóbil sorriso de bêbado, ou se passou por seus olhos algo de velhaco e de mau, Vielhtcháninov não soube dizer.

Um instante depois, Páviel Pávlovitch levantou com esforço sua mão direita, para fazer um sinal da cruz; mas a cruz ficou inacabada e a mão trêmula tornou a cair. Um pouco depois ainda, levantou-se penosamente do marco, agarrando-se à mulher, apoiou-se nela, e começou de novo a caminhar, como se não se tratasse de nada, sem mais se ocupar com Vielhtcháninov. Este agarrou-o de novo pelos ombros.

— Compreenderás afinal, estúpido bêbado, que não se pode enterrá-la sem ti? — gritou-lhe, sufocando de cólera.

O outro voltou a cabeça para ele.

— O subtenente de artilharia... você sabe? — gaguejou ele, com a língua pesada.

— Quem? — exclamou Vielhtcháninov, todo trêmulo.

— É ele, o pai! Procura-o... para o enterro.

— Mentes! — berrou Vielhtcháninov, numa raiva louca. — Canalha!... Eu bem sabia que acabarias por impingir-me isto!

Fora de si, ergueu o punho sobre a cabeça de Páviel Pávlovitch. Ainda um instante e talvez o teria matado com um golpe; as mulheres lançaram gritos agudos e se afastaram, mas Páviel Pávlovitch não se moveu; todo o seu rosto se contraiu numa expressão de maldade selvagem e baixa.

— Tu sabes — disse ele, com uma voz firme, como se a embriaguez o tivesse deixado, — tu sabes o que dizemos em russo? (Pronunciou uma palavra que não se pode escrever.) — Eis o que te digo!... E agora, dá o fora, e depressa!

Desvencilhou-se das mãos de Vielhtcháninov tão violentamente que quase caiu ao comprido. As mulheres sustentaram-no e levaram-no bem depressa, arrastando-o quase. Vielhtcháninov não os seguiu.

No dia seguinte, à uma hora, chegou à casa dos Pogoriéltsevi um funcionário muito decente, de idade madura, em uniforme. Entregou muito polidamente a Klávdia Pietrovna um embrulho a ela endereçado, da parte de Páviel Pávlovitch Trusótski. O embrulho continha uma carta, trezentos rublos e os papéis necessários referentes a Lisa.

A carta era curta, muito reverente, perfeitamente correta... Exprimia toda a sua gratidão a Sua Excelência Klávdia Pietrovna pela bondade e interesse que testemunhara para com a órfãzinha e acrescentava que somente Deus poderia pagar-lhe. Explicava vagamente que uma indisposição bastante grave não lhe permitia ir em pessoa assistir às exéquias de sua querida e desditosa filha e para tudo isso contava, em toda a confiança, com a bondade angélica de Sua Excelência. Os trezentos rublos, acrescentava ele, representavam as despesas com o enterro e as demais ocasionadas pela doença. Se a soma fosse demasiado grande, rogava-lhe, mui respeitosamente, de *mandar celebrar, com o excedente*, missas pelo repouso da alma de Lisa.

O funcionário que trouxe a carta nada pôde acrescentar; era claro, apenas, segundo as palavras que pronunciou, que Páviel Pávlovitch tivera de insistir fortemente para obter dele o desencargo daquela missão. Pogoriéltsev ficou exasperado com a expressão "e as demais ocasionadas pela doença". Avaliou os gastos com o enterro em cinquenta rublos — não se podia impedir que um pai custeasse as exéquias de sua filha, — e quis devolver imediatamente ao Senhor Trusótski os duzentos e cinquenta rublos restantes. Finalmente, Klávdia Pietrovna decidiu que não os devolveriam, mas que lhe fariam chegar às mãos um recibo da igreja atestando que os duzentos e cinquenta rublos tinham sido consagrados a missas pelo repouso da alma da criança. Mais tarde, foi este recibo entregue a Vielhtcháninov que o remeteu pelo correio a Páviel Pávlovitch.

Após o enterro, Vielhtcháninov desapareceu. Durante duas semanas inteiras, vagou pela cidade, à toa, sozinho, absorvido a ponto de dar encontrões nos passantes. Por vezes ficava o dia inteiro estendido em seu divã, esquecendo tudo, até as coisas mais elementares. Os Pogoriéltsevi, por várias vezes, convidaram-no com insistência; prometia ir e depois não pensava mais nisso. Klávdia Pietrovna procurou-o um dia, pessoalmente, mas não o encontrou em casa. Seu advogado conseguiu encontrá-lo: um arranjo fácil apresentava-se por fim; a parte adversa consentia num acordo; bastava renunciar a uma parcela completamente insignificante da propriedade. Só faltava o consentimento de Vielhtcháninov. O advogado ficou estupefato por encontrar uma indiferença e uma displicência completas no cliente tão meticuloso e agitado de outrora.

Estava-se nos dias mais quentes de julho, mas Vielhtcháninov esquecia até mesmo o tempo. Sofria sem cessar uma dor aguda como a de um abcesso maduro; a cada instante, vinham-lhe pensamentos que o torturavam. Sua grande dor era que Lisa não tivesse tido tempo de conhecê-lo, tivesse morrido sem saber quanto era ardente sua ternura. O fim único de sua vida, aquele fim que ele havia entrevisto numa hora de alegria, desaparecera para sempre numa eterna noite. Aquele fim que sonhara e no qual agora pensava a cada minuto, era que todos os dias, a todas as horas de sua vida inteira, Lisa sentisse a ternura que ele sentia por ela. "Não — pensava por vezes, numa exaltação desesperada, — não, não há no mundo fim mais elevado para a existência! Se outros há, não há nenhum mais sagrado! Com a ajuda de meu amor por Lisa, teria eu purificado e resgatado todo o meu passado absurdo e inútil; teria afugentado de mim o homem vicioso e gasto que fui; teria educado para a vida uma criaturinha encantadora e, em nome dessa criaturinha, tudo me teria sido perdoado, eu mesmo teria me perdoado tudo..."

Estes pensamentos vinham-lhe sempre ao espírito acompanhados da visão clara muito próxima, emocionante, da criança morta. Revia o pobre corpinho todo branco, revia-lhe o semblante. Revia-a no caixão, entre as flores, revia-a sem conhecimento, queimada pela febre, os olhos fixos, escancarados. Lembrava-se da emoção intensa que tivera, quando a vira estendida sobre a mesa e notara que um de seus dedos tornara-se quase negro. A vista daquele pobre dedinho dera-lhe uma vontade violenta de tornar a encontrar Páviel Pávlovitch no mesmo instante e matá-lo sem demora. Fora de seu orgulho humilhado que morrera aquele coraçãozinho de criança, ou então os três meses de sofrimentos que seu pai lhe infligira, o amor mudado subitamente em ódio, as palavras de desprezo, o desdém pelas suas lágrimas, e, finalmente, seu abandono em mãos estranhas. — Tudo isto lhe voltava ao espírito, sem cessar, sob mil formas diversas... "Você sabe o que Lisa foi para mim?" Lembrou-se deste grito de Trusótski, e sentiu que não fora um fingimento, que o dilaceramento dele era sincero, era ternura. "Como pudera aquele monstro ter sido tão cruel para com a criança a quem adorava? Seria crível?" Mas sempre afastava essa questão e evitava-a; ela continha um elemento de incerteza terrível, algo de intolerável e de insolúvel.

Um dia, sem que ele mesmo soubesse como, chegou ao cemitério onde Lisa estava enterrada. Não tinha voltado ali desde o enterro. Parecia-lhe que a dor seria demasiado forte e não ousava. Coisa estranha, quando se inclinou sobre a pedra que a cobria e beijou-a, sentiu o coração menos opresso. Era uma tardinha cheia de claridade; o sol descia no horizonte; em redor do túmulo brotava uma relva densa e verde; bem perto, uma abelha besoava, voando duma roseira silvestre a outra; as flores e as coroas que os filhos de Klávdia Pietrovna tinham deixado sobre o túmulo ali ainda estavam, semi-desfolhadas. Pela primeira vez, desde muito tempo, uma espécie de esperança iluminou-lhe o coração. "Que alívio! — pensou e sentiu-se invadido pela paz do cemitério e contemplou o céu claro e tranquilo. Sentiu afluir-lhe uma espécie de alegria pura e forte, que lhe encheu a alma. "É Lisa quem me envia esta paz, é Lisa quem me fala", pensou ele.

Era já noite fechada, quando deixou o cemitério para voltar. Bem perto do portão do cemitério, à beira da estrada, viu uma casinha de madeira, uma espécie de botequim; as janelas estavam escancaradas; havia pessoas lá, em redor das mesas, bebendo. De repente, pareceu-lhe que uma dentre elas, que olhava pela janela, era Páviel Pávlovitch, que o havia percebido e o contemplava com curiosidade. Continuou seu caminho. Em breve, percebeu que procuravam alcançá-lo era, com efeito, Páviel Pávlovitch. Sem dúvida o ar calmo de Vielhtcháninov o havia encorajado. Abordou-o, com ar receoso, sorriu, mas não mais com aquele seu sorriso de outrora, seu sorriso de bêbado; não estava embriagado.

— Boa noite — disse.

— Boa noite — respondeu Vielhtcháninov.

Capítulo XI / *Páviel Pávlovitch quer casar*

Ao mesmo tempo que respondia ao "boa noite", Vielhtcháninov ficou surpreendido com o que estava sentindo. Parecia-lhe estranho ver, agora, aquele homem sem a menor cólera, e experimentar a seu respeito algo de novo, como uma veleidade de outros sentimentos.

— Que bela noite! — disse Páviel Pávlovitch, olhando-o bem no fundo dos olhos.

— Você ainda não partiu? — disse por sua vez Vielhtcháninov, mais num tom de reflexão que de pergunta. E continuou a andar.

— Houve demora, mas obtive afinal um lugar com aumento. Partirei, com certeza, depois de amanhã.

— Obteve um lugar? — perguntou Vielhtcháninov e, desta vez, era bem uma pergunta.

— Mas por que não? — respondeu Páviel Pávlovitch, com uma careta.

— Meu Deus, dizia eu isto assim no ar... — desculpou-se ele, franzindo a testa. E lançou uma olhadela oblíqua para Páviel Pávlovitch.

Ficou vivamente surpreso ao notar que a roupa, o chapéu com crepe, e toda a aparência exterior do Senhor Trusótski estavam incomparavelmente mais convenientes do que duas semanas antes. "Mas por que diabos se encontrava ele naquele botequim?" — pensou.

— É preciso ainda, Alieksiéi Ivânovitch, que lhe comunique outra grande alegria — continuou Páviel Pávlovitch.

— Uma alegria?

— Vou casar-me.

— Como?

— Após a tristeza, a alegria... assim vai a vida! Teria bem querido, Alieksiéi Ivânovitch... Mas receio... você está apressado, tem o ar de...

— Sim, sim, estou com pressa, e depois... não me sinto muito bem.

Veio-lhe bruscamente um desejo violento de se livrar do outro: todas as suas disposições mais simpáticas se esvaneciam de repente.

— Ah! sim! teria bem querido...

Páviel Pávlovitch não disse o que teria bem querido. Vielhtcháninov calava-se.

— Mas, neste caso, será para outra vez, quando tiver a boa sorte de encontrá-lo...

— Sim, sim, outra vez — disse muito depressa Vielhtcháninov, sem olhá-lo e sem se deter.

Calaram-se um minuto; Páviel Pávlovitch continuava a caminhar a seu lado.

— Pois bem, portanto, adeus, — disse por fim.

— Adeus. Espero...

Vielhtcháninov voltou para casa, novamente transtornado. O contacto com "aquele homem" fora-lhe decididamente insuportável. Era mais forte que ele. Ao deitar-se, perguntava ainda a si mesmo: "Que fazia ele, contudo, perto do cemitério?"

No dia seguinte, de manhã, resolveu afinal ir ver os Pogoriéltsevi. Decidiu-se a isto sem prazer; toda simpatia lhe era agora pesada, inclusive a deles. Mas estavam tão inquietos por sua causa que era absolutamente preciso ir lá. Teve de súbito a ideia de que experimentaria grande embaraço ao revê-los. "Irei ou não irei?", pensava, acabando rapidamente de almoçar, quando, para grande espanto seu, Páviel Pávlovitch entrou.

Apesar do encontro da véspera, nem sonhava que aquele homem se apresentasse em sua casa a ficou tão desconcertado que o olhou sem encontrar uma palavra para dizer-lhe. Mas Páviel Pávlovitch não se mostrou absolutamente embaraçado; cumprimentou-o e sentou naquela mesma cadeira na qual sentara em sua última visita, havia três semanas. A lembrança daquela visita voltou logo ao espírito de Vielhtcháninov: olhou seu visitante com inquietação e repulsa.

— Está admirado? — começou Páviel Pávlovitch, que notou o olhar de Vielhtcháninov.

Sua atitude era mais desembaraçada do que na véspera e, ao mesmo tempo, era manifesto que se achava mais intimidado. Seu aspecto exterior era especialmente curioso. Trajava com extremo apuro: paletó de verão, calças claras, apertadas em baixo, colete claro; luvas, lornhão de ouro, camisa imaculada; até mesmo exalava perfume. Em toda a sua figura havia algo de ridículo e, ao mesmo tempo, de estranho e desagradável.

— Perfeitamente, Alieksiéi Ivânovitch — prosseguiu ele, inclinando-se, — minha vinda o surpreende e dou-me conta disto. Mas há pessoas entre as quais estimo que persista sempre alguma coisa... você não acha?, alguma coisa de superior a todas as eventualidades e a todas as desavenças que porventura possam ocorrer... você não acha?

— Vejamos, Páviel Pávlovitch, rogo-lhe que me diga muito depressa e sem frases o que tem a dizer-me — disse Vielhtcháninov, franzindo os supercílios.

— Ei-lo, em duas palavras: vou casar; vou agora mesmo à casa de minha noiva, no campo. Gostaria que você me concedesse a grandíssima honra de permitir-me apresentá-lo naquela casa e vim rogar-lhe, suplicar-lhe — e inclinou a cabeça, humildemente, — que me acompanhe...

— Acompanhá-lo aonde? — disse Vielhtcháninov, com os olhos escancarados.

— À casa deles, no campo. Desculpe-me, exprimo-me mal, com uma precipitação febril, canhestramente; mas tenho tanto medo que você recuse atender-me!

E olhava para Vielhtcháninov com um olhar lastimoso.

— Quer que o acompanhe imediatamente à casa de sua noiva? — perguntou Vielhtcháninov estupefato, não querendo crer em seus ouvidos e em seus olhos.

— Sim — disse Páviel Pávlovitch cheio de receio. — Rogo-lhe, Alieksiéi Ivânovitch, não se agaste; não veja nisso audácia, mas simplesmente uma prece, se bem que humilde. Pensei que você talvez não opusesse uma recusa...

— Em primeiro lugar, é totalmente impossível — respondeu Vielhtcháninov, agitado.

— Contudo, é meu desejo mais vivo — continuou o outro, num tom suplicante,.— e não lhe ocultarei o motivo. Não queria dizer-lhe senão mais tarde, mas rogo-lhe, muito humildemente...

E levantou, cheio de respeito.

— Mas de qualquer maneira é impossível, confesse!...

Vielhtcháninov havia levantado por sua vez.

— Mas sim, Alieksiéi Ivânovitch, é perfeitamente possível. Queria apresentá-lo como um amigo. E depois, já o conhecem lá. Trata-se do conselheiro de Estado, Senhor Zakhliébinin.

— Como!... — disse Vielhtcháninov, com surpresa.

Era o conselheiro de Estado que ele havia inutilmente procurado encontrar dois meses antes e que representava em seu processo a parte adversa.

— É sim, é sim! — disse Páviel Pávlovitch, sorrindo, como se a viva surpresa de Vielhtcháninov lhe desse coragem, — sim, é ele mesmo, você se lembra bem, aquele com quem você conversava quando eu o olhei e parei. Esperava para abordá-lo que você acabasse de falar-lhe. Fomos colegas, há doze anos, e, quando quis abordá-lo, depois de você, não tinha ainda nenhuma ideia... A ideia veio-me de repente, há oito dias.

— Mas, diga-me, então, parece que se trata de gente muito séria — disse Vielhtcháninov, com um espanto ingênuo.

— Sem dúvida, e com isso? — disse Páviel Pávlovitch, fazendo uma careta.

— Oh! nada! não é absolutamente que... é que somente acreditava ter notado, quando estive em casa deles...

— Oh! eles se recordam muito bem que você foi à casa deles — interrompeu Páviel Pávlovitch, com uma solicitude jovial. — Somente, é que você não viu a família. O pai lembra-se de você e tem-no em grande conta. Falei-lhe de você nos termos mais calorosos.

— Mas como acontece que, viúvo há apenas três meses...

— Oh! o casamento não se realizará imediatamente; somente dentro de nove ou dez meses e então meu luto estará terminado. Fique certo de que tudo correrá muito bem. Em primeiro lugar Fiedossiéi Pietróvitch me conhece desde a infância, conheceu minha mulher, sabe como vivi, conhece toda a minha carreira; e depois, tenho alguma fortuna, e eis que obtenho um lugar com aumento. Tudo vai bem.

— E é sua filha...

— Vou lhe contar tudo isso e também os pormenores — disse Páviel Pávlovitch, com o tom mais amável. — Deixe-me acender um cigarro. E depois, você mesmo verá, hoje. Você sabe, aqui, em Petersburgo, acontece muitas vezes que se avalia a fortuna dos funcionários como Fiedossiéi Pietróvitch segundo a importância de suas funções. Pois bem! além de seus vencimentos e do resto — abonos de toda espécie, gratificações, custeio de alojamento e alimentação, e presentes — ele não tem o menor capital. Vivem muito à larga, não sendo possível economizar, com uma família tão numerosa. Imagine, pois: oito filhas e um filho ainda menino. Se viesse a morrer, não lhes restaria senão uma miserável pensão. E oito filhas! Imagine, pois! Quando é preciso apenas um par de botinas para cada uma, imagine o que isto significa! Cinco estão boas para casar: a mais velha tem vinte e quatro anos (uma encantadora moça, você verá); a sexta tem quinze anos, e está ainda no ginásio. Eis, pois, cinco filhas para as quais é preciso arranjar maridos e não muito tarde demais. O pai precisa levá-las à sociedade e imagine você por quanto sai isto! E depois, eis que, de repente, apresentei-me como pretendente; ele me conhecia desde muito tempo e sabia o estado de minha fortuna... E pronto!

Páviel Pávlovitch havia contado tudo isto com uma espécie de embriaguez.

— Foi a mais velha que você pediu?

— Não... a mais velha, não. Pedi a sexta, a que está ainda no ginásio.

— Como? — exclamou Vielhtcháninov, com um sorriso involuntário. — Mas você acaba de dizer que ela tem quinze anos!

— Quinze anos agora, mas dentro de dez meses terá dezesseis, dezesseis e três meses, e então!... Somente, como não seria conveniente, ela não sabe de nada e está tudo arranjado apenas com os pais... Não acha que tudo isto está muito bem?

— Então, não há nada de decidido?

— Decidido? Sim! Está tudo decidido! Não está bem?

— E ela de nada sabe?

— Quer dizer que, por conveniência, não se lhe fala disso; mas deve suspeitar — disse Páviel Pávlovitch, com um amável piscar de olhos. — Pois bem? Você me fará este favor, Alieksiéi Ivânovitch? — concluiu ele, muito humildemente.

— Mas que quer você que eu vá fazer lá? E depois — acrescentou, muito depressa, — como de toda maneira não irei, é inútil procurar razões que possam levar-me a decidir.

— Alieksiéi Ivânovitch...

— Vejamos, rogo-lhe, Alieksiéi Ivânovitch, sente aqui, perto. Reflita, pois!

Um momento distraído pela tagarelice de Páviel Pávlovitch, sentia-se retomado pela sua antipatia e sua aversão. Mais um pouco e o teria posto na rua. Estava descontente consigo mesmo.

— Vejamos, rogo-lhe, Alieksiéi Ivânovitch. Sente aqui, perto de mim, e não se agite — suplicou Páviel Pávlovitch, com voz choramingante. — Não, não! — acrescentou, respondendo a um gesto resoluto de Vielhtcháninov. — Não, Alieksiéi Ivânovitch, não recuse assim, definitivamente!... Vejo que você deve ter-me compreendido mal. Sei muito bem que não podemos ser camaradas. Não sou bastante imbecil para não sentir isso. O serviço que lhe peço não o compromete absolutamente para o futuro. Partirei depois de amanhã, para sempre: será como se nada tivesse havido. Será um fato isolado, sem dia seguinte. Vim a você, confiando na nobreza de seus sentimentos que talvez os últimos acontecimentos tenham despertado em seu coração... Vê você com que sinceridade lhe falo? Vai se recusar ainda?

Páviel Pávlovitch estava extremamente agitado. Vielhtcháninov olhava-o com estupefação.

— Você me pede um serviço de tal natureza e insiste de maneira tão premente que me causa necessariamente desconfiança. Quero saber mais.

— O único serviço que lhe peço é que me acompanhe. Na volta vou lhe contar tudo, como a um confessor. Alieksiéi Ivânovitch, tenha confiança em mim!

Mas Vielhtcháninov teimava em recusar. Recusava com tanto mais obstinação quanto sentia subir dentro de si um pensamento penoso, maligno. Germinara subitamente nele, desde que Páviel Pávlovitch começara a falar-lhe de sua noiva: era simples curiosidade, ou algum outro impulso ainda obscuro? O certo era que sentia como que uma tentação de consentir. Quanto mais a tentação crescia, mais se obstinava em resistir-lhe. Mantinha-se sentado, com o rosto entre as mãos, a meditar, e Páviel Pávlovitch insistia, suplicava-lhe, importunava-o de lisonjas.

— Vamos, está bem, irei! — disse Vielhtcháninov, ficando em pé, com uma agitação quase ansiosa.

Páviel Pávlovitch transbordou de alegria.

— Depressa, Alieksiéi Ivânovitch, vista-se!

E girava em torno dele, exultante.

"E por que, afinal, faz ele tanta questão? Homem engraçado!", pensava Vielhtcháninov.

— E depois, Alieksiéi Ivânovitch, é preciso que você me preste ainda outro serviço. Consinta em dar-me um bom conselho.

— A propósito de quê?

— Eis aqui: é uma grave questão: o meu crepe. Qual é mais conveniente, tirá-lo, ou conservá-lo?

— Como quiser.

— Não, é preciso que você decida. Que faria você no meu lugar? Minha opinião era que, conservando-o, dava prova de constância em minhas afeições e isto me conviria bem.

— É preciso evidentemente tirá-lo.

— É tão evidente assim?... (Páviel Pávlovitch ficou, um momento, pensativo.) — Pois bem! não, preferiria conservá-lo...

— Como quiser! — "Então, não tem ele confiança em mim, isto vai bem", pensou Vielhtchâninov.

Saíram. Páviel Pávlovitch olhava com satisfação para Vielhtchâninov, que tinha bom aspecto; sentia-se cheio de consideração e respeito. Vielhtchâninov não compreendia nada de seu companheiro, menos ainda de si mesmo. Um carro elegante esperava-os à porta.

— Como, você alugou um carro de antemão? Estava, pois, certo de que eu iria com você?

— Oh! contratei o carro para mim mesmo, mas estava certo de que você consentiria — respondeu Páviel Pávlovitch, no tom de um homem inteiramente satisfeito.

— Diga, então, Páviel Pávlovitch — disse Vielhtchâninov, um pouco nervoso, ao se porem em marcha, — você não está um tanto certo demais a meu respeito?

— Ora, vejamos, Alieksiéi Ivânovitch, não será você que concluirá que sou um tolo — respondeu Páviel Pávlovitch, gravemente, com uma voz forte.

"E Lisa!" — pensou Vielhtchâninov. E logo repeliu esta ideia, como um sacrilégio. Pareceu-lhe, de repente, que se portava de uma maneira mesquinha e miserável; pareceu-lhe que o pensamento que o havia tentado era tão desprezível, tão baixo!... E teve um violento desejo de largar tudo, de saltar para fora do carro, ainda que tivesse de livrar-se de Páviel Pávlovitch à força. Mas este continuou a falar e de novo a tentação apoderou-se de seu coração.

— Alieksiéi Ivânovitch, você entende de joias?

— Que joias?

— Diamantes.

— Entendo.

— Gostaria bem de levar um presente. Aconselhe-me: é preciso ou não?

— Na minha opinião, não é necessário.

— É que eu desejaria tanto! Somente, eis, não sei que comprar. Será preciso comprar o conjunto todo, broche, brincos e pulseira, ou somente um pequeno objeto?

— Quanto você quer gastar?

— Quatrocentos ou quinhentos rublos.

— Diabos!

— Acha que é muito? — perguntou com inquietação Páviel Pávlovitch.

— Leve então uma pulseira de cem rublos.

Isto não satisfazia Páviel Pávlovitch. Queria pagar mais caro e comprar um adereço completo. Manteve-se firme. Pararam diante de uma loja. Acabaram por comprar uma simples pulseira, não aquela que mais agradava a Páviel Pávlovitch, mas a que Vielhtchâninov escolheu. Páviel Pávlovitch ficou muito descontente quando o comerciante, que havia pedido cento e setenta e cinco rublos, deixou-lhe por cento e cinquenta. Teria de bom grado dado duzentos, se tivessem pedido, tanto desejava pagar caro.

— Não há nenhum inconveniente em que eu dê presentes desde agora — disse ele, solícito, quando se tornaram a pôr em caminho. — Não é gente do grande mundo, é gente muito simples... A idade inocente gosta dos presentes — acrescentou ele com um sorriso malicioso e alegre. — Ainda há pouco, você teve uma surpresa, Alieksiéi Ivânovitch, sou pela inocência. O importante para mim é mas é justamente isto o que me dá tratos à cabeça: essa menina que vai ao ginásio, de pasta debaixo do braço, com seus cadernos e suas penas, ah! ah! ah! Foi isto que me conquistou. Eu, veja você, Alieksiéi Ivânovitch, sou pela inocência. O importante para mim é menos a beleza do rosto que isto. Mocinhas que riem às gargalhadas, num canto, e por quê? Meu Deus! Porque o gatinho saltou da cômoda sobre a cama e rolou como uma bola... A infância cheira a maçã fresca!... Mas, vejamos, é preciso tirar o crepe?

— Como quiser.

— É isso, vou tirar!

Pegou o chapéu, arrancou o crepe e atirou-o na rua. Vielhtcháninov viu em seus olhos como que um claro raio de esperança no momento em que tornou a pôr o chapéu em sua cabeça calva.

"Mas, afinal — pensou ele, com mau humor, — que há de sincero nos ares que ele afeta? Que significa, no fundo, a insistência que pôs em levar-me? Tem verdadeiramente a confiança que diz na generosidade de meus sentimentos? (E esta hipótese causava-lhe quase o efeito de uma ofensa.) Afinal de contas, é um farsante, um imbecil, ou um "eterno marido"? Em todos os casos, é intolerável, afinal!"

Capítulo XII / *Em casa dos Zakhliébinini*

Os Zakhliébinini eram, com efeito, "gente muito de bem", como dissera ainda há pouco Vielhtcháninov, e Zakhliébinin era um funcionário sério e respeitável. O que Páviel Pávlovitch contara de seus recursos era igualmente exato: "Vivem à larga, mas se o pai viesse a morrer, não lhes restaria nada".

O velho Zakhliébinin recebeu Vielhtcháninov com perfeita cordialidade; o "adversário" de outrora logo se tornou excelente amigo.

— Todas as minhas felicitações pelo feliz êxito de seu processo — disse ele, desde as primeiras palavras, com o ar mais afável; — fui sempre por uma solução amigável e Piotr Kárlovitch (o advogado de Vielhtcháninov) é, deste ponto de vista, um homem precioso. Ele lhe fará chegar às mãos sessenta mil rublos, sem barulho, sem adiamentos, sem aborrecimentos. E o negócio poderia arrastar-se ainda por uns três anos!

Vielhtcháninov foi logo apresentado à Senhora Zakhliébinina: era uma mulher madura e gorda, de traços vulgares e fatigados. Depois foi a vez das moças, uma a uma, ou duas a duas. Havia uma turma inteira; Vielhtcháninov contou dez ou doze, depois desistiu. Umas entravam, outras saíam, vizinhas tinham-se juntado às moças da casa. A casa dos Zakhliébinini era um grande edifício de madeira, dum gosto medíocre e estranho, feito de corpos de prédios de diversas épocas. Estava cercada por um grande jardim, para o qual davam três ou quatro outras vilas: o jardim era comum e as moças viviam em vizinhança, em boa amizade.

Vielhtcháninov compreendeu, desde as primeiras palavras, que era esperado e que sua chegada, na qualidade de amigo de Páviel Pávlovitch desejoso de ser apresentado, era um acontecimento. Seu olhar, perito nesta espécie de negócios, percebeu logo em tudo aquilo uma intenção particular: a acolhida excessivamente cordial dos pais, certo ar das moças, e o modo apurado com que trajavam (é verdade que era dia de festa) deram-lhe imediatamente a pensar que Páviel Pávlovitch lhe havia pregado alguma peça e que havia feito ali, a seu respeito, insinuações que podiam bem ter o ar de tentativas, anunciando-o como um homem "da melhor sociedade", um solteirão rico, cansado do celibato, e talvez bastante disposto a pôr-lhe fim dum momento para outro e estabelecer-se "sobretudo agora que acabava de receber aquela herança". Parecia bem que houvesse algo disto no que se referia à mais velha das moças, Katierina Fiedossiéievna, a que tinha vinte e quatro anos, e da qual Páviel Pávlovitch falava como sendo uma pessoa encantadora. Distinguia-se de suas irmãs, por mais apuro no trajar e pelo penteado original que fizera com seus soberbos cabelos. Suas irmãs e as outras moças tinham todas o ar de estar perfeitamente persuadidas de que Vielhtcháninov ali aparecera "por causa de Kátia". Seus olhares, certas palavras, lançados furtivamente no curso do dia, convenceram-no de que sua hipótese era exata.

Katierina Fiedossiéievna era moça grande e loura, muito forte, de traços extraordinariamente suaves, de caráter manifestamente tranquilo, hesitante, um pouco sem firmeza. "É bem estranho que semelhante moça não se tenha ainda casado — pensou Vielhtcháninov contra sua vontade, olhando-a com verdadeiro prazer. — Não tem dote, é verdade, e engorda muito depressa, mas, no entanto, não faltam os que apreciam esse gênero de beleza..." As irmãs eram todas bastante gentis, e, entre as amigas, notou vários rostos agradáveis, ou até mesmo bem bonitos. Não deixava de sentir algum prazer naquilo; mas viera numa disposição de espírito muito especial.

Nádiejda Fiedossiéievna, a sexta, a ginasiana, a predileta de Páviel Pávlovitch, fazia-se esperar. Vielhtcháninov estava bastante impaciente por vê-la, o que lhe causou surpresa a si próprio e lhe pareceu bastante ridículo. Enfim, chegou ela e sua entrada causou efeito. Vinha acompanhada por uma amiga, uma moreninha nada bonita, de ar vivo e espevitado, Mária Nikítichna, que, manifestamente, causava grande medo a Páviel Pávlovitch. Essa Mária Nikítichna, moça de uns vinte e três anos, risonha e espirituosa, era professora numa casa vizinha. Desde muito tempo tratavam-na, em casa dos Zakhliébinini, como se fosse da família e as moças gostavam muito dela. Era claro que Nádia, sobretudo, não podia passar sem ela.

Vielhtcháninov percebera, desde o primeiro olhar, que as moças estavam todas contra Páviel Pávlovitch, inclusive as vizinhas; não havia um minuto que Nádia estava presente, quando ficou ele perfeitamente certo de que ela o detestava. Convenceu-se igualmente de que Páviel Pávlovitch não suspeitava disso nem de longe ou não queria percebr. Nádia era incontestavelmente a mais bela de todas as irmãs: era uma moreninha, de ar um tanto selvagem, com uma segurança de niilista; um diabinho de olhar ardente, de sorriso delicado, muitas vezes malicioso, de lábios e dentes admiráveis; delgada e esbelta, com uma expressão altiva e resoluta *e ao mesmo tempo com algo de infantil*. Cada um de seus passos, cada uma de suas palavras dizia que tinha quinze anos.

A pulseira obteve pouco êxito; o efeito produzido foi até desagradável. Páviel Pávlovitch, assim que ela chegou, aproximara-se dela com o sorriso nos lábios. Deu como pretexto "o grandíssimo prazer que tivera, doutra vez, ouvindo-a cantar aquela encantadora romança ao piano...". Atrapalhou-se, não chegou a concluir sua frase, ficou parado no lugar, aturdido, estendendo o estojo, procurando metê-lo na mão de Nádia. Esta recusou aceitá-lo, corou, confusa, e colérica, retirou sua mão; voltou-se ousadamente para sua mãe, que parecia desconcertada e lhe disse bem alto:

— Não quero, mamãe!

— Aceite e agradeça — disse o pai, num tom calmo e severo, mas ele próprio estava bastante descontente. — Era inútil, verdadeiramente inútil! — disse ele, baixinho, a Páviel Pávlovitch, duma maneira significativa.

Nádia, resignada, tomou o estojo e, de olhos baixos, fez uma reverência infantil, inclinando-se vivamente para vivamente tornar a erguer-se, como movida por uma mola. Uma de suas irmãs aproximou-se para ver a joia; Nádia estendeu-lhe o estojo sem abri-lo, para mostrar que ela mesma não tinha desejo nenhum de olhá-lo. A pulseira passou de mão em mão; todas olharam sem dizer nada, algumas com um sorriso zombeteiro. Somente a mãe disse, com um ar constrangido, que a pulseira era muito bonita. Páviel Pávlovitch tinha vontade de afundar chão abaixo.

Vielhtcháninov tirou toda a gente do embaraço.

Agarrou a primeira ideia que lhe veio e falou, bem alto, com entusiasmo. Cinco minutos depois, todas as pessoas presentes no salão não tinham ouvidos senão para ele. Possuía, de modo admirável, a arte da conversação mundana, a arte de tomar um ar de convicção e de candura e de dar a seus ouvintes a impressão de que os considerava, também eles, como pessoas convencidas e cândidas. Sabia, quando era preciso, parecer o mais feliz e o mais alegre dos homens. Era bastante hábil em colocar no momento preciso uma frase espirituosa e mordaz, uma alusão engraçada, um trocadilho, da maneira mais natural do mundo, sem parecer prestar atenção, mesmo quando a pilhéria era preparada de longa data, sabida de cor e servida desta vez após cem outras. Mas naquele momento, não era mais somente arte; todo o seu natural participava daquilo. Sentia-se inspirado, muito excitado; sentia, com uma certeza plena e triunfante, que lhe bastariam alguns minutos para que todos os olhares estivessem focalizados nele, para que todos não ouvissem senão a ele, não risse mais senão do que ele dissesse. E, com efeito, pouco a pouco, toda a gente entrou na conversa, que ele dirigia com uma mestria perfeita. O rosto fatigado da Senhora Zakhliébinina iluminou-se de satisfação, quase de alegria, e Kátia se pôs a olhar e a escutar, fascinada. Nádia o observava dissimulada: era claro que estava prevenida contra ele, o que não fazia senão estimular a palavra de Vielhtcháninov. A malevolente Mária Nikítichna soubera fazer correr a respeito dele um boato que lhe prejudicava o prestígio: havia afirmado que Páviel Pávlovitch lhe falara na véspera a respeito de Vielhtcháninov como tendo sido seu amigo de infância, o que envelhecia este último de sete anos bem contados. Mas agora, a malevolente Maria também estava sob o fascínio. Páviel Pávlovitch acha-se totalmente aturdido. Dava-se conta do que constituía a superioridade de seu amigo; no começo, estivera encantado com o êxito dele, ele próprio deu risada com os outros e participou da conversação; mas, pouco a pouco, caiu num devaneio, e, finalmente, numa espécie de tristeza que traía claramente sua fisionomia.

— Então o senhor é um visitante com o qual a gente não precisa se preocupar em conseguir distração! — disse, alegremente, o velho Zakhliébinin, levantando para subir a seu quarto, onde o esperavam, se bem que fosse feriado, papéis a examinar. — E imagine que eu o considerava como o rapaz mais hipocondríaco do mundo! Como a gente se engana!

Havia no salão um piano de cauda. Vielhtcháninov perguntou quem sabia tocar e voltou-se de súbito para Nádia.

— Mas a senhorita canta, creio?

— Quem lhe disse? — replicou ela, secamente.

— Foi Páviel Pávlovitch quem me disse ainda há pouco.

— Não é verdade. Canto por brincadeira. Não tenho nem sombra de voz.

— Mas eu também não tenho voz e canto assim mesmo.

— Então o senhor vai cantar alguma coisa para nós? E depois, por minha vez, eu cantarei alguma coisa para o senhor — disse Nádia, com um clarão nos olhos. — Somente não agora, mas depois do jantar... Não posso suportar a música — ajuntou ela. — Esse piano me aborrece; da manhã à noite só se faz aqui cantar e tocar; somente Kátia entende disso um pouco!

Vielhtcháninov imediatamente pegou-lhe a palavra e toda a gente conveio que Kátia era a única que se ocupava seriamente com música. Logo ele lhe rogou que tocasse alguma coisa. Todos ficaram manifestamente encantados por ele ter se dirigido a Kátia e a mãe corou de prazer. Kátia levantou, sorrindo, dirigiu-se para o piano; e lá, de repente, sem que ela mesma esperasse, sentiu-se corar, e ficou toda confusa por corar assim como uma menininha, ela a grande e forte moça de vinte e quatro anos. E tudo isso pintou-se em seu rosto, enquanto sentava para tocar. Tocou um pequeno trecho de Haydn, corretamente, sem expressão; mas estava intimidada. Quando terminou, Vielhtcháninov louvou, com entusiasmo, não sua maneira de tocar, mas Haydn e aquele pequeno trecho; o prazer que ela sentiu foi tão visível e escutou com um ar tão reconhecido e tão feliz o elogio que ele fazia, não dela, mas de Haydn, que Vielhtcháninov não pôde impedir-se de olhá-la com um olhar mais atento e mais cordial: "Na verdade, és uma excelente moça!", dizia seu olhar, — e todos compreenderam de repente seu olhar, mas sobretudo Katierina.

— Que magnífico jardim vocês têm! — disse, dirigindo-se a todas e lançando um olhar para as portas envidraçadas do terraço. — Sabem duma coisa? Vamos todos para o jardim.

— Sim, isto mesmo, para o jardim!

Foi um grito de alegria, como se ele tivesse respondido ao desejo de todos.

Desceu-se, pois, ao jardim, para esperar o jantar. A Senhora Zakhliébinina, que desde muito tempo só desejava uma coisa: fazer sua sesta, teve de sair com todos, mas parou prudente no terraço, onde sentou e adormeceu logo. No jardim, as relações entre Vielhtcháninov e as moças tornaram-se bem depressa completamente familiares e cordiais. Viu logo saírem das vilas vizinhas, para vir juntar-se a eles, dois ou três jovens: um era um estudante, o outro ainda um ginasiano; cada um deles juntou-se à moça por causa da qual viera. O terceiro era um rapaz de vinte anos, de ar sombrio, os cabelos emaranhados, com enormes óculos azuis; pôs-se a conversar em voz baixa, muito depressa, os supercílios franzidos, com Mária Nikítichna e Nádia. Lançou a Vielhtcháninov olhares duros e parecia tomar a respeito dele uma atitude extraordinariamente desdenhosa.

Algumas das moças propuseram jogar imediatamente. Vielhtcháninov perguntou o que elas costumavam jogar; responderam-lhe que jogavam toda espécie de jogos, mas a maior parte das vezes os provérbios. Explicaram-lhe: toda a gente senta, um só se afasta um momento; escolhe-se um provérbio qualquer, e depois, quando se mandou buscar aquele que deve adivinhar, é preciso que cada qual por sua vez lhe diga uma frase em que se encontre uma das palavras do provérbio; o outro deve adivinhar a frase inteira.

— Mas é muito divertido — disse Vielhtcháninov.

— Oh! não! é muito aborrecido — responderam ao mesmo tempo duas ou três vozes.

— E depois, jogamos ainda de teatro — disse Nádia, dirigindo-se a ele. — Vê lá em baixo aquela grossa árvore cercada de bancos? Os atores estão por trás da árvore, como nos bastidores; cada um sai por sua vez, o rei, a rainha, a princesa, o jovem galã; cada um vem à sua vontade, diz o que lhe passa pela cabeça e sai.

— É encantador! — replicou Vielhtcháninov.

— Oh! não! é muito aborrecido! É sempre divertido no começo, e depois, ninguém sabe mais o que dizer, ninguém sabe acabar. Talvez com o senhor isto saia melhor... Nós havíamos acreditado que o senhor era o amigo de Páviel Pávlovitch, mas vemos bem agora que ele se andou vangloriando. Estou muito contente por ter o senhor vindo... por causa de um negócio... — disse ela, olhando Vielhtcháninov, com um ar sério, insistente. E logo depois correu a juntar-se a Mária Nikítichna.

— Jogaremos esta noite os provérbios — disse em voz baixa a Vielhtcháninov uma amiga que ele mal notara, e que ainda não dissera palavra. — O senhor verá, vamos zombar de Páviel Pávlovitch e o senhor conosco.

— Oh! sim, como fez bem em ter vindo. É sempre tão tedioso aqui em casa — disse outra amiga, que ele também não havia notado, uma ruivinha, toda ofegante por haver corrido.

Páviel Pávlovitch sentia-se cada vez menos à vontade. Vielhtcháninov dava-se o melhor possível com Nádia; ela não mais o olhava de revés, como ainda há pouco, ria com ele, saltava, tagarelava e duas vezes pegou na mão dele; sentia-se absolutamente feliz e prestava tanta atenção a Páviel Pávlovitch como se ele ali não estivesse. Vielhtcháninov estava certo agora de que havia uma conspiração organizada contra Páviel Pávlovitch. Nádia, com uma turma de moças, atraíra Vielhtcháninov para um canto; outro bando de amigas, sob diversos pretextos, arrastava Páviel Pávlovitch para outro, mas este livrava-se delas, corria direto ao grupo em que se encontrava Nádia e Vielhtcháninov, e avançava sua cabeça, calva e inquieta, para escutar o que se dizia. Em breve, nem mesmo compostura pôs nisso e seus gestos e sua agitação eram por vezes duma ingenuidade prodigiosa.

Vielhtcháninov não pôde deixar de observar atentamente Katierina Fiedossiéievna. Via ela agora, sem dúvida alguma, que ele ali comparecera não por causa dela e interessava-se intensamente por Nádia; mas seu rosto permanecia tão suave e tão calmo como antes. Sentia-se, ao que parecia, totalmente feliz por estar junto deles e por ouvir o que dizia o novo visitante; ela própria, a pobre moça, era incapaz de participar habilmente da conversação.

— Que moça excelente é sua irmã Kátia — disse Vielhtcháninov, baixinho, a Nádia.

— *Kátia! Mas não* é possível ser melhor do que ela! É o anjo entre todas nós e eu a adoro — respondeu ela com entusiasmo.

Às cinco horas, serviu-se o jantar. Evidentemente, tinham sido feitas despesas extraordinárias por causa do hóspede. Acrescentaram-se ao cardápio habitual, dois ou três pratos muito escolhidos; um deles era mesmo tão incomum que ninguém conseguiu comê-lo. Além dos vinhos habituais, serviu-se uma garrafa de Tokai;[11] à sobremesa, a um pretexto qualquer, bebeu-se champanhe.

Depois de ter bebido um pouco mais que de costume, o velho Zakhliébinin estava cheio de animação e ria de tudo quanto dizia Vielhtchâninov. No final, Páviel Pávlovitch não pôde mais conter-se: quis, também ele, produzir seu efeito e lançou um trocadilho. Rebentou logo uma explosão violenta de risadas na extremidade da mesa onde estava ele sentado, perto da Senhora Zakhliébinina.

— *Pápotchka! Pápotchka!*... Páviel Pávlovitch acaba de fazer um trocadilho — gritaram juntas duas mocinhas.

— Ah! ele também faz trocadilhos? Pois então vejamos esse trocadilho! — disse o velho, com sua voz grave, voltando-se para Páviel Pávlovitch e sorrindo complacente de antemão.

— Acaba de dizer que somos umas senhoritas que senhoreamos as almas.

— Ah! era isso então? — disse o velho, sem compreender e sorriu ainda mais afável, na expectativa da graça.

— Ah! papai! Mas então o senhor não compreende? A graça está em que somos umas *senhoritas* que *senhoreiam!*...

— Ah! — exclamou o velho, desconcertado. — Hum! Bem, doutra vez fará ele um melhor — e desatou em franca gargalhada.

— Que quer o senhor, Páviel Pávlovitch? Não se pode possuir todos os talentos ao mesmo tempo — disse bem alto, num tom zombeteiro, Mária Nikítichna. — Ah! meu Deus! Engoliu uma espinha! — exclamou ela, saltando de sua cadeira.

Houve um tumulto geral: era tudo o que ela queria. Páviel Pávlovitch, após o fracasso de seu trocadilho, quisera ocultar sua confusão, esvaziando seu copo e bebera à pressa, engasgando-se. Mas Mária Nikítichna gritava a plenos pulmões que "era mesmo uma espinha de peixe, que estava certa disso e que já se vira muita gente morrer disso".

— É preciso bater-lhe nas costas — disse alguém.

— Sim, sim, perfeitamente — aprovou Zakhliébinin.

E lançaram-se ao desgraçado: Mária Nikítichna, a ruivinha e até a mãe, toda assustada, porfiavam em bater-lhe nas costas.

Páviel Pávlovitch teve de levantar-se da mesa e fugir. Quando voltou, explicou longamente que apenas se engasgara com o vinho. Então, somente, compreendeu-se que tudo aquilo não passara de uma brincadeira de Mária Nikítichna.

— Ah! que travessa que és! — quis dizer severamente a Senhora Zakhliébinina, mas foi ela própria tomada duma risada louca, que nunca lhe tinham ouvido e que causou igualmente seu efeito.

Após a sobremesa saíram todos para tomar o café no terraço.

— Que belos dias! — disse, com efusão, o velho, contemplando o jardim com um olhar cheio de satisfação. — Agora, teríamos necessidade de um pouco de chu-

11 O mais famoso dos vinhos húngaros.

va... Bem, vou repousar um pouco. Quanto a vocês, divirtam-se! Vamos, é preciso que te divirtas! — acrescentou ele, batendo no ombro de Páviel Pávlovitch.

Quando tornaram todos a descer ao jardim, Páviel Pávlovitch alcançou Vielhtcháninov e puxou-o pelo braço.

— Um minutinho, rogo-lhe — disse-lhe, em voz baixa, com ar agitado.

Dirigiram-se para um atalho afastado do jardim.

— Não, aqui não o deixarei... ah! não lhe permitirei... — disse ele, sufocando de raiva, apertando-lhe o braço.

— Como? O quê? — perguntou Vielhtcháninov, escancarando os olhos.

Páviel Pávlovitch olhou, sem nada dizer, remexeu os lábios e teve um sorriso de cólera.

— Mas onde estão os senhores? Que fazem? Só estamos à espera dos senhores — gritavam as moças, impacientes.

Vielhtcháninov ergueu os ombros e dirigiu-se para elas. Páviel Pávlovitch seguiu-o.

— Aposto que ele lhe estava pedindo um lenço — disse Mária Nikítichna. — Já da outra vez ele esqueceu o lenço.

— Sempre esquece — disse uma outra.

— Ele esqueceu o lenço? Páviel Pávlovitch esqueceu seu lenço! *Mámienhka,* Páviel Pávlovitch esqueceu o lenço dele de novo! *Mámienhka,* Páviel Pávlovitch está de novo resfriado! — gritava-se de todos os lados.

— Mas por que não disse? Como o senhor é tímido, Páviel Pávlovitch! — suspirou a Senhora Zakhliébinina, com sua voz arrastada. — Não se deve brincar com resfriados... Vou mandar trazer-lhe agora mesmo um lenço... Mas como acontece que esteja sempre resfriado? — acrescentou ela, afastando-se, encantada com aquele pretexto que lhe permitia retirar-se.

— Mas tenho dois lenços e não estou absolutamente resfriado! — gritou-lhe Páviel Pávlovitch.

Ela não ouviu e, um minuto mais tarde, Páviel Pávlovitch, que procurava acompanhar os outros e não perder de vista Nádia e Vielhtcháninov, viu chegar correndo uma criada, toda resfolegante, trazendo-lhe um lenço.

— Brinquemos, brinquemos, brinquemos de provérbios! — exclamava-se de todos os lados, como se esperassem, Deus sabe o que, com a brincadeira.

Escolheu-se um local e todos sentaram. Mária Nikítichna foi designada a ser a primeira a adivinhar; fizeram-na afastar-se bastante para que nada pudesse ouvir; escolheu-se o provérbio e distribuíram-se as palavras. O provérbio foi: "Um mau sonho roguemos a Deus", que Mária Nikítichna não demorou em adivinhar.

Depois foi a vez do rapaz dos cabelos revoltos e dos óculos azuis. Com ele tomaram maiores precauções, mandando-o para mais longe ainda, perto dum pavilhão, onde ficou de nariz voltado para a parede. O rapaz cumpria sua missão com um ar de altivo desdém; parecia sentir-se um tanto humilhado. Quando o chamaram, não adivinhou nada, fez repetir duas vezes, refletiu demoradamente, com ar sombrio, e não adivinhou mesmo nada. O provérbio a adivinhar era: "A prece feita a Deus, o serviço prestado ao czar, nunca são perdidos".

— Que provérbio estúpido! — murmurou o rapaz, despeitado e descontente, voltando ao seu lugar.

— Ah! como é aborrecido! — exclamaram vozes.

Chegou a vez de Vielhtcháninov; levaram-no mais longe ainda que os outros; também ele não adivinhou nada.

— Ah! que aborrecido isso! — exclamaram vozes, mais numerosas.

— Pois bem, agora é a minha vez — disse Nádia.

— Não, não, é a vez de Páviel Pávlovitch! — gritaram todas as vozes, muito vivamente.

Levaram-no até o fundo do jardim, plantaram-no num canto, de nariz contra a parede e, para que ele não pudesse voltar-se, puseram junto dele uma sentinela, a ruivinha. Tendo Páviel Pávlovitch recuperado um pouco de ânimo, quis cumprir seu dever com perfeita consciência e ficou ali, rígido como um poste, de olhos na parede. A ruivinha vigiava-o a vinte passos de distância e fazia sinais às moças, num estado de agitação extrema; era claro que aguardavam alguma coisa com impaciência. Bruscamente, a ruivinha fez um sinal com os braços. Num piscar de olhos, partiram todas a bom correr.

— Corra, corra também! — disseram a Vielhtcháninov dez vozes inquietas por verem-no permanecer no lugar.

— Mas que é que há? Que é que se passa? — perguntou ele, pondo-se a correr atrás delas.

— Não fale tão alto! Não grite! É preciso deixá-lo de pé, lá em baixo, a fitar sua parede, e fugirmos. Eis Nástia que também foge.

Nástia, a ruivinha, corria desabaladamente, agitando os braços. Em breve, haviam todas fugido até a outra extremidade do jardim, por trás do tanque. Quando Vielhtcháninov lá chegou por sua vez, viu que Katierina fazia vivas censuras às suas companheiras, sobretudo a Nádia e a Mária Nikítichna.

— Kátia, minha pombinha, não te zangues! — dizia Nádia, beijando-a.

— Bem, nada direi a mamãe, mas vou-me embora, porque isso não fica bem. Que haverá de pensar o pobre homem, lá em baixo, diante de sua parede!

Partiu, mas as outras não tiveram compaixão, nem pesar. Insistiram muito vivamente com Vielhtcháninov para que não desse demonstração de nada, quando Páviel Pávlovitch viesse juntar-se a eles.

— E agora, brinquemos todos de quatro cantos! — gritou a ruivinha, toda encantada.

Páviel Pávlovitch esteve lá pelo menos um quarto de hora antes de juntar-se de novo ao grupo; ficara efetivamente mais de dez minutos diante da parede, de pé. Quando chegou, o brinquedo ia em pleno entusiasmo, todas gritavam e riam. Louco de cólera, Páviel Pávlovitch correu direto a Vielhtcháninov e agarrou-lhe o braço.

— Um minutinho, rogo-lhe!

— Ora essa, lá vem ele de novo com seu minutinho!

— Está pedindo mais um lenço! — exclamaram vozes.

— Desta vez foi bem você... foi culpa sua...

Páviel Pávlovitch não pôde dizer mais nada: seus dentes matraqueavam.

Vielhtcháninov aconselhou-o, muito amigavelmente, a mostrar-se mais alegre:

— Se mexem com você, é porque você está de mau humor, quando toda a gente está alegre.

Para grande espanto seu, o conselho que deu levou Páviel Pávlovitch a uma mudança completa de atitude; tornou-se calmo imediatamente, voltou a misturar-se ao grupo, como se aquilo tivesse sido culpa sua e tomou parte em todos os jogos; ao fim de uma meia hora, havia recuperado sua alegria. Em todos os jogos fazia o par, quando tinha lugar, com a ruivinha, ou com uma das Zakhliébininas. O que levou ao cúmulo o espanto de Vielhtchāninov é que nem uma vez sequer dirigiu ele a palavra a Nádia, se bem que se tivesse mantido sempre perto dela. Parecia aceitar sua situação como coisa devida, natural. Mas, para o fim do dia, apresentou-se a ocasião de pregar-lhe uma peça.

Brincava-se de esconder. Era permitido ir esconder-se onde se quisesse. Páviel Pávlovitch, que conseguira dissimular-se numa moita espessa, teve de súbito a ideia de correr a esconder-se na casa. Foi visto e começaram a gritar. Ele subiu a escada, de quatro em quatro, até o sótão; conhecia ali um excelente esconderijo, por trás duma cômoda. Mas a ruivinha subiu atrás dele, deslizou em pontas de pés até a porta do quarto onde ele estava refugiado e fechou-a à chave. Todos, como haviam feito ainda havia pouco, continuaram a brincar e correram para além do tanque, à outra extremidade do jardim. Ao fim de dez minutos, vendo que não o procuravam mais, Páviel Pávlovitch pôs a cabeça à janela. Ninguém mais! Não ousou chamar, com receio de perturbar os pais; e depois, tinham os criados recebido ordem formal de não aparecer e não responder ao apelo de Páviel Pávlovitch. Somente Katierina o poderia ter socorrido; mas havia entrado para seu quarto e ali adormecera. Assim ele ficou cerca de uma hora. Por fim as moças se mostraram, passaram às duas e às três, como por acaso.

— Páviel Pávlovitch, por que o senhor não veio juntar-se a nós? Se soubesse como é divertido! Brincamos de teatro; Alieksiéi Ivânovitch faz de galã.

— Páviel Pávlovitch, por que não desce? O senhor é muito espantoso! — disseram, passando, outras moças.

— Espantoso, por quê? — ouviu-se de repente a voz da Senhora Zakhliébinina, que acabava de despertar e decidia-se a dar uma volta pelo jardim, aguardando a hora do chá, para ver o brinquedo das "crianças".

— Mas está aí, Páviel Pávlovitch?

E elas lhe mostraram a janela pela qual Páviel Pávlovitch passava a cabeça, com um sorriso constrangido, lívido de raiva.

— Que prazer estranho esse de ficar fechado, sozinho, quando toda a gente se diverte! — disse a mãe, abanando a cabeça.

Durante aquele tempo, Vielhtchāninov vinha a saber de Nádia as razões pelas quais ela se sentira contente por vê-lo aparecer e o grande assunto que a preocupava. A explicação realizou-se numa alameda deserta. Mária Nikítichna fizera sinal a Vielhtchāninov, que tomava parte em todos os jogos e começava a entediar-se fortemente, e conduzira-o àquela alameda, onde o deixou a sós com Nádia.

— Estou inteiramente certa — disse-lhe ela, com voz forte e precipitada, — de que o senhor não é amigo tão íntimo assim como Páviel Pávlovitch se gabou de ser. O senhor é o único homem que me poderia prestar um serviço de extraordinária importância: eis a odiosa pulseira dele — tirou o estojo do bolso, — peço-lhe da maneira mais insistente que a devolva a ele o mais rápido possível, porque, quanto a mim, não pretendo mais falar com ele, em toda a minha vida. Aliás, o senhor pode dizer-lhe que é da minha parte e rogo-lhe acrescentar que ele não repita a ousadia de se apresentar com presentes. Quanto ao resto, eu o farei saber por outras pessoas. Quer ter a bondade de fazer-me este grande prazer?

— Em nome de Deus, rogo-lhe, dispense-me disso! — respondeu Vielhtcháninov, num grito de aflição.

— Como? Como? Dispensá-lo? — replicou Nádia, toda desconcertada, escancarando os olhos.

Perdeu o aprumo, quase se pôs a chorar. Vielhtcháninov sorriu.

— Não creia que... Eu me sentiria feliz.... Mas é que tenho a ajustar umas contas com ele...

— Sabia bem que o senhor não era seu amigo e que ele mentiu! — interrompeu-o Nádia, com vivacidade. — Jamais serei esposa dele, está ouvindo? Jamais! Não compreendo mesmo como ousou ele... Mas, de qualquer modo, é preciso que o senhor lhe devolva esta odiosa pulseira! Se não, que quer que eu faça?... Quero absolutamente que ela seja devolvida hoje mesmo. E depois, se ele vier denunciar-me a papai, verá o que lhe acontecerá!

Nesse momento, surgiu de repente de trás duma moita o rapaz de cabelos revoltos e óculos azuis.

— É preciso que o senhor devolva a pulseira — ele gritou a Vielhtcháninov, com uma espécie de raiva, — ainda que não fosse senão em nome do direito da mulher... se é que o senhor está à altura desse problema!

Não teve tempo de acabar. Nádia agarrou-o violentamente pelo braço e empurrou-o para longe de Vielhtcháninov.

— Meu Deus! Como você é idiota, Priedposilov! — exclamou ela. — Vá-se embora! Vá-se embora e não ouse mais ouvir o que se conversa. Já lhe dei ordem de ficar à distância!...

E bateu com o pé. O rapaz já havia voltado a meter-se atrás de sua moita mas ela continuava a andar para baixo e para cima, fora de si, os olhos cintilantes, os punhos crispados.

— O senhor não imagina a que ponto eles são idiotas! — disse ela, detendo-se, de repente, diante de Vielhtcháninov. — O senhor acha isto ridículo, mas não pode imaginar o que representa para mim!

— Então não é *ele?* — disse Vielhtcháninov, sorrindo.

— Evidentemente não. Como pôde o senhor pensar em tal coisa? — disse Nádia sorrindo, e toda enrubescida. — É apenas amigo dele. Mas como escolhe ele seus amigos! Não compreendo nada. Dizem todos que aquele tal é "um homem de futuro". Eu não compreendo nada, absolutamente... Alieksiéi Ivânovitch, o senhor é o único homem a quem possa dirigir-me. Vejamos sua última palavra: devolve-lhe a pulseira ou não?

— Pois bem, *sim, vou devolvê-la. Dê aqui.*

— Ah! o senhor é gentil, o senhor é bom! — exclamou ela, radiante de alegria, entregando-lhe o estojo. — Cantarei para o senhor a noite toda, porque, deve saber, canto muito bem e menti-lhe quando disse que não gostava de música. Ah! se o senhor voltasse outra vez, como eu ficaria contente! Iria lhe contar tudo, tudo, tudo, e lhe diria ainda muitas coisas, porque o senhor é tão bom, tão bom!... tão bom... como Kátia!

Com efeito, quando reentraram para o chá, ela cantou duas romanças, com uma voz ainda pouco formada, mas agradável e já forte. Páviel Pávlovitch estava sentado com os pais junto à mesa de chá, sobre a qual haviam colocado um serviço de velho Sèvres, e onde já fervia um imenso samovar. Ele os entretinha, sem dúvida, com coisas extremamente sérias, pois deveria partir dois dias depois para uma ausência de nove meses. Não prestou nenhuma atenção aos jovens que voltavam do jardim; não lançou nem mesmo um olhar para Vielhtcháninov. Tinha-se, evidentemente, acalmado e não sonhava mais em queixar-se de sua desdita.

Mas quando Nádia se pôs a cantar, aproximou-se logo. Cada vez que ele lhe dirigiu a palavra, ela fingiu não ouvi-lo; mas ele não se deixou perturbar. Ficou de pé, por trás dela, apoiado no espaldar da cadeira, e toda a sua atitude dizia que aquele lugar era dele e que não o cederia a ninguém.

— Chegou a vez de Alieksiéi Ivânovitch cantar, mamãe. Alieksiéi Ivânovitch vai cantar! — exclamaram em coro as moças, apertando-se em torno do piano, ao passo que Vielhtcháninov tomava lugar ali, muito seguro de si, para acompanhar a si próprio.

Os pais e Katierina Fiedossiéievna, que estava sentada junto deles e servia o chá, aproximaram-se.

Vielhtcháninov escolheu uma romança de Glinka, hoje quase esquecida:

Quando à hora feliz, os teus lábios abrires
E falares a mim, mais terna que uma pomba...

Cantava, voltado para Nádia, que se conservava de pé, ao lado dele. Desde muito tempo não tinha mais senão um resto de voz, mas este resto era bastante para provar que deveria ter cantado muito bem. Ouvira aquela romança, vinte anos antes, quando era ainda estudante, da boca do próprio Glinka, numa ceia artística e literária dada por um amigo do compositor. Glinka, naquela noite, cantou e tocou suas obras preferidas. Não tinha mais voz, mas Vielhtcháninov lembrava-se do efeito extraordinário que produzira em particular aquela romança. Um cantor profissional não teria jamais conseguido causar uma impressão tão poderosa. Naquela romança, a paixão cresce e se eleva a cada verso, a cada palavra; a gradação é nela tão forte e tão ligada que a menor nota falsa, a menor falha, que passa despercebida na ópera, rouba ao trecho todo o seu valor e todo o seu alcance. Para cantar aquela coisinha tão simples, mas tão extraordinária, era preciso absolutamente sinceridade, um ímpeto de inspiração, uma paixão verdadeira, ou perfeitamente simulada. De outro modo, não passaria de uma pequena romança qualquer, feia e até mesmo inconveniente. Não é possível traduzir com tão grande força a tensão extrema da paixão sem provocar aversão, a menos que a sinceridade e a simplicidade de coração salvem tudo.

Vielhtcháninov recordava-se do êxito que lhe valera aquela romança. Imitara o mais que possível a maneira de Glinka e agora ainda, desde a primeira nota, desde o primeiro verso, uma inspiração verdadeira encheu sua alma e passou-lhe à voz. *A cada palavra*, o sentimento crescia em força e em audácia; para o fim, fez ouvir verdadeiros gritos de paixão; olhando para Nádia com seus olhos cheios de ardor, cantava os derradeiros versos da romança:

Agora mais audaz, contemplo os olhos teus.
Meus lábios aproximo e, sem força de ouvir-te,
Quero os lábios beijar-te, os lábios teus beijar,
Os lábios teus beijar, os lábios teus beijar!

Nádia tremeu de medo e recuou; um rubor cobriu-lhe as faces e houve como que um clarão que passou de Vielhtcháninov ao rosto dela todo transtornado de confusão e quase de vergonha. Os outros ouvinte ficaram ao mesmo tempo encantados e desconcertados: cada qual parecia dizer que era na verdade fora de lugar cantar daquela maneira e, ao mesmo tempo, todos aqueles jovens rostos e todos aqueles olhinhos brilhavam e cintilavam. O rosto de Katierina Fiedossiéievna estava tão radiante que Vielhtcháninov quase a achou bonita.

— Eis uma bela romança! — murmurou o velho Zakhliébinin, com um pouco de embaraço. — Mas... não será demasiado violenta? É bela... mas violenta...

— É violenta... — quis dizer, por sua vez, sua mulher.

Mas Páviel Pávlovitch não lhe deu tempo de acabar, saltou para a frente como um louco, agarrou Nádia pelo braço e empurrou-a para longe de Vielhtcháninov, plantou-se diante deste, olhou-o com um olhar desvairado, os lábios trêmulos.

— Um minutinho, rogo-lhe — pode dizer por fim.

Vielhtcháninov compreendeu logo que, se tardasse um instante que fosse, aquele personagem praticaria coisas dez vezes mais absurdas; agarrou-o pelo braço e, sem prestar atenção à surpresa geral, levou-o para o terraço, desceu com ele ao jardim, onde já quase havia anoitecido de todo.

— Você não sabe que precisa partir agora mesmo comigo? — perguntou Páviel Pávlovitch.

— Não sei de nada disso...

— Lembre-se — prosseguiu Páviel Pávlovitch, com raiva, — lembre-se que você insistiu comigo para dizer-lhe *tudo*, sim, sinceramente, até o fim! Lembra-se? Pois bem, o momento chegou... Vamos!

Vielhtcháninov refletiu, olhou ainda uma vez Páviel Pávlovitch e consentiu em partir.

Essa partida imprevista desolou os pais e exasperou as moças.

— Pelo menos, aceitem ainda uma xícara de chá — suplicou a Senhora Zakhliébinina.

— Mas afinal, que tens para te mostrares tão agitado? — perguntou o velho, com um tom severo e descontente, a Páviel Pávlovitch, que sorria e se calava.

— Páviel Pávlovitch, por que leva Alieksiéi Ivânovitch? — gemeram as moças, olhando-o com olhares cheios de furor.

Nádia lançou-lhe um olhar tão duro que ele fez uma careta, mas não cedeu.

— É que, com efeito, Páviel Pávlovitch me prestou o serviço de lembrar-me *um negócio* extremamente importante, que eu ia esquecer — disse Vielhtcháninov, sorrindo.

Apertou a mão do pai, inclinou-se diante das moças e mais particularmente diante de Kátia, o que chamou ainda a atenção.

— Obrigado por ter vindo ver-nos. Vamos nos sentir sempre encantados, todos — disse, com insistência, o velho Zakhliébinin.

— Oh! sim, estamos tão encantados... — repetiu a mãe, calorosamente.

— Volte, Alieksiéi Ivânovitch! Volte! — gritavam as moças do alto do patamar, enquanto ele subia no carro com Páviel Pávlovitch.

E uma vozinha acrescentava, mais baixo que as outras:

— Oh! sim, volte, querido, querido Alieksiéi Ivânovitch!

— Esta é a ruivinha — pensou Vielhtcháninov.

Capítulo XIII / *De que lado pende a balança*

Pensava ainda na lourinha e, no entanto, o pesar e o descontentamento de si mesmo queimavam-lhe o coração desde muito tempo. No curso daquele dia, que, aparentemente, fora tão alegre, a tristeza não o havia deixado. Antes que se pusesse a cantar, não sabia mais como se libertar dela; talvez fosse por esta razão que cantara com tanto entusiasmo.

"E pude abaixar-me a este ponto... a tudo esquecer!", pensava ele.

Mas logo cortou rente seus remorsos. Parecia-lhe humilhante gemer a respeito de si mesmo; teria cem vezes preferido jogar de imediato sua cólera contra outrem.

— O imbecil! — resmungou ele, com cólera, lançando uma olhadela de viés para Páviel Pávlovitch, sentado, silencioso, a seu lado, no carro.

Páviel Pávlovitch mantinha-se em obstinado silêncio; parecia concentrar-se em si mesmo e preparar-se. De vez em quando, com um gesto impaciente, tirava o chapéu e enxugava a testa com seu lenço.

— Está alagado! — resmungou Vielhtcháninov.

Uma só vez, Páviel Pávlovitch abriu a boca para perguntar ao cocheiro se a tempestade rebentaria ou não.

— Decerto! E ainda bem! Cozinhou-se o dia inteiro.

Com efeito, o céu ficava negro, raiado por vezes de relâmpagos ainda distantes. Eram dez horas e meia, quando entraram na cidade.

— Acompanho-o à sua casa — disse Páviel Pávlovitch, voltando-se para Vielhtcháninov, quando chegaram bastante perto de sua casa.

— Estou vendo; mas já o previno de que me sinto muito seriamente indisposto.

— Oh! e não me deterei muito tempo!

Quando passaram diante do saguão, Páviel Pávlovitch afastou-se um momento para falar com Mavra.

— Que foi dizer-lhe? — perguntou-lhe, severamente, Vielhtcháninov, quando ele o alcançou e entraram no seu quarto.

— Oh! nada... O cocheiro...

— Fique sabendo que não terá bebida!

O outro não respondeu. Vielhtcháninov acendeu uma vela, Páviel Pávlovitch instalou-se na poltrona. Vielhtcháninov plantou-se diante dele, de cenho franzido.

— Eu também lhe prometi minha derradeira palavra — disse ele, com uma agitação interior que conseguia ainda dominar. — Pois bem, aqui está: estimo que tudo esteja definitivamente regularizado entre nós a tal ponto que não tenhamos mais nada a dizer-nos... Entendeu? Nada mais. E, por conseguinte, o melhor é que você se retire imediatamente, para que eu feche minha porta às suas costas.

— Ajustemos nossas contas, Alieksiéi Ivânovitch! — disse Páviel Pávlovitch, olhando-o, no fundo dos olhos, com uma maneira extremamente suave.

— Como? "Ajustemos nossas contas"? — respondeu Vielhtcháninov, prodigiosamente surpreendido. — Que expressão estranha!... E que contas?... Ah! é esta, pois, sua "derradeira palavra", a revelação que você me prometia ainda há pouco?

— É isto mesmo.

— Não temos mais contas a ajustar, há muito tempo que tudo está ajustado! — replicou Vielhtcháninov, com ar altivo.

— Acha mesmo? Acredita nisso — replicou Páviel Pávlovitch, com voz penetrante.

E, ao mesmo tempo, fazia o gesto estranho de juntar as mãos e de levá-las ao peito.

Vielhtcháninov calou-se, e começou a andar para lá e para cá, no quarto. A lembrança de Lisa encheu-lhe o coração. Era como um apelo queixoso.

— Vamos, vejamos, quais são essas contas que você quer ajustar? — disse ele, após um longo silêncio, detendo-se diante dele, com os supercílios contraídos.

Páviel Pávlovitch não havia cessado de acompanhá-lo com o olhar, as mãos juntas contra o peito.

— Não vá mais lá! — disse, em voz quase baixa, suplicante; e levantou-se bruscamente de sua cadeira.

— Como! É isto apenas? — exclamou Vielhtcháninov, com um sorriso mau. — Pelo jeito você me faz caminhar de surpresa em surpresa, hoje! — continuou ele com voz mordaz; depois, bruscamente, mudou de atitude. — Escute — disse ele, com uma expressão de tristeza e de sinceridade profunda, — acho que nunca, em caso algum, me rebaixei como fiz hoje, primeiro, consentindo em acompanhá-lo, e depois comportando-me, ali, como fiz... Tudo isso foi tão mesquinho, tão lamentável... Sujei-me, envileci, deixando-me ir... esquecendo-me... Bem, outra coisa! — Dominou-se de repente. — Escute: hoje você me pegou desprevenido; estava superexcitado, doente... Não preciso na verdade me justificar! Não voltarei lá e, asseguro-lhe, nada tenho ali que me atraia — concluiu resolutamente.

— Sério? De verdade mesmo? — gritou Páviel Pávlovitch, transportado de alegria.

Vielhtcháninov olhou-o com desprezo e se pôs a andar pelo quarto.

— Vamos, você parece bem resolvido a fazer sua felicidade a qualquer preço! — não pôde impedir-se de dizer por fim.

— Oh! sim — disse Páviel Pávlovitch, suavemente, com um ímpeto ingênuo.

"É um grotesco — pensou Vielhtcháninov, — e só é mau à força de tolice; mas nada tenho com isso, e, de todas as maneiras, não posso deixar de odiá-lo... embora nem mesmo isto mereça!"

— Veja você, sou um "eterno marido"! — disse Páviel Pávlovitch, com um sorriso submisso e resignado. — Há muito tempo que conhecia sua expressão, Alieksiéi Ivânovitch; isto remonta à época em que vivemos juntos em T***. Retive muitas daquelas frases que você gostava de oferecer no decorrer daquele ano. Da outra vez, quando você falou aqui de "eterno marido", compreendi muito bem.

Mavra entrou, trazendo uma garrafa de champanhe e dois copos.

— Perdoe-me, Alieksiéi Ivânovitch! Você sabe que não posso passar sem isto. Não se zangue, se me permiti... Veja, estou muito abaixo de você, muito indigno de você.

— Está bem! — disse Vielhtcháninov, com desgosto. — Mas asseguro-lhe que me sinto muito doente.

— Oh! não demorará muito... é negócio de um minuto — respondeu o outro, prontamente. — Apenas um copo, um copinho, porque tenho a garganta...

Esvaziou seu copo dum trago, glutonamente, e tornou a sentar, contemplando Vielhtcháninov com uma espécie de ternura. Mavra saiu.

— Que asco! — murmurou Vielhtcháninov.

— Veja você, a culpa é de suas amigas — Páviel Pávlovitch começou a falar, de repente, com calor, completamente reanimado.

— Como? O quê? Ah! sim! Você sonha sempre com essa história...

— A culpa é de suas amigas! É ainda tão jovem! Só pensa em fazer loucuras, para divertir-se!... É mesmo muito gentil!... Mais tarde, será outra coisa. Estarei a seus pés, vou rodeá-la de pequeninos cuidados, vai se ver cercada de respeito. E depois, a sociedade... afinal, terá tempo de se transformar.

"Seria preciso, no entanto, entregar-lhe a pulseira!", pensou Vielhtcháninov, bastante preocupado, tateando o estojo no fundo de seu bolso.

— Você dizia ainda há pouco que estou resolvido a fazer ainda uma vez a minha felicidade. Pois bem, sim, Alieksiéi Ivânovitch, preciso absolutamente casar — prosseguiu Páviel Pávlovitch, com uma voz comunicativa, um pouco perturbada, — senão, o que é que eu vou virar? Você mesmo bem vê!... — E mostrava a garrafa com o dedo. — E não é esta senão a menor de... minhas qualidades. Não posso, absolutamente, viver sem uma mulher, sem uma afeição, sem uma adoração. Adorarei e serei salvo.

"Mas por que diabo me comunicar tudo isso?", esteve a ponto de gritar Vielhtcháninov, que tinha dificuldade em não estourar de rir; mas conteve-se: teria sido demasiado cruel.

— Mas afinal — exclamou ele, — diga-me por que me levou lá à força. Em que poderia servi-lo?

— Era para fazer uma prova — disse Páviel Pávlovitch, todo constrangido.

— Que prova?

— Para experimentar o efeito... Veja você, Alieksiéi Ivânovitch, — não faz uma semana que vou lá na qualidade de... (estava cada vez mais comovido). Ontem o encontrei e disse a mim mesmo: "Jamais a vi numa reunião de estranhos, quero dizer, com outros homens que não eu..." Era uma ideia estúpida, vejo-o bem agora; era totalmente supérfluo. Mas o quis a qualquer preço. A culpa é do meu desgraçado caráter...

E, ao mesmo tempo, levantou a cabeça e corou.

"Seria verdade tudo isso?", pensou Vielhtcháninov, espantado.

— Pois bem, e então? — disse, em voz alta.

Páviel Pávlovitch sorriu, suave e astutamente.

— *Tudo isso são* criancices, é uma criatura bem gentil! A culpa é toda das amigas!... É preciso que você me perdoe a conduta estúpida para com você, durante todo este dia. Isto não acontecerá mais, nunca mais.

— A mim também, isto não me acontecerá mais... Não irei mais lá — disse Vielhtcháninov, sorrindo.

— É também meu desejo.

Vielhtcháninov inclinou-se um pouco.

— Mas afinal, não sou eu só no mundo, há outros homens! — disse ele, vivamente.

Páviel Pávlovitch corou de novo.

— Você me causa pesar, Alieksiéi Ivânovitch, e tenho tanta estima, tanto respeito por Nádiejda Fiedossiéievna...

— Perdoe-me, perdoe-me, não tinha a intenção de nada insinuar... somente acho um pouco surpreendente que você tenha dado tanta importância aos meus meios de agradar... e... que tenha tão francamente confiado em mim...

— Sim, confiei. É porque isto acontecia após tudo quanto se havia passado outrora.

— Então você ainda me considera como um homem de honra? — perguntou Vielhtcháninov, parando, de súbito, diante dele.

Num outro momento, ficaria aterrorizado por deixar escapar uma pergunta tão ingênua, tão imprudente.

— Jamais cessei de o considerar assim — respondeu Páviel Pávlovitch, baixando a vista.

— Sim, sem dúvida, certamente... não é isto que eu queria dizer... queria perguntar-lhe se você não tem mais a mínima... a mínima prevenção?

— Nenhuma.

— E quando chegou a Petersburgo?

Vielhtcháninov não pôde evitar fazer-lhe esta pergunta, mesmo sentindo ele próprio a que ponto sua curiosidade era prodigiosa.

— Quando cheguei a Petersburgo, tinha-o pelo homem mais honrado do mundo. Sempre o estimei, Alieksiéi Ivânovitch.

Páviel Pávlovitch ergueu a vista e fitou-o, francamente, sem a menor perturbação. Vielhtcháninov, de repente, teve medo: não queria por coisa alguma do mundo que surgisse qualquer desavença, por ele mesmo causada.

— Gostei muito de você, Alieksiéi Ivânovitch — disse Páviel Pávlovitch, como se, de repente, se decidisse, — sim, gostei muito de você, durante todo o nosso ano em T***. — Você não prestou atenção — continuou, com uma voz um pouco trêmula que aterrorizou Vielhtcháninov, — eu era muito pouca coisa junto de você, para que você me prestasse atenção. E depois, talvez fosse isso melhor. Durante todos esses nove anos, lembrei-me de você, porque jamais tive na minha vida outro ano como aquele. — Seus olhos brilhavam estranhamente. — Retive as expressões e as ideias que lhe eram familiares. Sempre me lembrei de você como de um homem dotado de bons sentimentos, dum homem culto, notavelmente culto e cheio de inteligência. "Os grandes sentimentos partem menos de um grande espírito que dum grande coração." Era o que você dizia e talvez tenha esquecido, mas eu, eu me lembro. Sempre o considerei um homem de um grande coração e acreditei... apesar de tudo...

Seu queixo tremia. Vielhtcháninov estava espantado. Era preciso, custasse o que custasse, pôr fim àquelas expansões inesperadas.

— Basta, rogo-lhe, Páviel Pávlovitch — disse ele, com uma voz surda e fremente, corando, — por que, por que — elevou, de súbito a voz até gritar, — por que ligar-se assim a um homem doente, abalado, a dois dedos do delírio, e arrastá-lo assim em todas essas trevas... quando tudo isso não é senão fantasma, ilusão, mentira, vergonha, falsidade... e sem nenhuma medida... sim, está nisso o essencial, e na verdade o mais vergonhoso é que em tudo isto somos, você e eu, homens, viciosos, dissimulados e vis... E quer que lhe prove imediatamente, não só que você não gosta de mim, mas que me odeia com todas as suas forças e que mente e que não se dá conta disso? Veio aqui buscar-me, levou-me lá, de modo algum para fazer o que diz, para experimentar sua noiva... Será que tal ideia possa ter entrado na cabeça de um homem? Não, a verdade é bem mais simples: você me viu ontem, e a cólera tornou a dominá-lo, e levou-me para que eu a visse e para dizer-me: "Tu a vês como ela é! Pois bem, será minha; vem, pois, aqui agora!..." Você me desafiou!... Quem sabe? Você mesmo talvez não o soubesse, mas é bem isto, porque foi isso que você sentiu... E para lançar um desafio semelhante, é preciso ódio: isto mesmo, você me odeia!

Corria pelo quarto, gritando tudo isto e sentia-se contrariado, ofendido, humilhado sobretudo à ideia de que assim se rebaixava até Páviel Pávlovitch.

— Queria fazer as pazes com você, Alieksiéi Ivânovitch! — disse ele, de repente, com uma voz decidida, mas curta e ofegante; e seu queixo recomeçou a tremer.

Um furor selvagem apoderou-se de Vielhtcháninov, como se acabasse ele de sofrer a mais terrível das injúrias.

— Repito-lhe ainda uma vez — urrou ele, — que você se agarrou a um homem doente, demolido, para arrancar-lhe, no delírio, não sei qual palavra que ele não quer dizer-lhe!... Vamos, pois!... não somos pessoas do mesmo mundo, compreenda isso, e, em seguida... há, depois, entre nós, um túmulo! — ele acrescentou, gaguejando de raiva. Lembrava-se de repente.

— E como pode você saber... — O rosto de Páviel Pávlovitch decompôs-se subitamente e tornou-se palidíssimo, — como pode você saber o que representa para mim esse pequeno túmulo, aqui, aqui dentro! — gritou ele, caminhando para Vielhtcháninov e batendo com o punho no peito, num gesto ridículo, mas terrível. — Conheço esse pequeno túmulo e estamos nós, você e eu, de pé, dos dois lados; somente, de meu lado há mais do que do seu, sim, bem mais... — balbuciou ele, como em delírio, continuando a bater com o punho no peito, — sim, bem mais, bem mais...

Um toque de campainha violento chamou-os bruscamente a si. Soava tão forte que parecia quererem arrancar o cordão dum só golpe.

— Não se toca em minha casa de tal maneira — disse Vielhtcháninov, mal-humorado.

— Não é, no entanto, em minha casa — balbuciou Páviel Pávlovitch, que, num abrir e fechar de olhos, tornara a dominar-se e reassumira as atitudes anteriores.

Vielhtcháninov franziu o cenho e foi abrir.

— O Senhor Vielhtcháninov, se não me engano? — disse, no patamar, uma voz jovem, sonora e perfeitamente segura de si mesma.

— Que deseja?

— Sei de maneira positiva — prosseguiu a voz sonora, — que se acha em sua casa, no momento, um tal Trusótski. Tenho necessidade de vê-lo imediatamente.

Vielhtcháninov teria tido grande prazer em atirar pela escada, com um bom pontapé, o senhor tão seguro de si mesmo. Mas refletiu, afastou-se e deixou-o passar:

— Aí está o Senhor Trusótski. Entre.

Capítulo XIV / *Sáchenhka e Nádienhka*

Entrou no quarto. Era um rapaz bem novo, de dezenove anos, ou menos talvez, tão moço parecia seu rosto bonito, altivo e ousado. Estava muito bem trajado; pelo menos tudo quanto usava ia-lhe muito bem; estatura um pouco acima da média; cabelos negros em longos cachos espessos e grandes olhos atrevidos e escuros davam uma expressão singular à sua fisionomia. O nariz era um tanto largo e arrebitado; não fosse esse nariz, seria muito bonito. Entrou, com ar importante.

— É sem dúvida o Senhor Trusótski a quem tenho ocasião de falar — e apoiou com satisfação particular a palavra "ocasião", para dar a entender que não achava que aquela conversa lhe causasse honra ou prazer.

Vielhtcháninov começava a compreender e Páviel Pávlovitch parecia suspeitar de alguma coisa. Certa inquietação pintava-se em seu rosto; no mais, dominava-se.

— Como não tenho a honra de conhecê-lo — respondeu ele tranquilamente, — não suponho que possamos ter algo a resolver juntos.

— Comece por ouvir-me e depois dirá o que lhe agradar — disse o rapaz com prodigiosa segurança.

Em seguida pôs os óculos de ouro que pendiam dum fio de seda e olhou a garrafa de champanhe colocada em cima da mesa. Depois de haver suficientemente observado a garrafa, tirou os óculos e voltou-se de novo para Páviel Pávlovitch, dizendo:

— Alieksandr Lóbov.[12]

— Quem é que é Alieksandr Lóbov?

— Sou eu. Não conhece meu nome?

— Não.

— De fato, como o haveria de conhecer?! Venho para tratar dum negócio importante, que lhe diz particularmente respeito; mas em primeiro lugar permita-me sentar. Estou fatigado...

— Então sente — disse Vielhtcháninov.

Mas o rapaz já estava sentado antes que o tivessem convidado a isso. Apesar do sofrimento que lhe dilacerava o peito, Vielhtcháninov tomava interesse por aquele jovem insolente. Naquele gracioso rosto de adolescente, havia como que um ar de semelhança longínqua com Nádia.

— Tome assento também — disse o rapaz a Páviel Pávlovitch, apontando-lhe, negligentemente, com uma inclinação de cabeça, uma cadeira à sua frente.

— Não, ficarei de pé.

— O senhor se cansará... E o senhor, Senhor Vielhtcháninov, poderá ficar.

— Não tenho motivo algum para retirar-me. Estou em minha casa.

12 Nome forjado. De *lob*, fronte, testa.

— Como quiser. De resto, desejo que o senhor assista à explicação que vou ter com esse senhor. Nádiejda Fiedossiéievna falou-me do senhor em termos extremamente lisonjeiros.

— Deveras? E quando então?

— Logo depois de sua partida. Venho de lá agora. Eis o negócio, Senhor Trusótski — disse ele, voltando-se para Páviel Pávlovitch, que ficara de pé, e falava entre dentes, displicentemente, estendido em sua poltrona. — Há muito tempo que nos amamos, Nádiejda Fiedossiéievna e eu, e que demos nossa palavra um ao outro. O senhor meteu-se entre nós. Vim convidá-lo a dar o fora. Está disposto a retirar-se?

Páviel Pávlovitch estremeceu; empalideceu e um sorriso mau desenhou-se em seus lábios.

— Não estou absolutamente disposto a isto — respondeu ele, nitidamente.

— Então, está bem! — disse o rapaz, refestelando-se na poltrona e cruzando as pernas.

— E depois, vejamos, nem sei mesmo a quem falo — disse Páviel Pávlovitch. — Acho que esta conversa durou demais.

Então, achou bom sentar, por sua vez.

— Bem lhe dizia que o senhor se fatigaria — notou negligentemente o rapaz. — Tive ocasião de dizer-lhe, há um momento apenas, que me chamo Lóbov e que Nádiejda Fiedossiéievna e eu demos nossa palavra um ao outro; por conseguinte, não pode o senhor pretender, como acaba de fazê-lo, não saber com quem trata; não pode, ainda mais, ser de opinião de que não temos mais nada a dizer-nos. Não se trata de mim; trata-se de Nádiejda Fiedossiéievna que o senhor importuna de uma maneira impudente. O senhor está vendo que há matéria para explicação.

Disse tudo isto entre dentes, como um jovem presunçoso, dignando-se apenas articular suas palavras; quando acabou de falar, tornou a pôr os óculos e fez semblante de olhar muito atentamente alguma coisa, não importava o quê.

— Perdão, rapaz... — exclamou Páviel Pávlovitch, todo agitado.

Mas o "rapaz" deteve-o imediatamente.

— Em qualquer outra circunstância, eu o teria absolutamente proibido de me chamar "rapaz", mas no caso presente o senhor mesmo haverá de reconhecer que minha juventude constitui, precisamente, se me comparam com o senhor, minha principal superioridade; o senhor há de convir que hoje, por exemplo, quando o senhor ofereceu sua pulseira, teria dado muito para possuir uma migalha de mais juventude!

— Oh! que descaro! — murmurou Vielhtchāninov.

— Em todo o caso, senhor — continuou Páviel Pávlovitch, com dignidade, — os motivos que invoca, e que, pela minha parte, julgo dum gosto duvidoso e perfeitamente inconvenientes, não me parecem de natureza a justificar uma conversa mais prolongada. Tudo isso não passa de criancice e de tolice. Amanhã irei ter com Fiedossiéi Siemiônovitch. Mas agora lhe rogo que me deixe em paz.

— Mas vejam só a dignidade desse homem! — gritou o rapaz para Vielhtchāninov, perdendo o seu belo sangue-frio. — Expulsam-no de lá, estirando-lhe a língua. Acredita o senhor que ele vai dar-se por satisfeito? Ah! isto é que não! Irá amanhã contar tudo ao pai. Não é isto a prova, homem desleal que o senhor é, de que quer obter a moça à força, que pretende comprá-la a pessoas a quem a idade privou do espírito, e que aproveitam da barbaria social para dispor dela à fantasia deles?... Ela, no entanto, já lhe testemunhou suficientemente o seu desprezo. Não lhe devolveu hoje mesmo seu estúpido presente, sua pulseira?... Que é que precisa mais?

— Ninguém me devolveu pulseira alguma... não é possível — disse Páviel Pávlovitch, estremecendo.

— Como não é possível? Será que o Senhor Vielhtcháninov não a devolveu ao senhor?

"Que o diabo o carregue!", pensou Vielhtcháninov.

— Com efeito — disse ele, em voz alta, com ar sombrio, — Nádiejda Fiedossiéievna encarregou-me hoje de entregar-lhe este estojo, Páviel Pávlovitch. Não queria encarregar-me disso; ela, porém, insistiu... Aqui está... Lamento muito...

Tirou o estojo de seu bolso e estendeu-o, com ar embaraçado, a Páviel Pávlovitch, que permanecia estupefato.

— Por que ainda não o tinha devolvido? — disse severamente o rapaz, voltando-se para Vielhtcháninov.

— Não tinha tido, na verdade, ocasião — disse este, de mau humor.

— É estranho.

— O quê?

— É pelo menos estranho, convenha... Enfim, quero bem crer que não há em tudo isto senão um mal-entendido.

Sentiu Vielhtcháninov um desejo violento de levantar no mesmo instante e ir puxar as orelhas do rapazola; mas disparou, malgrado seu, numa estrondosa gargalhada. O rapaz pôs-se a rir imediatamente. Somente Páviel Pávlovitch não ria. Se Vielhtcháninov tivesse reparado no olhar que ele lhe deitou, enquanto estavam ali os dois a rir, teria compreendido que aquele homem se transformava naquele momento numa fera perigosa... Vielhtcháninov não viu aquele olhar, mas compreendeu que era preciso ir em socorro de Páviel Pávlovitch.

— Escute, Senhor Lóbov — disse ele, num tom cordial, — sem julgar o resto do negócio, com o qual não me quero meter, chamo sua atenção para o fato que Páviel Pávlovitch, procurando para si a mão de Nádiejda Fiedossiéievna, tem a seu favor, em primeiro lugar, o consentimento daquela honrada família; em segundo lugar, uma posição distinta e considerável, e por fim, uma bela fortuna; que, por conseguinte, está no direito de ficar surpreendido com a rivalidade de um homem tal como o senhor, de um homem admiravelmente dotado talvez, mas enfim de um homem tão jovem a ponto de ninguém poder tomá-lo por um rival sério... E, por conseguinte, tem razão para pedir-lhe que dê por terminado o assunto.

— Que entende o senhor com esse "tão jovem"? Tenho dezenove anos há um mês. Tenho desde muito tempo a idade legal para casamento. Eis tudo.

— Mas afinal que pai se decidiria a dar-lhe hoje sua filha, ainda mesmo quan*do estivesse o senhor destinado* a ser mais tarde milionário, ou a tornar-se um benfeitor da humanidade? Um homem de dezenove pode apenas responder por si mesmo e o senhor quereria, de coração alegre, encarregar-se do futuro duma outra criatura, do futuro duma criança tão criança como o senhor?... Vejamos, pense nisso, não parece de todo nobre... Se me permito falar-lhe assim, é que o senhor mesmo, ainda há pouco, me invocou como árbitro entre Páviel Pávlovitch e o senhor.

— Ah! é então Páviel Pávlovitch que ele se chama? — disse o rapaz. — Por que então imaginava eu que se tratava de Vassíli Pietróvitch?... Na verdade — e voltou-se para Vielhtcháninov, — suas palavras não me surpreendem absolutamente nada. Sabia bem que os senhores todos são os mesmos! É, no entanto, curioso, que me tenham falado do senhor como dum homem um tanto moderno.... De resto, tudo isso não passa de tolices. A verdade é esta: bem longe de ter-me conduzido mal em todo este negócio, como o senhor se permitiu dizer, foi justamente o contrário, como espero fazer que o senhor compreenda. Em primeiro lugar, demo-nos nossa palavra um ao outro; além disso, prometi-lhe, formalmente, na presença de duas testemunhas, que se ela viesse a amar um outro, ou se ela se sentisse levada a romper comigo, eu me reconheceria sem hesitar culpado de adultério, para lhe fornecer um motivo de divórcio. Não é tudo: como é preciso prever o caso em que eu me desdiria e em que recusaria fornecer-lhe esse motivo, no dia mesmo do casamento, para assegurar seu futuro, lhe entregaria uma promissória de cem mil rublos, de maneira que, se eu teimasse e faltasse a meus compromissos, poderia ela protestar minha promissória, correndo eu o risco de ser preso! Assim tudo está previsto, não ficando comprometido o futuro de ninguém. É este o primeiro ponto.

— Aposto que foi Priedposílov que lhe sugeriu esta combinação — disse Vielhtcháninov.

— Ah! ah! ah! — riu sarcasticamente Páviel Pávlovitch.

— Que é que diverte tão grandemente esse senhor?... O senhor adivinhou certo, é uma ideia de Priedposílov, e reconheça que é bem achada. Desta maneira, nossa absurda legislação torna-se totalmente impotente contra nós. Naturalmente, estou bem decidido a amá-la para sempre e ela só faz rir dessas precauções. Mas, enfim, reconheça que tudo isto está hábil e generosamente combinado e que nem toda gente agiria de tal forma.

— Na minha opinião, não somente o processo carece de nobreza, mas é totalmente vil.

O rapaz ergueu os ombros.

— Seu sentimento não me surpreende absolutamente — disse ele, após uma pausa. — Há muito tempo que deixei de me espantar de tudo isso. Priedposílov lhe diria sem mais que sua inteligência completa das coisas mais naturais provém do fato de terem sido seus sentimentos e suas ideias completamente pervertidos pela existência ociosa e estúpida que tem levado... De resto, é possível que não nos compreendamos mesmo um ao outro. No entanto, falaram-me do senhor em muito bons termos... Mas o senhor já passou dos cinquenta?

— Se quiser, voltemos ao nosso negócio.

— Desculpe minha indiscrição e não se ofenda... foi sem a menor intenção... Continuo... Não sou absolutamente o futuro milionário que o senhor teve o prazer de imaginar... o que é uma ideia bem singular!... Sou o que o senhor vê, mas tenho uma confiança absoluta no meu futuro. Não serei de forma alguma um herói, nem um benfeitor da humanidade, mas assegurarei a existência de minha mulher e a minha... *Para ser exato,* não tenho na hora presente um vintém sequer. Fui educado por eles desde minha infância...

— Como assim?

— Sou o filho dum parente longe da Senhora Zakhliébinina. Quando fiquei órfão, aos oito anos, recolheram-me em sua casa e, mais tarde, puseram-me no ginásio. O pai é um homem de bem, peço-lhe que acredite.

— Bem sei.

— Sim; apenas ficou velho, é retrógrado. Aliás, um homem de bem. Há muito tempo que me libertei de sua tutela, para ganhar eu mesmo minha vida e nada dever senão a mim.

— Desde quando? — perguntou, cheio de curiosidade, Vielhtcháninov.

— Vai fazer em breve quatro meses.

— Oh! agora se torna tudo claro: vocês são amigos de infância!... E está empregado?

— Sim, tenho um emprego provisório, em casa de um tabelião: vinte e cinco rublos por mês. Mas devo dizer-lhe que não ganhava nem mesmo isto, quando fiz meu pedido. Estava então na estrada de ferro, onde me pagavam dez rublos. Mas tudo isto é provisório.

— Então, o senhor fez seu pedido à família?

— Sim, com todas as formalidades, há muito tempo, há bem umas três semanas.

— E que lhe disseram?

— O pai começou rindo às gargalhadas, depois zangou-se, ficou vermelho de raiva. Fecharam Nádiejda num quarto do sótão. Ela, porém, não fraquejou, mostrou-se heroica. De resto, se não logrei êxito junto ao pai foi porque tem ele velha rixa comigo. Não me perdoa ter eu largado um lugar que me arranjou no ministério onde trabalha, isto há quatro meses, antes de minha entrada para a estrada de ferro. É um velho. Está de miolo mole. Oh! repito, na sua família é simples e encantador; mas no seu escritório, o senhor nem pode imaginar! Ali se assenta como um Júpiter! Dei-lhe a entender, muito claramente, que suas maneiras não me agradavam; mas o caso que pôs fogo à pólvora aconteceu por culpa de seu secretário. Esse senhor teve o atrevimento de ir queixar-se de que me mostrara grosseiro para com ele, quando me havia eu limitado a dizer que ele era um retrógrado. Mandei-os passear aos dois e agora me encontro na casa do tabelião.

— O senhor era bem pago no ministério?

— Oh! eu era supranumerário!... Era o velho quem me dava o de que eu necessitava. Repito, um homem decente... Mas eis aqui! não somos dos que cedem... Certamente, vinte e cinco rublos estão longe de ser suficientes; mas conto que em breve vão me empregar para pôr em ordem os negócios do Conde Zaviliéiski. Estão muito complicados. Então terei três mil rublos para começar; é mais do que ganha um homem de negócios matriculado. Estão tratando disso agora mesmo... Diabos! Que trovão! A tempestade se aproxima. Foi uma sorte ter chegado aqui antes que ela rebentasse. Vim de lá a pé, corri quase todo o tempo.

— Desculpe-me, mas então se não mais o recebem na família, como pôde o senhor encontrar-se e conversar com Nádiejda Fiedossiéievna?

— Ora essa! Pode-se conversar por cima do muro!... Notou a ruivinha? — disse ele, sorrindo. — Pois bem! está completamente de nosso lado. E Mária Nikítichna também. É uma verdadeira serpente aquela Mária Nikítichna... Para que faz essa careta? Tem medo do trovão?

— Não, estou doente, muito doente...

Vielhtcháninov acabava de sentir uma dor súbita no peito. Pôs-se em pé e caminhou pelo quarto.

— Neste caso, estou incomodando... Não se constranja, vou-me embora agora mesmo.

E o rapaz levantou-se de seu lugar.

— O senhor não me incomoda absolutamente, não é nada — disse, muito mansamente, Vielhtcháninov.

— Não é nada, não é nada, como diz Kobílhnikov, quando tem dor de barriga... Lembra-se, em Chtchedrin.[13] Gosta de Chtchedrin?

— Sem dúvida!

— Eu também... Pois bem! Vassíli... perdão! Páviel Pávlovitch, acabemos com isso! — retomou ele, voltando-se para Páviel Pávlovitch, muito amavelmente, com um sorriso. — Para que o senhor compreenda melhor, faço-lhe ainda uma vez a pergunta, muito nitidamente: consente em renunciar amanhã, oficialmente, na presença dos pais e na minha presença, a todas as suas pretensões a Nádiejda Fiedossiéievna?

— Não consinto em nada, absolutamente — disse Páviel Pávlovitch, levantando-se, com impaciência e cólera, — e rogo-lhe, ainda uma vez, que me deixe em paz... porque tudo isso não passa de uma infantilidade e de uma tolice.

— Tome cuidado! — respondeu o rapaz, com um sorriso arrogante, ameaçando-o com o dedo. — Não faça cálculos falsos!... O senhor sabe aonde pode levá-lo um erro semelhante em seus cálculos? Previno-o de que, dentro de nove meses, depois que o senhor tiver despendido muito dinheiro, que tiver passado por muitos incômodos, ao voltar, estará certamente obrigado a renunciar espontaneamente a Nádiejda Fiedossiéievna. E se então não renunciar a ela, as coisas ficarão más para o senhor... Eis o que o espera, se o senhor se obstinar!... Devo preveni-lo de que o senhor desempenha atualmente o papel do cão que defende o feno, perdoe, é apenas uma comparação — nem o come, nem deixa os outros comerem! Repito-lhe caridosamente: reflita, trate de refletir seriamente, pelo menos uma vez em sua vida.

— Rogo-lhe que me faça o obséquio de poupar-me sua lição de moral! — gritou Páviel Pávlovitch, furioso. — E quanto às suas confidências comprometedoras, desde amanhã tomarei medidas, e medidas radicais!

— Minhas confidências comprometedoras? Que quer dizer com isso? O senhor é que é um indecente, se semelhantes coisas lhe vêm à cabeça. De resto, aguardarei até amanhã; mas se... Bem! Ainda o trovão!... Adeus. Encantado por tê-lo conhecido — disse ele a Vielhtcháninov.

E tratou de sair, apressado em adiantar-se à tempestade e evitar a chuva.

Capítulo XV / *Ajuste de contas*

— Você viu? Você viu? — exclamou Páviel Pávlovitch, saltando para o lado de Vielhtcháninov, assim que o rapaz saiu.

---

13 Mikhail Ievgráfovitch Saltikov-Chtchedrin (1826-1889). Célebre escritor satírico, deportado por Nikolai I e indultado por Alexandre II, quando da sua ascensão ao trono. Suas obras foram traduzidas a vários idiomas em todo o mundo.

— Ah! sim! você não tem sorte! — disse Vielhtcháninov.

Não teria deixado escapar tal frase, se não o exasperasse a dor crescente que lhe torturava o peito. Páviel Pávlovitch estremeceu como se sentisse uma queimadura.

— Pois bem, e o seu papel em tudo isso? Foi sem dúvida por compaixão por mim que não me devolveu a pulseira, hem?

— Não tive tempo...

— Foi porque me lamentava de todo o coração, como um verdadeiro amigo lamenta um verdadeiro amigo?

— Pois bem, seja! Eu o lamentava — disse Vielhtcháninov, começando a zangar-se.

Entretanto, contou-lhe em algumas palavras como fora forçado a aceitar a pulseira, como Nádiejda Fiedossiéievna o havia constrangido a meter-se naquele negócio...

— Você há de bem compreender que eu não queria esse encargo de modo algum. Não me faltam aborrecimentos, para arranjar ainda outros!

— Você deixou-se enternecer e aceitou! — riu com escárnio Páviel Pávlovitch.

— Você bem sabe que o que está dizendo é estúpido; mas é preciso perdoá-lo... Viu ainda há pouco que não sou eu quem desempenha o papel principal neste negócio!

— Afinal, não se pode deixar de dizer, você deixou-se enternecer.

Páviel Pávlovitch sentou-se e encheu seu copo.

— Imagina você que vou ceder meu lugar àquele fedelho? Vou quebrá-lo como a uma palha, eis o que farei! Amanhã mesmo, irei lá e porei tudo em boa ordem. Varreremos todas essas puerilidades...

Bebeu seu copo quase dum trago e serviu-se de outro; agia com uma sem-cerimônia extraordinária.

— Ah! ah! Nádienhka e Sáchenhka, as encantadoras crianças! Ah! ah! ah!

Não se continha mais de raiva. Um violento trovão estrondou, enquanto luzia um relâmpago, e a chuva pôs-se a cair copiosamente, torrencialmente. Páviel Pávlovitch levantou-se e foi fechar a janela.

— Ele lhe perguntava ainda há pouco se você tinha medo do trovão!... Ah! ah! Vielhtcháninov ter medo do trovão!... E depois seu Kobílhnikov! é mesmo isto, não? Sim, Kobílhnikov!... E depois os seus cinquenta anos! Ah! ah! Lembra-se? — perguntou Páviel Pávlovitch, com ar zombeteiro.

— Você fica instalado aqui — disse Vielhtcháninov, que mal podia falar, tanto sofria, — enquanto eu vou deitar... Fará o que lhe aprouver.

— Não se poria nem um cão para fora com um tempo desses! — resmungou Páviel Pávlovitch, ferido com a observação e quase encantado por encontrar um pretexto para mostrar-se ofendido.

— *Está bem! Fique* sentado, beba... passe a noite como quiser! — murmurou Vielhtcháninov. Estendeu-se no divã e gemeu fracamente.

— Passar a noite aqui?... Você não tem medo?

— Medo de quê? — perguntou Vielhtcháninov, erguendo bruscamente a cabeça.

— Mas que sei eu? Da outra vez você teve um medo tremendo, pelo menos foi o que me pareceu...

— Você é um imbecil! — exclamou Vielhtcháninov, fora de si; e voltou-se para a parede.

— Está bem, não falemos mais disso — disse Páviel Pávlovitch.

Mal o doente se estendeu no divã, adormeceu. Após a superexcitação fictícia que o havia mantido de pé o dia inteiro e naqueles derradeiros dias, estava fraco como uma criança. Mas o mal voltou a dominar e venceu a fadiga e o sono. Ao fim duma hora, Vielhtcháninov despertou e ergueu-se sobre o divã com gemidos de dor. A tempestade cessara; o quarto estava cheio de fumaça de tabaco, a garrafa estava vazia em cima da mesa e Páviel Pávlovitch dormia sobre o outro divã. Deitara-se bem ao comprido; conservara as roupas e as botas. Seu lornhão deslizara de seu bolso e pendia na extremidade dum cordão de seda, quase ao rés do chão. Seu chapéu havia rolado no soalho, não longe dele.

Vielhtcháninov olhou mal-humorado e não o despertou. Levantou e andou pelo quarto. Não tinha mais força para ficar deitado; gemia e pensava em suas doença com angústia.

Tinha medo, não sem motivo. Havia muito tempo vinha sendo sujeito àquelas crises, mas, no começo, não voltavam senão a longos intervalos, ao fim de um ano, de dois anos. Sabia que aquilo provinha do fígado. Começava por uma dor na concavidade do estômago, ou um pouco mais alto, uma dor surda, bastante fraca, mas exasperante. Depois a dor crescia, pouco a pouco, sem descontinuar, por vezes durante dez horas, seguidas, e acabava por ter tal violência, por tornar-se tão intolerável, que o doente via a morte perto. Por ocasião da derradeira crise, um ano antes, depois daquela exacerbação progressiva da dor, achara-se tão esgotado que mal podia ainda mover a mão; o médico não lhe permitira, durante todo aquele dia, senão um pouco de chá fraco, um pouco de pão mergulhado num caldo. As crises sobrevinham por motivos muito diferentes, mas sempre apareciam em consequência de abalos nervosos excessivos. Não evoluíam sempre da mesma maneira. Por vezes conseguia sufocá-las desde o começo, desde a primeira meia hora, pela aplicação de simples compressas quentes; doutras vezes, todos os remédios verificavam-se impotentes, e só conseguia acalmar a dor depois de muito tempo à força de vomitivos; da derradeira vez, por exemplo, o médico declarou, depois de tudo passado, que acreditara num envenenamento.

Agora, ainda faltava muito para o amanhecer e ele não queria que lhe procurassem um médico enquanto fosse noite. De resto, não gostava de médicos. Por fim, não se conteve mais e gemeu bem alto. Suas queixas despertaram Páviel Pávlovitch que se levantou no seu divã e ficou sentado um momento, amedrontado, escutando e olhando Vielhtcháninov, que corria como um louco pelos quartos. O vinho que bebera produzira tão bem seu efeito que esteve por muito tempo sem atinar com o que se passava; por fim compreendeu, aproximou-se de Vielhtcháninov que balbuciou uma resposta.

— Isso provém do fígado. Oh! conheço bem isso! — disse Páviel Pávlovitch, com uma vivacidade surpreendente. — Piotr Kuzmitch e Polosúkhin tiveram todos a mesma coisa e era fígado... É preciso aplicar compressas bem quentes... Pode-se *morrer disso! Quer* que corra a chamar Mavra, diga?

— Não vale a pena, não vale a pena! — disse Vielhtcháninov sem forças. — Não necessito de nada.

Mas Páviel Pávlovitch estava, Deus sabe por que, totalmente fora de si, tão transtornado como se se tratasse de salvar seu próprio filho. Não queria nada ouvir e insistiu com ardor: era preciso absolutamente aplicar compressas quentes e depois, ainda por cima, engolir vivamente, dum trago, duas ou três xícaras de chá fraco, tão quente quanto possível, quase fervente. Correu à procura de Mavra, sem esperar que Vielhtcháninov lhe desse permissão, trouxe-a à cozinha, fez fogo, acendeu o samovar; ao mesmo tempo, obrigava o doente a deitar, tirava-lhe a roupa, enrolava-o num cobertor; e ao fim de vinte minutos, estava o chá pronto e a primeira compressa aquecida.

— Eis o que serve... pratos bem quentes, queimantes! — disse ele com uma solicitude apaixonada, aplicando sobre o peito de Vielhtcháninov um prato enrolado num guardanapo. — Não temos outras compressas e levaria muito tempo arranjá-las... E depois, pratos, posso garantir-lhe, é ainda o que há de melhor; eu mesmo já fiz a experiência em pessoa, em Piotr Kuzmitch... É que, você sabe, isso pode matar!... Tome, beba este chá, depressa. Tanto pior, se se queimar!... Trata-se de salvá-lo, não se trata de andar com cerimônias.

Encontrava Mavra, que estava ainda semi-adormecida; mudava os pratos todos os três ou quatro minutos. Após o terceiro prato e a segunda xícara de chá fervente, engolida dum trago, Vielhtcháninov sentiu-se de repente aliviado.

— Quando a gente consegue tornar-se senhor da doença, então, graças a Deus! é bom sinal! — exclamou Páviel Pávlovitch.

E correu todo alegre a procurar outro prato e outra xícara de chá.

— O essencial é dominar o mal! O essencial é que consigamos fazê-lo ceder! — repetia ele a cada instante.

Ao final duma meia hora, a dor estava totalmente acalmada; mas o doente estava tão extenuado que, malgrado as súplicas de Páviel Pávlovitch, recusou obstinadamente deixar-se aplicar "ainda um pratinho". Seus olhos fechavam-se, de fraqueza.

— Dormir! dormir! — murmurou ele, com voz extinta.

— Sim, sim! — disse Páviel Pávlovitch.

— Volte a deitar também... Que horas são?

— Vai ser um quarto para as duas.

— Vá deitar.

— Sim, sim, já vou.

Um minuto depois, o doente chamou de novo Páviel Pávlovitch, que acorreu e curvou-se sobre ele.

— Oh! você é... você é melhor do que eu!... Obrigado.

— Durma, durma! — disse, baixinho, Páviel Pávlovitch.

E voltou depressa para seu divã, na ponta dos pés.

O doente ouviu-o ainda arranjar com cuidado sua cama, tirar suas roupas, apagar a vela e deitar, por sua vez, retendo a respiração, para não perturbá-lo.

Vielhtcháninov deve ter adormecido, sem dúvida, logo que a luz se apagou; lembrou-se disso mais tarde muito nitidamente. Mas, durante todo o seu sono, até o momento em que despertou, pareceu-lhe, em sonho, que não dormia, e que não podia dormir, apesar de sua extrema fraqueza.

Sonhou que se sentia delirar, que não conseguia afugentar as imagens que se obstinavam em aglomerar-se no seu espírito, se bem que tivesse plenamente consciência de que eram visões e não realidades. Reconhecia toda a cena: seu quarto estava cheio de gente e a porta, na sombra, permanecia aberta; as pessoas entravam em multidão, subiam a escada, em filas cerradas. No meio do quarto, perto da mesa, um homem estava sentado, exatamente como no seu sonho de um mês antes. Da mesma maneira que então, o homem permanecia sentado, de cotovelos sobre a mesa, sem falar; mas desta vez trazia um chapéu envolto em crepe. "Como? Era então Páviel Pávlovitch, também da outra vez?", pensou Vielhtcháninov; mas ao observar as feições do homem silencioso, convenceu-se de que era outro. "Mas por que, então, traz um crepe?", pensava ele. A multidão comprimida em torno da mesa falava, gritava e o tumulto era terrível. Aquelas pessoas pareciam mais irritadas contra Vielhtcháninov, mais ameaçadoras que no outro sonho; estendiam os punhos contra ele e gritavam de ensurdecer. O que elas gritavam, o que elas queriam, ele não era capaz de compreender.

"Mas vejamos! Tudo isso não passa de delírio! — pensou ele. — Sei muito bem que não consegui adormecer, que me levantei, que estou de pé, porque não podia ficar deitado, tal era a minha dor!..." E, no entanto, os gritos, as pessoas, os gestos, tudo lhe aparecia com tão perfeita nitidez, com tal ar de realidade, que por momentos lhe vinham dúvidas: "Será, deveras, apenas uma alucinação tudo isto? Que têm, pois, essas pessoas contra mim, meu Deus? Mas... se tudo isto não é delírio, como é possível que esses gritos não despertem Páviel Pávlovitch? Porque afinal ele está dormindo, está ali, no divã!"

Por fim, aconteceu o que acontecera no outro sonho: todos refluíram para a porta e correram para o patamar, mas foram repelidos para o quarto por uma nova multidão que subia. Os recém-chegados traziam alguma coisa, algo de grande e de pesado; ouviam-se ressoar na escada os passos pesados dos carregadores. Rumores subiam, vozes sem fôlego. No quarto, todos gritaram: "Estão trazendo! Estão trazendo!". Os olhos cintilaram e cravaram-se, ameaçadores, sobre Vielhtcháninov; e, violentamente, com o gesto, apontaram-lhe a escada. Já não duvidava mais que tudo aquilo fosse, não uma alucinação, mas uma realidade; ergueu-se na ponta dos pés para perceber mais depressa, por cima das cabeças, o que traziam. Seu coração batia, batia, batia — e, de repente, exatamente como no outro sonho, três violentas campainhadas retiniram. E de novo eram tão claras, tão precisas, tão distintas, que não era possível que não fossem reais!... Lançou um grito e despertou.

Mas não correu à porta, como da outra vez. Que ideia súbita dirigiu seu primeiro movimento?... Foi mesmo uma ideia qualquer que naquele momento o fez agir?... Era como se alguém lhe dissesse o que era preciso fazer; vestiu-se rapidamente em cima do leito, lançou-se para a frente, diretamente para o divã onde dormia Páviel Pávlovitch, com as mãos estendidas, como para prevenir, repelir um ataque. Suas mãos encontraram outras mãos, estendidas para ele; agarrou-as fortemente; alguém estava ali, de pé, inclinado para ele. As cortinas estavam fechadas, mas a escuridão não era completa; vinha uma fraca luz da peça vizinha, que não tinha cortinas opacas. De repente, uma dor terrível dilacerou-lhe a palma e os dedos da mão esquerda, e ele compreendeu que havia agarrado fortemente com aquela mão a lâmina duma faca ou duma navalha. No mesmo momento, ouviu o ruído seco de um objeto que caía no chão.

Vielhtcháninov era bem três vezes mais forte que Páviel Pávlovitch; no entanto, a luta foi longa, durou quatro ou cinco minutos. Por fim, subjugou-o, torceu-lhe as mãos para trás das costas, a fim de amarrá-las, imediatamente. Manteve firmemente o assassino com a mão esquerda e, com a outra, procurou alguma coisa que pudesse servir para amarrar, o cordão das cortinas da janela; tateou muito tempo, encontrou-o afinal, arrancou-o. Ficou ele próprio surpreendido, em seguida, com o vigor extraordinário que aquele esforço exigira dele.

Durante aqueles três minutos, nem ele, nem o outro disseram uma só palavra; nada se ouvia senão suas respirações ofegantes e o rumor surdo da luta. Quando conseguiu amarrar as mãos de Páviel Pávlovitch, deixou-o deitado no chão, levantou-se, foi à janela, afastou as cortinas. A rua estava deserta; o dia começava a branquear. Abriu a janela, ficou ali alguns instantes, respirando a plenos pulmões o ar fresco. Era cerca de cinco horas. Tornou a fechar a janela, foi ao armário, pegou um guardanapo e enrolou com ele firmemente a mão esquerda para deter o sangue. Viu a seus pés a navalha aberta, sobre o tapete; apanhou-a, enxugou-a, repô-la na sua bainha, que havia esquecido de manhã sobre uma mesinha colocada perto do divã onde havia adormecido Páviel Pávlovitch, e colocou o estojo na sua escrivaninha, que fechou com chave. Depois aproximou-se de Páviel Pávlovitch e examinou-o.

Conseguira levantar-se com grande esforço e sentar-se numa cadeira. Não estava nem vestido, nem calçado. Sua camisa estava manchada de sangue, nas costas e nas mangas: era sangue de Vielhtcháninov.

Era certamente Páviel Pávlovitch, mas estava irreconhecível, tão descompostas se achavam suas feições. Estava sentado, com as mãos amarradas atrás das costas, fazendo esforço para manter-se erecto, o rosto devastado, convulso, verde à força de palidez; de tempos em tempos, tremia. Olhava Vielhtcháninov com um olhar fixo, mas extinto, com olhos que não viam. De repente, mostrou um sorriso estúpido e desvairado, designou com um movimento da cabeça a garrafa em cima da mesa e disse, gaguejando, baixinho:

— Água...

Vielhtcháninov encheu um copo d'água e deu-lhe de beber, com sua mão. Páviel Pávlovitch aspirava a água glutonamente; bebeu três goles, depois levantou a cabeça, olhou bem fixamente o rosto de Vielhtcháninov, que permanecia de pé, diante dele, com o copo na mão; não disse nada e recomeçou a beber. Quando acabou, respirou profundamente. Vielhtcháninov pegou seu travesseiro, suas roupas, passou para a peça vizinha e fechou Páviel Pávlovitch à chave no quarto onde se encontrava.

Suas dores noturnas haviam completamente cessado, mas sua fraqueza tornou-se extrema, depois do prodigioso esforço que acabava de exercitar. Tentou refletir no que se tinha passado; mas suas ideias não conseguiam coordenar-se. O abalo fora demasiado forte. Adormeceu, dormiu alguns minutos, depois, de súbito, tremeu da cabeça aos pés, despertou, lembrou-se de tudo; levantou com precaução sua mão esquerda, sempre enrolada no guardanapo úmido de sangue, e pôs-se a refletir, com uma agitação febril. Um só ponto estava perfeitamente claro para ele: é que Páviel Pávlovitch tinha querido efetivamente assassiná-lo, mas que talvez um quarto de hora antes de dar o golpe ignorava ele próprio que o daria. Talvez a caixa das navalhas lhe tivesse saltado aos olhos, na véspera à noite, sem que tivesse ele nenhuma premeditação, e a lembrança daquelas navalhas havia agido em seguida, como uma obsessão. (As navalhas, comumente, estavam fechadas à chave, na escrivaninha; na véspera, Vielhtcháninov havia-se servido de uma delas e deixara-as de fora por esquecimento.)

"Se ele estivesse disposto a matar-me, teria arranjado um punhal ou uma pistola; não podia contar com minhas navalhas que ainda não tinha visto nunca", pensou ele.

Enfim, soaram as seis horas. Vielhtcháninov voltou a si, vestiu-se e voltou para onde estava Páviel Pávlovitch. Ao abrir a porta, não pôde explicar a si mesmo por que havia fechado Páviel Pávlovitch, porque não o havia posto imediatamente para fora de sua casa. Ficou surpreendido por encontrá-lo todo vestido. O prisioneiro conseguira desfazer seus liames. Estava sentado na poltrona; levantou, quando Vielhtcháninov entrou. Tinha o chapéu na mão. Seu olhar turvo dizia: "É inútil falar; não há nada a dizer; não adianta falar...".

— Vá! — disse Vielhtcháninov. — Pegue seu estojo — acrescentou.

Páviel Pávlovitch voltou até a mesa, pegou o estojo, meteu-o no bolso e dirigiu-se para a escada. Vielhtcháninov estava de pé, perto da porta, para fechá-la atrás dele. Seus olhares se encontraram uma derradeira vez. Páviel Pávlovitch parou de repente. Durante cinco segundos olharam-se face a face, olhos nos olhos, como indecisos. Por fim Vielhtcháninov fez-lhe sinal com a mão.

— Vá! — disse-lhe, à meia voz.

E fechou a porta à chave.

Capítulo XVI / *Análise*

Um sentimento de alegria inaudita, imensa, encheu-o totalmente; alguma coisa acabava, esclarecia-se; um pesadume tremendo ia-se embora, destacava-se dele. Tinha consciência disso. Durara cinco semanas. Ergueu a mão, olhou o guardanapo manchado de sangue e murmurou:

— Não, desta vez está tudo bem acabado!

E, durante toda aquela manhã, pela primeira vez desde três semanas, quase não pensou em Lisa, como se aquele sangue, que correra de seus dedos feridos, o tivesse ainda libertado daquela outra obsessão.

Compreendia claramente que um terrível perigo o havia ameaçado. "Aquelas pessoas — pensava ele, — no minuto anterior, não sabem se nos assassinarão ou não, e depois, uma vez que tenham uma faca nas mãos trêmulas, e sintam o primeiro jacto de sangue nos seus dedos, não lhes basta mais assassinar-nos, precisam cortar-nos a cabeça, simplesmente: *"rup!"*, como dizem os forçados. É bem isto!"

Não pôde ficar em casa. Era de todo necessário que tomasse já uma providência ou alguma coisa iria sem falta lhe acontecer. Saiu, andou pelas ruas e esperou. Tinha uma vontade extrema de encontrar alguém, de conversar com alguém, fosse mesmo um desconhecido, e esse desejo lhe deu a ideia de ver um médico e de fazer *um curativo conveniente* em sua mão. O médico, a quem conhecia desde muito tempo, examinou o ferimento e lhe perguntou, com curiosidade:

— Como pode acontecer-lhe isso?

Vielhtcháninov respondeu com uma pilhéria, desatou a rir e esteve a ponto de tudo contar, mas conteve-se. O médico tateou-lhe o pulso e, quando soube da crise que ele tivera na noite anterior, fê-lo tomar imediatamente uma poção calmante que tinha ali à mão. Quanto ao ferimento, tranquilizou-o:

— Isto, garanto-lhe com toda certeza, não haverá de ter consequências aborrecidas.

Vielhtcháninov voltou a rir e declarou que consequências excelentes já se tinham produzido.

Duas vezes ainda, naquela mesma manhã, foi tomado dum desejo irresistível de tudo contar. Uma vez, mesmo, foi na presença de um homem que lhe era totalmente desconhecido e ao qual dirigiu por primeiro a palavra numa pastelaria, ele, que, até aquele dia, jamais pudera tolerar conversar com desconhecidos em lugares públicos.

Entrou numa loja, comprou um jornal, foi à casa de seu alfaiate e encomendou roupas. A ideia de ir visitar os Pogoriéltsevi continuava a não lhe dar nenhum prazer; não pensava neles, e, aliás, não era possível que fosse à casa deles no campo; era preciso que esperasse aqui, na cidade, não sabia o quê.

Jantou com bom apetite, conversou com o garçom e com seu vizinho de mesa e esvaziou uma meia-garrafa de vinho. Nem mesmo pensava numa possível volta da crise da véspera; estava convencido de que seu mal havia completamente passado no momento mesmo em que, a despeito de seu estado de fraqueza, havia, após hora e meia de sono, saltado de seu leito e lançado tão vigorosamente no chão seu assassino.

Ao anoitecer, porém, a cabeça começou a girar-lhe e, por momentos, sentia subir alguma coisa que se assemelhava ao seu sonho delirante da noite. Voltou para casa assim que o crepúsculo caiu e seu quarto quase o encheu de terror, quando nele penetrou. Sentia-se agitado e opresso. Percorreu várias vezes seu apartamento; chegou mesmo a ir até sua cozinha onde jamais entrava. "Foi aqui que ontem eles aqueceram os pratos", pensou ele. Fechou a porta com ferrolho e, mais cedo que de costume, acendeu as velas. Entretanto, lembrou-se de que, ainda há pouco, passando diante do saguão, chamara Mavra e lhe perguntara: "Páviel Pávlovitch não veio na minha ausência?", como se, com efeito, pudesse ter vindo.

Uma vez trancado cuidadosamente, retirou de sua escrivaninha sua caixa de navalhas e abriu a navalha de "ontem", para examiná-la. No cabo de marfim branco havia ainda algumas gotas de sangue. Repôs a navalha na caixa e tornou a guardá-la na escrivaninha. Desejava dormir: era de todo necessário que deitasse sem demora; de outro modo "amanhã não estaria bom para nada". Aquele dia seguinte lhe aparecia como um dia destinado a ser de alguma maneira fatal e "definitivo". Mas os mesmos pensamentos que, durante todo o dia, enquanto andava pelas ruas, não o haviam deixado um só instante, invadiram em tumulto sua cabeça doente, sem que pudesse pôr neles ordem ou afastá-los, e pensou, pensou, pensou, e por muito tempo ainda foi-lhe impossível adormecer...

"Estando convencionado que ele se propôs a assassinar-me, sem premeditação nenhuma — pensou ele, — não teria tido jamais a ideia antes, nem uma só vez, não sonhou nunca com ela num de seus maus momentos?"

Encontrou uma resposta estranha: "Páviel Pávlovitch queria matá-lo, mas a ideia do assassinato não surgira uma vez sequer no espírito do futuro assassino". Mais brevemente: "Páviel Pávlovitch queria matar, mas não sabia que queria matar". É incompreensível, mas é assim mesmo — pensou Vielhtcháninov. — Não foi para arranjar um emprego, nem por causa de Bagaútov que veio a Petersburgo — se bem que, uma vez aqui, tenha procurado um emprego e andado à procura de Bagaútov e tenha ficado fora de si quando o outro morreu; a Bagaútov não ligava a mínima importância. Foi por mim que veio para cá e veio com Lisa... Eu mesmo esperava algo...

Respondeu a si mesmo que decididamente sim, que o havia esperado desde o dia em que o vira de carro, no enterro de Bagaútov:

"Esperava qualquer coisa, mas naturalmente, não isto... não, naturalmente, que me cortasse o pescoço!..."

"Mas, vejamos, era sincero — exclamou ele ainda, erguendo bruscamente a cabeça do travesseiro e abrindo os olhos, — era sincero tudo aquilo que... aquele louco me dizia ontem de sua ternura por mim, enquanto seu queixo tremia e dava murros no peito?

"Era perfeitamente sincero — respondeu ele, aprofundando a análise sem ordem. — Era perfeitamente bastante estúpido e bastante generoso para se tomar de estima pelo amante de sua mulher, de cuja conduta nada achou ele que dizer durante vinte anos! Gostou de mim durante nove anos, prestou homenagem à minha memória e guardou minhas 'expressões' em sua memória. Não é possível que haja mentido ontem! Será que não gostava de mim ontem, quando me dizia: 'Ajustemos nossas contas'? Perfeitamente, gostava de mim, enquanto me odiava. Esse amor é de todos o mais forte...

"É possível — é mesmo certo — que lhe causei, em T***, uma impressão prodigiosa, sim, prodigiosa, e que o tenha subjugado. Sim, com uma criatura semelhante, isto pode muito bem ter acontecido. Fez de mim uma criatura cem vezes maior do que sou, porque se sentiu esmagado diante de mim... Teria bastante curiosidade de saber exatamente o que, em mim, lhe produzia tanto efeito... Afinal de contas, é bem possível que fossem minhas luvas novas e a maneira como as calçava. As luvas resultam bastante eficientes para certas almas nobres, sobretudo para almas de "eternos maridos". O resto, exageram-no eles, multiplicam-no por mil e se baterão em defesa nossa, se isto nos causa prazer... Como ele admirava meus meios de sedução! É bem possível que seja precisamente isto que lhe tenha causado mais efeito... E seu grito, outro dia: "Também ele! mas então não é possível confiar em ninguém!". Quando um homem chega a este ponto, está acabado, não é mais do que uma besta selvagem!...

"Hum! Veio aqui para "nos beijarmos e chorarmos juntos", como o declarava com seu ar velhaco; o que quer dizer que vinha para cortar-me o pescoço, e que acreditava vir beijar-me e chorar... Trouxe Lisa consigo. Sim, é bem isto se eu tivesse chorado com ele, talvez, com efeito, me tivesse perdoado, porque tinha uma vontade tremenda de perdoar! Tudo isto se transformou, desde nosso primeiro encontro, *em enternecimento* de ébrio, em frioleiras grotescas e em ridículas choradeiras de mulher ofendida. Foi por isto que veio completamente bêbado, para estar, com todas as suas caretas, em condição de falar; não teria jamais podido, sem estar embriagado... E como gostava de caretas! Que alegria, quando me deixei levar àquela beijocaria!... Só que ele não sabia então se tudo isso acabaria por um beijo ou por uma facada. Pois bem, a solução chegou, a melhor, a verdadeira solução: o beijo e a facada, as duas coisas ao mesmo tempo. É a solução completamente lógica!...

"Foi bastante estúpido para me levar a ver sua noiva... Sua noiva! Senhor! Só mesmo uma criatura como ele poderia ter a ideia de 'renascer para uma vida nova' por esse meio. No entanto, teve dúvidas; precisou da alta sanção de Vielhtcháninov, do homem a quem ele dava tanta importância. Era preciso que Vielhtcháninov lhe desse a certeza de que o sonho não era sonho, de que tudo aquilo era bem real... Levou-me porque me admirava infinitamente, porque tinha uma confiança sem limites na nobreza de meus sentimentos, — e quem sabe? porque esperava que lá, sob a verdura, nós nos beijaríamos e choraríamos, a dois passos de sua casta noiva. — Oh! sim! Era bem preciso que uma vez por todas aquele 'eterno marido' se vingasse de tudo, e, para se vingar, pegou da navalha... sem premeditação, é verdade, mas afinal pegou-a!... Será que ele tinha um pensamento oculto, quando me contou a história daquele cavalheiro de honra? 'Ainda assim, meteu-lhe a faca no ventre; ainda assim, acabou por dar-lhe uma facada, e na presença do governador!...' Será que ele tinha de fato uma intenção, na outra noite, quando se levantou e veio postar-se ali, no meio do quarto? Hum... Não, é evidente que aquilo era para representar uma farsa. Levantara-se sem má intenção e, depois, quando viu que eu estava com medo, ficou ali, sem me responder, durante dez minutos, porque o divertia bastante ver que eu tinha medo dele... É bem possível que naquele momento lhe tenha vindo a ideia pela primeira vez, enquanto estava ali, de pé, no escuro.

"Por outro lado, se eu não tivesse esquecido ontem minhas navalhas em cima da mesa... pois bem! Creio que nada teria acontecido absolutamente. É claro! É claro! Uma vez que me evitou todos estes tempos! Uma vez que não vinha mais, desde quinze dias, por compaixão de mim! Uma vez que era de Bagaútov e não de mim que se queria vingar!... Uma vez que se levantou, naquela noite, para fazer aquecer os pratos, esperando que o enternecimento afastaria a faca!... está bem claro, aquecia-os para si mesmo, tanto quanto para mim, aqueles seus pratos!..."

Muito tempo ainda sua cabeça doente trabalhou dessa maneira tecendo o vácuo até o momento em que adormeceu. Despertou, na manhã seguinte, com a cabeça sempre assim doente, mas sentiu-se presa dum terror novo, imprevisto...

Esse terror vinha da convicção súbita que nele ocorrera de que deveria, ele, Vielhtcháninov, naquele dia, espontaneamente, ir à casa de Páviel Pávlovitch. Por quê? Em vista de quê? Não sabia de nada, não queria saber de nada; o que ele sabia é que iria.

Sua loucura — não encontrava outro nome para aquilo — cresceu a tal ponto que acabou por encontrar para aquela resolução um ar razoável e um pretexto plausível. Já na véspera estivera obsedado pela ideia de que Páviel Pávlovitch, de volta à sua casa, deveria ter-se trancado e enforcado, justamente como o comissário de que lhe havia falado Mária Sisóievna. Aquela alucinação da véspera tornara-se pouco a pouco para ele uma certeza absurda, mas inarrancável. — "E por que diabo esse imbecil se enforcou?", perguntava a si mesmo a todo instante. Lembrava-se das palavras de Lisa... "Afinal de contas, no lugar dele, eu também teria me enforcado...", pensou ele uma vez.

Afinal não pôde mais se conter. Em lugar de ir jantar, dirigiu-se à casa de Páviel Pávlovitch. "Vou apenas perguntar a Mária Sisóievna", disse a si mesmo. Mas assim que chegou diante do portão, deteve-se.

"Espera aí! Espera aí! — exclamou ele, confuso e furioso. — Vou me arrastar até lá para 'nos beijarmos e chorar juntos'! Descerei a esse grau de vergonha, a essa baixeza insensata?"

Foi salvo dessa "baixeza insensata" pela Providência, que vela pelos homens decentes. Mal se encontrou na rua, deu com Alieksandr Lóbov. O rapaz estava ofegante, muito agitado.

— Ah! Ia precisamente à sua casa! Pois bem! E nosso amigo Páviel Pávlovitch!

— Enforcou-se! — murmurou Vielhtcháninov com ar desvairado.

— Como? Enforcou-se?... Mas por que então? — perguntou Lóbov, escancarando os olhos.

— Nada... não presta atenção... Acreditava... Continue...

— Mas que ideia singular!... Não se enforcou absolutamente! Por que ele teria se enforcado? Pelo contrário, partiu. Estava com ele, acabou de embarcar... Mas como bebe! como bebe! Cantava a plenos pulmões no vagão. Lembrou-se do senhor. Recomendou-me que o cumprimentasse... Então, é um canalha? Que pensa o senhor? Diga!

O rapaz estava superexcitado ao extremo: seu rosto iluminado, seus olhos cintilantes, sua língua pastosa deixavam perceber isso. Vielhtcháninov rebentou a rir, desbragadamente.

— Então, também eles, acabaram por fraternizar! Ah! ah! ah! Beijaram-se e choraram juntos!

— Saiba que ele se despediu, lá em baixo, deveras. Foi lá ontem e hoje também... Denunciou-nos em termos terríveis. Fecharam Nádia no quarto do sótão. Gritos e choro, mas nós não cederemos!... Mas como ele bebe! Como ele bebe! Falava todo o tempo a respeito do senhor... mas que diferença para o senhor! O senhor, o senhor é deveras um homem muito decente, e depois, o senhor fez parte da boa sociedade, e, se hoje se vê forçado a manter-se de parte, é unicamente por pobreza, não é?

— Então foi ele quem lhe disse isto de mim?

— Foi ele, foi ele, mas não se zangue. Ser um bom cidadão vale mais que fazer parte da alta sociedade. Na minha opinião, não se sabe mais em nossa época, na Rússia, de quem gostar. E convenha que é uma terrível calamidade, para uma época, não saber mais de quem gostar... não é verdade?

— É bastante exato... Mas ele?

— Ele? Ele, quem?... Ah! perfeitamente!... Por que diabo dizia ele: "Vielhtcháninov tem cinquenta anos, mas está arruinado"? Por que "mas", e não "e"? Ria cordialmente e repetiu isto mais de mil vezes. Subiu para o vagão, pôs-se a cantar, e chorou... Era simplesmente vergonhoso; era mesmo penoso, aquele homem embriagado!... Ah! não gosto dos imbecis!... E além disso, atirava dinheiro aos pobres pelo repouso da alma de Lisa... É a mulher dele, não é?

— Sua filha.

— O que o senhor tem na mão?

— *Cortei-me.*

— Não é nada, isto passará... Fez ele muito bem indo para o diabo, mas aposto que lá, para onde vai, casará imediatamente... não acredita?

— Pois não, mas o senhor mesmo, o senhor mesmo, queria casar!

— Eu? Oh! mas é outra coisa!... O senhor é engraçado! Se tem cinquenta anos, ele tem uns bons sessenta! E, em semelhante matéria, é preciso lógica, meu *bátiuchka!*... E além disso, é preciso que lhe diga, já fui um pan-eslavista convicto, mas agora esperamos a aurora do Ocidente... Vamos, adeus; gostei muito de o ter conhecido sem o haver procurado. Não posso subir até sua casa; não me convide. É impossível para mim!

E retomou seu caminho.

— Ah! mas onde estou com a cabeça? — disse ele, voltando. — Ele me encarregou de lhe entregar uma carta! Aqui está. Por que não o acompanhou à estação?

Vielhtcháninov subiu ao seu apartamento e rasgou o envelope.

Dentro do envelope não havia sequer uma linha de Páviel Pávlovitch; nada senão uma carta de outro punho. Vielhtcháninov reconheceu a letra. A carta era antiga, o tempo havia amarelecido o papel, a tinta desbotara. Fora escrita para ele havia dez anos antes, dois meses após sua partida de T***. Mas não lhe chegara às mãos. Não fora enviada. Fora substituída pela outra, compreendeu-o logo.

Naquela carta, Natália Vassílievna lhe dizia adeus para sempre, — da mesma maneira como naquela que ele tinha recebido! — Declarava-lhe que amava um outro, a quem ela não havia revelado que estava grávida. Prometia-lhe, para consolá-lo, confiar-lhe a criança que iria nascer, lembrava-lhe que isso era para eles novos deveres, que por isso mesmo a amizade de ambos se achava selada para sempre... Numa palavra, a carta era muito pouco lógica, mas dizia bastante claramente que era preciso que ele a desembaraçasse de seu amor. Permitiria sua volta a T***, ao fim de um ano, para ver a criança. — Ela havia refletido, e, Deus sabe por que, substituído a outra carta por aquela.

Ao ler, tornou-se Vielhtcháninov muito pálida; mas imaginou Páviel Pávlovitch encontrando aquela carta e lendo-a pela primeira vez, diante daquele cofrezinho de família, o cofrezinho de ébano incrustado de nácar.

"Também ele deve ter ficado pálido como um morto — pensou, verificando sua própria palidez no espelho. — Sim, certamente, quando a leu, deve ter fechado os olhos e depois abriu-os de novo bruscamente, na esperança de que à carta teria se transformado num simples papel em branco... Sim, ele deve ter tentado isso pelo menos umas três vezes!..."

Capítulo XVII / *O eterno marido*

Dois anos depois, em um belo dia de verão, o Senhor Vielhtcháninov estava num vagão que ia para Odessa, a fim de visitar um amigo. Esperava, aliás, que esse amigo o apresentasse a uma mulher bastante interessante, que desde muito tempo ele desejava conhecer de mais perto. Estava muito modificado, ou, para melhor dizer, havia tido um ganho infinito no decorrer daqueles dois anos. Não lhe restava quase nada de sua antiga hipocondria.

De todas as "recordações" que o haviam torturado dois anos antes, em Petersburgo, durante seu interminável processo, não lhe restava mais senão um pouco de confusão, quando pensava naquele período de impotência e de pusilanimidade mórbida. Consolava-se, dizendo que aquele estado não se reproduziria mais, e que ninguém jamais saberia de nada.

Sem dúvida, naquela época, havia rompido completamente com o mundo, negligenciara-se, mantivera-se totalmente de parte, o que decerto todos haviam notado. Mas havia reentrado no mundo com uma contrição tão perfeita, e nele se mostrara tão renovado, tão seguro de si mesmo, que todos lhe haviam perdoado logo sua ausência momentânea. Aqueles mesmos a quem deixara de cumprimentar foram os primeiros a reconhecê-lo e a estender-lhe a mão, sem lhe fazer nenhuma pergunta aborrecida, como se ele tivesse precisado simplesmente consagrar-se algum tempo aos seus negócios pessoais, que só a ele interessavam.

A causa principal de sua feliz transformação era, bem entendido, o resultado de seu processo. Tinham-lhe cabido sessenta mil rublos. Era pouca coisa, evidentemente, mas para ele era muito. Tornava a encontrar-se em terreno sólido; sabia que não iria gastar estupidamente aqueles derradeiros recursos como fizera com os outros, e que os pouparia pela duração de sua existência. "Eles podem revirar à vontade o edifício social e nos trombetear aos ouvidos tudo quanto quiserem — pensava ele por vezes, considerando as coisas belas e excelentes que se realizavam em redor dele e na Rússia inteira — os homens podem mudar, as ideias também, pouco me importa. Sei que terei sempre à minha disposição um jantarzinho cuidado, como o que saboreio neste momento, e, quanto ao resto, estou bem tranquilo." Este estilo, de espírito burguês e volutuoso havia transformado pouco a pouco até mesmo sua pessoa física: o histérico agitado de outrora havia completamente desaparecido, e dera lugar a um novo homem, a um homem alegre, franco, ajuizado. Até mesmo as rugas inquietantes, que tinham aparecido um instante em redor de seus olhos e sobre sua testa, estavam quase apagadas, e sua tez se modificara, tornara-se branca e rosada.

Estava confortavelmente instalado num vagão de primeira classe e seu espírito fascinado acariciava um pensamento encantador. Havia uma baldeação na estação seguinte. "Tenho, pois, de escolher: se dentro em pouco deixo a linha direta para baldear à direita, poderei fazer uma visita, duas estações mais longe, a uma dama que conheço muito bem, que acaba de chegar do estrangeiro e lá se encontra numa solidão muito vantajosa para mim, mas bastante entediante para ela. Eis com que ocupar-me de maneira tão interessante como em Odessa, tanto mais quanto haverá sempre tempo de alcançar em seguida Odessa..." Hesitava ainda e não chegava a uma decisão; esperava a sacudidela súbita que o faria decidir-se. No entanto, a estação estava próxima e a sacudidela não vinha.

Havia naquela estação uma parada de quarenta minutos e o jantar era servido aos passageiros. Na porta da sala de espera das primeira e segunda classes havia uma aglomeração de pessoas que se acotovelavam para ver melhor. Sem dúvida ocorria ali algum escândalo. Uma dama, que descera dum compartimento de segunda classe, muito bonita, mas trajava com demasiada elegância para uma viajante, arrastava quase à força um ulano, um oficial jovem e encantador, que procurava libertar-se de suas mãos. O jovem oficial estava completamente embriagado e a dama, provavelmente uma parenta, mais velha do que ele, impedia-o de correr ao botequim, para recomeçar a beber. O ulano deu um encontrão, no meio da turba, em um jovem comerciante, igualmente embriagado, a ponto de haver perdido a razão. Aquele jovem comerciante havia dois dias que estava na estação. Ficara lá a beber e a gastar seu dinheiro com camaradas, sem achar tempo de prosseguir sua viagem. Houve uma discussão, o oficial gritou, o comerciante zangou-se, a dama estava desesperada, procurava cortar logo a disputa, arrastar o ulano, gritando-lhe, com voz suplicante:

— Mítienhka! Mítienhka!

O jovem comerciante achou aquilo revoltante. Toda a gente ria às gargalhadas, mas ele, julgava-se profundamente ofendido na sua dignidade.

— Ora essa! "Mítienhka!" — disse ele macaqueando a vozinha aguda e suplicante da dama. — Não tem vergonha, diante do povo!

A dama deixara-se cair sobre uma cadeira e conseguira fazer o ulano sentar junto dela; o jovem comerciante aproximou-se, cambaleando, olhou-os com um ar de desprezo e berrou uma injúria.

A dama lançou gritos dilacerantes e olhou em torno de si, angustiada, a ver se alguém não iria em seu socorro. Estava envergonhada e aterrorizada. Para cúmulo, o oficial levantou de sua cadeira, vociferou ameaças, quis atirar-se ao comerciante, escorregou e tornou a cair para trás, sobre sua cadeira. As risadas aumentaram, mas ninguém acorreu em auxílio deles. O salvador foi Vielhtcháninov. Pegou o comerciante pela gola, fê-lo girar sobre si mesmo e atirou-o a rolar a dez passos da jovem mulher apavorada. Foi o fim do escândalo: o jovem comerciante, subitamente acalmado pela sacudidela e pela inquietante estatura de Vielhtcháninov, deixou-se levar pelos seus camaradas. O porte imponente daquele senhor tão bem vestido fizera seu efeito sobre os que riam: cessaram as risadas. A dama, toda enrubescida, com lágrimas nos olhos, exprimiu-lhe com efusão seu reconhecimento. O ulano gaguejou: "Obrigado! Obrigado!" e quis estender a mão a Vielhtcháninov, mas mudou de ideia, deitou-se sobre duas cadeiras e estirou os pés para ele.

— Mítienhka! — gemeu a dama, com um gesto de horror.

Vielhtcháninov estava bastante satisfeito com a aventura e seu resultado. A dama interessava-o; era evidentemente uma provinciana abastada, trajada sem gosto, mas com galanteria, de maneiras um pouco ridículas — tudo quanto é preciso para dar boa esperança a um vaidoso da capital que tem uma mulher de olho. Conversaram. A dama contou-lhe a história com ardor, queixou-se de seu marido "que havia de repente desaparecido e que era a causa de tudo... Desaparecia sempre no momento em que se tinha necessidade dele..."

— Ele foi... — gaguejou o ulano.

— Oh! vamos, Mítienhka! — interrompeu ela, toda súplice.

"Bem! Cuidado com o marido!", pensou Vielhtcháninov.

— Qual é o nome dele? — perguntou bem alto. — Irei procurá-lo.

— Pa...l Pá...litch — balbuciou o ulano.

— Seu marido se chama Páviel Pávlovitch? — perguntou curiosamente Vielhtcháninov.

No mesmo momento, a cabeça calva que ele conhecia muito bem surgiu entre ele e a dama. Num instante, reviu o jardim dos Zakhliébinini, os inocentes jogos, a insuportável cabeça calva que se interpunha sempre entre ele e Nádiejda Fiedossiéievna.

— Ah! enfim apareceu! — gritou a jovem senhora, num tom colérico.

Era Páviel Pávlovitch em pessoa. Olhou Vielhtcháninov com estupefação e com terror, e ficou petrificado como diante de um fantasma. Sua perturbação foi tal que, durante um bom momento, ele não ouviu nada das censuras violentas que sua mulher lhe dirigia com extrema vivacidade. Por fim compreendeu, viu o que o ameaçava e tremeu.

— Sim, a culpa é sua e esse senhor — designava assim Vielhtcháninov — foi um verdadeiro anjo salvador para nós, e você... você está sempre ausente, quando se tem necessidade de você...

Vielhtcháninov disparou a rir.

— Mas nós somos velhos amigos, amigos de infância! — exclamou ele, olhando a dama estupefata e pousando, familiar, com um gesto protetor, sua mão direita sobre o ombro de Páviel Pávlovitch, que mostrava um vago sorriso, muito pálido. — Nunca lhe falou de Vielhtcháninov?

— Não, nunca — disse ela, depois de ter procurado lembrar-se.

— Neste caso, apresente-me à sua mulher, meu esquecido amigo!

— Com efeito, minha querida Lípotchka, o Senhor Vielhtcháninov, aqui presente...

Atrapalhou-se, perdeu-se, não pôde continuar. Sua mulher, toda rubra, olhava-o, furiosa, claro, porque ele a havia chamado de Lípotchka.

— E imagine a senhora que ele nem mesmo me participou seu casamento e nem me convidou para as bodas. Mas rogo-lhe, Olimpiada...

— Siemiônovna — terminou Páviel Pávlovitch.

— Siemiônovna — repetiu, de súbito, o ulano adormecido.

— Rogo-lhe, Olimpiada Siemiônovna, perdoe-o, faça-me este obséquio, em honra de nosso encontro... É um excelente marido!

E Vielhtcháninov bateu cordialmente no ombro de Páviel Pávlovitch.

— Afastei-me, queridinha, por um minutinho apenas — disse Páviel Pávlovitch, para desculpar-se.

— E deixou que sua mulher fosse insultada! — interrompeu Lípotchka. — Quando se tem necessidade de você, você nunca está, e quando não se tem necessidade, você está...

— Sim! Sim! Quando não se tem necessidade dele, ele está, quando não se tem necessidade... — apoiou o ulano.

Lípotchka sufocava de raiva. Sentia que aquilo não estava bem diante de Vielhtcháninov e corava, mas não se podia conter.

— Quando não é preciso, você procede com demasiada cautela, com demasiada... — deixou ela escapar.

— Até debaixo da cama... procura ele amantes... até debaixo da cama... quando não é preciso, quando não é preciso — gritou Mítienhka, que se animava por sua vez.

Mas ninguém prestava atenção a Mítienhka.

Acabou tudo por acalmar-se. O conhecimento tornou-se mais completo. Mandaram Páviel Pávlovitch buscar café e caldo. Olimpiada Semiônovna explicou a Vielhtcháninov que eles estavam vindo de O***, onde seu marido era funcionário *e iam passar* dois meses no campo, não muito longe, a quarenta verstas daquela estação; tinham lá uma bela casa e um jardim, onde recebiam, tinham vizinhos e se Alieksiéi Ivânovitch fosse bastante amável para ir visitá-los "em sua solidão", ela o acolheria "como seu anjo da guarda", porque não podia pensar sem terror no que teria acontecido se... etc., etc., em uma palavra, "como seu anjo da guarda"...

— Sim, como um salvador — apoiou calorosamente o ulano.

Vielhtcháninov agradeceu, declarou que ficaria encantado, que, aliás, dispunha de seu tempo, não estando preso a nenhuma ocupação, e que o convite de Olimpiada Semiônovna seduzia-o infinitamente. Depois conversou com muita alegria e fez dois ou três cumprimentos muito a propósito. Lípotchka enrubesceu de prazer. Quando Páviel Pávlovitch voltou, ela lhe anunciou, com muito entusiasmo, que Alieksiéi Ivânovitch tivera a amabilidade de aceitar seu convite, que iria passar com eles um mês inteiro no campo e prometera aparecer dentro de uma semana. Páviel Pávlovitch sorriu com ar desesperado e não disse nada. Olimpiada Semiônovna ergueu os ombros e olhou para o céu. Afinal, separaram-se: houve ainda agradecimentos, de novo "o anjo da guarda, o salvador", de novo "Mítienhka", depois Páviel Pávlovitch reconduziu a mulher e o ulano a seu vagão. Vielhtcháninov acendeu um charuto e ficou a passear pela plataforma, de um lado para outro, aguardando a partida. Pensava que Páviel Pávlovitch iria aparecer para conversar até o derradeiro momento. Foi o que aconteceu. Páviel Pávlovitch plantou-se diante dele, os olhos, a fisionomia toda cheia de perguntas ansiosas. Vielhtcháninov sorriu, tomou-lhe amigavelmente o braço, levou-o até um banco vizinho, sentou, fez o outro sentar a seu lado. Não disse nada. Queria que Páviel Pávlovitch começasse.

— Então, você virá visitar-nos? — perguntou ele, de repente, indo direto à questão.

— Tinha a certeza! Ah! você é sempre o mesmo! — disse Vielhtcháninov, sorrindo. — Vejamos — continuou, batendo-lhe no ombro, — você foi capaz de acreditar um só instante que eu iria, com efeito, pedir-lhe hospitalidade e por um mês inteiro? Ah! ah! ah!

Páviel Pávlovitch estava radiante de alegria.

— Então, você não irá? — exclamou ele.

— Não, não irei, não irei! — disse Vielhtcháninov, com um sorriso jovial.

Não compreendia por que tudo aquilo lhe parecia prodigiosamente cômico, e tanto mais o divertia quanto mais se prolongava.

— É verdade? Fala sério?

E Páviel Pávlovitch teve um sobressalto de impaciência e de inquietação.

— Já lhe disse que não irei. Que sujeito engraçado é você!

— Mas então, que direi?.... Como explicarei a Olimpiada Semiônovna, no fim da semana, quando verificar que você não chega, quando estiver à sua espera?

— Ora a dificuldade! Diga-lhe que quebrei a perna, ou coisa que o valha!

— Ela não acreditará nisso! — disse Páviel Pávlovitch, com voz gemente.

— E ela brigará com você, não é? — continuou Vielhtcháninov, sempre sorridente. — Mas, na verdade, meu pobre amigo, parece-me que você treme diante de sua encantadora esposa, não é?

Páviel Pávlovitch fez o que pôde para sorrir, mas não conseguiu. Que Vielhtcháninov tivesse prometido não ir, estava muito bem, mas que se permitisse pilheriar tão familiarmente a respeito de sua mulher, era inadmissível. Páviel Pávlovitch fechou a cara. Vielhtcháninov notou. Entretanto, acabava de soar o segundo sinal do sino; uma vozinha aguda saiu dum vagão, chamando impacientemente

Páviel Pávlovitch. Este agitou-se no lugar, mas não atendeu ainda ao chamado. Era claro que esperava ainda alguma coisa de Vielhtcháninov; sem dúvida alguma, uma nova promessa de que não iria.

— De que família é sua mulher? — perguntou Vielhtcháninov, como se não se desse conta da inquietação de Páviel Pávlovitch.

— É a filha do nosso pope — respondeu o outro, olhando com olhar inquieto, para seu vagão.

— Sim, vejo bem, foi por causa de sua beleza que você casou com ela.

Páviel Pávlovitch fechou a cara de novo.

— E quem é esse Mítienhka?

— É um parente longe, meu, o filho de uma prima-irmã que morreu. Chama--se Golubtchíkov.[14] Expulsaram-no do Exército por causa de uma história; acaba de ser readmitido. Fomos nós que o equipamos... É um pobre rapaz que não teve sorte...

"É bem isto, totalmente isto; tudo aí está", pensou Vielhtcháninov.

— Páviel Pávlovitch! — chamou de novo a voz que vinha do vagão, mas desta vez num tom mais agudo.

— Pá...el Pá...litch! — repetiu outra vez, uma voz de ébrio.

Páviel Pávlovitch agitou-se, mexeu-se, mas Vielhtcháninov agarrou-o vivamente pelo braço e manteve-o imóvel.

— Quer que eu vá agora mesmo contar à sua mulher que você quis assassinar--me, hem?

— O quê? Como? — disse Páviel Pávlovitch todo apavorado. — Deus o guarde disso!

— Páviel Pávlovitch! Páviel Pávlovitch! — gritou de novo a voz.

— Pois bem, pode ir, agora! — disse Vielhtcháninov, largando-o; ria cordialmente.

— Então você não irá? — murmurou uma derradeira vez Páviel Pávlovitch, desesperado, as mãos juntas, como outrora.

— Juro-lhe que não! Vamos, corra, ou haverá trapalhada!

Estendeu-lhe cordialmente a mão, mas ele estremeceu: Páviel Pávlovitch não a tomava e retirava a sua.

O sino soou pela terceira vez.

Passou entre eles, de súbito, algo de estranho, estavam como que transformados. Vielhtcháninov não ria mais; sentia em si um frêmito, um dilaceramento brusco. Agarrou Páviel Pávlovitch pelos ombros, violentamente, brutalmente.

— E se *eu,* lhe estendo esta mão — mostrou-lhe a palma de sua mão esquerda, onde se via ainda a comprida cicatriz do ferimento, — você talvez não a recuse talvez! — disse ele baixinho, com os lábios pálidos e trêmulos.

Páviel Pávlovitch ficou lívido e tremeu; suas feições convulsionaram-se.

— E Lisa? — disse ele, com uma voz surda, precipitadamente.

E de repente seus lábios tremeram, suas faces e seu queixo tremeram e lágrimas brotaram de seus olhos. Vielhtcháninov permanecia de pé, diante dele, como petrificado.

— Páviel Pávlovitch! Páviel Pávlovitch!

---

14 Nome forjado. De *golubtchik:* pombo.

Desta vez era um urro, como se tivessem estrangulado alguém. Repercutiu um apito.

Páviel Pávlovitch voltou a si e correu desabaladamente. O trem punha-se em movimento. Conseguiu agarrar a portinhola e saltar para dentro do vagão.

Vielhtcháninov ficou ali até a noite, depois retomou sua viagem interrompida. Não baldeou para a direita, não foi ver a dama que conhecia; não tinha mais disposição para isso... E quanto lhe pesou isso depois!

Os demônios

Os demônios (1870)

Em meio às trevas, Senhor,
Do caminho nos perdemos.
Que faremos? O caminho
Não podemos encontrar.
Foram demônios sem dúvida
Que até cá nos atraíram...
Fazem-nos tontos girar
Com seu poder diabólico,
Ziguezagueando entre a noite
E de neve o temporal.
Quantos são? Aonde vão
Esses bruxos e que cantam?
Será que boda festejam
Ou dançam em torno à cova
Que estão cavando eles mesmos
Para o dono desta casa?

A. Púchkin

Ora andava por ali pastando no monte uma grande vara de porcos; e rogavam-lhe que lhes permitisse entrar neles. E Jesus lhes permitiu. Saíram, pois, do homem os demônios e entraram nos porcos; e logo a vara se precipitou com ímpeto por um despenhadeiro no lago e se afogou. Quando os pastores viram isto, fugiram e foram contá-lo à cidade e pelas aldeias. E saíram a ver o que acontecera e foram ter com Jesus; e encontraram a seus pés, sentado, vestido e em seu juízo, o homem de quem tinham saído os demônios, e tiveram medo.

São Lucas, *Cap. VIII, vers. 32 e segs.*

Primeira parte

Capítulo primeiro / *À guisa de prólogo*

Alguns pormenores da biografia do honorabilíssimo Stiepan Trofímovitch Vierkhoviénski

I

Ao empreender a descrição de acontecimentos recentes e algo estranhos ocorridos em nossa até aqui tranquila cidade, creio-me obrigado, diante de minha inexperiência, a remontar um pouco atrás e a fornecer certos pormenores da biografia do talentoso e honorabilíssimo Stiepan Trofímovitch Vierkhoviénski. Esses pormenores servirão quando muito de introdução à presente crônica; quanto à história que me proponho contar, virá depois.

Confessarei, com toda a franqueza, que Stiepan Trofímovitch sempre desempenhou entre nós certo papel especial e, por assim dizer, cívico. Esse papel agradava-lhe apaixonadamente, tanto que não poderia, creio, a ele renunciar. Não que eu queira compará-lo a um comediante. Deus me guarde disso! Tanto mais quanto, pessoalmente, gosto muito dele. Talvez fosse nele questão de hábito, ou antes duma constante e generosa inclinação que o levara, desde os tenros anos, a acariciar para si uma bela carreira pública. Por exemplo, levava muito em conta sua situação de "perseguido" e "exilado". Há, nestas duas pequenas palavras, certo prestígio clássico que o seduzira duma vez por todas, e que, à força de elevá-lo a seus próprios olhos durante numerosos anos, induzira-o, com o tempo, a ver-se colocado numa espécie de pedestal bastante grato ao seu amor-próprio. Um romance satírico inglês do século passado fala-nos de um tal Gulliver que, de volta do país dos liliputianos, habitado por pessoas de estatura minúscula, acostumara-se de tal modo a tomar-se por um gigante que andando pelas ruas de Londres, involuntariamente gritava para os pedestres e cocheiros que se desviassem de seu caminho e tomassem cuidado para que ele não os esmagasse. Imaginava-se sempre um gigante e que ainda estava lidando com anões. De modo que toda a gente zombava dele, injuriava-o e os cocheiros chegavam a ponto de assestar-lhe chicotadas. Mas era justo? E não se conhece o poder do hábito? Tal era, mais ou menos, o caso de Stiepan Trofímovitch, ainda que sob uma forma mais pueril e mais inofensiva, porque era, no íntimo, um excelente homem.

Creio bem que toda a gente acabou por esquecê-lo, o que não nos autoriza a dizer que ele fora totalmente desconhecido em certa época anterior. Indiscutivelmente, houve um tempo em que pertenceu àquela famosa plêiade que brilhou na derradeira geração; durante um momento – um minutinho aliás, – seu nome fora posto, por uma multidão de gente um tanto apressada, mais ou menos no mesmo nível dos de Tchaadáiev, Bielínski, Granóvski e Herzen[1], que então vinha de estrear no estrangeiro. Mas apenas se iniciara, encerrou-se a carreira de Stiepan Trofímovitch em consequência de um "turbilhão de circunstâncias" como ele apreciava dizer. Na realidade, não houve nem "turbilhão", nem mesmo "circunstâncias", pelo menos no caso de que nos ocupamos. Agora somente, nestes últimos dias, vim a saber, com a maior estupefação, mas de fonte absolutamente segura, que bem longe de ser exilado na nossa província, como o acreditavam comumente, Stiepan Trofímovitch nem mesmo fora alguma vez objeto de qualquer vigilância. O que é, no entanto, o poder da imaginação! Ele próprio, toda a sua vida, acreditou sinceramente que sempre o haviam temido nas altas esferas, que seus menores passos eram conhecidos e contados, e que cada um dos três governadores que se sucederam na nossa província, no curso dos vinte últimos anos, já chegava perfeitamente informado a seu respeito e munido de instruções especiais, desde sua entrada na função. Se alguém, naquela época, tivesse pensado, por meio de provas irrefutáveis, persuadir o bravo Stiepan Trofímovitch de que não tinha nada absolutamente a temer, este último teria decerto ficado ferido em seu amor-próprio. E, no entanto, era um homem dos mais inteligentes e dos mais bem dotados, e até mesmo, sob certos aspectos, um homem de ciência, se bem que a respeito de ciência... não haja produzido grande coisa. Parece mesmo que não produziu coisa nenhuma. Mas na Rússia este caso é frequente entre os homens de ciência.

De volta do estrangeiro, não deixou de lançar certo brilho aí por 1850, época em que ocupou uma cátedra na Universidade; mas não pronunciou senão algumas conferências e, ao que parece, a respeito dos árabes. Além disso, defendeu com brilho uma tese a respeito da importância comunal e hanseática que teria podido adquirir a pequena cidade alemã de Hanau, entre 1413 e 1428, e também sobre as causas particulares e aliás pouco claras que a tinham impedido de adquirir a referida importância. Esta dissertação conseguiu magoar vivamente os eslavófilos de então e valeu-lhe entre eles inimigos tão numerosos quanto encarniçados. Mais tarde – isto se passava, aliás, depois de ele ter abandonado sua cátedra, – para se vingar e para mostrar que homem haviam perdido com ele, publicou numa revista mensal e progressista, na qual se traduzia Dickens e George Sand pregava, o começo de um estudo muito aprofundado sobre as causas da extraordinária nobreza moral de certos cavaleiros em certa época. As conjeturas a respeito falavam em pelo menos alguma coisa dessa espécie. Em todo caso, tratava-se ali de não sei qual alta ideia perfeitamente nobre e generosa. Correu mais tarde que a continuação dessa obra fora interdita e que a revista progressista teve aborrecimentos por haver inserido a primeira metade. É bastante possível; que é que não se via então? Mas no caso presente, é mais provável ainda que não se tivesse passado nada e que o próprio autor tivesse tido preguiça de terminar seu estudo. Quanto a seu curso sobre os árabes, a razão pela qual foi obrigado a suspendê-lo é a seguinte: não sei quem, nem como (provavelmente um de seus inimigos reacionários) interceptara certa carta de Stiepan Trofímovitch, dirigida a certa personalidade, e tratando de não sei qual assunto, em consequência do que um sujeito lhe exigiu não sei que explicações. Ignoro se o

1 Literatos russos de renome internacional e contemporâneos de Dostoiévski; o último participou do movimento revolucionário da época e foi o fundador do jomal *Kolokol* (*O Sino*).

fato é exato, mas também afirmaram que, na mesma ocasião, tinha-se descoberto em Petersburgo uma vasta sociedade trabalhando por abolir as leis da Natureza e as do Estado. Esta sociedade, composta de trinta pessoas, estivera a ponto de convulsionar todo o regime. Acrescenta-se que ela se propunha traduzir até mesmo Fourier. Como fato expresso, deitou-se mão pelo mesmo tempo, em Moscou, a um poema que Stiepan Trofímovitch escrevera seis anos antes em Berlim, isto é, na época de sua primeira juventude, e cujas cópias se encontravam entre as mãos de dois amadores e de um estudante. Esse poema, também eu o conservo, na gaveta de minha mesa. Justamente no ano passado, o próprio Stiepan Trofímovitch me ofereceu um exemplar autografado, revisto e corrigido, ornado duma dedicatória e magnificamente encadernado em marroquim vermelho. Essa obra, aliás, não está desprovida de qualidades poéticas, nem de certo talento um tanto estranho; naquela época (isto é, entre 1830 e 1840) muitos eram os que escreviam segundo aquele gosto. Mas eu ficaria bem embaraçado se tivesse de contar-lhe o assunto, porque, na verdade, não compreendo dele patavina. Trata-se de uma espécie de alegoria tratada numa forma lírico-dramática, lembrando a segunda parte do *Fausto*. O pano levanta-se aos sons de um coro feminino, ao qual sucede o coro dos homens, depois o coro dos elementos, por fim o das almas que ainda não viveram, mas que experimentam vivo desejo de gozar da existência. Todos esses coros cantam alguma coisa bastante confusa; na maior parte uma espécie de maldição, mas num tom irresistivelmente cômico. De repente, muda-se o cenário, para dar lugar a não se sabe qual "Festa da Vida", da qual os próprios insetos participam com cantos. Aparece uma tartaruga que pronuncia fórmulas sacramentais em latim e, se bem me recordo, um mineral, coisa por definição absolutamente inanimada, que lança também a sua copla. Em geral, todos não fazem senão cantar e se lhes acontece alguma vez falar, é para brigar, sem motivo plausível, mas sempre, é claro, num tom dos mais solenes. Depois, nova mudança de cenário; o local é selvagem; um jovem civilizado vaga sozinho entre os rochedos, colhendo ervas que chupa. Uma fada lhe pergunta por que come aquelas ervas; responde ele que, sentindo em si excesso de forças vitais, procura o esquecimento e encontra-o no suco daquelas plantas, mas que seu principal desejo é perder o mais depressa possível a razão (desejo sem dúvida supérfluo). Entra em seguida, montando um cavalo negro, um rapaz de uma beleza inefável, seguido de um cortejo imenso de pessoas de todas as nacionalidades; o efebo personifica a morte à qual todos os povos aspiram! Por fim, na derradeira cena, aparece de súbito a torre de Babel que atletas acabam de construir, cantando o hino da nova esperança; e quando ela fica pronta até o alto, o soberano – digamos o Senhor do Olimpo –, foge com ar grotesco, e a humanidade, que sabe desde então o que tem a fazer, tomando o lugar dele, começa imediatamente uma era nova ao mesmo tempo que forma para si uma nova concepção do universo. Esse é o poema que se considerara então como perigoso. No ano passado, propus a Stiepan Trofímovitch publicá-lo, visto o caráter absolutamente inofensivo que ele tem em nossos dias. Declinou de minha proposta com um descontentamento visível. A ideia de que seu poema nada continha de perigoso desagradou-lhe e é mesmo a este fato que atribuo a espécie de frieza que me testemunhou durante dois longos meses. Ora, quase na ocasião em que lhe propunha publicar seu poema, ele foi incluído numa coletânea revolucionária lá fora, isto é, no estrangeiro, e naturalmente sem que Stiepan Trofímovitch o soubesse. Esta notícia, logo de início, causou-lhe medo. Correu à casa do Governador e escreveu a Petersburgo uma nobilíssima carta justificativa que me leu por duas vezes, mas que não enviou, não sabendo a quem endereçá-la. Em resumo, viveu um mês inteiro transido de temor, mas estou bem certo de que, no fundo de sua alma, se sentia extremamente lisonjeado. Quando arranjou um exemplar dessa antologia, Stiepan Trofímovitch mal se separava dele para dormir; de dia, ocultava-o debaixo de seu colchão e não permitia que sua criada fizesse a cama. Se bem que esperasse cada dia a chegada de não sabia qual telegrama, afetava ares superiores. Mas nenhum telegrama chegou. Então reconciliou-se comigo, o que testemunha a extraordinária bondade de seu coração, manso e sem rancor.

II

Não pretendo com isso afirmar que ele não tenha sofrido por causa de suas ideias. Todavia, estou perfeitamente convencido hoje de que ele teria podido prosseguir à vontade seu curso a respeito dos árabes; bastaria que tivesse fornecido os poucos esclarecimentos necessários. Mas era ambicioso e foi com uma ânsia particular que tomou o cuidado de se persuadir de uma vez por todas de que sua carreira estava definitivamente partida pelo "turbilhão das circunstâncias". No fundo, o verdadeiro motivo dessa mudança de carreira foi uma proposta que lhe fez por duas vezes, e da maneira mais delicada, Varvara Pietrovna Stavróguina, mulher do Tenente-General Stavróguin. Essa senhora, bastante rica, pediu-lhe que se encarregasse, na qualidade de pedagogo e amigo, da educação e do desenvolvimento intelectual de seu filho único. É inútil dizer que ele receberia brilhantes honorários. Esta proposta foi dirigida a Stiepan Trofímovitch pela primeira vez, quando ele ainda se encontrava em Berlim, no momento em que acabava de perder sua primeira esposa. Esta era uma senhorita de nossa província, de caráter bastante estouvado, que ele desposara no tempo de sua juventude irrefletida. Parece que com aquela criatura, aliás simpática, ele sofreu muitos aborrecimentos, por causa da impossibilidade de mantê-la e por outros motivos também, de ordem mais íntima e mais delicada. Separada de seu marido, ela morreu três anos após em Paris, deixando-lhe um filho de cinco anos "fruto do primeiro amor jovial e ainda sem nuvens", segundo a expressão que Stiepan Trofímovitch deixou escapar diante de mim, num acesso de melancolia. O rebento, logo enviado para a Rússia, foi educado por parentes afastados, em algum lugar, no fundo duma província. Stiepan Trofímovitch, naquela época, recusara as ofertas de Varvara Pietrovna e em breve, isto é, menos de um ano após a morte de sua primeira esposa, tornara a casar com uma taciturna alemã de Berlim; casamento, além disso, que nada parecia tornar necessário. Outras razões ainda tinham-no levado a recusar o emprego de preceptor: o renome de um célebre professor da época impedia-o de dormir. Era preciso tomar voo para aquela cátedra à qual havia tanto tempo aspirava e ensaiar também ele suas asas de águia. E agora, de asas queimadas, era bastante natural que se lembrasse de uma proposta que, outrora, fizera-o hesitar. A morte súbita de sua segunda esposa – sua união não durara nem mesmo um ano – arranjou tudo definitivamente. Direi sem rodeios: a solução foi devida ao interesse afetuoso e à amizade preciosa e, se se pode dizer, toda clássica que lhe dedicava Varvara Pietrovna. Precipitou-se nos braços daquela amizade e sua situação achou-se fixada para mais de uma vintena de anos. Empreguei a expressão "precipitou-se nos braços", mas Deus preserve quem quer que seja de supor debaixo disso algo de inconveniente. Esta palavra "braços" deve ser tomada numa acepção estritamente moral. O elo que uniu aqueles dois seres tão notáveis não cessou jamais de ser da mais refinada delicadeza.

Outra razão ainda decidiu Stiepan Trofímovitch a aceitar o lugar de preceptor. A pequeníssima propriedade deixada por sua primeira mulher estava situada na vizinhança do soberbo domínio suburbano de Skvopiéchniki que os Stavróguini possuíam em nossa província. E depois, ele sempre poderia no recolhimento do gabinete, quando não tivesse mais de satisfazer a enorme carga das ocupações universitárias, consagrar-se à ciência e dotar a literatura nacional de profundos estudos. Estes estudos, aliás, jamais vieram à luz, mas em compensação ele pôde pelo resto de sua vida, isto é, durante mais de vinte anos, erguer-se tal como "uma censura em pessoa" diante da pátria, segundo a expressão do poeta popular:

Como censura em pessoa
....
De pé diante da pátria,
Liberal-idealista.

É verdade que o indivíduo de que fala o poeta popular tinha talvez o direito, como bem lhe parecesse, de assim posar durante todo o curso de sua existência, embora certamente esse gênero de atitude nada tenha de engraçado. No que se refere ao nosso Stiepan Trofímovitch, jamais foi, em comparação com tais pessoas, senão um pálido imitador. A posição vertical fatigava-o e muitas vezes preferiu "ficar sobre o flanco". Contudo, sejamos justos, se bem que estivesse sobre o flanco, continuava sendo a encarnação da censura, tanto mais quanto era isso o bastante para o regime. Ah! se o tivésseis visto sentar no clube diante de um jogo de cartas! Toda a sua atitude dizia: "Deem as cartas!... Pois bem, sim, jogo convosco! Mas que relação há entre nós? De quem a culpa? Quem, pois, rompeu minha carreira e reduziu-a a não ser mais do que uma partida de uíste?[2] Pereça a Rússia!". E, enchendo-se todo de si, cortava o baralho com entusiasmo.

No fundo, adorava as cartas, o que foi causa, nos derradeiros tempos, sobretudo, de frequentes bate-bocas bastante desagradáveis com Varvara Pietrovna e isto tanto mais quanto perdia duma maneira contínua. De resto, terei ocasião de voltar a isto mais adiante. Farei observar somente que era um homem consciencioso (pelo menos acontecia-lhe por vezes ser), e por isso viam-no muitas vezes melancólico. Durante os vinte anos de sua amizade com Varvara Pietrovna, sobrevinham-lhe, regularmente, três ou quatro vezes por ano, acessos de "tristeza cívica", como os chamávamos, *isto é, muito simplesmente*, de hipocondria, mas a honradíssima Varvara Pietrovna fazia muita questão desta palavrinha. Mais tarde, ele esteve também presa de acessos causados pelo champanhe, mas a sutil e delicada Varvara Pietrovna conseguiu sempre preservá-lo de baixas inclinações. De fato, ele tinha necessidade de uma babá, porque lhe acontecia por vezes mostrar-se bastante esquisito. Em

---

2 Do inglês *whist*, silencioso. Jogo de cartas em que entra como fator principal, não a sorte, e sim a habilidade do jogador.

pleno acesso de seu sublime pesar, punha-se de súbito a rir da maneira mais torpe. Em certas horas, começava a falar de si mesmo num tom humorístico. Ora, nada amedrontava tanto Varvara Pietrovna quanto o humorismo. Era uma mulher de princípios clássicos, a mulher-mecenas, e que agia unicamente em nome de motivos superiores. A influência que essa grande dama teve durante vinte anos sobre seu pobre amigo foi preponderante. Conviria falar dela em particular, o que me proponho fazer.

III

Há amizades estranhas: dois amigos, sempre prontos a entredevorar-se, passam assim sua vida sem se poder separar. Seria impossível para eles romper um com o outro. Aquele dos dois que, por capricho, rompesse tal ligação seria o primeiro a cair doente por causa disso e talvez a morrer disso. Sei que várias vezes, e mesmo depois das efusões mais íntimas, a sós com Varvara Pietrovna, Stiepan Trofímovitch, ao ficar sozinho, saltou de repente de seu divã e se pôs a dar murros na parede.

Não estou inventando... Chegou mesmo uma vez a fazer cair o reboco. Vão me perguntar, talvez, como pude eu recolher detalhe tão íntimo. E se tivesse sido eu mesmo testemunha disso? Se Stiepan Trofímovitch, muitas vezes, houvesse soluçado em cima de meu ombro, enquanto me pintava da maneira mais viva os sentimentos que agitavam o mais íntimo do seu ser? (E que não confessava ele naqueles momentos!) Mas eis o que ocorria quase sempre, após aquelas crises de soluços: no dia seguinte, estava disposto a crucificar-se por causa de sua ingratidão; mandava chamar-me com toda a urgência, ou então acorria à minha casa, com o único fim de declarar-me que Varvara Pietrovna era "um anjo de honra e delicadeza e ele absolutamente o contrário". Longe de limitar-se a tomar-me por confidente, confessava-se a ela mesma em missivas das mais eloquentes e que assinava com todas as letras. Confessava-lhe, por exemplo, que, apenas na véspera, contara a um terceiro que ela o mantinha por vaidade, que ela estava com inveja de sua erudição e de seus talentos, que ela o odiava e que se ela não ousava muito simplesmente manifestar-lhe esse ódio, era de medo de que ele fosse embora – o que prejudicaria sua reputação de mulher dada às letras. Não deixava de acrescentar que desprezava a si mesmo e resolvera atentar contra seus dias; esperava dela uma derradeira palavra que decidiria de sua sorte etc., etc., e tudo mais nesse estilo. Pode-se imaginar após isto que grau deveriam atingir por vezes as explosões nervosas daquela criança, o mais inocente dos quinquagenários. Li eu mesmo, um dia, uma dessas cartas, escrita em seguida a uma querela sobrevinda por um motivo insignificante, querela que, não obstante, acabou por envenenar-se. Fiquei espantado e supliquei-lhe que não enviasse aquela carta. "Impossível... é mais honesto... de meu dever... morrerei, se não lhe confessar tudo, tudo!", respondeu ele, como que presa de delírio; e enviou a carta.

A diferença entre Varvara Pietrovna e ele consistia precisamente no fato de que esta jamais teria enviado semelhante carta. É verdade que ele gostava apaixonadamente de escrever; mesmo quando moravam na mesma casa, ele lhe escrevia cartas, e, quando suas crises nervosas tomavam conta dele, até mesmo duas por dia. Sei, de boa fonte, que ela lia sempre aquela correspondência com a maior atenção, mesmo quando havia duas duma vez. Terminada a leitura, guardava aquelas cartas, depois de tê-las anotado e classificado, num cofrezinho especial; além disso, guardava-as também de memória. Em seguida, após deixar seu amigo um dia inteiro sem resposta, revia-o no dia seguinte, como se nada houvesse e como se nada se houvesse passado, absolutamente. Pouco a pouco, havia-o tão bem educado que ele próprio não ousava mais voltar aos incidentes da véspera, contentava-se com olhá-la furtivamente. Ela, porém, nada esquecera, enquanto que ele, encorajado por tanta calma, esquecia por vezes um pouco depressa demais, e muitas vezes, no mesmo dia, se chegavam amigos, ria e gracejava como um escolar, engolindo champanhe. Que venenosos olhares não haveria ela de lançar-lhe naqueles momentos? E dizer-se que ele nem mesmo percebia isso! Mas quando, ao fim de uns oito dias, de um mês ou mesmo de seis meses, involuntariamente, lhe voltava de repente à memória tal expressão de uma de suas cartas, depois a carta inteira em todos os seus detalhes, então corava de vergonha e aquele tormento tornava-se em breve tão agudo que tinha ele uma recaída de diarreia. Essas crises singulares, análogas à colerina, eram em certos casos o resultado ordinário de suas perturbações nervosas e representavam uma particularidade curiosa de sua constituição física.

Com efeito, Varvara Pietrovna odiava-o muitas vezes, sem dúvida; mas, coisa que escapou sempre até o derradeiro momento a Stiepan Trofímovitch, é que, com o tempo, ela acabara por considerá-lo como um filho, sua criação pessoal, e, seria possível dizer, sua invenção; que ele tivesse se tornado carne de sua carne e que se ela o mantinha e sustentava, não era somente por "inveja de seus talentos". Oh! quanto ela não devia se sentir mortificada com tais suposições! Nutria por ele um amor intenso que se misturava a um ódio de todos os instantes, ao mesmo tempo inveja e desprezo. Durante vinte e dois anos, velou por ele e o mimou como a seu próprio filho; teria passado noites sem dormir, quando se tratava, por pouco que fosse, de sua reputação de poeta, de sábio e de cidadão. Tinha-o inventado e ela mesma acreditava, em primeiro lugar, em sua invenção. Era para ela algo como o seu sonho... Mas, em compensação, exigia, verdadeiramente, muito dele, por vezes mesmo uma servidão absoluta. Era rancorosa num grau inaudito. A este propósito, tenho de relatar dois fatos autênticos.

IV

Um dia, Varvara Pietrovna recebeu a visita de um barão de Petersburgo, que se achava de passagem pela nossa cidade. Contava esse personagem com as mais altas relações e achava-se em contato com os meios influentes. Estava-se na época em que os primeiros rumores relativos à emancipação do camponês começavam a circular e em que a Rússia inteira, numa explosão de entusiasmo, se preparava para *renascer*. Varvara Pietrovna estimava muito essa espécie de visitas, porque suas relações no grande mundo tinham vindo a diminuir desde a morte de seu marido. Para o fim, haviam mesmo cessado completamente. O barão passou uma hora em casa dela e tomou chá. Não havia outros visitantes, exceto Stiepan Trofímovitch, que Varvara Pietrovna convidara e tinha gosto em exibir. O barão, que já ouvira falar de Stiepan Trofímovitch, ou que fingia já ter ouvido falar, testemunhou-lhe, no entanto, muito pouca atenção no decurso daquela visita. Stiepan Trofímovitch era sem dúvida um homem incapaz da menor incorreção. Distinto de maneiras, se bem que fosse, ao que parecia, de origem bastante humilde, desde sua mocidade fora educado na casa de uma família nobre de Moscou (e por consequência bem educado). Além disso, falava francês como um parisiense. O barão deveria compreender muito bem de que espécie de pessoas se compunha o círculo de Varvara Pietrovna, no seio de seu retiro provinciano. Tal não se deu, no entanto. Quando o barão confirmou a autenticidade dos rumores que começavam a correr a respeito da grande reforma, Stiepan Trofímovitch não se pôde conter; exclamou, de repente: "Viva!" e esboçou mesmo um gesto para exprimir seu arrebatamento. Aquele "Viva!" lançara-o ele com voz pouco forte e com distinção. Pode ser que seu arrebatamento tivesse sido estudado e aquele gesto repetido diante do espelho, durante a meia hora que precedeu o chá; mas houve sem dúvida qualquer tropeço; o barão permitiu-se um leve sorriso, não sem insinuar muito cortesmente uma frase a respeito da emoção geral, e de resto bem justificada, com a qual os corações de todos os russos acolheriam o grande acontecimento. Despedindo-se pouco depois, não se esqueceu de estender dois dedos a Stiepan Trofímovitch.

De volta ao salão, Varvara Pietrovna manteve-se em silêncio durante dois ou três minutos e pareceu procurar alguma coisa sobre a mesa. De repente, virou-se para Stiepan Trofímovitch e, lívida, de olhos fuzilantes, sussurrou, num tom ácido:

– Jamais lhe perdoarei!

No dia seguinte, revia seu amigo como se nada se tivesse passado; jamais viria a se referir novamente ao incidente. Mas, treze anos depois, num instante trágico, lembrou-se daquilo para lhe jogar no rosto. Empalideceu naquele momento, talqualmente o fizera treze anos antes quando, pela primeira vez, aquelas palavras saíram de seus lábios.

Somente duas vezes, durante toda a sua vida, é que lhe disse: "Jamais lhe perdoarei!". O incidente ocorrido com o barão foi o segundo; mas o primeiro não foi menos característico e teve, ao que parece, tão grande influência sobre o destino de Stiepan Trofímovitch que me decido igualmente a relatá-lo.

Era em 1855, no mês de maio, depois que se soube em Skvopiéchniki da morte daquele velho libertino que era o Tenente-General Stavróguin, ocorrida em consequência de uma doença de estômago, quando se dirigia à Crimeia, chamado com urgência depois de nomeado para o serviço ativo do exército. Viúva, Varvara Pietrovna, pôs luto fechado. É verdade que não podia sofrer por muito tempo, porque, podia sofrer quatro anos, em virtude da incompatibilidade de gênios, vivia completamente separada do marido, a quem pagava uma pensão. Fora de seu título de nobreza e de suas relações (o tenente-general só possuía cento e cinquenta almas[3] e seu soldo), a fortuna e o domínio de Skvopiéchniki pertenciam a Varvara Pietrovna, filha única de um riquíssimo fazendeiro de propriedades dominiais. Não obstante, ficou transtornada com a subitaneidade daquela notícia e retirou-se para uma solidão completa. Naturalmente, Stiepan Trofímovitch estava sempre a seu lado.

3 Na antiga Rússia era expressão comum essa de "almas" para designar os servos da gleba. A riqueza dos grandes latifundiários era, frequentemente, calculada pelo número de "almas" que eles possuíam.

O mês de maio estava em plena florescência. As noites eram maravilhosas. As cerejeiras bravas começavam a florir. Todas as noites, os dois amigos encontravam-se no jardim e, até ao cair da noite, ficavam sentados sob um caramanchão, confiando um ao outro seus sentimentos e suas ideias. Viviam momentos de verdadeira poesia. Ainda sob a impressão de mudança que lhe sobreviera no destino, Varvara Pietrovna falava mais que de costume. Parecia se sentir atraída para o coração de seu amigo. Assim, vários serões se passaram. De repente, um pensamento estranho aflorou ao espírito de Stiepan Trofímovitch. "Aquela viúva inconsolável não estaria com segundas intenções a respeito dele? Não estaria esperando dele um pedido de casamento, assim que expirasse seu luto?" Ideia cínica; mas o refinamento da organização psíquica favorece por vezes certa inclinação às ideias cínicas, dando-se que, quanto mais desenvolvido é o indivíduo, tanto mais facilidade oferece à impudência da imaginação. Pôs-se a examinar aquela ideia a fundo e achou sua suposição verossímil. Isto lhe forneceu assunto para meditação: "É verdade que a fortuna é imensa, mas...". Varvara Pietrovna, efetivamente, nada tinha de bonita. Era uma mulher grande, ossuda, amarela, cujo rosto desmedidamente alongado tinha algo de cavalar. Stiepan Trofímovitch hesitava cada vez mais; era assaltado por dúvidas e até mesmo por duas vezes sua irresolução o fez derramar lágrimas (chorava com muita facilidade). Mas à tardinha, isto é, debaixo do caramanchão, contra sua vontade, sua fisionomia começava a tomar uma expressão caprichosa e esperta, com algo de presunçoso e de altivo. Esses jogos fisionômicos acontecem de maneira imprevista, involuntária, e quanto mais distinto é o homem, tanto mais se fazem notar. Deus sabe o que se deveria concluir disso, mas é provável que não nascesse no coração de Varvara Pietrovna nada que pudesse justificar completamente as conjeturas de Stiepan Trofímovitch. E, aliás, não teria trocado seu nome de Stavróguin pelo de Stiepan Trofímovitch, por mais glorioso que este fosse. Talvez não fosse de sua parte senão uma brincadeira feminina, o efeito duma inconsciente necessidade, natural na mulher em certas circunstâncias excepcionais. Não saberia dizer. Até os dias de hoje insondável tem-se mantido o coração da mulher! Mas prossigamos nosso relato.

Podemos acreditar que Varvara Pietrovna não tardou em adivinhar o que significava aquela estranha expressão no rosto de seu amigo. Tinha faro e o dom da observação, ao passo que ele era, por vezes, um pouco ingênuo demais. Entretanto os serões se passavam como de costume; suas conversas continuavam sempre poéticas e interessantes. Uma vez, ao cair da noite, após uma conversação das mais animadas e das mais poéticas, enquanto trocavam um cordial aperto de mãos, separaram-se amigavelmente no limiar do pavilhão onde vivia Stiepan Trofímovitch. Cada verão, ele saía da vasta e confortável casa de Skvopiéchniki para se instalar naquela casinha que se encontrava quase em pleno jardim.

Ele tinha acabado de entrar em casa; pegara um charuto, com uma hesitação preocupada e ainda sem o ter acendido, parara, cansado e imóvel diante da janela aberta, fixando o olhar nas pequenas nuvens brancas, leves como plumas, que vogavam em torno da lua serena, quando um fraco rumor fez com que de súbito estremecesse e se virasse... Varvara Pietrovna, a quem deixara havia quatro minutos apenas, estava ali, de pé, diante dele. Seu rosto amarelo ficara quase arroxeado; seus lábios contraídos tremiam nas comissuras. Por espaço de dez segundos, fitou-o sem dizer uma palavra, diretamente nos olhos, com uma dureza implacável e, de repente, pressionando as palavras, murmurou:

– Jamais lhe perdoarei!

Quando dez anos mais tarde Stiepan Trofímovitch me contou esta penosa história, em voz baixa, e não sem ter de antemão fechado as portas, jurou-me que sua estupefação naquele momento fora tão grande que não ouviu, nem viu, como Varvara Pietrovna desaparecera. Como nunca, dali por diante, ela fizesse alusão ao que se passara e como tudo continuou na sua rotina habitual, foi a vida inteira levado a crer que fora simplesmente o joguete duma alucinação que preludiasse alguma doença, tanto mais quanto naquela noite, de fato, caiu doente e ficou enfermo por quinze dias, o que, por consequência, pôs fim às entrevistas sob o caramanchão. Não obstante, qualquer que fosse seu desejo de não ver naquilo senão uma alucinação, durante toda a sua vida e todos os dias, pareceu esperar a continuação e, por assim dizer, o desfecho daquela aventura. Não podia acreditar que estivesse terminada! Mas então, se era assim mesmo, que olhadelas singulares ele não devia lançar por vezes à sua amiga!

V

Ela chegara ao ponto de imaginar para ele um traje que ele usou toda a sua vida. Elegante e característico, aquele traje compreendia: uma sobrecasaca negra de longas abas, abotoada quase até em cima, mas que lhe sentava maravilhosamente; um chapéu mole de largas abas (no estio, era um chapéu de palha); uma gravata de batista branca de grande nó e de pontas flutuantes; uma bengala de castão de prata; e com isto uma cabeleira que lhe caía até os ombros. Seus cabelos, que eram castanhos, só começaram a embranquecer um pouco, nos derradeiros anos. Rapava o bigode e a barba. Dizem que fora extremamente belo na sua mocidade. Na minha opinião, mesmo velho, mantinha um aspecto bastante imponente. E afinal, já se é velho aos cinquenta e três anos? Mas por uma espécie de faceirice cívica, longe de procurar rejuvenescer, parecia tirar vaidosa vantagem de sua idade. Metido na sua roupa, com seu alto talhe magro, os cabelos a caírem-lhe sobre os ombros, assemelhava-se a um patriarca, ou antes ao retrato do poeta Kúkolhnik[4], tal como se vê gravado na edição de suas obras publicadas entre 1830 e 1840. Essa semelhança era sobretudo impressionante quando, no verão, estava sentado num banco de jardim, à sombra dos lilases em flor, com as duas mãos apoiadas em sua bengala, um livro aberto a seu lado, perdido em devaneios poéticos, inspirados pelo sol poente. A propósito de livros, farei notar que, por fim, acabara por desgostar-se da leitura; mas foi isto, aliás, já nos derradeiros tempos de sua vida. Quanto aos jornais e revistas que Varvara Pietrovna mandava vir em profusão, lia-os assiduamente. Não cessou também de interessar-se pelos triunfos da literatura russa, sem ceder, todavia, uma polegada sequer no capítulo da dignidade. Num certo tempo, havia-o atraído o estudo da política contemporânea, interior e exterior; mas dentro em pouco *renunciou à sua empresa*. Acontecia-lhe ainda por vezes, quando se dirigia ao jardim,

4 Escritor medíocre, autor de pequenos romances que alcançaram certa popularidade.

levar consigo Tocqueville[5], embora tivesse no bolso um volume de Paul de Kock[6]. De resto, tudo isso são detalhes bem fúteis.

A propósito do retrato de Kúkolhnik, mencionarei também, entre parênteses, que aquela pequena imagem caíra pela primeira vez entre as mãos de Varvara Pietrovna, quando ela era interna no Instituto para moças da nobreza, de Moscou. Enamorou-se logo do retrato, segundo o costume de todas as mocinhas educadas nos ginásios, que se apaixonam não importa por que, em particular pelos seus professores e acima de tudo professores de caligrafia e de desenho. Mas o mais curioso da história não é esse aspecto, apenas característico em uma mocinha, mas antes o fato de que na idade de cinquenta anos, Varvara Pietrovna conservava ainda aquela gravura entre suas mais íntimas recordações. Talvez fosse unicamente por causa disso que combinara para Stiepan Trofímovitch um traje análogo ao do poeta representado na gravura. Mas é igualmente este um detalhe ocioso.

Nos primeiros anos, ou antes, durante a primeira parte de sua estada em casa de Varvara Pietrovna, Stiepan Trofímovitch pensava ainda em escrever uma obra, e não se passava dia em que não se preparasse seriamente para isso. Mas durante a segunda parte, esse projeto parecia ter sido abandonado. Cada vez mais nós o surpreendíamos dizendo: "Parece-me sempre que vou começar minha à obra, os materiais estão reunidos, mas eis, não há meio, nada vem!" e baixava a cabeça com ar acabrunhado. Sem dúvida, esta atitude só fazia ressaltar ainda mais aos nossos olhos seu prestígio de mártir da ciência; mas ele próprio aspirava a algo mais. "Estou esquecido, ninguém tem necessidade de mim!", escapou-lhe dizer muitas vezes. Mas foi cerca de 1860 que esse sentimento de intensa melancolia apoderou-se dele bem particularmente. Varvara Pietrovna compreendeu enfim que o caso desta vez era grave. Além disso, não podia admitir que seu amigo fosse esquecido e se tornasse um inútil. Para distraí-lo e restituir-lhe ao mesmo tempo um pouco de frescor ao seu renome, levou-o a Moscou, cidade onde contava relações ilustres no mundo literário e científico. Mas Moscou revelou-se também insuficiente. Era com efeito uma época singular aquela. Algo de novo se preparava para nascer e que não se assemelhava em nada à antiga estagnação; algo de completamente estranho que se respirava em toda parte, até mesmo no domínio de Skvopiéchniki. Ecos lhe haviam chegado. Os fatos, conheciam-nos mais ou menos; mas os fatos arrastavam com eles grande número de ideias novas. Tudo isso lançava a confusão nos espíritos. Era impossível apreender o alcance exato dessas ideias. Assim Varvara Pietrovna foi levada, de acordo com sua natureza feminina, pelo desejo de penetrar-lhes o mistério. Tratou então de ler todos os jornais, todas as revistas e publicações estrangeiras, interditas na Rússia, que lhe faziam chegar às mãos; mas só conseguiu ficar com a cabeça transtornada. Empreendeu igualmente escrever cartas; responderam-lhe pouco e quanto mais a correspondência avançava, menos se tornava inteligível. Stiepan Trofímovitch foi então solenemente convidado a fazer-lhe a exposição dessas "ideias integrais" de uma vez por todas. Mas ela ficou visivelmente descontente com a explicação que ele lhe forneceu. O ponto de vista de Stiepan Trofímovitch sobre o movimento geral era dos menos benevolentes. Para ele, tudo se reduzia a

5 Alexis-Charles-Henri de Tocqueville (1805-1859), publicista e político francês, autor do famoso livro *A Democracia na América*.
6 Charles-Paul de Kock (1794-1871), romancista francês, autor de numerosos romances humorísticos, algo fesceninos.

este fato: estava esquecido e ninguém pensava mais nele. Enfim, dele também se lembraram; e, primeiríssimamente, nas revistas estrangeiras onde foi considerado como um mártir do exílio; quase imediatamente, puseram-se a falar dele também em Petersburgo, como de uma estrela que outrora fizera parte de uma constelação de primeira grandeza. Foi mesmo comparado, sem que se tenha bem sabido por que, a Radíchtchev[7]. Algum tempo depois, fizeram-no passar por morto e alguém anunciou que escreveria uma notícia a seu respeito. Desta feita, Stiepan Trofímovitch ressuscitou e tornou seu ar mais majestoso. Todo o desdém que exibia pelos seus contemporâneos esvaneceu-se de repente e uma chama nova apoderou-se dele: sonhava aderir ao movimento e mostrar a medida de suas capacidades. Varvara Pietrovna retomou fé e achou-se mergulhada num mundo de preocupações. Ficou decidido que partiriam imediatamente para Petersburgo, a fim de se informarem, de fazer indagações pessoais a respeito de todas as coisas e, se possível, lançaram-se de corpo e alma no novo movimento. A generala, entre outras coisas, declarou que estava pronta a fundar uma revista e a ela consagrar-se pelo resto de seus dias. Vendo em que ponto estavam as coisas, Stiepan Trofímovitch afetou mais do que nunca ares superiores; no correr da viagem, teve para com Varvara Pietrovna uma atitude quase de proteção que ela não deixou de registrar imediatamente em sua memória. Aliás, outro motivo importante havia-a incitado a essa empresa: ela desejava renovar suas relações nas altas esferas da socidade. Era-lhe preciso, na medida do possível, fazer-se lembrar à memória do mundo, ou pelo menos tentar fazê-lo. Quanto ao pretexto oficial da viagem, era que desejava rever seu filho único que terminava então seus estudos no Liceu de Petersburgo.

VI

Passaram em Petersburgo quase toda a estação de inverno. Desde a Quaresma, entretanto, tudo se esvanecera como uma bolha de sabão irisada. Os sonhos se dissiparam e a situação caótica, longe de esclarecer-se, tornou-se ainda mais intolerável. Em primeiro lugar, as relações com as altas esferas não puderam restabelecer-se, senão talvez numa medida extremamente restrita e ao preço de humilhantes diligências. Ferida em seu amor-próprio, Varvara Pietrovna lançou-se, pois, de corpo e alma, nas ideias novas e pôs-se a organizar serões literários. Enviou convites aos homens de letras e apresentaram-lhe em breve uma multidão deles. Mais tarde, apareceram por si mesmos, sem convite, um levando outro. Jamais vira literatos daquele gênero. Eram todos incrivelmente vãos, mas duma vaidade de tal modo ostensiva que pareciam, por aquilo mesmo, cumprir uma obrigação. Alguns (não todos) chegavam a ponto de apresentar-se embriagados, tendo o ar de ligar a isto um mérito particular que acabavam justamente de descobrir. Tinham uma maneira estranha de pavonear-se de seu talento. Cada um trazia escrito em seu rosto que acabava de revelar algum segredo da mais alta importância. Discutiam, em disputa. Decerto, teria sido bastante difícil saber exatamente o que tinham escri-

7 Autor de um livro sobre os horrores da escravidão, intitulado *Uma viagem de Petersburgo a Moscou*. Condenado por isso à morte, teve a pena comutada e foi deportado para a Sibéria. Anistiado pelo Czar Paulo I, envolveu-se de novo em complicações políticas e acabou suicidando-se.

to; todavia, encontravam-se entre eles críticos, romancistas, dramaturgos, satiristas e panfletários. Stiepan Trofímovitch conseguiu penetrar até o coração mesmo desse círculo, isto é, lá donde emanava a direção do movimento. Fora-lhe preciso galgar uma infinidade de degraus para aproximar-se dos dirigentes; todavia, estes acolheram-no cordialmente, se bem que nenhum deles jamais tivesse ouvido falar a seu respeito, nem dele conhecesse outra coisa senão que "encarnava a ideia". Stiepan Trofímovitch soube manobrar tanto e tão bem junto a eles que conseguiu por duas vezes atraí-los à casa de Varvara Pietrovna, a despeito de sua olímpica majestade. Toda aquela gente era demasiado séria, polida e duma correção perfeita. Os outros pareciam ter medo deles; mas era evidente que não tinham tempo a desperdiçar. Apresentaram-se também duas ou três antigas celebridades literárias que se encontravam naquele momento em Petersburgo e com as quais Varvara Pietrovna entretinha, desde muito tempo já, as relações mais distintas. Mas para vivo espanto seu, aquelas celebridades, autênticas, no entanto, e completamente inegáveis, eram "mais tranquilas do que a água, mais humildes do que a relva", e algumas nada acharam de melhor que se enganchar bem simplesmente àquela nova súcia, cujas boas graças solicitavam vergonhosamente. No começo, a sorte favoreceu um pouco Stiepan Trofímovitch. Agarravam-se a ele e puseram-se a exibi-lo nas reuniões literárias. Na primeira vez em que apareceu no tablado, por ocasião de uma conferência pública na qual devia tomar parte, foi acolhido com aplausos frenéticos que não cessaram durante uns bons cinco minutos. Dez anos mais tarde, lembrava-se ainda disso, com lágrimas nos olhos, de resto mais por sensibilice ingênua de artista que por gratidão: "Juro-lhe – confiava-me ele (a mim só e com grande segredo), – que ninguém na assistência jamais ouvira falar a meu respeito!". Confissão digna de nota. Era, pois, dotado duma inteligência muito fina, se é verdade que naquele momento, em cima do tablado, no estado de superexcitação em que se encontrava, pudera entrever tão claramente sua posição; mas não era realmente dotado duma inteligência bem fina, pois que, nove anos mais tarde, não podia evocar aquela lembrança sem experimentar um sentimento de mortificação. Tinham-no convidado a assinar dois ou três protestos coletivos (contra quê? – ele mesmo não sabia): assinou tudo quanto quiseram. Varvara Pietrovna foi também obrigada a protestar contra certo "ato infame" e também assinou. Aliás, se bem que a maior parte daqueles "novos" frequentasse a casa de Varvara Pietrovna, acreditavam-se eles no dever (não se sabe por que) de considerá-la com desprezo e nem tinham o trabalho de dissimular sua ironia. Mais tarde, nas horas de amargura, Stiepan Trofímovitch confiou-me que foi a partir daquele instante que ele passara a invejá-la. Decerto, compreendia que não podia entreter relações com aquela gente; todavia recebia a todos com avidez, movida por toda a impaciência histérica de seu sexo, e, além do mais, estava constantemente na expectativa de algum acontecimento. No decorrer daquelas recepções, conversava pouco, embora tivesse podido falar mais. Preferia escutar os outros. A conversava versava sobre a abolição da censura e da letra *ierr*[8]; a substituição dos caracteres russos pelo alfabeto latino; a deportação de alguém; o derradeiro escândalo ocorrido na Passagem, a utilidade de desmembrar a

8 Vigésima sétima letra do alfabeto russo, com o valor de *e* mudo. A supressão dessa letra só veio a realizar-se sob o regime comunista.

Rússia em nacionalidades reunidas em federação livre; a supressão do Exército e da Marinha; a restauração da Polônia até os confins do Dnieper; a reforma camponesa e os famosos manifestos revolucionários; a abolição da herança; a família, as crianças e o padre; o direito das mulheres; a casa de Kraiévski, – que ninguém jamais pudera perdoar a Kraiévski etc., etc. Era evidente que havia numerosos pulhas no meio daquela súcia de "gente nova", mas havia sem dúvida também gente honesta, até mesmo bastante simpática, apesar de certos aspectos que causavam espanto. Os "honestos" eram muito mais difíceis de decifrar que os desonestos e os rústicos, mas não se sabia quais dos dois manobravam os outros. Ao anunciar-se que Varvara Pietrovna tinha ideia de fundar uma revista correram à sua casa em maior número ainda, mas logo as acusações de capitalista e de exploradora do trabalho foram-lhe jogadas na cara. A violência dessas acusações corria parelha com sua subitaneidade. O velho General Ivan Ivânovitch Drózdov, antigo amigo e companheiro de armas do falecido General Stavróguin, personagem dos mais dignos (mas à sua maneira) e bem conhecido de toda a gente, extremamente teimoso e irascível, que comia espantosamente e tinha um medo desatinado do ateísmo, travou, no decurso dum serão em casa de Varvara Pietrovna, uma discussão com um jovem célebre. Desde as primeiras palavras este lhe replicou: "Só mesmo sendo general pode o senhor falar assim", dando a entender com isso que não saberia achar termo mais injurioso que a palavra "general". Ivan Ivânovitch foi tomado duma cólera terrível: "Perfeitamente, sou general, e até mesmo tenente-general, e servi ao meu czar, e quanto ao senhor, rapaz, não passa de um fedelho e de um ateu!". Seguiu-se espantoso escândalo. No dia seguinte, o incidente foi revelado na imprensa e tratou-se de assinar um protesto coletivo contra "a abominável conduta" de Varvara Pietrovna, que se recusara a pôr para fora imediatamente de sua casa o general. Uma revista ilustrada publicou uma mordaz caricatura, representando Varvara Pietrovna, o general e Stiepan Trofímovitch como um trio de reacionários. Era essa caricatura acompanhada de alguns versos que um poeta popular escrevera especialmente nessa intenção. Farei notar pela minha parte que são numerosos aqueles que, chegados ao posto de general, têm o ridículo hábito de dizer: "Servi ao meu czar...", como se não tivessem o mesmo czar que nós, seus simples e fiéis súditos, mas antes seu czar especial, feito unicamente para eles.

Era evidentemente impossível permanecer por mais tempo em Petersburgo, tanto mais quanto Stiepan Trofímovitch teve de sofrer também um fiasco definitivo. Não se pudera impedir de falar em nome da Arte, o que atraiu contra ele ainda maiores zombarias. No correr de sua derradeira conferência, imaginou causar impressão no auditório tangendo a corda cívica. Com isso esperava tocar-lhes os corações e contava com o respeito que devia inspirar-lhes seu "exílio". Reconheceu, sem rodeios, a inutilidade e o absurdo da palavra "pátria", deu também razão à ideia de que a religião exercia uma influência perniciosa; mas foi com voz alta e firme que declarou que muitos nem chegavam às botas de Púchkin. Foi nisto tão impiedosamente vaiado que se pôs a chorar em público, antes mesmo de descer do estrado. Varvara levou-o para casa mais morto do que vivo. *"On m´a traité comme un vieux bonnet de coton"*[9], balbuciava ele à maneira de um insensato. Ela o velou a noite in-

9 Trataram-me como a um velho boné de algodão.

teira, fazendo-o tomar gotas de loureiro e repetindo até o amanhecer do dia: "Você é ainda útil. Você haverá de reaparecer ainda, será apreciado... noutro lugar!".

No dia seguinte, bem cedo, cinco literatos, três dos quais completamente estranhos e que ela jamais vira, apresentaram-se em casa de Varvara Pietrovna. Com um ar severo, declaram-lhe que tinham estudado o caso da revista e tomado sua decisão a respeito. Ora, Varvara Pietrovna jamais encarregara alguém de examinar ou decidir o quer que fosse concernente à dita revista. Eis pois qual era a decisão deles: fundadora da revista, deveria ela logo cedê-la a eles com os capitais, a título de associação livre. Quanto a ela, pessoalmente, não tinha senão que voltar para Skvopiéchniki, sem se esquecer de levar Stiepan Trofímovitch, doravante "passado de moda". Por delicadeza, consentiam em reconhecer-lhe o direito de propriedade e enviar-lhe todos os anos um sexto dos lucros. O mais tocante em todo o negócio é que, dos cinco indivíduos, quatro, com certeza, não tinham em vista nenhum fim interesseiro e agiam unicamente em nome da "causa comum".

– Partimos completamente aturdidos – contava Stiepan Trofímovitch. – Não conseguia associar duas ideias e não fazia senão balbuciar, lembro-me disso, ao barulho do trem:

> *Viek e Viek e Liev Kambiek,*
> *Liev Kambiek e Viek e Viek.*[10]

e Deus sabe que mais ainda, até Moscou. Somente ali é que voltei a mim mesmo – como se, efetivamente, tivesse podido encontrar algo diferente ali! Oh! meus amigos – dizia-nos ele por vezes, num tom inspirado, – vós não saberíeis imaginar que tristeza e que raiva invadem vossa alma quando uma grande ideia, que por muito tempo venerastes como uma coisa santa, é captada por ignorantes que a arrastam pela rua, para o meio de gente tão imbecil quanto eles próprios; e, de súbito, vós a tornais a encontrar no mercado, irreconhecível, atolada na lama, toda pisada e desconchavada, sem mais proporções nem harmonia, tal um brinquedo entre mãos de crianças... Não, não, não a isto, absolutamente. Não reconheço mais nada. Nosso tempo deverá tornar a voltar e repor no caminho direito tudo quanto vacila hoje em dia. Senão, que acontecerá?

VII

De volta a Petersburgo, Varvara Pietrovna despachou logo seu amigo para o estrangeiro, a fim de "repousar". Aliás, algum tempo de separação lhes era necessário: ela o sentia. Stiepan Trofímovitch partiu entusiasmado: "Lá, irei ressuscitar! – exclamava ele. – Lá voltarei a consagrar-me à ciência".

Mas desde as primeiras cartas, retomou suas lamúrias: "Meu coração está despedaçado – escrevia a Varvara Pietrovna. – Não posso esquecer nada! Aqui, em Berlim, tudo me recorda o meu velho passado, meus primeiros entusiasmos e meus primeiros sofrimentos. Onde está ela? Onde estão agora as duas? Onde estais, meus dois anjos, vós de quem jamais fui digno? Onde está meu filho, meu filho bem-

10 *Viek* (*O Século*), título pensado para a revista. Liev Kambiek, nome de um crítico.

-amado? Onde estou eu, enfim, eu mesmo, o antigo eu, forte como o aço e inabalável como um rochedo, se hoje um Andriéiev qualquer, um palhaço ortodoxo barbado, *peut briser mon existence en deux*[11] etc., etc.".

Pelo que se refere a seu filho, Stiepan Trofímovitch só o vira duas vezes em sua vida, a primeira no dia de seu nascimento, e a segunda, bem recentemente, em Petersburgo, onde o rapaz se preparava para entrar na Universidade. Durante toda a sua vida, o menino, como já disse, foi educado por suas tias, à custa de Varvara Pietrovna, na província de O***, a umas setecentas verstas de Skvopiéchniki. Quanto a Andriéiev, era muito simplesmente um comerciante de nossa cidade, uma espécie de arqueólogo excêntrico, um autodidata, apaixonado colecionador de antiguidades russas, que se comprazia por vezes em rivalizar em erudição com Stiepan Trofímovitch, principalmente a respeito de tendências progressistas. Esse digno comerciante de barba branca e grossas lentes em aro de prata devia ainda a Stiepan Trofímovitch quatrocentos rublos por conta de algumas *diesiatini* de lenha que lhe comprara nos arredores de Skvopiéchniki. Se bem que Varvara Pietrovna tivesse provido fartamente seu amigo de meios, ao enviá-lo a Berlim, Stiepan Trofímovitch contava bastante receber aqueles quatrocentos rublos antes de sua partida, provavelmente tendo em vista suas despesas secretas e quase chorou quando Andriéiev rogou-lhe que esperasse o pagamento para dali a um mês. Aliás, estava o comerciante com direito de obter essa mora, tendo sido efetuados por ele os primeiros pagamentos cerca de seis meses antes, em uma ocasião em que Stiepan Trofímovitch se encontrava em dificuldades financeiras. Varvara leu com curiosidade ávida essa primeira carta, e, sublinhando a lápis, a exclamação: "Onde estão agora as duas?", pôs-lhe data e guardou-a no cofrezinho. Só podia ser às suas duas mulheres que ele fazia alusão. Na segunda carta recebida de Berlim, a canção era outra: "Trabalho doze horas por dia (onze já não seria mau, resmungou Varvara Pietrovna), garimpo as bibliotecas, compulso textos e tomo notas, ando, tenho visitado professores. Renovei conhecimento com a excelente família Dundásov. Como é encantadora ainda hoje essa Nádiejda Nikoláievna! Ela lhe envia seus cumprimentos. Seu jovem marido e seus três sobrinhos encontram-se em Berlim. À noite conversamos com a gente moça até o romper do dia; são quase noites atenienses, mas atenienses unicamente no que se referem à fineza e à elegância. Tudo nelas é de uma grande nobreza de estilo: muita música, árias espanholas, sonhos de regeneração de toda a humanidade, a ideia da eterna beleza, a Madona da Sixtina, a luz que traspassa as trevas. Mas o próprio sol tem manchas! Oh! minha amiga, minha nobre e fiel amiga! Estou com você, com você de todo o coração, com você sozinha, *em tout pays et même dans le pays de Makar et de ses veaux*,[12] do qual, lembra-se você?, falávamos tantas vezes com um arrepio em Petersburgo, antes de nossa partida daquela cidade. Penso nisso com um sorriso. Transporta a fronteira, senti-me fora de perigo, sensação estranha, nova, experimentada pela primeira vez desde muitos anos"... etc., etc.

– Bem, tudo isso não passa de parolagem – decretou Varvara Pietrovna, guardando essa carta com as outras no cofrezinho. – Quem se entretém até o romper do dia nessas noites atenienses não pode estar preso aos livros doze horas por dia.

11 Pode cortar minha existência em dois pedaços.

12 "Em qualquer país e até mesmo no país de Makar e de seus bezerros". Expressão que significa "até o fim do mundo".

Estaria embriagado, quando escreveu isto? E essa Dundásov, como ousa ela enviar-me seus cumprimentos? Afinal de contas, é bom que o distraia...

No que concerne à frase "no país de Makar e de seus bezerros", Stiepan Trofímovitch fazia questão de traduzir, estropiando-os, os adágios e provérbios russos, se bem que fosse capaz de interpretá-los de bem melhor maneira. Mas fazia-o por uma espécie de originalidade e achava isso muito espirituoso.

Todavia, não se divertiu por muito tempo. Ao fim de quatro meses, não aguentou mais e voltou precipitadamente a Skvopiéchniki. Suas derradeiras cartas, que só consistiam em efusões das mais sentimentais para com sua amiga ausente, eram literalmente banhadas de lágrimas por causa da separação. Existem criaturas que são assim tão agarradas à sua casa como cãezinhos mimados. A entrevista dos dois amigos foi entusiasta. No dia seguinte, tudo retomara o ramerrão habitual, até mesmo mais aborrecido. – "Meu amigo – dizia-me Stiepan Trofímovitch, quinze dias depois, com o maior mistério –, meu amigo, descobri uma coisa... terrível para mim. Sou um simples *parasite et rien de plus! Mais r-r-ien de plus!*[13]"

VIII

Depois disto, entramos num período de estagnação que durou nove anos, durante os quais não ocorreu quase nenhuma mudança. As explosões nervosas e os soluços em cima do meu ombro repetiam-se a intervalos regulares e não comprometiam absolutamente nossa felicidade. Admiro-me de que não haja Stiepan Trofímovitch engordado durante aquele período. Somente seu nariz avermelhou-se um tanto e suas maneiras revestiram-se de maior unção e urbanidade. Pouco a pouco, formara-se em torno dele um círculo de amigos, círculo, na verdade, bastante restrito. Se bem que Varvara Pietrovna estivesse pouco em contato com esse círculo, todos nós a reconhecíamos como a nossa dama patrocinadora. Após a lição recebida em Petersburgo, instalara-se definitivamente em nossa cidade; no inverno, morava em sua casa; no verão, em sua casa de campo. Jamais gozou em nossa sociedade provinciana de tanto prestígio e influência como durante estes sete últimos anos, isto é, até a nomeação do governador atual. Nosso antigo governador, o manso, o inesquecível Ivan Óssipovitch, era parente próximo de Varvara Pietrovna que, outrora, havia sido sua protetora. A mulher do governador tremia somente ao pensar em incorrer em desagrado junto a Varvara Pietrovna, enquanto que as homenagens de que era esta objeto na sociedade provinciana faziam pensar numa espécie de idolatria. Naturalmente, Stiepan Trofímovitch também achava-se bem. Era membro do clube, perdia majestosamente no jogo de cartas e soubera conquistar a estima geral, muito embora numerosas pessoas o considerassem quando muito como um "erudito". Mais tarde, quando Varvara Pietrovna lhe permitiu que morasse à parte, gozamos de mais liberdade ainda. Reuníamo-nos em casa dele duas vezes por semana; divertíamo-nos sobretudo quando ele não poupava o champanhe. O vinho provinha da venda daquele mesmo Andriéiev. Era Varvara Pietrovna quem pagava as contas todos os semestres e o dia do pagamento era quase sempre o da colerina.

13 Parasita e nada mais! Mas n-nada mais!

O membro mais antigo daquele círculo era um tal de Lipútin, funcionário do governo, de certa idade, grande liberal e que era tido na cidade como ateu. Casara-se em segundas núpcias com uma jovem e bonita criatura, possuidora dum dote respeitável; era, além disso, pai de três filhas maiores, toda a sua família era por ele mantida no temor de Deus e enclausurada em casa. Extremamente avaro, conseguira, poupando seu ordenado, adquirir uma casinha e constituir para si um capital. De caráter pouco ameno, permanecera nos postos inferiores; não era estimado na cidade, onde a alta sociedade não o recebia. Além disso, era Lipútin bastante tagarela, de modo que mais de uma vez sofrera correções e até mesmo bastante rudemente, primeiro de um oficial, depois de um proprietário de terras, honesto pai de família. Mas nós gostávamos de seu espírito aguçado, de seu amor ao saber e de sua jovialidade particularmente cáustica. Varvara Pietrovna não gostava dele; contudo, ele conseguia sempre captar-lhe a benevolência.

A generala também não gostava de Chátov, que só fez parte do círculo no último ano. Chátov era um antigo estudante, expulso da Universidade em consequência de certo acontecimento desagradável na escola. Na sua infância, fora aluno de Stiepan Trofímovitch. Nascido servo de Varvara Pietrovna e filho dum criado de quarto desta, o falecido Páviel Fiodórovitch, era-lhe devedor de numerosos benefícios. Não gostava dele por causa de sua altivez e de sua ingratidão e não podia de modo algum perdoar-lhe não ter ido logo procurá-la, após sua expulsão da Universidade. Pelo contrário, deixou sem resposta a carta que ela lhe dirigira na época nesta intenção e preferiu submeter-se ao jugo do professorado numa vaga família de comerciantes "cultos", com a qual partiu para o estrangeiro, mais na qualidade de criado de crianças que de preceptor. Chátov, naquela época, ardia de desejo de visitar o estrangeiro. Os meninos foram também acompanhados por uma governanta, uma senhorita russa, de caráter vivo, que entrara igualmente para a casa na véspera da partida e que haviam contratado sobretudo por motivo do baixo custo de suas exigências. Ao fim de dois meses, o comerciante mandou-a para a na rua por causa de suas "ideias libertárias". Chátov acompanhou-a e pouco depois casou-se com ela em Genebra. Viveram juntos cerca de três semanas, depois se separaram como pessoas independentes e que nada poderia ligar, se bem que a pobreza tivesse também contribuído um tanto para essa separação. Mais tarde, Chátov vagou por muito tempo sozinho pela Europa, vivendo só Deus sabia de que expediente. Diziam que ele engraxou sapatos nas esquinas das ruas e foi estivador em um porto. Afinal, há um ano, voltava ao ninho natal, entre nós, e instalava-se com sua velha tia, a quem enterrou um mês depois. Sua irmã Dacha, educada também por Varvara Pietrovna, vivia com esta como favorita e gozava em sua casa de respeito e consideração. Ele e ela tinham relações muito distantes. Chátov, no nosso círculo, mostrava-se triste e tacitumo; mas, de vez em quando, ao tocar-se em suas convicções, tornava-se presa duma irritação doentia e não punha mais nenhum freio à sua linguagem. "Se se quiser discutir com Chátov, é preciso começar por amarrá-lo", dizia por vezes, brincando, Stiepan Trofímovitch que, contudo, gostava dele. No estrangeiro, Chátov havia modificado radicalmente algumas de suas antigas convicções socialistas e *precipitara-se no excesso* contrário. Era um desses russos idealistas que, quando uma ideia poderosa os fere, logo ficam subjugados, por vezes mesmo para sempre. Jamais conseguem dominar essa ideia, à qual aderem apaixonadamente e desde então toda a sua existência, podemos dizer, passa-se em convulsões supremas, sob o peso dessa pedra que, um dia, caiu sobre ele, deixando-os semiesmagados.

O exterior de Chátov correspondia perfeitamente às suas convicções: era canhestro, louro, cabeludo, de pequena estatura, ombros largos, lábios grossos, sobrancelhas muito louras, espessas e muito hirsutas, testa enrugada, com olhos obstinadamente baixos, cujo olhar impaciente parecia velar alguma vergonha secreta. Permanecia sempre em sua testa uma mecha rebelde de cabelos, que repontava duramente. Quanto à sua idade, podia ter uns vinte e sete ou vinte e oito anos. "Não me admiro mais de que sua mulher o tenha deixado" – observou um dia Varvara Pietrovna, depois de o haver esquadrinhado com atenção. Apesar de sua extrema pobreza, Chátov esforçava-se por andar decentemente trajado. Daquela vez tampouco quis recorrer a Varvara Pietrovna e viveu do que Deus lhe mandava. Aconteceu-lhe trabalhar até em casa de comerciantes. Empregado algum tempo em um armazém, esteve a ponto de embarcar na qualidade de comissário adjunto num navio de carga, mas caiu doente justamente na véspera da viagem. Seria difícil imaginar que grau de miséria era Chátov capaz de suportar, sem mesmo dar-lhe importância. Quando se restabeleceu de sua doença, Varvara fez chegar-lhe às mãos cem rublos, tendo o cuidado de conservar o anonimato. Ainda assim ele soube a verdade; depois de refletir, ficou com o dinheiro e foi agradecer a Varvara Pietrovna. Esta o acolheu calorosamente, mas, uma vez mais, não correspondeu Chátov à sua expectativa. Ficou em casa dela apenas uns cinco minutos, silencioso, de olhos pregados no soalho, um sorriso estúpido nos lábios. Mas, de repente, sem mesmo ouvi-la até o fim, e no momento mais interessante da conversa, ficou em pé, cumprimentou com ar formal, dando todos os indícios de uma extrema canhestrice. Desastradamente, bateu de encontro a uma preciosa mesinha de costura, marchetada, que derrubou e que veio a quebrar-se com estrondo sobre o soalho. Saiu meio morto de vergonha. Mais tarde, Lipútin censurou-o por não haver rejeitado com desdém aqueles cem rublos, provindos daquele "tirano de saias", sua antiga proprietária, e, coisa mais grave ainda, ter ido agradecer-lhe.

Morando bem no extremo da cidade, Chátov vivia sozinho e não gostava de que o visitassem, fosse mesmo um de nós. Aparecia regularmente nos serões de Stiepan Trofímovitch e tomava-lhe emprestados jornais e livros. Participava também desses serões um jovem funcionário de nossa cidade, chamado Virguínski, o qual, embora oferecendo certos traços de semelhança com Chátov, devia provavelmente constituir a perfeita antítese dele sob todos os aspectos, se bem que fosse, também ele, "chefe de família". Era um homem jovem, de uns trinta anos de idade aliás, de aspecto lastimável, de caráter extremamente manso, muito instruído, mas um tanto à maneira dos autodidatas. Pobre e casado, exercia sua profissão e mantinha uma sua tia, bem como a irmã de sua mulher. Da mesma maneira que todas aquelas senhoras, sua esposa estava imbuída das ideias mais modernas, ideias que, *entretanto*, tomavam nela um jeito bastante vulgar. Era bem aquela "ideia caída no rio", segundo a expressão de Stiepan Trofímovitch, um dia, a propósito de outro assunto bem diverso. A bagagem intelectual delas era inteiramente livresca e bastava que circulasse um rumor qualquer nos meios mais adiantados da capital, para que elas estivessem prontas a mandar tudo pela janela fora à primeira sugestão. A Senhora Virguínskaia exercia em nossa cidade a profissão de parteira; quando moça, morara muito tempo em Petersburgo. Quanto ao próprio Virguínski, era um homem duma candura pouco comum e raramente foi-me dado encontrar alma mais nobremente apaixonada. "Jamais, jamais, renunciarei a estas serenas esperanças", falava ele em voz baixa, com mansidão, num meio murmúrio, como se estivesse a nos contar um segredo. Bastante alto, mas muito franzino, Virguínski tinha os ombros estreitos, os cabelos extremamente ralos e uma tez avermelhada. Acolhia com humildade todas as zombarias condescendentes que Stiepan Trofímovitch formulava a respeito de algumas de suas opiniões; entretanto, fazia a este último, por vezes, objeções muito sólidas, que o punham em aperto. Stiepan Trofímovitch, que se portava aliás para nós todos como um pai, tratava-o com afabilidade.

– Você e seus semelhantes sois todos "semichocados" – dizia ele, brincando, a Virguínski –, se bem que você, pessoalmente, Virguínski, esteja isento desse espírito limitado que encontrei em Petersburgo entre aquela espécie de seminaristas; mas nem por isso deixam de ser vocês "semichocados". Chátov gostaria bem de ser totalmente chocado, mas ele próprio não o é senão pela metade.

– E eu? – perguntou Lipútin.

– Você é apenas o termo médio; aquele que sabe adaptar-se a todas as circunstâncias... a seu jeito.

Lipútin deu-se por ofendido.

A respeito de Virguínski contava-se na cidade, e infelizmente o boato parecia bastante fundamentado, que sua mulher, menos de um ano após seu casamento, havia-lhe dado a entender, "destituindo-o", sua preferência por Liebiádkin. Este, que não fazia parte de nosso meio e que, posteriormente, se revelou um personagem suspeitíssimo, nem mesmo capitão reformado era, como falsamente se intitulava. Sabia quando muito retorcer os bigodes, beber e meter-se nas aventuras mais estúpidas que se possam imaginar. Satisfeito por viver à custa alheia, esse homem foi, sem mais cerimônias, instalar-se imediatamente em casa dos Virguínski, comendo e dormindo lá e acabou tratando de cima o dono da casa. Falava-se que, informado por sua mulher de sua "destituição" lhe teria Virguínski dito: "Minha amiga, até o presente, não tinha por você senão amor, agora lhe tenho estima". Mas é duvidoso que esta frase digna dum antigo romano tenha sido realmente pronunciada. Pelo contrário, outros asseguram que ele desatou então a chorar. Uma vez – isto se passava quinze dias após a "destituição" – todos partiram "em família" a tomar chá em casa de conhecidos, num bosque dos arredores da cidade. Virguínski manifestava uma espécie de alegria febril; houve danças nas quais tomou parte, mas, de repente, e sem nenhuma altercação prévia, no momento em que Liebiádkin executava um cancã sozinho, agarrou-o com as duas mãos pelos cabelos, dobrou-o em dois e pôs-se a sacudi-lo, enquanto chorava e lançava gritos agudos. O colosso teve tal medo que nem mesmo se defendeu, e, durante todo o tempo em que durou tal operação, não proferiu uma palavra sequer. Mas quando ela acabou, Liebiádkin deixou-se dominar por toda a indignação de que é susceptível um homem decente.

Virguínski passou a noite inteira, de joelhos, implorando perdão à sua mulher, perdão que não lhe foi, no entanto, concedido, porque ele não quis jamais consentir, apesar de tudo, em apresentar desculpas a Liebiádkin. Haveriam mais tarde de censurar-lhe a mornidão de sua convicções e a falta de inteligência de que dera prova pelo fato de, explicando-se com uma mulher, ter-se posto de joelhos. O capitão desapareceu pouco depois e só reapareceu em nossa cidade nos últimos tempos, acompanhado de sua irmã e vogando à procura de outros desígnios; mas terei ocasião de voltar a isto. Nada de admirar, pois, que o pobre "chefe de família" tivesse necessidade de nossa companhia, para nela aliviar seu coração. Jamais, aliás, nos entretinha com seus assuntos privados. Uma só vez, quando voltávamos juntos da casa de Stiepan Trofímovitch, começara vagamente a falar de sua situação, mas logo, tomando-me a mão, exclamou com calor:

– Não é nada... quando muito um caso individual; isto não criará nenhuma dificuldade à "causa comum"! Nenhuma!

Nosso pequeno clube recebia também hóspedes de ocasião, tais como o judeu Liámchin e o Capitão Kartúzov. Num certo tempo, a ele comparecia um velho homenzinho, desejoso de instruir-se. Um dia, Lipútin levou lá um padre polaco, condenado à deportação, chamado Slonhtsévski, que recebemos por algum tempo por uma questão de princípio; foi também pelo mesmo motivo que mais tarde deixamos de recebê-lo.

IX

Em certo momento, espalhou-se o boato na cidade de que nosso círculo era um foco de libertarismo, de depravação e de ateísmo, boato que não deixou de merecer sempre crédito. E, no entanto, não se tratava lá senão daquela boa tagarelice liberal, perfeitamente inofensiva, amável e totalmente à maneira russa. O "alto liberalismo" e o "alto liberal", isto é, o liberal sem nenhum objetivo, só são possíveis na Rússia. Stiepan Trofímovitch, como todo homem de espírito, sentia a necessidade de ter um auditório; mais ainda, era-lhe necessário sentir que assumia uma alta obrigação na qualidade de propagandista de ideias. Afinal, como não deixar de tomar champanhe em sociedade, enquanto se trocam certos pensamentos satisfeitos sobre a Rússia e o "espírito russo", sobre Deus em geral e o "deus russo" em particular, repetindo pela centésima vez escandalosas anedotas russas conhecidas e arquiconhecidas de toda a gente? Não deixávamos tampouco de interessar-nos pelos mexericos da cidade e acontecia-nos por vezes emitir a este respeito severas máximas, marcadas duma moralidade elevada. Aflorávamos também os problemas universais, discutindo gravemente a respeito da sorte futura da Europa e da humanidade, vaticinando que, logo após sua crise de imperialismo, passaria a França ao estado de potência secundária, e estávamos plenamente convencidos de que isto se operaria com toda a facilidade no mais curto prazo. Quanto ao papa, desde muito tempo predisséramos para ele um papel de simples metropolita no seio da Itália unificada, tão persuadidos estávamos de que na nossa época de indústria e de caminhos de ferro, essa questão milenar não tinha mais nenhuma espécie de interesse. Mas será de maneira diversa que o "alto liberalismo" concebe as coisas?

Stiepan Trofímovitch, de tempos em tempos, falava da arte, e em muito bons termos, se bem que duma maneira um tanto abstrata; recordava-se por vezes com enternecimento e admiração, mas não sem certa inveja, dos amigos de sua juventude, todos os quais se haviam tomado personagens de relevo na história de nossa cultura. Quando o tédio se fazia demasiado, o judeu Liámchin, empregado subalterno dos Correios, excelente pianista, punha-se a tocar piano, imitando nos entreatos o grunhir do porco, a tempestade, as dores do parto e os primeiros vagidos do recém-nascido etc., etc. Só era convidado por causa disso. Se se bebia um pouco além da medida, o que não deixava de ocorrer, se bem que bastante raramente, chegava-se ao entusiasmo, e aconteceu-nos mesmo uma vez cantar em coro a "Marselhesa", acompanhados por Liámchin. Ignoro todavia se nos saímos bem...

O grande dia de 19 de fevereiro[14] era para nós ocasião duma solenidade particular e muito tempo antes fazíamos brindes em sua honra. Este costume remontava a uma época em que nem Chátov, nem Virguínski eram ainda dos nossos e em que Stiepan Trofímovitch morava na mesma casa de Varvara Pietrovna. Algum tempo antes do "grande dia", tomara Stiepan Trofímovitch o costume de cantarolar sozinho os versos famosos, se bem que um tanto artificiais, compostos provavelmente por um antigo senhor liberal:

> Vão os mujiques com seus machados,
> Algo de horrível ocorrerá.

Não me recordo do texto exato, mas creio que se trata duma ideia análoga. Varvara Pietrovna surpreendera uma vez esse motivo e gritara para Stiepan Trofímovitch: "É absurdo, absurdo", e saiu, encolerizada. Lipútin, que assistia a essa cena, fez observar, num tom ferino, a Stiepan Trofímovitch:

– Seria verdadeiramente deplorável que na sua alegria os antigos servos fossem causar alguma contrariedade aos senhores proprietários deles.

E com o índice esboçou um gesto em torno de seu pescoço.

– Caro amigo – respondeu-lhe Stiepan Trofímovitch, com bonomia –, acredite bem que isso (reproduziu o gesto em torno do pescoço) não seria de proveito algum, nem para nossos proprietários, nem para nós todos em geral. Mesmo sem cabeça, não conseguiremos jamais arranjar as coisas, se bem que sejam precisamente nossas cabeças que nos impedem de formar uma opinião justa.

Farei observar que muitos, entre nós, pensavam que no dia do manifesto se passaria alguma coisa de inaudito, alguma coisa de análogo às predições de Lipútin e de todos aqueles que pretendiam ser entendidos nos sentimentos do povo e nos negócios do Estado. Parece que Stiepan Trofímovitch partilhava igualmente dessa opinião, porque, na véspera do "grande dia", pediu bruscamente a Varvara Pietrovna que o deixasse partir para o estrangeiro; em suma, estava inquieto. Mas passado o grande dia, e algum tempo depois, exibiu de novo Stiepan Trofímovitch seu sorriso altivo. Expôs-nos muitas ideias dignas de consideração no referente ao caráter dos russos em geral e do mujique em particular:

– Como gente apressada que somos, demos prova de demasiada pressa a respeito dos nossos mujiques – declarou ele, à guisa de conclusão a toda uma série dessas notáveis ideias. – Nós os pusemos na moda e todo um domínio da literatura durante vários anos consecutivos foi-lhes consagrado, como se se tratasse de um objeto precioso que se acabasse de descobrir. Pusemos as coroas de louro sobre ca-

---

14 De 1861, data da abolição da escravatura.

beças piolhentas. Desde um milhar de anos que ele existe, não nos deu o camponês russo senão a *kamárinskaia*, nossa dança aldeã. Um notável poeta russo e, o que é mais, não sem espírito, vendo pela primeira vez aparecer em cena a grande trágica Raquel[15], exclamou entusiasmado: "Não trocaria Raquel por um mujique!". Pois bem, quanto a mim, iria mais longe, e daria todos os mujiques por uma só Raquel. Já é tempo de mostrar mais bom senso e de não confundir nosso nacional e rústico cheiro de alcatrão com *bouquet et l´impératrice*.

Lipútin concordou logo, mas observou, no entanto, que se quisesse, em nossos dias, seguir a corrente, seria preciso tomar partido contra sua consciência e celebrar os mujiques. Acrescentou que damas da alta sociedade tinham chorado copiosamente ao ler *O romance de Anton Goriémika*[16] e que alguns haviam chegado ao ponto de mandar de Paris instruções a seus gerentes para que estes, de futuro, tratassem os camponeses o mais humanamente possível.

Como se de propósito, ocorreu então um acontecimento lastimável. Apenas os rumores referentes ao famoso Anton Pietrov[17] tinham começado a espalhar-se, um mal-entendido, ocorrido numa localidade situada a umas quinze verstas de Skvopiéchniki, exigiu o envio urgente de um destacamento armado. Por aquela vez, Stiepan Trofímovitch foi dominado por uma agitação tão violenta que ficamos, por nossa vez, assustados. Vociferava no clube que era preciso enviar efetivos mais numerosos, pedir telegraficamente reforços de outro distrito; correu à casa do governador, a fim de afirmar-lhe que nada tinha com aquilo, suplicando-lhe que não o metesse, segundo o costume, naquele negócio, e propondo-lhe transmitir a quem de direito em Petersburgo sua declaração. Por felicidade, acabou tudo muito depressa e sem complicação nenhuma. Stiepan Trofímovitch, todavia, causou-me muito espanto naquela circunstância.

Cerca de três anos mais tarde, veio a moda, como se sabe, de falar do nacionalismo e a questão da "opinião pública" surgiu. Stiepan Trofímovitch ria a bom rir.

– Meus amigos – fazia-nos saber para edificação nossa –, ainda mesmo que nossa nacionalidade tivesse "nascido", como o asseguram hoje nos jomais, não deveria nem por isso deixar de ficar nos bancos da escola, numa *Peterschule* alemã qualquer, lendo um livro alemão, repetindo uma eterna lição de alemão, com, se preciso, o professor alemão pronto a fazê-la cair de joelhos. Quanto a este último, aprovo-o; mas o mais provável é que nada nasceu de semelhante e que tudo marcha como no passado; em outras palavras, com a graça de Deus. E se vocês desejam minha opinião, é bastante bom para a Rússia, *pour notre Sainte Russie*. Aliás, todos esses pan-eslavismos e nacionalismos, é por demais jogo velho para ser novidade. A ideia nacional, vejam vocês, jamais foi entre nós outra coisa senão uma fantasia de senhores, nascida nos clubes e, o que é mais, uma fantasia de Moscou. Decerto, não tenho de remontar ao tempo de Iegor[18] para afirmá-lo. Mas, afinal, tudo provém da ociosidade, tudo quanto *há em nós de bom e de simpático*, vem dali, daquela amável ociosidade senhorial, ins-

15 Elisa Félix Raquel (1820-1858), célebre trágica francesa, de origem judia. Mulher de rara beleza, com uma voz profunda e penetrante, obteve grande sucesso, conseguindo reviver, no palco, a tragédia clássica.

16 Título do romance de D. V. Grigórovitch (1822-1899), de ambiente rústico, publicado em 1847, no qual faz-se ressaltar a tese de que o mujique é também um homem.

17 Chefe de um grupo de camponeses sublevados.

18 Iegor Sviatóslavitch (1151-1202), príncipe de Nóvgorod. Herói do *Poema de Iegor*, epopeia da Idade Média, cuja autenticidade é discutida.

truída e caprichosa. Há anos que não paro de dizer isso, não sabemos viver do fruto de nosso trabalho. E por que toda essa barulhada agora em torno de não sei qual opinião pública que "acabava de nascer" entre nós? Seria assim de repente que esta nos caiu do céu, sem mais nem menos? Como acontece que não se compreenda que para adquirir uma opinião, é necessário antes de tudo obtê-la pelo trabalho, por seu próprio trabalho, sua própria iniciativa, sua própria experiência? Sem esforços não se alcança nada. Ponhamo-nos a trabalhar e acabaremos por ter uma opinião pessoal. Ora, como jamais trabalharemos, são esses mesmos que até o presente trabalharam por nós que terão igualmente por nós uma opinião, isto é, essa mesma Europa, sempre, e esses mesmos alemães, nossos mestres há dois séculos. Além do mais, a Rússia constitui um mal-entendido demasiado formidável para que possamos resolvê-lo sozinhos, sem a ajuda dos alemães e sem o trabalho. Desde vinte anos não cesso de tocar o alarme e de convidar ao trabalho. Passei minha vida lançando este apelo e – considerem qual é minha loucura – tive fé. Agora, se bem que haja perdido essa fé, nem por isso deixo de tocar o alarme e até o fim não cessarei de tocá-lo, até o túmulo; puxarei pela corda até que soe a hora de meu *De profundis*.

Ai! Não fazíamos senão concordar com essas opiniões. Aplaudíamos nosso mestre e com que ardor! No entanto, meus caros leitores, não se ouvem ainda hoje, e até com bastante frequência, discursos semelhantes, igualmente "liberais", boas e velhas frioleiras russas, "encantadoras" e "espirituosas"?

Nosso mestre acreditava na existência de Deus:

– Não compreendo por que toda gente aqui me toma por ateu – dizia ele, por vezes. – Creio em Deus, mas distingamos, creio n'Ele como num Ser que só se reconhece em mim mesmo. Naturalmente, não posso crer n'Ele da mesma maneira que minha criada Nastássia, ou qualquer simples senhor que crê "suceda o que suceder", ou bem ainda como o nosso amável Chátov; mas não, deixemos Chátov de lado; tem por força a fé dum eslavófilo de Moscou. Quanto ao Cristianismo, qualquer que seja o sincero respeito que tenho por ele, não sou cristão. Sou antes um pagão da antiguidade, à maneira do grande Goethe ou dos antigos gregos. Bastaria isto: o Cristianismo não soube compreender a mulher, foi o que tão brilhantemente demonstrou George Sand numa de suas obras de gênio. No que concerne às cerimônias, à Quaresma, ao jejum etc., etc., não consigo compreendê-las. Por mais que se agitem os espiões daqui, não quero fazer-me jesuíta. Foi em 1847, por ocasião de sua estada no estrangeiro, que Bielínski dirigiu a Gógol sua famosa carta em que tanto o censura por acreditar em "não sei que Deus". *Entre nous soit dit*,[19] não posso imaginar nada de mais engraçado que o momento em que Gógol (o Gógol de então)[20] deu com os olhos nessa frase e... leu a carta inteira. Mas, de parte o ridículo, e já que minhas opiniões concordam com o essencial, direi, acentuando bem: que homens! Esses souberam amar seu povo, sofrer por ele e sacrificar-lhe tudo; e ao mesmo tempo souberam, também, quando era preciso, manter para com ele a independência de suas ideias e não ceder em certos princípios sob pretexto de lisonjear-lhe as paixões. No fundo, não era Bielínski, por certo, homem que procurasse a salvação da sua alma na água benta e no regime magro.

---

19 Seja dito entre nós.

20 Desde 1846, Gógol professava a ortodoxia oficial.

Mas Chátov então, lançando-se na discussão, resmungou, num tom aborrecido, olhando por baixo dos olhos e mexendo-se impaciente em sua cadeira!

– Esses homens, objeto de sua preferência, por mais que se comprazessem em imaginá-lo, jamais amaram o povo nem sofreram suas dores, jamais lhe sacrificaram coisa alguma!

– Não amavam o povo? Eles? – exclamou Stiepan Trofímovitch. – Oh! quanto amavam a Rússia!

– Nem a Rússia, nem o povo! – exclamou Chátov por sua vez, com o olhar faiscante. – Não se poderia amar aquilo que se não conhece e aqueles nada entendiam do povo russo! Todos e vós mesmos com eles, fechastes os olhos sobre o povo russo, Bielínski em particular; basta para prová-lo essa única carta a Gógol. Exatamente como na fábula do Liubopítni[21], de Krilov, Bielínski não percebeu o elefante que se encontrava no Museu das Curiosidades, mas concentrou toda a sua atenção em dois insetozinhos sociais vindos da França; limitou-se a isso. Tinha talvez mais espírito que os senhores. Não contentes de fechar os olhos sobre o povo, manifestais a respeito dele um abominável desprezo, por esta razão bem simples de que, como povo só considerais o povo francês e até mesmos unicamente os parisienses. Causa-vos vergonha que o povo russo não se assemelhe a eles. Tal é a verdade verdadeira! Ora, quem não tem povo, não tem Deus! Retende bem isto: quem quer que cesse de compreender seu povo, e perca contacto com ele, perde igualmente sua fé pouco a pouco e cai no ateísmo ou na indiferença. Digo bem, porque a coisa é fácil de verificar; é porque vós todos, e nós também, não somos mais agora senão ignóbeis ateus ou miseráveis indiferentes, desviados, e nada mais! Vós mesmo, Stiepan Trofímovitch, não faço exceção para vós, sabei disso, foi mesmo a vosso respeito que falei!

Comumente, depois de ter lançado uma dessas tiradas (o que lhe ocorria frequentemente), Chátov pegava seu boné e corria para a porta, bem persuadido de que tudo estava acabado agora e que suas relações amigáveis com Stiepan Trofímovitch estavam definitivamente rompidas. Mas este conseguia sempre detê-lo a tempo.

– Ora essa! Chátov, será que não iremos reconciliar-nos depois de todas essas palavrinhas amáveis? – dizia ele, estendendo-lhe a mão, num gesto benévolo e sem deixar sua cadeira.

Desastrado, mas não despudorado, Chátov detestava as efusões sentimentais. A despeito de seu exterior tosco, era, no íntimo, uma alma de grande delicadeza. Capaz muitas vezes de perder toda a medida, era o primeiro a sofrer com isso. Depois de resmungar alguma coisa entre dentes em resposta à cortesia de Stiepan Trofímovitch, e haver sapateado no mesmo lugar à maneira dum urso, tornava a tirar o boné e retomava sua cadeira, com o olhar pregado no soalho. Serviam-se bebidas, bem entendido, e Stiepan Trofímovitch erguia um brinde de circunstância, por exemplo, à memória de algum personagem da geração precedente.

21 Literalmente: curioso. Personagem duma fábula de Krilov, afamado escritor e fabulista russo.

Pedido de casamento

I

Havia ainda no mundo um ser a quem Varvara Pietrovna estava não menos ligada que a Stiepan Trofímovitch: seu único filho, Nikolai Vsiévolodovitch Stavróguin. Foi para encarregar-se de sua educação que Stiepan Trofímovitch tivera convite. Tinha o menino então oito anos. Quanto ao volúvel do pai, o General Stavróguin, já se separara de Varvara Pietrovna, de modo que o menino cresceu aos cuidados unicamente de sua mãe. É preciso render esta justiça a Stiepan Trofímovitch: soube fazer-se amar pelo seu aluno. Todo o seu segredo consistia em ter-se ele próprio conservado uma criança. Não travara ainda conhecimento com ele naquela época, e como ele sempre sentiu a necessidade dum verdadeiro amigo, não hesitou em fazer amigo seu uma criatura tão pequenina, desde que esta saiu da primeira infância.

Aconteceu muito naturalmente que se encontraram os dois no mesmo pé de igualdade perfeita. Mais de uma vez Stiepan Trofímovitch acordou, durante a noite, aquele amigo de dez ou onze anos, com o único fim de confiar-lhe, em meio de lágrimas, seus sentimentos de amargura, ou então para revelar-lhe algum segredo doméstico, sem perceber que semelhante conduta era absolutamente fora de lugar. Atiravam-se nos braços um do outro e soluçavam. O menino sabia que sua mãe o amava muito, mas é duvidoso que lhe pagasse na mesma moeda. Ela lhe falava pouco e raramente, intimidava-o em tudo e ele sempre tinha a sensação mórbida de seu olhar fixo nele. Aliás, em tudo quanto dizia respeito à instrução e educação moral de seu filho, a mãe confiava em Stiepan Trofímovitch porque, naquela época, tinha neste último confiança absoluta. É de crer que o pedagogo não tenha deixado de estragar os nervos de seu aluno. Quando na idade de dezesseis anos foi este enviado ao liceu, era uma criatura débil e pálida, estranhamente mansa e sonhadora. (Mais tarde, distinguiu-se por uma força física extraordinária.) É de supor também que não eram somente as miúdas preocupações domésticas que levavam os dois amigos a se atirarem, à noite, nos braços um do outro, chorando. Stiepan Trofímovitch soubera comover no coração de seu amigo as fibras mais secretas e suscitar nele o primeiro sentimento, muito vago ainda, dessa eterna tristeza que as almas de elite, por pouco que a tenham provado ou conhecido uma vez, não saberão jamais, para diante, trocar por baixas satisfações. (Efetivamente, encontram-se amadores que apreciam mais essa tristeza que a mais completa satisfação, supondo-se que esta seja possível.) Em todo o caso, fizeram bem em separar, se bem que um tanto tardiamente, o discípulo do mestre.

Nos dois primeiros anos, o rapaz veio do liceu passar suas férias em casa. Por ocasião da estada de Varvara Pietrovna e de Stiepan Trofímovitch em Petersburgo, *por vezes ele assistia* aos serões literários de sua mãe, limitando-se tão somente a escutar e observar. Pouco conversador, tinha maneiras tranquilas e tímidas, como no passado. Sua atitude para com Stiepan Trofímovitch, embora sempre tão cheia de atenções e de ternura, tornou-se de certo modo mais reservada: evitava abordar os altos temas e evocar diante dele as recordações do passado. Depois de ter terminado seus estudos, para satisfazer ao desejo de sua mãe, escolheu a carreira das armas e em breve fizeram-no entrar para um dos mais brilhantes regimentos da guarda de cavalaria. Não veio mostrar seu uniforme à sua mãe e suas cartas de Petersburgo começaram e tornar-se raras. Varvara Pietrovna não lhe poupava remessas de dinheiro, se bem que, em consequência da abolição da servidão, as rendas de seus bens tivessem diminuído a ponto de, nos primeiros tempos, ela não receber nem a metade das somas de outrora. De resto, graças a uma longa poupança, havia ajuntado um capital bem considerável. Os êxitos de seu filho na alta sociedade de Petersburgo não deixavam de interessá-la. Lá onde ela fracassara, o jovem oficial, rico e cheio de esperança, era bem-sucedido. Renovava relações com as quais ela não podia mais sonhar. Por toda parte recebiam-no com prazer. Mas em breve rumores bastante estranhos chegaram aos ouvidos de Varvara Pietrovna: o rapaz entregara-se de repente à mais desenfreada irresponsabilidade. Não que jogasse ou bebesse de maneira imoderada; tratava-se de seus atos de uma violência atroz, ou de pessoas esmagadas por seus cavalos; falava-se também de sua conduta brutal para com uma dama da melhor sociedade, a quem havia ele insultado publicamente, depois de ter mantido uma ligação com ela. Havia mesmo algo de particularmente ignóbil neste caso. Além disso, representavam-no como um brigão, a procurar contendas com o primeiro que aparecesse e insultando as pessoas pelo simples prazer de insultá-las. A inquietação e a tristeza apoderaram-se de Varvara Pietrovna. Stiepan Trofímovitch assegurou-lhe que aquilo tudo não passava dos ímpetos fogosos de uma natureza demasiado rica, que o mar voltaria a amainar e que no fundo tudo isso se assemelhava à juventude do Príncipe Harry que Shakespeare nos apresenta entregando-se à devassidão, na companhia de Falstaff, Poins e a Senhora Quickly. Desta vez, em lugar de gritar "absurdo, absurdo", como tomara costume de replicar a Stiepan Trofímovitch nos últimos tempos, Varvara Pietrovna ouviu-o, pelo contrário, com muito interesse; obteve explicações mais precisas e leu ela própria, com uma grande atenção, a peça imortal. Esta leitura, aliás, não a tranquilizou. Não achava a semelhança tão impressionante. Escreveu cartas e esperou febrilmente as respostas que não tardaram a chegar; em breve, receberam-se notícias funestas: o Príncipe Harry tivera, quase um após outro, dois duelos nos quais todos os agravos eram unicamente de sua parte. Deixara no campo um de seus adversários, mutilara outro e, em consequência desses fatos, estava sendo processado. O caso terminou para ele com a pena de degradação e rebaixamento como simples soldado, num regimento de infantaria. Assim mesmo dera-se prova de singular indulgência para com ele.

Em 1863, tendo conseguido distinguir-se, foi condecorado e promovido a suboficial, depois, com rapidez, reintegrado no seu posto de oficial. Durante esse período, expediu Varvara Pietrovna para a capital pelo menos uma centena de cartas, cheias de rogos e súplicas. Permitiu-se, valendo-se de circunstâncias tão excepcionais, dar certos passos humilhantes. Logo que foi promovido, o rapaz apresentou subitamente sua demissão, mas, ainda desta vez, não se recolheu a Skvopiéchniki e cessou até mesmo completamente de escrever à sua mãe. Por fim, soube-se indiretamente que se encontrava de novo em Petersburgo, mas que não frequentava mais a mesma sociedade; parecia ocultar-se. À força de pesquisas, descobriu-se que vivia num meio estranho, misturado à borra da populaça petersburguesa, a empregados sem eira nem beira, a militares reformados, praticando a mendicância mais ou menos franca e dados à embriaguez; que visitava as famílias deles, necessitadas, passava seus dias e suas noites em escuros pardieiros e sabe Deus quais outros lugares suspeitos; que ficara desleixado e não tomava mais cuidado algum com sua pessoa e ao que parecia, esse gênero de vida lhe agradava. No entanto, não fazia nenhum pedido de dinheiro à sua mãe. Tinha uma pequena propriedade – a que possuía outrora o General Stavróguin – que lhe proporcionava certa renda e que, dizia-se, arrendara a um alemão originário da Saxônia. Por fim, Varvara Pietrovna suplicou-lhe que voltasse para junto dela e o Príncipe Harry apareceu em nossa cidade. Foi então que o pude examinar pela primeira vez, porque nunca o havia visto antes.

Era um jovem homem belo, de vinte e cinco anos e confesso que, desde o começo, me causou certa impressão. Esperava ver uma espécie de esfarrapado sujo, de traços desfigurados pela devassidão e pelo abuso do álcool. Pelo contrário, era o mais elegante cavalheiro que já vira, extremamente bem trajado e cujas maneiras eram as de um senhor acostumado ao gênero de existência mais refinado. Não fui o único a ficar surpreendido; assombrou-se também a cidade inteira onde, naturalmente, a vida do Senhor Stavróguin já era conhecida nos seus detalhes mais íntimos e tais que dificilmente se podia imaginar em que fonte tinham sido colhidos. O mais surpreendente é que boa metade daquelas alegações correspondiam à realidade, como bem se viu posteriormente. Todas as damas de nossa cidade ficaram loucas pelo recém-chegado. Dividiram-se em dois campos bem definidos: dum lado, adoravam-no, do outro votavam-lhe ódio mortal. Mas em ambos os campos, eram loucas por ele. Algumas dessas senhoras sentiam-se particularmente fascinadas pela ideia de que um segredo fatal se ocultava talvez na alma dele; agradava às outras precisamente porque viam nele um assassino. Além disso, soube exibir excelente instrução, até mesmo certa erudição. Decerto, não havia necessidade absolutamente de conhecimentos profundos para nos deslumbrar, mas ele sabia tratar também das apaixonantes questões do momento e, o que convém apreciar, conversava a respeito delas com notável a propósito. Devo mencionar como um fato curioso que todos, quase a partir do primeiro dia, tiveram-no em conta de um homem extremamente sensato. Era pouco conversador, elegante sem afetação, extremamente modesto e, entretanto, mais ousado e mais seguro de si que qualquer de nós. Nossos jovens elegantes tinham inveja dele e em sua presença ficavam completamente apagados. Seu rosto também me impressionou; tinha cabelos muito negros, olhos de uma serenidade e de uma calma perfeitas, tez branca e delicada, pômulos dum rosado demasiado vivo e demasiado puro, dentes de pérola e lábios de coral. Teria passado certamente por belo, se este exterior não tivesse se revelado não sei que de repente. Dizia-se que seu rosto se assemelhava a uma máscara. Aliás, fazia-se alusão a muitas outras coisas ainda e notadamente à sua extraordinária força física. Era de estatura bastante elevada e, se bem que Varvara Pietrovna o considerasse com orgulho, não deixava de misturar-se a esse sentimento uma vaga inquietação. Nikolai Vsiévolodovitch passou entre nós cerca de um semestre, levando uma vida de indolência, tranquila, sombria mesmo quando comparecia *em sociedade, praticava* estritamente as leis da etiqueta provinciana. O governador, que era seu parente pelo lado paterno, admitia-o na sua intimidade. Mas ao fim de alguns meses, subitamente, a fera mostrou suas garras.

Farei notar, de passagem, que nosso antigo governador, o caro e manso Ivan Óssipovitch, se parecia algo tanto com uma mulherzinha, todavia, como era de excelente família, relacionada com os meios influentes, explica-se que tenha ele podido, mesmo diante de uma completa indiferença pelos deveres de seu cargo, prolongar durante tantos anos sua estada em nossa cidade. Afável e hospitaleiro, teria sido antes um marechal de nobreza dos velhos bons tempos, em vez de um governador em uma época tão agitada como a nossa. Dizia-se comumente na cidade que não era ele quem governava a província, mas Varvara Pietrovna. Frase de evidente maldade, mas que nem por isso deixava de ser exata. E frases como esta, quantas não foram espalhadas entre nós a esse respeito! No entanto, no decorrer dos últimos anos, havia-se Varvara Pietrovna precisamente retirado, de propósito, de toda atividade de ordem superior, malgrado a extrema consideração que lhe testemunhava a sociedade inteira. Atualmente, e sempre por sua própria vontade, mantinha-se nos limites que a si mesma traçara. Em lugar de exercer alguma alta missão, empreendeu, bruscamente, gerir seus bens e, dentro de dois ou três anos, soube fazer suas propriedades renderem mais ou menos o que rendiam antes da emancipação dos camponeses. Abandonando suas antigas aspirações poéticas, tais como viagens a Petersburgo, projetos de revista etc., pôs-se a entesourar e a comprimir suas despesas. Afastou mesmo Stiepan Trofímovitch de sua pessoa, autorizando-o a alugar um apartamento numa outra casa (o que, ele próprio, pedia a Varvara Pietrovna sob diversos pretextos). Pouco a pouco Stiepan Trofímovitch pôs-se a tratá-la de mulher prosaica e, mais engraçadamente ainda, chamava-a de "minha prosaica amiga". Naturalmente, ele não se permitia essas brincadeiras senão sob uma forma das mais respeitosas e depois de haver por muito tempo esperado a ocasião adequada.

Nós todos, que fazíamos parte do seu círculo, compreendíamos – e Stiepan Trofímovitch sentia-o melhor que qualquer de nós – que o filho dela lhe aparecia agora como uma nova esperança e até mesmo como um novo sonho. Sua paixão por ele datava da época de seus êxitos no mundo petersburguês e tornara-se particularmente intensa a partir do dia em que ele fora reinvestido no seu posto. Todavia, visivelmente Varvara Pietrovna tinha medo dele e sua atitude na presença de seu filho parecia a de uma escrava. Sentia-se que temia algo de vago e de misterioso, que ela mesma não teria podido precisar; muitas vezes lançava às ocultas a Nikolai um olhar escrutador e penetrante. E eis que, de súbito, a fera mostrou suas garras.

II

De repente, sem que nem para que, nosso príncipe cometeu, para com diversas pessoas, duas ou três insolências incríveis; o mais curioso do caso é que essas provocações revestiam-se dum caráter absolutamente inaudito, não se assemelhavam a nada do que se pode considerar como admissível e eram praticadas, o diabo sabe por que, sem motivo algum. Um dos decanos mais respeitáveis de nosso clube, Piotr Pávlovitch Gagânov, homem de certa idade e que gozava de merecida consideração, tomara o inocente hábito de acrescentar, a todo propósito, com um arrebatamento convicto: "Não, não me deixaria levar pela ponta do nariz!". Um dia, entretanto, no clube, no decorrer duma viva discussão, acabava ele de pronunciar aquele aforismo diante de um grupo de frequentadores do nosso círculo e todos gente de distinção, quando Nikolai Vsiévolodovitch, que se mantinha à parte e a quem ninguém dirigira a palavra, aproximou-se de repente de Piotr Pávlovitch, agarrou-lhe fortemente com dois dedos a ponta do nariz e fê-lo dar assim atrás dele dois ou três passos pela sala. Nenhum sentimento de hostilidade poderia ter ele por Gagânov. Quando muito era possível ver nisso uma travessura de escolar, indesculpável decerto; e no entanto contou-se mais tarde que, no momento de praticar aquele ato, tinha Nikolai Vsiévolodovitch um ar quase sonhador, "como se tivesse perdido a razão"; mas só foi muito tempo depois que esse pormenor voltou à memória e deu lugar a muitas reflexões. Estupefatos, todos só retiveram a lembrança da atitude dele durante o instante que se seguiu ao incidente. Sem dúvida compreendia Nikolai Vsiévolodovitch muito bem então o que se acabara de passar, mas longe de parecer confuso, sorria pelo contrário, com uma alegria maligna "sem manifestar o menor arrependimento". O alvoroço foi terrível; cercaram-no. Nikolai Vsiévolodovitch olhava sem responder, observando com curiosidade os que lançavam exclamações. Por fim, pareceu sair do seu devaneio (foi pelo menos o que se contou), franziu os supercílios e, adiantando-se com passo firme para o ofendido Piotr Pávlovitch, balbuciou rapidamente e com ar visivelmente vexado:

– O senhor me desculpará, naturalmente... não sei na verdade como tive de repente vontade de... uma estupidez...

Esta maneira destacada de apresentar suas desculpas equivalia a nova afronta. As vociferações tornaram-se mais violentas; Nikolai Vsiévolodovitch ergueu os ombros e saiu.

Tudo isso era demasiado estúpido, sem falar de inconveniência do procedimento, inconveniência calculada e premeditada ao que parecia à primeira vista, e que, por consequência, constituía um ultraje intencional e duma impertinência extrema para com nossa sociedade inteira. Era assim que todos achavam. Por unanimidade começou-se riscando imediatamente o Senhor Stavróguin da lista dos membros do clube, em seguida foi decidido que se faria, em nome do clube inteiro, apelo ao Governador, rogando-lhe, sem esperar o momento em que um processo em regra seria debatido perante o tribunal, que "fizesse uso imediato dos poderes administrativos a ele delegados", para chamar à ordem o perigoso agressor, o "valentão vindo da capital" e garantir contra qualquer agressão funesta a tranquilidade dos honestos habitantes da nossa cidade. Acrescentava-se, com ingênua malícia, que "haveria de encontrar-se bem uma lei a ser cumprida com rigor mesmo contra o Senhor Stavróguin". A frase fora escrita expressamente para o Governador, na intenção de alfinetá-lo com aquela alusão a Varvara Pietrovna. Gozaram deliciadamente a coisa. Como de propósito, encontrava-se então o Governador ausente da cidade: fora a uma localidade pouco distante para levar à pia batismal o filho duma encantadora mulher, viúva recente, e que, após a morte do marido, ficara em estado interessante. Mas sabia-se que o Governador não tardaria a voltar. Enquanto se esperava, fizeram à vítima, o acatado Piotr Pávlovitch, verdadeira ovação. Houve *muitos abraços* e beijos, toda a cidade desfilou pela sua casa; propunha-se mesmo oferecer-lhe um banquete por subscrição e somente graças a seus insistentes pedidos é que se abandonou tal projeto. Talvez tenha-se acabado por compreender que, afinal de contas, haviam arrastado o bom do homem pelo nariz e que não havia por conseguinte razão para festejar o acontecimento com tanta solenidade.

Como semelhante coisa pudera ocorrer? O que há de notável é que ninguém em nossa cidade atribuía essa ação bárbara à demência. O que quer dizer que se esperava tal maneira de agir, ainda mesmo que Nikolai Vsiévolodovitch estivesse na plena posse de sua razão. Quanto a mim, não sei ainda hoje como explicar esse fato, a despeito mesmo de certo acontecimento ocorrido pouco depois, que pareceu lançar luz sobre tudo isso e reunir em torno do assunto a opinião geral. Acrescentarei que, quatro anos mais tarde, conversando, de maneira discreta a respeito daquele incidente, Nikolai Vsiévolodovitch respondeu-me, franzindo o cenho: "Sim, não estava completamente normal naquela época". Mas não antecipemos.

Não deixou tampouco minha curiosidade de ser espicaçada por aquela exploração de ódio que todos manifestaram então contra "o agressor e valentão vindo da capital". Queria-se absolutamente ver no seu ato uma premeditação insolente e uma afronta intencional à sociedade inteira. Na verdade, aquele homem não atraíra as simpatias de ninguém; pelo contrário, conseguira levantar todos contra si. E como ocorrera isso? Até aquele recente incidente, não tivera briga com ninguém, não "insultara" quem quer que fosse e sempre se mostrara duma cortesia perfeita, "como o cavalheiro duma gravura de moda" (se, todavia, pudesse este último tomar a palavra). Quanto a mim, sou de opinião que o odiavam por causa de seu orgulho. Nossas próprias damas, que tinham começado por adorá-lo, gritavam agora contra ele ainda mais que os homens.

Varvara Pietrovna ficou dolorosamente impressionada. Confessou mais tarde a Stiepan Trofímovitch que previra tudo isso desde muito tempo; que, cada dia, durante os últimos seis meses, aguardava precisamente algo "daquele gênero". Confissão notável de parte de uma mãe. "Isto está começando", pensava ela, estremecendo. No dia seguinte ao incidente ocorrido no clube, teve com seu filho uma explicação discreta, mas firme; todavia, apesar da sua resolução, a pobre mulher estava toda trêmula. Passou a noite sem dormir e, de manhã cedo, foi ter uma conferência com Stiepan Trofímovitch, em cuja casa se pôs a chorar, o que nunca lhe ocorrera ainda diante de testemunhas. Queria que Nikolai lhe dissesse pelo menos alguma coisa; que se dignasse explicar-se. Nikolai, sempre tão cortês e tão respeitoso para com sua mãe, ouviu-a por alguns instantes com um ar sonso, mas profundamente sério; de repente, levantou-se sem dizer palavra, beijou-lhe a mão e saiu. Na noite do mesmo dia, como de propósito, outro escândalo explodiu que, embora menos grave e menos extraordinário que o primeiro, não fez senão aumentar a emoção que se apoderara da cidade.

Foi agora a vez de nosso amigo Lipútin. Apareceu em casa de Nikolai Vsiévolodovitch, logo depois da explicação que este tivera com sua mãe, e rogou-lhe com insistência que honrasse com sua presença o sarau que dava naquele dia por ocasião do aniversário do nascimento de sua esposa. Desde muito tempo pensava Varvara Pietrovna, com um arrepio, nas baixas relações que entretinha Nikolai Vsiévolodovitch, mas jamais ousara fazer-lhe qualquer observação a respeito. Além disso, ele já havia estabelecido relações com o "terceiro degrau" de nossa sociedade, e até mesmo mais baixo ainda; mas, já que tal era sua inclinação... Quanto a Lipútin, ainda não se apresentara naquela casa até ali, embora frequentasse pessoalmente

Nikolai Vsiévolodovitch. Este compreendeu que Lipútin o convidava agora por causa do escândalo que ocorrera na véspera no clube. Na qualidade de liberal, devia Lipútin sentir-se encantado, estimando sem dúvida que era assim que convinha tratar os decanos do clube e que tudo ia muito bem. Nikolai Vsiévolodovitch sorriu e prometeu fazer-lhe aquela visita.

Os convidados eram numerosos, a sociedade pouco escolhida, mas cheia de entusiasmo. Lipútin, homem cheio de si mesmo e invejoso, só recebia duas vezes por ano; mas, nessas ocasiões, não olhava as despesas. Stiepan Trofímovitch, o mais importante dos convidados, não pudera comparecer, por estar doente. Servia-se chá e havia em abundância aguardente e salgados. Três mesas foram reservados para os jogadores; a juventude pôs-se a dançar aos sons do piano, enquanto se aguardava a ceia. Nikolai Vsiévolodovitch convidou a Senhora Lipútina, encantadora criaturinha a quem ele intimidava enormemente. Deram duas voltas; depois ele se sentou ao lado dela e travou uma conversa jocosa que divertiu a boa senhora. Foi então que, notando quanto era ela bonita quando ria, agarrou-a, de repente, pela cintura e, diante de toda a gente, beijou-lhe a boca duas ou três vezes volutuosamente. A pobre mulher desmaiou de pavor; Nikolai Vsiévolodovitch tomou seu chapéu e aproximou-se do marido que havia perdido a cabeça, no meio da confusão geral. Diante de Lipútin, perdeu também ele a compostura e balbuciou rapidamente: "Não se zangue", depois saiu. Lipútin correu atrás dele até a antecâmara, ajudou-o com as próprias mãos a vestir a peliça e reconduziu-o com muitos cumprimentos até o pé da escada. Mas esta história, no fundo bastante inocente, teve no dia seguinte um epílogo divertido que valeu mesmo, desde então, a Lipútin certa consideração da qual ele não deixou de tirar vantagem.

Cerca das dez horas da manhã, a criada de Lipútin, Agáfia, apresentou-se em casa da Senhora Stavróguina. Essa Agáfia era uma moça duns trinta anos, muito viva de maneiras, de rosto rubicundo. Como seu patrão a encarregara dum recado para Nikolai Vsiévolodovitch, fazia absoluta questão de vê-lo em pessoa. Nikolai recebeu-a, se bem que estivesse com violenta dor de cabeça. Quis o acaso que Varvara Pietrovna estivesse presente e assistisse a esse encontro:

– Meu amo, Sierguiéi Vassíliev – gaguejou ousadamente Agáfia –, ordenou-me que apresentasse ao senhor suas saudações e me informasse de sua saúde, se o senhor dormiu bem e como está passando depois do que se passou ontem.

Nikolai Vsiévolodovitch sorriu.

– Apresenta minhas saudações e meus agradecimentos a teu patrão e dize-lhe, da minha parte, Agáfia, que ele é o homem mais inteligente da cidade.

– Quanto a isto, meu amo me disse que lhe respondesse – replicou Agáfia, tornando-se cada vez mais ousada –, que ele sabe disso, sem que seja necessário que o senhor lhe diga e que lhe deseja o mesmo.

– Ora essa! Como pôde ele saber o que eu te diria?

– Não sei por qual meio ele o adivinhou, mas, assim que eu saí e já havia atravessado toda a rua, correu atrás de mim sem chapéu: Agáfiuchka – disse-me –, se, por acaso, lhe ordenarem que diga a seu patrão que ele é o homem mais inteligente de toda a cidade, não deixe de responder-lhe logo: "Nós mesmo o sabíamos muito bem e lhe desejamos o mesmo".

III

Enfim, teve lugar uma explicação com o Governador. Logo que voltou, o nosso caro e manso Ivan Óssipovitch tomou imediato conhecimento da queixa veemente apresentada pelos sócios do clube. Era, sem dúvida, preciso fazer alguma coisa, mas Ivan Óssipovitch tinha grande embaraço em saber o quê. Nosso afável velhinho parecia, também ele, ter medo de seu jovem parente. Decidiu, não obstante, que o obrigaria a pedir desculpas ao clube, bem como ao ofendido, mas desta vez duma forma satisfatória e, se necessário fosse, por escrito. Em seguida, ia levá-lo, com toda a cautela, a deixar-nos e a empreender, por exemplo, uma viagem à Itália, onde refaria seus estudos; numa palavra, queria convencê-lo a ir passar algum tempo no estrangeiro. Na sala onde entrou para receber desta vez Nikolai Vsiévolodovitch – comumente este último circulava com toda a liberdade pela casa, como se fosse da família – achava-se um funcionário sentado diante de uma mesa, num canto, abrindo envelopes. Era Aliócha[22] Tieliátnikov, ligado à pessoa do Governador, um homem de educação perfeita. Na peça vizinha, perto da janela mais próxima da porta, outro personagem, um coronel gordo e robusto, amigo e antigo camarada de Ivan Óssipovitch, então de passagem pela nossa cidade, lia o jornal *Golos*[23], sem prestar, naturalmente, a menor atenção ao que se passava na sala; estava mesmo sentado de costas viradas. Ivan Óssipovitch abordou o assunto duma maneira indireta, quase em voz baixa e não sem alguma perturbação. Nikolai encarava-o com ar pouco ameno e sem o menor sinal de simpatia familiar; mantinha-se sentado, lívido, o olhar fugidio e escutava-o franzindo o cenho, como se tivesse de dominar uma dor aguda.

– Você tem, Nikolai, um coração sensível e generoso – disse entre outras palavras o velho –, é um homem instruído, frequentou pessoas da alta sociedade e aqui mesmo, até hoje, sua conduta exemplar não tem deixado de ser um consolo para sua mãe a quem nós todos queremos bem... E agora você aparece a uma luz terrivelmente enigmática e perigosa para todos! Falo-lhe como amigo da família, como parente e homem de experiência, que gosta sinceramente de você e cujas palavras não poderiam ofendê-lo... Diga-me pois que é que o leva a cometer atos tão intempestivos, fora de todas as regras e de todas as conveniências? Que pode significar esse gênero de destemperos que se assemelhavam a crises de delírio?

Nikolai escutava com desgosto e impaciência. De repente, algo de astucioso e de trocista perpassou em seu olhar.

– Está bem, vou dizer-lhe – afirmou ele, com ar zangado e, depois de ter lançado um olhar circunspecto, inclinou-se para o ouvido de Ivan Óssipovitch. Aliócha Tieliátnikov, como homem bem-educado, afastou-se três passos na direção da janela e por trás de seu jomal o coronel tossiu. O pobre Ivan Óssipovitch apressou-se em prestar ouvidos com toda a confiança; aliás, estava cheio de curiosidade. Foi então que se produziu um fato incrível, mas profundamente significativo. O velho sentiu de súbito que, em lugar de fazer-lhe uma confidência, Nikolai agarrava com uma dentada, apertando-a bem fortemente, a parte superior de sua orelha. Estremeceu de alto a baixo e sua respiração parou.

---

22 Diminutivo carinhoso de Alieksiéi.

23 Literalmente: *A Voz*.

– Nikolai, que farsa é essa? – gemeu ele, maquinalmente, com uma voz alterada.

Aliócha e o coronel não haviam percebido nada; aliás, não viam muito bem o que se passava, e até o fim pareceu-lhes que os dois interlocutores conversavam em voz baixa. Todavia, o rosto desesperado do velho inquietou-os. Olharam um para o outro de olhos arregalados, sem saber se deveriam ir em seu socorro, como fora combinado, ou então esperar ainda um pouco. Nikolai percebeu talvez essa hesitação e apertou ainda mais fortemente a orelha de Ivan Óssipovitch.

– Nikolai, Nikolai! – gemeu de novo a vítima –, vamos... basta de tais brincadeiras...

Um instante e, sem dúvida, o pobre homem morreria de medo; mas o monstro teve pena e largou-lhe a orelha. A angústia mortal que o velho havia sentido persistiu ainda por um bom minuto, em seguida ao qual sofreu ele uma espécie de ataque. Meia hora mais tarde era Nikolai detido, conduzido ao corpo da guarda e encerrado numa cela especial com sentinela à porta. Decisão enérgica, mas o bonachão do Governador estava tão cheio de cólera que resolvera assumir perante Varvara Pietrovna em pessoa a responsabilidade do que fizera. Causou estupefação geral o saber-se que essa dama, tendo ido pedir imediatas explicações, encontrou fechada a porta do Governador e não pôde avistar-se com ele. Teve de voltar para sua casa, sem mesmo apear-se de sua carruagem, não querendo dar crédito ao que ocorria.

Por fim, tudo se explicou. Cerca das duas horas da manhã, o prisioneiro, que até então ficara bastante calmo e até mesmo dormira, começou de súbito a fazer barulho, assestando furiosos murros contra a porta. Com um esforço quase sobre-humano arrancou a grade de ferro da janelinha aberta da porta, quebrou o vidro e feriu as mãos. Quando o oficial da guarda, munido de suas chaves, acorreu, acompanhado de seus homens e abriu a cela para apoderar-se do prisioneiro e amarrá-lo, verificou que estava ele dominado por uma crise aguda de febre ardente; transportaram-no então para a casa de sua mãe. De repente, tudo se explicava. Os três médicos de nossa cidade emitiram a opinião de que o doente podia muito bem ter-se achado em estado de delírio desde três dias já e que, embora parecendo agir consciente e malignamente, talvez não fosse mais senhor de seu bom senso, nem de sua vontade; conjetura, de resto, que os fatos vinham confirmar. Por consequência, Liputin fora o primeiro a acertar com a coisa; Ivan Óssipovitch, sensível e delicado, experimentou viva confusão; mas o mais curioso é que também ele acreditara Nikolai Vsiévolodovitch perfeitamente capaz de cometer as piores loucuras com toda a lucidez. O mesmo sentimento de vergonha era partilhado no clube, onde causava espanto não se terem apercebido duma coisa que saltava aos olhos e não terem pensado na única explicação plausível para todas aquelas extravagâncias. Naturalmente, houve também céticos, mas não puderam sustentar por muito tempo sua maneira de ver.

Nikolai ficou de cama durante mais de dois meses. Um especialista renomado de Moscou foi chamado para examiná-lo. A cidade inteira visitou Varvara Pietrovna. Esta perdoou. Na primavera, quando ficou completamente restabelecido, aceitou Nikolai, sem a menor objeção, a proposta que lhe fez sua mãe de partir para a Itália. Ela levou-o além isso a despedir-se de seus conhecidos e aproveitar a ocasião para apresentar desculpas a quem de direito. Nikolai aquiesceu a isto com a maior cordura. Soube-se no clube que ele tivera com Piotr Pávlovitch Gagânov uma explicação das mais corteses e com a qual este último ficara plenamente satisfeito.

No curso dessas visitas, manteve Nikolai a maior seriedade e até mesmo um ar um tanto sombrio. Por toda parte foi recebido com todas as aparências do mais vivo interesse, mas todos se mostravam de certo modo constrangidos: parecia que se mostravam aliviados por vê-lo partir para a Itália. Ivan Óssipovitch chegou a ponto de verter lágrimas, mas não se decidiu a beijá-lo, mesmo ao despedir-se dele. No íntimo, muitos, entre nós, continuavam persuadidos de que o mau rapaz havia simplesmente zombado de todos e que sua doença não fora senão um fingimento. Nikolai dirigiu-se também à casa de Lipútin.

– Diga-me – perguntou-lhe –, como pôde o senhor adivinhar o que eu diria de sua inteligência e encarregar Agáfia duma resposta tão apropriada?

– Porque o considero, também eu, como um homem inteligente – retorquiu, rindo, Lipútin –, é que me foi possível prever sua resposta.

– A coincidência nem por isto deixa de ser notável. No entanto, permita, considerava-me, pois, um homem inteligente, e não um louco, quando enviou Agáfia?

– Como muito inteligente e muito sensato. Todavia, fiz semblante de crer que o senhor não estava em sua razão total... Aliás, o senhor mesmo, então, adivinhou imediatamente meu pensamento e concedeu-me, por intermédio de Agáfia, atestado de homem de espírito.

– Pois bem, neste ponto, o senhor se engana um pouco; estive, com efeito, adoentado... – balbuciou Nikolai Vsiévolodovitch, franzindo o cenho. – Ora! – exclamou ele –, acredita de fato que eu seja capaz de me jogar assim sobre as pessoas, sem que estar tomado pela loucura?

Lipútin inclinou-se para a frente e não soube o que responder. Nikolai empalideceu um pouco, foi pelo menos o que pareceu a Lipútin.

– Em todo o caso, o senhor tem uma maneira de pensar muito divertida – prosseguiu Nikolai. – Quanto a Agáfia, dou-me conta que o senhor a enviou para fazer-me uma afronta.

– Seria melhor que o tivesse desafiado?

– Hem? Ouvi dizer que o senhor não liga para duelos...

– Eis uma tradução do francês – replicou Lipútin, inclinando-se de novo.

– Faz questão de nacionalidade? Ora, ora! Que vejo? – exclamou Nikolai, notando de repente uma obra de Victor Considérant[24], colocada, bem à vista, em cima da mesa. – Será o senhor fourierista? Não faltava mais nada! Pois bem, não é igualmente uma tradução do francês? – disse ele, rindo e dando palmadinhas com os dedos no livro.

– Não, não é uma tradução do francês – retorquiu Lipútin, numa espécie de raiva –, é uma tradução da língua universal e não somente do francês! Da língua da república universal e da harmonia social humanitária, eis tudo. Mas não somente do francês.

– *Com os diabos! Mas essa língua não existe!* – prosseguiu Nikolai, rindo.

Por vezes, certo detalhe, o mais insignificante mesmo, fere nossa atenção de maneira toda particular e a retém por muito tempo. Voltarei ao Senhor Stavróguin; no momento, faço questão de assinalar, fosse quando muito pela curiosi-

24 Victor Considérant (1808-1893), filósofo fourierista e economista francês, membro da Assembleia Constituinte e Legislativa, exilado em 1849. Sua principal obra foi a *Théorie du droit de propriété et du droit au travail.*

dade do fato, que de todas as emoções que lhe proporcionou sua estada na nossa cidade, nenhuma lhe ficou tão profundamente gravada no espírito como a lembrança daquele insignificante e quase abjeto funcionariozinho provinciano, tirano doméstico, ciumento e brutal, ladrão e usurário, que trancava sob chaves as migalhas da mesa e os tocos de vela, e, ao mesmo tempo, era sectário encarniçado de Deus sabe qual "harmonia social" futura e que se exaltava de noite ao contemplar o espetáculo fantástico do falanstério futuro, em cuja realização, na Rússia e na província, acreditava como em sua própria existência. E isto se passava no lugar onde ele mesmo adquirira, à força de economia, uma "casinha", onde desposara em segundas núpcias uma pessoa provida de um dote bem bom, onde talvez, a cem verstas em redor, não se encontrava, a começar por ele, um único indivíduo que se assemelhasse, mesmo exteriormente, a um futuro membro da "república universal e da harmonia social".

– Deus sabe o que fará essa gente! – pensava Nikolai, perplexo, lembrando-se, por vezes, daquele inesperado fourierista.

IV

Nosso príncipe viajou durante mais de três anos, tanto que quase foi esquecido em nossa cidade. Soubemos por Stiepan Trofímovitch que ele havia percorrido toda a Europa, e até mesmo visitara o Egito e Jerusalém, que, em seguida, participara de uma expedição científica à Islândia, aonde realmente foi. Contava-se também que, durante todo um inverno, frequentara cursos numa universidade alemã. Não escrevia muitas vezes à sua mãe, uma vez por semestre e até mesmo mais raramente ainda; mas Varvara Pietrovna nem por isso lhe manifestava ressentimento. As relações entre mãe e filho estavam estabelecidas neste pé: ela as aceitava sem murmurar e submissamente, mas não cessava de se mortificar e de pensar no seu Nikolai, sem confiar seus sonhos e suas queixas a ninguém. Sua intimidade com o próprio Stiepan Trofímovitch pareceu ressentir-se. Nutria em segredo não se sabia quais projetos e parecia ter-se tornado mais avara ainda do que antes; e quanto mais se mostrava ávida de juntar dinheiro, mais descontente se manifestava, quando Stiepan Trofímovitch perdia no jogo.

Enfim, no mês de abril do ano corrente, recebeu de Paris uma carta de sua amiga de infância, a Generala Praskóvia Ivânovna Drózdova. Havia oito anos que Varvara Pietrovna não a revia, nem havia se correspondido com ela. Praskóvia Ivânovna mandava-lhe dizer que Nikolai Vsiévolodovitch frequentava muito sua casa e havia-se tornado amigo íntimo de Lisa, sua filha única, propondo-se acompanhá-las naquele verão à Suíça, a Verney-Montreux, embora na família do Conde K*** (personagem de grande influência em Petersburgo), que passava uma temporada em Paris, fosse recebido como um filho, a ponto de quase morar lá. A breve missiva revelava claramente seu fim, se bem que, além dos fatos mencionados, não contivesse nenhuma conclusão. Varvara Pietrovna não refletiu muito tempo. Decidiu de repente, fez seus preparativos de viagem e, levando consigo sua pupila Dacha, a irmã de Chátov, partiu no mês de abril para Paris e de lá seguiu para a Suíça. Só regressou no mês de julho, deixando Dacha na casa das Senhoras

Drózdovi que, como dizia Varvara Pietrovna, tinham prometido vir à nossa terra em fins de agosto.

As Senhoras Drózdovi também eram proprietárias em nossa província, mas as funções do General Ivan Ivânovitch (antigo amigo de Varvara Pietrovna e irmão de armas de seu marido) sempre as tinham impedido de visitar suas magníficas propriedades. Tendo o general morrido no ano anterior, a inconsolável Praskóvia Ivânovna partira para o estrangeiro com sua filha, especialmente com o objetivo de fazer, durante a segunda metade do verão, uma estação d'águas em Verney--Montreux. De volta à Rússia, tinha a intenção de fixar-se definitivamente em nossa província. Possuía na cidade uma grande casa, desabitada desde longos anos e cujos postigos permaneciam sempre fechados. Os Drózdovi eram gente rica. Praskóvia Ivânovna que, por um primeiro casamento, usara o nome da Senhora Túchina, era, da mesma maneira que sua amiga de colégio, Varvara Pietrovna, filha de um desses fazendeiros dos velhos tempos; também ela trouxera ao marido um dote respeitável. Túchin, capitão de cavalaria reformado, tinha ele próprio fortuna e não era destituído de certas capacidades. Ao morrer, deixava um capital bem bom à sua filha única Lisa, então com a idade de sete anos. Agora que Elisavieta Nikoláievna ia atingir os vinte e dois anos, podia-se dificilmente avaliar sua fortuna pessoal em duzentos mil rublos, sem contar a herança que devia caber-lhe por morte de sua mãe, uma vez que esta não tivera filho de seu segundo casamento. Varvara Pietrovna pareceu muito satisfeita com sua viagem. Acreditava ter sido muito bem-sucedida junto a Praskóvia Ivânovna. Logo que regressou, pôs Stiepan Trofímovitch ao corrente de tudo; mostrou-se mesmo bastante expansiva com ele, o que não lhe acontecia havia muito tempo.

– Viva! – exclamou Stiepan Trofímovitch, estalando os dedos.

Estava totalmente arrebatado, tanto mais quanto, durante a ausência de sua amiga, ficara extremamente abatido. Partindo para o estrangeiro, despedira-se dele muito secamente, nada confiara de seus planos àquela espécie de mulherzinha, sem dúvida no receio de que ele os espalhasse nas suas comadrices. Estava então muito aborrecida com ele, porque havia perdido soma considerável no jogo. Mas já, antes mesmo de deixar a Suíça, sentira que devia, ao regressar, oferecer alguma compensação a seu amigo abandonado, ainda mais porque fazia muito tempo que ela o tratava com rigor. Essa repentina e misteriosa partida causou forte impressão no coração medroso de Stiepan Trofímovitch e, como que de propósito, outras dificuldades surgiram. Ele estava atormentado por um compromisso pecuniário importante e já antigo, ao qual não lhe seria possível fazer face, sem o concurso de Varvara Pietrovna. Além do mais, no mês de maio daquele ano, nosso governador, o bonachão Ivan Óssipovitch, abandonara o cargo, tendo sido dispensado de suas funções em circunstâncias bastante desagradáveis. Em consequência dessa mudança e na ausência de Varvara Pietrovna, realizou-se a posse de nosso novo Governador Andriéi Antônovitch von Lembke. Esta circunstância não tardou em modificar sensivelmente a atitude de quase toda a nossa sociedade provinciana para com Varvara Pietrovna e, por consequente, para com Stiepan Trofímovitch. Este já pudera ouvir pelo menos algumas observações desagradáveis, se bem que assaz edificantes e, na ausência de Varvara Pietrovna, pareceu desencorajado por se encontrar só. Na sua emoção, suspeitou de que já o houvessem denunciado ao novo Governador como um homem perigoso. Soubera de fonte certa que algumas de nossas damas planejavam abandonar suas visitas a Varvara Pietrovna. Quanto à futura Governadora (que só era esperada no outono), repetia-se que, malgrado sua reputação de orgulhosa, era pelo menos uma aristocrata verdadeira e não da "nobreza de ocasião, como nossa pobre Varvara Pietrovna". Toda gente pretendia saber de maneira positiva e com detalhes em apoio, que a mulher do novo Governador e Varvara Pietrovna tinham-se outrora conhecido na sociedade e haviam-se separado como inimigas. Tanto que bastava que se pronunciasse na presença de Varvara Pietrovna o nome da Senhora von Lembke para que ela experimentasse uma sensação de mal-estar. O ar desafiador de Varvara Pietrovna, a indiferença desdenhosa com que tomou conhecimento das opiniões daquelas senhoras e da agitação da sociedade reanimaram logo o ânimo abatido de Stiepan Trofímovitch e depressa lhe restituíram a serenidade. Com um humor especial, feito de alegria e prazer pessoal, pôs-se a descrever-lhe a chegada do novo Governador:

– Você sabe, sem dúvida alguma, *excellente amie* – dizia ele, arrastando as palavras com uma afetação de elegância e de galantaria –, o que é um administrador russo em geral e, em particular, um administrador russo novo, isto é, novo em folha, recentemente instalado... *Ces interminables mots russes!!!*[25] Mas não creio que tenha podido aprender praticamente o que seja o estado de embriaguez administrativa.

– O estado de embriaguez administrativa? Não, não sei o que isso quer dizer.

– É... Você sabe, entre nós... numa palavra, encarregue a derradeira das nulidades de vender bilhetes comuns no guichê de não importa qual estação de estrada de ferro e logo essa nulidade, para lhe mostrar seu poder, vai olhar para você com ares de Júpiter, quando você for comprar uma passagem. "Pois bem, vou mostrar-lhe o meu poder", tem o ar de dizer esse empregado. Daí, o estado de embriaguez administrativa... *En un mot*[26], li que um *diákon*[27], numa de nossas igrejas no estrangeiro – *mais c´est très curieux*, – pôs literalmente para fora uma família inglesa distinta, *des dames charmantes*, justamente antes do começo do ofício da Quaresma. *Vous savez ces chants et le livre de Job...*[28] unicamente com o pretexto de que não convém que os estrangeiros andem à toa pelas igrejas russas e só devam chegar na hora marcada... Chegou mesmo a haver mais de um desmaio... Aquele sacristão teve também um acesso de embriaguez administrativa e *il a montré son pouvoir*.[29]

– Abrevie, se puder, Stiepan Trofímovitch!

– O Senhor von Lembke encontra-se agora em giro pela província. *En un mot*, esse Andriéi Antônovitch, embora alemão russificado, pertence à religião ortodoxa e é até mesmo – devo reconhecê-lo –, um homem bem bonito, duns quarenta anos.

– Onde você soube que é ele um homem bonito? Tem olhos de carneiro.

– Exatamente. Mas, seja, inclino-me diante da opinião das senhoras...

– Passemos a outro assunto, Stiepan Trofímovitch, rogo-lhe! A propósito, desde quando usa você gravatas vermelhas?

– Foi... foi hoje somente que eu...

---

25 Essas intermináveis palavras russas!

26 *Em uma palavra.*

27 Literalmente: coadjutor. Na Igreja Ortodoxa, auxiliar do padre durante o ofício religioso.

28 Você sabe esses hinos e o livro de Jó.

29 E mostrou seu poder.

– E está fazendo exercício? Tem passeado todos os dias, andando suas seis verstas, como lhe prescreveu o doutor?

– Não... nem sempre.

– Já suspeitava! Na Suíça já o pressentira! – exclamou ela, com irritação. – Agora não são seis verstas, mas dez que terá de andar! Você se relaxou terrivelmente, terrivelmente, ter-rivelmente!! Você, não direi que envelheceu, mas está decrépito... Ainda há pouco, quando o vi, seu aspecto chocou-me, a despeito de sua gravata vermelha... *quelle idée rouge!*[30] Continue falando a respeito de von Lembke, se tem realmente alguma coisa a contar-me, e acabe afinal sua narrativa, rogo-lhe; estou cansada.

– *En un mot*, queria somente dizer que é um desses administradores que estrearam aos quarenta anos, depois de ter até então vegetado no nada e que, de repente, fazem carreira graças a um casamento inesperado ou a qualquer outro meio não menos desesperado... Ei-lo agora disparado... Quero dizer que se apressaram em sugerir-lhe que eu era um corruptor da mocidade e um propagandista de ateísmo em nossa província... Imediatamente, tratou de tirar informações.

– Mas é mesmo verdade?

– Eu mesmo tomei minhas precauções. Quando lhe foram dizer que você "governava a província", *vous savez*, permitiu-se usar esta expressão, "que doravante não mais se veria tal".

– Disse isso?

– Sim, "que não mais se veria tal", e com que arrogância!... Sua mulher Iúlia Mikháilovna, vamos vê-la aqui no fim de agosto; virá diretamente de Petersburgo.

– Do estrangeiro. Encontramo-nos lá.

– Deveras?

– Em Paris e na Suíça. É parenta dos Drózdovi.

– Parenta? Que estranha coincidência! Dizem que é ambiciosa... e parece ter relações influentes.

– Que tolice! Relações de coisa nenhuma! Ficou solteirona, sem um vintém, até os quarenta e cinco anos; agora que deitou a mão no seu von Lembke, seu único objetivo é naturalmente fazê-lo subir. São dois intrigantes.

– E é, dizem, dois anos mais velha que ele.

– Cinco. Em Moscou, a mãe dela não deixava de varrer a soleira de minha porta com a cauda de seu vestido; solicitava como um favor os convites para meus bailes no tempo de Vsiévolod Nikoláievitch. Quanto àquela, sua filha, acontecia-lhe passar a noite inteira sozinha, sentada num canto, com sua mosca de turquesa na testa, sem dançar, se bem que, perto das três horas da madrugada, tomada de comiseração, eu lhe enviava um primeiro cavalheiro. Tinha então vinte e cinco anos e ainda a deixavam aparecer na sociedade de vestido curto, como uma meninota. Ia ficando impróprio receber aquela gente.

– Essa mosca, parece que a estou vendo.

– Vou contar-lhe. Ao chegar, deparei com uma bem tramada intriga. Você acaba de ler carta da Drózdova. Nada de mais claro. Pois bem, que verifico? Aquela imbecil da Drózdova – porque nunca deixou de ser uma imbecil – olha-me com um

---

30 Que ideia vermelha!

ar interrogativo, como se perguntasse o motivo de minha viagem. Você pode muito bem imaginar como isso me surpreendeu! Quem vejo diante de mim? A astuta da Lembke, tendo a seu lado o tal primo, o sobrinho do velho Drózdov. Tudo estava claro! Bem entendido, restabeleci tudo num piscar de olhos e Praskóvia Ivânovna pôs-se de novo de meu lado. Mas que intriga, que intriga!

– Que você, no entanto, conseguiu desfazer. Oh! você é um Bismarck!

– Sem ser um Bismarck, sou, contudo, capaz de discernir a falsidade e a tolice, quando as encontro em meu caminho. Lembke representa a falsidade e Praskóvia a tolice. Raramente tenho encontrado mulher tão pateta. Sem contar que tem as pernas inchadas e que, além disso, é boa. Que pode haver de mais estúpido que uma boa mulher estúpida?

– Um tolo que fosse mau, *ma bonne amie*. Um imbecil mau é ainda mais estúpido – objetou, nobremente, Stiepan Trofímovitch.

– Você talvez tenha razão. Lembra-se da Lisa, não é?

– *Charmante enfant!*

– Hoje não é mais criança, mas uma mulher e uma mulher que tem caráter. Uma natureza nobre e ardente. E o que me agrada nela é que sabe resistir à crédula e imbecil da mãe. Por pouco não houve toda uma trapalhada por causa de seu primo.

– Ora! Mas na verdade não há nenhuma ligação de parentesco entre ele e Elisavieta Nikoláievna... Será que ele nutre intenções a seu respeito?

– Veja você, é um jovem oficial, pouco loquaz e até mesmo bastante modesto. Procuro ser sempre justa. Tenho a impressão de que ele próprio se opõe a essa intriga e não pretende nada, mas que foi somente a Lembke que tramou tudo. Ele estimava muito Nikolai. Você compreende, o negócio todo depende de Lisa, mas deixei-a nas melhores disposições para com Nikolai e ele mesmo prometeu-me vir cá, sem falta, em novembro. Portanto, só há a Lembke intrigando e Praskóvia não passa de uma mulher cega. Ela me declarou, descarada, que todas as minhas suspeitas eram mera fantasia; respondi-lhe chamando-a, cara a cara, de imbecil. Estou pronta a confirmá-lo no juízo final. E se Nikolai não me tivesse pedido que me mantivesse serena no momento, não teria partido sem ter desmascarado a hipocrisia daquela mulher. Solicitava, por intermédio de Nikolai, as boas graças do Conde K***; queria separar da mãe o filho. Mas Lisa está de nosso lado e entendi-me com Praskóvia. Sabia você que Karmázinov é seu parente?

– Como! Parente da Senhora Lembke?

– Sim, parente longe.

– Karmázinov, o romancista?

– Isto mesmo, o escritor. Admira-se? Eis um que certamente se considera um grande homem. Uma criatura toda inchada de vaidade. Virão juntos. Agora, ela se encontra no estrangeiro, onde faz grande barulho em torno dele. Tem a intenção de organizar aqui não sei que tertúlias literárias. Ele virá passar um mês em nossa cidade e deseja vender os derradeiros bens que ainda possui aqui. Quase o encontrei na Suíça e certamente não tinha vontade de que isso acontecesse. De resto, espero que se dignará reconhecer-me. Outrora me escrevia e ia à minha casa. Gostaria que você *se trajasse com mais* cuidado, Stiepan Trofímovitch. De dia para dia se torna você mais negligente... Ah! quanto me desconsola. Que está lendo agora?

– Eu... eu...

– Compreendo, compreendo. Sempre os amigos, sempre a pândega, o clube, as cartas e essa reputação de ateu. Essa reputação me desagrada, Stiepan Trofímovitch. Não quereria que o chamassem de ateu, sobretudo agora. Decerto, não o desejava também antes, porque tudo isso não passa de vã tagarelice. É preciso dizê-lo, afinal...

– Mas minha querida...

– Escute, Stiepan Trofímovitch, no que se refere a conhecimentos científicos, sou sem dúvida a seu lado um pigmeu, entretanto, pensei muito em você ao regressar para cá. Adquiri uma convicção.

– Qual?

– É que não somos, nós dois, as criaturas mais inteligentes do mundo, mas há outras mais inteligentes do que nós.

– É um pensamento agudo e justo. Há gente mais inteligente do que nós, portanto há gente mais razoável do que nós e, por consequência, podemos enganar-nos, não é verdade? Mas, *ma bonne amie*, admitamos que eu me engane. Tenho bem o direito do livre exame, direito universal, eterno, supremo! Tenho bem o direito de não ser um beato e um fanático, se me agradar, e por isto serei, naturalmente, odiado por numerosas pessoas até a consumação dos séculos. *Et puis, comme on trouve toujours plus de moines que de raison*[31], e como sou totalmente dessa opinião...

– Como? Que disse você?

– Disse: *on trouve toujours plus de moines que de raison* e como sou totalmente...

– Essa frase não é certamente sua. Sem dúvida, empalmou-a em alguma parte.

– Foi Pascal quem disse isto!

– Bem imaginava que não era sua! Porque você mesmo jamais fala assim, de maneira tão condensada e tão justa, em lugar de lançar-se sempre num falatório complicado... É bem melhor do que o que você disse há pouco a respeito da embriaguez administrativa...

– Palavra, querida... por quê? Em primeiro lugar, é, afinal de contas, que não sou, provavelmente, um Pascal... Em segundo lugar, nós, russos, nada sabemos dizer na nossa língua... Em todo caso, até aqui, nada dissemos ainda...

– Hum! Talvez não seja verdade. Pelo menos, deveria você tomar nota dessas frases e decorá-las para metê-las na conversa... Ah! Stiepan Trofímovitch, preciso falar-lhe seriamente, muito seriamente!

– Querida, querida amiga!

– Agora que todos esses Lembke, todos esses Karmázinovi... Oh! meu Deus, como você ficou gagá. Ah! quanto martírio por sua causa!... Gostaria que todas essas pessoas gostassem de você, porque não chegam aos seus calcanhares e veja-se qual é sua conduta! O que elas vão ver? O que vou lhes mostrar? Em lugar de ser vivo testemunho de nobreza, em lugar de perpetuar um exemplo com sua atitude, você reuniu um bando de tratantes, adquiriu hábitos impossíveis, tornou-se gagá, não pode mais passar sem baralho, sem vinho, só lê Paul de Kock, e não escreve nada, ao passo que eles escrevem; todo o seu tempo é gasto em falatório. Tem razão de ser, ligar-se a um canalha como esse seu inseparável Lipútin?

---

31 E depois, como se encontram sempre mais monges do que convém...

– Mas em que é ele *meu* e meu *inseparável?* – protestou timidamente Stiepan Trofímovitch.

– Onde está ele agora? – prosseguiu Varvara Pietrovna, num tom seco e cortante.

– Ele... ele a estima infinitamente e foi a S...k receber a herança deixada por sua mãe.

– Parece que ele não faz outra coisa senão receber dinheiro. E por onde anda Chátov? Sempre o mesmo?

– *Irascible, mais bon.*

– Não posso tolerar esse seu Chátov. É mau e presunçoso.

– Como vai Dária Pávlovna?

– Dacha, você quer dizer? Que ideia! – Varvara Pietrovna lançou-lhe um olhar intrigado. – Vai bem. Deixei-a em casa dos Drózdovi... Na Suíça, ouvi falar de seu filho. Nada de bom, pelo contrário.

– Oh! *c´est une histoire bien bête. Je vous attendais, ma bonne amie, pour vous raconter...*[32]

– Basta, Stiepan Trofímovitch, deixe-me em paz. Não posso mais. Teremos tempo de conversar à vontade, sobretudo a respeito de coisas desagradáveis. Você começa a soltar perdigotos quando ri. É sinal de decrepitude! E de que estranha maneira você ri agora!... Meu Deus, quantos maus hábitos você adquiriu! Karmázinov jamais consentirá em vê-lo! Sem contar que só se espera um pretexto... Você agora se revelou por completo. Vamos, basta, basta, estou cansada. Tenha pena afinal de uma criatura humana.

Stiepan Trofímovitch "teve piedade da criatura", mas retirou-se bastante perturbado.

V

Nosso amigo, com efeito, havia contraído não poucos hábitos deploráveis, durante os últimos tempos. Relaxava-se a olhos vistos e, na verdade, andava sujo. Bebia mais, andava mais lacrimejante e mais fraco de nervos; seu senso de melindre tomava proporções excessivas. Agora sua fisionomia adquirira a faculdade de transformar-se repentinamente, tanto que podia passar da expressão mais solene à mais grotesca e até mesmo à mais estúpida. Não suportava mais a solidão e era desejo seu que sem cessar fossem distraí-lo e o mais depressa possível. Por isso, era preciso atualizá-lo sempre sobre os derradeiros mexericos da cidade. Quando as visitas custavam a aparecer, errava de quarto em quarto como alma penada, olhava pela janela, mexia os lábios com ar preocupado, lançava fundos suspiros e acabava quase por choramingar. Estava sempre dominado por algum pressentimento, sempre a temer algo de inesperado, de iminente; tornou-se desconfiado; começou a prestar mais atenção a seus sonhos.

Passara todo aquele dia e todo o serão numa tristeza profunda, quando me mandou chamar. Muito agitado, falou muito, estendeu-se em narrativas prolixas, *mas bastante desconchavadas*. Desde muito tempo Varvara Pietrovna desconfiava

32 É uma história bem estúpida. Esperava-a, minha boa amiga, para contar-lhe...

que ele nada me escondia. Afinal, pareceu-me preocupado com alguma coisa de particular que ele próprio talvez não soubesse explicar. Antes, quando nos encontrávamos a sós e ele começava a me contar suas mágoas, quase sempre ao fim dum instante, tinha costume de mandar trazer uma boa garrafa, o que era um consolo. Desta vez, nada disso aconteceu e reprimiu, visivelmente, no íntimo de si mesmo, o desejo de mandar buscá-la.

– E por que ela está sempre zangada? – punha-se ele a gemer por momentos, como uma criança. – *Tous les hommes de génie et de progrès en Russie étaient, sont et seront toujours des forçats et des ivrognes, qui boivent*[33], como buracos... mas eu, eu não sou ainda esse forçado, nem esse bêbado... Ela me censura por não escrever nada. Estranha ideia!... ficar deitado. "Você deve servir de exemplo, diz ela, e erguer-se como uma censura". *Mais, entre nous soit dit*, que pode fazer um homem cujo destino é erguer-se "como uma censura", senão ficar deitado? Não saberá ela bem disso?

Tive por fim a explicação para essa tristeza especial que, naquele dia, o torturava de maneira tão obsessiva. Várias vezes, no curso do serão, ele tinha ido à janela e ali ficara parado longamente. Por fim, voltou-se da vidraça para me dizer com singular tom de desespero:

– *Mon cher, je suis* um homem que decai.

Sim, de fato, até então, de uma só coisa ficara ele persuadido, a despeito de todos os "novos pontos de vista" e de todas as "mudanças de ideias" de Varvara Pietrovna e era de que, aos seus olhos de mulher, fazia ele sempre figura de encantador, isto é, não somente em sua qualidade de exilado ou de sábio de renome, mas também na de homem bonitão. Desde vinte anos esta convicção, tão lisonjeadora quanto tranquilizadora, havia-se arraigado nele, tanto que, de todas as suas convicções, era talvez a que mais dor lhe custava abandonar. Será que ele pressentia naquela noite que colossal provocação lhe estava reservada em futuro mais próximo?

VI

E agora, chego ao acontecimento, já em parte esquecido, que constitui, propriamente falando, o começo de minha crônica.

Em fins do mês de agosto, as Senhoras Drózdovi regressaram, enfim, por sua vez. Sua aparição, que precedeu de pouco a de sua parenta, Iúlia Mikháilovna, a mulher de nosso Governador, esperada desde muito tempo pela cidade inteira, causou, em geral, sensação na sociedade. Mas voltarei depois a esses detalhes singulares; no momento, vou apenas mencionar que Praskóvia Ivânovna, esperada com tanta impaciência por Varvara Pietrovna, lhe trouxe uma notícia que apresentava um dos enigmas mais embaraçosos: Nikolai havia-as deixado desde julho; em seguida, tendo encontrado às margens do Reno o Conde K***, partira para Petersburgo com ele *e sua família* (*N.B. – O conde tinha três filhas casadouras.*)

– Nada pude tirar de Elisavieta por causa de seu orgulho e de sua obstinação – concluiu Praskóvia Ivânovna –, mas vi com meus olhos que alguma coisa se passara entre ela e Nikolai Vsiévolodovitch. Não sei a razão disso, mas me parece, minha

33 Todos os homens de gênio e progressistas na Rússia eram, são e serão sempre forçados e bêbados, que bebem...

cara Varvara Pietrovna, que lhe caberia interrogar a respeito a sua Dária Pávlovna. Segundo penso, Elisavieta sente-se ofendida, tem algo de que se queixar dele. Estou mais do que encantada em trazer-lhe afinal sua favorita e entregá-la em suas mãos. Tiro um peso de cima de mim.

Foram estas palavras cheias de fel proferidas com singular acrimônia. Sentia-se que a "pateta" havia preparado boas coisas e lhes saboreava de antemão o efeito. Mas Varvara Pietrovna não era dessas que as efusões sentimentais e as alusões enigmáticas podiam desconcertar. Com um tom severo, exigiu as explicações mais precisas e mais completas. Praskóvia Ivânovna baixou logo de tom e acabou por derramar lágrimas, prelúdio às expansões mais afetuosas. Da mesma maneira que Stiepan Trofímovitch, aquela senhora irascível mas sentimental sempre tivera necessidade duma amizade verdadeira e sua principal queixa contra Elisavieta Nikoláievna era precisamente que "sua filha não fosse para ela uma amiga".

Mas de todas as suas explicações e de todas as suas expansões, uma só coisa ressaltava com nitidez: é que, com efeito, um desacordo qualquer sobreviera entre Lisa e Nikolai. Mas de que natureza? Sem dúvida, Praskóvia Ivânovna não pudera pudera saber com exatidão. Quanto às acusações lançadas contra Dária Pávlovna, não somente acabou retirando-as, mas rogou mesmo com insistência a Varvara Pietrovna que não ligasse nenhuma importância a palavras pronunciadas "num instante de enervamento". Afinal de contas, tudo parecia bastante obscuro e até mesmo bastante suspeito. Pelo que ela dizia, o desacordo deveu-se ao caráter "teimoso e zombeteiro" de Lisa e "o orgulhoso Nikolai Vsiévolodovitch, embora bastante apaixonado, não pudera suportar as zombarias e tomara ele próprio um tom de troça".

– Pouco depois – acrescentou Praskóvia Ivânovna –, viemos a conhecer um rapaz, o sobrinho de seu "professor", ao que parece e que, aliás, usa o mesmo nome...

– É filho dele e não sobrinho – retificou Varvara Pietrovna.

Praskóvia Ivânovna jamais conseguia reter o nome de Stiepan Trofímovitch e chamava-o sempre "o professor".

– Filho dele? Pois bem, vá que seja filho, tanto melhor, para mim é o mesmo. É um jovem como tantos outros, muito vivo e muito livre de maneiras, mas nada mais. Então, neste caso Lisa não agiu bem; mostrou-se familiar com esse rapaz e isto com o fito de despertar o ciúme de Nikolai Vsiévolodovitch. Não a censuro muito por isso; é um processo corrente entre as moças, natural e aliás amável. Somente, em lugar de sentir ciúmes, Nikolai Vsiévolodovitch, pelo contrário, travou amizade com o rapaz. Era de dizer que ele nada via ou que aquilo lhe era indiferente. Foi o que indignou Lisa. O rapaz partiu pouco depois (tinha pressa de ir a alguma parte); quanto a Lisa, pôs-se a provocar Nikolai Vsiévolodovitch todas as vezes que se apresentava ocasião. Por vezes, notando que ele conversava com Dacha, ficava furiosa. Então minha vida tornou-se um inferno. Os médicos proibiram que eu me enervasse e, aliás, aquele lago tão elogiado acabara por tornar-se enfadonho; para mim, só ganhei lá dores de dentes e reumatismo. Assegura-se, com efeito, que o Lago de Genebra predispõe às dores de dentes e que é esta uma de suas particularidades. Entrementes, Nikolai Vsiévolodovitch recebe de repente uma carta da condessa e logo nos deixa, depois de ter feito seus preparativos de viagem no mesmo dia. Separaram-se bons amigos, aliás, e, levando-o à estação, mostrou-se Lisa muito alegre, muito divertida e deu prova de muita solicitude. Somente, era essa uma atitude forçada. Quanto ele partiu, ela ficou sonhadora, deixou totalmente de falar dele e não permitiu tampouco que se dissesse uma palavra a respeito. Gostaria de aconselhá-la também, minha cara Varvara Pietrovna, a não abordar, no momento, uma conversa sobre esse assunto com Lisa; não faria senão estragar tudo. Se você se calar, será ela a primeira a falar; e então você poderá saber mais. Na minha opinião, eles se reconciliarão, a menos que Nikolai Vsiévolodovitch tarde a voltar, ao contrário do que prometeu.

– Vou escrever-lhe imediatamente. Se tudo se passou mesmo assim, o arrufo não significa nada; no fundo, tudo isso é absurdo. E depois, conheço muito bem Dária. Absurdo, tudo isso!

– Errei, confesso, falando assim a respeito de Dáchenhka. Só houve entre ela e Nikolai Vsiévolodovitch conversas banais e assim mesmo em voz alta. Mas naquela ocasião tudo isso me enervou. Aliás, a própria Lisa, pude verificar, voltou a tratá-la com o carinho de outrora...

Varvara Pietrovna escreveu no mesmo dia a Nikolai, suplicando-lhe que adiantasse seu regresso, nem que fosse um mês apenas. Entretanto, alguma coisa ainda lhe escapava naquele negócio. Passou todo o serão e a noite inteira a refletir. A opinião de Praskóvia parecia-lhe marcada por demasiada ingenuidade e sentimentalismo. "Praskóvia sempre pecou por excesso de sensibilice, mesmo no tempo em que era aluna interna – dizia a si mesma. – Nikolai não é homem para recuar diante das zombarias de uma garota. Deve haver aí outra causa, se realmente ocorreu um desacordo. Afinal de contas, o tal oficial se encontra aqui, trouxeram-no consigo e está instalado em casa delas como um parente. E depois, no que se refere a Dária, Praskóvia mostrou-se muito apressada em confessar sua falta. Tem ela certamente alguma ideia na cabeça que não quis confessar..."

Logo pela manhã, amadureceu no espírito de Varvara Pietrovna um projeto que devia permitir-lhe acabar com uma, pelo menos, das dificuldades que a tornavam perplexa, projeto notável pelo seu caráter inesperado. Sob o império de que sentimento o concebera? Seria difícil um pronunciamento a respeito; aliás, não me encarrego de interpretar de antemão todas as contradições que nele se possam descobrir. Na qualidade de cronista, limito-me a apresentar os fatos exatamente tais como ocorreram, e não é culpa minha se parecem inverossímeis. Devo, portanto, atestar, uma vez mais, que, pela manhã, não restava em Varvara Pietrovna nenhuma suspeita a respeito de Dacha; no íntimo, nunca concebera nenhuma, porque tinha nela muita confiança. E depois não podia mesmo admitir a ideia de que seu Nikolai se houvesse apaixonado pela sua... "Dária". De manhã, quando Dária se encontrava sentada diante de uma mesa, em ponto de servir o chá, Varvara Pietrovna fixou nela um longo olhar perscrutador e, pela vigésima vez talvez desde a véspera, disse consigo mesma: "Tudo isso é absurdo!".

Notou somente que Dacha tinha o ar fatigado e que estava mais plácida e apática ainda do que antes. Depois do chá, segundo seu hábito, ocuparam-se as duas com trabalhos manuais. Varvara Pietrovna conseguiu que Dacha lhe fizesse um relato minucioso de suas impressões sobre sua estada no estrangeiro, principalmente sobre a natureza, as cidades, os habitantes, os costumes, as artes, a indústria, sobre tudo enfim quanto tinha ela podido observar. Nem uma palavra a respeito das Drózdovi, nem da vida que levara em casa delas. Sentada diante de uma mesa de costura, ao lado da Senhora Stavróguina e ajudando-a a bordar, Dacha, havia uma meia hora já, prosseguia sua narrativa numa voz igual, monótona, mas um pouco fraca.

– Dária – interrompeu bruscamente Varvara Pietrovna –, nada tens de particular a dizer-me?

– Não, nada – respondeu Dacha, depois de ter refletido um instante e ergueu para Varvara Pietrovna seus olhos límpidos.

– Nada no espírito e no coração, nem na consciência?

– Nada – repetiu Dacha, em sussurro, mas com uma voz de firmeza sombria.

– Tinha a certeza! Saiba, Dária, que jamais duvidaria de você. Agora, fique sentada e escute. Não, venha cá, nesta cadeira, sente-se diante de mim. Quero vê-la por completo. Assim mesmo, está bem. Escute, quer casar?

Dacha respondeu com um longo olhar interrogador, não demasiado espantado, afinal.

– Espere, cale-se. Em primeiro lugar, há uma diferença de idade, uma diferença muito grande; mas sabe você melhor que ninguém quanto isto é de pouca importância. É uma moça dotada de boa razão e não deve haver erros em sua vida. Aliás, é ainda um belo homem... Numa palavra, trata-se de Stiepan Trofímovitch, a quem sempre você estimou. Então?

O olhar de Dacha tornou-se mais interrogador ainda, e desta vez não era somente uma expressão de espanto; seu rosto havia enrubescido.

– Espere, cale-se, não se apresse. Está bem entendido que, pelo meu testamento, deixo-lhe uma pequena soma, mas se eu morrer, que se tomará você, mesmo possuindo dinheiro? Vão enganá-la, vão lhe tirar tudo tudo e você estará perdida. Ao passo que, casada com ele, será você a esposa de um homem estimado. Considere agora o outro lado da questão. Se eu vier a morrer, mesmo no caso de assegurar-lhe eu a existência, que será dele? Mas se estiver você presente, posso contar com você. Espere, não acabei: ele é leviano, indolente, seco, egoísta, tem hábitos grosseiros, mas saiba apreciá-lo mesmo assim, primeiro somente pela razão de que há piores do que ele. Não é a um tratante que quero entregá-la, é claro, seria você capaz de pensar isso? Mas saberá apreciá-lo sobretudo porque eu lhe peço – disse ela, mudando de tom, com uma impetuosidade súbita. – Está ouvindo? Bem, vejamos, continua obstinada em nada dizer?

Dacha continuava calada e escutava.

– Espere, espere ainda. Ele é feito uma velhota. É preferível para você, que seja assim, mas uma mulher não saberia sentir por ele senão piedade e não amor. Portanto, merece ele ser amado, porque não tem quem o defenda; ame-o por isso. Você me compreende, não é? Compreende-me?

Dacha fez com a cabeça um sinal afirmativo.

– Estava certa disso, não esperava menos de você. Ele a amará porque é seu dever, seu dever. É preciso que ele a adore! – gritou, num tom superagudo, Varvara Pietrovna, presa de singular exaltação. – De resto, ele ficará apaixonado por você espontaneamente, eu o conheço. E depois, eu mesma estarei presente. Não se inquiete, estarei sempre presente. Ele se queixará de você, vai caluniá-la, fará por trás, a *quem primeiro encontrar*, confidências a respeito de você, passará seu tempo a gemer e a queixar-se, vai lhe escrever cartas dum quarto para outro e até mesmo duas vezes por dia; mas não poderá passar sem você e é isto o essencial. Obrigue-o a obedecer. Se não conseguir impor-se a ele, você não passará de uma idiota. Ele ameaçará ir enforcar-se, não leve a sério. São frioleiras. Mas mesmo se recusando a dar-lhes crédito, nem por isso deixe de abrir o olho. Poderia mesmo acontecer que ele se enforcasse. É o que acontece a criaturas de sua espécie; enforcam-se, não porque são fortes, mas por causa mesmo de sua fraqueza; também não o leve jamais aos extremos, tal é a primeira regra da vida conjugal. Lembre-se também de que ele é um poeta. Escute, Dária: não há felicidade maior que sacrificar-se. Aliás, vai me fazer com isso um grande prazer e é isto que importa. Não acredite que seja por tolice que acabo de pronunciar estas palavras. Sei o que digo. Sou egoísta, seja também. Não a forço absolutamente, tudo depende de você; será feito como você decidir. Pois bem, responda então, fale!

– Para mim, tanto faz, Varvara Pietrovna, se é absolutamente necessário casar – declarou com firmeza Dacha.

– Absolutamente? A que faz você alusão? – pergunta Varvara Pietrovna, fixando nela um olhar severo.

Dacha mantinha-se em silêncio, enquanto fazia desligar sua agulha de costura.

– Apesar de sua inteligência, você acaba de dizer uma tolice. É bem verdade, com efeito, que concebi o projeto de casá-la absolutamente e desde já, mas não por necessidade. É somente porque esta ideia me veio ao espírito, e só quero entregar você a Stiepan Trofímovitch. Se só houvesse Stiepan Trofímovitch, não teria eu jamais sonhado em casá-la imediatamente, embora tenha você vinte anos já... Então?

– Farei como a senhora quiser, Varvara Pietrovna.

– Então, consente! Pare, escute, não vá tão depressa, não acabei. De acordo com meu testamento, é você legatária de quinze mil rublos, que lhe entregarei desde agora, logo após a benção nupcial. Imediatamente, você lhe dará oito mil rublos, isto é, não a ele, mas a mim. Tem ele uma dívida de oito mil. É a mim que a pagará, mas não é preciso que ele saiba que é com o seu dinheiro. Ainda lhe ficam sete mil rublos, mas nunca lhe dê nem um sequer. Nunca pague suas dívidas. Se o fizer uma vez, você depois vai se ver em apuros. Aliás, estarei sempre presente. Vocês receberão de mim uma pensão anual de mil e duzentos rublos e, em caso de necessidades extraordinárias, de mil e quinhentos; casa e comida ficarão além disso por minha conta, como já faço com ele. Somente a criadagem ficará por conta de vocês. É a você que entregarei o dinheiro que devem receber anualmente, e duma só vez. Portanto, seja boa e dê-lhe de vez em quando alguma coisa; permita-lhe também receber seus amigos uma vez por semana. Se aparecerem mais vezes, ponha-os para fora. Mas eu mesma estarei presente. Se eu vier a morrer, a pensão de vocês não deixará de lhes ser entregue até à morte dele, entende?, até a morte dele somente, porque não é a você que a concedo, mas a ele. Para você, além dos sete mil rublos vou lhe deixar ainda oito mil rublos em meu testamento. Não terá de mim nada mais, é preciso que o saiba. Pois bem, consente? Responderá ou não, afinal?

– Já respondi, Varvara Pietrovna.

– Lembre-se de que tem toda a liberdade de escolher; será feito como você quiser.

– Mas... permita, Varvara Pietrovna, será que Stiepan Trofímovitch já lhe disse alguma coisa?

– Não, não disse nada, não sabe de nada ainda, mas... vai falar imediatamente!

Levantou-se com um movimento brusco e lançou sobre os ombros seu xale negro. Dacha, que de novo corou levemente, seguiu-a com um olhar interrogador. Varvara Pietrovna voltou-se de repente para ela, com o rosto incendido de cólera.

– Você é uma tola – exclamou ela, avançando para Dacha como um gavião –, uma imbecil e uma ingrata. Que é que lhe passa pela cabeça? Pode acreditar que eu vá comprometê-la no que quer que seja, mesmo nas coisas mais insignificantes? Mas ele mesmo virá suplicar-lhe humildemente de joelhos, deve estar morrendo de felicidade, eis como será a coisa! Bem sabe você, vejamos, que não a exporei a uma afronta. Ou então imagina que é pelos seus oito mil rublos que ele casará e que eu vou dessa forma vendê-la? Tola, tola, todas vocês são tolas e ingratas! Dê-me um guarda-chuva!

E saiu à pressa, a pé, para a casa de Stiepan Trofímovitch, seguindo os passeios de tijolos e pelas passagens de madeira molhadas pela chuva.

VII

É verdade, ela não teria exposto Dária a sofrer uma afronta. Naquele mesmo momento considerava-se antes benfeitora dela. A indignação mais generosa e mais pura acendera-se em sua alma quando, pondo seu xale, surpreendera fixo nela o olhar inquieto e desconfiado de sua protegida. Varvara Pietrovna a amava sinceramente desde que a conhecera menina. Assim tinha Praskóvia Ivânovna bem razão de chamar Dária Pávlovna de favorita da Senhora Stavróguina. Desde muito tempo decidira a generala, de uma vez por todas, que o caráter de Dária não se assemelhava ao de seu irmão Ivan Chátov: era tranquila, dócil, capaz duma grande abnegação, distinguia-se pelo seu devotamento, sua modéstia extraordinária, seu raro bom senso e sobretudo pelo sentimento da gratidão. Até o presente, Dacha parecia ter plenamente justificado sua expectativa. "Não haverá erros nessa vida", decretou Varvara Pietrovna, quando a menina tinha apenas doze anos; e como estivesse no caráter da generala apegar-se com teimosia e paixão a todo sonho que a tivesse uma vez cativado, a todo projeto e plano novo, a cada um dos pensamentos que lhe ocorriam, tomou de repente a resolução de educar Dacha como sua própria filha. Imediatamente constituiu para ela um pequeno capital e tratou uma govemanta, *Miss* Creegs, que ficou na casa até que sua aluna tivesse atingido os dezesseis anos; depois, subitamente, foi a govemanta dispensada. Contrataram-se professores do ginásio, entre outros um autêntico francês, que ensinou a língua francesa a Dacha; também este último teve de deixar a casa como se o tivessem posto para fora. Uma pobre senhora viúva pertencente à nobreza e que se encontrava de passagem pela nossa cidade deu-lhe então aulas de piano. Todavia, seu professor principal foi Stiepan Trofímovitch. Na verdade, foi ele quem primeiro descobriu Dacha: pusera-se a instruir aquela menina ingênua, numa época em que Varvara Pietrovna nem mesmo pensava em ocupar-se com ela. Repito: era maravilhoso como as crianças se ligavam a Stiepan Trofímovitch. De oito a onze anos, Elisavieta Nikoláievna Túchina fizera seus estudos com ele; *bem entendido*, ele lhe dava instrução sem receber honorários, porque por coisa alguma no mundo teria aceito dinheiro dos Drózdovi. Mas ele próprio deixara-se fascinar pela encantadora criança e lhe recitava toda espécie de poemas sobre a formação do universo, da terra e sobre a história da humanidade. As lições referentes aos povos antigos e ao homem primitivo eram mais cativantes que contos árabes. Lisa ficava enlevada com tais narrativas e, em casa, imitava Stiepan Trofímovitch com uma graça impagável. Ele soube disso e um dia surpreendeu-a de improviso. Lisa, toda confusa, atirou-se em seus braços, desfeita em lágrimas. Stiepan Trofímovitch também chorou, entusiasmado. Lisa, entretanto, partiu em breve, e Dacha ficou sozinha. Quando a educação da moça foi confiada a professores do Liceu, Stiepan Trofímovitch interrompeu suas lições e, pouco a pouco, cessou por completo de prestar-lhe atenção. As coisas ficaram por muito tempo assim. Um dia – Dacha tinha então dezessete anos – a agradável aparência exterior da moça impressionou-o de repente. Isto ocorreu quando se encontravam à mesa em casa de Varvara Pietrovna. Travou uma conversação com Dária, ficou muito satisfeito com suas respostas e acabou por propor dar-lhe um curso completo de história da literatura russa. Varvara Pietrovna agradeceu-lhe em termos lisonjeadores essa ideia que achava excelente. Quanto a Dacha, ficou encantada. Stiepan Trofímovitch pôs-se logo a preparar suas lições com um cuidado todo especial, tanto que afinal elas começaram. Começou-se pelo período mais afastado. A primeira lição, à qual Varvara Pietrovna se achava presente, suscitou vivo interesse. Quando ao retirar-se, ao fim da lição, Stiepan Trofímovitch anunciou à sua aluna que empreenderia na próxima vez a análise da "Canção de Iegor", Varvara Pietrovna levantou-se bruscamente e declarou que não haveria mais lições no futuro. Stiepan Trofímovitch, se bem que melindrado, manteve-se em silêncio. Dacha ficou toda vermelha. E foi assim que terminou esse curso de literatura, justamente três anos antes da súbita mania que se apoderava atualmente do espírito de Varvara Pietrovna.

O pobre Stiepan Trofímovitch estava sozinho em casa e não suspeitava de nada. Presa de melancólicas reflexões, lançava de tempos em tempos um olhar pela janela, esperando ver chegar algum conhecido. Mas não aparecia ninguém. Chuviscava lá fora e, começando o frio, era necessário acender a estufa. Stiepan Trofímovitch suspirou. De repente uma visão aterrorizante ofereceu-se a seus olhos: com um tempo daqueles, numa hora tão inconveniente, chegava Varvara Pietrovna à sua casa! E ainda mais, a pé! Tão prodigiosa foi sua estupefação que se esqueceu de trocar de roupa e recebeu-a tal como estava, com o colete cor de rosa algodoado que habitualmente usava.

– Minha boa amiga!... – exclamou com voz fraca, indo ao seu encontro.

– Você está sozinho, ainda bem, não posso tolerar seus amigos. Ah! quanto você fumou, como sempre! Senhor, que ar envenenado! Ainda não acabou de tomar seu chá e já são mais de onze horas! A desordem lhe causa felicidade e encontra você prazer na sujeira! Que fazem aqui esses pedaços de papel rasgado, espalhados pelo chão? Nastássia, Nastássia! Que faz, pois, a sua Nastássia? Vamos, abra as janelas, os postigos, as portas de par em par. Durante esse tempo passaremos para a sala. *Vim à sua casa a negócio.* Mas, vejamos, uma vez pelo menos em sua vida dê uma vassourada aqui, minha filha!

– O senhor suja tudo de tal maneira! – disse Nastássia, com voz esganiçada, em que se misturava uma expressão irritada e queixosa.

– Mas você varra, varra, se for preciso quinze vezes por dia! Como é feia esta sala! – disse Varvara Pietrovna, depois que nela entraram. – Feche bem a porta. Ela vai ficar à escuta e poderá ouvir-nos. É preciso mudar absolutamente esse forro de papel das paredes. Vejamos, mandei-lhe um tapeceiro com amostras, por que você não escolheu nenhuma? Sente aí e escute. Sente de uma vez, peço-lhe. Mas aonde vai você então? aonde vai você? aonde vai você?

– Eu... volto agora mesmo! – gritou do quarto vizinho Stiepan Trofímovitch. – Volto agora mesmo.

– Ah! mudou de roupa! – disse ela, revistando-o com um ar zombeteiro (ele acabava de vestir uma sobrecasaca por cima do colete). – Com efeito, essa roupa será mais de circunstância... para nossa conversa. Sente, pois, afinal, peço-lhe.

Ela lhe explicou o negócio duma assentada, redondamente, e de maneira própria a persuadi-lo. Fez alusão aos oito mil rublos de que tinha ele necessidade urgente e expôs os pormenores concernentes ao dote. Stiepan Trofímovitch escancarava os olhos e tremia todo. Ouvia bem, mas sem poder ter daquilo uma ideia nítida. Queria falar, mas sua voz parava-lhe na garganta. Quando muito sabia de uma coisa: que tudo se faria como ela dizia, que suas réplicas, suas recusas de nada serviriam, mas que, desde o presente, era um homem irrevogavelmente casado.

– Mas, minha boa amiga... pela terceira vez, na minha idade, e com semelhante criança! – pronunciou ele por fim. – *Mais c´est une enfant*.

– Uma criança que já anda pelos seus vinte anos, graças a Deus! Não rebole assim suas pupilas, rogo-lhe, não está em cena. Você é muito inteligente e bastante instruído, mas não compreende nada da vida, tem necessidade de uma criada que se ocupe com você constantemente. Que vai ser de você, se eu morrer? Ao passo que ela será para você uma excelente governanta; é uma moça modesta, ajuizada, dum caráter firme; aliás, eu mesma estarei presente, não vou morrer tão depressa. É uma mulherzinha trabalhadora, é um anjo de doçura. Esta feliz ideia me ocorreu quando eu estava ainda na Suíça. Compreende? Estou-lhe dizendo que é um anjo de doçura! – exclamou de súbito Varvara Pietrovna com arrebatamento. – A sujeira reina em sua casa; ela vai substituí-la pela limpeza, pela ordem, tudo ficará polido como um espelho... Ah! você imagina talvez que ao propor-lhe tal tesouro eu ainda deveria fazer-lhe rapapés, enumerar todas as vantagens. Mas é de joelhos que você deveria... Oh! o homem vão, o homem vão e pusilânime!

– Mas... já sou um velho!

– Que significam seus cinquenta e três anos? Cinquenta anos não é o fim, mas o meio da vida. Você é um bonito homem e isto você mesmo não ignora. Sabe também quanto ela o estima. Que será dela, se eu vier a morrer? Com você, estará tranquila e eu estarei igualmente tranquila. Você é alguém, tem um nome, um coração amoroso, receberá uma pensão que será para mim um dever conceder-lhe. Será o salvador dela, sim, quem sabe? seu salvador! De qualquer modo, vai lhe dar um nome honrado. Você a formará para a vida, desenvolverá seu coração, dirigirá seus pensamentos. Quantas se perdem hoje em consequência duma falsa direção de ideias. Daqui até lá sua obra estará acabada e, de repente, adquirirá uma nova autoridade?

– Justamente – balbuciou ele, já seduzido pela jeitosa lisonja de Varvara Pietrovna –, justamente dispunha-me a escrever meus *Contos da História da Espanha*.

– Pois bem, está vendo? Isto vem às mil maravilhas.

– *Mas*... e ela? Você lhe falou?

– Não se inquiete a seu respeito, e depois, seja menos curioso. Naturalmente, cabe a você rogar-lhe, suplicar-lhe que lhe faça essa honra, compreende? Mas não se inquiete, estarei presente, eu. Aliás, você a ama.

A vertigem apoderava-se de Stiepan Trofímovitch. As paredes dançavam em torno dele. Havia naquilo uma ideia terrível que ele não conseguia dominar.

– Excelente amiga – disse, com voz, de repente, trêmula –, eu... eu não teria jamais podido imaginar que você se decidisse a me casar... com outra... mulher!...

– Você não é uma senhorita, Stiepan Trofímovitch, só as senhoritas é que são levadas a casar, ao passo que você é quem casará – silvou Varvara Pietrovna, num tom venenoso.

– Sim, *j'ai pris un mot pour un autre... Mais... c´est égal*[34], disse ele, olhando-a com espanto.

– Estou bem vendo que dá no mesmo – murmurou ela com desprezo. – Meu Deus! ei-lo que desmaia! Nastássia, Nastássia! água!

Mas a água não foi necessária. Ele voltou a si; Varvara Pietrovna pegou seu guarda-chuva.

– Vejo que não vale a pena falar-lhe agora...

– Sim, sim, estou incapaz.

– Mas de hoje para amanhã, você repousará e refletirá. Fique em casa; se acontecer alguma coisa, mande-me dizer, mesmo durante a noite. Não me escreva cartas. Não as leria. Amanhã, a esta hora, virei eu mesma, sozinha, buscar sua resposta definitiva e espero que seja satisfatória. Faça de maneira que não esteja aqui ninguém e que não se veja mais sujeira aqui. De que tem isto o ar? Nastássia, Nastássia!

Naturalmente, no dia seguinte ele consentiu. Aliás, não teria podido agir de outra maneira. Havia ali uma circunstância toda particular.

VIII

O que se chama entre nós a propriedade de Stiepan Trofímovitch (cerca de cinquenta almas, segundo o antigo cadastro e confinando com as terras de Skvopiéchniki) não era de modo algum propriedade sua, mas de sua primeira mulher e revertia por consequência a seu filho Piotr Stiepânovitch Vierkhoviénski. Stiepan Trofímovitch só possuía a direção na qualidade de tutor do menino, o qual, ao tornar-se maior, lhe havia delegado poderes plenos para administrar seus bens. O arranjo era vantajoso para o rapaz: recebia de seu pai mil rublos de renda por ano de uma propriedade que, desde a promulgação das leis novas, não rendia quinhentos e menos ainda talvez. Deus sabe como semelhantes convenções tinham podido estabelecer-se! De resto, esses mil rublos era Varvara Pietrovna quem os enviava integralmente, sem que Stiepan Trofímovitch para tal contribuísse com a menor parcela. Mais ainda, não somente conservava para si a renda da propriedade, mas acabou por devastá-la, arrendando-a a um industrial e vendendo para corte, sem que Varvara Pietrovna o soubesse, uma mata que constituía seu principal valor. Desde muito tempo, aliás, aquela mata tinha desaparecido assim aos lotes. Stiepan Trofímovitch dela retirara quando muito cinco mil rublos, embora valesse pelo menos oito mil. Mas acontecia-lhe perder no clube somas tão consideráveis que não

34 Tomei uma palavra por outra... Mas... dá no mesmo.

ousava recorrer a Varvara Pietrovna. Esta rangeu os dentes quando por fim foi posta ao corrente de tudo. E bruscamente eis que o filho de Stiepan Trofímovitch anunciava a seu pai que iria ele próprio vender seus bens e encarregava-o de realizar sem demora essa operação! Evidentemente o nobre e desinteressado Stiepan Trofímovitch se sentia torturado de remorsos para com "*ce cher enfant*". (Revira-o pela última vez nove anos antes, quando o rapaz era estudante em Petersburgo.) A princípio a propriedade teria podido valer treze ou catorze mil rublos, mas atualmente era difícil encontrar comprador que desse cinco mil por ela. Sem dúvida tinha Stiepan Trofímovitch perfeitamente o direito, segundo o texto mesmo de seus compromissos, de vender a mata, e levando em conta aqueles mil rublos de renda jamais entrada em caixa e que, no entanto, enviava pontualmente todo ano a seu filho, pagar-se por ocasião da entrega geral de sua gestão. Mas Stiepan Trofímovitch era um homem generoso e cheio de aspirações elevadas. Uma ideia magnífica atravessou-lhe o espírito: era, quando o Pietruchka chegasse, depositar diante dele sobre a mesa o máximo do preço, isto é, quinze mil rublos, sem fazer a menor alusão às outras somas expedidas até então, e, com lágrimas nos olhos, apertar bem fortemente contra o peito "esse querido filho", a fim de regularizar assim as suas contas. Com prudência e precaução, tratou de desenrolar esse quadro aos olhos de Varvara Pietrovna. Fez-lhe entrever que isso daria certo matiz especial de nobreza à amizade deles... à "ideia" deles. Isso mostraria todo o desinteresse e grandeza dalma da geração precedente em comparação com a juventude moderna socializante e de espírito tão leviano. Falou de muitas outras coisas ainda, mas Varvara Pietrovna obstinava-se em seu mutismo. Por fim, declarou-lhe secamente que consentia em comprar-lhe a propriedade e que pagaria por ela o "máximo" de seu valor, isto é, seis ou sete mil rublos (e até mesmo seria possível consegui-la por cinco mil). A respeito dos oito mil rublos evaporados, graças à venda em lotes da mata, ela não disse uma palavra.

Ocorreu esta conversa um mês antes do pedido de casamento. Stiepan Trofímovitch ficou preocupado e pensativo. Antes, poderia ter havido ainda alguma esperança de que seu filho não viesse talvez – e quando falo de esperança, coloco-me unicamente do ponto de vista dum estranho, porque Stiepan Trofímovitch, como pai, teria repelido com indignação semelhante suposição. Seja como for, até então haviam chegado entre nós boatos estranhos referentes a Pietruchka. Seis anos depois de terminar seus estudos na Universidade, nada fizera senão andar à toa em Petersburgo. De repente, soubemos que participara da redação duma proclamação sediciosa e vira-se participante da Causa; depois, que partira de súbito para o estrangeiro, para Genebra, na Suíça – em suma, achara bom fugir.

– Isto me espanta – vaticinava Stiepan Trofímovitch, todo confuso. – Pietruchka *c´est une si pauvre tête!*[35] É bom, nobre, muito sensível, e outrora, em Petersburgo, fiquei muito contente ao compará-lo com a juventude atual, mas *c´est un si pauvre sire tout de même...*[36] E sabem que tudo isso provém dessa falta de maturidade, de seu sentimentalismo? O que o seduz não é o realismo, mas o lado sentimental, idealista e místico do socialismo, o que há de religioso e de poético nessa doutrina... tudo vestido à moda estrangeira, é claro. E que desassossego isto me causa!

35 É um desmiolado.

36 Mas ainda assim é um bobalhão.

Tenho aqui tantos inimigos, mais ainda lá em baixo, que atribuirão isso à influência de seu pai!... Meu Deus! Pietruchka agitador! Em que tempo vivemos!

Pietruchka, aliás, não tardara em enviar da Suíça seu endereço exato, a fim de que se continuasse, como no passado, a fazer chegar-lhe o dinheiro às mãos: não era, pois, totalmente, um emigrado. E eis que agora, depois de haver permanecido quatro anos no estrangeiro, reaparecia em sua pátria e anunciava sua próxima chegada à nossa cidade: não fora, pois, acusado de nada. Mais ainda, parecia que alguém se interessava por ele e o tomava sob sua proteção. Escrevia do sul da Rússia, onde se encontrava, naquele momento, encarregado duma missão que, muito embora de caráter privado, não deixava de parecer importante e à qual consagrava seus cuidados. Tudo isso era belo e bom, mas onde arranjar os sete ou oito mil rublos que teriam constituído o máximo desejável da propriedade? E se o alarme fosse dado e se, em lugar dum majestoso quadro de família, fosse dar tudo num processo? Algo dizia a Stiepan Trofímovitch que o sensível Pietruchka não cederia no que dissesse respeito a seus interesses. "Donde vem – murmurou um dia Stiepan Trofímovitch –, que todos esses socialistas raivosos, todos esses comunistas sejam ao mesmo tempo os indivíduos mais ladravazes, os proprietários mais duros e mais egoístas, tanto que, quanto mais é um homem socialista, fascinado por ideias avançadas, tanto mais se apega ao que tem?... Sim, donde vem isso? Será possível que seja ainda uma consequência do sentimentalismo?" Ignoro se esta observação de Stiepan Trofímovitch é fundamentada ou não. Só sei duma coisa, é que Pietruchka tivera conhecimento da venda da mata etc., etc.... e que Stiepan Trofímovitch sabia que seu filho estava a par de tudo. Ocorreu-me também ler as cartas de Pietruchka a seu pai. Escrevia muito raramente, uma vez por ano, quando muito. Nos últimos tempos somente é que lhe enviou, quase uma após outra, duas cartas para informá-lo de sua próxima chegada. Todas essas cartas de Pietruchka eram breves, secas, limitavam-se a dar ordens e, como desde o encontro deles em Petersburgo o pai e o filho tinham adotado o tuteamento em moda, as cartas de Pietruchka assemelhavam-se em todos os pontos àquelas antigas missivas nas quais os proprietários de outrora mandavam sua instruções aos servos encarregados de administrar suas propriedades. E eis agora que os oito mil rublos destinados a salvar a situação dependiam da proposta de casamento feita por Varvara Pietrovna e mais ainda, pretendia esta que só podiam depender dessa proposição. Naturalmente Stiepan Trofímovitch deu seu consentimento.

Assim que a generala saiu, ele mandou me chamar e fechou sua porta para todos os outros o dia inteiro. Está bem entendido que choramingou, disse muita coisa bonita, outras tantas extravagantes. Fez por acaso um trocadilho, que lhe causou satisfação. Depois teve ligeira recaída de colerina – numa palavra, tudo se passou como devia passar-se. Depois do que, foi tirar da parede o retrato de sua alemã morta havia vinte anos e se pôs a interpelá-la num tom lastimoso: "Irás me perdoar?". Em suma, não parecia estar completamente em seu estado normal. Bebemos um pouco, a fim de afogar o pesar. Ele não demorou, aliás, a pegar num sono tranquilo. No dia seguinte, de manhã, compôs um nó de gravata artístico, vestiu-se com esmero, não sem ir mirar-se várias vezes no espelho. Perfumara seu lenço, com discrição é verdade, mas, avistando pela janela Varvara Pietrovna, apressou-se em tomar outro e enfiar o primeiro debaixo duma almofada.

– Magnífico! – aplaudiu a generala, ao saber que ele consentia. – Em primeiro lugar, é esta uma nobre resolução, em seguida você ouviu a voz da razão que tão raramente consegue discernir nos seus negócios pessoais. Aliás, não há pressa – acrescentou ela, examinando o nó da gravata branca –, cale-se no momento, que também eu me calarei. Breve será o dia de seu aniversário. Virei aqui com ela. Você dará um sarau, oferecendo chá, mas, rogo-lhe, sem vinho nem comedorias. Aliás, eu arranjarei tudo. Você convidará seus amigos. Faremos, porém, a escolha juntos. Na véspera, conferenciará você com ela, se houver possibilidade; aproveitaremos de seu sarau, não precisamente para fazer uma declaração pública, mas uma simples alusão a seu casamento, sem nenhuma solenidade. Quinze dias depois serão celebradas as núpcias com o mínimo de espavento possível... Vocês dois poderiam, logo depois da cerimônia, partir de viagem por algum tempo, ir por exemplo a Moscou. Talvez vá também com vocês... Mas o essencial daqui até lá é que você se conserve calado.

Stiepan Trofímovitch ficou espantado. Gaguejou que não era possível, que lhe era preciso antes entender-se com a noiva, mas Varvara Pietrovna replicou com voz irritada:

– Por que isso? Em primeiro lugar, pode ainda ocorrer que a coisa não se realize...

– Como, pode ocorrer que não se realize? – balbuciou o noivo, completamente transtornado.

– Perfeitamente, hei de ver... mas, aliás, tudo será feito como tenho dito, não se inquiete, vou prepará-la eu mesma. Não é de modo algum assunto seu. Todo o necessário será dito e feito sem que você tenha de meter-se nisso. E por que afinal? Qual seria seu papel? E não apareça, não escreva, Nem uma palavra a quem quer que seja, rogo-lhe. Também eu me calarei.

Recusava decididamente explicar-se e retirou-se presa duma visível agitação. Parecia que a excessiva solicitude de Stiepan Trofímovitch a havia chocado. Ai! ele não compreendia decididamente sua situação e o problema não lhe aparecia ainda sob todas as suas faces. Pelo contrário, achou que devia fingir um novo tom meio leve, meio altivo. Bancou o fanfarrão.

– Isto me agrada! – exclamou, parando diante de mim e brandindo os braços. – Ouviu-a? Ela fará tanto e tão bem que, afinal, não quererei mais. É que, também eu, posso perder a paciência e... não querer mais. "Fique em casa, nada tem a fazer lá embaixo", mas por que, afinal de contas, deveria eu casar-me? Cinicamente porque uma ideia estapafúrdia lhe passou pela cabeça? Afinal de contas sou um homem sério e posso não querer submeter-me às fantasias caprichosas de uma desmiolada! Tenho deveres para com meu filho... e para comigo mesmo! Faço um sacrifício. Compreende ela isso? Talvez tenha consentido porque a vida me entedia e nada me importa. Mas pode ela exasperar-me e então deixarei de não me importar. vou ficar ressentido da ofensa e recusarei. *Et enfin le ridicule*... Que haverão de dizer no clube?... Que dirá... Lipútin? "Pode ocorrer que não se realize." Veja isso! Com efeito, é o cúmulo!... É... não sei o quê. *Je suis un forçat, un Badinguet*[37], um homem encostado à parede?...

Ao mesmo tempo, uma espécie de presunção caprichosa, um deleite leve apareciam através daquelas lamentações. À noite, voltamos a beber.

---

37 Sou um forçado, un Badinguet. (Badinguet era o nome do suposto operário que havia emprestado sua roupa e suas ferramentas para Napoleão III disfarçar-se e fugir da prisão.)

CAPÍTULO III / *Os pecados alheios*

I

Oito dias transcorreram e a situação começou a complicar-se.

Seja dito de passagem que sofri muito durante aquela desgraçada semana, porque na qualidade de confidente mais íntimo dele era como que a sombra de meu amigo, o infeliz noivo. O que lhe pesava mais era um sentimento de vergonha, se bem que não tivéssemos visto ninguém durante toda aquela semana e ficado sozinhos na casa. Mas ele tinha vergonha, mesmo diante de mim, a tal ponto que, quanto mais a mim se confiava, mais me queria mal por isso. Na sua susceptibilidade mórbida, imaginava que todo mundo, toda a cidade já estava ao corrente; tinha medo de se mostrar não somente no clube, mas em casa de seus amigos. Nem mesmo consentia em dar o seu passeio higiênico de todos os dias, senão bem depois de haver anoitecido, quando já estava completamente escuro.

Passou-se uma semana. Ele continuava sem saber se era noivo ou não e não conseguia certificar-se disso duma maneira positiva, apesar de todos os seus esforços. Não havia visto ainda sua noiva e nem mesmo sabia se ela ia casar-se com ele; não sabia mesmo se havia naquilo algo de sério! Por uma razão ou outra, Varvara Pietrovna recusava-se absolutamente a recebê-lo. Em resposta a uma de suas primeiras cartas que lhe dirigiu, e lhe escreveu um grande número, rogou-lhe formalmente que lhe poupasse, durante algum tempo, qualquer relação com ele, porque estava muito ocupada; como tinha ela mesma de informá-lo de muitas coisas da mais alta importância, esperava ter alguns instantes de descanso para fazer isso e o avisaria, em tempo útil, do dia em que ele poderia ir vê-la. Significava-lhe afinal que lhe devolveria suas cartas sem abri-las, porque não eram para ele senão uma espécie de "prazer doentio". Esta carta, li-a eu mesmo e foi ele quem a mostrou.

Entretanto, todas essas grosserias e toda essa incerteza nada eram em comparação com sua principal ansiedade. Essa ansiedade atormentava-o no mais alto grau e sem deixar-lhe repouso. Emagrecia, perdia toda a coragem. Era alguma coisa da qual sentia ele mais vergonha do que de todo o resto e não queria falar de modo algum, nem mesmo a mim; pelo contrário, mentia-me quando era preciso e recorria a explicações ambíguas, como uma criança; por outra parte, ele mesmo mandava chamar-me todos os dias, não podia ficar duas horas sem me ver, tendo necessidade de mim tanto quanto de água ou de ar.

Tais processos não deixavam de ferir um tanto o meu amor-próprio. Não é preciso dizer que eu tinha adivinhado desde muito tempo, a sós, seu famoso segredo, que consegui completamente esclarecer. Tinha a convicção mais firme naquele momento de que a revelação desse segredo, dessa principal ansiedade de Stiepan Trofímovitch, não lhe teria feito honra e, por consequência, como eu tinha adivinhado jovem, indignava-me bastante com a grosseria de seus sentimentos e com a fealdade de certas de suas suspeitas. No meu ardor e também, devo confessá-lo, por cansaço de meu papel de confidente, acusava-o talvez mais do que merecia. Levei a crueldade a ponto de exigir dele confissões completas, embora admitindo que lhe seria talvez difícil confessar certas coisas. Ele também me devassava, isto é, dava-se perfeitamente conta de que eu o desvendava e que por isso lhe tinha raiva deveras, e ele por seu lado tinha raiva de mim por eu ter raiva dele e devassá-lo. Minha irritação talvez fosse mesquinha, mas a solidão partilhada por dois amigos é por vezes extremamente prejudicial à verdadeira amizade. Dum certo ponto de vista, ele compreendia bastante bem mais de um aspecto de sua situação e a apreciava mesmo duma maneira muito sutil quanto aos pontos dos quais não se obrigava a fazer mistério.

– Ah! que diferença então! – dizia-me algumas vezes, falando de Varvara Pietrovna. – Como ela era diferente outrora, quando conversávamos a sós! Você sabe que ela ainda sabia conversar naquele tempo? Você poderia acreditar que ela expunha ideias, então, ideias originais? Hoje, tudo está mudado. Diz que tudo isso não passa de velhas bobagens. Despreza o passado... Hoje, é como um lojista ou um caixa, tem o coração duro, está sempre de mau humor.

– Por que ela está de mau humor agora, se o senhor lhe executou as ordens? – repliquei.

Olhou-me, maliciosamente.

– *Cher ami*, se eu não tivesse consentido, ela teria ficado terrivelmente zangada, terrivelmente... E todavia, menos do que está, agora que consenti.

Sentia-se feliz por ter dito esta sua frasezinha e naquela noite esvaziamos os dois a sós uma garrafa. Mas não foi senão coisa de momento; no dia seguinte, estava mais abatido e mais sombrio do que nunca.

Mas o que me irritava mais nele, é que não podia decidir-se a visitar as Senhoras Drózdovi, como deveria ter feito no momento da chegada delas, a fim de reatar relações que elas mesmas desejavam, como nos disseram, visto como se informavam dele a todo momento. Era isso para ele uma fonte de pesar cotidiano. Falava de Elisavieta Nikoláievna com um entusiasmo para mim incompreensível. Sem dúvida, evocava nela a criança que amara outrora. Mas, além disso, imaginava, não sei por qual motivo, que encontraria imediatamente ao lado dela um alívio para sua aflição atual, até mesmo a solução para suas dúvidas mais graves. Esperava encontrar em Elisavieta Nikoláievna um ser extraordinário. E apesar de tudo, não ia vê-la, se bem que tivesse intenção disso todos os dias. O pior era que eu tinha mesmo o mais ardente desejo de ser-lhe apresentado e recomendado e não podia contar para isso senão com Stiepan Trofímovitch. Encontrava-a frequentemente, na rua, entenda-se, quando passeava a cavalo, trajada de amazona, montando um soberbo animal e acompanhada por um oficial, o suposto parente, sobrinho do falecido General Drózdov, e esses encontros causavam-me uma impressão extraordinária. Minha cegueira durou pouco e reconheci eu mesmo bem depressa o caráter realizável de meu sonho. Mas embora fosse uma impressão passageira, nem por isso era menos realíssima. Assim, pode-se imaginar a que ponto me indignava contra meu pobre amigo vendo-o manter-se tão obstinadamente encerrado em sua casa.

Todos os membros de nosso clube tinham sido avisados oficialmente, desde o começo, de que Stiepan Trofímovitch não queria receber ninguém durante algum tempo e rogava que não lhe perturbassem a solidão. Fez questão de enviar-lhes uma *circular* neste sentido, embora tivesse eu tentado dissuadi-lo de tal. Comecei a ir ver todos, a instâncias suas, e disse a todos que Varvara Pietrovna encarregara o nosso "velho" (era assim que todos chamávamos Stiepan Trofímovitch na intimidade) duma tarefa especial, de pôr em ordem uma correspondência que datava de vários anos; que ele proibira visitas, a fim de consagrar-se a esse trabalho no qual eu tomava parte. Lipútin foi o único que eu não achava tempo de ir ver e adiava constantemente essa visita para mais tarde. Na verdade, tinha medo de ir vê-lo. Sabia de antemão que ele não acreditaria numa palavra de tudo aquilo, que farejaria certamente ali algum engodo e, tão logo eu me retirasse, trataria de tomar informações e espalharia bisbilhotices pela cidade inteira. Enquanto eu imaginava tudo isso, encontrei-o por acaso na rua. Soube então que havia sabido de tudo pelos amigos, que eu mal acabara de prevenir. Coisa estranha, não só não demonstrou nenhuma curiosidade e não me fez perguntas a respeito de Stiepan Trofímovitch, mas interrompeu-me, quando comecei a desculpar-me por não ter ido vê-lo mais cedo, depois passou imediatamente a outro assunto. É verdade que ele tinha muito a contar-me. Achava-se grandemente excitado e mostrou-se encantado por ter-me como ouvinte. Começou por me falar das novidades da cidade, da chegada da mulher do Governador "com novos assuntos de conversa", de um partido oposicionista já formado no clube, de todo o barulho que provocavam as novas ideias e do prazer que sentia por esse fato, e assim por diante. Falou durante um quarto de hora e com tal ímpeto que não me pude desprender dele. Não podia tolerá-lo, mas devo reconhecer que ele tinha o dom de se fazer ouvir, sobretudo quando se arrebatava contra qualquer coisa. De parte sua natureza, era aquele homem, na minha opinião, um verdadeiro espião. Estava sempre a par dos derradeiros mexericos e de todos os miúdos incidentes da nossa cidade, sobretudo dos que eram dum caráter equívoco e não se podia deixar de ficar espantado ao ver até que ponto levava ele em consideração coisas que por vezes em nada com ele se relacionavam. Sempre me pareceu que a inveja era o traço dominante de seu caráter. Quando, na mesma noite, falei a Stiepan Trofímovitch de meu encontro, de manhã, com Lipútin e de nossa conversa, com minha grande surpresa mostrou-se ele muito agitado e me fez, com ar desvairado, esta pergunta: "Lipútin sabe ou não sabe?". Comecei a demonstrar-lhe que não havia nenhuma possibilidade de ele ter descoberto tão depressa, que não havia ninguém de quem pudesse ele vir a saber; mas Stiepan Trofímovitch permaneceu inabalável:

– Afinal, acredite você ou não, como quiser, – disse ele, a modo de conclusão bastante inesperada, – mas pela minha parte, estou convencido não só de que ele conhece "nossa" situação em todos os seus detalhes, mas sabe alguma coisa mais, que nem você, nem eu, sabemos ainda, que não saberemos talvez nunca ou que só saberemos quando for demasiado tarde e não houver mais meio de remediá-la...

Guardei silêncio, mas essas palavras fizeram-me refletir bastante. Durante cinco dias, inteiros, não fizemos a mínima alusão a Lipútin. Era evidente para mim que Stiepan Trofímovitch lamentava muito ter-se deixado levar a falar demais e traído tais suspeitas em minha presença.

II

Uma manhã, sete ou oito dias depois que Stiepan Trofímovitch consentiu em ficar noivo, cerca das onze horas, como me apressasse, segundo meu costume, para encontrar meu melancólico amigo, pelo caminho me aconteceu uma aventura.

Encontrei Karmázinov, "o grande escritor", como o chamava Lipútin. Eu lia Karmázinov desde minha infância. Seus romances e seus contos são familiares a toda a geração precedente e até mesmo à geração atual. Deleitava-me com eles; tinham sido a grande alegria de minha infância e de minha mocidade. Mais tarde, meu entusiasmo esfriou um pouco a respeito de sua pena. Os romances de tese que escrevia desde algum tempo já me agradavam menos que suas primeiras obras, suas obras da mocidade, todas transbordantes de poesia espontânea; quanto às suas derradeiras publicações, não me agradavam mais absolutamente.

Geralmente falando, se me posso permitir exprimir minha opinião sobre um assunto tão delicado, todos esses homens de talento de segunda mão que, durante sua vida, passam por ser quase gênios, desaparecem bruscamente e sem deixar traço, quando morrem e, o que é mais, acontece muitas vezes que mesmo vivos, logo que uma nova geração cresceu e vem substituir aquela na qual conheceram tanto êxito, são esquecidos e negligenciados por todos num espaço de tempo incrivelmente curto. Sem que seja possível dizer por que, isto se produz entre nós de uma maneira completamente súbita, como certas mudanças de cenário no teatro. Ah! decerto, a coisa é toda outra com Púchkin, Gógol, Molière, Voltaire, todos esses grandes homens que tinham verdadeiramente alguma coisa de novo e de original a dizer. Na verdade, aliás, esses homens dotados de um talento de ordem média, no declínio de seus dias venerandos sobrevivem habitualmente a si mesmos da maneira mais lastimável e sem que se deem conta disso. Acontece bastante frequentemente que um escritor, ao qual por muito tempo se atribuiu uma profundeza extraordinária e que se esperava ver exercer uma grande e séria influência sobre o progresso da sociedade, acabe por trair nas suas ideias fundamentais tal miséria, tal insipidez, que ninguém lamenta que ele tenha chegado tão depressa ao fim de seus recursos. Mas as velhas barbas grisalhas não prestam atenção a isso e se zangam. Por vezes, a vaidade desses literatos, sobretudo para o fim de sua carreira, atinge proporções espantosas. Deus sabe por que, começam a tomar-se por deuses, pelo menos... Dizia-se de Karmázinov que suas relações com a sociedade aristocrática interessavam-no mais ainda que a salvação de sua alma. Quando ele encontra a gente, dizia-se, aperta-nos em seus braços, lisonjea-nos, encanta-nos pela sua bonomia, sobretudo se a gente pode ser de alguma utilidade para ele e se lhe foi previamente recomendado. Mas ao primeiro príncipe, à primeira condessa, à primeira pessoa chegada, acha que é de seu dever mais sagrado deixar-nos de mão com as marcas do desprezo mais ofensivo, como um grão de areia, como uma mosca, antes mesmo que tenhamos girado nos calcanhares. Imagina seriamente que é um ato de supremo bom tom. Apesar de toda a sua reserva e seu conhecimento perfeito dos usos, é, dizem, tão cheio de si que lhe é impossível dissimular sua susceptibilidade de autor, mesmo nos meios em que não há interesse pela literatura. Toda marca de indiferença fere-o profundamente e procura vingar-se dela por todos os meios.

Havia um ano eu tinha lido numa revista um artigo dele, escrito com umas pretensões ferozes à mais ingênua poesia e à psicologia ainda por cima. Descrevia *a perda dum navio*, lá em algum ponto do litoral inglês, da qual fora ele próprio testemunha e presenciado o salvamento dos náufragos e a emersão dos afogados. Todo esse artigo, bastante longo e repolhudo, tinha sido escrito unicamente com a intenção de exibir-se. Assim, lia-se nas linhas impressas: "Interessai-vos por mim, vede como me portei naquele instante. Que vos importam a vós o mar, a tormenta, os rochedos, as tábuas desprendidas do navio? Isto já foi descrito com minha pena poderosa. Para que olhar aquele afogado com um menino morto em seus mortos braços? Olhai melhor para mim, uma vez que não pude suportar aquele espetáculo e me afastei. Porque eu estava de costas, porque estava transido de horror e não tinha forças para voltar a vista; fugi e fechei os olhos... Não é verdade que é isto interessante?". Ao exprimir a Stiepan Trofímovitch minha opinião sobre o artigo de Karmázinov, aquele me deu razão.

Desde que se espalhara entre nós a notícia da chegada de Karmázinov, não é preciso dizer que tive uma vontade louca de encontrá-lo e, se possível, ser-lhe apresentado. Sabia que podia consegui-lo por intermédio de Stiepan Trofímovitch, porque tinham sido outrora amigos. E eis que, de repente, encontro-me cara a cara com ele numa encruzilhada. Reconheci-o logo: mostraram-no a mim alguns dias antes, quando passeava de carro com a mulher do Governador.

Era um homem de pequena estatura, uma espécie de velhinho, cheio de arrogância e afetação, que, aliás, não devia então ter ultrapassado os cinquenta anos, de rosto bastante colorido, com espessos cachos de cabelos brancos que escorriam por baixo de sua cartola e se enrolavam em torno de suas orelhas pequenas, bem limpas e bem rosadas. Aquele rosto tão bem cuidado não podia passar por absolutamente belo: tinha lábios compridos e estreitos que traíam a astúcia, o nariz um pouco grosso e olhinhos agudos e espirituosos. Trajava com certa negligência, os ombros cobertos por uma capa, como a que se usaria naquela estação na Suíça ou na Itália do norte. Mas, pelo menos, todos os miúdos acessórios de seu traje: os botões dos punhos, o colarinho postiço, os botões, a luneta de tartaruga na extremidade duma estreita fita negra, o anel, eram necessariamente semelhantes aos que se veem entre as pessoas de modo de trajar irretocável. Estou certo de que no verão ele deve andar com botinas cor de ameixa, de botões de nácar de lado. Quando nos encontramos, ele estava parado na esquina duma rua e examinava à sua volta com atenção. Notando que eu o olhava com curiosidade, perguntou-me com uma vozinha melíflua, embora um tanto estridente:

– Permita que lhe pergunte qual o caminho mais curto para a Rua dos Bois?

– Rua dos Bois? Mas é aqui... bem perto – exclamei, presa duma agitação extraordinária. – Siga essa rua em linha reta e depois dobre a segunda rua à esquerda.

– Fico-lhe muito grato.

Maldito seja tal minuto! Creio que estava intimidado e que assumi uma expressão servil. Ele notou tudo isso num abrir e fechar de olhos e, naturalmente, compreendeu tudo, isto é, compreendeu que eu já sabia quem ele era, que eu o lia e admirava-o desde minha infância e que, agora, me sentia intimidado diante dele e o examinava com curiosidade. Sorriu, fez novo sinal com a cabeça e seguiu em frente, como eu lhe havia indicado. Ignoro o que me levou a voltar para segui-lo e a dar uma boa dezena de passos, caminhando a seu lado. De repente, ei-lo que para ainda uma vez.

– O senhor não poderia me indicar a estação de fiacres mais próxima? – ouvi-o gritar para mim.

Ah! O grito horrível, a desagradável voz...

Uma estação de fiacres? A mais próxima se encontra... perto da catedral, há sempre vários ali e, por pouco, estive a ponto de precipitar-me à procura de um cocheiro. Naturalmente, consegui dominar-me no mesmo instante e parei. Ele havia perfeitamente notado meu primeiro movimento e examinava-me com o mesmo sorriso antipático. Produziu-se aqui um fato que jamais esquecerei.

Deixou cair de repente uma sacola minúscula que segurava com a mão esquerda. Era, aliás, em vez de um saco, uma espécie de caixinha ou mesmo de pequena pasta, ou, para ser ainda mais preciso, de redezinha no gênero daquelas que as senhoras outrora usavam; em suma, não sei exatamente que objeto fosse, sei somente que creio ter-me precipitado a apanhá-lo.

Estou convencido de que não o apanhei na realidade, mas não havia engano possível a respeito de meu primeiro movimento; não pude dissimulá-lo e, como um tolo, fiquei rubro. O astuto personagem aproveitou logo da circunstância tudo quanto podia ser aproveitado.

– Não se dê ao trabalho, vou apanhá-lo – proferiu ele, com delicadeza; quer dizer que, quando se certificou totalmente de que não ia eu apanhar a sacola, apanhou-a ele mesmo, como se se tivesse adiantado a mim, fez-me novo sinal com a cabeça e pôs-se a andar, deixando-me ali plantado como um tolo. Era tudo como se eu mesmo a tivesse apanhado. Durante cinco minutos, acreditei-me para sempre desonrado, mas ao chegar à casa de Stiepan Trofímovitch, explodi de repente numa gargalhada. O encontro me pareceu tão divertido que resolvi logo descrevê-lo a Stiepan Trofímovitch para diverti-lo e até mesmo fazer a mímica da cena inteirinha.

III

Mas desta vez, com minha grande surpresa, encontrei nele uma mudança extraordinária. Assim que entrei em sua casa, atirou-se sobre mim, é verdade, com uma espécie de avidez, e se pôs a escutar-me, mas com um ar tão distraído que não compreendeu evidentemente logo de começo o sentido de minhas palavras. Mas apenas pronunciei o nome de Karmázinov, saltou bruscamente dos gonzos.

– Não me fale dele! Não pronuncie esse nome! – exclamou, numa espécie de raiva. – Tome, veja, leia isto, leia!

Abriu uma gaveta e lançou sobre a mesa três pequenas folhas de papel, cobertas de palavras rabiscadas a lápis e todas três eram de Varvara Pietrovna. A primeira carta estava datada da ante-véspera; a segunda chegara na véspera e a terceira naquele mesmo dia, uma hora antes. Essas cartas nada continham que saísse do comum. Referiam-se todas a Karmázinov e revelavam umas e outras a fútil e meticulosa inquietação de Varvara Pietrovna e o temor de que Karmázinov se esquecesse de visitá-lo. Eis a primeira que datava da antevéspera (já houvera provavelmente um bilhete três dias antes e talvez mesmo um outro quatro dias mais cedo):

> Se ele se dignar visitá-lo hoje, nem uma palavra a meu respeito, rogo-lhe. Nem a mínima alusão. Não fale de mim, não pronuncie meu nome.
>
> V.P.

A carta da véspera:

Se ele se decidir a visitá-lo esta manhã, creio que o que haveria de mais digno seria não recebê-lo. Eis minha maneira. de ver a respeito; ignoro qual é a sua.

V.P.

A do mesmo dia, a última:

Estou certa de que há uma carroçada de poeira em sua casa e de que você vive numa nuvem de fumaça de tabaco. Envio-lhe Maria e Fómuchka. Porão tudo em ordem em meia hora. Não as atrapalhe, mas vá sentar-se na cozinha, enquanto elas limparem. Envio-lhe um tapete de Bucara e dois vasos da China. Tinha desde muito tempo a intenção de fazer-lhe presente deles; além do mais, confio-lhe o meu Teniers[38] por algum tempo. Você poderá pôr os vasos sobre a janela e pregar o Teniers à direita, debaixo do retrato de Goethe; estará ali mais em evidência e a luz ali é sempre boa pela manhã. Se ele acabar por apresentar-se, recebe-o com a maior cortesia, mas trate de falar de coisas insignificantes, de um tema intelectual qualquer e comporte-se como se se tivessem visto recentemente. Nem uma palavra a meu respeito. Talvez vá fazer-lhe uma curta visita à noite.

V.P.

P.S. – Se ele não for hoje, não irá absolutamente.

Li esses três bilhetes e fiquei estupefato ao vê-lo ficar naquele estado por causa de semelhantes bagatelas. Olhando-o com mais atenção, notei que ele tivera tempo, enquanto eu lia, de trocar sua eterna gravata branca por uma vermelha. Seu chapéu e sua bengala achavam-se sobre a mesa. Estava pálido e suas mãos tremiam convulsivamente.

– Pouco me importam as suas inquietações! – exclamou ele, com raiva, em resposta ao meu olhar interrogativo. *Je m'en fiche!* Ela tem o topete de se preocupar com Karmázinov e nem responde às minhas cartas! Eis aí uma carta que ela me devolveu ontem sem abrir; está aí em cima da mesa, debaixo desse volume *O homem que ri*. Pouco me importa que ela se atormente por causa de Ni-ko-lien-hka! *Je m'en fiche et je proclame ma liberté! Au diable le Karmázinov! Au diable la Lembke!*[39] Escondi os vasos na antecâmara e o Teniers na cômoda e intimei-a a receber-me imediatamente. Compreende? Insisti. Enviei-lhe por Nastássia um bilhetinho semelhante a estes, um bilhete rabiscado a lápis, sem lacre, e espero. Quero que Dária Pávlovna me fale em pessoa, à face do céu, ou pelo menos diante de você. *Vous me seconderez, n'est-ce pas, comme ami et témoin.*[40] Não quero ter de corar, de mentir. Não quero segredos. Não admito que se façam mistérios neste caso. Que ela me confesse tudo, aberta, franca, honestamente, e então... então, talvez, causarei espanto a

38 David Teniers (1582-1649), pintor flamengo que se destacou na pintura de cenas populares flamengas, interiores de cabarés, quermesses etc., de um realismo intenso.

39 Não ligo e proclamo minha liberdade! Ao diabo o Karmázinov! Ao diabo a Lembke!

40 Você haverá de secundar-me, não é?, como amigo e testemunha.

toda a nossa geração pela minha grandeza de alma... Sou um covarde, sim ou não, meu caro senhor? – concluiu ele, subitamente, olhando-me com um ar de ameaça, como se eu o tivesse chamado de tratante.

Ofereci-lhe um gole d'água. Jamais o vira assim desde que o conhecia. Enquanto falava, não cessava de correr duma extremidade a outra do quarto, mas parou de repente diante de mim, numa atitude extraordinária.

– Pode você supor – prosseguiu, olhando-me de alto a baixo, com uma arrogância mórbida. – que eu, Stiepan Trofímovitch, não encontrarei em mim bastante força moral para pegar minha sacola, minha sacola de mendigo, e, lançando-a sobre minhas débeis costas, sair pela porta e desaparecer para sempre, quando a honra e o grande princípio da independência o exigirem? Não é a primeira vez que Stiepan Vierkhoviénski se verá forçado a opor a grandeza d'alma ao despotismo, ainda mesmo ao despotismo de uma mulher insensata, isto é, ao despotismo mais cruel e mais insultante que possa existir sobre a terra, se bem que, há um momento, ao que parece, meu caro senhor, tenha você duvidado a ponto de rir de minhas palavras! Ah! você não acredita que possa eu encontrar em mim bastante grandeza de alma para ir acabar meus dias como preceptor na família de um negociante ou morrer de fome num fosso! Responda-me, responda-me, imediatamente: acredita ou não acredita?

Mas calei-me de propósito. Fiz menção de hesitar em feri-lo, respondendo "não", conquanto não podendo responder "sim". Havia em toda aquela superexcitação nervosa manifestada por ele algo que me ofendia realmente e isto, não pessoalmente, oh! de modo algum!, mas... explicarei isto mais tarde.

Empalideceu.

– Talvez esteja você farto de mim, G... ov (é meu nome) e preferisse... não me vir mais ver – disse ele, com aquele tom de lívida serenidade que precede habitualmente alguma explosão extraordinária.

Levantei-me dum salto, assustado. No mesmo momento, Nastássia entrou e, sem dizer uma palavra, entregou a Stiepan Trofímovitch um pedaço de papel no qual tinham escrito alguma coisa a lápis. Lançou unia olhadela para ele e atirou-o para mim. Havia três palavras sobre o papel, escritas com a letra de Varvara Pietrovna: "Fique em casa".

Stiepan Trofímovitch pegou, sem dizer uma palavra, seu chapéu e sua bengala e saiu à pressa do quarto. Acompanhei-o, maquinalmente. De repente, vozes e um rumor de passos precipitados ouviram-se no corredor. Ele parou como que fulminado.

– É Lipútin, estou perdido! – murmurou, agarrando-me pelo braço.

No mesmo instante entrou Lipútin no quarto.

IV

Porque pudesse estar ele perdido por causa de Lipútin, ignorava-o e, para falar a verdade, não liguei importância às suas palavras. Atribuí tudo isso aos seus nervos. Entretanto seu terror era singular e resolvi vigiá-lo de perto.

Da maneira pela qual entrou no quarto, sentia-se que Lipútin naquela ocasião tinha o direito particular de infringir todas as proibições. Trazia consigo um senhor desconhecido, que devia ter chegado de pouco à nossa cidade. Em resposta ao olhar aturdido de meu amigo petrificado, exclamou logo com voz forte:

– Trago-lhe uma visita, uma visita especial! Permito-me perturbar sua solidão. Apresento-lhe o Senhor Kirílov, engenheiro civil dos mais distintos. Além do mais, conhece intimamente seu filho, o estimadíssimo Piotr Stiepânovitch e lhe traz uma mensagem de sua parte. Acaba de chegar.

– A mensagem é invenção sua – replicou secamente o visitante. – Não há mensagem nenhuma. Mas conheço, efetivamente, Vierkhoviénski. Deixei-o na província de X***, há uns três dias.

Stiepan Trofímovitch estendeu-lhe maquinalmente a mão e fez-lhe sinal para sentar. Olhou-me, olhou Lipútin, depois, como se se tivesse dominado de repente, apressou-se em sentar por sua vez, mantendo, sem disso aperceber-se, seu chapéu e sua bengala na mão.

– Mas então o senhor ia sair...? Disseram-me que o senhor estava doente e retido em casa por causa de suas muitas ocupações.

– Sim, estou doente e, como o senhor vê, dispunha-me a dar um passeio. Eu...

Stiepan Trofímovitch interrompeu-se, atirou vivamente seu chapéu e sua bengala sobre o divã e... corou.

Durante esse tempo, examinava eu rapidamente o visitante. Era um homem jovem, de cerca de vinte e sete anos, decentemente trajado, benfeito de corpo, delgado e moreno, de rosto pálido e levemente cor de terra, com olhos negros sem brilho. Tinha o ar sonhador e distraído, falava aos sacalões e sem se preocupar com a gramática, alterando a ordem de colocação das palavras duma maneira bastante estranha e confundindo-se desde que tentava formar uma frase de certa extensão. Dava-se Lipútin perfeitamente conta do extremo terror de Stiepan Trofímovitch e regozijava-se visivelmente com isso. Sentou numa cadeira de vime que arrastou quase para o meio do quarto, a fim de ficar a igual distância do visitado e do visitante, que se haviam instalado, um diante do outro, sobre sofás, de cada lado do quarto. Seus olhos penetrantes iam esquadrinhando todos os cantos.

– Há... muito tempo que não vejo Pietruchka... Encontraram-se no estrangeiro? – conseguiu balbuciar Stiepan Trofímovitch para o visitante.

– Aqui e no estrangeiro.

– Alieksiéi Nílitch acaba apenas de chegar, depois de uma estada de quatro anos no estrangeiro – interveio Lipútin. – Viajou para aperfeiçoar-se na sua especialidade e veio para cá porque tem toda esperança de encontrar um emprego na construção de nossa ponte da estrada de ferro. Espera a cada momento uma resposta a respeito. Conhece os Drózdovi e Elisavieta Nikoláievna por intermédio de Piotr Stiepânovitch.

O engenheiro mantinha-se calado, com ar irritado, ao que parecia, e escutando com uma impaciência constrangida. Alguma coisa devia tê-lo aborrecido:

– Também é amigo de Nikolai Vsiévolodovitch. Conhece também Nikolai Vsiévolodovitch? – perguntou Stiepan Trofímovitch.

– Conheço-o também.

– Há... muito tempo que não vejo Pietruchka e... sinto que tenho tão pouco o direito ao título de pai... *C'est le mot.*[41] Eu... como o deixou?

– Ah! sim, deixei-o... mas ele mesmo vai chegar – replicou o Senhor Kirílov, apressado em acabar com aquele interrogatório. Decididamente, estava encolerizado.

– Vai chegar? Afinal, eu... veja o senhor, há muito tempo que não vejo Pietruchka! – repetiu Stiepan Trofímovitch, empenhado nesta frase. – Espero agora meu pobre filho para com o qual... para com o qual tenho tanta culpa! Pelo menos, quero dizer, quando o deixei em Petersburgo, eu... em suma, considerava-o uma nulidade, *quelque chose dans ce genre.*[42] Era um menino muito medroso, vê o senhor, muito sensível, e poltrão. Quando rezava sua oração ao deitar-se, ajoelhava-se e curvava-se até tocar o chão e fazia o sinal da cruz sobre seu travesseiro, a fim de não morrer durante a noite. *Je m'en souviens. Enfin,*[43] nenhum senso artístico, isto é, nada de elevado, nada de fundamental, nem o mínimo germe de um ideal futuro... *C'était comme un petit idiot.* Mas parece que estou falando demais; desculpe-me... o senhor me causou surpresa.

– O senhor fala sério, quando diz que ele fazia o sinal da cruz sobre o seu travesseiro? – indagou o engenheiro, com um ar de curiosidade interessada.

– Sim, fazia o sinal da cruz. Interessa-lhe isso?

– Não, perguntava somente... Continue...

Stiepan Trofímovitch escrutou com o olhar Lipútin.

– Sou-lhe muito grato pela sua visita, mas devo confessar que eu... não estou em condições... no momento... mas permita-me que lhe pergunte onde está hospedado.

– Na Rua da Epifania, em casa de Filípov.

– Ah! é lá que mora Chátov – observei eu, quase involuntariamente.

– Precisamente, na mesma casa – exclamou Lipútin, – somente Chátov mora em cima, na mansarda, ao passo que ele está instalado embaixo; em casa do Capitão Liebiádkin.[44] Conhece também Chátov e a mulher de Chátov. Era muito íntimo dela no estrangeiro.

– *Comment?* Será o caso do senhor saber alguma coisa a respeito do nefasto casamento desse *pauvre ami* com aquela mulher? – exclamou Stiepan Trofímovitch, arrebatado por uma emoção súbita e premente. – E o senhor a primeira pessoa de meu conhecimento que a tenha conhecido pessoalmente e se...

– Que absurdo! – interrompeu o engenheiro, num tom cortante e todo vermelho de cólera. – Que coisas arranja o senhor, Lipútin! Jamais vi a mulher de Chátov; só a vi uma vez de longe e nunca lhe fui apresentado. Conheço Chátov, sim! Por que inventa essas coisas?

Voltou-se bruscamente no sofá, agarrou seu gorro, depois tornou a deixá-lo e, instalando-se de novo como antes, fixou com um ar de desafio seus olhos negros e irritados em Stiepan Trofímovitch. Eu nada entendia daquela irascibilidade estranha.

---

41 *É a palavra.*

42 Algo neste gênero.

43 Lembro-me disso. Afinal...

44 Literalmente: arrogante, delicado, distinto. De *liébied,* cisne. Constitui mais um sobrenome forjado por Dostoiévski.

– Desculpe-me – disse Stiepan Trofímovitch, gravemente. – Compreendo que possa ser esse um assunto delicado...

– Não se trata absolutamente de assunto delicado e direi mesmo que é vergonhoso. Aliás, não se referia ao senhor aquele "que absurdo!" que proferi, mas a Lipútin, porque gosta de inventar coisas. Desculpe-me se pensou que me referia ao senhor. Conheço Chátov, mas não sua mulher... não a conheço absolutamente.

– Compreendi, compreendi. E se insisti, foi únicamente porque gosto muito de nosso pobre amigo, *notre irascible ami* e sempre me interessei por ele... Na minha opinião, esse homem mudou demasiado bruscamente suas antigas ideias, talvez um pouco juvenis, mas, não obstante, bem justas. E agora, anda ele a tal ponto gritando a respeito de *notre Sainte Russie,* que atribuo desde muito tempo todo esse transtorno de seu ser, é o único termo de que me posso servir, a um abalo súbito em sua vida de família, em suma, ao seu casamento frustrado. Eu que conheço a minha pobre Rússia como os dez dedos de minha mão e que consagrei toda a minha vida ao povo russo, posso assegurar-lhe que ele não conhece o povo e mais ainda...

– Eu também ignoro completamente o povo russo e não tenho na verdade tempo para estudá-lo – disse de novo o engenheiro, num tom cortante e, desta vez ainda, voltou-se bruscamente no sofá. Stiepan Trofímovitch interrompeu-se bem no meio de seu discurso.

– Estuda-o, estuda-o – encareceu Lipútin. – Já começou o estudo e está escrevendo um artigo muito interessante sobre as causas do aumento do número de suicídios na Rússia e, em geral, sobre as causas que determinam o aumento ou, a diminuição dos suicídios na sociedade. Chegou aos resultados mais espantosos.

O engenheiro deixou-se arrebatar:

– O senhor não tem absolutamente o direito – gaguejou ele, com cólera. – Não estou escrevendo nenhum artigo. Não vou fazer tolices. Fiz ao senhor confidencialmente algumas perguntas, inteiramente casuais. Não há nenhum artigo. Não publico nada e o senhor não tem o direito...

Lipútin gozava com aquela irritação.

– Peço-lhe perdão, talvez me tenha enganado chamando sua obra literária de artigo. Recolhe ele simplesmente as observações e não toca o fundo da questão, seu aspecto moral, por assim dizer. Bem melhor, repudia inteiramente a própria moral e se atém ao novo princípio da destruição universal em vista do bem final. Já exige mais de cem milhões de cabeças para o estabelecimento do senso comum na Europa, bem mais do que se exigia no derradeiro congresso da paz. Neste sentido Alieksiéi Nílitch foi mais longe do que ninguém.

O engenheiro escutava essa parolagem com um pálido sorriso de desprezo. Durante um meio minuto, todos permaneceram em silêncio.

– Tudo isso é estúpido, Lipútin, – disse, por fim, o Senhor Kirílov, não sem dignidade. – *Se, por acaso, lhe tivesse* eu dito certas coisas e o senhor as tivesse retido de memória, isso é lá com o senhor. Mas o senhor não tem o direito de repeti-las, porque não falo nunca a ninguém. Não faço questão de falar... Se tenho uma convicção, o que para mim é evidente... Mas o senhor, o senhor age tolamente. Não discuto a respeito daquilo que considero já estabelecido. Tenho horror à controvérsia. Abstenho-me de discussões...

– E talvez faça bem – não pôde impedir-se de dizer Stiepan Trofímovitch.

– Peço-lhe desculpas, mas não estou zangado com ninguém aqui – continuou o visitante com vivacidade. – Há quatro anos que frequento poucas pessoas. Durante quatro anos tenho falado muito pouco e, durante quatro anos, não tenho procurado conversar com ninguém a respeito de meus próprios desígnios, que só a mim interessam. Lipútin descobriu isso e faz zombaria a respeito. Compreendo-o, mas isto pouco me importa. Não sou suscetível, mas sua falta de cerimônia me desagrada. E, se não lhes exponho minhas ideias – concluiu ele, de improviso, fixando sobre nós todos um olhar seguro, – não é de modo algum por medo de ser denunciado pelos senhores ao governo; absolutamente, não vão imaginar, por favor, tolices desse gênero.

Ninguém respondeu a estas palavras. Contentamo-nos com olhar-nos mutuamente. O próprio Lipútin esqueceu-se de escarnecer.

– Senhores, lamento muito – disse Stiepan Trofímovitch, levantando do sofá, resolutamente, – mas sinto-me doente e abatido. Desculpem-me.

– Ah! é para que partamos – replicou o Senhor Kirílov, estremecendo e pegando seu gorro. – Fez bem em avisar; sou tão esquecido!

Levantou e com um ar de bom humor aproximou-se de Stiepan Trofímovitch, estendendo-lhe a mão.

– Lamento que o senhor esteja doente e ter eu vindo...

– Desejo-lhe entre nós todo o êxito possível – respondeu Stiepan Trofímovitch, apertando-lhe a mão com benevolência e sem se apressar. – Compreendo que, se o senhor viveu no estrangeiro tanto tempo como diz, isolando-se por motivos conhecidos só do senhor e esquecendo a Rússia, deve olhar-nos com espanto a nós que somos russos até a medula, e devemos experimentar para com o senhor o mesmo sentimento. *Mais cela passera.* Só uma coisa me causa estranheza. O senhor deseja construir nossa ponte e declara ao mesmo tempo que é partidário do princípio da destruição universal. Não o deixarão construir nossa ponte!

– Como? Que diz o senhor? Ah!... com os diabos! – exclamou Kirílov, estupefato e, de súbito, desatou numa risada marcada do mais franco bom humor. Por um instante seu rosto assumiu uma expressão totalmente infantil que me pareceu convir-lhe maravilhosamente. Lipútin esfregava as mãos, regozijado com aquela observação espirituosa de Stiepan Trofímovitch. Quanto a mim, perguntava a mim mesmo todo o tempo por que Stiepan Trofímovitch tinha tão grande medo de Lipútin e por que gritara: "Estou perdido", ao ouvi-lo chegar.

V

Mantinhamo-nos na soleira da porta. Era o momento em que anfitriões e convidados trocam precipitadamente as derradeiras e mais cordiais palavras, para se separar em seguida com satisfação mútua.

– Vou dizer-lhe por qual razão ele está de tão mau humor hoje – disse, de repente, Lipútin. – É porque teve ainda há pouco uma discussão com o Capitão Liebiádkin por causa da irmã deste último. O Capitão Liebiádkin fustiga todos os dias com uma chibata essa encantadora irmã, o senhor bem sabe, a louca, com uma verdadeira *nagaika* de cossaco, de manhã e de noite. Foi por isso que Alieksiéi Nílitch chegou a ponto de alugar o pavilhão, para não assistir àquelas cenas. Vamos, adeus.

– Uma irmã? Uma doente? Com uma *nagaika?* – exclamou Stiepan Trofímovitch, como se tivesse ele próprio, de repente, recebido um golpe de *nagaika.* – Que irmã? Que Liebiádkin?

Todo o seu primitivo terror reapoderou-se dele instantaneamente.

– Liebiádkin! Oh! é um capitão reformado; outrora, só se intitulava tenente...

– Ora! que me importa seu posto? Que irmã? Grande Deus!... Você disse mesmo Liebiádkin? Mas havia um Liebiádkin aqui outrora...

– É o mesmo, o "nosso" Liebiádkin da casa de Virguínski, não se lembra?

– Mas ele não foi preso por passar cédulas falsas?

– Em todo o caso, está de volta agora. Há cerca de três semanas que está aqui, graças a um concurso de circunstâncias especialíssimas.

– Mas é um velhaco!

– Como se não pudesse haver velhacos entre nós! – escarneceu de súbito Lipútin, cujos olhinhos maliciosos pareciam querer penetrar até o fundo a alma de Stiepan Trofímovitch.

– Ah! meu Deus, não é absolutamente o que eu queria dizer... Se bem que esteja completamente de acordo com o senhor a esse respeito, precisamente, com o senhor. Mas depois, depois? Que queria o senhor dizer com isso? O senhor entendia dizer certamente alguma coisa com isso.

– Não se incomode, tudo isso é tão banal... Segundo todas as aparências, o capitão nos deixou naquela ocasião, não por causa de cédulas falsas, mas unicamente para procurar sua irmã que se ocultava dele em alguma parte, ao que parece. Pois bem, ele acaba de trazê-la para cá, eis toda a história. Por que se mostra aterrorizado, Stiepan Trofímovitch? Não faço, contudo, senão repetir sua tagarelice de bêbado: quando está sóbrio, nem fala disso. É um homem irascível e, por assim dizer, estético do ponto de vista militar; mas de mau gosto e essa irmã não só é louca, mas coxa. Teria sido seduzida por alguém e o Senhor Liebiádkin recebe do sedutor, desde vários anos, uma quantia anual a título de compensação pelo ultraje à sua honra; é pelo menos o que parece, segundo seu palavrório, se bem que, na minha opinião, não passe tudo de conversa de bêbado. Gaba-se, eis tudo. Aliás, negócios que tais regulam-se bem mais barato. Mas é perfeitamente certo que ele dispõe de certa soma de dinheiro. Há dez dias, andava descalço e agora lhe vi centenas de rublos nas mãos. Sua irmã sofre umas espécies de acessos todos os dias, lança gritos e ele a "faz entrar na ordem", graças à *nagaika.* "É preciso ensinar respeito às mulheres", diz ele. O que não chego a compreender é que Chátov continue morando por cima da casa dele. Alieksiéi Nílitch não ficou em casa deles senão três dias. Conheciam-se em Petersburgo; agora foi ocupar o pavilhão para não ser incomodado.

– Será verdade tudo isso? – perguntou Stiepan Trofímovitch, dirigindo-se ao engenheiro.

– O senhor fala demais, Lipútin – resmungou o engenheiro, de mau humor.

– Mistérios, segredos! Donde vem que haja de repente entre nós tantos mistérios e segredos? – não pôde impedir-se de exclamar Stiepan Trofímovitch. O engenheiro franziu o cenho, corou, ergueu os ombros e tratou de sair do quarto.

– Alieksiéi Nílitch até arrancou-lhe das mãos a *nagaika,* quebrou-a e atirou-a pela janela, tendo tido os dois violenta briga – acrescentou Lipútin.

– Por que tagarela tanto, Lipútin? Isso é estúpido... Que adianta? – disse logo Alieksiéi Nílitch, voltando-se.

– Por que mostrar-se tão modesto e ocultar os movimentos generosos de sua alma, isto é, do senhor? Não falo da minha.

– Como é estúpido... e completamente inútil... Liebiádkin é um idiota e um homem perfeitamente desprezível. Não tem utilidade nenhuma para a ação e... é absolutamente prejudicial. Por que persiste em tagarelar dessa forma? Vou-me embora.

– Ah! que pena! – exclamou Lipútin, com um sorriso cândido. – Se não fosse isso, poderia lhe contar uma outra historinha para diverti-lo, Stiepan Trofímovitch, e até mesmo vim de propósito para isso, se bem que, sem dúvida, já a tenha ouvido. Pois bem, ficará para outra vez, Alieksiéi Nílitch está com tanta pressa... Adeus, por enquanto. A história diz respeito a Varvara Pietrovna. Ela me divertiu bastante anteontem, pois mandou-me chamar expressamente para isso. É de fazer morrer de rir. Adeus!.

Mas, a estas palavras, Stiepan Trofímovitch não quis absolutamente deixá-lo partir. Agarrou-o pelos ombros, o fez dar bruscamente uma meia volta e, uma vez dentro do quarto, obrigou-o a sentar numa cadeira. Lipútin chegou mesmo a espantar-se.

– Mas, decerto, – começou ele, olhando prudentemente para Stiepan Trofímovitch, sem se levantar de sua cadeira, – ela mandou-me chamar imprevistamente para perguntar-me, confidencialmente, se, na minha opinião particular, Nikolai Vsiévolodovitch era louco ou são de espírito. Não é surpreendente?

– Você é quem está louco! – balbuciou Stiepan Trofímovitch e, de súbito, acrescentou, fora de si:

– Lipútin, você sabe perfeitamente que veio aqui para me contar alguma porcaria desse gênero e... algo de pior ainda!

Num relâmpago, lembrei-me de sua conjetura mediante a qual Lipútin sabia muito mais do que nós a respeito de nosso caso, mas ainda alguma coisa mais, que jamais haveríamos de saber.

– Por favor, Stiepan Trofímovitch! – gaguejou Lipútin, com ar alarmado. – Por favor...

– Cale-se e comece! Rogo-lhe, Senhor Kirílov, que volte também e seja testemunha. Rogo-lhe seriamente! Sente aqui e quanto a você, Lipútin, comece imediatamente e vá direto ao fim... sem procurar tergiversar.

– Se tivesse sabido que isso iria inquietá-lo tanto, nem teria mesmo começado... Mas pensava naturalmente que o senhor sabia de tudo da boca mesma de Varvara Pietrovna.

– Você não pensava nada disso! Comece, comece, digo-lhe!

– Tenha simplesmente a bondade do senhor mesmo sentar; senão, como poderei eu ficar parado, quando o senhor corre para lá e para cá, diante de mim, num tal estado de nervos? Perderei o fio de minhas ideias.

Stiepan Trofímovitch dominou-se e sentou com dignidade numa cadeira. O engenheiro fixou o soalho com ar sombrio. Lipútin olhava os dois com um prazer *intenso*.

– Por onde devo começar?... O senhor me desconcertou de tal modo...

VI

– Anteontem, mandaram-me de repente um criado. "Pedem-lhe que o senhor vá lá na casa cerca do meio dia", disse-me ele. Podem imaginar coisa semelhante? Larguei meu trabalho e ontem, precisamente ao meio dia, toquei a campainha. Introduziram-me no salão. Espero um minuto; ela entra; manda que me sente e ela própria se senta à minha frente. Sento-me; não podia acreditar nos meus olhos. Os senhores sabem como sempre tenho sido tratado por ela! Abordou a questão sem rodeios, segundo seu costume. "Lembra-se, disse-me ela, de que há quatro anos, por ocasião de sua doença, Nikolai Vsiévolodovitch praticou certos atos estranhos que causaram espanto à cidade inteira até que se tivesse deles explicação? Um de seus atos dizia respeito pessoalmente ao senhor. Quando se restabeleceu, Nikolai Vsiévolodovitch, a meu pedido, foi visitá-lo. Sei também que ele lhe falara várias vezes antes. Diga-me francamente e de todo o coração o que o senhor... (sua voz tremeu um pouco ao dizer isto) o que pensou então de Nikolai Vsiévolodovitch... qual era a seu respeito sua opinião duma maneira geral... que ideia havia o senhor podido formar naquela ocasião... e que ideia tem ainda?" Ao dizer estas palavras, perturbou-se completamente, de modo que se interrompeu durante um minuto inteiro e corou de repente. Fiquei muito alarmado. Ela continuou, duma maneira, não direi tocante, esta palavra não lhe convém, mas num tom que queria ser persuasivo: "Desejo, disse-me ela, que o senhor me entenda claramente e sem possibilidade de erro. Mandei chamá-lo hoje, porque o considero um homem perspicaz e inteligente, um homem capaz de fazer observações justas (quantos cumprimentos!). O senhor compreende também que é uma mãe que lhe fala... Nikolai Vsiévolodovitch sofreu, no decorrer de sua existência, certas calamidades e muitas reviravoltas de fortuna. Tudo isso, disse ela, terá podido influir em seu estado mental. Não falo de loucura, bem entendido, não seria questão disso! (Foi isto dito num tom altivo e decidido.) Mas pode dar-se o caso de haver algo de insólito, algo de estranho, um jeito de espírito, uma tendência a encarar as coisas de uma maneira particular (são suas próprias palavras e admirei, Stiepan Trofímovitch, a precisão com a qual Varvara Pietrovna sabe apresentar as coisas. É uma mulher duma inteligência superior.) O caso é que sempre, prosseguiu ela, notei eu mesma nele uma agitação perpétua e uma tendência a ceder a certos impulsos. Mas sou sua mãe e o senhor um estranho e está, por conseguinte, em condições, com sua inteligência, de formar uma opinião mais imparcial. Em suma, suplico-lhe (sim, pronunciou esta palavra "suplico") que me diga toda a verdade sem atenuá-la em nada. E se, além disso, me der sua palavra de honra de jamais esquecer que lhe falei confidencialmente, poderá contar com que estarei sempre pronta a aproveitar todas as ocasiões de provar-lhe minha gratidão". Pois bem, que diz disso?

– Você me causou uma tal estupefação... – balbuciou Stiepan Trofímovitch, – que não acredito no que diz.

– Não, repare – exclamou Lipútin, como se não tivesse ouvido Stiepan Trofímovitch, – repare qual deve ser sua agitação e sua inquietação para que se rebaixe, do alto de sua grandeza, a ponto de apelar para um homem como eu e dignar-se rogar-me que lhe mantenha o segredo. Que diz disso? Não terá ela recebido de Nikolai Vsiévolodovitch notícias inesperadas?

– Notícias?... Ignoro-o... há vários dias que não a vejo, mas... mas lhe farei observar, – gaguejou Stiepan Trofímovitch, visivelmente apenas mal podendo formar uma ideia nítida, – chamo sua atenção, Lipútin, que se isso lhe foi dito confidencialmente você o conta aqui diante de toda a gente...

– Confidencialmente, de modo absoluto! Mas... que Deus me mate neste instante, se eu... Mas quanto a ter contado isso aqui... que importância pode haver? Somos estranhos, até mesmo Alieksiéi Nílitch?

– Não partilho dessa maneira de ver. Sem dúvida, nós três, que estamos aqui, guardaremos o segredo, mas receio a quarta pessoa, isto é, você, e não acreditarei nunca na sua discrição...

– Que entende o senhor por isso? Pois se estou mais interessado do que ninguém, uma vez que me foi prometida uma gratidão eterna! O que eu queria era atrair a atenção do senhor a propósito de um incidente extremamente curioso e, propriamente falando, de ordem psicológica mais do que simplesmente curioso. Ontem de noite, ainda sob o choque de minha conversa com Varvara Pietrovna – o senhor pode imaginar que impressão causou em mim – sondei Alieksiéi Nílitch, perguntando-lhe discretamente: "O senhor conheceu Nikolai Vsiévolodovitch no estrangeiro – disse-lhe, – e o conhecia antes também em Petersburgo. Que pensa de seu espírito e de suas faculdades?". Respondeu-me laconicamente, segundo seu hábito, que era um homem de uma inteligência sutil e de um juízo são. "E jamais notou nele, no correr dos anos, –prossegui –, uma tendência de espirito, uma maneira particular de encarar as coisas ou antes uma espécie de alienação mental, se ouso dizer?" Em suma, repeti, com os próprios termos, a pergunta de Varvara Pietrovna. E, acreditará o senhor? Alieksiéi Nílitch assumiu de repente um ar sonhador, franziu os supercílios, como o faz neste momento. "Sim, disse ele, pensei algumas vezes que havia nele algo de estranho." E note bem que, se alguma coisa pôde parecer estranha a Alieksiéi Nílitch, é que deve bem realmente haver alguma coisa, não é?

– É verdade? – perguntou Stiepan Trofímovitch, voltando-se para Alieksiéi Nílitch.

– Preferiria não falar a respeito – respondeu Alieksiéi Nílitch, erguendo de súbito a cabeça, com o olhar centelhante. – Pretendo contestar-lhe o direito de agir como o faz, Lipútin. Não tem o direito de meter-me nisso. Não exprimi absolutamente toda a minha opinião. Se conheci Nikolai Stavróguin em Petersburgo, foi há muito tempo e se bem que nos tenhamos encontrado depois, conheço-o muito pouco. Rogo-lhe que me deixe fora de... Tudo isso se assemelha a maledicência.

Lipútin ergueu os braços ao céu, com ar de inocência ultrajada.

– Um maldizente! Por que não um espião, já que o disse? Fácil lhe é criticar, Alieksiéi Nílitch, quando o senhor se mantém de parte. O senhor não seria capaz de acreditar, Stiepan Trofímovitch, mas veja, o Capitão Liebiádkin é bastante estúpido, é um... não se ousa mesmo dizer o que ele é; há em russo uma comparação que indica o grau disso; pois bem, sabe que ele se considera lesado por Nikolai Vsiévolodovitch, se bem que lhe admire o espírito? "Estou estupefato, disse ele, por ver um tal homem: é uma serpente sutil." São estas suas próprias palavras. E eu lhe disse (sempre sob o império da conversa de ontem e depois de ter conversado com Alieksiéi Nílitch): "Qual é sua ideia, capitão, sua serpente sutil é louca, sim ou não?". O senhor acreditaria? Foi absolutamente como se eu lhe tivesse assestado, sem sua permissão, uma chibatada nas costas. Levantou-se simplesmente dum salto. "Sim, disse ele... sim. Somente isto não pode influir..." Influir em quê? Não terminou sua frase. Sim, e então mergulhou em reflexões tão profundas, tão absorventes, que sua embriaguez se dissipou. Estávamos sentados na sala do botequim de Filípov. E só foi ao fim de uma meia hora que ele bateu de repente com o punho na mesa: "Sim, disse ele, talvez seja louco, mas isto não pode influir...". Não mais do que da primeira vez, disse qual era a coisa que isto não podia afetar. Naturalmente, não lhe forneço senão um resumo da conversação, mas é possível compreender-lhe o sentido. Pergunte a quem quiser, todos têm a mesma ideia, se bem que não tivesse ocorrido ao espírito de ninguém antes. "Sim, dizem, ele é louco; é muito inteligente, mas pode acontecer também que seja louco."

Stiepan Trofímovitch permanecia mergulhado num profundo cismar.

– E como Liebiádkin sabe disso?

– Se deseja mesmo saber, informe-se com Alieksiéi Nílitch, que acaba de me chamar de espião. Sou um espião e contudo ignoro tudo desse caso. Mas Alieksiéi Nílitch conhece-o até nos seus mínimos pormenores, mas fica calado.

– Não sei de nada, ou, muito pouco – respondeu o engenheiro, com a mesma irritação. – O senhor fez Liebiádkin beber até embriagar-se para ficar sabendo. E me trouxe aqui para saber e para me fazer falar. Por conseguinte, o senhor é um espião.

– Nunca o embriaguei e, aliás, isto custaria muito caro, quaisquer que sejam os segredos dele... Não valem "isto" para mim. Não sei o que possam valer para o senhor. Pelo contrário: atira dinheiro pelas janelas, ele que me mendigou quinze copeques, há doze dias, e é ele quem oferece champanhe e não eu. Mas o senhor me deu uma ideia e, se se apresentar a ocasião, vou fazê-lo beber, bem simplesmente para saber a chave do negócio e talvez descubra... todos os segredinhos do senhor – replicou Lipútin, num tom acre.

Stiepan Trofímovitch olhava com estupor os dois antagonistas. Traíam-se mutuamente e, o que é mais, não faziam cerimônias. Atravessou-me o espírito a ideia de que Lipútin nos havia trazido aquele Alieksiéi Nílitch muito simplestnente com o fito de fazê-lo falar, no momento preciso, em presença duma terceira pessoa –sua manobra predileta.

– Alieksiéi Nílitch conhece muito bem Nikolai Vsiévolodovitch – continuou ele com irritação, – somente faz disso mistério. E quanto à sua pergunta a respeito do Capitão Liebiádkin, este o conheceu antes de qualquer de nós, há seis anos, naquele período obscuro, se me posso exprimir assim, da vida de Nikolai Vsiévolodovitch, antes de sonhar em dar-nos a honra de sua vinda aqui. Deve-se concluir disso que nosso príncipe se cercava dum escol de conhecidos um tanto estranhos. Foi nessa ocasião, parece, que ele conheceu Alieksiéi Nílitch.

– Acautele-se, Lipútin. Previno-o de que Nikolai Vsiévolodovitch está para chegar breve e é homem para saber defender-se.

– *Por que essa advertência?* Sou o primeiro a gritar do alto dos telhados que é ele um homem de uma inteligência das mais sutis e das mais refinadas, e tranquilizei completamente Varvara Pietrovna ontem a esse respeito. "E pelo seu caráter, disse-lhe, não posso responder." Liebiádkin era da mesma opinião ontem: "Sofri muito por causa do caráter dele", disse-me. Escute, Stiepan Trofímovitch, não lhe fica bem gritar a respeito de maledicência e de espionagem, quando ao mesmo tempo me obriga a dizer-lhe tudo, e com que curiosidade insaciável! Varvara Pietrovna, note bem, foi direta ao alvo ontem: "O senhor esteve pessoalmente interessado nesse caso, disse-me ela, por isso apelo para o senhor". Acredito nisso, palavra de honra! Que necessidade há de procurar motivos, quando eu engoli um insulto pessoal da parte de Sua Excelência, diante de toda a sociedade local? Parece-me que tenho razões suficientes para estar interessado que não as de mera comadrice. Um dia, aperta ele a mão da gente e, no dia seguinte, sem razão alguma, agradece a nossa hospitalidade esbofeteando-nos, por mero capricho, diante de toda a honrada sociedade. E, bem melhor ainda, o belo sexo fica todo a favor deles, dessas borboletas, desses galos de aldeia! Grandes senhores com pequenas asas, como os cupidos antigos, como Petchórin,[45] devorador de corações. Isto assenta bem ao senhor, Stiepan Trofímovitch, solteirão empedemido, falar assim, tomando a defesa de Sua Excelência e a mim me chamando de mexeriqueiro. Mas se o senhor se casasse com uma mulher jovem e bonita – sendo ainda um guapo homem, acho que fecharia sua porta com ferrolho contra o príncipe e faria barricadas em sua casa! Pois é! Se pelo menos essa Senhorita Liebiádkina, que é chibateada todos os dias, não fosse louca e coxa, estaria eu disposto a crer, palavra de honra, que foi vítima das paixões de nosso general e que foi por causa dele que o Capitão Liebiádkin sofreu "em sua dignidade familiar", para me servir de sua própria expressão. Somente, talvez seja incompatível com seu gesto refinado, ainda que isso mesmo não seja para ele obstáculo. Todas as bagas são boas para colher, contanto que ele esteja disposto a isso. O senhor fala de maledicência, mas eu não ando gritando isso, embora toda a cidade só fale disso: contento-me com escutar e dar meu assentimento. Não é proibido, que eu saiba.

– Toda a cidade só fala disso? De que é que se fala na cidade?

– Isto é, o Capitão Liebiádkin grita-o, quando está bêbado, para quem queira ouvir; não é o mesmo que dizer que só se trata disso na praça pública? Que culpa tenho eu? Só me interesso por isso entre amigos, porque, afinal, considero estar aqui entre amigos (olhou-nos com ar inocente). Passou-se alguma coisa. Deem-se ao trabalho de refletir: parece que Sua Excelência enviou da Suíça, por uma moça das mais honestas, e por assim dizer uma modesta órfã, que tenho a honra de conhecer, trezentos rublos para serem entregues ao Capitão Liebiádkin. E eis que um pouco mais tarde, outra pessoa, muito honrada igualmente e digna de fé, cujo nome não citarei, foi dizer a Liebiádkin, como um dos fatos mais autênticos, que tinham sido enviados, não trezentos, mas mil rublos... De modo que Liebiádkin não cessa de gritar: "Essa moça apoderou-se de setecentos rublos que me pertencem", e por um pouco chamaria a polícia; em todo o caso ameaça-a e faz barulho na cidade inteira.

– É ignóbil, ignóbil de sua parte! – exclamou o engenheiro, levantando bruscamente de sua cadeira.

– Mas, vejamos, é o senhor mesmo a tal pessoa honrada que foi avisar Liebiádkin, em nome de Nikolai Vsiévolodovitch, que foram enviados mil rublos e não trezentos. O capitão mesmo me contou isso, quando estava bêbado.

– É... é um lamentável mal-entendido. Alguém se enganou e resultou nisso... É um desatino e uma ignomínia de sua parte.

45 Personagem principal do romance *Um herói de nosso tempo*, de Mikhail I. Liérmontov (1814-1841), poeta lírico russo morto em duelo.

– Mas outra coisa não desejo senão que seja mesmo um desatino e estou desolado com essa história, porque, aceite-o como quiser, uma moça de reputação honesta está, em primeiro lugar, implicada nesse negócio dos setecentos rublos, e, em segundo lugar, em evidente intimidade, a respeito da qual não pode haver dúvida, com Nikolai Vsiévolodovitch. Que importa, com efeito, a Sua Excelência desonrar uma moça de boa reputação, ou cobrir de vergonha a mulher de outrem, como testemunha o incidente que ocorreu comigo? Se ele encontrar, por acaso, um homem de coração generoso, vai obrigá-lo a cobrir com seu nome honrado os pecados alheios. Eu também tive de suportar isso, falo por mim...

– Tome cuidado, Lipútin. – Stiepan Trofímovitch levantou de sua cadeira, empalidecendo.

– Não acreditem nele! Não acreditem nele! Alguém cometeu um engano e Liebiádkin é um bêbado! – exclamou o engenheiro, presa duma agitação inexprímivel. – Tudo se explicará, mas eu não posso mais... E acho que é desprezível... e basta, basta!

Saiu precipitadamente do quarto.

– Que faz o senhor? Espere, vou com o senhor! – exclamou Lipútin, muito espantado. Levantou e correu atrás de Alieksiéi Nílitch.

VII

Stiepan Trofímovitch ficou um instante abstraído em suas reflexões. Olhou-me de certo modo sem me ver, pegou seu chapéu e sua bengala e saiu sem rumor do quarto. Acompanhei-o, como o havia feito antes. Ao transpormos o portão, ele disse ao perceber que o acompanhava:

– Na verdade, poderá você servir de testemunha... *de l'accident. Vous m'accompagnerez, n'est-ce pas?*[46]

– Stiepan Trofímovitch, é claro que o senhor não irá lá outra vez. Pense no que pode resultar disso.

Com um sorriso magoado – um sorriso de vergonha e de profundo desespero – ao mesmo tempo que numa espécie de êxtase estranho, disse-me, em voz baixa, parando alguns segundos:

– Não posso casar para cobrir "os pecados alheios".

Eram estas palavras precisamente as que eu esperava. Por fim, esta frase fatal que ele conservara oculta de mim era pronunciada em voz alta, após uma semana inteira de equívocos e fingimentos. Eu estava simplesmente fora de mim.

– E é o senhor, Stiepan Trofímovitch, com seu espírito lúcido, seu bom coração, quem dá acolhimento a uma ideia tão suja, tão desprezível... e pôde fazer isso mesmo antes da vinda de Lipútin?

Olhou-me, não respondeu nada e continuou caminhando na mesma direção. *Eu não queria ficar para trás*. Fazia questão de apresentar minha versão dos fatos a Varvara Pietrovna. Teria podido perdoar-lhe, se ele tivesse simplesmente, com sua pusilanimidade toda feminina, acreditado no que dissera Lipútin, mas agora era manifesto que ele mesmo pensava tudo aquilo desde muito tempo e que Lipútin

46 Do incidente. Você me acompanhará, não é?

havia somente confirmado suas suspeitas e lançado azeite no fogo. Não hesitara em suspeitar da moça desde o primeiro dia, sem que tivesse para isso o mínimo motivo, nem mesmo as palavras de Lipútin. A atitude despótica de Varvara Pietrovna atribuíra-a ele à pressa com que ela procurava cobrir os pecadilhos aristocráticos de seu "Nikolai" querido; casando a moça com um homem honrado! Desejava ardentemente que ele fosse castigado.

– *Oh! Dieu, qui est si grand et si bon!* Oh! quem me consolará? – exclamou ele, parando de novo, subitamente, depois de ter dado uma centena de passos.

– Voltemos imediatamente para casa e lhe explicarei tudo – exclamei, obrigando-o, à força, a arrepiar caminho.

– É ele! Stiepan Trofímovitch é o senhor mesmo?

Uma voz jovem, límpida e fresca, ressoou, melodiosa, atrás de nós.

Nada tínhamos visto, mas uma jovem amazona apareceu de súbito a nosso lado: Elisavieta Nikoláievna com seu inseparável companheiro. Parou seu cavalo.

– Venha cá, venha depressa – gritou-nos ela, com uma voz forte e alegre. – Há doze anos que não o via e o reconheço, ao passo que ele... Será possível que não me reconheça?

Stiepan Trofímovitch pegou a mão estendida para ele e beijou-a respeitosamente. Contemplava a moça como se estivesse em prece e não podia pronunciar uma só palavra.

– Ele me reconheceu e está contente! Mavríki Nikoláievitch, ele está encantado por ver-me! Como é que não foi o senhor visitar-nos durante todos estes quinze dias? Titia quis fazer-me crer que o senhor estava doente e que não se devia incomodá-lo; mas sei que titia prega mentiras. Eu não fazia senão bater com o pé, de impaciência e praguejar contra o senhor; mas estava decidida, bem decidida, a não dar o primeiro passo, por isso não mandei ninguém à sua casa. Meu Deus! mas ele não mudou nada absolutamente! – Examinou-o, curvada sobre sua sela. – É engraçado não ter ele mudado nada! Oh! sim, tem rugas, muitas ruguinhas, em redor dos olhos e nas bochechas, alguns cabelos grisalhos também, mas seus olhos continuam os mesmos. E eu, mudei? Mudei? Por que não diz nada?

Lembrei-me naquele momento de tê-lo ouvido contar que ela quase adoecera, quando a levaram, na idade de onze anos, para Petersburgo, e que chorava durante sua doença e reclamava sem cessar a presença de Stiepan Trofímovitch.

– Você... eu... – balbuciou ele, com uma voz partida pela emoção. – Eu acabava de exclamar: "Quem me consolará", quando ouvi sua voz. Tomo isso por um milagre *et je commence à croire*[47].

– *En Dieu! En Dieu qui est là-haut et qui est si bon*[48]! Está vendo? Conheço todos os seus sermões de cor. Mavríki Nikoláievitch, que fé me pregava ele então *en Dieu qui est si grand et si bon.* E lembra-se de que me contava como Colombo descobriu a América e como todos gritaram: "Terra! Terra!"? Minha ama Aliona Frólovna contava que, de noite, eu tinha febre e só fazia gritar em sonho: "Terra! Terra!". E lembra-se de quando me contava a história do Príncipe Hamlet? E lembra-se de quando me explicava em que condições os pobres emigrantes são transportados da

47 E eu começo a crer.

48 Em Deus! Em Deus que está lá em cima e que é tão bom!

Europa para a América? E não havia uma palavra sequer de verdade em tudo aquilo; mais tarde, descobri como são transportados, mas que belas mentiras me contava ele naqueles tempos, Mavríki Nikoláievitch! Era quase melhor que a verdade. Por que olha o senhor assim o nosso Mavríki Nikoláievitch? É o homem melhor e mais nobre que há na superfície da terra e é preciso que goste tanto dele quanto gosta de mim! *Il fait tout ce que je veux.*[49] Mas, meu caro Stiepan Trofímovitch, o senhor deve sentir-se de novo infeliz, pois que, no meio da rua, pergunta, a grandes gritos, quem o consolará. Sente-se infeliz, não é? Não é?

– No momento sinto-me feliz.

– Minha tia fez misérias com o senhor? – prosseguiu ela sem ouvi-lo. – É sempre a mesma, intratável, injusta e sempre nossa querida tia! E lembra-se o senhor de como se atirava em meus braços, no jardim, e como eu o consolava, chorando? Não tenha medo de Mavríki Nikoláievitch; sabe de tudo quanto se refere ao senhor, de tudo, desde muito tempo; pode chorar sobre seu ombro, tanto quanto queira, ficará sem se mexer tanto tempo quanto o senhor quiser!... Levante o chapéu, tire-o completamente um instante, levante a cabeça, erga-se na ponta dos pés, quero beijar-lhe a testa como o beijei na última vez, quando nos despedimos. Repare naquela moça que nos admira lá da janela. Aproxime-se, mais perto! Céus! Como está encanecido!

E curvando-se, do alto de sua sela, beijou-o na testa.

– Vamos, agora volte para casa! Sei onde o senhor mora. Estarei em sua casa imediatamente, dentro de um minuto. Será ao senhor que farei minha primeira visita, senhor teimoso. Depois, preciso do senhor um dia inteiro em nossa casa. Pode ir fazer os preparativos para receber-me.

Afastou-se a galope com seu cavaleiro. Voltamos para casa. Stiepan Trofímovitch sentou no sofá e pôs-se a chorar.

– *Dieu, Dieu!* – exclamou ele. – *Enfin une minute de bonheur!*[50]

Dez minutos depois, apenas, reapareceu ela, como prometera, escoltada pelo seu fiel Mavríki Nikoláievitch.

– *Vous et le bonheur, vous arrivez en même temps!*[51] – Ficou em pé para ir-lhe ao encontro.

– Eis aqui um ramalhete para o senhor. Passei há pouco em casa de Madame Chevalier; ela tem flores todo o inverno para os dias festivos. Trago-lhe Mavríki Nikoláievitch. Desejo que se tornem bons amigos. Queria trazer-lhe um bolo em vez dum ramalhete, mas Mavríki Nikoláievitch afirma que isto não está de acordo com as tradições russas.

Mavríki Nikoláievitch era capitão de artilharia, um belo e alto homem de trinta e três anos, duma aparência irretocavelmente correta, de rosto imponente e à primeira vista quase duro, apesar de sua bondade maravilhosa e delicada, que não se podia deixar de perceber quase desde o primeiro contato. Era taciturno, entretanto, muito senhor de si e não tinha dificuldade alguma em fazer amigos. Disseram mais tarde entre nós que não era inteligente: isto era inteiramente injusto.

---

49 Faz tudo quanto eu quero.

50 Deus, ó Deus! Enfim um minuto de felicidade!

51 Você e a felicidade chegam ao mesmo tempo!

Não procurarei descrever a beleza de Elisavieta Nikoláievna. Toda a cidade a ela se referia, se bem que algumas das senhoras e senhoritas gritassem de indignação a esse propósito. Já havia algumas que a detestavam, sobretudo por causa do orgulho que lhe censuravam. As senhoras Drózdovi quase não haviam começado ainda a fazer suas visitas, o que ofendia a sociedade, se bem que a verdadeira razão dessa demora fosse a má saúde de Praskóvia Ivânovna. Detestavam-na, em segundo lugar, porque era aparentada com a mulher do Governador e em terceiro lugar porque passeava a cavalo todos os dias. Não tivéramos até então amazonas; era natural que a vista de Elisavieta Nikoláievna a cavalo e a pouca solicitude que mostrava em fazer suas visitas tivessem como efeito chocar a sociedade local. No entanto, todos sabiam que a equitação lhe fora prescrita pelo médico; falava-se também acremente de sua doença. Estava doente, com efeito. O que chamava em primeiro lugar a atenção nela, era sua agitação anormal, nervosa, incessante. Ai! a pobre moça sofria muito e tudo se explicou mais tarde. Hoje, evocando o passado, não penso que fosse tão bela quanto me parecia então. Talvez não fosse bela de todo. Grande, esbelta, mas forte e flexível, impressionava a irregularidade de suas feições. Tinha os olhos dispostos um pouco à maneira dos calmucos, ligeiramente de viés; era pálida, de rosto magro, com maçãs salientes, mas havia naquele rosto alguma coisa que subjugava a gente e fascinava. Uma força emanava do ardente olhar de seus olhos negros. Aparecia "como uma heroína vitoriosa, talhada para vencer". Tinha o ar altivo e por vezes mesmo arrogante. Ignoro se na verdade ela conseguia, mas sei bem que desejava ser boa e fazia terríveis esforços para obrigar-se um pouco a isso. Havia incontestavelmente em sua natureza muitas aspirações elevadas, bem como os melhores elementos, no entanto, tudo nela parecia procurar constantemente o equilíbrio sem conseguir encontrá-lo; tudo estava no caos, na agitação, na inquietude. Talvez ela impusesse a si própria rigores excessivos, sem nunca encontrar em si mesma a força para satisfazer essas exigências.

Sentou no sofá e correu o olhar pelo quarto.

– Por que em semelhantes momentos começo sempre a sentir-me triste? Explique esse mistério, homem sábio! Pensei, durante minha vida, sabe Deus quanto encantamento sentiria ao revê-lo e rememorar tudo, e eis que, não sei por que, não me sinto absolutamente encantada, embora goste do senhor... Meu Deus! mas ele tem meu retrato na parede! Deixe-me vê-lo depressa. Lembro-me dele! Lembro-me dele!

Uma delicada miniatura à aquarela de Lisa, na idade de doze anos, fora enviada de Petersburgo a Stiepan Trofímovitch, nove anos antes, pelas Drózdovi. Depois, ficara constantemente pregada à parede de seu quarto.

– Era tão bonita assim quando menina? Será possível que seja meu rosto?

Levantou-se e, com o retrato na mão, olhou-se no espelho.

– Depressa, depressa, guarde-o! – exclamou ela, devolvendo o retrato. – Não o torne a pendurar agora, mais tarde. Não quero vê-lo. – Tornou a sentar no sofá. – Uma existência está encerrada, outra começou, depois acabou; uma terceira começa, e assim por diante, ao infinito. Todos os finais estão como que cortados a tesoura. Veja que *velharias* estou-lhe dizendo. E no entanto, quanto são verdadeiras!

Olhou-me, sorrindo; várias vezes já me havia lançado rápidos olhares, mas na sua emoção Stiepan Trofímovitch esquecia-se de que havia prometido apresentar-me.

– E por que meu retrato está suspenso acima daqueles punhais? E por que tem o senhor tantos punhais e sabres?

De fato, ele havia pendurado na parede, não sei por que, dois iatagãs cruzados, tendo por cima um autêntico sabre circassiano. Ao fazer esta pergunta, ela me olhava tão diretamente que fui tentado a responder, mas hesitava em tomar a palavra. Stiepan Trofímovitch percebeu, por fim, da situação e apresentou-me.

– Sei, sei – disse ela. – Tenho muito prazer em conhecê-lo. Mamãe ouviu falar muito do senhor também. Permita-me que lhe apresente Mavríki Nikoláievitch. É um homem admirável. Já havia feito do senhor uma ideia engraçada. O senhor é, se não me engano, o confidente de Stiepan Trofímovitch?

Corei levemente.

– Oh! perdoe-me, rogo-lhe. Não é de todo a palavra de que deveria ter-me servido; não queria absolutamente dizer engraçada, mas somente... (perturbou-se e corou). Mas por que ter vergonha de ser um homem tão bom? Enfim, é tempo de partir, Mavríki Nikoláievitch! Stiepan Trofímovitch, o senhor precisa estar lá em casa dentro duma meia hora. Meu Deus! quantas coisas teremos a dizer-nos! Doravante, serei eu sua confidente e em tudo, em tudo, compreendeu?

Stiepan Trofímovitch ficou logo assustado.

– Oh! Mavríki Nikoláievitch está ao corrente de tudo, não se preocupe com ele!

– Que sabe ele?

– Mas o que o senhor quer dizer? – exclamou ela, espantada. –Ah! mas é então verdade o que estão contando? Não queria acreditar. E oculta-se também Dacha. Minha tia não me quis deixar entrar hoje no quarto de Dacha. Diz que Dacha está com enxaqueca.

– Mas... como pôde você saber?

– Ora, como toda a gente. Não é preciso ser muito esperto!

– Mas será que toda a gente...?

– É claro. É verdade que mamãe o soube por Mona Frólovna, minha ama. A sua Nastássia apressou-se em contar-lhe. Foi o senhor que contou a Nastássia, não foi? Diz ela que o senhor mesmo lhe contou.

– Eu... é verdade que falei uma vez – balbuciou Stiepan Trofímovitch, corando até a raiz dos cabelos, – mas... fiz apenas uma simples suposição, *j'étais si nerveux et malade, et puis...*[52]

Ela se pôs a rir.

– E depois, não tinha o senhor seu confidente à mão e Nastássia ali se achava. Pois bem, bastou isso! Ela é amiga de todas as comadres da cidade. Enfim, pouco importa que se saiba; e até mesmo é melhor assim. Apresse-se em ir à nossa casa, pois jantamos cedo... A propósito, esquecia-me – acrescentou ela, tornando a sentar. – Que espécie de homem é Chátov?

– Chátov? É o irmão de Dária Pávlovna.

– Sei bem que é irmão dela! Que homem é o senhor, deveras! – interrompeu ela, com impaciência. – Desejo saber como ele é, que espécie de homem...

52 Estava tão nervoso e doente, e depois...

– *C'est un pense-creux d'ici. C'est le meilleur et le plus irascible homme du monde*[53].

– Ouvi dizer que ele é um tanto estranho. Mas não é disso que se trata. Disseram-me que conhece três línguas, entre outras o inglês e que poderia encarregar-se de trabalhos literários. Neste caso, tenho muito trabalho para dar-lhe. Tenho necessidade de alguém para ajudar-me e quanto mais cedo melhor. Pensa que ele aceitará esse trabalho? Foi-me recomendado.

– Mas decerto. *Et vaus ferez un bienfait.*[54]

– Não é a titulo de *bienfait*. Tenho absolutamente *besoin de quelqu'un pour m'aider.*[55]

– Conheço bastante bem Chátov – eu disse – e se a senhorita quer encarregá-lo de alguma coisa, irei vê-lo imediatamente.

– Diga-lhe que passe em minha casa amanhã, ao meio dia. Perfeitamente! Obrigada. Mavríki Nikoláievitch, está pronto?

Partiram. Bem entendido, corri imediatamente à casa de Chátov.

– *Mon ami* – disse Stiepan Trofímovitch, alcançando-me nos degraus da entrada. – Não deixe de estar aqui em minha casa às dez ou onze horas, quando eu voltar. Oh! agi muito mal para com você e... para com toda a gente.

VIII

Não encontrei Chátov em sua casa. Voltei duas horas depois. Ainda não havia regressado. Finalmente, perto das oito horas, voltei à casa dele, contando deixar um bilhete se não o encontrasse, e de novo não o encontrei. Seu apartamento estava fechado e ele morava só, sem criado de espécie alguma. Atravessou-me o pensamento ir bater à porta do Capitão Liebiádkin, no andar inferior, para me informar a respeito de Chátov; mas lá estava também tudo fechado; não se ouvia rumor algum, não se via nenhuma luz, como se o apartamento estivesse vazio. Experimentei certa curiosidade ao passar diante da porta de Liebiádkin e ao lembrar-me das histórias que ouvira contar naquele dia. Por fim, resolvi voltar no dia seguinte bem cedo. Na verdade, não tinha confiança na eficácia do bilhete. Talvez Chátov não lhe prestasse atenção alguma. Era tão teimoso e tão tímido! Amaldiçoando meu fracasso, ia transpor o portão quando, de repente, encontrei-me, cara a cara, com o Senhor Kirílov. Entrava em casa e foi ele que primeiro me reconheceu. Como espontaneamente se pusesse a interrogar-me, disse-lhe o que se passava e que tinha um bilhete para Chátov.

– Entremos – disse ele. – Faremos o necessário.

Lembrei-me de que, segundo o que nos dissera Lipútin, Kirílov havia alugado pela manhã mesmo uma espécie de pavilhão de madeira que se elevava no pátio. Naquele pavilhão, que era demasiado grande para ele, morava também uma velha senhora surda que lhe servia de criada. O proprietário do imóvel havia-se mudado para ir morar numa casa nova situada numa outra rua, onde ele mantinha um restaurante, e aquela velha, parenta dele, creio, ficava para vigiar tudo na antiga casa. Os quartos do pavilhão eram bastante limpos, se bem que o forro de papel das

53 É um cabeça-oca daqui. É o melhor e o mais irascível homem do mundo.

54 E fará você um benefício.

55 Necessidade de alguém para ajudar-me.

paredes estivesse sujo. No quarto em que entramos, o mobiliário era heteróclito e formava um verdadeiro ferro-velho. Havia ali duas mesas de jogo, uma cômoda de madeira de amieiro, uma mesa grande de madeira branca que devia provir de alguma cabana de campônio ou de alguma cozinha, cadeiras com um sofá de espaldar de palhinha e guarnecido de duras almofadas de couro. Num canto estava colocado um ícone antigo diante do qual a velha acendera uma lâmpada, antes de nossa chegada, e nas paredes estavam pendurados dois quadros a óleo, escurecidos pela fumaça, um dos quais era um retrato do Czar Nicolau I, pintado, ao que parecia, entre 1820 e 1830; o outro o retrato de não sei qual bispo.

O Senhor Kirílov acendeu uma vela e tirou de sua mala, que não havia sido ainda esvaziada e que se achava a um canto, um envelope, lacre e um sinete de cristal.

– Lacre seu bilhete e ponha o endereço no envelope.

Ia objetar que isso não era necessário mas ele insistiu. Depois que pus o endereço no envelope, peguei meu gorro.

– Pensei que o senhor aceitaria uma xícara de chá – disse ele. – Trouxe chá. Quer?

Não recusei. A velha trouxe logo o chá, isto é, uma grande chaleira d'água fervente, um pequeno bule cheio de chá muito forte, duas grandes xícaras de porcelana, grosseiramente decoradas, pão branco e um prato fundo com torrões de açúcar.

– Gosto de beber chá à noite – disse ele. – Ando muito e bebo chá até o amanhecer. No estrangeiro, torna-se difícil tomar chá à noite.

– O senhor se deita ao amanhecer?

– Sempre, desde muito tempo. Como pouco, só tomo chá. Lipútin é astuto, mas carece de paciência.

Vi com espanto que ele queria falar; resolvi aproveitar a ocasião.

– Ocorreram lamentáveis mal-entendidos esta manhã – observei.

Ele franziu a testa.

– Uma tolice, simples futilidades. Tudo isso não tem sentido nenhum, porque Liebiádkin é um bêbado. Nada disse a Lipútin, expliquei-lhe apenas que tudo isso carecia de significação, porque ele imaginava coisas completamente falsas. Lipútin é um imaginativo. Edifica montanhas com coisa nenhuma. Tinha confiança em Lipútin ontem.

– E em mim hoje – disse, sorrindo.

– Mas é que o senhor já sabia de tudo esta manhã; Lipútin é fraco ou impaciente, ou malévolo... ou então... invejoso.

Esta última palavra chamou-me a atenção.

– O senhor se serviu de tantos qualificativos que seria bem estranho que um ou outro não lhe conviesse.

– Ou todos ao mesmo tempo.

– Sim, e Lipútin é bem assim na realidade: um caos. Mentia esta manhã, não é?, quando disse que o senhor estava escrevendo certa obra.

– E por que não? – disse ele, fechando de novo a cara e com o olhar fixo no soalho.

Desculpei-me e pus-me a assegurar-lhe que eu não era curioso. Ele corou.

– Ele disse a verdade. Estou escrevendo. Mas isso carece de de importância.

Calamo-nos durante um minuto. De repente, sorriu, aquele sorriso de criança que eu havia notado de manhã.

– Essa história de cabeças exigidas foi ele quem inventou, segundo um livro. Foi ele mesmo quem logo de início me disse. Aliás, ele compreende mal. Pela minha parte, procuro simplesmente as razões pelas quais os homens não ousam se matar; eis tudo. E tudo isso não tem nenhuma importância.

– Não ousam? Que quer o senhor dizer? Há pois tão poucos suicídios?

– Muito poucos.

– Acha assim deveras?

Não respondeu, levantou-se e, pensativo, pôs-se a andar para lá e para cá.

– Que é que impede as pessoas de se suicidarem? Que pensa o senhor? – perguntei.

Olhou-me com ar distraído, como se procurasse lembrar-se do assunto de nossa conversa.

– Eu... não sei ainda muito bem... Dois preconceitos os retêm, duas coisas; duas somente, uma muito pequena, a outra muito grande. Mas a pequena é igualmente muito grande.

– Qual é a pequena?

– O sofrimento.

– O sofrimento? Ele pode ter importância... em semelhante caso?

– Uma importância capital. Há duas categorias: os que se matam por causa duma grande dor, ou por despeito, ou porque perderam a razão, ou não importa por qual motivo... Esses agem bruscamente. Não pensam no sofrimento, mas se matam bruscamente. Além disso, há os que se matam em plena razão e estes pensam muito.

– Como há quem se mate estando em seu juízo?

– Muitos o fazem. Se não fossem os preconceitos, haveria mais ainda, um grande número, todos.

– Como?... Todos?

Não respondeu.

– Mas não há meios de morrer sem sofrimento?

– Imagine – parou diante de mim, – uma pedra tão grande como uma casa alta; está suspensa no ar e o senhor em baixo; se ela cair sobre o senhor, sobre sua cabeça, vai lhe causar mal?

– Uma pedra tão grande como uma casa? Mas está bem entendido que será apavorante.

– Não falo do pavor. Vai lhe fazer mal?

– Uma pedra grande como uma montanha, dum peso de vários milhões de toneladas? Naturalmente, não sentirei nada.

– Mas meta-se embaixo dela deveras; enquanto ela ficar assim suspensa, o senhor terá grande medo de que ela lhe faça mal. O homem mais sábio, o maior doutor, todos, todos, experimentarão um grande pavor. Todos sabem que não sentirão nada e todos terão medo de que a pedra lhes faça mal.

– Está bem. E a segunda razão, a grande?

– O outro mundo!

– O senhor quer dizer o castigo?

– O castigo importa pouco. O outro mundo; o outro mundo simplesmente.

– Não há ateus que não acreditam de modo algum no outro mundo?

Desta vez ainda não respondeu.

– O senhor julga segundo seu modo de pensar.

– Ninguém pode julgar senão segundo seu modo de pensar – disse ele, corando. – Haverá liberdade completa, quando for totalmente indiferente viver ou não viver. Tal é o fim universal.

– O fim? Mas talvez ninguém então se preocupasse com viver?

– Ninguém – declarou ele, com decisão.

– O homem teme a morte, porque ama a vida. Eis como compreendo a coisa – repliquei, – e assim quer a natureza.

– É uma covardia e aí está o nosso engano! – Seus olhos lançaram faíscas. – A vida é um sofrimento, a vida é um terror e o homem é infeliz. Hoje tudo é sofrimento e terror. Hoje o homem ama a vida, porque ama o sofrimento e o terror. E assim age. A vida se apresenta ao homem, hoje, como um sofrimento e um terror, e tudo isso é um engano. Hoje o homem não é ainda o que haverá de ser. Haverá um novo homem, feliz e orgulhoso. Aquele a quem será indiferente viver ou não viver. Será esse o novo homem! Aquele que vencer o sofrimento e o terror será ele próprio um deus. E o Deus de lá de cima deixará de existir.

– Então esse Deus existe, na sua opinião?

– Existe e não existe. Na pedra não há sofrimento, mas é no medo que se tem da pedra que jaz o sofrimento. Deus é o sofrimento que causa o medo da morte. Aquele que vencer o sofrimento e o terror vai se tornar ele próprio um deus. Então haverá uma vida nova, um homem novo; tudo será novo... Então a história vai se dividir em duas partes: do gorila ao aniquilamento de Deus, e do aniquilamento de Deus à...

– Ao gorila?

– À transformação da terra e do homem fisicamente. O homem será Deus e será transformado fisicamente, e o mundo será transformado e as coisas serão transformadas, bem como os pensamentos e todos os sentimentos. Acredita que o homem seja então mudado fisicamente?

– Se é indiferente viver ou não viver, todos se matarão e eis talvez em que consista a mudança.

– Isto não tem nenhuma importância. A mentira será morta. Quem quer que deseje a liberdade suprema deve ousar matar-se. Aquele que ousar matar-se descobriu o segredo da mentira. Fora disso, não há liberdade; nisso está tudo, e nada além disso. Quem ousar matar-se, será Deus. Agora, cada qual pode fazer que não haja Deus e que não haja nada. Mas ninguém ainda o fez.

– Tem havido milhões de suicídios.

– Mas jamais por isso; sempre com o temor e não tendo esse objetivo em vista. Não para matar o temor. Aquele que se matar unicamente para matar o temor, vai se tornar na mesma hora um Deus.

– Não terá talvez tempo – observei.

– Isto não importa – respondeu ele serenamente, com tranquilo orgulho, quase com desprezo. – Lamento que o senhor pareça zombar – acrescentou ele ao *fim de um meio minuto*.

– Parece-me estranho que o senhor tenha se mostrado tão irascível esta manhã e que esteja tão calmo, se bem que fale com calor...

– Esta manhã? Era ridículo esta manhã – respondeu, sorrindo. – Não gosto de discutir e nunca rio – acrescentou, num tom melancólico.

– Sim, o senhor não passa muito alegremente suas noites a beber chá.

Levantei-me e peguei meu gorro.

– Acha? – disse, sorrindo e com alguma surpresa. – Por quê? Não, eu... eu não sei. – Perturbou-se de repente. – Não sei como é com os outros e sinto que não posso fazer como toda a gente. Cada qual pensa, depois, imediatamente, pensa em outra coisa. Eu não posso pensar em nenhuma outra. Penso a vida inteira na mesma coisa. Deus me tem atormentado a vida inteira – concluiu ele de repente, numa expansão surpreendente.

– E diga-me, se me é permitido perguntar-lhe, como é que o senhor fala o russo de maneira um tanto incorreta? Será possível que o tenha esquecido por ter passado cinco anos no estrangeiro?

– Não falo então corretamente? Não sei. Não, não é por causa de minha estada no estrangeiro. Sempre falei assim em toda a minha vida... não me importo.

– Outra pergunta, mais delicada. Creio perfeitamente no senhor, quando diz que não faz questão de travar novos conhecimentos e que fala muito pouco. Por que me falou esta noite?

– Ao senhor? Esta manhã, o senhor se conservava ali tão sensatamente e o senhor... mas tudo isso é indiferente... o senhor se parece com meu irmão, extremamente; não posso dizer-lhe a que ponto – acrescentou, corando. – Morreu há sete anos. Era mais velho, muito mais velho.

– Suponho que tenha exercido grande influência sobre seu modo de pensar.

– Não. Não falava; não dizia nada. Entregarei seu bilhete.

Acompanhou-me com uma lanterna até a porta para fechá-la à chave atrás de mim. "Ele é louco, com certeza", decidi no meu íntimo. Na soleira da porta, tive novo encontro.

IX

Mal acabava de pousar o pé no limiar, quando, de repente, uma mão vigorosa abateu-se sobre meu peito.

– Quem vem lá? – berrou uma voz. – Amigo ou inimigo? Confesse-o!

– É dos nossos, dos nossos! – clamou bem perto de mim a voz aguda de Lipútin. – É o Senhor G...ov, rapaz de educação clássica com acesso à mais alta sociedade.

– Gosto dele se frequenta a sociedade clássi... quer isto dizer de muito boa e-du-caa-ção. O capitão reformado Ignat Liebiádkin, a serviço do mundo inteiro e de seus amigos... se forem amigos fiéis, amigos fiéis, os canalhas!

O Capitão Liebiádkin, gordo homem, bem fornido, de mais de seis pés de altura, de cabelos crespos e tez vermelha, estava a tal ponto embriagado que mal se podia ter de pé diante de mim e articulava com dificuldade as palavras. Aliás, já o havia percebido de longe.

– E aquele ali! – gritou ainda, ao ver Kirílov que ainda ali estava com a lanterna; ergueu o punho, mas deixou-o tornar a cair logo.

– Perdoo, em atenção à sua cultura! Ignat Liebiádkin, de muito boa e-du-caa-ção...

Uma bomba de amor, com dor aguda,
No coração de Ignat explodiu.
Com amarga angústia choro ainda
O braço que em Sebastópol
Perdi com sofrimento atroz!

Não que tenha estado alguma vez em Sebastópol, nem que eu seja manco, mas o senhor sabe bem o que sejam versos – acrescentou, aproximando de meu rosto sua cara de bêbado.

– Ele está com pressa, precisa voltar para casa – disse-lhe Lipútin, em tom persuasivo. – Vai contar tudo amanhã a Elisavieta Nikoláievna.

– Elisavieta! – tornou ele a gritar. – Espere! Não parta! Eis aqui uma variante:

Estrela entre as amazonas,
Passa no seu corcel como um clarão,
E lá do alto me sorri
A filha da aristocracia!

"A uma amazona-estrela".

– É um hino, sabem? É um hino, se não és um asno! Os imbecis! Não compreendem nada! Pare! – Agarrou-se a meu paletó, malgrado os esforços que eu fazia para transpor o limiar. – Diga-lhe que sou um cavalheiro e a própria honra, e quanto a essa Dacha... vou agarrá-la pelas pontas dos dedos e atirá-la fora... Não passa de uma serva, não ousaria...

Ao dizer isto, caiu no chão, porque me desembaracei violentamente de suas mãos e alcancei a rua correndo. Lipútin foi atrás de mim.

– Alieksiéi Nílitch o levantará. Sabe o que acabo de saber dele? – disse o incorrigível tagarela, com uma volubilidade febril. – Ouviu aqueles versos? Pôs aqueles versos dedicados "a amazona-estrela" num envelope e vai enviá-los amanhã a Elisavieta Nikoláievna, assinando seu nome com todas as letras. Que lhe parece?

– Aposto que foi o senhor mesmo quem lhe sugeriu essa ideia.

– Perderia sua aposta – disse Lipútin, rindo. – Ele está apaixonado, apaixonado como um gatarrão, e, acredita o senhor?, começou isso pelo ódio. Odiava a tal ponto, nos primeiros tempos, Elisavieta Nikoláievna pelo fato dela montar a cavalo, que quase chegava a descompô-la em voz alta na rua. Sim, asseguro-lhe que a insultava! Ainda anteontem, lançou-lhe um palavrão, quando ela passava; por felicidade, ela não ouviu. E de repente, hoje, versos! Sabe que está ele com intenção de arriscar uma declaração? É sério! É sério!

– Lipútin, o senhor me causa espanto. Todas as vezes que se passa algo de sujo, o senhor está sempre metido, para desempenhar um papel importante! – disse, com raiva.

– Hem? O senhor vai um pouco longe demais, Senhor G...ov. Não seria o caso, talvez, de que seu pobre coraçãozinho tremesse de terror pensando num rival?

– Que... está dizendo? – exclamei, parando.

– *Isto mesmo.* Agora, para puni-lo, não direi mais nada. E, contudo, quanto o senhor gostaria de saber tudo! Saiba somente que aquele imbecil não é um simples capitão, mas um proprietário de terras de nossa província, e bastante importante, porque Nikolai Vsiévolodovitch vendeu-lhe outro dia todos os seus bens, outrora de duzentas almas, e tão verdade como há um Deus lá em cima, não estou mentindo! Acabo de saber disso, mas de fonte absolutamente segura. E agora pode farejar o resto o senhor mesmo. Não direi mais nada. Adeus!

X

Stiepan Trofímovitch esperava-me com uma espécie de impaciência histérica. Tinha regressado havia uma hora. Encontrei-o num estado vizinho da embriaguez; durante os cinco primeiros minutos pelo menos, acreditei que ele estivesse embriagado. Ai! sua visita à casa das Drózdovi fora para ele o golpe de misericórdia.

– *Mon ami,* perdi completamente o fio... Lisa... amo e respeito esse anjo como antes, completamente como antes; mas parece-me que as duas me convidaram somente para saber de mim alguma coisa, isto é, simplesmente para bisbilhotar e depois livrarem-se de mim... Isto mesmo.

– O senhor devia envergonhar-se! – gritei, não aguentando mais.

– Meu amigo, doravante estou absolutamente só. *Enfin c'est ridicule.* Você acredita? Também lá só há mistérios e mistérios. Logo caíram sobre mim a respeito dessas orelhas e desses narizes, bem como de certos segredos obscuros de Petersburgo. Foi aqui pela primeira vez que ouviram falar das peças que Nikolai pregou entre nós há quatro anos. "O senhor estava aqui, diziam-me elas, viu tudo. É verdade que ele esteja louco?" Não posso compreender como lhes ocorreu esta ideia. Por que Praskóvia quer a toda a força que Nikolai esteja louco? Essa mulher quer absolutamente que seja assim, faz questão. *Ce Maurice,* como o chamam, Mavríki Nikoláievitch, *brave homme tout de même...*[56] Mas pode ser que no seu interesse e isto depois de haver por primeiro escrito de Paris a *cette pauvre amie... Enfin,* essa Praskóvia, como a chama *cette chère amie*, é um tipo. É a imortal Senhora Koróbotchka, de Gógol, mas é uma Senhora Koróbotchka odienta, uma Senhora Koróbotchka cheia de fel e sob uma forma imensamente exagerada.

– Se de forma exagerada, deve ser uma verdadeira caixa de embalagem.[57]

– Afinal, talvez ela seja apenas exagerada na pequenez, mas dá na mesma. Apenas, não me interrompa, porque tenho a cabeça rodando. As duas estão completamente brigadas, exceto Lisa que não cessa de falar na "titia, titia!". Mas Lisa é astuta e há também alguma coisa embaixo disso. Mistério. Ela brigou com a velha. Essa pobre tia tiraniza toda a gente, na verdade, e depois há a mulher do Governador, a impolidez da sociedade local e a impolidez de Karmázinov; e depois essa ideia de loucura, *ce Lipoutine, ce que je ne comprends pas* e... dizem que ela pôs compressas de vinagre na testa e eis-nos aqui, nós, com nossas queixas e nossas cartas... Oh! quanto a atormentei e em semelhante ocasião! *Je suis un ingrat!* Imagine que volto para aqui e encontro uma carta dela; leia, leia! Oh! que ingratidão a minha!

Entregou-me uma carta que acabara de receber de Varvara Pietrovna. Esta parecia ter-se arrependido de seu "fique em casa". A carta era amável, mas de um

56 Esse Maurício... bom homem ainda assim...

57 Trocadilho a propósito do vocábulo "Koróbotchka", nome duma das personagens da obra de Gógol, *Almas mortas,* que nas suas presunções chega a extremos imprevisíveis. Tipo de velha beata, avarenta e tola. *Koróbotchka* significa caixinha.

tom resoluto e breve. Varvara Pietrovna convidava Stiepan Trofímovitch a ir vê-la dentro de dois dias, no domingo, ao meio-dia e aconselhava-o a levar um de seus amigos. (Meu nome estava mencionado entre parênteses.) Prometia, de sua parte, convidar Chátov, na qualidade de irmão de Dária Pávlovna. "Você poderá obter dela uma resposta definitiva, isso será suficiente? Será esta a formalidade a respeito da qual você tanto insiste?"

– Repare essa frase irritada em que ela fala de formalidade. Pobre, pobre amiga de toda a minha vida! Confesso que esta decisão súbita de minha sorte deixou-me quase aniquilado... Confesso que conservava ainda alguma esperança, mas agora *tout est dit*. Sei agora que tudo está acabado. *C'est terrible!* Oh! se ao menos esse domingo pudesse jamais chegar e tudo pudesse continuar como no passado? Você viria aqui e eu iria...

– O senhor ficou transtornado por causa de todas aquelas coisas vis que Lipútin vomitou, por causa de todas aquelas comadrices.

– Meu caro, é outro ponto sensível que você acaba de tocar com seu dedo amigo. Esses dedos amigos são em geral impiedosos e por vezes absurdos. *Pardon.* Talvez não acredite, mas eu quase havia esquecido tudo isso, todas essas ignomínias, não que as tivesse esquecido na realidade, mas, na minha estupidez, esforçava-me por ser feliz, durante todo o tempo em que estava com Lisa e persuadia-me de que era feliz. Mas agora... Oh! agora penso naquela mulher generosa e compassiva, tão indulgente para com minhas desprezíveis faltas – não que ela tenha sido inteiramente indulgente, mas eu, que fui eu, com meu caráter horrível, detestável? Sou uma criança caprichosa, com todo o egoísmo de uma criança, sem ter desta a inocência. Há vinte anos que ela cuida de mim como uma ama, *cette pauvre* tia, como a chama Lisa de maneira tão graciosa... E eis que, ao fim de vinte anos, a criança pede a grandes gritos para se casar, enviando-lhe carta após carta, quando ela está com uma compressa de vinagre na testa, e... agora ele tem o que pedia. Domingo, serei um homem casado e não é divertido... E por que insisti tanto eu mesmo, por que escrevi aquelas cartas? A propósito, esquecia-me. Lisa adora Dária Pávlovna, pelo menos é o que diz. A ela se referindo, dizendo *c'est un ange*, mas um anjo um tanto reservado. Aconselharam-me ambas, até mesmo Praskóvia... Praskóvia, a bem dizer, não me aconselhou precisamente. Oh! quanto veneno oculto nessa Koróbotchka! E Lisa tampouco não me aconselhou precisamente: "Por que quer casar? – dizia ela. – Seus prazeres intelectuais deveriam bastar-lhe". Ria. Perdoo-lhe o ter rido, porque seu coração também conhece a dor. "Aliás, o senhor não pode passar sem uma mulher", diziam-me. "As enfermidades da velhice o aguardam e ela o tratará com muito mimo, como se diz..." *Ma foi*[58], não parei de pensar, desde que estou sentado aqui diante de você, que é a Providência quem a envia para mim no declínio de meus anos tempestuosos e que ela me tratará com muito mimo, como se diz. Afinal, será útil para manter a casa. Veja que desordem há por aqui, como tudo está de pernas para o ar. Disse que era preciso pôr tudo em ordem esta manhã e lá está aquele livro no chão! *La pauvre amie* sempre se mostrou indignada com a sujeira que reina em minha casa. Oh! doravante não ouvirei mais sua voz! *Vingt ans.* E parece que elas receberam cartas anônimas. Imagine: dizem que Nikolai vendeu seus bens a

---

58 Palavra de honra.

Liebiádkin. *C'est un monstre!* E, afinal, quem é esse Liebiádkin? Lisa escuta escuta. Oh! como escuta! Perdoei-lhe ter rido. Vi seu rosto enquanto ela escutava, e aquele Mavríki... não queria estar no seu lugar de agora em diante, *brave homme tout de même,* mas um pouco tímido; afinal, deixemos de ocupar-nos com ele.

Interrompeu-se. Estava cansado, enervado e ficou sentado, com a cabeça pendida, olhando fixamente o soalho com os olhos fatigados. Aproveitei o intervalo para lhe contar minha visita à casa de Filípov e exprimi-lhe breve e secamente aquela opinião de que a irmã de Liebiádkin (que eu nunca vira) podia bem ter sido, de uma maneira ou de outra, a vítima de Nikolai, num certo momento daquele período misterioso de sua vida, segundo a expressão de Lipútin e que era muito possível que Liebiádkin recebesse quantias de Nikolai por uma razão qualquer; mas tudo se limitava a isso. Quanto ao que se dizia de Dária Pávlovna, eram puras invenções, pelo menos assim o sustentava energicamente Alieksiéi Nílitch, e não tínhamos motivo algum para duvidar de sua palavra. Stiepan Trofímovitch escutava minhas afirmativas distraidamente, como se elas não tivessem nenhum interesse para ele. Mencionei, de passagem, minha conversa com Kirílov e acrescentei que Kirílov talvez fosse louco.

– Não é louco, mas um desses espíritos de ideias limitadas –murmurou ele, com indiferença. *Ces gens-là supposent la nature et la société humaines autres que Dieu ne les a faites et qu'elles ne sont réellement*[59]. Há pessoas que procuram ganhar-lhes as boas graças, mas não é sempre o caso de Stiepan Vierkhoviénski. Tratei com gente dessa qualidade em Petersburgo quando lá estava *avec cette chère amie* (oh! quanto a ofendi então!) e não tinha medo de suas injúrias, nem mesmo de seus louvores. Tampouco agora me assustam. *Mais parlons d'autre chose...* Creio que fiz coisas abomináveis Imagine que mandei ontem uma carta a Dária Pávlovna e... como me amaldiçoo por haver feito isso!

– A que propósito lhe escreveu?

– Oh! meu amigo, acredite-me, fiz tudo isso com a mais nobre intenção. Dizia-lhe que havia escrito a Nikolai cinco dias antes e também com uma nobre intenção.

– Compreendo tudo agora! – exclamei eu, com cólera. – E com que direito aproximava o senhor assim seus dois nomes?

– Mas, *mon cher,* não me esmague, não grite comigo; já estou esmagado como um... percevejo. E afinal de contas, creio que minha conduta foi muito direita. Admitamos que se haja realmente passado alguma coisa... *en Suisse,* ou que tenha havido um começo. Estava bem obrigado a interrogar-lhes com antecedência os sentimentos, no receio de... enfim... no receio de exercer constrangimento sobre seus corações e ser uma pedra no caminho deles. Agi movido apenas por um sentimento de nobreza.

– Grande Deus! Que coisa estúpida fez o senhor! – exclamei, involuntariamente.

– Sim, sim – aquiesceu ele, com verdadeira solicitude. – Você nunca disse nada mais justo, *c'était bête, mais que faire? Tout est dit.* Casarei com ela ainda assim, e mesmo se se tratar de encobrir "os pecados alheios". Minhas cartas não tinham então nenhuma razão de ser, não é?

---

59 Essa gente supõe que a natureza e a sociedade humana sejam diferentes do que Deus as fez e do que são realmente.

– Insiste o senhor nessa ideia?

– Oh! você não me amedrontará mais agora com seus gritos. É um Stiepan Vierkhoviénski diferente que vê agora diante de você. O homem que eu era está enterrado. *Enfin, tout est dit.* E por que você grita? Muito simplesmente porque não é você quem vai casar e usar na testa certos ornamentos. Está de novo chocado? Meu pobre amigo você não conhece a mulher, ao passo que eu outra coisa não fiz senão estudá-la. "Se queres vencer o mundo, começa por vencer a ti mesmo", a única boa coisa que um outro romântico como você, o irmão de minha noiva, Chátov, conseguiu dizer. Tomo-lhe de boa vontade emprestada a frase. Em suma, eis-me prestes a vencer a mim mesmo, e caso. E no que se refere ao mundo, que é que vou conquistar? Oh! meu amigo, o casamento é a morte moral de toda alma altiva, de toda independência. O casamento me corromperá, minará minha energia, minha coragem ao serviço da causa. Virão filhos, que não serão provàvelmente meus, ou melhor, que não serão certamente meus: o sábio não teme encarar de face a verdade. Lipútin propunha-me esta manhã que pusesse barricadas na casa para impedir a entrada nela de Nikolai; Lipútin é um imbecil. A mulher enganaria até o filho que vê tudo. O *bon Dieu,* decerto, sabia o que o esperava, quando criou a mulher; quanto a mim, estou bastante certo que ela mesma se meteu nisso e obrigou-o a criá-la tal qual é... e com seus atributos: quem, com efeito, ia dar a si mesmo tanto trabalho por coisa nenhuma? Sei que Nastássia se zangará comigo por causa de meu livre pensamento, mas... *Enfin, tout est dit.*

Não teria sido quem era, se não saísse a defender o mesquinho livre pensamento zombeteiro, que estava em moda. Pelo menos, agora se consolava com um trocadilho, ainda que por breve tempo.

– Oh! se esse depois de amanhã, se esse domingo jamais chegasse! – exclamou de repente, desta vez com um desespero infinito. – Por que essa semana apenas não poderia ser sem domingo, *si le miracle existe?* Que custaria à Providência riscar um domingo apenas do calendário? Nem que fosse para demonstrar seu poder aos ateus *et que tout soit dit.* Oh! quanto a amava! Vinte anos, durante vinte anos, e ela jamais me compreendeu!

– Mas de quem fala o senhor? Eu também não o compreendo! – disse eu, com surpresa.

– *Vingt ans!* E ela não me compreendeu uma só vez! Oh! é cruel! E pode ela crer, na verdade, que me caso por medo, por pobreza? Oh! que vergonha! Oh! tia, tia, é por você que o faço... Oh! que ela o saiba, essa tia, que ela é a única mulher que eu adoro há vinte anos! É preciso que ela o saiba, é preciso, senão deverão usar de força para me arrastar para debaixo de *ce qu'on appelle la*[60] "coroa" de casamento.

Era a primeira vez que ouvia eu tal confissão e em termos tão enérgicos. Não procurarei dissimulá-lo, senti uma vontade louca de estourar na gargalhada. Não tinha razão para isso.

– É a única que me resta no momento, a única, minha única esperança! – exclamou de repente, juntando as mãos como impressionado por uma ideia nova. – Somente, ele, meu pobre filho, poderá salvar-me doravante, e... oh! por que ele não chega? *Oh! meu filho,* oh! meu Pietruchka! E se bem que não mereça eu o nome

60 O que se chamara.

de pai, mas antes o de tigre, entretanto... *Laissez-moi, mon ami*[61], vou repousar um pouco, para coligir minhas ideias. Estou tão fatigado, tão fatigado... E parece-me que é tempo de você ir para casa. *Voyez-vous*[62], é meia-noite.

Capítulo IV / *A coxa*

I

Chátov não se obstinou, mas agiu de acordo com minhas instruções e foi ver Elisavieta Nikoláievna ao meio-dia. Entramos quase juntos; eu também ia fazer minha primeira visita. Estavam todos lá, isto é, Lisa, a mãe desta e Mavríki Nikoláievitch, sentados no grande salão em ponto de brigar. A mãe pedira a Lisa que tocasse no piano não sei qual valsa, e assim que Lisa começou a tocar o trecho pedido, afirmara não ser aquele o trecho bom. Na sua ingenuidade, Mavríki Nikoláievitch tomara o partido de Lisa, sustentando que era aquela mesma a valsa pedida. A dama idosa chorou de raiva. Estava doente e só andava com dificuldade. Tinha as pernas inchadas e, desde alguns dias, não deixava de estar zangada, discutindo com toda a gente, embora sempre tivesse temido um pouco Lisa. Ficaram todos satisfeitos ao ver-nos, Lisa corou de prazer e, agradecendo-me, por causa de Chátov, naturalmente, foi ao encontro dele, olhando-o com curiosidade.

Chátov parou, acanhado, na soleira da porta. Depois de ter-lhe agradecido sua vinda, a moça levou-o para onde estava sua mãe.

– Este é o Senhor Chátov, de quem lhe falei, e este o Senhor G...ov, um de nossos grandes amigos, de Stiepan Trofímovitch e meu. Mavríki Nikoláievitch também ficou conhecendo-o ontem.

– Qual deles é o professor?

– Não há propriamente professor, mamãe.

– Tu mesma me disseste ontem que haveria um professor. É aquele provavelmente. – Indicava desdenhosamente Chátov.

– Não lhe disse que haveria um professor. O Senhor G... ov é empregado na administração e o Senhor Chátov é um ex-estudante.

– Estudante ou professor, nem por isso deixam de vir da Universidade. Tu só procuras discutir, mas aquele da Suíça tinha bigode e barba de bode.

– É o filho de Stiepan Trofímovitch que mamãe sempre chama o professor – disse Lisa que levou Chátov até o sofá que se encontrava na outra extremidade do salão.

– Quando está com as pernas inchadas fica sempre assim. O senhor compreende, está doente – disse Lisa baixinho, dirigindo-se a Chátov a quem continuava a fitar com a mesma acentuada curiosidade, sobretudo seus cabelos revoltos.

– O senhor é militar? – perguntou-me a velha senhora a quem Lisa me abandonara sem piedade.

– Não, estou no serviço...

61 Deixe-me, meu amigo.

62 Veja você.

– O Senhor G... ov é um grande amigo de. Stiepan Trofímovitch – interrompeu logo Lisa.

– O senhor está a serviço de Stiepan Trofímovitch? Ainda um professor, não?

– Oh! mamãe, a senhora deve sonhar de noite com professores – exclamou Lisa, num tom de contrariedade.

– Basta os que já vejo, quando estou acordada, mas é sempre preciso que contradigas tua mãe. O senhor estava aqui, há quatro anos, quando Nikolai Vsiévolodovitch chegou?

Respondi que estava.

– Não havia um inglês com o senhor?

– Não, não havia.

Lisa sorriu.

– Bem vês que não havia inglês; era simples mexerico. Aliás, Varvara Pietrovna e Stiepan Trofímovitch são ambos mentirosos. Todos mentem.

– Minha tia e Stiepan Trofímovitch achavam ontem que havia certa semelhança entre Nikolai Vsiévolodovitch e o Príncipe Harry do *Henrique IV*, de Shakespeare, ao que mamãe responde que não havia inglês aqui – explicou-nos Lisa.

– Já que Harry não estava aqui, não havia inglês. Não havia senão aquele farsante do Nikolai Vsiévolodovitch.

– Asseguro-lhe que mamãe faz isso de propósito – sentiu-se obrigada a explicar Lisa para Chátov. – Ouviu deveras falar de Shakespeare. Eu mesma li para ela o primeiro ato de *Otelo*, mas neste momento está sofrendo muito. Escute, mamãe, está dando meio-dia, é o horário da senhora tomar seu remédio.

– O doutor está aí – anunciou uma criada, à porta.

A velha levantou-se e se pôs a chamar sua cadelinha:

– Zamirka, Zamirka, tu pelo menos hás de vir comigo.

Zamirka, uma velha cadelinha horrível, meteu-se, em lugar de obedecer, debaixo do sofá em que Lisa estava sentada.

– Não queres vir? Bem, passarei sem ti. Adeus, caro senhor, não sei seu nome, nem o nome de seu pai – disse ela, dirigindo-se a mim.

– Anton Lavriéntievitch...

– Afinal, pouco importa; comigo, isso entra por um ouvido e sai pelo outro. Não se dê ao trabalho de acompanhar-me, Mavríki Nikoláievitch, era Zamirka que eu estava chamando. Graças a Deus, posso ainda andar sem que me sustentem e amanhã irei dar um passeio de carro.

Saiu do salão encolerizada.

– Anton Lavriéntievitch, tenha a bondade de conversar, enquanto espera, com Mavríki Nikoláievitch. Asseguro-lhes que ganharão ambos em se conhecer melhor – disse Lisa, dirigindo um sorriso cordial a Mavriki Nikoláievitch, cujo rosto se iluminou sob o olhar da moça. Não havia jeito de agir diferentemente: fiquei a conversar com Mavriki Nikoláievitch.

II

Para minha grande surpresa, o negócio que Elisavieta Nikoláievna tinha a tratar com Chátov só se referia realmente à literatura. Imaginara, não sei bem por que, que Lisa tinha outra ideia pedindo-lhe que viesse cá. Quanto a Mavríki Nikoláievitch e a mim, como os outros falassem em voz alta, sem procurar dissimular coisa alguma, começamos a prestar atenção; em breve, eram eles que pediam nossa opinião. Soubemos assim que Elisavieta Nikoláievna pensava publicar um livro que acreditava seria útil, mas como lhe faltava totalmente experiência, tinha necessidade de um colaborador. A seriedade com que ela começou a desenvolver seu projeto a Chátov não deixou de causar-me espanto. "Ela deve pertencer à nova escola", disse a mim mesmo, "não é por coisa nenhuma que esteve na Suíça." Chátov escutava com atenção, os olhos pregados no chão, e sem parecer de modo algum surpreendido com o fato de uma jovem da sociedade, estouvada, propor-se empreender um trabalho que parecia tão pouco convir-lhe.

Eis qual o projeto literário de Lisa. Publicam-se na Rússia, na capital e na província, muitos jornais e periódicos em que são relatados, dia a dia, numerosos acontecimentos. Acabado o ano, empilham-se por toda parte os jornais em armários, ou então são deixados à toa, rasgam-nos, ou deles se servem para fazer embrulhos ou enrolar toda espécie de objetos. Muitos dos incidentes dados à publicidade produzem certa sensação, e o leitor guarda a lembrança deles, mas, com os anos, acabam por esquecê-los. Muitas pessoas gostariam de reportar-se a eles, mas seria uma trabalheira tremenda meter-se naquele oceano de papel, sem nada saber muitas vezes do dia, do lugar e até mesmo do ano em que o incidente ocorreu. Entretanto, se todos os fatos de um ano inteiro fossem reunidos numa só obra, segundo um método determinado e com uma ideia determinada, com títulos; referências, classificados por meses e dias, uma coletânea desse gênero poderia refletir os traços característicos da vida russa para o ano inteiro e isto se bem que os fatos relatados não constituam senão uma fraca parte de todos aqueles que ocorrem.

– Em lugar de um grande número de jomais, haveria algumas obras grandes, eis tudo – observou Chátov.

Mas Elisavieta Nikoláievna agarrava-se à sua ideia, apesar da dificuldade de a pôr em execução e sua impotência em exprimi-la. Deveria ser uma obra única, afirmava ela, e até mesmo um livro não muito grosso, Mas se, no entanto, fosse volumoso, pelo menos deveria ser claro, porque a grande questão seria o plano e a maneira de apresentar os fatos. Não é preciso dizer que não seria tudo recolhido e impresso. Os decretos e os atos do Governo, os regulamentos locais, as leis e todos esses fatos, por mais importantes que fossem, poderiam muito bem ser completamente excluídos da obra projetada. Muitas coisas poderiam ser omitidas, limitar-se a uma escolha de acontecimentos mais ou menos característicos da vida moral do povo, da mentalidade do povo russo na hora atual. Seria possível, bem entendido, pôr tudo no livro: curiosidades, incêndios, subscrições públicas, não importa o que de bom e de mau, todos os discursos ou todas as palavras, talvez mesmo as inundações, mesmo certos decretos do Governo, contanto que fossem escolhidos apenas os fatos que servissem para definir a época; tudo seria inserto segundo certo ponto de vista, com uma significação, uma intenção especial, com uma ideia que esclareceria os fatos considerados no conjunto como formando uma coletânea. Enfim, essa publicação deveria oferecer interesse, mesmo na qualidade de leitura agradável, além de seu valor documentário. Constituiria, de certa forma, um quadro da vida espiritual, moral, íntima, da Rússia, no correr dum ano. "Queremos que todos o comprem, queremos que seja um livro que se encontre em cima de todas as mesas, declarou Lisa. Fizeram-me compreender que tudo depende do plano e por isso me dirijo ao senhor", disse ela a modo de conclusão. Punha nisso um grande entusiasmo e se bem que suas explicações fossem obscuras e incompletas, Chátov começou a compreender.

– Seria em suma uma obra de tendência política, uma escolha de fatos tendo uma tendência especial – murmurou ele, ainda sem levantar a cabeça.

– Absolutamente, não nos deveremos deixar guiar na nossa escolha por uma preferência particular, e não deveremos nela introduzir nenhuma tendência política. A imparcialidade será nossa única tendência.

– Mas uma tendência não seria um mal – disse Chátov, fazendo um ligeiro movimento, – e desde que se exerça uma escolha, será difícil evitá-la. A simples escolha dos fatos indicará como será preciso compreendê-los. Sua ideia não é má.

– Então um livro desses é possível? – exclamou Lisa toda contente.

– É preciso examinar a questão e refletir. É um empreendimento enorme. Nada se cria de improviso. Temos necessidade de experiência e quando publicarmos o livro, duvido que saibamos ainda como fazê-lo. Talvez, depois de muitos tateios... mas a ideia é sedutora. É uma ideia útil.

Ergueu ele por fim seus olhos que resplandeciam de prazer, tal era o seu interesse.

– Foi a senhorita que imaginou isso? – perguntou ele a Lisa duma maneira cordial e não sem certa timidez.

– A ideia não é nada, como o senhor sabe, o plano é que é tudo – respondeu Lisa, sorrindo. – Só compreendo muito pouca coisa. Não sou muito inteligente e só persigo aquilo que é claro para mim...

– A senhorita persegue?

– Talvez não seja o termo próprio? – perguntou vivamente Lisa.

– O termo convém muito bem; não o disse por isso.

– Durante minha estada no estrangeiro, imaginei que também eu poderia tornar-me útil. Tenho dinheiro meu que não serve para nada. Por que não poderia trabalhar também pela causa comum? Aliás, a ideia surgiu-me por si mesma, de repente, não sei como. Não fui eu que a imaginei e estou encantada por tê-la tido. Mas logo me dei conta de que não poderia passar sem um colaborador, porque, por mim, não presto para nada. Esse colaborador seria, bem entendido, o coeditor da obra. Partilharíamos. O senhor forneceria o plano e o trabalho, e eu a primeira ideia e os fundos necessários. Acha que o livro cobrirá as despesas com ele feitas?

– Se estabelecermos um bom plano, o livro se venderá.

– Advirto-o de que não faço isso tendo em vista lograr proveito; mas desejo vivamente que o livro passe por numerosas mãos e ficarei muito orgulhosa se ele acarretar dinheiro.

– Muito bem, mas qual é meu papel em tudo isso?

– Convido-o para ser meu colaborador, para partilhar comigo. Cabe-lhe elaborar o plano.

– *Mas por que julga* que seja eu capaz de elaborar um plano?

– Falaram-me do senhor e aqui soube... Sei que o senhor é muito inteligente e... que trabalha pela causa... e que pensa muito. Piotr Stiepânovitch Viérkhoviénski falou-me do senhor na Suíça – acrescentou precipitadamente a moça. – É um homem muito inteligente, não é?

Chátov lançou-lhe, às ocultas, uma olhadela rápida, depois baixou de novo os olhos.

– Nikolai Vsiévolodovitch também me falou muito do senhor.

Chátov corou subitamente.

– Mas eis os jomais. – Lisa pegou de cima de uma cadeira um maço de jomais que se encontravam ali, previamente amarrados. – Tentei anotar os fatos a escolher, classificá-los e pus números... o senhor verá.

Chátov pegou o maço de jomais.

– Leve-os para sua casa, a fim de examiná-los. Onde mora?

– Em casa de Filípov, na Rua da Epifania.

– Sei. Creio que é lá, também, pelo que me disseram, que mora certo capitão, no apartamento ao lado, um Senhor Liebiádkin – disse Lisa, com a mesma precipitação.

Chátov ficou um bom minuto sentado, com o maço de jomais na mão, sem responder e com os olhos fixos no soalho.

– A senhorita faria melhor escolhendo algum outro para essa tarefa. Não lhe seria bom para nada – disse, por fim, baixando a voz duma maneira estranhamente lúgubre e quase num murmúrio.

As faces de Lisa ficaram vermelhas.

– De que tarefa fala o senhor? Mavríki Nikoláievitch – exclamou ela, – queira trazer a carta de inda há pouco.

Acompanhei Mavríki Nikoláievitch até a mesa.

– Olhe – disse ela, voltando-se subitamente para mim e desdobrando a carta com grande agitação. – Já viu alguma vez algo de semelhante? Leia bem alto, rogo-lhe; quero que o Senhor Chátov também a ouça.

Não sem espanto li a seguinte missiva:

> À Perfeição da Senhorita Túchina.
> Graciosa Dama, Elisavieta Nikoláievna!
> Quando no seu silhão, ela passa a galope
> E esvoaçam no ar as suas tranças louras,
> Ou quando com a mãe, no templo se prosterna,
> E que um vivo rubor colore os pios rostos,
> Quero o prazer então, do legal casamento,
> E sigo, filha e mãe, a chorar de desejo,
> *(Composta por um homem ignorante em meio de uma discussão.)*
>
> Graciosa dama:
>
> Sou mais de lamentar que qualquer outro homem por não ter perdido um braço pela glória de Sebastópol, porque ali nunca estive, mas fiz toda a campanha no humilhante serviço de aprovisionamento, o que considero como uma baixeza. A senhora é uma deusa da antiguidade e eu não sou nada, mas entrevi o infinito. Olhe isto como um poema e nada mais, porque, afinal de contas, poesia é besteira e justifica o que seria considerado como impertinência se fosse em prosa. Poderia o sol zangar-se contra o infusório, se este escrevesse versos em sua honra, no fundo de uma gota d'água, onde os há em quantidade, se é ela olhada ao microscópio? Até mesmo a Sociedade Protetora dos Animais, na alta

sociedade de Petersburgo, conquanto sentindo a justo título compaixão pelos cães e pelos cavalos, despreza o ínfimo infusório e a ele não faz nenhuma alusão, porque ele não é bastante grande. A ideia do casamento poderia parecer cômica, mas em breve possuirei bens dum valor de duzentas almas, por meio de um misantropo que a senhorita despreza. Poderia dizer muitas coisas e, apoiando-me em documentos, enfrentar até mesmo a Sibéria. Não despreze a minha proposta. A carta do infusório é naturalmente em verso.

O Capitão Liebiádkin,

seu muito humilde amigo, e que tem seus momentos de lazer.

– Isto foi escrito por um homem em estado de embriaguez, por um imprestável – exclamei com indignação. – Conheço-o.

– Recebi ontem esta carta – pôs-se Lisa a explicar, corando e falando com volubilidade. – Compreendi eu mesma imediatamente que provinha ela de algum imbecil e ainda não a mostrei a mamãe, com medo de transtorná-la ainda mais. Se ele, porém, tiver de continuar assim, não sei que fazer. Mavríki Nikoláievitch tem vontade de ir impor silêncio. Considerando-o um colaborador – disse ela, voltando-se para Chátov, e já que o senhor mora lá, desejaria fazer-lhe umas perguntas, a fim de avaliar o que ainda se pode esperar da parte dele.

– É um bêbado e um velhaco – murmurou Chátov, como que a contragosto.

– É sempre assim estúpido?

– Não é estúpido de todo, quando não está bêbado.

– Conheci um general que escrevia versos absolutamente semelhantes a esses, – acrescentei, rindo.

– Esta mesma carta prova que ele não é um pateta – declarou inopinadamente Mavríki Nikoláievitch, que até então se mantivera em silêncio.

– Mora com uma irmã? – perguntou Lisa.

– Sim, com sua irmã.

– Dizem que a tiraniza, é verdade?

Chátov ergueu de novo os olhos para Lisa, franziu o cenho e dirigiu-se para a porta, resmungando: "Que tenho eu com isso?".

– Espere! Espere! – exclamou Lisa, agitada. – Aonde vai? Temos ainda tantas coisas a tratar...

– Que há a tratar? Amanhã lhe direi...

– Mas a coisa mais importante de todas, a impressão. Acredite mesmo que não estou brincando, que tenho verdadeiramente desejo de trabalhar com seriedade ! – assegurou Lisa, com crescente agitação. – Se decidirmos publicar o livro, onde será preciso imprimi-lo? O senhor sabe que é uma das questões mais importantes, porque não iremos a Moscou para isso, e não se deve contar com as impressoras daqui para uma publicação dessa natureza. Decidi, há muito tempo, instalar uma impressora minha mesma, sob o seu nome talvez, e sei que mamãe o permitirá, contanto que seja sob o nome do senhor...

– Como sabe que eu poderia imprimir? – perguntou Chátov num tom aborrecido.

– Mas Piotr Stiepánovitch me falou justamente do senhor na Suíça e mandou que me dirigisse ao senhor como conhecedor do ofício e como sendo capaz de montar uma tipografia. Tinha mesmo a intenção de me dar uma apresentação para o senhor, mas não mais pensei nisso.

Lembro-me agora de que Chátov mudou de semblante. Ficou alguns minutos imóvel, depois saiu do salão.

Lisa zangou-se.

– É sempre assim que ele sai? – perguntou, voltando-se para mim.

Eu ainda não havia acabado de erguer os ombros, quando Chátov reapareceu de súbito. Dirigiu-se diretamente para a mesa e nela depositou o rolo de papel de que se havia encarregado.

– Não serei seu colaborador. Não tenho tempo...

– Mas por quê? Mas por quê? Parece-me que o senhor se zangou, não? – perguntou Lisa, com voz aflita e suplicante.

O tom de sua voz pareceu chocá-lo; olhou-a fixamente durante alguns instantes, como se tivesse querido mergulhar seu olhar até o fundo da alma dela.

– Pouco importa – murmurou docemente. – Não quero...

E partiu deveras.

Lisa ficou completamente aterrorizada, direi mesmo aterrorizada mais do que era razoável, ao que me pareceu.

– Sujeito engraçado – disse em voz alta Mavríki Nikoláievitch.

III

Era, decerto, um original, mas havia em tudo aquilo muitas coisas que não estavam claras para mim. Havia ali como que um subentendido. Não acreditava verdadeiramente naquela história de publicação, depois aquela estúpida carta na qual se propunha claramente denunciar alguém, fornecer documentos, se bem que todos tivessem guardado silêncio a respeito e falado de outra coisa; enfim aquela história de tipografia e a partida súbita de Chátov, tão-somente porque se havia falado de uma impressora, tudo isso deu-me a pensar que se passara, antes de minha entrada, alguma coisa que eu ignorava e, por consequente, que aquilo não me dizia respeito e que eu era demais. Era, aliás, hora de partir. Ficara tempo bastante para uma primeira visita. Ia despedir-me de Lisavieta Nikoláievna.

Ela parecia ter esquecido minha presença e se mantinha ainda junto da mesa, mergulhada em seus pensamentos e olhando fixamente um ponto do tapete.

– Ah! também o senhor se retira? Adeus – murmurou, num tom afável que lhe era habitual. – Apresente minhas saudações a Stiepan Trofímovitch e exija dele que me venha ver o mais cedo que puder. Mavríki Nikoláievitch, Anton Lavriéntievitch vai-se embora. Desculpe mamãe, ela não pode vir despedir-se...

Saí e havia chegado ao sopé da escada, quando um criado me alcançou de repente no patamar.

– A senhora pede-lhe para voltar...

– A senhora ou Elisavieta Nikoláievna?

– A jovem senhora.

Encontrei Lisa, não no grande salão onde estivéramos, mas na sala de recepção vizinha. A porta entre esta e o salão, onde Mavríki ficou só, estava fechada.

Lisa dirigiu-me um sorriso, mas estava pálida. Mantinha-se de pé, no meio da sala, numa indecisão manifesta e visivelmente presa de uma luta interior; mas, de repente, tomou-me pela mão e puxou-me rapidamente para a janela.

– Quero vê-la imediatamente – disse-me, baixinho, fixando em mim um olhar ardente, apaixonado, impaciente, que não admitia nem sombra de oposição. – É preciso que a veja com meus próprios olhos e suplico-lhe que me ajude.

Estava absolutamente transtornada e em desespero.

– A quem, pois, deseja ver, Elisavieta Nikoláievna? – perguntei, consternado.

– A irmã desse Liebiádkin, essa coxa... É verdade que ela é coxa?

Eu estava estupefato.

– Nunca a vi, mas disseram-me que é coxa. Disseram-me ontem – respondi com solicitude e também à meia-voz.

– Preciso vê-la, preciso absolutamente. Poderia o senhor arranjar isso hoje?

Senti por ela profunda piedade.

– É absolutamente impossível e aliás não saberia de todo como arranjar-me – disse eu, num tom persuasivo. – Vou procurar Chátov...

– Se o senhor não arranjar a entrevista para amanhã, irei vê-la sozinha, porque Mavríki Nikoláievitch recusou-se a acompanhar-me. Toda minha esperança está no senhor, não tenho outra pessoa; falei estupidamente a Chátov... Estou certa de que o senhor é perfeitamente leal e está disposto a fazer não importa o que por mim; de modo que, arranje isso.

Tinha o mais vivo desejo de ajudá-la em todas as coisas.

– Eis o que farei – disse-lhe, depois de um instante de reflexão. – Irei vê-la eu mesmo hoje, decerto, decerto. Arranjarei jeito de vê-la. Dou-lhe minha palavra de honra. Somente, deixe-me por Chátov no segredo.

– Diga-lhe que é bem este o meu desejo e que não posso aguardar mais tempo, mas que eu não lhe mentia ainda há pouco. Talvez tenha partido porque é muito leal e talvez lhe tenha desagradado que tivesse eu o ar de mentir-lhe. Não lhe estava mentindo, tenho verdadeiramente o desejo de editar livros e fundar uma impressora...

– Ele é leal, muito leal – aprovei, com calor.

– Enfim, se não se arranjar de hoje para amanhã, irei eu mesma, aconteça o que acontecer e ainda mesmo que toda a gente viesse a saber.

– Não poderei vir encontrá-la amanhã antes das três horas – repliquei, após um instante de hesitação.

– Então às três horas. Era então verdade o que imaginei ontem, em casa de Stiepan Trofímovitch, que o senhor me era um tanto dedicado? – disse ela com um sorriso, enquanto me apertava precipitadamente a mão em sinal de adeus e se apressava em voltar para junto de Mavríki Nikoláievitch, que ficara só.

Saí esmagado ao peso de minha promessa e incapaz de compreender o que se passara. Via uma mulher presa dum verdadeiro desespero, que não hesitava em se comprometer, confiando-se a um homem que mal conhecia. Seu sorriso feminino, num momento tão grave para ela e sua alusão ao fato de que havia notado meus sentimentos na véspera, tudo isso me dera um golpe no coração; mas eu a lastimava, *lastimava-a infinitamente*, e nada mais. Seus segredos tornaram-se logo algo de sagrado para mim e se alguém tivesse tentado revelá-los a mim naquele momento, creio que teria tapado as orelhas e recusado ouvir uma palavra mais. Tinha simplesmente uma espécie de pressentimento... e, no entanto, não via de modo algum o que eu podia fazer. Além do mais, não compreendia mesmo ainda com certeza o que eu estava encarregado de arranjar; uma entrevista, mas que espécie de entrevista? E como deveria eu fazer para que se encontrassem em presença uma da outra? Minha única esperança estava em Chátov, se bem que estivesse certo de que ele não me ajudaria de maneira alguma. Mas, não obstante, corri à casa dele.

IV

Só vim a encontrá-lo em casa depois das sete horas. Com minha grande surpresa, tinha visitas: Alieksiéi Nílitch e outro senhor que eu pouco conhecia, um tal Chigáliev, irmão da Senhora Virguínski. Esse senhor devia, creio, estar na cidade havia mais de dois meses; não sei donde ele vinha. Tudo quanto havia sabido a seu respeito, é que escrevera não sei que artigo numa revista de vanguarda de Petersburgo. Virguínski tinha me apresentado a ele por acaso na rua. Jamais, no curso de minha vida, vi num rosto humano tanta morosidade, tristeza, aborrecimento. Parecia que ele esperava o fim do mundo e isto, não numa data indeterminada, segundo profecias que poderiam jamais realizar-se, mas num momento completamente preciso, como, por exemplo, dois dias depois, às dez horas e vinte e cinco minutos. Tínhamos apenas trocado uma palavra naquela ocasião, mas nos limitamos a apertar-nos as mãos à maneira de dois conspiradores. O que me chamou a atenção, sobretudo em sua pessoa, foram suas orelhas que eram dum tamanho monstruoso, compridas, largas e espessas, e que se afastavam de sua cabeça duma maneira esquisita. Seus gestos eram lentos e canhestros. Se alguma vez Lipútin imaginasse ser possível estabelecer um falanstério em nossa província, decerto aquele homem seria o primeiro a conhecer o dia e a hora em que seria fundado. Causou-me uma impressão sinistra. Fiquei tanto mais surpreso em encontrá-lo ali quanto Chátov não era amante de visitas.

Já da escada entendi que eles falavam muito alto, todos três ao mesmo tempo, e creio bem que discutiam, mas à minha entrada todos se calaram. Tinham discutido de pé, mas agora sentaram todos bruscamente, de modo que tive de sentar também, Houve um silêncio estúpido que só foi rompido três bons minutos depois. Se bem que Chigáliev me conhecesse, fingiu não me reconhecer, não possivelmente por hostilidade contra mim, mas simplesmente sem motivo de espécie alguma. Alieksiéi Nílitch e eu cumprimentamo-nos em silêncio e, não sei bem por que, sem nos apertarmos as mãos. Chigáliev pôs-se por fim a olhar-me severamente e franzindo as sobrancelhas, com a convicção mais ingênua de que logo eu iria levantar e retirar-me. Por fim Chátov levantou de sua cadeira e os outros se apressaram em fazer o mesmo. Saíram sem despedir-se de nós. Chigáliev disse simplesmente no limiar a Chátov que o acompanhava até a porta:

– Lembre-se de que se obrigou a fornecer uma explicação.

– O diabo leve sua explicação e a quem, com a breca, estou obrigado a dá-la? – perguntou Chátov. Acompanhou-os à saída e fechou a porta com o ferrolho.

– *Kulíki!*[63] – disse, olhando-me com uma espécie de sorriso agridoce.

---

63 Literalmente: galinholas. Imbecis.

Seu rosto mostrava uma expressão de cólera e pareceu-me estranho que me tivesse falado em primeiro lugar. Antes, quando eu vinha vê-lo (pouco frequentemente aliás), acontecia em geral ele ficar sentado num canto, franzindo a testa, responder com mau humor e somente ao fim de certo tempo se decidia e começava falar voluntariamente. Nem por isso deixava de olhar a gente de través ao dizer-nos adeus e de abrir-nos a porta com o ar de um homem que se desembaraça de um inimigo pessoal.

– Tomei chá ontem com Alieksiéi Nílitch – observei. – A propósito, creio-o afeiçoado cegamente ao ateísmo.

– O ateísmo russo jamais passou de uma pilhéria – resmungou Chátov, pondo nova vela no lugar do toco que acabava de consumir-se.

– Não, esse não me parece ser amador de pilhérias. Acho que ele não sabe falar e com maior razão é hostil a toda pilhéria.

– Homens de papel! Tudo isso provém do servilismo do pensamento deles – disse tranquilamente Chátov que sentara numa cadeira, no canto, com as palmas das duas mãos apoiadas nos joelhos.

– Há também ódio em tudo isso – recomeçou ele, ao fim dum instante. – Seriam os primeiros a se sentir terrivelmente infelizes, se a Rússia pudesse ser reformada de repente, mesmo no sentido das próprias ideias deles, e se ela se tornasse extraordinariamente próspera e feliz. Não teriam mais ninguém a quem odiar, ninguém em cima de quem cuspir, nada sobre que exercer seus sarcasmos! Não há em tudo isso senão um imenso ódio animal contra a Rússia, um ódio que eles trazem no sangue... Não se trata de lágrimas ocultas aos olhos do mundo sob a máscara de um sorriso[64]. Jamais frase mais falsa foi pronunciada na Rússia do que essa em que se trata dessas lágrimas secretas – exclamou ele quase com furor.

– Só Deus pode saber o que o senhor diz – observei eu, rindo.

– É que o senhor é um "liberal moderado" – disse Chátov, sorrindo por sua vez. – Sabe duma coisa? – continuou ele de repente. Talvez tenha dito tolices ao falar de "servilismo de espírito". O senhor vai dizer-me sem dúvida: "O senhor é que é filho dum lacaio, mas eu não sou um lacaio".

– Não pensava em nada de semelhante... O que o senhor está dizendo?

– Não se desculpe. Não tenho medo do senhor. Houve um tempo em que eu não era senão o filho dum lacaio; mas atualmente tornei-me eu mesmo um lacaio bem como o senhor. Nosso liberal russo é antes de tudo um lacaio, sempre à procura de alguém cujas botas possa engraxar.

– Que botas? Que alegoria é essa?

– Uma alegoria, na verdade! O senhor quer rir... Stiepan Trofímovitch teve razão de dizer que estou jacente sob uma pedra, esmagado, mas não morto, presa de movimentos convulsivos. Encontrou nisso boa comparação.

– Stiepan Trofímovitch declara que os senhores têm a monomania dos alemães – respondi, rindo. – Em todo o caso, temos tirado deles alguma coisa.

– Tomamos vinte copeques, mas demos em troca cem rublos de nosso dinheiro.

Mantivemos silêncio durante um minuto.

– *Contraiu isso na América.*

64 Referência de Gógol a si mesmo.

– Quem? Contraiu o quê?

– É de Kirílov que falo. Passei quatro meses com ele, os dois deitados no soalho duma cabana.

– Como, o senhor estêve na América? – perguntei espantado. – Nunca me contou isso.

– Que há nisso a contar? Há dois anos, gastamos nosso derradeiro vintém, os três, para ir à América, num navio de emigrantes, "a fim de provarmos por nós mesmos da vida do operário americano e de nos darmos conta, por uma experiência pessoal, do estado de um homem colocado nas condições sociais mais duras". Eis qual era nosso objetivo indo para lá.

– Senhor! – disse eu, rindo. – Teriam feito muito melhor indo a qualquer parte de nossas províncias por ocasião das colheitas, se quisessem ter uma experiência pessoal, em lugar de fugirem para a América!

– Engajamo-nos como operários em casa de um empreiteiro. Éramos lá seis russos a trabalhar para ele, estudantes, até mesmo donos de terras vindos de suas propriedades, oficiais também, e todos com o mesmo desígnio grandioso. Em suma, trabalhamos, suamos, penamos, Kirílov e eu acabamos ficando esgotados, caindo doentes; partimos, não podíamos mais. Nosso explorador trapaceou com os nossos salários; em lugar de trinta dólares, como fora combinado, pagou-me oito e meio, e quinze a Kirílov; mais de uma vez nos bateu. Então ficamos sem trabalho, Kirílov e eu, e passamos quatro meses, deitados no soalho, naquela pequena cidade. Pensava ele numa coisa, eu noutra.

– Como? Seu empregador lhes batia? Na América? Como devem tê-lo amaldiçoado!

– Absolutamente. Pelo contrário, Kirílov e eu participamos imediatamente da opinião de "que nós russos" somos crianças junto dos americanos e que é preciso ter nascido na América ou pelo menos ter vivido durante longos anos com os americanos para ficar ao nível deles. E depois, sabe o senhor?, quando nos pediam um dólar por um objeto que valia um cêntimo, nós o pagávamos com prazer; direi mesmo com entusiasmo. Aprovávamos tudo: o espiritismo, os linchamentos, os revólveres, os mendigos. Um dia, em viagem, um indivíduo, enfiando a mão no meu bolso, apoderou-se de minha escova de cabelos da qual se serviu para pentear-se. Kirílov e eu limitamo-nos a trocar um olhar e dissemos um ao outro que aquilo estava muito bem assim e que nos agradava muito...

– O que há de estranho é que entre nós, isto não existe somente no cérebro, mas passa também à prática – observei.

– Homens de papel – repetiu Chátov.

– Mas, todavia, atravessar o oceano num navio de emigrantes, ir para um país desconhecido, mesmo "a fim de fazer uma experiência pessoal" e tudo quanto se segue, com a breca! é preciso verdadeira grandeza de alma, coragem... Mas como saíram de lá?

– Escrevi a alguém na Europa e essa pessoa me enviou cem rublos.

Enquanto falava, Chátov mantinha os olhos obstinadamente fixos no chão, *como sempre fazia*, mas quando estava exaltado. No entanto, desta vez, levantou bruscamente a cabeça.

– Quer que lhe diga o nome dessa pessoa?

– Quem era?

– Nikolai Stavróguin.

Levantou-se bruscamente, dirigiu-se para sua escrivaninha, uma mesa de madeira de tília, e pôs-se a procurar alguma coisa. Circulava entre nós um vago rumor, embora bem digno de fé, segundo o qual a mulher de Chátov tivera, durante algum tempo, uma ligação com Nikolai Stavróguin, e isto, pouco mais ou menos uns dois anos antes, isto é, na época em que Chátov estava na América. É verdade que fora bem depois que sua mulher o abandonara em Genebra. "Se é verdade, por que se empenha em evocar assim o nome dele e pôr-me a par desse caso?" perguntei a mim mesmo.

– Até agora não lhe devolvi o dinheiro – disse, voltando-se de novo bruscamente para mim e, olhando-me fixamente, voltou a sentar, como antes, no seu canto e perguntou-me com voz entrecortada, num tom bem diferente:

– O senhor deve ter vindo cá, sem dúvida, por algum motivo. Que quer?

Contei-lhe tudo, logo, na ordem cronológica exata e acrescentei que, embora tivesse tido tempo de pensar nisso friamente, desde que a primeira emoção se havia acalmado, sentia-me mais embaraçado do que nunca. Via que se tratava de algo muito importante para Elisavieta Nikoláievna. Estava muito desejoso de ir-lhe em auxílio, mas a desgraça estava em que não sabia eu como cumprir a promessa que lhe fizera e que, mesmo agora, não me dava bem conta do que lhe prometera. Em seguida, renovei-lhe, em termos decisivos, a certeza de que ela não tivera a intenção de enganá-lo e que nem mesmo pensara nisso; houvera um mal-entendido e ela se sentira bastante desgostosa por causa da partida precipitada dele havia pouco...

Escutou-me com muita atenção.

– Talvez, com efeito, tenha eu cometido uma estupidez então, como é meu costume... Enfim, se ela não compreendeu por que saí de sua casa daquela maneira... tanto melhor para ela.

Levantou-se, aproximou-se da porta, abriu-a e se pôs a escutar na escada.

– O senhor mesmo deseja ver essa pessoa?

– É bem isso que queria, mas como fazer? – exclamei, alvoroçado.

– Desçamos simplesmente, enquanto ela está sozinha. Quando ele voltar, vai lhe bater com violência, se descobrir que estivemos com ela. Vou muitas vezes vê-la às ocultas. Eu mesmo dei-lhe uma coça, esta manhã, quando ele recomeçou a bater-lhe.

– Que quer dizer?

– Fiz com que ele a largasse, puxando-o pelos cabelos. Queria bater-me, mas fiz-lhe medo e isto acabou assim. Receio que ele volte bêbado e que não se tenha esquecido de nada. Baterá nela cruelmente por causa da cena de inda há pouco.

Descemos imediatamente.

V

A porta de Liebiádkin estava fechada, mas não à chave e entramos livremente. Seu apartamento compunha-se de duas peças muito ruins e pequenas, de paredes enfumaçadas, cujo papel de forro, muito sujo, caía literalmente aos pedaços. Servira durante alguns anos de restaurante, até o dia em que Filípov, o taverneiro, arranjou outro lugar. As salas que compunham outrora o restaurante estavam fechadas agora e os Liebiádkini não tinham à sua disposição senão aquelas duas peças. Exceto uma velha poltrona que perdera os braços, consistia o mobiliário em simples bancos e mesas de pinho. No segundo quarto, havia, num canto, o leito em que dormia a Senhorita Liebiádkina, coberto por uma colcha de chita da índia. Quanto ao capitão, dormia não importava onde, a maior parte das vezes vestido. Tudo estava em desordem, úmido, sujo; um grande trapo jazia no soalho, todo molhado, no meio do primeiro quarto, e um sapato velho cambado estava caído ao lado, bem no meio duma poça. Era evidente que ninguém cuidava de nada ali. A estufa estava apagada; não se cozinhava. Aquela gente nem mesmo samovar possuía, segundo os pormenores fornecidos por Chátov. O capitão chegara à nossa cidade com sua irmã num estado de miséria absoluto e, nos primeiros tempos, como dizia Lipútin, ia mendigar de porta em porta. Mas tendo recebido dinheiro, de repente, logo se pusera a beber e caíra em tal estado de embrutecimento que nem cuidava de seus negócios.

A Senhorita Liebiádkina, que eu tanto desejava ver, mantinha-se silenciosa e tranquilamente sentada num banco, diante de uma mesa de cozinha de madeira branca, colocada num canto do segundo quarto. Quando abrimos a porta, não nos dirigiu a palavra e nem mesmo fez sinal de levantar. Chátov me disse que a porta que dava para o corredor não se fechava à chave e que, uma vez, ficara escancarada a noite inteira. A fraca luz duma pequena vela, fincada num castiçal de ferro, distingui uma mulher duns trinta anos talvez, duma magreza doentia, com um velho vestido de algodão escuro; seu longo pescoço estava descoberto, seus raros cabelos negros torcidos na nuca num coque não mais grosso do que o punho de uma criança de dois anos. Olhou-nos com ar bastante alegre. Além do castiçal, tinha diante de si, em cima da mesa, um espelhinho rústico, um velho baralho, um livrinho de canções todo estragado e um pãozinho alemão bem branco, que já havia sofrido duas mordidelas. Podia-se verificar que a Senhorita Liebiádkina usava pó de arroz e carmim e pintava os lábios. Tingia também as sobrancelhas que já eram suficientemente finas, longas e negras. Três longas rugas cavavam-se profundamente na sua testa alta e estreita, a despeito da camada de pó de arroz que a cobria. Eu já sabia que ela era coxa, mas desta vez não levantou, nem caminhou em nossa presença. No tempo de sua juventude, em certo momento, aquele rosto fanado pudera ser bonito; hoje ainda seus olhos cinzentos, doces e acariciantes, permaneciam notáveis. Algo de sonhador e de franco brilhava no seu olhar tranquilo, quase alegre. Aquela doce serenidade, que seu sorriso igualmente refletia, não deixava de me causar admiração depois de tudo quanto ouvira contar a respeito da chibata de cossaco e da violência de seu irmão. Coisa estranha, em lugar da sensação penosa de desgosto e mesmo de temor que se experimenta comumente diante dessas criaturas, castigadas pela mão de Deus, senti desde o começo quase prazer em olhá-la, e, mais tarde, o sentimento que se apoderou de mim foi decerto compaixão, mas de modo algum repulsa.

– Aí está como fica ela sentada e literalmente durante dias inteiros, sozinha, sem se mexer, jogando cartas ou olhando-se em seu espelho – disse Chátov, mostrando-a da soleira da porta. Ele não lhe dá de comer, compreende? Algumas vezes a velha que mora no pavilhão lhe traz alguma coisa por caridade. Como se pode deixá-la assim sozinha com uma vela?

Para minha grande surpresa, Chátov falava em voz bem alta, como se ela não estivesse ali presente.

– Bom-dia, Chátuchka![65] – disse a Senhorita Liebiádkina, num tom afável.

– Trago-te um visitante, Maria Timofiéievna – respondeu Chátov.

– Honra seja feita ao visitante. Não sei quem me anuncias; não me lembro quem seja. – Examinou-me atentamente por trás da vela; depois, voltou-se logo para Chátov (durante todo o resto da conversa não se ocupou mais comigo, como se não estivesse eu a seu lado).

– Ficaste cansado de andar sozinho de um lado para outro em teu quarto? – perguntou ela, sorrindo e descobrindo duas filas de dentes magníficos.

– Perfeitamente e além disso tinha vontade de vir ver-te.

Chátov aproximou um banco da mesa, sentou-se e fez-me sentar junto dele.

– Sinto-me sempre feliz em conversar contigo, se bem que me pareças engraçado, Chátuchka. És como um monge. Desde quando não te penteias? Deixa-me pentear-te. – Tirou um pente de seu bolso. – Deves não ter tocado em teus cabelos, desde que te penteei pela última vez.

– Mas é que não tenho pente – respondeu Chátov, rindo também.

– Deveras? Então vou te dar o meu; não este, mas outro. Somente, lembra-me isso.

Com o ar mais sério do mundo, ela começou a penteá-lo. Fez mesmo uma risca de lado, recuou um pouco para julgar do efeito e repôs o pente no bolso.

– Queres que te diga, Chátuchka? – Ela abanou a cabeça. – És talvez um homem sensato e, no entanto, te aborreces. É para mim uma coisa estranha o que vocês todos parecem ser. Não compreendo como é que as pessoas se aborrecem. Ser triste não é aborrecer-se. Eu, divirto-me.

– Mesmo quando teu irmão está aqui, tu te divertes?

– Falas de Liebiádkin? É meu lacaio. É-me indiferente que ele esteja aqui ou não. Grito-lhe: "Liebiádkin, traga água!", ou então: "Liebiádkin, traga-me meus sapatos!" e ele corre a buscá-los. Às vezes faço mal em rir, olhando-o!

– É perfeitamente exato isto – disse Chátov, falando-me bem alto, sem se constranger. – Ela o trata absolutamente como a um lacaio. Eu mesmo ouvi-a gritar: "Liebiádkin, traga-me água!". E ela ria, ao dizê-lo. A única diferença é que, em lugar de ir buscar água, ele a surra; ela, porém, não tem medo nenhum dele. É sujeita a ataques nervosos que se reproduzem quase todos os dias e lhe roubam a memória, tanto que esquece ela tudo quanto acaba de passar-se e não tem mais nenhuma noção de tempo. O senhor imagina que ela se lembra como o senhor entrou? Talvez se lembre, com efeito, mas sem dúvida tudo arranjou já a seu modo e nos toma agora como outras pessoas, se bem que tenha lembrança de que sou "Chátuchka". Não importa que eu fale alto. Deixou de escutar as pessoas que lhe falam e mergulha nos seus devaneios. Sim, mergulha neles totalmente. Para devanear, não tem igual; ficará sentada durante oito horas, durante dias inteiros, no mesmo lugar. Não está vendo um pãozinho em cima da mesa? Talvez dele não tenha comido, senão um pequeno pedaço desde a manhã e só virá a acabá-lo amanhã. Veja, ei-la que começa a botar cartas.

65 Diminutivo de Chátov.

– Tento todo o tempo, Chátuchka, botar cartas, mas não dá certo –, disse de repente Maria Timofiéievna, ao ouvir a palavra cartas bruscamente. – Dizia a mesma coisa à Madre Praskóvia – (tinha muito provavelmente também ouvido que se falava do pãozinho). Acabou agarrando-o, mas depois de havê-lo conservado algum tempo em sua mão esquerda, e como sua atenção se voltasse para a conversa que prosseguia, pousou-o maquinalmente sobre a mesa sem ter dele provado.

– É sempre assim: uma viagem, um homem mau, uma traição, um leito de morte, uma carta, uma notícia inesperada. Mentiras, tudo isso, é a minha opinião. Que dizes, Chátuchka? Se as pessoas podem mentir, por que não as cartas? – disse ela, misturando as cartas bruscamente. – Dizia a mesma coisa à Madre Praskóvia que é uma mulher muito respeitável; ela corria à minha cela para que eu botasse as cartas, às escondidas da Madre Superiora. Sim, não era ela a única irmã que lá ia. Suspiram, escutam-me com meneios de cabeça, falam entre si enquanto eu rio: "Donde quer que lhe chegue uma carta, Madre Praskóvia? pergunto-lhe, – já que a senhora não recebe uma sequer há doze anos?". Sua filha fora levada para a Turquia pelo marido e durante dez anos não dera sinal de vida. Mas eis que no dia seguinte, à noite, tomo chá com a Madre Superiora, que é princesa de nascimento; havia também uma senhora de visita, uma grande sonhadora, e um fradinho do Monte Atos, que lá se encontrava também, um homenzinho bastante engraçado, a meu ver. E acreditarias, Chátuchka, aquele monge do Monte Atos tinha, naquela manhã mesmo, trazido da Turquia para dita Praskóvia uma carta de sua filha – veja só, o valete de ouros – uma notícia inesperada! Bebemos nosso chá e o monge do Monte Atos disse à Madre Superiora: "Veneranda Madre Superiora, Deus abençoou vosso convento entre todos, pois que conservais dentro de suas paredes um tão grande tesouro". – "De que tesouro se trata", perguntou a Madre Superiora. – "A Madre Elisavieta, a Bem-Aventurada." Essa Elisavieta, a Bem-Aventurada, está encerrada na parede do claustro, numa caixa de sete pés de comprimento e de sete pés de altura. Permanece ali sentada, por trás de grades de ferro, desde dezesseis anos, sem outra roupa a não ser uma estamenha de cânhamo, verão e inverno, onde mete palha ou alguns raminhos; nada diz, não se penteia, não se lava há dezesseis anos. No invemo, põem dentro de sua caixa uma pele de carneiro e, todos os dias, um pedaço de pão e uma bilha d'água. Os peregrinos a contemplam com muitos suspiros e exclamações e fazem ofertas em dinheiro. "Eis um tesouro nada belo", responde a Madre Superiora (estava com raiva, porque detestava Elisavieta). "Elisavieta só fica ali por maldade, por teimosia, não passa de uma simuladora." Isto me desagradou; pensava naquele momento em também eu me enclausurar. "Parece-me, disse eu, que Deus e a Natureza são exatamente a mesma coisa." Voltaram-se todos para mim, exclamando: "Vejam só isso!". A Madre Superiora pôs-se a rir, disse alguma coisa em voz baixa à tal dama, chamou-me para junto dela e me acariciou, e a dama fez-me presente de uma fita cor-de-rosa. Queres vê-la? O monge se pôs a pregar-me um sermão. Mas falava tão delicadamente e com tanta sabedoria que fiquei sentada ali a escutá-lo. "Compreende?", perguntou-me. "Não, disse-lhe, não compreendi nada, deixe-me tranquila." Desde aquele tempo, sempre me deixaram em paz, Chátuchka. Enquanto isso, uma velha senhora, que morava no convento, onde fazia penitência por ter predito o futuro, cochichou-me ao sair da igreja: "Qual é na tua opinião a mãe de Deus?". – "A grande mãe, respondi-lhe, a esperança do gênero humano." – "Sim, continuou ela, a mãe de Deus é a grande mãe, a terra úmida, e nisto reside uma grande alegria para os homens. E cada sofrimento terrestre, cada lágrima terrestre é para nós uma alegria e quando tiveres empapado de lágrimas a terra, até a profundidade de um pé, então logo te rejubilarás com tudo, e não existirá mais tua dor, não existirá absolutamente segundo a profecia." Esta frase gravou-se então profundamente em meu coração. Depois, quando me prosterno, fazendo minha oração, tomei o hábito de beijar a terra. Beijo-a e choro. Sou eu quem diz, Chátuchka, não há nenhum mal nessas lágrimas; e mesmo se não se tem pesar, vertem-se lágrimas de alegria. As lágrimas correm por si, é a verdade. Por vezes vou à margem do lago; dum lado está nosso convento, do outro a montanha em ponta que se chama o Pico. Galgo por vezes essa montanha, volto meu rosto para o Oriente, caio no chão e, choro, choro, não sei quanto tempo fico assim chorando, e não me lembro de nada e não sei mais nada de nada. Em seguida, levanto-me para voltar, e o sol se põe tão grande, tão belo, tão glorioso! Gostas de olhar o sol, Chátuchka? É belo, mas causa tristeza. Volto-me de novo para o Oriente e a sombra, a sombra de nossa montanha corre sobre nosso lago como uma flecha, longa, longa e estreita, estendendo-se a uma milha além, até a ilha que se encontra no lago, e ali, corta em dois pedaços essa ilha de pedra e, ao cortá-la, o sol acaba de deitar-se e de súbito tudo se extingue. Então, tudo ficou triste, a memória bruscamente volta, tenho medo da escuridão, Chátuchka. E o que choro sobretudo é meu filhinho...

– É mesmo verdade que tiveste um filho? – e Chátov, que tudo escutara com atenção, bateu-me com o cotovelo.

– Mas decerto. Um bebezinho rosado, todo pequenino com unhas muito pequeninas, e meu único pesar é não poder me lembrar se é um menino ou uma menina. E quando ele veio ao mundo, enrolei-o em cambraia e rendas, pus nele fitas cor-de-rosa, cobri-o de flores, preparei-o e rezei por ele. Levei-o sem ser batizado através da floresta. E tenho medo nos bosques e fico apavorada. O que me faz sobretudo chorar é que tive um filho sem ter marido.

– Talvez tivesses um, não? – perguntou Chátov, com circunspecção.

– Tu és ridículo, Chátuchka, com tuas reflexões. Tinha um talvez, mas de que serve ter um, uma vez que é como se não tivesse tido? Eis um enigma fácil, decifra-o – disse ela, rindo.

– Aonde, pois, levaste teu filho?

– Levei-o ao lago – respondeu ela, com um suspiro.

Chátov acotovelou-me de novo.

– E se nunca tivesses tido filho, se tudo isso não fosse senão delírio?

– Tu me fazes uma pergunta difícil, Chátuchka – respondeu ela, com um ar pensativo, sem parecer de modo algum surpreendida com aquela pergunta. – Nada posso dizer-te a respeito; talvez nunca tenha tido, com efeito. Penso que é somente por curiosidade que me interrogas. Em todo o caso, não cessarei de chorá-lo. Não é possível que tenha sonhado. – E grossas lágrimas brilharam em seus olhos. – Chátuchka, Chátuchka, é verdade que tua mulher te deixou?

Colocou de súbito suas duas mãos sobre os ombros dele e fitou-o com um olhar compadecido.

– Não te zangues, também sinto meu coração dolorido. Sabes, Chátuchka, que tive um sonho? Ele voltou para meu lado, fez-me sinal, chamou-me: "Minha gatinha, gritou para mim, minha gatinha, vem comigo!". E fiquei mais encantada com esse "gatinha" do que com tudo mais. Ele me ama, pensei.

– Talvez ele venha realmente – murmurou Chátov à meia voz.

– Não, Chátuchka, isto não passa de um sonho... Ele não pode vir realmente. Tu conheces a canção:

Dum palácio faustoso não preciso,
A mim bastando ter humilde cela.
Lá viverei para salvar minha alma
E sempre a Deus por ti hei de rezar.

Oh! Chátuchka, Chátuchka, meu caro amigo, por que não me interrogas nunca sobre coisa alguma?

– Porque não dirias nada. Por isso não te faço perguntas.

– Não direi nada, não direi nada – retornou ela, vivamente. – Podem matar-me, não direi nada. Podem queimar-me, não direi nada. E seja o que for que tiver de sofrer, não direi nada, de mim jamais saberão coisa alguma.

– Bem vês. A cada qual, sua mania – disse Chátov num tom mais baixo ainda e com a cabeça cada vez mais pendida.

– No entanto, se me perguntasses, talvez te dissesse, sim, talvez... – repetiu ela com exaltação. – Por que não me perguntas? Pergunta, pergunta bem, Chátuchka, talvez eu diga. Suplica-me, Chátuchka, a fim de que eu consinta em fazê-lo, espontaneamente, Chátuchka, Chátuchka!

Mas Chátuchka permanecia mudo. Durante um minuto o silêncio foi geral. Lágrimas corriam lentamente sobre as faces pintadas da coxa. Mantinha-se ali, com as duas mãos esquecidas sobre os ombros de Chátov, mas não o fitava mais.

– Afinal de contas, nada tenho com isso – disse Chátov, levantando de repente do banco.

– Vamos, levante! – Tirou o banco sobre o qual eu estava sentado e colocou-o no lugar onde ele estava antes.

– Ele vai voltar e não convém que duvide de nada. É tempo de partir.

– Ah! falas ainda de meu lacaio? – exclamou Maria Timofiéievna, disparando a rir. – Tens medo dele? Pois bem! Adeus, meus caros visitantes, mas escutem um instante, tenho alguma coisa a dizer-lhes. Esse Nílitch veio ainda há pouco aqui com Filípov, o proprietário, o ruivo barbudo, quando o meu latagão estava a bater-me. O proprietário agarrou-o e arrastou-o pelo quarto, enquanto ele gritava: "Não é culpa minha, sofro por causa do pecado alheio". Então, acreditam vocês?, todos, todos nós, disparamos a rir....

– Ora, Maria Timofiéievna, fui eu e não o ruivo, fui eu que o arranquei de ti pela barba, esta manhã. Quanto ao proprietário, veio antes de ontem fazer barulho. Confundiste tudo.

– Espera! É verdade que confundi tudo. Talvez foste tu mesmo. Para que discutir bagatelas? Que adianta a ele que seja um ou outro que lhe dê uma surra? – Pôs-se a rir.

– Partamos! – disse de súbito Chátov, puxando-me pelo braço. – A porta está rangendo, ele vai encontrar-nos aqui e baterá nela.

Com efeito, não tivéramos ainda tempo de subir a escada, quando ouvimos na porta um grito de bêbado e uma saraivada de pragas. Chátov fez-me entrar em seu quarto, cuja porta fechou a duas voltas.

– Será preciso que o senhor fique aqui um instante, se não quiser complicações. Berra como um porco. Decerto deve ter tropeçado mais uma vez na soleira da porta. Todas as vezes cai de barriga no chão.

No entanto, não pudemos evitar a complicação.

VI

Chátov mantinha-se junto da porta fechada de seu quarto a escutar o que se passava na escada; de repente deu um salto para trás.

– Vem para cá, bem o sabia – murmurou ele, com raiva. – Não haverá meio de nos desembaraçarmos dele antes da meia-noite.

Vários murros caíram sobre a porta.

– Chátov! Chátov! Abre! – gritava o capitão: – Chátov, meu amigo...!

Vim aqui para dizer-te
Que o sol no céu já se ergueu,
Que a mata se abrasa e tr-r-r-eme[66]
Ao calor do beijo seu.
Dizer-te que já me ergui
(Que os diabos te levem!)
Bem desperto... sob os ramos.

Como quem diria debaixo da chibata, ah! ah! ah!

Os passarinhos... têm... sede.
Dizem que vou... beber um gole,
Beber... não... faço outra coisa...

O diabo o leve com sua curiosidade estúpida! Chátov, compreendes, quanto é bom viver neste mundo?

– Não responda! – repetiu-me Chátov, baixinho.

– Abre a porta! Compreendes que há algo de mais elevado do que brigar... entre criaturas humanas, há momentos em que um homem de hon... de hon... de honra... Chátov, sou um bom príncipe, perdoo-te... Chátov, o diabo leve as proclamações, não é?

Silêncio.

– Compreendes, asno que és, que estou apaixonado, que comprei uma casaca de gala? Repara só a casaca de amor, quinze rublos! O amor de um capitão exige os refinamentos da moda... Mas abre então a porta! – urrou ele de repente com furor e se pôs a esmurrar furiosamente a porta.

– Vai-te para o diabo! – berrou de repente Chátov.

66 Os primeiros versos pertencem a um poema do poeta Feth.

– Es...cra...vo! Ser...vo! Tua irmã também é uma escrava e uma serva como tu... e uma ladra!

– E tu, tu vendeste tua irmã.

– Mentes. Sou vítima duma calúnia. Poderia com uma só palavra... Compreendes quem ela é?

– Quem é ela? – perguntou Chátov, aproximando-se logo da curiosidade.

– Mas não compreendes?

– Sim, compreenderei, fala.

– Não tenho medo de falar! Nunca tive medo de dizer o quer que seja em público.

– Não há perigo de ousares! – zombou Chátov, atiçando-o, enquanto fazia sinal para escutar.

– Eu não ousaria, eu?

– Então, conta depressa, se não tens medo das chibatadas de teu senhor. És um covarde, apesar de seres capitão!...

– Eu... eu... ela é... – gaguejou Liebiádkin, com voz trêmula.

– Então? – disse Chátov com a orelha colada à porta.

Fez-se um silêncio que durou pelo menos uns trinta segundos.

– Ca... na... lha – ouviu-se gritar, enfim, do outro lado da porta e o capitão bateu em retirada precipitadamente para o andar inferior, soprando como um samovar e tropeçando em cada degrau.

– Não é um velhaco. Não quer trair-se, mesmo em estado de embriaguez.

Chátov afastou-se da porta.

– De que se trata então? – perguntei.

Chátov evitou responder com um gesto e tornou a ir escutar na escada. Escutou por muito tempo e desceu mesmo alguns degraus a passos cautelosos. Por fim, voltou.

– Não se ouve nada. Não vai então bater-lhe; deve ter caído no chão como um cepo e adormecido. É hora do senhor ir embora.

– Escute, Chátov, que devo concluir de tudo isso?

– Ora! conclua o que quiser – respondeu ele com uma voz cansada e de mau humor e sentou-se à sua mesa de trabalho.

Retirei-me. Uma ideia inverossímil tomava corpo cada vez mais em meu espírito. Pensava com angústia no dia de amanhã.

VII

O "amanhã", isto é, o domingo mesmo em que devia decidir-se irrevogavelmente a sorte de Stiepan Trofímovitch, terá sido um dos dias mais memoráveis de minha crônica. Foi um dia de surpresas, um dia que forneceu a solução de certos enigmas e que propôs novos, um dia de revelações espantosas e de perplexidades ainda mais embaraçosas. Pela manhã, como já sabe o leitor, eu devia, a pedido particular de Varvara Pietrovna, acompanhar meu amigo na visita que ia fazer-lhe e, às três horas da tarde, devia encontrar-me em casa de Elisavieta Nikoláievna para dizer-lhe – não sabia bem que – e para ajudá-la – não sabia absolutamente como. E, enquanto esperava, tudo terminou como ninguém teria podido supor. Em suma, foi um dia de coincidências extraordinárias.

Para começar, quando chegamos, Stiepan Trofímovitch e eu, à casa de Varvara Pietrovna, precisamente ao meio dia, hora que ela havia marcado para nós, não a encontramos em casa; ainda não voltara da missa. Meu pobre amigo achava-se em tais condições, ou para falar mais exatamente, em tão más disposições, que aquela circunstância encheu-o de repente de terror; deixou-se cair quase desmaiado sobre uma poltrona do salão. Dei-lhe um copo d'água, mas, apesar de sua palidez e tremor das mãos, recusou com dignidade. Sua aparência, naquela ocasião, era, seja dito de passagem, das mais rebuscadas: sua camisa de cambraia bordada era quase uma camisa de baile, trazia uma gravata branca, um chapéu novinho que conservava na mão, luvas cor de palha e até um pouco de perfume. Mal acabávamos de sentar, quando foi Chátov introduzido pelo criado, manifestamente, também ele, com convite formal. Já Stiepan Trofímovitch se levantava para estender-lhe a mão, quando Chátov, depois de haver olhado atentamente para nós ambos, dirigiu-se para um canto da sala, onde se sentou sem mesmo fazer um gesto de cabeça para nós. Stiepan Trofímovitch de novo olhou-me com ar de espanto.

Ficamos assim alguns minutos ainda, num silêncio absoluto. Stiepan Trofimovitch pôs-se de repente a dizer-me alguma coisa em voz baixa e muito depressa, mas nada pude compreender e, aliás, estava ele próprio tão agitado que não chegou ao fim de sua frase e parou de falar. O criado voltou ainda para arranjar alguma coisa em cima da mesa, mas mais provavelmente para lançar uma olhadela a todos nós. Bruscamente Chátov interrogou-o com voz forte:

– Alieksiei Iegóritch, sabe se Dária Pavlovna foi com ela?

– Varvara Pietrovna decidiu ir sozinha à catedral e Dária Pávlovna resolveu ficar em cima em seu quarto, sentindo-se indisposta – anunciou Alieksiéi Iegóritch, cerimoniosamente, e num tom de censura.

Meu pobre amigo lançou-me de novo um olhar furtivo e inquieto, de modo que acabei por voltar-lhe as costas. De repente, ouviu-se o ruído de um carro diante da porta de entrada e um rumor distante no exterior da casa advertiu-nos de que a dona da casa estava de volta. À pressa levantamo-nos de nossas poltronas, mas nova surpresa nos esperava; percebemos o tropel de passos de várias pessoas, o que significava que nossa anfitriã não havia entrado sozinha, e era decerto um tanto estranho, uma vez que ela havia marcado hora para a entrevista conosco. Por fim ouvimos alguém entrar com uma precipitação estranha, como que correndo, e como Varvara Pietrovna não seria capaz de fazer. E, de súbito, esta como que irrompeu por assim dizer no salão, toda ofegante e extraordinariamente agitada. Atrás dela, alguns instantes depois, e muito mais tranquilamente, entrou Elisavieta Nikoláievna, trazendo pela mão Maria Timofiéievna Liebiádkina! Se tivesse eu visto isto em sonho, não teria acreditado, mesmo naquele momento.

Para explicar um fato tão inesperado, é preciso que eu volte atrás uma hora e conte mais em detalhe a extraordinária aventura acontecida a Varvara Pietrovna, enquanto ela estava na igreja.

Em primeiro lugar, quase toda a cidade, isto é, bem entendido, o elemento superior da sociedade, encontrava-se reunido na catedral. Sabia-se que a mulher do Governador devia ali aparecer pela primeira vez, desde sua chegada à nossa cidade. Devo assinalar aqui que corria boato de que ela fosse livre-pensadora e toda dedicada aos "novos princípios". Todas aquelas senhoras sabiam igualmente que ela estaria trajada com muito luxo e uma elegância extraordinária. De modo que aquelas senhoras exibiram, naquela ocasião, seus melhores adornos e seus mais ricos vestidos. Apenas Varvara Pietrovna estava modestamente trajada de preto, como era seu hábito havia quatro anos. Chegada à catedral, foi ocupar seu lugar habitual na primeira fila à esquerda e um lacaio de libré depôs diante dela um coxim de veludo sobre o qual devia ajoelhar-se; em suma, tudo se passara como de costume. Mas notou-se também que, do começo ao fim da cerimônia, rezou ela com fervor extremo. Mais tarde afirmou-se, ao repassar o que acontecera naquele dia, que ela estivera com lágrimas nos olhos. Terminada por fim a cerimônia, nosso *protoieiriéi*, o Padre Paulo, achou de seu dever pronunciar um sermão solene. Eram muito apreciados em nosso meio os seus sermões, tidos em grande estima e por vezes mesmo tratava-se de persuadi-lo a mandá-los imprimir, mas ele jamais podia resolver-se a isso. Todavia, naquela ocasião durou demais o sermão.

E eis que, durante o sermão, chegou uma dama diante da catedral, num velho *drójki* de aluguel, um desses veículos nos quais as senhoras não se podiam assentar senão de lado, agarrando-se à cintura do cocheiro e sacudidas a cada solavanco como o é uma haste de erva pelo vento. Vê-se ainda hoje um desses *drójki* em nossa cidade. Parando na esquina da catedral – porque numerosas carruagens particulares e até mesmo policiais estacionavam diante das portas, – a senhora saltou do *drójki* e pagou ao cocheiro quatro copeques de prata.

– Então, não é bastante, Vânia?[67] – exclamou ela, vendo que ele fazia uma careta. – É tudo quanto tenho – acrescentou, queixosa.

– Vamos, está bem, Deus te abençoe! Tomei-te sem fixar preço – disse Vânia com um gesto resignado e olhando com ar de quem diz: "Seria pecado ofender-te". Nisto enfiou para dentro da blusa sua bolsa de couro, fustigou seu cavalo e afastou-se perseguido pelas risadas dos cocheiros que se encontravam em redor. Risadas também e exclamações de surpresa perseguiram a recém-chegada, enquanto ela abria caminho para as portas da catedral, entre as carruagens e os lacaios que aguardavam a próxima saída de seus senhores. E, na verdade, havia algo de insólito e de surpreendente para todos ver aparecer de repente tal pessoa entre os que se achavam na rua. Era duma magreza estranha e trazia o rosto escandalosamente empoado e pintado; seu comprido pescoço estava totalmente descoberto: não trazia nem fichu, nem peliça, todo o seu traje era um velho vestido de cor escura para aquele dia de setembro, frio e ventoso, embora cheio de sol. Estava sem chapéu e com os cabelos torcidos num coque minúsculo, à direita do qual estava fincada uma rosa artificial, como aquela com que se ornam os querubins na festa de Ramos. Na véspera, eu havia precisamente observado um desses querubins, coroados de rosas de papel, num canto, acima dos ícones, por ocasião de minha visita a Maria Timofiéievna. E para cúmulo, se bem que a senhora andasse de olhos baixos, modestamente, alegre e malicioso sorriso vagava-lhe pelo rosto. Se se tivesse retardado um pouco mais, não lhe teriam talvez permitido transpor a soleira da catedral. Mas conseguiu infiltrar-se até a porta e, penetrando *no templo, foi avançando sem* chamar a atenção.

---

67 Diminutivo de Ivan. Era apelido comum dos cocheiros.

Se bem que se estivesse quase no meio do sermão e o auditório numeroso que enchia a catedral o escutasse com uma emoção recolhida e silenciosa, vários pares de olhos voltaram-se, não obstante, com uma curiosidade estupefata para a recém-chegada. Esta, ajoelhando-se, inclinou até o chão seu rosto pintado e ficou muito tempo assim, chorando, pelo que se podia julgar; mas, erguendo a cabeça, recompôs-se logo e recuperou seu bom humor. Com um prazer manifesto e intenso, passeou seu olhar pelos rostos em redor, bem como pelas paredes da catedral. Examinou algumas daquelas senhoras com uma curiosidade particular, erguendo-se mesmo na ponta dos pés para olhá-las, e rindo mesmo, com um riso estranho, uma ou duas vezes. Mas já o sermão chegara a seu termo e a cruz estava sendo apresentada aos fiéis. A mulher do Governador foi a primeira a se dirigir para a cruz, mas parou quando se achou a apenas dois passos, desejosa evidentemente de ceder o lugar a Varvara Pietrovna, que, do lado dela, se aproximava em linha reta, como se não tivesse notado ninguém à sua frente. Havia naquele gesto extraordinário de deferência da parte da mulher do Governador uma malícia evidente e a que não faltava habilidade; todos tiveram essa impressão; Varvara Pietrovna deve tê-la sentido também, mas seguiu seu caminho, não parecendo notar ninguém, e, com o mesmo ar de dignidade imperturbável, beijou a cruz e logo deu meia volta para sair da catedral. Um lacaio de libré abria a passagem diante dela, se bem que cada qual recuasse espontaneamente para deixá-la passar. Mas à saída, a multidão que se comprimia no adro barrou-lhe um instante o caminho. Varvara Pietrovna parou e de súbito uma criatura estranha, extraordinária, a mulher da cabeça ornada duma rosa de papel, abriu passagem através da multidão e caiu de joelhos diante dela. Varvara Pietrovna, que não se perturbava facilmente, sobretudo em público, olhou-a com ar severo e imponente.

Apresso-me em observá-lo aqui, tão brevemente quanto possível, que, se Varvara Pietrovna se tornara, diziam, parcimoniosa e até mesmo avarenta, por vezes, entretanto, não olhava a despesas, sobretudo quando se tratava de obras de caridade. Era sócia duma sociedade de beneficência da capital. Durante o último ano de carestia, remetera quinhentos rublos à comissão central de socorros aos famintos, o que não passara despercebido na cidade. Além do mais, muito pouco tempo antes da nomeação do novo governador, estivera a ponto de fundar uma comissão regional de senhoras, a fim de ir em auxílio às mais pobres parturientes da cidade e da província. Censuravam-lhe severamente entre nós o ser ambiciosa, mas a energia bem conhecida de Varvara Pietrovna, bem como sua teimosia estiveram bem a ponto de sobrepujar vitoriosamente todos os obstáculos. A sociedade estava quase formada e a ideia primitiva tomava uma extensão cada vez maior no espírito entusiasta da fundadora: já sonhava com fundar uma sociedade análoga em Moscou e estender-lhe pouco a pouco o campo de ação a todas as províncias da Rússia. E eis que agora, em consequência da mudança súbita de governador, tudo parara; a mulher do novo governador, dizia-se, emitira em sociedade certas observações mordazes e, o que era ainda pior, sensatas e cheias de propósito sobre o caráter irrealizável da ideia fundamental de uma comissão desse gênero. Tudo isso foi repetido, com amplificação, bem entendido, a Varvara Pietrovna. Só Deus conhece o fundo dos corações, mas imagino que Varvara Pietrovna deve ter sentido um verdadeiro prazer ao parar naquele momento, às portas mesmas da catedral, sabendo que a mulher do Governador, seguida de todos os fiéis, iria passar por ali naquele instante e "pudesse ver com seus próprios olhos o pouco caso que faço do que ela pensa e de todas as maldades que espalha a respeito da vaidade que retiro de minhas beneficências. Eis o que tenho para todos, assim que estiverem presentes!".

– Que há, minha cara? Que é que pede? – disse Varvara Pietrovna, olhando com mais atenção a mulher ajoelhada a seus pés e que a contemplava com uma expressão tremendamente confusa, envergonhada, mas quase reverente, e que de súbito voltou a rir com o mesmo risinho estranho.

– Que é que ela quer comigo? Quem é ela?

Varvara Pietrovna correu um olhar imperioso e interrogador sobre todos aqueles que a cercavam. Todos se mantinham calados.

– Sente-se infeliz? Tem necessidade de que alguém a socorra?

– Tenho necessidade... Vim... – balbuciou a "infeliz" criatura com uma voz partida pela emoção. – Vim simplesmente para beijar-lhe a mão...

Pôs-se de novo a rir. Com o ar ingênuo com que as crianças acariciam a gente, quando pedem um favor, inclinou-se para pegar a mão de Varvara Pietrovna, mas como que tomada dum terror pânico, retirou o braço para trás.

– Só veio para isto? – disse Varvara Pietrovna, com um sorriso de compaixão, mas logo tirou do bolso seu porta-moedas de nácar e dele uma cédula de dez rublos que ofereceu à desconhecida. Esta recebeu-a. Varvara Pietrovna estava fortemente interessada e não a olhava evidentemente como a uma mendiga comum.

– Viste? Ela lhe deu dez rublos – disse uma voz na multidão.

– Permita-me que lhe beije a mão – balbuciou a desconhecida, conservando bem apertada, entre os dedos de sua mão esquerda, a ponta da cédula de dez rublos que esvoaçava ao vento. Varvara Pietrovna franziu levemente o cenho e com um ar grave, quase severo, estendeu sua mão que a estranha beijou com respeito. O olhar reconhecido desta brilhou numa espécie de êxtase. No mesmo momento a mulher do Governador aproximou-se, seguida de toda uma multidão de senhoras e de altos funcionários que se comprimiam atrás dela. A mulher do Governador viu-se obrigada a parar um instante por causa da aglomeração; muitas pessoas fizeram o mesmo.

– Está tremendo, sente frio? – perguntou de repente Varvara Pietrovna e lançando para trás sua peliça que um lacaio apanhou no ar, tirou de seus ombros um xale negro de grande preço e com suas próprias mãos enrolou o pescoço descoberto da solicitante ainda ajoelhada.

– Mas trate de levantar-se, não fique de joelhos, peço-lhe!

A mulher levantou-se.

– Onde mora? Será possível que ninguém saiba onde ela mora?

Varvara Pietrovna correu de novo em redor de si um olhar impaciente. Mas já não era a multidão de havia pouco; não percebeu senão rostos de conhecidos, de gente da sociedade que observava aquela cena, uns com um espanto severo, outros com uma curiosidade sarcástica, e ao mesmo tempo com o desejo ingênuo de ver ocorrer algum incidente sensacional; outros começavam mesmo a rir.

– *Creio que ela se chama* Liebiádkina – condescendeu em responder enfim um bom homem à pergunta de Varvara Pietrovna. Era o nosso bom e respeitável comerciante Andriéiev, que usava óculos e barba branca, trajava um terno russo e mantinha na mão um chapéu redondo de copa alta. – Moram na casa de Filípov, na Rua da Epifania.

– Liebiádkina? Em casa de Filípov? Já ouvi falar, com efeito... Obrigada, Nikon Siemiônitch. Mas quem é esse Liebiádkin?

– Faz-se passar por capitão; devo dizer-vos que é um homem desconsiderado. E sem dúvida essa é irmã dele. Deve-se crer que haja iludido a vigilância dele – prosseguiu Nikon Siemiônitch à meia voz, lançando para Varvara Pietrovna um olhar significativo.

– Compreendo. Obrigada, Nikon Siemiônitch. Minha cara, é a Senhora Liebiádkina?

– Não, não sou a Senhora Liebiádkina.

– Então, talvez seja seu irmão que se chama Liebiádkin?

– Meu irmão se chama Liebiádkin.

– Eis o que vou fazer. Vou levá-la comigo agora, minha cara, e de minha casa vão levá-la à sua família. Quer vir comigo?

– Oh! sim – exclamou a Senhorita Liebiádkina, batendo as mãos uma contra a outra.

– Minha tia, minha tia, leve-me também com a senhora! – disse de súbito a voz de Elisavieta Nikoláievna.

Convém dizer que Elisavieta Nikoláievna viera à missa com a mulher do Governador, ao passo que Praskóvia Ivânovna sua mãe, dava, por ordem do médico, um passeio de carruagem, e levara consigo Mavríki Nikoláievitch para se distrair. Lisa deixou bruscamente a mulher do Governador e correu para Varvara Pietrovna.

– Tu sabes, minha querida, que sempre tenho prazer em ver-te, mas que dirá tua mãe? – começou Varvara Pietrovna, num tom majestoso, mas perturbou-se de repente, ao notar a extrema agitação de Lisa.

– Titia, titia, é preciso absolutamente que eu vá com a senhora! – insistiu Lisa, beijando Varvara Pietrovna.

– *Mais qu'avez-vous donc, Lise?*[68] – perguntou a mulher do governador com acentuado espanto.

– Oh! perdoe-me, *chère cousine,* vou à casa de minha tia. – Lisa voltou-se para sua "cara prima" desagradavelmente surpreendida e pespegou-lhe dois beijos nas faces.

– E diga também a mamãe que vá me buscar o mais rápido possível em casa de minha tia. Mamãe tinha toda a intenção de ir vê-la, ela mesma o dizia esta manhã, mas esqueci-me de informar à senhora – prosseguiu Lisa com volubilidade. – Peço-lhe perdão, não fique zangada, *Julie..., chère cousine.* Minha tia, estou às ordens!

"Se a senhora não me levar, minha tia, sairei correndo atrás de sua carruagem, gritando", murmurou ela, rápida e desesperadamente, ao ouvido de Varvara Pietrovna. Felizmente ninguém a ouviu. Varvara Pietrovna recuou um passo e fixou um olhar penetrante na louca moça. Este olhar bastou para decidir tudo: resolveu levar Lisa consigo.

– É preciso por fim a isso! – deixou ela escapar à meia voz.

– Muito bem, vou te levar com prazer, Lisa – acrescentou em voz alta, – com a condição, bem entendido, de que Iúlia Mikháilovna consinta em deixar que venhas.

---

68 Mas que tem você, Lisa?

– Com um ar cândido e com franca dignidade, dirigiu-se diretamente à mulher do Governador:

– Oh! decerto, não desejo privá-la desse prazer, tanto mais quanto eu mesma... – balbuciou Iúlia Mikháilovna, com uma afabilidade estupefata. – Eu mesma... sei bem que cabecinha fantasista e voluntariosa temos sobre os ombros! (Iúlia Mikháilovna mostrou encantador sorriso.)

– Agradeço-lhe infinitamente – disse Varvara Pietrovna, com uma saudação cortês e cerimoniosa.

– E é-me tanto mais agradável – prosseguiu Iúlia Mikháilovna, continuando a balbuciar quase com encantamento e mesmo corando de prazer e de emoção, – quanto, além do prazer em estar com a senhora, seja Lisa arrebatada por um sentimento tão belo, direi mesmo tão elevado... de compaixão... (lançou um olhar sobre a "infeliz") e... no adro mesmo do templo...

– Esta maneira de ver faz-lhe honra – aprovou Varvara Pietrovna, com condescendência. Iúlia Mikháilovna estendeu a mão com efusão e Varvara Pietrovna tocou-a com as pontas dos dedos com uma solicitude perfeita. A impressão geral foi excelente, o rosto de alguns dos assistentes irradiava de prazer, alguns sorrisos dulçorosos e insinuantes se mostraram.

Numa palavra, ficou demonstrado a toda a cidade que não fora Iúlia Mikháilovna que havia desdenhado Varvara Pietrovna, não a visitando, mas, pelo contrário, que Varvara Pietrovna havia "mantido Iúlia Mikháilovna à distância, quando esta se teria apressado em visitá-la, talvez mesmo a pé, se preciso, se tivesse tido a certeza absoluta de que Varvara Pietrovna não lhe recusaria sua porta". O prestígio de Varvara Pietrovna achou-se enormemente acrescido.

– Suba, minha cara, – disse Varvara Pietrovna, convidando com um gesto a Senhorita Liebiádkina a dirigir-se para a carruagem que se aproximara. A "infeliz" avançou alegremente para a portinhola da carruagem e ali o lacaio levantou-a em seus braços para ajudá-la a subir.

– Como! Você é coxa? – exclamou Varvara Pietrovna, que pareceu completamente aterrorizada e foi empalidecendo. (Todos notaram este detalhe no momento, mas ninguém o compreendeu.)

A carruagem afastou-se. A casa de Varvara Pietrovna estava situada bem perto da catedral. Lisa contou-me mais tarde que a Senhorita Liebiádkina foi sacudida por um riso histérico durante os três minutos que durou o trajeto, enquanto Varvara Pietrovna permanecia imóvel "como num sono hipnótico", segundo a própria expressão de Lisa.

Capítulo V / *A serpente sutil*

I

Varvara Pietrovna puxou o cordão da campainha e deixou-se cair numa poltrona perto da janela.

– Sente aqui, minha cara. – Designou com um gesto a Maria Timofiéievna um assento no meio da sala, junto duma grande, mesa redonda. – Stiepan Trofímovitch, que quer dizer isso? Veja, veja, olhe essa mulher, que quer isso dizer?

– Eu... eu... – gaguejou Stiepan Trofímovitch.

Mas um criado entrou.

– Uma xícara de café, imediatamente; precisamos dele o mais breve possível. Não desatrele os cavalos.

– *Mais, chère et excellente amie, dans quelle inquiétude...* – exclamou Stiepan Trofímovitch, com uma voz morrente.

– Ainda bem! Francês! Francês! Vê-se logo que estamos na mais alta sociedade! – exclamou Maria Timofiéievna, batendo palmas e preparando-se com encantamento para ouvir uma conversa mantida em francês. Varvara Pietrovna olhou-a quase com terror.

Ficamos todos silenciosos, esperando ver como aquilo acabaria. Chátov não levantou a cabeça; quanto a Stiepan Trofímovitch, estava numa confusão extrema, como se tudo aquilo fosse culpa sua; gotas de suor perolavam-lhe as têmporas. Lancei uma olhadela a Lisa – que estava sentada no canto quase ao lado de Chátov. Seus olhos iam vivamente de Varvara Pietrovna para a coxa e vice-versa; seus lábios estavam contraídos num sorriso, mas um sorriso que não era agradável de ver. Varvara Pietrovna viu aquele sorriso. Entretanto Maria Timofiéievna estava absolutamente no cúmulo da satisfação. Com um prazer manifesto, e sem o menor sinal de embaraço, passeava seu olhar pelo belo salão de Varvara Pietrovna, pelos móveis, pelos tapetes, pelos quadros pendurados das paredes, pelo velho forro pintado, pelo grande crucifixo de bronze colocado a um canto, pela lâmpada de porcelana, pelos álbuns e bibelôs pousados sobre a mesa.

– E tu também estás aí, Chátuchka! – exclamou ela, de repente. – Imagina que estou vendo-te desde muito tempo, mas pensava: não é ele! Como teria ele podido vir?

E ria com alegria.

– Conhece essa mulher? – perguntou Varvara Pietrovna, voltando-se logo para ele.

– Conheço-a – murmurou Chátov. Pareceu estar a ponto de levantar de sua cadeira, mas ficou sentado.

– Que sabe dela? Um pouco mais depressa, por favor!

– Oh! bem... – gaguejou ele, careteando um sorriso, sem motivo. – A senhora mesma vê...

– Que é que eu vejo? Vamos, fale!

– Ela mora na mesma casa que eu... com seu irmão... um oficial...

– E então?

Chátov gaguejou de novo:

– Não vale a pena falar... – murmurou ele e recaiu num silêncio obstinado. Corou mesmo por causa de sua resolução.

– *Nada se pode esperar de sua parte*, evidentemente – exclamou, indignada, Varvara Pietrovna. Era manifesto para ela, doravante, que todos sabiam alguma coisa e que, por outra parte, estavam todos amedrontados, procuravam evitar suas perguntas, enfim desejavam sobretudo ocultar-lhe alguma coisa.

O lacaio entrou e apresentou-lhe, numa bandejinha de prata, a xícara de café que ela havia pedido tão especialmente, mas, a um sinal dela, dirigiu-se logo com a xícara para Maria Timofiéievna.

– A senhora estava com muito frio ainda há pouco, minha cara menina; apresse-se em beber esse café para aquecer-se.

– *Merci.* – Maria Timofiéievna tomou a xícara e lançou logo um risinho nervoso ao pensar que dissera em francês "obrigado" a um criado. Mas reencontrando o olhar desaprovador de Varvara Pietrovna, foi tomada dum acesso de timidez e pousou a xícara sobre a mesa.

– Pelo menos, a senhora não está zangada, não é, tiazinha? – balbuciou ela com uma espécie de vivacidade divertida.

– O quê... – Varvara Pietrovna estremeceu e enrijou-se na cadeira. – Não sou sua tia. Em que está pensando?

Maria Timofiéievna, que não esperava tal explosão de cólera, pôs-se a tremer toda, com pequenos arrepios convulsivos, como se estivesse presa duma crise súbita e encolheu-se no fundo da poltrona.

– Eu... eu... acreditava... que era assim que se devia, chamá-la – balbuciou ela, olhando Varvara Pietrovna com grandes olhos aturdidos. – Foi assim que Lisa a chamou.

– Que Lisa?

– Mas essa senhorita aqui – disse Maria Timofiéievna, apontando-a com o dedo estendido.

– Ela então é já Lisa para você?

– A senhora mesma a chamou assim, ainda há pouco – disse Maria Timofiéievna, tomando um pouco mais de ousadia. – sonhei justamente com uma beleza como essa – acrescentou, rindo duma maneira inesperada.

Varvara Pietrovna refletiu um instante, acalmou-se um pouco e sorriu mesmo levemente com as derradeiras palavras de Maria Timofiéievna; esta, percebendo que ela sorria, levantou de sua cadeira e, coxeando, aproximou-se dela timidamente.

— Tome, esqueci de devolver-lhe. Não precisa me querer mal pela minha falta de polidez. – E retirou dos ombros o xale negro com que Varvara Pietrovna a envolvera.

— Quer ter a bondade de retomá-lo imediatamente? Pode ficar com ele para sempre. Volte a sentar, beba seu café e, rogo-lhe, não tenha medo de mim, minha cara menina, fique tranquila. Começo a compreendê-la.

– *Chère amie* – atreveu-se ainda a dizer Stiepan Trofímovitch.

— Oh! Stiepan Trofímovitch, já está tudo muito complicado sem você. Poderia pelo menos poupar-nos... Tenha, pois, a bondade de puxar esse cordão de campainha, perto de você, para chamar a criada de quarto.

Fez-se um silêncio. Ela passeava sobre o rosto de todos nós um olhar irritado e suspeitoso. Agacha, sua criada de quarto preferida, entrou.

– Meu xale de quadrados, o que comprei em Genebra. Que está fazendo Dária Pávlovna?

– Não se sente muito bem, senhora.

– Vai dizer-lhe que venha cá. Acrescente que tenho necessidade absoluta dela, mesmo que não se sinta muito bem.

No mesmo instante, ouviu-se, como antes, um barulho insólito de passos e vozes na antecâmara vizinha e, de repente, Praskóvia Ivânovna, ofegante e "desvairada", apareceu na soleira. Apoiava-se no braço de Mavríki Nikoláievitch.

– Ah! meu Deus, com que dificuldade consegui arrastar-me até aqui! Lisa, menina, como tratas tua mãe! – disse ela com uma voz estridente, concentrando nesse grito, como o fazem habitualmente as pessoas fracas e irritáveis, toda a sua cólera acumulada. – Varvara Pietrovna, vim procurar minha filha!

Varvara Pietrovna lançou-lhe um olhar desdenhoso, levantou a meio à maneira de saudação e, mal dissimulando sua contrariedade, articulou:

– Bom-dia, Praskóvia Ivânovna. Faze-me a bondade de tomar assento. Sabia bem que virias.

II

Para Praskóvia Ivânovna, nada podia haver de surpreendente naquela acolhida. Desde a infância, Varvara Pietrovna tratara sua antiga amiga de pensionato duma maneira tirânica e, sob uma aparência de amizade, quase com desprezo. Mas no caso presente as circunstâncias eram especiais. Desde alguns dias, como já o fiz compreender incidentemente, havia rompimento quase completo entre as duas casas. O motivo desse rompimento permanecera um mistério para Varvara Pietrovna, o que o tornava mais ofensivo ainda; mas o que lhe parecia mais chocante, é que Praskóvia havia conseguido tomar para com ela uma atitude extraordinariamente desdenhosa. Varvara Pietrovna estava por isso ulcerada, naturalmente, e, entrementes, boatos estranhos começavam a chegar a seus ouvidos, que a irritavam igualmente ao mais alto ponto, sobretudo em razão de sua imprecisão. Varvara Pietrovna era dum caráter reto e duma franqueza cheia de altivez, até mesmo um pouco sem cerimônia nas suas maneiras, se é permitido exprimi-lo assim. Não havia nada que ela detestasse tanto quanto as insinuações secretas e misteriosas; preferia a guerra aberta. Seja como for, havia cinco dias que aquelas senhoras não se viam. A derradeira visita fora feita por Varvara Pietrovna, que voltara da casa das Drózdovi em estado de irritação e perplexidade. Posso dizer, sem temor de enganar-me, que Praskóvia Ivânovna chegara naquela ocasião, ingenuamente persuadida de que Varvara Pietrovna não deixaria, por uma ou outra razão, de tremer diante dela. Isto demonstrava-o a expressão de seu rosto até a evidência. Mas não menos evidentemente estava Varvara Pietrovna possuída do demônio do orgulho todas as vezes que tinha o menor motivo de suspeitar que, por uma razão ou por outra, queriam obrigá-la a sofrer uma humilhação. Como muitas pessoas fracas que se deixam insultar muito tempo sem erguer o mínimo protesto, Praskóvia Ivânovna, na primeira ocasião favorável, conduzia seu ataque com uma violência extraordinária. É verdade que ela não andava bem e que a doença a tornava sempre mais irritável. Devo acrescentar, enfim, que se uma discussão tivesse estourado entre elas, nossa presença no salão não podia absolutamente refrear aquelas duas senhoras, amigas *de infância*. Consideravam-nos pessoas da família, quase como súditos. Esta ideia não deixou de inquietar-me no momento. Stiepan Trofímovitch, que não havia tornado a sentar desde a entrada de Varvara Pietrovna, deixou-se cair sem forças numa poltrona, ao ouvir a voz esganiçada de Praskóvia Ivânovna e interrogou-a com uma olhadela desesperada. Chátov voltou-se bruscamente em sua cadeira e resmungou qualquer coisa entre dentes. Creio que tinha ele grande vontade de levantar e ir embora. Lisa ergueu-se a meio em sua cadeira, mas deixou-se recair logo, sem mesmo prestar toda a atenção conveniente aos gritos lançados por sua mãe. Não era de modo algum perversidade de sua parte, mas antes porque se encontrava presa de qualquer outra impressão absorvente. Olhava para o vácuo, com ar distraído, cessando mesmo de prestar atenção a Maria Timofiéievna.

III

– Ah! Eis aqui! – exclamou Praskóvia Ivânovna, indicando, perto da mesa, uma poltrona na qual sentou pesadamente com a ajuda de Mavríki Nikoláievi. – Não me teria sentado sob seu teto, minha senhora, se outro fosse o estado de minhas pernas – acrescentou ela, com voz partida.

Varvara Pietrovna ergueu ligeiramente a cabeça e, com uma expressão de sofrimento, levou os dedos de sua mão direita a sua têmpora direita, manifestamente atingida por viva dor *(tic douloureux)*.

– Mas que se passa contigo, Praskóvia Ivanovna? Por que não te assentarias debaixo de meu teto? Tive durante toda a sua vida a amizade de teu falecido marido; e nós brincamos juntas de boneca, tu e eu, no pensionato, no tempo em que éramos meninas.

Praskóvia Ivânovna agitou suas mãos.

– Era isso mesmo que eu esperava! Você entra logo por esse assunto da escola, quando tem vontade de fazer-me censuras. Isso é bem de você. Mas na minha opinião, tudo isso não passa de bálsamo. Não posso tolerar esse pensionato do qual você sempre fala.

– Creio que tenhas vindo de muito mau humor; como vão as tuas pernas? Olha, trazem-te café, toma-o, rogo-te, bebe-o e deixa de zangas.

– Varvara Pietrovna, você me trata como se estivesse lidando com uma menina. Não quero seu café, pronto!

E afastou com um gesto furioso o criado que lhe apresentava café. Aliás, todos os outros recusaram também o café, exceto Mavríki e eu. Stiepan Trofímovitch tomou uma xícara, que deixou em cima da mesa. Se bem que tivesse grande vontade de beber uma segunda xícara e estendesse mesmo a mão para tomá-la, Maria Timofiéievna reconsiderou, recusou-a com um ar cerimonioso, visivelmente satisfeita com sua maneira de agir.

Varvara Pietrovna mostrou um sorriso agridoce.

– Vou dizer-te o que há, minha cara Praskóvia Ivânovna. Ainda uma vez terás imaginado alguma coisa e é por isto que vieste. Toda a tua vida, não fizeste senão nutrir imaginações. Ficaste cheia de raiva assim que ouviste falar em pensionato, mas lembras-te de como vieste a afirmar a toda a classe que um hussardo chamado Cháblikin te havia feito uma declaração, e como a Senhora Lefébure te fez confessar, imediatamente, que era mentira? E, no entanto, não mentias, tinhas simplesmente imaginado isso para distrair-te. Vejamos, fala, que há agora? Que é que estás imaginando *hoje*? Que é que te amofina?

– E você que se apaixonou pelo pope que nos ensinava o catecismo na escola? Decerto se lembra, já que tem tão boa memória rancorosa. Ah! ah! ah!

Prorrompeu num riso sarcástico a que se seguiu um acesso de tosse.

– Ah! com que então nunca te esqueceste do pope... – disse Varvara Pietrovna, dirigindo-lhe um olhar cheio de ódio.

Seu rosto enverdeceu. Praskóvia Ivânovna tomou de repente um ar digno.

– Não estou disposta a rir no momento, minha senhora. Por que meteu minha filha nos seus escândalos, conhecidos e sabidos de toda a cidade? É isso que vim saber.

– Meus escândalos? – Varvara Pietrovna ergueu-se com ar ameaçador.

– Mamãe, suplico-lhe, modere-se também a senhora! – exclamou, de repente, Elisavieta Nikoláievna.

– Como dizes? – A mamãe esteve a ponto de fazer ouvir outros guinchos, mas encontrando o olhar fulgurante de sua filha, acalmou-se subitamente.

– Como pôde a senhora falar de escândalos, mamãe? – disse Lisa, ficando carmesim. – Vim por minha própria vontade e com a permissão de Iúlia Mikháilovna, porque queria conhecer a história dessa infeliz para ser-lhe útil.

– A história dessa infeliz! – repetiu Praskóvia Ivânovna, com voz arrastada e riso malévolo. – Será conveniente misturares-te a "histórias" desse gênero? Ah! estamos fartas de seu despotismo! – Voltou-se furibunda para Varvara Pietrovna. – Dizem, não sei se é verdade ou não, que você governa a cidade inteira, mas parece que sua vez chegou por fim!

Varvara Pietrovna mantinha-se rígida como uma flecha prestes a voar do arco. Durante dez segundos fixou um olhar severo e imóvel em Praskóvia Ivânovna.

– Pois bem, Praskóvia, deves agradecer a Deus o serem todos os que aqui se encontram amigos nossos – disse ela por fim com uma calma feroz. – Disseste muitas coisas que teria sido melhor não dizer.

– Mas não tenho tanto medo da opinião do mundo como certas pessoas, minha senhora. É a senhora quem, sob uma aparência de orgulho, treme diante do que se dirá. E se é verdade, como diz, que todos os que aqui se encontram são seus amigos, isto vale melhor para a senhora do que se estranhos tivessem escutado a conversa.

– Ficaste mais inteligente durante esta última semana?

– Não é que me tenha tornado mais inteligente, mas muito simplesmente que a verdade fez-se conhecer esta semana.

– Que verdade se fez então conhecer esta semana? Escuta, Praskóvia Ivânovna, não me enerves. Explica-me agora mesmo, suplico-te como um favor, que verdade se fez conhecer e que é que entendes por isso?

– Mas ei-la, toda a verdade! Está sentada diante da senhora! – exclamou, de repente, Praskóvia Ivânovna, com o dedo apontado para Maria Timofiéievna, com aquela resolução feroz que não tem mais nenhuma preocupação com as consequências, contanto que possa produzir uma impressão no momento. Maria Timofiéievna, que a observava desde o começo com uma curiosidade descuidada, disparou numa risada alegre à vista do dedo da visitante encolerizada, estendido impetuosamente para ela e agitou-se toda contente na cadeira.

– Senhor Deus, tende piedade de nós, perderam todos a razão! – exclamou Varvara Pietrovna, que, de súbito, empalidecendo, tornou a cair no fundo de sua poltrona.

Empalideceu mesmo a tal ponto que provocou isso certa agitação entre os presentes. Stiepan Trofímovitch foi o primeiro a precipitar-se para ela. Aproximei-

-me também; a própria Lisa levantou-se de sua cadeira, sem todavia adiantar-se. Mas a mais alarmada de todos foi a própria Praskóvia Ivânovna. Lançou um grito agudo, levantou tanto quanto lhe permitiam suas forças e gemeu por assim dizer com voz choraminguenta:

– Varvara Pietrovna, minha querida, perdoe-me minha culpada estupidez. Mas tragam-lhe pelo menos água, alguém!

– Não choramingues, por favor, Praskóvia Ivânovna, e deixem-me, senhores, rogo-lhes. Não tenho necessidade de água! – articulou Varvara Pietrovna, com uma voz firme, se bem que abafada e com os lábios descoloridos.

– Varvara Pietrovna, minha querida, – prosseguiu Praskóvia Ivânovna, um tanto tranquilizada, – embora seja eu digna de censura por causa de minhas palavras sem consideração, o que sobretudo me transtornou foram essas cartas anônimas com que alguns miseráveis não cessam de bombardear-me; se pelo menos se dirigissem a você, pois é a você que se referem... Mas eu, eu tenho uma filha!

Varvara Pietrovna olhava-a, sem dizer palavra, escancarando os olhos e escutava-a com surpresa. No mesmo instante uma porta oculta se abria silenciosamente num canto e Dária Pávlovna apareceu. Parou para olhar em torno de si, muito impressionada diante da perturbação que se tinha apoderado de nós. Não distinguiu provavelmente logo Maria Timofiéievna, cuja presença não lhe haviam anunciado. Stiepan Trofímovitch foi o primeiro a perceber-lhe a entrada. Fez um movimento brusco, corou e, por uma razão ou outra, proclamou com voz forte: "Dária Pávlovna!", de tal modo que todos os olhares se voltaram para a recém-chegada.

– Ah! é então essa a vossa Dária Pávlovna! – exclamou Maria Timofiéievna. – Ora, Chátuchka, sua irmã não se parece com você. Como pôde o meu lacaio chamar a tal beleza Dacha, a serva?

Durante esse tempo, Dária Pávlovna havia-se dirigido para Varvara Pietrovna, mas, atingida pela exclamação de Maria Timofiéievna, voltou precipitadamente sobre seus passos e parou justamente diante de sua cadeira fixando na demente um demorado olhar.

– Senta, Dacha – disse Varvara Pietrovna, com uma calma terrível. – Mais perto, assim. Vês essa mulher sentada aí? Tu a conheces?

– Nunca a vi – respondeu docemente Dacha; depois, após uma pausa, acrescentou logo: – Deve ser a irmã doente do Capitão Liebiádkin.

– E é a primeira vez que a vejo, meu amor, se bem que desde muito tempo me interesse pela senhora, experimente o desejo de conhecê-la, porque cada um de seus gestos revela uma boa educação – exclamou Maria Timofiéievna, encantada. – E, embora meu lacaio a cumule de injúrias, seria possível que pessoa tão encantadora, tão bem educada como a senhora tenha roubado dinheiro? Porque a senhora é encantadora, encantadora, sou eu que lhe digo! – disse ela, à maneira de conclusão, agitando a mão com entusiasmo.

– E compreendes alguma coisa? – perguntou Varvara Pietrovna, com uma dignidade altiva.

– Compreendo tudo.

– Ouviste falar desse dinheiro?

– Trata-se, sem dúvida, do dinheiro de que me encarreguei, a pedido de Nikolai Vsiévolodovitch, de entregar ao irmão dela, o Capitão Liebiádkin, quando estávamos na Suíça.

Fez-se um silêncio.

– Foi o próprio Nikolai Vsiévolodovitch que te pediu para lhe entregar?

– Fazia muita questão de enviar esse dinheiro, trezentos rublos ao todo, ao Senhor Liebiádkin. E como não conhecesse o endereço deste último, mas sabia somente que ele deveria chegar à nossa cidade, encarregou-me de entregá-lo ao Senhor Liebiádkin, no caso de chegar este aqui.

– Que dinheiro é pois esse... que se teria perdido? Que quis dizer essa mulher ainda há pouco?

– A este respeito, nada sei; foi-me comunicado, com efeito, que o Senhor Liebiádkin teria me censurado em voz alta o não lhe ter entregue a soma completa; não tenho lembrança dessas palavras. Havia trezentos rublos e enviei-lhe trezentos rublos.

Dária Pávlovna havia por assim dizer recuperado completamente seu sangue-frio. Era difícil, aliás, devo fazer esta observação, espantar aquela moça ou perturbar por muito tempo sua calma, pudesse ela sentir o que sentisse em seu foro íntimo. Formulou naquela ocasião todas as suas respostas sem pressa, respondendo imediatamente a todas as perguntas com precisão, tranquilamente, sem hesitar e sem nenhum traço da emoção súbita que a princípio havia manifestado, nem o menor sinal de embaraço que pudesse revelar um sentimento qualquer de culpabilidade. Os olhos de Varvara Pietrovna permaneceram fixos sobre a moça durante todo o tempo em que ela falou. Varvara Pietrovna refletiu um instante.

– Uma vez que – declarou ela enfim com voz firme, dirigindo-se a todas as pessoas presentes, embora só olhasse para Dacha, Nikolai Vsiévolodovitch nem mesmo se dirigiu a mim, mas te pediu que fizesses isso para ele, é que tinha suas razões. Não me creio com o direito de procurar penetrá-las, se me foram ocultas. Mas o simples fato de estares misturada com esse negócio me tranquiliza plenamente, fica sabendo bem, Dária, aconteça o que acontecer. Mas, vês tu, minha querida menina?, pode acontecer que por ignorância do mundo, tenhas feito, com toda a inocência, algo de imprudente e foi o que aconteceu, quando te encarregaste duma incumbência para um sujeito ignóbil. Os boatos espalhados por esse canalha fazem-te sentir qual foi a tua falta. Vou tomar informações a respeito dele e como tenho o dever de proteger-te, saberei agir em tua defesa. Mas trata-se agora de por um termo a tudo isso.

– O que haverá de melhor a fazer, quando ele chegar – declarou Maria Timofiéievna, levantando vivamente de sua cadeira, – é mandá-lo para o lugar dos criados. Que se sente em bancos e jogue cartas com eles, enquanto ficaremos aqui bebendo café. Poderíamos enviar-lhe, também para ele, uma xícara de café, mas tenho por ele profundo desprezo.

E abanou a cabeça duma maneira expressiva.

– É preciso acabar com isso – repetiu Varvara Pietrovna, que havia escutado atentamente Maria Timofiéievna. – Toque, por favor, Stiepan Trofímovitch.

Stiepan Trofímovitch tocou a campainha e, de súbito, avançou, todo comovido:

– Sim... sim... – balbuciou, febrilmente, corando, interrompendo-se e gaguejando, – se eu também ouvi a mais revoltante história, ou antes, calúnia... é com uma indignação absoluta... *enfin c'est un homme perdu et quelque chose comme un forçat évadé...*[69]

Perturbou-se e não pôde continuar. Varvara Pietrovna olhou-o de alto a baixo, piscando os olhos. Alieksiéi Iegórovitch entrou, cerimonioso.

– A carruagem – ordenou Varvara Pietrovna. – E tu, Alieksiéi Iegórovitch, trata de levar de volta à sua casa a Senhorita Liebiádkina; ela mesma te indicará onde mora.

– O Senhor Liebiádkin a espera em baixo desde alguns instantes e pediu-me com insistência que o anunciasse.

– Mas é impossível, Varvara Pietrovna. – Mavríki Nikoláievitch, que se mantinha desde o começo num silêncio imperturbável, avançou, de repente, visivelmente alarmado. – Se me é permitido dizê-lo, não é homem que se possa admitir em sociedade... ele... é impossível, Varvara Pietrovna!

– Espera um instante – disse Varvara Pietrovna, dirigindo-se a Alieksiéi Iegórovitch, que desapareceu logo.

– *C'est un homme malhonnête et je crois même que c'est un forçat évadé ou quelque chose dans ce genre!*[70] – resmungou ainda Stiepan Trofímovitch, que de novo se interrompeu, corando.

– Lisa, é tempo de partirmos – declarou Praskóvia Ivânovna, num tom desdenhoso, levantando de sua cadeira. Parecia lamentar ter-se deixado tratar de imbecil na sua emoção. Enquanto Dária Pávlovna falava, escutava, com os lábios cerrados e o ar arrogante. Mas o que me feriu mais a atenção, foi a expressão de Elisavieta Nikoláievna desde o instante em que Dária Pávlovna entrara. Havia no seu olhar um clarão de ódio e de desprezo que não procurava absolutamente dissimular.

– Espera um minuto, Praskóvia Ivânovna, rogo-te. – Varvara Pietrovna reteve-a, sempre com a mesma calma exagerada. – Senta, se quiseres. Tenho a intenção de dizer tudo e sofres das pernas. Isto, obrigada. Deixei-me arrebatar ainda há pouco e pronunciei palavras impacientes. Tem a bondade de perdoar-me. Comportei-me tolamente e sou a primeira a lamentá-lo, porque amo a justiça em todas as coisas. Tu estavas fora de ti, bem entendido, também tu, quando me falaste de certa carta anônima. Toda comunicação anônima merece o desprezo, pelo fato mesmo de não ser assinada. Se pensas diferentemente, lamento-o por ti. Em todo o caso, se estivesse em teu lugar, não remexeria em recantos tão sujos, teria medo demais de sujar minhas mãos. Mas tu sujaste as tuas. Enfim, já que tu mesma foste a primeira a abordar este assunto, devo dizer-te que também eu recebi, há seis dias, uma carta anônima grotesca. Nessa carta, não sei que canalha me assegura que Nikolai Vsiévolodovitch perdeu a razão e que tenho eu todo motivo para temer uma coxa que "seria chamada a desempenhar um grande papel na minha existência". Lembro-me dessa expressão. Refletindo, e sabendo que Nikolai Vsiévolodovitch tem numerosos inimigos, mandei chamar logo um indivíduo que mora aqui, um de seus inimigos secretos, o mais vingativo e o mais desprezível deles, e, no decorrer da conversa que tive com ele, soube qual era a origem desprezível da carta anônima. Se tu também, minha pobre Praskóvia Ivânovna, foste

69 Afinal é um homem perdido e algo assim como um forçado evadido.

70 É um homem desonesto e creio mesmo que é um forçado evadido ou algo nesse gênero.

incomodada por minha causa, e até mesmo bombardeada, como o dizes, por cartas análogas, sou a primeira a lamentá-lo, é claro, por ter sido a inocente causa disso. Eis tudo quanto fazia questão de dizer-te a modo de explicação. Lamento muito ver-te tão fatigada e tão transtornada. Aliás, estou completamente decidida a deixar entrar esse personagem suspeito a respeito de quem Mavríki Nikoláievitch disse ainda há pouco, em termos levemente impróprios, que era impossível receber. Lisa, de modo especial, não tem necessidade de estar metida nisso. Aproxima-te, minha querida Lisa, para que eu te beije ainda uma vez.

Lisa atravessou o salão e parou em silêncio diante de Varvara Pietrovna. Esta beijou-a, pegou-lhe as mãos e, conservando-a a alguma distância de sua pessoa, fitou-a com emoção; depois traçou o sinal da cruz sabre a moça e beijou-a de novo.

– Vamos, adeus, Lisa (houve uma espécie de soluço na voz de Varvara Pietrovna), fica bem persuadida de que não cessarei jamais de amar-te, qualquer que seja o destino que te espera. Que Deus seja contigo. Sempre abençoei sua Santa Vontade...

Queria ainda acrescentar alguma coisa, mas conteve-se e interrompeu-se. Lisa voltava a seu lugar, mantendo sempre o mesmo silêncio e como que absorvida em seus pensamentos, mas parou de repente diante de sua mãe.

– Não partirei ainda, mamãe. Ficarei um instante em casa de titia – disse ela, em voz baixa, mas uma resolução dura como ferro transparecia no tom pacífico dessas palavras.

– Bom Deus! Que haverá ainda? – gemeu Praskóvia Ivânovna, juntando as mãos num gesto de impotência. Mas Lisa não respondeu nada e pareceu mesmo não havê-la ouvido; foi sentar no mesmo canto que antes e se pôs de novo a olhar no vazio.

Uma expressão de orgulho e de triunfo espalhou-se pelas feições de Varvara Pietrovna.

– Mavríki Nikoláievitch, tenho um grande serviço a pedir-lhe. Tenha a bondade de ir lançar uma olhadela a esse personagem que espera lá em baixo, e, se houver a mínima possibilidade de deixá-lo entrar, traga-o aqui.

Mavríki Nikoláievitch inclinou-se e saiu. Um instante depois, fez entrar o Senhor Liebiádkin.

IV

Já falei da aparência exterior desse senhor. Era um latagão de cerca de quarenta anos, maciço, de cabelos crespos; tinha um rosto balofo e violáceo e bochechas moles que tremiam a cada movimento da cabeça, olhinhos injetados que por momentos denunciavam malícia; usava bigode e suíças, com um começo de queixo duplo carnudo e dum aspecto pouco agradável. Mas o que havia nele de mais impressionante, é que aparecesse de fraque e com roupa branca limpa. "Há pessoas nas quais a roupa branca limpa é quase uma inconveniência", dissera Lipútin, um dia em que Stiepan Trofímovitch lhe censurava por brincadeira o traje desleixado. O capitão trazia também luvas pretas novinhas; segurava na mão a luva direita, enquanto que a esquerda, estreitamente apertada e desabotoada, recobria uma parte de sua grossa pata carnuda, na qual mantinha uma cartola nova e reluzente, que servia provavelmente naquele dia pela primeira vez. Pareceu, por consequência, que aquele "fraque do amor", de que falara tão ruidosamente a Chátov, na véspera, existia mesmo na realidade. Tudo aquilo, isto é, o fraque e a roupa branca limpa, havia-os arranjado a conselho de Lipútin, em vista de certos projetos misteriosos (como o soube mais tarde). Não havia dúvida de que viera então (numa carruagem de aluguel) por instigação e com a ajuda de alguém; ele seria incapaz de ter semelhante ideia e jamais teria conseguido, sozinho, vestir-se, preparar-se, tomar uma decisão e executá-la em três quartos de hora, mesmo se a cena que se tinha desenrolado sob o pórtico da catedral lhe tivesse chegado logo ao conhecimento. Não estava embriagado, mas encontrava-se naquele estado de depressão, de pesadume e de entorpecimento em que se encontra um homem despertado de repente após vários dias de bebedeira. Parecia que bastaria sacudi-lo pelos ombros para que no mesmo instante sua embriaguez voltasse.

Irrompendo no salão, tropeçou, logo na soleira, no tapete. Maria Timofiéievna disparou numa gargalhada louca. Ele lhe lançou um olhar feroz e de súbito deu alguns passos rápidos na direção de Varvara Pietrovna.

– Venho, minha senhora... – declarou ele numa voz clarinante.

– Tenha a bondade, senhor, de sentar ali, naquela cadeira – disse Varvara Pietrovna, erguendo-se em toda a sua altura. – Vou ouvi-lo muito bem de lá e para mim será mais cômodo olhá-lo daqui.

O capitão parou logo, olhando diante de si com um olhar estúpido. Girou, entretanto, nos calcanhares e sentou na cadeira que lhe indicavam bem perto da porta. Uma falta absoluta de confiança em si, ao mesmo tempo que certa insolência, uma espécie de irritabilidade constante, manifestavam-se na expressão de seus traços. Estava terrivelmente intimidado, era evidente, mas sentindo-se ferido no seu amor-próprio, era de supor que sua vaidade mortificada poderia, no momento preciso, levá-lo a toda espécie de atrevimento, malgrado sua covardia. Temia visivelmente mover-se por causa de sua rusticidade. Como todos sabem, quando tais personagens se introduzem por milagre na boa sociedade, seu pior sofrimento está em suas mãos, com as quais não sabem o que fazer e que não podem esquecer um só instante. O capitão sentiu-se pregado em sua cadeira, com seu chapéu e suas luvas nas mãos, o olhar estúpido preso ao rosto severo de Varvara Pietrovna. Teria talvez tido bem vontade de olhar em redor de si mais livremente, mas não podia decidir-se a isso. Maria Timofiéievna, que achava sem dúvida o aspecto do capitão da maior comicidade, soltou nova gargalhada; mas ele não se moveu. Implacável, Varvara Pietrovna manteve-o naquela posição por muito tempo, um minuto inteiro, examinando-o sem compaixão.

– Antes de tudo, permita que saiba seu nome de sua própria boca – declarou Varvara Pietrovna, num tom medido e solene.

– Capitão Liebiádkin – tonitruou o capitão. – Vim, minha senhora... – Fez um novo movimento.

– Permita! – interrompeu ainda Varvara Pietrovna. – Essa infeliz criatura que tanto me interessou, é realmente sua irmã?

– Minha irmã, minha senhora, que escapou à minha vigilância, pois se encontra em certa situação.

Perturbou-se de repente e ficou escarlate.

– Não se engane a respeito do sentido de minhas palavras, minha senhora, – disse ele, tremendamente confuso. – Não será seu irmão quem lhe atirará a primeira pedra... numa certa situação não quer dizer na situação que a senhora sabe... no sentido de uma reputação manchada... no derradeiro grau...

Interrompeu-se bruscamente.

– Senhor! – disse Varvara Pietrovna, erguendo a cabeça.

– Eis a situação em que ela está! – terminou ele, de súbito, batendo com o dedo na testa. Seguiu-se uma pausa.

– Há muito tempo que ela está sofrendo disso? – perguntou Varvara Pietrovna, com uma voz ligeiramente arrastada.

– Minha senhora, vim agradecer-lhe a generosidade de que deu prova sob o pórtico, à moda russa, fraternalmente...

– Fraternalmente?

– Quero dizer, não fraternalmente, mas neste sentido apenas de que sou o irmão de minha irmã; e acredite-me, minha senhora – prosseguiu ele mais rapidamente e com o rosto carmesim, – não sou tão mal-educado como pareço à primeira vista, aqui, no seu salão. Minha irmã e eu, minha senhora, nada somos em comparação com o luxo que notamos aqui, tendo além disso caluniadores. Mas quanto ao que se refere à reputação, Liebiádkin tem sua altivez, minha senhora, e... e... e vim devolver com agradecimentos... Aqui está o dinheiro, senhora!

Ao dizer isto, tirou de seu bolso uma carteira, dela extraiu um maço de cédulas pequenas que se pôs a contar com uma impaciência febril que lhe fazia tremerem os dedos. Era claro que tinha pressa de explicar alguma coisa e na verdade era absolutamente urgente que o fizesse. Mas, dando-se conta, provavelmente, ele próprio de que sua agitação a respeito daquele dinheiro fazia-o parecer ainda mais estúpido, perdeu os derradeiros vestígios de seu domínio sobre si mesmo. O dinheiro recusava-se a deixar-se contar. Seus dedos se embaralharam e para levar ao cúmulo sua confusão, uma cédula verde escapou de sua carteira e voou em ziguezagues sobre o tapete.

– Vinte rublos, senhora. – Levantou-se bruscamente, com o maço de cédulas na mão, com o rosto a transpirar de causar dó. Avistando a cédula que caíra no chão, inclinou-se para apanhá-la, mas não se sabe por que, vencido pela vergonha, fez um gesto de indiferença.

– Para seus servidores, minha senhora, para o criado que a apanhar. E que ele se lembre de minha irmã Liebiádkina!

– Não posso tolerar isso – exclamou Varvara Pietrovna com precipitação e até mesmo com certo temor.

– Neste caso...

Inclinou-se, apanhou a cédula, corando até a raiz dos cabelos e, aproximando-se, de repente, de Varvara Pietrovna, estendeu-lhe as cédulas que acabava de contar.

– Que quer dizer isso? – exclamou ela, completamente alarmada, enfim, chegando *mesmo a recuar em sua poltrona.*

Mavríki Nikoláievitch, Stiepan Trofímovitch e eu avançamos todos para ela.

– Acalme-se; acalme-se. Não sou louco, por Deus, não sou louco!

– Sim, o senhor perdeu o juízo...

– Minha senhora, tudo isso não é o que a senhora supõe! Sou um elo insignificante... Ah! minha senhora, opulentos são os seus aposentos, mas pobre é a morada de Mária Nieizviéstnaia,[71] minha irmã, nascida Liebiádkina, mas que chamaremos a "Desconhecida" no momento; somente no momento, porque o próprio Deus não permitirá que assim seja para sempre. Minha senhora, deu-lhe dez rublos e ela os aceitou, porque partia da senhora! Entende, minha senhora? De nenhuma outra pessoa no mundo os aceitaria essa Mária, a Desconhecida, de outro modo estremeceria no seu túmulo, seu avô, oficial do estado-maior, morto no Cáucaso, sob os próprios olhos de Iermólov. Mas da senhora, da senhora aceitará ela tudo, mas com uma ela aceita e com a outra mão ela lhe dá vinte rublos à guisa de subscrição para uma das comissões de beneficência de que a senhora é sócia... porque a senhora mesma publicou nas *Notícias de Moscou*, que está pronta a receber subscrições em nossa cidade e que não importa quem pode subscrever...

O capitão interrompeu-se de repente; ofegava como após um esforço penoso. Toda aquela tirada a respeito da obra de beneficência fora provavelmente preparada de antemão, talvez sob redação de Lipútin. Transpirava mais abundantemente ainda; as gotas de suor manavam literalmente ao longo de suas têmporas. Varvara fixou nele um olhar penetrante.

– O livro de subscrição – disse ela, num tom severo, – está sempre lá em baixo com o meu porteiro. O senhor poderá inscrever lá sua oferta, se o desejar. Por isso é que lhe peço que arrume suas cédulas e não as branda no ar. Isto mesmo. Gostaria de lhe pedir também que voltasse a seu lugar. Isto mesmo. Lamento infinitamente, senhor, ter-me enganado a respeito de sua irmã e ter-lhe dado alguma coisa como se fosse uma pobre, quando é tão rica. Só há uma coisa que não compreendo: por que não pode ela aceitar nada senão de mim e de mais ninguém? O senhor insistiu de tal modo sobre este ponto que gostaria de ficar de coração tranquilo.

– Senhora, é este um segredo que só pode ser sepultado na tumba! – replicou o capitão.

– Por que isso? – perguntou Varvara Pietrovna, com uma voz um pouco menos segura.

– Senhora, senhora...

Recaiu no seu mutismo sombrio, olhando para o chão, com a mão direita apoiada no coração. Varvara Pietrovna esperava sem desfitar dele os olhos.

– Senhora – mugiu ele de súbito, – quer permitir que lhe faça uma pergunta? Uma só, mas, francamente, abertamente, à russa, do fundo do coração?

– Queira fazê-la.

– Já sofreu alguma vez, minha senhora, em sua existência?

– O que equivale a dizer que o senhor esteve ou que está atualmente às voltas com maus tratos de alguém.

– Senhora, senhora! – Levantou de novo, de um salto, provavelmente sem se dar conta disso e bateu nos peitos. – Neste peito acumularam-se tantas coisas que o próprio Deus ficaria estupefato quando fossem reveladas no Julgamento Final.

– Hum! A expressão é forte!

– Senhora, falo talvez com irritação...

– Não se preocupe, saberei bem, quando for preciso, fazê-lo deter-se.

71 Literalmente: desconhecida. Enjeitada, exposta. Nome com que eram inscritos comumente no Registro Civil os filhos de pais desconhecidos, quando abandonados, recém-nascidos, às portas das instituições de caridade e orfanatos.

– Posso fazer-lhe nova pergunta, minha senhora?

– Faça, pois não.

– Pode-se morrer pelo simples fato da nobreza da própria alma?

– Não sei, nunca fiz esta pergunta a mim mesma.

– Não sabe? Nunca perguntou a si mesma? – disse ele com uma ironia patética. – Bem, se é assim, se é assim...

> Cala-te, coração sem esperança!

Bateu violentamente no peito. Recomeçara a passear para lá e para cá na sala. É próprio das pessoas dessa espécie serem absolutamente incapazes de guardar para si mesmas seus desejos: têm, pelo contrário, uma tendência irresistível em manifestá-los, logo que nascem, em toda a sua impudência. Quando um personagem desse gênero logra introduzir-se em um meio em que se sente estranho, começa geralmente por mostrar constrangimento, mas deixai-o tomar pé em vossa casa, não demorará em passar à insolência. O capitão, que já estava bastante acalorado, caminhava para lá e para cá, agitando os braços, e, sem ouvir as perguntas que lhe faziam, falava de si com uma tal volubilidade que por vezes sua língua se recusava a obedecer-lhe e, sem acabar uma frase, começava outra. É verdade que tinha provavelmente bebido um pouco demais. Elisavieta Nikoláievna se encontrava também ali e muito embora evitasse olhar uma vez sequer para o lado dele, a presença da moça parecia superexcitá-lo terrivelmente; isto não é, aliás, senão uma simples suposição de minha parte. Devia haver uma razão para que Varvara Pietrovna, dominando seu desgosto, se resolvesse a escutar semelhante indivíduo. Praskóvia Ivânovna tremia de terror; na verdade, creio que ela não compreendia muito bem de que se tratava. Stiepan Trofímovitch também tremia, mas, ao contrário, porque estava sempre inclinado a tudo compreender e tudo exagerar. Mavríki Nikoláievitch mantinha-se na atitude de um homem prestes a defender todas as pessoas presentes; Lisa estava palidíssima e seus olhos escancarados não podiam destacar-se daquele capitão fora de si; Chátov conservava a mesma atitude; mas o mais estranho é que Maria Timofiéievna havia não somente deixado de rir, mas tornara-se terrivelmente triste, com o cotovelo apoiado em cima da mesa, e acompanhava com um longo e melancólico olhar seu irmão que perorava. Somente Dária Pávlovna me pareceu calma.

– Tudo isso não passa de um montão de alegorias – disse Varvara Pietrovna, começando afinal a zangar-se. – O senhor não respondeu à minha pergunta. Por quê? Faço absoluta questão de que me responda.

– Não respondi ao "por quê?" Quer absolutamente que eu responda ao "por quê?" – prosseguiu o capitão, piscando o olho. – Esta pequenina palavra "por quê" está espalhada por todo o universo desde o primeiro dia da criação, minha senhora, e a cada instante a natureza inteira grita a seu Criador "por quê?". E há sete mil anos, não recebeu resposta alguma. Será preciso, pois, que o Capitão Liebiádkin, só ele, responda? É justo isto, minha senhora?

– Tudo isso é absurdo e nada tem que ver com a pergunta! – exclamou Varvara Pietrovna, irritada e impaciente. – São alegorias; aliás, o senhor se exprime de maneira demasiado pomposa e considero isto impertinência.

– Senhora – prosseguiu o capitão sem escutá-la, – teria talvez querido chamar-me Ernesto e, no entanto, sou condenado a carregar o nome vulgar de Ignat. Por que isso, segundo a senhora? Teria querido chamar-me o Príncipe de Montbard, e entretanto não sou senão Liebiádkin, derivado dum cisne. Por que isso? Sou poeta, minha senhora, poeta na alma, e poderia receber milhares de rublos duma só vez de um editor, e entretanto sou forçado a viver numa pocilga. Por quê? Por que, minha senhora? Na minha opinião, a Rússia é um capricho da Natureza e nada mais.

– O senhor de fato não pode dizer algo de mais concreto?

– Posso ler-lhe um poema, *A barata,* minha senhora.

– Hem?

– Minha senhora, ainda não estou louco! Ficarei sem dúvida, mas não estou ainda. Minha senhora, um amigo meu, um homem dos mais distintos, escreveu uma fábula à moda de Krilov, intitulada *A barata.* Posso recitá-la?

– Quer recitar uma fábula de Krilov?

– Não, não é uma fábula de Krilov que quero recitar. É uma fábula minha, uma fábula de minha composição. Acredite-me, senhora, sem querer ofendê-la, não sou nem bastante inculto, nem bastante depravado, para não compreender que a Rússia possui um grande fabulista, Krilov, a quem o Ministro da Instrução Pública elevou um monumento no Jardim de Verão, em redor do qual brincam as crianças. Mas a senhora perguntava-me por quê? A resposta está no fundo dessa fábula, em letras de fogo.

– Recite sua fábula.

Por direito de nascença,
Uma barata vivia.
Mas num vaso destinado
Às moscas caiu ela um dia.

– Senhor! Que quer isto dizer? – exclamou Varvara Pietrovna.

– Quando no verão as moscas se metem em um vaso, – apressou-se em explicar o capitão, com a impaciência irritada de um autor interrompido em sua leitura, – é então a hora da perdição das moscas, o primeiro imbecil pode compreender isso. Não interrompa, não interrompa. Verá.. (Não cessava de gesticular.)

Lugar tomou a barata,
Mas as moscas protestaram,
Gritando para o deus Júpiter:
– O vaso não cabe mais!
Ouvindo-lhe então os gritos
Logo correu Nikífor,
O bravo e nobre ancião...

Não a terminei de todo, mas tanto pior, vou contá-la em prosa – prosseguiu o capitão, sem tomar tempo de respirar. – Nikífor pega o vaso e, malgrado os gritos delas, derrama moscas, barata e o que se segue no caixão de lixo, o que deveria ter feito desde muito tempo. Mas note bem, minha senhora, note bem, a barata não se queixa. Eis a resposta ao seu "por quê?" – exclamou ele, triunfante. – A barata não se queixa! Quanto a Nikífor, representa a Natureza – acrescentou ele, rapidamente, e se pôs a passear pela sala com ar satisfeito. Varvara Pietrovna estava dominada por uma cólera terrível.

– E permita-me que lhe peça explicações a respeito desse dinheiro que teria recebido de Nikolai Vsiévolodovitch e que não lhe entregaram. O senhor ousou lançar uma acusação contra uma pessoa de minha família.

– Calúnia! – berrou Liebiádkin, levantando a mão direita num gesto trágico.

– Não, não é uma calúnia.

– Minha senhora, há circunstâncias que obrigam a suportar a desonra em sua própria família em lugar de proclamar-se em voz alta a verdade. Liebiádkin saberá calar-se, minha senhora!

Estava como que cego; arrebatado por uma espécie de inspiração, sentia sua importância: tinha certamente uma ideia sua. Chegara a um ponto em que teria querido insultar alguém, manchar alguma coisa para mostrar seu poder.

– Queira tocar a campainha, por favor, Stiepan Trofímovitch – pediu Varvara Pietrovna.

– Liebiádkin é astuto, minha senhora – prosseguiu o capitão, piscando o olho e com um sorriso maldoso, – é um sabidão, mas tem, também ele, seu ponto fraco; também ele se encontra, por vezes, no átrio das paixões e esse átrio é representado pelo velho cantil militar dos hussardos que Dienis Davídov cantou. Então estando nesse átrio, minha senhora, pode acontecer que envie ele uma carta em versos, uma carta das mais admiráveis, minha senhora, mas uma carta que mais tarde quereria ele muito retirar à custa das lágrimas de toda a sua vida, porque o sentimento do belo foi destruído. Mas desde que o pássaro voou, impossível se torna agarrá-lo pela cauda. E sobre esse átrio, minha senhora, Liebiádkin pôde falar duma moça distinta, na nobre indignação de uma alma revoltada pela injustiça, e seus caluniadores terão se aproveitado disso. Mas Liebiádkin é astuto, minha senhora! E é em vão que o feroz o tocaia, não cessando de dar-lhe de beber e de esperar o fim. Liebiádkin retém sua língua. E no fundo da garrafa, encontra-se sempre, em lugar das palavras esperadas, a astúcia de Liebiádkin. Mas basta, oh! basta, minha senhora! Sua suntuosa moradia é digna de pertencer aos maiores senhores, mas a barata não se queixa. Note isto, note-o pois, afinal, não se queixa, e reconheça sua grandeza de alma!

Naquele instante, ouviu-se lá em baixo um toque de campainha, proveniente da portaria e quase imediatamente Alieksiéi Iegórovitch apareceu em resposta à campainhada dada por Stiepan Trofímovitch, à qual havia ele demorado um pouco em atender. O velho e digno servidor parecia achar-se num estado de agitação extraordinária.

– Nikolai Vsiévolodovitch dignou-se chegar há um instante e dirige-se para aqui – anunciou ele em resposta ao olhar interrogador de Varvara Pietrovna. Lembro-me muito particularmente da atitude desta naquele momento; a princípio empalideceu, mas de repente seus olhos cintilaram. Endireitou-se na poltrona com ar extraordinariamente resoluto. Todos estavam surpresos de verdade. A chegada totalmente inesperada de Nikolai Vsiévolodovitch, que não se esperava antes de um mês, não era somente estranha em razão de sua subitaneidade, mas também porque ocorria num momento tão fatídico. O próprio capitão ficou plantado como um poste bem no meio do salão, de boca aberta e fixando o olhar na porta com uma expressão tremendamente estúpida.

E eis que na sala vizinha – peça muito comprida e muito larga – ouviu-se um tropel de passos que se aproximavam rapidamente, de pequenos passos extremamente apressados: parecia que alguém chegava correndo e esse alguém irrompeu no salão: não era Nikolai Vsiévolodovitch, mas um homem jovem, completamente desconhecido de todos.

V

Vou me permitir parar aqui para esboçar rapidamente em grandes traços esse personagem que entrava em cena tão bruscamente.

Era um jovem de cerca de vinte e sete anos, de estatura acima da média, cabelos cor de estopa, longos e lisos, de bigode e barbicha flocosos e mal espontando. Estava decentemente trajado e segundo a moda em vigor, mas sem afetação. À primeira vista, parecia curvado e canhestro, mas, no entanto, não era curvado e seu aspecto era desenvolto. Tinha ar de um extravagante, e, contudo, achamos todos depois que tinha boas maneiras e que sua conversação nunca deixava de ser apropriada.

Ninguém o teria achado feio e, entretanto, seu rosto não agradava a ninguém. Sua cabeça alongava-se atrás e parecia achatada de lado, de modo que seu rosto tinha um formato anguloso. A testa era alta e estreita, mas as feições miúdas e o olhar agudo, o nariz pequeno e pontudo, os lábios longos e delgados. A expressão de seu rosto teria dado a crer que sua saúde não era boa, mas não era o caso. Tinha em cada face, perto dos pômulos, uma ruga seca que lhe dava o ar de um homem que convalesce duma doença grave. Entretanto gozava duma saúde rija e jamais estivera doente.

Andava e se movia rapidamente e, no entanto, nunca parecia apressado. Nada parecia poder desconcertá-lo; em qualquer circunstância e qualquer que fosse a sociedade, permanecia ele próprio. Possuía forte dose de fatuidade, mas sem que ele mesmo se desse conta absolutamente.

Falava com rapidez, precipitadamente, mas ao mesmo tempo com segurança e jamais se via obrigado a procurar as palavras a dizer. Malgrado sua precipitação aparente, suas ideias eram perfeitamente ordenadas, claras e precisas – detalhe que impressionava de modo especial. Sua dicção era de uma nitidez maravilhosa. Suas palavras caíam como grossos grãos uniformes, sempre bem escolhidas e ao serviço do ouvinte. Isto era agradável a princípio, mas em seguida sentia a gente antipatia por aquela dicção demasiado nítida, aquele fluxo de palavras sempre prontas. Acabava-se por imaginar de certo modo que ele devia ter uma língua de conformação particular, excepcionalmente longa e delgada, com uma ponta aguda terrivelmente vermelha e afilada, sem cessar em movimento.

Em suma, tal era o jovem que entrou como uma rajada no salão e na verdade nada me tirará a ideia de que devia ter começado a falar na sala vizinha e entrado bem no meio de uma frase. Num abrir e fechar de olhos veio plantar-se diante de Varvara Pietrovna.

– Imagine, Varvara Pietrovna – disse ele, com volubilidade, – que entro, esperando encontrá-lo aqui há um bom quarto de hora; há uma hora e meia que ele chegou, encontramo-nos em casa de Kirílov. Partiu há uma meia hora na intenção de vir para aqui diretamente e me disse que eu mesmo viesse para cá um quarto de hora depois...

– Mas quem?... Quem lhe disse para vir cá? – perguntou Varvara Pietrovna.

– Ora, Nikolai Vsiévolodovitch! Será possível que não esteja ainda informado disso? Em todo o caso, suas bagagens deveriam estar aqui desde muito tempo. Como se dá que não lhe tenham dito? Sou então o primeiro a trazer-lhe a notícia? Poderíamos enviar alguém à sua procura; contudo estará certamente aqui, em pessoa, sem demora. E imagino que isto bate maravilhosamente com algumas de suas previsões e, tanto quanto posso julgar, com alguns de seus cálculos.

Ao dizer isto, corria seu olhar em redor da sala e detinha-o, com atenção particular, no capitão.

– Ah! Elisavieta Nikoláievna, como estou contente por encontrá-la logo de entrada; encantado por poder apertar-lhe a mão. –Lançou-se para Lisa, que sorria alegremente, a fim de pegar a mão que ela lhe estendia. – E vejo que a distintíssima Praskóvia Ivánovna não esqueceu seu "professor" e mesmo não está zangada com ele, como sempre ocorria na Suíça. Pois bem! Como vão as pernas, aqui, Praskóvia Ivânovna, e tiveram os doutores suíços razão de prescrever-lhe o ar do país natal? Como? Fumigações? Isto deveria fazer-lhe muito bem. Mas quanto lamentei, Varvara Pietrovna – disse ele, voltando-se rapidamente para esta, – não ter chegado a tempo para vê-la no estrangeiro e para apresentar-lhe meu respeitos de viva voz; sem contar que tinha uma multidão de coisas a dizer-lhe... Bem prevenira meu "velho" aqui, mas sem dúvida fez ele como faz sempre...

– Pietruchka! – exclamou Stiepan Trofímovitch, saindo por um instante de seu estupor. Juntou as mãos e avançou para seu filho. – *Pierre, mon enfant!* E dizer que não te havia reconhecido! – Apertou-o de encontro ao peito e lágrimas correram de seus olhos.

– Vejamos, calma, calma, basta de efusões, basta, rogo-te – murmurou precipitadamente Pietruchka, procurando desvencilhar-se do abraço paterno.

– Sempre, sempre fui culpado para contigo.

– Basta, digo-te. Falaremos disto mais tarde. Sabia bem que farias cenas sentimentais. Vejamos, um pouco mais de discrição, peço-te.

– Mas há dez anos que não te via.

– Razão a mais para não fazer tantas demonstrações.

– *Mon enfant!*

– Pois bem, creio na tua afeição, creio nela, mas solta as mãos. Vês bem que constranges os outros... Ah! eis Nikolai Vsiévolodovitch; fica tranquilo, rogo-te.

Com efeito, Nikolai Vsiévolodovitch já estava na sala; entrou de mansinho e parou um instante na soleira, passeando um olhar tranquilo pelos presentes.

Como quatro anos antes, quando o vira pela primeira vez, fiquei impressionado naquele momento, desde o primeiro olhar que lhe lancei. Não o havia absolutamente esquecido, mas há, creio, certas fisionomias que a cada aparição parecem sempre revelar algo de novo que não se havia percebido até então, se bem que se *tivesse podido* vê-las uma centena de vezes já. Na aparência, era absolutamente o mesmo de quatro anos antes. Era tão elegante, tão cheio de dignidade e movia-se com o mesmo ar de importância que então, e parecia mesmo quase tão jovem como antes. Seu leve sorriso, todo satisfeito de si mesmo, conservara a mesma afabilidade de encomenda. Seus olhos tinham o mesmo olhar severo, pensativo e de certo modo distraído. Em suma, parecia termo-nos deixado na véspera. Mas uma coisa feriu-me a atenção. Outrora, se bem que o achássemos belo, seu rosto, com efeito, "tinha o ar de uma máscara", para me servir da expressão de certas más línguas femininas de nossa sociedade. Hoje... hoje, não sei por que, apareceu-me à primeira vista, duma absoluta, duma incontestável beleza, de sorte que ninguém teria podido dizer que seu rosto tinha o ar de uma máscara. Seria, talvez, porque ele estivesse um pouco mais pálido que outrora e parecesse um pouco emagrecido? Ou então houvesse em seus olhos a luz de algum pensamento novo?

– Nikolai Vsiévolodovitch! – exclamou Varvara Pietrovna erguendo-se, mas sem levantar de sua poltrona e detendo-o com um gesto imperioso. – Espera um minuto.

Mas a fim de explicar a terrível pergunta que se seguiu, de repente, a esse gesto e a essa exclamação – pergunta que eu teria julgado impossível mesmo de parte de Varvara Pietrovna, – devo rogar ao leitor que se lembre do que sempre fora o temperamento dessa senhora e do caráter extraordinariamente impulsivo de que dava ela prova em certos momentos críticos. Rogo-lhe que tenha em conta igualmente o fato de que, apesar da sua força de alma excepcional, a soma considerabilíssima de razão e senso prático, para não dizer doméstico, que ela possuía, havia, não obstante, em sua existência, momentos em que ela se deixava arrebatar completamente, toda inteira e, se se pode dizer, sem nenhuma contenção. Rogo-lhe que pense ainda que o momento atual podia ser verdadeiramente para ela um daqueles em que se concentra, como em um foco único toda a essência da vida, de todo o passado e de todo o presente, talvez também de todo o futuro. Devo lembrar também, de passagem, a carta anônima de que falara com tanta irritação a Praskóvia Ivânovna, embora nada tivesse dito, me parece, a respeito da derradeira parte da carta. Entretanto, talvez esta contivesse a explicação da possibilidade daquela terrível pergunta que ela fez, de súbito, a seu filho.

– Nikolai Vsiévolodovitch – repetiu ela, martelando suas palavras num tom resoluto em que transparecia uma intimação ameaçadora, – rogo-lhe que me diga imediatamente, sem sair de seu lugar: é verdade que essa infeliz enferma – ei-la, aí a tem, olhe-a – é verdade que ela seja... sua esposa legítima?

Lembro-me muito bem daquele momento: Nikolai Vsiévolodovitch nem sequer pestanejou, mas olhou fixamente sua mãe. Seu rosto não mostrou a menor mudança. Por fim, pôs-se a sorrir, uma espécie de sorriso indulgente e, sem responder uma só palavra, aproximou-se de sua mãe a passos tranquilos, tomou-lhe a mão, levou-a respeitosamente aos lábios e beijou-a. E tão grande era seu irresistível ascendente sobre a mãe que mesmo então não ousou ela retirar a mão. Contentou-se em olhá-lo longamente, todo o seu ser, concentrado naquela pergunta, parecendo indicar que não poderia suportar um instante mais aquela incerteza.

Mas ele continuava em silêncio. Depois de ter beijado a mão de sua mãe, passeou ainda uma vez seu olhar pela sala e andando, como antes, sem pressa, dirigiu-se para Maria Timofiéievna. Difícil seria descrever a fisionomia das pessoas em certos momentos. Lembro-me, por exemplo, que Maria Timofiéievna, a quem o medo cortava a respiração, levantou-se para ir ao encontro dele e juntou as mãos diante de si, numa atitude suplicante. E me lembro, por outra parte, do êxtase frenético que a desfigurava, por assim dizer, êxtase quase demasiado forte para que uma criatura humana pudesse suportá-lo. Talvez os dois sentimentos nela se encontrassem, o terror e o êxtase. Mas lembro-me de ter avançado precipitadamente para ela (não estava longe), porque imaginei que ela iria desmaiar.

– Seu lugar não é aqui – disse-lhe Nikolai Vsiévolodovitch com uma voz cariciosa e melodiosa; e havia em seus olhos um clarão de ternura extraordinária. Mantinha-se diante dela na atitude mais deferente e cada um de seus gestos testemunhava um respeito sincero. A pobre moça gaguejou surdamente algumas palavras entrecortadas.

– Será que posso... ajoelhar-me... agora diante de você?

– Não, não pode – respondeu-lhe ele com um sorriso magnífico, tanto que ela se pôs logo a rir alegremente. Com a mesma voz melodiosa e repreendendo-a com ternura, como se ela fosse uma criança, prosseguiu gravemente:

– Lembre-se de que é uma moça e de que, embora seja eu seu amigo devotado, não sou senão um estranho para você; não sou nem seu marido, nem seu pai, nem seu noivo. Dê-me o braço e partamos: vou pô-la no carro e, se o permitir, vou acompanhá-la até sua casa.

Ela o escutou e pendeu a cabeça com ar pensativo.

– Partamos – disse ela com um suspiro, dando-lhe a mão.

Mas no mesmo instante, aconteceu-lhe um leve contratempo. Teve de voltar-se sem precaução, apoiando-se na perna doente, que era mais curta que a outra. Caiu de lado sobre uma poltrona, e se a poltrona não se encontrasse ali, teria se estatelado no chão. Ele a agarrou logo e a susteve, depois mantendo-lhe o braço fortemente sob o seu, conduziu-a com um cuidado comovedor para a porta. Ela se mostrava claramente mortificada por causa de sua queda, corava, toda desconcertada e terrivelmente confusa. Com os olhos fixos no chão, sem dizer uma palavra e coxeando penosamente, seguia-o, capengando, quase suspensa do braço dele. Saíram assim. Vi Lisa levantar bruscamente de sua cadeira, por uma ou outra razão, quando eles saíram, e acompanhá-los com um olhar imóvel até que chegassem à porta. Então tornou a sentar em silêncio, mas suas feições contraíam-se convulsivamente, como se houvesse ela tocado em um réptil.

Enquanto se desenrolava esta cena entre Nikolai Vsiévolodovitch e Maria Timofiéievna, todos ficaram mudos de estupefação: seria possível ouvir voar uma mosca; mas assim que eles saíram, todos se puseram a falar ao mesmo tempo.

VI

Aquilo parecia pouco com uma conversa, de qualquer modo; eram sobretudo exclamações. Esqueci-me um pouco a ordem em que se sucederam os acontecimentos, porque se seguiu uma cena de confusão. Stiepan Trofímovitch, juntando as mãos, lançou não sei qual exclamação em francês, mas Varvara Pietrovna não lhe deu a menor atenção. O próprio Mavríki Nikoláievitch murmurou um comentário rápido e entrecortado. Mas o mais superexcitado de todos era Piotr Stiepânovitch. Fazia, com grandes gestos, esforços desesperados para persuadir Varvara Pietrovna de alguma coisa, mas levei muito tempo a compreender de que se tratava. Apelava para Praskóvia Ivânovna, bem como para Elisavieta Nikoláievna, e na sua agitação gritou mesmo, de passagem, não sei que a seu pai; em suma, não parava de mover-se dentro do salão. Varvara Pietrovna, completamente rubra, levantou-se de sua cadeira e gritou para Praskóvia Ivânovna: "Ouviste o que ele lhe disse aqui agora mesmo, ouviste-o?". Mas esta estava incapaz de responder-lhe. Só pôde murmurar algo com um gesto de mão. A pobre mulher já tinha o bastante que fazer pensando nos seus próprios aborrecimentos. Voltava a cada instante a cabeça para Lisa, a quem lançava olhares marcados de indizível terror, mas não ousou nem mesmo pensar em ficar em pé e retirar-se antes que sua filha o fizesse. Durante esse tempo, o capitão ia tratando de escapulir-se. Este detalhe me chamou a atenção. Incontestavelmente, ele estava tomado de grande pânico, desde o instante em que aparecera Nikolai Vsiévolodovitch. Mas Piotr Stiepânovitch agarrou-o pelo braço e impediu-o de sair.

– É necessário, absolutamente necessário – prosseguiu ele, com volubilidade, dirigindo-se a Varvara Pietrovna, a quem procurava sempre convencer. Mantinha-se diante dela, que já havia tornado a sentar em sua poltrona, escutando-o, lembro-me bem, avidamente. Conseguira reter-lhe a atenção.

– É necessário. A senhora mesma o vê, Varvara Pietrovna, que há um mal-entendido nisso e muitas coisas que parecem estranhas, e, contudo, o caso é claro como água de rocha e simples como um bom dia. Compreendo muito bem que ninguém me encarregou de contar essa história e sem dúvida pareço ridículo adiantando-me assim. Mas, em primeiro lugar, o próprio Nikolai Vsiévolodovitch não liga importância alguma à coisa, e, aliás, há casos em que o homem dificilmente se resolve a explicar ele mesmo a coisa. Eis por que é absolutamente necessário que esta explicação seja fornecida por um terceiro, ao qual é mais fácil enunciar em palavras certos fatos delicados. Acredite-me, Varvara Pietrovna, Nikolai Vsiévolodovitch não é de modo algum digno de censura por não ter respondido ainda há pouco à sua pergunta com uma explicação completa; é um caso perfeitamente banal. Conheço-o desde a época de sua estada em Petersburgo. Aliás, toda essa história faz honra a Nikolai Vsiévolodovitch, se é preciso valer-nos dessa vaga palavra "honra".

– Quer dizer que o senhor foi testemunha dum incidente que ocasionou... esse mal-entendido? – perguntou Varvara Pietrovna.

– Fui testemunha dele e nele tomei parte – apressou-se em declarar Piotr Stiepânovitch.

– Se me dá sua palavra de que isso não ferirá a delicadeza de Nikolai Vsiévolodovitch nos seus sentimentos para comigo a quem jamais nada ocultou... e se está convencido também de lhe ser agradável agindo assim...

– Será com certeza agradável para ele e é porque considero isto também como um dever particularmente agradável. Estou convencido de que ele próprio me suplicaria que o fizesse.

O desejo indiscreto daquele senhor, que parecia ter caído do céu no meio de nós para contar os casos alheios, era bastante estranho e se adequava pouco aos usos correntes. Mas fisgara Varvara Pietrovna, tocando-a num lugar bastante sensível. Não conhecia eu ainda, naquele momento, o caráter daquele homem, ainda *menos os desígnios que* tinha em vista.

– Estamos à sua escuta – declarou Varvara Pietrovna, num tom prudente e reservado. Sofria um tanto por causa de sua condescendência.

– A história não é longa; não chega a ser mesmo uma história, se quiserem – prosseguiu ele com palavras apressadas, – muito embora um romancista achasse meio talvez de compor com ela, nos seus momentos de lazer, um romance. É um pequeno incidente bastante interessante, Praskóvia Ivânovna, e estou certo de que Elisavieta Nikoláievna o escutará com interesse, porque há nele muitas coisas estranhas, senão maravilhosas. Há cinco anos, em Petersburgo, Nikolai Vsiédolovitch travou conhecimento com esse senhor, esse mesmo Senhor Liebiádkin que ali está, de boca aberta, e que estava com muita vontade, penso, de logo nos deixar sem despertar a atenção. Desculpe-me, Varvara Pietrovna. Não lhe aconselho, entretanto, que se vá embora, senhor ex-amanuense do antigo serviço de abastecimento. Vê que me lembro bem do senhor. Sabemos muito bem, Nikolai Vsiévolodovitch e eu, quais têm sido suas proezas aqui, e meta bem na cabeça que deve dar-nos delas contas. Peço-lhe perdão uma vez mais, Varvara Pietrovna. Naquela época, Nikolai Vsiévolodovitch chamava esse senhor de seu Falstaff, o que deve significar – explicou ele de repente, – um caráter "burlesco" de quem toda a gente zomba e que deixa que toda gente dele zombe, contanto que ele próprio tire proveito disso. Nikolai Vsiévolodovitch levava então em Petersburgo uma vida "de derrisão" por assim dizer. Não posso encontrar outro termo para qualificá-la, porque ele não é homem para abandonar-se à abjeção e cuidava mesmo então de ocupar-se com o que quer que fosse. Só falo daquela época, Varvara Pietrovna. Liebiádkin tinha uma irmã, essa mesma pessoa que se encontrava aqui há pouco. O irmão e a irmã não tinham um "cortiço" seu, mas moravam ora em casa de um, ora em casa de outro. O irmão vagava constantemente sob as arcadas do Gostíni Dvor,[72] sempre vestido com seu antigo uniforme e detinha por vezes os transeuntes bem vestidos e tudo quanto estes lhe davam gastava em bebida. Sua irmã vivia como os passarinhos do bom Deus. Ajudava as pessoas em seus "cortiços" e prestava-lhes, quando preciso, pequenos serviços. Era uma confusão espantosa. Não me estenderei a respeito dessa existência nos cortiços, existência à qual Nikolai Vsiévolodovitch se havia dedicado naquela ocasião por excentricidade. Só me refiro àquela época, Varvara Pietrovna; quanto à "excentricidade", é a própria expressão dele. Ele não me oculta muita coisa. A Senhorita Liebiádkin, que durante algum tempo teve muitas ocasiões de encontrar Nikolai Vsiévolodovitch, ficou fascinada pelo seu aspecto. Era uma espécie de diamante engastado no fundo sórdido de sua existência. Não tenciono descrever sentimentos, de modo que passarei isto por alto; mas pessoas vis puseram-se logo a zombar dela, causando-lhe vivo pesar. Em geral, tinha-se hábito de zombar dela, mas antes não se dera ela conta disso. Já estava naquela época de espírito transtornado, porém não tanto quanto hoje. Tem-se toda razão de crer que na sua infância recebeu certa educação, graças a uma benfeitora. Nikolai Vsiévolodovitch jamais lhe prestava a mínima atenção. Passava a maior parte de seu tempo jogando preferência com um velho baralho sebento a um quarto de cêntimo a parada, em companhia de empregados do comércio. Mas num dia em que ofendiam a infeliz, agarrou pela gola um daqueles empregados (sem perguntar por que, nem como) e atirou-o pela janela do segundo andar. Não se deve ver nisso um movimento de indignação cavalhei-

72 Mercado de São Petersburgo, conjunto heterogêneo de hospedagem e comércio, construído em forma de galeria abobadada, com as suas lojas baixas, sob as arcadas.

resca à vista da inocência ultrajada; a operação realizou-se em meio de gargalhadas dos presentes e quem riu mais foi o próprio Nikolai Vsiévolodovitch. Como o caso não teve consequências desagradáveis, houve reconciliação e puseram-se a beber ponche. Mas a inocência ultrajada, esta não esqueceu a coisa. Bem entendido, isto acabou num abalo definitivo de suas faculdades mentais. Repito-o, não pretendo descrever seus sentimentos; mas trata-se sobretudo dum sonho neste caso particular. E Nikolai Vsiévolodovitch contribuiu ainda para excitar esse sonho como que de propósito. Em lugar de rir dela, pôs-se de repente a tratar a Senhorita Liebiádkina com um respeito inesperado. Kirílov, que se encontrava lá (um rapaz muito original, Varvara Pietrovna, e muito brusco; a senhora talvez o veja um desses dias, pois se encontra atualmente aqui); pois bem, esse Kirílov que, em regra geral, jamais abre a boca, zangou-se de repente e disse, lembro-me bem, a Nikolai Vsiévolodovitch, que ele tratava aquela moça como marquesa e que acabava assim de virar-lhe a cabeça. Acrescentarei que Nikolai Vsiévolodovitch tinha certa estima por esse Kirílov. Que pensam que ele lhe respondeu? "Você imagina, Kirílov, que eu zombo dela; desengane-se, respeito-a realmente, porque ela vale mais que todos nós." E disse isso, notem-no bem, com o tom mais sério. No entanto, ele não lhe havia, por assim dizer, dirigido a palavra havia dois ou três meses, senão para dizer-lhe "bom dia" e "até logo". Lembro-me, porque eu estava presente, de que ela veio a considerá--lo quase como um noivo que não ousava "raptá-la", muito simplesmente porque tinha muitos inimigos e dificuldades de família, ou por qualquer outra razão do mesmo gênero. Quantas gargalhadas provocava isso! Enfim, Nikolai Vsiévolodovitch teve de voltar para aqui e creio que antes de sua partida tomou disposições para garantir-lhe o destino e, creio, pagar-lhe uma pensão anual de pelo menos trezentos rublos, senão mais. Em resumo, ponhamos que se tratasse para ele apenas de um capricho, de uma fantasia de homem prematuramente gasto, talvez! Pode ter-se dado mesmo, como Kirílov disse a ele, que se tratasse de uma experiência nova para um homem desocupado, a fim de saber até onde se pode levar uma coxa de miolo mole. "Você escolheu de propósito – dizia-lhe ele, – a derradeira das criaturas, uma coxa, constantemente exposta à vergonha e aos maus tratos, sabendo, aliás, que essa criatura morria por você de um amor ridículo, e começou a mistificá-la deliberadamente, muito simplesmente para ver o que resultaria disso." Não se vê, entretanto, muito bem por que um homem seria assim responsabilizado pelas manias de uma maluca a que, notem, havia dirigido nada mais que umas duas frases desde que a conhecia! Há dessas coisas, Varvara Pietrovna, das quais não só não é possível falar duma maneira sensata, mas das quais é mesmo ridículo tentar falar. Vamos, admitamos, se querem, que seja originalidade e não falemos mais disso. Em todo o caso, é tudo quanto de mal se possa dizer e, no entanto, eis que se forjou toda uma história em torno disso. Estou até certo ponto ao corrente, Varvara Pietrovna, do que se passa aqui.

O narrador interrompeu-se bruscamente e fez menção de voltar-se para Liebiádkin, mas Varvara Pietrovna deteve-o. Achava-se num estado de extrema exaltação.

– Acabou? – perguntou ela.

– Ainda não. Para completar meu relato, precisaria fazer uma ou duas perguntas àquele senhor, se a senhora assim permitir... verá imediatamente onde quero chegar.

– Basta, mais tarde, fique aí, no momento, rogo-lhe. Ah! como fiz bem em deixá-lo falar!

– E note isto, Varvara Pietrovna – acrescentou vivamente Piotr Stiepânovitch, – teria podido Nikolai Vsiévolodovitch dar todas estas explicações, ainda há pouco, em resposta à pergunta da senhora, talvez um pouco demais categórica?

– Oh! decerto, um pouco demais.

– E não tinha eu razão de dizer que em certos casos é muito mais fácil a um terceiro fornecer explicações que ao principal interessado?

– Sim, sim... mas há um ponto a respeito do qual o senhor se enganou, e, verifico-o com pesar, continua a enganar-se.

– Deveras? E em que então?

– Veja... mas por que não senta, Piotr Stiepânovitch?

– Oh! como queira. Estou fatigado, com efeito. Obrigado.

Aproximou logo uma poltrona e voltou-a de maneira a ter de um lado Varvara Pietrovna e do outro Praskóvia Ivânovna, sentada à mesa, ao passo que em sua frente tinha Liebiádkin, do qual não desfitava um instante o olhar.

– O senhor se engana chamando isso de "originalidade"...

– Oh! se é apenas isso...

– Não, não, não, espere um pouco – disse Varvara Pietrovna, que se dispunha manifestamente a lançar-se com entusiasmo num longo discurso. Percebendo isto, Piotr Stiepânovitch prestou-lhe toda a atenção.

– Não, era algo de mais elevado que a originalidade e, asseguro-lhe, algo mesmo de sagrado! Um homem altivo, que bem cedo sofreu humilhações e que chegou a ponto de levar essa vida de "derrisão" segundo sua observação tão sutil, é, numa palavra, o Príncipe Harry, para me servir do excelente apelido que Stiepan Trofímovitch lhe concedeu outrora e que teria sido perfeitamente exato, se não se assemelhasse ele mais ainda a Hamlet, pelo menos na minha opinião.

– *Et vous avez raison* – apoiou Stiepan Trofímovitch com emoção.

– Obrigada, Stiepan Trofímovitch. Obrigada bem especialmente pela sua fé inabalável em Nikolai, na grandeza de sua alma e de sua missão. Esta fé, você chegou mesmo a reforçá-la em mim, nas horas de desfalecimento.

– *Chère, chère.* – Stiepan Trofímovitch fez menção de dirigir-se para ela, mas parou, julgando que seria perigoso interromper.

– E se Nikolai tivesse tido sempre a seu lado – quase gritou Varvara Pietrovna – um pacífico Horácio, grande na sua humilde, outra bela expressão sua, Stiepan Trofímovitch, talvez tivesse sido ele salvo desde muito tempo do "triste e violento demônio da ironia", que toda a vida o tem dilacerado. (O demônio da ironia, ainda uma de suas maravilhosas expressões, Stiepan Trofímovitch.) Mas Nikolai nunca teve Horácio nem Ofélia. Só teve sua mãe e que pode uma mãe sozinha e em semelhantes condições? Sabe, Piotr Stiepânovitch, é-me perfeitamente compreensível agora que um ser como Nikolai tenha podido encontrar-se mesmo em alfurjas tão imundas como aquelas de que o senhor falou. Imagino bem claramente hoje essa existência de "derrisão" (uma de suas expressões espantosamente sutis!), essa sede insaciável dos contrastes, esse fundo tenebroso sobre o qual ele se destaca como um diamante, para me servir ainda de uma de suas comparações, Piotr Stiepânovitch. E eis que ele ali encontra uma criatura maltratada por todo mundo, enferma, semilouca e que, ao mesmo tempo, possui talvez os sentimentos mais nobres...

– Hum... Sim, admitamos...

– Depois disso o senhor não compreende que ele não se ria dela como todos os outros? Oh! as criaturas! O senhor não compreende que ele a defenda contra os insultantes, que a cerque de respeito "como uma marquesa" (esse Kirílov deve ter um conhecimento excepcionalmente aprofundado dos homens, se bem que não haja compreendido Nikolai). Se quiser, foi precisamente esse contraste que causou todo o mal. Se essa desgraçada criatura se tivesse encontrado em um meio diferente, não teria jamais talvez chegado a acariciar tão louca ilusão. Uma mulher, só uma mulher pode compreender essas coisas, Piotr Stiepânovitch, e que pena não ser o senhor uma mulher, pela menos dessa vez, a fim de poder compreender.

– A senhora quer dizer no sentido de que quanto pior vão as coisas, melhor. Compreendo, Varvara Pietrovna! O mesmo ocorre mais ou menos com a religião: quanto mais a vida é dura para o homem, quanto mais é um povo oprimido e miserável, tanto mais se obstina em sonhar compensações no paraíso; e se cem mil padres se põem a encorajá-lo nas suas ilusões e a especular sobre elas, então... Compreendo-a, Varvara Pietrovna, fique tranquila.

– Não é, aliás, totalmente isso; mas, diga-me, devia Nikolai, para abafar o sonho naquele mísero organismo (porque Varvara Pietrovna se servia aqui da palavra "organismo", não conseguia eu compreender), zombar dela e tratá-la como faziam os outros empregados? É possível que o senhor se recuse verdadeiramente a reconhecer a alta compaixão, o nobre frêmito de todo o organismo com que Nikolai respondeu a Kirílov: "Não zombo dela"? Grande, santa resposta!

– Sublime – murmurou Stiepan Trofímovitch.

– E note bem, ainda uma vez, que não é ele assim tão rico como o senhor supõe. Sou eu que sou rica e não ele, que então não recebia quase nada de mim.

– Compreendo, compreendo tudo isso, Varvara Pietrovna – disse Piotr Stiepânovitch, com um sinal de leve impaciência.

– Oh! é meu gênio! Reconheço-me em Nikolai. Reconheço essa juventude, essa disposição para os transportes violentos, tempestuosos. E se algum dia nos tornarmos amigos, e pela minha parte, espero sinceramente que nos tornemos, sobretudo após as obrigações que contraí para com o senhor, então talvez compreenda...

– Oh! creia que o desejo também de minha parte – murmurou Piotr Stiepânovitch, com uma voz entrecortada.

– Compreenderá então o impulso que o impele, na cegueira de um sentimento generoso, a frequentar um homem indigno do senhor sob todos os aspectos, que o desconhece profundamente, que está pronto a torturá-lo todas as vezes que a ocasião se apresente e, apesar de tudo, a fazer dum homem semelhante a encarnação duma espécie de ideal, do seu sonho, a concentrar nele todas as suas esperanças, a inclinar-se diante dele, a amá-lo toda a sua vida, absolutamente sem saber por que – precisamente talvez porque seja ele indigno disso... Oh! como tenho sofrido toda *a minha vida, Piotr Stiepânovitch*!

Stiepan Trofímovitch, cujo rosto mostrava uma expressão dolorosa, tentou captar meu olhar, mas desviei-me a tempo.

–...bem ultimamente ainda, ultimamente, oh! quanto sou culpada para com Nikolai!... O senhor não me acreditaria, se lhe dissesse como me atormentaram de toda parte, todos, todos, inimigos, e tratantes, e amigos, os amigos talvez mesmo mais que os inimigos. Quando me trouxeram a primeira desprezível carta anônima, Piotr Stiepânovitch, o senhor não acreditaria, mas não tive a força, afinal, de responder pelo desprezo a todas essas vilanias... Jamais, jamais, perdoarei a mim mesma minha "pusilanimidade".

– Já ouvi um pouco falar aqui de cartas anônimas – disse Piotr Stiepânovitch, animando-se de súbito, – e saberei por certo descobrir seus autores, fique tranquila.

– Mas o senhor não pode imaginar as intrigas que foram urdidas aqui. Chegaram mesmo a atormentar a nossa pobre Praskóvia Ivânovna e que razão pode-se ter para atormentá-la? Tenho talvez sido bem culpada para contigo hoje, minha cara Praskóvia Ivânovna – acrescentou ela, num generoso impulso de benevolência, que todavia não excluía certa ironia triunfante.

– Pare com isso, mãezinha – resmungou a outra, mal-humorada. – Na minha opinião faríamos melhor pondo fim a tudo isso; já se falou demais. – E de novo lançou um olhar tímido para o lado de Lisa, mas esta olhava para Piotr Stiepânovitch.

– E essa desgraçada criatura, essa louca que tudo perdeu e que só conservou seu coração, é minha intenção agora adotá-la – exclamou de repente Varvara Pietrovna. – É um dever que estou disposta a cumprir santamente. A partir de hoje tomo-a sob minha proteção.

– E será mesmo muito bem em certo sentido – exclamou Piotr Stiepânovitch, com renovada animação. – Desculpe-me, não acabei ainda há pouco. É precisamente da proteção de que ela tem necessidade que desejo falar. Acredita a senhora? Logo que Nikolai Vsiévolodovitch partiu (retomo a narrativa no ponto em que parei, Varvara Pietrovna) aquele senhor ali, aquele Senhor Liebiádkin, imaginou imediatamente que tinha o direito de dispor da pensão destinada à sua irmã. E dela dispôs com efeito. Não sei exatamente de que maneira Nikolai Vsiévolodovitch tinha então regulado as coisas, mas um ano mais tarde, quando ele soube no estrangeiro o que se tinha passado, foi obrigado a tomar outras disposições. Aqui ainda, não estou ao corrente dos detalhes; ele próprio lhe dirá. Sei somente que aquela interessante criatura foi colocada em alguma parte num convento afastado, em condições materiais bastante confortáveis, mas sob uma vigilância amigável, compreende o que quero dizer? Mas que pensa que o Senhor Liebiádkin tenha decidido então? Começou por fazer todo o possível para descobrir onde estava oculta a fonte de suas rendas, isto é, sua irmã. Só ultimamente atingiu seu objetivo; retirou sua irmã do convento, alegando não sei quais direitos sobre ela e trouxe-a para aqui, diretamente. Aqui, não a alimenta convenientemente, bate-lhe, tiraniza-a. Logo que de uma maneira ou de outra subtrai uma soma qualquer de Nikolai Vsiévolodovitch, embriaga-se da manhã à noite e, como prova de gratidão, acabou por desafiar descaradamente Nikolai Vsiévolodovitch, dirigindo-lhe pedidos insensatos, ameaçando-o de processos judiciários, se a pensão não lhe fosse paga diretamente a ele. De sorte que considera como um tributo o donativo voluntário de Nikolai Vsiévolodovitch. A senhora pode imaginar isso? Senhor Liebiádkin, tudo quanto acabo de dizer não é verdade?

O capitão que, até aquele momento, se conservara silencioso e de cabeça baixa, deu vivamente dois passos para diante e corou violentamente.

– Piotr Stiepânovitch, o senhor tratou-me com crueldade –articulou ele, com dificuldade.

– Por que com crueldade? E em quê? Mas permita que deixe para mais tarde esta questão de crueldade ou de doçura. Agora, peço-lhe que responda à minha primeira pergunta; tudo quanto disse é verdade, sim ou não? Se acha que é falso, tem liberdade de declará-lo agora mesmo.

– Eu... o senhor mesmo sabe, Piotr Stiepânovitch – balbuciou ele, mas não pôde continuar e recaiu no silêncio. É de notar que Piotr Stiepânovitch estava sentado numa poltrona, de pernas cruzadas, ao passo que o capitão se mantinha de pé diante dele, na atitude mais atenciosa.

A hesitação de Liebiádkin pareceu desagradar profundamente a Piotr Stiepânovitch; um espasmo de cólera alterou-lhe o rosto.

– Vamos, não tem alguma declaração a fazer? – disse, olhando o capitão com ar maldoso. – Neste caso, tenha a bondade de falar. Estão à sua espera.

– O senhor mesmo sabe, Piotr Stiepânovitch, que nada posso dizer.

– Não, não sei. É mesmo a primeira vez que ouço falar disso. Por que não pode o senhor dizer nada?

O capitão guardou silêncio, os olhos fixos no chão.

– Permita que me retire, Piotr Stiepânovitch – disse ele, resolutamente.

– Não, não antes de ter respondido à minha pergunta; tudo quanto eu disse é verdade?

– É verdade – disse Liebiádkin, com voz surda, erguendo os olhos para seu carrasco, Gotas de suor perolavam-lhe a testa.

– É tudo verdade?

– Tudo é verdade.

– Nada tem a acrescentar ou a observar? Se pensa que tenhamos sido injustos, diga, proteste, confesse bem alto seu descontentamento.

– Não, não tenho nada.

– Tem ameaçado Nikolai Vsiévolodovitch nestes últimos tempos?

– Era... era antes a bebida que outra coisa, Piotr Stiepânovitch. – Ergueu sabiamente a cabeça. – Se a honra da família e a vergonha imerecida gritam entre os homens, então, então é-se culpado por causa disso? – rugiu ele, de repente, fora de si como antes.

– Está sóbrio agora, Senhor Liebiádkin? – E Piotr Stiepânovitch lançou-lhe um olhar penetrante.

– Estou... sóbrio.

– Que significam pois essas palavras de honra de família e de vergonha imerecida?

– Não falava de ninguém e não queria falar de ninguém; era de mim mesmo – disse o capitão, afundando-se de novo.

– O senhor parece ter ficado magoado com as expressões de que me servi falando do senhor e de sua conduta. O senhor é muito sensivel, Senhor Liebiádkin. Mas permita, ainda não comecei, até aqui, a revelar sua conduta no sentido real da palavra. Comecarei, pode isto muito bem acontecer, mas, até aqui, não comecei *propriamente a falar*.

Liebiádkin estremeceu e olhou Piotr Stiepânovitch com um ar de terror.

– Piotr Stiepânovitch, somente agora começo a despertar.

– Hum! E fui eu que o despertei?

– Sim, foi o senhor quem me despertou, Piotr Stiepânovitch, e há já quatro anos que durmo, com uma tempestade suspensa sobre mim. Posso retirar-me, afinal, Piotr Stiepânovitch?

– Agora, pode, a menos que Varvara Pietrovna não julgue necessário...

Mas esta teve um gesto de indiferença.

O capitão que, até aquele momento, se conservara silencioso, cumprimentou com um gesto, deu alguns passos, parou de repente e pousou a mão sobre o coração, tentou dizer alguma coisa, não disse e afastou-se a toda a pressa. Mas na soleira, esbarrou em Nikolai Vsiévolodovitch; este desviou-se para dar-lhe passagem. O capitão pareceu fazer-se todo pequenino diante dele e ficou como que plantado no lugar, os olhos fixos nele, como um coelho diante de uma jiboia. Depois de uma curta pausa, Nikolai Vsiévolodovitch afastou-o com um leve movimento de mão e entrou no salão.

VII

Estava alegre e sereno. Talvez acabasse de acontecer-lhe algo de muito agradável que ainda ignorávamos; fosse o que fosse, parecia estar particularmente satisfeito.

– Perdoas-me, Nikolai? – apressou-se em perguntar Varvara Pietrovna, que se levantara vivamente para ir-lhe ao encontro. Mas Nikolai se pôs a rir.

– É bem o que eu pensava! – disse ele, com uma cordialidade jovial. – Vejo que já está ao corrente de tudo. Depois de ter saído daqui, pensava no carro, que "teria sido preciso pelo menos contar-lhes uma história, não é assim que se sai". Mas quando me lembrei de que Piotr Stiepânovitch tinha ficado, desapareceu a preocupação.

Enquanto falava, lançava aos ouvintes um olhar furtivo.

– Piotr Stiepânovitch contou-nos um antigo episódio petersburguês da vida de um rapaz extravagante – retrucou Varvara Pietrovna com entusiasmo, – de um rapaz louco e caprichoso, embora sempre elevado em seus sentimentos, sempre cavalheiresco e nobre...

– Cavalheiresco? É ir muito longe! – disse Nikolai rindo. – Aliás, sou muito grato a Piotr Stiepânovitch pela sua precipitação desta vez. (Trocou com este último um rápido olhar.) A senhora ficará sabendo, mamãe, que Piotr Stiepânovitch é o reconciliador universal; é seu papel, sua doença, seu cavalo de batalha, e lhe recomendo de modo todo especial deste ponto de vista. Posso imaginar a história de fazer dormir de pé que ele deve ter-lhe contado. Tem um escritório de arquivos completo na cabeça. Note que na sua qualidade de realista, não pode mentir e a verdade lhe é mais querida que o êxito... salvo em certos casos especiais, bem entendido, em que o êxito lhe é mais querido que a verdade. (Enquanto falava, continuava a olhar em redor de si.) Assim, mamãe, bem vê a senhora que não lhe cabe pedir-me perdão e que se há algo de um pouco louco neste caso, a culpa é minha, e isto prova que, afinal de contas, sou verdadeiramente louco... É bem preciso sustentar a reputação que se ganhou aqui...

E beijou ternamente sua mãe.

– Em todo o caso, o assunto está encerrado agora; foi contado, pode-se por conseguinte deixar de a ele voltar – acrescentou, e havia na sua voz, no seu tom, algo de seco e de resoluto. Varvara Pietrovna percebeu esse tom, mas sua exaltação não diminuiu por isso, bem pelo contrário.

– Não te esperava antes de um mês, Nikolai!

– Vou lhe explicar tudo, mamãe, é claro, mas agora...

E dirigiu-se para Praskóvia Ivânovna.

Mas esta muito mal voltou a cabeça para ele, se bem que meia hora antes tivesse ficado aturdida assim que o jovem apareceu. Tinha agora novas preocupações; no momento em que o capitão esbarrara, ao sair, em Nikolai Vsiévolodovitch, Lisa pusera-se a rir, de repente, a princípio de mansinho e por intervalos, mas seu riso se tornava cada vez mais violento e cada vez mais ruidoso. Ficou toda vermelha, contraste tanto mais chocante com a sombria expressão de ainda há pouco. Enquanto Nikolai Vsiévolodovitch falava com Varvara Pietrovna, fizera ela sinal por duas vezes a Mavríki Nikoláievitch, como se tivesse querido dizer-lhe qualquer coisa baixinho; mas logo que este se inclinava para ela, a moça disparava a rir; seria possível concluir que ela ria precisamente do pobre Mavríki Nikoláievitch. Aliás, era visível como ela procurava dominar-se e aplicava seu lenço aos lábios. Nikolai Vsiévolodovitch voltou-se para ela para cumprimentá-la com o ar mais inocente e mais franco.

– Queira desculpar-me – respondeu ela, falando depressa. –O senhor... o senhor viu Mavríki Nikoláievitch, decerto... Meu Deus! não é permitido ser grande como você é, Mavríki Nikoláievitch.

E a risada redobrava. Mavríki Nikoláievitch era grande, mas não ao ponto de merecer por isso censura.

– O senhor... o senhor chegou há muito tempo – gaguejou ela, contendo-se de novo; parecia mesmo confusa, mas seus olhos cintilavam.

– Há mais de duas horas – respondeu Nikolai, olhando-a atentamente. Farei observar que ele se mostrava excepcionalmente reservado e cortês, mas fora dessa cortesia, sua expressão era absolutamente indiferente, até mesmo apática.

– E aonde vai morar?

– Aqui.

Varvara Pietrovna também observava Lisa, mas uma ideia assaltou-a de repente.

– Onde estiveste todo este tempo, Nikolai, estas duas horas? – perguntou, aproximando-se dele. – O trem chega às dez horas.

– A princípio levei Piotr Stiepânovitch à casa de Kirílov. Tinha-o encontrado em Matviéievo (a três estações de nossa cidade) e viajamos juntos.

– Eu estava à espera em Matviéievo desde o romper do dia – explicou Piotr Stiepânovitch. – Os últimos carros de nosso trem descarrilaram de noite e por pouco não ficamos com as pernas quebradas.

– Com as pernas quebradas! – exclamou Lisa. – Mamãe, e nós que quisemos ir a Matviéievo na última semana. Teríamos tido também as pernas quebradas.

– Tenha o céu piedade de nós! – exclamou Praskóvia Ivânovna, benzendo-se.

– Mamãe, mamãe, minha cara mamãe, não será preciso a senhora aterrorizar--se, se quebrar minhas duas pernas. Isto pode acontecer-me facilmente; a senhora mesma manda que eu monte a cavalo todos os dias com uma imprudência de peão. Mavríki Nikoláievitch, você vai me dar o braço, se eu coxear? – Pôs-se a rir nervosamente. – Se isto me acontecer algum dia, não permitirei a ninguém senão a você que me dê o braço; pode contar com isso... Mas admitamos que só quebre uma perna. Vamos, seja amável, diga que achará isso uma felicidade.

– Uma felicidade ficar aleijada? – disse Mavríki Nikoláievitch, franzindo o cenho, com ar grave.

– Mas será você então que me levará a passeio, apenas você.

– Mesmo então, será você quem me conduzirá, Elisavieta Nikoláievna – murmurou Mavríki Nikoláievitch, com mais gravidade ainda.

– Senhor, mas ele quis fazer um jogo de palavras! – exclamou Lisa, manifestando quase terror. – Mavríki Nikoláievitch, não ouse nunca meter-se nesse jogo! Mas que egoísta me sai você! Estou certa de que, e é para toda sua honra, que você calunia a si mesmo. Antes, pelo contrário, você passaria, da manhã à noite, todo o santo dia assegurando-me de que sem pernas seria ainda encantadora. Resta, no entanto, uma dificuldade insuperável: você é alto como uma vara e quando eu tiver perdido minha perna ficarei pequenininha. Como poderá você dar-me o braço? Faremos um par engraçado!

Um riso convulsivo sacudiu-a. Suas brincadeiras e insinuações eram sem graça, mas sem dúvida não procurava ela brilhar.

– Um ataque de nervos – cochichou-me Piotr Stiepânovitch. – Depressa, um copo d'água.

Adivinhara. Um minuto mais tarde, todos corriam a auxiliá-la. Trouxeram água. Lisa apertou sua mãe em seus braços, beijou-a ardentemente, chorou sobre seu ombro, depois recuando e fitando-a bem em face, foi retomada duma risada louca. A mãe, de seu lado, pôs-se a choramingar. Varvara Pietrovna apressou-se em levar as duas para seus aposentos, saindo pela porta por onde Dária Pávlovna viera ter conosco. Mas não ficaram muito tempo ausentes, não mais de quatro minutos.

Procuro lembrar-me agora de todos os pormenores dos derradeiros momentos daquela manhã memorável. Lembro-me de que, quando ficamos sós, tendo-se retirado aquelas senhoras (exceto Dária Pávlovna, que não havia saído de seu lugar), Nikolai Vsiévolodovitch deu volta ao salão, cumprimentando-nos a todos, com exclusão de Chátov, que se conservava sentado no mesmo canto, com a cabeça mais curvada do que nunca. Stiepan Trofímovitch começava a contar algo de muito espirituoso a Nikolai Vsiévolodovitch, quando este se voltou precipitadamente para Dária Pávlovna. Mas antes que ele chegasse até ela, Piotr Stiepânovitch agarrou-o e levou-o, quase à força, para a janela, onde, muito depressa, cochichou-lhe algo ao ouvido, algo aparentemente muito importante, a julgar pela expressão de seu rosto e pelos gestos que acompanhavam o cochicho. Nikolai Vsiévolodovitch escutava-o distraidamente e sem interesse, com seu sorriso de encomenda, e até mesmo, no fim, com impaciência, como se procurasse desembaraçar-se de seu interlocutor. Afastou-se da janela justamente no momento em que aquelas senhoras voltavam. Varvara Pietrovna fez Lisa tornar a sentar-se no mesmo lugar, declarando que ela devia esperar e descansar ainda uns dez minutos, e que o ar lá de fora talvez fosse demasiado vivo para seus nervos naquele momento. Ocupava-se com Lisa cheia de solicitude e sentou-se a seu lado. Piotr Stiepânovitch, que já se libertara, aproximou-se logo dela, num passo saltitante e lançou-se numa conversação rápida e animada. Entrementes, Nikolai Vsiévolodovitch aproximou-se por fim de Dária Pávlovna, lentamente, a passos calculados. Dacha começou a agitar-se com inquietação à sua aproximação e levantou-se vivamente, presa dum visível embaraço, com o rosto em fogo.

– Creio que é o caso de felicitá-la... ou será ainda demasiado cedo? – disse ele, enquanto uma ruga singular cavava-se em seu rosto.

Dacha respondeu-lhe alguma coisa, mas não era fácil captar o que ela dizia.

– Desculpe minha indiscrição – acrescentou ele, elevando a voz, – mas deve saber que fui avisado expressamente. Sabia?

– Sim, sei que foi avisado expressamente.

– Espero, entretanto, nada ter atrapalhado com minhas felicitações – declarou, rindo. – E se Stiepan Trofímovitch...

– Por que motivo, por que motivo essas felicitações? – perguntou de súbito Piotr Stiepânovitch, aproximando-se deles com seu passo saltitante. – Por que felicitar Dária Pávlovna? Ah! sim! Por que haveria de ser? Seu rubor prova que adivinhei. Efetivamente, por qual outro motivo poderiam ser felicitadas nossas encantadoras e virtuosas donzelas? E que felicitações as fazem corar mais fàcilmente? Pois bem, aceite também as minhas, se adivinhei certo, e pague-me a aposta. Lembre-se de que, quando estávamos na Suíça, apostou que jamais se casaria... Ah! sim, a propósito da Suíça... onde tenho eu pois a cabeça? Imagine que foi em parte por isso que vim e que ia quase esquecê-lo. Diz-me – disse ele, voltando-se para Stiepan Trofímovitch, – quando partes para a Suíça?

– Eu... para a Suíça? – respondeu Stiepan Trofímovitch, surpreso e confuso.

– Como? Será que não partes? Mas tu também me escreveste dizendo que ias casar-te.

– Pierre! – exclamou Stiepan Trofímovitch.

– Ora, por que esse Pierre?... Está bem, se pode causar-te prazer, corri para vir anunciar-te que não me opunha absolutamente, já que fazias questão de conhecer minha opinião o mais cedo possível; e se, pelo contrário – prosseguiu ele sem retomar fôlego, – desejas "ser salvo", como me escrevias, suplicando-me na mesma carta que te socorresse, estou pronto a prestar-te serviço. É verdade que ele vai casar, Varvara Pietrovna – disse, voltando-se rapidamente para ela. – Espero que não tenha cometido uma indiscrição. Ele mesmo me escreveu que a cidade toda sabe e que toda gente o felicita, tanto que, para evitar esse gênero de manifestações, só sai à noite. Tenho suas cartas no meu bolso. Mas a senhora acreditaria, Varvara Pietrovna? Não compreendo absolutamente nada disso! Diz-me apenas uma coisa, Stiepan Trofímovitch, é preciso felicitar-te ou "salvar-te"? A senhora não acreditaria: aqui, está desesperado e na linha seguinte jubiloso; em primeiro lugar, pede-me perdão; enfim, bem entendido, é assim mesmo que são todos... E, aliás, é impossível calar: pense pois, não me viu senão duas vezes em toda a sua vida e assim mesmo por acaso. E eis que, de repente, no momento de casar pela terceira vez, imagina que seria faltar, não sei bem como, a não sei quais obrigações paternas para comigo. Escreve-me, a milhares de léguas de distância, para que não me zangue e lhe conceda meu consentimento. Rogo-te, Stiepan Trofímovitch, não te formalizes. É esse um traço característico de vossa geração. Tenho ideias largas e não julgo ninguém. Admitamos mesmo que isso te faça honra e tudo mais qùe se segue. Mas o fato é que não compreendo aonde queres chegar. Trata-se de "pecados cometidos na Suíça". "Caso, ele me diz, por causa dos pecados", ou por causa dos "pecados" de outrem, ou algo nesse gênero. Trata-se, numa palavra, de "pecado". A moça, diz ele, "é uma pérola, um diamante", e depois, bem entendido, declara-se indigno dela, para empregar seu estilo; mas, em consequência de certos pecados ou de certas circunstâncias, sente-se obrigado a levá-la ao altar e partir para a Suíça; por consequência, "abandona tudo e vem salvar-me". Compreende alguma coisa disso? Entretanto... entretanto, vejo pela expressão de seus rostos – (girou sobre si mesmo, com a carta na mão e olhando com um sorriso cândido os rostos dos que o rodeavam) – que, segundo meu hábito, meti mais uma vez os pés no prato, sempre por causa de minha ridícula franqueza, ou então, como diz Nikolai Vsiévolodovitch, "de minha precipitação". Acreditava, bem entendido, que estivéssemos entre amigos, isto é, com teus amigos, Stiepan Trofímovitch, com teus amigos. Sou na realidade um estranho para vocês e vejo... vejo que todos sabem alguma coisa e que é precisamente essa alguma coisa que eu não sei.

Continuava olhando em redor de si.

– Com que então Stiepan Trofímovitch escreveu-lhe, deveras, dizendo que ia casar-se "por causa dos pecados alheios cometidos na Suíça" e que o senhor devia vir correndo "salvá-lo"? –perguntou Varvara Pietrovna, dirigindo-se, de repente, a ele. Seu rosto estava lívido e alterado; seus lábios tremiam.

– Afinal, veja, se há algo que eu não tenha compreendido – disse Piotr Stiepânovitch, com ar alarmado e falando ainda mais depressa, – a culpa é dele, naturalmente, por ter escrito dessa maneira. Eis a carta. Fique sabendo, Varvara Pietrovna, que as cartas dele são intermináveis e incessantes, e desde dois ou três meses houve carta após carta, tanto que, devo confessá-lo, acabei por vezes deixando de lê-las até o fim. Perdoa-me, Stiepan Trofímovitch, minha tola confissão, mas convirás mesmo que, se era a mim que endereçavas tuas cartas, tu as escrevias sobretudo para a posteridade, de sorte que para ti é o mesmo... Vamos, vamos, não te zangues. Estamos em família. Mas quanto a esta carta, Varvara Pietrovna, esta carta, li-a bem até o fim. Esses "pecados" – esses "pecados de outrem" – são sem dúvida alguns pecadilhos cometidos por nós mesmos e apostaria que são dos mais veniais, embora nos tenham levado, de repente, a inventar, peça por peça, toda uma história terrível, com, de quebra, o atrativo do heroísmo; direi mesmo que foi esse atrativo do heroísmo que nos levou a inventá-la. Ora, há algo de um tanto capenga nas nossas contas. É preciso confessá-lo mesmo afinal. Temos um grande fraco pelas cartas, como sabe... Aliás, isto está fora de questão, fora mesmo. Peço desculpa, falo demais, mas, palavra de honra, Varvara Pietrovna, ele me causou medo e eu estava deveras quase disposto a salvá-lo. Tinha afinal vergonha por ele. Vejamos, será que lhe ponho a faca aos peitos? Sou um credor impiedoso? Fala ele também de um dote... Mas é verdade mesmo que casas, Stiepan Trofímovitch? Eis o que estaria perfeitamente nos teus moldes, *parolagens e nada mais que parolagens*, com olho no estilo... Ah! Varvara Pietrovna, estou certo de que agora a senhora me condena e justamente também por causa do estilo.

– Pelo contrário, pelo contrário, vejo que o senhor está no limite da paciência e sem dúvida teve, para isso, boas razões –respondeu, com acrimônia, Varvara Pietrovna. Escutara com prazer malicioso todas as cândidas expansões de Piotr Stiepânovitch, que representava manifestamente um papel. (Qual? Eu não sabia naquele momento, mas esse papel era evidente e era mesmo representado duma maneira exagerada.) – Pelo contrário – prosseguiu ela, – sou-lhe até demasiado grata por ter falado; sem o senhor, nada teria ficado sabendo, talvez. Pela primeira vez, desde vinte anos, abro os olhos. Nikolai Vsiévolodovitch, você disse ainda há pouco que tinha sido informado expressamente. Stiepan Trofímovitch também a você no mesmo gênero?

– Recebi dele uma carta muito inofensiva e... e... muito generosa.

– Você hesita, rebusca as palavras. É bastante! Stiepan Trofímovitch, espero de você um grande serviço – disse ela, voltando-se bruscamente para ele com os olhos cintilantes, – dê-me o prazer de sair agora mesmo desta casa e de nunca mais nela pôr os pés.

Rogo ao leitor que se recorde da recente exaltação dela, que ainda não havia passado naquele momento. É verdade que Stiepan Trofímovitch era culpado. Mas o que levou minha estupefação ao cúmulo, foi a maravilhosa dignidade da atitude dele, tanto diante das "acusações" de seu filho, que não pensou um só instante em interromper, quanto diante da "maldição" de Varvara Pietrovna. Donde lhe vinha tal força de alma? Sabia somente que sem nenhuma dúvida possível, fora ele profundamente magoado, desde o primeiro instante de seu encontro com Pietruchka, sobretudo pela maneira pela qual ele o havia abraçado. Era uma dor profunda e real, pelo menos a seus olhos e para seu coração. Sentia ao mesmo tempo outra dor; a consciência pungente de ter-se mostrado covarde. Isto, ele me confessou mais tarde, com toda a sinceridade. Uma dor real, verdadeiramente sincera, torna por vezes sério e estoico até mesmo um homem dotado duma leviandade fenomenal, ainda que seja por algum tempo; mais ainda, sob o golpe duma dor sincera, perfeitos imbecis têm por vezes recuperado a inteligência, sempre, é claro, por algum tempo. É este um privilégio da dor. Se, pois, é assim, que não poderia acontecer no caso de um homem tal como Stiepan Trofímovitch? Foi uma transformação completa, por algum tempo também, entenda-se.

Inclinou-se com dignidade diante de Varvara Pietrovna sem proferir uma só palavra (é verdade que não lhe restava outra coisa a fazer). Queria retirar-se logo, mas não pôde impedir-se de se aproximar de Dária Pávlovna. Parecia que ela previra esse passo, porque ela mesma se pôs a falar, espantada, como se tivesse pressa em preveni-lo.

– Rogo-lhe, Stiepan Trofímovitch, pelo amor de Deus, não diga nada – começou ela, com voz precipitada, com uma expressão doentia nas feições, enquanto estendia a ele sua mão, rapidamente. – Fique certo de que continuo a respeitá-lo sempre da mesma forma... e que mantenho boa opinião a seu respeito, e... pense bem igualmente de mim. Stiepan Trofímovitch, será um grande, um grandíssimo conforto para mim...

Stiepan Trofímovitch inclinou-se profundamente diante dela.

– Cabe a ti decidir, Dária Pávlovna; sabes que és perfeitamente livre em todo esse negócio! Foste, és presentemente e serás sempre – concluiu Varvara Pietrovna, num tom grave.

– Ah! compreendo tudo agora – exclamou Piotr Stiepânovitch, batendo na testa. – Mas... em que posição me encontro colocado depois disto! Peço-lhe, Dária Pávlovna, perdoe-me! Eis, pois, o que me obrigas a fazer – acrescentou, dirigindo-se a seu pai.

– Pierre, poderia falar-me noutro tom, não é, meu amigo? – observou Stiepan Trofímovitch com grande doçura.

– Vamos, não grites, rogo-te – disse Piotr, com um gesto desdenhoso. – Acredita-me, tudo isso provém de teus velhos nervos doentes, e não te adiantará nada gritares. Farias melhor dizendo-me por que não me preveniste, já que podias bem supor que eu faria revelações na primeira ocasião.

Stiepan Trofímovitch fitou-o com um olhar penetrante.

– Pierre, tu que estás tão a par do que se passa aqui, é possível que nada tenhas sabido desse caso e nem dele ouvido falar?

– Co...o...mo? Eis o que são as pessoas! Não basta então que sejamos uns meninos velhos, é preciso ainda que sejamos um menino mau. Varvara Pietrovna, a senhora ouviu o que ele disse?

Todos se puseram a falar, mas, entrementes, ocorreu de repente um incidente que ninguém podia esperar.

VIII

Antes de tudo, é preciso que eu mencione o fato de que, havia dois ou três minutos, Elisavieta Nikoláievna parecia presa de nova agitação: murmurava alguma coisa rapidamente à sua mãe e a Mavríki Nikoláievitch, curvado para ela, a fim de ouvi-la. Seu rosto estava inquieto, mas exprimia ao mesmo tempo resolução. Por fim, ela levantou de sua cadeira, visivelmente apressada em partir e apressando sua mãe, que Mavríki Nikoláievitch ajudou a levantar de sua poltrona. Mas estava escrito que eles não se retirariam antes de ter visto tudo até o fim.

Chátov, que toda a gente havia esquecido no seu canto (não longe de Elisavieta Nikoláievna) e que parecia não saber ele próprio por que ficava ali sentado em vez de ir embora, levantou de sua cadeira e, atravessando todo o salão com um passo lento mas firme, dirigiu-se para Nikolai Vsiévolodovitch, fitando-o bem no rosto. Nikolai viu-o aproximar-se de longe e sorriu ligeiramente, mas quando Chátov chegou bem perto dele parou de sorrir.

Quando Chátov parou diante dele, silencioso e sem desfitar os olhos de seu rosto, todos se deram conta do que se passava e calaram-se; Piotr Stiepânovitch foi o último a parar de falar. Lisa e sua mãe haviam parado no meio do salão. Decorreram assim cinco segundos; ao ar de espanto altivo sucedeu uma expressão de cólera no rosto de Nikolai Vsiévolodovitch; franziu o cenho e de repente...

De repente, Chátov levantou seu braço longo e pesado e, com toda a sua força, descarregou-o contra o rosto de Nikolai, que estêve a ponto de cair à violência do golpe.

Chátov assestara seu golpe de uma maneira particular e não como é habitualmente admitido para esbofetear (se assim me posso exprimir). Não era uma *bofetada dada com a palma da mão*, mas um perfeito murro e murro com um grosso punho pesado e ossudo, coberto de pelos vermelhos e de sardas. Se o golpe tivesse atingido o nariz, o teria esmagado. Mas caiu sobre a face, roçando o canto esquerdo do lábio e dos dentes superiores, donde logo jorrou o sangue.

Creio que se ouviu um grito súbito, talvez lançado por Varvara Pietrovna, disto não me lembro bem, porque se fez de novo um silêncio de morte. Aliás, toda a cena não havia durado mais de dez segundos.

Apesar disso, passou-se uma porção de coisas durante aqueles poucos segundos.

Devo lembrar ainda ao leitor que Nikolai Vsiévolodovitch era uma dessas naturezas que não conhecem o medo. Num duelo podia afrontar de sangue-frio o tiro de seu adversário, ele próprio sabia visar e matar com uma tranquilidade cruel. No caso de o esbofetearem, teria eu esperado vê-lo, não provocar seu agressor a um duelo, mas matá-lo imediatamente. Era de tal feitio que teria matado aquele homem com a consciência perfeita de seu ato e sem perder o domínio de si mesmo. Creio mesmo que nunca era sujeito a esses acessos de furor cego que arrebatam aos que os sentem toda possibilidade de reflexão. Mesmo quando se deixava arrebatar por uma dessas cóleras intensas que se apoderavam dele algumas vezes, sabia sempre ficar senhor de si mesmo e dar-se conta, por consequência, de que seria certamente condenado a trabalhos forçados por ter matado um homem de outro modo que não em duelo; não obstante, teria matado todo homem que o houvesse insultado e isto sem a menor hesitação.

Estudei Nikolai Vsiévolodovitch nestes últimos tempos e, graças a um concurso de circunstâncias todo particular, estou ao corrente, na hora em que escrevo, dum grande número de fatos. Poderia compará-lo de boa vontade a certos personagens do passado, a respeito dos quais subsistem ainda entre nós tradições lendárias. Contou-se, por exemplo, do dezembrista L... n,[73] que estava sempre em busca do perigo, que adorava essa sensação e que se tornara nele uma imperiosa necessidade; que na sua mocidade batia-se em duelo por coisa nenhuma; que na Sibéria caçava o urso, tendo como única arma uma faca; que nas florestas siberianas, gostava de encontrar forçados evadidos que são, seja dito de passagem, mais temíveis que os ursos. Sem dúvida alguma, esses personagens lendários eram susceptíveis de experimentar, talvez mesmo em grau extremo, o sentimento do medo, de outro modo teriam levado uma vida muito mais pacífica e não teriam convertido a sensação do perigo numa necessidade física. Mas vencer em si mesmos o medo fascinava-os. A embriaguez contínua da vitória e a consciência de serem eles mesmos invencíveis, eis o que os seduzia. Esse mesmo L... n, antes de ser enviado à Sibéria, estivera durante certo tempo às voltas com a fome e ganhara a vida graças a um duro labor cotidiano, unicamente porque não queria submeter-se às exigências de um pai rico, achando que elas eram injustas. Vê-se, pois, que sua concepção da luta tinha muitos aspectos diferentes e que não era somente na caça ao urso e nos duelos que apreciava em si o estoicismo e a força de caráter.

Mas decorreram muitos anos desde aquela época e o temperamento nervoso, esgotado, complexo dos homens de hoje não admite mesmo mais essa necessidade de sensações novas e sem mistura, tão procuradas por certos personagens agitados e ativos dos bons tempo. Talvez Nikolai Vsiévolodovitch não tivesse tido senão desprezo por L...n, que teria considerado como um gabola e um fanfarrão. É verdade que não teria exprimido este pensamento em voz alta. Teria matado seu adversário em duelo, teria enfrentado um urso, se preciso; defenderia-se de um salteador da floresta com o mesmo êxito, sem experimentar mais medo do que L...n, mas faria

73 Diz-se dos que tomaram parte na revolta de dezembro de 1825, contra a autocracia russa.

isso sem a menor sensação de prazer, com indolência, com indiferença, até mesmo com tédio, como se sofre uma necessidade desagradável. No que se refere à cólera, bem entendido, havia progresso em comparação com L...n, até mesmo em comparação com Liérmontov. Havia talvez em Nikolai Vsiévolodovitch mais cólera maligna que nos dois outros reunidos, mas era uma cólera calma, fria, por assim dizer "sensata" e, por consequência, a mais revoltante e a mais terrível que existe. Repito ainda uma vez, considerava-o então, e o considero sempre (agora que tudo acabou), um homem que, se tivesse recebido uma bofetada ou qualquer outra injúria equivalente, não teria deixado de matar seu agressor no mesmo instante, imediatamente e sem provocá-lo a duelo.

Entretanto, naquela ocasião, o que aconteceu foi algo de diferente e de surpreendente.

Mal recuperara o equilíbrio, depois de quase ter sido lançado ao chão daquela maneira humilhante; o ruído ignóbil e por assim dizer pouco distinto da bofetada tinha, ao que parece, apenas cessado de fazer-se ouvir no salão, quando agarrou ele Chátov pelos ombros, mas logo, quase no mesmo instante, retirou as duas mãos e cruzou-as atrás das costas. Não falou, fitou Chátov e ficou branco como um pano. No entanto, fato estranho, seu olhar pareceu extinguir-se. Dez segundos mais tarde, seus olhos tinham um aspecto frio e – não minto, tenho certeza disso – calmo. Somente estava pálido, terrivelmente pálido. Ignoro, bem entendido, o que se passava no seu íntimo, não vi senão o seu exterior. Parece-me que se um homem pudesse empunhar uma barra de ferro em brasa e mantê-la segura em sua mão para pôr à prova sua força de alma e, depois de ter lutado durante dez segundos contra uma dor insuportável, conseguisse dominá-la, experimentaria, imagino, quase o que Nikolai Vsiévolodovitch suportou durante aqueles dez segundos.

Chátov foi o primeiro a baixar os olhos e isto evidentemente porque foi constrangido a baixá-los, depois girou lentamente nos calcanhares e saiu do salão, mas com um andar muito diferente daquele com o qual havia avançado. Retirou-se sem ruído, com os ombros curvados duma maneira particularmente desgraciosa, a cabeça baixa como se estivesse a meditar. Creio que murmurou qualquer coisa. Dirigiu-se para a porta com precaução, sem tropeçar em nada, sem nada derrubar; entreabriu a porta, introduziu-se pela fresta, quase de lado. Ao sair, sua espessa cabeleira eriçada na nuca atraía especialmente a atenção.

Depois ouviu-se em primeiro lugar um grito terrível que precedeu todos os outros. Vi Elisavieta Nikoláievna agarrar sua mãe pelo ombro e Mavríki Nikoláievitch pelo braço e fazer dois ou três esforços violentos para arrastá-los atrás de si para fora do salão, mas lançou de súbito um grande grito e caiu desmaiada, a todo comprimento, no chão. Parece-me ouvir ainda hoje a pancada de sua nuca no tapete.

SEGUNDA PARTE

Capítulo primeiro / *A noite*

I

Decorreram oito dias. Agora que tudo isso passou e que escrevo esta crônica, sabemos em que consistia o caso; mas então ignorávamos tudo, de modo que é natural que certas coisas nos parecessem estranhas. Em primeiro lugar, Stiepan Trofímovitch e eu ficamos completamente encerrados e observávamos de longe – não sem pavor. – Saía uma vez ou outra e, como no passado, transmitia a meu amigo diferentes notícias sem as quais não teria ele podido viver.

Na cidade, não se falava, é claro, senão da bofetada, do desmaio de Lisa e dos outros acontecimentos daquele famoso domingo. Mas uma coisa nos espantava: como tudo quanto se passara tinha podido ser conhecido tão depressa e com tal precisão? Nenhum dos personagens presentes tinha, ao que parecia, necessidade ou interesse em espalhar o incidente. Somente Liebiádkin teria podido tagarelar. Não por maldade, – saíra presa dum terror extremo (o temor do inimigo tira até o desejo de prejudicá-lo), – mas muito simplesmente porque não podia guardar um segredo. Ora, Liebiádkin e sua irmã tinham desaparecido desde o dia seguinte, sem deixar traços; não estavam mais na casa de Filípov; tinham-se mudado não se sabia para onde e pareciam ter-se esvanecido. Chátov, com quem teria querido informar-me a respeito de Maria Timofiéievna, fechara-se em sua casa. Creio que não saiu a semana toda e interrompera mesmo suas ocupações na cidade. Não quis receber-me. Fui à sua casa na terça-feira e bati à sua porta. Não obtive resposta, mas, tendo plena certeza de que ele estava em casa, bati uma segunda vez. Então ele deu um salto, do leito para o chão provavelmente, aproximou-se a grandes passos da porta e gritou: "Chátov não está em casa". Só me restava ir embora.

Stiepan Trofímovitch e eu fizemos uma suposição, que não deixou de nos espantar pela sua ousadia, mas à qual, no entanto, nos encorajávamos mutuamente e que acabamos por adotar: pensamos que aquele que pusera aqueles boatos em circulação não podia ser senão Piotr Stiepânovitch, se bem que afirmasse ele um pouco mais tarde a seu pai que a história corria de boca em boca, que se falava sobretudo no clube e que a mulher do Governador e seu marido a conheciam nos seus mínimos detalhes. O mais notável é que, no dia seguinte, isto é, na segunda-feira à noite, encontrei Lipútin que sabia tim-tim por tim-tim de quase tudo quanto se passara e que, por consequência, devia ter sido um dos primeiros a ficar sabendo.

Numerosas eram as senhoras (e das mais mundanas) intrigadas com a "enigmática mulher coxa". Era assim que costumavam chamar Maria Timofiéievna. Havia mesmo algumas que faziam questão de vê-la e de conhecê-la. As pessoas que se apressaram em ocultar os Liebiádkini tinham, pois, agido muito a propósito. Mas o que suscitava mais interesse era o desmaio de Elisavieta Nikoláievna. O fato provocava a curiosidade por isso apenas: que dizia também respeito a Iúlia Mikháilovna, parenta e protetora de Elisavieta. E que não chegaram a dizer! O mistério que cercava aqueles acontecimentos favorecia os mexericos. As duas casas permaneciam hermeticamente fechadas. Elisavieta Nikoláievna, asseguravam, estava retida no leito com uma febre nervosa. Dizia-se outro tanto de Nikolai Stavróguin e ajuntavam-se numerosos detalhes repugnantes a respeito de seu dente quebrado e de sua inflamação. Dizia-se também pelos cantos que haveria em breve um assassinato, que Stavróguin não era homem para perdoar tal ofensa, que ele mataria Chátov, mas que o mataria misteriosamente, como numa "vendetta" corsa. A ideia era sedutora, mas a maior parte da juventude mundana escutava tudo isso com desprezo, afetando a mais desdenhosa indiferença. Em geral, o antigo ódio contra Nikolai Vsiévolodovitch se manifestava violentamente. As próprias pessoas sérias esforçavam-se por acusá-lo sem bem saber de quê. Em segredo, cochichava-se que ele havia desonrado Elisavieta Nikoláievna e que houvera uma relação amorosa entre eles na Suíça. As pessoas prudentes abstinham-se, sem dúvida, de tomar partido; mas todos prestavam ouvidos com avidez. Circulavam, aliás, outros rumores estranhos, extremamente estranhos; só se falava disso na intimidade e não em público, em raras ocasiões e quase em segredo. Não os menciono senão para advertir o leitor, cinicamente em vista dos fatos que contarei mais adiante. Eis de que se tratava: alguns declaravam, franzindo o cenho – Deus sabe o que podia haver de bem fundado naquilo, – que Nikolai Vsiévolodovitch tinha em nossa província uma missão especial; que, por intermédio do Conde K***, travara em Petersburgo altas relações, que talvez tivesse entrado para o serviço do Estado e havia mesmo sido encarregado por alguém de executar certas ordens. Quando pessoas sérias e reservadas sorriam desses boatos, fazendo observar com bastante justeza que um homem que vive de escândalos e que estreia entre nós com uma inflamação não se assemelhava de modo algum a um funcionário, respondiam-lhe, cochichando, que a missão que Nikolai recebera não era oficial, mas de certa maneira confidencial e que neste caso fazia parte do interesse do serviço que o homem escolhido se assemelhasse o mínimo possível a um funcionário. Estas observações não deixavam de produzir seu efeito, porque não se ignorava que o *ziémstvo*[74] de nosso departamento era particularmente visado pela capital. Ora, repito-o, logo que nasceram, esvaneceram-se esses boatos muito a propósito desde a aparição de Nikolai Stavróguin. Mas faço questão de observar que na origem dessas insinuações encontravam-se alguns ditos breves e maldosos que deixara escapar no clube Artiómi Pávlovitch Gagânov, capitão reformado da Guarda. Tendo regressado havia pouco de Petersburgo, grande proprietário de terras de nosso distrito e de nossa província, homem do mundo que frequentava a sociedade petersburguesa, era filho do falecido Páviel Pávlovitch Gagânov, o digno ancião, membro honorário de nosso clube, com o qual, havia quatro anos, Nikolai Vsiévolodovitch tivera aquela altercação de tão espantosa grosseria, como relato no começo desta narrativa.

Ninguém ignorava que Iúlia Mikháilovna tentara fazer uma visita solene a Varvara Pietrovna e que lhe tinham mandado dizer, na soleira da porta, que estando a senhora indisposta, não podia recebê-la. Sabia-se também que, dois dias depois, Iúlia Mikháilovna mandara saber notícias de Varvara Pietrovna. Enfim, havia ela

74 Antes da revolução, poder autônomo local nas regiões rurais, cujos representantes, em sua maioria, eram grandes latifundiários e nobres.

empreendido em toda parte a "defesa" de Varvara Pietrovna; isto, bem entendido, no sentido elevado da palavra, isto é, nos termos mais vagos. Todas as primeiras alusões, a princípio sucintas, aos acontecimentos do domingo, ouviu-as ela com ar severo e frio, de tal maneira que não se ousou em breve mais falar daquilo na sua presença. Assim, firmou-se em toda parte a convicção de que Iúlia Mikháilovna, perfeitamente a par daquela misteriosa história, lhe conhecia o sentido mais oculto e os mínimos detalhes, que não se limitara ao papel de simples espectadora, mas havia ela própria dela participado. Notarei de passagem que ela começava a gozar entre nós daquela alta influência de que era ávida e a ver-se muito "cercada". Uma parte da sociedade reconhecia-lhe certa inteligência prática e tato... mas isto fica para mais tarde... Atribuía-se em grande parte à sua proteção a rapidez dos êxitos de Piotr Stiepânovitch em nossa sociedade, êxitos que então espantavam tanto seu pai, Stiepan Trofímovitch.

Talvez exageremos. Em todo o caso, nos quatro dias que se seguiram à sua chegada à nossa cidade, Piotr Stiepânovitch, como que num piscar de olhos, travara conhecimento com toda a gente. Chegara no domingo e já na terça-feira vi-o passar na caleça de Artíomi Pávlovitch Gagânov, homem orgulhoso, arrogante e irascível, apesar de seu verniz mundano, e com o qual, pelo fato de seu caráter, era muito difícil manter relações. Em casa do Governador, era também Piotr Stiepânovitch muito bem recebido; pode-se mesmo dizer que se tornou imediatamente um dos seus íntimos, desempenhando na casa o papel do jovem mimado. Jantava quase todos os dias em casa de Iúlia Mikháilovna. Conhecera outrora na Suíça aquela senhora e, contudo, aquela rápida intimidade em sua casa tinha qualquer coisa de estranho. Afinal, ele não tinha então fama de revolucionário? Pretendia-se, com ou sem razão, que colaborara em certas publicações estrangeiras e tomara parte em diversos congressos. "Podia-se mesmo encontrar a prova disso em certos jornais", afirmou um dia, diante de mim, Aliócha Tieliátnikov, hoje funcionário subalterno aposentado, mas que também fora o favorito na casa de Sua Excelência. O fato é que aquele ex-revolucionário regressara à sua pátria não apenas sem a menor dificuldade, mas pouco faltou que não com todas as honras: portanto, aquelas imputações podiam muito bem não ter nenhum fundamento. Lipútin cochichou-me uma vez ao ouvido que Piotr Stiepânovitch se havia confessado e recebera a absolvição, não sem revelar alguns nomes, e por este meio talvez já havia resgatado sua falta, pois prometera ser no futuro útil a seu país. Comuniquei a Stiepan Trofímovitch esta insinuação venenosa e este, se bem que incapaz então de conceber a menor ideia, ficou pensativo. Verificou-se mais tarde que Piotr Stiepânovitch chegara entre nós munido de recomendações particularmente lisonjeiras; apresentara uma entre outras a Iúlia Mikháilovna da parte de uma velha dama, casada com um personagem dos mais importantes da capital. Essa velha dama, madrinha de Iúlia Mikháilovna, *escrevia que o Conde K****, posto em relação com Piotr Stiepânovitch por intermédio de Nikolai Vsiévolodovitch, recebera-o com grande benevolência e tinha-o por "um bravo rapaz a despeito de seus erros passados". Iúlia Mikháilovna prezava ao extremo as boas relações que entretinha com tanto cuidado; de modo que a carta daquela velha senhora a encantara. Não obstante, havia nela algo surpreendente. Colocara seu marido em relações tão familiares com Piotr Stiepânovitch que von Lembke se queixava disso... Mas não antecipemos. Farei ainda notar que o ilustre escritor Karmázinov tratava Piotr Stiepânovitch com muita deferência e não tardou em convidá-lo a ir à sua casa. Tal solicitude da parte de um homem tão cheio de importância causou mais impressão a Stiepan Trofímovitch que tudo mais. Quanto a mim, expliquei a mim mesmo as coisas de outro modo: convidando aquele niilista, tinha Karmázinov certamente em vista entrar em relações com a juventude avançada das duas capitais. O grande escritor tremia nervosamente diante daquela juventude revolucionária e imaginava, na sua ignorância, que tinha ela entre suas mãos o futuro da Rússia. Lisonjeava-a duma maneira humilhante, tanto mais quanto ela não lhe prestava a menor atenção.

II

Piotr Stiepânovitch esteve também duas vezes em casa de seu pai, mas, infelizmente para mim, todas duas vezes na minha ausência. Veio vê-lo pela primeira vez na quarta-feira, isto é, quatro dias após seu primeiro encontro em casa de Varvara Pietrovna e ainda para tratar de negócios. Aliás, as contas deles referentes à propriedade foram pagas sem que de nada se soubesse. Varvara Pietrovna encarregara-se de tudo e tudo pagara, comprando a fazenda, bem entendido. Contentou-se com informar Stiepan Trofímovitch, quando tudo foi liquidado. O homem de confiança de Varvara Pietrovna, o mordomo Alieksiéi Iegórovitch, levou-lhe um papel para assinar, o que ele fez em silêncio e com extrema dignidade. A propósito de dignidade, devo dizer que desde alguns dias eu quase não reconhecia mais nosso "velhinho". Conduzia-se como jamais se conduzira antes; tornara-se espantosamente silencioso e desde o último domingo não escrevera uma carta sequer a Varvara Pietrovna, o que outrora me teria parecido coisa impossível. Estava sobretudo extremamente calmo. Evidentemente, provinha aquela calma do fato de ter tomado alguma decisão definitiva, extraordinária. Tinha sua ideia. Ficava nisso e esperava alguma coisa. Aliás, no começo, estivera doente, na segunda-feira sobretudo: recaída de colerina. Não podia tampouco passar sem notícias, mas desde que, deixando os fatos, eu chegava ao nó da questão e emitia alguma hipótese, logo agitava ele os braços para me pedir que me calasse. As duas entrevistas com seu filho não lhe causaram menos dolorosa impressão, sem conseguir todavia abalar-lhe a resolução. Naqueles dois dias, após a visita de Piotr Stiepânovitch, estendeu-se no sofá com a cabeça enrolada num lenço embebido de vinagre. No entanto, continuava calmo, no sentido mais elevado desta palavra.

Às vezes acontecia também que não procurava interromper-me; às vezes, parecia-me mesmo que sua misteriosa resolução começava a abandoná-lo e que lutava contra um fluxo de pensamentos novos e sedutores. Durava isto o espaço de um segundo, mas faço questão de assinalá-lo. Suspeitava que ele tivesse um grande desejo de mostrar-se, de sair de sua solidão, de atirar a luva, de travar a derradeira batalha.

– *Cher,* como os esmagaria de boa vontade! – exclamou, na quinta-feira, após *a segunda visita de* Piotr Stiepânovitch, enquanto se achava estendido no sofá, com a cabeça enrolada numa toalha de mãos. Até aquele minuto, não trocara uma única palavra comigo durante todo o dia.

– ...*Fils, fils chéri* e assim por diante. Convenho que todas essas expressões são idiotas, pertencem ao vocabulário das cozinheiras. Pois bem, sim, agora percebo isso. Não lhe dei de beber, nem de comer, quando era ele ainda uma criança de peito, mas expedi-o pelo correio de Berlim para o departamento de***... estou de acordo... "Tu não me nutriste, não me vestiste, mandaste-me pelo correio e, ainda por cima, despojaste-me do que eu possuía." – Mas, infeliz, gritei-lhe eu, não bateu e sangrou por ti meu coração durante toda a minha vida, ainda mesmo que pelo correio? Ele riu. Mas estou de acordo, estou de acordo... mesmo pelo correio – disse ele, ao terminar, como se delirasse.

– Passemos – prosseguiu ele, cinco minutos depois. – Não compreendo Turguéniev. Seu Bassárov[75] é um personagem fictício, que não existe. Foram eles os primeiros a repudiá-lo, como não se assemelhando a nada. Esse Bassárov é uma mistura confusa de Nozdriev[76] e de Byron. Sim, *c'est le mot..*[77]. Nozdriev e Byron. Examine-os com atenção: dão cambalhotas e lançam gritos de alegria como cãezinhos ao sol... São felizes, são os vencedores! Que vem Byron fazer aqui? E depois, que chateza! Que amor-próprio de cozinheira pronta a vexar-se, que miserável necessidade de *faire du bruit autour de son nom,*[78] sem notar que *son nom...* Oh! que caricaturas! Perdão, exclamei, será possível que queiras, tal como és, oferecer-te aos homens em lugar do Cristo? *Il rit, il rit beaucoup, il rit trop.*[79] Tem um sorriso tão estranho! Sua mãe não tinha esse sorriso. *Il rit toujours.*

De novo, um silêncio.

– São astutos; domingo agiram de acordo... – disse, de repente.

– Oh! sem dúvida! – exclamei, prestando atenção. – Aliás, a comédia inteira fora bem urdida, mas representaram-na mal.

– Não falo disso. Mas sabe você também que foi intencionalmente que o negócio foi bem urdido, a fim de que aqueles que devam ver, vejam? Compreende?

– Não, não compreendo.

– *Tant mieux. Passons.*[80] Estou muito irritado hoje.

– Por que discutiu com ele hoje, Stiepan Trofímovitch – perguntei, num tom de censura.

– *Je voulais convertir.* Você ri, naturalmente. Aquela pobre tia, *elle entendra de belles choses.* Oh! meu amigo, acreditaria se lhe disser que ainda há pouco me senti patriota? Aliás, senti-me russo... Um verdadeiro russo não pode ser senão você e eu, *il y a là dedans quelque chose d'aveugle et de louche.*[81]

– Perfeitamente – repliquei.

– Meu amigo, a verdade real é sempre inverossímil, sabia? Para tornar a verdade verossímil, é preciso cercá-la necessariamente dum pouco de mentira. Os homens sempre agiram assim. Talvez haja nisso algo que não possamos compreender. Que pensa você? Será que haverá algo que não compreendamos nessa gritaria triunfante? Desejaria que assim fosse... quanto o desejaria!

---

75 Herói do romance *Pais e filhos*, de Turguéniev.

76 Personagem do romance *Almas mortas*, de Gógol.

77 É a palavra.

78 Fazer barulho em torno de seu nome.

79 Ele ri, ri muito, ri demais.

80 Tanto melhor. Deixemos passar.

81 Há dentro disso algo de cego e vesgo.

Fiquei calado. Ele conservou-se, também, em silêncio por muito tempo.

– Dizem que é o espírito francês – começou ele a balbuciar, como se tivesse febre. – E uma mentira. De que serve caluniar o espírito francês? Não há aqui, simplesmente, senão a nossa preguiça russa, a nossa debilidade, a nossa humilhante incapacidade de emitir uma ideia, nosso papel repugnante de "parasitas" dos outros povos. *Ils sont tous simplement de paresseux,*[82] o espírito francês nada tem que ver aqui. Oh! para bem da humanidade, deveriam ser os russos exterminados como parasitas nocivos! Na nossa mocidade tínhamos bem outras esperanças, Agora não compreendo mais nada, deixei de compreender. Sim, não vês, disse-lhe eu, não vês que se entre vocês a guilhotina é colocada em primeiro plano e com tal entusiasmo, é unicamente porque não há nada mais fácil que cortar cabeças, nada mais difícil que ter uma ideia? *Vous êtes des paresseux! Votre drapeau est une guenille, une impuissance.*[83] Essas *tieliegas*, ou como se diz lá fora, "esse rolar das *tieliegas* que levam pão à humanidade" seria mais útil que a Madona da Sistina, ou não sei como se diz lá fora entre eles... *une betise dans ce genre.*[84] Mas não compreendes, exclamei, não compreendes que tanto quanto de felicidade, tem o homem necessidade não menos indispensável, de desgraça? *Il rit!* Tu te habituaste, disse ele, a fazer belas frases repimpado num sofá de veludo. (Exprimiu-se em termos ainda mais grosseiros.) E note esse costume de tateamento entre pai e filho. Isto está bem, quando se está de acordo, mas quando se briga!...

Houve um momento de silêncio.

– *Cher* – disse ele, subitamente, erguendo-se com vivacidade, – sabe que é preciso absolutamente que isso acabe duma maneira ou doutra?

– Decerto – respondi.

– *Vous ne comprenez pas.* Passemos adiante... Em geral, pelo mundo todo, não há nada que acabe. No entanto, aqui, haverá um fim, é certo, absolutamente certo.

Levantou e pôs-se a andar pelo quarto, presa de extrema agitação, até que por fim, encaminhando-se para seu sofá nele se deixou cair, esgotado.

Na sexta-feira de manhã, Piotr Stiepânovitch dirigiu-se a algum lugar nos arredores, onde ficou até segunda-feira. Foi por intermédio de Lipútin que o soube. Foi, igualmente Lipútin quem me contou que Liebiádkin e a irmã moravam na outra margem, no subúrbio da Olaria. "Fui eu que fiz a mudança deles", acrescentou. Depois, passando a outro assunto, anunciou-me que Elisavieta Nikoláievna ia casar com Mavríki Nikoláievitch e que, embora a notícia não fôsse oficial, o noivado já se efetuara e era negócio concluído. No dia seguinte encontrei Elisavieta Nikoláievna acompanhada de Mavríki Nikoláievitch. Era sua primeira saída a cavalo desde sua doença. Quando me avistou de longe, seus olhos brilharam, fez-me um sinal com a cabeça e sorriu-me muito cordialmente. Contei tudo isto a Stiepan Trofímovitch; ele só prestou atenção às notícias a respeito dos Liebiádkini.

Agora que descrevi a enigmática situação em que fomos mergulhados durante aqueles oito dias, quando ainda nada sabíamos, vou retomar o fio de minha crônica, doravante com pleno conhecimento de causa, isto é, sabendo de que maneira

---

82 São simplesmente uns preguiçosos.

83 Sois preguiçosos! Vossa bandeira é um trapo, uma inutilidade.

84 Uma besteira nesse gênero.

os acontecimentos se desenrolaram. Começarei a partir do oitavo dia que se seguiu ao domingo, isto é, da segunda-feira à noite, porque foi na realidade a partir daquela noite que se iniciou "uma nova história".

III

Eram sete horas da noite. Nikolai Stavróguin encontrava-se sentado sozinho em seu gabinete – sua peça preferida – de teto alto, coberto de tapetes, guarnecido de móveis um pouco pesados, de estilo antigo. Estava sentado a um canto do sofá, vestido como para sair e, no entanto, parecia não ter intenção de fazer isso. Diante dele uma lâmpada coberta por um quebra-luz estava colocada em cima da mesa. Os lados e os ângulos daquela vasta peça achavam-se mergulhados na sombra. Seu olhar mostrava-se preocupado e concentrado, mas não completamente calmo; seu rosto, fatigado e levemente emagrecido. Sofria na verdade de uma inflamação; no que se referia ao dente quebrado, tinham exagerado; o dente, depois de ter sido abalado, reafirmara-se. O lábio superior, que se cortara internamente, estava agora quase cicatrizado. Se a inflamação durava havia uma semana é porque o doente não quisera receber o médico que teria aberto a tempo o tumor. Stavróguin esperara que o abcesso rebentasse por si mesmo. Não somente ao médico interditara a entrada em seu quarto, mas até mesmo à sua mãe que só deixava entrar alguns minutos e apenas uma vez por dia, ao cair da noite, antes que se acendesse a lâmpada. Recusou igualmente receber Piotr Stiepânovitch que passava duas ou três vezes por dia em casa de Varvara Pietrovna, enquanto permaneceu na cidade. Piotr Stiepânovitch regressou na segunda-feira depois de uma ausência de três dias. Correra de uma extremidade à outra da cidade e jantara em casa de Iúlia Mikháilovna, de modo que somente à noite apareceu em casa de Varvara Pietrovna que o aguardava com impaciência. A proibição fora levantada, Nikolai Vsiévolodovitch recebia. A própria Varvara Pietrovna conduziu o visitante até a porta do gabinete de trabalho. Desde muito tempo ela desejava aquela entrevista e fizera Piotr Stiepânovitch prometer que passaria por seus aposentos ao sair dos de seu filho para lhe contar a conversa havida. Deu algumas pancadinhas tímidas à porta e, não recebendo resposta, permitiu-se entreabri-la um pouco.

– Nikolai, posso deixar entrar Piotr Stiepânovitch? – perguntou ela em voz baixa, enquanto se esforçava por examinar o rosto dele por trás da lâmpada.

– Decerto, decerto, é claro – gritou alegremente o próprio Piotr Stiepânovitch, que abriu a porta e entrou.

Nikolai Vsiévolodovitch não ouvira bater; só ouvira a pergunta tímida de sua mãe à qual não tivera ainda tempo de responder. Diante dele, naquele momento, achava-se uma carta que acabara de ler e que o mergulhara em profundas reflexões. Estremeceu de súbito, ouvindo a voz de Piotr Stiepânovitch, tentou esconder a carta sob um pesa-papéis, o que não conseguiu inteiramente. Um canto da carta e o envelope todo ficaram descobertos.

– Foi de propósito que gritei tão alto, para dar-lhe tempo de preparar-se – murmurou vivamente Piotr Stiepânovitch, com uma candidez impressionante. Aproximando-se da mesa, olhava fixamente o pesa-papel e o canto da carta.

– Bem entendido, teve você tempo de notar que eu procurava ocultar uma carta sob o pesa-papéis – disse tranquilamente Nikolai Vsiévolodovitch, sem se mover do lugar.

– Uma carta? Deus o guarde e à sua carta! Que me importam suas cartas? – exclamou o visitante. – Mas o principal... – continuou ele mansamente, voltando-se para o lado da porta já tornada a fechar e indicando aquela direção.

– Ela nunca escuta às portas – observou friamente Nikolai Vsiévolodovotich.

– Foi para o caso em que ela escutasse! – replicou vivamente Piotr Stiepânovitch, elevando alegremente o tom de voz e sentando-se numa poltrona. – Não vejo nisso inconveniente. Apenas, desta vez, vim falar-lhe a sós. Enfim posso vê-lo. Antes de tudo, sua saúde. Como vai? Vejo que isso vai muito bem e que amanhã talvez você virá, hem?

– Talvez.

– Tranquilize-os! Tranquilize-me! – exclamou, com ar faceto, não parando de gesticular. – Se soubesse o que tive de contar-lhes! Aliás, você bem pode imaginar. – Começou a rir.

– Não sei de nada absolutamente. Minha mãe me disse somente que você se movimentou muito.

– Quer dizer, nada de concreto – exclamou de repente Piotr Stiepânovitch, como se tivesse querido aparar um golpe terrível. –Veja você, somente falei da mulher de Chátov, isto é, das relações que você manteve com ela em Paris, o que bastaria para explicar o caso de domingo. Não está zangado?

– Estou persuadido de que você teve muito trabalho.

– Ah! eis certamente o que eu temia. Mas, aliás, que quer dizer "ter muito trabalho"? Isto soa como uma censura. Aliás, você planta a questão francamente. O que temia eu mais vindo aqui era que você se recusasse a ir diretamente ao fato.

– Não quero ir diretamente a nada – replicou Stavróguin com certa irritação; mas logo soltou uma risada de escárnio.

– Ah! não me refiro a isso! não a isso! Você se engana, não a isso – gritou Piotr Stiepânovitch, agitando os braços e debulhando suas palavras como ervilhas. Estava satisfeito com a irritação de Stavróguin. – Não o aborrecerei com o nosso negócio, sobretudo no estado em que você se encontra. Vim somente por causa dos acontecimentos de domingo; não se pode deixar as coisas assim, não é? Vim para trazer-lhe as explicações mais francas; são-me necessárias, a mim e não a você, seja isto dito para poupar-lhe o amor-próprio, e é, aliás, a verdade. Vim para ser doravante completamente sincero.

– Por consequência, isto significa que você não era sincero antes?

– Você mesmo sabe muito bem. Frequentes vezes usei de astúcia. Você sorri, fico contente com isso, terei assim um pretexto para uma explicação. Foi de propósito que provoquei esse sorriso servindo-me da palavra "astúcia", a fim de que você não se zangasse imediatamente. Como me veio a ideia de que poderia usar de astúcia? Quis também ter imediatamente uma ocasião de explicar-me. Veja, veja, como sou sincero. Pois bem! quer ouvir-me?

O rosto de Stavróguin, que exprimia uma ironia desdenhosa, ficara calmo até *então, apesar da evidente* intenção do visitante de irritar seu anfitrião com a desfaçatez de grosseiras ingenuidades calculadas de antemão. As derradeiras palavras de Piotr Stiepânovitch suscitaram em Nikolai Vsiévolodovitch uma curiosidade inquieta.

– Escute – começou Piotr Stiepânovitch, com mais vivacidade ainda. – Ao vir aqui, quero dizer, a esta cidade, há dez dias, estava decidido a representar um personagem. Seria melhor não representar nenhum personagem e ser eu mesmo, não é verdade? Nada de mais astuto que mostrar seu próprio rosto, porque ninguém nele acredita. Quis bancar o simplório, achando que era mais simples parecer pateta que autêntico. Mas sendo a patetice um excesso que provoca curiosidade, decidi-me ser eu mesmo. Vamos, que sou eu em definitivo? Uma "áurea mediocridade"; um homem nem bobo, nem inteligente, bastante mal dotado, que caiu da lua, como diz a boa gente daqui. Não é?

– Talvez – observou Stavróguin com um sorriso imperceptível.

– Ah! está de acordo? Isto me causa prazer. Já sabia que você pensava assim. Não se inquiete, não se inquiete, é inútil, totalmente inútil, não estou zangado. Se me exprimi assim, não foi para provocar de sua parte elogios em retribuição. "Não, você não é mal dotado, você é inteligente, etc..." Ah! sorri de novo? Eis-me ainda uma vez na armadilha. Você não me teria dito: "você é inteligente"! Bem, aceito. *Passons,* como diz meu pai. Entre parênteses, não se aborreça por causa de minha verborragia. Eis um exemplo: falo sempre muito, muito demais, isto é, sirvo-me de demasiadas palavras e falo demasiado depressa, e entretanto não consigo... Por quê? Porque não sei falar. Os que sabem falar, falam com brevidade. Assim temos uma prova de minha falta de talento, não é? Mas como essa falta de talento é em mim um dom natural... por que não me serviria disso artificialmente? É, aliás, o que faço. Na verdade, e... Na verdade, quando me preparava para vir aqui, pensava em calar-me, mas ficar calado requer um grande talento. Portanto isso não me convinha. Além disso, calar-se apesar de tudo, é perigoso. Decidi, pois, que o melhor era falar muito, como homem desprovido de talento, falar muito, muito, muito, apressar-me em adiantar provas e sempre, afinal de contas, enredar-me nos meus próprios argumentos para o que o ouvinte deixe a gente sem escutar até o fim, erguendo os ombros, ou, melhor ainda, cuspindo de desprezo. Este processo oferece vantagens. Primeiro: todos ficam convencidos de nossa bonomia; segundo: fica-se cheio da gente até acima da cabeça; terceiro: você não foi compreendido. Portanto, três vantagens duma assentada. Depois disto, quem poderia ainda pretender que tenho intenções misteriosas? Cada qual se sentiria pessoalmente ofendido, se lhe afirmassem que nutro semelhantes desígnios. E ainda algumas vezes faço-os rir, o que é precioso. Já me perdoam tudo, pelo simples fato de que o sábio que, lá fora, publicava proclamações, revelou-se aqui mais estúpido que eles próprios. Não é verdade? Pelo seu sorriso, já vejo que é dessa opinião.

Nikolai Vsiévolodovitch não sorria absolutamente; pelo contrário, escutava com impaciência, franzindo o cenho.

– Hem? O quê? Creio que você disse: dá no mesmo – continuou Piotr Stiepânovitch (Nikolai Vsiévolodovitch não havia dito nada). – Sem dúvida, sem dúvida, asseguro-lhe que não é absolutamente para comprometê-lo com a minha camaradagem... Ah! mas sabe de uma coisa? você está extremamente susceptível hoje. Vim à sua casa de coração contente e aberto, e sob cada uma de minhas palavras suspeita você intenções pérfidas. Asseguro-lhe que hoje não tratarei com você de nenhum assunto delicado. Dou-lhe minha palavra e subscrevo, de antemão, todas as suas condições.

Nikolai Vsiévolodovitch mantinha um silêncio obstinado.

– Ah! o quê? Disse alguma coisa? Vejo, vejo que cometi nova rata. Você não propôs nenhuma condição e não proporá nenhuma. Tenho certeza disso, tenho certeza disso. Vamos, acalme-se; eu mesmo sei que não vale a pena propô-las, não é? E naturalmente faço por falta de talento, por falta de talento apenas, nada mais senão por falta de talento, não é? Você ri. Hem? O quê?

– Nada – sorriu afinal Nikolai Vsiévolodovitch, – acabo de lembrar-me de que, uma vez, com efeito, eu disse que lhe faltava talento, mas como você não estava presente, devem ter decerto contado o fato a você. Além disso, peço-lhe que vamos depressa ao fato.

– Mas eis-me plenamente nele. Falo justamente do que se passou domingo – balbuciou Piotr Stiepânovitch. – Pois bem! Como me comportei no domingo na sua opinião? Foi precisamente essa incapacidade trapalhona que me fez logo, da maneira mais tola, apoderar-me da conversa. Mas tudo me perdoaram: primeiro, porque caí da lua, toda a gente aqui está persuadida efetivamente disso; segundo, porque contei uma história tão bela e tirei a todos do embaraço, não é? Não é verdade?

– Quer dizer que você contou de maneira que a dúvida subsiste e que se possa acreditar num acordo entre nós, quando não havia nenhum acordo e eu não o encarreguei de nada.

– Justamente, justamente... – afirmou Piotr Stiepânovitch num transporte de entusiasmo: – Foi deliberadamente que agi assim, a fim de que você pudesse ver a mola. Foi por você que representei toda essa comédia, porque eu lhe preparava uma armadilha e queria comprometê-lo. E, sobretudo, queria saber até que ponto você tem medo.

– Seria curioso saber por que você se mostra tão franco agora?

– Oh! não se zangue, não se zangue. Que seus olhos não lancem relâmpagos!... Aliás, não lançam... Assim, seria curioso saber por que sou tão franco? Simplesmente porque agora tudo está mudado, acabado, passado, recoberto de areia: de repente mudei de opinião a seu respeito. Abandonei por completo meu antigo modo de proceder. Agora, não procurarei mais comprometê-lo à maneira antiga. Encontrei novo meio.

– Então a tática mudou?

– Não se trata aqui de tática. A partir de agora tudo depende de sua livre vontade. Se você quiser, diga sim, e diga não, se quiser. Eis toda minha nova tática. Não lhe direi uma palavra de nosso negócio até o momento em que você mesmo ordenará que eu fale. Ri? À vontade; também rio. Mas agora, estou sério, sério, sério, se bem que aquele que assim se despacha seja um homem sem talento, mas é seriamente, muito seriamente que falo.

Com efeito, falava seriamente, num tom bem diferente e com estranha excitação, tanto que Nikolai Vsiévolodovitch ergueu a vista para ele e fitou-o com curiosidade.

– Então você diz que mudou completamente de opinião a meu respeito?

– Sim, a partir do instante em que, após a bofetada de Chátov, cruzou as mãos atrás das costas. Mas basta, basta, por favor; trégua às perguntas. Não direi mais nada.

Fez menção de levantar precipitadamente, gesticulando com a mão como para se defender de outras perguntas; mas como não foi feita nenhuma e não havia razão para retirar-se, encolheu-se na sua poltrona, um pouco calmo.

– Entre parênteses – prosseguiu logo – alguns pretendem que você o matará. Isto é motivo de apostas. Lembke tinha mesmo a intenção de advertir a polícia, mas Iúlia Mikhaílovna proibiu. Mas basta, basta... estou lhe contando simplesmente a título de informação. Ah! uma coisa ainda: no mesmo dia fiz, como sabe, Liebiádkin mudar-se para o outro lado do rio. Recebeu minha carta com seu novo endereço?

– Sim, no mesmo dia.

– E não foi por "falta de talento", mas pelo desejo sincero de ser-lhe agradável. Se resulta parecer isso destituído de talento, a intenção era sincera.

– Sim, bem, talvez fosse preciso fazer isso – murmurou Nikolai Vsiévolodovitch pensativo. – Somente, não me dirija mais bilhetes, peço-lhe.

– Desta vez, era impossível fazer de outro modo, mas será a última.

– Portanto Lipútin está avisado?

– Impossível fazer de outro modo. Mas você mesmo sabe que Lipútin não ousará... Aliás, seria preciso ir uma vez à casa dos "nossos", isto é, à casa deles, não à casa dos "nossos", porque você irá mais vez fazer chicana comigo a respeito da palavra. Fique sem inquietude, não agora imediatamente, porém mais tarde. No momento, está chovendo. Vou avisá-los, eles se reunirão e iremos vê-los uma noite. Esperam-nos, de bico aberto como uma ninhada de pequenos corvos que esperam o pasto. Estão entusiasmados. Assim que têm um livro na mão, é para discutir. Virguínski é "pela humanidade", Lipútin fourierista com forte inclinação pelos métodos policiais. Um homem precioso, em certo sentido, confesso, mas que por outra parte deve ser tratado com severidade. O terceiro, enfim, o homem das orelhas compridas, imaginou seu próprio sistema. Estão todos magoados porque os trato sem contemplação e quando preciso, lavo-lhes a cabeça. Mas, no entanto, será absolutamente preciso visitá-los.

– Você sem dúvida apresentou-me como uma espécie de chefe? – perguntou Nikolai Vsiévolodovitch do modo mais negligente do mundo.

Piotr Stiepânovitch lançou-lhe rápida olhadela. Em seguida passou muito depressa a outro assunto, fingindo não ter mesmo ouvido a pergunta.

– A propósito – disse ele, – passei duas ou três vezes pelos aposentos da estimadíssima Varvara Pietrovna e fui obrigado a falar muito.

– Imagino.

– Não imagine nada. Só fiz afirmar que você não mataria Chátov e outras coisas desse gênero. Mas imagine que no dia seguinte ela já sabia que eu fizera Maria Timofiéievna mudar-se para a outra margem. Foi você quem a informou?

– Nem mesmo pensei nisso.

– Sabia bem que não fora você. Mas quem pôde dizer-lhe, senão você? Eis o que é curioso.

– Foi sem dúvida Lipútin.

– Não, não foi Lipútin – murmurou Piotr Stiepânovitch, franzindo o cenho. – Mas saberei quem foi. Muito me parece que tenha sido Chátov. Mas deixemos essas besteiras! Aliás, é extremamente importante... A propósito, sempre esperei que sua mãe me faria a pergunta capital... Sim, em todos estes últimos dias, estava ela dum humor negro. Hoje, chego e encontro-a radiante. Que é isso?

– Vem de que hoje lhe prometi que, num prazo de cinco dias, pediria a mão de Elisavieta Nikoláievna – respondeu, de repente, Nikolai Vsiévolodovitch, com uma franqueza inesperada.

– Ah! eis... eis... é então isso – balbuciou Piotr Stiepânovitch, com um ar constrangido. – Fala-se lá embaixo de noivado, como sabe. Mas você tem razão, mesmo sob uma coroa, ela não escaparia ao seu primeiro apelo. Não se zangue, se lhe falo assim.

– Não, não me zango absolutamente.

– Noto que é muito difícil hoje fazê-lo zangar-se e começo a ter medo de você. Estou muito curioso de saber em que estado aparecerá amanhã. Combinou decerto mais de uma pilhéria. Não está zangado comigo por ter-lhe...

Nikolai Vsiévolodovitch não respondeu, o que irritou extremamente seu interlocutor.

– O que você disse à sua mãe a respeito de Elisavieta Nikoláievna é sério? – perguntou ele.

Nikolai Vsiévolodovitch fitou-o fria e fixamente.

– Ah! compreendo, é apenas para acalmá-la. Sim, sim.

– E se tivesse sido seriamente que o disse? – perguntou Nikolai Vsiévolodovitch, num tom resoluto.

– Pois bem! Deus venha em seu auxílio, como se diz. Isto não prejudicará em nada o negócio (viu você? não disse nosso negócio; você não gosta da palavra "nosso" e quanto a mim...) pois bem! estou sempre pronto a prestar-lhe serviço, como sabe.

– Acredita?

– Não creio em nada, absolutamente em nada – apressou-se em responder Piotr Stiepânovitch, rindo. – Sei que no que se refere aos seus negócios você não deixa que coisa alguma corra ao acaso, mas que tudo seja previsto. Aliás, quereria somente dizer-lhe, e isto muito seriamente, que estou à sua disposição, sempre, em toda parte e em todas as circunstâncias... ao pé da letra, completamente a seu serviço. Compreende?

Nikolai Vsiévolodovitch bocejou.

– Aborreço-o pelo que vejo – disse Piotr Stiepânovitch, levantando bruscamente e agarrando sua cartola, novinha, como para sair. Mas não saiu e continuou a conversa. De tempos em tempos, dava alguns passos pelo quarto e nos momentos de animação batia com a cartola no joelho.

–Ah! sim, queria contar-lhe ainda alguma coisa a respeito dos Lembke para fazê-lo rir – exclamou ele, voltando à jovialidade.

– Não, doutra vez... Como vai Iúlia Mikháilovna?

– Como os hábitos mundanos são fortes em vocês todos! A saúde de Iúlia Mikháilovna interessa-o tão pouco quanto a saúde de quem quer que seja. E no entanto, informa-se dela. Acho isto meritório. Iúlia Mikháilovna está passando bem, tem por você um respeito que chega às raias da superstição. Acredita-o capaz de realizar grandes coisas. A respeito dos acontecimentos de domingo, guarda silêncio e continua persuadida de que bastará seu aparecimento para que tudo se arranje. *Ela imagina*, palavra de honra, que você pode Deus sabe o quê. Aliás, você se tornou um personagem ainda mais enigmático do que outrora... essa atmosfera de romantismo em torno de você é uma posição extremamente vantajosa. Todos o aguardam com impaciente curiosidade. No momento em que saí de viagem, estavam já muito exaltados, agora estão-no mais ainda. A propósito, agradeço-lhe muito ter-me arranjado a carta. O Conde K*** é aqui temido e respeitado. Quanto a você, consideram-no um espião. Encorajo-os nesta convicção, não me quer mal por isso?

– Não.

– Isto não tem importância e para o futuro será importante. As pessoas daqui têm suas pequenas manias, e, naturalmente, incito-as a perseverarem nelas. Iúlia Mikháilovna em primeiro lugar, Gagânov em seguida... Ri? Mas eu também tenho minha tática; minto, minto, e, de repente, largo uma palavra justa e isto no momento preciso em que é ela desejada e esperada. Sou logo cercado, interrogam-me, dão-me ouvidos... mas, de novo, nado já em plena mentira. Toda a gente desiste de compreender. "Ah! Aquele lá, dizem, não é bobo, mas caiu da lua." Lembke quer tomar-me a seu serviço para que me corrija. Oh! se você soubesse como eu o maltrato, quero dizer, como o comprometo! Ele está aturdido. Iúlia Mikháilovna corre em auxílio. Queria dizer ainda que Gagânov está grandemente encolerizado contra você. Ontem, em Dúchov, falou-me muito mal de você. Fiz com que compreendesse de imediato a verdade, não toda a verdade, é claro. Fiquei em casa dele, em Dúchov, ontem, o dia inteiro. Uma magnífica propriedade, uma bela casa.

– Como, ele está ainda agora em Dúchov? – exclamou vivamente Nikolai Vsiévolodovitch, levantando quase e dando um passo para diante.

– Não, trouxe-me para cá pela manhã, voltamos juntos – disse com calma Piotr Stiepânovitch, que fingia não notar a exaltação de Stavróguin. Ora essa, que livro foi que fiz cair? – Baixou-se para apanhar o *Keepsake*[85] – *As mulheres,* de Balzac, com gravuras. – Não li – disse ele, abrindo o livro. – Lembke também escreve romances.

– É mesmo? – perguntou Stavróguin, como se a coisa o interessasse realmente.

– Romances russos, naturalmente, e às ocultas. Iúlia Mikháilovna é a única a saber e autoriza-o a isso. Que gorro de dormir e que pretensões! Como tudo isso é trabalhado! Que rigorismo, que compostura! Se pelo menos tivéssemos isso, também nós!

– Você louva a administração?

– E por que não? É a única coisa que entre nós, na Rússia, anda por si e parece em boa forma... não, não, não direi... não direi; esteja tranquilo – interrompeu-se subitamente. – Não abordarei esses assuntos delicados, fique tranquilo. E agora, adeus. Está com muito mau aspecto.

– Sim, estou com febre.

– Parece... é preciso metê-lo na cama. Ah! a propósito, há *skóptsi* no distrito, gente engraçada... mas deixemos isso. Ainda uma anedota. Há aqui na vizinhança um regimento de Infantaria. Na sexta-feira à noite, em B***, bebi um gole com os oficiais. Temos três de nossos amigos lá, compreende? Falou-se de ateísmo e naturalmente liquidou-se Deus. Eles urravam de alegria. Chátov entre outros afirmou que, se se quiser fazer a revolução na Rússia, é pelo ateísmo que se deve começar. Talvez tenha razão. Um velho capitão de cabelos grisalhos, que ficara muito tempo sem nada dizer, ergueu-se de repente, foi colocar-se no meio da sala, e, imagine

85 Literalmente: lembrança, presente. Peça ou objeto que se oferece como recordação; também livro ou álbum, ilustrados, muito em voga no fim do século XIX.

você, disse em voz alta, como se falasse consigo mesmo: "Se não há Deus, como posso eu depois disso ser capitão?". Dizendo isto, pegou seu boné e saiu.

– Ele exprimiu uma ideia bastante consequente – observou Stavróguin, bocejando pela terceira vez.

– Deveras? Não a compreendera e queria interrogá-lo... Ah! sim, a fábrica dos Chpigúlini, muito interessante... Quinhentos operários, como você sabe. Um verdadeiro foco de cólera. Desde mais de quinze anos que não a limpam nem uma vez. Encontram-se sempre meios de diminuir os salários. Quanto aos patrões, são milionários. Garanto-lhe que entre os operários, há um bom número que tem alguma ideia da Internacional[86]. O quê? Sorri? Pois bem, verá, conceda-me apenas um pouco de tempo. Já lhe pedi um prazo. Peço-lhe mais outro. Oh! perdão, detenho-me. Não franza a testa, acabei. Adeus. Ah! mas... – voltou ainda uma vez, – tinha decididamente esquecido o principal. Acabam de dizer-me que nossa mala chegou de Petersburgo.

– Sim; e então? – perguntou Nikolai Vsiévolodovitch sem compreender.

– Quero dizer sua mala, com suas coisas, paletós, calças e roupa branca... É bem isto, não?

– Sim, com efeito, falaram-me.

– Não se poderia ter tudo isso imediatamente?...

– Pergunte a Alieksiéi.

– Pois seja, mas, amanhã de manhã? Deve lembrar-se de que com suas roupas encontra-se meu paletó, três calças... da Casa Charmeur, que você me havia recomendado. Lembra-se?

– Ouvi dizer que você representava o papel de um dândi... – disse, sorrindo, Nikolai Vsiévolodovitch. – É verdade que quer tomar lições de equitação?

Piotr Stiepânovitch mostrou um sorriso crispado.

– Sabe – começou ele de repente, muito depressa, com uma voz entrecortada e trêmula, – sabe, Nikolai Vsiévolodovitch, deixemos de lado as questões pessoais, de uma vez por todas, não é? Naturalmente, pode você desprezar-me quanto lhe aprouver, se alguma coisa em mim se prestar ao ridículo. Mas repito-o, façamos durante um momento abstração das questões pessoais, não é?

– Bem – murmurou Nikolai Vsiévolodovitch, – não o farei mais...

Piotr Stiepânovitch sorriu, bateu seu chapéu contra o joelho e suas feições retomaram sua expressão habitual.

– Algumas pessoas aqui pensam que sou seu rival junto a Elisavieta Nikoláievna. Como haveria você de querer que eu não tivesse cuidados com a minha aparência exterior? – perguntou ele, rindo. – Mas quem é então que o informa de tudo assim? Hum!... já são oito horas; preciso ir. Tinha prometido à sua mãe passar por seus aposentos, mas é impossível. Volte a dormir e amanhã estará melhor. Lá fora já é noite cerrada e chove... Aluguei um fiacre porque de noite as ruas não são seguras. Ah! a propósito, vagueia por aqui, nos arredores, um tal Fiedka, forçado evadido da Sibéria. Imagine que é um dos meus antigos servos que meu querido pai vendeu

86 Associação internacional das organizações socialistas operárias de diversos países, fundada em 1866 e cujos chefes e principais teóricos foram Karl Marx, Engels e Bakunin. Posteriormente chamada de Primeira Internacional, foi substituída (1904) pela II Internacional. Mais tarde, desdobrou-se na III Internacional (1920) Comunista, e na IV Internacional (1922) Socialista.

como soldado, há uns quinze anos, para embolsar o dinheiro, naturalmente. Personagem notabilíssirno esse Fiedka.

– Você... falou-lhe? – perguntou Nikolai Vsiévolodovitch, erguendo de súbito a vista.

– Sim, não tem medo de mim. Está pronto a fazer não importa o que, não importa o que, por dinheiro, é claro... mas tem também convicções, à sua maneira, bem entendido... Sim... uma coisa ainda... se suas intenções de ainda há pouco, a respeito de Elisavieta Nikoláievna, são sérias, repito-lhe ainda uma vez que eu também sou um personagem pronto a tudo fazer para prestar-lhe serviço da maneira que você entender. Estou inteiramente às suas ordens. Como, procura sua bengala? Ah! não, não é sua bengala. Imagine que pensara que você procurasse uma bengala.

Stavróguin não procurava nada, não dizia nada. Todavia tinha-se realmente erguido e seu rosto tomara uma misteriosa expressão.

– Se você tem necessidade de alguma coisa no que se refere a Gagânov – acrescentou Piotr Stiepânovitch, apontando a carta e o envelope sob o pesa-papéis, – não é preciso dizer que posso arranjar tudo e, estou convencido, você não poderá me dispensar.

E sem esperar a resposta, deixou o quarto, mas passou ainda a cabeça uma derradeira vez pelo vão da porta.

– Digo isto porque Chátov, por exemplo – proferiu ele muito depressa, – não tinha tampouco o direito de arriscar sua vida, no domingo passado, atacando-o, não é? Gostaria que você pensasse nisso.

Eclipsou-se de novo, sem esperar resposta.

IV

Talvez Piotr Stiepânovitch pensasse que Nikolai Vsiévolodovitch, uma vez sozinho, se pusesse a dar murros contra a parede. Teria bem querido sem dúvida poder assistir a essa cena. Neste caso enganava-se grandemente; Nikolai Vsiévolodovitch ficou perfeitamente calmo. Ficou, cerca de dois minutos, perto da mesa, na mesma atitude, mergulhado aparentemente em profundas reflexões; logo um sorriso frio e cansado aflorou-lhe aos lábios. Sentou de novo lentamente no grande sofá, no mesmo lugar, no ângulo, fechou os olhos, como que tomado de fadiga. Um dos cantos da carta continuava à mostra sob o pesa-papéis; entretanto não fez um gesto para dissimulá-la.

Em breve esqueceu-se completamente no sono. Desde alguns dias Varvara Pietrovna estava presa de grandes inquietações; quando viu que Piotr Stiepânovitch ia-se embora sem cumprir sua promessa de ir falar-lhe, não se conteve mais e decidiu ir ela mesma aos aposentos de Nikolai, apesar da hora indevida. Não cessara de esperá-lo: não lhe diria enfim Piotr Stiepânovitch algo de definitivo? De mansinho, como antes, bateu à porta. Não recebendo nenhuma resposta, arriscou-se a abri-la. Quando o viu tão estranhamente imóvel e silencioso, avançou prudentemente para o sofá. Estava de certa forma estupefata por ele ter adormecido tão depressa e naquela posição, sentado e inerte; mal se percebia mesmo sua respiração. Seu rosto, que estava lívido e severo, parecia absolutamente imóvel e gelado; tinha o ar sombrio, os supercílios um pouco erguidos e contraídos e assemelhava-se em tudo a uma figura de cera inanimada. Varvara Pietrovna ficou assim dois ou três minutos diante dele, retendo sua respiração, e de repente foi tomada de terror. Afastou-se na ponta dos pés. Entretanto, na soleira da porta, parou um instante, voltou-se, fez sobre seu filho o sinal da cruz, com um gesto rápido e, sem ter sido notada, deixou o quarto, com o coração cheio duma nova angústia e dum sombrio pressentimento.

Ele dormiu muito tempo, mais de uma hora; e sempre no mesmo entorpecimento; nem um músculo de seu rosto estremeceu, nem o menor movimento se manifestou em seu corpo. Os supercílios continuaram contraídos. Se Varvara Pietrovna tivesse ficado mais alguns minutos perto dele, não teria decerto podido suportar a impressão esmagante daquela imobilidade letárgica e o teria acordado, sem dúvida. De súbito, reabriu ele os olhos, mas conservou durante dez minutos pelo menos a mesma imobilidade, os olhos fixos a um canto do quarto, como se contemplasse com atenção e curiosidade algum objeto espantoso, embora ali nada se encontrasse de novo, nem de singular.

Por fim ressoou o som suave e profundo do grande relógio; estava dando meia hora. Tomado de certa inquietude, Nikolai Vsiévolodovitch voltou a cabeça para ver a hora. Mas no mesmo instante, a porta que dava para o corredor abriu-se e o mordomo Alieksiéi Iegórovitch apareceu. Trazia no braço uma capa espessa, um lenço de pescoço e um chapéu, e, na mão direita, segurava uma bandeja de prata sobre a qual se via uma carta.

– Nove horas e meia – anunciou ele em voz baixa, depois de ter colocado as roupas sobre uma cadeira e apresentado a Nikolai Vsiévolodovitch a carta, um pequeno pedaço de papel, não lacrado, sobre o qual estavam escritas algumas linhas a lápis. Stavróguin depois de lê-las, pegou de cima da mesa um lápis e rabiscou algumas palavras no mesmo papel que repôs, em seguida, não lacrado, sobre a bandeja.

– Para remeter imediatamente depois de minha saída – disse ele, levantando. – Ajuda-me a vestir.

Notando que trazia um leve jaquetão de veludo, refletiu um instante, depois pediu que lhe trouxesse a sobrecasaca de casimira que usava para fazer suas visitas de cerimônia. Depois que completou seu vestuário e pôs o chapéu na cabeça, fechou à chave a porta pela qual sua mãe entrara e, tirando de sob o pesa-papéis a carta que escondera, saiu para o corredor, seguido por Alieksiéi Iegórovitch. Do corredor, passaram por uma estreita escada escondida e chegaram a uma sala que dava diretamente para o jardim. Num canto da antecâmara encontravam-se, preparados de antemão, uma pequena lanterna e um grande guarda-chuva.

– Chove tanto nestes últimos dias que a lama na rua está insuportável – anunciou Alieksiéi Iegórovitch, tentando com esse tímido esforço, pela derradeira vez, desviar seu patrão da viagem que ia empreender. Mas Stavróguin abriu seu guarda-chuva e meteu-se em silêncio pelo velho parque, sombrio, úmido, como uma adega. O vento sussurrava e agitava os cimos das grandes árvores já meio despojadas de suas folhas. Os estreitos caminhos cobertos de areia estavam lamacentos e escorregadios. Alieksiéi Iegórovitch seguia tal como estava, de paletó, sem chapéu. Com sua lanterninha na mão, precedia de três passos seu patrão, alumiando o caminho.

– Será que não nos verão? – perguntou de repente Nikolai Vsiévolodovitch.

– Das janelas não se verá nada e, aliás, todas as precauções foram tomadas – respondeu o criado num tom baixo e medido.

– Mamãe está deitada?

– Retirou-se às nove horas segundo o hábito que tomou nestes últimos dias. É impossível que ela saiba o que quer que seja. Quando o senhor ordena que venha esperá-lo? – acrescentou, atrevendo-se afinal a fazer uma pergunta.

– Daqui a uma hora, uma hora e meia, não mais tarde que duas horas.

– Às suas ordens.

Através das aleias sinuosas, percorrendo quase todo o parque que ambos conheciam de cor, chegaram até o muro e, no lugar onde este formava um ângulo, dirigiram-se para uma portinha que dava acesso a um beco sombrio e estreito. Aquela porta estava quase sempre fechada à chave, mas essa chave encontrava-se agora entre as mãos de Alieksiéi Iegórovitch.

– A porta não rangerá? – perguntou Stavróguin.

Alieksiéi Iegórovitch respondeu que a havia lubrificado na véspera, "bem como hoje". Já estava molhado da cabeça aos pés.. Depois de ter aberto a porta, entregou a chave a seu amo.

– Se o senhor tem a intenção de fazer uma longa caminhada, permita-me que lhe lembre que não nos podemos fiar nas pessoas daqui, sobretudo na populaça dessas ruas afastadas e, ainda menos, na da outra margem – não pôde ele evitar ainda acrescentar. Era um velho servidor que, outrora, ninara Nikolai Vsiévolodovitch, quando menino, em seus braços e brincara com ele. Um homem austero, dócil à palavra de Deus e que lia de boa vontade as Santas Escrituras.

– Fique tranquilo, Alieksiéi Iegórovitch.

– Que Deus o abençoe, patrão, mas para boas obras apenas.

– Como? – perguntou Nikolai Vsiévolodovitch, que parou na soleira da porta.

O velho servidor repetiu com voz firme seu voto. Nunca até então ousara exprimir-se naqueles termos diante de seu amo.

Stavróguin não respondeu nada, fechou a porta à chave, pôs a chave no bolso, seguiu pelo beco, atolando-se na lama cinco polegadas a cada passo. Alcançou por fim uma rua comprida e deserta, mas que, por sorte, estava calçada. Conhecia a cidade na ponta dos dedos; mas a Rua da Epifania estava ainda longe. Eram mais de dez horas, quando parou diante do portão da velha casa de Filípov. Desde a partida dos Liebiádkini, o rés do chão estava desabitado. As janelas estavam tapadas com pranchas pregadas à parede. Mas na mansarda, onde vivia Chátov, uma luz brilhava. Como não houvesse campainha, Stavróguin assestou grandes murros contra a porta. Uma janelinha abriu-se e Chátov mergulhou o olhar na rua. Era tão densa a escuridão reinante que teria sido difícil reconhecer alguém. Durante um longo minuto, Chátov explorou as trevas.

– *É o senhor?* – perguntou ele de repente.

– Sim – respondeu o visitante inesperado.

Chátov tornou a fechar a janela, desceu e abriu a porta.

Nikolai Vsiévolodovitch transpôs o limiar, sem pronunciar uma só palavra passou diante de Chátov e dirigiu-se diretamente para a casinha, no fundo do pátio, onde morava Kirílov.

V

Ali, nada estava fechado à chave. A antecâmara e as duas primeiras peças estavam no escuro, mas a terceira, aquela onde vivia Kirílov e tomava chá, achava-se iluminada; dela provinham risadas e estranhos latidos. Nikolai Vsiévolodovitch dirigiu-se para a luz, mas antes de entrar deteve-se no limiar. O chá estava servido. No meio do quarto achava-se uma velha, uma parenta afastada que cuidava do serviço doméstico. De cabelos soltos, pés nus nos sapatos, estava simplesmente vestida com uma saia e uma camisola sem mangas, de pele de coelho. No braço, carregava uma criança de cerca de um ano e meio, vestida com uma camisinha curta, os pezinhos descobertos, as bochechas rosadas, os cabelos louros em desordem, a quem acabavam de tirar do berço. Acabara de chorar, sem dúvida, pois lágrimas ainda rolavam de seus olhos; naquele momento agitava as mãozinhas, entrechocava-as e ria como riem as criancinhas, com ligeiros soluços. Diante da criança, Kirílov lançava contra o soalho uma grande bola vermelha de borracha; a bola pulava até o forro, depois tornava a cair, enquanto a criança encantada gritava: "Bo-bo!" Kirílov apanhava a "bo"... e dava-a à criança. A criança, com suas mãozinhas desajeitadas, atirava-a e Kirílov corria a apanhá-la. Por fim a "bo" rolou para baixo do armário. "Bo...bo", gritava a criança. Kirílov estirou-se no chão, de barriga para baixo, para tentar puxar a bola com a mão. Foi neste momento que Nikolai Vsiévolodovitch entrou no quarto. À sua vista, a criança encolheu-se amedrontada de encontro à velha e pôs-se a lançar um grande grito lamentoso. A velha levou-a sem demora.

– Stavróguin? – disse Kirílov, sem que aquela visita inesperada de modo algum o espantasse. Levantou-se, mantendo a bola na mão. – Deseja chá?

– Com grande prazer, se estiver quente. Estou todo molhado.

– Está não só quente mas fervente – respondeu Kirílov todo contente. – Sente aqui. Sujou-se todo. Mas isto não tem importância. Passarei depois no soalho um pano molhado.

Stavróguin sentou-se e bebeu quase dum só trago a xícara que lhe servira Kirílov.

– Mais? – perguntou este último.

– Não, obrigado.

Kirílov, que então ficara de pé, sentou-se em frente de seu hóspede e perguntou:

– Por que veio?

– Por causa de certo negócio. Leia esta carta, peço-lhe. É de Gagânov. Lembre-se, já lhe falara dele em Petersburgo.

Kirílov pegou a carta, leu-a, pousou-a sobre a mesa, olhou Stavróguin e esperou.

– Como você sabe – pôs-se a explicar Nikolai Vsiévolodovitch, – vi esse Gagânov pela primeira vez em Petersburgo, há um mês apenas. Encontramo-nos três ou quatro vezes em sociedade. Nunca fomos apresentados um ao outro, nunca nos falamos, e, no entanto, achou ele meio de mostrar-se insolente a meu respeito. Contei-lhe tudo então. Há, entretanto, uma coisa que você ignora. Quando ele deixou Petersburgo, algum tempo antes de mim, escreveu-me uma carta que, se não fôsse tão ofensiva como esta, nem por isso deixava de ter um tom inadmissível. E, o mais estranho, é que não me indicava de modo algum as razões pelas quais a escrevera. Respondi-lhe logo e afirmei-lhe com toda a sinceridade que "já que se tratava sem nenhuma dúvida do incidente que ocorrera no clube quatro anos antes com seu pai", estava eu pronto, pela minha parte, a dirigir-lhe todas as minhas desculpas, pela simples razão de ter cometido aquele ato sem premeditação, quando estava doente. Não me respondeu e foi-se embora. Chego aqui, onde o encontro presa dum verdadeiro acesso de raiva contra mim. Contaram-me as coisas que ele diz em público a meu respeito, coisas totalmente injuriosas e que contêm incríveis acusações. E eis que hoje me chega esta carta, tal que ninguém jamais recebeu igual. Expressões como esta "sua bochecha esbofeteada". Vim cá esperando que não me recusará servir-me de testemunha.

– O senhor diz que ninguém jamais recebeu carta igual – observou Kirílov. – Num acesso de raiva, é possível? isto se tem visto muitas vezes. Púchkin escreveu assim a Hekerne. Está bem, irei. Indique-me o que devo fazer.

Nikolai Vsiévolodovitch explicou a Kirílov que deveria passar no dia seguinte em casa de Gagânov. Devia renovar suas desculpas e até mesmo prometer uma segunda carta de desculpas, esta última somente com a condição de que Gagânov daria sua palavra de não mais escrever-lhe nenhuma carta ofensiva. Mediante o que, declarava-se Nikolai Vsiévolodovitch pronto a considerar como nula e não escrita a última carta de Gagânov.

– Demasiadas concessões. Ele não aceitará... – replicou Kirílov.

– Antes de tudo, vim para perguntar-lhe se está disposto a transmitir-lhe estas condições.

– Transmitirei sim, o negócio é seu, mas ele não consentirá.

– Sei disso.

– Quer bater-se. Diga quais são suas condições.

– A principal é que quero que a questão seja resolvida amanhã. Às nove horas, você estará em casa dele. Vai ouvi-lo, mas rejeitará seu pedido e vai encaminhá-lo para a testemunha dele, digamos cerca das dez horas. Você arranjará as coisas com essa testemunha para que todos se encontrem a uma ou duas horas reunidos no terreno. Peço-lhe insistentemente que faça tudo quanto depender de você para que as coisas se passem como acabo de indicar-lhe. A arma será naturalmente a pistola. Quanto ao resto, eis o que lhe peço de modo todo particular: que as barreiras sejam distantes uma da outra dez passos. Coloquem cada um de nós igualmente a dez passos das barreiras. Ao sinal convencionado, avançaremos ao encontro um do outro. Cada qual deverá necessariamente ir até a barreira; todavia, ele poderá atirar antes, enquanto andar. É tudo, creio.

– Dez passos entre as barreiras – observou Kirílov, – é demasiado perto.

– Ah! bem, ponhamos doze, mas não mais. Você compreende que ele quer bater-se seriamente. Você sabe carregar uma pistola?

– Sim, eu mesmo tenho pistolas. Darei minha palavra de honra que o senhor ainda não atirou com minha pistola. A testemunha dele dará também sua palavra de honra pelas suas. Então tiraremos a sorte para saber quais delas empregar; as dele ou as suas.

– Perfeitamente.

– Quer ver minhas pistolas?

– Pois não.

Kirílov agachou-se diante de sua mala, que não havia ainda desarrumado e da qual ia tirando os objetos à medida que deles tinha necessidade. Tirou do fundo um cofrezinho de madeira de palmeira, forrado internamente de veludo vermelho e dele extraiu duas pistolas dum modelo excelente.

– Tenho tudo quanto é preciso, pólvora, balas, cartuchos. E ainda um revólver, espere.

De novo, rebuscou em sua mala e dela retirou um segundo estojo contendo um revólver americano de seis tiros.

– Você tem armas? E armas que custam caro.

– Extremamente caro.

Pobre, quase indigente, Kirílov que, aliás, jamais notara sua pobreza, mostrava agora com um orgulho evidente aqueles objetos de valor que devera ter adquirido ao preço de enormes sacrifícios.

– Persiste ainda na sua ideia? – interrogou Nikolai Vsiévolodovitch, não sem certa reserva e depois de um curto silêncio.

– Na mesma – respondeu brevemente Kirílov. Pelo tom com que a pergunta fora feita, compreendera imediatamente do que se tratava. Kirílov começou a arrumar as armas.

– E... quando... – prosseguiu Nikolai Vsiévolodovitch, com mais circunspecção ainda e depois de novo silêncio prolongado.

Kirílov tornara a colocar os dois estojos na sua mala e voltado a seu lugar.

– Isto não depende de mim, como o senhor sabe. Quando me ordenarem... – balbuciou, como que um pouco constrangido por aquela pergunta, mas visivelmente pronto a responder a outras. Contemplava Stavróguin com seus olhos negros, sem brilho, que conservavam uma expressão de calma e suave benevolência.

– Compreendo, certamente, suicidar-se... – prosseguiu Nikolai Vsiévolodovitch, após um longo silêncio e profunda meditação. Seu rosto ensombrecera-se. – Tenho muitas vezes pensado no suicídio. Mas sempre me vinha uma nova ideia: se por exemplo se cometesse um crime e algo de condenável, isto é, de vergonhoso, uma vilania, mas perfeitamente covarde e... ridícula; alguma coisa de que a humanidade conservaria a lembrança durante séculos, de que falaria, e sobre a qual escarraria ainda dentro de mil anos. E de repente este pensamento: uma bala na cabeça e nada mais restará. Que importa o mundo então? Que importa que ele conspurque o ato infame durante séculos, não é?

– E o senhor chama isto uma ideia nova? – interrogou Kirílov, após um instante de reflexão.

–... Não, isto é... quando esta ideia me veio pela primeira vez, pareceu-me totalmente nova.

– "Sentiu" essa ideia? – continuou Kirílov. – Então tudo está bem. Há muitas ideias que estão sempre latentes e que de repente se revelam. É um fato comprovado. Percebo muitas coisas que me parece ver hoje pela primeira vez.

– Admitamos que haja você vivido na lua – interrompeu Stavróguin, que não mais o escutava, mas abandonava-se ao correr de seu devaneio... – admitamos que você tenha cometido no estrangeiro toda espécie de covardias ridículas... Você sabe muito bem que o amaldiçoarão durante séculos, eternamente, na lua. Mas você se acha na terra agora e é daqui de baixo que observa a lua. Que lhe importa o que haja cometido lá em cima? Que lhe importa que as pessoas cuspam em você durante séculos?

– Não sei – respondeu Kirílov, – jamais estive na lua –acrescentou, sem a menor ironia, simplesmente para assinalar um fato.

– De quem é a criança que estava aqui inda há pouco?

– Foi a sogra da velha que chegou, ou antes sua nora... pouco importa. Há uns oito dias. Agora, está doente, de cama, com uma criança. Ela chora muito, durante a noite, por causa de cólicas intestinais. A mãe adormece e a velha a traz para mim. Jogo bola com ela. Comprei essa bola em Hamburgo para atirá-la e pegá-la, porque isto fortifica muito as costas. É uma menina.

– Gosta de crianças?

– Amo-as – respondeu Kirílov, num tom bastante indiferente.

– Então ama também a vida?

– Sim, amo-a. E com isso?

– Mas se está decidido a estourar os miolos?

– Pois bem! Que relação tem uma coisa com outra? A vida é à parte e o resto à parte igualmente. A vida existe e a morte não existe.

– Acredita então numa vida futura e eterna?

– Não, não numa vida futura e eterna, mas numa vida terrestre eterna. Há instantes, a gente chega a instantes em que de súbito o tempo para e torna-se eternidade.

– Espera chegar a tal instante?

– Sim.

– Não é possível em nosso tempo – observou Nikolai Vsiévolodovitch, sem a menor ironia tampouco. Perdido em seus pensamentos, falava lentamente. – Foi no *Apocalipse* que o anjo jurou que não haverá mais tempo.

– Eu sei. Lá é muito verdadeiro, claro e preciso. "Quando a humanidade tiver atingido a felicidade, então não haverá mais tempo, porque não será mais necessário." Esta ideia é muito justa.

– E onde o meterão?

– Não o meterão em parte alguma. O tempo não é um objeto, mas um conceito. Desaparecerá do entendimento.

– Velhas banalidades filosóficas, que se repisam desde o começo dos séculos e jamais nada de novo! – resmungou Stavróguin, com uma compaixão desdenhosa.

– As mesmas, sempre as mesmas, desde o começo dos séculos e não haverá jamais outras – exclamou Kirílov, com o olhar iluminado e repetindo as expressões de Stavróguin, como se já aquela ideia mesma tivesse sido uma vitória.

– Você parece sentir-se muito feliz, Kirílov!

– Sim, muito feliz – respondeu este, como se desse uma resposta habitual.

– Mas há pouco tempo estava você muito triste e bastante irritado contra Lipútin.

– Hum! O fato é que agora não estou mais; não sabia então que era feliz. O senhor viu uma folha, uma simples folha de árvore?

– Sem dúvida.

– Há algum tempo, vi uma amarelecendo, ligeiramente verde ainda, um pouco apodrecida já nas bordas. Um sopro de vento havia-a arrancado. Quando tinha eu dez anos, no inverno, fechava os olhos e imaginava uma folha verde, brilhante, com finas nervuras, em um raio de sol. Quando abria os olhos, não podia crer na realidade, o sonho era demasiado belo. Fechava-os, de novo.

– Isso é uma alegoria?

– Não. Por quê? Não é uma alegoria. Uma folha, uma simples folha. A folha é bela. Tudo é belo.

– Tudo?

– Tudo. O homem é infeliz porque ignora que é feliz. Por causa disto somente. Tudo está nisto! Tudo está nisto, Aquele que o aprender será feliz imediatamente, neste mesmo instante. A nora vai morrer. A criança ficará. Tudo está bem. Descobri isto de repente.

– E se alguém morre de fome, se alguém faz mal a uma menina, desonra-a, será que isto está bem igualmente?

– Sim, está bem. E se lhe racharem a cabeça por causa da pequena, estará bem igualmente. Tudo está bem, tudo. São felizes aqueles que sabem que tudo está bem. Se soubessem que são felizes, então seriam felizes. Mas enquanto ignorarem que são felizes, sempre serão infelizes. Eis a ideia, a ideia total. Fora dela, não há outra.

– Quando você soube que era tão feliz?

– Na última semana, na terça-feira, não, na quarta-feira, já era quarta-feira. Durante a noite.

– E em que ocasião?

– Não me lembro mais. Andava pelo meu quarto... Pouco importa. Parei meu relógio. Eram duas horas e trinta e sete minutos.

– Sinal emblemático para marcar que o tempo deve deter seu curso?

Kirílov deixou a pergunta sem resposta. Depois prosseguiu:

– Os homens não são bons porque não sabem que são bons. Quando o souberem, deixarão de violar as meninas. É preciso mostrar-lhes quanto são bons e então eles vão se tornar bons, todos, instantaneamente. Todos sem exceção.

– Pois bem, você, por exemplo, você que ficou sabendo, é bom agora?

– Sim, sou bom.

– A este respeito, sou de sua opinião – resmungou Stavróguin, franzindo a testa.

– Aquele que ensinar aos homens que são todos bons, acarretará o fim do mundo.

– Aquele que ensinou isso foi crucificado.

– Ele voltará e seu nome será o deus-Homem.

– O homem-Deus?

– Não, o deus-Homem. Nisto está a diferença.

– Foi você que acendeu a vela diante do ícone?

– Sim, fui eu.

– Voltou a ser crente?

– A velha gosta que a lâmpada... hoje ela não teve tempo... – balbuciou Kirílov.

– Mas você, você não reza?

– Rezo constantemente. Está vendo aquela aranha que sobe pela parede? Eu a contemplo e sou-lhe grato apenas por ela subir pela parede.

E de novo seus olhos cintilaram. Olhava fixamente para Stavróguin, com uma expressão dura e inflexível. Stavróguin observava-o com ar desdenhoso, franzindo a testa, *mas não havia nenhuma espécie* de ironia no seu olhar.

– Aposto que, quando eu voltar, você já acreditará em Deus – disse ele, levantando e pegando seu chapéu.

– Por que? – perguntou Kirílov, também levantando.

– Se você soubesse que acredita em Deus – disse Stavróguin, sorrindo, – então acreditaria nele, mas como não sabe ainda que acredita nele, não acredita nele.

– Não é isto absolutamente – replicou Kirílov depois de refletir. – O senhor disfarçou a ideia. Uma brincadeira de homem do mundo. Lembre-se, Stavróguin, do que foi para mim.

– Adeus, Kirílov.

– Volte de noite; quando voltará?

– Mas já se teria esquecido do que deve passar-se amanhã?

– Ah! é verdade, tinha esquecido... mas esteja tranquilo, despertarei a tempo. Posso despertar quando quero. Deito-me dizendo: às sete horas e às sete horas acordo; às dez horas, e acordo às dez.

– Você tem admiráveis qualidades – disse Stavróguin, observando o rosto pálido de Kirílov.

– Vou abrir o portão.

– Não se incomode, Chátov abrirá.

– Ah! sim, Chátov. Bem, adeus.

VI

O patamar da casa deserta onde morava Chátov não era fechado à chave. A antecâmara estava escura, de modo que Stavróguin teve de procurar, tateando, a escada que conduzia à mansarda, De repente, uma porta se abriu no andar superior e uma luz apareceu. Chátov contentou-se em abrir a porta, sem sair de seu quarto. Quando Nikolai Vsiévolodovitch achou-se no alto, parou na soleira e avistou Chátov que o esperava, de pé num canto, perto da mesa.

– Quer receber-me para tratar de negócios?... – perguntou, sem entrar.

– Entre, sente – respondeu Chátov, – feche a porta, não, espere, eu mesmo fecho.

Deu uma volta à chave, voltou para a mesa e sentou-se em frente de Stavróguin. Emagrecera muito durante aquela semana e parecia febril.

– O senhor martirizou-me – disse ele, baixando os olhos e com uma voz surda. – Por que não veio mais cedo?

– Estava, pois, tão certo de que eu viria?

– Sim, espere, eu delirava, tinha febre... talvez delire ainda... Espere...

Ficou em pé e tomou um objeto na prateleira superior de sua estante de livros. Era um revólver.

– Uma noite, no meu delírio, sonhei que o senhor viria matar-me. No dia seguinte, empreguei minhas derradeiras moedas na compra de um revólver em casa desse preguiçoso que é Liámchin; não queria deixar que me matassem. Mais tarde, voltei a mim. Não tinha pólvora nem balas. Desde aquele momento, o revólver ficou ali em cima, na prateleira; espere...

Levantou e entreabriu o postigo.

– Não o atire fora, para quê? – disse Nikolai Vsiévolodovitch, detendo-o. – Custa caro. E amanhã as pessoas começariam a contar que foi encontrada uma arma sob as janelas de Chátov. Torne a colocá-lo onde estava. Isto mesmo. Sente. Diga-me por que fez questão de confessar-me que supunha que eu viria matá-lo? Nesta hora não vim para me reconciliar com você, mas para entreter-me com você a respeito de uma coisa muito importante. Explique-me, antes de tudo, isto: foi por causa de minha ligação com sua mulher que você me deu uma bofetada?

– O senhor mesmo bem sabe que não foi por causa disso. – Chátov baixou de novo os olhos.

– Não foi tampouco por acreditar nos boatos estúpidos a respeito de Dária Pávlovna?

– Não, não, decerto que não. Estupidezes... Minha irmã me disse imediatamente... – replicou Chátov com brusca impaciência, batendo o pé.

– Então bem adivinhei e você também adivinhou... – continuou Stavróguin com calma. – Você não se engana: Maria Timofiéievna é minha mulher legítima, casei com ela há quatro anos e meio em Petersburgo. Foi por causa dela que você me bateu?

Chátov, aturdido, escutava em silêncio.

– Eu o pressentia e, no entanto, não queria acreditar – murmurou ele enfim, lançando sobre Stavróguin um olhar inquietante.

– E você me bateu!...

Chátov ficou rubro e murmurou palavras entrecortadas:

– Foi por causa de seu aviltamento... de sua mentira. Não me aproximei do senhor para puni-lo... quando avançava para o senhor, não sabia ainda se lhe bateria... Se o fiz... foi porque... o senhor desempenhou um papel muito grande em minha vida. Eu...

– Compreendo, compreendo, tome cuidado com suas palavras. Lamento que esteja com febre hoje, gostaria de falar-lhe de um negócio da mais alta importância.

– Esperei-o por muito tempo – disse Chátov, estremecendo, meio levantado em sua cadeira. – Fale-me de seu negócio; eu o entreterei... com os meus... em seguida. – Tornou a sentar.

– O negócio em questão nada tem de comum com tudo isso começou Stavróguin, olhando-o com curiosidade. – Certas circunstâncias forçaram-me a escolher esta hora tardia para preveni-lo, hoje mesmo, de que talvez o matem.

Chátov olhou-o com um ar ansioso.

– Sei que certos perigos sem dúvida me ameaçam – disse ele, lentamente, – mas como é que o senhor sabe?

– Porque, bem como você, faço parte daquela gente. Bem como você, sou membro da sociedade deles.

– O senhor, o senhor... membro dessa sociedade?

– Pela sua expressão, vejo que você esperava tudo de minha parte menos isso – disse Stavróguin, com um sorriso zombeteiro. – Mas permita: então já sabe que querem assassiná-lo?

– Jamais acreditei nisso e não acredito ainda agora, mesmo diante do que o senhor acaba de dizer-me... se bem que com imbecis... não se possa responder por coisa alguma – exclamou ele, tomado dum furor súbito, batendo na mesa com o *punho. – Não os temo.* Rompi com eles. Um deles apresentou-se quatro vezes aqui em casa e me disse que se podia... – e olhando Stavróguin – mas que sabe o senhor disso com certeza?

– Tranquilize-se, não lhe estou mentindo – prosseguiu friamente Stavróguin, com o ar de um homem que se limita a cumprir uma obrigação. – Pergunta-me o que sei? Sei que você se filiou a essa sociedade, há dois anos, quando estava ainda no estrangeiro, e quando ela dependia ainda da antiga direção. Foi pouco tempo antes de sua partida para a América e, creio, imediatamente depois de nossa última conversa, de que tanto me falou na carta que me escreveu da América. A propósito, desculpe-me, peço-lhe, não lhe ter respondido então, limitando-me...

– A uma remessa de dinheiro... Espere – interrompeu Chátov; e, precipitadamente, abriu a gaveta de sua mesa e dela extraiu uma cédula de sob os papéis. – Eis os cem rublos que o senhor me enviou então. Tome-os. Sem o senhor teria me perdido lá. Não os teria devolvido ainda por muito tempo, se sua mãe não me tivesse enviado cem rublos há nove meses, depois de minha doença e em razão de minha pobreza. Mas continue, por favor.

Chátov estava de tal modo superexcitado que lhe faltava o fôlego.

– Na América você mudou de ideias e de volta à Suíça quis retirar-se da sociedade. Eles nada lhe responderam, mas ordenaram-lhe que tomasse a seu cargo, aqui mesmo, na Rússia, certa tipografia e a conservasse até que uma pessoa viesse reclamá-la. Não conheço todos os detalhes, mas creio que, no conjunto, é como disse. Quanto a você, aceitou, na esperança ou com a condição de que seria a derradeira exigência deles e que em seguida iam deixá-lo livre. Não é da parte deles que tenho estas informações, foi por acaso que vim a conhecê-las. Mas o que você parece não saber é que essas pessoas não têm de modo algum a intenção de se separar de você.

– É idiota! – berrou Chátov. – Declarei-lhes lealmente que nada mais tinha de comum com eles. É meu direito, o direito de minha consciência e de meu pensamento... Não suportarei isso. Não existe nenhuma força que...

– Você sabe que seria melhor não gritar tão alto – interrompeu Stavróguin com um ar grave. – Esse Vierkhoviénski é homem de espionar ou mandar espionar neste momento tudo quanto dizemos e isto, mesmo em seu corredor, em pessoa ou por alguma orelha estrangeira. Até mesmo esse bêbado do Liebiádkin pode ter a seu cargo espioná-lo e você deve sem dúvida agir da mesma maneira para com ele, não é? Mas diga-me antes: Vierkhoviénski está ou não está agora de acordo com os seus argumentos?

– Está, sim... Disse-me que era possível e que tinha eu o direito...

– Neste caso, está enganando-o. Sei que até mesmo Kirílov, que só pertence a eles de longe, forneceu informações a seu respeito. Possuem numerosos agentes dos quais alguns mesmos ignoram que servem à sociedade. Você vem sendo constantemente vigiado. Piotr Vierkhoviénski, entre outros, veio aqui para examinar e resolver definitivamente o seu caso; como você sabe coisas demais e poderia talvez *denunciá-los*, ele recebeu plenos poderes para exterminá-lo no momento oportuno. Repito-lhe que isto é certo. Permita-me acrescentar que todos estão firmemente convencidos de que você é um espião, que, se até o presente não traiu, trairá sem dúvida alguma. É verdade?

Chátov contraiu a boca ao ouvir tal pergunta, proferida em tom tão indiferente.

– Se eu fosse um espião, a quem os denunciaria? – disse ele, com irritação e sem responder diretamente. – Não, deixemos isso, que o diabo me carregue! Mas o senhor – exclamou, voltando de súbito à sua primitiva ideia, que visivelmente o emocionara mais que o próprio perigo que corria, – mas o senhor, Stavróguin, como pôde meter-se nessa sociedade de lacaios, sociedade estúpida e vergonhosa? O senhor, membro desse bando... Que proeza essa para o Senhor Stavróguin! – exclamou ele desesperadamente, juntando as mãos como se não houvesse para ele nada de mais amargo e de mais desolador que essa descoberta.

– Permita – disse Nikolai Vsiévolodovitch, sinceramente espantado. – Você tem ar de quem me considera um astro e de quem se considera a si mesmo, em comparação, um mísero inseto. Já reparara isto na carta que você me escreveu da América.

– O senhor, o senhor não sabe... mas é melhor que me deixe sozinho – interrompeu-se de repente Chátov. – Se o senhor puder esclarecer-me alguns pontos, a seu próprio respeito, faça-o... Responda à minha pergunta. Faça-o – repetiu, agitado.

– Com prazer. Pergunta você como pude meter-me em semelhante antro. Depois da comunicação que lhe fiz, estou obrigado neste ponto a certa sinceridade. Estritamente falando, não pertenço a esse bando, jamais pertenci e melhor que você teria direito de dele sair, já que oficialmente dele jamais fiz parte. Pelo contrário, desde o começo declarei a essas pessoas que não era para elas um camarada e se lhes fui em auxílio na ocasião, foi simplesmente porque nada de melhor tinha a fazer. Participei da reorganização de sua sociedade sobre novas bases, eis tudo. Mas agora, após reflexão, decidiram entre si que seria perigoso liberar-me. E creio que estou também condenado à morte.

– Oh... entre eles, chega-se logo à pena capital... e tudo isso com ordens em papel timbrado, assinadas por três homens e meio. E o senhor acredita que eles sejam capazes disso?

– Nisto você tem em parte razão e em parte não – prosseguiu Stavróguin com a mesma indiferença, ou se poderia dizer quase com a mesma apatia. – Sem dúvida, a imaginação desempenha um grande papel, como sempre, em semelhante caso; um grupinho exagera seu alcance e sua importância. Sim, se quer saber minha opinião, toda a sociedade se compõe dum só e único personagem, Piotr Vierkhoviénski, e ele é demasiado modesto, quando se considera como simples agente de sua sociedade; a ideia que lhes serve de base não é mais estúpida que tantas outras ideias do mesmo gênero. Estão em relação com a Internacional. Conseguiram arranjar agentes na Rússia e seu processo tem lá sua originalidade... teórica, é claro. No que se refere às suas intenções a nosso respeito, a organização russa é um negócio tão obscuro e tão cheio de imprevisto que é possível tentar tudo entre nós... E não se esqueça de que Vierkhoviénski é um homem obstinado.

– É um percevejo, um ignorante, um imbecil que nada compreende da Rússia – gritou Chátov, em tom colérico.

– Você não o conhece bem. É verdade que todos conhecem muito pouco a Rússia, mas conhecem-na apenas um pouco menos do que você e eu. Aliás, Vierkhoviénski é um entusiasta.

– Vierkhoviénski, um entusiasta?

– *Oh! sim. Há um momento* em que ele deixa de ser um bufão para tornar-se... um semilouco. Lembre-se, peço-lhe, de uma de suas próprias expressões... Você sabe como um homem sozinho pode ser forte? Não ria, rogo-lhe, ele é muito capaz de puxar o gatilho. Essa gente está convencida de que sou também um espião. E como não sabe levar adiante o negócio, adoram acusar os outros de espionagem.

– Mas o senhor, o senhor não tem medo?

– Não... não os temo muito. No que lhe diz respeito, o caso é diferente. Preveni-o, está informado. Não há nada de vexatório, na minha opinião, em ser ameaçado por imbecis. Não é do espírito deles que se trata. Já levantaram a mão contra outros que não você e eu. Ah! são onze horas e um quarto – disse ele, olhando seu relógio e levantando de sua cadeira. – Gostaria de lhe fazer uma pergunta...

– Pelo amor de Deus! – exclamou Chátov, saltando de seu lugar.

– Que há? – perguntou Stavróguin, admirado.

– Faça sua pergunta, faça sua pergunta, pelo amor de Deus! –repetia Chátov, presa de indizível agitação. – Mas com a condição de que também possa fazer-lhe uma. Rogo-lhe, permita-me. Não suporto mais. Faça sua pergunta!

Após um instante, Stavróguin começou:

– Ouvi dizer que você possui alguma influência sobre Maria Timofiéievna, que esta gostava de vê-lo e escutá-lo. É verdade?

– Sim, tem-lhe acontecido escutar-me – balbuciou Chátov, perturbado.

– Tenho a intenção de declarar publicamente, nos próximos dias, meu casamento com ela.

– Será possível? – murmurou Chátov num tom quase de terror.

– Em que sentido o diz? Isto não oferece nenhuma dificuldade. As testemunhas estão aqui. Tudo se passou outrora em Petersburgo, muito tranquilamente e duma maneira perfeitamente legal, na presença de duas testemunhas, Kirílov e Piotr Vierkhoviénski e, ainda mais, de Liebiádkin, a quem tenho agora o prazer de contar entre meus parentes. Se a coisa ficou ignorada até hoje, é que todos três tinham dado sua palavra de que manteriam silêncio.

– Não é nisto que pensava... O senhor fala com tal calma... mas continue. Escute, não usaram da força para obrigá-lo a esse casamento?

– Não, ninguém a isso me obrigou – respondeu Nikolai Vsiévolodovitch sorrindo da precipitação nervosa de Chátov.

– E que há de verdade no que ela conta a respeito de seu filho? – interrogou febrilmente Chátov.

– Ela fala de seu filho? Ora! não sabia de nada a esse respeito. É a primeira vez que ouço isto. Ela nunca teve filho e não podia ter. Maria Timofiéievna é virgem.

– Ah! bem o pensava. Escute.

– Mas que tem você, Chátov?

Chátov cobriu o rosto com as mãos, voltou-se, depois, de súbito, agarrou Stavróguin pelos ombros.

– Sabe, sabe somente – exclamou, – por que o senhor fez tudo isso e por que agora se resolveu a tal penitência?

– Sua pergunta pérfida é inteligente, mas eu mesmo tenho vontade de causar-lhe espanto. Sim, creio saber, mais ou menos, porque me casei outrora e porque agora me resolvi a semelhante "penitência", como diz você.

– Deixemos isso... para mais tarde... Espere, falemos agora do principal, do principal. Esperei-o durante dois anos.

– Sim?

– Esperei-o muito tempo demais. Pensava no senhor continuamente. O senhor é o único homem que eu teria podido... Já lhe escrevi da América a este respeito.

– Não me lembro demasiado perfeitamente de sua longa carta.

– Demasiado longa para ser lida até o fim? Convenho, seis grandes folhas. Cale-se, cale-se!... Pode conceder-me ainda dez minutos, mas agora, imediatamente? Esperei-o tempo demais!

– Uma meia hora mesmo, se quiser, mas não mais. Se isto lhe basta...

– Mas com uma condição – interrompeu Chátov, irritado, – que o senhor mude de tom. Exijo-o, entende?, quando deveria rogar. Compreende o que quero dizer exigir, quando se deveria suplicar?

– Compreendo que desta maneira se coloca você acima dos usos tendo em vista um fim superior – disse Stavróguin, com um sorriso imperceptível. – Mas verifico com pesar que você está com febre.

– Peço respeito, exijo-o – gritou Chátov. – Não pela minha própria pessoa, que o diabo carregue! Mas por outra coisa, por este instante apenas, por estas poucas palavras... Somos dois seres que nos encontramos fora do espaço e do tempo... pela derradeira vez aqui embaixo. Deixe de lado seu tom para tomar outro que seja humano, pelo menos uma só vez. Não é por mim, mas pelo senhor mesmo que o peço. Não compreende que deve perdoar-me o golpe que lhe dei no rosto pelo simples fato de que, com isso, forneci-lhe a ocasião de conhecer sua força imensa? O senhor sorri de novo, com esse sorriso desdenhoso de homem do mundo. Oh! quando, pois, o senhor poderá enfim me compreender? Que o grão-senhor que se oculta em seu ser vá para o diabo! Compreenda afinal que eu o exijo, de outro modo não lhe falarei, não o farei a preço algum, por coisa alguma do mundo.

Sua exaltação raiava pelo delírio. O rosto de Stavróguin ficou sombrio. Tornou-se mais prudente.

– Se consenti em ficar aqui ainda uma meia hora, se bem que meu tempo seja precioso – disse num tom grave, – é, acredite bem, porque estou decidido a escutá-lo com interesse, e certo de que você me dará conhecimento de muitas coisas curiosas.

E voltou a sentar em seu lugar.

– Então se acomode – exclamou de repente Chátov, sentando também.

– Permita-me ainda – continuou Stavróguin, – que lhe lembre que tinha um pedido a fazer-lhe a respeito de Maria Timofiéievna, um pedido que, para esta pelo menos, é da mais alta importância.

– E então? – replicou Chátov, franzindo a testa, como alguém a quem se interrompe no ponto mais importante de seu discurso e que, muito embora tenha os olhos fixos em seu interlocutor, não captou ainda o sentido da pergunta.

– Você não me deixou acabar – acrescentou, sorrindo, Nikolai Vsiévolodovitch.

– Ora essa! Tolices, mais tarde – replicou Chátov, com um gesto de desdém. Compreendera enfim o que se queria dele e imediatamente abordou o tema principal.

VII

– *Sabe de uma coisa?* – começou ele, num tom quase ameaçador, com o busto inclinado para diante, o olhar cintilante, o índice da mão direita erguido (sem dúvida não se dava conta disso). – Sabe qual é atualmente na terra o único povo "portador de Deus", aquele que virá para salvar e renovar o universo em nome do Deus novo? O único povo que detém as fontes da vida e do novo verbo...? Sabe qual é esse povo e como se chama?

– Pela maneira pela qual você se exprime, devo necessariamente concluir e creio, sem tardar, que é o povo russo.

– E já está rindo! Oh! essa raça! – vociferou Chátov.

– Acalme-se, peço-lhe. Pelo contrário, esperava algo desse gênero.

– Esperava algo desse gênero? Mas o senhor mesmo não conhecia estas palavras?

– Conhecia-as perfeitamente. Vejo demasiado bem onde você quer chegar. Tudo quanto disse, até a expressão "povo portador de Deus", não é senão a conclusão do colóquio que tivemos, há dois anos, no estrangeiro, pouco tempo antes de sua viagem à América... É isto, pelo menos, tanto quanto me posso lembrar.

– Essa frase é integralmente sua e não minha. São suas próprias palavras e não apenas a conclusão de nosso colóquio. Como, aliás, pode o senhor dizer "nosso" colóquio? Havia um mestre de verbo forte e poderoso e um discípulo que ressuscitava dentre os mortos. O discípulo era eu, o senhor era o mestre.

– Se a memória me é fiel, foi justamente depois de minhas palavras que você entrou para a sociedade e somente mais tarde que partiu para a América.

– Sim, escrevi-lhe da América, escrevi-lhe tudo então. Sim, não podia assim arrancar-me dum só golpe de tudo quanto em mim sentia ligado pelos laços do sangue, desde meus primeiros dias, do que fora objeto de minhas esperanças e de meus arrebatamentos, do que me havia arrancado lágrimas de ódio. Não se mudam facilmente os deuses da gente. Não lhe dei crédito então, porque não queria crer e pela derradeira vez me precipitei na cloaca. Mas a semente ficou e deu frutos. Responda-me, pois, responda-me se leu até o fim minha carta da América? Talvez não a tenha lido absolutamente.

– Li três páginas, as duas primeiras e a última. Percorri rapidamente as outras... Mas sempre tive intenção de lê-la...

– Ora! tanto pior. Para o diabo essa carta! – disse Chátov, com um gesto da mão. – Se rejeita hoje suas palavras de outrora a respeito do povo, como pôde então pronunciá-las? Eis o que me atormenta nesta hora.

– Não brincava então; tentando persuadi-lo, pensava talvez mais em mim que em você – respondeu Stavróguin, num tom enigmático.

– Não estava brincando? Na América, vivi três meses em cima da palha, ao lado de um... desgraçado e dele soube que, no momento mesmo em que o senhor implantava em meu coração Deus e a Pátria, naquele instante mesmo, e talvez no mesmo dia, envenenou a alma daquele desgraçado, daquele maníaco, de Kirílov... Fortificou nele a mentira e a negação e levou-o ao limiar da loucura. Vá vê-lo, olhe-o agora: *é sua obra!* Aliás, o senhor viu-o.

– Em primeiro lugar, faço-o observar que Kirílov acaba de dizer-me ele próprio que se sente feliz e perfeito. Quando você supõe que tudo se passou simultaneamente, talvez tenha quase razão.

– Mas que importância tem isso? Repito, não enganei nem a um nem a outro.

– Você é ateu... você é ateu agora?

– Sim.

– E outrora?

– Exatamente como hoje.

– Não foi para mim que reclamei respeito no começo de nossa conversa. Você deveria ter bem compreendido isso, dotado que é de tanto espírito – murmurou Chátov, indignado.

– Não levantei às suas primeiras palavras; não cortei o colóquio pela raiz; não parti; estou ainda aqui, no meu lugar, respondendo docilmente às suas perguntas e aos seus gritos. Não lhe faltei, pois, ao respeito.

Com um gesto, Chátov interrompeu-o.

– Lembra-se de sua expressão "um ateu não poderia ser russo; assim que é ateu, cessa imediatamente de ser russo", lembra-se?

– Sim? – disse Stavróguin, como se fizesse a si mesmo a pergunta.

– Ainda pergunta? Esqueceu? No entanto, o que adivinhou com isso é um dos resumos mais finos a respeito de uma das principais faculdades da alma russa. É impossível que tenha esquecido. Vou lembrá-lo melhor ainda. O senhor acrescentou então: "Quem não é ortodoxo, não pode ser russo".

– Suponho que esta é uma ideia eslavófila...

– Não, os eslavófilos atuais a renegariam. Hoje o povo tornou-se inteligente. Mas o senhor mesmo ia mais longe. Dizia que o Catolicismo romano não era mais o Cristianismo. Afirmava que o Cristo proclamado pela igreja de Roma sucumbiu à terceira tentação de Satã e que o Catolicismo, ensinando que o Cristo não pode passar sem o reino terrestre, proclamou por isso mesmo o antiCristo e perdeu assim o Ocidente inteiro. O senhor mostrou que, se a França sofre, é unicamente por culpa do catolicismo, porque se a França renegou o deus romano, foi impotente em descobrir um novo. Eis o que então o senhor podia dizer. Recordo muito bem nossos colóquios.

– Se tivesse fé, repetiria certamente essas mesmas coisas. Quando falava como crente, não mentia – disse muito seriamente Stavróguin, – mas asseguro-lhe que ouvir repetir meus pensamentos de outrora produz em mim uma impressão por demais desagradável. Você não poderia parar com isso?

– Se o senhor tivesse fé? – exclamou Chátov, sem prestar a mínima atenção ao pedido que acabava de fazer-lhe Stavróguin. – Não foi o senhor quem me disse um dia que se lhe pudessem provar por $a + b$ que a verdade está fora do Cristo, preferiria inda ficar com o Cristo a seguir a verdade? Não foi o senhor quem me disse isso? Disse?

– Mas afinal permita-me perguntar-lhe – disse Stavróguin, erguendo a voz, – a que quer você chegar com esse exame trepidante... e odioso?

– Este exame passará para sempre e o senhor nunca mais voltará a vê-lo relembrado.

– Você continua a pensar que estamos fora do espaço e do tempo.

– Silêncio! – exclamou de repente Chátov. – Sou estúpido e desastrado; que meu nome seja coberto de ridículo, pouco importa! Permita-me pelo menos que repita aqui, diante do senhor, suas grandes ideias de outrora... Oh! dez linhas somente, como derradeira conclusão.

– Repita-as, se se trata apenas da conclusão...

Stavróguin fez menção de olhar o relógio, mas conteve-se. Chátov voltou a inclinar-se de novo para a frente na cadeira e a erguer o índice.

– Nenhum povo – começou ele, fixando em Stavróguin um olhar severo e parecendo ler palavra a palavra em um livro, –nem um sequer pôde edificar-se e organizar-se sobre os únicos princípios da ciência e da razão. Este exemplo não foi dado por nenhum povo, salvo talvez pela duração dum instante e somente por estupidez. O socialismo, na sua própria essência, deve ser ateu, porque proclama como artigo primeiro que quer construir seu universo apenas baseado na razão e na ciência. Em todos os tempos, no curso da vida dos povos, a razão e a ciência só desempenharam funções secundárias e subalternas; e serão reduzidas a exercê-las até o fim dos séculos. Os povos se formam e se movem segundo uma força bem diversa, dominadora e soberana, mas cuja origem permanece desconhecida e inexplicável. Esta força é o desejo inextinguível de chegar a um fim e é ao mesmo tempo a constante negação desse fim. Esta força é a constante e infatigável afirmação da existência e a negação da morte: "o espírito de vida", como diz a Santa Escritura, "os rios de águas vivas" de cujo esgotamento nos ameaça o *Apocalipse;* o princípio estético, como o chamam os filósofos, ou o princípio moral, como o chamam ainda estes mesmos. Direi simplesmente que é "a procura de Deus". O fim de todo movimento popular, em cada povo em particular, em cada período de sua história, é unicamente a procura de seu Deus, de seu Deus próprio, de seu Deus dele; e a fé nesse Deus, como no único e o único verdadeiro. Deus é a personalidade sintética do povo inteiro desde suas origens até o fim. Jamais se viu ainda que dois ou vários povos tenham tido o mesmo Deus; cada povo teve sempre seu Deus próprio. É o sinal da decadência para os povos, quando começam a ter deuses comuns. Quando os deuses se fazem comuns, morrem os deuses, ao mesmo tempo que a fé neles e que os próprios povos. Tanto mais forte é um povo, mais exclusivamente pessoal é-lhe o seu deus. Jamais houve povo sem religião, isto é, sem noção do bem e do mal. Cada povo forma para si mesmo uma noção particular do bem e do mal. Quando as noções do bem e do mal se tornam comuns a vários povos é então que a distinção entre o bem e o mal começa a apagar-se, a desaparecer e que os povos marcham para sua ruína. A razão somente jamais foi capaz de definir o bem e o mal, nem mesmo de distinguir o bem do mal, mesmo de maneira aproximada. Pelo contrário, para vergonha sua, sempre os confundiu lamentavelmente. Quanto à ciência, não pôde fornecer senão soluções brutais. Foi nisso sobretudo que se distinguiu a meia-ciência, o mais terrível dos flagelos que hajam afligido a humanidade, pior que a peste, a fome, a guerra, e que, aliás, era ignorada até este nosso século. A meia--ciência é um déspota, tal como jamais se viu até os nossos dias. Déspota que tem seus padres e seus escravos, déspota diante do qual todos se prosternam com amor e superstição, tal como jamais se teria podido imaginar, diante do qual a própria ciência treme toda, ao mesmo tempo que a encoraja duma maneira vergonhosa. Tudo isto são suas próprias palavras, Stavróguin. Somente, no que se refere à meia--ciência, usei de meus próprios termos, porque sou eu mesmo um meio-cientista; por isso é que a odeio com todas as minhas forças. Mas às suas ideias, às suas palavras mesmas, nada mudei, nem uma só sílaba.

– Não penso que você haja mudado nelas alguma coisa – observou com prudência Stavróguin. – Tudo recolheu apaixonadamente e por isso tudo alterou inconscientemente. Quando menos porque reduz Deus a não ser senão um simples atributo do povo.

Pôs-se de súbito a acompanhar Chátov com uma atenção toda especial, não tanto as palavras de Chátov quanto ele próprio.

– Reduzo Deus a ser apenas um atributo do povo? Pelo contrário, elevo o povo até Deus. E jamais foi diferente? O povo é o corpo de Deus. Um povo só permanece um povo enquanto tem seu deus próprio, seu deus particular, e reprova com selvagem energia todos os outros deuses do mundo; enquanto crê que com seu deus poderá vencer, submeter e afugentar do mundo todos os outros deuses. Assim acreditaram todos os grandes povos da terra, ou pelo menos todos aqueles que guardam um lugar na história e estiveram uma vez à frente da humanidade. Impossível ir contra os fatos. Os judeus viveram unicamente para esperar o verdadeiro Deus e deram ao mundo o verdadeiro Deus. Os gregos divinizaram a natureza e legaram ao mundo sua religião, isto é, sua filosofia e sua arte. Roma divinizou o povo sob a forma do Estado e foi o Estado que ela legou ao mundo. A França, no curso de sua longa história, foi apenas a encarnação e o desenvolvimento do catolicismo romano. Se acabou por lançar às gemônias o seu deus romano para cair no ateísmo, chamado provisoriamente na França socialismo, foi muito simplesmente porque, em definitivo, o ateísmo é ainda mais são que o catolicismo romano. Desde que um grande povo cessa de crer que é o único detentor da verdade (seu único e seu exclusivo detentor), desde que não crê mais que é o único chamado, o único capaz de ressuscitar e salvar o mundo por sua verdade, cessa imediatamente de ser um grande povo e não é mais que uma matéria etnográfica. Um povo verdadeiramente grande não pode contentar-se com assumir na humanidade um papel secundário, nem mesmo se se trata de um papel importante, é o primeiríssimo papel que lhe convém. Aquele que perdeu sua fé deixou de ser verdadeiramente um povo. Ora, como não há senão uma única verdade, não pode haver senão um povo único detentor do verdadeiro Deus, por maiores e mais poderosos que sejam os deuses dos outros povos. O único povo "portador de Deus" é o povo russo... e... é possível, Stavróguin, – exclamou de súbito Chátov, com furor, – que o senhor me tome por um imbecil que não sabe mais discernir se suas palavras são lugares-comuns cambados, uma moedura dos moinhos eslavófilos de Moscou, ou são antes palavras novas, inteiramente novas e puras, as derradeiras palavras, as únicas palavras de salvação e redenção? Que me importa seu riso neste momento? Que me importa que o senhor não compreenda, nem uma palavra, nem uma sílaba? Oh! quanto desprezo neste momento seu riso orgulhoso! – Saltou de seu lugar, com os lábios espumantes.

– Pelo contrário, Chátov, pelo contrário – disse Stavróguin, com uma gravidade insólita, sem deixar seu lugar, – suas palavras ardentes despertaram em mim poderosas recordações. Reencontro meu estado de alma de há dois anos e, agora, já não lhe direi mais que você exagerou minhas ideias de outrora. Mais ainda, parece-me mesmo que era com mais intransigência, com mais autocratismo, que eu procurava outrora impô-las. E repito-lhe, pela terceira vez, que gostaria bem de poder afirmar ainda tudo quanto você acaba de dizer, até a última letra, mas...

– É a lebre que lhe falta?

– Que diz?

– *Sirvo-me de sua expressão* vulgar – disse Chátov com um riso irônico, voltando a sentar-se. – "Para fazer um guisado de lebre, é preciso uma lebre; para crer em Deus... é preciso antes de tudo um Deus." Foi em Petersburgo que o senhor disse isto, dizem, da mesma maneira que Nozdriev, o herói de Gógol, que queria agarrar uma lebre pelas patas traseiras.

– Não, Nozdriev gabava-se precisamente de tê-la agarrado. A este respeito, permita-me uma pergunta que me creio perfeitamente autorizado a fazer. Diga-me: sua lebre foi agarrada ou corre ainda?

– Como ousa o senhor interrogar-me nesses termos? Faça a pergunta de outro modo, de outro modo! – exclamou Chátov todo trêmulo.

– Se quiser, em outros termos – continuou Nikolai Vsiévolodovitch, olhando-o com dureza. – Queria somente saber isto: você mesmo, crê em Deus, sim ou não?

– Creio na Rússia, na sua ortodoxia... creio no corpo do Cristo. Creio que será na Rússia que ocorrerá o novo acontecimento... creio... – balbuciou Chátov, como presa dum delírio.

– Mas em Deus, crê em Deus?

– Eu... acreditarei em Deus.

Nem um músculo do rosto de Stavróguin estremeceu. Chátov fixava nele seu olhar ardente, provocador, como se quisesse queimá-lo com aquele olhar.

– Mas eu não lhe disse que não acreditava! – exclamou por fim. – Confesso-lhe que, no momento, não sou senão um livro miserável e fastidioso, nada mais, pelo menos provisoriamente... Mas pereça o meu nome! Não se trata de mim, trata-se do senhor. Sou apenas um homem sem talento e só posso oferecer meu sangue e nada mais, como todo homem destituído de inteligência. Seja, pois, também derramado o meu sangue! É do senhor que falo. Esperei-o durante dois anos. É por causa do senhor que, há uma meia hora, danço aqui nuzinho. Só o senhor pode levantar o estandarte.

Parou e como que tomado de desespero, apoiou os cotovelos sobre a mesa e ocultou a cabeça entre as mãos.

– Já que você veio a falar disto – interrompeu, de repente, Stavróguin, – gostaria de perguntar-lhe por simples curiosidade: "Por que toda a gente quer forçar-me a 'levantar um estandarte'? Piotr Vierkhoviénski também está persuadido de que somente eu sou o único entre eles capaz de 'levantar o estandarte'". Pelo menos transmitiram-me esta opinião como dele. Ele enfiou na cabeça que eu poderia desempenhar o papel dum Stienhka Rázin,[87] graças à minha extraordinária "aptidão para o crime". São estas também suas próprias palavras.

– Como? – perguntou Chátov. – "Graças à sua extraordinária aptidão para o crime"?

– Perfeitamente.

– Hum! é verdade – perguntou Chátov, com um sorriso mau, – que em Petersburgo o senhor fez parte de uma sociedade secreta, cujo fim era a sensualidade bestial? Que o senhor mesmo se gabava de poder remontar ao Marquês de Sade?[88] Que seduziu e corrompeu menores? Responda. E não procure mentir. Nikolai Stavróguin não pode mentir diante de Chátov que lhe bateu em pleno rosto. Diga tudo e, se for verdade, eu o matarei agora mesmo, neste instante...

87 Famoso bandido, conhecido na época pela sua ousadia e destemor, tido como herói.

88 Donatien-Alphonse-François, Marquês de Sade, escritor francês (1740-1814). Autor de *Justine, Juliette, Aline et Valcourt* etc.; os seus romances, conhecidos mundialmente, são tão célebres pela perversidade que contêm, que deram origem às palavras "sadismo" e "sádico".

– Disse essas palavras, mas não violentei menores – articulou por fim Stavróguin, após um silêncio bastante prolongado. Estava lívido, seus olhos cintilavam.

– Mas as disse – prosseguiu Chátov, num tom de comando e sem desviar de Stavróguin seu olhar chamejante. – É verdade também que o senhor afirmou não ver nenhuma diferença de beleza entre uma farsa qualquer cheia de sensualidade bestial e uma façanha tal como a que consiste em verter seu sangue pela humanidade? É verdade que nos dois polos o senhor encontrou o mesmo coeficiente de beleza, o mesmo prazer?

– É-me impossível responder... não quero responder – murmurou Stavróguin, que poderia já ter levantado pronto para sair e que, no entanto, não levantava, nem ia embora.

– Eu também não sei por que o mal é feio, porque o bem é belo. Mas sei porque entre senhores como Stavróguin e seus semelhantes, embota-se e perde-se o sentimento dessa distinção – insistiu Chátov cujo corpo todo tremia. – Sabe por que casou de maneira tão covarde e tão vergonhosa? Precisamente porque a covardia e a vergonha chegavam aqui até o gênio. Oh! o senhor não se contenta em vagar à beira do abismo, põe nele ousadamente a cabeça em primeiro lugar. O senhor se casou por paixão do martírio, por amor apaixonado ao remorso, por volúpia moral. Seus nervos estavam sobrecarregados. O desafio ao senso comum pareceu-lhe demasiado sedutor! Stavróguin e a mísera mendiga coxa semilouca! E quando mordeu a orelha do Governador, não experimentou o senhor uma sensação volutuosa? Experimentou-a, meu pequeno aristocrata, passeador e ocioso?

– Você é psicólogo – observou Stavróguin, empalidecendo cada vez mais, – muito embora, no que diz respeito às causas de meu casamento, tenha-se em parte enganado... Quem lhe forneceu todas essas informações? – Em seus lábios apareceu um sorriso forçado. – Teria sido Kirílov? Mas ele não participou...

– Empalidece?

– Mas afinal, que quer de mim? – interrogou Stavróguin, erguendo a voz. – Há mais de meia hora que estou aqui sob seu chicote; poderia ter-me pelo menos despedido polidamente, se, com efeito, não tem nenhum motivo razoável de agir dessa maneira para comigo.

– Nenhum motivo razoável?

– Sem dúvida, seu mais elementar dever exige que você me diga afinal qual o seu objetivo. Acreditei todo o tempo que ia fazê-lo. Mas não encontrei em você senão uma maldade que confina com a loucura. Abra-me a porta, peço-lhe.

Levantou. Chátov, presa dum furor selvagem, precipitou-se para ele.

– Beije a terra, regue-a com suas lágrimas, implore misericórdia! – gritou ele, agarrando-o pelo ombro.

– Mas eu não o matei... no dia em questão... Cruzei minhas duas mãos atrás de minhas costas – replicou Stavróguin quase dolorosamente, de olhos baixos.

– Fale então, diga tudo! O senhor veio avisar-me dum perigo; autorizou-me a falar. Amanhã proclamará oficialmente seu casamento. Será que não vejo pela sua expressão que o senhor luta com alguma ideia nova e terrível...? Stavróguin, por que estou condenado a crer eternamente no senhor? Teria podido falar dessa maneira com um outro? Sou pudico, mas não tive vergonha de minha nudez, porque era com

Stavróguin que falava! Não temi caricaturar uma grande ideia nela tocando, porque Stavróguin me escutava... Não haverei de beijar as marcas de seus pés, quando o senhor se for embora? Não posso arrancá-lo de meu coração, Nikolai Stavróguin.

– Lamento não poder amá-lo, Chátov – respondeu friamente Stavróguin.

– Sei que o senhor não pode e sei também que não está mentindo. Escute, posso arranjar tudo; vou lhe arranjar a lebre.

Stavróguin mantinha-se em silêncio.

– O senhor é ateu porque é um gentil-homem, o derradeiro dos gentis--homens. Se não pode mais discernir entre o bem e o mal é porque cessou de compreender o seu povo. Uma nova geração vai chegar, saída do coração mesmo de nosso povo. O senhor não a reconhecerá, nem o senhor, nem os Vierkhoviénski pai e filho, nem eu, porque sou também um gentil-homem, eu, o filho de seu antigo servo Pachka. Escute-me, procure Deus pelo caminho do trabalho ou então desapareça como uma podridão hedionda e imunda. Procure Deus pelo trabalho.

– Deus pelo trabalho? Por qual trabalho?

– O do camponês. Vá, abandone suas riquezas. Ah! o senhor ri, teme que seja uma farsa?

Mas Stavróguin não ria.

– De modo que você acredita que se pode conquistar Deus pelo trabalho e precisamente pelo trabalho do mujique? – perguntou ele bastante pensativo, como se, na verdade, acabassem de exprimir uma ideia nova e séria que merecia reflexão. – Mas sabe também, porque acaba de me lembrar disso – disse ele, passando bruscamente a outro assunto, – que não sou rico de todo, não tenho riquezas a abandonar. Sou quase incapaz de assegurar a velhice de Maria Timofiéievna... Sim, e isto ainda: viera pedir-lhe que continuasse, se possível, a velar por Maria Timofiéievna, porque é o único que poderia ter certa influência sobre seu pobre espírito. Peço-lhe isso, haja o que houver.

– Está bem, está bem – disse Chátov, fazendo um sinal com a mão, enquanto segurava na outra uma vela. – O senhor fala de Maria Timofiéievna, está bem, eu... não resta dúvida. Escute, vá ver Tíkhon.

– Quem?

– Tíkhon. É um antigo bispo, atualmente aposentado por causa de sua saúde. Mora aqui na cidade, no mosteiro do bem-aventurado Eutímio.

– E que significa tudo isso?

– Nada. Vai-se muito visitá-lo. Vá o senhor lá também. Que é que isso poderá importar-lhe? Então?

– É a primeira vez que ouço falar dele... e nunca até agora frequentei indivíduos dessa espécie. Obrigado, irei.

– Por aqui – disse Chátov, iluminando a escada e acompanhando-o até embaixo. – Saia – disse, abrindo a porta que dava para a rua.

– Não voltarei mais à sua casa, Chátov – disse em voz baixa Stavróguin, transpondo o limiar.

A noite era trevosa e a chuva não diminuíra de violência.

Capítulo II / *A noite* (CONTINUAÇÃO)

I

Seguiu por toda a Rua da Epifania, atingindo por fim o sopé da encosta; seus pés afundavam-se na lama. De repente, encontrou-se diante de um espaço vasto e brumoso que parecia vazio: era o rio. As casas aqui não eram mais casas, mas casebres, e a rua perdia-se em ruelas, em becos sem saída, em betesgas. Nikolai Vsiévolodovitch caminhou muito tempo ao longo de cercas sem se afastar da margem; prosseguia resolutamente seu caminho sem lhe prestar grande atenção, preocupado com coisa bem diversa e foi com surpresa que olhou em redor de si quando, bruscamente arrancado de suas profundas reflexões, se viu quase no meio de nossa longa, chata e úmida ponte. Nem uma alma em redor. De modo que experimentou uma sensação estranha, quando se ouviu interpelar de repente, bem perto, por uma voz quase familiar, aliás bastante agradável, docemente escandida, semelhante à que afetam muitas vezes entre nós os pequenos burgueses demasiado cultos ou os caixeirinhos de cabelos encaracolados.

– Meu príncipe, quer permitir que me abrigue sob seu guarda-chuva?

Com efeito um vulto deslizou ou fez menção de deslizar para debaixo de seu guarda-chuva. O vagabundo pôs-se a andar ao lado dele, quase acotovelando-o. Encurtando o passo, Nikolai Vsiévolodovitch curvou-se para examinar o rosto do desconhecido na medida que permitiam as trevas. Era um homem de estatura média, com aspecto de pequeno burguês bem humorado, nem quente, nem decentemente trajado. Sobre os cabelos crespos trazia um gorro de pano todo encharcado, com a pala meio arrancada. Devia ser moreno, magro, robusto e duma tez baça; os olhos grandes, negros, sem nenhuma dúvida, muito brilhantes com um reflexo amarelo, como entre os ciganos; era tudo quanto se percebia, ou antes o que se adivinhava na escuridão. Podia ter cerca de quarenta anos; não estava embriagado.

– Conheces-me? – perguntou Nikolai Vsiévolodovitch.

– Senhor Stavróguin, Nikolai Vsiévolodovitch. Mostraram-me o senhor no domingo passado na plataforma da estação, logo que o trem parou. Sem contar que já se ouviu falar do senhor.

– Por Piotr Stiepânovitch? Tu... és Fiedka, o Kátorjni?[89]

– Meu nome de batismo é Fiódor Fiódorovitch. Tenho até hoje minha mãe que mora nestas paragens, uma velhinha devota a Deus, que brotou da terra e que, dia e noite, roga incansável por nós ao Senhor, para não passar inutilmente sua velhice em cima da estufa.

– Evadiste-te do presídio?

– Mudei de sorte. Entreguei a outros os livros, os sinos e toda a aparelhagem da igreja. Fora condenado aos trabalhos forçados perpétuos, mas esperar a vida inteira lá embaixo, era demorado demais.

89 Literalmente: forçado. De *kátorga*, galé, trabalhos forçados. Trata-se aqui dum apelido inventado pelo Autor para caracterizar, como quase sempre costumava fazer, a personagem.

– E que fazes aqui?

– Oh! um dia se passa, uma noite se passa e isto faz vinte e quatro horas passadas. Nosso querido titio morreu a semana passada na prisão onde fora trancafiado por ter fabricado moeda falsa. Fui eu que celebrei em sua honra o ofício dos mortos, lançando duas dezenas de seixos a cães. Eis em que pé estão as coisas. Além disso, Piotr Stiepânovitch prometeu-me arranjar um passaporte para andar por toda a Rússia, um passaporte de comerciante, por exemplo. De modo que estou aguardando a boa vontade dele. Porque, diz ele, papai outrora te perdeu jogando baralho no Clube Inglês,[90] e então, me disse ele que isso é uma coisa contra a natureza, desumana. Não poderia o senhor príncipe dar-me uns três rublos para eu tomar um trago e esquentar-me?

– Queres dizer que me esperavas; não gosto disso. Por ordem de quem?

– A respeito de ordem, ninguém me deu ordem nenhuma. Os seus bons sentimentos não são ignorados, são conhecidos do mundo inteiro. Quais são os nossos pequenos recursos, Vossa Excelência bem sabe: um feixe de feno ou um forcado no lombo. Na sexta-feira fartei-me de empadas como um cônego; depois disso, no dia seguinte, nada provei; no segundo, esperei e no terceiro fiz jejum. Água no rio é o que não falta. Crio girinos na pança... Então, vejamos, se Vossa Excelência quisesse ter a bondade... tenho justamente uma comadre que me espera não longe daqui, mas estou sem jeito de apresentar-me em sua casa sem dinheiro.

– Que é que Piotr Stiepânovitch te prometeu de minha parte?

– Não foi ele quem me prometeu alguma coisa, mas, em conversa, disse-me ele assim que talvez Vossa Excelência tivesse necessidade de mim, que, por exemplo, podiam ocorrer certos acontecimentos, mas quais acontecimentos não me foi explicado. Piotr Stiepânovitch quer pôr à prova minha paciência de cossaco; não tem confiança nenhuma em mim.

– Por quê?

– Piotr Stiepânovitch é um *astrologue*, conhece todos os planetas de Deus; mas às vezes merece ser criticado. Estou diante do senhor, meu príncipe, como diante do Eterno, porque o seu renome é muito grande. Piotr Stiepânovitch é uma coisa, mas o senhor, há toda possibilidade de que seja outra. Quando ele diz de um homem: "é um canalha", disse tudo e é também tudo quanto sabe dele. Quando diz: "é um imbecil", então, para ele, o homem não tem outro nome. Quanto a mim, pode acontecer que nas terças e nas quartas-feiras não seja senão um imbecil e que nas quintas seja mais inteligente do que ele. Eis aí, ele sabe agora a meu respeito que estou precisando de um passaporte, porque na nossa Rússia nada se pode fazer sem papéis, então imagina ele que reduziu minha alma à escravidão. E depois, ele é também muito sovina. Digo-lhe, meu príncipe, é fácil para ele viver na terra. Imagina ele que um homem é tal ou tal e vive com esse homem como o imaginou. Crê que eu não ousaria importunar Vossa Excelência contra vontade dele, eu que estou diante de Vossa Excelência como diante do Pai Eterno. É esta a quarta noite que espero Vossa Graça nesta ponte, prova de que posso sem ele encontrar meu caminho com pé leve. Vale mais, disse a mim mesmo, inclinar-me diante da bota que diante do chinelo.

---

90 Fundado no tempo de Catarina II, tornou-se muito conhecido durante o século XIX. Era o ponto de reunião da aristocracia russa e dos altos funcionários de Petersburgo.

– E quem te disse que eu atravessaria a ponte esta noite?

– Ah! isto, é preciso confessar, soube-o indiretamente, graças sobretudo à estupidez do Capitão Liebiádkin, porque este nada sabe guardar para si mesmo. Então, com o devido respeito, cabem-me, suponhamos, três rublos pelas três noites e pelos três dias de espera. Quanto às roupas encharcadas, delas não falaremos, por discrição.

– Sigo pela esquerda e tu, pela direita. Eis-nos no fim da ponte. Escuta, Fiódor, gosto que me compreendam de uma vez por todas: não te darei um copeque. No futuro, não quero encontrar-te mais no meu caminho; nem nesta ponte, nem em parte alguma. Não tenho e não terei jamais necessidade de ti. E se te obstinares, vou te agarrar e te levar à polícia. Vai-te embora.

– Bem, obrigado. Pelo menos dê-me alguma coisa pela companhia que lhe fiz. A caminhada foi mais agradável, mais alegre.

– Vai-te embora.

– Mas será que Vossa Graça pode encontrar o caminho? Vai meter-se numa enfiada de ruelas... Se quiser, poderia conduzi-lo, porque esta cidade é como se o diabo a tivesse carregado num cesto e semeado tudo pelo caminho.

– Vou amarrar-te – disse Nikolai Vsiévolodovitch, voltando-se com ar de ameaça.

– Considere, meu príncipe, que é muito fácil humilhar uma criatura sem defesa.

– És na verdade muito seguro de ti mesmo.

– Eu, meu príncipe, só conto é com o senhor e não comigo.

– Não tenho absolutamente necessidade de ti, já te disse.

– Mas eu tenho necessidade do senhor, meu príncipe, e vou aguardá-lo à sua volta, custe o que custar.

– Dou-te minha palavra de honra que, se te encontrar, amarro-te.

– Pois bem, então vou lhe preparar uma corda para isso. Boa viagem, meu príncipe, ainda assim Vossa Graça reaqueceu um órfão debaixo de seu guarda-chuva e, só por isto, terá minha gratidão até morrer.

Ficou para trás. Nikolai Vsiévolodovitch chegou a seu destino bastante preocupado. Aquele homem caído do céu estava plenamente convencido de ser-lhe necessário e lhe oferecera seus serviços com uma estranha impudência. Em geral, agora, não se acanhavam mais com ele. Talvez o vagabundo não tivesse também mentido em todos os pontos e era por si mesmo e sem Piotr Stiepânovitch soubesse, que ele se oferecia. E eis, de fato, o mais curioso da história.

II

A casa para a qual se dirigia Stavróguin estava situada numa ruela deserta, apertada entre duas cercas por trás das quais estendiam-se hortas, bem na extremidade da cidade. Era uma casinha isolada, de madeira, recém-construída e cujas paredes ainda não estavam pintadas. Os postigos de uma janela, diante da qual ardia uma vela, ali posta visivelmente para servir de farol ao visitante tardio esperado naquela noite, estavam abertos de propósito. A uma distância duns trinta passos, *distinguiu Stavróguin* na soleira da porta um homem de elevada estatura, o dono da casa provavelmente, que perdera a paciência e saíra para sondar a rua. Stavróguin ouviu também a voz dele, ao mesmo tempo impaciente e tímida.

– É o senhor, é o senhor?

– Sou eu – respondeu Stavróguin, ao chegar ao limiar da porta e depois de ter fechado seu guarda-chuva.

– Enfim – disse o Capitão Liebiádkin – porque era ele, movendo-se com grande solicitude. – Seu guarda-chuva, por favor; um tempo péssimo hoje; vou abri-lo aqui, num canto, sobre o soalho. Por favor, faça-me a honra de entrar. Rogo-lhe.

A porta do quarto de dormir, iluminada por duas velas, estava escancarada.

– Se o senhor não me tivesse anunciado sua chegada duma maneira totalmente afirmativa, teria já renunciado a acreditar nisso.

– Meia-noite e três quartos – disse Stavróguin, enquanto entrava no quarto e consultava seu relógio.

– E a chuva ainda por cima e uma distância tão considerável... Não tenho relógio e diante das janelas só se veem hortas; portanto, fica-se excluído dos acontecimentos. Não é uma censura, não ousaria fazê-la, não ousaria, foi somente isto mesmo, impaciência... depois que a gente se aborrece a semana inteira para afinal chegar a uma solução.

– Que quer você dizer?

– Conhecer o destino da gente, Nikolai Vsiévolodovitch. Sente, peço-lhe.

Inclinou-se, designando um lugar sobre o sofá junto da mesa.

Stavróguin lançou um olhar em redor de si. O quarto era pequeno, baixo. Os móveis achavam-se reduzidos ao necessário exclusivamente: duas cadeiras simples de madeira, um divã novo também de madeira, ainda não estofado, sem almofada; duas mesas de tília, uma diante do sofá, a outra num canto, atravancada de objetos cobertos por um guardanapo muito limpo. O quarto estava visivelmente muito bem conservado. Havia oito dias que o capitão não se embriagara uma só vez. Seu rosto parecia macilento e desfeito, o olhar estava inquieto, avidamente curioso, irresoluto. Via-se que não sabia em que tom falar e qual seria para ele o mais vantajoso.

– Eis – disse ele, com um gesto patético, – vivo como Zósima:[91] abstinência, castidade, pobreza, todos os votos dos antigos cavaleiros.

– Acha que os antigos cavaleiros pronunciavam tais votos?

– Talvez me tenha enganado. Ai de mim, lá se foi por água abaixo a cultura. Atrapalhei tudo. Pode acreditar, Nikolai Vsiévolodovitch. Pela primeira vez, desde que estou aqui, libertei-me de minhas paixões vergonhosas... nem um copo sequer, nem uma gota. Tenho agora um cantinho e há seis dias experimento o alívio dos remorsos de consciência. As próprias paredes cheiram à resina e me lembram a Natureza. Quem era eu, quem era eu pois?

> De noite sem abrigo,
> De dia estirando a língua,

segundo a genial expressão do poeta... Mas o senhor está todo molhado... Quer um copo de chá?

– *Não se incomode.*

---

91 O *stáriets* Zóssim, tipo de monge asceta, que Dostoiévski transformou numa das figuras principais do seu romance *Os irmãos Karamázovi.*

– O samovar estava fervendo desde as oito horas da noite, mas, agora, extinguiu-se... como todas as coisas deste mundo. O sol também se extinguirá um dia, dizem, quando chegar a sua vez... Aliás, se o senhor quiser, vou dar um jeito a isso. Agáfia ainda não está dormindo.

– Diga-me, e Maria Timofiéievna...

– Está aqui – respondeu logo Liebiádkin, em voz baixa, – quer vê-la? – e indicou com o dedo a porta fechada que dava para o quarto vizinho.

– Não está dormindo?

– Oh! não, não, será possível?... Pelo contrário, espera-o desde o cair da noite e logo que soube que o senhor viria, tratou de preparar-se. – Já esboçava um sorriso facecioso, mas conteve-se.

– Como vai ela em geral? – perguntou Stavróguin, franzindo a testa.

– Em geral? É o que o senhor mesmo verá – respondeu ele, erguendo os ombros com compaixão. – Mas agora... está sentada, botando cartas.

– Bem, mais tarde. É preciso, em primeiro lugar, acertar contas com você.

Stavróguin sentou numa cadeira.

O capitão não ousou sentar no divã; puxou para si outra cadeira e inclinou-se para escutar melhor aquilo que esperava ansiosamente.

– Que é que você tem ali no canto, debaixo do guardanapo? –perguntou Stavróguin, cuja atenção, de súbito, mudara-se para a mesa.

– Aquilo? – disse Liebiádkin, voltando-se, – são os efeitos de suas próprias liberalidades, sob as espécies, como se tem costume de exprimir, do pão e do sal, para celebrar a nova casa e também em consideração da longa caminhada e da fadiga natural... – Olhava Stavróguin com ar quase suplicante e esforçando-se por sorrir. Depois levantou-se, dirigiu-se na ponta dos pés para a mesa e ergueu o guardanapo com respeito e precaução. Uma ceia fria estava servida ali em baixo; presunto defumado, vitela, sardinhas, queijo, uma garrafinha verde e uma garrafa de bordéus de gargalo comprido, tudo extremamente limpo, arranjado com gosto e competência, quase com elegância.

– Foi você quem preparou tudo isso?

– Sim, fui eu. Desde ontem, está tudo pronto. Fiz tudo quanto era possível para homenageá-lo. No que se refere a essas coisas, o senhor mesmo sabe, Maria Timofiéievna fica indiferente. Mas o principal é que são suas próprias liberalidades... portanto, é o senhor o dono aqui e eu não passo de empregado seu, ainda que... ainda que, Nikolai Vsiévolodovitch, ainda que eu mantenha minha independência!... O senhor não me privará deste derradeiro bem – concluiu, com enternecimento.

– Hum... por que não senta?...

– Sou gra...a...to, grato e independente. (Sentou.) – Ah! Nikolai Vsiévolodovitch, há tantas coisas amontoadas neste coração, tantas coisas, que não sabia verdadeira*mente mais como esperar* com paciência sua chegada! Ei-lo aqui agora para decidir de minha sorte e também da... daquela infeliz, e depois, depois como antes! Vou lhe abrir minha alma como outrora, há quatro anos. O senhor deu-me a honra outrora de escutar-me, de ler comigo versos... Então o senhor me chamava de seu Falstaff, de Shakespeare. Mas o senhor desempenhou tão importante papel em meu destino!... Agora tenho temores e só do senhor espero conselho e socorro. Piotr Stiepânovitch trata-me de maneira abominável...

Stavróguin escutava-o com curiosidade e fixava nele um olhar escrutador. Embora Liebiádkin tivesse ficado mais de uma semana sem se embriagar, não estava evidentemente num estado de perfeita harmonia, bem longe disto. Entre os beberrões inveterados como aquele, sobrevém afinal uma espécie de incoerência, de perturbação, um desarranjo que confina quase com a loucura, o que, afinal, não os impede de mentir, de usar de manha, de trapacear quase tanto quanto os outros, se preciso.

– Vejo, capitão, que você não mudou completamente nestes quatro anos – disse Stavróguin, num tom um pouco mais amável. – Em suma, está aí uma nova prova de que a segunda metade da vida humana se compõe na maior parte do tempo de hábitos contraídos durante a primeira.

– Ah! as belas palavras!... O senhor resolve o enigma do mundo! – exclamou o capitão num entusiasmo semi-fingido, semissincero, porque era ele grande amador das boas frases. – De tudo quanto o senhor disse, Nikolai Stavróguin, lembro-me particularmente de uma frase que pronunciou outrora em Petersburgo: "É preciso ser mesmo um grande homem para saber resistir ao bom senso". Isto mesmo, justamente.

– Sim, ou um imbecil.

– Ah! pois bem! se o quer, um imbecil. Toda a sua vida lançou o senhor frases de espírito, mas os outros? Que Lipútin e Piotr Stiepânovitch tentem, pois, emitir coisas semelhantes! Oh! como Piotr Stiepânovitch agiu cruelmente para comigo!

– Mas o senhor mesmo, capitão, como se comportou o senhor?

– Ah! o estado de embriaguez e além disso a multidão de meus inimigos!... Mas, agora, está tudo definitivamente acabado, vou-me regenerar e mudar de pele como uma serpente. Sabe também, Nikolai Vsiévolodovitch, que estou escrevendo meu testamento, que já o escrevi mesmo?

– Curiosíssimo. Que é que você lega e a quem?

– À minha pátria, à humanidade e aos estudantes. Uma vez, Nikolai Vsiévolodovitch, li nos jornais a biografia dum americano. Legava toda a sua imensa fortuna às fábricas e às ciências positivas. Seu esqueleto aos estudantes da Universidade de sua cidade e sua pele para dela fazer-se um tambor sobre o qual deveriam bater, dia e noite, o hino nacional americano. Ah! não passamos de pigmeus em comparação com essa envergadura do pensamento que se encontra entre os cidadãos dos Estados Unidos. A Rússia é um jogo da natureza e não do espírito. Se eu tentasse legar minha pele para que dela se fizesse um tambor destinado ao regimento de Infantaria de Akmolinsk, onde tive a honra de prestar meu serviço, com a condição de que nele se tocasse todos os dias o hino nacional russo, iam me acusar de liberalismo e confiscariam minha pele imediatamente... Por isso é que me limitei aos estudantes. Quero legar meu esqueleto à Academia de Medicina, mas com a condição de que colem na minha testa uma etiqueta que deveria nela ficar eternamente com esta menção: "Um livre-pensador arrependido". Eis aí.

O capitão falava com ardor e, bem entendido, acreditava sinceramente na beleza do testamento americano. Mas como era seu tanto malicioso, tinha também grande vontade de fazer Stavróguin rir, tendo desempenhado junto dele esse papel *de bufão. Stavróguin, sem* sorrir sequer, perguntou, pelo contrário, com suspeita:

– Tem sem dúvida a intenção de publicar ainda vivo esse testamento, a fim de receber uma recompensa?

– E se tal se desse, Nikolai Vsiévolodovitch, se tivesse eu essa intenção? – respondeu Liebiádkin, olhando com desconfiança para seu interlocutor. – Veja qual é agora o meu destino... Parei até de escrever versos. Lembra-se de que outrora o senhor mesmo achava prazer em meus versinhos, Nikolai Vsiévolodovitch? Lembra-se da garrafa? Ai de mim! minha veia se esgotou!... Não escrevi mais senão uma única poesia, como Gógol, no seu derradeiro canto. O senhor sabe, não é?, como Gógol anunciou à Rússia inteira que havia tirado essa poesia de seu coração? Eu também cantei o meu derradeiro canto. Mas basta...

– E qual é essa poesia?

– Intitula-se "No caso em que ela quebre a perna".

– Como?

Era justamente o que esperara o capitão. Levava em grande conta os seus versos, mas ao mesmo tempo, em virtude da manhosa duplicidade de sua alma, sempre gostara de que seus versos fizessem Stavróguin rir, o qual, efetivamente, outrora, quando os ouvia, torcia-se de tanto rir. De uma cajadada matava assim dois coelhos: um de seus objetivos era poético, o outro, servil. Desta vez eram não apenas dois, mas três objetivos que atingia dum só golpe, e o terceiro era particularmente delicado: mostrando seus versos, esperava o capitão poder mais facilmente justificar-se a respeito de um ponto que o atemorizava e a propósito do qual se sentia especialmente culpado.

– "No caso em que ela quebre a perna", isto é, montando a cavalo. Uma simples fantasia, Nikolai Vsiévolodovitch, uma alucinação, mas uma alucinação de poeta: um dia, ao passear, o poeta encontrou uma amazona, e, impressionado por uma ideia, fez textualmente a si mesmo a pergunta: que acontecerá?... isto é, no caso em que... A coisa é clara, não é? Todos os pretendentes desapareceriam "inclusive o alemão" e somente o poeta, de coração magoado, permaneceria fiel. Nikolai Vsiévolodovitch poderia apaixonar-se, uma vez que nenhuma lei proíbe isso. E no entanto a dama mostrou-se ofendida por causa de minha carta e de meus versos. Dizem também que o senhor mesmo está zangado. É verdade? Seria lamentável, de modo que não quis acreditar. Pois bem, diga-me, a quem poderia eu prejudicar com uma simples fantasia? Aliás, juro pela minha honra, Lipútin não é estranho à coisa: "Escreva, não tenha dúvida, escreva, todo homem tem direito de escrever cartas", disse-me ele. E foi por isso que enviei a carta e a poesia.

– Você apresentou-se como candidato à sua mão, não foi?

– Inimigos, inimigos, não tenho senão inimigos.

– Leia os versos – interrompeu com rudeza Stavróguin.

– Um delírio, um delírio, mais que qualquer coisa, afirmo-lhe.

Contudo, ergueu-se, estendeu o braço para a frente e começou:

Das belas a mais bela uma perna quebrou,
Duas vezes, porém, mais bela ela ficou,
E duas vezes mais o peito se acendeu
Daquele que por ela já antes sempre ardeu.

– Basta – disse Stavróguin, detendo-o com um gesto da mão.

– Tenho saudades de Petersburgo – continuou logo Liebiádkin, passando a outro assunto, como se não se tivesse tratado de poesia. – Sonho com uma ressurreição, sonho com regeneração. Meu benfeitor, posso contar com o senhor para que não me recuse o dinheiro necessário para a viagem? Eu, que o esperei a semana inteira como quem espera o sol.

– Não, não conte com ele, quase nada me resta de meu capital e, além disso, por que eu lhe daria dinheiro?

Stavróguin pareceu de repente irritado. Pôs-se a enumerar breve e secamente todos os delitos do capitão: bebedice, mentira, gasto do dinheiro pertencente a Maria Timofiéievna, o fato de ter retirado esta última do convento onde ele a havia colocado, as cartas impudentes com ameaças de revelar o casamento secreto, a história com Dária Pávlovna, etc., etc. O capitão movia-se, gesticulava, tentava replicar, mas Stavróguin de cada vez o detinha com um gesto imperioso.

– Permita-me que lhe observe – disse, em conclusão, – que você fala e escreve sem cessar a respeito de "uma desonra de família". Que desonra há para você no fato de ser sua irmã a esposa legítima de um Stavróguin?

– Mas esse casamento permanece secreto, Nikolai Stavróguin, todo mundo o ignora; um segredo funesto... Recebo dinheiro do senhor e de repente me perguntam: "Por que recebes esse dinheiro?". Estou preso por um segredo e não posso responder. Isto prejudica minha irmã e fere a honra da família.

O capitão elevou a voz; era um assunto de que ele gostava especialmente e cujos efeitos explorava. Como poderia prever o golpe que lhe iria ser dado? Com calma e segurança, como se se tratasse de resolver algum assunto doméstico, Stavróguin informou-o de que tinha intenção, nos próximos dias, amanhã ou depois de amanhã, de anunciar publicamente seu casamento "tanto à polícia como à sociedade", de modo que não haveria mais questão de "desonra de família", nem mais subsídios. O capitão arregalou os olhos. Ainda não compreendia. Nikolai Vsiévolodovitch teve de explicar-lhe aquelas coisas.

– Mas, ela está... semilouca.

– Tomarei minhas disposições.

– Mas que dirá a mãe do senhor?

– Oh! dirá o que quiser, Liebiádkin.

– Introduzirá sua mulher em sua casa?

– Talvez, mas você nada tem com isso, absolutamente nada.

– Como, nada tenho com isso?... e eu?

– Não é preciso dizer que você não porá os pés em minha casa.

– No entanto, sou seu parente.

– De parentes dessa laia, foge-se. Pense você mesmo, desde já: por que haveria eu de continuar a dar-lhe dinheiro?

– Nikolai Vsiévolodovitch, Nikolai Vsiévolodovitch, é impossível, é preciso que o senhor reflita ainda. Não pode levantar a mão contra... que pensarão, que dirão do senhor na sociedade?

– Que me importa a sociedade? Casei-me com sua irmã quando bem me pareceu, depois de copiosas libações, para ganhar uma aposta de algumas garrafas de *vinho. Agora anunciar*ei publicamente esse casamento... se me der na veneta.

Pronunciou esta última frase com particular irritação. O capitão, atemorizado, começava a acreditar que ele falasse seriamente.

– Mas eu, eu, que será de mim? Isto é o principal... Quem sabe se isso não passa de uma brincadeira, Nikolai Vsiévolodovitch?

– Não, não estou brincando.

– Como queira, Nikolai Vsiévolodovitch, mas não acredito no senhor... faço-lhe uma súplica.

– Você é terrivelmente estúpido, capitão.

– Talvez, mas é a única coisa que me resta a fazer – replicou o capitão, atrapalhando-se cada vez mais. – Outrora, quando minha irmã servia em Petersburgo, deixavam-me pelo menos viver num cantinho, mas que me acontecerá se o senhor me abandona totalmente?

– Mas não queria você ir para Petersburgo, a fim de mudar de carreira? A propósito, é verdade que você pretendia denunciar todos os outros na esperança de obter seu perdão?

O capitão ficou boquiaberto, os olhos exorbitados e não disse palavra.

– Escute, capitão, – começou de repente Stavróguin, com uma gravidade singular, o busto ligeiramente inclinado para a mesa. Até agora falara de maneira um tanto ambígua. Por isso o capitão, esforçando-se por manter seu papel de bufão, mantivera uma vaga dúvida até o derradeiro segundo; seu senhor estava realmente zangado ou antes pilheriava somente, quando falava de tornar público o seu casamento? Mas o ar de Stavróguin tornara-se tão severo e tão persuasivo que o capitão sentiu frio nas costas. – Escute-me, Liebiádkin, e diga-me toda a verdade: já fez ou não fez a denúncia? Teve ocasião de fazê-la? Não terá cometido a tolice de haver enviado uma carta?

– Não, ainda não... nem mesmo pensei nisso algum dia – respondeu o capitão olhando fixamente para Stavróguin.

– Pois bem, está mentindo quando diz que nunca pensou nisso. É mesmo por isso que quer ir para Petersburgo. Mas se ainda não escreveu, não deu com a língua nos dentes? Diga a verdade. Ouvi contar alguma coisa a este respeito.

– A Lipútin, quando estava embriagado. Esse Lipútin é um traidor. Abri-lhe meu coração – balbuciou o infeliz capitão.

– Deixemos de lado o coração, mas não é preciso ser imbecil. Se teve essa ideia, era preciso guardá-la para você. Hoje as pessoas inteligentes se calam, não falam.

– Nikolai Vsiévolodovitch – replicou o capitão, todo trêmulo. – O senhor não tornou parte em nenhuma ação. Não é, pois, do senhor que se trata...

– Você teria tido o cuidado de não denunciar sua vaca de leite?

– Nikolai Vsiévolodovitch, julgue o senhor mesmo. Diga-me...

E num acesso de desespero, todo lacrimejante, o capitão começou a contar sua vida durante os quatro últimos anos. Era a tola história de um imbecil que metera o nariz em negócios que não lhe diziam respeito, e dos quais, até o derradeiro momento, ignorou a importância, em virtude de sua embriaguez e devassidão. Contou como, no começo, em Petersburgo, "tinha-se deixado levar por pura amizade, como um estudante, sem todavia ser ele próprio estudante". Ignorando tudo e "com toda a inocência", introduzia diversos papéis nas escadas, depositava-os às dezenas sob as portas, pregava-os às campainhas, metia-os, como se fôssem jornais, nas caixas de correio, em toda parte onde se lhe oferecesse ocasião, no teatro, nos chapéus, nos bolsos. Em seguida, aceitara dinheiro deles, "porque o senhor mesmo sabe o que possuo como renda, quais são meus recursos". Viera a espalhar toda espécie de sujeiras nos distritos de duas províncias. – Oh! Nikolai Vsiévolodovitch! – exclamou ele, – o que me indignava mais é que todos aqueles farrapos de papel eram contrários às leis civis e às de nossa pátria. Lá declarava-se por exemplo: "Deveis vir armados de forcados e lembrar-vos de que aqueles que saírem pobres de manhã voltarão ricos à noite". Pense, pois. Estou tomado de medo e, no entanto, continuo a propagar por toda parte essas espécies de folhetos. Ou então, uma outra vez, cinco a seis linhas dirigidas a toda a Rússia: "Fechai o mais cedo possível as igrejas, aniquilai Deus, anulai os casamentos, suprimi o direito de herança, armai-vos de facas". Ai está e o diabo sabe que mais ainda... Foi precisamente com essa proclamação de cinco linhas que estive a ponto de me deixar agarrar; os oficiais de um regimento fustigaram-me, depois deixaram-me correr... Deus os abençoe!... O ano passado, por pouco não fui apanhado no momento em que remetia a Korováiev cédulas de cinquenta rublos, impressas na França. Mas, graças a Deus, estando Korováiev bêbado, afogou-se num tanque, e não se pôde empreender nenhum processo contra mim. Em casa de Virguínski, já eu proclamara a liberdade da mulher socialista... Em junho, distribui de novo toda espécie de manifestos no distrito de***. Querem me obrigar a fazer isso de novo... Piotr Stiepânovitch comunicou-me, de repente, que devo obedecer. Desde muito tempo já que ele me ameaça. De que maneira ele me tratou domingo passado! Nikolai Vsiévolodovitch, sou um escravo, um verme da terra, mas não um deus, é o que me distingue de Dierjávin.[92] Mas quais são os meus recursos, o senhor mesmo sabe.

Stavróguin escutara-o até o fim com curiosidade.

– Você me deu a conhecer muitas coisas que eu ignorava – disse. – Evidentemente, pode-se fazer tudo quanto se quer dum homem como você. Escute – acrescentou, após alguns instantes de reflexão, – se quiser, diga a quem você sabe que Lipútin andou mentindo e que você queria apenas amedrontar-me por meio de ameaças de denúncia, supondo que eu estava demasiado comprometido e que você obteria dessa forma mais dinheiro. Compreendeu?...

– Nikolai Vsiévolodovitch, meu caro, será possível que tal perigo me ameace? Esperei-o... somente para perguntar-lhe isto.

Stavróguin deu uma risada de escárnio.

– Mesmo se eu lhe der dinheiro, não o deixarão partir para Petersburgo... Aliás, já é tempo que vá ter com Maria Timofiéievna – disse ele, levantando-se.

– Mas Nikolai Vsiévolodovitch, que será de mim e de Maria Timofiéievna?

– Já lhe disse.

– É então verdade?

– Ainda não me acredita?

– Quer verdadeiramente abandonar-me, como a uma bota velha?

– Vou ver – disse Stavróguin, sorrindo. – No momento, deixe-me.

– Deseja que fique, durante esse tempo, na entrada, a fim de não me arriscar a ouvir sem querer... os quartos são pequenos...

– Tem razão, saia, vá para o portão. Tome meu guarda-chuva.

---

92 G. Românovitch Dierjávin (1743-1816), poeta oficial da corte de Catarina II, tendo alcançado, inclusive, o posto de Ministro da Justiça.

– Seu guarda-chuva... seu... não sou digno – replicou o capitão, com uma humildade exagerada.

– Seja lá quem for, vale bem um guarda-chuva.

– Com essas palavras apenas, o senhor determina o mínimo dos direitos humanos – observou Liebiádkin.

Mas disse isto quase maquinalmente, tão abatido estava pelo que acabava de ouvir. Quase perdera o senso da realidade. No entanto, assim que se viu no patamar e abriu o guarda-chuva, uma ideia surgiu em sua cabeça aturdida e manhosa, uma ideia já familiar, que sempre o havia tranquilizado: se só se tratasse de enganá-lo e mentir-lhe? Se assim fosse, é que o temiam, então, e ele nada tinha que temer.

Quando se usa de manha e quando se mente, não se faz isso sem motivo. Qual podia bem ser o motivo aqui? E quebrava a cabeça. A publicação do casamento parecia-lhe uma estupidez. Mas Deus sabia que, com aquele taumaturgo, nada era impossível. Só vive para fazer mal às pessoas. E se tem medo de mim, depois da afronta que sofreu no domingo? Hum, e mais medo do que nunca? Então, veio a toda a pressa assegurar-me que queria tornar público o seu casamento, no temor de que eu mesmo o faça. Atenção, Liebiádkin... não te deixes apanhar na armadilha... Por que veio ele aqui, à noite, escondendo-se, se faz questão de revelar ele próprio seu casamento a toda gente? E se tem medo, é então desde agora que tem medo, e precisamente pelos poucos dias que se vão seguir. Hum, toma cautela, Liebiádkin!...

– Ele quer aterrorizar-me com Piotr Stiepânovitch. Oh! é aterrorizador, completamente aterrorizador!... Que desgraça ter tagarelado diante de Lipútin! O diabo sabe o que aqueles demônios meditam... Nunca compreendi nada. Recomeçam a agitar-se como há cinco anos. A quem eu teria podido denunciá-los? "Não teria escrito a alguém por estupidez?" Hum, pode-se escrever então fingindo estupidez. Talvez seja um conselho que ele me dá... "É por isso que quer ir para Petersburgo." Hipócrita! Mal pensei nisso e ele logo me adivinha o pensamento! Até parece que é ele mesmo quem me aconselha a viagem. Deve haver duas coisas em jogo aqui: ou ele tem medo porque se encontra em má situação... ou então nada tem a temer e me incita a denunciar a todos. Ah! Liebiádkin, é terrível, não te deixes apanhar na armadilha...

Estava de tal modo mergulhado em suas reflexões que se esquecera de prestar ouvidos. Aliás, teria sido difícil ouvir qualquer coisa: a porta era maciça e falava-se em voz baixa; uma vez ou outra, raros sons chegavam até ele. O capitão cuspiu, cheio de despeito, e pôs-se a assobiar na soleira da porta.

III

O quarto de Maria Timofiéievna era duas vezes maior que o que o capitão ocupava. Os móveis eram nele igualmente simples e como que talhados a machado; mas a mesa diante do sofá estava coberta por uma toalha de vivas cores, sobre a qual pousava uma lâmpada acesa. Magnífico tapete cobria todo o soalho. Uma cortina verde, estendida em todo o comprimento do quarto, ocultava o leito. Havia além disso uma vasta poltrona estofada na qual, aliás, Maria Timofiéievna jamais se sentava. Como em sua antiga residência, pendurara a um canto um ícone diante do qual ardia uma lamparina. Sobre a mesa encontravam-se expostos todos os objetas que lhe eram necessários: um baralho, um espelhinho, um livro de canções e um pãozinho branco; dois livros com gravuras coloridas: um, destinado à juventude, continha diversas narrativas extraídas dum livro popular de viagens; o outro era uma coleção de romances, cavalheirescos na maior parte, fáceis, de tendências moralizantes, um livro para árvore de Natal ou pensionato de moças. Além disso, um álbum de fotografias. Maria Timofiéievna aguardava naturalmente o visitante, como o anunciara o capitão. Mas quando Stavróguin entrou, ela dormia, semiestendida no divã; com a cabeça apoiada numa almofada. O visitante fechou sem ruído a porta atrás de si e, sem mover-se do lugar, pôs-se a contemplar a adormecida.

O capitão mentira ao dizer que Maria Timofiéievna se preparara. Usava o mesmo vestidinho escuro do domingo anterior com que apareceu em casa de Varvara Pietrovna. Como então, os cabelos estavam atados e formavam um pequeno coque na nuca; o pescoço longo e seco estava descoberto. O xale negro de que Varvara Pietrovna lhe fizera presente estava cuidadosamente dobrado ao lado dela, em cima do divã. Como no outro dia, mostrava-se grosseiramente pintada e empoada. Não havia um minuto que Nikolai Vsiévolodovitch entrara, quando ela despertou bruscamente, como se tivesse sentido sobre si o olhar dele. Abriu os olhos e ergueu-se sem demora. Mas parecia que algo de estranho se tivesse passado na alma do visitante; permanecia de pé junto da porta. Imóvel, sem dizer uma palavra, com um olhar penetrante, examinava com obstinação o rosto da moça. Talvez houvesse naquele olhar uma dureza excessiva, talvez exprimisse desgosto, talvez mesmo uma alegria maligna diante do medo que ela sentia, a menos que não fosse uma alucinação de Maria Timofiéievna, ainda sonolenta. Seja como for, ao fim de alguns instantes, o rosto da infeliz exprimiu o mais extremo terror; um tremor convulsivo abalou-a; para se proteger, ergueu as mãos e desfez-se em lágrimas como uma criança que está com medo; um instante mais e começaria a gritar. Entretanto, o visitante voltou a si, sua fisionomia mudou totalmente e foi com um sorriso doce e cordial que se aproximou da mesa.

– Perdoe-me tê-la amedrontado, Maria Timofiéievna. Você dormia e entrei de repente – disse ele, estendendo-lhe a mão.

Estas benévolas palavras produziram efeito; o rosto de Maria Timofiéievna serenou. No entanto, ela continuava a olhar para Stavróguin com olhos amedrontados e fazia visivelmente esforço para compreender. Medrosamente também, estendeu-lhe a mão. Afinal, um pálido sorriso aflorou-lhe os lábios.

– Bom-dia, príncipe – murmurou ela, olhando-o com estranha atenção.

– Teve sem dúvida um mau sonho – disse ele, sorrindo, ainda mais doce e amavelmente.

– Como pode saber que sonhei com "aquilo"?

E, de súbito, pôs-se a tremer; aterrorizada, recuou, ergueu as mãos num gesto de defesa. Todos os seus traços se contraíram, como se ela estivesse a ponto de chorar.

– Acalme-se! De que tem medo? Será que, na verdade, não me reconheceu? – perguntou Stavróguin, esforçando-se por tranquilizá-la. Mas desta vez, só com dificuldade o conseguiu. Sem dizer palavra, continuava ela a fitá-lo. E no seu olhar via-se sempre a mesma dúvida pungente, alguma ideia dolorosa que sua pobre cabeça não conseguia elucidar. Parecia fazer um esforço prodigioso para seguir seu pensamento. Ora baixava os olhos, ora os reabria de súbito e cercava Stavróguin com um rápido olhar. Por fim, sem chegar a acalmar-se totalmente, pareceu ter tomado uma decisão.

– Sente perto de mim, rogo-lhe, para que eu possa então olhá-lo – disse ela, num tom bastante firme. Evidentemente, tinha algum novo desígnio. – Fique tranquilo, não o fitarei, fitarei o chão. O senhor também, não me olhe senão quando eu pedir. Sente, pois – repetiu, quase com impaciência.

Uma sensação nova parecia invadi-la cada vez mais.

Stavróguin sentou e esperou. O silêncio durou bastante tempo.

– Tudo isso me parece estranho – murmurou ela, de repente, com um ar quase de desgosto. – Naturalmente, tive maus sonhos, mas por que o senhor precisamente é quem me aparece em sonho?

– Deixemos os sonhos agora – interrompeu bruscamente Stavróguin, voltando-se para ela, apesar dela o haver proibido e sem dúvida a mesma expressão de havia pouco desenhou-se em suas feições. Ele notara que por várias vezes Maria Timofiéievna tivera vontade de erguer os olhos para ele, mas que se contivera e continuava a fitar obstinadamente o soalho.

– Escute, príncipe – disse ela, elevando a voz. – Escute...

– Por que desvia a vista de mim? Por que não me olha? Que significa toda essa comédia? – exclamou ele, perdendo a paciência.

– Escute, príncipe – continuou ela, pela terceira vez, com uma voz resoluta e fazendo cara preocupada e zangada, – quando o senhor me disse no carro que tornaria público nosso casamento, tive medo, porque então o mistério será desvendado. Não sei que dizer. Tenho pensado nisto todo o tempo e só faço ver que não lhe convenho absolutamente. Enfeitar-me, é verdade, até poderia... receber, talvez também, como se fôsse muito difícil convidar pessoas a tomar chá, sobretudo quando se tem lacaios de libré. Mas que dirão as pessoas? Dei-me conta de muitas coisas naquela casa, domingo último. Aquela encantadora senhorita não tirou os olhos de mim, sobretudo a partir do momento em que o senhor entrou. Foi o senhor mesmo que entrou então, não foi? Sua mãe não é senão uma velha senhora da sociedade bastante ridícula. O meu Liebiádkin também se distinguiu. Para não estourar na risada, fiquei todo o tempo olhando o teto. Há belas pinturas naquele forro, A mãe do senhor deve ter sido abadessa dum convento. Tenho medo dela, muito embora me tenha feito presente dum xale negro. Provavelmente elas todas me qualificaram duma maneira engraçada: isto não me aborrece. Fiquei sentada todo o tempo, perguntando a mim mesma: sou uma parenta que convenha a essa gente? Sei que duma condessa não se exigem senão qualidades morais. Quanto às qualidades domésticas, tem tantos criados... Quando muito um pouco de galantaria mundana, a fim de receber dignamente os viajantes estrangeiros. Mas, mesmo assim, domingo passado, examinavam-me com desespero. Somente Dacha é um anjo. Tenho muito medo de que o hajam afligido, a ele, fazendo a meu respeito alguma observação imprudente.

Stavróguin fez uma careta.

– Não tenha medo, não se preocupe – disse ele.

– Mas isto não quer dizer nada, mesmo que ele deva ter um pouco de vergonha de mim, porque a vergonha estaria sem dúvida acompanhada de compaixão, pelo menos assim penso. Mas isto depende da natureza do indivíduo, naturalmente. Porque ele sabe que a mim é que cabe ter compaixão deles, em vez de terem eles compaixão de mim.

– Eles a magoaram profundamente, Maria Timofiéievna?

– A quem? A mim? Não – disse ela, com um riso ingênuo. – Absolutamente. Olhava-os a todos e pensava comigo mesma: estão todos zangados uns com os outros. Todos brigaram. Quando estão juntos, não sabem nem mesmo rir de todo o coração. Tanta riqueza e tão pouca alegria... Como tudo aquilo me pareceu horrível! Mas agora, não tenho mais compaixão de ninguém, salvo de mim mesma.

– Ouvi dizer que na minha ausência seu irmão vinha tratando-a duramente.

– Quem lhe disse isso? É absurdo... Agora é bem mais duro; agora tenho pesadelos e esses sonhos são maus porque o senhor chegou. Vamos ver: pergunto-lhe: por que veio? Diga-me, por favor.

– Não quer voltar para o convento?

– Bem pressentia que me proporiam de novo o convento... Como se o vosso convento fôsse uma coisa desconhecida... E por que deveria eu para lá voltar e com quem? Já vivo agora tão completamente só... É demasiado tarde para recomeçar uma terceira existência.

– Há uma coisa que parece inquietá-la muito. Tem medo de que não a ame mais?

– Oh! quanto ao senhor, não tenho preocupação nenhuma. É por mim só que temo. Se fosse acontecer que eu deixasse de amar certa pessoa?

Ela sorriu com ar desdenhoso.

– Aos olhos dele, sem dúvida, sou culpada – disse ela, de repente, como que falando a si mesma. – Ignoro, entretanto, em que sou culpada e este é o meu eterno tormento. Sempre, sempre, desde cinco anos, de dia e de noite, tenho sido angustiada pelo pensamento de que podia ser culpada a seus olhos. Rezei, rezei muito tempo e não cessava de pensar na minha grande falta. E agora parece que meus pressentimentos tinham fundamento.

– Que é que parece?

– Temo que ele esteja metido em tudo isso – prosseguiu ela, sem responder à pergunta que, aliás, não tivesse talvez sido ouvida. – E no entanto, como pôde ele fazer amizade com aqueles miseráveis? A condessa me comeria de boa vontade, embora me tenha feito sentar na sua carruagem. Toda gente participa da conspiração. Seria possível que também ele fizesse parte dela? Seria um traidor? (Seu queixo e seus lábios foram tomados por um tremor.) Escute, leu coisas referentes a Grichka Otriópiev,[93] o falso Demétrio que foi amaldiçoado em sete concílios?

Nikolai Vsiévolodovitch permaneceu silencioso.

– Agora, vou voltar-me para o senhor e olhá-lo – decidiu ela, de repente. – Volte-se também para meu lado e olhe-me, mas com atenção. Pela derradeira vez, quero convencer-me.

– Há muito tempo já que a olho.

– Hum – disse Maria Timofiéievna, olhando-o com obstinação. – O senhor *engordou muito*.

93 Este é mais um sobrenome engendrado por Dostoiévski, valendo-se do vocábulo *otrióp:* esfarrapado.

Teria querido acrescentar ainda alguma coisa, mas de súbito e pela terceira vez o terror convulsionou suas feições. De novo, recuou, erguendo as mãos, como para se proteger.

– Que tem? – perguntou Nikolai Vsiévolodovitch, quase com raiva.

O terror só durou um instante: um sorriso estranho, suspeitoso, desagradável, desfigurou o rosto de Maria Timofiéievna.

– Rogo-lhe, príncipe, levante-se e entre – disse ela, de repente, com voz firme e imperiosa.

– Como entrar? Onde entrar?

– Durante cinco anos, imaginei como seria quando ele entrasse. Levante-se e vá ao quarto vizinho, lá atrás da porta. Ficarei sentada como se não esperasse nada, nem ninguém e pegarei um livro. De repente, o senhor entrará, após cinco anos de viagem. Gostaria de ver como será.

Stavróguin rangeu os dentes e resmungou algo de ininteligível.

– Basta – disse ele, batendo na mesa com a palma da mão. – Maria Timofiéievna, rogo-lhe que me escute. Faça-me o favor, se puder, de concentrar sua atenção. Vejamos, você não é completamente louca (na sua irritação, esta palavra escapou-lhe). Amanhã, declararei publicamente nosso casamento. Você não habitará jamais em palácios, perca esta ilusão. Quer viver toda a sua vida comigo, mas muito longe daqui? Na Suíça, nas montanhas, há lá um lugar... Não se inquiete... Não a abandonarei jamais, jamais a meterei num asilo de alienados. Terei sempre bastante dinheiro para não ser reduzido a mendigar nosso pão. Você terá uma criada de quarto e não será obrigada a fazer trabalho algum. Você vai ter tudo quanto desejar, na medida do possível. Poderá rezar, fazer o que lhe aprouver, ir aonde quiser. Não tocarei em você. Também eu passarei toda a minha vida nesse lugar. Se você o desejar, não trocarei com você nenhuma palavra, mas se isto lhe agradar, você me contará à noite suas pequenas histórias, como outrora em Petersburgo. Lerei livros para você, se a leitura lhe causar prazer. Mas em troca será você obrigada a ficar a vida toda no mesmo lugar, um lugar triste e deserto. Quer? Quer mesmo? Está decidida? Não se arrependerá de sua escolha e não me acabrunhará com suas lágrimas e com suas maldições?

Ela o escutara com uma atenção insólita. Por muito tempo ficou em silêncio, meditativa.

– Tudo isto me parece bastante inverossímil – observou ela por fim, com desdém e ironia. – Como poderia eu talvez viver quarenta anos entre montanhas? – E desatou a rir.

– Pois bem, não viveremos quarenta anos – disse Stavróguin, franzindo as sobrancelhas.

– Hum, por coisa alguma do mundo iria para lá.

– Nem mesmo comigo?

– Quem é, pois, o senhor para que eu parta em sua companhia? Quarenta anos seguidos com o senhor numa montanha até que ele chegue... vejam só isso!... Como se tornaram pacientes os homens de hoje! Mas não, é impossível que um falcão seja metamorfoseado em mocho. Meu príncipe não é assim. – E altiva e triunfante, ergueu a cabeça.

De repente um clarão atravessou o espírito de Stavróguin.

– Por que me chama sempre príncipe e por quem me toma? – perguntou rapidamente.

– Como? O senhor não é então um príncipe?

– Nunca fui príncipe.

– E é o senhor mesmo, o senhor que ousa confessar-me assim, muito simplesmente, em pleno rosto, que não é um príncipe?

– Só posso repetir-lhe que nunca o fui.

– Meu Deus! – exclamou ela, juntando as mãos. – Esperava tudo da parte dos inimigos dele. Mas tal impertinência, jamais... Ele ainda está vivo? – exclamou ela, precipitando-se sobre Nikolai Vsiévolodovitch. – Tu o assassinaste, sim ou não? Confessa...

– Por quem me tomas? – perguntou ele, saltando de seu lugar, com o rosto decomposto.

Mas era difícil amedrontá-la agora. Estava triunfante:

– Quem, pois, pode saber quem tu és e donde sais?... Meu coração, meu coração somente pressentiu toda a intriga desde cinco anos... Estou ali sentada e me espanto: qual é, pois, essa coruja cega que caiu hoje em minha casa? Mas, meu caro, és um mau comediante, pior ainda que o meu Liebiádkin. Saúda amavelmente a condessa de minha parte e avisa-a de que faria melhor enviando alguém mais hábil do que tu. Será que ela te contratou, é isso? Talvez sirvas na sua cozinha e aceitou-te por caridade! Desvendei vossa impostura, conheço-vos a todos até o derradeiro!

Stavróguin agarrou-a com força pelo braço, acima do cotovelo. Ela rebentou a rir mesmo em seu rosto:

– Tu te pareces com ela, tu te pareces muito com ela. Talvez sejas seu parente. Ah! as pessoas astutas!... Somente o meu é um falcão radioso e um príncipe, tu não passas de uma coruja e de um comerciantezinho. Se lhe agradar, o meu se ajoelhará diante de Deus; se lhe desagradar, não o fará. E a ti, Chátuchka (o meu querido, o meu bom, o meu gentil Chátuchka!), esbofeteou em plena face, Liebiádkin me contou. De que tinhas medo, quando entraste? Que foi que te aterrorizou? Quando vi teu rosto vulgar, quando caí e tu me levantaste, era como se um verme tivesse penetrado em meu coração. "Não é ele, pensei eu, não, não é ele. Meu falcão jamais teria tido vergonha de mim diante de uma jovem do grande mundo." Oh! meu Deus... o pensamento que me tornou feliz durante estes cinco anos é que meu falcão vive lá fora, além das montanhas, onde ele plaina e contempla o sol. Dize, impostor, pagaram-te caro? Foi por uma forte soma que consentiste?... Eu não te teria dado um vintém... Ah! ah! ah!

– Idiota! – rangeu os dentes Stavróguin, apertando cada vez mais fortemente o braço dela.

– Largue-me, impostor! – exclamou ela, imperiosamente. – Sou a mulher de meu príncipe e não temo tua faca.

– Minha faca?

– Sim, tua faca. Tens uma faca em teu bolso. Acreditavas-me adormecida, mas vi-a. Há pouco, quando entraste, puxaste uma.

– *Infeliz, que disseste?* Que sonhos tens! – exclamou Stavróguin, repelindo-a com todas as suas forças. Maria Timofiéievna bateu dolorosamente com a cabeça e os ombros contra o encosto do divã. Ele se precipitou para a saída; ela, porém, correu atrás dele, saltitando e coxeando. Já estava na soleira da porta, quando Liebiádkin, espantado, a reteve com todas as suas forças. Então ela gritou nas trevas, guinchando e escarnecendo:

– Grichka Otriópiev... a-ná-tema!

IV

"Uma faca... uma faca...", repetia Stavróguin, presa duma raiva inextinguível, enquanto marchava a grandes passos, pisando nas poças d'água e na lama, sem conseguir tornar a encontrar seu caminho. Por momentos, contudo, era tomado duma atroz vontade de rir, de rir bem alto, como um louco, mas seja por uma razão ou por outra, continha-se. Só voltou a si na ponte, no lugar preciso em que Fiedka o havia interpelado. E agora aquele mesmo Fiedka ainda ali estava à sua espera. Assim que avistou Stavróguin, tirou seu gorro, sorriu alegremente, descobrindo seus dentes e começou a contar-lhe algo com desenvoltura. A princípio Stavróguin prosseguiu seu caminho, sem prestar a mínima atenção ao que dizia o vagabundo, que se pusera a andar a seu lado. Esquecera-o de tal modo, repetindo sem cessar, no seu íntimo, "uma faca, uma faca", que a própria ideia daquele esquecimento feriu-lhe a atenção. Com um gesto rápido como um raio, agarrou com todas as suas forças o vagabundo pela gola e, com toda a cólera que nele se acumulara, atirou-o ao chão. O vagabundo pensou bem por um instante em defender-se, mas compreendeu logo que, diante de tal adversário que o atacara de repente, não pesaria mais do que uma palha. Ficou imóvel, sem falar, e não opôs a Stavróguin nenhuma resistência. De joelhos, com os cotovelos atrás das costas, o astuto mendigo esperava tranquilamente o resultado daquela aventura e não parecia crer que corresse perigo.

Não se enganava. Embora Stavróguin já tivesse com sua mão esquerda desatado seu lenço de pescoço para amarrar seu prisioneiro, largou-o de súbito, Deus sabe por que, e atirou-o para longe de si. Num abrir e fechar de olhos, Fiedka estava de pé, voltou-se e uma faca larga e curta, um trinchete de sapateiro, brilhou em sua mão.

— Larga a faca. Mete tua faca na bainha. E imediatamente — ordenou Stavróguin com impaciência. A faca desapareceu tão depressa como se tinha mostrado.

Nikolai Vsiévolodovitch, silencioso e sem olhar para trás, prosseguiu seu caminho. Mas o obstinado vagabundo seguiu-o, mantendo-se, é verdade, à distância respeitosa de um bom passo atrás dele e sem proferir uma palavra. Chegados ambos à extremidade da ponte, desceram na ribanceira. Desta vez, Stavróguin dobrou à esquerda em uma ruela comprida e deserta, o caminho por aquele lado era mais curto do que pela Rua da Epifania.

— É verdade, como dizem, que andaste roubando, nestes últimos dias, numa igreja deste distrito? — perguntou bruscamente Nikolai Vsiévolodovitch.

— Quer dizer... entrei lá para rezar — respondeu Fiedka lenta e cortesmente, como se, na verdade, nada tivesse acontecido. E não somente falava de uma maneira totalmente sossegada, mas quase com dignidade. O tom de familiaridade "amigável" de havia pouco desaparecera por completo. Quem dominava agora era o homem de negócios, sério, injustamente ferido, é verdade, mas que sabe esquecer as ofensas.

— Por que o Senhor nosso Deus me conduziu até lá? — continuou ele. — É a graça divina, dizia a mim mesmo... Mas isto só aconteceu porque sou órfão, dando-se o caso de que nesta vida não se pode passar sem o socorro alheio. Pois bem, veja, senhor, acredite-me, foi em seu prejuízo que Deus puniu os meus pecados. Só recolhi em tudo e por tudo doze rublos. Vendi quase por coisa nenhuma o colar de São Nicolau, porque se pretendeu que era uma imitação.

— O guarda, estrangulaste-o?

— Isto é, éramos dois pondo ordem naquela igreja. Quando a manhã chegou, perto do riacho, brigamos para saber quem carregaria o saco. Então pequei e aliviei um pouco o colega...

— Continua estrangulando, roubando.

— É também o que me aconselha Piotr Stiepânovitch, palavra por palavra, porque nunca quer me dar coisa alguma. É muito sovina e tem o coração duro. Aliás, não crê nem um tico no criador celeste que nos formou a todos com o limo da terra. Pretende que foi a Natureza que tudo fez, até o mais ínfimo dos animais, e não compreende que se não temos qualquer sustentáculo benévolo, a vida para nós é coisa impossível. Assim que se começa a convencê-lo, abre olhos como um asno, de modo que a gente mesmo fica estupefato ao vê-lo. O senhor acredita em mim? Em casa do Capitão Liebiádkin, a quem Vossa Excelência acaba de honrar com sua visita, quando, antes de sua chegada, morava ele ainda na casa de Filípov, a porta ficava por vezes a noite inteira escancarada. Ele jazia completamente embriagado, no chão; o dinheiro derramava-se de seus bolsos. Isto eu vi com meus próprios olhos, porque, na minha opinião, nos é impossível viver sem apoio.

— Como? Com teus próprios olhos? Foste também à casa dele durante a noite?

— Talvez tenha ido lá, mas ninguém sabe de nada.

— Então, por que não o mataste?

— Comecei por fazer meus cálculos. Vi que só podia ganhar uns cento e cinquenta rublos no máximo; mas de que valia lançar-me em cima, quando posso ter pelo menos mil e quinhentos, esperando um pouco? Porque o Capitão Liebiádkin tem sempre contado muito com o senhor. Ouvi-o dizer isso com meus próprios ouvidos e não há um botequim, uma baiuca, em que ele não tenha contado a mesma coisa, quando estava embriagado. Ouvi afirmar isso também por outras testemunhas. Então, coloquei todas as minhas esperanças em Vossa Excelência. Digo-lhe, senhor, porque diante do senhor fico como diante de um pai ou um irmão, e Piotr Stiepânovitch, nem nenhum outro, jamais saberá de nada. Assim, penso que por isso poderia Vossa Excelência muito bem dar-me três rublos. Quer dizer-me com clareza, para que eu conheça a verdade, a verdade verdadeira, porque na nossa posição, sem apoio... é impossível.

Então Stavróguin disparou a rir e, tendo tirado do bolso seu porta-moedas, no qual havia uns cinquenta rublos em cédulas miúdas, atirou-lhe uma cédula, depois outra, depois uma terceira, uma quarta, uma quinta... Fiedka conseguia agarrá-las no ar, saltando para lá e para cá; as cédulas, depois de voltejar um instante no ar, caíram na lama. Com uma avidez crescente, Fiedka as apanhava, soltando gritinhos: "Ah! ah!..." Afinal, Stavróguin atirou-lhe todo o maço e, sempre rindo, meteu-se por uma travessa, mas sozinho desta vez. O vagabundo, de joelhos, na lama, procurava as cédulas que o vento levara e que tinham caído nas poças. Durante uma hora procurou em meio das trevas e podiam ser ouvidos seus gritinhos entrecortados. "Ah! ah!..."

Capítulo III / Um duelo

I

Foi no dia seguinte, às duas horas da tarde, que o duelo projetado se realizou. O irreprimível desejo que tinha Artíomi Pávlovitch Gagânov de se bater, custasse o que custasse e o mais depressa possível, contribuiu muito para precipitar o acontecimento. Ele não compreendia a atitude de seu adversário e a raiva punha-o fora de si. Desde um mês, ofendia-o impunemente sem, no entanto, conseguir fazê-lo perder a paciência. Não tendo nenhum pretexto plausível para provocá-lo a duelo, achava necessário que a iniciativa partisse de Stavróguin. Gagânov tinha vergonha de confessar os motivos secretos do ódio mórbido que nutria contra Stavróguin, desde que este insultara a honra de sua família. Parecia-lhe impossível invocar semelhante pretexto, sobretudo depois de haver recebido por duas vezes as mais humildes desculpas de Nikolai Vsiévolodovitch. No seu foro íntimo, decidira Gagânov que seu adversário era o derradeiro dos covardes. Não conseguia tampouco compreender como pudera este suportar, sem nada fazer, a bofetada de Chátov. Foi assim que por fim resolvera escrever a seu inimigo aquela carta duma grosseria inaudita, que forçara por fim Stavróguin a provocá-lo a duelo. Depois de ter enviado aquela carta desde a véspera e enquanto aguardava a resposta com uma ansiedade febril, calculava doentiamente as possibilidades de êxito. Ora estava cheio de esperança, ora desesperava. Em todo caso, pedira Gagânov a seu velho camarada de infância, Mavríki Nikoláievitch Drózdov, a quem particularmente estimava, que lhe servisse de testemunha. De modo que Kirílov, indo à casa de Gagânov, no dia seguinte, de manhã, às nove horas, encontrou o terreno já todo preparado. Todas as desculpas e todas as incríveis concessões de Stavróguin foram rejeitadas, desde as primeiras palavras, com extraordinária veemência. Mavríki Nikoláievitch, informado desde a véspera da marcha dos acontecimentos, ficou boquiaberto ao ouvir oferecimentos tão extraordinários e quis, a princípio, insistir em favor de uma solução pacífica; mas conteve-se, vendo que Gagânov, que adivinhara sua intenção, não dizia palavra e pusera-se a tremer em sua cadeira. Não fosse a palavra dada a seu amigo, teria partido imediatamente; todavia ficou, na esperança de intervir mais tarde duma maneira qualquer na solução do caso. Kirílov transmitiu a provocação a duelo; todas as condições do encontro formuladas por Stavróguin foram aceitas ao pé da letra e sem a menor objeção. Uma só cláusula foi acrescentada, aliás bastante feroz: se a primeira bala trocada não desse resultados decisivos, seria seguida duma segunda e esta, se necessário, de uma terceira. Kirílov franziu a testa e esforçou-se por obter que se suprimisse o terceiro encontro, mas, esgotadas as negociações, consentiu, declarando todavia "que se um terceiro encontro era possível, não se podia, em hipótese alguma, aceitar um quarto". Entrou-se em acordo sobre este ponto. O duelo realizou-se às duas horas, em Bíkovo, num pequeno bosque situado entre Skvopiéchniki e a fábrica dos irmãos Chpigúlini. A chuva que caía na véspera à noite havia agora cessado completamente, mas o ar estava úmido, a terra molhada, ventava. Nuvens baixas, cinzentas, esfarrapadas, fugiam rapidamente pelo céu frio. As árvores rumorejavam, balançando seus cimos e estalando em suas raízes; era um dia dos mais melancólicos.

Gagânov e Mavríki Nikoláievitch chegaram ao terreno num elegante *char à bancs*[94] puxado por dois cavalos que o próprio Gagânov dirigia; um criado acompanhava-os. Quase no mesmo instante apareceram Stavróguin e Kirílov; não estavam de carro, mas a cavalo e também acompanhados por um criado. Kirílov, que montava a cavalo pela primeira vez em sua vida, mantinha-se na sela, muito rígido e com muita arrogância. Na mão direita trazia a pesada caixa das pistolas que não quisera confiar ao criado e, com a esquerda, manobrava tão desajeitadamente puxando as rédeas do cavalo que este, sacudindo a cabeça, tentava empinar-se, o que não causava medo nenhum ao cavaleiro. O desconfiado e susceptível Gagânov considerou como nova ofensa a chegada a cavalo de seus adversários. Não estavam estes persuadidos de antemão do feliz resultado do duelo, já que não tinham achado necessário trazer uma carruagem para o transporte eventual do ferido? Lívido de cólera, com as mãos trêmulas, ao fazer tal observação a seu padrinho, Gagânov desceu da carruagem e voltou as costas a Stavróguin, sem responder ao seu cumprimento. As testemunhas tiraram a sorte e esta designou as pistolas de Kirílov. Estabelecida a barreira, marcou-se o lugar dos adversários e carro, cavalos e criados foram afastados para uma distância de trezentos passos do local. Carregaram-se as armas e entregaram-nas aos adversários.

É lamentável que tenhamos de precipitar a narrativa sem ter tempo de nos determos nos pormenores. No entanto, certas observações não poderiam ser silenciadas. Mavríki Nikoláievitch estava triste e preocupado. Kirílov, pelo contrário, estava completamente calmo e indiferente; executava pontualmente as funções que assumira, mas sem a menor preocupação e como se estivesse pouco curioso do resultado iminente e fatal daquele caso. Stavróguin, um pouco mais pálido que de costume, trajava roupa leve: trazia um sobretudo e um chapéu de castor branco. Parecia muito fatigado, franzia de tanto em tanto as sobrancelhas, achando evidentemente inútil ocultar seu mau humor. Mas de todos o mais interessante de observar naquele momento era Artíomi Pávlovitch; de modo que me vejo na obrigação de dizer algumas palavras muito especialmente a seu respeito.

II

Até agora não tivemos ocasião de descrever seu aspecto exterior. Artíomi Pávlovitch era um homem de elevada estatura, de tez branca, bem "nutrido", como se diz entre o povo, e mais gordo que magro, com cabelos louros bastante raros. Podia ter cerca de trinta e três anos. Os traços do rosto eram até agradáveis. Reformara-se no posto de coronel; se tivesse chegado ao de general, teria tido o aspecto mais imponente e teria sido provavelmente um bom general no campo de batalha.

Para conhecimento de seu caráter, não é inútil notar que o principal motivo que o havia determinado a reformar-se era a lembrança lancinante da vergonha infligida à sua família: a ofensa feita a seu pai por Nikolai Stavróguin, em nosso clube, quatro anos antes. Considerava em consciência que teria sido desonesto permanecer no Exército e que sua presença desonrava o regimento e seus camaradas, muito embora ne-

---

94 Carruagem com assentos laterais para mais de quatro pessoas, comumente aberta pelos lados e coberta de toldo.

nhum deles tivesse tido conhecimento daquele incidente. É verdade que outrora, bem antes do insulto de Stavróguin, ja tivera intenção de reformar-se e por uma razão bem diversa, mas não se havia ainda decidido a fazê-lo. Por estranho que isto possa parecer, o que o havia a princípio incitado a deixar o Exército, foi o manifesto de 19 de fevereiro, decretando a abolição da servidão. Por causa desse manifesto, Gagânov, um dos mais ricos proprietários de terras de nossa província, não perdia tudo em definitivo; e além do mais, era capaz de compreender o caráter humanitário e as vantagens econômicas daquela reforma, — não obstante, ressentiu-se com a publicação do manifesto, como se fosse aquilo uma espécie de injúria pessoal. Era nele apenas uma espécie de sentimento inconsciente, tanto mais forte quanto não se dava dele conta. Até a morte de seu pai, não pudera decidir-se a empreender qualquer coisa de decisivo, mas em consequência de suas ideias de "gentil-homem", era bastante conhecido em Petersburgo de certo número de personalidades destacadas, com as quais mantinha relações constantes. Era, aliás, homem de grande reserva e muito fechado. Notemos também este traço: pertencia àquela categoria de gentis-homens que se encontra ainda na Rússia, muito ciosos da antiguidade e da pureza de sua raça, à qual dedicam um interesse exagerado. Ao mesmo tempo, não podia tolerar a história russa, detestava-a e todos os usos e costumes do país lhe pareciam uma suja pilhéria. Desde sua primeira juventude, quando se encontrava naquela escola militar especial, exclusivamente reservada aos jovens da nobreza e abastados, onde teve a honra de ser educado, manifestara certas disposições poéticas; gostava dos castelos fortes e dos burgos, da vida da Idade Média e da cavalaria. Já naquela época, teria de boa vontade chorado de vergonha ao pensar que o czar do antigo império moscovita podia infligir aos boiardos russos castigos corporais e corava ao estabelecer uma comparação a esse respeito. Esse homem rígido, de aparência tão severa, que conhecia tão bem suas funções e as executava com tanta consciência, era, no íntimo de sua alma, um sonhador. Afirmava-se que poderia ter sido um orador público e que possuía o dom da eloquência; no entanto, havia trinta e três anos se calava e, na alta sociedade que frequentava em Petersburgo, durante os últimos tempos, comportara-se duma maneira extremamente arrogante. Seu encontro, em Petersburgo, com Stavróguin, que acabava de voltar do estrangeiro, esteve a ponto de fazê-lo enlouquecer. No momento presente, de pé na barreira, dominava-o terrível inquietação. Parecia-lhe sem cessar que o duelo não se realizaria e a mais leve demora fazia-o fremir. Uma expressão dolorosa pintou-se em seu rosto, quando Kirílov, em lugar de dar o sinal do combate, tomou de repente a palavra, formalmente apenas é verdade, como ele próprio o confessou:

— Falo apenas para cumprir uma formalidade; agora que as pistolas estão em mão e que se vai dar o sinal, uma derradeira vez: não quereis reconciliar-vos? Tal é o meu dever de testemunha — acrescentou.

Como que expressamente, Mavríki Nikoláievitch, que até então não dissera palavra, mas que desde a véspera censurava a si mesmo amargamente sua moleza e sua condescendência, apoiou logo a proposta de Kirílov e disse:

— Associo-me completamente às palavras de Kirílov. A ideia de que não é mais possível uma reconciliação no terreno é um preconceito bom para os franceses. Aliás, não vejo aqui ofensa, digam os senhores o que quiserem, eis o que queria dizer-lhes desde muito tempo... e depois, não foram apresentadas todas as desculpas possíveis?

Ao dizer isto, ficara todo vermelho. Acontecia-lhe raramente falar assim tanto tempo e com tal agitação.

— Repito que estou pronto a apresentar todas as desculpas possíveis — declarou Nikolai Vsiévolodovitch com a mais viva solicitude.

— Como seria possível? — exclamou Gagânov, voltando-se para Mavríki Nikoláievitch e batendo com o pé, de raiva. — Explique afinal a esse homem, se é meu padrinho e não meu inimigo — apontara a pistola na direção de Stavróguin, — que semelhantes concessões só fazem agravar a ofensa. Não considera como coisa possível sentir-se ofendido por mim... Não considera uma vergonha recuar diante de mim no terreno. Por quem, pois, me toma ele após isto, sob seus olhos? E o senhor é ainda por cima minha testemunha! O senhor procura irritar-me, a fim de que eu erre o alvo. — Bateu de novo com o pé; seus lábios espumavam.

— As tratativas estão encerradas. Rogo-vos que obedeçais ao meu comando — gritou Kirílov com todas as forças: — Um! dois! três! À palavra "três", os adversários dirigiram-se um para o outro; Gagânov levantou logo sua pistola no ar e, ao quinto ou sexto passo, atirou. Durante um segundo se deteve, depois, convencido de haver errado o alvo, marchou rapidamente para a barreira. Stavróguin avançou também, ergueu sua pistola, mas bastante alto, ao que parecia, e atirou quase sem visar. Em seguida pegou seu lenço e enrolou com ele seu dedo mínimo da mão direita. Então somente se percebeu que Artíomi Gagânov não havia errado inteiramente o alvo, mas a bala havia apenas roçado o dedo, escorregando pela parte mole das carnes sem atingir o osso. Kirílov declarou logo que se os adversários não se davam por satisfeitos o duelo continuaria.

— Declaro — roquejou Gagânov (estava com a garganta completamente seca) — novamente a Mavríki Nikoláievitch que esse homem — e designou desta vez ainda Stavróguin com o cano de sua pistola — atirou para o ar de propósito... É uma nova injúria. Quer tornar o duelo impossível.

— Tenho o direito de atirar como me agradar, contanto que me conforme com as regras — declarou em tom firme Nikolai Vsiévolodovitch.

— Não, não tem ele o direito! Explique-lhe, explique-lhe! — exclamou Gagânov.

— Partilho inteiramente do ponto de vista de Nikolai Vsiévolodovitch — proclamou Kirílov.

— Mas por que me poupa ele? — dizia Gagânov, colérico, sem escutar. — Desprezo sua clemência Cuspo nela... Eu...

— Dou-lhe minha palavra de que não quis absolutamente feri-lo — replicou Nikolai Vsiévolodovitch, não sem alguma impaciência. — Atirei para o ar porque não quero mais matar ninguém, nem ao senhor, nem a ninguém mais. Isto não lhe diz respeito. É bem verdade que não me considero ofendido e lamento que isto o irrite. Mas não autorizarei ninguém a imiscuir-se naquilo que é meu direito.

— Se tem ele tal medo de sangue, pergunte-lhe então por que me provocou... — berrou Gagânov, dirigindo-se sempre a Mavríki Nikoláievitch.

— Como se podia deixar de provocá-lo? — interveio Kirílov. — O senhor nada queria ouvir. Como teria ele podido desembaraçar-se do senhor?

— Gostaria apenas de assinalar — disse Mavríki Nikoláievitch com esforço, tanto a coisa era desagradável, — que se um dos adversários declara de antemão que atirará para o ar, o duelo, por este fato, não pode continuar... em virtude de razões delicadas... mas bastante claras.

— Não declarei absolutamente que atiraria todas as vezes para o ar — exclamou Stavróguin, já impaciente. — O senhor não pode saber o que tenho em mente e como atirarei desta vez... De nenhuma maneira impeço o duelo.

— Se é assim — concluiu Mavríki Nikoláievitch, voltando-se para Gagânov, — o duelo pode continuar.

— A vossos lugares, senhores — ordenou Kirílov.

De novo os adversários retomaram suas posições, de novo Gagânov errou o alvo e Stavróguin atirou para o ar. Mas esses tiros no ar eram duvidosos e podiam dar azo a discussões: Stavróguin teria muito bem podido afirmar que visara a Gagânov devidamente, se não tivesse revelado antes suas verdadeiras intenções. Com efeito, não apontara diretamente a arma para o céu ou para o cimo de uma árvore, mas antes como se visasse seu adversário, embora, na realidade, atirasse cerca de um archin acima do chapéu deste último. Desta segunda vez, havia mesmo visado um pouco mais baixo, de sorte que era ainda mais difícil pôr em dúvida sua boa vontade; mas era impossível naquele momento dissuadir Gagânov.

— Outra vez! — exclamou ele, rangendo os dentes. — Pouco importa! Fui provocado, usarei de meu direito até o fim. Quero atirar uma terceira vez... a todo custo...

— O senhor tem pleno direito — declarou Kirílov, para abreviar a conversa.

Mavríki Nikoláievitch não disse nada. Pela terceira vez, puseram-se em posição; pela terceira vez, foi dado o sinal. Desta vez, Gagânov avançou até a barreira e dali, isto é, a doze passos, começou a visar.

Suas mãos tremiam demasiado para que pudesse atirar certo. Nikolai Vsiévolodovitch, com a pistola abaixada, esperava, impassível, o tiro de seu adversário.

— Tempo demais para visar, tempo demais! — gritou com veemência Kirílov. — Atire, atire, pois!

A detonação repercutiu. Desta vez, o chapéu de castor branco de Nikolai Vsiévolodovitch rolou no chão. O tiro quase acertara; a copa do chapéu foi atravessada bastante baixo; um centímetro menos de altura e era uma vez Stavróguin. Kirílov apanhou o chapéu e estendeu-o a Stavróguin.

— Atire, não faça seu adversário esperar — gritou Mavríki Nikoláievitch, dominado por extrema agitação, vendo que Stavróguin examinava seu chapéu com Kirílov e parecia ter-se esquecido de que tinha ainda de atirar.

Stavróguin estremeceu, lançou um olhar a Gagânov, voltou-se e, desta vez, sem nenhuma consideração para com ele, atirou muito simplesmente na direção da floresta. O duelo estava terminado. Gagânov permanecia como que aterrorizado. Mavríki Nikoláievitch dirigiu-se para ele e lhe disse algumas palavras que ele pareceu não compreender. Kirílov, ao partir, tirou seu chapéu e fez um aceno com a cabeça a Mavríki Nikoláievitch. Quanto a Stavróguin, afastou-se de sua habitual cortesia; depois de ter atirado na direção do bosque, entregou sua pistola a Kirílov e, sem mesmo se voltar para o lado da barreira, dirigiu-se rapidamente para o local onde se achavam os cavalos. Sua fisionomia exprimia cólera; mantinha-se calado. Kirílov também conservava-se silencioso. Montaram a cavalo e partiram a galope.

III

— Por que se cala? — gritou ele, com impaciência, para Kirílov, um pouco antes de atingirem a casa.

— E o senhor, que quer? — respondeu este, a ponto de cair de seu cavalo que se havia empinado.

Stavróguin conteve-se.

— Não queria ofender aquele imbecil e no entanto... foi o que fiz uma vez mais — disse com calma.

— Sim, o senhor ofendeu-o mais uma vez — replicou Kirílov... — Além disso, não se trata de um imbecil...

— No entanto, fiz tudo quanto pude.

— Não.

— Que teria devido fazer ainda?

— Não provocá-lo a duelo.

— E suportar ainda que me esbofeteiem.

— Sim, suportar ainda que o esbofeteiem.

— Começo a não compreender mais nada — replicou, com cólera, Stavróguin. — Por que esperam de mim o que não se espera de nenhum outro? Por que devo eu suportar o que ninguém suporta e carregar nos meus ombros um fardo que ninguém poderia carregar?

— Pensava que o senhor procurava esse fardo.

— Sim.

— O senhor... o senhor deu-se conta disso?

— Sim.

— É coisa que dê na vista?

— Sim.

Calaram-se. Stavróguin tinha o ar preocupado, quase abatido.

— Se não atirei nele, foi simplesmente porque não queria matá-lo, asseguro-lhe — disse ele, com uma precipitação inquieta, como para justificar-se.

— Não era preciso ofendê-lo.

— Que devia fazer então?

— Devia matá-lo.

— Lamenta que eu não o tenha matado?

— Não lamento nada; pensava que o senhor queria verdadeiramente matá-lo. O senhor mesmo não sabe o que procura.

— Procuro um fardo — disse, rindo, Stavróguin.

— Já que não queria derramar sangue, por que lhe forneceu a ocasião de matar?

— Se eu não o tivesse provocado, ele me teria matado mesmo sem duelo.

— O problema não é seu. Talvez ele não o tivesse matado.

— Teria me batido, apenas?

— O problema não é seu. Carregue seu fardo. De outro modo, não há mérito.

— Cuspo no seu mérito! Não o procuro junto de ninguém.

— E eu pensava que o senhor o procurava — disse Kirílov, com um sangue-frio espantoso.

Penetraram no pátio da casa.

— Quer entrar em minha casa? — propôs Stavróguin.

— Não, volto para minha casa. Adeus!

Kirílov desceu do cavalo e pôs debaixo do braço o estojo das pistolas.

— Pelo menos suponho que não esteja zangado comigo — disse Stavróguin, estendendo-lhe a mão.

— Absolutamente — respondeu Kirílov, voltando atrás para apertar-lhe a mão. — Meu fardo é leve, é um dom da natureza; se o seu é mais pesado é talvez também por causa de sua natureza. Não há motivo para sentir muita vergonha por causa disso, um pouco somente...

— Sei que sou de um caráter insignificante, mas não tenho a pretensão de parecer forte.

— E faz muito bem, porque o senhor não é forte. Venha tomar chá em minha casa.

Nikolai Vsiévolodovitch entrou em sua casa bastante perturbado.

IV

Soube imediatamente por Alieksiéi Iegórovitch que Varvara Pietrovna, toda satisfeita por causa do passeio a cavalo de seu filho — o primeiro, após oito dias de doença — dera ordem de atrelar sua carruagem e partira como outrora, sozinha, "para respirar um pouco o ar fresco, porque desde oito dias tinha esquecido o que era respirar o ar fresco".

— Saiu só ou com Dária Pávlovna? — interrompeu bruscamente Nikolai Vsiévolodovitch, que fechou a cara ao saber que "Daria Pávlovna, sentindo-se indisposta, recusara-se a acompanhar Varvara Pietrovna, e se encontrava no momento em seu quarto".

— Escuta, meu velho — disse Stavróguin, como se acabasse de tomar uma resolução súbita, — vigia o dia inteiro e se perceberes que ela vem a meus aposentos, trata de impedi-la e diz-lhe que não posso recebê-la, nestes dias pelo menos, que sou eu que lhe peço... que eu mesmo a chamarei quando chegar o momento, entendes-me?

— Eu direi a ela — respondeu com voz angustiada Alieksiéi Iegórovitch, baixando os olhos.

— Mas não antes de estares seguro de que ela quer ir aos meus aposentos.

— Fique tranquilo. Não haverá engano. Foi graças a mim que as visitas precedentes puderam realizar-se; ela sempre se dirigiu a mim.

— Sei disso. Em todo caso, não antes que ela venha. E agora, me traz chá, se houver, e o mais depressa possível.

Mal o velho saíra do quarto, a porta pela qual acabava ele de sair tornou a abrir-se e Daria Pávlovna apareceu na soleira. Seu olhar estava tranquilo, mas seu rosto pálido.

— Donde vem? — perguntou Stavróguin.

— Estava aqui, diante da porta e esperava que ele saísse para vir ter com você. Ouvi as ordens que lhe deu. Quando ele saiu, escondi-me em um canto e ele não me viu.

— Há muito tempo que queria romper com você, Dacha, enquanto... é tempo ainda. Não pude recebê-la a noite passada, apesar de sua carta. Queria escrever-lhe, mas não gosto de correspondência — acrescentou com despeito, quase com aversão.

— Eu, também. Pensei que era preciso romper. Varvara Pietrovna suspeita por demais de nossas relações.

— Pois bem, que suspeite!

— Não, não se deve inquietá-la. De modo que será assim agora até o fim?

— Você continua acreditando que haverá necessariamente um fim.

— Estou certa disso.

— Neste mundo, nada acaba.

— Aqui, haverá um fim. Então, chame-me, virei. Agora, adeus.

— E qual será esse fim? — sorriu ironicamente Stavróguin.

— Você não está ferido e tampouco não derramou sangue? — perguntou ela, sem responder à pergunta que lhe foi feita.

— Isto se passou estupidamente. Não matei ninguém, tranquilize-se. Aliás, hoje mesmo, você ouvirá todos os detalhes da boca de todos. Não me sinto muito bem.

— Vou-me embora. O casamento não será tornado público hoje? — acrescentou ela, com alguma hesitação.

— Nem hoje, nem amanhã, nem depois de amanhã... quem sabe não estaremos todos mortos talvez?... e tanto melhor seria isto... Mas deixe-me, deixe-me afinal...

— Você não perderá a outra... a demente...

— Não perderei nenhuma demente, nem uma, nem outra, mas creio que perderei aquela que está em seu bom juízo. Sou tão covarde, tão mau, Dacha, que talvez, com efeito, venha a chamá-la "no fim dos fins", como diz você, e você, a despeito de todo o seu juízo, acorrerá. Por que você mesma se perde?

— Sei que afinal de contas ficarei sozinha com você e... espero isso.

— E se, no fim dos fins, eu não a chamar, se fugir?

— Isto é impossível, você me chamará.

— Há nesse fato muito desprezo por mim?

— Você sabe que não há somente desprezo por você.

— Mas então isto quer dizer que há mesmo desprezo?

— Não me exprimi bem. Deus é testemunha de que desejo de todo coração que você jamais tenha necessidade de mim.

— Esta frase vale a outra. Eu também quereria não perdê-la.

— Jamais e de nenhuma maneira você poderia me perder, sabe melhor que ninguém — replicou com firmeza e vivacidade Dária Pávlovna. — Se não vier ficar com você, serei irmã de caridade, enfermeira. Ou então irei como mascate vender Evangelhos. Estou bem decidida a isso. Não posso resignar-me a casar-me pobremente, não posso viver tampouco em casas como esta. Não é o que quero... Você sabe de tudo.

— Não, jamais pude compreender o que você queria. Parece-me que você se interessa por mim um pouco à maneira de certas velhas enfermeiras, que, não se *sabe por que, se afeiçoam* por um de seus doentes, ou antes à maneira de certas velhinhas que andam sempre rondando os enterros e preferem certos cadáveres a outros. Por que me olha com ar tão estranho?

— Está doente? — perguntou ela, com compaixão, olhando-o fixamente. — Meu Deus! e esse homem quereria passar sem mim!

— Escute, Dacha, agora, só vivo tendo aparições. Esta noite, na ponte, um diabinho se ofereceu para matar Liebiádkin e Maria Timofiéievna, a fim de acabar com meu casamento legítimo e sem deixar rastro. Pediu-me apenas três rublos por conta, mas deu-me claramente a entender que a operação completa ficaria pelo menos por mil e quinhentos rublos. É um diabo que sabe fazer suas contas! Um famoso contador, ah! ah!

— Mas está bem certo de que era apenas um fantasma?

— Oh! não! que fantasma que nada! Era bem simplesmente Fiedka, o forçado, um bandido evadido do presídio. Mas não é disto que se trata. Que você acha que fiz? Atirei-lhe todo o dinheiro que tinha no meu porta-moedas e agora está ele persuadido de que seja um adiantamento que lhe fiz.

— Você encontrou-o esta noite e ele lhe fez tal proposta? Mas será que você não vê que já está completamente preso nos fios de sua rede?

— Pois bem, que seja assim. Mas você sabe, há uma pergunta que arde em seus lábios e que leio em seus olhos — acrescentou ele com um sorriso mau e irritado.

Dacha teve medo.

— Não há pergunta nenhuma, nem nenhuma dúvida. Cale-se — exclamou ela, angustiada, como se tivesse querido evitar uma pergunta.

— Quer dizer que está segura de que não fecharei o trato com Fiedka?

— Oh! meu Deus! — implorou ela, juntando as mãos, — por que me martiriza você assim?

— Vamos, perdoe-me esta estúpida brincadeira. Deve-se crer que contraí os maus costumes dele. Sabe você? Desde a noite de ontem, tenho uma vontade louca de rir, rir sem parar, às gargalhadas. Estou ainda oprimido pelo riso... Psiu! mamãe chegou, ouço o barulho de sua carruagem diante do patamar.

Dacha pegou-o pelo braço.

— Que Deus o proteja contra seu demônio! Chame-me, então, chame-me sem demora.

— Oh! meu demônio! Não passa de um diabinho sórdido, escrofuloso, encatarrado, um diabo fracassado. E você, Dacha, continua não ousando dizer alguma coisa?

Ela olhou-o com um ar de sofrimento e de censura e dirigiu-se para a porta.

— Escute — gritou-lhe ele, com um sorriso mau, um sorriso oblíquo. — Se... pois bem... eis aqui, em uma palavra, se... você já compreende, se mesmo fosse eu ter com Fiedka, em sua barraca... e em seguida lhe chamasse... será que você viria, ainda assim... mesmo depois de ter eu ido à barraca?

Ela saiu sem se voltar e sem responder, com o rosto oculto nas mãos.

— Ela voltará... mesmo depois da barraca — murmurou ele, após um minuto de reflexão e seu rosto tomou uma expressão de desgosto. — Uma enfermeira... hum... talvez seja disso que necessito!...

Capítulo IV / Todos na expectativa

I

A impressão causada em toda a nossa sociedade pela história do duelo, que não tardara a espalhar-se, foi caracterizada sobretudo pela unanimidade com que se apressou em tomar partido por Nikolai Vsiévolodovitch. Numerosos de seus antigos inimigos declararam-se seus amigos. A causa principal duma reviravolta tão imprevista da opinião pública era obra de uma pessoa que, até então, se mantinha em reserva, mas que, agora, duma maneira muito clara, pronunciara algumas palavras que deram logo àquele acontecimento uma significação extremamente interessante para a maior parte das pessoas. Eis como isto ocorreu: no dia seguinte ao duelo, toda a cidade se encontrava reunida em casa da mulher do marechal da nobreza, cujo aniversário se celebrava. Iúlia Mikháilovna estava presente, ou antes presidia, acompanhada de Elisavieta Nikoláievna, resplendente duma beleza e duma alegria insólitas, o que, desde o começo, pareceu bastante suspeito a muitas de nossas damas. Devo mencionar a este propósito, que seu noivado com Mavríki Nikoláievitch era coisa decidida. A uma pergunta jovial de um general reformado, homem importante do qual falarei mais adiante, Elisavieta Nikoláievna respondeu com franqueza, naquela noite, que estava noiva. De modo que podeis bem pensar que nenhuma daquelas damas quis acreditar no caso. Todas persistiam em dar crédito a não sei qual romance, uma história de segredo fatal de família, que se teria passado na Suíça, e à qual estaria Iúlia Mikháilovna entrelaçada, não se sabe como. Seria difícil dizer por que esses boatos, ou antes essas invenções, tinham logrado tanto crédito, e por que Iúlia Mikháilovna nelas estivesse metida. Assim que ela entrou, todos se voltaram para ela, com estranhos olhares brilhantes de curiosidade. É bom observar que naquele sarau, em razão do pouco tempo que nos separava do acontecimento e de certas circunstâncias que o tinham acompanhado, as pessoas dele falavam com circunspecção e em voz baixa. Além disso, ignorava-se ainda a linha de conduta adotada pelas autoridades. Quando muito sabia-se que nenhum dos combatentes fora até ali inquietado pela polícia. Ninguém ignorava, por exemplo, que Gagânov partira de sua casa de manhã bem cedo para Dúchov, sem ter sido impedido de fazê-lo. Na expectativa, é claro que toda a gente estava impaciente de encontrar aquele que por primeiro falasse em voz alta daquele mistério e abrisse assim a porta à impaciência geral. Todas as esperanças repousavam no general mencionado acima, que não decepcionou.

Esse general, um dos personagens mais representativos de nosso clube, era um fidalgo provinciano, de muito pouca fortuna, mas homem de um modo de pensar originalíssimo. Lançava galanterias passadas de moda às senhoritas. Comprazia-se especialmente, nas grandes reuniões, em falar alto e claro, e com toda a autoridade de um general, a respeito de assuntos aos quais as outras pessoas não faziam ainda senão discretas alusões. Era essa, na verdade, sua função *especial* na sociedade local. Falava, além disso, duma maneira arrastada, com um tom melífluo, hábito que havia provavelmente adquirido com russos que viajaram pelo estrangeiro ou com aqueles ricos proprietários de bens de raiz de outrora que mais haviam sofrido com a emancipação dos camponeses. Stiepan Trofímovitch observou um dia que quanto mais arruinado estava um proprietário, mais rolava os erres com compunção, pronunciando arrastadamente as palavras. Ele próprio, aliás, rolava os erres e falava duma maneira arrastada, mas sem se dar conta de que partilhava desse defeito. .

O general falava como homem competente. Parente longe de Gagânov, embora estivesse brigado com ele e até mesmo processando-o, tivera outrora dois duelos e por causa de um deles fora rebaixado a soldado raso e enviado para o Cáucaso. Alguém fez menção do fato de ter Varvara Pietrovna, depois de haver ficado de cama dois dias, saído na véspera e no dia precedente; a alusão, aliás, não se dirigia diretamente a ela, mas à maravilhosa junta de seus quatro cavalos cinzentos, provenientes da coudelaria dos Stavróguini. O general observou de súbito que encontrara, naquele dia, "o jovem Stavróguin" a cavalo. Logo todos se calaram. O general lambeu os lábios e de repente proferiu, girando entre seus dedos a tabaqueira de ouro que lhe fora oferecida como presente:

— Lamento não me ter encontrado aqui há alguns anos... quero dizer que me encontrava então em Carlsbad... Hum! Tenho muito interesse por esse rapaz, a respeito do qual corriam então muitas histórias. Hum! Vejamos: é verdade que ele seja louco? Alguém disse isso na ocasião. Contaram-me que foi insultado por um estudante, aqui, na presença de suas primas, e que escapou, metendo-se debaixo da mesa. Pois bem, soube por Stiepan Vierkhoviénski que Stavróguin se bateu com esse... Gagânov. E isto com o objetivo cavalheiresco de se oferecer como alvo a um maluco, unicamente para se ver livre dele. Hum! Totalmente no estilo dos guardas de 1820. Frequenta aqui alguma casa?

O general se calou como à espera de uma resposta. Abrira a porta à impaciência pública.

— Nada de mais natural! — exclamou Iúlia Mikháilovna, elevando a voz, porque estava irritada por sentir todos os olhares voltados para ela, como se tivesse obedecido a uma palavra de ordem. — Pode-se achar espantoso que Stavróguin haja-se batido com Gagânov e não se tenha importado com o estudante? Não podia medir-se com um homem que fora seu servo!

Frase notável, na verdade. Era aquela uma ideia bem clara e bem simples. E contudo não surgira ainda no espírito de ninguém. Aquela frase iria ter extraordinárias consequências. Todo o escândalo, todos os mexericos, todas as mesquinhas comadrices passavam a segundo plano; tinha-se outra explicação. Novo personagem acabava de revelar-se, a respeito do qual houvera engano; uma figura cujos traços apareciam com uma idealidade quase austera. Mortalmente ofendido por um estudante que era um homem bem educado, desde muito tempo emancipado da servidão, desprezava a afronta porque seu agressor fora outrora um servo. O mundo falava mal dele e submetia-o a todos os mexericos; gente de espírito estreito tratava com desprezo um homem que fora esbofeteado. Mas ele desprezava a opinião duma sociedade que não se havia elevado ainda até a concepção real das coisas, muito embora se discutisse bastante a respeito.

— A propósito, Ivan Alieksándrovitch, se você e eu nos sentássemos um pouco para conversar sobre as coisas tais como devem ser — disse um velho sócio do clube a seu vizinho, com um tom de bonomia complacente.

— Sim, Piotr Mikháilovitch, sim — aquiesceu o outro com satisfação, — falemos um pouco da nova geração!

— Mas não se trata da nova geração, Ivan Alieksándrovitch — observou um terceiro, metendo-se na conversa. — Não se trata da nova geração; é um astro e não um produto qualquer da jovem geração; eis como se deve considerar a coisa...

— E são justamente os homens dessa espécie que nos faltam; são preciosos.

O que ressaltava sobretudo de tudo isso, — é que o "homem novo" não somente acabava de revelar-se um gentil-homem irreprochável, mas era também o mais rico proprietário da província, e por consequência susceptível de tornar-se um homem de destaque e útil. Já tive ocasião de lembrar, de passagem, a mentalidade de nossos proprietários rurais.

A conversação iria aventurar-se mais longe.

– Não somente se absteve de medir-se com o estudante, cruzou suas mãos atrás das costas, notem bem esta particularidade, excelência — sublinhou alguém.

— E não o arrastou à presença dos novos tribunais — acrescentou outro.

— Sem contar que por causa de um insulto feito à pessoa de um gentil-homem, ele teria obtido muito bem dos novos tribunais quinze rublos de multa. Ih! ih! ih!

— Não! Preciso confiar-lhe um segredo a respeito dos novos tribunais — gritou um terceiro, em meio da superexcitação geral. — Quando um indivíduo vem a ser acusado de roubo ou de trapaça, o que tem de melhor a fazer é correr à sua casa, enquanto é tempo ainda, e assassinar sua mãe. Será absolvido de todos os seus crimes ao mesmo tempo; e as damas da tribuna agitarão seus lenços de cambraia. É absolutamente verdadeiro!...

— É verdade! É verdade!

As anedotas continuavam. Foram lembradas as relações de Nikolai Vsiévolodovitch com o Conde K***. A atitude hostil e a independência exibidas pelo Conde K*** para com as reformas recentes eram bem conhecidas. Conhecia-se também sua notável atividade pública, que todavia se tornara um pouco lenta nos últimos tempos. E eis que, de súbito, cada qual afirmava, duma maneira positiva, que Nikolai Vsiévolodovitch estava noivo de uma das filhas do conde, se bem que nada tivesse fornecido matéria para semelhante suposição. Quanto às maravilhosas aventuras de Elisavieta Nikoláievna na Suíça, as damas cessaram até mesmo de falar. Devemos mencionar a este propósito que as Drózdovas vinham precisamente de terminar todas as visitas que haviam adiado até então. Agora, cada qual considerava sinceramente Elisavieta Nikoláievna como uma moça completamente comum, que se fingia de pessoa de nervos delicados. Seu desmaio, no dia da chegada de Nikolai Vsiévolodovitch, era atribuído muito simplesmente ao medo que lhe inspirara a conduta abominável do estudante. Chegava-se mesmo ao ponto de exagerar o caráter prosaico dos fatos que outrora se fazia esforço em pintar com cores fantásticas. Quanto à coxa, não se falou mais dela; semelhante lembrança era até incômoda. "Ainda que houvesse cem coxas! Quem é que não foi jovem?" Insistia-se a respeito dos sentimentos respeitosos de Nikolai Vsiévolodovitch para com sua mãe. Havia quem se engenhasse em encontrar nele diversas virtudes. Falava-se, em tom aprovador, dos conhecimentos que ele adquirira, no curso dos quatro anos passados nas universidades alemãs. A conduta de Gagánov era julgada, em compensação, de uma falta de tato absoluta: "sem nenhum discernimento entre o que era bem e o que era mal". Mas comprazíam-se em reconhecer definitivamente a profunda sagacidade de Iúlia Mikháilovna.

Assim, quando Nikolai Vsiévolodovitch apareceu por fim na sociedade, cada qual o acolheu com o ar mais ingenuamente sério e em todos os olhares pregados nele lia-se ardente curiosidade. Nikolai Vsiévolodovitch encerrou-se logo no mutismo mais completo, o que, naturalmente, mais satisfez a todos do que o teria feito um fluxo abundante de palavras. Numa palavra: tudo lhe foi bem sucedido. Era o homem do dia. Na província, desde o instante em que se compareceu na sociedade, não é mais possível manter-se de parte. Nikolai Vsiévolodovitch pôs-se, portanto, a cumprir todas as suas obrigações sociais tão pontualmente como dantes. Decerto, não achavam que ele fosse alegre. "É um homem que tem sofrido; um homem que não é como os outros; há motivos bastantes para preocupações." Seu orgulho mesmo e aquela atitude altiva e distante que lhe haviam valido tantas antipatias, quatro anos antes, não deixavam agora de ser apreciados e respeitados.

A mais radiante de todos era Varvara Pietrovna. Não posso afirmar se ficou ela profundamente atingida pelo desabamento de seus sonhos referentes a Elisavieta Nikoláievna. O orgulho de família ajudou-a, evidentemente, a consolar-se. Coisa estranha: Varvara Pietrovna acreditou de repente firmemente que Nikolai Vsiévolodovitch havia na realidade "feito sua escolha" na família do Conde K***. E o mais curioso de tudo é que também ela fora levada a esta convicção por boatos que lhe haviam chegado aos ouvidos. Não ousava interrogar diretamente Nikolai Vsiévolodovitch. Duas ou três vezes, entretanto, não pode impedir-se de censurar-lhe, com um ar ao mesmo tempo hábil e alegre, que não fosse mais tão franco com ela. Nikolai Vsiévolodovitch sorriu e ficou silencioso. Seu silêncio foi tomado como um sinal de assentimento. E entretanto, com tudo isso, não esquecia ela jamais "a coxa". Este pensamento pesava-lhe no coração como uma pedra; era seu pesadelo; torturavam--na pressentimentos e suposições estranhos, ainda mesmo quando pensava nas filhas do Conde K***. Mas de tudo isto falaremos mais adiante. Naturalmente, Varvara Pietrovna voltou a ser objeto de todas as solicitudes da parte da sociedade, mas não tirava proveito dessa vantagem e saía muito raramente.

Fez, todavia, uma visita de cerimônia à mulher do Governador. É evidente que ninguém ficou mais encantado, nem mais arrebatado do que ela, ao saber do que Iúlia Mikháilovna dissera no sarau dado em casa da marechala da nobreza. Suas palavras aliviaram seu coração de um grande peso e adoçaram bastante o mal-estar de que sofria desde aquele mal-aventurado domingo. "Eu não compreendia essa mulher", declarou ela; e, com sua impulsividade de costume, confessou francamente a Iúlia Mikháilovna que viera para agradecer-lhe. Iúlia Mikháilovna ficou lisonjeada, mas conservou uma atitude digna. Começava então a tomar completamente consciência de sua importância, talvez duma maneira exagerada. Anunciou, por exemplo, no curso da conversa, que jamais ouvira falar de Stiepan Trofímovitch, como homem atuante e sábio.

— Recebo, sem dúvida, o jovem Vierkhoviénski e tenho-o em grande conta. É estouvado, mas é a juventude que assim o requer. E depois tem uma instrução sólida. Não é pelo menos um crítico fora de moda e antiquado; bem longe disso.

Varvara Pietrovna apressou-se em fazer notar que Stiepan Trofímovitch jamais fora crítico, mas, pelo contrário, passara toda a sua vida em casa dela. Tornara-

-se célebre pelas peripécias do começo de sua carreira "que eram conhecidíssimas de toda gente", e, mais recentemente, pelas suas pesquisas sobre a história da Espanha. Tinha agora a intenção de escrever uma obra sobre as universidades alemãs modernas e escrever também alguma coisa, cria ela, a respeito da Madona de Dresden. Em uma palavra, Varvara Pietrovna recusava-se a abandonar Stiepan Trofímovitch a Iúlia Mikháilovna.

— A Madona de Dresden? Refere-se à Madona da Sistina? *Chère* Varvara Pietrovna, fiquei duas horas diante desse quadro e parti completamente desiludida. Nada compreendi dele e fiquei verdadeiramente aturdida. Karmázinov, aliás, declara que é uma obra muito difícil de compreender. Hoje não se encontra mais nada de admirável nela. Os russos estão de acordo neste ponto com os ingleses. Todo o seu renome não é mais que uma recordação da antiga geração.

— É uma nova moda, então?

— Creio que não devemos mostrar-nos desdenhosos para com a nossa gente moça. Gritam do alto dos telhados que são comunistas, mas, na minha opinião, devemos testemunhar simpatia pelos jovens e não acabrunhá-los. Presentemente, leio tudo quanto se escreveu nos jornais sobre o comunismo bem como sobre as ciências naturais, interesso-me por tudo, porque em suma é bem preciso que se saiba onde se vive e com quem se tem de tratar. Não se pode passar a vida inteira nas alturas apenas de sua própria fantasia. Cheguei a esta conclusão e faço dela minha regra de vida: devemos mostrar-nos amáveis para com os jovens, a fim de detê-los à beira do abismo. Acredite, Varvara Pietrovna, somos nós somente, os da sociedade, que, graças à nossa salutar influência e sobretudo à nossa amabilidade, podemos retê-los à beira do abismo em que os precipita a intolerância de todos esses velhos gaiteiros. Em todo caso, fico satisfeita por a senhora não ter dado sua opinião a respeito de Stiepan Trofímovitch. Acaba de sugerir-me uma ideia: ele poderá nos ser útil para nossa matinal literária. A senhora sabe que estou organizando toda uma grande festa em benefício das professoras pobres da província. Estão disseminadas por toda a Rússia. Somente em nosso distrito, contam-se seis. Além disso, há duas empregadas do telégrafo, duas estudantes e outras ainda que gostariam bem de frequentar a universidade, mas não têm meios para isso. Ah! terrível é a sorte das mulheres russas, Varvara Pietrovna! Não há nenhuma dúvida de que a questão universitária surge agora; foi mesmo motivo de debate no Conselho do Império. Estranho país, essa nossa Rússia! Cada qual pode fazer o que lhe agrada. É por isso que, e insisto no assunto, somente por meio da benevolência e da cordialidade das classes privilegiadas será possível estimular para o bom caminho esse grande movimento social. Oh! meu Deus, será que nos falta o escol? Não, decerto que não, mas está disperso. É preciso pois unir-nos para ser mais fortes. Numa palavra: terei a princípio uma matinal literária, depois um leve almoço, e após alguma pausa, à noite, um baile. Tínhamos a intenção de inaugurar o sarau com quadros vivos; mas isto acarretaria grandes despesas; assim vamos nos contentar, para distrair o público, com uma ou duas quadrilhas com mascarados e fantasias figurando as escolas literárias mais em voga. Esta ideia humorística foi-me sugerida por Karmázinov. Valeu-me de muito. Sabe a senhora que ele vai ler-nos sua derradeira obra ainda completamente inédita? Largará a pena e não escreverá mais doravante. Este derradeiro ensaio é seu adeus ao público. É uma pequena obra delicada com o título de: *Merci*. Um título em francês, mas ele acha isso mais divertido e mesmo mais delicado. Pensa da mesma maneira e, na verdade, fui eu quem o aconselhou. Mas agora estou pensando: Stiepan Trofímovitch poderia também ler-nos alguma coisa, com a condição de que seja curta... e não muito científica. Creio saber que Piotr Stiepânovitch, e ainda algum outro, farão leituras. Piotr Stiepânovitch passará na casa da senhora para comunicar-lhe o programa, ou antes, quer permitir que o leve eu mesma?

— Permita-me também que lhe peça que inscreva meu nome na sua lista de subscrições. Falarei a Stiepan Trofímovitch e procurarei decidi-lo.

Varvara Pietrovna voltou para casa completamente fascinada. Estava pronta a defender Iúlia Mikháilovna em qualquer terreno e, não se sabe por que, completamente zangada com Stiepan Trofímovitch que, coitado, ficara em casa sem suspeitar de nada.

— Estou fascinada por ela. Não compreendo como pude enganar-me a esse ponto a respeito dessa mulher — disse ela a Nikolai Vsiévolodovitch e a Piotr Stiepânovitch que fora visitá-la naquela noite.

— É preciso, contudo, que a senhora faça as pazes com o velho — sugeriu Piotr Stiepânovitch. — Ele está desesperado. A senhora o pôs em quarentena. Ontem, ele cruzou com a carruagem da senhora e cumprimentou-a, mas a senhora voltou-lhe o rosto. A senhora sabe que vamos exibi-lo? Tenho meus planos a respeito dele. Poderá ser-nos útil.

— Oh! ele lerá.

— Não se trata somente disto. Tinha intenção de passar em casa dele hoje. Devo comunicar-lhe?

— Se quiser. Não sei muito, aliás, como você arranjará isso — disse ela, hesitante. — Contava ter eu mesma uma explicação com ele e devia marcar-lhe uma entrevista. — Franziu a testa.

— Oh! não é necessário marcar-lhe uma entrevista. Vou lhe dar o recado da forma mais simples.

— Perfeitamente. Mas acrescente que com toda certeza marcarei uma entrevista para vê-lo eu mesma. Não deixe de dizer isso a ele..

Piotr Stiepânovitch saiu sorrindo. Em geral, segundo me recordo, achava-se então de um humor particularmente insuportável naquela época, permitindo-se violentas explosões de impaciência com quase toda a gente. O mais estranho é que, cada qual, apesar disso, não lhe negava perdão. Era ideia geralmente admitida que se devia considerá-lo como um indivíduo diferente. Devo notar que ele havia manifestado profundo descontentamento por ocasião do duelo de Nikolai Vsiévolodovitch. Esse acontecimento pegou-o desprevenido e ficou verde de raiva quando dele o informaram. Talvez tivesse sido ferido em seu amor-próprio: só soube da coisa no dia seguinte, quando já toda a gente estava ao corrente.

— *Sabe que você não tinha o direito de bater-se?* — cochichou ao ouvido de Stavróguin quando, cinco dias mais tarde, o encontrou no clube. Deve-se notar que não se tinham encontrado uma só vez, no decorrer daqueles cinco dias, se bem que Piotr Stiepânovitch tivesse ido quase diariamente à casa de Varvara Pietrovna.

Nikolai Vsiévolodovitch olhou-o em silêncio e com ar ausente, como se não tivesse compreendido de que se tratava, e passou sem deter-se. Atravessou a grande sala do clube para se dirigir ao bufê.

— Você esteve também em casa de Chátov... Quer então que se saiba do que há com Maria Timofiéievna? — resmungou Piotr Stiepânovitch, correndo atrás dele e, como por distração, agarrou-o pelo ombro.

Nikolai Vsiévolodovitch desvencilhou-se com um gesto brusco e voltou-se logo para ele, com o rosto ameaçador. Piotr Stiepânovitch olhou-o com um prolongado sorriso estranho. Tudo isto durara apenas um instante. Nikolai Vsiévolodovitch seguiu seu caminho.

II

Saindo da casa de Varvara Pietrovna, Piotr Stiepânovitch seguiu diretamente para a casa do velho; e se tanto se apressava era simplesmente de raiva, para poder se vingar mais depressa de um insulto que eu então ignorava. De fato, no decorrer de sua derradeira entrevista, que remontava à quinta-feira da semana precedente, Stiepan Trofímovitch, depois de ter ele próprio caçado briga com Piotr Stiepânovitch, pusera-o afinal para fora a golpes de bengala. Tinha-me ocultado então esse incidente. Mas agora, assim que Piotr Stiepânovitch apareceu com seu eterno sarcasmo que tinha a ingenuidade de querer tornar condescendente, e com seus olhos desagradavelmente escrutadores que esquadrinhavam todos os cantos, Stiepan Trofímovitch fez-me logo sinal para que não saísse do quarto. Foi assim que fiquei conhecendo o estado de suas verdadeiras relações, porque me foi dado assistir a toda a conversa deles.

Stiepan Trofímovitch estava estendido em uma caminha. Desde a quinta-feira passada, havia emagrecido e ficado lívido. Piotr Stiepânovitch sentou ao lado dele da maneira mais familiar e cruzou as pernas sob as coxas, sem a menor cerimônia, tomando em cima da cama muito mais espaço do que permitia a deferência para com seu pai. Stiepan Trofímovitch encolheu-se para um lado, silencioso e com um ar digno.

Em cima da mesa, achava-se um livro aberto. Era um romance intitulado *Chtó dielat*?[95] Ai, devo confessar que meu amigo tinha uma estranha fraqueza. A ideia de que devia sair de sua solidão e travar uma derradeira batalha tomava cada vez mais a dianteira sobre sua imaginação deslumbrada. Adivinhava que ele havia procurado aquela obra, a fim de estudá-la e com este único objetivo, para que, quando chegasse o dia do inevitável conflito com os "vociferantes", retirasse do verdadeiro catecismo deles o conhecimento de seus métodos e de seus argumentos e estivesse em condições de confundi-los, sob os próprios olhos dela. Oh! como aquele livro o torturava!... Por vezes, atirava-o para um lado com desespero e, saltando da cama, punha-se a caminhar pelo quarto, como um demente:

— Concedo que o ponto de partida do autor é verdadeiro — disse-me ele, febrilmente, — mas por isso mesmo resulta mais terrível! Essa ideia é a nossa, a nossa precisamente; fomos nós que, por primeiro, espalhamos sua semente, fomos nós que a nutrimos, que lhe abrimos o caminho; pergunto a mim mesmo, na verdade,

95 Literalmente: *O que fazer?*, título do livro de Nikolai Gavrílovitch Tchiernichiévski (1828-1889), romancista, crítico e historiador russo. De espírito liberal, foi deportado e passou muitos anos na Sibéria. *O que fazer?* causou profunda impressão em sua época.

o que poderiam eles dizer de novo depois de nós; mas, justo céu! que expressão lhe deram! Como aparece ela deformada, mutilada! — exclamou ele, batendo no livro com os dedos. — São essas as conclusões que procurávamos atingir? Quem poderia reconhecer aqui a ideia original?

— Tu te instruis? — escarneceu Piotr Stiepânovitch, tomando o livro de cima da mesa e lendo o título. — Já era tempo. Se quiseres, trarei coisa melhor para ti.

Stiepan Trofímovitch conservou um silêncio digno. Eu me mantinha a um canto, sentado no divã.

Piotr Stiepânovitch explicou rapidamente o motivo de sua visita. Naturalmente, Stiepan Trofímovitch ficou estupefato além da conta e escutava-o dominado por uma inquietação a que se misturava a indignação mais viva.

— De modo que Iúlia Mikháilovna imagina que irei fazer uma conferência em casa dela?

— Oh! tu sabes, eles não têm lá tanta necessidade de tua presença. Pelo contrário, é para te ser agradável e por esse meio darem uma lambidela em Varvara Pietrovna. Mas nem é preciso dizer que não ousarás recusar ler alguma coisa e estou certo, aliás, de que estás com vontade de fazer isso — acrescentou ele, com uma careta. — Vós outros, os velhos, sois devorados por uma ambição dos diabos. Mas previno-te que não deves ser muito maçante. Estás ocupado com a história da Espanha, não é? Vais me deixar dar uma olhadela três dias antes, sem o que te arriscas demasiado a fazer-nos dormir.

A precipitação e a impudência daquelas observações eram evidentemente premeditadas. Fingia comportar-se para com seu pai, como se fosse impossível ter linguagem diferente para Stiepan Trofímovitch. Mas este estava decidido a não fazer caso dos insultos. No entanto, as notícias que seu filho lhe trazia causavam-lhe uma impressão cada vez mais acabrunhante.

— E é ela mesma, é ela mesma quem me manda dizer isto por... você? — perguntou ele empalidecendo.

— Olha: ela quer marcar-te dia e lugar para uma explicação mútua; são os restos de vossas histórias românticas. Estiveste a galanteá-la durante vinte anos e a habituaste às maneiras mais ridículas. Mas fica tranquilo, agora não é mais assim. Ela mesma repete a cada instante que somente hoje começa "a abrir os olhos". Não deixei de repetir-lhe que toda a amizade de vocês dois não era senão um mútuo derramamento de águas sujas. Contou-me ela bonitas coisas, meu rapaz! Puxa! Que funções de lacaio desempenhaste durante todo esse tempo! Cheguei mesmo a corar por ti.

— Desempenhei funções de lacaio? — gritou Stiepan Trofímovitch, incapaz de dominar-se por mais tempo.

— Pior ainda, foste um parasita, isto é, um lacaio acomodado. Somos demasiado preguiçosos para trabalhar, mas nem por isso deixamos de ter um apetite voraz de dinheiro. Ela se dá conta disso agora. É terrível tudo quanto ela me contou a teu respeito. Ah! meu rapaz, as cartas que tu lhe escrevias provocaram-me boas gargalhadas: vergonhosas e nojentas! Mas todos vós sois tão depravados, tão depravados! Há sempre algo de abjeto na caridade; tu és disso, palavra, um bom exemplo!

— Ela te mostrou minhas cartas?

— Todas, senão, como teria eu feito para lê-las? Na verdade, que quantidade de papel enegreceste! Tenho ideia de que há mais de duas mil cartas. Sabes bem, meu velho, que, em certo momento, ela não queria outra coisa senão casar contigo? Deixaste muito estupidamente passar a ocasião. Naturalmente, coloco-me em teu ponto de vista; aliás, de qualquer maneira, teria isto valido melhor que fazer agora quase figura de marido "para ocultar os pecados alheios", como um verdadeiro bufão, que faz rir, em troca de dinheiro!

— Em troca de dinheiro? E foi ela mesma quem disse que é por dinheiro? — gemeu dolorosamente Stiepan Trofímovitch.

— E por qual motivo, então? Mas, naturalmente, procurei justificar-te. Não tens outro meio de defesa, sabes. Ela mesma reconheceu que tinhas necessidade de dinheiro, como toda a gente aliás, e que, deste ponto de vista, tinhas provavelmente razão. Provei-lhe também tão claramente como dois e dois são quatro que vocês dois tinham tirado partido da situação. Ela era uma rica capitalista e tu eras um bufão sentimental a seu serviço. Ela não está zangada por causa do dinheiro, embora a tenhas ordenhado como a uma cabra. Mas o que a exaspera é ter-te dado crédito durante vinte anos, ter-se deixado prender por teus nobres sentimentos e ter escutado tanto tempo tuas mentiras. Ela jamais reconhecerá que também mentiu; mas não ganharás nada com isso, pelo contrário. Não posso compreender que não hajas previsto que seria preciso um dia prestares conta. Porque, tinhas outrora certo bom senso prático. Ontem, dei-lhe o conselho de colocar-te num hospício. Oh! tranquiliza-te, num estabelecimento conveniente; isto nada terá de humilhante para ti! Creio que ela o fará. Lembras-te da derradeira carta que me escreveste, há três semanas?

— Seria possível que lhe tenhas mostrado? — exclamou Stiepan Trofímovitch, num sobressalto de terror.

— E como não? Foi meu primeiro cuidado! É a carta em que me anuncias que ela te explora e que tem ciúmes de teu talento, mas onde há também uma alusão aos "pecados alheios". Seja como for, meu rapaz, não te falta fatuidade... Ri bastante. Em geral, tuas cartas são de fazer morrer de tédio. Tens um estilo horrível. Abstive-me muitas vezes de lê-las e há uma que ainda espera, presentemente, sem ter sido aberta. Amanhã já posso devolvê-la. Mas aquela, a última, atinge o cúmulo da perfeição! Ah! quanto ri! Quanto ri!

— Monstro! Monstro! — urrou Stiepan Trofímovitch.

— Ah! com os diabos! Não há meio de conversar contigo. Creio que vás ficar ainda encolerizado como na quinta-feira passada.

Stiepan Trofímovitch levantou-se, ameaçador.

— Como ousas usar comigo de tal linguagem?

— Tal linguagem? Não falei clara e simplesmente?

— Mas queres dizer-me, monstro, se és, sim ou não, meu filho?

— Deves estar mais bem informado do que eu a este respeito, embora todos os pais sejam inclinados a certa cegueira neste ponto...

— Silêncio! Silêncio! — interrompeu Stiepan Trofímovitch, abalado por um tremor.

— Vês? Gritas e me insultas como na quinta-feira passada. Quiseste levantar tua bengala contra mim; mas foi então que descobri o documento. Por curiosidade, dei uma busca o serão inteiro em minha mala. Para dizer a verdade, não há nada de preciso, consola-te. É apenas uma carta de minha mãe dirigida àquele famoso polonês. Mas a julgar pelo seu caráter...

— Uma palavra mais e esbofeteio-te!

— Veja-se como são as pessoas! — disse bruscamente Piotr Stiepânovitch, voltando-se para meu lado. — O senhor vê quais são nossas relações desde quinta--feira passada? Sinto-me pelo menos feliz com sua presença hoje aqui, para que seja meu juiz. Em primeiro lugar, há um fato: ele me censura a maneira pela qual falo de minha mãe, mas não foi ele quem me levou a isso? Em Petersburgo, quando eu estava ainda no ginásio, não me despertava ele duas vezes na noite, para beijar-me, chorando como uma mulher? E que supõe o senhor que ele me contava naquelas noites? Histórias pouco lisonjeiras a respeito de minha mãe. Foi de sua boca que primeiro as ouvi.

— Oh! Emprestava eu então a essas confidências uma significação elevada. Tu não me compreendeste absolutamente. Nada compreendeste daquilo, nada!

— Mas, em todo caso, era mais desprezível de tua parte que da minha, confessa! Vês tu? Se quiseres, isto não me diz respeito. Falo por ti. Quanto à minha maneira de ver, não te inquietes. Não censuro minha mãe; se és tu meu pai, tanto melhor! Se é o polonês, isto não me importa. Não é culpa minha se ela e tu vos desaviestes em Berlim. E teríeis sido jamais capazes de formar um lar harmônico?... Afinal de contas, não éreis um par ridículo? E que te importa afinal que seja eu, sim ou não, teu filho? Escute — prosseguiu ele, voltando-se de novo para mim. — Ele jamais gastou um vintém comigo em toda a sua vida. Até a idade de dezesseis anos, vivi sem conhecê-lo; mais tarde, aqui, despojou-me. Agora proclama que toda a sua vida seu coração sofreu por mim e representa diante de mim a comédia, como um ator. Mas eu não sou Varvara Pietrovna, fica bem certo disto!

Levantou e pegou seu chapéu.

— Eu te amaldiçoo! — gritou Stiepan Trofímovitch, pálido como a morte, estendendo a mão para seu filho.

— A que grau de estupidez pode um homem cair! — tornou Piotr Stiepânovitch, fingindo surpresa. — Vamos, adeus, velho da velha, não tornarei jamais a pôr os pés em tua casa. Não te esqueças de me enviar antes teu artigo e trata, se possível, de fazer que não esteja cheio demais de coisas absurdas. Fatos, fatos e mais fatos. Mas, sobretudo, brevidade. Adeus.

III

Influências exteriores tinham, aliás, entrado em jogo neste negócio. Piotr Stiepânovitch tinha decerto intenções ocultas a respeito de seu pai. Na minha opinião, contava ele reduzir o velho ao desespero e levá-lo assim a praticar certo escândalo. Isto devia servi-lo nos objetivos longínquos que tinha em vista e de que se falará mais adiante. Diversos planos e cálculos desse gênero agitavam-se ao mesmo tempo em seu espírito e quase todos dum caráter fantástico. Tinha assim em vista uma outra vítima que não Stiepan Trofímovitch. De fato, perseguia um número considerável de vítimas, como apareceu mais tarde, mas uma havia de que fazia questão especial e era nada menos que o próprio von Lembke.

Andriéi Antônovitch von Lembke pertencia a essa raça germânica favorecida pela natureza, que fornece centenas de milhares de funcionários à Rússia. Essa raça, sem que talvez se dê conta disso, acabou por formar neste país uma espécie de massa homogênea e de sociedade devidamente constituída, sociedade, aliás, nem deliberada, nem premeditada, mas que existe no interesse mesmo da raça, fora de todo contrato, criada para satisfazer obrigações puramente morais, tais como o auxílio mútuo e a defesa recíproca de todos os membros pertencentes a essa raça, em toda parte e sempre, quaisquer que fossem as circunstâncias. Andriéi Antônovitch tivera bastante sorte em fazer seus estudos numa dessas escolas aristocráticas que só se abrem aos jovens provenientes de famílias ricas ou influentes. Os alunos daquele estabelecimento, terminados seus estudos, eram quase logo designados para funções bastantes importantes nos serviços do Estado. Um dos tios de Andriéi Antônovitch era tenente-coronel de Engenharia; um outro, padeiro. Mas o ter frequentado a escola superior permitiu-lhe tirar a crosta e o fez conhecer um número bastante grande de indivíduos de sua raça.

Era um camarada bastante jovial; mau estudante, mas estimado por todos. Ao passo que nas classes superiores a maior parte de seus condiscípulos, principalmente os russos, aprendera a discutir as mais altas questões do dia, como se só esperassem sua saída para dar-lhe solução, Andriéi Antônovitch continuava ainda achando prazer nas pilhérias escolares mais inocentes. Divertia a todos, é verdade, com suas facécias, um tanto tolas talvez, mas escabrosas e das quais fizera uma espécie de especialidade. Na aula, quando o professor lhe fazia uma pergunta, tinha uma maneira extraordinária de assoar-se que provocava gargalhadas de todos os alunos e do próprio professor. No dormitório, suscitava os aplausos de todos representando algum quadro vivo de caráter cínico. Outras vezes, executava no piano, tocando apenas com o nariz, e não sem habilidade, a abertura de Fra Diavolo. Durante seu último ano de ginásio, pôs-se a compor versos russos. Quanto à sua língua materna, von Lembke, da mesma maneira que muitos de seus conterrâneos, dela tinha apenas um conhecimento muito imperfeito. Essa tendência para versejar levou-o à amizade com um camarada de caráter bastante sombrio e que todos mantinham à parte. Era este o filho de um general russo bastante pobre e passava, aos olhos de todos os internos do estabelecimento, por ser uma das melhores esperanças de nossa literatura. Andriéi Antônovitch tornou-se seu protegido. Ora, aconteceu que, três anos depois de ter deixado a escola, aquele rapaz melancólico, que abandonara a carreira oficial para consagrar-se às letras e andava, em consequência, de sapatos cambados, batendo os dentes ao vento norte com um leve paletó de meia-estação, encontrou um dia, por acaso, na ponte Ânitchkov, seu ex-protegido, "Lembke", como o chamavam na escola. E que pensais que aconteceu? Em primeiro lugar, não o reconheceu e parou estupefato. Diante dele se encontrava um jovem impecavelmente trajado, de rosto ornado, de notáveis suíças, dum vermelho cor de fogo, o nariz cavalgado por um lornhão, sapatos de verniz nos pés, vestido com um largo sobretudo e apertando sob o braço uma pasta. Naquela ocasião, não era mais "Lembke" simplesmente, mas "von Lembke". O ex-colega, entretanto, foi visitá-lo, talvez somente por animosidade. Na escada, de bastante mau gosto e nada rica, embora coberta por um tapete vermelho, um suíço veio-lhe ao encontro e interrogou-o. Um toque de campainha retiniu no andar superior. Mas em lugar das riquezas que o visitante esperava ver, encontrou o seu "Lembke" alojado num quartinho exíguo, de aspecto sombrio e miserável, separado em dois por uma espessa cortina dum verde escuro, mobiliado de maneira antiquada mas confortável, com cortinados dum verde escuro nas janelas estreitas. Von Lembke morava em casa de um parente longe, um antigo general que o protegia. Recebeu cordialmente seu visitante, mostrou-se duma gravidade marcada de refinada polidez. Falaram também de literatura, mas tudo dentro dos limites da conveniência. Um lacaio de gravata branca serviu o chá que estava ralo e vinha acompanhado duns biscoitinhos redondos ressequidos. O camarada levou sua maldade a ponto de pedir água de Seltz.[96] Trouxeram, não sem tê-lo feito esperar um pouco, e Lembke deixou transparecer certo embaraço chamando uma segunda vez o lacaio para dar-lhe suas ordens. Todavia, convidou espontaneamente o visitante para cear, mas ficou visivelmente satisfeito quando este recusou e despediu-se afinal. Em resumo, Lembke havia inaugurado sua carreira levando uma existência de parasita junto ao velho general, seu conterrâneo, que era um personagem de destaque.

Por aquela mesma época, suspirava Andriéi Antônovitch pela quinta filha do general e parecia-lhe que seus sentimentos eram retribuídos. Mas, não obstante, Amélia veio a casar, algum tempo depois, com um velho fazendeiro alemão, antigo camarada do velho general. Andriéi Antônovitch não chorou por muito tempo; pôs-se a recortar e a colar um teatro de papelão. O pano levantava-se, os atores andavam, gesticulavam. Os camarotes apareciam lotados de espectadores, um mecanismo fazia na orquestra o arco passar nas cordas dos violinos, o maestro marcar o compasso e na plateia oficiais e jovens peraltas bater as mãos, aplaudindo. Tudo, de papelão. Era de invenção do próprio von Lembke, que levou mais de um ano fabricando seu teatro. O general arranjou um serão íntimo, expressamente consagrado à exibição da obra-prima. As cinco filhas do general, inclusive Amélia, a recém-casada, bem como o fazendeiro seu marido, numerosas *frauen e fraulein*[97] vieram admirá-lo e expandiram-se em elogios, depois do que todos dançaram. Lembke estava bastante satisfeito consigo mesmo e não tardou em consolar-se.

Passavam-se os anos e sua carreira estava assegurada. Obtinha sempre excelentes lugares e sempre junto a chefes pertencentes à sua raça. Chegou por fim a uma situação importante para um homem de sua idade. Desde muito tempo já desejava casar-se e não cessava de examinar em torno de si. Enviara, sem que seus superiores soubessem, ao editor de uma revista uma novela que não foi publicada. Isto lhe valeu recortar e colar todo um trem de ferro e conseguir por este meio realizar uma obra acabada. Os viajantes saíam da plataforma com suas malas e sacos, com seus cães e suas crianças, e metiam-se nos vagões. Empregados e carregadores afastavam-se, a sineta retinia e, a um sinal, o trem punha-se em marcha. Dedicara um ano inteiro a esta inteligente ocupação. Mas, apesar disso, era preciso casar. O círculo de suas relações era bastante vasto, sobretudo entre seus compatriotas, mas suas funções o chamavam, é claro, a meter-se também nos meios russos. Finalmente, cerca de seus trinta e oito anos, veio a receber uma herança. Morrera seu tio padeiro, deixando-lhe por testamento uma soma de treze mil rublos. Essa herança chegava na hora. A despeito da criadagem bem estilizada de que gostava de cercar-se, o Senhor von Lembke era homem bastante modesto. Para sua perfeita alegria

---

96 Seltz ou Selters, localidade da Prússia (Baixo Reno), célebre pelas suas águas gasosas, de fama universal.

97 Senhoras e senhoritas, em alemão.

bastava um pequeno posto oficial independente, com o direito para ele de cortar à vontade as florestas do Estado ou alguma sinecura desse gênero, que o satisfizesse para o resto de sua vida. Mas em lugar da Mina ou da Ernestina[98] com que contava, entrou de súbito em cena uma Iúlia Mikháilovna. Sua carreira, de repente, se transportava a um plano dum grau mais elevado. O modesto e pontual von Lembke sentiu que também ele tinha direito ao amor-próprio.

Iúlia Mikháilovna possuía uma fortuna de duzentas almas, avaliando-a de acordo com o antigo cadastro, e tinha além disso relações importantes. Por outra parte, Lembke era um belo homem, ao passo que ela contava quarenta anos bem completos. Notável é que Lembke se tornava cada vez mais apaixonado por ela à medida que se sentia mais noivo. Na manhã do casamento mandou-lhe versos. Tudo isso agradou muito a Iúlia Mikháilovna, até mesmo os versos: quarenta anos não são brincadeira. Pouco depois de seu casamento foi ele agraciado com novo título e nova distinção, depois nomeado governador de nossa província.

Desde sua chegada à nossa cidade, Iúlia Mikháilovna se esforçou por exercer sua influência sobre seu esposo. Não o considerava como homem destituído de capacidade; ele sabia apresentar-se e representar, escutar com ar entendido e guardar silêncio. Além disso, era capaz, nas grandes solenidades, de tomar a palavra em público. Possuía algumas migalhas de ideias e adquirira esse verniz de liberalismo moderno que se tornou indispensável hoje. Mas a mulher do Governador afligia-se com a sua falta de iniciativa e de firmeza. Desde que dera por terminada sua longa corrida aos empregos, parecia experimentar necessidade de repouso. Quando ela procurava infundir-lhe sua ambição, ele começou, de repente, a fabricar com papelão um templo protestante; o pastor estava no púlpito, pronunciando um sermão, os fiéis escutavam piedosamente, de mãos juntas, uma dama enxugava os olhos com o lenço, um velho assoava-se. Por fim, repercutiam os sons de uma caixa de música que fora encomendada de propósito na Suíça, e chegara afinal a seu destino, malgrado certa demora. Iúlia Mikháilovna, quase apavorada, apressou-se em confiscar aquela obra-prima, logo que lhe soube da existência. Fechou-a em um móvel e, a título de compensação, permitiu que von Lembke escrevesse um romance, com a condição de que fosse às ocultas. A partir daquele momento, a mulher do Governador não contou mais senão consigo mesma. A desgraça é que ela punha nisso mais imaginação que medida. O destino havia-a por muito tempo confinado no celibato. As ideias agora se sucediam sem cessar no seu cérebro superaquecido pela ambição e levemente superexcitado. Nutria projetos, queria a qualquer preço governar a província e, sonhando ser imediatamente escutada e seguida, compunha para si um matiz político. Von Lembke, que se alarmara um tanto a princípio, não tardou em adivinhar, graças a seu faro de funcionário, que nada havia a temer pelo seu lugar de governador. Os dois ou três primeiros meses se escoaram, com efeito, sem o menor tropeço. Mas desde que Piotr Stiepânovitch aparecera, a situação começava a revestir-se dum caráter bastante estranho.

O fato é que, desde o princípio, o jovem Vierkhoviénski deu prova da mais completa sem-cerimônia para com Andriéi Antônovitch, arrogando-se a seu respeito os direitos mais singulares. Iúlia Mikháilovna, sempre tão ciosa do prestígio

98 Nomes alemães com que, na época, se designavam, cm geral, as cortesãs.

de seu esposo, não quis dar-se conta daquilo, ou pelo menos não pareceu ligar àquilo nenhuma importância. O rapaz tornara-se seu favorito, partilhava de suas refeições, bebia e, por assim dizer, dormia quase em casa dela. Von Lembke tentou defender-se; fingia chamá-lo em público "rapaz", batia-lhe no ombro com ar de superioridade; foi em vão; Piotr Stiepânovitch tinha sempre ar de zombar dele, mesmo quando lhe falava do modo mais sério e de público dizia-lhe as coisas mais estapafúrdias. Um dia, ao entrar em seu gabinete, encontrou Von Lembke o rapaz adormecido em seu divã. Piotr Stiepânovitch, que não se dera ao trabalho de fazer-se anunciar, explicou que viera visitar o Governador e que, na sua ausência, permitira-se tirar uma soneca. Von Lembke, magoado, tornou a queixar-se à sua mulher, que criticou sua susceptibilidade e censurou-lhe, maldosamente, não saber manter as distâncias. "Comigo, pelo menos, não se permite nunca esse rapaz semelhantes familiaridades; é, aliás, de um natural cândido e simples, se bem que lhe falte um tanto certo requinte social." Von Lembke amuou-se. Daquela vez, Iúlia Mikháilovna reconciliou os dois homens. Piotr Stiepânovitch, longe de desculpar-se, recorreu a uma pilhéria de mau gosto, que teria podido passar por novo ultraje, mas foi considerada como demonstração de pesar. O ponto fraco consistia em que, desde o começo, Andriéi Antônovitch permitira que Piotr Stiepânovitch tomasse ascendente, ao confiar-lhe que estava escrevendo um romance. Pouco tempo depois de ter feito conhecimento com ele, o Governador, que imaginara estar tratando com um jovem devorado pelo fogo sagrado das letras, satisfez seu antigo desejo de encontrar um ouvinte, lendo-lhe, uma noite, dois capítulos de sua obra. O rapaz escutou sem dissimular seu tédio, bocejou francamente, não dirigiu o menor cumprimento ao autor, mas, no momento de retirar-se, pediu permissão para levar consigo o manuscrito, sob o pretexto de lê-lo em casa, com a cabeça repousada, para formar sobre o mesmo uma opinião. Von Lembke cedeu. Desde então, Piotr Stiepânovitch ainda não havia devolvido o manuscrito, se bem que fosse todos os dias à casa do Governador, e limitava-se a rir todas as vezes que este reclamava o manuscrito. Finalmente, declarou tê-lo perdido na rua, no mesmo dia em que o Governador o pusera em suas mãos. Sabendo disto, dirigiu Iúlia Mikháilovna vivas censuras a seu marido:

— Contanto que não lhe tenhas dado a conhecer a existência do templo de papelão — disse ela, numa espécie de pavor.

Von Lembke começou decididamente a parecer preocupado, o que nada adiantava para sua saúde e lhe era proibido pelos médicos. Além dos numerosos motivos de preocupação que lhe incumbiam como administrador, como veremos mais adiante, aquele era um fato novo que sofria no íntimo de seu coração, como um simples particular. Andriéi Antônovitch jamais teria suposto, ao desposar Iúlia Mikháilovna, que a discórdia pudesse um dia reinar no seu lar. Tal era seu ponto de vista, quando sonhava com suas Minas e Ernestinas. Sentia-se incapaz de enfrentar as tempestades domésticas. Iúlia Mikháilovna teve afinal com ele uma explicação muito franca:

— Não podes zangar-te por tão pouco — declarou-lhe. — Tens três vezes mais bom senso do que ele e estás infinitamente mais altamente colocado na hierarquia social. Esse rapaz conservou certas modalidades de espírito forte que, na minha opinião, são muito simplesmente garotices; mas não é preciso precipitar nada, nós o corrigiremos pouco a pouco. Devemos dar provas de benevolência para com a mocidade, inspirar-lhe confiança à força de amabilidades para melhor retê-la à beira do precipício.

— Mas diz ele o diabo sabe o quê — replicou von Lembke. — Não posso me mostrar tolerante, quando em minha presença e em público, ele sustenta que o Governo encoraja a embriaguez para embrutecer o povo e impedi-lo de sublevar-se. Representa-te a minha situação quando devo, em público, escutar essa linguagem.

O Governador fazia assim alusão a uma de suas recentes conversas com Piotr Stiepânovitch. Na ingênua esperança de desarmar o rapaz com seu liberalismo, von Lembke havia-lhe mostrado a coleção que compusera, reunindo todas as proclamações aparecidas desde 1859, tanto no estrangeiro como na Rússia, e isto não a título de amador propriamente dito, mas com um objetivo de curiosidade utilitária. Mas adivinhando-lhe o pensamento, o rapaz afirmou logo que uma linha apenas de certas proclamações encerrava mais sabedoria que não importa qual gabinete de governo, inclusive o do Governador.

O rosto de von Lembke contraiu-se.

— Mas é demasiado cedo, entre nós — murmurou ele, com voz quase suplicante e apontando para as proclamações.

— Não, não é demasiado cedo; vós tendes medo, o que significa que não é demasiado cedo.

— Mas, não obstante, há aí, por exemplo, um apelo à destruição das igrejas...

— E por que não? O senhor, particularmente, é um homem inteligente e, por consequência, não tem fé, mas compreende demasiado bem que a religião lhe é necessária para embrutecer o povo. A verdade é mais honesta que a mentira.

— Pois seja, admito, sou totalmente de sua opinião; mas é ainda demasiado cedo entre nós — repetiu o Governador, franzindo o cenho.

— Se só diferimos sobre uma questão de oportunidade, se o senhor acha que é preciso queimar nossas igrejas e marchar sobre Petersburgo com cacetes, que espécie de funcionário do governo é então o senhor?

Von Lembke ficou vivamente mortificado por se ter deixado prender numa armadilha tão grosseira.

— Absolutamente, absolutamente — respondeu, zangando-se. — Você se engana, em primeiro lugar porque é moço, e em seguida porque não tem conhecimento de nossos desígnios. Veja, você, meu caríssimo Piotr Stiepânovitch, diz que somos funcionários do Governo. É verdade. Funcionários independentes? É verdade. Mas permita, qual é nossa tarefa? Temos uma responsabilidade e, afinal de contas, servimos à coisa pública tanto quanto vocês. Somente, sustentamos o que vocês abalam e que sem nós desmoronaria por todos os lados. Não somos absolutamente inimigos de vocês. Nós lhes dizemos: "Sigam para a frente, progridam, destruam mesmo, isto é, tudo aquilo que é demasiado velho, tudo aquilo que deve ser reformado; mas, chegado o momento, saberemos mantê-los nos limites necessários, porque, sem nós, vocês não poderiam senão subverter a Rússia, despojando-a de seu aspecto decente, e nosso problema consiste precisamente em tomar cuidado com esse aspecto decente. Penetrem-se dessa verdade que vocês, tanto como nós, temos necessidade de nosso concurso recíproco. Na Inglaterra, os *whigs e os tories*[99]

99 Liberais e conservadores. Membros dos respectivos partidos políticos ingleses, em luta permanente, e o primeiro dos quais visava cercear o poder da Coroa.

fazem-se contrapeso. Pois bem, eis como vejo as coisas: os *whigs* são vocês, os *tories* somos nós.

Andriéi Antônovitch tornava-se grandíloquo. Já, em Petersburgo, gostava de falar como homem inteligente e liberal, agora fazia-o tanto mais livremente quanto ninguém estava ali para espioná-lo. Piotr Stiepânovitch guardava silêncio e parecia mais sério que de costume. Isto estimulou ainda mais o orador:

— Sabe que eu, "administrador da província" — continuou ele, passeando pelo seu gabinete de trabalho, — já tenho preocupações demais para poder cumprir uma só; por outra parte, é igualmente verdadeiro dizer que nada tenho a fazer. O segredo de tudo isto, no fundo, é que meus atos são inteiramente subordinados às diretrizes do Governo. Suponhamos que, por política ou tendo em vista apaziguar os espíritos, estabeleça o Governo a república, mas, que, paralelamente, aumente os poderes dos governadores; nós, governadores, engoliremos a república; não é bastante dizer, engoliremos o que quiserdes, eu pelo menos, sinto-me capaz disso... Em suma, se o Governo me telegrafa ordenando-me uma atividade devorante, dou prova de uma atividade devorante. Declarei aqui diante de todos: "Senhores, uma coisa é necessária para que as instituições encontrem seu equilíbrio e prosperem: reforçar os poderes dos governadores". Veja você, é preciso que todas as instituições, tanto territoriais como jurídicas, tenham por assim dizer uma existência dupla, isto é, é preciso que elas existam (necessidade que admito), ainda que seja necessário que não existam. Sempre julgando do ponto de vista governamental. Produz-se um caso que reclama a existência das instituições; logo elas surgem na minha província. Deixam de ser necessárias? Escamoteio-as no mesmo instante e nem traço delas você achará. Eis o que entendo por "atividade devorante". Mas ela necessita de extensão de nossos poderes. Conversamos aqui a quatro olhos. Saiba você que já assinalei em Petersburgo ser necessário que o Governador tenha uma sentinela à porta. Aguardo a resposta.

— O senhor precisa de dois.

— Por que dois? — perguntou von Lembke, plantando-se diante dele.

— Por que um só não é suficiente para fazê-lo respeitar. O senhor precisa absolutamente de dois.

Andriéi Antônovitch fez uma careta.

— Você... você. Deus sabe o que você se permite, Piotr Stiepânovitch. Aproveita de minha benevolência para me lançar ditérios e toma ares de *bourrubienfaisant.*[100]

— Bem, como queira... — resmungou Piotr Stiepânovitch. — Mas afinal de contas, o senhor nos abre o caminho e prepara nosso êxito.

— Nosso, de quem? De que êxito fala você? — interrogou von Lembke, encarando com espanto seu interlocutor, do qual não obteve resposta alguma.

Quando Iúlia Mikháilovna foi posta a par dessa conversa, mostrou-se bastante descontente.

— Mas vejamos — esforçava-se por justificar-se Andriéi Antônovitch, — não posso tratar como amo ao teu favorito, sobretudo numa conversa íntima. Talvez tenha sido levado a falar demais... por bondade de alma.

---

100 Benfeitor de aparência rude.

— Bondade demais. Não sabia que possuías uma coleção de proclamações. Teria muito prazer em vê-la.

— Mas ele me pediu emprestada por vinte e quatro horas.

— E o senhor deixou que ele as levasse? — exclamou violentamente Iúlia Mikháilovna. — Que falta de tato!

— Vou imediatamente mandar buscá-la.

— Ele não a entregará.

— Exigirei! — declarou com um gesto brusco o Governador, levantando-se. — Quem é ele então para que assim o temam e quem sou eu para nada ousar fazer?

Iúlia Mikháilovna deteve-o:

— Sente e acalme-se. Respondo à sua primeira questão. Deram-me recomendações dele nos termos mais calorosos; tem capacidades e diz por vezes coisas muito sutis. Karmázinov assegura-me que ele tem relações um pouco por toda parte e que exerce uma influência considerável sobre a juventude da capital. Se, graças a ele, atraio e reúno em torno de mim esses jovens, posso arrancá-los à sua perda, abrindo novas perspectivas às suas ambições. É devotado a mim de todo o coração e ouve-me.

— Mas — balbuciou von Lembke, — enquanto são lisonjeados, o diabo sabe de que são capazes! É sem dúvida uma ideia, mas... a propósito, acabo de saber que circulam proclamações no distrito de ***.

— Esse boato já correu no verão passado. Falava-se de cartazes sediciosos, de bilhetes falsos, etc. No entanto, até aqui nada foi encontrado. Quem lhe disse isso?

— Von Blümer.

— Ah! por favor, não me fale mais do seu von Blümer.

Iúlia Mikháilovna foi obrigada a calar-se um minuto, tanto a simples citação do nome desse von Blümer, empregado da chancelaria do Governador, e seu pesadelo, tinha o dom de excitar-lhe a cólera. Voltaremos mais adiante a este assunto.

— Rogo-te, não te inquietes com Vierkhoviénski — disse ela, como conclusão. — Se ele tomasse parte em manifestações desse gênero, não falaria como te fala e como fala a toda a gente aqui. Os fazedores de frases não são perigosos. Vou mais longe: seria eu a primeira a ser informada por ele, se alguma coisa sobreviesse, porque me é fanaticamente devotado, fanaticamente!

Que me permitam antecipar-me aos acontecimentos para observar que, sem a ambição e a presunçosa confiança de Iúlia Mikháilovna, aquela vil gentalha não teria podido fazer em nosso país tudo quanto nele fizeram. A mulher do Governador tem nisto uma grande parte de responsabilidade.

Capítulo V / antes da festa

I

A festa imaginada por Iúlia Mikháilovna em benefício das professoras de nossa província foi anunciada muitas vezes para tal dia e em seguida adiada para mais tarde. Piotr Stiepânovitch não deixava por assim dizer Iúlia Mikháilovna, que tinha também sempre em redor de si o empregadinho Liámchin, muito solícito em torno de Stiepan Trofímovitch e pelo qual a Governadora se tomara de simpatia por causa de seu talento de pianista; Lipútin, designado por Iúlia Mikháilovna para redator-chefe do futuro jornal independente que ela se propunha fundar na nossa província; várias senhoras e senhoritas, enfim o próprio Karmázinov que, embora menos solícito que os outros, não deixava de declarar com ar bastante satisfeito que a quadrilha literária seria para todos uma agradável surpresa. Os subscritores e doadores apresentaram-se em número bastante grande; toda a boa sociedade da nossa cidade se inscrevia, mas aceitavam-se também as pessoas comuns, contanto que se apresentassem com dinheiro. Iúlia Mikháilovna deu a entender que se podia por vezes tolerar a mistura de classes: "Quem então, sem isto — dizia ela — poderia fornecer-lhes as luzes?". Formou-se em casa dela uma espécie de comissão oficiosa para decidir que a festa teria um caráter democrático. A lista prodigiosa das inscrições incitava à despesa; queria-se fazer um mundo de maravilhas, daí os contínuos adiamentos. Não se tinha ainda decidido onde se realizaria o baile. Seria na vasta residência da marechala da nobreza, ou em casa de Varvara Pietrovna, em Skvopiéchniki? Contudo Skvopiéchniki era um pouco longe, mas certos membros da comissão insistiam, declarando que se estaria ali mais à vontade. A própria Varvara Pietrovna nada teria desejado de melhor que ter a preferência. Seria difícil dizer por que aquela mulher orgulhosa buscava agora as boas graças de Iúlia Mikháilovna. O fato é que via ela com prazer a Governadora prosternar-se quase diante de Nikolai Vsiévolodovitch e tratá-lo com uma amabilidade excepcional. Repito ainda uma vez: Piotr Stiepânovitch, à força de cochichá-lo com palavras veladas, conseguira incutir na casa do Governador a ideia de que Nikolai Stavróguin estava ligado pelos laços mais íntimos ao mundo mais misterioso e estava provavelmente aqui encarregado de alguma missão.

O estado dos espíritos era então estranho. Na sociedade das senhoras, sobretudo, reinava então uma espécie de despreocupação leviana, que não demorara em revelar-se. Parecia que uma rajada de vento havia trazido de repente todas aquelas ideias um tanto disparatadas. O fenômeno era divertido, mas não direi que causasse sempre uma impressão agradável. Certa libertinagem dos espíritos estava em moda. Mais tarde, quando tudo acabou, acusou-se Iúlia Mikháilovna, seu círculo de amigos e sua influência, mas é duvidoso que tudo isso fosse imputável apenas a Iúlia Mikháilovna. Pelo contrário, muitas pessoas no começo, competiam para louvar a nova governadora por ter sabido constituir um núcleo de sociedade e ter assim tornado a existência mais alegre. Ocorreram mesmo vários fatos escandalosos com os quais Iúlia Mikháilovna nada tinha que ver; toda gente então contentou-se em rir sem procurar evitá-los. No decorrer daquele período, é verdade que um número bastante respeitável de pessoas mantinha-se ainda de parte, mas cuidavam-se de emitir o menor protesto; algumas mesmo sorriam.

Lembro-me de que se constituíra uma espécie de círculo bastante amplo tendo por centro, é preciso dizer, o próprio salão de Iúlia Mikháilovna. Nesse meio íntimo que se reunia em torno dela, era a juventude naturalmente autorizada a praticar as garotices mais diversas — e algumas houve bastante atrevidas. Esse gênero de exercício era ali até mesmo de rigor. Senhoras tomavam também parte nas reuniões, encantadoras senhoras. Os jovens organizavam piqueniques, saraus, por vezes mesmo percorriam as ruas da cidade em longo cortejo formado de carros e cavaleiros. Andava-se em busca de aventuras, quando preciso ia-se ao ponto de provocá-las com o objetivo apenas de ter alguma boa história para contar. Essas pessoas tratavam nossa cidade como se tivesse sido habitada por hunos. À força de chacotear de toda a gente passaram a ser chamados de farsantes ou pândegos. Certa vez, num desses saraus, uma senhora casada com um oficial, uma morena muito bonita, perfeitamente ao corrente da conduta irregular de seu marido, cometeu a imprudência de sentar à mesa de jogo. Esperava ganhar o suficiente para comprar uma mantilha; ora, em lugar de ganhar, perdeu a soma de quinze rublos. Temendo ter de sofrer as censuras de seu marido e como não tivesse consigo dinheiro para pagar aquela soma, tomou-se de coragem e decidiu-se a pedir um empréstimo, ali mesmo, ao filho do prefeito de nossa cidade, um rapaz muito bonito, mas de um comportamento censurável. Ele não somente lhe recusou o dinheiro, mas apressou-se mesmo em contar o caso ao marido da dama e espalhou a história entre boas gargalhadas... O tenente contava apenas com seu soldo como renda. Depois que levou a mulher para casa, moeu-a de pancadas, muito embora se arrastasse ela a seus pés, soluçando, a pedir-lhe perdão. Esta história revoltante, em lugar de provocar reprovação, forneceu quando muito pretexto para galhofa e se bem que a pobre mulher do tenente não fizesse parte do círculo de Iúlia Mikháilovna, uma das damas excêntricas que tomavam parte naquelas "cavalgadas" e que, por acaso, conhecia a dita senhora dirigiu-se à casa dela e conseguiu sem muita cerimônia recebê-la depois em visita. A esposa do tenente foi logo cercada pelos tais descarados, que a retiveram três dias afastada do marido. Passou ela todo esse tempo em casa da dama excêntrica, saindo com ela pela cidade o dia inteiro, assistindo a todas as diversões e bailes. Insistiam com ela para que denunciasse o marido e iniciasse contra ele um "processo". Prometiam-lhe ajuda e assistência e todas as testemunhas necessárias de que necessitasse. O marido se calava, não ousando engajar-se na luta. A pobrezinha deu-se conta por fim de que poderia sobrevir-lhe desgraça e na noite do quarto dia, semimorta de medo, abandonou seus protetores para voltar à casa de seu tenente. O que se passou entre os esposos, nunca se soube com exatidão. O certo é que os dois postigos do pavilhão de madeira em que morava o tenente não se abriram durante quinze dias. Quando Iúlia Mikháilovna tomou conhecimento desse caso, zangou-se contra os pândegos e mostrou-se muito descontente com a proeza da dama excêntrica, se bem que esta mesma lhe houvesse, desde o primeiro dia, apresentado a mulher do tenente. Tudo isto, aliás, foi em breve esquecido.

Doutra vez, novo incidente ocorreu em casa de um modesto funcionário, honrado pai de família. Um rapaz, igualmente funcionário modesto, pertencente a outro distrito, dirigira-se à casa daquele para desposar-lhe a filha, uma beldade de dezessete anos, bem conhecida em toda a cidade. De repente, soube-se que o recém-casado, na noite mesma do casamento, comportara-se para com sua cara-metade de maneira pouco correta, para vingar-se da má reputação de que ela gozava. Liámchin, que se embriagara na véspera e passara a noite em casa deles, foi, por assim dizer, testemunha do caso. De modo que apressou-se em espalhar pela cidade inteira a notícia, assim que o dia nasceu. Num instante, um grupo de umas dez pessoas se reuniu, todas a cavalo, tendo mesmo algumas arranjado de empréstimo cavalos de cossaco, como por exemplo Piotr Stiepânovitch e Lipútin, o qual, a despeito de seus cabelos grisalhos, tomava parte em todas as pagodeiras organizadas pela nossa turbulenta juventude. Quando os recém-casados saíram pelas ruas em sua caleça puxada por dois cavalos, a fim de fazerem as visitas obrigatórias no dia seguinte à cerimônia nupcial, foi com risadas alegres que aquela cavalgada se pôs em movimento ao mesmo tempo que a caleça e acompanhou o casal a manhã inteira pela cidade. Devo acrescentar que não o seguiram à casa de particulares e contentaram-se em esperá-lo do lado de fora; abstiveram-se também de toda ofensa direta aos esposos, mas nem por isso deixou de ser escandalosa a conduta deles. A cidade inteira tagarelou sobre o caso e as pilhérias multiplicaram-se. No entanto, desta vez, von Lembke zangou-se e de novo teve com Iúlia Mikháilovna uma cena agitada. Também ela foi dominada de viva cólera e achou de seu dever fechar sua porta aos pelintras. Mas no dia seguinte tudo lhes foi perdoado, graças a uma intervenção de Piotr Stiepânovitch e de Karmázinov, o qual achava a pilhéria bastante espirituosa.

— Isto faz parte dos costumes do país — disse ele, — e afinal não lhe falta nem caráter nem ousadia. Note, aliás, que toda a gente ri do caso e que é a senhora a única que manifesta desagrado.

Mas houve outras farsas verdadeiramente intoleráveis e dum gosto suspeito.

Na cidade apareceu uma vendedora de bíblias; era uma mulher respeitável, embora de condição modesta. Falara-se dela a propósito de curiosas notas publicadas nos jornais de então a respeito de vendedoras. Foi ainda o pândego do Liámchin quem se lembrou de pregar-lhe uma peça. Ajudado por um seminarista que andava à toa à espera de um lugar de professor e sob pretexto de comprar livros em sua mão, introduziu às ocultas na sacola da vendedora uma coleção inteira de fotografias obscenas provenientes do estrangeiro, que lhes tinham sido fornecidas para esse fim, como se soube mais tarde, por um velho senhor muito considerado, cujo nome não revelarei, condecorado com uma das ordens mais honoríficas e que gostava, segundo sua expressão, do "riso sadio e da boa pilhéria". Quando, no bazar, a pobre mulher se pôs a retirar os livros santos, todas as fotografias caíram, espalhando-se pelo chão. Houve a princípio risadas, murmúrios; a multidão aglomerou-se, estouraram injúrias e teriam chegado às pancadas se a polícia não interviesse. Trancafiaram a vendedora no posto policial e somente à noite foi ela posta em liberdade e conduzida para fora da cidade, a instâncias de Mavríki Nikoláievitch, que soubera com indignação de todos os detalhes daquela ignóbil história. Iúlia Mikháilovna resolveu então expulsar Liámchin, mas na mesma noite todo o nosso bando levou-o à casa dela, rogando-lhe que se dispusesse a ouvir a nova fantasia para piano que ele acabava de compor. Essa farsa musical, engraçadamente intitulada *A guerra franco-prussiana*, era efetivamente bastante divertida. Começava pelos sons marciais de *La marseillaise*:

Qu'un sang impur abreuve nos sillons![101]

Toda esta parte exalava a embriaguez das futuras vitórias. Mas eis que, de repente, através das notas do hino tão magistralmente arrebatado, em alguma parte, bem baixinho, ainda indistinto embora já bem próximo, fazia-se ouvir o moti-

---

101 Que o sangue impuro banhe nossos campos. Último verso da primeira estrofe de *A marselhesa*, hino nacional francês, composto em 1792 por um oficial francês de engenharia, Rouge de l'Isle, da guarnição sediada em Estrasburgo.

vo zombeteiro de *Mein lieber Augustin.*[102] *La marseillaise* não lhe presta atenção, *La marseillaise* acha-se no mais alto ponto de sua exaltação; mas *Augustin* avigora-se. *Augustin* torna-se cada vez mais atrevido e eis que as notas de *Augustin* coincidem de maneira imprevista com as de *La marseillaise.* Esta tem ar de revoltar-se; percebe afinal a presença de *Augustin,* desejaria libertar-se dele, afastá-lo como a uma mosca importuna, mas *Mein lieber Augustin* tomou decididamente pé na praça e *La marseillaise* comete a tremenda tolice de mostrar-se irritada e ofendida. Ouvem-se agora soluços de despeito, choro e maldições, braços levantados tomando a Deus como testemunha.

Pas un pouce de notre terrain, pas une de nos forteresses.[103]

Nem por isso é menos constrangida a cantar em compasso com *Mein lieber Augustin.* Os acordes de *La marseillaise* confundem-se grotescamente com os de *Augustin,* ela baixa o tom cada vez mais e acaba por extinguir-se. Aqui e ali entretanto, a intervalos, distingue-se *qu'un sang impur...,* mas é para recair logo na valsa galhofeira. Acaba fazendo a paz e temos Jules Favre[104] chorando em cima do plastrão de Bismarck e cedendo tudo, absolutamente tudo quanto se pode ceder... É então a vez de *Augustin* fazer das suas; sons agudos retinem, nos quais se sente a cerveja engolida a jorros, a gabolice exasperada do veterano, a exigência de milhões, as requisições de charutos de luxo, de champanhe, a entrega dos reféns; *Augustin* se transforma num rugido de fera desembestada... A guerra franco-prussiana acabou.

Os nossos aplaudem ruidosamente. Iúlia Mikháilovna convém, sorrindo: "Como pôr para fora semelhante farsista?". A paz está concluída, porque o maroto tinha decididamente talento. Não me afirmava um dia Stiepan Trofímovitch que os maiores artistas podem ser ao mesmo tempo horríveis tratantes e que uma coisa não impede a outra? Mais tarde, correu o boato de que Liámchin roubara aquela composição de um jovem de talento e muito modesto, que ele conhecera de passagem, e que deveu a esta circunstância ter ficado despercebido; mas isto nada tem que ver com nosso assunto. Aquele maroto de Liámchin, que foi visto muito tempo fazendo palhaçadas nos serões de Stiepan Trofímovitch, imitando, assim que lhe pediam, ora o sotaque de diversas personalidades judias locais, ora a confissão de uma velha beata atingida de surdez ou os gritos de uma mulher em trabalhos de parto, caricaturava por vezes, nas reuniões de Iúlia Mikháilovna, o próprio Stiepan Trofímovitch a quem qualificava entre outras coisas de "liberal dos anos 40". Todos riam com tal desenvoltura que era impossível no fim separar-se de tal homem, tanto soubera tornar-se necessário. Em consequência, não arredava passo de Piotr Stiepânovitch que, por sua vez, adquirira desde aquele momento estranha influência sobre Iúlia Mikháilovna.

Não me teria estendido a respeito desse maroto mais do que ele merece, se não tivesse ocorrido então um fato revoltante, no qual tomou ele parte, a dar-se crédito ao rumor público, e esse fato não posso de maneira alguma deixá-lo passar em silêncio.

---

102 *Meu querido Agostinho,* título duma alegre canção popular bávara.

103 Nem uma polegada de nosso terreno, nem uma pedra de nossas fortalezas. Outro verso de "*A marselhesa*".

104 Jules Favre (1809-1880), advogado e político francês, deputado liberal do Corpo Legislativo, e secretário de Ledru-Rollin. Em 1870 intentou a derrubada do Império. Membro do Governo da Defesa Nacional, negociou com Bismarck o Tratado de Francfort.

Numa manhã, espalhou-se pela cidade a notícia de que uma abominável profanação acabava de ser cometida. Na entrada de nossa vasta Praça do Mercado, eleva-se a velha igreja da Natividade da Virgem, monumento notavelmente antigo de nossa antiga cidade. Sob o pórtico do muro de circuito existia desde tempos remotos um grande ícone da Santa Virgem, embutido na parede, por trás de uma grade. Ora, eis que uma noite foi aquele ícone saqueado, quebrado o vidro do nicho, arrancada a grade e retiradas várias pérolas bem como pedras da coroa e do manto. Tinham essas joias grande valor? Ignoro. Mas o mais grave é que uma grosseira e absurda intenção blasfematória misturava-se aqui ao roubo: por trás da vidraça partida, encontrou-se, dizem, pela manhã, um rato vivo. Tem-se a certeza hoje, quatro meses após o acontecimento, que o autor daquele crime era Fiedka, o forçado, mas acrescenta-se que Liámchin também tomou parte. Ninguém então falou de Liámchin, de quem não se suspeitava absolutamente; agora toda a gente assegura que foi ele quem soltou o rato. Lembro-me de que todas as nossas autoridades ficaram um tanto fora de si. O povo reuniu-se desde manhã no local do crime, onde não cessou de estacionar uma multidão, não muito considerável sem dúvida, mas sempre composta de uma centena de indivíduos. Quando uns chegavam, outros se retiravam. Os recém-chegados faziam o sinal da cruz, beijavam o ícone; puseram-se a recolher oferendas, apareceu uma bandeja junto da qual se colocou um monge, e, somente pelas três horas da tarde, a Administração lembrou-se de que se poderia proibir o ajuntamento; ordenou, pois, que as pessoas circulassem depois de ter feito suas devoções e de ter oferecido seu óbolo. Esse lamentável acontecimento causou em von Lembke uma sombria impressão. Iúlia Mikháilovna, pelo que ouvi dizer, declarou mais tarde que foi a partir daquele nefasto dia que ela começou a perceber em seu esposo o estranho abatimento que não mais o deixou até sua partida e que, parece, o acompanha hoje na Suíça, onde continua sua cura após sua breve tentativa de residência em nossa província.

Cerca das duas horas da tarde, passei, lembro-me bem, pela Praça do Mercado; a multidão estava calada e os rostos mostravam uma expressão de gravidade preocupada. Chegou de *drójki* um comerciante gordo e amarelo, que, logo que desceu do carro, se prosternou até o chão, beijou o ícone e pôs um rublo na bandeja. Em seguida tornou a subir para o carro, lançando profundos suspiros. Chegou uma caleça em que se encontravam duas de nossas damas em companhia de dois de nossos pândegos. Os rapazes (dos quais um não estava mais na primeira juventude) desceram também do carro e aproximaram-se do ícone, abrindo caminho bastante desastradamente através da multidão. Nem um nem outro se descobriu e um deles pôs seu pince-nez. Houve murmúrios, surdos é verdade, mas que nem por isso deixavam de manifestar desaprovação. O rapaz do *pince-nez* tirou de seu bolso uma carteira repleta de cédulas e dela escolheu um copeque que atirou sobre a bandeja, depois do que, ambos, rindo e falando bem alto, voltaram para a caleça. Nesse momento, Elisavieta Nikoláievna, escoltada por Mavríki Nikoláievitch, chegava a cavalo. Apeou-se, atirou as rédeas para seu companheiro, que ficou na sela por sua ordem, e dirigiu-se para o ícone no mesmo instante em que o copeque caía na bandeja. O rubor da indignação invadiu-lhe as faces, tirou sua cartola, suas luvas, caiu de joelhos diante da imagem bem no meio do passeio enlameado e por três vezes se prosternou devotamente até o chão. Em seguida tirou seu porta-moedas, mas verificando que só continha algumas moedinhas miúdas, retirou logo das orelhas seus brincos de brilhantes e depositou-os na bandeja.

— Pode-se, não é, pode-se? Para enfeitar o ícone? — perguntou ela ao monge, com voz emocionada.

— É permitido — respondeu ele. — Toda oferenda é bem recebida.

O povo mantinha-se silencioso, sem exprimir nem censura nem aprovação. Elisavieta Nikoláievna tornou a montar a cavalo, com sua saia manchada de lama e afastou-se a galope.

II

Dois dias depois do acontecimento que acabo de relatar, encontrei-a em numerosa companhia que se dirigia em excursão em três carruagens, cercada de um grupo de cavaleiros. Fez-me um sinal com a mão, parou sua caleça e me pediu com insistência que me juntasse ao seu grupo. Deram-me lugar no carro e, depois de ter-me apresentado, rindo, às damas em traje de gala que a acompanhavam, explicou-me que a expedição projetada seria extremamente interessante. Ria às gargalhadas e sua felicidade parecia desmedida. Nos últimos tempos tornara-se duma alegria transbordante. Com efeito, tratava-se de um empreendimento bastante excêntrico: toda aquela gente transportava-se para o outro lado do rio, à casa do comerciante Sievostiánov, que havia dez anos abrigava num pavilhão, longe do mundo e do tumulto, um santo personagem que possuía o dom da profecia e famoso não somente em nossa província, mas nos governos circunvizinhos e até nas duas capitais: o nosso bem-aventurado Siemion Iákovlievitch. Acorria gente de muito longe para visitá-lo e cada qual tratava de obter algumas palavras do "inocente", diante do qual se prosternava entregando sua oferenda. Quando Siemion Iákovlievitch não dispunha por si mesmo logo desses donativos por vezes consideráveis, eram convertidos em obras pias e iam de preferência para nosso mosteiro da Natividade; de modo que um monge, delegado pelo nosso mosteiro, conservava-se permanentemente ao lado de Siemion Iákovlievitch. Todos esperavam divertir-se muito. Ninguém do grupo vira ainda Siemion Iákovlievitch. Somente Liámchin viera já uma vez à casa de Siemion Iákovlievitch e afirmava agora que este o mandara expulsar a vassouradas, lançando contra ele, com sua própria mão, duas grandes batatas cozidas. Entre os cavaleiros, notei Piotr Stiepânovitch que montava desta vez ainda um cavalo de cossaco sobre o qual, aliás, se mantinha muito mal, e Nikolai Stavróguin, também a cavalo. Stavróguin não refugia às diversões gerais e sempre nessas ocasiões mantinha uma cara tão alegre quanto exigiam as conveniências, se bem que, segundo seu costume, falasse muito pouco e raramente. Quando, depois de ter passado a ponte, chegou a expedição à altura da hospedaria, alguém observou de súbito que se acabava de descobrir num quarto um viajante que se suicidara com um tiro de revólver e esperava-se a chegada da polícia. Surgiu logo a ideia de ir ver-se o suicida. Esta ideia encontrou aprovação: nossas damas nunca tinham visto suicidas. Lembro-me de que uma delas declarou em voz alta que "o tédio era tal que não havia verdadeiramente lugar para muita exigência no que se referia a distrações, contanto que aquilo fosse interessante". Alguns somente ficaram à espera diante do patamar; os outros meteram-se todos ao mesmo tempo por um corredor sujo e não foi sem estupefação que notei entre aquelas pessoas Elisavieta Nikoláievna. A porta do quarto em que jazia o cadáver estava aberta, e, naturalmente, não ousaram impedir-nos a entrada. Era um rapaz muito moço ainda, de dezenove anos no máximo, que devia ter sido muito bonito com seus espessos cabelos louros, o oval regular de seu rosto e de sua fronte duma pureza admirável. Já estava rígido e sua face toda branca parecia de mármore. Sobre a mesa encontrava-se um bilhete escrito por ele, declarando que ninguém devia ser acusado pela sua morte e que ele mesmo se matava porque havia "engolido" quatrocentos rublos. A palavra "engolido" figurava com todas as letras bilhete, cujas quatro linhas continham três erros de ortografia. Um corpulento proprietário, provavelmente um de seus vizinhos, que se hospedara no mesmo hotel para tratar de negócios, curvava-se sobre o cadáver, lançando profundos suspiros. Segundo o que nos contou, aquele rapaz fora enviado de sua aldeia por sua família, isto é, por sua mãe viúva, suas irmãs e suas tias, para proceder, juntamente com uma parenta que morava na cidade, à compra do enxoval de sua irmã mais velha que ia casar-se dentro em breve. Para as compras que ele devia levar, tinham-lhe confiado quatrocentos rublos, penosamente economizados durante dez anos e só o tinham deixado partir após muitos suspiros e gemidos, acompanhados de infinitas recomendações, de preces e de objetos bentos. O rapaz fazia conceber até então as melhores esperanças. Tendo chegado à cidade três dias antes, em lugar de ir para a casa de sua parenta, hospedou-se no hotel, depois dirigiu-se diretamente ao clube, esperando descobrir em alguma sala isolada um estrangeiro de passagem que com ele quisesse montar uma banca, ou à falta de uma, ali encontrar algum outro parceiro. Mas não havia naquela noite ninguém desse gênero. De volta ao hotel cerca da meia noite, mandou buscar champanhe, charutos de Havana e ordenou um jantar de sete ou oito pratos. Mas o champanhe embriagou-o, o charuto deu-lhe náuseas, tanto que nem pode tocar nas comidas que lhe serviram e deitou-se quase sem conhecimento. No dia seguinte, acordou fresco como uma maçã e dirigiu-se para a outra margem do rio, à taverna dos ciganos, de que ouvira falar na véspera, no clube. Passou dois dias sem aparecer no hotel. Ontem, por fim, cerca das cinco horas da tarde, regressara bêbado, tendo-se deitado imediatamente e dormira até as dez horas da noite. Ao despertar pediu uma costeleta, uma garrafa de Château-Iquem e uvas, papel, tinta e sua conta. Ninguém notara nele nada de particular; estava calmo, manso e amável. Devia ter-se suicidado cerca da meia noite, se bem que, coisa estranha, ninguém tivesse ouvido a detonação. Somente hoje, a uma hora da tarde, não tendo o pessoal do hotel obtido resposta, arrombou-se a porta. A garrafa de Château-Iquem estava ainda pela metade, restava também meio prato de uvas. A bala fora atirada direta ao coração com um revólver de três tiros, de pequeno calibre. Correra pouco sangue; o revólver caíra das mãos do rapaz sobre o tapete. O corpo jazia semiestendido sobre o divã colocado no canto do quarto. A morte devia ter sido instantânea; nenhum traço de sofrimento aparecia no rosto, cuja expressão era calma, quase feliz, e ao qual só faltava a vida. Todos os nossos contemplavam aquele espetáculo com ávida curiosidade. Em geral, há sempre em toda desgraça que atinge o próximo algo de alegre para qualquer outro que seja. Nossas damas olhavam em silêncio; seus companheiros procuravam mostrar-se por meio de alguma sutil observação que testemunhasse alta presença de espírito. Um deles observou que aquela era a melhor solução e que o rapaz não podia imaginar nada de mais inteligente; outro concluiu dizendo que pelo menos vivera bem, nem que tivesse sido apenas um instante. Um terceiro perguntou a si mesmo, de repente, entre dentes, por que os que se suicidavam enforcando-se ou a tiros de revólver estavam-se tornando cada vez mais numerosos "como se — acrescentava ele — de repente nos encontrássemos desarraigados e o solo nos faltasse sob os pés?". Esse raciocinador foi olhado sem amenidade. Em compensação, Liámchin, que fazia questão de desempenhar seu papel de bufão, pegou do prato um cacho de uvas; outro imitou-o, rindo e um terceiro já avançava o braço para a garrafa de Château-Iquem. Mas o chefe de Polícia, que chegava naquele momento, deteve-o no seu gesto e mandou "desocupar o quarto". Como toda a gente já vira, retiramo-nos logo sem a menor objeção, salvo da parte de Liámchin, que tentou parlamentar com o chefe de Polícia. A segunda metade do caminho foi seguida quase com duas vezes mais entusiasmo, risadas e galhofas.

Chegamos justamente a uma hora da tarde em casa de Siemion Iákovlievitch. A casa do comerciante estava com a porta escancarada e o acesso ao pavilhão era livre. Soubemos, no mesmo instante, que Siemion Iákovlievitch estava jantando, mas que haveria recepção. Com suas três janelas, a peça na qual o bem-aventurado recebia e fazia suas refeições era bastante espaçosa. Uma grade de madeira, elevando-se até meio corpo, separava-a de extremidade a extremidade em duas partes iguais. Os visitantes comuns mantinham-se aquém da grade e somente os privilegiados, a convite do santo, tinham permissão de transpor a portinhola e penetrar no recinto que lhe era reservado; mandava-os sentar, se assim lhe aprazia, em velhas poltronas de couro ou sobre o divã; ele mesmo ocupava invariavelmente uma antiga poltrona Voltaire muito usada. Era um homem de uns cinquenta e cinco anos, de estatura bastante elevada, de rosto balofo e amarelo, louro e calvo, com raros cabelos, barba toda rapada, com a bochecha direita inchada, o que provocava ligeiro desvio da boca, uma grossa verruga perto da narina esquerda, olhos pequenos e uma expressão plácida na larga face sonolenta. Estava vestido com uma sobrecasaca preta, à moda dos pastores alemães, mas sem colete e gravata. Sob sua sobrecasaca podia-se ver que trazia uma camisa de pano bastante grosseiro, mas muito branca; como seus pés (ao que parecia) estivessem doentes, trazia-os em chinelos. Diziam-no funcionário e que ainda figurava no quadro. Acabava de tomar uma sopa leve de peixe e atacava o segundo prato: batatas cozidas com sal. Jamais comia coisa diferente, mas afeiçoado ao chá, bebia-o em quantidade. Em torno dele, pavoneavam-se três criados mantidos pelo comerciante. Um deles estava de fraque, o segundo parecia-se com um caixeiro e o terceiro com um sacristão. Havia ainda um rapaz de dezesseis anos que não esquentava lugar. Além dos criados, encontrava-se ali também um venerando monge de cabelos grisalhos, um pouco obeso demais talvez, tendo na mão um mealheiro. Sobre uma mesa fervia um enorme samovar ao lado duma bandeja contendo cerca de duas dúzias de copos. Sobre outra mesa em face, estavam dispostas as oferendas: vários pacotes e cones de açúcar, duas libras de chá, um par de chinelos bordados, um lenço de pescoço, um retalho de pano, uma peça de tecido de algodão, etc. Quase todas as oferendas em dinheiro caíam no cofre do monge.

Havia muita gente no quarto. Somente os visitantes eram em número de *doze. Dois deles estavam* sentados junto de Siemion Iákovlievitch, do outro lado da grade; um, velho de cabelos brancos, era um homem do povo que chegara em peregrinação; o outro, pequeno, magro, um monge de passagem e que se conservava sentado, de olhos baixos, com um ar de modéstia. O resto dos visitantes, de pé aquém da grade, era na maior parte gente vulgar, com exceção de uma velha senhora, nobre e pobre, de um proprietário e de um gordo comerciante que morava na sede de distrito vizinho, usava longa barba e trajava à russa e cuja fortuna era avaliada em cem mil rublos. Todos aguardavam o instante feliz, sem ousar pronunciar a menor palavra. Quatro indivíduos tinham-se posto de joelhos, mas o que atraía particularmente a atenção era o proprietário, um gordo homem de uns quarenta e cinco anos, que ocupava um lugar mais em vista que os outros, ajoelhado bem contra a grade e esperando com compunção um olhar ou uma palavra benévola de Siemion Iákovlievitch. Estava ali desde mais de uma hora, sem que o bem-aventurado desse sinal de percebê-lo.

Nossas damas foram agrupar-se contra a grade, prosseguindo na sua amável e jovial tagarelice. Todos os que estavam de joelhos, da mesma maneira que os outros visitantes, tiveram de comprimir-se ou de abrir-lhes caminho, exceto o proprietário que conservou obstinadamente seu lugar, agarrando-se com as duas mãos à grade. Olhares insistentes e acesos pela curiosidade convergiram sobre Siemion Iákovlievitch, ao mesmo tempo que os lornhões, os *pince-nez* e até mesmo binóculos. Quanto a Liámchin usava mesmo um binóculo de teatro. Siemion Iákovlievitch, com uma tranquilidade preguiçosa, deixou flutuar por sobre todo aquele mundo o olhar de seus olhinhos penetrantes:

— Belo espetáculo! Belo espetáculo! — disse em voz baixa, um pouco rouca, não sem certa admiração.

Todo o nosso grupo desatou a rir. Que quereriam dizer aquelas palavras: "Belo espetáculo"? Mas Siemion Iákovlievitch abismou-se no seu mutismo e acabou de comer suas batatas. Quando acabou, limpou-se com o guardanapo e serviram-lhe o chá.

Comumente, não o tomava só e oferecia-o aos visitantes, não a todos, é verdade, mas àqueles a quem queria distinguir. Suas disposições impressionavam sempre pelo seu imprevisto. Ora não dando atenção às pessoas de destaque ou à gente rica, mandava servir um mujique ou alguma velhinha, ora deixando de lado os pobres, passava a designar algum gordo e abastado comerciante. A maneira de servir variava da mesma maneira que a quantidade; a um, oferecia-se chá com açúcar, a outro, chá com açúcar separado, ao terceiro sem açúcar nenhum. Desta vez os favoritos foram o monge que estava de passagem e recebeu um copo de chá açucarado; o segundo, o velho peregrino ao qual se deu chá sem açúcar. Quanto ao monge gordo, vindo do mosteiro, o do cofre, naquele dia não lhe ofereceram nada, quando não tinha ele até então deixado de receber o seu copo.

— Siemion Iákovlievitch, dizei-me alguma coisa; desde muito tempo desejava conhecer-vos — esganiçou com muitas caretas e sorrisos a dama elegante de nossa *carruagem, que ainda havia* pouco observara que, em questão de distrações, não se devia ser muito exigente, contanto que fossem interessantes. Siemion Iákovlievitch nem mesmo a olhou. O proprietário ajoelhado lançou um profundo e ruidoso suspiro, como se levantassem de cima de si e tornassem a deixar cair um grande peso.

— Chá com açúcar! — disse de súbito Siemion Iákovlievitch, apontando para o comerciante dos cem mil rublos, que se aproximou e foi colocar-se ao lado do proprietário.

— Com mais açúcar! — ordenou Siemion Iákovlievitch, depois que lhe encheram o copo. A ração foi dobrada.

— Mais açúcar! A ele ainda!...

Deram-lhe terceira ração e em seguida uma quarta. O comerciante pôs-se a beber aquela xaropada sem murmurar.

— Senhor! — cochichou a assistência, benzendo-se. De novo o proprietário lançou um profundo e ruidoso suspiro.

— *Bátiuchka,* Siemion Iákovlievitch — exclamou, de repente, uma voz dolente, mas aguda, e tal que não se esperava da pobre mulher que as nossas damas haviam empurrado contra a parede. — Há uma boa hora, meu pai, que espero tua bênção. Fala-me, aconselha-me, sou uma pobre órfã.

— Interroga-a — disse Siemion Iákovlievitch, que a designou ao criado de cara de sacristão. Este se aproximou da grade.

— Cumpriu o que Siemion Iákovlievitch lhe ordenou da derradeira vez? — perguntou ele à viúva de voz melíflua.

— Como fazê-lo, *bátiuchka* Siemion Iákovlievitch? — ganiu a viúva. — São uns antropófagos! Apresentaram queixa contra mim ao tribunal do distrito e ameaçam levar-me perante o Senado. É assim que tratam a própria mãe...

— Dai-lhe! — disse Siemion Iákovlievitch, indicando um torrão de açúcar. O menino adiantou-se, pegou o torrão e entregou-o à viúva.

— Oh! *bátiuchka!* — exclamou a viúva. — Que farei com tudo isto?

— Mais! Mais! — dizia Siemion Iákovlievitch, em veia de generosidade.

Trouxeram outro torrão de açúcar, "Mais, mais!" — ordenou o bem-aventurado. Um terceiro e por fim um quarto torrão foram oferecidos à viúva que se viu rodeada de açúcar por todos os lados. O monge do mosteiro suspirou; tudo aquilo teria podido ir parar em seu convento, como em outras ocasiões.

— Mas que farei com tudo isto? — gemeu a viúva, num tom abatido. — Vai-me fazer mal!... Ou seria isto por acaso alguma profecia, *bátiuchka?*

— Sim, é uma profecia — murmurou alguém em meio da multidão.

— Ainda uma libra! Ainda para ela! — continuou Siemion Iákovlievitch. Restava ainda em cima da mesa um torrão inteiro, mas Siemion Iákovlievitch dissera uma libra e deram uma libra à viúva.

— Senhor! Senhor! — suspirava o povo, fazendo o sinal da cruz. — É evidentemente uma profecia.

— Adoçai primeiro vosso coração pela bondade e pela misericórdia e depois vinde queixar-vos de vossos filhos, os ossos de vossos ossos. Eis, segundo toda a probabilidade, o que significa esse símbolo — murmurou, num tom satisfeito, o gordo monge, a quem tinham esquecido de oferecer chá e que, sentindo-se magoado em seu amor-próprio, acreditara dever tomar a palavra.

— Ah! que sabes tu disso, *bátiuchka?* — exclamou de repente a viúva, cheia de cólera. — Eles me passaram um nó no pescoço para arrastar-me à fogueira, quando ardeu a casa de Vierchinin. Meteram um gato morto no meu guarda-roupa. Quer dizer que estão prontos a todas as sujeiras...

— Ponham-na para fora! Ponham-na para fora! — gritou de repente Siemion Iákovlievitch, agitando o braço.

O sacristão e o rapazinho passaram para o outro lado da grade. O sacristão pegou pelo braço a viúva, que logo se acalmou e deixou-se levar para a porta, não sem deixar de olhar para os torrões de açúcar que o menino carregava atrás dela.

— Tirem-lhe um! Tirem-lhe um! — ordenou Siemion Iákovlievitch ao caixeiro que ficara junto dele. Este correu atrás dos que acabavam de sair e os três criados voltaram um instante mais tarde, trazendo o torrão de açúcar dado a princípio, e depois retomado da viúva, que, ainda assim, levou três.

— Siemion Iákovlievitch — disse uma voz lá atrás, perto da porta, — vi em sonho um pássaro, um corvo que saía voando da água e se dirigia para o fogo. Que significa esse sonho?

— Sinal de frio! — proferiu Siemion Iákovlievitch.

— Siemion Iákovlievitch, por que não me respondestes nada? Interesso-me por vós desde tanto tempo! — voltou a falar a dama de nossa sociedade.

— Interrogue-o — ordenou Siemion Iákovlievitch, sem escutá-la, apontando o proprietário ajoelhado.

O monge do mosteiro, a quem fora dada a ordem, avançou gravemente para o proprietário.

— Qual foi seu pecado? Não lhe ordenaram alguma coisa?

— Não brigar, não bater — respondeu o proprietário todo enleado.

— Obedeceu? — perguntou o monge.

— Não posso, é mais forte do que eu.

— Ponham-no para fora! Ponham-no para fora a vassouradas! — exclamou Siemion Iákovlievitch, com grandes gestos. O proprietário, sem esperar que a ordem fosse executada, fugiu o mais depressa possível.

— Deixou uma moeda de ouro — disse o monge, apanhando do soalho um meio-imperial.

— Para aquele — respondeu Siemion Iákovlievitch, apontando com o índice o rico comerciante. O ricaço não ousou recusar.

— O ouro atrai o ouro — não pode impedir-se de dizer o monge do mosteiro.

— E chá com açúcar àquele — ordenou de súbito o bem-aventurado, mostrando Mavríki Nikoláievitch. Um criado serviu o chá e apresentou-o por engano a um dos janotas de pince-nez.

— Ao grande, ao grande! — precisou Siemion Iákovlievitch.

Mavríki Nikoláievitch pegou o copo, esboçou uma vaga continência e pôs-se a beber. Todos os nossos, não sei por que, desataram a rir.

— Mavríki Nikoláievitch — disse de repente Lisa, — o homem que estava ajoelhado acaba de partir, ponha-se no lugar dele.

Mavríki Nikoláievitch olhou-a, espantado.

— Rogo-lhe, vai me dar grande prazer. Escute, Mavríki Nikoláievitch — prosseguiu ela, de repente, com um fervor apaixonado, obstinado. — É preciso absolutamente que se ponha de joelhos, quero ver de modo completo como ela queria. Se não o fizer, não venha mais à minha casa. Quero-o, quero-o absolutamente!

Ignoro o que ela queria dizer com aquilo, mas exigia de uma maneira insistente, implacável; parecia dominada por uma crise de nervos. Mavríki Nikoláievitch, como veremos mais adiante, atribuía aqueles acessos cada vez mais frequentes a explosões de um ódio cego que ela nutria contra ele, não por maldade, pelo contrário, tinha por ele respeito, afeto e estima, e ele não ignorava isso, mas por uma espécie de animosidade inconsciente de que por momentos não se conseguia libertar.

Sem dizer palavra, ele entregou o copo a uma velha que se achava de pé atrás dele, abriu a porta da grade, sem esperar autorização e penetrou na parte reservada a Siemion Iákovlievitch; depois, tendo chegado ao meio do quarto, pôs-se de joelhos à vista de todo mundo. Creio que se sentiu fortemente ferido na delicadeza e simplicidade de seu coração com tal capricho grosseiro de Lisa, na presença de toda a nossa sociedade. Talvez pensasse que, vendo a humilhação que ela o obrigava a suportar com tal insistência, experimentasse a moça algum sentimento de vergonha. Decerto, somente ele mesmo era capaz de tentar corrigir uma mulher usando de meios tão ingênuos e tão arriscados. Estava de joelhos, mantendo um ar de gravidade imperturbável, ridículo com seu corpanzil desengonçado. Mas os nossos não riam: aquele espetáculo insólito só podia causar uma sensação de mal-estar. Todos olhavam para Lisa.

— Espírito Santo! Espírito Santo! — murmurou Siemion Iákovlievitch.

Lisa ficou lívida, de súbito, lançou um grito e avançou para o outro lado da grade. Ali ocorreu curta cena de histeria. Com todas as suas forças pôs-se a levantar Mavríki Nikoláievitch, puxando-o com as duas mãos pelos cotovelos.

— Levante! Levante — exclamava ela, com um ar desvairado. — Imediatamente, levante, imediatamente! Como ousou pôr-se de joelhos?

Mavríki Nikoláievitch levantou. Ela lhe agarrou com as duas mãos os braços acima dos cotovelos e fitou-o diretamente nos olhos. Seu olhar exprimia terror.

— Belo espetáculo! Belo espetáculo! — repetiu mais uma vez Siemion Iákovlievitch.

Ela levou por fim Mavríki Nikoláievitch para o outro lado da grade. Toda a nossa sociedade estava dominada de viva agitação. A dama da carruagem, sem dúvida para dissipar aquela impressão, dirigiu-se pela terceira vez a Siemion Iákovlievitch, com afetado sorriso:

— Então, Siemion Iákovlievitch, será que não me vai dizer alguma coisa? Contava tanto com o senhor!

— Vá-se f...! — gritou, de repente, Siemion Iákovlievitch, voltando-se para o lado dela. A frase, pronunciada em voz alta, num tom de cólera, foi percebida com terrível nitidez. As damas saíram lançando gritinhos aterrorizados, enquanto os cavalheiros desataram em gargalhadas homéricas. Terminou dessa forma nossa visita a Siemion Iákovlievitch.

Todavia, dizem, ocorreu então um incidente dos mais enigmáticos, e confesso que foi sobretudo por causa disso que relatei com tantos pormenores a lembrança dessa excursão.

Pretende-se que, no momento em que todos se precipitavam para a saída, Lisa, que se apoiava no braço de Mavríki Nikoláievitch, bateu de repente de encontro a Nikolai Vsiévolodovitch no atropelo que ocorreu perto da porta. É preciso dizer que, desde o desmaio de Lisa, na manhã do domingo, se bem que se tivessem encontrado muitas vezes em sociedade, não se haviam mais aproximado, nem trocado palavras. Fui testemunha do encontro perto da porta: ao que me pareceu, durante *um instante*, pararam ambos e olharam-se duma maneira estranha. Mas eu não podia ver senão com dificuldade por causa da multidão. Assegurou-se, pelo contrário, e o mais seriamente possível, que, ao ver Nikolai Vsiévolodovitch, Lisa ergueu de repente a mão à altura do rosto do jovem homem e o teria decerto esbofeteado, se ele não se houvesse retirado a tempo. Talvez seu desprazer tivesse sido provocado por uma expressão de zombaria ou um sorriso, sobretudo após o episódio com Mavríki Nikoláievitch. Confesso que, pela minha parte, nada vi, mas em compensação todos pretenderam ter visto, muito embora certamente esse espetáculo foi reservado apenas a um pequeno número em virtude da desordem e da confusão. Fui eu então o único que não acreditou em nada. Lembro-me, no entanto, de que, no regresso, Nikolai Vsiévolodovitch tinha o rosto um tanto pálido.

III

No mesmo dia e quase à mesma hora, ocorreu afinal a entrevista que Varvara Pietrovna meditava ter desde muito tempo e que anunciara já muitas vezes a seu ex-amigo, com Stiepan Trofímovitch, mas que, por essa ou aquela razão, sempre retardara até então. Passava-se isto em Skvopiéchniki. A generala chegou muito atarefada à sua casa de campo; na véspera, fora definitivamente decidido que a festa em benefício das professoras se realizaria em casa da marechala da nobreza. Mas com sua prontidão de espírito habitual, Varvara Pietrovna determinara imediatamente que nada a impedia, após aquela festa, de dar uma por sua vez em sua casa, em Skvopiéchniki e a ela convidar toda a cidade. Seria possível então julgar, com conhecimento de causa, qual das duas casas era a melhor, aquela onde se sabia receber melhor e dar um baile com mais gosto. Em geral, Varvara Pietrovna estava irreconhecível. Havia nela como que um renascimento e a inacessível "dama altiva" (segundo a expressão de Stiepan Trofímovitch) transformara-se numa dama qualquer da sociedade, unicamente interessada por frivolidades. Aliás, podia ser apenas uma aparência. Tendo chegado a uma casa vazia, deu um giro pelos aposentos, acompanhada pelo velho e fiel Alieksiéi Iegórovitch e pelo importante Fómuchka, especialista em decoração. Começaram então os conciliábulos e os projetos: que móveis, que objetos e quadros deveriam ser trazidos da cidade. Onde os colocariam? Como tirar o melhor partido das plantas e das flores? Onde colocariam cortinas novas? Onde seria instalado o bufê; haveria um só ou dois?... etc., etc. E eis que, em meio de suas ocupações mais urgentes, veio-lhe de repente a ideia de mandar sua carruagem buscar Stiepan Trofímovitch.

Este estava desde tanto tempo avisado e à espera de um convite repentino, que se mantinha pronto a atender. Quando subiu na carruagem, fez o sinal da cruz: sua sorte ia decidir-se. Encontrou sua amiga na grande sala, sentada num pequeno divã recuado, perto de uma mesinha de mármore, tendo na mão um lápis e um papel. Fómuchka, com uma fita métrica na mão, media a altura das tribunas e janelas, enquanto a própria Varvara Pietrovna anotava os números e fazia marcas no chão. Sem interromper sua tarefa, fez um aceno de cabeça para o lado de Stiepan Trofímovitch e quando este último, balbuciando, apresentou seus cumprimentos, estendeu-lhe ela rapidamente a mão e, sem olhá-lo, indicou-lhe um lugar a seu lado.

— Sentei e esperei cinco bons minutos, comprimindo meu coração — contou-me mais tarde Stiepan Trofímovitch. — Via diante de mim uma outra mulher, diferente daquela que conhecera durante vinte anos. A convicção absoluta de que tudo estava acabado deu-me tais forças que a ela mesma causaram surpresa. Juro-lhe, ficou ela maravilhada diante de meu estoicismo naquela hora derradeira.

Varvara Pietrovna pousou de súbito seu lápis em cima da mesinha e voltou--se bruscamente para Stiepan Trofímovitch.

— Stiepan Trofímovitch, temos de tratar de negócios. Estou certa de que você preparou belas frases e fez provisão de ditos de espírito. Mas vale mais a pena ir diretamente ao fato, não é?

Era revolver a faca na ferida. Apressava-se um pouco demais em revelar suas intenções. Que haveria em seguida?

— Espere, cale-se, deixe-me falar, depois será sua vez, se bem que não saiba quais objeções você poderia levantar — prosseguiu com volubilidade a generala. — Os mil e duzentos rublos de sua pensão anual considero como meu dever mais sagrado continuar pagando até o fim de seus dias, isto é, um convênio mais que um dever, o que estará muito mais conforme com a realidade, não é verdade? Se quiser, poremos a coisa por escrito. Foram tomadas disposições particulares para o caso em que eu venha a morrer. Mas você receberá de mim atualmente, além dessa pensão, o alojamento, o serviço e a manutenção. Convertamos isto em dinheiro: você terá mil e quinhentos rublos, não é mesmo? Acrescentarei ainda trezentos rublos a mais e eis em números redondos três mil. Isto será suficiente para um ano? Parece-me que é bastante. Aliás, acrescentarei ainda alguma coisa nas ocasiões extraordinárias. De modo que, receba esse dinheiro, devolva-me meus criados e viva à sua vontade, onde quiser, em Petersburgo, em Moscou, no estrangeiro ou aqui, contanto que não seja em minha casa. Entendeu?

— Ultimamente a mesma boca comunicava-me outra exigência não menos formal e insistente — articulou com voz lenta e triste Stiepan Trofímovitch. — Submeti-me... e dancei a dança cossaca para causar-lhe prazer. *Oui, la comparaison peut être permise. C'était comme un petit cosaque du Don, qui sautait sur sa propre tombe.*[105] Agora...

— Alto lá, Stiepan Trofímovitch. Você gosta tremendamente de fazer frases. Você não dançou: você apareceu em minha casa com uma gravata nova, roupa branca limpa, luvas, empomadado e perfumado. Asseguro-lhe que ardia de vontade de casar; isto se lia no seu rosto e era mesmo a coisa mais ridícula do mundo. Se não lhe fiz esta observação então, foi simplesmente por delicadeza. Mas você desejava casar, desejava-o a despeito das ignomínias que escrevia confidencialmente a meu respeito e a respeito de sua noiva. Agora, é bem diferente. E que vem fazer aqui esse "cossaco do Don" sobre seu pretenso túmulo? Ignoro o que significa essa comparação. Pelo contrário, não morra, viva, viva o mais tempo possível, ficarei encantada.

— Num asilo?

— Num asilo? Não se vai para um asilo, quando se tem três mil rublos de renda. Ah! lembro-me — disse ela, com um sorriso, — com efeito, Piotr Stiepânovitch fez uma vez por brincadeira uma alusão ao asilo. Aliás, trata-se de um asilo particular e vale a pena refletir nisso. Só se admitem nele pessoas distintíssimas. Há ali coronéis e até mesmo neste momento um general solicita um lugar lá. Se você nele entrar com todo o seu dinheiro, ali encontrará o repouso, o conforto, criados

105 Sim, pode permitir-se a comparação. Era como um pequeno cossaco do Don, que pulava sobre seu próprio túmulo.

para servi-lo. Poderá consagrar-se às ciências e sempre lhe será possível fazer seu joguinho de cartas...

— *Passons.*

— *Passons?* — disse, careteando, Varvara Pietrovna. — Mas neste caso é tudo. Está avisado: doravante viveremos cada qual para seu lado.

— E é tudo? — Tudo quanto resta desses vinte anos? É o nosso derradeiro adeus?

— Você gosta demais de exclamações, Stiepan Trofímovitch. Hoje, não estão mais absolutamente em moda. Fala-se grosseiramente, mas simplesmente. Você sempre se refere aos nossos vinte anos. Vinte anos dum recíproco amor-próprio e nada mais. Cada uma das cartas que você me dirigia era escrita, não para mim, mas para a posteridade. Você é um estilista, não um amigo, porque a amizade não é senão a palavra lisonjeadora para designar na realidade um mútuo extravasamento de águas sujas...

— Meu Deus! que palavras estranhas em sua boca! Lições aprendidas de cor! Também já lhe vestiram seu uniforme! Também você está alegre, também você está ao sol! *Chère, chère* por que prato de lentilhas você trocou com eles a sua liberdade!

— Não sou nenhuma periquita para repetir as palavras alheias! — retorquiu Varvara Pietrovna, num tom colérico. — Esteja certo de que tenho vocabulário próprio. Que fez você por mim nestes vinte anos? Recusava-me até os livros que eu mandava vir para você e que nem mesmo teriam sido cortados sem a intervenção do encadernador. Que me deu você a ler quando, nos primeiros anos, lhe pedia que me orientasse? Capefigue e sempre Capefigue.[106] Você parecia ter inveja do meu desenvolvimento intelectual e tomava suas disposições a respeito. E entretanto todo mundo ri de você. Confesso-o, sempre o considerei como simples crítico; você é um crítico literário e nada mais. Quando viajávamos para Petersburgo, ao dar-lhe parte de meu projeto de fundar uma revista e de consagrar-lhe minha vida, você logo me olhou com um olhar irônico e tornou-se de súbito tremendamente arrogante...

— Não era isso, não era isso... temíamos então perseguições...

— Era isso; quanto às perseguições, você não tinha de temê-las em Petersburgo. Lembre-se de como mais tarde, em fevereiro, quando a notícia se espalhou, chegou você correndo à minha casa, suando de medo e exigiu um certificado, sob forma de carta, declarando que a revista a aparecer nada tinha com você, que os jovens frequentavam minha casa e não a sua, e que não era você senão um mero preceptor, vivendo na minha casa pelo fato de não ter eu ainda acabado de pagar-lhe os seus honorários. Não é verdade? Lembra-se? Você se distinguiu toda a sua vida, Stiepan Trofímovitch, pela sua atitude.

— Não foi senão um minuto de pusilanimidade, um minuto, como agora, de íntima confiança — exclamou ele, dolorosamente. — Mas será possível, será possível *que tudo esteja rompido* por causa de impressões tão mesquinhas? Será possível que nada mais subsista entre nós depois de tantos anos que vivemos juntos?

— Você é tremendamente calculista; faz sempre de modo que eu fique sendo sua devedora. No seu regresso do estrangeiro, você olhava de alto e não me deixava dizer uma palavra. E quando eu mesma resolvi viajar e quis mais tarde trocar com

106 Raymond Capefigue (1802-1872), historiador francês, muito erudito mas medíocre.

você minhas impressões sobre a Madona da Sistina, você nem mesmo dignou-se ouvir-me; e contentou-se com sorrir para sua gravata, como se eu não fosse capaz, eu, de experimentar os mesmos sentimentos que você.

— Não foi assim, provavelmente, não foi assim... *j'ai oublié*.

— Sim, foi mesmo assim, e além disso não tinha você por que pavonear-se diante de meus olhos, uma vez que tudo não passa de puras tolices nascidas de sua imaginação. Ninguém hoje perde mais tempo em extasiar-se diante da Madona da Sistina, a não ser alguns velhos fósseis. É coisa provada.

— Que é que é coisa provada?

— Ela não serve para nada. Este jarro é útil, porque pode-se pôr água nele; este lápis é útil porque pode-se tomar toda espécie de notas com ele; mas aquilo é um rosto de mulher pior que os que são vistos ao natural. Tente então pintar uma batata e coloque ao lado uma batata verdadeira: qual das duas você escolheria? Estou bem certa de que você não se enganaria. Eis o que resta hoje de suas teorias, apenas o primeiro raio do livre exame as aflorou.

— Bem, bem.

— Você sorri ironicamente. E que me dizia, por exemplo, da esmola? No entanto, o prazer de dar esmola é um prazer vaidoso e imoral, um prazer de rico satisfeito com sua riqueza, seu poder é com a comparação que estabelece entre a sua importância e a do mendigo. A esmola deprava aquele que a dá e aquele que a recebe; além disso não atinge seu objetivo, porque só serve para aumentar a miséria. Os preguiçosos que não querem trabalhar reúnem-se em torno daqueles que dão, tais como jogadores em torno de uma mesa de jogo na esperança de ganhar. E entretanto os miseráveis cobres que lhes lançam não chegam para aliviar a centésima parte de seus males. Deu muito dinheiro em sua vida? Não mais de oitenta copeques, lembre-se disso. Tente, pois, lembrar-se um pouco de quando deu pela última vez; há pelo menos uns dois anos ou quem sabe mesmo uns quatro. Você grita e só faz atrapalhar as coisas. A esmola, na sociedade atual, deve ser legalmente abolida. Na nova organização não haverá absolutamente mais pobres.

— Oh! que lamentável interpretação das palavras alheias! Com que então está você ligada a essa nova organização! Desgraçada, que Deus a ajude!

— Sim, eis-me nela, Stiepan Trofímovitch. Você tomava cuidado de me ocultar todas as ideias novas agora ao alcance de todos, e o fazia unicamente por inveja, a fim de conservar seu império sobre mim. Eis por que uma Iúlia Mikháilovna está umas cem verstas à minha frente. Mas agora vejo claro, também eu. Eu o defendi, Stiepan Trofímovitch, enquanto esteve em meu alcance; decididamente, todo mundo o condena.

— Basta! — disse ele, levantando. — Basta! E que posso eu desejar-lhe ainda, senão o arrependimento?

— Sente-se um minuto, Stiepan Trofímovitch. Devo fazer-lhe ainda uma pergunta. Você foi convidado para fazer uma conferência na matinal literária. Fui eu que arranjei tudo. Diga-me, que é que vai ler?

— *Ah! eis, precisamente*, algo sobre aquela rainha das rainhas, sobre aquele ideal de humanidade, a Madona da Sistina, que não vale, segunda a sua opinião, um jarro ou um lápis!

— Quer dizer que você não fará uma conferência sobre história? — disse Varvara Pietrovna dolorosamente desapontada. — Mas não o escutarão. Faz então muita questão dessa Madona? Estará bastante adiantado, quando tiver adormecido o auditório. Persuada-se, Stiepan Trofímovitch, de que é somente no seu interesse que falo. Que é que o impedia de extrair de sua História da Espanha um trecho curto, mas interessante, referente à Idade Média, ou melhor, uma anedota que teria você temperado com algumas palavras espirituosas de sua própria lavra? Haveria ali para você a pompa das cortes, tais e tais damas ilustres, envenenamentos. Karmázinov declara que seria bem estranho que a história da Espanha não fornecesse matéria para uma conferência interessante.

— Karmázinov, esse oco, esse cretino, procura temas para mim?

— Karmázinov tem quase a inteligência de um homem de Estado! Você não contém bastante sua língua, Stiepan Trofímovitch!

— O seu Karmázinov é uma velha comadre avinagrada e pateta! *Chère, chère* faz muito tempo que eles a transformaram dessa forma? Oh! meu Deus!

— Agora, não posso tampouco suportar-lhe a petulância, mas faço justiça ao espírito dele. Repito: defendi você com todas as minhas forças, o quanto pude. E de que serve passar por homem ridículo e aborrecido? Pelo contrário, suba ao estrado com um sorriso distinto, como o faria um representante do século passado, e conte--nos três anedotas, com todo o seu espírito jovial, como só você por vezes sabe fazer. Que importa que seja um velho, um sobrevivente do passado, que importa enfim que seja em comparação com eles um atrasado? Não deixará de reconhecer isto com bom humor no seu exórdio e todo mundo verá bem que você é um destroço encantador, amável e espirituoso... Em uma palavra, um homem de velha rocha e todavia suficientemente avançado para apreciar pelo seu justo valor o ferro-velho das doutrinas às quais até agora havia ficado apegado. Vamos, dê-me esse prazer, rogo-lhe.

— *Chère* basta! Não me peça isso, não posso. Falarei da Madona, mas provocarei uma tempestade que os pulverizará a todos ou pela qual não serei o único a ser atingido.

— É bem provável que será só você, Stiepan Trofímovitch...

— Pois bem! que seja esse meu destino. Minha narrativa pregará no pelourinho o escravo covarde, o vil e sórdido lacaio depravado que por primeiro trepar numa escada, de tesoura na mão, para mutilar a face divina do grande ideal, em nome da igualdade, da inveja... e da digestão. Que minha maldição possa repercutir e então, então...

— Num hospício de loucos?

— Talvez. Mas, em todo caso, saia eu vencedor ou vencido, na mesma noite tomarei minha sacola, minha sacola de mendigo, abandonarei tudo quanto possuo, *todos os seus presentes, todas* as suas pensões, e suas promessas referentes a outros favores a vir, e irei a pé, para acabar minha vida como preceptor em casa de algum comerciante, ou morrer de fome, em algum lugar, ao pé de um muro. Tenho dito, *Alea jacta est*![107]

107 A sorte está lançada. Expressão atribuída a Júlio César, que a teria pronunciado momentos antes de atravessar o Rubicão seguido de suas tropas, desobedecendo assim as ordens de Roma.

Levantou de novo.

— Tinha a certeza! — exclamou Varvara Pietrovna, levantando também, de olhos chamejantes de cólera. — Há anos que estava certa de que vivia você unicamente para me desonrar afinal, a mim e à minha casa, com suas calúnias! Que quer você significar com isso de pretender ir como "preceptor" para a casa de um comerciante ou morrer ao pé de um muro? Maldade, calúnia e nada mais!

— Você sempre me desprezou; mas eu acabarei como um cavalheiro fiel à sua dama, porque seu julgamento acima de tudo sempre me foi caro. A partir deste momento não aceitarei mais nada e a honrarei com todo o desinteresse.

— Como tudo isso é estúpido!

— Você nunca me estimou. Pude ter um número infinito de fraquezas. Sim, fui seu papa-jantares; falo a língua dos niilistas. Mas viver como papa-jantares jamais foi o supremo princípio de meus atos. Isto ocorreu por si mesmo, não sei como... Sempre pensei que entre nós restaria algo de mais alto que o comer, e nunca, nunca, cometi uma vilania. É por isso que estou a caminho agora de reparar minha falta! Empreendo uma tardia viagem; o outono vai avançado no campo, a bruma pesa sobre os prados, a geada glacial da senilidade recobre meu futuro caminho e o vento geme sobre minha tumba prestes a abrir-se... Mas a caminho, a caminho, pela estrada nova:

Cheio dum amor puro,
Fiel ao doce sonho...

Oh! adeus, meus sonhos! Vinte anos! *Alea jacta est!*!

Seu rosto estava todo banhado de lágrimas, subitamente brotadas de seus olhos. Pegou seu chapéu.

— Não compreendo o latim — disse Varvara Pietrovna, enrijecendo-se com todas as forças contra si mesma.

Quem sabe? Talvez também ela tivesse vontade de chorar, mas o despeito e o capricho dominaram-na mais uma vez.

— Só sei de uma coisa, é que tudo isso não passa de brincadeira. Você jamais será capaz de pôr em execução suas ameaças, inspiradas pelo egoísmo. Você não irá a parte alguma, à casa de nenhum comerciante e continuará bem tranquilamente a descansar nos meus braços, recebendo sua pensão e todos as terças-feiras seus amigos com cuja cara não vou. Adeus, Stiepan Trofímovitch.

— *Alea jacta est!* — disse ele, inclinando-se profundamente diante dela, depois voltou para sua casa, mais morto do que vivo em consequência de todas aquelas emoções.

Capítulo VI / Piotr Stiepânovitch em atividade

I

O dia da festa fora definitivamente marcado, mas von Lembke tornava-se cada vez mais triste e preocupado. Era perseguido por estranhos e sinistros pressentimentos que alarmavam Iúlia Mikháilovna. É verdade que nem tudo corria bem. Nosso antigo governador, homem dum caráter um tanto mole, não deixara sua administração em ordem perfeita; naquele momento a cólera-morbo ameaçava; em certas localidades verificava-se grande mortalidade no gado; durante todo o verão incêndios lavraram nas cidades e nas aldeias e o estúpido boato de que tinham sido ateados de propósito obtinha cada vez mais crédito entre a gente do povo. O roubo aumentara em proporções duas vezes maiores do que antes. Mas tudo isso, é claro, não teria sido senão habitual, se não se lhe tivessem acrescentado outras causas para perturbar a tranquilidade do feliz Andriéi Antônovitch.

O que sobretudo feriu a atenção de Iúlia Mikháilovna é que ele se tornava cada dia mais taciturno e, coisa estranha, cada vez mais misterioso. E, entretanto, que teria ele a esconder? Na verdade, raramente ele lhe respondia e a maior parte das vezes oferecia-lhe as desculpas mais completas. Aconteceu, por exemplo, que a instâncias de Iúlia Mikháilovna duas ou três providências muito arriscadas e quase ilegais foram aplicadas sob forma de decreto, destinado a reforçar o poder do Governador. Outras sinistras manigâncias foram perpetradas com o mesmo fim; foi assim que indivíduos passíveis de condenação e de Sibéria foram propostos a beneficiários de uma recompensa, graças à intervenção da Governadora. Decidiu-se sistematicamente não mais responder às queixas e pedidos. Tudo isto veio a ser descoberto mais tarde. Lembke, não somente subscrevia tudo, mas nem mesmo procurava ver a que ponto participava sua mulher das obrigações de seu cargo. Em compensação, acontecia-lhe por vezes insurgir-se de repente por "ninharias", o que não deixava de causar espanto a Iúlia Mikháilovna. Experimentava ele naturalmente a necessidade de se recompensar daqueles dias de obediência com breves instantes de revolta. Por desgraça, Iúlia Mikháilovna, malgrado toda a sua penetração, não podia compreender aquele refinamento de galanteria num homem galante por natureza. Ah! não chegava a tanto, e disso resultavam numerosos mal-entendidos.

Não tenho a intenção de citar outros casos e teria, aliás dificuldade em fazê-lo. Não cabe a mim tampouco julgar as falhas de administração nem, de resto, o que toca à própria administração; deixarei isto, portanto, de lado. Propus-me bem outros objetivos ao começar esta crônica. Além disso, o inquérito que acaba de iniciar-se em nossa província revelou muitos fatos; basta esperar um pouco. Era impossível, todavia, não dar certos esclarecimentos.

Mas continuo a tratar de Iúlia Mikháilovna, A pobre senhora (ela me inspira viva compaixão) teria perfeitamente podido obter tudo quanto desejava e a atraía (a glória e o resto), dispensando-se dessas manobras excêntricas às quais se deixou prender desde os primeiros passos. Mas, quer tenha sido excesso de romantismo, quer o resultado duma longa série de decepções experimentadas durante sua primeira juventude, sentiu-se de repente, graças àquela mudança de fortuna, levada *um pouco demais a acreditar-se chamada a desempenhar um papel*... e a língua era precisamente seu ponto fraco. Decerto, o mesmo penteado não convém a todas as cabeças, mas esta é uma verdade de que as mulheres dificilmente se convencem; pelo contrário, há sempre meio de fazê-las engolir cobras e ela engoliu tantas quantas quis. A pobre mulher viu-se de repente o joguete das intrigas mais diversas, acreditando-se uma criatura original. Numerosas pessoas hábeis aproveitaram-se de sua ingenuidade durante seu breve acesso ao posto de governador. E que intrigas não se tramavam sob disfarce de independência! Sentia-se satisfeita entre os grandes proprietários de terras, o elemento democrático, as organizações novas, a ordem, o libertarismo, as ideias sociais, a atitude compenetrada dos salões aristocráticos e a desenvoltura quase crapulosa dos jovens que a cercavam. Sonhava em distribuir a felicidade e conciliar os inconciliáveis, ou, para dizer melhor, reunir todos os seres e todas as coisas na adoração de sua própria pessoa. Tinha seus preferidos; Piotr Stiepânovitch, entre outros, que, usando da mais grosseira lisonja, agradava-lhe muito. Mas ele lhe agradava ainda por uma outra razão, da pior espécie, e que bastava para pintar o caráter da pobre dama; ela esperava sempre que ele lhe descobrisse o plano de uma conspiração contra o Estado. Por maior dificuldade que haja em apresentar a coisa, era entretanto assim. Parecia-lhe que uma conspiração contra o Estado devia absolutamente ser descoberta na Província: Piotr Stiepânovitch, pelo seu silêncio em certos casos e por suas alusões em outros, contribuía para lhe enfiar aquela estranha ideia. Imaginava que ele estivesse em relações com tudo quanto a Rússia conta de revolucionário, mas que ao mesmo tempo lhe permanecia devotado até a adoração. A descoberta da conspiração, a gratidão obtida em Petersburgo, o avanço na carreira, sua ação benéfica sobre a juventude, retida graças a ela à beira do precipício, tudo isto fazia boa harmonia naquele cérebro fantasista. Ela não havia salvado e domesticado Piotr Stiepânovitch? (disto ela estava inabalavelmente convencida). Portanto salvaria outros. Ninguém, nem um só dentre eles pereceria, ia salvá-los a todos; saberia escolher cada um; concebia seu relatório sob tais formas; seu pedido seria ditado pela mais alta retidão e talvez mesmo a história, bem como o liberalismo russo por completo abençoaria o seu nome; o que, ao demais, não impediria que a conspiração fosse descoberta. Todas as vantagens de uma só vez!

Mas era necessário que, pelo menos na festa, Andriéi Antônovitch mostrasse uma fronte mais serena. Era preciso a todo o preço distraí-lo e tranquilizá-lo. Com este objetivo despachou-lhe Piotr Stiepânovitch, com a esperança de que ele encontraria um meio de fazê-lo sair de seu acabrunhamento. Talvez o conseguisse relatando-lhe algumas notícias bem frescas. Confiava na habilidade dele. Havia muito tempo que Piotr Stiepânovitch não punha os pés no gabinete do Senhor von Lembke. Surgiu ali justamente no momento em que o paciente se encontrava de um humor particularmente sombrio.

II

Um concurso de circunstâncias havia surgido, as quais o Senhor von Lembke não conseguia destrinçar. Naquela mesma sede de distrito que Piotr Stiepânovitch visitara bem recentemente, um subtenente sofreu uma censura verbal de parte de seus superiores imediatos. Isto se passava em presença de toda a companhia. O subtenente era um rapaz muito jovem, recentemente chegado de Petersburgo, sempre taciturno e sombrio e com ar importante, apesar de ser de baixa estatura, gordo, de bochechas vermelhas. Não suportou a censura e de repente, de cabeça baixa como um selvagem, avançou sobre seu chefe, lançando uma espécie de grito feroz, inesperado, que mergulhou em estupefação toda a companhia; bateu-lhe e com todas as suas forças mordeu-lhe o ombro a tal ponto que não foi fácil conseguir obrigá-lo a largar sua presa. Não havia dúvida de que houvesse perdido a razão; pelo menos verificou-se que se tinha notado nos últimos tempos o fato de ele se entregar às mais incríveis excentricidades. Atirara, por exemplo, para fora de seu alojamento dois ícones pertencentes ao proprietário e cortara um deles a golpes de machado; em seu próprio quarto havia, à guisa de estantes, alinhados sobre suportes as obras de Vogt, Maleschott e Büchner,[108] e diante de cada estante tinha o costume de manter velas acesas. De acordo com o grande número de livros descobertos em sua casa, chegaram à conclusão que se tratava de um homem erudito. Fosse ele possuidor de cinquenta mil francos, sem dúvida teria velejado para as Ilhas Marquesas, como aquele "cadete" ao qual Herzen faz alusão com tanto bom humor em um de seus escritos. Quando o detiveram, encontrou-se em seus bolsos e em seu alojamento um maço completo dos manifestos mais desesperados.

Os manifestos são decerto algo de bastante banal e na minha opinião não merecem que deles me ocupe. Já vimos tantos dessa espécie! Além do mais, não eram manifestos novos; eram, pelo que se soube mais tarde, os mesmos precisamente que haviam espalhado na província de X***, e Lipútin que viajara por aquele distrito e pela província vizinha, seis semanas antes, afirmou que vira outros deles absolutamente idênticos. Mas, o que sobretudo impressionou Andriéi Antônovitch foi que o gerente da fábrica dos Chpigúlin enviara, justamente ao mesmo tempo, dois ou três maços de folhas abandonadas à noite na fábrica, e todas semelhantes àquelas que tinham sido encontradas em casa do subtenente. Aqueles maços estavam ainda amarrados e nenhum dentre os operários tivera tempo de ler uma só das folhas. O incidente era banal, mas Andriéi Antônovitch mergulhou em profundas meditações. O negócio pareceu-lhe desagradavelmente complicado.

Naquela fábrica acabava justamente de rebentar "o escândalo dos Chpigúlin" que tanto rumor causou entre nós e se espalhou pelos jornais de Petersburgo e Moscou com tão numerosas versões. Três semanas antes um dos operários caiu doente e morreu de cólera-morbo asiática; outros operários em seguida contraíram a doença. Toda a cidade foi tomada de pânico, porque a cólera-morbo se aproximava cada vez mais e alcançara as províncias vizinhas. Observarei que todas as medidas sanitárias satisfatórias tinham sido tomadas o mais depressa possível para enfrentar aquele hóspede indesejável. Mas a fábrica pertencente aos Chpigúlini, milionários muito bem relacionados, foi de certa forma negligenciada. De modo que todo mundo se pôs de repente a gritar que aquela fábrica era um foco de infecção, que na fábrica, e particularmente nos locais habitados pelos operários, reinava uma sujeira tão inveterada, que, mesmo se a cólera-morbo não estivesse na vizinhança, teria muito bem podido declarar-se ali. Está bem entendido que se tomaram imediatamente providências e Andriéi Antônovitch insistiu energicamente para que fossem aplicadas sem demora. Em três semanas a fábrica ficou limpa, mas os Chpigúlini, ignora-se *por qual razão, fecharam-na*. Um dos irmãos Chpigúlini vivia constantemente em Petersburgo e outro partira para Moscou, após ter chegado a ordem de desinfetar a fábrica. O gerente procedeu ao pagamento dos operários e, ao que parece, roubou-

108 Jacob Moleschott (1822-1893), Karl Vogt (1817-1895) e Ludwig Buchner (1824-1899). O primeiro, naturalista alemão, um dos maiores e mais ardentes defensores do transformismo e autor de *Leçons sur l'homme* e *Les dogmes dans la science*; naturalista holandês, o segundo, defensor do materialismo no seu célebre livro *La circulation de la vie*; e finalmente, o médico e filósofo alemão materialista, autor de *Force et matière*.

-os nas contas de uma maneira vergonhosa. Os operários começaram a murmurar, exigindo que lhes pagassem de maneira equitativa, e cometeram a tolice de dirigir-se à Polícia, sem barulho, aliás, por que não estavam de modo algum excitados. Foi naquela ocasião que o gerente levou os manifestos a Andriéi Antônovitch.

Piotr Stiepânovitch penetrara no gabinete de trabalho, sem se fazer anunciar, como íntimo e como teria feito um membro da família; tinha aliás uma comunicação a fazer da parte de Iúlia Mikháilovna. Ao vê-lo, von Lembke franziu as sobrancelhas e, sem desejar-lhe as boas-vindas, ficou de pé diante de sua escrivaninha. Até ali, não fizera outra coisa senão ir e vir pelo seu gabinete e discutira na intimidade com seu escriturário Blümer, alemão bronco e sombrio, que trouxera consigo da capital, a despeito da vivíssima oposição de Iúlia Mikháilovna. Ao aparecer Piotr Stiepânovitch o escriturário dirigiu-se para a porta, mas sem sair; Piotr Stiepânovitch acreditou mesmo perceber que ele trocava um olhar de combinação com seu chefe.

— Ah! por fim o peguei, senhor governador escondido da cidade — exclamou, rindo, Piotr Stiepânovitch que deixou cair sua mão sobre um manifesto em cima da mesa. — Para aumentar sua coleção, hem?

Andriéiev Antônovitch ficou carmesim, como se uma onda de sangue lhe subisse ao rosto.

— Largue isto, largue isto imediatamente — gritou ele, todo trêmulo de cólera, — e não se atreva... cavalheiro...

— Que há? Está zangado?

— Permita-me que lhe dê a entender, caro senhor, que doravante não estou de modo algum disposto a suportar sua sem-cerimônia e rogo-lhe que se lembre...

— Puxa! Com os diabos, mas está zangado mesmo!

— Cale-se, cale-se! — von Lembke bateu com o tacão no soalho. — E não se atreva...

Deus sabe o que iria passar-se. Ai, além do resto, havia ainda uma circunstância particular que Piotr Stiepânovitch e até mesmo Iúlia Mikháilovna ignoravam. O infeliz Andriéi Antônovitch achava-se em tal estado de confusão que, durante os últimos dias, se tomara secretamente de ciúmes a respeito de sua mulher e de Piotr Stiepânovitch. Na solidão, à noite sobretudo, passava momentos assaz penosos.

— Ora vamos! E eu que pensava que se alguém nos lesse dois dias seguidos até depois da meia noite seu romance e desejasse conhecer nossa opinião a este respeito, ficávamos excluídos, de alguma sorte, desse gênero de relações oficiais... Iúlia Mikháilovna trata-me com familiaridade; como depois disto compreender a atitude do senhor? — declarou Piotr Stiepânovitch, com ar de dignidade. — Ei-lo, aliás, seu romance. — Pousou sobre a mesa um caderno volumoso, enrolado, de forma cilíndrica, num papel azul.

Lembke corou, todo confuso.

— Onde o encontrou? — perguntou, com prudência, inundado duma alegria que não podia conter, se bem que fizesse todos os esforços para reprimi-la.

— Imagine o senhor: como estivesse enrolado, deslizara para trás da cômoda. Deve-se crer que, ao entrar, eu o teria lançado desastradamente sobre o móvel. Foi anteontem somente que o encontraram, ao lavar o chão. Quanta inquietação o senhor me causou!

Lembke baixou os olhos com um ar severo.

— Por sua causa não preguei olho duas noites seguidas. Foi anteontem que o acharam, mas eu fazia questão de lê-lo inteiramente e, como não tinha tempo durante o dia, passei as noites nisso. Pois bem, não estou satisfeito com ele; a ideia não me convém. Aliás, pouco me importa, nunca fui crítico; mas embora descontente, ah! *bátiuchka,* não me pude arrancar à sua leitura. Os capítulos quatro e cinco são... são... são... só o diabo sabe o quê! E com quanto humor o senhor encheu aquilo! Ri bastante. Como sabe o senhor no entanto prestar-se a risadas *sans que cela paraisse*![109] Nos capítulos nove e dez só se trata de amor: não é da minha especialidade; todavia, aquilo produz lá seu efeito; a carta de Igriéniev é de fazer chorar, se bem o senhor a tenha redigido com tanta delicadeza... Sabe que é sentimental, apesar de seu desejo de mostrá-lo a uma luz falsa? Será bem isto? Adivinhei, sim ou não? Quanto ao fim, dá vontade de bater-lhe. Vejamos as conclusões que o senhor tira. Ora! sempre os velhos estribilhos: a divinização da felicidade doméstica, a fecundidade, a economia e gente que vive bem realizando seus negócios, sim, senhor! Seus leitores ficam encantados já que eu mesmo fiquei e é por isto que a obra peca. O leitor é sempre estúpido, conviria que os homens de talento o ilustrassem, enquanto que o senhor... Vamos, basta, adeus. Doutra vez não se zangue mais; vim para dizer umas duas palavrinhas úteis; mas o senhor é tão esquisito...

Andriéi Antônovitch, durante esse tempo, pegara seu romance e fechara-o à chave numa estante de carvalho, enquanto fazia sinal a Blümer para retirar-se. Este retirou-se, com ar pesaroso, e de cara comprida.

— Não estou esquisito É que muito simplesmente tenho... sem cessar contrariedades — resmungou ele, franzindo a testa; mas sua cólera já havia acalmado e ele sentou à mesa. — Sente e diga-me suas duas palavras. Há muito tempo que não o via, Piotr Stiepânovitch. Somente, abstenha-se dessa maneira de entrar como um pé de vento... por vezes, quando se está em pleno trabalho, ela...

— Minhas maneiras continuam as mesmas...

— Sei disso e creio que o faz sem má intenção, mas acontece que a gente tem suas preocupações... Sente, pois.

Piotr Stiepânovitch sentou e no divã, sobre as pernas cruzadas.

III

— Com que então, o senhor tem preocupações? Será possível que sejam essas bobagens? — disse ele, designando uma proclamação. — Posso lhe trazer tantos desses papeizinhos quantos o senhor queira. Travei conhecimento com eles, quando me encontrava ainda na província de K***.

— Quer dizer, na época em que esteve lá?

— Claro que não havia de ser, quando estava de lá ausente. Um deles traz também uma vinheta, um machado desenhado no alto. Permita (pegou a proclamação), vamos, o machado está mesmo aqui; é o mesmo, exatamente.

— *Sim, há um mach*ado; o senhor vê, é um machado.

— E com isso? Os machados lhe fazem medo?

109 Sem que isto pareça.

— Não é por causa do machado... e não tenho medo; mas esse caso... é um caso tal, há nele circunstâncias...

— Que circunstâncias? Porque foram os papéis trazidos da fábrica? Eh! eh! Mas o senhor sabe, aqui mesmo, em sua casa, os operários dessa fábrica redigirão em breve eles mesmos suas proclamações.

— Como assim? — interrogou severamente von Lembke.

— Como lhe digo. Tome cuidado. O senhor é um homem muito mole, Andriéi Antônovitch; escreve romances. Seria preciso aqui proceder à antiga.

— À antiga como? Que significam esses conselhos? Limpou-se a fábrica; dei a ordem para isso e ela foi limpa.

— Mas a revolta sopra entre os operários. Deveria mandar que os chicoteassem e tudo estará dito.

— Uma revolta? É estúpido; dei ordens e a limpeza foi realizada.

— Ah! Andriéi Antônovitch, que homem mole é o senhor!

— Em primeiro lugar, não sou tão mole assim; em seguida... — replicou von Lembke, num tom quase de zanga. Era com constrangimento que prosseguia a conversa com o rapaz e por curiosidade. Não lhe diria ele algo de novo?

— Ah! ah! eis ainda uma velha conhecida — interrompeu Piotr Stiepânovitch, apontando com o dedo para outra folha de papel colocada sob o pesa-papéis, — uma proclamação também, no seu gênero, evidentemente impressa no estrangeiro, mas em versos, esta. Sei-a de cor. "Personalidade Resplendente!" Vejamos um pouco; é bem isto. É a "Personalidade Resplendente." Conheci essa Personalidade no estrangeiro. Onde a desenterrou o senhor?

— Diz que a conheceu no estrangeiro? — perguntou von Lembke, alarmado.

— Claro que sim. Há quatro meses ou mesmo cinco.

— Quantas coisas viu o senhor no estrangeiro! — observou von Lembke, olhando-o com um olhar malicioso. Piotr Stiepânovitch, sem escutá-lo, desdobrou a folha e leu, em voz alta, os versos seguintes:

PERSONALIDADE RESPLENDENTE
Não era de estirpe nobre,
Entre o povo ele cresceu:
Pelo czar perseguido,
Pelo ódio fero dos amos.
Mas contra toda ameaça,
Suplícios, forcas, sem medo,
Partiu a pregar ao povo.
O credo da liberdade.

Tendo o motim fracassado,
Seguiu para terra estranha,
Fugindo ao carrasco, ao knut,
Aos tormentos e tenazes.
Mas o povo a se erguer pronto
E a abater o cruel jugo,
De Smolensk até Tachkent
O estudante, ansiosc, espera.

Cada qual, pois, o esperava
Para marchar sem temor,
Para abolir a nobreza,
Para o império acabar,
Para os bens tornar comuns
E proscrever para sempre,
Igreja, bodas, família,
Opróbrio do mundo antigo.

— Foi isto sem dúvida encontrado em casa do oficial, hem? — perguntou Piotr Stiepânovitch.

— E esse oficial, você também o conhece?

— Como não? Banqueteei-me lá em baixo durante dois dias. Deve ter ficado louco.

— Talvez não seja louco.

— Por que se pôs a morder?

— Mas, permita, se viu esses versos no estrangeiro e em seguida os descobre aqui, em casa desse oficial...

— O quê? Uma insinuação? Pelo que vejo, Andriéi Antônovitch, o senhor pretende submeter-me a um interrogatório! Fique sabendo — prosseguiu ele, com uma gravidade extraordinária, de súbito, — que o que eu vi no estrangeiro, dei parte, logo que regressei, a alguém, e minhas explicações foram julgadas suficientes, de outro modo não teria esta cidade a felicidade de contar-me no número de seus habitantes. Acho que a esponja passou por cima de minha via anterior e que não tenho contas a dar a ninguém. Não é que me tenha feito denunciador, mas não podia agir diferentemente. Os que estavam a par de meus negócios recomendaram-me por cartas a Iúlia Mikháilovna, apresentaram-me como um homem... Aliás, para o diabo tudo isso! Vim cá para contar-lhe uma coisa séria e o senhor fez bem em mandar embora aquele mistificador. Trata-se de um assunto de suma gravidade para mim, Andriéi Antônovitch; tenho um pedido de caráter excepcional a fazer-lhe.

— Um pedido? Hum... fale; espero, e não sem curiosidade, confesso. Acrescentarei, em geral, que você me espanta não pouco, Piotr Stiepânovitch.

Von Lembke achava-se um tanto agitado. Piotr Stiepânovitch cruzou as pernas.

— Em Petersburgo — começou ele, — abri-me francamente a respeito de vários pontos, mas sobre alguns, e notadamente sobre este (bateu com o dedo na "Personalidade Resplendente"), calei-me, em primeiro lugar, porque não valia a pena falar, em seguida porque tinha de responder somente às perguntas que me eram feitas. Não gosto, em casos semelhantes, de adiantar coisas; nisto consiste, a meus olhos, a diferença entre o tratante e o homem de bem, pouco a pouco dominado pelas circunstâncias. Afinal, deixemos isso de lado. Mas agora... agora que esses imbecis, já que tudo veio a lume e o senhor os apanhou, tanto é verdade que nada se poderia ocultar-lhe, porque é o senhor um homem clarividente, a quem não se pode fazer que tome bexigas por lanternas, e já que aqueles imbecis continuam... eu... eu... pois bem, sim, em suma, vim pedir-lhe que salve um homem, um imbecil também, digamos melhor, um louco, em nome de sua mocidade, de suas desgraças, em nome do humanitarismo do senhor... Não é somente na composição de seus romances que o senhor sabe mostrar-se tão humano! — acabou ele, num tom grosseiramente sarcástico e como se estivesse impaciente para acabar com aquilo.

Em suma, tinha todo o ar de um homem sincero mas desastrado, destituído de senso político, em consequência de uma riqueza talvez excessiva de sentimentos e de delicadeza; parecia sobretudo ser um espírito pouco adiantado, como julgou logo von Lembke com notável penetração; e como, aliás, o supunha desde muito tempo, mais particularmente desde uma semana, quando, sozinho em seu gabinete, sobretudo à noite, punha-se de todo o coração a injuriá-lo a propósito de seus inexplicáveis êxitos junto a Iúlia Mikháilovna.

— Por quem intercede você então e que quer dizer tudo isso? — interrogou ele, num tom majestoso, esforçando-se por ocultar sua curiosidade.

— É... é... com os diabos!... Não é culpa minha, decerto, se tenho confiança no senhor! Em que seria eu culpado, se o considero um homem da mais refinada nobreza e sobretudo sensato... capaz, quero dizer, de compreender... com os diabos!

O coitado, pelo visto, não conseguia justificar-se.

— Compreenda, pois, afinal — prosseguiu, — que, dizendo o nome dele é o mesmo que entregá-lo ao senhor; porque eu o entrego, não é mesmo? não é mesmo?

— Mas como poderei eu adivinhar, se você não se decide a dizer o que sabe?

— Ah! é isto, o senhor ceifa todos os argumentos com sua lógica... com os diabos!... pois bem, com os diabos... essa "Personalidade Resplendente", esse estudante, é Chátov... O senhor sabe de tudo!

— Chátov? Mas quem é esse Chátov?

— Chátov é o estudante em questão. Mora aqui, é um antigo servo; o tal que deu a bofetada famosa.

— Sei, sei — disse von Lembke, piscando o olho, — mas, permita-me: de que precisamente é ele acusado e sobretudo qual é o fim de sua vinda aqui?

— Mas venho pedir que o salvem, compreenda-me! Há oito anos que o conheço, fui talvez mesmo seu amigo — retorquiu Piotr Stiepânovitch, perdendo a paciência. — E depois, não tenho de dar-lhe conta de minha vida passada — fez um gesto com a mão, — tudo isto carece de importância, tudo isto é negócio de três homens e meio; contando com os do estrangeiro, não se chegaria nem mesmo a uma dezena. Mas, sobretudo, pus toda a minha esperança na humanidade do senhor, na sua inteligência. O senhor compreende a coisa e vai mostrá-la sob seu verdadeiro aspecto, e não Deus sabe como, tal como o sonho de um insensato... o efeito de um longo infortúnio, note, da miséria e não, o diabo sabe como, de alguma conspiração inaudita contra a segurança do Estado!

Quase sufocava.

— Hum! Vejo que está ele implicado no caso das proclamações com o machado — concluiu von Lembke, com um ar quase sublime. — Permita, no entanto: se ele está só, como pode espalhá-las aqui mesmo e nas províncias, até na província de K*** e afinal, o que é o ponto capital, donde as tirou?

— Pois já não lhe disse que, segundo todas as aparências, são ao todo uns cinco, digamos mesmo seis indivíduos, sei lá?

— Você não sabe?

— Como eu saberia, diabos me levem!

— Mas você soube, no entanto, que Chátov é um dos cúmplices?

— Ora! — disse Piotr Stiepânovitch, com um gesto da mão, como se procurasse desfazer-se da perspicácia incômoda de seu interlocutor. — Vamos, escute, vou dizer-lhe toda a verdade; nada sei das proclamações, isto é, absolutamente nada, diabos me levem, compreende o que significa a palavra "nada"? Naturalmente, aquele subtenente, algum outro também, sem dúvida... talvez também Chátov e um outro, tudo isso é porcaria e nada... Mas foi por causa de Chátov que resolvi dar este passo, é preciso salvá-lo porque essa poesia é dele; é obra pessoal dele, impressa a seus cuidados no estrangeiro. Eis o que sei de certo; quanto às proclamações, ignoro tudo!

— Se os versos são dele, as proclamações o são certamente também. Contudo, sobre que dados se baseia para suspeitar do Senhor Chátov?

Piotr Stiepânovitch, com o ar de um homem completamente fora de paciência, tirou de seu bolso sua carteira e dela um bilhete.

— Eis os meus dados — gritou ele, lançando-o sobre a mesa. Lembke desdobrou o papel que parecia ter sido escrito seis meses antes, aqui mesmo na Rússia, para ser enviado ao estrangeiro. Compunha-se de duas frases apenas:

> Não posso imprimir aqui a "Personalidade Resplendente", nem nenhuma outra coisa. Imprima no estrangeiro.
>
> *Iv. Chátov.*

Lembke olhou fixamente Piotr Stiepânovitch. Varvara Pietrovna tinha-o caracterizado bem: seu olhar era o de um carneiro, em certas circunstâncias muito particularmente.

— Como o senhor vê, isto quer dizer — apressou-se em acrescentar Piotr Stiepânovitch, — que ele efetivamente escreveu esses versos aqui, há seis meses, mas não pode fazê-los imprimir clandestinamente; por isso é que pede que os imprimam no estrangeiro... Parece claro isto?

— Sim, é claro, mas a quem o pede? Eis o que não está ainda esclarecido — observou com ironia maliciosa von Lembke.

— Pois a Kirílov, ora essa, afinal! Esse bilhete foi enviado a Kirílov no estrangeiro... O senhor não o sabia? No fundo, o que me contraria, é que talvez o senhor represente uma comédia comigo e esteja há muito tempo ciente desses versos e de tudo mais! Como se explica que o senhor os tenha em sua mesa? Soube muito bem procurá-los! Por que me faz então tantas perguntas, se assim é?

Enxugou convulsivamente com seu lenço o suor de sua testa.

— Sei talvez alguma coisa — conveio habilmente Lembke, — mas quem é esse Kirílov?

— Ora, mas é o engenheiro que chegou aqui bem recentemente; serviu de padrinho a Stavróguin, é um maníaco, um louco; seu subtenente talvez esteja apenas sob os efeitos de uma febre nervosa, mas aquele é mesmo um louco autêntico, garanto-lhe. Bem, Andriéi Antônovitch, se o Governo soubesse que espécie de gente é essa, evitaria pesar a mão sobre ela. Todos eles não passam de imbecis que não enxergam além da ponta do nariz; já na Suíça, tive ocasião de observá-los à vontade.

— *É de lá que dirigem* o movimento aqui?

— Mas quem o dirige? Três homens e meio. Mata de tédio ver o que eles fazem. E que movimento é esse daqui? As proclamações, quer o senhor dizer? Quem está metido nisso? Um subtenente atacado de febre nervosa e dois ou três estudantes! Ao senhor que é um homem inteligente permita que lhe faça uma pergunta: por que eles não recrutam personalidades mais significativas, por que são sempre estudantes ou rapazes abaixo de vinte e um anos? E depois são numerosos? Um milhão de sabujos atrás deles e quantos foram apanhados? Sete indivíduos! Repito-lhe: é de matar de tédio.

Lembke escutava-o atentamente, mas sua expressão dizia: "não se nutre um rouxinol com fábulas".

— Permita, todavia. Você acaba de dar a entender que o bilhete foi dirigido ao estrangeiro; mas não há o endereço aqui. Como pode você saber que o bilhete era destinado ao Senhor Kirílov e afinal dirigido ao estrangeiro e... e... e que foi realmente escrito pelo Senhor Chátov?

— Ora essa! Procure qualquer escrito do punho de Chátov e faça a prova. Com certeza pode-se encontrar sua assinatura nos arquivos de sua chancelaria. Quanto ao fato de ser Kirílov mesmo o destinatário, foi ele mesmo quem me mostrou o bilhete...

— Você mesmo por consequência...

— Sim, eu mesmo, ora essa! Deixaram-me ver muitas coisas no estrangeiro. Quanto a esses versos, parece que o já falecido Herzen os teria enviado a Chátov, quando este ainda vagava pelo estrangeiro, quer como lembrança de seu encontro, quer à maneira de elogio, ou de recomendação, ou lá que diabo seja! Mas Chátov espalha-os entre a mocidade. "Tal é, diz ele, a opinião que de mim tinha Herzen."

— Ta-ta-ta — disse Lembke, que por fim havia adivinhado tudo. — Também o pensava. As proclamações... compreende-se; mas os versos, por quê?

— E como não haveria o senhor de compreender? O diabo sabe por que motivo deixei-me levar a falar tanto. Escute, deixe-me Chátov e quanto aos outros, que o diabo os esfole a todos. Até mesmo Kirílov que agora se oculta na casa de Filípov, onde também está escondido Chátov. Não gostam de mim porque voltei.... Mas prometa-me Chátov e eu sirvo os outros todos no mesmo prato. Vou lhe ser útil, Andriéi Antônovitch. Na minha opinião todo esse miserável grupelho de indivíduos reduz-se a uma dezena... a uma dezena. Posso enfileirá-los por minha própria conta. Já conhecemos três: Chátov, Kirílov e esse subtenente. Quanto aos outros, estou ainda a examiná-los... aliás, não sou absolutamente míope. É como na província de X***. Lá detiveram, como propagandistas de manifestos, dois estudantes, um colegial, dois gentis-homens de vinte anos, um professor primário e um major reformado, sexagenário embrutecido pelo álcool, eis tudo e tudo mesmo, pode acreditar. Causou até admiração que fosse somente isto. Mas necessito de seis dias, fiz minhas contas, seis dias, nada menos. Se o senhor quiser chegar a um resultado, não lhes ponha a pulga na orelha antes de seis dias e eu os entregarei dentro do mesmo saco. Se se mover antes, porém... a ninhada toda debandará. Mas dê-me Chátov. Insisto. O melhor seria mandar chamá-lo secreta e amigavelmente aqui mesmo em seu gabinete, e submetê-lo a um interrogatório, rasgando diante dele todos os véus... Com certeza, ele próprio vai se lancar a seus pés, a chorar. É um homem nervoso, infeliz; sua mulher andou com Stavróguin. Acaricie-o e ele lhe revelará tudo, mas são precisos seis dias... E sobretudo, sobretudo, nem uma palavra a Iúlia Mikháilovna. É segredo. Poderá o senhor guardar um segredo?

— Como? — disse Lembke, escancarando os olhos. — Será que você nada revelou... a Iúlia Mikháilovna?

— A ela? Deus me livre! Ora!... Andriéi Antônovitch! Veja bem, levo em grande conta a amizade dela e a respeito profundamente... e tudo quanto o senhor queira... mas não cometeria tal tolice. Não a contradigo, porque é perigoso contradizê-la. O senhor mesmo sabe. Talvez lhe tenha insinuado uma palavrinha, porque ela gosta disso, mas quanto a revelar-lhe nomes, como o faço agora ao senhor, nomes ou outra coisa, isso também não, meu *bátiuchka!* Por que, com efeito, dirigi-me ao senhor? Porque o senhor é, apesar de tudo, um homem, um homem sério, que tem uma longa e sólida experiência do ofício. O senhor já viu muito. A cada passo, imagino, nessas espécies de casos, o senhor reconhece algum aspecto familiar do que se vê em Petersburgo; mas, se eu pronunciasse diante dela esses dois nomes, por exemplo, ela os espalharia logo a todos os ventos... porque é daqui que ela pretende deslumbrar Petersburgo. Não, é por demais ardorosa para isso.

— Sim, há nela um pouco desse ardor — resmungou, não sem satisfação, Andriéi Antônovitch, que ao mesmo tempo deplorava que aquele malcriado ousasse, como parecia, exprimir-se um tanto livremente a respeito de Iúlia Mikháilovna. Entretanto Piotr Stiepânovitch devia achar que era ainda pouco demais e que seria preciso reforçar a coisa, para fazer a corte a Lembke e acabar de conquistá-lo.

— Ardor, precisamente — aprovou ele. — Concedo que seja uma mulher de gênio, talvez, uma intelectual... mas nem por isso deixa de ser um espantalho para os pardais. Não resistiria, não digo seis dias, mas seis horas. Eh! eh! Andriéi Antônovitch, não imponha a uma mulher uma demora de seis dias. Há de reconhecer em mim, não é verdade?, alguma experiência, pelo menos nessa espécie de negócios; conheço certas coisas e o senhor mesmo não ignora que posso saber certas coisas. Não é por capricho que lhe peço seis dias, mas antes porque o caso o exige.

— Ouvi dizer... — começou Lembke, hesitando em formular seu pensamento, — ouvi dizer que, por ocasião de seu regresso do estrangeiro, você fizera revelações a quem de direito... para manifestar seu arrependimento...

— Ora! que importa o que foi feito!

— Decerto e não tenho, é claro, desejo de imiscuir-me... Mas sempre pareceu-me que aqui você falava até agora num estilo bem diverso, por exemplo, da religião cristã, das instituições sociais e enfim do Governo...

— E de muitas outras coisas falei! E continuo falando até hoje, somente, não se devem aplicar essas ideias da maneira pela qual o fazem os nossos imbecis. Que significa isso de morder as pessoas no ombro? O senhor mesmo me deu razão, convindo que o movimento era prematuro.

— Não foi absolutamente nesta circunstância que lhe dei razão e declarei que era demasiado cedo.

— Em suma, o senhor pesa cada uma de suas palavras, eh! eh! Que homem circunspecto! — observou jovialmente Piotr Stiepânovitch: — Escute, *bátiuchka,* era preciso que eu travasse conhecimento com o senhor e por isso lhe falei nesse estilo. Não é o senhor o único com quem travo conhecimento dessa maneira, há bem outros. Tinha talvez necessidade de conhecer o seu caráter.

— Que lhe pode interessar o meu caráter?

— Como posso responder a isso? — (Voltou a rir.) — Veja o senhor, meu caro e estimado Andriéi Antônovitch: o senhor é astuto, mas não ainda bastante e provavelmente não o será jamais bastante para adivinhar isso, compreende? Talvez compreenda. Se bem que, ao regressar do estrangeiro, tenha dado explicações a quem de direito — e não vejo por que, na verdade, um homem que tem convicções definidas não poderia agir no interesse de suas convicções, — todavia, ninguém lá embaixo me encarregou de estudar seu caráter e não recebi ainda de lá embaixo nenhuma ordem a este respeito. Veja o senhor mesmo! Podia eu muito bem não lhe revelar em primeiro lugar esses dois nomes em questão, mas dirigir-me diretamente a eles, isto é, àqueles a quem fiz em primeiro lugar as minhas declarações. Se obedecesse a motivos interesseiros, tendo em vista alguma vantagem material, seria de minha parte um mau cálculo, pois que toda gratidão seria para o senhor e não para mim. Só me preocupo com Chátov — acrescentou nobremente Piotr Stiepânovitch, — somente com Chátov, por causa de nossa antiga amizade... E quando o senhor pegar da pena para escrever para lá, pois bem, louve-me e felicite-me, se quiser. Não o contradirei, eh! eh! Adeus. Fiquei tempo demais aqui e não deveria ter falado tanto! — acrescentou não sem prazer e levantando do divã.

— Pelo contrário, estou encantado por ver que o assunto esteja, por assim dizer, esclarecido — disse von Lembke, porque aquelas palavras que acabara de ouvir lhe haviam restituído o ar afável. — Aceito, agradecido, seus serviços e esteja certo de que tudo quanto depender de mim para assinalar a quem de direito o zelo de que você deu prova...

— Seis dias, sobretudo, uma espera de seis dias; durante esse tempo, evite qualquer movimentação, eis o que lhe peço.

— Está bem.

— Naturalmente, não lhe amarro as mãos, não me permitiria fazê-lo. O senhor não pode dispensar-se de proceder a um inquérito; somente, não espante a ninhada antes do momento devido. Confio na sua inteligência e na sua experiência. Mas o senhor deve ter uma bela coleção de sabujos e de beleguins de toda espécie, eh! eh! — soltou Piotr Stiepânovitch, num jeito alegre e estabanado de rapazola.

— Não é tanto assim — replicou Lembke num tom afável. — É um preconceito dos jovens pensar que temos tantos... Mas, a propósito, permita-me uma perguntinha: se esse Kirílov serviu de padrinho a Stavróguin, é que talvez o Senhor Stavróguin se encontre no mesmo caso...

— Por que Stavróguin?

— Já que são tão amigos!

— Ah! não, não, não! Aqui o senhor erra, por mais astuto que seja. E até mesmo me causa admiração. Acreditava que a respeito dele não lhe faltassem informações. Hum!... Stavróguin é completamente o contrário, isto é completamente... *Avis au lecteur.*

— Será possível? Como é isso? — declarou Lembke, incrédulo. — Iúlia Mikháilovna declarou-me que, segundo as informações que recebeu de Petersburgo, seria ele um personagem encarregado, por assim dizer, de certa missão...

— Não sei de nada, não sei de nada, de nada absolutamente. *Adieu. Avis au lecteur*! — disse, de repente, Piotr Stiepânovitch, visivelmente preocupado em pôr fim à conversa e dito aquilo, correu para a porta.

— Permita-me, Piotr Stiepânovitch, permita — gritou-lhe o Governador, — ainda uma perguntinha e não mais o reterei.

Abriu uma gaveta de sua mesa e tirou dali um envelope.

— Eis uma pequena amostra da mesma categoria e por isso mesmo provo-lhe que tenho em você a mais absoluta confiança. Leia e diga-me sua opinião.

O envelope continha uma carta, uma estranha carta anônima dirigida a Lembke e por ele recebida na véspera. Com grande contrariedade, leu Piotr Stiepânovitch o seguinte:

> *Excelência:*
>
> *Uma vez que pelo seu título o senhor o é. Pela presente informo-o de um atentado contra a vida de altos personagens e da pátria, pois uma coisa leva diretamente à outra. Eu mesmo estive comprometido nisso durante muitos anos. Trata-se também do ateísmo. Prepara-se uma revolta e há vários milhares de proclamações; cada uma delas será seguida de uma centena de indivíduos, estendendo a língua, se a autoridade não tomar suas precauções, porque lhe foi prometido um ror de recompensas e o povo é estúpido. E ainda por cima, há aguardente. O povo respeitará o culpado, arruinará uns e outros, e temendo os dois lados, acusará de malfeitos quem não os cometeu, porque tais são para mim as circunstâncias. Se o senhor quer uma denúncia em regra para salvação da pátria, bem como das igrejas e dos ícones, só eu posso fornecê-la. Mas com a condição de que a terceira seção*[110] *envie, sem demora, pelo telégrafo o meu perdão, só o meu, pois quanto aos outros, que respondam perante o tribunal. Como sinal, às oito horas, todas as noites, coloque na janela do porteiro uma vela. Vendo-a, terei confiança e virei beijar na testa a graça misericordiosa vinda da capital, mas contanto que haja uma pensão, porque, de outro modo, de que irei viver? O senhor não se arrependerá, porque obterá uma condecoração. Mas, silêncio, senão eles me torcerão o pescoço.*
>
> *De Vossa Excelência, desesperado servidor que lhe beija a planta dos pés, o livre-pensador arrependido*
>
> *Incógnito.*

Von Lembke explicou que a carta fora depositada na véspera na portaria, na ausência do porteiro.

— Pois bem! Que pensa o senhor? — perguntou Piotr Stiepânovitch, num tom que frisava pela grosseria.

— Seria levado a crer que é uma pasquinada anônima, para zombar de mim.

— Deve ser provavelmente isto. Não conseguem enganá-lo.

— Creio tanto mais que assim seja, por causa da estupidez da carta.

— Já recebeu outras pasquinadas desse gênero?

— Recebi duas, igualmente anônimas.

— É natural que não assinem. Diferiam de estilo, de letra?

— Diferiam de estilo e de letra.

— E cômicas como esta?

— Sim, cômicas... e saiba-o... ignóbeis.

— Então, já que há outras, provém esta, verossimilmente, da mesma fonte.

110 Nome com que era conhecida a polícia secreta.

— Tanto mais quanto é tão estúpida. Aquela gente é instruída e certamente não escreve de modo tão estúpido.

— É claro, é claro.

— E, no entanto, se se tratasse verdadeiramente de um denunciante?

— É pouco provável — cortou Piotr Stiepânovitch, num tom seco. — Que significa esse telegrama proveniente da terceira seção? Que significa essa pensão? Uma pasquinada, evidentemente!

— Sim, sim — respondeu von Lembke, levemente envergonhado.

— Sabe o senhor que é preciso fazer? Dê-me isso. Descobrirei por certo quem é seu autor. E vou trazê-lo, antes mesmo dos outros.

— Tome — consentiu von Lembke, não sem certa hesitação.

— Mostrou-a a alguém?

— Como assim? A ninguém.

— Quero dizer a Iúlia Mikháilovna?

— Ah! Deus me livre e pelo amor de Deus, não vá mostrá-la você mesmo! — exclamou von Lembke amedrontado. — Isto lhe causaria tal comoção... e ela ficaria tremendamente zangada comigo.

— Sim, o senhor seria o primeiro a lhe sofrer as represálias. Diria que é bem feito que o senhor receba cartas assim. Conhecemos a lógica das mulheres. Bem, adeus. Talvez daqui a três dias lhe apresente o autor disto. Mas, sobretudo, não se esqueça do que ficou combinado entre nós.

IV

É possível que Piotr Stiepânovitch não fosse nenhum tolo, mas Fiedka, o forçado, achara a frase justa ao dizer que ele "imaginava o homem de acordo com a ideia que dele fazia e depois não se arredava disso". Deixou von Lembke plenamente persuadido de ter adormecido as inquietações do Governador pelo menos por seis dias, prazo de que tinha absoluta necessidade. Mas sua opinião era falsa e não repousava sobre nenhuma outra coisa senão sobre a ideia que forjara para si, de uma vez por todas, a respeito da perfeita simploriedade de Andriéi Antônovitch.

Como todos os indivíduos roídos pela suspeita, Andriéi Antônovitch, no primeiro instante, acolhia sempre com o mais vivo prazer tudo quanto pudesse tirá-lo de sua incerteza. A nova feição que tomavam as coisas se ofereceu, a princípio, a seus olhos, sob um aspecto bastante agradável, a despeito de certas complicações que, mais uma vez, lhe criavam muitos embaraços. Além do mais estava tão cansado desde alguns dias, sentia-se tão acabrunhado, tão abandonado, que sua alma aspirava, apesar de tudo, ao repouso. Mas, ai! eis que de novo se ia embora sua tranquilidade. Sua longa estada em Petersburgo deixara nele traços inapagáveis. A história oficial e mesmo secreta da "jovem geração" era-lhe assaz familiar — o homem era curioso e colecionava proclamações — mas não compreendeu jamais nem a primeira palavra delas. Agora estava como num mato: com todo o seu instinto farejava que as palavras de Piotr Stiepânovitch ocultavam algo de irregular, fora de todas as formas e de todas as convenções; "no entanto, o diabo sabe o que pode acontecer nessa nova geração e o diabo sabe como os assuntos são nela despachados!", pensava ele, perdido em suas suposições.

E eis que, naquele mesmo instante, como se de propósito, viu ali a seu lado a cara de Blümer. Durante toda a visita de Piotr Stiepânovitch, ficara à espera na peça ao lado. Aquele Blümer podia dizer-se mesmo parente de Andriéi Antônovitch, parente afastado, é verdade, mas a respeito de cujo parentesco, toda a vida, foi mantido silêncio com ansioso cuidado. Peço perdão ao leitor por ter de dedicar, nem que sejam umas poucas palavras, a esse insignificante personagem. Blümer pertencia à estranha família dos alemães sem sorte e não devia isso em nada à sua incrível incapacidade, mas antes a algum motivo perfeitamente desconhecido. "Os alemães sem sorte" não são um mito, existem realmente, e até mesmo na Rússia onde formam uma categoria à parte. Andriéi Antônovitch sempre tivera por Blümer um sentimento de compaixão comovedor, e, por toda parte, tanto quanto o pode, à medida que ele próprio avançava em sua carreira, esforçara-se por arranjar-lhe um pequeno emprego decente e de acordo com sua falta de aptidões; mas tudo isso não resultava em nada. Ora Blümer perdia seu emprego, ora o diretor era mudado; e certa vez chegou mesmo a ser processado com outros. Era pontual, mas por demais inútil e, para desgraça sua, triste e taciturno. Fisicamente, era ruivo, grande, curvado, mole, sensível mesmo e juntava à sua humildade uma teimosia de touro, ainda que sempre fora de tempo. Ele, sua mulher e numerosos filhos tinham por Andriéi Antônovitch uma afeição cheia de gratidão. A não ser Andriéi Antônovitch, ninguém jamais havia gostado dele. Iúlia Mikháilovna desde o primeiro encontro passara a detestá-lo, sem conseguir vencer a resistência de seu esposo. Foi a primeira desavença doméstica e ocorreu quase logo depois de seu casamento, nos mais belos dias da lua de mel. A existência de Blümer, até então cuidadosamente mantido de parte, acabava de se revelar a ela ao mesmo tempo que o incômodo segredo do parentesco deles. Andriéi Antônovitch pediu perdão de mãos juntas, contou num tom sentimental a história de Blümer e de sua amizade de juventude, mas Iúlia Mikháilovna considerou-se desonrada para sempre e recorreu mesmo ao desmaio. Von Lembke não cedeu um passo, declarando que por coisa alguma do mundo abandonaria Blümer, nem o afastaria de sua pessoa, tanto que ela mesma, admirada, foi obrigada por fim a tolerar Blümer. Decidiu-se somente que o segredo do parentesco seria guardado mais ciosamente do que nunca, se todavia a coisa fosse possível, e que mesmo o nome de família e o nome próprio de Blümer seriam mudados, pois, por acaso, também ele se chamava Andriéi Antônovitch. Blümer, que era avarento, não frequentava ninguém entre nós, a não ser um farmacêutico alemão, e vivia muito retirado. Desde muito tempo estava ao corrente dos pecadilhos literários de Andriéi Antônovitch. Era ele de preferência convidado a ouvir a leitura de seu romance, no decorrer de certas reuniões íntimas, em que ele ficava sentado, duro como um poste, durante seis horas consecutivas, suando a grossas gotas, fazendo todos os seus esforços para não dormir e conservar o sorriso; depois, de regresso à casa, com sua mulher, grandalhona e de pés desmedidos, lamentava-se da infeliz fraqueza de seu benfeitor pela literatura russa.

Andriéi Antônovitch olhou para Blümer com uma expressão de sofrimento.

— *Peço-te, Blümer, que me* deixes tranquilo — apressou-se em dizer-lhe, querendo evidentemente impedi-lo de retomar a conversa interrompida pela chegada de Piotr Stiepânovitch.

— E, entretanto, isto podia ser feito da maneira mais delicada, sem dar-lhe publicidade; o senhor tem plenos poderes — insistiu Blümer, com uma respeitosa firmeza, fazendo alusão a alguma coisa e, de espinha curvada, avançava a pequenos passos para Andriéi Antônovitch.

— Blümer, tu és a tal ponto devotado à minha pessoa e pronto a prestar-me serviços que te encaro com um medo que me põe fora de mim.

— O senhor diz sempre coisas espirituosas e satisfeito com suas palavras adormece tranquilamente, mas por isso mesmo se prejudica.

— Blümer, acabo de me convencer de que não é isso, mas não é isso absolutamente.

— Não foi depois do que lhe disse aquele rapaz falso e depravado do qual o senhor mesmo suspeita? Conseguiu dominá-lo graças a louvores lisonjeadores a seu talento literário.

— Blümer, tu de nada sabes; teu projeto é um absurdo, digo-te eu. Não encontraremos nada, vamos provocar uma grita terrível, seguida de risos e depois Iúlia Mikháilovna...

— Encontraremos sem dúvida alguma o que procuramos — respondeu Blümer, com a mão sobre o coração e dando um passo seguro na direção de von Lembke. — Faremos a investigação de manhã bem cedo, de improviso; agiremos com a maior delicadeza para com a pessoa e aplicaremos a lei em todo o seu rigor. Jovens como Liámchin e Tieliátnikov asseguram que encontraremos tudo quanto procuramos. Fizeram lá frequentes visitas. Ninguém parece bem disposto para com o Senhor Vierkhoviénski. A Generala Stavróguina retirou-lhe abertamente seus favores e todo homem decente, se é que existe um só nesta cidade ordinária, está convencido de que lá sempre se ocultou a fonte da impiedade e da pregação social. Conserva ele em sua casa todos os livros proibidos: *Os pensamentos*, de Riliéiev,[111] as obras completas de Herzen... Por acaso possuo um catálogo aproximado.

— Oh! Meu Deus! Esses livros encontram-se em casa de todo mundo. És bastante simplório, meu pobre Blümer.

— E numerosas proclamações — prosseguiu Blümer, não dando atenção àquela observação. — Acabaremos infalivelmente por encontrar a pista das autênticas proclamações que circulam aqui. Esse jovem Vierkhoviénski parece-me bastante suspeito.

— Mas confundes o pai com o filho. Eles não estão de acordo; o filho zomba publicamente de seu pai.

— Não é senão uma máscara.

— Blümer, tu juraste torturar-me! Pensa bem, é mesmo assim um personagem importante aqui. Foi professor, é um homem conhecido; lançará altos protestos, as pilhérias choverão sobre nós de todos os lados e estragaremos o caso... Pensa também no que dirá Iúlia Mikháilovna.

Blümer adiantou-se mas tapou os ouvidos.

— Ele não foi senão docente, nada mais que docente e só tem o título de assessor aposentado de colégio — continuou ele batendo no peito. — Não possui nenhuma distinção honorífica; demitiram-no porque suspeitava-se de que ele nu-

111 Poeta e escritor, implicado no movimento revolucionário de 14 de dezembro de 1825, foi condenado e executado.

trisse desígnios hostis ao Governo. Foi objeto de uma vigilância secreta da parte da Polícia e provavelmente está ainda vigiado. Dadas as desordens que acabam de explodir, o senhor tem sem contestação o direito de agir, do contrário o senhor trai as obrigações de seu cargo se fica de conivência com o verdadeiro culpado.

— Iúlia Mikháilovna! Vai-te embora, Blümer! — exclamou de repente Lembke, que ouvira a voz de sua mulher na peça vizinha.

Blümer estremeceu, mas não se rendeu.

— Autorize-me, autorize-me — insistiu ele apertando com mais força as duas mãos contra seu peito.

— Vai-te embora! — repetiu Andriéi Antônovitch, rangendo os dentes. — Faze o que quiseres... mais tarde... Ah! Meu Deus!

Ergueu-se a cortina e Iúlia Mikháilovna apareceu, parou majestosamente ao ver Blümer, que ela olhou de alto a baixo com um olhar desdenhoso e ofendido, como se a simples presença daquele homem tivesse sido para ela um insulto. Blümer, sem dizer palavra, dirigiu-lhe uma profunda reverência e, curvado em dois pelo respeito, encaminhou-se para a porta, andando na ponta dos pés com os braços levemente afastados.

Ele tinha entendido bem o sentido da exclamação lançada por Andriéi Antônovitch, considerando-a uma ordem formal ou bem acreditou, forçando um pouco suas palavras, agir no interesse de seu benfeitor, persuadido de que os fins coroariam a obra? Seja como fôr, como o veremos mais adiante, dessa conversa do Governador com seu subordinado, resultou uma coisa completamente inesperada, que divertiu grande número de pessoas, suscitou muito falatório, exasperou Iúlia Mikháilovna e, o que é mais, acabou de desconcertar Andriéi Antônovitch, lançando-o, no momento mais crítico dos acontecimentos, na mais lamentável indecisão.

V

Piotr Stiepânovitch esteve muito atarefado naquele dia. Ao sair da casa de Lembke, correu à Rua da Epifania, mas ao passar na Rua dos Bois, diante da casa em que estava hospedado Karmázinov, parou bruscamente, sorriu e entrou. Responderam-lhe que "o esperavam", o que o intrigou muito, porque não havia prevenido ninguém de sua chegada.

Mas o grande escritor esperava-o, com efeito, desde a véspera e até mesmo desde a antevéspera. Quatro dias antes, confiara-lhe o manuscrito de seu *Merci* (que se propunha ler na matinal literária da festa organizada por Iúlia Mikháilovna) e isto fazendo, agira por pura amabilidade, bem convencido de que lisonjearia agradavelmente o amor-próprio do homem ao qual permitia que conhecesse de antemão uma grande obra. Desde muito tempo, Piotr Stiepânovitch percebera que aquele senhor vaidoso, estragado pelos êxitos e ultrajantemente inacessível ao comum dos mortais, que aquele pretenso "espírito de homem de Estado", não deixava de *solicitar muito simplesmente* e até mesmo gulosamente seus favores. O rapaz acabara, creio, por adivinhar que, se Karmázinov não o considerava como o cabeça de todo o movimento revolucionário russo, pelo menos o tomava por um dos principais iniciados nos segredos da revolução russa e por um daqueles que exerciam uma influência incontestável sobre a mocidade.

Piotr Stiepânovitch tinha interesse em saber em que disposições de espírito se encontrava "o homem mais inteligente da Rússia", mas até então, por certos motivos, sempre fugira a qualquer explicação com ele.

O grande escritor morava em casa de sua irmã, casada com um camarista possuidor duma propriedade. O homem e a mulher viviam extasiados de veneração diante de seu ilustre parente, mas desta vez, à sua chegada à nossa cidade, ambos, com grande pesar, achavam-se em Moscou, de sorte que a honra de recebê-lo coube a uma pobre velha, parenta afastada do camarista, que vivia na casa e desde muito tempo nela exercia o ofício de ecônoma. Todo mundo aqui andava na ponta dos pés desde a chegada do Senhor Karmázinov. Quase diariamente escrevia a velha para Moscou, para informar como havia ele dormido e o que tinha querido mesmo comer; uma vez, enviou um telegrama anunciando que depois de um jantar de gala em casa do prefeito, fora ele obrigado a tomar uma colherada de remédio. Raramente ousava pôr os pés no quarto de seu hóspede, se bem que a tratasse ele com um tom polido, aliás bastante seco, e só lhe dirigisse a palavra em caso de extrema necessidade. Quando Piotr Stiepânovitch entrou, estava ele comendo sua costeleta da manhã, regada por meio copo de vinho tinto. Piotr Stiepânovitch já estivera ali mais de uma vez e sempre o encontrara amesendado diante de sua costeleta, que continuava a comer em presença do visitante e sem jamais convidá-lo a participar de sua refeição. Depois da costeleta, trouxeram uma pequena xícara de café. O lacaio que servia estava de fraque, com botas macias que não faziam nenhum rumor e usava luvas.

— Ah! ah! — exclamou Karmázinov, que levantou do sofá, limpou-se com seu guardanapo e, com ar do mais sincero júbilo, avançou para beijar o visitante, hábito característico entre os russos que gozam de certa notoriedade. Mas Piotr Stiepânovitch sabia por experiência que ele viria beijá-lo apresentando a face, motivo pelo qual fez o mesmo desta vez. As duas faces encontraram-se numa simples fricção. Karmázinov, sem deixar ver que havia notado aquilo, sentou no divã e indicou polidamente a Piotr Stiepânovitch uma poltrona à sua frente, na qual o rapaz deixou-se cair.

— O senhor... não quer almoçar? — perguntou o escritor, mudando por uma vez seus hábitos, mas com um ar que, evidentemente, subentendia uma resposta negativa e polida. Piotr Stiepânovitch declarou logo que queria almoçar. A sombra duma estupefação ofendida deslizou pelo rosto de Karmázinov, mas desapareceu num instante; nervosamente chamou o criado e, a despeito de sua perfeita educação, ordenou num tom áspero que servisse um segundo almoço.

— Que quer o senhor, uma costeleta ou café? — perguntou ainda uma vez.

— Uma costeleta e café e ordene também que acrescentem vinho. Estou faminto — respondeu Piotr Stiepânovitch examinando com atenção o traje do romancista. O Senhor Karmázinov usava uma espécie de paletó forrado, com botões de nácar, parecido com uma jaqueta, mas demasiado curta, o que não convinha à sua volumosa pança e à parte carnuda que se arredondava abaixo de suas costas; mas todo mundo não tem os mesmos gostos. Sobre os joelhos uma manta de lã enxadrezada estava desdobrada até o chão. Muito embora estivesse fazendo calor dentro do quarto.

— Estaria o senhor doente? — observou Piotr Stiepânovitch.

— Não, não estou doente, mas tenho medo de ficar neste clima — respondeu o escritor com voz estridente, escandindo aliás cada palavra com delicadeza e ceceando à maneira dos aristocratas. — Esperei-o ontem.

— Mas por quê? Não lhe tinha prometido vir.

— Não, mas o senhor está com meu manuscrito. Será... que o leu?

— Um manuscrito? Qual?

Karmázinov mostrou-se extremamente admirado.

— Trouxe-o, contudo, com o senhor? — perguntou com tal inquietação que parou mesmo de engolir seu café e fitou Piotr Stiepânovitch com ar de espanto.

— Ah! trata-se sem dúvida desse tal "Bom-Dia"?

— *Merci*.

— Pouco importa. Tinha-o totalmente esquecido e não o li, não tive tempo. Na verdade, não sei o que foi feito dele, não está nos meus bolsos... devo tê-lo deixado em cima de minha mesa. Fique tranquilo, haverão de achá-lo.

— Não, prefiro mandar buscá-lo agora mesmo. Poderia perder-se e ser roubado afinal de contas.

— Ora, quem teria interesse nisso? E por que está tão amedrontado? Iúlia Mikháilovna diz que o senhor tem sempre, por precaução, várias cópias de seus manuscritos; uma é depositada em casa de seu tabelião, no estrangeiro, outra em Petersburgo, uma terceira em Moscou, em seguida o senhor envia também, ao que parece, um exemplar a um banco.

— Mas o senhor bem sabe que Moscou pode incendiar-se e com ela o meu manuscrito! Não, prefiro mandar buscá-lo imediatamente.

— Espere, ei-lo! — disse Piotr Stiepânovitch, extraindo dum bolso de trás um rolo de pequenas folhas de papel de cartas. — Está um pouco amarrotado. Imagine que desde que o senhor me deu, ficou todo esse tempo no meu bolso com meu lenço, tinha-o esquecido.

Karmázinov, com um gesto ávido, apoderou-se do manuscrito, examinou-o com solicitude, contou as folhas e o depôs religiosamente sobre uma mesinha à parte, mas de maneira que o tivesse constantemente à vista.

— Parece-me que o senhor não lê? — perguntou com voz sibilante, perdendo a paciência.

— Não muito, com efeito.

— E no que se refere à literatura russa, nada?

— No que se refere à literatura russa? Permita-me, li alguma coisa... *Ao longo do caminho*, ou antes *A caminho*, ou então *Caminhando*, não me lembro mais. Há muito tempo que li isso, há cinco anos. Não tenho tempo.

Sucedeu-se uma pausa.

— À minha chegada, assegurei a todo mundo que o senhor era um homem extremamente inteligente e parece-me que aqui agora andam loucos pelo senhor.

— Agradeço-lhe — respondeu tranquilamente Piotr Stiepânovitch.

Trouxeram o almoço. Piotr Stiepânovitch precipitou-se como um esfaimado sobre a costeleta e engoliu-a num piscar de olhos; depois engoliu vinho e café. "Esse mal-educado — pensava Karmázinov, olhando-o de soslaio, enquanto engolia seu último bocado e seu último gole, — esse mal-educado provavelmente apreendeu o que a minha frase tinha de picante... e quanto a meu manuscrito, deve ter lido com avidez e mente sem dúvida. Mas talvez não minta e não passe de um chapado imbecil. Gosto de que o homem de gênio tenha algo de estúpido. E não será ele, com efeito, uma espécie de gênio entre eles? Afinal, que o diabo o leve!

Levantou-se e pôs-se a andar pelo quarto, para lá e para cá, como o fazia para movimentar-se todas as vezes após o almoço.

— Conta regressar em breve? — perguntou Piotr Stiepânovitch, que continuava sentado e acendia um cigarro.

— Vim sobretudo para vender uma propriedade e estou na dependência de meu intendente.

— O senhor veio, ao que parece, porque esperava ver epidemias sucederem-se à guerra?

— Não... não, não é absolutamente isto — respondeu, com mansuetude, Karmázinov, escandindo suas frases e, de cada vez, de um canto para outro, arrastando galhardamente seu pé direito, mas sem demasiada largura. — Proponho-me, com efeito, viver o mais tempo possível — acrescentou, com um sorriso sarcástico. — Na nobreza russa há algo que se gasta extraordinariamente depressa, sob todos os aspectos. Mas faço questão de gastar-me o mais tarde possível e agora retorno ao estrangeiro para sempre; o clima lá é melhor e o edifício social lá é de pedra; tudo é mais sólido. A Europa durará tanto quanto eu, penso. E você, que pensa?

— Não sei de nada.

— Hum! Se lá, com efeito, Babilônia desmoronar, será uma grande catástrofe (nisto estou plenamente de acordo com o senhor, muito embora pense que ela durará tanto quanto eu), ao passo que, entre nós, na Rússia, não se vê que alguma coisa possa vir abaixo. O que cairá, não serão pedras, mas tudo se liquidificará na lama. Menos que todos os outros países do mundo, é a Santa Rússia capaz de oferecer uma resistência qualquer. A plebe continua ainda um tanto apegada ao deus russo; mas pelas últimas notícias o deus russo estava bem doente; mal pode resistir à derradeira reforma em favor dos camponeses; pelo menos ficou extremamente abalado. E depois há os caminhos de ferro, e depois o senhor... Não creio mais em absoluto no deus russo.

— E no deus europeu?

— Não creio em deus nenhum. Caluniaram-me junto à mocidade russa. Estive sempre de todo coração em todos os seus movimentos. Mostraram-me as proclamações que circulam por aí. Consideram-nas com perplexidade, sua forma amedronta os espíritos, mas todos estão convencidos, sem ousar demasiado confessá-lo a si mesmos, de que podem ser eficazes. Rola-se para o abismo e sabe-se desde muito tempo que não há a que apegar-se. Creio tanto mais no êxito dessa propaganda clandestina quanto a Rússia é, por excelência, o país do mundo em que pode acontecer tudo o que se quiser, sem que nada a isso se oponha. Compreendo demasiado bem porque os russos que têm fortuna fogem todos para o estrangeiro e em número mais considerável cada ano. É simplesmente por instinto. Quando o navio vai soçobrar, os ratos são os primeiros a abandoná-lo. A Santa Rússia é um país de casas de madeira, cheio de mendigos... e de perigos, um país populoso, em suas altas esferas, de mendigos vaidosos e onde a grande maioria vive em cabanas, dançando diante do bufê. Ela se regozijará com qualquer solução, contanto que lhe deem a explicação. Só o governo quer ainda resistir, mas brande seu cacete no escuro e bate nos seus. Aqui tudo é julgado e condenado. A Rússia, tal como é, não tem futuro. Tornei-me alemão e orgulho-me disso.

— Não, o senhor tinha começado a falar a respeito das proclamações; diga-me tudo quanto pensa a respeito.

— Todo mundo tem medo delas, é que são então poderosas. Rasgam abertamente os véus e mostram que entre nós não há nada a que se apegar, sobre que se apoiar. Falam alto, quando todos se calam. O que proclama a vitória delas (não obstante a forma), é sobretudo a audácia inaudita e sem precedentes até aqui, com a qual ali se encara de face a verdade. Essa faculdade de poder olhar de face a verdade é um traço que só pertence à geração russa atual. Não, na Europa, não se é ainda tão ousado: o edifício social é ali de pedra, encontram-se ali ainda elementos de resistência. Tanto quanto posso julgar segundo o que vejo, a essência da ideia revolucionária russa consiste na negação da honra. Agrada-me ver isto tão ousada e tão arrogantemente expresso. Não, na Europa não se compreenderá ainda isto, mas é precisamente o que entre nós será captado mais depressa. Para o russo a honra não passa de um fardo enfadonho; sempre lhe foi um fardo, durante todo o curso de sua história. Por isso é tanto mais fácil seduzi-lo, se se proclama "o direito à desonra". Eu sou da antiga geração, confesso, faço ainda questão da honra, mas só por hábito. Tenho um fraco pelas velhas formas e admitamos que seja por pusilanimidade; é bem preciso ser de seu tempo.

Parou de repente.

"Enquanto isto, falo e torno a falar — pensou ele, — e esse aí cala-se e examina. Veio na expectativa de que eu lhe faça uma pergunta direta. Pois bem, vou fazer."

— Iúlia Mikháilovna pediu-me que o interrogasse, duma maneira discreta e hábil, a fim de saber qual é a surpresa que o senhor prepara para o baile de depois de amanhã — exclamou de súbito Piotr Stiepânovitch.

— Sim, será com efeito uma surpresa e decididamente causarei espanto... — disse Karmázinov, com ênfase, — mas não lhe direi em que consiste meu segredo.

Piotr Stiepânovbitch não insistiu.

— Há aqui um tal Chátov — prosseguiu o grande escritor com curiosidade, e, imagine, ainda não o vi.

— Uma personalidade notável. Mas o que quer saber?

— Muito bem, ele fala aqui de certas coisas. Não foi ele quem deu uma bofetada em Stavróguin?

— Foi ele.

— E Stavróguin, que pensa dele?

— Não sei. É um janota.

Karmázinov odiava Stavróguin porque este tomara o hábito de não lhe prestar nenhuma atenção.

— Aquele janota — disse, com sarcasmo, — se o que pregam vossas proclamações vier a realizar-se, será sem dúvida o primeiro a ser dependurado dum galho de árvore.

— *Talvez mesmo antes disso* — afirmou de repente Piotr Stiepânovitch.

— Será bem feito — aprovou Karmázinov, deixando de rir e num tom muito grave.

— O senhor já disse isso uma vez e eu contei a ele, saiba.

— Como? O senhor lhe contou? — perguntou Karmázinov, com novo riso.

— Ele disse que se o dependurarem de uma árvore, ao senhor bastará que lhe deem uma surra, não por pura forma, mas vigorosamente, como se surra um labrego.

Piotr Stiepânovitch pegou seu chapéu e levantou-se. Karmázinov estendeu suas duas mãos para despedir-se.

— Escute — ceceou ele, com voz melíflua e com uma entonação particular, enquanto retinha as mãos do visitante nas suas, — se tudo quanto se projeta... está destinado a realizar-se, então... quando poderá isso ocorrer?

— Não sei — respondeu Piotr Stiepânovitch, num tom de certo modo grosseiro.

Ambos olharam-se fixamente.

— Por exemplo? Aproximadamente? — perguntou Karmázinov, com voz cada vez mais melíflua.

— O senhor terá tempo de vender sua propriedade e fugir — resmungou Piotr Stiepânovitch, com mais grosseria ainda. Ambos olharam-se cada vez com mais insistência.

O silêncio durou um minuto.

— Isto começará no princípio de maio e tudo estará acabado pela Festa da Intercessão — declarou de súbito Piotr Stiepânovitch.

— Agradeço-lhe sinceramente — disse num tom compenetrado Karmázinov, apertando-lhe as mãos.

"Terás tempo de abandonar o navio, rato! — pensava Piotr Stiepânovitch, saindo para a rua. — Vamos, já que esse quase 'espírito de homem de Estado' se informa tão minuciosamente do dia e da hora, e me agradece com tal efusão a informação que lhe dei, não podemos mais, depois disto, duvidar de nós. Hum! É um dos homens inteligentes de seu navio... mas não passa de um rato que se salva; não nos denunciará!"

Correu para a casa de Filípov, na Rua da Epifania.

VI

Piotr Stiepânovitch passou em primeiro lugar pelos aposentos de Kirílov. Este, segundo seu hábito, estava sozinho e dedicava-se desta vez a exercícios de ginástica pelo quarto, isto é, afastava as pernas e girava de certa maneira os braços acima de sua cabeça. Uma bola de borracha pousava no soalho. Em cima da mesa via-se o chá da manhã, que não havia sido retirado, já frio. Piotr Stiepânovitch parou um instante na soleira.

— Você cuida mesmo muito de sua saúde — disse, com voz sonora e alegre, entrando no quarto. — Oh! que bela bola! E como salta! É também para a ginástica?

Kirílov vestiu sua sobrecasaca.

— Sim; também para cuidar da saúde — murmurou secamente. — Sente.

— Um minuto apenas. Contudo, sentarei. A saúde é a saúde, mas vim cá para lembrar-lhe nosso pacto. Aproxima-se, em certo sentido, a data de sua execução — concluiu, com certo embaraço.

— Que pacto?

— Ainda pergunta? — disse Piotr Stiepânovitch, alarmado e até mesmo apavorado.

— Não é nem um pacto nem uma obrigação; não me comprometi. É um engano de sua parte.

— Escute, que pensa fazer? — perguntou Piotr Stiepânovitch, levantando bruscamente.

— Minha vontade.

— Qual?

— A antiga.

— Como devo entender isso? Quer dizer que você persiste nas suas primeiras ideias.

— Sim, somente não há pacto, jamais houve e não tenho compromisso nenhum. Era então apenas a minha vontade e é somente a minha vontade agora.

Kirílov explicava-se num tom cortante e desdenhoso.

— De acordo, de acordo, faça você sua vontade, se essa vontade não mudou. — Piotr Stiepânovitch tornou a sentar com ar satisfeito. — Você se zanga por uma palavra. Tornou-se bastante irascível nestes últimos tempos. Por isso tenho evitado vir vê-lo. Aliás, estava bem certo de que você não trairia.

— Não tenho nenhuma simpatia por você, mas pode ficar certo, se bem que não aceite os termos de traição ou não-traição.

— No entanto, você sabe — continuou Piotr Stiepânovitch, novamente inquieto, — seria preciso falar claramente para não haver confusão. O negócio exige exatidão e suas palavras me deixam terrivelmente perplexo. Permite que eu fale?

— Fale — disse Kirílov, olhando para um canto.

— Há muito tempo já que você decidiu suicidar-se... pelo menos era essa sua ideia. Exprimi-me bem? Não há engano?

— Esta ideia conservo-a sempre.

— Muito bem. Note além disso que ninguém o forçou a isso.

— Não faltaria mais nada! Que tolices diz você!

— Bem! bem! exprimi-me muito idiotamente. Sem dúvida, teria sido muito estúpido forçá-lo a isso. Continuo: você tem feito parte da Sociedade desde o primeiro momento de sua formação e confiou seus projetos de então a um dos membros da Sociedade.

— Não confiei nada, disse aquilo simplesmente.

— Pois seja, teria sido ridículo, com efeito, confiar-se como quem se confessa. Disse muito simplesmente e está muito bem.

— Não, não está muito bem, porque você mastiga suas palavras. Não tenho contas a dar-lhe e você não saberia compreender minhas ideias. Quero suicidar-me porque tal é meu pensamento, porque não quero terrores da morte, porque... porque você não tem de saber por que... Que lhe interessa isso? Quer chá? Está frio. Espere, vou buscar outro copo.

Piotr Stiepânovitch havia, com efeito, se apoderado do bule de chá e procurava algum copo limpo. Kirílov dirigiu-se para o armário e trouxe de lá um copo limpo.

— *Acabo de almoçar* em casa de Karmázinov — observou o visitante. — Ouvi-o falar, o que me provocou suores, em seguida corri para cá, o que me fez também suar e estou morto de sede.

— Beba. O chá frio é excelente.

Kirílov tornou a sentar-se sobre sua cadeira e de novo pôs-se a contemplar o canto fixamente.

— Imaginaram na sociedade — prosseguiu no mesmo tom, — que eu poderia ser-lhe útil com meu suicídio e que quando vocês tivessem cometido aqui alguma má brincadeira e se procurasse os culpados, eu rebentaria os miolos e deixaria uma carta declarando que fora eu quem dera o golpe, de modo a pôr vocês ao abrigo de qualquer suspeita, pelo menos durante um ano.

— Pelo menos durante alguns dias. Um só dia pode ser precioso.

— Bem. Por isso perguntaram-me se eu queria esperar algum tempo. Disse que esperaria o dia designado pela Sociedade, uma vez que isso pouco me importava.

— Sim, mas lembre-se de que assumiu o compromisso, quando redigisse essa carta, de só o fazer comigo e, desde que chegasse à Rússia, de pôr-se... em uma palavra, à minha disposição, isto é, para esse caso somente, porque para todo o resto, bem entendido, você é livre — acrescentou quase amavelmente Piotr Stiepânovitch.

— Não tomei compromisso nenhum, consenti, uma vez que isso pouco me importava.

— Muito bem, muito bem, não tinha absolutamente a intenção de magoar seu amor-próprio, mas...

— Não se trata aqui de amor-próprio.

— Mas lembre-se de que lhe deram cento e vinte táleres para sua viagem, por consequência você recebeu dinheiro.

— Absolutamente — replicou Kirílov, corando, — o dinheiro não foi dado com esta intenção. Não se aceita dinheiro para isso.

— Algumas vezes aceita-se.

— Você mente. Mandei de Petersburgo uma carta na qual dei todas as explicações e entreguei-lhe em Petersburgo os cento e vinte táleres, a você, em suas próprias mãos... foram pois entregues, se contudo não os guardou você no seu bolso.

— Está bem, está bem, não contesto nada, o dinheiro foi enviado. O principal é que você esteja nas mesmas disposições de outrora.

— Estou nas mesmas disposições. Quando você vier dizer-me: "Chegou a hora", eu me matarei. Será para breve?

— O dia não está longe... Mas lembre-se de que devemos redigir a carta juntos, na véspera à noite.

— No dia mesmo se for preciso. Disse você que eu deveria assumir a responsabilidade das proclamações?

— Sim e outra coisa ainda.

— Não assumirei a responsabilidade de tudo.

— Por que não de tudo? — perguntou Piotr Stiepânovitch, de novo alarmado.

— Porque não quero; basta! Não quero mais falar disso.

Piotr Stiepânovitch reprimiu sua cólera e mudou de conversa.

— Falemos de outra coisa — disse, num tom cortês. — Você virá esta noite à reunião dos "nossos"? Hoje é aniversário de Virguínski e com este pretexto nos reuniremos.

— Não quero.

— Dê-me o prazer de ir lá. É preciso. Devemos impor-nos pelo número e pelo aspecto das pessoas... você tem um ar... em uma palavra, um ar fatal.

— Acha? — replicou, rindo, Kirílov. — Pois bem, irei; mas não será por causa de meu ar. Quando?

— Oh! bastante cedo, às seis e meia. E você sabe, pode entrar, sentar e não falar com ninguém, por mais numerosos que sejam os presentes. Somente não se esqueça de levar com você papel e lápis.

— Para fazer o quê?

— Isto pouco lhe importa e é um pedido que lhe faço. Contente-se em ficar sentado sem falar com ninguém, em escutar e por momentos fingir que toma notas; poderá mesmo desenhar.

— Que tolice! Para quê?

— Mas porque isto pouco lhe importa. Você repete sem cessar que isso pouco lhe importa.

— Não, diga-me, por quê?

— Pois bem, eis aqui: o inspetor, membro da Sociedade, ficou retido em Moscou e eu declarei a alguns que teríamos sem dúvida a visita de um inspetor; pensarão então que você é o inspetor e tanto mais se admirarão pelo fato de você achar-se aqui há já três semanas.

— Farsas. Vocês não têm nenhum inspetor em Moscou.

— Pois seja, não temos, que o diabo o leve! Mas que lhe importa isso e em que isto o constrange? Você mesmo é membro da Sociedade.

— Diga-lhes que sou o inspetor, ficarei sentado em silêncio, mas não quero papel nem lápis.

— Mas por quê?

— Não quero.

Piotr Stiepânovitch ficou lívido de cólera, mas soube de novo dominar-se. Levantou e pegou seu chapéu.

— Aquele homem está aqui? — perguntou de súbito à meia-voz.

— Está aqui, sim.

— Está bem. Em breve o livrarei dele, fique tranquilo.

— Estou tranquilo. Só está aqui à noite. A velha está no hospital, sua nora morreu; estou só há dois dias. Mostrei-lhe o lugar da cerca onde uma tábua se desloca; ele penetra por ali sem ser visto por ninguém.

— Em breve vou livrá-lo dele.

— Diz ele que há muitos lugares onde dormir.

— Mente, está sendo procurado, e aqui, no momento, está a salvo. Será que você chega ao ponto de conversar com ele?

— Sim, a noite inteira. Ele diz horrores de você. Li para ele o *Apocalipse* e ofereci-lhe chá. Escutou muito, muito atentamente mesmo, a noite inteira.

— Ah! com os diabos! Mas você acabará convertendo-o à fé cristã.

— Ele é cristão. Mas não se preocupe; ele matará. Quem você quer assassinar?

— *Não, não é por isto* que preciso dele; é por outra coisa... Chátov sabe que você hospeda Fiedka?

— Não dirijo a palavra a Chátov e não o vejo.

— Ele está zangado?

— Não, não estamos zangados. Amuos, apenas. Dormimos juntos muito tempo na neve.

— Irei vê-lo agora mesmo.

— Como quiser.

— Stavróguin e eu viremos talvez também à sua casa, ao sair do serão, cerca das dez horas.

— Venham.

— Tenho de falar com ele algo importante... Escute aqui: dê-me sua bola; de que lhe serve ela agora? Também faço ginástica. Poderia comprá-la.

— Tome-a.

Piotr Stiepânovitch pôs a bola no bolso de trás de sua sobrecasaca.

— Mas não lhe fornecerei nenhuma arma contra Stavróguin — murmurou Kirílov, deixando sair o visitante a quem havia acompanhado até a porta. Piotr Stiepânovitch olhou-o estupefato e não disse nada.

As derradeiras palavras de Kirílov perturbaram extremamente Piotr Stiepânovitch. Estava ainda sob a impressão delas quando se deu conta, ao subir a escada de Chátov, de que devia dar a seu rosto descontente uma expressão mais amável. Chátov estava em casa, um tanto adoentado. Achava-se de cama, aliás, todo vestido.

— Que azar! — exclamou da soleira Piotr Stiepânovitch. — Está seriamente doente?

A expressão de afabilidade desapareceu de repente de seu rosto; um clarão sinistro passou em seus olhos.

— Um pouco — respondeu Chátov, saltando do leito. — Não estou doente, uma ligeira dor de cabeça...

Tinha o ar desvairado; a brusca aparição de semelhante visitante havia-o positivamente aterrorizado.

— Venho justamente tratar de um negócio em que não cabe doença — começou Piotr Stiepânovitch, num tom rápido e quase imperioso. — Permita que me sente (sentou), e você, volte a seu lugar na cama, sim, assim. Hoje, sob o pretexto de festejar o aniversário de Virguínski, os "nossos" vão reunir-se em casa dele; só estarão presentes os camaradas autênticos; estão tomadas todas as medidas. Irei com Nikolai Vsiévolodovitch. Sem dúvida, não arrastarei você a essa reunião, sabendo quais são hoje suas opiniões... isto é, com o fim apenas de poupar-lhe esse tormento e não porque temamos uma denúncia de sua parte. Mas as circunstâncias exigem que você esteja presente. Encontrará lá aqueles com os quais decidiremos definitivamente de que maneira deverá deixar você a Sociedade e a quem remeterá o material depositado em sua casa. Faremos isso sem barulho; atrairei você para um canto; a assistência será numerosa e é inútil que todo mundo o saiba. Confesso que tive de gastar minha língua em seu favor; mas agora parecem consentir, sob a condição, bem entendido, de que você restitua o prelo tipográfico e os papéis. Então ficará livre de ir para qualquer dos quatro pontos cardeais.

Chátov escutara, franzindo as sobrancelhas com ar furioso. Seu terror nervoso de antes havia-o abandonado.

— Não me considero absolutamente obrigado a prestar contas, o diabo sabe a quem — declarou, num tom cortante. — Ninguém pode impedir-me de recuperar minha liberdade.

— Não é completamente exato. Confiaram-lhe muitas coisas. Você não tinha o direito de romper sem mais nem menos. E, afinal, você nunca manifestou claramente o desejo de fazê-lo, tanto que os colocou numa posição equívoca...

— Desde minha chegada aqui, declarei-o claramente.

— Não, claramente não — retorquiu Piotr Stiepânovitch com calma. — Enviei-lhe, por exemplo, a "Personalidade Resplendente", a fim de imprimi-la aqui e de guardar em sua casa os exemplares até que fossem reclamados; juntavam-se a ela duas proclamações ainda. Você devolveu tudo com uma carta ambígua, sem dizer nada de definido.

— Recusei-me redondamente a imprimir.

— Sim, mas não redondamente. Você escreveu: "Não posso", mas sem explicar por qual motivo. "Não posso" jamais significou "não quero". Podia-se supor que você não podia unicamente em razão de obstáculos materiais. Foi assim que se compreendeu, crendo-se que você continuava a fazer parte da Sociedade; desde então puderam confiar-lhe certos segredos e por consequência comprometer-se. Diz-se aqui que você quis simplesmente enganar com isso os associados para obter deles alguma comunicação importante e em seguida denunciá-los. Eu o defendi com todas as minhas forças e lhes mostrei suas duas linhas de resposta, documento que o favorece. Mas tive eu mesmo de reconhecer, depois de havê-las relido, que aquelas duas linhas não são claras e que induzem a erro.

— Com que então conservou aquele bilhete com tanto cuidado?

— Que tem de particular que o haja conservado? Tenho-o ainda em casa.

— Ora, pouco importa, que diabo! — exclamou Chátov, num tom raivoso. — Que me importa que esses imbecis pensem que eu queria denunciá-los? Gostaria bem de ver o que poderiam fazer comigo!

— Tomariam nota de você e o enforcariam à primeira vitória da revolução.

— Quando se tiverem apoderado do poder supremo e escravizado a Rússia?

— Não ria. Repito-lhe: eu o defendi. Seja como for, aconselho-o a comparecer hoje. De que servem vãs palavras inspiradas por um falso orgulho? Não seria melhor separar-se amigavelmente? Em todo o caso, é preciso que você devolva a máquina e os tipos bem como todos os velhos papéis. É a este respeito que temos de falar.

— Irei — disse Chátov, resmungando, de cabeça baixa, perdido em seus pensamentos.

Piotr Stiepânovitch, de seu lugar, olhava-o de soslaio.

— Stavróguin estará lá? — perguntou de súbito Chátov, erguendo a cabeça.

— Estará, decerto.

— Eh! eh!

Houve de novo um minuto de silêncio. Chátov mostrou um sorriso desdenhoso e irritado.

— E a sua ignóbil "Personalidade Resplendente" que eu não quis imprimir aqui, foi impressa?

— Foi, sim.

— *Persuadem-se* os colegiais de que tenha sido o próprio Herzen que a escreveu no álbum de você.

— Foi o próprio Herzen.

Calaram-se ainda durante uns três minutos. Por fim, Chátov levantou de seu leito.

— Saia de minha casa, não quero ficar com você.

— Vou-me embora — disse Piotr Stiepânovitch, levantando logo. — Uma derradeira palavra: Kirílov, ao que parece, está agora sozinho no pavilhão, sem criada?

— Sozinho. Vá-se embora, não posso ficar com você no mesmo quarto.

"Bem, estás no ponto! — pensou alegremente Piotr Stiepânovitch, quando se achou na rua. — Estarás no ponto também esta noite; tenho justamente necessidade de que estejas assim e nada de melhor podia desejar, nada de melhor! O próprio deus russo vem em meu auxílio!"

VII

Movimentou-se sem dúvida muito naquele dia, tendo de regularizar uma porção de coisas e parece que não sem êxito, a julgar pela expressão de contentamento que se refletia em seu rosto quando, à tardinha, às seis horas precisamente, apresentou-se em casa de Nikolai Vsiévolodovitch. Mas não o introduziram imediatamente; Nikolai Vsiévolodovitch acabava de encerrar-se em seu escritório com Mavríki Nikoláievitch. Esta notícia logo lhe causou vivas preocupações. Sentou-se bem perto da porta do gabinete para aguardar a saída do visitante. O rumor da conversa chegava até ali, mas não se podiam distinguir as palavras. A visita não durou muito tempo; em breve repercutiu uma voz forte e desabrida, em seguida ao que a porta abriu-se e Mavríki Nikoláievitch saiu, de rosto lívido. Não notou Piotr Stiepânovitch e passou rapidamente por junto dele. Piotr Stiepânovitch meteu-se imediatamente no gabinete.

Não posso dispensar-me de contar em detalhe a entrevista bastante curta dos dois "rivais", entrevista que parecia dever ser impossível em razão das circunstâncias e que, não obstante, se realizou.

As coisas se passaram da maneira seguinte: Nikolai Vsiévolodovitch, depois do jantar, cochilava num divã em seu gabinete, quando Alieksiéi Iegórovitch foi anunciar-lhe a chegada do visitante inesperado. Ao ouvir-lhe o nome, saltou ele de seu lugar, não dando crédito a seus ouvidos, mas em breve um sorriso aflorou-lhe os lábios, um sorriso de triunfo altivo ao mesmo tempo que de surpresa resoluta e desafiadora. Ao entrar, Mavríki Nikoláievitch ficou sem dúvida surpreendido com a expressão daquele sorriso, pelo menos parou de repente no meio do quarto como se perguntasse a si mesmo se iria mais adiante ou daria meia-volta. O dono da casa tratou logo de mudar de fisionomia e com um ar seriamente admirado caminhou ao encontro do visitante. Este último não pegou a mão que lhe era estendida, apoderou-se desajeitadamente de uma cadeira e, sem dizer uma palavra, sentou antes do dono da casa e sem esperar convite. Nikolai Vsiévolodovitch sentou de viés em seu divã e, com os olhos fixos em Mavríki Nikoláievitch, aguardou em silêncio.

— Se puder, case-se com Elisavieta Nikoláievna — disse, de súbito, Mavríki Nikoláievitch, e o mais curioso é que não se podia reconhecer, pela entonação de sua voz, se era aquilo um pedido, uma recomendação, uma concessão ou uma ordem.

Nikolai Vsiévolodovitch mantinha-se calado, mas tendo o visitante provavelmente dito tudo quanto tinha a dizer, olhava-o com insistência, à espera de uma resposta.

— Se não me engano (não é senão bem verdade, afinal), Elisavieta Nikoláievna é sua noiva — falou por fim Stavróguin.

— Sim, a cerimônia se realizou e ela é minha noiva — confirmou com voz clara e segura Mavríki Nikoláievitch.

— Vocês... vocês brigaram? Desculpe-me, Mavríki Nikoláievitch.

— Não, ela me ama e me estima, são suas próprias palavras. Suas palavras são mais preciosas que tudo.

— Não resta dúvida nenhuma.

— Mas, saiba, ainda que estivesse no altar e sob o véu, bastaria que o senhor a chamasse para que ela me plantasse lá, a mim e aos outros, para segui-lo.

— Mesmo sob a coroa?

— E após a coroa.

— Será que o senhor não se engana?

— Não. Sob o ódio incessante, sincero e dos mais profundos que tem ao senhor, resplendem a cada instante o amor e a loucura! O amor mais franco e mais excessivo e a loucura! Pelo contrário, sob o amor não menos sincero que sente por mim, fulgura a cada instante o ódio mais atroz! Jamais teria eu podido imaginar antes todas essas... metamorfoses.

— Mas o que me espanta é que o senhor ainda possa vir dispor da mão de Elisavieta Nikoláievna. Tem esse direito? Ela lhe deu sua autorização?

Mavríki Nikoláievitch franziu o cenho e baixou a cabeça.

— De sua parte, não são mais que palavras — disse ele, bruscamente, — palavras de vingança pelas quais passa o acento do triunfo; estou certo de que o senhor lê entre as linhas e será possível que haja lugar aqui para uma vaidade mesquinha? Não está satisfeito? Será preciso ainda que eu seja prolixo e ponha os pontos nos is? Pois seja, porei os pontos, se minha humilhação lhe é a tal ponto necessária. Não tenho nenhum direito, toda autorização é impossível; Elisavieta Nikoláievna ignora tudo, mas seu noivo, que perdeu o resto de sua razão, merece ser encerrado num hospício de alienados, e para cúmulo, é ele próprio quem lhe vem declarar isto. Só o senhor entre todos pode fazê-la feliz, e só eu posso torná-la infeliz. O senhor a combate, o senhor a persegue, mas — não sei por que, não se casa com ela. Se é uma briga de namorados, ocorrida no estrangeiro, e para pôr fim à qual devo oferecer-me em holocausto, pois bem, imole-me. Minhas palavras não são nem uma autorização nem uma prescrição, seu amor-próprio não terá por que magoar-se. Se quisesse tomar meu lugar sob a coroa nupcial, poderia fazê-lo sem minha permissão e não teria eu vindo aqui bancando o insensato. Tanto mais quanto após o passo que acabo de dar, nosso casamento é impossível. Não posso, não é mesmo, levar minha covardia ao ponto de conduzi-la ao altar? O que faço agora e o fato de a entregar ao senhor, tudo isso constitui a meus olhos uma infâmia tal que certamente jamais a suportarei.

— Vai estourar os miolos, quando nos casarmos?

— *Não, muito mais tarde*. Que adianta manchar com meu sangue seu traje nupcial? Talvez mesmo não estoure os miolos, nem agora, nem mais tarde.

— Dizendo isto, procura provavelmente tranquilizar-me.

— Tranquilizá-lo? Que lhe importa um vão salpico de sangue?

Empalideceu e seus olhos lançaram um clarão. Sucedeu-se um silêncio dum minuto.

— Desculpe-me — continuou Stavróguin, — se lhe fiz várias perguntas e se não tinha direito algum de fazer-lhe algumas dentre elas, mas há uma, me parece, a respeito da qual tenho todos os direitos: diga-me, pois, em que dados se funda para deduzir meus sentimentos a respeito de Elisavieta Nikoláievna? Refiro-me ao grau desses sentimentos, capaz de inspirar-lhe bastante confiança para vir procurar-me... e arriscar semelhante proposta.

— Como? — disse Mavríki Nikoláievitch, com um leve arrepio. — Será que não lhe pretendeu a mão? Será que não pretende e não quer pretender?

— Em geral, não posso falar a uma terceira pessoa, qualquer que ela seja, a respeito de meus sentimentos para com uma mulher. Desculpe-me, tal é a esquisitice de meu gênio. Mas em compensação, vou lhe dizer toda a verdade no que se refere ao resto: sou casado, não me é mais possível, pois, casar com outra mulher, nem "pretender sua mão".

Mavríki Nikoláievitch ficou de tal modo estupefato que se recostou no espaldar de sua poltrona e manteve seu olhar imóvel algum tempo sobre o rosto de Stavróguin.

— Imagine que não havia pensado absolutamente em tal coisa — murmurou ele. — O senhor disse outro dia que não era casado... por isso foi que acreditei que o senhor não era casado...

Empalideceu terrivelmente; de súbito seu punho abateu-se com toda a força sobre a mesa.

— Se, depois de tal confissão, não deixar em paz Elisavieta Nikoláievna, e se a tornar infeliz, vou matá-lo a pauladas, como a um cão, num canto de muro.

Levantou-se e saiu precipitadamente do quarto. Piotr Stiepânovitch, que acorreu imediatamente, encontrou o dono da casa numa disposição de espírito das mais inesperadas.

— Ah! é você? — disse Stavróguin, com uma risada; aquela risada ruidosa parecia não ter outra causa senão a fisionomia de Piotr Stiepânovitch, que acabava de entrar com uma curiosidade ansiosa.

— Estava escutando à porta? Espere, que notícia vinha trazer-me? Tinha-lhe prometido alguma coisa... ah! sim, lembro-me: ir "à casa dos nossos"! Partamos, estou encantado, e você nada podia imaginar de mais a propósito.

Pegou seu chapéu e ambos saíram imediatamente da casa.

— Você ri de antemão à ideia de ver "os nossos" — tagarelava jovialmente Piotr Stiepânovitch, que ora se esforçava por andar ao lado de seu companheiro sobre o estreito passeio de tijolos, ora devia trotar em plena lama da rua, porque seu companheiro não percebia que, andando bem pelo meio do passeio, o ocupava por completo com apenas sua pessoa.

— Não estou rindo, não — respondeu Stavróguin, com voz sonora e alegre, — pelo contrário, estou convencido de que este mundo é dos mais sérios.

— "Imbecis melancólicos", como quis chamá-los um dia.

— Nada de mais divertido por vezes do que um imbecil melancólico.

— Ah! você fala a propósito de Mavríki Nikoláievitch! Estou convencido de que ele veio ainda há pouco ceder-lhe sua noiva, não foi? Imagine que fui eu quem o impeliu a isso indiretamente. E se ele não a ceder, nós mesmos a tomaremos, não é?

Piotr Stiepânovitch sabia decerto o que arriscava enveredando por aquele gênero de conversa, mas quando estava demasiado excitado gostava mais de arriscar tudo por tudo do que ficar na incerteza. Nikolai Vsiévolodovitch contentou-se com rir.

— E você conta sempre ajudar-me? — perguntou.

— Ao primeiro apelo. Mas sabe você que só há um bom meio?

— Conheço o seu meio.

— Não, é um segredo por enquanto. Somente, lembre-se de que esse segredo vale dinheiro.

— Sei mesmo quanto vale — resmungou à parte Stavróguin que, não obstante, se conteve e guardou silêncio.

— Quanto? Que disse você? — disse Piotr Stiepânovitch, alarmado.

— Disse: vá para o diabo com seu segredo! Faria melhor se me dissesse quem estará lá. Sei que se trata duma festa, mas quais são os convidados?

— Oh! haverá convidados de toda categoria. O próprio Kirílov lá estará.

— Todos membros de comitês?

— Com a breca! Está você muito apressado! Não existe ainda aqui um só comitê.

— Como fez para espalhar tantas proclamações?

— Lá aonde vamos, só estarão quatro membros de comitês. Os outros, enquanto aguardam, espionam-se reciprocamente e enviam-me relatórios. Pode-se contar com essa gente. São materiais que é preciso organizar e depois mandar passear. Aliás, você mesmo redigiu os estatutos, não há, pois, coisa alguma a explicar-lhe.

— Então, a coisa não marcha? Há frieza?

— Se a coisa marcha? Não pode andar melhor. Vou diverti-lo. O primeiro agente de ação e o mais terrível é o uniforme. Não há nada de mais forte que o uniforme. Invento de propósito títulos e funções; tenho secretários, conselheiros secretos, caixas, presidentes, registradores que têm assessores, tudo isso agradou muito e foi admiravelmente aprovado. A força seguinte é, bem entendido, a sentimentalidade. Mas aí é que está a desgraça. Há desses danados subtenentes que mordem. Em seguida, os puros canalhas; pode dar-se que sejam boa gente, por vezes são bastante úteis, mas perde-se com eles muito tempo, porque exigem uma vigilância contínua. Enfim, a força principal, o cimento que liga tudo, é a vergonha da opinião pública. Ah! é alguma coisa isto! E por pouco que se meta nisso a mão, não se encontra em breve mais ninguém que tenha a mínima ideia própria. Teriam vergonha disso.

— Já que é assim, por que se dá você tanto trabalho?

— Desde que é tão fácil, toda a gente fica ali de boca aberta; por que não aproveitar para enchê-las? Você não levaria a sério a possibilidade do bom êxito? Ah! a fé ali está, mas é preciso o firme propósito. Sim, é justo com semelhante gente que o êxito se torna possível. Digo-lhe que se lançarão ao fogo por mim: bastará que lhes grite que não são suficientemente liberais. Imbecis censuram-me tê-los enganado, fazendo-lhes crer num comitê central e em "suas inúmeras ramificações". Você mesmo, uma vez, me censurou, mas onde está o engano? Esse comitê central é você, sou eu; quanto às ramificações, haverá tantas quantas se quiser.

— E sempre a mesma ralé?

— São os materiais. Poderão servir.

— E você conta sempre comigo?

— Você será o chefe, será a força; eu não serei senão seu ajudante, seu secretário. Você bem sabe que embarcamos num navio, os remos são de carvalho, as velas de seda, na popa estará sentada uma bela virgem, a resplendente Elisavieta Nikoláievna... não sei mais como diz a canção...

— Ei-lo solto! — disse, rindo, Stavróguin. — Não, primeiro vou lhe contar um episódio. Você acaba de enumerar nos dedos as forças de que se compõem os comitês. Tudo isso é funcionalismo e sentimentalidade, excelente como clister, mas há algo de melhor ainda; persuada quatro membros dum comitê a liquidarem o quinto, sob pretexto de que este espiona, e logo estarão ligados por um só nó por causa do sangue derramado. Vão se tornar seus escravos, não ousarão nem rebelar-se nem exigir-lhe contas. Ah! ah! ah!

"Tu, no entanto... tu, no entanto, hás de pagar-me isso — pensava intimamente Piotr Stiepânovitch, — e nesta mesma noite. Já te permitiste coisas demais."

Foi isso ou quase isso que deve ter pensado Piotr Stiepânovitch. Aliás, já estavam próximos da casa de Virguínski.

— Você me fez provavelmente passar lá por um membro da Internacional que acaba de chegar do estrangeiro, por algum inspetor, não foi? — perguntou Stavróguin.

— Não, por um inspetor não. Não será você o inspetor; mas é um dos membros fundadores, vindo do estrangeiro e tem em seu poder os segredos mais importantes. É este o seu papel. Pretende falar, sem dúvida?

— Donde tirou você isso?

— Agora está obrigado a falar.

No seu espanto, Stavróguin parou no meio da rua, não longe dum lampião. Piotr Stiepânovitch sustentou-lhe o olhar com tranquila segurança. Stavróguin cuspiu com desprezo e prosseguiu seu caminho.

— E você, será que falará? — perguntou de repente a Piotr Stiepânovitch.

— Não, vou me contentar com escutá-lo.

— Que o diabo o leve! Você me dá, de fato, uma ideia.

— Qual?

— Pois seja, falarei talvez lá, mas em seguida vou lhe dar uma surra e baterei com força.

— A propósito, acabo de falar a seu respeito com Karmázinov e lhe referi pretensas afirmações suas, isto é, que você dissera que era preciso dar-lhe uma sova, e não somente pro forma, mas com vigor, como se zurze um mujique.

— Mas eu nunca disse isso! Ah! ah! ah!

— Não importa. *Se non è vero...*

— Pois bem! Obrigado, fico-lhe muito grato.

— Fique também sabendo o que me disse Karmázinov; disse que, no fundo, nossa doutrina é a negação da honra e que o meio mais fácil de atrair para si os russos é pregar abertamente o direito à desonra.

— Palavras admiráveis, palavras de ouro! — exclamou Stavróguin. — Acertou em cheio no alvo! O direito à desonra! Mas todos vão acorrer a nós, nem um quererá ficar para trás! Escute, pois, Vierkhoviénski, você não faz parte da alta polícia, hem?

— Aquele que faz girar em sua cabeça semelhantes perguntas, guarda-se em geral de exprimi-las.

— Compreendo, mas estamos a sós.

— Não, até o presente não pertenço à alta polícia. Basta, eis-nos chegados. Componha sua fisionomia, Stavróguin; eu tenho sempre cuidado de compor a minha, quando entro em casa deles. É preciso arranjar o ar mais tenebroso, eis tudo; não é lá muito astuto.

Capítulo VII / Em casa dos nossos

I

Virguínski morava na Rua da Formiga, em casa própria, ou antes, pertencente à sua mulher. Era uma casa de madeira de um só pavimento e onde não havia inquilinos. Sob pretexto de festejar o aniversário de Virguínski, cerca de quinze convidados se encontravam ali reunidos; mas a recepção não se assemelhava em nada às que se dão habitualmente na província por ocasião de um aniversário ou nascimento. Desde o princípio de sua residência ali, marido e mulher haviam concordado em declarar, duma vez por todas, que seria absolutamente estúpido convidar seus amigos para celebrar aniversários, visto como "na realidade não há nisso motivo para regozijos". Em poucos anos haviam conseguido isolar-se completamente de toda sociedade. Se bem que fosse homem dotado de aptidões e longe de ser pobre, dava a toda a gente a impressão de ser um original que amava a solidão e além do mais "pretensioso na sua conversa". A Senhora Virguínskaia exercia a profissão de parteira e se encontrava por consequência no grau mais baixo da escala social, abaixo mesmo da mulher do pope, apesar da posição que seu marido ocupava na administração. Mas carecia eminentemente da humildade que convinha à sua situação. Desde sua tola e imperdoável ligação às escâncaras com o Capitão Liebiádkin, um tratante notório, até mesmo as mais indulgentes de nossas damas voltavam-lhe as costas com um desprezo não dissimulado. Mas a Senhora Virguínskaia aceitava tudo aquilo como se fosse precisamente o que procurava. É de notar que a Arina Prókhorovna (Senhora Virguínskaia), é que aquelas mesmas damas tão virtuosas se dirigiam, quando se encontravam em estado interessante e isto de preferência a qualquer das três outras parteiras da cidade. Via-se chamada até mesmo por famílias do campo, que moravam nos arredores, tanto se acreditava na sua ciência, na sua sorte e na sua habilidade nos casos difíceis. Ávida de dinheiro, só praticava entre as damas ricas. Plenamente consciente de seu poder, acabou por se tornar prepotente. Talvez mesmo de propósito, quando servia nas melhores casas, tinha o costume de amedrontar as clientes tímidas, exibindo o desprezo mais incrível e mais niilista pelas boas maneiras, ou então zombando de "tudo quanto era sagrado", no momento mesmo em que "tudo quanto era sagrado" teria podido ser de grande utilidade. O principal doutor de nossa cidade, Rosânov — parteiro também — declarava como fato autêntico que uma vez, achando-se uma paciente com dores, enquanto gritava e fazia apelo ao Todo-Poderoso, uma piada libertina de Arina

Prókhorovna, partindo como um tiro de pistola, produzira na paciente efeito tão aterrorizador que seu parto foi grandemente acelerado. Mas embora niilista, a Senhora Virguínskaia não desdenhava, quando preciso, sacrificar às superstições e aos costumes sociais, mesmos antiquados, todas as vezes que estes pudessem trazer-lhe alguma vantagem pessoal. Não se dispensaria jamais, por exemplo, de assistir a um batizado e naquelas ocasiões não deixava de vestir um vestido de seda verde de longa cauda e de enfeitar seu penteado com cachos e caracóis, muito embora em outros momentos desse preferência a um modo de trajar desleixado. Durante toda a cerimônia religiosa, afetava sempre o ar mais insolente, a ponto de escandalizar o clero; mas uma vez terminada a cerimônia, nunca deixava de oferecer champanhe aos convidados (por isso é que comparecia e trajava-se bem) que dariam na vista se, aceitando o copo, se esquecessem de um presentinho à parteira...

Os convidados reunidos naquela noite em casa de Virguínski (homens na maior parte) tinham um aspecto fortuito e excepcional. Não havia nem ceia nem jogo de cartas. No meio do grande salão, tapeçado por um papel azul muito antigo, sobre duas mesas que tinham sido aproximadas e cobertas por uma toalha duma limpeza duvidosa, ferviam dois samovares. A extremidade da mesa estava ocupada por uma imensa bandeja sobre a qual arrumavam-se vinte e cinco copos e uma cesta contendo pão caseiro francês cortado em fatias, como se faz nos pensionatos de meninos ou meninas com certa pretensão a elegância. O chá era servido por uma solteirona duns trinta anos, a irmã de Arina Prókhorovna, criatura taciturna e rancorosa, de cabelos desbotados e desprovida de sobrancelhas, que partilhava as ideias avançadas de sua irmã e que, na vida privada, era objeto de terror para o próprio Virguínski. Só havia três mulheres na sala: a dona da casa, sua irmã sem sobrancelhas e a irmã de Virguínski, uma moça que acabara de chegar de Petersburgo. Refestelada na sua cadeira, Arina Prókhorovna, vistosa mulher de vinte e sete anos, bastante desalinhada e trazendo um vestido de lã esverdeada, de uso diário, examinava atrevidamente os convidados e seu olhar parecia dizer: "Estão vendo, não tenho o menor medo do que quer que seja". A Senhorita Virguínskaia, estudante niilista, de faces rosadas, que era bonita também, baixinha, gorducha e redondinha como uma bolinha, instalara-se ao lado de Arina Prókhorovna, quase que com seu traje de viagem. Trazia na mão um rolo de papel e passeava pelos convidados um olhar impaciente. O próprio Virguínski estava um tanto adoentado naquela noite, mas, não obstante, veio sentar-se numa poltrona colocada perto da mesa. Todos os convidados, aliás, estavam sentados, e a maneira metódica pela qual estavam colocadas as cadeiras fazia prever que se ia assistir a uma sessão. Evidentemente, estavam todos na expectativa de alguma coisa e travavam, para matar o tempo, uma conversa barulhenta mas sem ligação. Quando Stavróguin e Vierkhoviénski apareceram, fez-se súbito silêncio.

Mas vou me permitir fornecer alguns detalhes para mais precisão.

Creio que todos aqueles senhores se haviam reunido na esperança agradável de vir a conhecer alguma coisa especialmente curiosa e da qual tinham sido previamente avisados. Constituíam a fina flor do radicalismo mais vermelho de nossa velha cidade e tinham sido escolhidos a dedo por Virguínski em vista daquela "sessão". Farei observar, além disso, que alguns dentre eles (mas em pequeno número) nunca lhe tinham feito uma visita. A maior parte dos convidados, sem dúvida, não sabia muito bem por que tinham sido convocados. É verdade que naquele momento tomavam todos Piotr Stiepânovitch por um emissário do estrangeiro, delegado com plenos poderes; desde o começo esta ideia havia-se arraigado neles, não se sabe bem como, e não é preciso dizer que os lisonjeava. No entanto, entre os cidadãos reunidos sob o pretexto de festejar um aniversário, havia alguns aos quais tinha sido feitas propostas precisas. Piotr Stiepânovich conseguira criar entre nós um quinquevirato, à maneira daquele que fundara em Moscou e mesmo, como se soube mais tarde, em nossa província, entre os oficiais. Dizia-se que havia outro na província de X***. Esse quinquevirato de eleitos tomara lugar à mesa geral e os que o compunham conseguiam mui habilmente fazer cara de pessoas completamente comuns, de modo que ninguém teria podido suspeitar do que eram realmente. Estava ali — não é mais um segredo para ninguém — em primeiro lugar Lipútin, depois o próprio Virguínski, em seguida Chigáliev (um senhor de orelhas compridas, irmão da Senhora Virguínskaia), Liámchin e por fim um personagem estranho, chamado Tolkatchenko, homem duns quarenta anos, que se vangloriava de seu conhecimento profundo do povo, em particular de ladrões e bandidos, frequentava de propósito as tavernas (aliás não era só para estudar o povo) e envaidecia-se de suas roupas coçadas, de suas botas alcatroadas, de seu piscar de olhos maldoso e de sua notável facúndia de camponês. Liámchin levara-o uma ou duas vezes já às reuniões de Stiepan Trofímovitch, onde não tinha aliás produzido grande efeito. Aparecia uma vez ou outra na cidade, sobretudo quando se achava desempregado; era empregado da estrada de ferro. Todos aqueles intrépidos campeões tinham constituído esse primeiro grupo na firme convicção de que era apenas uma unidade entre centenas e milhares de grupos do mesmo gênero, disseminados por toda a Rússia e dependentes todos de um poder central imenso, mas secreto, que por sua vez estava estreitamente ligado ao movimento revolucionário de toda a Europa. Mas para meu vivo pesar, devo declarar que a cizânia começava a manifestar-se entre eles. Se bem que tivessem esperado desde a primavera a chegada de Piotr Stiepânovitch, anunciada a princípio por Tolkatchenko e em seguida pela chegada de Chigáliev, se bem que tivessem esperado dele milagres extraordinários e respondido a seu primeiro apelo sem suscitar a menor objeção, entretanto, mal constituíram o primeiro quinquevirato, começaram, não se sabe bem por que, a sentir-se todos injuriados; e suponho precisamente que era em razão do açodamento que mostraram em fazer parte dele. Tinham comparecido, é claro, impelidos por um sentimento de vergonha magnânima, temendo que não os acusassem mais tarde de não ter ousado dar sua adesão; ainda assim, Piotr Stiepânovitch deveria ter sabido reconhecer o heroísmo deles fazendo-os participar pelo menos de alguma confidência importante. Mas Vierkhoviénski não estava de modo algum disposto a satisfazer-lhes a legítima curiosidade e só lhes dizia o que achava indispensável; em geral, tratava-os com uma severidade notável e até mesmo com certa falta de consideração. Isto evidentemente os irritava e o camarada Chigáliev atiçava já os outros a "exigirem contas", mas, não é preciso dizer, não naquele momento, em casa de Virguínski, onde havia tantos não-iniciados entre os assistentes.

Tenho ideia de que os membros acima mencionados, como formando o primeiro quinquevirato, estavam inclinados a suspeitar naquela noite de que no número dos convidados de Virguínski alguns deviam fazer parte de outros grupos desconhecidos deles, pertencentes à mesma organização secreta, e fundados na cidade pelo mesmo Vierkhoviénski, tanto que, afinal de contas, todos os presentes suspeitavam uns dos outros e "faziam pose" de diversas maneiras uns para com os outros, o que dava a toda a sociedade um ar bastante desorientador e até mesmo romanesco. Aliás, havia ali também pessoas ao abrigo de toda suspeita. Por exemplo, um major da ativa, parente próximo de Virguínski, personagem perfeitamente inofensivo, que não fora convidado, que viera espontaneamente celebrar o aniversário, de modo que teria sido impossível não recebê-lo. Todavia, não causava isso inquietação alguma a Virguínski, sendo o major "incapaz de traí-los". Esse major, malgrado sua estupidez, sempre gostara de meter-se nas reuniões de radicais avançados. Pessoalmente, não lhes partilhava as ideias, mas sentia vivo prazer em ouvi-los. Mais ainda, ele próprio estivera comprometido; aconteceu que, na sua mocidade, pacotes inteiros de manifestos e de números de *O Sino* lhe tinham passado pelas mãos e embora temendo até mesmo abri-los, nem por isso deixava de considerar uma perfeita covardia recusar-se a espalhá-los. (Existe ainda na Rússia, mesmo em nossos dias, gente dessa espécie.) Os outros convidados ofereciam o tipo, ou do nobre amor-próprio ferido e irritado, ou então o tipo da generosidade ardente e impulsiva da mocidade. Havia ali dois ou três professores, dos quais um, coxo, de quarenta e cinco anos de idade, que ensinava no ginásio, era um personagem extremamente venenoso e de notável suficiência; e mais dois ou três oficiais. Entre estes últimos, um oficial de artilharia, muito moço, recém-saído duma escola militar, rapaz taciturno e que não se ligara ainda a ninguém, apresentava-se de repente naquele dia em casa de Virguínski, com um lápis na mão e mal se misturando à conversa, tomava a cada instante notas num caderninho. Todo mundo via aquilo, mas cada qual fingia não perceber. Estava também presente o seminarista ocioso que ajudara Liámchin a enfiar fotografias obscenas na sacola da vendedora de bíblias, rapaz gordo de maneiras muito desenvoltas embora desconfiadas, de sorriso imutavelmente sarcástico e que, além do mais, exibia com ar de triunfo o sentimento de sua própria perfeição. Assistia também à reunião, não sei bem por que, o filho do prefeito, aquele mesmo rapazola vicioso e prematuramente gasto, do qual já falei a propósito da aventura da mulherzinha do tenente. Não abriu a boca durante o serão. Por fim mencionarei, em último lugar, um estudante de dezoito anos, muito exaltado, de cabelos desgrenhados, que se mantinha com o ar sombrio dum homem jovem cuja dignidade se sente ofendida, e manifestamente muito embaraçado por causa de seus dezoito anos. Aquele fedelho era já o chefe de um grupo independente de conspiradores recrutados na mais alta classe do ginásio, como veio a saber-se mais tarde, para espanto geral. Não falei de Chátov. Colocara-se ao outro canto da mesa, com sua cadeira empurrada um pouco para trás do alinhamento geral; tinha os olhos fitos no chão, guardando silêncio com ar sombrio; recusou o chá e o pão e não largou um instante sequer o gorro que tinha na mão, como para mostrar que não fora como convidado, mas para tratar de negócios e que, quando o julgasse a propósito, levantaria e se retiraria. Não longe dele encontrava-se Kirílov, também bastante calado, mas não baixava a vista; pelo contrário, examinava com atenção, com seus olhos fixos e baços, cada um dos que tomavam a palavra e escutava tudo sem testemunhar a menor emoção, nem a menor surpresa. Alguns dos convidados que nunca o tinham visto lançavam-lhe às furtadelas um olhar pensativo. Conhecia a Senhora Virguínskaia a existência do quinquevirato? Presumo que ela sabia de tudo e precisamente por intermédio de seu marido. A estudante estava naturalmente fora de tudo aquilo, mas tinha também sua tarefa: contava ficar apenas um dia ou dois e ir em seguida cada vez mais longe, duma cidade universitária à outra, "a fim de tomar parte nos sofrimentos dos estudantes pobres e suscitar neles o espírito de protesto". Levava consigo várias centenas de exemplares dum manifesto litografado que ela própria, creio, havia redigido. É de notar que o escolar sentiu por ela desde o começo um ódio por assim dizer mortal, se bem que fosse a primeira vez em sua vida que a visse; e ela sentia por ele o mesmo. O major era tio da moça, a quem revia hoje pela primeira vez desde dez anos. Quando Stavróguin e Vierkhoviénski entraram, tinha ela as faces vermelhas como um tomate; acabava de discutir com seu tio a respeito do feminismo.

II

Com acentuada displicência, Vierkhoviénski deixou-se cair na cadeira, na extremidade da mesa, quase sem cumprimentar ninguém. Sua expressão era desdenhosa, altiva mesma. Stavróguin inclinou-se polidamente, mas muito embora todos os assistentes só estivessem à espera de sua chegada, todos, como se o houvessem combinado, afetaram ter apenas notado sua presença. A dona da casa voltou-se para Stavróguin com ar severo, logo que ele sentou.

— Stavróguin, quer chá?

— Pois não — respondeu ele.

— Chá para Stavróguin — comandou ela à sua irmã, sentada junto do samovar. — E o senhor, quer? (estas palavras dirigiam-se a Vierkhoviénski).

— Decerto. Isto é pergunta que se faça a um convidado? E dê-me também creme; o que se serve em sua casa como se fosse chá é uma droga tão infecta! E ainda por cima num dia de aniversário!

— Como? Também é partidário o senhor da celebração de aniversários? — disse, de repente, a estudante, rindo. — Falava-se disso ainda há pouco.

— É velharia — resmungou o colegial, lá do outro extremo da mesa.

— Que é que é velharia? Desprezar preconceitos, mesmo os mais inocentes, não é velharia; pelo contrário, para vergonha nossa, é até aqui uma novidade — retorquiu logo a estudante, prestes a saltar para diante. — Aliás, não há preconceitos inocentes — acrescentou, com veemência.

— Eu queria dizer, simplesmente — exclamou o colegial, com violenta agitação, — que muito embora os preconceitos sejam naturalmente velharias e precisem ser extirpados, entretanto, no que se refere a aniversários, cada qual sabe que são estúpidos e coisa demasiado antiquada para que se gaste nisso um tempo precioso e já sem eles esperdiçado por todo mundo, de modo que valeria mais a pena empregar o espírito em algo de mais útil...

— Fala você com tal prolixidade que não se compreende nada — disse a estudante, elevando a voz.

— Parece-me que cada qual tem igualmente direito de tomar a palavra e se tenho vontade de exprimir minha opinião contra não importa quem...

— Ninguém lhe retira o direito de exprimir sua opinião — interrompeu secamente a própria dona da casa. — Convida-se somente você a deixar de atropelar as palavras desse jeito porque ninguém pode compreendê-lo.

— Permita, contudo, que lhe faça observar que a senhora não me está tratando com a devida consideração. Se não pude exprimir inteiramente meu pensamento, não foi por falta de ideias, mas antes por superabundância de ideias — balbuciou o colegial quase desesperado e perdendo completamente a calma.

— Se não sabe falar, pois então cale-se — atirou-lhe a estudante.

O colegial levantou-se dum salto.

— Queria simplesmente dizer — exclamou ele, vermelho de vergonha e não ousando olhar em redor de si, — que você apenas procura exibir seu espírito porque o Senhor Stavróguin entrou... É isso!

— É essa uma ideia suja, imoral e que prova a nulidade de sua educação. Rogo-lhe que não me dirija mais a palavra — replicou violentamente a moça.

— Stavróguin — começou a dona da casa, — discutia-se, antes de sua chegada, direitos da família. Olhe esse oficial — disse ela, indicando com um sinal da cabeça o major, seu parente. — Não é preciso dizer que não lhe infligirei o aborrecimento de ouvir repetir bobagens tão rebatidas e que desde muito tempo foram julgadas. Mas donde puderam tomar os direitos e deveres da família, no sentido de "preconceito" com que agora os imaginem? Eis a questão. Que pensa o senhor?

— Como? Que entende a senhora por "donde" puderam tomar? — perguntou Stavróguin, por sua vez.

— Sabemos, por exemplo, que o preconceito referente a Deus teve como origem o trovão e os raios — exclamou a estudante, precipitando-se de novo no debate, fixando em Stavróguin olhos que pareciam saltar-lhe das órbitas. — É fato bem conhecido que o homem primitivo, aterrorizado pelo trovão e pelos raios, divinizou o inimigo invisível, na presença do qual sentia sua fraqueza. Mas donde nasceu o preconceito da família? Donde nasceu a própria família?

— Não é de todo a mesma coisa... — disse a Senhora Virguínskaia, procurando contê-la.

— Presumo que a resposta a esta pergunta seria indecente — respondeu Stavróguin.

— Como assim? — perguntou a moça, avançando o busto para a frente.

Mas no grupo dos professores fizeram-se ouvir risadas abafadas que logo encontraram eco na outra extremidade da mesa, em Liámchin e no colegial, eco que veio a ser reforçado pela ruidosa gargalhada do major, parente da moça.

— O senhor deveria escrever *vaudevilles* — disse, com ar afetado, a Senhora Virguínskaia a Stavróguin.

— Isto não redunda em honra sua; não sei como o chamam — interrompeu a estudante, positivamente indignada.

— Mas mostra-te um pouco reservada — trovejou o major. — És uma moça e devias comportar-te com modéstia em lugar de te remexeres, como se estivesses sentada em cima de uma agulha.

— Faça-me o favor de calar-se e poupe-me suas familiaridades e suas ignóbeis comparações. Vejo-o pela primeira vez e nada quero saber de seu parentesco.

— Mas vejamos, sou teu tio! Carreguei-te em meus braços, quando não passavas de uma criancinha.

— Que me importa que me tenha carregado nos braços? Não lhe pedi que me carregasse, portanto devia ser um prazer para o senhor, oficial mal-educado que é. E permita-me que lhe observe que não deve tratar-me por "tu", à moda da cidade. Proibo-lhe de uma vez por todas!

O major esmurrou a mesa.

— São todas assim! — exclamou ele, dirigindo-se a Stavróguin sentado à sua frente. — Mas, permita-me: gosto do liberalismo e das ideias modernas e sinto prazer em escutar uma conversa inteligente, uma conversa masculina, por exemplo, previno-o. Mas escutar essas mulheres, esses moinhos de palavras... não, é um suplício para mim. Não te retorças desse jeito! — gritou ele para a moça que saltava em sua cadeira. — Não, peço também a palavra, fui insultado.

— O senhor só faz incomodar os outros e nada sabe dizer — resmungou a dona da casa, indignada.

— Não, direi o que tenho de dizer — gritou o major muito exaltado, dirigindo-se a Stavróguin. — Conto com o senhor, Stavróguin, a título de recém-chegado, se bem que não tenha a honra de conhecê-lo. Sem os homens, morrerão elas como moscas, eis minha opinião. Toda essa questão delas de feminismo não passa de falta de originalidade. Asseguro-lhe que toda essa questão da mulher foi inventada para elas pelos homens, por pura bestice e em seu próprio detrimento. Graças a Deus, não sou casado. Não oferecem elas a menor variedade, não sabem mesmo inventar a menor bagatela, são os homens que as inventam para elas. Veja essa aí: ninei-a nos meus braços, dancei a mazurca com ela quando tinha ela dez anos; chega hoje aqui, precipito-me naturalmente para beijá-la e sua segunda palavra é para dizer-me que não há Deus. Teria podido esperar a terceira, mas não! Havia pressa disso! Vamos, ainda passa que as pessoas de espírito não sejam crentes, isto se deve sem dúvida a seu espírito. Mas tu, peruinha, que sabes de Deus? — disse-lhe eu. Foi algum estudante que te ensinou isso e se ele te tivesse ensinado a acender lâmpadas diante dos ícones, tu as acenderias.

— O senhor só faz dizer mentiras, é um homem mau. Demonstrei-lhe ainda há pouco que sua tese é insustentável — respondeu a moça com desprezo, como desdenhando discutir mais com tal indivíduo. — Disse-lhe ainda há pouco que nos ensinaram a todos, de acordo com o catecismo, que se honrarmos pai e mãe, teremos vida longa e riqueza. Está nos dez mandamentos. Se Deus achou necessário oferecer recompensas pelo amor, então vosso Deus é imoral. Eis em que termos lhe fiz minha demonstração e não à segunda palavra, mas porque o senhor pretendia afirmar seus direitos. Não é culpa minha que o senhor seja tapado e se até agora não compreendeu. Isto lhe causa vexame e o senhor se encoleriza e por aí se explica todo o segredo de vossa geração.

— Estupidazinha! — proferiu o major.

— E o senhor é um imbecil!

— Isto mesmo, injurie-me!

— Mas permita-me, Capitão Maksímovitch, o senhor mesmo me disse que não *acreditava em Deus — disse Lipútin*, com voz aguda, lá da outra extremidade da mesa.

— E ainda mesmo que o tivesse dito, é outro negócio. Creio talvez, somente não de uma maneira plena e completa. Mesmo que não creia completamente, não digo, no entanto, que se deva fuzilar Deus. Já, quando servia ainda nos hussardos, pensava algumas vezes em Deus. Segundo todos os poemas, está admitido que o hussardo só faz beber e banquetear-se. Sim, com efeito, eu bebia, talvez, mas, acreditariam vocês?, saltava de meu leito durante a noite e, somente de meias, ficava a fazer o sinal da cruz diante dos ícones, rogando a Deus que me desse fé porque mesmo então não estava tranquilo a respeito da questão de saber se há ou não um deus. Eis até que ponto isso me atormentava! De manhã, naturalmente, a gente se divertia e parecia que a fé estivesse perdida, e, de fato, notei que, durante o dia, a fé parece sempre enfraquecer mais.

— Não tem baralho? — perguntou Vierkhoviénski, com um bocejo sonoro, dirigindo-se à Senhora Virguínskaia.

— Aprovo sua pergunta, aprovo-a sem reservas — exclamou a estudante com calor, toda rubra de indignação que lhe causavam as palavras do major.

— Perde-se um tempo precioso escutando bobagens — disse a dona da casa, num tom seco, lançando a seu marido um olhar de censura.

A moça voltou à sua mania.

— Queria fazer uma declaração à assembleia a respeito dos sofrimentos dos estudantes e de seu protesto, mas já que perdemos nosso tempo sustentando uma conversa imoral...

— Nada é moral ou imoral! — exclamou o colegial, incapaz de conter-se, assim que a moça tomava a palavra.

— Já sabia disto, senhor colegial, bem antes de lhe haverem ensinado.

— E eu mantenho — replicou ele, num tom raivoso, — que você é uma garota vinda de Petersburgo para nos esclarecer a todos, se bem que conheçamos nós mesmos o mandamento "honrarás teu pai e tua mãe", que você não soube repetir corretamente; e que seja ele imoral, todo mundo sabe na Rússia, desde Bielínski.

— Será que isso não vai acabar? — perguntou resolutamente a Senhora Virguínskaia a seu marido. Na sua qualidade de dona da casa, corava da inépcia da conversa, tanto mais quanto notava os sorrisos e até mesmo o espanto daqueles dentre os convidados que ali se encontravam pela primeira vez.

— Senhores — disse Virguínski, elevando de repente a voz, — se alguém deseja fazer uma comunicação referente de mais perto ao nosso caso, convido-o a começar, sem perda de tempo.

— Tomarei a liberdade de fazer apenas uma pergunta — disse com uma voz doce o professor coxo que se mantivera calado até então e conservava uma atitude de dignidade especial. — Desejaria saber se constituímos aqui uma sessão qualquer ou se não somos senão uma reunião de simples mortais em visita? Pergunto isto mais no interesse da ordem e a fim de não ficar na incerteza.

Esta pergunta "maliciosa" causou certa impressão; todos se entrefitaram, cada qual esperando que o vizinho respondesse; e subitamente, como a uma palavra de ordem, todos os olhares se voltaram para Vierkhoviénski e Stavróguin.

— Proponho simplesmente que se ponha a votos a resposta a esta pergunta: constituímos, sim ou não, uma sessão? — declarou a Senhora Virguínskaia.

— Adiro inteiramente a essa proposta — acrescentou Lipútin, — se bem que seja ela um tanto vaga.

— E a ela adiro também, — e eu também — ouviu-se de vários lados.

— Parece-me, com efeito, que isto daria às nossas deliberações um caráter mais regular — aprovou Virguínski.

— Pois bem, votemos — declarou a dona da casa. — Liámchin, queira sentar ao piano, poderá você dar seu voto de lá, quando se proceder ao escrutínio.

— Ainda? — exclamou Liámchin. — Já toquei demais para você.

— Rogo-lhe instantemente, sente e comece a tocar. Não quer ser útil à causa?

— Mas asseguro-lhe, Arina Prókhorovna, que ninguém está por aí à escuta. É pura imaginação de sua parte. Aliás, as janelas são altas e as pessoas não compreenderiam, mesmo se ouvissem alguma coisa.

— Nós mesmos não compreendemos nada — resmungou alguém.

— Pois eu lhe digo que devemos sempre ser cautelosos, para o caso de haver espiões — explicou ela a Vierkhoviénski: — É bom que se ouça da rua que é dia de aniversário e que estamos tocando música.

— Com os diabos! — praguejou Liámchin, que se pôs ao piano e começou a tocar uma valsa a toda a força, batendo nas teclas por assim dizer a punhadas e a esmo.

— Proponho que aqueles que querem que seja uma sessão levantem a mão direita — propôs a Senhora Virguínskaia.

Uns levantaram a mão, outros abstiveram-se. Houve outros que levantaram a mão, depois a baixaram, para levantá-la de novo, ao fim dum instante.

— Com os diabos! Não compreendi nada! — gritou um dos oficiais.

— Nem eu! — gritou outro.

— Oh! eu compreendo — gritou um terceiro personagem. — Se é sim, levanta-se a mão.

— Mas que é que significa "sim"?

— "Sim" significa a sessão.

— Votei pela sessão — e o colegial, dirigindo-se à Senhora Virguínskaia.

— Então por que não levantou a mão?

— Olhei para a senhora, a senhora não levantou a mão, então eu não levantei a minha tampouco.

— Que estupidez! Não levantei a mão porque era eu que punha a questão em votação. Senhores, passemos agora à contraprova. Aqueles que querem uma sessão fiquem imóveis sem levantar a mão e os que não querem levantem a mão direita.

— Os que não querem? — perguntou o colegial.

— Será que você faz isso de propósito? — exclamou a Senhora Virguínskaia, furiosa.

— Não, permita, quem é que quer e quem é que não quer? Porque é preciso que fiquemos certos sobre este ponto — exclamaram duas ou três vozes.

— Quem não quer, não quer.

— Sim, mas que é preciso fazer, levantar a mão ou não levantá-la, se não se quer? — exclamou um dos oficiais.

— Eh! eh! não temos ainda o hábito do regime constitucional — observou o *major*.

— Senhor Liámchin, desculpe-me, mas o senhor bate com tanta força que não se ouve — comentou o professor coxo.

— Mas, dou-lhe minha palavra, Arina Prókhorovna, ninguém ouve, garanto--lhe — exclamou Liámchin, levantando-se bruscamente. — E depois não posso tocar. Vim à sua casa a título de visita e não de batedor!

— Senhores — propôs Virguínski, — respondam de viva voz: estamos em sessão, sim ou não?

— Em sessão, em sessão. — gritou-se de todos os lados.

— Se é assim, não temos necessidade de votar, isto basta. Estão satisfeitos, senhores? É necessário proceder a uma votação?

— Não é necessário, não é necessário, compreendemos.

— Talvez alguém não deseje que haja uma reunião.

— Não, não, todos a queremos.

— Mas que entendem por sessão? — gritou uma voz. Ninguém lhe respondeu.

— É preciso eleger um presidente — exclamaram de vários lados.

— Nosso anfitrião, bem entendido, nosso anfitrião!

— Senhores, já que é assim — começou Virguínski, o presidente designado, — volto à minha proposta primitiva. Se alguém tem alguma declaração a fazer, que a faça sem perda de tempo.

Silêncio geral. Todos os olhares voltaram-se de novo para Vierkhoviénski e Stavróguin.

— Vierkhoviénski, não tem nenhuma declaração a fazer? — perguntou-lhe diretamente a Senhora Virguínskaia.

— Nenhuma, absolutamente — respondeu ele, bocejando e estirando-se em sua cadeira. — Mas tomarei de boa vontade um copo de conhaque.

— E o senhor, Stavróguin?

— Obrigado, não bebo.

— Pergunto se o senhor não quer tomar a palavra e não se o senhor quer conhaque.

— Falar? A propósito de quê? Não, não quero.

— Vão trazer-lhe o conhaque — anunciou a dona da casa a Vierkhoviénski.

A jovem estudante ficou em pé. Tinha levantado bruscamente várias vezes já.

— Vim para falar dos sofrimentos dos estudantes pobres e dos meios de levá--los a protestar por toda parte e ao mesmo tempo.

Mas interrompeu-se. Na outra extremidade da mesa, um concorrente levantara e todos os olhares voltaram-se para ele. Chigáliev, o homem das orelhas compridas, levantou lentamente de sua cadeira, com ar sombrio e mal-humorado e depôs melancolicamente sobre a mesa um espesso caderno coberto duma letra miúda. Ficou de pé, em silêncio. Vários contemplavam o caderno com ar consternado, mas Lipútin, Virguínski e o professor coxo pareciam experimentar certa satisfação.

— Peço a palavra — declarou Chigáliev, com ar sombrio, mas resoluto.

— Tem a palavra — respondeu Virguínski.

O orador sentou-se, ficou silencioso um meio minuto, depois começou em tom solene:

— Senhores!...

— Eis o conhaque — interrompeu a irmã que servira o chá e fora buscar o conhaque, colocando com ar de desprezo e de desdém diante de Vierkhovienski a garrafa e o copo que trouxera na mão, sem bandeja, nem prato.

O orador, interrompido, fez uma pausa muito digna.

— Não é nada, continue, não estou ouvindo — gritou-lhe Vierkhoviénski, servindo-se um copo de conhaque.

— Senhores, ao reclamar vossa atenção e, como o vereis dentro em pouco, ao solicitar vosso concurso para um assunto duma importância primordial, é-me preciso, em primeiro lugar, proceder a algumas observações preliminares — continuou Chigáliev.

— Arina Prókhorovna, não terá você uma tesoura? — perguntou de repente Piotr Stiepânovitch.

— Uma tesoura? Para fazer o quê? — perguntou esta, arregalando os olhos.

— Esqueci-me de cortar as unhas; há três dias que quero fazê-lo — disse ele, examinando com ar tranquilo suas unhas compridas e sujas.

Arina Prókhorovna ficou rubra de cólera, mas havia naquilo alguma coisa que não desagradava à Senhorita Virguínskaia.

— Creio tê-la visto na janela há um instante — depois, levantando, foi procurá-la e trouxe-a logo. Piotr Stiepânovitch, sem mesmo olhá-la, pegou a tesoura e pôs-se a fazer uso dela imediatamente. Arina Prókhorovna compreendeu que era aquilo realismo eficaz e envergonhou-se de sua susceptibilidade. Os convidados entreolharam-se em silêncio. O professor coxo observava Vierkhoviénski com ar malévolo e invejoso. Chigáliev prosseguiu seu discurso.

— Depois de ter-me consagrado inteiramente ao estudo da organização social que deve substituir no futuro o estado de coisas atual, cheguei à convicção de que todos os inventores de sistemas sociais, desde os tempos mais remotos até este ano de 187..., foram sonhadores, contadores de histórias de fadas, simplórios que se contradiziam a si mesmos e nada entendiam da ciência natural e desse estranho animal que se chama homem. Platão, Rousseau, Fourier são colunas de alumínio, boas quando muito para os pardais e não para a sociedade humana. Ora, como uma nova forma de organização social tornou-se agora necessária e já que estamos afinal decididos a passar à ação, para evitar mais longa hesitação diante do sistema a escolher, proponho o meu. Ei-lo (e bateu no seu caderno). Teria querido expor meus pontos de vista a esta assembleia sob a forma mais concisa possível, mas vejo que preciso acrescentar ainda grande número de explicações verbais, de modo que minha exposição exigirá pelo menos dez serões, de acordo com o número de capítulos de meu livro.) (Estouraram algumas risadas.) Além disso, devo declarar que meu sistema não está ainda completamente terminado. (Novas risadas.) Embaracei-me em meus próprios dados e minha conclusão acha-se em contradição direta com a ideia que me serviu de ponto de partida. Partindo da liberdade ilimitada, cheguei ao despotismo sem limites. Acrescento, entretanto, que não poderia haver solução do problema social diferente da minha.

As risadas aumentavam, mas provinham sobretudo dos membros do auditório mais jovens e menos iniciados. A Senhora Virguínskaia, Lipútin e o professor coxo não deixavam de manifestar algum desagrado.

— Se o senhor não conseguiu coordenar seu sistema e conduziu-o ele ao desespero, que quer o senhor que façamos? — atreveu-se a dizer um oficial.

— Tem razão, senhor oficial — replicou Chigáliev, num tom seco, — sobretudo quando fala o senhor em desespero. Entretanto, nada pode substituir o sistema exposto em meu livro e não haverá outra solução; não se encontrará nada igual. É por isso que, sem perda de tempo, convido todos quantos aqui se acham que venham ouvir a leitura de meu livro durante dez serões e dizer-me depois o que pensam dele. Se os membros desta sociedade não estão dispostos a escutar--me, separemo-nos imediatamente, os homens para se porem a serviço do Governo, as mulheres para voltar à sua cozinha; porque se vós rejeitais minha solução, não encontrareis outra, nenhu...ma outra. Se se deixa escapar a ocasião, será tanto pior, porque sereis obrigados a ela voltar.

Houve um começo de agitação. "Estará louco?", perguntaram algumas vozes.

— Assim, pois, toda a questão está no desespero de Chigáliev — disse Liámchin, à guisa de comentário, — e o ponto essencial é saber se ele deve ou não desesperar.

— Que Chigáliev esteja a ponto de cair no desespero, é isto uma questão pessoal — declarou o colegial.

— Proponho que se recorra ao voto para saber até que ponto o desespero de Chigáliev interessa à causa comum, e, ao mesmo tempo, se vale ou não a pena escutá-lo — sugeriu alegremente um oficial.

— Há aqui outra coisa — interveio o professor coxo. Tinha o hábito, ao falar, de exibir um sorriso bastante zombeteiro, de modo que era difícil saber se falava seriamente ou se brincava. — Há aqui outra coisa, senhores. O Senhor Chigáliev dedica-se por demais inteiramente à sua tarefa, e portanto é muito modesto. Conheço seu livro. Sugere como solução definitiva dividir a humanidade em duas partes desiguais. Um décimo dos homens gozaria duma liberdade absoluta e exerceria sobre os nove outros décimos uma autoridade sem limites. Os outros deveriam renunciar a todo individualismo, tornar-se por assim dizer um rebanho, e, por uma submissão sem limites, chegariam, por meio de uma série de regenerações, ao estado de inocência primitiva, algo como o Éden primitivo, se bem que, todavia, devam nele trabalhar. As medidas preconizadas pelo autor com o fim de arrancar aos nove décimos da humanidade seu livre-arbítrio e transformá-la em rebanho, graças à educação de gerações inteiras, são muito notáveis, baseadas em exemplos tirados das ciências naturais, e de uma alta lógica. Pode-se não partilhar de sua maneira de ver a respeito de certos pontos, mas seria difícil duvidar da inteligência e do saber do autor. É lamentável que as circunstâncias não nos permitam consagrar-lhe os dez serões que ele reclama, porque seria para nós ocasião de. ouvir coisas bastante curiosas.

— É possível que o senhor fale seriamente? — perguntou a Senhora Virguínskaia ao coxo, com voz inquieta. — É possível que esse homem, não sabendo o que fazer das pessoas, queira reduzir à escravidão os nove décimos delas? Suspeitava disso desde muito tempo.

— Diz isso de seu próprio irmão? — perguntou o coxo.

— O quê? Ainda os laços do sangue? Zomba de mim?

— E depois, trabalhar para os aristocratas e obedecer-lhes como se fossem deuses, é uma covardia — declarou a jovem estudante, num tom feroz.

— O que proponho não é uma covardia; é um paraíso, um paraíso terrestre e não poderá existir outro sobre a terra! — disse Chigáliev, com autoridade.

— Quanto a mim — exclamou Liámchin, — se não soubesse o que fazer dos nove décimos da humanidade, faria com que fossem pelos ares em lugar de dar-

-lhes o paraíso. Só deixaria um punhado de pessoas instruídas que, organizando-se segundo os princípios científicos, viveriam para sempre felizes.

— Somente um bufão pode falar assim — exclamou a moça, encolerizada.

— É um bufão, mas é útil — cochichou-lhe a Senhora Virguínskaia ao ouvido.

— E talvez fosse essa a melhor solução do problema — retorquiu Chigáliev, voltando-se furioso para Liámchin. — Você não sabe seguramente quanto o que acaba de dizer é profundo, meu jovial amigo. Mas como não é possível pôr sua ideia em prática, é preciso ater-nos àquela do paraíso terrestre, pois foi assim que o chamaram.

— Que amontoado de bobagens! — deixou escapar por descuido Vierkhoviénski. Aliás, nem levantou a vista e continuou cortando as unhas com uma perfeita displicência.

— Por que bobagens? — disse o coxo, como se tivesse tocaiado o momento de apanhar as primeiras palavras para a elas agarrar-se. — Por que seriam bobagens? O Senhor Chigáliev é um tanto fanático no seu amor pela humanidade, mas lembre-se de que Fourier, Cabet mais ainda e o próprio Proudhon recomendaram certo número de medidas das mais despóticas e até mesmo fantasistas. O Senhor Chigáliev é talvez muito mais sensato do que eles nas suas propostas. Asseguro-lhe que, lendo o seu livro, é impossível não partilhar de sua opinião sobre certos pontos. Afastou-se talvez menos do realismo que outros e seu paraíso terrestre é quase o verdadeiro, aquele mesmo cuja perda os homens lamentam, se é que ele algum dia existiu.

— Bem duvidava que iria perder o meu tempo — resmungou Vierkhoviénski.

— Permita — disse o coxo, cada vez mais excitado. — Em nossos dias, as conversas e discussões sobre a organização futura da sociedade são quase uma verdadeira necessidade para quem quer que medite. Herzen não se ocupou com outra coisa durante sua vida. Bielínski, sei de fonte muito segura, tinha o hábito de passar serões inteiros a discutir com seus amigos e regular de antemão, e por assim dizer até nos mínimos detalhes, a organização social do futuro.

— Há mesmo pessoas que ficam loucas por causa disso — disse de repente o major.

— Em todo o caso, somos mais susceptíveis de chegar a alguma coisa conversando do que nos mantendo em silêncio e com atitudes de ditadores — ganiu Lipútin, zombeteiro, como se se arriscasse por fim a começar o ataque.

— Não fazia alusão às ideias de Chigáliev quando falei de bobagens — sussurrou Vierkhoviénski. — Vede, senhores — ergueu ligeiramente os olhos, — na minha opinião, todos esses livros, Fourier, Cabet, todos esses discursos e essas teorias sobre "o direito ao trabalho", esse "chigalievismo", são como os romances que se podem escrever à razão de cem mil: um passatempo estético. Compreendo que, aborrecendo-vos nesta cidadezinha, vós vos lanceis ao papel impresso.

— Perdão — disse o coxo, agitando-se na sua cadeira, — embora sejamos provincianos e, por conseguinte, seres dignos de compaixão, sabemos, no entanto, que até aqui nada se passou no mundo de bastante novo para que o pesar de ter perdido isso nos arranque lágrimas. Brochuras chegadas do estrangeiro, em que nos convidam que nos agrupemos com o único fim de provocar a destruição universal, são-nos distribuídas clandestinamente. Ali se declara que algo que se faça para melhorar o mundo, nada de bom será jamais, mas cortando-se cem milhões de cabeças, a tarefa ficará simplificada e seria então menos perigoso transpor o fosso. Bela ideia, decerto, mas tão impraticável quanto o "chigalievismo", ao qual o senhor fazia tão desdenhosamente alusão há um instante.

— Bem, mas não vim aqui para discutir. — Vierkhoviénski deixou cair esta frase significativa e, como se não se desse conta da rata que acabava de cometer, puxou a vela para seu lado, a fim de ver melhor.

— É pena, é uma grande pena, que o senhor não tenha vindo para discutir e é grande pena que esteja neste momento tão absorvido em seu asseio pessoal.

— Que é que tem o senhor que ver com o meu asseio pessoal?

— Cortar cem milhões de cabeças é tão difícil quanto transformar o mundo pela propaganda. Talvez mesmo mais difícil ainda, na Rússia sobretudo, — arriscou ainda Lipútin.

— É sobre a Rússia que repousam agora as esperanças — replicou um oficial.

— Ouvimos também dizer que é com ela que se conta — prosseguiu o coxo. — Sabemos que um dedo misterioso, apontado para nosso delicioso país, indica-o como o terreno mais propício à realização da grande obra. Mas há o seguinte: ganharei sempre alguma coisa com a solução gradual do problema pela propaganda; isto me valerá pelo menos o tagarelar com deleite e ver o Governo reconhecer, numa certa medida, os serviços que terei prestado à causa social. Ora, se se adota a outra maneira de fazer, o método rápido que consiste em cortar cem milhões de cabeças, que ganharei com isso, pessoalmente? Desde que se começa a fazer propaganda, já a língua é cortada.

— A sua cortarão, decerto — disse Vierkhoviénski.

— Estão vendo? E como, mesmo nas circunstâncias mais favoráveis, não poderíeis levar a efeito esse massacre em menos de cinquenta ou, no melhor dos casos, trinta anos, — porque não trataríeis com carneiros, sabeis bem, e talvez não se deixassem eles decapitar, — não seria preferível fazer bagagem e emigrar para alguma ilhota tranquila do Oceano Pacífico para ali acabar seus dias em paz? Acreditai-me — bateu com o dedo sobre a mesa, com ar significativo, — não fareis, por esse meio de propaganda, senão encorajar a emigração e nada mais.

Acabou estas palavras com uma expressão de triunfo. Era uma das cabeças fortes da província. Lipútin sorriu perfidamente; Virguínski escutara com ar abatido; os outros acompanhavam a discussão com grande interesse, sobretudo as senhoras e os oficiais. Todos se davam conta de que o partidário dos cem milhões de cabeças estava encostado ao muro e esperavam o que iria resultar disso.

— O senhor disse aí, no entanto, algo de bom — resmungou Vierkhoviénski, num tom ainda mais indiferente e até mesmo com tédio. — Emigrar é uma excelente ideia. No entanto, se a despeito de todas as desvantagens evidentes que o senhor prevê, o número dos soldados que se apresentam para defender a causa comum vai *aumentando todos os dias*, essa causa poderá prescindir do senhor. É uma religião nova, meu *bátiuchka*, que acaba de tomar o lugar da antiga e por isso tantos soldados levantam para defendê-la. Este fato tem grande importância. O senhor faria melhor emigrando. E, sabe o senhor, eu lhe aconselharia Dresden, e não a "ilhota tranquila". Em primeiro lugar, é uma cidade onde nunca houve epidemia e, como é o senhor um homem culto, teme sem dúvida a morte. Além disto, está situada perto da fronteira russa, de modo que o senhor poderia mais facilmente receber subsídios de sua bem amada pátria. Em terceiro lugar, contém o que se chama tesouros de arte e o senhor é um esteta; o senhor foi, anteriormente, creio, professor de literatura. E, por fim, encontra-se ali uma verdadeira Suíça em miniatura que lhe fornecerá inspirações poéticas, porque sem dúvida o senhor escreve versos. Em uma palavra, a marmita terá achado sua tampa.

Produziu-se um movimento geral, entre os oficiais sobretudo. Mais um momento e eles começariam todos a falar ao mesmo tempo. Mas o coxo replicou, num tom irritado:

— Não, talvez não vamos ainda abandonar a causa comum! O senhor deve compreender que...

— Como? Aceitaria o senhor entrar para o quinquevirato, se eu propusesse? — perguntou com súbita impetuosidade Vierkhoviénski, pousando a tesoura em cima da mesa.

Todos tiveram como que um arrepio. O homem enigmático desmascarava-se demasiado bruscamente. Falara mesmo abertamente do quinquevirato.

— Cada qual tem o sentimento de ser um homem de bem e quererá desempenhar honestamente seu papel na causa comum — disse o coxo, procurando sair-se o melhor possível. — Mas...

— Não, a questão não suporta “mas” — replicou Vierkhoviénski, interrompendo-o em tom severo e peremptório. — Digo-vos, senhores, preciso de uma resposta clara. Compreendo perfeitamente que, tendo vindo aqui e tendo-vos eu mesmo convocado para esta reunião, tenho obrigação de dar-vos explicações (ainda uma revelação inesperada), mas não posso dar-vos nenhuma, enquanto não souber qual o vosso modo de sentir a respeito da questão que nos ocupa. Para dizer a coisa em duas palavras, pois não podemos continuar a discorrer ainda trinta anos, e como se tem feito durante estes últimos trinta anos, pergunto-vos o que preferis: a maneira lenta, que consiste na composição de romances socialistas e na decisão acadêmica dos destinos da humanidade daqui a mil anos, enquanto o despotismo engolirá os pedaços saborosos que voariam quase por si mesmos para vossas bocas, se vos quisesses dar esse trabalho; ou então preferis uma solução rápida que, não importa como, vos desatará afinal as mãos e permitirá que a humanidade crie sua própria organização social, realmente e não no papel? Grita-se: “um milhão de cabeças!”. Isto pode ser apenas uma metáfora. Mas por que ter medo, se, graças aos lentos devaneios no papel, o despotismo deve devorar numa centena de anos não cem, mas quinhentos milhões de cabeças? Notai também que um doente incurável não poderá jamais curar-se, quaisquer que sejam as receitas que lhe aviem. Pelo contrário, se seu fim é retardado, apodrecerá de tal maneira que nos infeccionará a todos também e contaminará todas as forças sadias com as quais se poderia ainda contar, de modo que afinal todos pereceremos. Sou completamente de opinião que é extremamente agradável tagarelar à vontade e com eloquência, mas agir... aí é que está! Aliás, não sou orador! Vim aqui para fazer comunicações, assim peço a toda a honrada assistência que não vote, mas diga simplesmente, indo direta ao fato, o *que prefere: patinhar no* lodaçal a passo de tartaruga ou atravessá-lo a todo vapor?

— Sou certamente de opinião que se deve atravessá-lo a todo vapor — disse o colegial, num transporte de entusiasmo.

— E eu também — disse Liámchin, fazendo eco.

— A escolha não poderia ser duvidosa — resmungou um oficial seguido por outro, depois por algum outro ainda. O que os havia impressionado a todos é que Vierkhoviénski viera fazer-lhes "comunicações" e acabava ele próprio de prometer falar.

— Senhores, estou vendo que quase todos se decidem no sentido das proclamações — disse ele, correndo um olhar por toda a assembleia.

— Todos, todos — gritou a maioria das vozes.

— Confesso que sou antes partidário duma solução mais humana — declarou o major, — mas como todos são de opinião contrária, coloco-me ao lado de todos.

— E por consequência, o senhor não faz oposição — disse Vierkhoviénski, dirigindo-se ao coxo.

— Não, positivamente não... — respondeu esse último, corando, — mas se me alio agora à opinião de todos é unicamente para não perturbar...

— Sois todos assim ! Prontos a discutir durante seis meses para exercitar vossa eloquência liberal e no fim votais como os outros! Senhores, refleti, entretanto, é verdade que estais todos prontos?

(Prontos a quê? A pergunta era vaga, mas bem sedutora.)

— Naturalmente, estamos todos prontos! — disseram algumas vozes. Aliás, não deixavam de olhar uns para os outros.

— Mas talvez lamenteis mais tarde ter dado tão depressa vosso consentimento. É quase sempre assim convosco.

O auditório mostrava-se bastante excitado. O coxo exclamou vivamente:

— Permita que lhe faça notar que as respostas a este gênero de pergunta não são jamais senão condicionais. Mesmo se tivéssemos dado a conhecer nossa decisão, deve o senhor considerar que perguntas feitas de tão estranha maneira...

— Onde está a estranheza dessa maneira?

— É estranha porque não se fazem assim perguntas como estas!

— Então ensine-me, por favor, a maneira de fazê-las. Mas, sabe de uma coisa? Estava certo de que o senhor seria o primeiro a tirar o corpo fora.

— O senhor arrancou-nos uma resposta de que estamos dispostos à ação imediata. Mas com que direito o fez? Onde estão os plenos poderes que o autorizavam a fazer semelhantes perguntas?

— Deveria ter pensado nisso mais cedo! O senhor consente, depois muda de opinião.

— Mas na minha opinião a franqueza estouvada de sua primeira pergunta faz-me pensar que o senhor não tem nenhuma autoridade, nenhum direito, e que. sua pergunta não tinha outro fim senão satisfazer sua curiosidade pessoal.

— Que quer dizer? Que quer dizer? — exclamou Vierkhoviénski, começando a mostrar-se bastante alarmado.

— Isto: qualquer que seja a coisa à qual lhe agrada iniciar os novos aderentes, deve fazê-lo em entrevista pessoal e não na presença de vinte pessoas desconhecidas — exclamou o coxo, sem consideração. Ia às últimas, demasiado irritado para poder conter-se. Vierkhoviénski voltou-se para a assembleia, simulando um ar de profunda inquietação:

— Senhores, considero um dever declarar que isso são bobagens e nossa conversa foi longe demais. Jamais até aqui iniciei quem quer que seja e ninguém tem o direito de dizer de mim que inicio aderentes. Só fazíamos emitir opiniões. É bem isto, não é mesmo? Mas, seja assim ou não, nem por isso deixastes de causar-me alarme. — Voltou-se de novo para o coxo. — Não imaginava que seria perigoso entreter-nos aqui de coisas tão inocentes, se não o fizesse em particular. Temeis uma denúncia? Será possível que haja entre nós um espião?

A excitação atingiu o auge; todos puseram-se a falar.

— Senhores, se é assim — prosseguiu Vierkhoviénski, — comprometi-me mais que qualquer outro. De modo que vos pedirei que respondais a uma pergunta, se o quiserdes, todavia. Sois todos perfeitamente livres.

— Que pergunta? Que pergunta? — gritaram todos.

— Uma pergunta que estabelecerá claramente se devemos continuar reunidos, ou se devemos tomar nosso chapéu e dispersar-nos sem dizer uma palavra em direções diferentes.

— A pergunta! A pergunta!

— Se algum de nós estivesse ao corrente dum projeto de assassinato político, iria, na previsão de todas as consequências, denunciá-lo, ou ficaria em casa à espera dos acontecimentos? As opiniões podem diferir neste ponto. A resposta a esta pergunta vai nos permitir ver claramente se devemos separar-nos ou ficar juntos, e não somente neste serão. Permita que me dirija em primeiro lugar ao senhor — disse ele ao coxo.

— Por que a mim em primeiro lugar?

— Porque foi o senhor que trouxe tudo isso à baila. Mas tome cuidado: nada de evasivas: a manha de nada lhe serviria. Faça como lhe agradar, entretanto, o senhor é perfeitamente livre.

— Perdão, mas semelhante pergunta é um insulto.

— Não. Não poderia o senhor ser mais preciso?

— Jamais fiz parte da polícia secreta — repontou o coxo, agitando-se cada vez mais em sua cadeira.

— Tenha a bondade de ser mais preciso, não se faça esperar.

O coxo estava tão furioso que deixou de responder. Silencioso, lançou por baixo de seus óculos um olhar de cólera ao seu inquisidor.

— Sim ou não? Denunciaria ou não denunciaria? — gritou Vierkhoviénski.

— Naturalmente não denunciaria — gritou duas vezes mais forte o coxo.

— E ninguém o faria, decerto — gritaram numerosas vozes.

— Permita-me que me dirija ao senhor, major: denunciaria ou não denunciaria? — prosseguiu Vierkhoviénski. — E note que é intencionalmente que me dirijo ao senhor.

— Não denunciaria.

— Mas se o senhor soubesse que alguém tinha a intenção de roubar e de assassinar alguma outra pessoa, um simples mortal, iria denunciá-lo?

— Sim, naturalmente, mas isto é uma questão de foro íntimo, ao passo que o outro caso seria uma traição política. Jamais fui agente da polícia secreta.

— *E ninguém aqui nunca* o foi — gritaram de novo as vozes. — É uma pergunta ociosa. Todos aqui darão a mesma resposta. Não há espiões aqui.

— Por que aquele senhor levanta? — exclamou a estudante.

— É Chátov. Por que levanta? — perguntou a dona da casa. Chátov estava, com efeito, de pé. Segurava seu gorro na mão e fitava Vierkhoviénski. Tinha evidentemente algo a dizer, mas hesitava. Estava pálido e irritado, contudo se dominou. Sem proferir uma única palavra, dirigiu-se para a porta.

— Chátov, você não ganharia nada com isso — gritou-lhe enigmaticamente Vierkhoviénski.

— Mas tu ganharás, tu! — replicou-lhe Chátov, da porta. — Porque és um espião e um canalha.

Depois saiu.

Gritos e exclamações elevaram-se de novo.

— Eis o resultado da prova! — gritou uma voz.

— Serviu para alguma coisa — disse outra.

— Será que isso serviu já demasiado tarde para alguma coisa? — observou uma terceira voz.

— Quem o convidou? Quem o introduziu aqui? Quem é ele? Chátov, quem é? Ele vai nos trair ou não? — Era uma chuva de perguntas.

— Se fosse um denunciante — observou alguém, — teria ficado até o fim e teria salvo as aparências, em lugar de cuspir sobre tudo isto e retirar-se.

— Vejam, Stavróguin também levanta. Stavróguin tampouco respondeu — gritou a estudante.

Stavróguin tinha levantado, com efeito, e na outra extremidade da mesa Kirílov levantara ao mesmo tempo.

— Perdão, Senhor Stavróguin — disse-lhe duramente a Senhora Virguínskaia, — todos respondemos à pergunta, ao passo que o senhor se afasta sem dizer nada.

— Não vejo necessidade de responder à pergunta que vos interessa — murmurou Stavróguin.

— Mas nós nos comprometemos e o senhor não — gritaram várias vozes.

— Que tenho eu com isso: que vós vos tenhais comprometido? — escarneceu Stavróguin, mas seus olhos faiscavam.

— Como? Que tem com isso? Que tem com isso? — exclamaram várias vozes. Alguns levantaram precipitadamente.

— Permiti, senhores, permiti! — exclamou o coxo. — Mas o Senhor Vierkhoviénski tampouco respondeu à pergunta, apenas a fez.

A observação surtiu efeito surpreendente. Todos se entreolharam. Stavróguin pôs-se a gargalhar, mesmo diante da cara do coxo e saiu; Kirílov seguiu-o. Vierkhoviénski correu atrás dele pelo corredor.

— Que está fazendo? — balbuciou ele, agarrando a mão de Stavróguin, que apertou com todas as forças na sua. Stavróguin retirou a mão, em silêncio.

— Vá imediatamente à casa de Kirílov, irei ter lá com você. É preciso absolutamente que o veja, absolutamente.

— Não vejo necessidade disso para mim — interrompeu Stavróguin.

— Stavróguin lá estará — concluiu Kirílov. — Stavróguin, é necessário que o senhor lá esteja. Vou lhe demonstrar isso lá.

Saíram.

I

Tinham saído. Piotr Stiepânovitch teve vontade de precipitar-se para a "sessão", a fim de consertar a balbúrdia, mas tendo achado sem dúvida que não valia a pena meter-se naquilo, largou tudo e, dois minutos mais tarde, estava a correr no encalço dos dois. De caminho, lembrou-se de um beco que permitia chegar mais depressa à casa de Filípov. Tomou por esse beco e, atolando-se na lama até os joelhos, chegou com efeito no momento mesmo em que Stavróguin e Kirílov transpunham a porta.

— Ei-lo já? — observou Kirílov. — Está bem, entre!

— Você nos disse que vivia só? — perguntou Stavróguin, passando na antecâmara diante de um samovar preparado em que a água já fervia.

— Vai ver com quem vivo — resmungou Kirílov. — Entre.

Depois que entraram, Vierkhoviénski tirou de seu bolso imediatamente a carta anônima que trouxera da casa de Lembke e pô-la sob os olhos de Stavróguin. Todos três se sentaram. Stavróguin leu a carta em silêncio.

— Bem, e então? — perguntou.

— Esse biltre fará como escreveu — explicou Vierkhoviénski. — Uma vez que você o tem sob a mão, diga-me o que devo fazer. Asseguro-lhe que, desde amanhã talvez, irá ele à casa de Lembke.

— Pois bem, que vá.

— Como? Que vá? E sobretudo quando seria possível impedi-lo disso?

— Você se engana, isto não depende de mim. E aliás, pouco me importa; não pode prejudicar-me em nada. A ameaça é para vocês.

— E para você também.

— Não penso assim.

— Mas outros poderiam não poupá-lo. Será que não compreenda isso? Escute-me, Stavróguin, estamos a jogar com palavras. Você tem tanto apego ao dinheiro?

— Seria uma questão de dinheiro?

— Decerto, de dois mil ou de mil e quinhentos rublos no mínimo. Entregue-os a mim amanhã, ou hoje mesmo, e amanhã à noite já o terei despachado para Petersburgo. Não quer outra coisa. Se quiser, partirá com Maria Timofiéievna, note bem.

Havia nele uma espécie de desvario. Falava, parecia, sem refletir; escapavam-lhe palavras desconexas. Stavróguin observava-o com espanto.

— Não vejo motivo algum para fazer Maria Timofiéievna partir.

— Será possível que não o deseje? — observou, sorrindo, Piotr Stiepânovitch.

— Talvez.

— Em suma: haverá ou não dinheiro? — gritou ele para Stavróguin, com uma impaciência febril e num tom que não admitia réplica.

Stavróguin olhou-o de alto a baixo, severamente.

— *Não haverá dinheiro.*

— Vejamos, Stavróguin! Você sabe alguma coisa ou já fez alguma coisa! Você... está brincando!

Seu rosto estava crispado, os cantos de seus lábios tremiam e de repente disparou a rir, um riso sem razão e que se diria forçado.

— Mas você recebeu dinheiro de seu pai pela sua propriedade — observou tranquilamente Nikolai Vsiévolodovitch. — Minha mãe entregou-lhe seis ou oito mil rublos em nome de Stiepan Trofímovitch. Você poderia muito bem gastar mil e quinhentos da soma que lhe pertence. Não me preocupo em pagar pelos outros, afinal; já gastei bastante até aqui, isto me aborrece. — E riu-se de suas próprias palavras.

— Ei-lo ainda a brincar...

Stavróguin levantou de sua cadeira. Vierkhoviénski saltou com a rapidez do relâmpago e maquinalmente encostou-se à porta como para barrar-lhe a passagem. Nikolai Vsiévolodovitch já esboçava um movimento para afastá-lo da porta e sair, quando de súbito parou.

— Não lhe abandonarei Chátov — disse ele. Piotr Stiepânovitch sentiu um arrepio; ambos se fitaram.

— Ainda há pouco lhe disse por que lhe era necessário o sangue de Chátov — prosseguiu Stavróguin, de olhos faiscantes. — É com isso que quer você cimentar sua união. Acaba você agora mesmo de afastar muito habilmente Chátov. Sabia muito bem que ele recusaria afirmar: "Não denunciarei", e que julgaria uma baixeza mentir-lhe. Mas eu, que deseja você de mim agora? Você vive por assim dizer agarrado a meus calcanhares desde que nos encontramos no estrangeiro. As explicações que me tem dado você até aqui são das mais vagas. Todavia solicita que eu pague mil e quinhentos rublos a Liebiádkin para fornecer a Fiedka oportunidade de matá-lo. Sei o que você pensa: que faço questão ao mesmo tempo de mandar assassinar minha mulher. Pensa naturalmente que, tendo-me ligado a você por este crime, adquirirá certa autoridade sobre mim, não é verdade? De que lhe serviria isso? Que diabo deseja você de mim? Uma vez por todas, olhe-me bem: sou eu o seu homem? Deixe-me tranquilo.

— Fiedka esteve pessoalmente em sua casa? — perguntou Vierkhoviénski, ofegante.

— Sim, esteve. Sua tarifa também é de mil e quinhentos rublos... Mas ele próprio lhe confirmará isso... ei-lo... disse Stavróguin, estendendo o braço.

Piotr Stiepânovitch. voltou-se vivamente. Na soleira, novo personagem emergia da sombra: era Fiedka, com uma meia peliça, mas sem chapéu, como se estivesse em casa. Parou e sorriu, descobrindo uma fileira de dentes brancos. Seus olhos negros de reflexos amarelos esquadrinharam com precaução o quarto antes de pousar-se nos presentes. Havia algo que ele não compreendia; acabava evidentemente de ser trazido por Kirílov e foi para este que se dirigiu seu olhar interrogador. Mantinha-se na soleira sem poder decidir-se a entrar no quarto.

— Você o trouxe aqui, suponho, para que assista ao nosso negócio e verifique que o dinheiro está em suas mãos, não é? — perguntou Stavróguin. E sem esperar a resposta, deixou o quarto e saiu. Vierkhoviénski, transtornado, alcançou-o no portão.

— Pare! Nem mais um passo! — gritou ele, retendo-o pelo cotovelo. Stavróguin tentou desvencilhar-se com um brusco puxão, mas sem conseguir. A raiva apoderou-se dele: com sua mão esquerda, agarrando Vierkhoviénski pelos cabelos, atirou-o com todas as suas forças no chão e transpôs o portão. Mas não dera ainda trinta passos e o outro já o alcançava.

— Façamos as pazes! Façamos as pazes! — murmurou ele com voz surda e convulsa.

Nikolai Vsiévolodovitch ergueu os ombros, mas sem se deter nem voltar-se.

— Escute, amanhã levarei Elisavieta Nikoláievna até você, quer? Por que não responde? Diga-me o que quer, que o farei. Escute: abandono-lhe Chátov, quer?

— É então verdade que tinha você intenção de matá-lo? — exclamou Nikolai Vsiévolodovitch.

— Mas que necessidade tem você de Chátov? Para fazer o quê? — continuou Vierkhoviénski, com voz rápida e entrecortada, enquanto, fora de si, puxava pela manga de Stavróguin que, verossimilmente, não se dava conta disso.

— Escute: abandono-o a você; façamos as pazes. O preço é caro... mas pelo menos fazemos as pazes!

Stavróguin lançou afinal um olhar para ele e ficou estupefato. O olhar, a voz tinham perdido sua expressão habitual e diferiam agora do que eram ainda há pouco. Diante dele se achava por assim dizer um personagem novo. O tom não era mais o mesmo: Vierkhoviénski rogava, suplicava. Era um homem totalmente abalado pelo fato de lhe roubarem ou lhe terem roubado aquilo que possuía de mais precioso.

— Mas que tem você? — exclamou Stavróguin. O outro não respondeu, mas correu atrás dele, fixando-o sempre com um olhar suplicante e inflexível ao mesmo tempo.

— Façamos as pazes! — murmurou ainda uma vez. — Escute, tenho como Fiedka uma faca oculta na bota, mas quero fazer as pazes com você.

— Mas que deseja você de mim afinal? Que o diabo o leve! — exclamou Stavróguin no auge da cólera e do espanto. — Trata-se então dum segredo? Sou então para você uma espécie de talismã?

— Escute. Estamos preparando uma revolução — cochichou ele, num tom rápido e como se estivesse presa de um delírio. — Não acredita que faremos a revolução? Faremos uma revolução tal que tudo será derrubado até em suas bases. Karmázinov tem razão de dizer que não há mais nada a que se agarrar. Muito inteligente esse Karmázinov! Bastariam para mim na Rússia dez seções como esta para que eu me tornasse indestrutível.

— Compostas de imbecis semelhantes àqueles? — ripostou contra sua vontade Stavróguin.

— Oh! quanto a você, seja somente um pouco mais estúpido, Stavróguin, mais estúpido você mesmo! Aliás, saiba, você não é bastante inteligente mesmo para desejá-lo. Você é medroso, não tem fé. A grandeza da tarefa o atemoriza. E por que seriam eles imbecis? Não tão imbecis assim; ninguém hoje pensa pelo próprio cérebro; os espíritos originais são muito raros na hora atual. Virguínski é um puro entre os puros, dez vezes mais puro que você e eu; mas que dizer de seu espírito? Lipútin é um hipócrita, mas conheço-lhe um lado bom. Não há hipócrita que não tenha seu lado bom. Liámchin é o único que não o possui, por isso mesmo tenho-o entre minhas mãos. Ainda alguns núcleos semelhantes e terei por toda a parte à minha disposição dinheiro e passaportes. É já alguma coisa. E lugares seguros onde não adiantará *vasculhar. Para um grupo descoberto*, logo surgirá outro. Suscitaremos distúrbios... É possível que você não creia que nós dois sozinhos bastamos amplamente?

— Pegue Chigáliev e deixe-me tranquilo...

— Chigáliev é um homem de gênio! Sabe você que é ele um gênio no gênero de Fourier, mas mais ousado que Fourier, mais forte? Reservo-lhe um papel. Foi ele quem descobriu "a igualdade"!

"Está com febre e delira; aconteceu-lhe algo de extraordinário", pensou Stavróguin, olhando-o uma vez mais. Ambos caminhavam sem parar.

— Seu manuscrito contém coisas boas — continuou Vierkhoviénski. — Inventou novo sistema de espionagem. Na sua sociedade cada membro espiona o vizinho e é obrigado a denunciá-lo. Cada qual pertence a todos e todos são propriedade de cada qual. Todos escravos e todos iguais na calúnia e no assassínio, mas antes de tudo: a igualdade. Para começar, o nível da educação das ciências e dos talentos será rebaixado. Um nível elevado nas ciências e nas artes só é acessível aos espíritos superiores e nós nada temos que fazer com espíritos superiores! Os espíritos superiores são naturalmente despóticos e sempre causaram mais mal que bem. Será preciso bani-los ou condená-los à morte. Arrancar a língua a Cícero, furar os olhos de Copérnico, lapidar Shakespeare, eis o chigalievismo! Os escravos devem ser iguais: sem despotismo jamais houve algum dia nem liberdade, nem igualdade, mas a igualdade é boa para o rebanho, eis o chigalievismo! Ah! ah! ah! isto parece-lhe estranho? Eu sou pelo chigalievismo.

Stavróguin apressava o passo, querendo entrar em casa o mais cedo possível. "Se esse indivíduo está bêbado, onde teria podido embebedar-se?", veio-lhe ao espírito. "Teria sido com o conhaque de ainda há pouco?"

— Escute, Stavróguin: nivelar as montanhas é uma bela ideia, que não tem em si nada de ridículo. Sou por Chigáliev! Nenhuma necessidade de educação, temos ciência de sobra! Mesmo sem ela temos para um milhar de anos, mas precisamos de docilidade. O que importa mais ao mundo, veja você, é a docilidade. A sede de instrução não é ainda senão uma sede aristocrática. Basta ter uma família ou alguma afeição, para que nasça na gente logo o desejo da propriedade. Destruiremos esse desejo: incitaremos à bebedice, à calúnia, à delação; autorizaremos uma licença desenfreada; sufocaremos no ovo todo gênio. Reduziremos tudo ao mesmo denominador: a igualdade absoluta. "Aprendemos um ofício, e somos homens de bem, não temos necessidade de nada mais." Eis o que responderam bem recentemente os proletários ingleses. Somente o necessário nos é necessário, — tal será doravante a divisa do gênero humano. — Mas precisamos de agitações, e nós, os chefes, as forneceremos. São precisos chefes para os escravos. Obediência completa, impersonalidade completa; mas uma vez todos os trinta anos um Chigáliev provocará agitações e todos começarão a entredevorar-se, até certo ponto, todavia, e com o único fim de evitar o tédio. O tédio é também uma sensação aristocrática; no chigalievismo não haverá mais desejos. Para nós o desejo e o sofrimento, para os escravos o chigalievismo...

— Você se coloca entre as exceções? — atirou-lhe Stavróguin de novo.

— E você também. Sabe você que pensei em entregar o mundo ao Papa? Bastava que ele saísse descalço, que se mostrasse à plebe, dizendo: "Eis a que me reduziram!" e todos se precipitariam atrás dele, até mesmo o Exército. O Papa no cume, nós sentados em redor e abaixo de nós o chigalievismo. Bastaria somente, para que assim seja, que a Internacional entrasse em acordo com o Papa. O bom do velho daria imediatamente seu consentimento. Não lhe resta outra saída; lembre-se de minhas palavras, ah! ah! ah! Diga: é estúpido? É estúpido: sim ou não?

— Basta — murmurou Stavróguin, com um pouco de desdém.

— Basta! Escute, renunciei ao Papa! Para o diabo o chigalievismo! Para o diabo o Papa! Precisamos de algo mais atual que o chigalievismo, porque o chigalievismo é um objeto de luxo. É um ideal, uma coisa do futuro. Chigáliev é ourives e idiota como todo filantropo. Precisamos de trabalho de empreitada e a Chigáliev repugnam as tarefas grosseiras. Escute: no Ocidente haverá o Papa, e entre nós, haverá você!

— Deixe-me então tranquilo, você está bêbado! — replicou Stavróguin, apressando o passo.

— Stavróguin, você é belo! — exclamou Stiepânovitch, presa duma espécie de êxtase. — Sabe que é belo? O que há em você de mais precioso é que por vezes o ignora. Oh! estudei-o bastante! Observo-o bem muitas vezes às ocultas! Há até mesmo em você candura e ingenuidade, sabia? Há ainda, há sim! Talvez mesmo sofra você por causa dessa candura e sofra sinceramente. Amo a beleza. Sou niilista, mas amo a beleza. Seriam os niilistas incapazes de amar a beleza? Só os ídolos é que eles não amam. Pois bem, eu amo os ídolos! Você é meu ídolo! Você não ofende jamais ninguém e todos o detestam; trata a todos num pé de igualdade e todos têm medo de você — e está muito bem assim. Ninguém virá dar-lhe palmadinhas no ombro. Você é tremendamente aristocrata. Um aristocrata que se aproxima da democracia é irresistível. Você não leva em conta alguma o sacrifício de sua vida ou da de seu próximo. Você é precisamente o homem que faz falta. O de que preciso é precisamente de homens como você, e não conheço outro. Você é um impulsionador, você é o sol e eu sou seu verme da terra...

Beijou-lhe, de repente, a mão. Um arrepio glacial percorreu as costas de Stavróguin, que, espantado, retirou a mão. Ambos pararam.

— Louco! — murmurou Stavróguin.

— Deliro talvez, sim, deliro! — aquiesceu Piotr Stiepânovitch com precipitação. — Mas fui eu quem sonhou dar o primeiro passo. Jamais a ideia do primeiro passo teria vindo a Chigáliev. Numerosos são os Chigálievi! Mas um só homem, um só na Rússia, imaginou dar o primeiro passo e sabe como executá-lo. Esse homem sou eu. Por que me olha assim? Você me é indispensável; sem você sou um zero. Sem você não passo de uma mosca, uma ideia em estado de crisálida, um Colombo sem América.

Imóvel, Stavróguin fitava-o com atenção, direto nos olhos alucinados.

— Escute, desencadearemos em primeiro lugar agitações — prosseguiu com uma precipitação desesperada Vierkhoviénski, puxando a todo instante Stavróguin pela manga esquerda de sua roupa. — Já lhe disse: penetraremos até o povo. Você sabe que já somos demasiado fortes? Nossos partidários não são somente aqueles que matam e incendeiam, os que atiram com pistolas segundo a maneira clássica ou então mordem seus oficiais. Esses quando muito nos incomodam. Não compreendo nada sem disciplina. Sou um tratante, eu, e não um socialista, ah! ah! ah! Escute: contei-os todos: o mestre-escola que se ri com seus alunos de seu deus e de sua pátria é dos nossos. O advogado que advoga a causa do assassino instruído, porque este tem cultura superior à de sua vítima e para arranjar dinheiro não podia deixar de matar, esse é dos nossos. Os escolares que assassinam um mujique para experimentar sensações são dos nossos. Os jurados que absolvem um criminoso confesso são dos nossos. O promotor que, no seu pretório, treme ao pensar que talvez não seja suficientemente liberal, esse é também dos nossos. Quanto aos administradores, aos homens de letras, contamos com muitos, enormemente, e sem que eles próprios suspeitem disso. Além disso, a docilidade dos escolares e dos tolos atingiu o derradeiro grau; os professores estão cheios de amargor e de bílis; por toda parte a vaidade se exibe sem limites, por toda parte apetites monstruosos, inauditos... Você sabia, você sabia por quantas pequeninas ideias já feitas somos conduzidos? Por ocasião da minha partida para o estrangeiro lavrava a tese de Littré,[112] que pretende que o crime não é senão uma anomalia do cérebro. Chego à Rússia e já o crime não é mais uma anomalia, mas precisamente uma ideia feita normal, um dever quase, ou pelo menos, um generoso protesto. "Como um assassino poderia deixar de matar, desde o instante em que tem necessidade de dinheiro?" Mas isto é apenas um primeiro fruto. Já o deus russo apagou-se diante da aguardente a bom preço. O povo se embriaga, as mães de família se embriagam, as crianças se embriagam, as igrejas estão desertas, e nos tribunais não se ouvem mais senão estas palavras: "duzentas varadas ou paga um canjirão de aguardente". Oh! dai somente a esta geração o tempo de crescer. É pena todavia que não se possa mais esperar: teriam podido tornar-se ainda mais bêbados! Ah! sim, que pena que não haja proletários! Mas haverá, haverá, é para isto que tendemos...

— É pena igualmente que nos tenhamos estupidificado — murmurou Stavróguin, retomando sua marcha.

— Escute. Vi um menino de seis anos que reconduzia para casa sua mãe completamente embriagada que o crivava das piores injúrias. Acredita você que aquilo me causou prazer? Quando o Governo estiver em nossas mãos, trataremos de remediar isso... se for preciso, vamos relegá-los para o deserto quarenta anos... Mas uma ou duas gerações de costumes corrompidos é coisa indispensável; corrupção desenfreada, monstruosa, em que o homem será transformado num réptil lamacento, abjeto, cruel, imundo! Eis o que nos falta! E além do mais um pouco de "bom sangue fresco", para que se tome gosto por ele. Não estou em contradição comigo mesmo. Só estou em contradição com os filantropos e o chigalievismo, não comigo mesmo! Sou um tratante, não um socialista. Ah! ah! ah! É pena que o tempo nos falte. Prometi a Karmázinov começar em maio e terminar em outubro. Será demasiado cedo? Ah! ah! Você sabia, Stavróguin, o que vou he dizer? O cinismo foi sempre até aqui estranho ao povo russo, a despeito de seu pendor pelas mais grosseiras blasfêmias. Você sabia, que os servos se respeitavam mais do que não se respeita a si mesmo um Karmázinov? Foram açoitados, mas eles conservaram seus deuses, o que não fez um Karmázinov.

— Bem, Vierkhoviénski, é a primeira vez que o ouço falar e não ouço sem espanto — murmurou Nikolai Vsiévolodovitch. — Você não é decididamente um socialista, mas um político qualquer... um ambicioso!

— Um tratante, digo-lhe, um tratante. Você se preocupa em saber quem eu *sou*? Vou dizer-lhe quem eu sou e ao que aspiro. Não foi sem razão que lhe beijei a mão. Mas é preciso que o povo creia no que sabemos, no que queremos, ao passo que os outros não sabem "senão brandir o cacete e surrar os seus". Ah! se tivéssemos mais tempo à nossa disposição!... O aborrecido é que não temos mais tempo. Pro-

112 Maximilien-Paul-Emile Littré (1801-1881), filólogo e filósofo positivista francês, membro da Academia. Seus estudos filosóficos causaram polêmicas passionais. Foi eleito senador em 1875. Embora discípulo de Comte, rejeitava a política e a religião positivistas.

clamaremos a destruição. Por que, por que esta ideia é tão fascinante? Mas temos necessidade de distender nossos membros. Acenderemos o incêndio... Criaremos lendas... Para isto os menores grupos terão utilidade. Descobrirei para você nesses mesmos grupos camaradas que não terão frio nos olhos e que ainda por cima vão se sentir muito honrados em marchar. Começará então a revolta! O mundo será revirado como ainda não foi... A noite descerá sobre a Rússia, a terra chorará seus antigos deuses... Será então que faremos apelo... A quem?

— A... quem?

— Ao Czaréviche Ivan.

— A qu...em?

— Ao Czaréviche Ivan: a você, a você!

Stavróguin refletiu um minuto.

— Um impostor? — perguntou ele, olhando para o alucinado com profunda estupefação. — Ah! eis enfim qual é o vosso plano!

— Diremos em primeiro lugar que ele se esconde — murmurou Vierkhoviénski, numa voz terna como para uma confissão de amor, na realidade, como se estivesse ébrio. — Sabe o que significa esta frasezinha: "ele se esconde"? Mas ele aparecerá, ele aparecerá. Criaremos a lenda melhor do que fizeram os *skóptsi*. Ele está ali, mas ninguém ainda o viu. Oh! que lenda se pode suscitar! E o principal é que surgirão novas forças. Elas nos são necessárias; são elas que as suas lágrimas invocam. Quanto ao socialismo, soube abater as antigas forças, sem criar novas. E que força haverá aqui, incrível! Para levantar o mundo, bastará que tenhamos uma só vez a alavanca na mão. E tudo será levantado!

— Contou seriamente comigo? — disse Stavróguin com um sorriso mau.

— Por que sorri e tão malevolamente? Não me assuste. Sou nesta hora como uma criança que pode amedrontar-se até a morte com tal sorriso. Escute: não deixarei que ninguém o veja, ninguém: assim deve ser. Ele está ali, mas ninguém o viu, porque ele se oculta. E sabe você que bastaria, por exemplo, que se mostrasse a um só dentre cem mil, para que logo o rumor se espalhasse por toda a terra: "Nós o vimos, nós o vimos"? Viram com seus próprios olhos Ivan Filípovitch, o Deus-Sabaó, arrebatado ao céu num carro "à vista" de todos. E você não é Ivan Filípovitch; você é belo, orgulhoso como um deus; não procura nada para si mesmo, ornado como está de auréola do sacrifício "ocultando-se". O importante é que haja uma lenda! Será você o vencedor deles, será suficiente olhá-los para vencê-los. Ele se oculta, mas traz uma verdade nova. Nesse momento formularemos dois ou três julgamentos de Salomão. Apenas grupos, você sabe, nada de jornais! Se dentre dez mil for atendida uma só petição, todos nos virão com demandas. Em cada distrito, o menor camponio saberá que haverá em alguma parte um tronco destinado a recolher as súplicas. Toda a terra será um só suspiro: "uma lei justa acaba de ser promulgada"; o mar será agitado até nas suas profundezas; a velha barraca de pranchas será demolida e será então que pensaremos em construir uma casa de pedras. Pela primeira vez, nós é que seremos chamados a construir, nós somente!

— Loucura! — declarou Stavróguin.

— *Por que*, por que não o quer você? Tem medo? Mas é precisamente porque você não tem nenhum temor que me agarrei a você. Será desarrazoado? Vê bem você que sou um Colombo sem América. Seria Colombo julgado sensato sem a América?

Stavróguin calava-se. Nisto, chegaram à casa. Pararam diante do patamar.

— Escute — disse Vierkhoviénski, inclinando-se para a orelha de seu companheiro. — Não tenho necessidade de dinheiro para agir. Amanhã será regularizado o negócio com Maria Timofiéievna... sem dinheiro, e amanhã vou lhe levar Lisa. Quer Lisa amanhã?

"Estaria ele realmente louco?", pensou Stavróguin, sorrindo. A porta da entrada abriu-se.

— Stavróguin? A América é nossa? — repetiu uma última vez Vierkhoviénski, agarrando-lhe o braço.

— Para quê? — murmurou Nikolai Vsiévolodovitch, num tom severo e duro.

— É a última de suas preocupações, bem o sabia — exclamou o outro num arrebatamento de raiva. — Você mente, sujo e miserável aristocratazinho, não acredito em você, porque você tem um apetite de lobo!... Saiba bem que você me custa doravante demasiado caro para que renuncie a você! Não há ninguém que seja semelhante a você na terra. Inventei-o no estrangeiro; inventei-o olhando-o. Se não o tivesse observado de meu canto, jamais tal projeto me teria vindo ao espírito.

Stavróguin subiu os degraus da escada sem responder.

— Stavróguin! — gritou Vierkhoviénski seguindo-lhe os passos. — Dou-lhe um dia ou dois...digamos três; mas não mais de três dias. Preciso de sua resposta dentro desse prazo.

Capítulo IX / Busca em casa de Stiepan Trofímovitch

I

Enquanto isto, ocorreu um acontecimento que não deixou de causar-me espanto e de exasperar Stiepan Trofímovitch. Uma manhã, cerca das oito horas, Nastássia chegou correndo, da parte dele, para anunciar-me que "haviam dado uma busca em casa do senhor". A princípio nada entendi; adivinhei somente que agentes tinham "dado busca" em casa de Stiepan Trofímovitch, haviam chegado e apreendido papéis; que um soldado fizera deles um pacote que amarrou e "levou num carrinho". A informação era brutal. Precipitei-me sem demora para a casa de Stiepan Trofímovitch.

Encontrei-o num estado extraordinário. Estava transtornado, presa duma violenta agitação, mas ao mesmo tempo mantinha um ar de indubitável triunfo. No meio do quarto fervia em cima da mesa um samovar e havia ali, esquecida, uma xícara de chá, completamente cheia, na qual não haviam tocado. Stiepan Trofímovitch dava voltas em redor da mesa e passava dum quarto para outro, sem se dar conta de seus movimentos. Trazia sua eterna camisa de tricô, mas, vendo-me, apressou-se em vestir seu colete e sua sobrecasaca, coisa que jamais fizera até então, quando um amigo o encontrava em camisa de tricô. Deu-me logo caloroso aperto de mão.

— *Enfin un ami!* — (suspirou profundamente). — *Cher*, fiz questão de avisá-lo, a você só, porque ninguém sabe de nada ainda. Vou pedir a Nastássia que feche a porta à chave e não deixe entrar ninguém, exceto "eles", é claro... Compreende?

Olhou-me, confuso, como se esperasse uma resposta. Apressei-me naturalmente em interrogá-lo e consegui destrinçar em meio de suas frases sem continuidade, cortadas de parênteses inúteis, que cerca das oito horas da manhã um funcionário do governo havia-se "subitamente" apresentado em casa dele...

— *Pardon, j'ai oublié son nom. Il n'est pas du pays*; mas creio que foi trazido por Lembke, *quelque chose de bête et d'allemand dans la physionomie. Il s'appelle* Rosenthal.[113]

— Não seria Blümer?

— Sim, Blümer. É mesmo o nome que me deu. *Vous le connaissez? Quelque chose d'hébété et de très content dans la figure, pourtant très sévère, raide et sérieux.*[114] Uma cara de policial subalterno, conheço bem. Dormia ainda e, é capaz de acreditar?, pediu-me para dar uma olhadela em meus livros e manuscritos, *oui, je m'en souviens*,[115] empregou essa palavra. Não me deteve, só pegou meus livros... *Il se tenait à distance*,[116] e quando começou a expor-me o motivo de sua visita, tinha o ar de... *enfin, il avait l'air de croire que je tomberai sur lui immédiatement et que je commencerai à le battre comme platrê. Tous ces gens de bas étage sont comme ça*,[117] quando têm de tratar com gente decente. Não é preciso dizer que compreendi logo do que se tratava. *Voilà vingt ans que je m'y prépare.*[118] Abri-lhe todas as gavetas e lhe entreguei todas as chaves; dei-lhas eu mesmo, entreguei-lhe tudo eu mesmo. *J'étais digne et calme.*[119] Entre os meus livros tomou as edições estrangeiras de Herzen, um exemplar encadernado de *O Sino*, quatro exemplares de meu poema e *enfin tout ça*.[120] Em seguida apoderou-se de meus papéis e cartas e de *quelques-unes de mes ébauches historiques, critiques et politiques*. Levaram tudo. Conta Nastássia que um soldado levou tudo num carrinho de mão que cobriram com um avental; *oui, c'est cela*[121] um avental.

Aquilo era absurdo. Quem teria compreendido alguma coisa? De novo, pus-me a crivá-lo de perguntas. Blümer viera sozinho ou com algum outro? Em nome de quem? Com que direito? Como ousara ele? Que explicação dera?

— *Il était seul, bien-seul*, mas havia um outro *dans l'antichambre*, sim, recordo-me, e depois... Aliás, creio mesmo que se encontrava também um guarda na entrada. Será preciso perguntar a Nastássia; ela sabe tudo isso melhor do que eu. *J'étais surexcité, voyez-vous. Il parlait, il parlait... un tas de choses*;[122] aliás, falou pouco, eu é que falava... contei-lhe minha vida, simplesmente deste ponto de vista... *J'étais surexcité, mais digne, je vous l'assure*. Receio, entretanto, ter, creio, chorado. Tomaram emprestado o carrinho de mão do lojista ao lado.

— Mas, meu Deus, como aconteceu tudo isso? Rogo-lhe, fale duma maneira mais precisa, Stiepan Trofímovitch. O que o senhor me está contando parece um sonho!

---

113 Perdão, esqueci-lhe o nome. Não é do país... Algo de estúpido e de alemão na fisionomia, chama-se Rosenthal.

114 Você o conhece? Algo de imbecil e de muito contente na cara, contudo muito severo, rígido e sério.

115 Sim, lembro-me.

116 Conservava-se à distância.

117 Enfim, o ar de crer que eu cairia sobre ele imediatamente e que começaria a surrá-lo. Toda essa gente de baixa escala é assim.

118 Há vinte anos que me preparo para isso.

119 *Mostrava-me digno e calmo.*

120 Enfim, tudo isso.

121 Sim, é isto.

122 Eu estaria superexcitado, veja você. Ele falava, falava... uma porção de coisas.

— Meu caro, eu mesmo creio sonhar... Você sabia? Ele pronunciou o nome de Tieliátnikov e creio que era este que se ocultava na entrada. Sim, lembro-me, sugeriu que eu chamasse o procurador e até mesmo Dmítri Mítritch... *qui me doit encore quinze roubles que je lui ai gagnés aux cartes, soit dit en passant. Enfin, je n'ai pas trop compris.*[123] Mas fui mais astuto do que eles e pouco me importa Dmítri Mítritch. Creio que lhe pedi com insistência para que mantivesse este negócio oculto e tenho medo mesmo de ter-me um pouco rebaixado. *Comment, croyez-vous? Enfin, il a consenti...*[124] Sim, foi ele mesmo, lembro-me, quem me pediu para conservar a coisa oculta porque ele viera simplesmente "dar uma olhadela" e nada mais, isto mesmo, nada mais... e que se não se encontrasse nada, era como se nada tivesse havido. Tanto que nos separamos *en amis, je suis tout à fait content.*[125]

— Mas, diga-me, isto significa que ele lhe deixou todas as garantias requeridas em casos tais e o senhor as recusou? — perguntei, num acesso de indignação amiga.

— Não, e melhor vale que seja sem garantias. E por que fazer escândalo? Que tudo se passe *en amis* e deixe-se o tempo correr... Você sabe, se se viesse a saber na cidade... meus inimigos... *et puis à quoi bon ce procureur, ce cochon de notre procureur, qui deux fois m'a manqué de politesse et qu'on a rossé à plaisir l'autre année chez cette charmant et belle.*[126] Nastássia Pávlovna, quando se escondeu no seu toucador? E depois, meu amigo, não me faça objeções e deixe de desencorajar-me, rogo-lhe, porque não há nada de mais insuportável para um homem infeliz do que ouvir dizer por uma centena de amigos que ele acaba de cometer uma besteira. Apesar de tudo, sente, e tome uma xícara de chá, porque, lhe confesso, estou muito fatigado... Não seria melhor que me deitasse e pusesse compressas de vinagre na cabeça, que pensa você?

— Decerto — exclamei; — e até mesmo gelo. O senhor está muito superexcitado. Está pálido e suas mãos tremem. Deite, repouse e deixe sua narrativa para mais tarde. Velarei à sua cabeceira.

Hesitou em deitar, mas insisti. Nastássia trouxe vinagre numa xícara, umedeci uma toalha de mãos e apliquei-a sobre a cabeça de Stiepan Trofímovitch. Nastássia subiu em seguida numa cadeira e acendeu a lâmpada diante do ícone, colocado na cantoneira. Observei isto com surpresa; até então, jamais houvera lâmpada e de repente, eis que aparecia uma.

— Fui eu que dei essa ordem, logo depois da partida deles — murmurou Stiepan Trofímovitch, olhando-me com ar malicioso. — *Quand on a de ces choses-là dans sa chambre et qu'on vient vous arrête*[127] isto causa impressão e é certo que eles relatarão o que viram.

Acesa a lâmpada, Nastássia ficou de pé no vão da porta, com a palma da mão direita contra a face, e pôs-se a contemplar seu amo com um ar lacrimoso.

123 ... que me deve ainda quinze rublos que lhe ganhei no baralho, seja dito de passagem. Enfim, não compreendi muito bem.

124 Como, acredita você? Afinal, consentiu...

125 Como amigos, estou completamente satisfeito.

126 e depois para que esse procurador, esse porco do nosso procurador que por duas vezes me faltou com a polidez e que surraram a valer o ano passado em casa daquela encantadora e bela...

127 Quando se tem dessas coisas em seu quarto e vêm prender a gente.

— *Eloignez-la,*[128] sob um pretexto qualquer — disse-me ele, fazendo-me do divã um sinal com a mão. — Não posso suportar essas demonstrações de simpatia à russa *et puis ça m'embête.*[129]

Ela, porém saiu, voluntariamente. Notei que ele olhava, sem cessar, na direção da porta e prestava ouvido ao menor rumor que chegasse da antecâmara.

— *Il faut être prêt, voyez-vous,*[130] — disse ele, olhando-me com ar entendido — *chaque moment*... podem chegar, levam a gente, e pronto, desapareceu o homem!

— Senhor Deus! Quem é que vai vir? Quem o prenderá?

— *Voyez-vous, mon cher,* quando ele saiu, perguntei-lhe francamente o que iriam fazer de mim.

— Teria feito melhor se perguntasse para onde o exilarão! — exclamei, com o mesmo acento de indignação.

— Era isto mesmo que subentendia minha pergunta, mas ele partiu sem responder. *Voyez-vous*: quanto à roupa branca, aos ternos, sobretudo as roupas quentes, será como eles quiserem; se me permitirem levá-los, bem; senão terei de usar capote de soldado. Mas há trinta e cinco rublos (disse ele, baixando a voz de repente e olhando do lado da porta por onde Nastássia acabava de sair) que enfiei secretamente no forro de meu colete, veja aí, tateie-os... Suponho que não tomarão meu colete e para salvar as aparências, deixei no meu porta-moedas sete rublos... tudo quanto possuo. Veja você, deixei espalhadas algumas moedas e soldos em cima da mesa. Assim sendo, serão incapazes de adivinhar que escondi meu dinheiro, mas suporão que é mesmo tudo quanto possuo, porque Deus sabe onde deverei passar a noite.

Baixei a cabeça diante de semelhante loucura. Evidentemente era impossível deter alguém ou dar buscas em sua casa da maneira como era por ele relatada, e era provável que se embaralhasse no seu relato. É verdade que tudo aquilo se passava antes da entrada em vigor da legislação atual. É verdade também que lhe tinham proposto, se acreditarmos nele, um processo mais regular, mas "valera-se ele de astúcia" e recusara... Sem dúvida, todavia, isto é, há pouco tempo ainda, podia um governador em casos extremos... Mas ainda uma vez que caso extremo podia haver aqui? Eis o que me fugia ao alcance.

— Terá vindo provavelmente um telegrama de Petersburgo — disse, de repente, Stiepan Trofímovitch.

— Um telegrama a seu respeito? Sem dúvida por causa das obras de Herzen ou de seu poema? O senhor perdeu a cabeça. Será isto um motivo suficiente para detê-lo?

Decididamente, zangava-me. Esboçou ele uma careta e pareceu ofendido, não pela minha exclamação, mas por causa do pensamento de que não houvesse ali nenhum motivo suficiente para detê-lo.

— Pode-se lá saber em nossa época por qual motivo nos detêm? — murmurou ele, enigmático.

Uma ideia feroz e das mais absurdas atravessou inesperadamente meu espírito:

---

128 Afaste-a.

129 E depois isto me aborrece.

130 É preciso estar pronto, veja você.

— Stiepan Trofímovitch, diga-me como amigo — exclamei, — como verdadeiro amigo. Eu não o denunciarei. Faz o senhor parte, sim ou não, de alguma sociedade secreta?

Mas eis que, com grande espanto meu, Stiepan Trofímovitch não pôde afirmar se pertencia ou não a alguma sociedade secreta.

— Isto depende de como se concebe a coisa, *voyez-vous*.

— Como isto depende de "como se concebe a coisa"?

— Quando a gente se dedicou de todo o seu coração ao progresso e... quem poderia afirmá-lo... acredita não fazer parte de nada, mas olhando de perto, descobre-se que se faz parte de alguma coisa.

— Como é possível? Neste caso, sim ou não.

— *Cela date de Pétersburgo*, quando queríamos, ela e eu, fundar ali uma revista. Está nisto a raiz de tudo. Demos então um passo em falso; esqueceram-nos, mas agora lembram-se de nós. *Cher, cher*, será que você não me conhece? — exclamou ele, dolorosamente. — Vão nos prender, vão nos enfiar dentro de uma carrocinha e a caminho para a Sibéria para sempre, ou então ficaremos esquecidos numa casamata.

E de súbito pôs-se a chorar, vertendo quentes lágrimas. Suas lágrimas rolavam-lhe pela face. Cobriu os olhos com seu lenço de seda vermelha e soluçou, soluçou convulsivamente durante cinco minutos. Eu estava aterrorizado de todo. Aquele homem que, havia vinte anos, era nosso profeta, nosso chefe, nosso patriarca, aquele Kúkolhnik, que planava tão alto e tão majestosamente acima de nós, que venerávamos com toda a nossa alma — achando que isso era uma honra, — ei-lo agora a soluçar, a soluçar, como um pobre garoto à espera das varas que o professor foi buscar. Senti por ele um intenso sentimento de compaixão. Não havia dúvida que acreditava na carrocinha tão firmemente como na minha presença a seu lado e a esperava precisamente para aquela manhã, para aquele instante mesmo, imediatamente, e tudo isso por causa das obras de Herzen e de algum vago poema! Tão completo desconhecimento do ramerrão da realidade tinha algo ao mesmo tempo de comovedor e de desagradável.

Parou por fim de chorar, levantou do divã e voltou a andar pelo quarto, enquanto continuava a conversa comigo, mas não sem olhar de vez em quando para a janela e prestar atenção para o lado da antecâmara. Continuamos a conversar continuadamente. Todas as palavras que lhe dizia para sossegá-lo e tranquilizá-lo saltavam como ervilhas contra uma parede. Escutava-me pouco; não obstante, tinha grande necessidade de ser consolado, por isso é que não parava de falar. Era evidente que ele não poderia passar sem mim em semelhante momento e que por coisa alguma do mundo me teria deixado partir. Fiquei, pois, e passamos juntos duas boas horas. Lembrou-se, no correr da conversa, de que Blümer tinha levado duas *proclamações encontradas entre seus papéis*.

— Como? Proclamações? — exclamei, tolamente espantado. — Será que o senhor por acaso...

— Ah! tinham-me deixado uma dezena — ele respondeu num tom de desagrado (falava, ora com despeito e altivez, ora num tom queixoso e humilde excessivo) — mas eu acabava de dispor de oito e Blümer só encontrou duas.

De súbito, corou de indignação.

— *Vous me mettez avec ces gens-là!*[131] Será possível que suponha que poderia eu marchar com aqueles canalhas, aqueles panfletários, com meu filho Piotr Stiepânovitch, *avec ces esprits forts de la lâcheté*!...[132] Oh! Deus!

— Ora! Não se misturou o senhor outrora...? Aliás, é impossível, é uma pilhéria!... — observei.

Ele explodiu.

— *Savez-vous, je sens par moment que je ferai là-bas quelque esclandre.*[133] Oh! não se vá, não me deixe só! *Ma carrière est finie aujord'hui, je le sens.*[134] Sabe que sou capaz de lançar-me contra alguém e mordê-lo, tal como aquele subtenente...

Olhou-me com estranha expressão, em que se lia espanto e desejo de atemorizar. Decididamente tornava-se cada vez mais exasperado contra alguém ou alguma coisa à medida que o tempo passava e que a "carrocinha" não chegava; estava sem dúvida furioso. De repente, passando por uma razão ou outra da cozinha para a antecâmara, Nastássia derrubou um cabide; Stiepan Trofímovitch estremeceu e ficou lívido, mas quando teve explicação do barulho, por pouco não deu berros contra Nastássia, mas, batendo com o pé, despachou-a de volta à cozinha. Um minuto depois disse-me, olhando-me com desespero:

— Estou perdido! *Cher* — sentou-se de repente perto de mim e olhou-me fixamente, com profunda compaixão, — *cher*, a Sibéria não me faz medo, juro-lhe, *oh! je vous jure* (lágrimas brilharam em seus olhos), é outra coisa que temo...

Adivinhei-lhe pelo rosto que queria comunicar-me algo de particularmente grave que até então evitara revelar-me.

— Temo o opróbrio — murmurou misteriosamente.

— Que opróbrio? Mas pelo contrário! Acredite, Stiepan Trofímovitch, que o caso será esclarecido hoje mesmo e que tudo terminará a seu favor...

— Está bem certo de que me perdoarão?

— Perdoá-lo? Como? Que significam essas palavras? Que fez o senhor? Asseguro-lhe que o senhor nada fez!

— *Qu'en savez-vous?* Toda a minha vida foi... *cher*... Eles vão lembrar de tudo... e se... — acrescentou de repente, duma maneira totalmente inesperada, — se não encontrarem nada, será ainda pior.

— Pior como?

— Pior.

— Não compreendo.

— Meu amigo, meu amigo, que me levem para a Sibéria, para Arcângel, com supressão de meus direitos, morrer por morrer, ainda vai! Mas... temo outra coisa (de novo, murmúrio, rosto apavorado, mistério).

— Mas que "coisa"? que "coisa"?

— Que me açoitem — declarou ele, olhando-me com ar desvairado.

— Quem o açoitará? Onde? Por quê? — exclamei espantado, sentindo que a razão dele soçobrava.

— Onde? Mas lá... onde se faz isso.

---

131 *Mistura-me com aquela gente!*

132 Com aqueles espíritos fortes da covardia!...

133 Sabe de uma coisa? Sinto por momentos que farei lá um escândalo.

134 Sinto que minha carreira chega hoje ao fim.

— Onde se faz isso?

— *Ah! cher* — murmurou ele, falando-me quase ao ouvido, — de repente, o soalho cede sob os pés da gente e eis-nos tragados até meio-corpo... Todo mundo sabe disso.

— Fábulas! — exclamei, adivinhando de repente. — Será possível que o senhor ainda acredite nessas velhas fábulas? — Desatei a rir.

— Fábulas? Mas provêm mesmo de alguma parte essas fábulas. Jamais aquele que tiver sido açoitado haverá de querer contar isso. Representei essa coisa dez mil vezes em minha imaginação.

— Mas o senhor? Por que o senhor? já que nada fez?

— Tanto pior, vão ver que não fiz nada e por isso me açoitarão.

— E o senhor está convencido de que o levarão depois para Petersburgo?

— Meu amigo, já lhe disse que não lamento nada, *ma carrière est finie*. Desde a hora em que ela se despediu de mim em Skvopiéchniki, a vida cessou de ter todo valor a meus olhos... mas o opróbrio, o opróbrio, que, se vier a sabê-lo?

Olhou-me com desespero e de pálido que estava tornou-se carmesim. Também eu baixei os olhos.

— Ela nada saberá, porque nada se passará. Parece-me que é a primeira vez em minha vida que lhe falo, Stiepan Trofímovitch, tanto espanto me causou o senhor esta manhã!

— Mas, meu amigo, não é o medo. Suponha mesmo que me perdoem, suponha que me tragam de novo para cá sem nada me terem feito, nem por isso deixo de ser um homem perdido. *Elle me soupçonnera toute sa vie*...[135] de mim, de mim, o poeta, o pensador, um homem que ela adorou durante vinte e dois anos!

— Nem sequer lhe ocorrerá semelhante ideia.

— Sim — murmurou ele com um acento de profunda convicção. — Falamos mais de uma vez juntos em Petersburgo, durante a Quaresma, pouco antes de nossa partida, quando nós dois temíamos... *Elle me soupçonnera toute sa vie*. E como desenganá-la? Isto não seria fácil... E nesta maldita cidade, quem o acreditará?, *c'est invraisemblable... et puis les femmes*... Ela ficará encantada. Isto vai lhe causar muita pena, muito sinceramente, como verdadeira amiga, mas em segredo ficará encantada. Eu mesmo lhe forneci uma arma contra mim para o resto de meus dias! Ah! está arruinada a minha vida! Vinte anos de uma felicidade sem jaça com ela... e veja você!

Ocultou o rosto nas mãos.

— Stiepan Trofímovitch — propus eu, — não seria melhor que o senhor prevenisse imediatamente Varvara Pietrovna do que está se passando?

— Deus me livre! — E todo tremente, saltou do divã. — Jamais, por coisa alguma do mundo, depois do que ela me disse, deixando-me em Skvopiéchniki, ja... mais!

Seus olhos cintilaram.

Ficamos juntos, penso, uma hora ou mesmo mais, sempre à espera de algum acontecimento, tanto esta ideia tinha-se firmado em nós. Ele tornou a deitar, fechou os olhos e manteve essa atitude durante uns vinte minutos, sem proferir uma só palavra, tanto que eu pensei que ele tivesse adormecido ou perdido os sentidos. De repente, ergueu-se com terror, arrancou da cabeça a compressa, saltou do divã, cor-

135 Ela suspeitará de mim toda a sua vida.

reu para o espelho, ajeitou sua gravata com mãos trêmulas e, numa voz de trovão, chamou Nastássia, ordenando-lhe que lhe trouxesse seu paletó, seu chapéu novo e sua bengala.

— Não posso aguentar mais, não posso, — disse ele, com voz entrecortada, — não posso mais, não posso mais... Irei eu mesmo.

— Aonde? — perguntei, levantando por minha vez.

— À casa de Lembke. *Cher*, devo fazê-lo, sou obrigado a fazê-lo. É meu dever. Sou cidadão e homem, não sou um boneco, tenho direitos, farei valer meus direitos... Durante vinte e cinco anos, não me preocupei com meus direitos, toda a minha vida os negligenciei criminosamente... agora os reivindico. Deve ele confessar-me tudo, tudo. Recebeu um telegrama. Que não intente submeter-me a torturas! Que me prenda antes, que me prenda, que me prenda!

Lançava estas exclamações urrando e batendo com o pé.

— Aprovo — disse eu, esforçando-me por parecer tão calmo quanto possível, embora seu estado me inspirasse vivas inquietações. — Isto com certeza valeria mais que ficar em semelhante angústia, mas o que não aprovo é sua superexcitação; veja o seu aspecto e veja em que estado irá apresentar-se lá. *Il faut être digne et calme avec* Lembke. Na realidade, o senhor é capaz de atirar-se contra ele e mordê-lo.

— Eu mesmo me livrarei. Estou pronto a lançar-me na goela do leão.

— Pois bem! Eu o acompanharei.

— Não esperava menos de você; aceito seu sacrifício que é o sacrifício de um verdadeiro amigo, mas somente até sua residência. Não deve, não tem o direito de comprometer-se por mais tempo em minha companhia. *Oh! croyez-moi, je serai calme*! Tenho consciência de encontrar-me nesta hora *à la hauteur de tout ce qu'il y a de plus sacré...*

— Talvez entre mesmo com o senhor — disse, interrompendo-o. — Fui informado ontem, por uma mensagem emanada de seu estúpido comitê, graças a Visótski, que contam comigo e que estou convidado para a festa de amanhã no número dos comissários, ou então como um dos deles... como um dos seis jovens lá colocados para fiscalizar o serviço, solícitos junto às senhoras, mostrar os lugares aos convidados e levar um nó de fitas brancas e vermelhas no ombro esquerdo. Minha intenção era recusar, mas por que agora não entrar na casa, sob o pretexto de explicar-me com Iúlia Mikháilovna em pessoa? De modo que, iremos juntos.

Ele me escutava, abanando a cabeça, mas parecia não compreender. Tínhamos chegado à soleira.

— *Cher* — disse ele, estendendo o braço para a lamparina do ícone, — jamais acreditei naquilo, mas seja, seja! (Benzeu-se.) *Allons!*

— Pois bem! Tanto melhor — pensei, descendo com ele os degraus do patamar, — o ar vivo da marcha nos fará bem, e voltaremos em seguida bem tranquilamente para ir dormir.

Mas eu não contava com minha anfitrioa. No caminho, ocorreu um acontecimento que acabou de transtornar Stiepan Trofímovitch e decidi-lo totalmente... tanto que jamais teria esperado, confesso, que nosso amigo desse prova de tanta *presença de espírito naquela* manhã. O pobre, o querido amigo!

Capítulo X / Flibusteiros — uma manhã fatal

I

A aventura que nos aconteceu em caminho teve também algo de assombroso. Mas é necessário pôr ordem na minha narrativa. Uma hora antes de Stiepan Trofímovitch e eu termos saído para a rua, um bando de operários que trabalhavam na fábrica dos Chpigúlini, setenta indivíduos, ou talvez mais, haviam desfilado pela cidade, provocando assim a curiosidade de grande número de espectadores. Fizeram questão de desfilar em boa ordem, quase em silêncio. Contou-se mais tarde que aqueles setenta indivíduos tinham sido designados entre os novecentos que possuía a fábrica Chpigúlin, a fim de se dirigirem à residência do Governador e pedir-lhe, na ausência dos patrões, que pusesse fim à dissidência entre os operários e o administrador, que, fechando a fábrica e despedindo os operários, havia afrontosamente lesado os interesses deles — fato que já não admitia mais nenhuma dúvida. Outros persistem em negar que tivesse havido eleição, pretendendo que semelhante número de delegados teria sido excessivo, e que aquele grupo se compunha bem simplesmente dos operários os mais lesados que vinham reclamar a título pessoal. De modo que não podia tratar-se de uma "revolta" geral de operários, como tanto repetiram depois. Os outros afirmam ousadamente que aqueles setenta indivíduos não eram simples amotinados, mas verdadeiros revolucionários, porque, contando-se entre os mais turbulentos, tinham além disso agido segundo o teor dos manifestos. Em suma, houve naquilo influência oculta ou incitação direta? O fato não foi ainda esclarecido até hoje. A minha opinião pessoal é que os operários não tinham lido nenhum daqueles manifestos, ou então se os leram, nem haviam compreendido uma palavra sequer, dando-se o caso que seus autores, além da pobreza de estilo, escreviam ainda por cima da maneira mais obscura. Mas como os operários se encontravam numa situação difícil e a polícia à qual haviam eles recorrido não queria entrar nas questões deles, que podia haver de mais natural que sua ideia de ir em grupo "à casa do próprio general", se possível, com o papel que levava sua petição na cabeça, agrupar-se em ordem diante do patamar e, desde que ele aparecesse, lançarem-se todos de joelhos, gritando, como se fosse ele a personificação da Providência? Não há necessidade, na minha opinião, de ver naquilo nem revolta, nem deputados, porque é um meio de ação tradicional, histórico; o povo russo sempre gostou de falar "ao próprio general", pela simples satisfação de fazê-lo e independente do que pudesse resultar da conversa.

Assim, estou absolutamente persuadido de que, muito embora Piotr Stiepânovitch, Lipútin e alguns outros, — talvez mesmo Fiedka — tivessem tratado de agitar previamente os trabalhadores (como indícios sérios dão a pensar na ocorrência) e se tenham entrevistado com eles, dificilmente se entretiveram com mais de dois ou três, digamos cinco, apenas a título de sondagem e essas conversas deram em nada. No que se refere ao motim, se os operários tivessem compreendido alguma coisa da propaganda deles, teriam de imediato deixado de dar-lhes ouvido, tanto a coisa lhes teria parecido estúpida e de pouco interesse. Bem outro era o caso de

Fiedka: creio que teve ele mais sorte que Piotr Stiepânovitch. Sabe-se agora que dois operários tomaram parte, juntamente com Fiedka, no incêndio que rebentou na cidade três dias após, e que, um mês mais tarde, três indivíduos que haviam trabalhado outrora na fábrica foram detidos sob acusação de incêndio e de pilhagem. Mas se Fiedka conseguiu mesmo incitá-los a passar à ação imediata, é preciso crer que só houve realmente aqueles cinco, porque não ouvimos dizer nada de semelhante a respeito dos outros.

Seja como for, os operários chegaram todos em grupo à pequena praça diante da casa do Governador; enfileiraram-se em silêncio, depois esperaram de boca aberta, voltados para o lado do patamar. Disseram-me que apenas tomaram posição, tiraram seus bonés, isto é, uma boa meia hora antes que o Governador aparecesse, o qual, como que de propósito, não se encontrava em sua casa naquele momento. A polícia mostrou-se logo, a princípio em destacamentos, depois na sua totalidade. Começou naturalmente por intimar aos manifestantes que se dispersassem. Mas eles obstinaram-se em ficar ali, como um rebanho de carneiros amontoado contra uma cerca e responderam ironicamente que precisavam de falar "ao próprio general"; era claro que a resolução deles estava tomada. Aquelas intimações pouco naturais da parte da polícia cessaram e foram seguidas de um minuto de reflexão, dum misterioso vocábulo referente às medidas a tomar e duma sombria perplexidade que fez o cenho da autoridade franzir-se. O chefe de polícia preferia esperar a chegada do "próprio" von Lembke. Não é verdade que este haja chegado de troica a toda a pressa e começado a esbravejar e a servir-se dos próprios punhos antes mesmo de apear-se. Corria é certo, gostava de correr a toda a velocidade na sua caleça de traseira pintada de amarelo e, enquanto seus corcéis, "que eram com certeza animais estragados de mimos", perdiam cada vez mais a cabeça, excitando o entusiasmo dos comerciantes do bazar, erguia-se ele de pé na caleça, pavoneando-se com todo o seu porte, agarrado a uma correia fixada de propósito num dos lados do veículo, e com o braço estendido no espaço, como fazem as estátuas, abarcava assim a cidade toda com o olhar. Mas no caso presente não se serviu de seus punhos e se bem que, ao descer do carro, não pode abster-se de pronunciar alguma palavrinha bem sonante, não o fez senão com o fim de conservar sua popularidade. É mais falso ainda pretender que tinham mandado buscar soldados armados de baionetas e pedido por telegrama o envio de artilharia e de cossacos: são balelas que não deixam hoje de surpreender aqueles mesmos que as lançaram. Não menos absurda a história de tonéis cheios d'água que os bombeiros teriam trazido para regar a multidão. Muito simplesmente Iliá Ilitch, entusiasmando-se, gritara-lhes que nem um dentre eles se retiraria seco da água, o que provavelmente deu origem à lenda dos tonéis que por muito tempo divertiu a crônica dos jornais de Petersburgo e de Moscou. A versão mais provável, na minha opinião, é que a multidão foi, desde o começo, cercada pelo cordão das forças de polícia, e que se despachou a Lembke um comissário que correu precipitadamente para Skvopiéchniki, no *drójki* do chefe de polícia, sabendo que von Lembke para ali seguira no seu próprio carro havia uma meia hora...

Mas, devo confessar que pergunto ainda a mim mesmo como se pôde, ao *primeiro sinal, desde* o primeiro instante, dum grupo insignificante, para não dizer habitual de peticionários, fazer uma revolta que ameaçava abalar as bases do Estado! Como o próprio Lembke abocanhou essa ideia quando chegou vinte minutos após o mensageiro? Seria levado a crer (mas não é isto ainda senão uma opinião pessoal) que Iliá Ilitch, que tinha suas grandes e pequenas oportunidades de confabular com o gerente da fábrica, achava vantajoso apresentar o ajuntamento sob aquele aspecto a von Lembke, de modo a impedi-lo de ter verdadeira visão do assunto; aliás, fora o próprio von Lembke quem lhe sugerira aquela ideia. Tivera com ele, durante os dois últimos dias, duas misteriosas entrevistas dum caráter insólito, aliás bastante vagas, mas das quais Iliá Ilitch pode, não obstante, deduzir que o Governador se aferrava àquela ideia de que existiam manifestos e que os operários da fábrica Chpigúlin eram incitados por alguém para fomentar uma sublevação social, — e tão bem aferrado que teria sem dúvida lamentado ver sua história desmentida pelos fatos. "Ele deseja atrair para si alguma distinção honorífica de Petersburgo, — pensava nosso malicioso Iliá Ilitch, ao sair da casa de von Lembke, — pois bem, a coisa está em nossas mãos..."

Mas estou convencido de que o pobre Andriéi Antônovitch não teria desejado um movimento de revolta, mesmo com o objetivo de se distinguir. Era um funcionário extremamente consciencioso, que conservara sua inocência até o casamento. Era culpa dele, se em lugar de um inocente cargo oficial e de alguma não menos inocente "Mina", uma princesa de quarenta anos o tivesse elevado até a sua posição? Tenho como quase certo que foi a partir daquela manhã fatal que se manifestaram os primeiros sintomas irrecusáveis do mal que, dizem, conduziu o pobre Andriéi Antônovitch a um estabelecimento bem conhecido da Suíça, onde estaria a recuperar novas forças. Mas se se admite que índices patentes de alguma coisa se manifestaram precisamente naquela manhã, é possível, na minha opinião, admitir que fatos análogos tenham podido ocorrer na véspera, embora duma maneira menos aparente. Sei de fonte segura (podeis bem supor que Iúlia Mikháilovna me revelou mais tarde uma parte dessa história e sem a menor jactância, antes pelo contrário com um ar de meio-arrependimento — digo "meio" porque uma mulher não se arrepende jamais completamente), sei que na véspera, em plena noite, cerca das três horas da madrugada, Andriéi Antônovitch dirigiu-se aos aposentos de sua mulher, acordou-a, exigindo que ela ouvisse seu "ultimato". A ordem era tão imperiosa que ela se viu obrigada a levantar da cama, indignada sob seus papelotes e teve de, sentada num pequeno divã, a despeito de seu sorriso sarcástico, escutar, não obstante, a reprimenda. Então, pela primeira vez, compreendeu a que ponto chegara Andriéi Antônovitch e atemorizou-se intimamente. Teria sido preferível que ela fizesse um exame de consciência e se abrandasse, mas ocultou seu temor e mostrou mais obstinação do que nunca. Tinha (como toda mulher casada, creio) sua maneira de comportar-se para com Andriéi Antônovitch. Essa maneira, que mais de uma vez conseguira mergulhá-lo em estupor, consistia num silêncio desdenhoso que Iúlia Mikháilovna mantinha durante uma hora, duas horas, vinte e quatro horas, por vezes durante três dias; um silêncio que nada conseguia romper, dissesse ou fizesse ele o que quer que fosse e até mesmo se atirasse do alto de um terceiro andar. Processo verdadeiramente insuportável para um homem sensível! Punia Iúlia Mikháilovna seu esposo por causa dos equívocos cometidos durante aqueles últimos dias e da inveja que lhe causavam, como governador, os talentos administrativos de sua cara metade? Ela se sentia ferida pelas censuras que ele lhe fizera a respeito de sua atitude para com a juventude e para com toda a nossa sociedade, sem compreender a sutileza e a profundeza dos fins políticos que ela tinha em vista? Estaria zangada por vê-lo tão estupidamente ciumento de Piotr Stiepânovitch? Fosse como fosse, estava bem decidida agora a não se deixar enternecer, a despeito da hora inconveniente e da agitação insólita de Andriéi Antônovitch. Fora de si, caminhando para lá e para cá, em todos os sentidos, pelo tapete do toucador, expôs-lhe tudo, tudo, duma maneira bastante incoerente na verdade, mas pelo menos tudo quanto lhe pesava no coração — porque "aquilo ultrapassava os limites". Começou por declarar que todo mundo zombava dele e "que não o levariam pelo nariz".

— Não me importo com a expressão! — vociferou ele, ao surpreender o sorriso de sua mulher. — Sim, pelo nariz, pois que é a verdade... Pois bem, não, minha senhora, chegou a hora; saiba que não é o momento de rir e de pôr em jogo a galanteria feminina. Não estamos aqui no toucador de uma *coquette*, mas somos de certo modo duas criaturas abstratas que se encontram num balão para dizer a verdade uma à outra. (Evidentemente gaguejava e não encontrava um molde adequado às suas ideias, que aliás se mostravam perfeitamente justas.) Foi a senhora quem me fez sair de minha antiga condição. Aceitei este posto unicamente por sua causa, para satisfazer suas ambições... Sorri com ar sarcástico? Não se apresse em triunfar. Saiba, senhora, saiba que eu poderia, que eu saberia sair-me bem neste posto, e não somente neste posto, mas em dez outros semelhantes, porque tenho capacidade; mas com a senhora, na sua presença, é impossível ser bem sucedido; porque em sua presença perco todos os meus meios. Não poderia haver dois centros, e a senhora organizou dois: um, em minha casa; o outro, no seu toucador; dois centros de poder, minha senhora, que eu não posso tolerar, que eu não tolerarei, que eu não tolerarei! No serviço público como no estado matrimonial, o centro deve ser um, impossível haver dois... Que me deu a senhora em troca? — continuou ele a exclamar. — Nossa união consistiu em que a todo tempo, a toda hora, a senhora me demonstrava que eu era uma nulidade, um tolo, até mesmo um covarde, e a todo tempo, a toda hora, via-me na necessidade humilhante de provar-lhe que não era uma nulidade, de modo algum um tolo e que causava admiração a toda gente pela minha nobreza. Pois bem, não era isso tão humilhante de um lado quanto de outro?

Nisto pôs-se ele a espezinhar, cheio de raiva, o tapete, tanto que Iúlia Mikháilovna achou dever levantar com um ar de dignidade severa. Ele se acalmou rapidamente, mas em compensação caiu na sentimentalidade e soluçou (sim, soluçou) e bateu no peito durante quase cinco minutos, cada vez mais fora de si por causa do silêncio imperturbável de Iúlia Mikháilovna. Por fim cometeu o desazo de dar a entender que estava com ciúmes de Piotr Stiepânovitch. Adivinhando que acabara de cometer uma incomensurável besteira, sua raiva desencadeou-se e pôs-se ele a gritar "que não permitiria que se renegasse a Deus"; que fecharia "o imperdoável salão de impiedade" dela; que um governador é obrigado a crer em Deus, "e por consequência sua mulher também"; que ele não podia suportar a gente moça; que "caberia à senhora, por dever de dignidade pessoal, interessar-se pelo seu marido e sustentar que ele tem espírito, ainda que fosse destituído de capacidade (e capacidades não me faltam), ou, foi a senhora a causa de toda a gente me desprezar aqui, *tendo sido* a senhora quem deu o tom a isso!...". Gritou que aniquilaria a questão feminista e isto dum trago só; que aquele serão idiota em favor das professoras (que o diabo as leve!) ele o proibiria e suprimiria logo amanhã; faria expulsar da província “e por um cossaco, a primeira professora que encontrasse no dia seguinte de manhã”. E de caso pensado, vou fazer isso de caso pensado! — vociferou ele. — Sabia a senhora, sabia, que esses seus fedelhos estão semeando a agitação entre os operários da fábrica e que eu não ignoro isso? Sabia que eles espalham de propósito proclamações, de propósito? Sabia que conheço o nome de quatro desses valdevinos e que estou perdendo a cabeça, perdendo-a definitivamente, definitivamente!!!...”

Mas ao chegar a este ponto, Iúlia Mikháilovna rompeu de repente o silêncio e declarou, gravemente, que estava avisada desde muito tempo de que tentativas criminosas estavam sendo preparadas, que tudo aquilo não passava de tolices, que ele ligava demasiada importância àquilo; quanto aos fedelhos, conhecia não somente aqueles quatro, mas todos os outros (e com isto mentia); aliás, não tinha de modo algum a intenção de perder o juízo a propósito disso, bem pelo contrário, tinha fé mais do que nunca em sua inteligência e esperava coroar sua obra de uma maneira harmoniosa: encorajar os jovens, torná-los razoáveis, mostrar-lhes, de repente, sem que o esperassem, que seus desígnios estavam descobertos; em seguida orientar para outro objetivo sua atividade tornada assim mais firme e mais razoável. Oh! que aconteceu naquele momento a Andriéi Antônovitch? Sabendo que Piotr Stiepânovitch havia-o ludibriado ainda e de maneira tão grosseira, que fizera à sua mulher as confidências mais detalhadas, antes mesmo de haver-lhe feito revelações e que afinal talvez o próprio Piotr Stiepânovitch fosse o principal instigador da conspiração criminosa, ficou todo confuso de espanto. “Saiba, mulher leviana mas venenosa — exclamou ele, de repente, largando todos os freios de sua cólera, — saiba que mandarei prender imediatamente seu indigno amante, pôr-lhe algemas e vou despachá-lo para uma fortaleza ou então — ou então eu mesmo, agora, à sua vista, vou me atirar pela janela!” A esta tirada, Iúlia Mikháilovna, verde de raiva, respondeu logo por uma explosão de riso prolongado, sonoro, entrecortado de modulações e de intervalos, como no Teatro Francês, quando a atriz parisiense, contratada com honorários de cem mil rublos para desempenhar o papel das grandes amorosas, ri na cara do marido que ousa mostrar-se ciumento. Von Lembke esteve a ponto de atirar-se pela janela, mas de repente parou como pregado no lugar, juntou as mãos, e, com o rosto coberto de uma palidez cadavérica, olhou com ar sinistro a mulher que ria: “Sabes, Iúlia, sabes... — proferiu ele com uma voz abafada e suplicante, — sabes que sou capaz de fazer alguma coisa?”. Mas diante do redobramento de hilaridade que acolheu estas últimas palavras, von Lembke cerrou os dentes, lançou um suspiro e atirou-se, não para a janela, mas contra sua mulher, brandindo o punho! Não o deixou cair, — não, decerto, e três vezes não, — e foi o que o perdeu. Com as pernas fraquejantes, recolheu-se a seu gabinete, lançou-se todo vestido sobre o leito, meteu a cabeça sob as cobertas e ficou assim durante duas horas, sem dormir, sem pensar em nada, com uma pedra sobre o coração e na sua alma uma espécie de vago e inerte desespero. De vez em quando, a febre o abalava da cabeça aos pés, num doloroso arrepio. Imagens incoerentes, que não se ligavam a nada, passavam diante de seu espírito: ora se lembrava, por exemplo, de um velho relógio que tivera em Petersburgo quinze anos antes e ao qual faltava o ponteiro que marca os minutos; ora recordava-se do alegre funcionário Maillebois e do pardal que ambos haviam apanhado no parque Alieksándrovski; depois que o agarraram, ocorreu-lhes de súbito que um deles já tinha o título de assessor de colégio, o que os fez rirem durante todo o passeio. Creio que adormeceu às sete horas, sem o notar, dormiu com delícias e teve sonhos agradáveis. Despertado cerca das dez horas, saltou bruscamente do leito, lembrou-se de súbito do que se passara e bateu na testa com a palma da mão: não quis ouvir falar de almoço, nem de Blümer, nem do chefe de polícia, nem do empregado que se apresentou para lhe lembrar que os membros da assembleia provincial de X*** esperavam que ele lhes presidisse à reunião naquela manhã; não recebeu ninguém, não escutou nada e não quis nada ouvir, mas precipitou-se como um louco para os aposentos de Iúlia Mikháilovna. Ali, Sófia Antônovna, velha dama da nobreza que desde muito tempo morava em casa de Iúlia Mikháilovna, informou-o de que esta, desde as dez horas da manhã, partira com grande acompanhamento, em três carros, para Skvopiéchniki, para a casa de Varvara Pietrovna. Devia examinar lá os locais para uma segunda festa em perspectiva, a qual se realizaria dentro de quinze dias, como ficara combinado desde a antevéspera com a própria Varvara Pietrovna. Impressionado com esta notícia, Andriéi Antônovitch voltou a seu gabinete e mandou logo atrelar seus cavalos. Mal pôde esperar. Sua alma tinha sede de Iúlia Mikháilovna, só aspirava a olhá-la, a ficar cinco minutos a seu lado; talvez que ela, dirigindo-lhe ainda um olhar, o notasse, lhe sorrisse como no passado, perdoasse, oh! oh! "Pois bem! E os cavalos?" Maquinalmente abriu um grosso livro pousado em cima da mesa (procurava por vezes normas de conduta em um livro, abrindo-o ao acaso e lendo as três primeiras linhas da página direita). Eis o que encontrou *Tout est pour le mieux dans le méilleur des mondes possibles*. (Voltaire, *Candide*.)[136] Despeitado, cuspiu e apressou-se em subir no carro: "Para Skvopiéchniki!". O cocheiro contou que o amo fez os cavalos galoparem durante todo o trajeto, mas que assim que se viram diante da casa de Varvara Pietrovna, deu de repente ordem de arrepiar caminho e regressar à cidade: "Mais depressa, peço-te, mais depressa". A pouca distância do baluarte, "mandou parar de novo, desceu do carro e tomou um atalho através dos campos. Supunha que tivesse ele alguma vontade a satisfazer; mas eis que para e se põe a examinar florinhas, isto mesmo, de pé e durante tanto tempo que eu não sabia mais o que pensar da coisa". Tal foi o testemunho do cocheiro. Lembro-me do tempo que fazia naquele dia: era uma manhã de setembro fria e clara mas ventosa. Diante de Andriéi Antônovitch, que voltava as costas para a estrada, estendia-se a paisagem monótona dos campos desde muito tempo ceifados; o vento sacudia os derradeiros vestígios de algumas pobres flores amarelas ressequidas... Será que ele queria comparar sua sorte com a daquelas florinhas murchas pelo outono e pelo frio? Não creio. Suponho mesmo que seu pensamento estivesse naquele momento bem afastado das flores, a despeito das alegações do cocheiro e das do comissário de polícia que, passando por lá em *drójki*, pretendeu mais tarde ter encontrado Sua Excelência no momento em que tinha na mão um buquê de florinhas amarelas. Esse comissário, Vassíli Ivânovitch Flibustiérov, era uma personalidade dum zelo administrativo impetuoso. Chegado havia pouco à nossa cidade, já se havia feito notar por seu excessivo zelo, pela sua maneira de meter-se em tudo e pela sua intemperança de certo modo inata. Saltando do carro e não duvidando nem um instante, à vista da ocupação do Governador,

136 Personagem e título dum romance filosófico (1759) em que Voltaire zomba da famosa máxima do otimista Leibniz: *tout est pour le mieux dans le meilleur des mondes possibles*, tudo está muito bem no melhor dos mundos possíveis.

que este não tivesse ficado louco, pôs-se a anunciar-lhe à queima-roupa que "a cidade não estava tranquila".

— Hem? O quê? — disse, voltando-se para ele Andriéi Antônovitch, cuja fisionomia severa não manifestou, no entanto, o menor espanto e não pareceu tampouco se lembrar do cocheiro e da carruagem, como se se encontrasse em sua casa, em seu gabinete.

— O comissário de polícia do primeiro distrito, Flibustiérov, excelência. Houve uma revolta na cidade.

— Flibusteiros?[137] — perguntou Andriéi Antônovitch, pensativo.

— Precisamente, Excelência. A revolta é organizada pelos operários de Chpigúlin.

— De Chpigúlin!...

O nome de Chpigúlin pareceu lembrar-lhe alguma coisa. Estremeceu e levou um dedo à fronte: "Os operários de Chpigúlin!". Em silêncio, mas sempre mergulhado em suas reflexões, voltou sem se apressar para sua caleça, sentou e fez-se conduzir à cidade. O comissário seguia-o em *drójki*.

Imagino que tenha tido durante o trajeto a percepção confusa de numerosas coisas bastante interessantes sobre muitos assuntos; todavia, é pouco provável que se tenha detido em uma decisão qualquer antes de chegar à praça diante de sua residência. Mas assim que viu a multidão dos revoltosos que se havia aglomerado ali, firme e resolvida a ali permanecer, o cordão dos policiais, a impotência (talvez mais fingida que real) do chefe de polícia e a expectativa ansiosa de que ele mesmo era objeto, todo o seu sangue refluiu ao coração. Desceu do carro, de rosto lívido.

— Tirem os gorros! — exclamou com voz abafada. — De joelhos! — acrescentou com um urro que foi uma surpresa para todos e para ele mesmo em primeiro lugar. Ora, é precisamente no caráter insólito de tal apóstrofe que se deve ver sem dúvida o desenlace de todo o caso. Foi aquilo como nas montanhas russas em dia de feira. Seria possível que os trenós, lançados do alto, pudessem deter-se a meio da ladeira? Infelizmente para ele, Andriéi Antônovitch durante toda a sua vida fizera-se notar pela sua estabilidade de ânimo, jamais gritara, elevara a voz ou batera o pé, e gente dessa qualidade é a mais perigosa desde que seu trenó se põe em movimento. Tudo começava a girar em torno dele.

— Flibusteiros!... — gritou, numa voz ainda mais esganiçada e ao lançar esta estúpida exclamação calou-se, ficou ali interdito, na ignorância do que devia fazer, mas sabendo bem, sentindo em todo o seu ser que chegara o momento de fazer alguma coisa.

— Senhor!... — disse uma voz na multidão. Um rapaz benzeu-se, três ou quatro homens quiseram efetivamente ajoelhar-se, mas os outros moveram-se maciçamente e, dando três passos para diante, puseram-se a falar todos ao mesmo tempo: "Excelência... fomos contratados ao preço de quarenta... o intendente... tu não podes *dizer...*" etc., etc. Era impossível distinguir algo de inteligível.

Ai! Andriéi Antônovitch não podia entender: continuava com suas flores na mão. A revolta era para ele tão patente como ainda a *kibitka*[138] para Stiepan Trofímovitch. E eis que, entre a multidão dos revoltosos que o olhavam arregalando

137 Trocadilho com o sobrenome do policial Flibustiérov.

138 Carrocinha de ciganos.

os olhos, entrevia diante de si num sonho o instigador deles, Piotr Stiepânovitch, aquele Piotr Stiepânovitch que ele execrava...

— Açoites! — exclamou de maneira ainda mais inopinada.

Sucedeu-se um silêncio de morte.

Tais são os fatos que acabo de reconstituir, de acordo cem as informações mais exatas e baseando-me em minhas próprias conjeturas. Pelo menos tais são os fatos que ocorreram no começo, porque no que se refere à continuação, nem as informações, nem minhas conjeturas são assim tão precisas. No entanto, conhecem-se alguns fatos...

Em primeiro lugar, os açoites apareceram com demasiada pressa; evidentemente, prevendo-os, o chefe de polícia tinha-os prontos em caso de necessidade. Aliás, dois operários somente foram açoitados, creio que nem mesmo três. Insisti neste ponto. É falso pretender que o castigo haja atingido, senão a totalidade, pelo menos a metade dos manifestantes. Pura invenção igualmente o fato referente a uma pretensa dama nobre, pensionista de um hospício, que, acontecendo passar por ali, teria sido detida, sob um pretexto qualquer, e açoitada sem mais aquela. Eu mesmo, mais tarde, li a relação deste fato num jornal de Petersburgo. Muitos falaram entre nós duma tal Avdótia Pietrovna Tarapíguina que, voltando para sua casa após uma visita e passando então pela praça, teria se misturado aos espectadores. Levada por um movimento de curiosidade bastante natural, aquela senhora, à vista do espetáculo, teria gritado: "Que vergonha!", cuspindo em sinal de desprezo. Por causa disto, teria sido detida e "obrigada a retirar suas palavras". Não somente foi esta história objeto de artigos nos jornais, mas organizou-se mesmo entre nós uma subscrição em favor da dama. Eu mesmo subscrevi vinte copeques. Ora, está provado agora que jamais existiu entre nós dama alguma respondendo pelo nome de Tarapíguina! Fui pessoalmente informar-me no hospício em que se pretendia estar ela asilada: o nome de Tarapíguina era ali desconhecido e, o que é mais, o pessoal do estabelecimento mostrou-se descontente por ter eu ido transmitir-lhe o boato que corria. Se lembrei em particular este fato referente à pretensa Avdótia Pietrovna, foi porque quase aconteceu o mesmo a Stíepan Trofímovitch (sempre supondo-se que a história tenha sido verdadeira). Talvez mesmo tenha sido isso que deu origem à estúpida invenção da tal Tarapíguina, isto é, que, apoderando-se do herói autêntico, os mexericos o tenham transformado depois numa Tarapíguina qualquer. Não compreendo sobretudo de que maneira Stiepan Trofímovitch me escapou, assim que chegamos à praça. Não pressentindo nada de bom, queria conduzi-lo à casa do Governador, fazendo-o dar a volta da praça. Mas cedendo eu mesmo à curiosidade, parei um instante para interrogar o primeiro recém-vindo e quando olhei em redor não mais encontrei Stiepan Trofímovitch a meu lado. Instintivamente, pus-me logo a procurá-lo no lugar mais perigoso; tinha como um pressentimento de que seu trenó acabava de largar-se de montanha abaixo. Efetivamente, achava-se ele já em pleno centro da ação. Lembro-me de que o peguei pelo braço, mas olhou-me com ar tranquilo e altivo em que se lia uma majestade incomensurável.

— *Cher* — disse ele, com uma voz em que tremia não sei que corda partida, — se aqui, em plena praça, procedem tão sem-cerimônias, que se pode esperar de bom daquele... se acreditar que deve agir por sua própria iniciativa?

E tremendo de indignação, num gesto provocador, apontou seu índice ameaçador para Flibustiérov que se encontrava a dois passos dali e nos olhava de olhos arregalados.

— Daquele? — exclamou ele, cego de cólera. — Daquele quem? E tu quem és? — disse ele, aproximando-se de nós, com os punhos cerrados. — Quem és? — repetiu num tom colérico, em que transparecia uma vaga confusão (notarei de passagem que ele conhecia muito bem e pessoalmente Stiepan Trofímovitch). Ainda um momento e sem dúvida o teria agarrado pela gola; mas por felicidade Lembke, ao ouvir aquele grito, voltou a cabeça. Pareceu indeciso, enquanto olhava com atenção para Stiepan Trofímovitch, como se procurasse reunir suas ideias, mas fez de repente com a mão um gesto de impaciência. Flibustiérov calou-se. Arrastei Stiepan Trofímovitch para fora da multidão. Aliás, ele mesmo talvez tivesse vontade de bater em retirada.

— Para casa, para casa — insisti. — Se não nos bateram, devemos isso sem dúvida a Lembke.

— Vá-se embora, meu amigo. A culpa é minha se o fiz correr um perigo. Você tem uma carreira aberta à sua frente, ao passo que eu, *mon heure a sonné*.

Subiu com passo firme o patamar da casa do Governador. O porteiro me conhecia. Anunciei-lhe que vínhamos visitar Iúlia Mikháilovna. Sentamo-nos no salão de recepção e ficamos à espera. Não queria abandonar meu amigo; todavia, achava supérfluo dirigir-lhe ainda a palavra. Tinha ele o ar de um homem que se prepara para sacrificar a vida à pátria. Estávamos sentados não um ao lado do outro, mas cada qual no seu canto, eu mais perto da porta de entrada, ele, na outra extremidade, em frente, com a cabeça pensativamente inclinada e as duas mãos levemente apoiadas sobre sua bengala. Na mão esquerda segurava seu grande chapéu. Ficamos assim uns dez minutos.

II

Lembke entrou de repente, a passos rápidos, acompanhado pelo chefe de polícia; olhou-nos distraidamente e, sem nos prestar a menor atenção, dirigiu-se para seu gabinete de trabalho, mas Stiepan Trofímovitch foi plantar-se diante dele para barrar-lhe o caminho. A alta figura de Stiepan Trofímovitch, diferente de qualquer outra, causou impressão; Lembke parou.

— Quem é? — murmurou, perplexo, como se aquela pergunta se dirigisse ao chefe de polícia para o qual, entretanto, não voltou a cabeça, ocupado como estava em examinar Stiepan Trofímovitch.

— O assessor de colégio, aposentado, Stiepan Trofímovitch Vierkhoviénski, excelência — respondeu Stiepan Trofímovitch, com uma inclinação de cabeça cheia de dignidade. Sua Excelência continuou a fitar nele um olhar aliás perfeitamente inexpressivo.

— A que vem? — perguntou ele, com um laconismo verdadeiramente digno dum chefe, ao mesmo tempo que atentava para Stiepan Trofímovitch o ouvido, com uma impaciência desdenhosa, pois acabava de tomá-lo por um vulgar solicitante munido duma petição escrita.

— Hoje, vi-me objeto duma busca domiciliar da parte dum funcionário que agia em nome de Vossa Excelência. De modo que desejaria...

— O nome? O nome? — perguntou impacientemente Lembke, como se um clarão se acendesse no seu cérebro. Stiepan Trofímovitch repetiu seu nome com um ar de dignidade ainda maior.

— Ah! ah! ah!... é esse propagandista... Meu caro senhor, mostrou-se a uma luz tal... É professor? Professor?

— Tive outrora a honra de dar alguns cursos à mocidade da Universidade de X***.

— À mocidade! — Lembke teve uma espécie de arrepio, embora, apostaria, não tivesse compreendido de que se tratava, nem mesmo, parece, com quem estava falando.

— Isto, caro senhor, não o admitirei jamais — continuou ele, pondo-se num furor súbito. — Não admito a mocidade. São sempre proclamações. É um assalto à sociedade, senhor, um ataque de piratas, flibusteirismo... Que vem o senhor solicitar?

— Foi, ao contrário, sua esposa quem me solicitou a fazer uma conferência amanhã na sua festa. Não solicito nada, vim reclamar meus direitos.

— Na festa? Não haverá festa. Não autorizarei vossa festa! Uma conferência? Uma conferência? — vociferou ele, furioso.

— Desejaria, excelência, que me falasse mais polidamente sem bater o pé, nem gritar comigo, como se eu fosse um criado.

— Sabe bem com quem está falando? — perguntou von Lembke que ficou rubro.

— Perfeitamente, excelência.

— Sou eu que faço um baluarte à sociedade, quando vosso propósito é destruí-la... destruí-la!... O senhor... lembro-me do senhor, aliás! Esteve como preceptor em casa da Generala Stavróguina.

— Sim, desempenhei essa função... de preceptor em casa da Generala Stavróguina.

— E durante vinte anos fez-se o senhor o propagandista de tudo quanto se acumulou até estes dias... de todos os frutos... Parece-me que o vi ainda há pouco na praça. Tome, contudo, cuidado, senhor, tome cuidado; a orientação de suas ideias é conhecida. Fique persuadido que estarei de olho. Não posso, senhor, tolerar seus cursos, não posso. Não é a mim que deve dirigir semelhantes petições.

Quis de novo passar para o seu gabinete.

— Repito que Vossa Excelência se engana. Foi a sua esposa que me pediu que fizesse, não cursos, mas uma conferência literária na festa de amanhã. Mas agora, eu mesmo me recuso a fazê-la. Peço-lhe muito humildemente que queira ter a bondade de explicar-me, se possível, por que motivo fui objeto duma busca esta manhã? Levaram-me vários livros, papéis, cartas particulares de que faço muita questão. Foi tudo carregado num carrinho de mão...

— Quem fez a busca? — disse estremecendo Lembke, voltando à situação, e cujo rosto se tornou rubro de novo. Voltou-se vivamente para o chefe de polícia. No mesmo momento, apareceu na soleira da porta a figura comprida, curvada e desgraciosa de Blümer.

— Foi aquele funcionário ali — disse Stiepan Trofímovitch, designando-o. Blümer avançou com um ar que confessava sua culpabilidade, mas sem o menor arrependimento.

— *Vous ne faites que des bêtises* — atirou-lhe von Lembke, num tom de irritação e de raiva. Depois, como que de repente, operou-se nele uma reviravolta e completamente senhor de si, balbuciou, todo desconcertado e corando ao extremo:

— Desculpe-me... tudo isso... tudo isso não passa provavelmente de um desazo, de um mal-entendido... de um simples mal-entendido...

— Excelência — observou Stiepan Trofímovitch, — fui na minha mocidade testemunha de um fato característico. Um dia, no corredor de um teatro, um espectador avançou bruscamente contra alguém e deu-lhe, em público, uma bofetada ressonante. Tendo percebido logo que sua vítima não era a pessoa a quem estava destinada a bofetada, mas um desconhecido que tinha apenas com aquela uma vaga semelhança, rapidamente e num tom precipitado de quem não poderia perder um tempo precioso, pronunciou exatamente as mesmas palavras de Vossa Excelência: "Enganei-me... desculpe, foi um engano, um simples mal-entendido". E como, não obstante, o ofendido continuasse a manifestar seu descontentamento, o agressor declarou-lhe num tom extremamente melindrado: "Mas se lhe estou dizendo que foi um mal-entendido, por que insiste o senhor então?".

— É... é efetivamente bastante engraçado — disse Lembke, careteando um sorriso, — mas não vê o senhor quanto eu mesmo sou infeliz?

Quase gritara essa confissão e... creio bem que teve ele vontade de esconder o rosto nas mãos.

Aquela dolorosa exclamação lançada de improviso, aqueles meio-soluços eram intoleráveis. Provavelmente era a primeira vez desde a véspera que o Governador tinha a consciência nítida do que se tinha passado, e logo imediatamente se misturava a isso um sentimento de desespero humilhante, esmagador, infinito; quem sabe? um momento ainda e talvez viesse a rebentar em soluços. Stiepan Trofímovitch olhou-o, a princípio com um ar aturdido, depois curvou a cabeça e proferiu com um acento profundamente compenetrado:

— Excelência, não se inquiete mais com a minha mesquinha queixa. Mande apenas devolverem-me meus livros e meus papéis.

Nesse momento, foi interrompido pela chegada ruidosa de Iúlia Mikháilovna, acompanhada de seus amigos. Mas desejaria, tanto quanto possível, descrever aqui a cena em todos os seus detalhes.

III

Em primeiro lugar, quando desceram dos três carros, correram todos, em magote, irrompendo no salão. Os aposentos de Iúlia Mikháilovna tinham sua entrada particular justamente à esquerda do patamar, mas desta vez todos se dirigiram para lá atravessando a sala, e precisamente, eu presumo, porque Stiepan Trofímovitch se encontrava naquela peça. O relato de sua aventura e dos incidentes relativos aos Chpigúlin tinha já sido feito por Liámchin a Iúlia Mikháilovna durante o trajeto de volta. Liámchin, esquecido por inadvertência e não tendo tomado parte no passeio, soubera por consequência antes de todos o que se passara na cidade. Na sua alegria maldosa de anunciar tão agradáveis notícias, alugou um péssimo pangaré e precipitou-se pela estrada de Skvopiéchniki ao encontro da cavalgada que voltava.

Penso que Iúlia Mikháilovna, apesar de seu soberbo entono, sentiu, não obstante, certa perturbação ao ouvir aquelas terríveis notícias. Mas foi provavelmente apenas a duração de um relâmpago. O lado político da questão, por exemplo, não podia preocupá-la. Piotr Stiepânovitch já lhe havia sugerido por umas quatro vezes que era preciso mandar açoitar todos os revoltosos da fábrica Chpigúlin e na verdade, desde algum tempo, Piotr Stiepânovitch havia-se tornado para ela um conselheiro infalível. "Mas ainda assim, ele vai me pagar", pensava ela, provavelmente; aquele "ele" referia-se naturalmente a seu marido. Observarei de passagem que Piotr Stiepânovitch desta vez também não fazia parte da excursão e ninguém o viu em parte alguma durante toda a manhã. Lembrarei ainda a este respeito que Varvara Pietrovna, depois de ter recebido seus visitantes, voltou com eles à cidade (no carro de Iúlia Mikháilovna), querendo absolutamente assistir à derradeira sessão do comitê encarregado de organizar a festa que devia realizar-se no dia seguinte. Não é preciso dizer que as notícias levadas por Liámchin não podiam deixar de interessá-la e talvez mesmo de agitá-la.

O castigo de Andriéi Antônovitch não tardou a ocorrer. Logo ao primeiro olhar que lançou à sua excelente esposa, sentiu o Governador, ai!, que aquilo viria. Iúlia Mikháilovna, com seu ar mais agradável e com um encantador sorriso, aproximou-se de Stiepan Trofímovitch, estendeu-lhe a mão deliciosamente enluvada e encheu-o dos cumprimentos mais lisonjeadores, como se, durante a manhã inteira, não tivesse tido outras preocupações senão tratar de obter de Stiepan Trofímovitch que lhe desse afinal a honra de ir à casa dela. Nem a menor alusão à busca da manhã, como se ignorasse tudo. Nem uma palavra, nem um olhar a seu marido, tudo como se ele não estivesse presente na sala. Bem mais ainda, confiscou imediatamente Stiepan Trofímovitch e levou-o quase à força para o salão, como se ele não tivesse explicações em curso com o Governador, ou como se não valesse a pena que isto continuasse no caso de estar ocorrendo. Repito, Iúlia Mikháilovna, a despeito de seus grandes ares, pareceu-me então carecer completamente de tato. Karmázinov contribuiu bem particularmente para isso (a pedido pessoal de Iúlia Mikháilovna tomara parte na excursão e, dessa maneira, visitara, embora indiretamente, Varvara Pietrovna, fato pelo qual teve esta a fraqueza de mostrar-se encantada). Desde a soleira da porta (entrara por último), lançou uma exclamação e correu a apertá-lo em seus braços, cortando assim a palavra a Iúlia Mikháilovna.

— Quantos verões, quantos invernos! Afinal... *excellent ami*.

Beijou-o, bem entendido, oferecendo ele próprio a face. Stiepan Trofímovitch, perdendo a cabeça, viu-se mesmo obrigado a beijá-la.

— *Cher* — dizia-me ele, naquela mesma noite, recapitulando os acontecimentos do dia, — perguntei a mim mesmo naquele momento qual dos dois era mais covarde, ele que me beijava, a fim de humilhar-me, ou eu que o desprezava e lhe beijava a face, quando teria podido dispensar-me disso... Ufa!

— Pois bem, conte-me pois... conte-me tudo — sussurrava Karmázinov, com uma voz hipócrita, como se fosse possível em vinte minutos empreender a narrativa de toda uma vida desde vinte e cinco anos. Mas aquela proposta estúpida lhe parecia do melhor gosto.

— Lembra-se de que nos vimos pela última vez em Moscou, no banquete dado em honra de Granóvski, e que desde então vinte e cinco anos decorreram? —

começou Stiepan Trofímovitch muito compenetradamente (isto é, num tom muito pouco saliente).

— Esse caro homem! — interrompeu Karmázinov, lançando gritinhos e agarrando Stiepan Trofímovitch pelo ombro com uma familiaridade um tanto excessiva. — Mas leve-nos então o mais cedo possível a seus aposentos, Iúlia Mikháilovna! Ele se sentará lá e nos contará tudo.

— E entretanto jamais fui íntimo daquela irritante comadre — disse-me naquela noite Stiepan Trofímovitch, tremendo de cólera. Já, quando éramos moços, aprendera a detestá-lo... coisa que ele retribuía, nem é preciso dizer.

O salão de Iúlia Mikháilovna encheu-se bem depressa. Varvara Pietrovna achava-se num estado de particular superexcitação, malgrado os esforços que fazia para parecer indiferente; mas a vi, por duas ou três vezes, lançar um olhar de ódio a Karmázinov e de cólera a Stiepan Trofímovitch, cólera antecipada, cólera proveniente de um velho fundo de ciúme e de amor. Se daquela vez Stiepan Trofímovitch tivesse feito má figura e deixado que Karmázinov o maltratasse, creio que ela teria saltado em cima dele, para bater-lhe. Esquecia-me de dizer que Lisa se encontrava entre os presentes; jamais a vira tão alegre, tão despreocupada, tão jovial e tão feliz. Estava também naturalmente presente Mavríki Nikoláievitch. Depois, na multidão das jovens senhoras e dos rapazes meio dissolutos que compunham a comitiva habitual de Iúlia Mikháilovna e entre os quais o descaramento passava por alegria e o cinismo vulgar por espírito, notei dois ou três rostos novos: um polonês de passagem, muito solícito; um doutor alemão, velhote ainda verde, que rebentava numa risada enorme de satisfação com suas próprias frases de espírito e afinal um jovem príncipe, chegado de Petersburgo, figura de autômato, apertado num uniforme com um colarinho desmedidamente alto. Mas era visível que Iúlia Mikháilovna tratava aquele hóspede com grande deferência e até mesmo se inquietava com o que pudesse ele pensar de seu salão.

— *Cher Monsieur* Karmázinov — disse Stiepan Trofímovitch que sentou num divã, numa posição pitoresca e que de súbito se pôs a cecear tão bem quanto Karmázinov, — a vida de um homem de nosso tempo, por pouco que possua certas convicções, deve, mesmo durante um período de vinte e cinco anos, apresentar um caráter de uniformidade.

Supondo provavelmente que Stiepan Trofímovitch acabava de dizer algo de muito engraçado, o alemão rompeu numa brusca e sonora gargalhada. Stiepan Trofímovitch olhou-o, fingindo espantar-se, o que, aliás, não produziu no alemão nenhum efeito. O príncipe também voltou para o alemão sua cabeça enterrada no colarinho, e, pondo seu pince-nez, examinou o alemão sem a menor expressão de curiosidade.

— ... deve apresentar um caráter de uniformidade — repetiu de propósito Stiepan Trofímovitch, calcando cada palavra com a maior sem-cerimônia. — Tal foi minha vida durante todo este quarto de século, *et comme on trouve partout plus de moines que de raison*,[139] e como partilho inteiramente dessa opinião, resultou para mim que durante este quarto de século...

— *C'est charmant, les moines* — cochichou Iúlia Mikháilovna, voltando-se para Varvara Pietrovna, sentada a seu lado.

139 E como se encontram por toda parte mais monges do que é preciso...

Varvara Pietrovna respondeu com um ar cheio de orgulho. Mas Karmázinov não pode suportar o êxito obtido pela frase francesa e, com sua voz esganiçada, interrompeu Stiepan Trofímovitch.

— Quanto a mim, estou bem tranquilo a este respeito, porque há já sete anos que vivo em Karlsruhe. E quando no ano passado o Conselho Municipal decidiu estabelecer nova canalização d'água, senti bem no fundo de meu coração que essa questão da canalização das águas de Karlsruhe me era ainda mais querida que todas as questões de minha cara pátria... que todas as pretensas reformas daqui.

— É-se forçado a tomar interesse por elas, ainda mesmo a contragosto — suspirou Stiepan Trofímovitch, inclinando a cabeça com ar significativo.

Iúlia Mikháilovna estava radiante: a conversa tornava-se profunda e acusava certa tendência,

— Um tubo de esgoto? — perguntou em voz alta o doutor, a título de informação.

— Não, uma canalização, doutor, uma canalização e eu mesmo ajudei-os a redigir o projeto.

O doutor pôs-se a rir ruidosamente. Muitos imitaram seu exemplo, mas era do doutor que riam desta vez. Aliás, ele não notou e grande foi seu contentamento ao ver que todos riam.

— Permita-me não ser de sua opinião, Karmázinov — apressou-se em protestar Iúlia Mikháilovna. — Karlsruhe deve ser posta no seu lugar, e o senhor gosta de mistificar seus ouvintes, mas desta vez não cremos no senhor. Qual dos escritores russos o que pôs em cena maior número de tipos contemporâneos e indicou de maneira precisa os traços atuais que servem para compor a fisionomia de um homem de ação moderno? O senhor e nenhum outro. E quer depois disto convencer-nos de sua indiferença para com a mãe-pátria, convencer-nos do interesse excepcional que tem o senhor pela canalização de Karlsruhe? Ah! ah! ah!

— Sim, é verdade — ceceou Karmázinov. — Representei no tipo de Pogóchev todos os defeitos dos eslavófilos, e no de Nikodímov todos os defeitos dos ocidentalistas...

— Se fossem pelo menos todos — disse baixinho Liámchin.

— Mas ocupo-me com isso de passagem, unicamente para matar o tempo e... satisfazer às exigências importunas de meus compatriotas.

— O senhor sabe provavelmente, Stiepan Trofímovitch — prosseguiu com entusiasmo Iúlia Mikháilovna, — que teremos amanhã o prazer de ouvir páginas deliciosas: uma das derradeiras e das mais delicadas produções de Siemion Iegórovitch? Chama-se *Merci*. Anuncia-nos nessa peça que não escreverá mais, por coisa alguma do mundo, ainda mesmo que um anjo do céu ou, para melhor dizer, toda a alta sociedade lhe suplicasse para mudar de decisão. Em uma palavra, depõe a pena para sempre, e esse gracioso *Merci* é dirigido ao público, em reconhecimento pelo entusiasmo que este jamais cessou de manifestar durante a longa carreira dum escritor que honra o pensamento russo.

Iúlia Mikháilovna achava-se no auge do encantamento.

— Sim, farei minhas despedidas; direi o meu *Merci* e me retiro... para lá... para Karlsruhe... lá fecharei os meus olhos — declarou Karmázinov, cuja vaidade se entufava pouco a pouco.

Da mesma maneira que muitos de nossos grandes escritores (e os grandes escritores entre nós não são raros), não suportava o elogio e logo mostrava seu ponto fraco, a despeito de todo o seu espírito. Mas creio que se deve perdoá-lo. Pretende-se que um de nossos modernos Shakespeare exclamou bem claramente em meio duma conversa íntima: "nós, grandes homens, não saberíamos agir de outra maneira, etc.". E nem mesmo se deu conta do que dissera.

— Lá, em Karlsruhe, cerrarei meus olhos. A nós, grandes homens, uma vez cumprida nossa tarefa, não nos resta senão cerrar os olhos o mais depressa possível, sem procurar recompensa. Assim o farei.

— Deixe-me seu endereço, irei visitar o seu túmulo, em Karlsruhe — disse o alemão, rindo desbragadamente.

— Hoje, transportam-se os mortos por caminho de ferro — notou de súbito algum dos jovens insignificantes. Nisto Liámchin lançou verdadeiros gritos de entusiasmo. Iúlia Mikháilovna franziu as sobrancelhas. Entrou Nikolai Stavróguin.

— E disseram-me que o senhor tinha sido conduzido à delegacia — disse ele em voz alta, dirigindo-se em primeiro lugar a Stiepan Trofímovitch.

— Não, foi quando muito um caso particular[140] — pilheriou Stiepan Trofímovitch.

— Mas espero que não terá a menor influência sobre o meu pedido — insistiu Iúlia Mikháilovna. — Espero que o senhor não leve a mal esse aborrecido contratempo, cujo sentido até hoje não alcanço. O senhor não haverá de decepcionar as mais caras esperanças de seus amigos e não os privará do prazer de ouvir sua conferência na matinal literária.

— Não sei, eu... agora...

— Na verdade, sou bem infeliz, Varvara Pietrovna... imagine a senhora, justamente no momento em que teria querido tanto conhecer pessoalmente um dos espíritos russos mais notáveis e mais independentes, eis que Stiepan Trofímovitch manifesta a intenção de esquivar-se.

— O elogio foi pronunciado em tão alta voz que estaria eu obrigado a não tê-lo ouvido — observou com finura Stiepan Trofímovitch, — mas não creio que minha humilde pessoa seja tão indispensável à vossa festa. Aliás, eu...

— Mas vocês o mimam por demais! — exclamou Piotr Stiepânovitch, irrompendo no salão. — Mal o havia largado das mãos e eis que de repente, na mesma manhã: busca, detenção, um policial que o agarra pela gola. E eis agora essas senhoras a afagá-lo no salão do governador da cidade! Estou certo de que o entusiasmo neste momento lhe paralisa todos os membros! Jamais sonhou semelhante farra, mesmo dormindo. E agora irá deblaterar contra os socialistas!

— É impossível, Piotr Stiepânovitch. O socialismo é uma ideia demasiado grande para que Stiepan Trofímovitch não a reconheça — sustentou com energia Iúlia Mikháilovna.

— A ideia é grande, mas aqueles que a professam não são sempre gigantes, *et brisons là, mon cher,*[141] — concluiu Stiepan Trofímovitch, voltando-se para seu filho e levantando com um ar cheio de dignidade.

---

140 Trocadilho intraduzível com a palavra tchast (distrito) e ícbástni (particular).

141 E fiquemos nisso, meu caro.

Mas aqui sobreveio a circunstância mais imprevista. Desde alguns instantes já, von Lembke encontrava-se no salão, mas ninguém parecia notar sua presença, se bem que todos o tivessem visto entrar. Fiel à sua primeira ideia, Iúlia Mikháilovna continuava a ignorar-lhe a presença. Ficara ele não longe da porta e com ar sombrio, rosto severo, escutava as conversas. Ouvindo certas alusões aos fatos da manhã, começou a manifestar inquietação; quis dirigir-se ao príncipe cujo enorme colarinho postiço engomado impressionava-o visivelmente; depois sentiu uma espécie de arrepio, ao reconhecer a voz de Piotr Stiepânovitch e avistando-o. Mal Stiepan Trofímovitch acabara de proferir sua frase a respeito dos socialistas, o Governador avançou de súbito para ele. Ao passar, deu um encontrão em Liámchin que recuou logo, afetando um ar de surpresa e esfregando o ombro, como se o tivesse machucado violentamente.

— Basta! — disse von Lembke e, agarrando com energia a mão de Stiepan Trofímovitch, espantado, apertou-a com todas as suas forças na sua. — Basta, os flibusteiros de nosso tempo estão identificados. Nem uma palavra a mais. Todas as medidas estão tomadas...

Pronunciou estas palavras numa voz forte que ecoou por todo o salão e terminou-as com um tom enérgico. A impressão causada foi penosa. Todo mundo sentiu que aconteceria alguma coisa desagradável. Vi Iúlia Mikháilovna ficar lívida. A cena terminou por um incidente grotesco. Depois de declarar que medidas tinham sido tomadas, Lembke voltou-se, rígido, e dirigiu-se rapidamente para a porta, mas ao segundo passo, tropeçou no tapete com a cabeça para a frente e quase esborracha o nariz no soalho... Parou um instante, olhou o lugar onde seu pé havia escorregado, disse bem alto "é preciso mudar isso" e saiu. Iúlia Mikháilovna correu atrás dele. Assim que ela saiu, a algazarra tornou-se geral. As palavras que se conseguia distinguir eram as de "miolo mole" e "maluco". Outros levavam o dedo à testa; Liámchin, de seu canto, elevava dois dedos acima da cabeça. Fazia-se alusão, bem baixo, é claro, a um infortúnio conjugal. Ninguém todavia pegava seu chapéu, todos esperavam. Ignoro o que fazia durante esse tempo Iúlia Mikháilovna; mas voltou ao fim de dez minutos, tentando com todas as suas forças parecer calma. Respondeu evasivamente que Andriéi Antônovitch estava um pouco agitado, que estava sujeito a isso desde a infância, que sabia ela perfeitamente do que se tratava e que a festa do dia seguinte seria para seu esposo naturalmente uma excelente distração. Em seguida, após ter dirigido, mas apenas por polidez, algumas palavras lisonjeadoras a Stiepan Trofímovitch, convidou em voz bem alta todos os membros do comitê para abrirem a sessão. Era para aqueles que dele não faziam parte o momento de retirar-se, mas estava escrito que as aventuras daquela manhã funesta não teriam fim tão cedo.

No mesmo instante em que entrara Nikolai Vsiévolodovitch, havia eu notado que Lisa tinha brusca e longamente fixado seu olhar sobre ele; em seguida, ficou tanto tempo a examiná-lo que aquilo acabou por chamar a atenção. Vi Mavríki Nikoláievitch, que se encontrava por trás da moça, inclinar-se para ela como se quisesse falar-lhe em voz baixa, depois, tendo, sem dúvida, mudado de intenção, reerguer*-se de repente e passear seu olhar* pelos presentes, como se se sentisse culpado. Nikolai Vsiévolodovitch suscitou também a atenção; seu rosto estava mais pálido que de costume, e seu olhar extraordinariamente distraído. Mal dirigira ao entrar sua pergunta a Stiepan Trofímovitch, pareceu esquecer-se dele e creio mesmo que deixou de cumprimentar a dona da casa. Nem uma vez sequer lançou o olhar para Lisa, não, sustento isto, por um ato de vontade refletida, mas porque nem mesmo a percebera. E de repente, após os poucos instantes de silêncio que se seguiram ao convite feito por Iúlia Mikháilovna, eis que se elevou a voz sonora de Lisa, interpelando distintamente Stavróguin.

— Nikolai Vsiévolodovitch, um capitão chamado Liebiádkin, que se diz seu parente, o irmão de sua mulher, não para de enviar-me cartas inconvenientes, nas quais se queixa do senhor e me propõe revelar certos segredos que dizem respeito ao senhor. Se é ele realmente seu parente, proíba-o então de insultar-me e livre-me desses aborrecimentos.

O terrível desafio contido nessas palavras foi percebido por todos. A acusação era formulada de maneira precisa, se bem que a moça a tivesse feito talvez inopinadamente. Parecia aquilo a resolução de um homem que, fechando os olhos, se precipita do alto dum telhado.

Mas a resposta de Nikolai Stavróguin foi ainda mais estupefaciente.

Em primeiro lugar, era já uma coisa razoavelmente estranha a calma imperturbável com que havia escutado Lisa. Nem perturbação, nem cólera se manifestaram no seu rosto. E foi da maneira mais simples, mais categórica, e mesmo com um ar solícito, que respondeu à fatal pergunta:

— Sim, tenho a desgraça de ser aparentado àquele homem. Casei-me com a Senhorita Liebiádkina vai fazer cinco anos. Esteja certa de que lhe darei parte de suas exigências no mais breve prazo possível e posso responder-lhe que aquele homem deixará de persegui-la.

Jamais esquecerei o espanto que se pintou no rosto de Varvara Pietrovna. Levantou de sua cadeira, com ar desvairado, estendendo o braço direito como para proteger-se. Nikolai Vsiévolodovitch fitou cada um por sua vez, sua mãe, Lisa, os espectadores, sorriu de repente com uma expressão de infinito desdém, depois, sem se apressar, deixou o salão. Todo mundo observou que no momento em que Nikolai Vsiévolodovitch se encaminhava para a porta, Lisa se levantara de súbito do divã, fizera menção de precipitar-se em seu encalço; mas, tendo reconsiderado, retirou-se tranquila sem nada dizer a ninguém, nem olhar para quem quer que fosse, sempre acompanhada, não é preciso dizer, por Mavríki Nikoláievitch que se lançara atrás dela...

Não direi nada do barulho e dos boatos que correram na cidade naquela noite. Varvara Pietrovna encerrou-se em sua casa e disseram que Nikolai Vsiévolodovitch partiu diretamente para Skvopiéchniki, sem mesmo ter visto sua mãe. Stiepan Trofímovitch mandou-me de noite pedir *à cette chère amie* autorização para ir vê-la, mas não me receberam. Ele ficou profundamente magoado: "Semelhante casamento! semelhante casamento! tal monstruosidade na família!", repetia a todo instante, com lágrimas nos olhos. Todavia não perdia de vista Karmázinov a quem injuriava copiosamente. Não deixava tampouco de preparar-se com intensidade para a conferência do dia seguinte, e, — artista consumado! — de se preparar diante de um espelho. Repassando na memória todas as frases de espírito e todos os trocadilhos que fizera durante toda a sua vida e que guardava anotados num caderninho especial, para servi-los ao público.

— Meu amigo, é para a grande ideia — disse-me, sem dúvida à maneira de justificação. — *Cher ami*, saio do meu retiro em que me confinava desde vinte e cinco anos e eis-me de partida. Para onde? Ignoro-o, mas eis-me de partida...

Terceira parte

Capítulo primeiro / Primeiro ato. A festa

I

A festa realizou-se, a despeito de todas as perplexidades que o dia anterior podia ter feito nascer. Mesmo que Lembke tivesse morrido durante a noite, creio que a festa seria realizada no dia seguinte, tão grande era a importância que Iúlia Mikháilovna dava a ela. Ai! até o derradeiro minuto ela persistiu na sua cegueira e não se deu conta das disposições do público. Para o fim, todo mundo estava persuadido de que o solene dia não se passaria sem algum escândalo retumbante, o "desenlace", segundo a expressão de alguns que, de antemão, esfregavam as mãos. Vários, é verdade, esforçavam-se por aparentar um ar carrancudo e político além da conta, mas em geral não há nenhuma espécie de escândalo e de desordem que não cause um prazer infinito aos russos. Para dizer a verdade, havia algo de mais sério ainda que a sede do escândalo: era a irritação geral, uma espécie de ferocidade implacável. Todas aquelas histórias tinham acabado por saturar toda a gente. O cinismo estava na ordem do dia, cinismo que se impunha pela força e pela opressão. Somente as senhoras não se deixaram desconcertar e ainda assim unicamente a respeito de um ponto: no ódio impotente que votavam a Iúlia Mikháilovna. Para isso convergiam as preocupações de todas. E a coitada não suspeitava de nada; até a derradeira hora ficou persuadida de que tinha "um círculo" e que lhe era ainda "fanaticamente devotado".

Já fiz menção do aparecimento entre nós de gente ordinária. Nas épocas de perturbação e de transição, sempre e em toda parte, vê-se emergir a gente ordinária. Não faço alusão aos pretensos homens avançados, que têm por principal cuidado sempre ultrapassar os outros; para esses, por mais idiota que seja seu objetivo, existe pelo menos um fim nitidamente definido. Não, falo unicamente da ralé. Nas épocas de transição, vê-se surgir essa ralé que se encontra no fundo de toda sociedade, a qual não somente não tem objetivo nenhum, mas nem mesmo possui uma sombra de ideia e só pode quando muito servir de expressão aos elementos de inquietação e de perturbação. Entretanto, essa mesma ralé se submete, quase sempre sem o saber, às ordens da pequena súcia dos "avançados" que agem para um fim determinado e a governam como querem, contanto que essa súcia não seja composta de perfeitos idiotas, o que, aliás, algumas vezes acontece. Agora que tudo passou, dizem entre nós que Piotr Stiepânovitch esteve às ordens da *Internacional*, que ele manejava Iúlia Mikháilovna e que esta distribuía os papéis à ralé, de acordo com as instruções dadas por Piotr Stiepânovitch. Nossas cabeças mais sólidas perguntam-se ainda agora como se podia admitir então semelhante estado de coisas. Em que consistia o mal-estar geral? Donde provinha aquela crise? Para que tendia ela? Ignoro e creio bem que ninguém sabe, exceto talvez os poucos estrangeiros que residiam em nossa cidade. Entrementes, os indivíduos mais abjetos haviam tomado conta da ribalta; puseram-se a criticar abertamente todas as coisas veneráveis, quando antes jamais teriam ousado abrir a boca; e outros que outrora ainda eram os mandões, de súbito passaram a ouvi-los em silêncio, alguns mesmos a aprová-los. Ria-se da maneira mais desavergonhada. Gente da qualidade de Liámchin, de Tieliátnikov, proprietários como os Tientiétnikovi, fedelhos como os Radíchtchevi, judeus de sorriso contrafeito, mas cheio de arrogância, caixeiros-viajantes, poetas "com tendências", vindos da capital e poetas outros que, à falta de tendências e de talento, exibiam sua blusa e suas botas untadas de sebo, majores e coronéis que zombavam da estupidez de sua profissão e que, para ganhar um rublo a mais, estavam prontos a vender sua espada e mendigar um emprego de escriturário num escritório de estrada de ferro; generais que se tornaram advogados; juízes-de-paz que haviam saído de apuros; comerciantes a ponto de escapar de apuros; inúmeros seminaristas; mulheres representativas de toda a questão feminina, eis a espécie de gente que, de súbito, se alçara entre nós aos primeiros postos e primava sobre o quê? Sobre o clube, sobre inúmeros funcionários, sobre generais com perna de pau, sobre as damas mais dignas e mais empertigadas de nossa sociedade. Com efeito, se Varvara Pietrovna, até a perda de seu filho, entreteve com toda aquela ralé relações quase regulares, devemos desculpar as nossas outras Minervas[142] por terem um instante perdido a cabeça. Como disse, todo mundo agora atribui toda a culpa à Internacional. Esta ideia parece tão bem firmada que até mesmo os estrangeiros de passagem por nossa cidade opinam neste sentido. Bem recentemente ainda o Conselheiro Kúbrikov, homem de 62 anos de idade, que trazia ao pescoço a cruz de comendador de Santo Estanislau, veio a confessar, inconsideradamente, e num tom compenetrado que, durante um período de três meses, tinha certamente evoluído na órbita da Internacional. Como lhe rogassem, com todas as atenções devidas à sua idade e a seus méritos, que se expressasse com mais precisão, tudo quanto pode dizer foi que "tinha sentido isso". Contudo nem por isso deixou de manter sua primeira afirmação, tanto que deixaram de interrogá-lo.

Repito ainda uma vez. Restava um pequeno grupo de gente séria que, desde o começo, se havia mantido à parte e mesmo aferrolhado em suas casas. Mas que ferrolhos poderiam resistir a uma lei da natureza? Nas famílias mais reservadas, encontram-se também mocinhas para as quais a dança é indispensável. Assim, todas essas pessoas acabaram por fazer subscrição em favor da obra protetora das professoras. Anunciava-se que o baile seria excepcionalmente brilhante; diziam-se maravilhas dele; corria o boato de que príncipes estrangeiros com lornhões a ele assistiriam. Falava-se de dezenas de comissários, todos jovens, que trariam no ombro esquerdo um laço de fita; celebridades políticas de Petersburgo; de Karmázinov que, para aumentar a receita, consentira em ler seu *Merci*, disfarçado de professora da província; da quadrilha da literatura que se exibiria e na qual cada figurante representaria, fantasiado, uma tendência literária. Por fim, alguém, também fanta-

142 Minerva simbolizava, entre os romanos, a austeridade e a castidade.

siado, dançaria figurando "o honrado pensamento russo", o que por si só constituía algo de absolutamente inédito. Como não se deixar seduzir por semelhante programa? Todo mundo subscreveu.

II

O festival, de acordo com dito programa, estava dividido em duas partes: uma matinal literária, do meio-dia às quatro da tarde, e um baile que começaria às dez horas e deveria prolongar-se pela noite inteira. Mas estas mesmas disposições ocultavam já elementos de desordem. Em primeiro lugar, e isto desde o começo, espalhou-se pelo público o boato de que haveria um almoço logo depois da matinal literária ou mesmo durante esta, no momento do intervalo especialmente reservado para este fim — almoço, bem entendido, gratuito, fazendo parte do programa e comportando champanhe. O preço excessivo do bilhete (3 rublos) contribuía para que se desse crédito a esse boato! "Com que então iria eu subscrever, se não houvesse isso? Essa festa deve durar umas vinte e quatro horas. Pois bem, a assistência deve ser alimentada, senão morrerá de fome." Eis como se raciocinava entre nós. Devo confessar que a própria Iúlia Mikháilovna contribuiu com sua leviandade para arraigar essa opinião funesta. Um mês antes, enquanto se achava ainda sob a influência do entusiasmo, nela suscitado pelo seu grande projeto, ia repetindo ao primeiro que aparecia que estava organizada uma festa e mandou ela mesma anunciar num jornal da capital que seriam levantados brindes na ocasião. O mais interessante é que essa ideia dos brindes lhe agradava singularmente: queria ela mesma erguê-los e, enquanto esperava, passava o tempo a compô-los. Por eles é que deveria ser explicado o principal lema arvorado em nossa bandeira (que bandeira era essa? Apostaria que a pobre mulher não tinha disso a menor concepção), deveriam eles ser também insertos, sob forma de correspondência, nos jornais da capital; enterneceriam e encantariam a autoridade suprema; iam se espalhar em seguida por todas as províncias, onde suscitariam por toda parte a admiração e a emulação. Mas para os brindes, champanhe é indispensável e como não se pode beber champanhe em jejum, está mais que claro que o almoço se impunha. Mais tarde, quando, graças a seus esforços, o comitê foi afinal constituído e que se veio a estudar o programa de mais perto, apareceu-lhe em completa evidência que, se se desse um banquete, não sobraria grande coisa para as professoras, por mais frutuoso que fosse o resultado da coleta. A questão podia pois resolver-se de duas maneiras: um verdadeiro festim de Baltasar[143] com os famosos brindes e noventa rublos a distribuir às professoras, ou então realizar uma receita vultosa com uma festa que, propriamente falando, só seria uma festa pro forma. Aliás, o comitê tencionava lançar apenas um grito de alarme, pois ele mesmo imaginara um meio-termo, ao mesmo tempo conciliador e razoável, isto é, seria uma festa bem apreciável sob todos os aspectos, mas sem champanhe, e assim sendo restaria um saldo bastante apreciável e muito superior a noventa rublos. Mas Iúlia Mikháilovna não concordou com esse projeto. Seu caráter inteiriço levava-a a desprezar as meias-medidas tão do agrado

143 Último rei da Babilônia. Quando Ciro, rei dos Persas, cercava a cidade, Baltasar ria dos esforços do inimigo e esquecia, em festins suntuosos, o tédio desse longo cerco.

dos burgueses. Imediatamente, estabeleceu em princípio que, se a primeira ideia era irrealizável, era preciso sem tardar lançar-se no extremo oposto, isto é, realizar uma receita colossal capaz de encher de inveja todas as outras províncias. "O público deve compreender — acrescentou ela, numa peroração cheia de ardor, — que a solução dos grandes problemas humanitários supera infinitamente os breves gozos corporais, que esta festa não é afinal senão a proclamação de uma grande ideia; é preciso pois que nos contentemos com uma festa das mais econômicas, à alemã, ou então com um simulacro de festa, se não se pode prescindir definitivamente desse insuportável baile!" Tomara repentinamente horror ao baile. Conseguiu-se, entretanto, acalmá-la. Foi então que se imaginou e propôs "a quadrilha literária" e outras coisas estéticas para substituir os gozos corporais. Foi então também que Karmázinov, que até ali não deixara de fazer momices e de cecear, consentiu definitivamente em ler *Merci* e graças a isso extirpar até mesmo a ideia de comer no espírito de nosso público tão pouco inclinado à sobriedade. Desta maneira o baile voltava a ser o grande triunfo da festa, mas de um outro ponto de vista. Todavia, para não desaparecer completamente nas nuvens, decidiu-se que se poderia, no começo do baile, servir chá com uma rodela de limão e um biscoito, depois orchata com limonada e até mesmo gelados, no fim... porém nada mais. Quanto àqueles que estão sempre com fome e sobretudo com sede em todas as circunstâncias, seria possível preparar para eles do outro lado dos apartamentos um bufê especial, cuja direção seria confiada a Prókhoritch (o chefe de cozinha do clube) que, sob o controle rigoroso do comitê, venderia tudo quanto se desejasse, pagando a despesa o consumidor: um aviso colocado sobre a porta da sala informaria o público de que as consumações não estavam incluídas no programa. Mas para que a sessão literária se realizasse no maior silêncio, decidiu-se que, durante a matinal, o bufê não seria aberto, muito embora devesse estar instalado na quinta sala, além da sala branca onde Karmázinov consentia em ler *Merci*. Era curioso ver que extraordinária importância o comitê, inclusive as pessoas mais práticas, dava àquele acontecimento, isto é, à leitura de *Merci*. Quanto às pessoas de gosto poético, bastará citar um exemplo. A marechala da nobreza declarou a Karmázinov que, logo depois da leitura, mandaria encaixar na parede da sala branca uma placa de mármore com a inscrição seguinte, gravada em letras douradas: em tal dia, em tal data, o grande escritor russo e europeu, ao depor a pena, leu neste lugar *Merci* e despediu-se assim pela primeira vez do público russo na pessoa dos representantes de nossa cidade. Essa placa comemorativa seria exposta a todos os olhares, já desde a abertura do baile, isto é, justamente cinco horas após a leitura de *Merci*. Sei de fonte autorizada que Karmázinov tinha insistido, mais que qualquer outra pessoa, para que o bufê fosse suprimido na sessão da manhã, isto é, no momento em que se realizaria sua leitura. Teve-se de aceitar isso, se bem que certos membros do comitê tivessem observado que não estava aquilo de acordo com os *usos e costumes* existentes entre nós.

Achavam-se as coisas neste ponto, quando na cidade acreditavam todos ainda num festim de Baltasar, isto é, no bufê gratuito oferecido pelo comitê. Acreditou-se nele até a última hora. Até mesmo as senhoritas sonhavam com uma profusão de bombons e de doces e de todas as espécies de guloseimas extraordinárias. Todo mundo sabia que a subscrição era das mais elevadas; que na cidade disputavam-se os ingressos e que seu número era insuficiente para atender aos pedidos que afluíam dos distritos. Não se ignorava tampouco que, independente do montante da subscrição, houvera donativos generosos. Varvara Pietrovna, por exemplo, pagara trezentos rublos pelo seu ingresso e dera quase todas as flores de sua estufa para a decoração da sala. A marechala da nobreza (membro do comitê) oferecia sua casa, inclusive a iluminação; o clube contribuiu com a música e criadagem, cedendo além disso Prókhoritch para o dia inteiro. Houve ainda outros donativos, embora menos consideráveis, tanto que se chegou a ter a ideia de baixar o preço dos ingressos de três para dois rublos. O comitê com efeito temia no começo que, se o preço ficasse fixado em três rublos, as senhoritas não comparecessem, de modo que propôs estabelecer-se uma espécie de ingressos familiares, graças aos quais cada família pagaria por uma moça somente e todas as outras pertencentes à mesma família, mesmo que chegassem ao número de dez, entrariam gratuitamente. Mas todos esses temores verificaram-se mal fundados. As senhoritas compareceram ao baile. Até mesmo os funcionários mais pobres a ele levaram suas filhas e é bem evidente que, se não as tivessem, jamais lhes teria passado pela cabeça a ideia de subscrever. Um insignificante secretário levou suas sete filhas, além de sua mulher, bem entendido, e uma sobrinha ainda por cima. E cada uma dessas pessoas tinha na mão, ao entrar, seu bilhete de três rublos. Depois isto, pode-se imaginar a quantidade de trabalho que tiveram as costureiras! Tanto mais quanto a festa estava dividida em duas partes e portanto as senhoras se encontravam na obrigação de usar dois vestidos, um para a leitura, o outro para a dança. Muitas pessoas pertencentes à classe média, como se soube mais tarde, tiveram naquela ocasião de empenhar até mesmo a roupa branca de uso, seus lençóis, senão mesmo os colchões, a judeus que havia dois anos, como que de propósito, pululavam na nossa cidade e não cessavam de aumentar sua colônia graças a novas imigrações. Quase todos os funcionários obtiveram o pagamento adiantado de seus vencimentos e certos proprietários venderam gado que lhes era necessário, tudo isso para permitir-lhes transformar suas filhas em marquesas e para não ficarem em situação de inferioridade para com outros.

O luxo dos trajes foi algo de inaudito em nossa cidade. Durante quinze dias, as conversas na cidade foram recheadas de anedotas referentes à vida privada de nossos concidadãos, anedotas que, logo imediatamente, eram transmitidas por más línguas a Iúlia Mikháilovna e seu círculo. Circularam também caricaturas. Eu mesmo vi vários desses desenhos no álbum de Iúlia Mikháilovna. Tudo isso era mais que conhecido das pessoas que forneciam o assunto para as anedotas e daí, na minha opinião, provém o ódio que tantas famílias votaram a Iúlia Mikháilovna nos últimos tempos. Agora todos elevam a voz e rangem os dentes, quando se evocam tais lembranças. Mas era fácil de prever que, se o comitê se mostrasse abaixo de sua tarefa, se o baile revelasse a mínima negligência, a explosão de descontentamento seria inaudita. Era por isso que cada qual, no seu íntimo, aguardava um escândalo; e, uma vez que tal esperavam, como não teria ele deixado de ocorrer?

Pontualmente, ao meio-dia, a orquestra fez-se ouvir. Fazendo parte do número dos comissários, ou, por outras palavras, do "número dos doze rapazes com direito ao laço de fita", vi com meus próprios olhos como começou aquele dia de vergonhosa memória. Logo de começo uma espantosa confusão na entrada. Donde proveio todo aquele fracasso, desde o primeiro minuto, a começar pela polícia? Não acuso o verdadeiro público: os pais de família, qualquer que fosse sua posição social, nem procuraram dar cotoveladas, nem foram acotovelados; quando muito pretende-se, pelo contrário, que ficaram aflitos vendo de fora espetáculo incomum entre nós, aquela onda de gente que invadia o patamar e assaltava a casa, mais do que nela penetrava. Enquanto isso, sucediam-se os carros que acabaram por atravancar a rua. Na hora em que escrevo, tenho dados muito seguros que me permitem afirmar que Liámchin, Lipútin e talvez ainda alguma outra pessoa, todos comissários como eu, deixaram que entrassem sem ingresso pessoas pertencentes à mais baixa classe da população. Pelo menos notou-se a presença de indivíduos completamente desconhecidos e que tinham vindo dos distritos ou mesmo de outras partes. Essas pessoas, grosseiras como eram, assim que entraram na sala trataram de saber onde ficava o bufê; ao saber que não havia bufê, puseram-se a lançar injúrias grosseiras, sem a menor contenção e com uma insolência até então sem exemplo entre nós. É verdade que vários dentre eles já se encontravam embriagados. Alguns permaneciam aturdidos como selvagens, diante da magnificência da sala; jamais haviam visto nada de semelhante e ficaram um instante boquiabertos de admiração. Aquela grande sala branca, se bem que fosse de construção antiga, era com efeito magnífica, pelas suas dimensões espaçosas, sua dupla iluminação, seu forro pintado à antiga e ornado de douraduras, suas tribunas, seus tremós com espelhos, suas cortinas vermelhas sobre fundo branco, suas estátuas de mármore (qualquer que fosse seu valor artístico, nem por isso deixavam de ser estátuas), seu pesado mobiliário de estilo império, branco e ouro, acolchoado de veludo carmesim. Para aquela circunstância, elevava-se na extremidade da sala um estrado destinado aos literatos que deviam fazer-se ouvir, e toda a sala, à maneira de uma plateia de teatro, estava guarnecida de cadeiras entre as quais haviam-se reservado largas passagens para o público. Mas passado o primeiro espanto, as perguntas e as declarações mais estúpidas começaram a repontar. "Talvez não queiramos mesmo a leitura deles... Pagamos... Burlaram descaradamente o público... Somos nós os donos e não os Lembke!" Em suma, ficava a impressão que aquelas pessoas tinham sido convocadas para isso. Lembro-me de uma circunstância, na qual se distinguiu o jovem príncipe, entalado em seu colarinho e de expressão fixa na cara, que comparecera na véspera à recepção de Iúlia Mikháilovna. Cedendo às instâncias da Governadora, consentira, também ele, em pregar em seu ombro esquerdo o laço de fita e tornar-se nosso colega na qualidade de comissário. Aconteceu que aquele personagem comprido e mudo, de articulações de mola, sabia, se não falar pelo menos agir à sua maneira. Quando um antigo capitão reformado, homem duma estatura gigantesca, de rosto picado de varíola, fortalecido pelo apoio de um bando de vadios que trazia a reboque, o intimou a indicar-lhe o caminho do bufê, o príncipe fez um sinal a um polícia de plantão. A ordem foi executada no mesmo instante; a despeito dos protestos furiosos do capitão, que estava bêbado, ele foi lançado *para fora* da sala. Entrementes, o verdadeiro público ia afinal entrando e se espalhava por três longas filas entre as três fileiras de cadeiras. Os elementos turbulentos acalmaram-se, mas o público, mesmo o mais distinto, mostrava-se descontente e surpreso; várias senhoras estavam muito simplesmente aterrorizadas. Por fim cada qual tomou seu lugar: a música cessou. Todo mundo começou a assoar-se e a olhar em redor. Havia naquela expectativa algo de demasiado solene, o que não pressagiava nada de bom. Os Lembke não chegavam. A seda, o veludo, os diamantes brilhavam e cintilavam por todos os lados; o ar estava embalsamado de perfumes delicados. Os homens exibiam todas as suas condecorações e os próprios velhos haviam envergado seus uniformes. A marechala da nobreza apareceu, enfim, acompanhada de Lisa. Jamais Lisa se mostrara com uma beleza mais deslumbrante do que naquela matinal, nem vestida com tão suntuoso traje. Seus cabelos cascateavam em cachos, seus olhos lançavam clarões, um sorriso brilhava em seus lábios. Causou evidente sensação: todo mundo olhou-a, cochichando. Dizia-se que procurava com os olhos Stavróguin, mas nem Stavróguin, nem Varvara Pietrovna encontravam-se na sala. Nada compreendi então da expressão da fisionomia de Lisa: por que tanta felicidade, alegria, energia se liam no seu rosto? Rememorando os incidentes da véspera, ficava perplexo. Os Lembke continuavam ausentes. Já era uma falta. Soube mais tarde que até o derradeiro minuto Iúlia Mikháilovna havia esperado Piotr Stiepânovitch, sem o qual não podia mais passar desde algum tempo, se bem que evitasse admitir isso em seu íntimo; mencionarei entre parênteses que na véspera, na derradeira sessão do comitê, Piotr Stiepânovitch recusara a insígnia de comissário, o que causara tamanho pesar a Iúlia Mikháilovna que até lágrimas lhe vieram aos olhos. Com grande espanto da Governadora, espanto que deu lugar a verdadeiro estupor (como o declarei acima), eclipsou-se ele durante toda a manhã e não assistiu à sessão literária, tanto que ninguém o viu até a noite. Por fim o público começou a dar sinais manifestos de sua impaciência. Ninguém tampouco aparecia no tablado. Nas derradeiras filas, puseram-se a aplaudir como no teatro. Os velhos e as senhoras franziam o cenho dizendo que os Lembke estavam abusando demais. Mesmo entre o escol da assistência começavam a circular boatos absurdos. Cochichava-se que, sem dúvida, a festa não se realizaria, que podia bem dar-se o caso de que Lembke estivesse verdadeiramente muito doente, etc., etc. Mas graças a Deus, os Lembke chegaram: o marido dava o braço à sua mulher. Confesso que naquele momento eu começava a desesperar do aparecimento deles. É forçoso crer que a verdade daquela vez vencera ainda as fábulas. O público pareceu respirar mais à vontade. O próprio Lembke parecia estar com uma saúde viçosa; assim, lembro-me, foi declarado unanimemente, porque pode-se imaginar quantos olhares se fitaram nele. Observarei, para precisar este caso particular, que na alta sociedade poucas pessoas davam crédito àquela versão segundo a qual teria sido von Lembke atacado duma doença mental. Seus atos eram considerados perfeitamente normais e a história que ocorrera na véspera, na praça, merecia mesmo alguma aprovação. "Era assim que ele gostava de agir nos seus começos — declaravam personagens altamente colocados. — Mas chega-se com ideias de filantropia e acaba-se como os outros, sem reparar que é ainda a maneira mais filantrópica." Eis pelo menos como se raciocinava no clube. Não o censuravam por ter-se deixado levar ao arrebatamento: "Deveria ter mostrado mais sangue-frio; mas que se há de esperar? O homem é novato nas suas funções", diziam as pessoas entendidas. Não menor era a curiosidade com que os olhares se dirigiam para Iúlia Mikháilovna. Ninguém tem o direito, decerto, de exigir de mim que lhe transmita detalhes demasiado precisos a respeito de certa ordem de fatos; deve-se levar em conta o *mistério, o respeito devido à mulher*. Sei somente que na véspera, à noite, Iúlia Mikháilovna fora encontrar Andriéi Antônovitch em seu gabinete e ali ficara até bem depois da meia-noite. Andriéi Antônovitch foi perdoado e consolado. Os esposos se puseram de acordo sobre todos os pontos, tudo foi esquecido e como, ao final da explicação, von Lembke chegou mesmo a cair de joelhos, ao recordar-se com terror da desgraçada cena final que marcara a penúltima noite, a encantadora mãozinha de sua mulher, depois os próprios lábios dela, vieram cortar rente as efusões de arrependimento do marido, homem seguramente de uma delicadeza rara, mas debilitado pela ternura de seu sentimento. A expressão de felicidade que irradiava do rosto de Iúlia Mikháilovna não escapou a ninguém. Andava de fronte erguida, trazendo um vestido magnífico. Parecia estar no apogeu de seus desejos. A festa, termo e coroamento de sua política, era agora uma realidade. Dirigindo-se a seus lugares em frente ao estrado, os Lembke distribuíam cumprimentos, retribuíam as reverências. Logo foram cercados. A marechala da nobreza levantou para ir-lhes ao encontro... Foi então que ocorreu um lamentável mal-entendido; a orquestra, sem que se soubesse por que, executou uma marcha, não uma marcha qualquer, mas uma dessas peças que são de uso entre nós no clube, nos banquetes oficiais, quando se bebe à saúde de alguém. Sei agora que foi aquilo um golpe de Liámchin que, na sua qualidade de comissário, assim dispusera para saudar a entrada dos Lembke. Sem dúvida poderia sempre desculpar-se, dizer que agira por tolice ou por excesso de zelo. Ai! ignorava eu ainda que as desculpas eram o seu menor cuidado e que a execução do plano deles fora marcada para aquele dia. Mas nem tudo se limitou à marcha. Enquanto o público manifestava sua surpresa e chegava a sorrir, de repente, do fundo da sala e das tribunas partiram vivas, sempre como se em homenagem aos Lembke. Esses gritos não eram numerosos, mas devo acrescentar que duraram certo tempo. Iúlia Mikháilovna ficou rubra de cólera; seus olhos faiscaram. Lembke parou no seu lugar, depois voltando-se para o lado dos vociferadores, passeou pela sala um olhar majestoso e severo. Apressaram-se em fazê-lo sentar. Notei de novo, não sem terror, o sorriso inquietante que ele mostrara na véspera de manhã, no salão de sua mulher, quando observava Stiepan Trofímovitch, antes de avançar para ele. Parecia-me ver ainda agora em seu rosto uma expressão furiosa e, o que é pior, ligeiramente cômica, a expressão de um homem que se imola para satisfazer as superiores finalidades de sua esposa... Iúlia Mikháilovna imediatamente chamou-me com um gesto para junto dela e me disse em voz baixa que fosse buscar Karmázinov e lhe rogasse que começasse sua leitura. Mal voltara as costas e já nova infâmia ocorria, muito mais grave que a primeira. Sobre o estrado vazio, para onde se dirigiam naquele momento todos os olhares e todas as expectativas e onde não se via senão uma mesinha e uma cadeira e sobre a mesa um copo d'água numa bandeja de prata, apareceu de repente a colossal figura do Capitão Liebiádkin de fraque e gravata branca. Fiquei de tal modo estupefato que nem podia acreditar no que via. O capitão, que estava com ar intimidado, parou no fundo do estrado. De repente, dentre o público, repercutiu um grito: "És tu, Liebiádkin?...". A estas palavras a caraça estúpida e vermelha do capitão abriu-se num largo sorriso idiota. Levantou a mão, coçou a testa, abanou a cabeça cabeluda, depois, como decidido a tudo, deu dois passos para a frente e, de súbito, estourou numa risada seguida, pouco ruidosa mas prolongada, jovial, que sacudiu todo o seu maciço corpanzil e tornou ainda mais apertados seus olhinhos. A este espetáculo, cerca da metade da sala pôs-se também a rir e uns vinte sujeitos puseram-se a aplaudir. O público sério entreolhava-se com ar sombrio; toda aquela cena não durara, porém, mais de meio minuto. Lipútin, arvorando o laço de fita, acabava subitamente de precipitar-se para o tablado, acompanhado de dois criados; com precaução, estes últimos agarraram o capitão, cada um por um braço, enquanto Lipútin lhe cochichava algumas palavras ao ouvido. O capitão fechou a cara. "Já que é assim", resmungou ele, fazendo um gesto de indiferença, depois voltando para o público suas costas enormes, desapareceu com seus guardas. Mas um instante depois, tornava Lipútin a subir ao estrado. Tinha nos lábios seu mais melífluo sorriso, habitualmente açúcar e vinagre, e entre as mãos segurava uma folha de papel de cartas. A passos miúdos, avançou até a beira do estrado.

— Senhoras e senhores — começou, dirigindo-se ao público, — ocorreu por inadvertência um mal-entendido cômico, aliás agora dissipado; mas tomei a meu cargo, na esperança de cumpri-la dignamente, a missão de comunicar-vos um pedido profundamente respeitoso, dirigido por um poeta aqui da terra... Penetrado do pensamento humanitário e elevado... a despeito de sua aparência exterior... do mesmo pensamento que ora nos reúne neste lugar... que é o de enxugar as lágrimas das jovens instruídas de nossa província... esse senhor, quero dizer antes, esse poeta de nossa terra... desejando manter o incógnito... ficaria muito feliz em ver sua poesia lida antes da abertura do baile... ou melhor antes da conferência, quero dizer. Embora esta poesia não figure no programa, porque a entregaram há uma meia hora, pareceu-nos (A quem se referia esse "nos"? Transcrevo palavra por palavra aquela alocução confusa e desarticulada) que pela admirável ingenuidade de seu sentimento, unida a uma jovialidade não menos admirável, essa peça poderia ser lida, não como um espécime do gênero sério, mas a título de peça de circunstância, convindo perfeitamente a esta solenidade... Numa palavra, a ideia... tanto mais quanto em alguns versos... e quis solicitar a autorização da benévola assistência.

— Leia — gritou uma voz do fundo da sala.

— Devo ler, então?

— Leia, leia — gritaram várias vozes.

— Pois bem, vou ler, com a permissão do público — continuou Lipútin, com seu sorriso meloso. Todavia, não parecia decidido e acreditei mesmo notar nele agitação. Qualquer que seja o topete de gente dessa laia acontece-lhe por vezes hesitar... Sem dúvida o seminarista não teria hesitado naquela circunstância, mas Lipútin era, apesar de tudo, um homem de outra época.

— Previno, ou antes tenho a honra de prevenir que não se trata no caso de uma ode, como se escrevia outrora por ocasião dos festins, é antes, por assim dizer, uma brincadeira, mas de um sentimento incontestável unido a uma jovialidade crepitante, o que é o mesmo que dizer que se trata de uma página do mais verdadeiro e do mais impressionante realismo.

— Leia, leia!

Desdobrou o papel. Não é preciso dizer que ninguém teria podido impedi-lo de fazer isso. Por isso é que tivera o cuidado de arvorar sua insígnia de comissário. Com voz sonora, declamou:

À Compatriota Professora de Nossa Província,
no Dia de seu Festival, o Poeta Dedica:
Salve, salve, professora,

Rejubila-te e triunfa,
Retrógrada ou George Sand,
Pouco importa, rejubila-te!

— Mas é de Liebiádkin! Sim, é de Liebiádkin! — cochicharam algumas vozes. Ouviu-se uma risada e até mesmo aplausos, pouco numeroso é verdade.

Tu ensinas a fedelhos
O bê-a-bá do francês.
Sempre pronta a piscar olho
A qualquer rato de igreja.

— Viva! Viva!

Mas nesta hora de reformas,
Exigente é o sacristão,
E "arame" precisas ter
Para deixar o alfabeto.

— Justamente, justamente, eis o realismo, sem "arame" não há meio...

Mas com esta patuscada
Um capital reunimos,
E um dote, com nossas danças.
Vamos tudo te mandar.
Retrógrada ou George Sand,
Pouco importa, rejubila-te!
Tens um dote, professora:
Cospe em todos, triunfa!

Confesso que não acreditei em meus ouvidos. A desfaçatez se exibia tão abertamente que não era possível desculpar Lipútin, mesmo alegando-se a estupidez. Aliás, Lipútin não era estúpido. A intenção era clara, pelo menos para mim: tinha-se pressa em provocar desordem. Alguns versos daquela composição idiota, o derradeiro, por exemplo, eram de natureza tal que a pior tolice não teria podido admiti-los. Lipútin pareceu também sentir que havia ido demasiado longe. Depois de sua façanha, não deixou o estrado e lá ficou, confuso, diante de sua própria audácia, como se estivesse querendo acrescentar alguma coisa. Esperava outra espécie de acolhida, mas até mesmo o grupo de arruaceiros, que havia aplaudido durante a leitura, calou-se de repente e pareceu também ele ferido de estupor. O mais assombroso da história é que vários dentre eles não notaram que aquela peça não passava de uma "pasquinada"; tomaram-na como a expressão real da verdade referente às professoras, ou por outras palavras, uma poesia tendenciosa. Mas o excesso de mau gosto que revelavam aqueles versos acabou por impressioná-los também. Quanto ao verdadeiro público, a sala toda inteira não só ficou escandalizada, mas considerou-se insultada. Não creio enganar-me assinalando esta impressão. Iúlia Mikháilovna contou mais tarde que esteve a ponto de desmaiar. Um velho dos mais venerandos convidou sua mulher a levantar e ambos deixaram a sala sob os olhares inquietos do público. Seu exemplo, quem sabe?, teria sido contagioso, se naquele momento o próprio Karmázinov, de fraque e de gravata branca, e tendo um caderno na mão, não tivesse aparecido no estrado. Iúlia Mikháilovna dirigiu-lhe um olhar marcado por um solene reconhecimento, como a um salvador... Mas eu já alcançara os bastidores: queria falar com Lipútin.

— O senhor fez aquilo de propósito! — disse eu, agarrando-o pelo braço, em minha indignação.

— Pelo amor de Deus, foi sem pensar — respondeu ele, num tom hipócrita, fingindo mostrar-se profundamente consternado. — Os versos acabavam de ser-me entregues, pensava fazer uma alegre brincadeira...

— O senhor não pensava nada disso... Será possível que considerasse aquela miserável porcaria uma alegre brincadeira?

— Mas, sim, é assim que a considero.

— O senhor mente e aqueles versos não lhe foram entregues ainda há pouco. Foi o senhor mesmo quem os compôs em colaboração com Liebiádkin, talvez prevendo mesmo o escândalo. O derradeiro verso é certamente seu, bem como as palavras referentes ao sacristão. Por que Liebiádkin se apresentou de fraque? Queria então que ele mesmo lesse, se não se achasse embriagado?

Lipútin lançou-me um olhar glacial e venenoso:

— Que lhe importa? — perguntou-me, de súbito, com uma calma estranha.

— Como, que me importa? O senhor também traz o laço de fita... Onde está Piotr Stiepânovitch?

— Não sei de nada; aqui, em alguma parte. Por quê?

— Porque vejo claro agora. Foi tudo simplesmente uma conjura tramada contra Iúlia Mikháilovna. Querem anarquizar a festa...

Lipútin lançou-me de novo um olhar dissimulado:

— Mas que lhe importa? — disse ele com um sorriso e retirou-se, erguendo os ombros.

Fiquei siderado. Todas as minhas suspeitas se achavam confirmadas. E no entanto esperava ainda enganar-me. Que fazer? Pensava a princípio em consultar Stiepan Trofímovitch, mas este estava plantado diante de seu espelho, ensaiando sorrisos, sem cessar de lançar os olhos sobre o papel em que se encontravam consignadas suas notas. Era ele quem devia suceder imediatamente a Karmázinov. De modo que não estaria em condições de conversar comigo. Correr para junto de Iúlia Mikháilovna? Para isso era ainda demasiado cedo: tinha ela necessidade de uma lição muito mais severa para curar-se da convicção de estar "cercada" e de ser objeto dum "devotamento fanático". Não teria acreditado em mim e eu passaria a seus olhos por um psicopata. E depois que socorro poderia ela dar-me? Ah! pensei, em que isto me diz respeito efetivamente? Retirarei minha fita e voltarei para casa, "quando isso começar". Tinha realmente dito "quando isso começar". Lembro-me perfeitamente. Mas era preciso ouvir Karmázinov. Lançando um derradeiro olhar por trás dos bastidores, notei ali certo número de pessoas, até mesmo mulheres que circulavam, indo e vindo, sem motivo plausível. Aqueles bastidores ocupavam um espaço bastante restrito, separado do público por uma espessa cortina e comunicando por um corredor com as outras salas. Era lá que nossos leitores aguardavam sua vez. Mas fiquei de súbito impressionado à vista do leitor que deveria seguir-se a

Stiepan Trofímovitch. Era uma espécie de professor (até hoje ainda não tenho certeza de sua identidade) que abandonara o ensino em consequência de certas agitações ocorridas entre os estudantes e que chegara desde alguns dias à nossa cidade para onde o atraíra não sei qual negócio. Também ele fora recomendado a Iúlia Mikháilovna, que o acolheu com benevolência. Sei agora que só fora à casa dela uma vez antes da conferência e não descerrara os lábios a noite inteira. Contentara-se com sorrir de uma maneira ambígua, diante das pilhérias que passavam por ser de bom-tom no círculo de Iúlia Mikháilovna e sobretudo produzira uma impressão desagradável pelos seus ares de suficiência e sua susceptibilidade suspicaz. Foi Iúlia Mikháilovna quem o convidou a ler alguma coisa. Agora, ele andava de um canto a outro murmurando para si mesmo como Stiepan Trofímovitch, mas fitando o chão em lugar de olhar-se num espelho. Não estudara seu sorriso, se bem que sorrisse frequentemente com uma expressão venenosa. Evidentemente, não era possível tampouco dirigir-lhe a palavra. Era um homem de baixa estatura, parecendo ter uns quarenta anos, calvo, usando uma barba grisalhante, decentemente trajado. Mas o mais interessante nele é que a cada volta sobre si mesmo, erguia o punho direito no ar e depois de havê-lo brandido acima de sua cabeça, abatia-o bruscamente como se quisesse pulverizar algum adversário. Esse gesto de charlatão repetia-se a todo momento. Experimentava uma sensação de mal-estar e corri o mais depressa possível a escutar Karmázinov.

III

De novo, na sala, não parecia tudo ir correndo bem. Declaro de antemão: inclino-me diante da majestade do gênio, mas por que então os senhores nossos homens de gênio, chegados ao ocaso de seus anos gloriosos, se comportam por vezes como verdadeiras crianças? Por que Karmázinov apareceu naquela circunstância com o pomposo cerimonial de cinco chanceleres? É possível reter uma hora inteira um público como o nosso com a leitura de um simples artigo? Em geral, tenho observado que nas reuniões literárias públicas não se poderia impunemente, mesmo sendo um gênio, interessar os ouvintes por sua pessoa, durante mais de vinte minutos. Na verdade, desta vez, o aparecimento do dito gênio foi saudado da maneira mais respeitável; os velhos mais graves manifestaram sentimentos de aprovação e de curiosidade e as senhoras exprimiram certo entusiasmo. Todavia os aplausos foram breves, e de certo modo pouco calorosos. Em contraposição, nas derradeiras filas não ocorreu o menor tumulto até o momento em que Karmázinov tomou a palavra, e mesmo então nada se passou de particularmente grave, quando muito um mal-entendido. Já disse que o romancista tinha uma voz demasiado estridente, *um pouco feminina mesmo*, com a qual ceceava duma maneira toda aristocrática. Mal ele pronunciara algumas palavras, quando alguém se permitiu lançar uma risada — algum imbecil provavelmente que não tinha o mínimo traquejo social e que era sem dúvida também dotado dum gênio jovial. Mas não havia naquilo a sombra de ideia de menor manifestação de desagrado. Pelo contrário, foi imposto silêncio ao malcriado que teve vontade de afundar-se chão adentro. Mas eis que o Senhor Karmázinov declara, requebrando-se e retorcendo-se, que, em primeiro lugar, não tinha "por coisa alguma do mundo querido consentir em fazer aquela leitura (que necessidade tinha ele de confessar isso?). Há, vede, linhas que brotam tão diretamente do coração que é impossível proferi-las em voz alta e não se poderia, por consequência, sem profanação, levá-las ao conhecimento do público (pois bem, então por que as levava ele?). Mas como lhe haviam rogado, ali as trazia e, além disso, já que depôs a pena para sempre e jurou a si mesmo não escrever mais nada, escreveu então essa derradeira coisa, e já que jurou nunca mais ler em público, vem ler ao público este último artigo", etc., etc. O resto neste estilo.

Mas tudo isto nada teria sido; quem não conhece os prefácios de autor? Observarei, entretanto, que semelhante entrada em matéria podia ter alguma influência sobre as disposições duma assistência tão pouco cultivada quanto a nossa, e notadamente sobre o público turbulento do fundo da sala. Não teria melhor valido que Karmázinov se contentasse com ler uma pequena novela, uma narrativa bem pequena, segundo a sua primitiva maneira, um pouco preciosa, marcada de afetação, mas por vezes não destituída de espírito? Com isso tudo teria sido salvo. Pois bem, não! nada houve de semelhante. Começou a ler-nos uma rapsódia! Meu Deus! quantas coisas havia ali dentro! Declaro sem rebuço: era de causar catalepsia ao público de Petersburgo e com mais forte razão ao nosso. Imaginai cerca de duas páginas impressas, cheias da parolagem mais especiosa e mais inútil; aquele senhor que lia, além disso, do alto de sua grandeza, e como que fazendo favor, conseguiu naturalmente melindrar nosso público. O tema... mas quem teria podido discutir esse tema? era o relato de certas impressões, de certas recordações. Mas a que respeito? A propósito de quê? Nossas testas de provincianos, por mais que formassem rugas durante toda a primeira parte da leitura, não conseguiram entender patavina, tanto que só se escutou a segunda por delicadeza. Na verdade, tratava-se por demais de amor, do amor do gênio por certa pessoa, mas confesso que isso destoava ligeiramente. Na minha opinião não quadrava isso com a figura atarracada e barriguda do genial escritor que nos falava ele próprio de seu primeiro beijo... E o que havia de mais desagradável para nós, é que aquela história de beijo não se passava, bem entendido, como no resto do universo. Era preciso absolutamente que em redor crescessem giestas (sim, giestas, a menos que não seja alguma outra planta que reclame consulta aos livros de Botânica). No céu, um tom violeta, que jamais olho humano pode discernir, isto é, se todos bem o viram, nenhum conseguiu discerni-lo, "pois bem, eu observei-o e o descrevo a vocês, imbecis, como se fosse a coisa mais comum". A árvore sob a qual se sentou o interessante casal amoroso não pode deixar de ser cor de laranja. Encontram-se elas em qualquer parte da Alemanha. De repente, avistam Pompeu ou Cássio à véspera duma batalha e o frio do entusiasmo penetra os nossos dois amorosos. Alguma ondina lançou um gritinho nas moitas, Glück[144] acaba de tocar violino nos caniços. O trecho que ele tocou era designado *en toutes lettres*,[145] mas ninguém o conhecia, tanto que é preciso, se se quiser ter uma informação, recorrer a um dicionário de música. Entrementes o nevoeiro se tornou mais espesso, de tal modo espesso que mais se assemelhava a um milhão de edredões do que a um nevoeiro. E de súbito tudo desaparece e o

144 Christoph Willibald Glück (1714-1787), célebre compositor alemão, autor das óperas *Orfeu, Alceste, Ifigênia em Aulide, Ifigênia em Tauride, Armida*. Viveu em Londres, Viena e Paris, onde, sob a proteção de Maria Antonieta, reformou a ópera francesa.

145 Com todas as letras.

grande gênio atravessa o Volga, no inverno, no momento de degelo. Duas páginas e meia de travessia, mas não obstante o gelo cede sob seu passo. O Gênio é tragado — pensais que ele se afogou? Não pensou nisto um só instante. Tudo isso era para que no momento em que ele se engolfava e ia definitivamente afogar-se, viesse oferecer-se a ele um pequeno pedaço de gelo, um pequenino pedaço de gelo do tamanho de uma ervilha, mas puro e transparente, "como uma lágrima gelada", onde se teria refletido a Alemanha ou, para melhor dizer, o céu da Alemanha. Esse reflexo, pela sua irisação, lembrou-lhe aquela mesma lágrima que, "lembras-te, rolou de teus olhos, quando estávamos sentados sob a árvore esmeraldina e tu exclamavas alegremente: O crime não existe!... — Sim, digo eu, por entre minhas lágrimas, mas se é assim, não há tampouco justos. — Rebentamos em soluços e nos separamos para sempre". Ei-la à beira-mar, enquanto ele desce a cavernas; desce, desce e, após uma descida de três anos, chega a Moscou, sob a torre de Sukháriev. De repente, no seio da terra em que se cava aquela caverna, ele descobre uma lâmpada, e diante daquela lâmpada, um asceta rezando. O Gênio se inclina para um estreito respiradouro gradeado e de repente ouve um suspiro. Acreditais que tenha sido o asceta quem suspirou? Que lhe importa aquele asceta? Não, não, aquele suspiro fazia-o evocar simplesmente o primeiro suspiro de sua bem-amada, trinta e sete anos antes, quando "lembras-te, na Alemanha, estávamos sentados sob a árvore de ágata e tu me dizias: De que serve amar? Olha, a sombra se estende em redor e eu amo; mas a sombra deixará de estender-se e eu não amarei mais". Aqui o nevoeiro se espessa de novo. Hoffmann acaba de aparecer; uma ninfa assobiou algum noturno de Chopin e de repente emerge do nevoeiro a fronte laureada de Anco Márcio,[146] de pé sobre as ameias de Roma. "Um arrepio de entusiasmo sacudiu nossas espinhas e demo-nos adeus para sempre", etc., etc.... numa palavra, pode dar-se que eu não tenha reproduzido e seja mesmo incapaz de reproduzir integralmente aquele anfiguri, mas certifico que tal era o seu sentido, mais ou menos. E afinal, que vergonhosa paixão dos nossos grandes homens pelas graçolas, no sentido profundo da palavra! Os grandes filósofos europeus, os sábios, os inventores, os artistas, os mártires, todos esses homens de pensamento e de ação nada são para o nosso Gênio russo senão moços de sua cozinha. É ele o mestre e aqueles só se apresentam diante dele para receber suas ordens, de boné na mão. Não deixa, na verdade, de ridicularizar a Rússia e nada lhe é mais agradável que proclamar a bancarrota de seu país sob todos os aspectos, diante dos grandes espíritos da Europa, mas no que a ele diz respeito pessoalmente — pois bem, não, plaina acima de todos aqueles grandes espíritos, os quais, quando muito, servem de material para suas graçolas. Toma uma ideia alheia, liga-a à sua antítese e está feito o trocadilho. O crime existe, o crime não existe; a verdade não existe, não há justos; o ateísmo, o darwinismo, os sinos de Moscou... Mas ai! desde muito cessou de crer neles, nos sinos de Moscou; Roma, os louros... mas não crê mais nem mesmo nos louros... Aqui, acesso obrigatório de *spleen* byroniano, ricto de Heine, alguma coisa de Petchórin, e a máquina marcha, marcha, trepidante e apitante... "Aliás, louvai-me, louvai-me, adoro isso. Se disse que depositava a pena, não passava de um fingimento. Esperai, ainda vou aborrecer-vos trezentas vezes, ficareis fatigados de ler-me..."

---

146 Neto de Numa (640-616 a.C), quarto rei lendário de Roma. Fundou o porto de Óstia.

A leitura, bem entendido, não devia prolongar-se impunemente, mas o pior é que o próprio Karmázinov provocou a reação. Desde muito tempo já o público pusera-se a tossir, a assoar-se, a mexer os pés, como acontece quando, numa sessão literária, um escritor, qualquer que ele seja, pretende reter a atenção mais de vinte minutos. Mas o genial romancista não se apercebera de nada e continuava a cecear, sem a menor consideração pela assistência que começava a levar a mal o gracejo. De repente, vindo das derradeiras filas, uma voz isolada mas forte fez-se ouvir:

— Deus meu! que idiotices!

Foi uma exclamação involuntária e estou certo de que sem a menor intenção. O ouvinte havia-se simplesmente cansado. Mas Karmázinov parou, olhou a assistência com um olhar malicioso e, de súbito, pergunta com o tom majestoso de um chanceler que se sente ultrajado:

— Parece, senhoras e senhores, que vos aborreci bastante!

Seu erro foi ter falado em primeiro lugar; fazendo apelo a uma resposta, dava por isto mesmo a não importa qual pulha a possibilidade e, por assim dizer, o direito, de tomar a palavra, ao passo que, se se tivesse contido, o público teria se contentado com assoar-se, como precedentemente, e tudo teria acabado de qualquer forma. Talvez ele esperasse receber aplausos em resposta à sua pergunta; mas não os houve; pelo contrário, todo mundo ficou quieto, tomado dum vago sentimento de medo.

— O senhor jamais viu Anco Márcio. Tudo isso são frases — lançou, de súbito, uma voz irritada em cujo tom se percebia certo mal-estar.

— Precisamente — apoiou logo outra voz. — O tempo das visões passou, estamos na era das ciências naturais. O senhor faria melhor referindo-se às ciências naturais.

— Senhores, estava longe de esperar tais críticas — exclamou Karmázinov, no auge do espanto. À força de viver em Karlsruhe, o grande gênio não reconhecia mais sua pátria.

— É uma vergonha em nossa época vir dizer-nos que o universo repousa em cima de três peixes[147] — disse de repente uma moça de voz de matraca. — O senhor, Karmázinov não pode descer àquelas cavernas onde diz que viu um asceta. E quem hoje fala ainda de ascetas?

— Senhores, estou sobretudo estupefato diante de tal seriedade... Aliás... tem plenamente razão. Ninguém mais do que eu respeita a verdade verdadeira.

Se bem que sorrisse ironicamente, estava bastante perturbado, sua fisionomia parecia dizer: "Não sou aquele que acreditais que eu seja. Estou convosco, mas contanto que me aplaudais; elogiai-me mais, o mais possível, adoro isso"...

— Senhores — gritou ele afinal totalmente irritado, — vejo que meu pobre e pequeno poema não atingiu seu alvo e eu mesmo, parece, não o atingi.

— Visava um corvo e atingiu uma vaca — gritou um imbecil, a plenos pulmões, bêbado provavelmente, ao qual, sem dúvida, teria sido melhor não prestar atenção. Na verdade, provocou ele uma risada das mais desrespeitosas.

— Uma vaca, diz o senhor? — replicou Karmázinov, taco a taco, com uma voz sempre mais estridente. — Em questão de corvos ou de vacas, senhores, creio dever

147 Alusão teosófica.

abster-me. Respeito por demais o público para permitir-me comparações, mesmo as mais inocentes, mas teria acreditado...

— No entanto, meu caro senhor, não deveria demasiadamente... — interveio alguém do fundo da sala.

— Mas supunha eu que, depondo a pena e despedindo-me do leitor, seria escutado...

— Não, não, desejamos escutar, continue — atreveram-se por fim a pronunciar-se algumas vozes da primeira fila.

— Leia, leia — disseram algumas senhoras entusiastas e houve por fim aplausos, curtos, é verdade, e bastante fracos. Karmázinov sorriu amarelo e levantou-se para retirar-se.

— Creia, Karmázinov, que fazemos questão de honra... — não pode impedir-se de dizer a marechala da nobreza.

— Senhor Karmázinov — exclamou de repente, do fundo da sala, uma voz fresca e juvenil. Era a voz dum professor de colégio do distrito, belo rapaz, taciturno e distinto de maneiras que havia pouco tempo morava entre nós. Levara a polidez a ponto de levantar. — Senhor Karmázinov, se tivesse eu tido a felicidade de amar assim como o senhor acaba de descrever, não teria decerto jamais feito alusão a meu amor num artigo destinado a ser lido em público.

E ao dizer isto, tornara-se muito vermelho.

— Senhores — gritou Karmázinov, — terminei, abrevio o fim e retiro-me. Permiti-me, porém, ler as seis derradeiras linhas à guisa de conclusão: "Sim, amigo leitor, adeus! — continuou logo, baixando os olhos sobre seu manuscrito e sem tornar a sentar-se. — Adeus leitor, evitarei mesmo insistir demais para que nos separemos como amigos. De que serve com efeito importunar-te? Bem mais, injuria-me, oh! injuria-me tanto quanto queiras, se isto te proporciona o mínimo prazer. Mas o melhor seria que nos esquecêssemos um do outro para sempre. E mesmo que vós todos, leitores, tivésseis a bondade de suplicar-me de joelhos, derramando lágrimas, de dizer-me: "Escreve, oh! escreve para nós, Karmázinov, para tua pátria, para a posteridade, para as coroas de louros", pois bem, eu vos responderia, agradecendo-vos, é claro, com toda a polidez devida: "Não, por longo tempo seguimos um e outro o mesmo caminho, caros compatriotas, obrigado. É tempo de partir cada qual para o seu lado! Obrigado, obrigado, obrigado!".

Karmázinov cumprimentou cerimonioso e vermelho, como se o tivessem assado, retirou-se para os bastidores.

— Que estranha mania! Ninguém irá pôr-se de joelhos.

— Que amor-próprio!

— Tudo não passa de humorismo — observou alguém mais avisado.

— Não, qual humorismo, qual nada.

— Mas isso o que é, é uma insolência, senhores.

— Seja como for, pelo menos já acabou.

— Mas que maçada!

Todas essas opiniões descorteses, que vinham do fundo da sala (e somente do fundo), foram, porém, abafadas pelos aplausos da outra parte do público. Algumas senhoras, com Iúlia Mikháilovna e a marechala da nobreza à frente, agruparam-se ao pé do estrado. A mulher do governador tinha nas mãos uma magnífica coroa de louros colocada sobre um coxim de veludo branco, cercado por outra coroa de rosas naturais.

— Louros! — proferiu Karmázinov, com um fino sorriso, marcado de leve amargura. — Estou comovido, sem dúvida, e aceito com viva emoção essa coroa preparada de antemão e que não teve ainda tempo para murchar; mas asseguro-vos, minhas senhoras, que me tornei de repente tão realista que acho que em nossa época os louros estão muito mais em seu lugar nas mãos de um cozinheiro do que entre as minhas.

— Sim, porque um cozinheiro é mais útil — exclamou o seminarista que tomara parte na "sessão" em casa de Virguínski.

A ordem estava um tanto perturbada na sala. Muitas pessoas tinham deixado seus lugares para ver de mais perto a cerimônia da coroa de louros.

— Eu pagaria de boa vontade mais três rublos ainda, neste momento, pelo cozinheiro — disse outro elevando a voz, elevando-a bastante alto mesmo, muito de propósito.

— Eu também.

— Eu também.

— Mas não há então bufê aqui?

— Senhores, fomos simplesmente bigodeados!

É preciso, aliás, reconhecer que toda aquela gente ordinária estava ainda mantida em respeito pela presença das autoridades e do comissário de polícia. Ao fim de dez minutos todos haviam voltado a seus lugares, mas a ordem não foi restabelecida. E foi em meio dessa atmosfera de tempestade que caiu o pobre Stiepan Trofímovitch.

IV

Corri, no entanto, a seu encontro nos bastidores e tive tempo de preveni-lo. Estava fora de mim. Fiz-lhe ver que, na minha opinião, devia ele abster-se, senão poria fogo à pólvora; que o melhor era recorrer ao pretexto da colerina e voltar para casa aonde o acompanharia, depois de ter-me livrado do laço de fita. Naquele momento, dirigia-se ele para o estrado; parou de súbito, olhou-me de alto a baixo e replicou num tom solene:

— Por que me considera o senhor capaz de semelhante baixeza?

Bati em retirada. Estava certo, como dois e dois são quatro, de que sua intervenção não ocorreria sem catástrofe. Enquanto ficava eu assim num abatimento completo, avistei de repente o vulto do professor que devia suceder no estrado a Stiepan Trofímovitch e que continuava fazendo molinetes com seus braços e punhos. Passeava para lá e para cá, absorvido em si mesmo, e resmungava para dentro de sua barba coisas vagas, com venenoso sorriso de satisfação. Encaminhei-me para ele e disse-lhe irrefletidamente:

— O senhor deve saber, graças a numerosos exemplos, que se um orador procura reter a atenção do público além de vinte minutos, este não o escuta mais. Nem *mesmo uma celebridade* resiste à meia hora...

Ele parou bruscamente e como se tivesse estremecido ao toque da injúria. Uma arrogância desmedida pintou-se em suas feições.

— Não se preocupe — resmungou, num tom desdenhoso, e passou adiante. Neste momento repercutiu na sala a voz de Stiepan Trofímovitch.

"Pois que o diabo leve a todos!" pensei entre mim e corri para a sala.

Stiepan Trofímovitch tomara lugar na poltrona antes que a agitação estivesse de todo acalmada. Os ouvintes das primeiras filas acolheram-no com olhares visivelmente malévolos. (No clube, desde algum tempo já, tinham deixado de estimá-lo e não lhe testemunhavam mais tanto respeito como outrora.) Aliás, devia dar-se por feliz pelo fato de não lhe terem imposto silêncio. Desde a véspera, uma ideia estranha não deixava de perseguir-me: sempre me parecia que o receberiam com assobios, assim que ele se mostrasse. Todavia, em consequência da agitação que reinava ainda na sala, não se notou a princípio sua presença. E que bem podia esperar o bom do homem após o tratamento infligido a Karmázinov? Estava pálido. Havia dez anos que não aparecia em público. Pela sua emoção, por outros indícios que me eram bastante familiares, via claramente que considerava sua aparição no estrado como um acontecimento desejado pelo destino ou algo nesse gênero. Era justamente isto que eu temia. Gostava daquele homem. E que me tornei eu, quando ele abriu a boca e ouvi sua primeira frase!

— Senhores! — começou ele, de repente, como se estivesse disposto a tudo e, apesar disso, com uma voz quase estrangulada. — Senhores! Ainda esta manhã tinha diante de mim uma dessas pequenas folhas clandestinas que vêm sendo espalhadas desde pouco tempo pelo país, e, pela centésima vez, fazia a mim mesmo esta pergunta: "Em que consiste seu segredo?".

Toda a sala, instantaneamente, se calou, todos os olhares se dirigiram para ele, alguns cheios de inquietação. Não é preciso dizer que, desde a primeira frase, conseguira interessar o público. Viam-se mesmo cabeças emergirem dos bastidores: Lipútin e Liámchin prestavam ouvidos, com uma curiosidade ávida. Iúlia Mikháilovna fez-me de novo um sinal com a mão.

— Faça-o parar, custe o que custar, faça-o calar-se — murmurou ela, angustiada. Contentei-me com erguer os ombros; pode-se lá parar um homem decidido? Ai! eu compreendia Stiepan Trofímovitch.

— Ah! trata-se das proclamações! — murmurou alguém dentre o público; um marulho passou por sobre toda a sala.

— Senhores, descobri todo o segredo. Todo o segredo do efeito que elas produzem está na sua inépcia (seus olhos cintilavam). — Sim, senhores, se pelo menos aquela besteira fosse querida, simulada calculadamente, oh! seria quase genial! Mas ai! é preciso render-lhes plena justiça: nada simularam absolutamente. É a besteira mais aparente, mais ingênua, a besteira simplesmente, *c'est la bêtise dans son essence la plus pure, quelque chose comme un simples chimique*.[148] Se aquilo fosse formulado com um pouco mais de inteligência, cada qual logo reconheceria a profunda miséria que recobre aquela besteira. Mas agora todos hesitam em pronunciar-se: ninguém crê que uma coisa possa ser tão fundamentalmente besta. "É impossível que não haja aqui algo de mais", diz a si mesmo cada um, e procura-se um segredo, entrevê-se um mistério, quer-se ler entre linhas, — o efeito foi atingido! Oh! nunca ainda foi a besteira consagrada por um triunfo tão solene, se bem que tenha merecido muitas vezes obtê-lo... Porque, entre pa-

148 é a besteira na sua essência mais pura, algo como um simples produto químico.

rênteses, a besteira e o gênio mais sublime são igualmente úteis aos destinos da humanidade.

— Jogos de palavras de 1840! — lançou uma voz aliás mal segura, mas que bastou para desencadear o tumulto.

— Senhores, viva! Proponho erguer-se um brinde à besteira! — exclamou, como para enfrentar o público, Stiepan Trofímovitch, já todo arrebatado.

Corri para ele, sob pretexto de servir-lhe um copo dágua.

— Stiepan Trofímovitch, retire-se, Iúlia Mikháilovna roga-lhe isso.

— Não, deixe-me, rapaz desocupado! — proferiu ele, com voz tonitruante. Tratei de fugir.

— Senhores! — continuou ele. — Por que essa agitação? Por que esses gritos de indignação que estou ouvindo? Vim com o ramo de oliveira. Trouxe-lhes a derradeira palavra, porque neste caso sou eu que terei a última palavra, e nós nos reconciliaremos.

— Abaixo! — gritaram uns.

— Silêncio! Deixem-no falar, que ele se explique — gritaram outros. O mais exaltado era o jovem professor que, tendo ousado tomar uma vez a palavra, parecia não poder mais parar.

— Senhores, a derradeira palavra deste caso é a anistia. Eu, velho que já vivi o meu tempo, declaro-vos solenemente que o espírito de vida sopra como no passado, que sua fresca seiva não se esgotou na nova geração. O entusiasmo da juventude contemporânea é tão puro, tão esplêndido quanto o de nosso tempo. Somente, produziu-se este fato: a inversão dos valores ideais, uma concepção nova da beleza que se substitui a uma outra! Todo o mal-entendido reside nisto: qual é mais belo. Shakespeare ou um par de botas, Rafael[149] ou petróleo?

— Isso é uma denúncia! — trovejaram vozes.

— Perguntas comprometedoras!

— *Agent provocateur!*

— Mas eu declaro — prosseguiu Stiepan Trofímovitch, cuja superexcitação atingia o paroxismo, — eu declaro que Shakespeare e Rafael estão acima da alforria dos camponeses, acima da nacionalidade, acima do socialismo, acima da jovem geração, acima da química, quase acima da humanidade inteira, porque são já o fruto, o fruto presente e real de toda a humanidade, e talvez o mais sublime fruto que ela possa jamais ter produzido! A forma da beleza se encontra assim já realizada, sem a posse da qual, pela minha parte, não consentiria talvez em viver... Oh! Deus! — exclamou ele, juntando as mãos, — há dez anos que, em Petersburgo, do alto da tribuna, eu gritava exatamente as mesmas coisas nos mesmos termos. E da mesma maneira que hoje não me compreendiam então e zombaram de mim e tudo me conspurcaram como neste momento; homens de curta visão, que vos falta para compreender? Sabeis mesmo, sabeis, que a humanidade pode passar sem os ingleses, pode passar sem a Alemanha, que nada lhe é mais fácil do que passar sem os russos, que não tem necessidade para viver de ciência, nem de pão, mas que somente a beleza lhe é indispensável, porque sem a beleza nada haveria mais a fazer

---

149 Raffaello Sanzio (1483-1520), célebre pintor, escultor e arquiteto. Ele, Leonardo da Vinci e Miguel Ângelo constituem a mais alta expressão do gênio artístico da Renascença italiana.

neste mundo! Nisto está todo o segredo, toda história está nisto! A própria ciência não subsistiria sem a beleza — sabei disto, vós, zombadores, — degeneraria em selvagem ignorância, viria a não poder ela própria inventar um prego!... Não cederei! — berrou à guisa de conclusão e assestou com todas as suas forças um murro em cima da mesa.

Mas enquanto prosseguia ele em suas pobres divagações, a desordem só fazia aumentar na sala. Grande número de pessoas deixou seus lugares precipitadamente; algumas, empurradas para a frente, vinham bater no pé do estrado. Aliás, tudo isto ocorreu em menos tempo do que é preciso para descrevê-lo e não houve possibilidade de tomarem-se providências. Talvez também não se quis tomá-las.

— É bom para você, seu descarado, seu inútil! — berrou o seminarista que, tendo chegado bem perto de Stiepan Trofímovitch, mostrava-lhe os dentes com uma expressão de alegria malvada. Stiepan Trofímovitch avistou-o e avançou vivamente até a beira do estrado.

— Não acabo de declarar neste mesmo instante que o entusiasmo da jovem geração é tão puro, tão esplêndido como o nosso e que só se perde por causa de uma falsa interpretação das formas de beleza? Isto não lhe basta? E se se considera que aquele que acaba de proferir estas palavras é um pai assassinado, ultrajado, será possível, ó espíritos limitados, será possível dar prova de uma imparcialidade mais alta e de uma serenidade de olhar maior... homens ingratos, injustos... por que, por que, pois, não vos quereis reconciliar?

E de repente, desatou em soluços convulsivos. Enxugava com os dedos as lágrimas que corriam de seus olhos. Os soluços sacudiam suas espáduas e seu peito... Perdera toda noção de lugar e de tempo.

Verdadeiro espanto apossou-se do auditório; quase todos haviam levantado. A própria Iúlia Mikháilovna ergueu-se bruscamente, segurando o braço de seu marido e forçando-o a levantar-se... O escândalo foi indescritível.

— Stiepan Trofímovitch — exclamou alegremente o seminarista, — por aqui, na cidade e nos arredores, vaga o forçado Fiedka, evadido do presídio. Anda pilhando e ainda ultimamente cometeu novo assassinato. Permita-me que lhe pergunte: há quinze anos, se o senhor não o tivesse obrigado a sentar praça para pagar uma dívida de jogo, isto é, para falar claro, a jogar cartas e perdido, diga-me, teria ele ido parar no presídio? Estrangularia as pessoas como o faz hoje, na luta pela existência? Que me diz disso, senhor esteta?

Recuso-me a descrever a cena que se seguiu. Em primeiro lugar, foi um concerto formidável de aplausos. Nem toda a gente aplaudia, era apenas uma quinta parte da sala que batia palmas, mas fazia-o com vigor. O resto do auditório correu para a saída, mas como a parte do público donde partiam os aplausos se encontrava aglomerada diante do estrado, produziu-se uma confusão geral. As senhoras lançavam gritinhos, várias senhoritas puseram-se a chorar e pediram que as levassem para casa. De pé, perto de seu lugar, Lembke passeava frequentemente em redor de si um olhar desvairado. Pela primeira vez, desde sua chegada à nossa cidade, havia Iúlia Mikháilovna perdido completamente a cabeça. Quanto a Stiepan Trofímovitch, no primeiro momento, pareceu literalmente esmagado pelas palavras do seminarista; mas de repente ergueu os dois braços como se quisesse estendê-los sobre a cabeça do público e guinchou:

— Sacudo a cinza de meus pés e amaldiçoo... É o fim... é o fim...

E, voltando as costas, correu para os bastidores, mostrando o punho num gesto de ameaça.

— Ele insultou a sociedade! Vierkhoviénski! — urraram os desatinados. Queriam mesmo lançar-se em sua perseguição. A ordem não podia mais ser restabelecida, pelo menos naquele instante, quando, de súbito, uma catástrofe definitiva explodiu como uma bomba no meio da assembleia que ela acabava de deslocar: o terceiro leitor, aquele maníaco que brandia sempre o punho nos bastidores, irrompeu em cena.

Seu aspecto era absolutamente o de um louco. Com um largo sorriso de triunfo, cheio de um atrevimento desmedido, abrangia com o olhar a assistência tumultuosa e parecia não caber em si de contente com a desordem. Não só em nada o perturbava ter de tomar a palavra em meio de semelhante algazarra, mas, pelo contrário, regozijava-se visivelmente. Era isso tão manifesto que atraiu logo para si a atenção.

— Quem é esse? — perguntava-se. — Quem é? Silêncio! Que quer ele dizer?

— Senhores — gritou o maníaco a toda a força, de pé na beira do estrado e com uma voz feminina cujo timbre era quase tão agudo quanto o timbre da voz de Karmázinov, menos o ceceio aristocrático. — Senhores, há vinte anos, na véspera de entrar em guerra contra a metade da Europa, a Rússia se erguia como um ideal aos olhos de todos os conselheiros de Estado e conselheiros secretos. A literatura estava a serviço da censura; nas universidades ensinava-se a Passuística, isto é, a arte de andar a passo; o exército estava transformado em um corpo de *ballet* e o povo pagava as despesas e se calava sob o *knut* da servidão. A concussão, tanto sobre o morto quanto sobre o vivo, substituía o patriotismo. Os que recusavam os canecos de vinho eram considerados rebeldes, pois que turbavam a harmonia. As florestas de bétulas esgotavam-se no fornecimento de argumentos em favor da ordem... A Europa tremia... Mas nunca a Rússia, no curso dos mil anos de sua estúpida existência, havia atingido ainda semelhante grau de abjeção...

Brandiu seu punho com um ar de triunfo e de ameaça acima de sua cabeça e baixou-o de repente com raiva, como se pulverizasse um adversário. Um urro frenético elevou-se, bravos ensurdecedores crepitaram. Quase a metade dos presentes aplaudiu: o motivo era bem simples, arrastava-se a Rússia pela lama, publicamente. Seria possível, após isto, não gritar de entusiasmo?

— Isto sim! Isto sim! Viva! Ah! isto sim, isto não é mais estética!

O maníaco prosseguiu, encantado:

— Desde então, vinte anos se passaram. As universidades se abriram e multiplicaram-se. A Passuística não é mais que uma lenda; faltam milhares de oficiais para completar os quadros. Os caminhos de ferro devoraram todos os capitais e cobriram a Rússia como duma teia de aranha, tanto que dentro de uns quinze anos, vai se poder ir provavelmente para não importa que lugar. As pontes só se incendeiam de longe em longe, mas as cidades regularmente, cada uma por sua vez, segundo a ordem estabelecida, quando chega a estação dos incêndios. Os tribunais pronunciam verdadeiros julgamentos salomônicos e os advogados não aceitam dinheiro senão na medida em que este os impeça de morrer de fome e os ajude a levar adiante a luta pela vida. Os servos, agora livres, coçam-se as costas mutuamente em

lugar de o fazerem seus antigos senhores. Mares, oceanos de vodca são absorvidos tendo em vista o equilíbrio do orçamento e, em Nóvgorod, para substituir a inútil e antiga Santa Sófia, inaugurou-se triunfalmente um nabo de bronze em memória do milenário de nossas desordens e de nossa estupidez. A Europa franze o cenho e recomeça a ficar inquieta. Quinze anos de reforma! E entretanto jamais a Rússia, mesmo nas épocas mais grotescas de sua estúpida história, não chegara ainda...

Os clamores da multidão não permitiram que se ouvissem as derradeiras palavras. Viu-se ainda o maníaco erguer o braço e baixá-lo num gesto vitorioso. O entusiasmo ultrapassava todos os limites. Urrava-se, palmeava-se, algumas daquelas senhoras chegavam a gritar: "Basta! Basta! É melhor não dizer!". Estava-se como que embriagado. O orador abarcava o público com seu olhar e aspirava seu triunfo. Lembke que, via-o eu muito bem, se achava numa agitação indizível, deu uma ordem a alguém. Iúlia Mikháilovna, palidíssima, disse precipitadamente algumas palavras ao príncipe que correra para seu lado. Mas no mesmo instante, um grupo de homens, em número de dez, e que eram todos mais ou menos personagens oficiais, subiu ao estrado, apoderou-se do orador e arrastou-o para trás dos bastidores. Não compreendo como conseguiu ele escapar-lhes. O fato é que foi visto reaparecer ainda à beira do estrado e teve tempo de gritar ainda uma vez com todas as suas forças, brandindo o punho:

— Mas nunca a Rússia chegou...

Arrastaram-no de novo. Vi uns quinze indivíduos lançarem-se dos bastidores para libertá-lo, mas em lugar de invadir pela frente o estrado, contornaram-no, quebrando a fraca balaustrada, tanto que esta acabou caindo. Vi em seguida, sem acreditar em meus olhos, a estudante (irmã de Virguínski) saltar bruscamente para o estrado, sempre tendo debaixo do braço seu rolo de papelório, o mesmo vestido, bem vermelha e bem gordota, cercada de dois ou três homens, de duas ou três mulheres, e acompanhada de seu mortal inimigo o colegial. Tive tempo de apanhar de passagem esta frase:

"Senhores, vim para fazer conhecer os sofrimentos dos infelizes estudantes e levá-los a protestar de comum acordo."

Mas tratei de fugir dali. Meti meu laço de fita no bolso e, por uma porta traseira que conhecia, ganhei a rua. Meu primeiro cuidado foi naturalmente seguir para a casa de Stiepan Trofímovitch.

Capítulo II / O fim da festa

I

Não me recebeu. Trancara-se e estava escrevendo. Tendo reiterado meu apelo, respondeu ele através da porta:

— Meu amigo, cheguei ao fim, que pode exigir de mim ainda?

— O senhor não chegou a fim nenhum, só fez contribuir para o desastre total. Pelo amor de Deus, basta de jogos de palavras, Stiepan Trofímovitch; abra. Trata-se de tomar providências, podem vir ainda insultá-lo em sua casa...

Achava que era meu dever falar-lhe com severidade e mesmo exigir dele contas. Temia que empreendesse algo de mais louco ainda. Mas para minha grande surpresa, tropecei com uma firmeza insólita.

— Não me insulte você mesmo em primeiro lugar. Agradeço-lhe o que tem feito até aqui, mas repito-lhe, rompi com os homens, com os bons e com os maus. Estou escrevendo a Daria Pávlovna, a quem tão imperdoavelmente tenho esquecido até agora. Amanhã leve-lhe minha carta, se o quiser, mas agora, obrigado.

— Stiepan Trofímovitch, asseguro-lhe que o caso é mais sério do que o senhor pensa. Pensa ter esmagado alguém? Não esmagou ninguém e foi o senhor mesmo quem se quebrou como vidro. (Oh! fui impolido e grosseiro, lembro-me com pesar.) O senhor não tem decididamente nenhuma razão para escrever a Daria Pávlovna... E que seria do senhor sem mim, doravante? Entende alguma coisa da vida prática? Rumina sem dúvida ainda algum projeto? Se assim for, corre para outro fracasso...

Levantou-se e aproximou-se bem perto da porta.

— Embora tenha vivido pouco tempo com eles, você aprendeu sua linguagem e seu tom. *Dieu vous pardonne, mon ami, et dieu vous garde*. Mas sempre notei em você um fundo de honestidade e talvez você ainda volte a reconsiderar — demasiadamente tarde, afinal, como nós todos na Rússia. Quanto à sua observação concernente à minha falta de senso prático, vou lhe recordar uma observação que fiz há muito tempo. Pululam entre nós, na Rússia, como moscas de verão, as pessoas que se encarniçam fastidiosamente em criticar a ausência de senso prático nos outros, não poupando tal censura a ninguém, exceto a elas mesmas. Meu caro, lembre-se de que me encontro num estado de superexcitação e não me atormente. Ainda uma vez obrigado por tudo; separemo-nos um do outro como Karmázinov se separou do público, isto é, esqueçamo-nos de comum acordo. Para ele, era um ardil de sua parte quando rogava tão instantemente que seus antigos leitores o esquecessem; *quant à moi*, não tenho tanto amor-próprio e acima de tudo conto com a mocidade de seu coração que as tentações ainda não atacaram. Por que você haveria de guardar a lembrança de um velho inútil? "Viva mais", meu amigo, como dizia Nastássia, dirigindo-me seus votos, na última vez, por ocasião de meu aniversário (*ces pauvres gens ont quelquefois des mots charmants et pleins de philosophie*).[150] Não lhe desejo muita felicidade — isto aborrece; não lhe desejo mal tampouco, mas, segundo a filosofia popular, limito-me a repetir: "Viva mais" e trate de não se aborrecer demais; este voto frívolo, sou eu que o acrescento. Vamos, adeus, e adeus mesmo. Não fique à minha porta, porque não abrirei.

Afastou-se e nada mais pude conseguir dele. Apesar de sua superexcitação, falara num tom igual, sem pressa, com ponderação e visivelmente como se se esforçasse por impor-se dessa forma. Sem dúvida, estava um tanto zangado comigo e me punia talvez disfarçadamente das alusões que me permitira na véspera. As lágrimas que ele vertera havia pouco em público, a despeito de sua aparência de vitória, tinham-no colocado numa situação burlesca e da qual se dava conta; ora, ninguém era mais cuidadoso que Stiepan Trofímovitch de manter a correção das formalidades nas suas relações com seus amigos. Oh! eu não o censuro! Mas aquela susceptilidade e o tom sarcástico que subsistiam nele, a despeito de todo o transtorno moral, tranquilizaram-me: um

150 Essas criaturas têm às vezes frases encantadoras e cheias de filosofia.

homem na aparência tão pouco diferente do que era de hábito não se dispunha certamente a tomar naquela hora qualquer resolução trágica e insólita. Assim pensava eu então, e sabe Deus, sim, quanto me enganava! Perdia de vista muitas coisas.

Antecipando-me aos acontecimentos, citarei aqui as primeiras linhas de sua carta a Daria Pávlovna, que esta recebeu efetivamente no dia seguinte:

> Minha filha, minha mão treme, mas tudo terminei. Você não assistiu à minha derradeira escaramuça com os humanos: não compareceu àquela "leitura" e fez bem. Mas haverão de contar-lhe que na nossa Rússia, tão pobre de caracteres, um homem corajoso se levantou, o qual, sem levar em conta as ameaças de morte proferidas de todos os lados, disse sem rodeios àqueles imbecis que eles eram imbecis. *Oh! ce sont de pauvres petits vauriens et rien de plus, de petites imbéciles – voilá tout.*[151] A sorte está lançada; deixo esta cidade para sempre sem saber para onde irei. Todos aqueles a quem amava afastaram-se de mim, mas você, você, criatura pura e ingênua, você, doce criatura, cujo destino esteve a ponto de unir-se ao meu, pela vontade de um coração caprichoso e despótico, você que talvez me tenha visto, com desprezo, verter lágrimas covardes na véspera de nosso casamento malogrado, você que, seja como for, não me poderia ver senão como um personagem cômico; oh! para você, para você o derradeiro grito de meu coração, para você meus derradeiros deveres, para você somente! Não posso abandoná-la para sempre deixando-lhe a ideia de que sou um estúpido ingrato, um rústico e um egoísta, como provavelmente lhe afirma cada dia um coração ingrato e cruel que eu não posso, ai de mim! esquecer. Etc., etc.

E por aí ia em quatro páginas de grande formato.

Em resposta ao seu "não abrirei", esmurrei três vezes a porta, gritando-lhe que teria minha desforra, que naquele mesmo dia ele mandaria me procurar três vezes, mas que eu não viria. Dito isto, corri para a casa de Iúlia Mikháilovna.

II

Ali fui testemunha duma cena revoltante: enganava-se afrontosamente a pobre mulher, mas eu nada podia fazer. Que teria eu podido dizer-lhe com efeito? Já havia conseguido acalmar-me um pouco e verificava que tudo se limitava para mim a impressões, a sinistros pressentimentos e nada mais. Encontrei-a lacrimosa, quase em ponto de crise, fazendo-se fricções de água-de-Colônia, tendo um copo d'água a seu lado. Piotr Stiepânovitch mantinha-se de pé diante de Iúlia Mikháilovna, falando sem cessar, o príncipe também, mas sem dizer palavra, como se tivesse os lábios lacrados. Chorando e lançando gritos, censurava a Piotr Stiepânovitch a sua "deserção". Fiquei estupefato ao verificar que ela atribuía seu fracasso e tudo quanto ocorrera no curso daquela ignominiosa matinal ao único fato da ausência de Piotr Stiepânovitch.

Notei nele impressionante mudança: parecia bastante preocupado, quase grave. De costume, jamais tinha o ar sério, ria sempre, mesmo quando se zangava,

151 Oh! são pobres tratantezinhos e nada mais, uns imbecizinhos — eis tudo.

o que lhe acontecia muitas vezes. Oh! agora ainda estava zangado; falava num tom grosseiro, brutalmente, com enfado e impaciência. Afirmava que fora atacado por uma dor de cabeça e náuseas, no curso de uma visita que fizera a Gagânov bem cedo. Ai! a pobre mulher desejava tanto ser enganada ainda! A principal questão que estava sendo debatida à minha chegada era esta: haveria sim ou não um baile, isto é, uma segunda parte da festa? Iúlia Mikháilovna, por coisa alguma no mundo, consentiria em aparecer no baile depois das "afrontas de inda há pouco", ou por outras palavras, só desejava com todas as veras que a isso fosse obrigada e justamente por Piotr Stiepânovitch. Considerava-o um oráculo, e creio que se ele se tivesse retirado naquele momento, ela teria caído doente. Mas ele não tinha vontade de ir-se embora; desejava de todo o coração que o baile se realizasse naquele mesmo dia e que Iúlia Mikháilovna a ele assistisse.

— Vamos, que adianta chorar? Faz questão então absoluta de armar uma cena? É necessário que transfira sua cólera contra alguém? Pois bem, transfira-a contra mim, mas apresse-se, porque o tempo urge e é preciso decidir. O baile fará esquecer o fiasco de sua conferência. Veja, é também a opinião do príncipe. Ah! sim, se o príncipe não tivesse estado lá, como teria terminado a coisa?

O príncipe desde o começo se mostrara hostil àquele baile (quer dizer que não era de opinião que Iúlia Mikháilovna nele se mostrasse; quanto ao baile mesmo, devia, em todo caso, realizar-se), mas após dois ou três apelos à sua opinião, veio pouco a pouco a fazer um sinal de aquiescência.

Causava-me também espanto o tom extraordinariamente descortês de Piotr Stiepânovitch. Decerto, repilo com indignação as baixas calúnias que se espalharam mais tarde concernentes a pretensas relações que teriam havido entre Iúlia Mikháilovna e Piotr Stiepânovitch. Isto não era, não podia ser. O ascendente que ele tomara sobre ela, devia-se apenas ao fato de que, desde o começo, pusera-se ele a encorajar, com todas as suas forças, os sonhos ambiciosos de Iúlia Mikháilovna, desejosa de desempenhar um papel na sociedade e no Governo; aliara-se aos propósitos de Iúlia Mikháilovna, ele próprio estabelecendo-lhe os planos, cumulando-a das baixas lisonjas e enredando-a tão bem dos pés à cabeça, que se tornara tão indispensável para ela quanto o ar. Lançou ela um grito ao ver-me e seus olhos acenderam-se:

— Aí o tem, interrogue-o, ele também ficou todo o tempo ao pé de mim, como o príncipe. Diga, não é evidente que tudo isso é uma conjura, uma baixa e pérfida conjura para me fazer todo o mal possível, a mim e a Andriéi Antônovitch? Oh! eles estavam combinados! Tinham seu plano. É uma cabala, uma verdadeira cabala!

— A senhora vai demasiado longe, como é de seu costume. Tem sempre um poema na cabeça. Aliás, tenho prazer em vê-lo... (fez menção de ter esquecido meu nome), ele lhe dará sua opinião.

— Minha opinião — apressei-me em acrescentar, — é inteiramente conforme com a de Iúlia Mikháilovna. A conjura é por demais evidente. Trago-lhe aquele laço de fita, Iúlia Mikháilovna. Que o baile se realize ou não, não é problema meu, porque não depende de mim, mas meu papel como organizador está terminado. Desculpe minha vivacidade: não posso agir com menoscabo do senso comum e de minhas convicções.

— Está ouvindo? Está ouvindo? —, disse ela, batendo as mãos uma contra a outra.

— Estou ouvindo e eis o que lhe direi — recomeçou Piotr Stiepânovitch, dirigindo-se a mim. — É minha opinião que todos vocês engoliram alguma coisa que lhes pôs a cabeça a girar. A meu ver, nada se passou, absolutamente nada que já não se tenha visto e que não se possa ver aqui em todos os tempos. De que conjura se trata? A coisa foi feia, foi vergonhosamente estúpida, mas onde há conjura? Seria contra Iúlia Mikháilovna, contra ela que os estraga de mimos, que os protege, que perdoa sem medida todas as suas tratantadas? Iúlia Mikháilovna! Mas que não tenho eu cessado de repetir durante todo um mês? De que a preveni? Que necessidade tinha a senhora de toda aquela gente? Tinha necessidade de frequentar aquela ralé? E por quê? Com que fim? Para coordenar os elementos sociais? Deu ótimo resultado a coordenação, palavra!

— Quando é que você me preveniu? Pelo contrário, você me aprovava, exigia mesmo... Você me causa admiração, confeso... Você mesmo trouxe à minha casa indivíduos bem estranhos.

— Pelo contrário, discutia com a senhora, longe de aprová-la. Quanto a isso de ter-lhe trazido — é exato, trouxe-lhe pessoas estranhas, mas foi bem recentemente e quando elas já se dirigiam por si mesmas à casa da senhora para constituir "a quadrilha literária", para a qual teria sido difícil passar sem aqueles crápulas. Todavia, aposto que na sessão de hoje deixaram introduzir-se sem ingresso mais de uma dezena de crápulas desse gênero.

— Certamente — confirmei.

— Está vendo? O senhor concorda. Lembre-se do clima que reinava na cidade nestes últimos tempos. Já passava à impudência, ao cinismo. Quem encorajava isso? Quem o cobria com sua autoridade? Quem fez todo mundo sair fora dos trilhos? Quem desencadeou a cólera popular? Será que todos os segredos de família da cidade não estão consignados no seu álbum? A senhora não passava a mão nos cabelos de seus poetas e desenhistas? A senhora não dava sua mão a beijar a Liámchin? Na sua presença, um seminarista de dezessete anos não insultou um conselheiro de Estado em função e não sujou de alcatrão o vestido da filha desse conselheiro, nele limpando suas grossas botas? Por que espantar-se de que o público esteja revoltado contra a senhora?

— Mas isso é obra sua, sua, sua! Oh! meus Deus!

— Não, eu a havia advertido, discutíamos por causa desse assunto. Entende a senhora? Discutíamos.

— Você mente com desfaçatez.

— Vamos, vejo que é inútil falar-lhe disso. Está precisando no momento de uma vítima. Pois bem, passe sua cólera contra mim, já lhe disse. Será melhor dirigir-me ao senhor... (nunca conseguia lembrar-se do meu nome). Contemos nos nossos dedos: afirmo que, sem contar Lipútin, não houve nenhuma conjura, nenhuma! Vou provar o que digo, mas analisemos em primeiro lugar o caso de Lipútin. Apareceu com os versos daquele imbecil do Liebiádkin. É isso que a senhora chama de conjura? Mas sabe que Lipútin podia muito bem achar a coisa espirituosa? Seriamente, seriamente espirituosa! Ele apareceu simplesmente com a intenção de distrair e divertir toda a gente, a começar por sua protetora Iúlia Mikháilovna, eis tudo. Não acredita? Não está isso no tom de tudo quanto se tem feito aqui há um mês? Quer que lhe exponha todo o meu pensamento? Estou certo de que, em outras circunstâncias, tudo se teria muito bem passado! A pilhéria é grosseira, digamos mesmo um pouco forte, mas ainda assim divertida, divertida.

— Como? Você acha espirituoso o ato de Lipútin? — exclamou Iúlia Mikháilovna, no auge da indignação. — Semelhante inépcia, semelhante falta de tato, um ato baixo e vil, aquela perfídia, oh! você diz isso intencionalmente! Depois disso estou vendo muito bem que você está metido com eles na conjura!

— Bem entendido, eu me conservava atrás deles, oculto, movimentando todos os fios. Mas se eu tomasse parte numa conjura, pelo menos acredite, ela não terminaria com um simples Lipútin! Então, na sua opinião, eu me teria também mancomunado com o *bátiuchka* para que ele armasse semelhante escândalo? De quem a culpa, se a senhora tolerou que o *bátiuchka* fizesse aquela conferência? Quem, pois, ainda ontem lhe desaconselhava isso?

— Oh! ontem *il avait tant d'esprit*! Contava tanto, além disso, com suas boas maneiras!... Pensava: ele e Karmázinov... e vejam só!

— Sim, aí está. Mas, apesar do *tant d'esprit, bátiuchka* cometeu uma vilania, e se tivesse eu podido adivinhar que ele a cometeria, pois que faço parte da cabala montada contra a festa da senhora, não a teria certamente exortado ontem a não largar o bode na horta, não é verdade? Pois bem, ontem, não obstante, eu a havia desaconselhado, pressentindo o que aconteceria. É evidente que eu não poderia prever tudo; ele mesmo ignorava provavelmente, no instante anterior, o incêndio que ia atear. Será que os velhos nervosos se assemelham a homens? Mas tudo não está irremediavelmente perdido. Para dar satisfação ao público, mande amanhã, ou mesmo hoje, como medida administrativa, dois médicos examiná-lo, e, depois, levem-no diretamente para o hospital, em regime de ducha fria. Assim toda a gente rirá e verá que não há motivo para sentir-se ofendida. Na minha qualidade de filho, anunciaria isto, eu mesmo, no baile, nesta noite mesmo. Outro negócio: Karmázinov remoeu seu discurso durante uma hora inteira — mais um que, decerto, estava mancomunado comigo! Estava combinado que ele cometeria tolices para prejudicar Iúlia Mikháilovna.

— Oh! Karmázinov, *quelle honte*[152], corei, corei de vergonha pelo nosso público.

— Pois bem! Eu, decerto, não teria corado mas teria lhe dado uma boa surra. Porque afinal o público estava em seu direito. E ainda no caso de Karmázinov, de quem a culpa? Fui eu que o trouxe? Achava-me no número de seus adoradores? Ora, que o diabo o leve! Mas há o terceiro maníaco político e este é um outro caso. Aqui, todos se enganaram e não se poderia acusar no caso apenas as minhas artimanhas.

— Ah! cale-se, é horrível, horrível! Nisto fui eu a única culpada, eu só!

— Evidentemente, mas neste ponto, desculpo-a. E quem é que desconfia dessa gente de língua solta? Em Petersburgo mesmo não se toma cuidado com eles. Mas não lhe foi ele recomendado e de que maneira?! Assim, convenha que a senhora está agora de certa forma obrigada a comparecer ao baile. A coisa é grave porque foi a senhora mesma quem fez subir aquele homem ao estrado. Deve, pois, declarar publicamente que não está solidária com ele, que o atrevido já esta nas mãos da polícia e que a senhora foi enganada duma maneira inexplicável. Deve declarar com indignação que foi vítima de um louco, porque é um louco e nada mais. É assim que

152 Que vergonha!

deve apresentar o fato. Eu não posso tolerar tais furiosos. Acontece que eu mesmo digo coisas piores, mas não do alto dum estrado. E fala-se justamente agora de um senador.

— De qual senador? Quem é que fala?

— Veja a senhora, eu mesmo não compreendo nada disso. Não está a par, Iúlia Mikháilovna, dum certo senador?

— De um senador?

— Veja só, estão convencidos de que um senador foi designado para vir aqui e que Petersburgo vai destituí-la. Ouvi dizer isto de várias pessoas.

— Também ouvi dizer isso — apoiei.

— Quem disse isso? — perguntou Iúlia Mikháilovna, ficando rubra.

— Quem falou primeiro? quer a senhora dizer. Como se há de saber? O certo é que se continua falando. O boato corre em meio da massa. Ontem, sobretudo, falava-se disso. Todos pareciam muito sérios, embora não seja fácil esclarecer a coisa. É certo que as pessoas mais inteligentes e mais competentes na matéria se calam, mas entre elas mesmas algumas prestam ouvidos.

— Que baixeza! E... que estupidez!

— Eis por que deve a senhora mostrar-se, a fim de se impor a esses imbecis.

— Confesso-o, eu mesma sinto que sou obrigada, mas... se me acontecer nova afronta? Se se abstiverem de vir ao baile? Porque ninguém virá, ninguém.

— Que exagero! Não irá ninguém ao baile? E os vestidos novos, as toaletes das moças? Na verdade, depois disto, nego sua qualidade de mulher. É esse todo o seu conhecimento do mundo?

— A marechala da nobreza lá não estará.

— Mas afinal, que se passou? Por que não irão ao baile? — gritou ele, impacientado e furioso.

— Uma ignomínia, uma vergonha, eis o que se passou! Ignoro qual seja o fundo de tudo isso, mas qualquer que ele seja, é-me proibido comparecer a esse baile.

— Por quê? Mas, afinal de contas, de que é a senhora culpada? Por que assume a culpa? O culpado não foi antes o público, os seus velhos, os seus pais de família? Cabia a eles conter aqueles vadios, aqueles descarados, porque, afinal, não passam de descarados e de vadios, e por consequência de nada de sério. Em parte alguma existe sociedade cujo policiamento se faça por si mesmo. Entre nós, cada qual exige ao entrar que um comissário de polícia vele pela sua segurança pessoal. Não se compreende que a sociedade deve guardar a si mesma. E que fazem entre nós, em semelhantes circunstâncias, os pais de família, os altos funcionários, as mulheres e as moças? Todos se calam e fecham a cara. A tal ponto que o público nem mesmo toma a iniciativa necessária para chamar à ordem os descarados.

— Ah! é de ouro o que você diz! Eles se calam, ficam aborrecidos e olham de banda!

— Pois bem, já que é verdade, cabe à senhora dizê-lo em voz alta, altiva e, severamente. Trata-se de mostrar que a senhora não está de modo algum abatida. E de mostrá-lo precisamente àqueles velhos e àquelas mães de família. Ah! a senhora *bem sabe que talento não lhe* falta, quando está com a cabeça lúcida. A senhora os reunirá e ali mesmo, no buraco do ouvido... depois uma correspondência para *A Voz* e para *A Gazeta da Bolsa*. Espere, vou eu mesmo pôr mãos à obra e arranjarei tudo.

Naturalmente, será preciso redobrar de atenção, vigiar o bufê, pedir ao príncipe, pedir aqui ao senhor... O senhor não poderá abandonar-nos, no momento em que se tem de recomeçar tudo. Enfim, a senhora aparecerá pelo braço de Andriéi Antônovitch. Como vai Andriéi Antônovitch?

— Oh! que julgamentos falsos, ultrajantes, injustos, você sempre tem feito a respeito desse homem angélico! — exclamou, de repente, Iúlia Mikháilovna, num transporte inesperado e, como que a ponto de chorar, levou seu lenço aos olhos.

Piotr Stiepânovitch, no primeiro momento, só pode balbuciar:

— Por favor... eu não... mas o quê? Eu sempre...

— Nunca, nunca! Você jamais lhe fez justiça!

— Impossível compreender a mulher! — resmungou Piotr Stiepânovitch, com um sorriso contrafeito.

— É o homem mais direito, mais delicado, mais angélico! O melhor que existe!

— Mas, por favor... no que se refere à bondade dele... sempre reconheci-lhe a bondade...

— Nunca. Afinal, deixemos isso, — intervim duma maneira demasiado desastrada. — Ainda há pouco aquela jesuítica marechala da nobreza fez algumas alusões sarcásticas ao serão de ontem.

— Oh! agora ela não se preocupa mais com o serão de ontem, mas sim com o de hoje. E por que a senhora tanto se perturba com a ideia de que ela não comparecerá ao baile? Com certeza lá não irá depois de ter sido implicada em tal escândalo! Talvez não seja sua culpa, mas nem por isso sua reputação deixará de sofrer; ela não sai disso com as mãos limpas.

— Que você quer dizer? Não entendo. Que significa isso de "mãos limpas"? — perguntou com ar espantado Iúlia Mikháilovna.

— Quer dizer que eu não afirmo nada, mas corre o boato na cidade que ela serviu de alcoviteira.

— Como? A quem serviu ela de alcoviteira?

— Ora! Será possível que a senhora ainda não saiba? — exclamou ele com uma surpresa muito bem representada. — A Stavróguin e Elisavieta Nikoláievna!

— Como? Que diz? — gritamos todos.

— Ora, será possível que não o saibam ainda? Mas é uma verdadeira aventura trágico-romanesca. Elisavieta Nikoláievna, em pleno dia, permitiu-se deixar a carruagem da marechala para subir na de Stavróguin e voou "com este último" para Skvopiéchniki. Isto aconteceu há apenas uma hora.

Ficamos petrificados. Naturalmente, mostramos todo o interesse em conhecer o resto do acontecimento, mas para nossa estupefação Piotr Stiepânovitch, se bem que tivesse sido por acaso testemunha do fato, não pode dar-nos nenhum detalhe circunstanciado. A coisa se passara da maneira seguinte: após a leitura, quando a marechala da nobreza conduziu Lisa e Mavríki Nikoláievitch para a casa da mãe de Lisa (que estava doente das pernas), não longe da entrada, a uns vinte e cinco passos, achava-se parado um carro. Saltando em terra, Lisa correra diretamente para aquele carro, cuja portinhola se abrira e depois se fechara. Lisa gritara para Mavríki Nikoláievitch: "Perdoe-me" e o carro partiu a toda velocidade para Skvopiéchniki. Em resposta às nossas febris perguntas, para saber se houvera acordo prévio e quem se encontrava no carro, respondeu Piotr Stiepânovitch que não sabia de nada, que certamente houvera combinação, mas que não avistara o próprio Stavróguin no carro, onde talvez se encontrasse o velho criado de quarto, Alieksiéi Iegórovitch.

— Mas como aconteceu que estivesse você lá? — perguntamos. — E como sabe de fonte certa que ela partiu para Skvopiéchniki?

— Passava por ali — respondeu ele, — e, avistando Lisa, precipitei-me para a carruagem (e todavia, apesar de sua curiosidade, não notara quem estava dentro dela). Quanto a Mavríki Nikoláievitch, não somente não se lançou no encalço de Lisa, mas nem mesmo procurou retê-la, e chegou mesmo a deter com um gesto a marechala que gritava a bom gritar: "Ela vai para a casa de Stavróguin, ela vai para a casa de Stavróguin!".

Naquele momento, saí de meus eixos e gritei para Piotr Stiepânovitch :

— Foste tu, velhaco, que arranjaste tudo! Eis no que empregaste tua manhã. Ajudaste Stavróguin, eras tu que estavas no carro, tu que fizeste Lisa subir para ele... tu, tu, tu! Iúlia Mikháilovna, esse homem é seu inimigo, ele também a perderá! Tome cuidado!

E saí precipitadamente da casa.

Hoje ainda não consigo compreender e me admiro de como pude atirar-lhe aquelas palavras. Mas havia adivinhado certo: viu-se mais tarde que tudo se passara mais ou menos como eu dissera. Em primeiro lugar, o pretexto de que se servira para anunciar a notícia parecia-me duma falsidade evidente. Tivera muito pouca pressa em contar-nos aquela estupefaciente novidade desde sua chegada; pelo contrário, fingira crer que nós a sabíamos já por boca de outrem, o que era impossível num lapso de tempo tão curto. E se a tivéssemos sabido, não teríamos podido ficar calados, aguardando que lhe aprouvesse falar a respeito. Não podia tampouco saber que boatos corriam na cidade a respeito da marechala, sempre em razão do pouco tempo decorrido. Além disso, por duas vezes, durante o curso de seu relato, um sorriso de baixa zombaria aparecera em seus lábios, como se achasse que estava tratando com chapados simplórios. Mas não estava nisto a causa de minha queixa. Captara o fato principal, e, fora de mim, saí precipitadamente da casa de Iúlia Mikháilovna. Tal catástrofe atingia-me em pleno coração. Sentia uma dor que raiava pelo pranto, e talvez mesmo então tenha derramado lágrimas. Não sabia mais o que fazer. Corri à casa de Stiepan Trofímovitch, mas o velho, emburrado, recusou-se mais uma vez a abrir-me a porta. Nastássia procurou persuadir-me, cochichando, de que ele estava deitado; não acreditei em nada. Em casa de Lisa, consegui interrogar os criados. Confirmaram-me a fuga, mas eles mesmos nada mais sabiam. Reinava a consternação na casa; Praskóvia Ivânovna tivera síncopes e Mavríki Nikoláievitch mantinha-se à cabeceira dela. Pareceu-me impossível mandar chamá-lo. Em resposta às minhas perguntas, os criados fizeram-me saber que, ultimamente, Piotr Stiepânovitch estivera frequentes vezes em visita à casa; acontecia-lhe mesmo fazer duas visitas por dia. Todos estavam tristes e falavam de Lisa com um tom particular de respeito: todos a amavam. Que ela estivesse perdida, irremediavelmente perdida, não o duvidava; mas o lado psicológico do caso escapava-me, sobretudo após a cena que tivera ela *na véspera com Stavróguin*. Repugnava-me andar pela cidade a indagar de notícias junto de conhecidos malévolos a quem o incidente, sem dúvida já espalhado àquela hora, deveria regozijar e, aliás, tal passo teria sido humilhante para Lisa.

Mas o que me espanta, é que corri à casa de Daria Pávlovna onde, de resto, não me quiseram receber (desde a véspera, a porta da casa de Stavróguin encontrava-se condenada às visitas). Não sei o que teria eu podido dizer-lhe, nem que motivo me levou àquele passo. Da casa dela parti para a casa de seu irmão. Chátov ouviu-me em silêncio, com ar sombrio. Notei que ele se encontrava numa disposição de ânimo particularmente melancólica; escutou-me profundamente pensativo e como se fizesse esforço sobre si mesmo. Não disse quase uma palavra sequer e se pôs a andar, para lá e para cá, pelo quarto, batendo com os tacões com mais força ainda que de costume. Como eu já estivesse no pé da escada, gritou para mim: "Passe em casa de Lipútin, lá saberá tudo". Mas não fui à casa de Lipútin e após uma boa caminhada, voltei à casa de Chátov. Contentei-me com entreabrir a porta sem entrar e perguntar-lhe, sem outro comentário, se ele não iria ver Maria Timofiéievna. Chátov respondeu-me com injúrias e eu saí. Noto, para não esquecer, que naquela noite mesma dirigiu-se expressamente ao outro extremo da cidade, à casa de Maria Timofiéievna a quem não via desde muito tempo. Encontrou-a num estado tão satisfatório quanto possível e de bastante bom humor; quanto a Liebiádkin, jazia, totalmente embriagado, sobre o divã do quarto vizinho. Eram nove horas em ponto. Chátov, em pessoa, comunicou-me esses detalhes no dia seguinte, ao encontrar-me por acaso na rua. Depois das nove horas, decidi ir ao baile, mas não mais na qualidade de comissário (meu laço de fita ficara em casa de Iúlia Mikháilovna), simplesmente por curiosidade de saber o que se dizia na cidade a respeito de todos aqueles acontecimentos. Além disso, queria ver, fosse mesmo de longe, Iúlia Mikháilovna. Censurava-me grandemente por havê-la deixado com tanta precipitação.

III

Toda aquela noite, com seus incidentes, absurdos e o espantoso salve-se quem puder ocorrido pela manhã, causa-me ainda hoje o efeito dum terrível pesadelo e constitui, pelo menos no que a mim diz respeito, a parte mais penosa de minha crônica. Se bem que tivesse chegado atrasado ao baile, assisti, apesar disso, ao fim, tanto este acabou sendo precipitado. Já passava de dez horas, quando cheguei à soleira da casa da marechala. A mesma vasta sala branca em que se realizara a conferência encontrava-se já transformada em salão de dança e supunha-se bem que a cidade em peso assistiria ao sarau. No entanto, por mais mal disposto que estivesse desde de manhã para com aquele baile, estava ainda longe de suspeitar de toda a verdade. Nem uma só família da alta sociedade comparecera; até mesmo os funcionários de alguma importância não apareceram, o que decididamente era mau sinal. Quanto às damas e senhoritas, os prognósticos de Piotr Stiepânovitch (prognósticos evidentemente pérfidos) mostraram-se da mais flagrante inexatidão: havia muito pouca gente, apenas uma dama para quatro cavalheiros e ainda assim que damas! Mulheres de oficiais subalternos, mulheres de empregados dos correios ou de burocratas, três enfermeiras com suas filhas, duas ou três pequenas proprietárias das mais modestas, as sete filhas e uma das sobrinhas daquele secretário já mencionado antes por mim, mulheres de negociantes — era isso que Iúlia Mikháilovna esperava? A metade mesma das esposas de comerciantes não comparecera. Quanto aos homens, se bem que o escol se fizesse notar pela sua ausência, formavam entretanto uma massa compacta, mas deixavam uma impressão de dúvida e de equívoco. Havia naturalmente alguns oficiais bastante tranquilos e bastante respeitáveis, vindos com suas esposas, alguns pais de família de ar dos mais mansos, tal, por exemplo, aquele mesmo secretário, pai daquelas sete filhas. Todo esse modesto mundozinho encontrava-se ali por assim dizer "porque não pudera dispensar-se de comparecer", como declarou algum daqueles senhores. Mas, em contraposição, o número de pessoas de cabeça agitada e o número das pessoas que Piotr Stiepânovitch e eu suspeitávamos de haverem entrado sem ingresso parecia mais considerável ainda que na sessão da manhã. Enquanto esperavam, ficavam todos acantonados no bufê, para onde se dirigiam logo que chegavam, como se aquele lugar tivesse sido designado de antemão. Pelo menos foi o que me pareceu. O bufê fora montado ao fim duma enfiada de salas, numa vasta sala onde pontificava Prókhoritch com todas as especialidades culinárias do clube e uma exibição impressionante de salgados e aperitivos. Notei ali vários indivíduos vestidos da maneira mais negligente e da menos conveniente a um baile, já visivelmente embriagados e outros que pareciam saídos Deus sabe donde, pessoas que não eram de nossa cidade. Decerto, eu sabia bem que Iúlia Mikháilovna metera na cabeça a ideia de organizar um baile dos mais democráticos "em que receberia até mesmo os pequenos burgueses, se se apresentassem a comprar ingressos". Não lhe custava falar assim no seu comitê, porque estava bem certa de que nenhum de nossos pequenos burgueses, tendo-se em vista sua miséria, pensaria em comprar um ingresso. Da mesma forma, não consegui compreender como se deixara entrar tal quantidade de sobrecasacas sinistras e coçadas, por maior que fosse o democratismo exibido pelo comitê. Quem, pois, as deixara introduzir-se e com que objetivo? Lipútin e Liámchin já estavam privados de suas insígnias de comissários (encontravam-se, entretanto, no baile, devendo fazer parte da "quadrilha de literatura"); mas, para espanto meu, Lipútin fora substituído pelo seminarista de inda há pouco, aquele que, mais que ninguém, contribuíra para o escândalo da "Matinal", com sua altercação com Stiepan Trofímovitch, e Liámchin, substituído pelo próprio Piotr Stiepânovitch. Que não se poderia esperar em tais circunstâncias? Pus-me a escutar as conversas. Algumas ideias chocavam por causa de sua selvagem brutalidade. Em tal grupo, afirmava-se, por exemplo, que toda a história de Stavróguin e Lisa era um golpe forjado por Iúlia Mikháilovna e que para isso recebera dinheiro de Stavróguin. Citava-se mesmo a quantia. Assegurava-se que ela havia organizado a festa com essa intenção: assim era por causa disso que a metade da cidade se abstivera, sabendo do que se tratava, que o próprio Lembke ficara chocado a ponto de perder a razão e deixar-se conduzir por sua mulher como um insensato. A propósito disto, risadas estouravam, crepitavam, grosseiras ou sonsas. Todo mundo criticava o baile com veemência e ninguém se constrangia para deblaterar contra Iúlia Mikháilovna. Em geral, as conversas eram desordenadas, incoerentes, falhas de sobriedade e comedimento, tanto que era difícil tirar delas algo de claro. O bufê servia também de refúgio a alguns personagens simplesmente alegres, viam-se mesmo ali algumas senhoras, dessas que não se espantam, nem se atemorizam com coisa alguma, amáveis e joviais. Eram, na maior parte, mulheres de oficiais em companhia de seus maridos. Haviam-se sentado em mesinhas à parte e tomavam chá com extraordinária alegria. Foi o bufê transformado num calmo porto onde cerca da metade do público se encontrou reunida. Todavia, iria chegar um momento em que toda aquela gente desaguaria no salão. Não se podia pensar nisso sem pavor.

Durante aquele tempo, graças aos cuidados do príncipe, três tímidas quadrilhas tinham sido organizadas na sala branca. As senhoritas dançavam e seus pais as contemplavam com enternecimento. Mas muitas daquelas pessoas respeitáveis já procuravam o meio, uma vez que suas filhas se tivessem suficientemente divertido, de se retirar a tempo, isto é, antes que "isso comece". Todo mundo tinha, com efeito, a convicção de que "isso começaria" sem dúvida. Eu teria dificuldade em descrever o estado de espírito de Iúlia Mikháilovna. Não lhe dirigi a palavra, muito embora estivesse bem perto dela. À minha entrada, não respondera ao meu cumprimento, não me tendo notado (e de fato, não me notara). Seu rosto mostrava-se doentio; seu olhar desdenhoso e altivo, mas, ainda assim, móvel e inquieto. Com um ar de sofrimento visível, conseguia dominar-se — por que e para quem? Deveria ter se retirado, sobretudo levar seu marido, mas ficava! Bastava olhar seu rosto para notar que seus olhos "haviam-se aberto totalmente" e que nada mais lhe restava a esperar. Ela mesma não chamou para junto de si Piotr Stiepânovitch (também ele, aliás, parecia evitá-la; avistei-o no bufê, estava em extremo alegre). Não obstante, ela ficava no baile e nem uma vez sequer permitiu que Andriéi Antônovitch dela se afastasse. Oh! até o derradeiro momento, ainda naquela manhã mesma, com que indignação não teria ela refutado a menor alusão à saúde de seu esposo. Mas ainda sobre esse ponto seus olhos tiveram de abrir-se. Quanto a mim, percebi, à primeira olhadela, que Andriéi Antônovitch tinha uma aparência pior do que a exibida pela manhã. Parecia achar-se num estado de inconsciência e não se dar conta do lugar em que se encontrava. Acontecia-lhe de repente olhar em redor de si com uma severidade inesperada; foi assim que, por duas vezes, fitou seu olhar em mim. Uma vez, tentou dizer alguma coisa, começou com uma voz forte, e não acabou, tanto que um pobre e velho funcionário que se achava por acaso perto dele, quase teve medo. No entanto, mesmo aquela metade mais pacífica do público que compunha a assistência da sala branca afastava-se com ar sombrio e receoso de Iúlia Mikháilovna; ao mesmo tempo, lançavam-se olhares estranhos a seu esposo, olhares que, pela sua insistência e sua franqueza, contrastavam um pouco demais com a timidez habitual daquelas pessoas.

— Eis o que em primeiro lugar me impressionou; foi então que comecei a adivinhar o estado de espírito de Andriéi Antônovitch — confiou-me mais tarde Iúlia Mikháilovna.

Sim, a culpa era ainda dela! Inda há pouco, após minha partida, quando ficou decidido com Piotr Stiepânovitch que ela iria ao baile e a ele assistiria, segundo toda probabilidade dirigira-se ao gabinete de Andriéi Antônovitch, já completamente "transtornado" por causa da sessão de leitura, e, fazendo uso de todas as suas seduções, conseguira levá-lo consigo. Mas quanto devia sofrer agora! E, no entanto, não se retirava! Era o orgulho que a fazia sofrer? Ou então tinha ela muito simplesmente perdido a cabeça? Não sei. A despeito de todo o seu orgulho, ia ao ponto de prodigalizar curvaturas e sorrisos, esforçando-se por dirigir a palavra a certas damas, as quais perdiam a cabeça, procuravam safar-se com um breve "sim" ou "não", cheias de hesitação, e visivelmente tinham pressa em afastar-se dela.

Entre as personalidades verdadeiramente representativas de nossa cidade, uma só assistia ao baile; era aquele mesmo general reformado de quem já falei e que, após o duelo de Gagânov, tinha, em casa da marechala da nobreza, "aberto a porta à impaciência". Passeava através das salas com ar importante, o olho e o ouvido de tocaia, procurando dar-se a aparência de ter aparecido ali mais para estudar os costumes do que para encontrar prazer. Acabou por tomar conta completa de Iúlia Mikháilovna e não a deixou mais um passo. Evidentemente, queria reconfortá-la e tranquilizá-la. Era, sem nenhuma dúvida, um homem boníssimo, muito decorativo e tão velho que se poderia mesmo tolerar sua compaixão. Mas nem por isso deixava de ser extremamente penoso para Iúlia Mikháilovna dizer a si mesma que aquele velho falastraz permitia-se ter compaixão dela e, consciente da honra que ele lhe dava com sua companhia, afetar para com ela ares protetores. Entretanto, o general tagarelava sem cessar.

— Uma cidade não pode, dizem, subsistir a menos que possua sete justos... parece-me que são bem sete, não me lembro po-si-ti-va-men-te do número. Entre os sete justos incontestáveis que habitam nossa cidade, ignoro quantos tiveram a honra de assistir ao seu baile, mas, malgrado a presença deles, começo a não mais acreditar-me totalmente em segu-ran-ça. *Vous me pardonnerez, charmante dame, n'est-ce pas*?[153] Falo a-le-go-ri-ca-men-te, mas fui ao bufê e, palavra, dou-me por feliz por ter voltado são e salvo. Não é o lugar para o nosso excelente Prókhoritch e parece-me que antes do amanhecer vão despojá-lo de tudo. Afinal, estou brincando. Só estou esperando a "quadrilha literária" e em seguida irei deitar-me. Perdoe a um velho gotoso, deito-me cedo, sim, e lhe aconselharia também a ir "mi-mi", como se diz *aux enfants*. Só vim por causa das jovens beldades... que naturalmente não poderia eu encontrar em parte alguma em tão grande número como em seu sarau. Moram todas do outro lado do rio e eu nunca vou para aquelas bandas. A mulher de um oficial... de caçadores, parece... não é má de todo e... ela sabe bem disso. Conversei com aquela brejeira; é muito viva... e depois aquelas moças são viçosas, mas só têm a seu favor esse viço. Aliás, experimentei certo prazer. São rosas em botão; mas têm lábios grossos. Em geral, nas mulheres russas, a beleza do rosto carece de regularidade e assemelha-se um tanto a uma bolacha... *Vous me pardonnerez, n'est-ce pas*?... têm, aliás, olhos muito bonitos, olhos risonhos. Durante a primeira juventude, que dura o espaço de dois anos, digamos três anos, esses botões de rosa são encantadores, em seguida murcham para sempre... donde vem, entre os maridos, esse profundo in-di-fe-ren-tis-mo que traz tamanha contribuição ao desenvolvimento da questão feminina... se todavia compreendo bem essa questão... Hum! a sala é bela; essas peças não estão mal mobiliadas, poderia ser pior. A música poderia ser muitíssimo pior... não digo que ela deveria ser. O pequeno número de senhoras produz um efeito deplorável. Quanto às toaletes, não digo nada. É desagradável ver aquele sujeito de calças cinzentas es-pi-no-tear daquele jeito. Perdoo-lhe, se é por excesso de alegria, e depois, como é farmacêutico... mas mesmo assim onze horas é um pouco cedo, até mesmo para um farmacêutico... Lá no bufê, dois homens se maltrataram e não os botaram para fora. Às onze horas, deve-se expulsar os que gostam de brigar, quaisquer que sejam os costumes do público... depois de duas horas, não digo; é

153 A senhora há de perdoar-me, encantadora senhora, não é?

bom fazer algumas concessões à opinião geral... admitindo-se que este baile possa durar além das duas horas. Varvara Pietrovna faltou à sua palavra e não mandou flores. Hum! não tem cabeça para isso, *la pauvre mère*. E a pobre Lisa, sabe do que aconteceu? Dizem que é uma história muito misteriosa... e eis mais uma vez Stavróguin em cena... Hum! iria de boa vontade deitar-me..Creio que já estou na hora... Quando se realizará afinal essa quadrilha li-te-rá-ria?

A quadrilha literária começou afinal. Quando, nos últimos tempos, conversava-se na cidade a respeito do baile que ia ser dado, falava-se sempre nessa famosa quadrilha da literatura, e como ninguém podia imaginar em que consistia ela, suscitara extraordinária curiosidade. Nada de mais perigoso para seu bom êxito. E qual não foi a decepção!

A porta lateral da sala branca, que até então ficara fechada, abriu-se para dar passagem a alguns mascarados. O público, com ávida curiosidade, adiantou-se para cercá-los. O bufê inteiro, num só movimento, desaguou na sala até seu derradeiro homem. Os mascarados tomaram seu lugar para a dança. Consegui insinuar-me até a primeira fila e encontrei-me justamente atrás de Iúlia Mikháilovna, de von Lembke e do general. Foi então que Piotr Stiepânovitch, que desaparecera até aquele momento, se precipitou para Iúlia Mikháilovna.

— Tenho ficado permanentemente no bufê para vigiá-lo — murmurou ele com o olhar de um colegial apanhado em falta e que, aliás, ele simulava unicamente para exasperar ainda mais Iúlia Mikháilovna. Esta corou de raiva.

— Você poderia bem, pelo menos agora, abster-se de enganar-me, descarado que é! — replicou ela, bastante alto para que o público a ouvisse. Piotr Stiepânovicth esquivou-se, encantado consigo mesmo.

Seria difícil conceber uma alegoria mais lamentável, mais insulsa, mais vulgar do que aquela "quadrilha da literatura". Nada teria podido imaginar-se de menos apropriado ao nosso público; e fora, no entanto, Karmázinov, dizem, quem a imaginara. Lipútin, é verdade, tinha-a organizado, valendo-se dos conselhos do professor coxo, que assistira ao serão dos Virguínski. Todavia a ideia provinha de Karmázinov e ele próprio, dizia-se, tivera a intenção de disfarçar-se e desempenhar um papel à sua maneira. A quadrilha compunha-se de seis pares de lamentáveis mascarados, se se podia chamá-los de mascarados, dado que não diferiam em nada uns dos outros com as suas fantasias. Assim, por exemplo, aquele senhor idoso, de baixa estatura, de fraque, em suma vestido como toda a gente, portador duma respeitável barba branca (barba postiça, porque era nisto que consistia seu disfarce), requebrava-se, mexendo os pés no lugar, tendo no rosto uma expressão de gravidade imperturbável. Proferia certos sons com uma voz de baixo bastante medida, mas rouca e era justamente com essa rouquidão que devia representar um jornal conhecido. Diante desse mascarado dançavam duas espécies de gigantes X e Z, e essas letras viam-se pregadas nos fraques que usavam, mas quanto a saber o que significavam aquele X e aquele Z, era um enigma. "O honrado pensamento russo" era personificado sob o aspecto dum senhor de meia idade que trazia óculos, um fraque, luvas — e correntes (verdadeiras correntes). Aquele pensamento trazia debaixo do braço uma pasta contendo uma espécie de documentário. De seu bolso saía a meio uma carta aberta proveniente do estrangeiro: era um atestado destinado a convencer aqueles que tinham dúvidas sobre a honorabilidade do "honrado pensamento russo". Tudo isso era explicado de viva voz pelos comissários, porque não era possível ler o conteúdo da carta que emergia do bolso. Na sua mão direita, o "honrado pensamento russo" brandia uma taça, como se quisesse elevar um brinde. À sua direita e à sua esquerda, aparecia flanqueado por duas moças niilistas, tosquiadas à moda de cachorro e em frente dançava um outro velhote, de fraque, com um grosso cacete na mão para figurar uma revista "não editada em Petersburgo", mas temida. "Quando descarrego cacete... é para derrubar", parecia dizer. Mas apesar daquele cacete, não podia suportar os óculos obstinadamente fixos nele do "honesto pensamento russo"; esforçava-se por desviar seu olhar, e quando esboçava um *pas de deux*, contorcia-se e não sabia onde meter-se, tanto sua consciência evidentemente o atormentava... Aliás, não me lembro de todas aquelas tolas facécias; era tudo da mesma laia, tanto que por fim senti uma espécie de vergonha penosa. E eis que essa mesma expressão de vergonha se refletia em todos os rostos, até mesmo as tristes caras que se tinham visto aglomeradas no bufê. Durante certo tempo toda a gente permaneceu em silêncio e olhou, perguntando a si mesma o que significava aquilo. Quando o indivíduo experimenta um movimento de vergonha é naturalmente inclinado ao cinismo e não tarda em enfadar-se. Pouco a pouco ergueu-se do público um vozerio:

— Que é que é aquilo? — murmurou num grupo um garçom do bufê.

— Uma idiotice qualquer.

— É literatura. Para criticar *A Voz*.

— Mas que tenho eu com isso?

Num outro grupo:

— São uns asnos!

— Não, não são eles, somos nós os asnos.

— Por que és um asno?

— Mas não sou asno.

— Pois bem, já que não és um asno, eu também não sou, há muito tempo.

Num terceiro grupo:

— Seria preciso mandá-los para o diabo, dando-lhes tamancadas no traseiro.

— Devastar a sala inteira!

Num quarto:

— Como não têm os Lembke vergonha de olhar para isso?

— Por que haveriam de ter vergonha? Será que isso te causa vergonha?

— Sim, perfeitamente; e ele é que é o Governador.

— E tu um porco.

— Jamais em minha vida vi baile tão vulgar — observou acremente uma senhora que se achava perto de Iúlia Mikháilovna e que evidentemente desejava ser ouvida. Era uma senhora duns quarenta anos, gorda, repleta, de rosto pintado, com um vestido de seda muito vistosa; quase todo mundo a conhecia na cidade, mas ninguém a recebia. Era viúva de um conselheiro de Estado que lhe havia deixado uma casa de madeira e uma magra pensão, mas vivia bem e tinha cavalos e carro. Dois meses antes fora visitar Iúlia Mikháilovna que não a recebeu.

— *Era bem fácil de prever* o que iria acontecer — acrescentou ela, olhando afrontosamente para Iúlia Mikháilovna.

Esta não se aguentou:

— Se a senhora podia prevê-lo, por que veio?

— Foi a tolice que fiz — retorquiu a dama num tom que deixava ver que ardia de vontade de meter-se num barulho. Mas o general interpôs-se.

— *Chère dame* — disse ele, inclinando-se para o ouvido de Iúlia Mikháilovna, — seria bom retirar-se. Só fazemos constrangê-los, e sem nós vão se divertir melhor. A senhora já cumpriu todas as suas obrigações abrindo o baile, pois bem, deixe-os tranquilos agora... E depois Andriéi Antônovitch não parece achar-se num estado lá muito satisfatório... Contanto que não aconteça desgraça!

Mas era demasiado tarde.

Desde o começo da quadrilha, Andriéi Antônovitch observava os dançarinos com uma estupefação misturada de cólera, mas às primeiras chalaças lançadas pelo público, pôs-se a olhar em redor de si, com ar inquieto. Pela primeira vez então seus olhos deram com certos homens do bufê; seu olhar manifestou prodigioso espanto. De repente, uma ruidosa gargalhada partiu do lado em que estava formada a quadrilha: o editor da "terrível revista que não era editada em Petersburgo", o dançarino armado de cacete, sentindo que não lhe era possível suportar por mais tempo os óculos do "honrado pensamento russo" e não sabendo como fazer para ver-se livre deles, tinha, no derradeiro passo de dança, imaginado ir ao encontro dos óculos, caminhando de pés para o ar, alusão muito oportuna ao estado de espírito constantemente revirado da "terrível revista que não era editada em Petersburgo". Como somente Liámchin era o único que sabia caminhar sobre as mãos, fora ele que se encarregara de representar o jornalista armado de cacete. Iúlia Mikháilovna ignorava completamente que se devia andar de pés para o ar. "Tinham-me ocultado isso, ocultado", repetia ela, mais tarde, com indignação e desespero. As risadas da multidão, bem entendido, não se dirigiam absolutamente à alegoria, que ninguém entendia, mas muito simplesmente ao passeio, de pés no ar, daquele senhor em traje de gala. Lembke estremeceu, presa duma grande cólera:

— O tratante! — gritou ele, apontando para Liámchin. — Agarrem esse patife... revirem-no... ponham-no sobre seus pés... a cabeça... que a cabeça fique no alto... no alto....

Liámchin saltou sobre seus pés. As risadas redobraram.

— Ponham para fora todos os biltres que estão rindo — ordenou de repente Lembke. Ouviram-se murmúrios na multidão.

— Ora, isto não é permitido, excelência.

— Não é permitido insultar o público.

— É um idiota! — gritou uma voz dum canto da sala.

— Flibusteiros! — gritou alguém na outra extremidade.

A este grito, Lembke voltou-se por completo e ficou pálido. Um sorriso parvo apareceu-lhe nos lábios, como se alguma coisa se apresentasse à sua memória e a compreendesse imediatamente.

Procurando levar seu marido para fora, Iúlia Mikháilovna dirigiu-se à multidão que se aproximara:

— Senhores, senhores, desculpem Andriéi Antônovitch? Andriéi Antônovitch está doente... perdoem-no, senhores.

Ouvi-a distintamente dizer "perdoem-no". A cena fora muito rápida. Mas lembro-me perfeitamente de que naquele momento uma parte do público, presa duma espécie de pânico, precipitou-se para fora da sala, logo depois das palavras de Iúlia Mikháilovna. Lembro-me mesmo daquele grito lançado por uma mulher que soluçava nervosamente:

— Ah! isto recomeça como hoje de manhã!

E eis que, de súbito, no momento em que a multidão se empurrava para a saída, uma bomba explodiu na sala "ainda como de manhã":

— Fogo! O Zarietchie[154] todo pegou fogo!

Todavia, não me lembro se aquele grito foi a princípio lançado nos salões, ou então se alguém, vindo da escada, lançou-o na antecâmara; o certo é que um pânico indescritível ocorreu então. Mais da metade dos assistentes morava no Zarietchie, seja como locatários, seja como proprietários das casas de madeira que formavam o quarteirão. Correram imediatamente para as janelas, afastaram-se as cortinas, arrancaram-se os postigos. Todo o Zarietchie ardia. O incêndio estava ainda em começo, é verdade; todavia estava aceso em três focos distintos, o que parecia ainda mais alarmante.

— O fogo foi ateado de propósito! Foram os operários de Chpigúlin que fizeram isso! — gritaram na multidão.

Lembro-me de algumas exclamações muito características.

— Meu coração pressentia que haveriam de provocar incêndios, vinha pressentindo todos estes dias! São os operários Chpigúlin e ninguém mais!

— Reuniram-nos aqui de propósito para atear o incêndio lá!

Este último grito, o mais estranho de todos, foi lançado de uma maneira involuntária e irrefletida de uma Koróbotchka qualquer cuja casa devia estar ardendo. Todos correram para a saída. Não tentarei descrever o atropelo que ocorreu na antecâmara enquanto eram retirados as peliças, os fichus e as capas, nem tampouco os gritos agudos das mulheres e os soluços das moças. É pouco provável que tivessem sido cometidos furtos, quaisquer que sejam as lendas que tiveram curso na cidade a este respeito; mas não é de espantar se, na confusão geral, algumas pessoas tiveram de ir-se embora sem ter encontrado sua peliça. Lembke e Iúlia Mikháilovna quase foram esmagados contra a porta.

— Prendam todos! Não deixem sair ninguém! — vociferava o Governador, estendendo um braço ameaçador para a multidão que corria para diante. — Revistem-nos todos, um por um, imediatamente!

Violentos insultos partiam do salão.

— Andriéi Antônovitch! Andriéi Antônovitch! — exclamou Iúlia Mikháilovna no auge do desespero.

— Prendam-na em primeiro lugar! — gritou ele, apontando para sua mulher um dedo ameaçador. — Revistem-na em primeiro lugar! O baile foi organizado tendo em vista o incêndio!

Ela lançou um grito e caiu desmaiada (oh! desta vez era deveras). O príncipe, o general e eu corremos em seu socorro; outras pessoas, até mesmo senhoras, vieram ajudar-nos naquele transe difícil. Tiramos a infeliz para fora daquele inferno e transportamo-la para seu carro; mas só ao chegar à sua casa é que ela recuperou os sentidos e seu primeiro grito foi ainda para perguntar o que acontecera a Andriéi

154 Arrabalde do outro lado do rio.

Antônovitch. Após a derrocada de todos os seus sonhos, restava diante dela apenas Andriéi Antônovitch. Mandaram buscar um doutor. Passei uma hora junto dela, bem como o príncipe; quanto ao general, tomado dum acesso de magnanimidade (se bem que seu medo fosse muito grande) declarara que não deixaria por toda a noite "a cabeceira da infortunada"; mas ao fim de dez minutos, enquanto esperávamos ainda o doutor, ele já dormia na sala, em cima duma poltrona, e assim o deixamos.

O chefe de polícia, que se apressara em deixar o baile para se dirigir ao local do sinistro, conseguiu fazer que Andriéi Antônovitch saísse depois de nós e quis fazê-lo tomar lugar no carro ao lado de Iúlia Mikháilovna, persuadindo-o por todos os meios de que "Sua Excelência tinha necessidade de repouso". Não compreendo por que ele não insistiu mais. Naturalmente, Lembke não queria ouvir falar de repouso e fazia questão de correr para o local do incêndio; mas isso não era uma razão. Por fim, o chefe de polícia deixou-o subir no seu *drójki* e conduziu-o. Contou mais tarde que, durante todo o trajeto, Lembke não cessou de gesticular "gritando ordens tais que teria sido difícil pôr em execução por causa de sua estranheza". Soube-se depois, e isto faz parte dos depoimentos, que já naquele momento o acesso de terror provocara em Sua Excelência febre cerebral.

É inútil contar como acabou o baile. Tinham ficado nas salas algumas dezenas de pândegos, tendo consigo várias damas. Polícia nenhuma. Não quiseram deixar a orquestra ir embora e surraram os músicos que teimavam em retirar-se. De madrugada, a "tasca de Prókhoritch" foi posta a saque; bebeu-se até enlouquecer; dançou-se uma jiga desenfreada, sujaram-se as paredes e foi somente ao alvorecer que uma parte dessa bacanal, completamente embriagada, se dirigiu para o quarteirão onde o incêndio acabava de extinguir-se, para ali se entregarem a novas desordens... Os outros ficaram deitados ali mesmo no soalho ou sobre os divãs de veludo, como mortos, de bêbados que estavam e sofrendo todas as consequências de seu estado. Pela manhã, retiraram-nos dos salões como foi possível, arrastando-os pelos pés e atirando-os à rua. Foi assim que terminou a festa em benefício das professoras de nossa província.

IV

O incêndio havia apavorado nosso público que morava do outro lado do rio precisamente porque, segundo toda evidência, o fogo fora ateado de propósito. Coisa notável, desde o primeiro grito de "Fogo!", propagara-se o boato de que os incendiários eram os operários de Chpigúlin. Agora, é mais do que sabido que, com efeito, três operários de Chpigúlin tomaram parte no incêndio, porém não mais do que isso; todos os outros foram reconhecidos inocentes, tanto pela opinião pública como pelos tribunais. Além desses três tratantes (dos quais um acaba de ser detido e fez confissão completa, achando-se os outros dois, até esta hora, fugitivos), a participação de Fiedka, o galé, no incêndio do Zariétchie, não tem sombra de dúvida. Eis até agora o que se pode recolher de certo quanto à origem do incêndio; quanto às *suposições*, é outro negócio. Que se propunham aqueles três malandros? Eram ou não dirigidos por alguém? A tudo isto, é bastante difícil responder, mesmo agora.

O fogo que, atiçado por um vento violento, abrasava todo um quarteirão, propagara-se com uma rapidez extraordinária, tanto mais quanto todas as casas do Zaríetchie eram construídas de madeira e o incêndio rebentara em três pontos diferentes (deveria antes dizer em dois pontos, porque o terceiro foco foi quase logo apagado assim que começou, como se verá mais longe). Mesmo assim exagerou-se nosso desastre nas correspondências enviadas aos jornais da capital. Para dizer a verdade um quarto, quando muito do nosso Zaríetchie (talvez menos), foi presa das chamas. Nosso corpo de bombeiros, pouco numeroso relativamente à superfície de nossa cidade e à sua população, manobrou de maneira impecável e mostrou uma coragem a toda a prova. Mas sua ação não teria sido grande coisa, mesmo com o concurso benévolo dos habitantes, se o vento, que virara às primeiras horas da manhã, não houvesse amainado de repente ao romper da aurora. Quando, uma hora após minha fuga do baile, cheguei ao Zaríetchie, o incêndio estava no auge. Toda a rua paralela ao rio era um vasto braseiro. Estava claro como em pleno dia. Não me demorarei em traçar o quadro de um incêndio: quem não conhece isso na Rússia? Nos becos vizinhos da rua em chamas reinava uma confusão indescritível. Esperava-se ali evidentemente ver aparecer o fogo e os moradores retiravam suas mobílias, mas sem, todavia, afastar-se de suas residências; cada qual sob suas janelas, sentavam-se, à espera, sobre as arcas e edredões que haviam arrastado para a rua. Uma parte da população masculina estava ocupada nos trabalhos pesados; abatiam implacavelmente a machadadas as cercas de madeira e até mesmo cabanas inteiras, quando estas se encontravam ao alcance do fogo e na direção do vento. Somente choravam as crianças arrancadas de seu sono, e se lamentavam as mulheres, enquanto realizavam o arrolamento dos objetos que tinham conseguido salvar. Os outros efetuavam, em silêncio, mas com energia, sua mudança. Faíscas e pequenas labaredas voavam ao longe; extinguiam-nas à medida do possível. Acorridos de todos os cantos da cidade, numerosos espectadores haviam-se aglomerado no local mesmo do incêndio, uns ajudando a extinguir o fogo, os outros contentando-se com gozar do espetáculo, como amadores. O espetáculo de um grande incêndio durante a noite não deixa nunca de produzir uma impressão ao mesmo tempo enervante e excitante; por esta razão é que se organizam fogos de artifício. Mas o fogo obedece nestes casos a intenções precisas de decoração e ornamentação, o que, junto com a segurança perfeita que o cerca, determina no espectador uma impressão leve e capitosa, análoga à que deixa uma taça de champanhe. Quando se trata dum verdadeiro incêndio, o caso é totalmente diverso: aqui, o espanto, da mesma maneira que certo sentimento de perigo pessoal, encontram-se misturados àquela impressão de prazer que se desprende dum fogo noturno; assim, tudo isso produz no espectador (com a condição, bem entendido, de que não seja ele próprio atingido pelo sinistro) certa comoção cerebral e como que um apelo àquele instinto primitivo, selvagem e destruidor que, ai! subsiste nas dobras mais ocultas de nossa alma, mesmo quando se é o mais sossegado e o mais assentado dos funcionários... Essa obscura sensação provoca sempre uma espécie de embriaguez. "Na verdade, não sei se se pode contemplar um incêndio sem experimentar com isso prazer." Foi isto, palavra por palavra, o que me disse uma vez Stiepan Trofímovitch ao voltar dum incêndio noturno ao qual assistira por acaso e sob o efeito da primeira impressão que trazia daquele espetáculo. Sem dúvida, esse mesmo homem que consideramos aqui como um amador de incêndios noturnos, vai se precipitar, se preciso, nas chamas para salvar uma criança ou uma velha em perigo; mas isto é já toda uma outra história.

Abrindo caminho por entre a multidão curiosa, cheguei, sem perguntar a ninguém, até o ponto mais perigoso, e ali, avistei enfim Lembke que Iúlia Mikháilovna me pedira que procurasse. Encontrei-o na situação mais estranha. Estava de pé sobre os destroços duma cerca; à sua esquerda, a trinta passos mais ou menos, erguia-se o negro esqueleto duma casa de madeira de dois andares quase inteiramente consumida já; as janelas dos dois andares tinham sido substituídas por buracos hiantes, o telhado desmoronava-se e labaredas serpenteavam ainda, aqui e ali, ao longo das traves carbonizadas. Ao fundo de um pátio, a vinte passos da casa incendiada, um pavilhão, igualmente de dois andares, começava a arder, enquanto os bombeiros lutavam com todas as suas forças contra as chamas. À direita, os bombeiros e gente do povo esforçavam-se por preservar um edifício de madeira bastante grande, ainda não atingido, mas destinado a arder inevitavelmente. Com o rosto voltado para o pavilhão, Lembke gesticulava e gritava dando ordens que ninguém executava. Inclinava-me a crer que o haviam relegado para ali e que todos se afastavam dele. Pelo menos, entre a multidão bastante heteróclita que o cercava e onde podiam ver-se senhores e até mesmo o arcipreste da catedral, ninguém lhe dirigia a palavra ou tentava levá-lo dali para outra parte, se bem que todos o escutassem tanto com surpresa quanto com curiosidade. Pálido, os olhos cintilantes, proferia Lembke as coisas mais estapafúrdias; para cúmulo, estava de cabeça descoberta, pois havia desde muito perdido o chapéu.

— Sempre os crimes dos incendiários! É o niilismo! Onde alguma coisa está-se queimando, está o niilismo! — eu ouvi, não sem algum espanto, e se bem que não houvesse mais na verdade razão para me espantar. Mas a realidade bem nua tem sempre em si algo de profundamente emocionante.

— Excelência — observou o comissário de polícia que se encontrava perto dele, — se o senhor se dignasse voltar para sua casa e ir repousar... Há mesmo perigo para Vossa Excelência ficando aqui.

Esse comissário, como o soube mais tarde, fora deixado de propósito pelo chefe de polícia junto a Andriéi Antônovitch, a fim de velar por ele e fazer o possível para levá-lo para casa, pronto a empregar até mesmo a força em caso de perigo. Missão que, segundo tudo provava, parecia acima dos meios do comissário.

— Eles enxugarão as lágrimas dos sinistrados, mas queimarão a cidade. São sempre aqueles quatro infames, aqueles quatro infames e meio. Prendam o tratante! Ele se insinua na honra das famílias. Serviram-se das professoras para queimar as casas. É covardia, é covardia. Ai, que faz ele? — gritou o Governador avistando, de repente, sobre o teto do pavilhão, já em parte consumido, um bombeiro cercado pelas chamas. — Façam-no descer dali, façam-no descer! Ele vai cair, vai incendiar-se, apaguem-no... Que faz ele ali?

— Trabalha na extinção do incêndio, excelência.

— É pouco provável, o incêndio está nos espíritos e não nos telhados das casas. Arranquem-no dali e abandone-se tudo! É melhor tirá-lo dali! Que as coisas se arranjem por si mesmas! Ah! quem está ainda chorando? Uma velha! Está gritando essa velha! Por que esqueceram a velha?

Com efeito, no rés do chão do pavilhão uma velha de oitenta anos gritava, parenta do comerciante a quem pertencia a casa em fogo. Mas não a tinham esquecido, ela mesma voltara para lá enquanto era ainda possível, com a louca intenção de salvar seu edredão que se encontrava num quartinho do ângulo que o incêndio havia até ali deixado intacto. Sufocada pela fumaça, o calor fazia-a gritar, porque as chamas começavam a invadir o quarto; todavia, com suas mãos trêmulas, esforçava-se por fazer passar o edredão pela janela de vidraças partidas. Lembke voou em seu socorro. Todo mundo viu-o precipitar-se para a janela, pegar a ponta do edredão e puxá-lo para si com todas as suas forças. Por desgraça, no mesmo instante uma trave queimada destacou-se e veio na queda a atingir o pescoço do Governador. Não o matou, mas foi o fim, pelo menos entre nós, da carreira de Andriéi Antônovitch; a pancada fê-lo perder o equilíbrio e ele caiu sem sentidos.

A aurora enfim surgiu, triste e sombria. O incêndio decresceu; a acalmia sucedeu ao vento que não cessara de soprar até então, e a chuva pôs-se a cair, fina e como que passada numa peneira. Já me encontrava em outra parte do Zaríetchie, longe do local onde caíra o Governador, e ali ouvi singulares conversas. Um fato estranho acabava de ser descoberto: toda a extremidade do quarteirão, em plenos terrenos vagos, além das hortas, a uma distância de pelo menos cinquenta passos das outras habitações, encontrava-se uma casinha de madeira de construção recente. Ora, era aquela casa, afastada de todas as outras, que estivera a ponto de incendiar-se em primeiro lugar desde o começo do incêndio. Teria podido, em virtude da distância, arder totalmente sem comunicar o fogo a nenhum dos edifícios da cidade e, inversamente, o quarteirão de Zaríetchie teria podido ser todo inteiro presa das chamas, mas nem por isso teria aquela casinha deixado de ser poupada a despeito do vento mais violento. Tratava-se pois dum caso isolado, dum incêndio singular, devido por consequência a alguma maldade. Mas o mais forte é que, tendo a casa podido ser salva, nela descobriram ao romper do dia uma cena das mais estupefacientes. O proprietário daquela casa nova, um comerciante que morava não longe do arrabalde, vendo que sua casa começava a arder, acorreu a toda a pressa e, com a ajuda de alguns vizinhos, conseguiu extinguir o incêndio, dispersando achas inflamadas que haviam amontoado contra a parede. Mas naquela casa moravam inquilinos, certo capitão bem conhecido na cidade, sua irmã e com eles uma velha criada; ora, todos três tinham sido assassinados e, segundo toda verossimilhança, roubados. (Foi precisamente para se dirigir ao local do crime que o chefe de polícia deixara von Lembke, no momento em que este procedia ao salvamento do edredão.) Pela manhã, a notícia espalhou-se e uma multidão de gente de todas as classes, entre a qual se encontravam até mesmo sinistrados, comprimia-se nos terrenos baldios que cercavam a casa nova. Era difícil abrir caminho através daquela multidão compacta. Contaram-me então que haviam encontrado o capitão de garganta cortada, deitado todo vestido sobre um banco; que verossimilmente haviam-no assassinado enquanto estava totalmente embriagado, de modo que nada sentira, mas havia sangrado "como um boi". Acrescentou-se que sua irmã, Maria Timofiéievna, crivada de facadas, jazia no chão, o que provava que ela se debatera e lutara contra o assassino. A criada, que sem dúvida também fora surpreendida no seu sono, tivera a cabeça esmagada. No dizer do proprietário, na véspera de manhã, o capitão fora à casa dele, em estado de embriaguez e se gabara de possuir muito dinheiro, uma soma de duzentos rublos que lhe mostrou. A velha carteira verde de Liebiádkin foi encontrada vazia sobre o soalho; mas não haviam tocado na arca de Maria Timofiéievna, nem tampouco no revestimento de prata do ícone; da mesma forma estavam intactas as vestes do capitão. Evidentemente, o ladrão, que tivera de apressar-se, conhecia os negócios do capitão e só viera à busca do dinheiro, sabendo muito bem onde ele se encontrava. Se o proprietário não tivesse chegado naquele momento, o monte de lenha ao consumir-se teria incendiado a casa e teria sido bem difícil descobrir a verdade diante de cadáveres calcinados.

Foi assim que os fatos vieram a meu conhecimento. Recolhi ainda a informação seguinte: a casa fora alugada para o capitão e sua irmã pelo Senhor Nikolái Vsiévolodovitch Stavróguin, o filho querido da Generala Stavróguina, o qual fora em pessoa tratar aquele negócio. Insistira muito com o proprietário que não desejava alugar sua casa e pensava em fazer um botequim, mas Nikolai Vsiévolodovitch não olhara a preço e pagara seis meses adiantados.

— O fogo não pegou aí sozinho — ouvia-se dizer na multidão.

No entanto, a maior parte ficava em silêncio. Os rostos estavam sombrios, mas eu não notava em parte alguma irritação anormal. Em redor de mim, continuava-se, entretanto, a falar coisas de Nikolai Vsiévolodovitch: a mulher assassinada era sua esposa; ainda na véspera atraíra à sua casa, "com o objetivo de desonrá-la", a filha da Generala Drózdova, duma das primeiras casas de nossa cidade; iam dar queixa contra ele em Petersburgo; e quanto à sua mulher, se fora assassinada, era evidentemente para que pudesse casar com a Drózdova. Como Skvopiéchniki não se encontrasse a mais de duas verstas e meia do local, perguntei a mim mesmo se não deveria ir lá para avisar; aliás, não vi sinal de que se procurasse excitar a multidão, muito embora, para ser exato, tivesse reconhecido duas ou três caras patibulares que já me tinham aparecido na véspera em redor do bufê e naquela manhã mesma no local do incêndio. Mas lembro-me em particular de um rapagão magro, desengonçado, de cabelos crespos, e rosto como que untado de fuligem: um burguês que exercia o ofício de serralheiro como vim a saber mais tarde. Estava, não embriagado, mas em contraste com a multidão mergulhada num sombrio silêncio, tinha o ar de quem estava fora de si. Não cessava de dirigir-se ao povo, se bem que não compreendesse eu suas palavras. Tudo quanto dizia de um modo pouco coerente reduzia-se a isto: "Meus amigos, que é isto? Será possível que isto se passe assim?" e ao mesmo tempo fazia grandes gestos.

Capítulo III / O fim de um romance

I

Da grande sala de Skvopiéchniki (aquela mesma onde ocorrera a derradeira entrevista de Varvara Pietrovna e Stiepan Trofímovitch) podia-se, com um só olhar, *abranger todo o incêndio*. Ao romper do dia, entre cinco e seis horas da manhã, Lisa, de pé, perto da última janela da sala, à direita, olhava fixamente o rubor decrescente do céu. Estava sozinha na peça. Trazia o mesmo vestido que usara na véspera na sessão literária, um vestido leve, dum verde tenro, coberto de rendas. Mas o vestido estava agora amarrotado, via-se que ela o vestira à pressa e descuidadamente. Percebendo de repente que seu corpete não estava bem cruzado sobre seu peito, apressou-se em prendê-lo, pegou um lenço vermelho que na véspera lançara, ao entrar, sobre uma poltrona e passou-o em redor do pescoço. Sua magnífica cabeleira escapava-se em cachos sobre seu ombro direito, por baixo do lenço. Seu rosto estava fatigado e preocupado, mas os olhos brilhavam sob as sobrancelhas contraídas. Voltou para perto da janela, apoiou a fronte ardente contra a vidraça fria. A porta abriu-se e Nikolai Vsiévolodovitch entrou:

— Mandei lá embaixo um criado a cavalo — disse ele. — Dentro de dez minutos saberemos de tudo. Dizem que todo o quarteirão do outro lado do rio, à direita da ponte, foi destruído. O fogo teria começado à meia-noite, agora está-se extinguindo.

Não foi até a janela, mas ficou de pé por trás da moça, a alguma distância; ela não se voltou.

— De acordo com a folhinha, deveria estar claro há já uma hora e entretanto ainda está escuro como em plena noite — disse ela com enfado.

— Todas as folhinhas mentem — observou Nikolai Vsiévolodovitch, com um sorriso irônico, mas envergonhado por haver feito uma observação tão banal, apressou-se em acrescentar: — É aborrecido viver de acordo com a folhinha, Lisa.

Depois, sentindo que acabava de proferir nova chatice, irritou-se contra si mesmo e guardou silêncio. Lisa sorriu amargamente.

— Você parece estar com tanto mau humor que nem encontra uma frase para dizer-me. Mas tranquilize-se. Disse isso muito a propósito: vivo sempre de acordo com a folhinha. Cada um de meus passos é regulado de acordo com a folhinha. Isto lhe causa admiração?

E com um movimento rápido, deixou a janela e foi sentar numa poltrona.

— Sente-se também, peço-lhe. Não temos mais muito tempo para estar juntos e quero dizer-lhe o que me agradar... Por que, também você, não me diria o que lhe agradar?

Nikolai Vsiévolodovitch sentou junto dela; mansamente, quase receoso, pegou-lhe a mão.

— Que significa essa linguagem, Lisa? Donde vem ela de repente? Que quer dizer: "Não temos muito tempo para estar juntos?". Já é esta a segunda frase enigmática que você diz meia hora apenas depois que acordou.

— Você está contando minhas frases enigmáticas? — continuou ela, rindo. — Mas lembre-se de que ontem, quando entrei aqui, me apresentei a você como uma morta. Está vendo? Achou bom esquecê-lo. Esquecer ou fingir não ter entendido.

— Não me lembro, Lisa. Por que como uma morta? É preciso viver.

— Cala-se? Sua eloquência então o abandonou completamente? Vivi minha hora nesta terra, é bastante. Lembra-se de Khristofor Ivânovitch?

— Não, não me lembro. — Seu rosto ensombreceu-se.

— Não se lembra de Khristofor Ivânovitch em Lausanne? Você o achava insuportável. Ao abrir a porta, ele nunca deixava de dizer: "venho só por um instante" e ficava o dia inteiro. Não quero assemelhar-me a Khristofor Ivânovitch e ficar o dia inteiro.

De novo, o rosto de Nikolai Vsiévolodovitch tomou uma expressão de sofrimento.

— Lisa, essa linguagem irônica me faz mal. Esse descontentamento custa-lhe demasiado a você mesma. Que adianta tudo isso? Por quê?

Os olhos do homem cintilaram.

— Lisa — exclamou ele, — juro, amo-te hoje mais do que ontem, quando entraste em minha casa.

— Que estranha confissão! Que significam esse "ontem" e esse "hoje"? E por que tomá-los como medida?

— Tu não me abandonarás — continuou ele, quase desesperado. — Partiremos juntos, hoje mesmo, não é?

— Ai, não aperte minha mão com tanta força. Está-me doendo. Aonde iríamos juntos hoje mesmo? Esta noite? De novo em alguma parte... "para ressuscitar"... Não, estou farta... aliás, para mim, isto vai demasiado devagar, não me sinto capaz. É demasiado sublime para mim. Se devemos partir, então vamos de imediato para Moscou fazer visitas e recebê-las. Tal é meu ideal, como sabe. Já na Suíça, não lhe dissimulei como era nem o que era. Mas como não nos é possível partir para Moscou, a fim de fazer ali visitas, uma vez que você é casado, então não falemos mais disso.

— Lisa, que aconteceu então ontem?

— Aconteceu o que aconteceu.

— É impossível! É cruel!

— Que importa que seja cruel? E ainda mesmo que seja cruel, é bem preciso que você o suporte.

— Você vinga-se em mim de seu capricho de ontem... — disse ele, à meia voz, tentando sorrir maldosamente.

Lisa ficou rubra.

— Que pensamento abjeto!

— Por que me deu então... tanta felicidade? Tenho direito de saber?

— Não, é preciso que você saiba sair-se do apuro sem usar de seus direitos. Não coroe a baixeza de sua suposição com uma tolice. Hoje não lhe saem bem as coisas. Aliás, você não receia a opinião pública e que o condenem por essa "tanta felicidade?". Oh! se é isto, tranquilize-se, pelo amor de Deus. Você não está em causa aqui e não tem contas a prestar a ninguém. Quando abri sua porta ontem, você nem mesmo sabia quem ia entrar. Tal era o meu capricho... para me servir de sua expressão, e nada mais. Pode você encarar todo mundo diretamente nos olhos e com a consciência de sua vitória.

— Tuas palavras, teu sarcasmo que dura há mais de uma hora, fazem-me estremecer de espanto. Essa "felicidade" de que falas com tanto ódio custa-me a mim... tudo... Posso perder-te agora? Juro-te, ontem amava-te menos. Por que queres pois tudo retomar-me hoje? Sabes também o que me custa esta nova esperança? Paguei--a com a vida.

— A sua ou duma outra?

Stavróguin de repente ficou em pé.

— Que quer dizer isso? — perguntou ele, olhando-a fixamente.

— É com a sua ou com a minha que você paga? Eis o que quis perguntar. Ou então você não compreende mais nada agora — replicou, corando, a moça. — Por *que levantou desse jeito*? Por que me olha fixamente e com tal expressão? Você me faz medo!... Que teme então? Há muito tempo que notei que você tinha medo de alguma coisa... agora sobretudo... neste momento. Meu Deus, como você está pálido!

— Se sabes alguma coisa, Lisa, juro, eu não sei de nada... e não foi disto que falei, quando disse que o havia pago com a vida...

— Não compreendo. — O medo fazia a voz tremer-lhe.

Nos lábios de Nikolai Vsiévolodovitch apareceu por fim um lento e pensativo sorriso. Tornou a sentar em silêncio, apoiou os cotovelos nos joelhos e ocultou o rosto nas mãos.

— Um pesadelo... uma loucura... falávamos de coisas totalmente diferentes.

— Ignoro de que você falava... É possível que ontem você não soubesse que o deixaria hoje? Não sabia, deveras? Não está mentindo? Responda-me. Sabia, sim ou não?

— Sabia... — respondeu ele em voz baixa.

— Pois bem, que quer ainda? Sabia e aproveitou-se do "instante". Que decepção há para você aqui?

— Diz-me toda a verdade — exclamou ele, presa dum sofrimento profundo. — Quando abriste minha porta ontem, sabias tu mesma que só a abrias por uma hora?

Ela olhou-o com ódio.

— É verdade então que o homem mais grave pode fazer as perguntas mais absurdas? Por que inquietar-se tanto com isso? Será por amor-próprio, porque uma mulher o abandona e não é você quem a despede por primeiro? Sabe, Nikolai Vsiévolodovitch, que desde que estou junto de você, noto, entre outras coisas, que você se mostra para comigo de uma magnanimidade extrema e é justamente isto que não posso tolerar de sua parte?

Ele se levantou e deu alguns passos pela sala.

— Bem... consinto em que isto acabe assim... Mas como pôde tudo isto acontecer?

— Que preocupação! E o principal é que você sabe tão bem ou melhor que ninguém, e até mesmo contou com isto. Sou uma senhorita, meu coração educou-se na ópera, nisto está a causa de tudo, a chave do enigma.

— Não.

— Não há nada nisso que possa ferir o seu amor-próprio. É a simples verdade. Isto começou por um belo momento que eu não pude suportar. Quando, há três dias, eu o ofendi diante de toda a gente e você me respondeu duma maneira tão cavalheiresca, voltei para casa adivinhando que, se você me havia evitado, era porque era casado e não porque me desprezava — o que eu mais temia, sendo como sou uma moça da sociedade. Compreendi que, evitando-me, você me protegia contra minha própria imprudência. Veja quanto aprecio sua grandeza de alma. Então interveio Piotr Stiepânovitch que me explicou tudo. Revelou-me que você era dominado por uma grande ideia, uma ideia diante da qual ele e eu não somos nada, mas que no entanto, eu era um obstáculo no seu caminho. E ele se metia sempre na partida e queria absolutamente que formássemos um trio. Disse ainda as coisas mais fantásticas. Citou certa canção russa em que se fala dum navio com remos de bordo. Cumprimentei-o, louvei-lhe o talento poético. Aceitou tudo como moeda de lei. E como desde muito tempo sei que minhas resoluções não duram mais que um minuto, decidi-me naquele momento. E eis tudo. Agora basta, não mais explicações por favor. Fiquemos nisto, de outro modo poderíamos recomeçar a brigar. Repito, não deverá temer ninguém. Assumo toda a responsabilidade. Sou má, caprichosa, deixei-me seduzir por um navio de ópera... sou uma senhorita... Mas, saiba, eu acreditava que você me amasse perdidamente. Por mais tola que eu seja, não me despreze, não zombe desta lágrima que acaba de correr. Gosto tremendamente de chorar... de "ter pena de mim mesma". Vamos, basta, basta. Não sou capaz de nada, você tampouco. Duas caretas um para o outro e seja isto nosso consolo. Pelo menos, o nosso amor-próprio não sofrerá.

— Um sonho, uma loucura — exclamou Nikolai Vsiévolodovitch. Torcia as mãos e andava pela sala a grandes passadas. — Lisa, pobrezinha... que fizeste?

— Queimei-me na vela e é tudo. Vamos, você não vai chorar, não é mesmo? Tenha mais decoro e mostre-se menos sentimental...

— Por que, por que vieste à minha casa?

— Mas afinal não compreende em que situação grotesca você se coloca aos olhos do mundo com semelhantes perguntas?

— Por que te perdeste a ti mesma, tão monstruosamente, tão estupidamente? E agora, que fazer?

— É esse Stavróguin, o Stavróguin "bebedor de sangue", como o chama uma senhora daqui que está apaixonada por você? Escute, já lhe disse. Joguei toda a minha vida por uma hora e agora estou calma... Faça o mesmo com a sua... Aliás, de que lhe serviria isto? Você terá ainda muitas "horas" e "momentos" diversos.

— Justamente os mesmos que tu, dou-te minha palavra. Nem uma hora mais do que tu.

Continuava andando pela sala, sem ver o olhar rápido e escrutador de Lisa que de repente pareceu iluminar-se de esperança. Mas, no mesmo instante, o clarão se extinguiu.

— Se tu soubesses o preço de minha impossível sinceridade neste momento, Lisa, se somente eu pudesse revelar-te...

— Revelar-me? Quer revelar-me alguma coisa? Deus me livre de suas revelações! — interrompeu ela, com uma espécie de medo.

Ele parou e esperou, ansioso.

— Devo confessar-lhe que já outrora, na Suíça, fortificou-se em mim a ideia de que você devia ter na consciência algum crime espantoso, lama e sangue... e ao mesmo tempo alguma coisa que o torna tremendamente ridículo... Se assim é, não me diga: eu zombaria de você. Eu zombaria de você toda sua vida... Oh! eis que você empalidece de novo! Vamos, vamos, vou-me embora imediatamente.

Levantou, precipitada, e fez um gesto de desdém.

— Atormenta-me, tortura-me, derrama sobre mim tua cólera... — gritou ele, desesperado. — Tens plenamente o direito. Sabia que não te amava e perdi-te. Sim, "aproveitei o instante"; tinha uma esperança... desde muito tempo... uma derradeira esperança... Não pude resistir à luz que iluminou meu coração, quando vieste à minha casa espontaneamente, sozinha, em primeiro lugar... Acreditei de repente... Talvez ainda acredite agora...

— Uma tão nobre sinceridade será paga na mesma moeda: não quero ser para você uma irmã de caridade. Pode acontecer que venha a ser algum dia enfermeira, se hoje não sei morrer a tempo; mas mesmo se me tornasse enfermeira, não iria para seu lado, embora fosse você tão merecedor de cuidados como um perneta ou um maneta. Sempre me pareceu que você me levaria a um lugar onde haveria uma aranha gigantesca e má, do tamanho dum homem e que seríamos condenados durante toda a nossa vida a olhar aquela aranha e ter medo dela. Assim haveríamos de amar-nos constantemente. Dirija-se a Dáchenhka. Ela irá com você aonde você quiser.

— Você não podia nesta circunstância não falar nela...?

— A pobre cachorrinha! Cumprimente-a de minha parte. Ela já sabia na Suíça que você a reservava para a sua velhice? Que solicitude! Que previdência! Mas quem está aí?

No fundo da sala, a porta acabava de entreabrir-se. Uma cabeça apareceu, depois desapareceu no mesmo instante.

— És tu, Alieksiéi Iegórovitch? — perguntou Stavróguin.

— Não, sou eu — respondeu Piotr Stiepânovitch, que desta vez se havia introduzido a meio na porta entreaberta. — Bom dia, Elisavieta Nikoláievna. Em todo caso desejo-lhe bom dia. Sabia bem que encontraria os dois nesta sala. Vim só por um instante, Nikolai Vsiévolodovitch... preciso a todo custo dizer-lhe duas palavras... é de absoluta necessidade, duas palavras somente.

Stavróguin dirigiu-se para a porta. Mal dera três passos, voltou para Lisa.

— Se ouvires alguma coisa, Lisa, fica sabendo, sou eu o culpado.

Ela estremeceu e olhou-o com terror. Ele saiu à pressa.

II

A peça cuja porta Piotr Stiepânovitch acabara de entreabrir era uma grande antecâmara de forma oval. O velho criado, Alieksiéi Iegórovitch, ali estivera até a chegada do visitante, mas este mandara-o sair. Nikolai Vsiévolodovitch fechou a porta da sala atrás de si e esperou de pé. Piotr Stiepânovitch lançou-lhe uma olhadela rápida e esquadrinhadora.

— Então?

— Se já sabe — começou depressa Piotr Stiepânovitch. Parecia querer devorar Stavróguin com os olhos. — Naturalmente, nenhum dentre nós é culpado, sobretudo você... não foi senão uma coincidência fortuita... um concurso de circunstâncias... numa palavra, do ponto de vista jurídico não há nada contra você... e vim somente para informá-lo...

— Foram queimados?... Assassinados?...

— Assassinados mas não queimados e eis justamente o que há de desagradável. De resto, não tenho culpa nenhuma neste caso, quaisquer que sejam suas suspeitas a meu respeito. Por que você suspeita de mim, sem dúvida, não é? Quer saber toda a verdade?... veja você... uma vez, tive verdadeiramente a ideia... e foi você mesmo quem a sugeriu (não a sério, é claro; somente para mexer comigo, porque você não poderia ter dito semelhante coisa a sério), mas não me decidi a executá-la, e não me teria decidido a preço algum, nem mesmo por cem rublos... porque não podia tirar do caso nenhuma vantagem... quero dizer, eu mesmo, pessoalmente (falava com extrema volubilidade). Mas veja que concurso de circunstâncias: de meu bolso (você entende? de meu bolso, não havia nem um rublo do seu... aliás você não o ignorava) dei àquele bêbado e imbecil do Liebiádkin duzentos e trinta rublos, uma noite, há uns três dias... você entende? há três dias, e não ontem de noite, somente depois da matinal. Note bem isto: é uma coincidência muito importante... Porque então, eu ignorava se Elisavieta Nikoláievna viria ou não à sua casa; dei-lhe dinheiro meu pela única razão de você ter expresso a ideia de revelar a todo mundo seu segredo... Aliás, não tenho de imiscuir-me nisso, é problema seu... você é um cavalheiro... no entanto, confesso-lhe que uma marretada na cabeça não me teria aturdido mais... Como todas essas tragédias me aborrecem agora tremendamente... (rogo-lhe que repare que falo sério, mesmo quando emprego expressões de língua eslava) e aquilo prejudicava os meus planos, então jurei a mim mesmo enviar Liebiádkin para Petersburgo, e isto sem que você soubesse e não importava a que preço, tanto mais quanto o capitão não queria outra coisa. No entanto, pode ser que eu tenha cometido um erro: dei-lhe dinheiro em seu nome! Era ou não um erro? Talvez não seja. Mas escute agora, escute como tudo se passou.

No ardor de seu discurso, aproximara-se de Stavróguin e estava a ponto de segurá-lo pela gola da sobrecasaca (talvez o fizesse de propósito). Mas com um gesto violento, Stavróguin deu-lhe uma pancada no braço.

— Hei! Que tem? Tome cuidado... poderia ter-me partido o braço. O principal aqui é a maneira pela qual as coisas se passaram — continuou Piotr Stiepânovitch, sem mais se espantar com o golpe que recebera. — Dou-lhe à noite o dinheiro, a fim de que no dia seguinte de manhã, ao romper do dia, ele se vá embora. Encarrego o tratante do Lipútin de ajudá-lo a fazer suas bagagens e de o acomodar no vagão. Mas aquele patife do Lipútin quis por força representar diante do público uma farsa de colegial... você já deve ter ouvido falar... penso... na matinal... Escute... mas escute, pois: os dois se embebedam e compõem versos. Lipútin, que escreveu a metade, obriga o outro a envergar um fraque (o que não o impede de afirmar-me que o acompanhou à plataforma da estação naquela manhã mesmo) e o oculta atrás dos bastidores para empurrá-lo para cima do estrado no momento desejado. Liebiádkin não perdera tempo em se embriagar mais uma vez. E logo sobreveio o escândalo que se sabe... Liebiádkin, completamente ébrio, é levado para casa; Lipútin surrupia-lhe da carteira os duzentos rublos e só lhe deixa o dinheiro miúdo... Por desgraça, naquela manhã mesmo, Liebiádkin, pelo que parece, já havia tirado os duzentos rublos do bolso, orgulhoso de mostrá-los onde não deveria tê-lo feito. Ora, Fiedka que só esperava isso — farejara a coisa em casa de Kirílov (lembra-se da alusão que você fez?) — decidiu aproveitar-se da ocasião. Eis toda a verdade. O que me causa satisfação é que Fiedka, pelo menos, não encontrou o dinheiro. O pândego contava com uma receita de mil rublos! Apressou-se então, mas o incêndio parece tê-lo amedrontado também... Acredite-me, esse incêndio foi para mim como um golpe de maça... É... o diabo sabe o que é... É uma tal insubordinação... Veja, espero de você tão grandes coisas que não lhe ocultarei nada... nutri por muito tempo eu mesmo essa ideia de provocar o incêndio, porque é uma ideia tão nacional, tão popular... mas sempre a reservei para o instante crítico, para o momento decisivo em que todos nos sublevaremos e... E eis que agora eles o fizeram por iniciativa própria, sem ter recebido nenhuma ordem, e isto ainda num momento em que seria preciso calar-se e reter até mesmo sua respiração. Não... semelhante insubordinação!... Em uma palavra, não sei de nada ainda a esse respeito... fala-se aqui de dois operários da fábrica Chpigúlin... mas se algum dos *nossos estivesse metido nisso, se algum* deles tivesse tomado uma parte qualquer no incêndio, então ai dele! Vê você o que acontece quando se afrouxa a mão, por pouco que seja? Não, não há nada a fazer com essa piolheira democrática e seus quinqueviratos. É um mau apoio, pelo que vejo. O que é preciso é uma vontade única, poderosa, despótica, uma vontade que tenha seu ponto de apoio fora das seções e a quem estas obedeçam cegamente... Só então os quinqueviratos baixarão bandeira e talvez sejam ainda de alguma utilidade. Mas, em todo caso, ainda mesmo que todo mundo trombeteasse que Stavróguin quis desembaraçar-se de sua mulher e que foi por isso que a cidade deveria ser presa das chamas...

— Ah! já o trombeteiam?

— Isto é, não, ainda não, e devo confessar que até o presente nada ouvi de semelhante, mas que fazer com a gente do povo, sobretudo com sinistrados? *Vox populi vox dei.* Será preciso muito tempo para espalhar o boato mais estúpido? Mas repito, você nada tem a temer. Juridicamente, você é inocente e diante de sua consciência também é. Porque afinal você não queria isso. Não é verdade que não queria? Não há indícios. Tudo não passa de coincidências... A menos que Fiedka se lembre das suas palavras imprudentes em casa de Kirílov (também por que as proferiu então?), mas ainda assim, isso não prova nada e faremos Fiedka ficar calado. Encarrego-me hoje mesmo de cortar-lhe a língua...

— E os cadáveres não foram queimados?

— Absolutamente. Aquela canalha não soube fazer as coisas limpamente. Mas o que pelo menos me alegra é vê-lo tão calmo... porque ainda mesmo que não seja culpado de modo algum... nem mesmo em pensamento... não é menos verdade que... Em todo caso, confesso que isso arranja da melhor forma possível seus negócios... dum golpe fica viúvo e a esta hora pode casar-se com uma bela moça colossalmente rica, que ainda por cima já se encontra em suas mãos. Veja o que pode fazer um mero acaso, um simples concurso de circunstâncias, hem?

— Você me ameaça, seu imbecil?

— Ora essa, é assim? Trata-me logo de imbecil e ainda mais nesse tom? Quem pois deveria regozijar-se mais do que você?... Corri expressamente para o informar... Que razões teria eu para ameaçá-lo? Necessito de sua boa vontade e não procuro obtê-la por pressão. Você é a luz e o sol. Sou eu que o temo do fundo de minha alma e não você quem me teme. Não sou Mavríki Nikoláievitch... E a propósito, imagine... no momento em que meu carro chegava aqui, quem vejo? Mavríki Nikoláievitch perto da grade, na extremidade do jardim... de capa, encharcado até os ossos... deve ter passado a noite inteira ali à espera! É prodigioso! Até onde pode chegar a estupidez humana!

— Mavríki Nikoláievitch? É verdade?

— O que há de mais verdadeiro. Está diante da grade do jardim. A trezentos passos daqui, se não me engano... Apressei o carro ao cruzar com ele, mas mesmo assim viu-me. Não sabia? Neste caso, folgo muito em ter pensado em falar-lhe disso. Veja você, tal homem pode ser extremamente perigoso se tiver um revólver consigo! Porque afinal, a noite, o mau tempo, a agitação bem legítima... veja qual é a situação dele agora, ah! ah! ah! Que pensa disso, por que fica ele ali?

— Espera Elisavieta Nikoláievna.

— De...veras? E por que ela irá ao encontro dele? Com tal chuva... que imbecil!...

— Ela irá logo ter com ele.

— Eh! eh! Que notícia! Assim... Mas escute... agora sua situação mudou em tudo e por tudo: que necessidade ela tem de Mavríki? Hoje viúvo, você é livre e pode casar-se com ela. De nada sabe ainda, deixe-me o cuidado de arranjar tudo. Onde está ela? Precisamos dar-lhe esta alegria!

— Que alegria?

— É claro, vamos levar-lhe a notícia.

— E você pensa que diante desses cadáveres ela não adivinhará nada? — perguntou Stavróguin com um estranho piscar de olhos.

— Decerto que não — respondeu, fazendo-se de tolo Piotr Stiepânovitch. — Porque do ponto de vista jurídico... E você!... E mesmo se ela adivinhasse alguma coisa! Com as mulheres, é tão fácil... Você não conhece ainda as mulheres! Aliás, é absolutamente preciso que ela case, porque se comprometeu, sem contar que já lhe falei do navio e vi que por meio disso podia-se causar impressão sobre ela; assim, eis de que calibre é a senhorita. Fique tranquilo, ela passará por cima desses cadaverezinhos como se fossem um nada, tanto mais quanto você é totalmente, totalmente inocente, não é mesmo? Ela conservará esses cadaverezinhos para relembrá-los a você logo depois do segundo ano de seu casamento. Toda mulher, ao cingir a coroa nupcial, assegura-se direitos sobre o passado de seu esposo... mas... mas daqui até lá... que acontecerá em um ano? Ah! ah! ah!

— Se você veio de *drójki*, conduza-a imediatamente para junto de Mavríki Nikoláievitch... Ela acabou agora mesmo de me dizer que não podia tolerar-me e que ia embora. Bem entendido, não aceitaria meu carro.

— O... o quê? Será que tem ela verdadeira intenção de partir? Qual a causa de tudo isso? — perguntou Piotr Stiepânovitch, olhando Stavróguin com ar estúpido.

— Esta noite, deu-se conta de que eu não a amava... o que ela, aliás, sempre soube.

— Como? Você não a ama então? — perguntou Piotr Stiepânovitch, com ar extremamente espantado. — Se é assim, por que então, quando ela entrou ontem, reteve-a você em sua casa, em vez de agir como homem decente e declarar-lhe francamente que não a amava? Você deu prova a seu respeito duma covardia espantosa, e que papel ignóbil desempenhei junto a ela por culpa sua!

Stavróguin pôs-se a rir subitamente.

— Rio de meu macaco — apressou-se em explicar.

— Ah! você adivinhou que eu bancava o palhaço — retorquiu Piotr Stiepânovitch, estourando também em alegre gargalhada. — Foi somente para alegrá-lo que o fiz. Imagine que no momento mesmo em que você saiu da sala, vi pelo seu rosto que lhe acontecera desgraça. Talvez mesmo um fracasso total, não é verdade?... Pois bem, aposto — gritou ele, num acesso de entusiasmo, — que durante toda a noite ficaram vocês um ao lado do outro, sentados em duas cadeiras, perdendo um tempo precioso em discutir coisas elevadas... Vamos, perdoe-me, perdoe-me... Isto não me diz respeito. Ontem eu sabia, sem dúvida alguma, que tudo terminaria estupidamente. Eu a trouxe unicamente para proporcionar-lhe algum prazer e provar-lhe que comigo você não haveria de aborrecer-se. A este respeito sou bastante útil! Em geral, gosto de proporcionar prazer às pessoas. E se agora você não tem mais necessidade dela, como já o esperava, pois bem, vim precisamente para...

— Com que então, foi para divertir-me que você a trouxe?

— E para que outra coisa?

— E não para decidir-me a matar minha mulher?

— Co...o...mo? Mas foi você quem a matou? Que homem trágico!

— Foi você quem a matou, tudo isso dá no mesmo.

— Eu? Fui eu que a matei? Já lhe disse que não tenho nada com isso. Contudo começa você a inquietar-me...

— Continue... dizia você: — "Se agora não tem mais você necessidade dela... pois bem..."

— Pois bem, torne a pô-la em minhas mãos, é muito simples! Arrumarei para ela um magnífico casamento com Mavríki Nikoláievitch que, seja dito de passagem, não postei ali perto da grade do jardim... não vá agora meter isso em sua cabeça. Asseguro-lhe que tenho medo dele neste momento. Você falava de *drójki*, mas embora eu corresse a toda velocidade, dizia a mim mesmo, ao passar ao lado dele: "e se ele tiver um revólver?". Felizmente trouxe o meu. Ei-lo... (tirou um revólver de seu bolso, mostrou-o a Stavróguin e logo o guardou no bolso). Foi por causa da lonjura do trajeto que me muni dele... No que se refere a Elisavieta Nikoláievna, vou lhe dizer em duas palavras: seu coraçãozinho sofre agora ao pensar em Mavríki... pelo menos deve sofrer. E você sabe... por Deus... ela causa pena também a mim! Assim que a tiver levado a Mavríki, ela não vai parar de pensar em você, de cobrir você de elogios diante dele e de insultá-lo cara a cara... eis o que é um coração de mulher! Sinto-me extremamente feliz por ver que você voltou a ficar alegre. Pois bem, vamos. Começo primeiro por Mavríki... quanto aos outros... os que foram mortos... você sabe... não seria melhor para o momento guardar silêncio a respeito. De qualquer modo, bem cedo ela o saberá.

Bruscamente Lisa entreabriu a porta:

— Que é que eu saberei? Quem foi morto? Que falava você de Mavríki Nikoláievitch?

— Ora essa! Estava então escutando?

— Que dizia você de Mavríki Nikoláievitch? Teria sido morto?

— Ah! então não entendeu bem. Acalme-se, Mavríki Nikoláievitch está vivo e de perfeita saúde, como poderá você mesma verificá-lo neste instante, porque ele está aqui embaixo, no caminho, perto da grade do jardim... deve ter passado ali a noite inteira, de capa, todo molhado... Passei diante dele ao chegar, ele me viu...

— Não é verdade. Você dizia..."morto". Quem está morto? — insistiu a moça, presa de dolorosa desconfiança.

— Os mortos são minha mulher, seu irmão Liebiádkin e a criada deles — respondeu Stavróguin com voz firme.

Lisa estremeceu e empalideceu espantosamente.

— Um monstruoso, um estranho acaso, Elisavieta Nikoláievna, um caso de assassinato dos mais estúpidos — apressou-se em explicar Piotr Stiepânovitch. — *Um ladrão aproveitou-se do incêndio*; é um golpe do galé Fiedka e daquele imbecil de Liebiádkin que mostrara seu dinheiro a quantos encontrava... Acorri imediatamente... um verdadeiro raio. Stavróguin sentiu-se abalado, quando lhe dei parte do acontecido. Estávamos justamente a perguntar-nos se devíamos adverti-la imediatamente...

— Nikolai Vsiévolodovitch, esse homem diz a verdade? — mal pode articular Lisa.

— Não, ele não diz a verdade.

— Como? Eu não digo a verdade? — exclamou Piotr Stiepânovitch, com um arrepio. — Que quer dizer isso ainda?

— Meu Deus, é de fazer a gente ficar louca! — exclamou Lisa.

— Mas compreenda afinal que esse homem está louco neste momento — gritou com todas as suas forças Piotr Stiepânovitch, — porque, afinal de contas, foi a mulher dele a quem assassinaram... Veja como está pálido... Passou a noite toda com você... não a deixou um segundo... como, pois, suspeitar dele?

— Nikolai Vsiévolodovitch, diga-me, como se o dissesse diante de Deus, se você é culpado, sim ou não. Juro-lhe que acreditarei na sua palavra como na palavra de Deus e vou segui-lo até o fim do mundo, sim, seguirei você... com um cão fiel...

— Por que então a atormenta? Que adianta isso, criatura fantástica? — exclamou com raiva Piotr Stiepânovitch. — Elisavieta Nikoláievna, escute-me, você pode me triturar num pilão: ele está inocente; pelo contrário, ele é que está morto, delira. Você mesma o está vendo. Não é culpado de nada, de nada, nem mesmo em pensamento. Foram ladrões e assassinos os culpados; daqui a oito dias provavelmente terão sido descobertos e serão açoitados. Foi Fiedka, o evadido do presídio, foram operários da fábrica Chpigúlin... toda a cidade já fala disso... Foi por isso que vim...

— É verdade? é verdade? — Tremendo da cabeça aos pés, Lisa aguardava sua sentença de morte.

— Eu não matei, opus-me mesmo a esse projeto, mas sabia que os assassinariam e nada fiz para deter os assassinos. Vá embora, Lisa — murmurou Stavróguin que voltou para a sala.

Lisa cobriu o rosto com as mãos e saiu da casa. Piotr Stiepânovitch ia lançar-se em seu encalço, quando, de súbito, reconsiderou e voltou para a sala.

— De modo que você... de modo que você... de modo que você não tem medo de nada? — urrou ele, precipitando-se sobre Stavróguin. O furor impedia-o de falar, gaguejava palavras confusas, com espuma nos lábios.

Stavróguin ficou de pé no meio da sala e não respondeu nada. Segurava com a mão esquerda um tufo de cabelos e sorria com ar ausente. Piotr Stiepânovitch puxou-o violentamente pela manga.

— Está ficando louco, hem? Como? É esse, pois, o seu fim? Denunciará todo mundo, depois do que você mesmo entrará para um convento ou venderá sua alma ao diabo... Mas muito embora você não tenha medo de mim, saberei ainda assim degolá-lo...

Por fim Stavróguin notou a presença de Piotr Stiepânovitch.

— Ah! é você que está falando e fazendo essa algazarra?... — E de súbito, como se despertasse, exclamou: — Corra atrás dela, corra então; peça um carro, não a abandone. Corra, mas corra então... reconduza-a à casa dela, que ninguém saiba... e que ela não vá lá embaixo... perto dos cadáveres... dos cadáveres... Faça-a sentar à força na sua carruagem. Alieksiéi Iegórovitch, Alieksiéi Iegórovitch!

— Espere, não grite. Presentemente, já se acha ela nos braços de Mavríki... Mavríki vai levá-la no seu carro... Fique aqui, é mais importante que um carro.

Tirou de novo seu revólver. Stavróguin olhou-o com um olhar grave.

— Pois bem? Então? Mate-me — disse ele, em voz baixa, quase resignada.

— *Ufa!* com quanta mentira pode um homem carregar sua consciência! — disse, como que tremendo, Piotr Stiepânovitch. — Por Deus, seria preciso matá-lo deveras. Ela deveria ter-lhe literalmente cuspido na cara... Você, um "navio"!... Não passa você de uma velha barca sem fundo, boa quando muito para lenha de aquecimento... Vamos, que a cólera pelo menos o desperte... Eh! eh! Isto deveria pouco importar-lhe, já que você mesmo pede que lhe metam uma bala no cérebro.

Stavróguin sorriu de uma maneira estranha.

— Se você não fosse um palhaço, diria talvez que sim... se você fosse somente um pouco mais inteligente...

— Sou um palhaço, mas não quero que você... a melhor metade de mim mesmo, seja um! Compreende-me?

Stavróguin compreendeu; talvez fosse o único a poder compreender. Chátov ficara muito espantado quando Stavróguin lhe disse que havia entusiasmo em Piotr Stiepânovitch.

— Por agora, deixe-me e vá para o diabo! De hoje para amanhã terei tomado uma resolução. Volte amanhã.

— Sim? É certo?

— Sei lá! Vá para o diabo, para o diabo...

E saiu da sala.

— Quem sabe? Talvez valha mais a pena ainda que seja assim — murmurou Piotr Stiepânovitch para si mesmo, repondo seu revólver no bolso.

III

Precipitou-se para alcançar Elisavieta Nikoláievna. Não estava esta ainda muito longe, a alguns passos somente da casa. Alieksiéi Iegórovitch, de libré mas sem chapéu, seguia-a numa atitude respeitosa, a um passo de distância. Suplicava-lhe insistentemente que esperasse pelo carro. No seu espanto, estava o velho a ponto de chorar.

— Vai-te, teu amo quer chá, não há ninguém para servi-lo — disse Piotr Stiepânovitch, mandando Alieksiéi Iegórovitch de volta e tomou sem cerimônia o braço de Elisavieta Nikoláievna.

Esta não o retirou; evidentemente ainda não voltara a si.

— Em primeiro lugar, não deve ir por ali — gaguejou Piotr Stiepânovitch, — mas por aqui, em lugar de passar perto do jardim. Em seguida, é-lhe impossível voltar para sua casa a pé; há três boas verstas até lá e você não está vestida para isso. Vim num carro que me espera lá fora, vou fazê-lo vir até cá, você vai entrar nele e eu a levarei sem que ninguém a veja.

— Como você é bom — disse Lisa, amavelmente.

— Como assim? Mas no meu lugar todo homem digno deste nome faria outro tanto.

Lisa olhou-o com espanto.

— Ah! meu Deus! e eu que pensava que o velho ainda me estivesse acompanhando...

— Escute, sinto-me satisfeito por ver que você toma a coisa dessa maneira, porque tudo isso não passa de um execrável preconceito. E já que é assim, não seria melhor que eu ordenasse ao velho que atrelasse imediatamente? É coisa para dez minutos e voltaríamos durante esse tempo para pôr-nos a abrigo sob o pórtico, hem?...

— Eu antes quereria... onde estão os assassinados?

— Ah! eis ainda esse capricho! É bem o que eu temia. Não, deixemos essa imundície, você não tem, na verdade, necessidade de ver isso.

— Sei onde estão, conheço aquela casa.

— Pois bem, que importa que a conheça? Agora, com esta chuva, este nevoeiro (de que encargo me incumbi!...). Escute, Elisavieta Nikoláievna, de duas coisas uma: ou você tomará lugar comigo no meu carro, e então fique sem se mover aqui, porque se der ainda uns vinte passos, Mavríki Nikoláievitch não deixará de descobrir-nos...

— Mavríki Nikoláievitch? Onde? Onde?

— Bem, se você faz questão de ir ter com ele, não me nego a acompanhá-la ainda um pouco e mostrar-lhe onde ele se encontra. Mas em seguida, vou lhe fazer minha reverência, porque não tenho a menor vontade de abordá-lo neste momento.

— Ele está me esperando, meu Deus? — E de repente parou e vivo rubor invadiu-lhe o rosto.

— Pois bem, que importa, se é um homem sem preconceitos? Você sabe, Elisavieta Nikoláievna, eu não tenho nada com isso, não estou metido em nada, você bem o sabe. Entretanto, quero o seu bem... Se criamos ilusões a respeito do nosso "navio"... se ele aparece agora apenas como uma velha barca apodrecida, boa para ser desmanchada...

— Ah! perfeito, perfeito! — gritou Lisa, sacudida por uma risada nervosa.

— Sim, perfeito. Mas isto lhe arranca lágrimas. É preciso aqui virilidade. Neste ponto, a mulher não deve ceder em nada ao homem. Em nossa época... se a mulher... ora!... para o diabo! (Piotr Stiepânovitch estava a ponto de escarrar) o principal é nada lamentar. Ainda é possível arranjar-se tudo do melhor modo possível. Mavríki Nikoláievitch é um homem... em suma... um homem sensível, embora um tanto taciturno, o que, aliás, nada impede, com a condição, bem entendido, de que não tenha preconceitos.

— Maravilhoso! Maravilhoso! — exclamou Lisa, ainda sacudida pela mesma risada nervosa.

— Mas que é que há? que diabo... Elisavieta Nikoláievna — continuou Piotr Stiepânovitch, de súbito irritado. — É no seu interesse que falo... porque no fundo nada tenho com isso. Ontem me pus a seu serviço, fiz o que você mesma tinha querido, e hoje... Ah! vê você? Já se avista daqui Mavríki Nikoláievitch. Está ali e não nos vê. Elisavieta Nikoláievna, leu você *Pólinka Saks*?[155]

— Que é isso?

— Um romance; eu li quando era ainda estudante... Há nele certo Saks, funcionário rico, que surpreende sua mulher, no campo, em flagrante delito de adultério... Bem, ao diabo, escarremos nisso. Verá você que antes de sua chegada a casa, Mavríki Nikoláievitch vai lhe fazer um pedido. Ele continua não nos vendo.

— Ah! Que não nos veja! — exclamou, de súbito, Elisavieta Nikoláievna, desvairada; — Fujamos, fujamos. Para a mata, pelos campos.

E arrepiou caminho, correndo.

Piotr Stiepânovitch lançou-se em seu encalço.

---

155 Sic no original. Título duma novela de Drujínin, escritor e crítico russo. A grafia correta seria Pólienhka.

— Mas Elisavieta Nikoláievna, que fraqueza é essa? E por que não quer que ele nos veja? Pelo contrário, olhe-o altivamente e bem dentro dos olhos. Se é por causa de... quero dizer por causa de sua... virgindade... é este o maior de todos os preconceitos... é de tal modo atrasado... Mas aonde vai você, pois? Aonde? diga-me. Com os diabos, ei-la que se põe agora a correr... Voltemos antes para a casa de Stavróguin... Tomemos um carro... Para onde corre você? Por aí há os campos... Pronto... caiu!

Parou. Lisa voava como um pássaro, sem saber para onde. Piotr já estava cerca de uns cinquenta passos atrás dela, quando Lisa tropeçou num montículo de terra e caiu. No mesmo instante, ouviu-se um grito terrível: era Mavríki Nikoláievitch que afinal a avistara, vira-a cair e precipitava-se para ela através dos campos. Num relance, Piotr Stiepânovitch bateu em retirada para a casa de Stavróguin, para subir o mais depressa possível no seu carro.

Presa de terrível espanto, Mavríki Nikoláievitch já estava junto de Lisa que procurava ficar em pé; inclinado sobre ela, havia-lhe tomado a mão entre as suas. A inverossimilhança daquele encontro havia-lhe abalado a razão e lágrimas corriam pela sua face. Vira-a, ele que a amava com um amor tão respeitoso, correr através dos campos, como uma louca, naquela hora, por aquele tempo, com seu vestido, seu encantador vestido da véspera, que amarrotado agora e coberto de lama pendia dela como um trapo... Não podia proferir uma palavra. Com suas mãos trêmulas, tirou sua capa e cobriu com ela os ombros da moça. De repente, lançou um grito: acabava de sentir sobre sua mão os lábios de Elisavieta Nikoláievna.

— Lisa, não compreendo nada disso, mas por favor, não me afaste.

— Oh! sim! Vamo-nos bem depressa, não me abandone! — E tomando-o pela mão, arrastou-o atrás de si. — Mavríki Nikoláievitch — continuou ela, num tom receoso, baixando a voz, — lá, mostrei-me todo o tempo cheia de coragem, mas aqui tenho medo da morte. Morrerei em breve, vou morrer, mas tenho medo, tenho medo de morrer — murmurava ela, apertando fortemente, o braço de Mavríki Nikoláievitch.

— Oh! se ao menos houvesse por aqui alguém! — disse ele, olhando desesperadamente em redor de si. — Se passasse ao menos alguém! Seus pés estão molhados... você perde a razão...

— Isto não importa, isto não importa — disse ela para acalmá-lo. — Mesmo assim, perto de você, tenho menos medo. Aperte-me o braço, conduza-me... Aonde vamos agora? Para casa? Não, quero primeiro ir ver os cadáveres. Contam que mataram a mulher dele e ele pretende ser o autor dessa morte. Mas não é verdade... não é verdade, não é? Quero eu mesma ver os que foram mortos... por minha causa... foi pensando neles que, esta noite, ele cessou de amar-me... Verei e saberei de tudo. Mais depressa, mais depressa. Conheço aquela casa... Houve lá um incêndio... Mavríki Nikoláievitch, meu amigo, não me perdoe, estou desonrada! Por que perdoar-me? Por que chora você? Dê-me então uma bofetada; me cubra de pancadas, mate-me aqui mesmo em pleno campo, como a uma cadela!...

— Ninguém tem direito de julgá-la — declarou Mavríki Nikoláeivitch, num tom firme. — Que Deus a perdoe! Menos que qualquer outro, cabe a mim julgá-la.

A conversa deles pareceria por demais estranha se eu a relatasse. Durante esse tempo, caminhavam os dois de mãos dadas, num passo precipitado, como dois loucos. Dirigiam-se para o lado do incêndio. Mavríki Nikoláievitch não havia renunciado ainda à esperança de encontrar pelo menos alguma *tieliega*, mas ninguém aparecia.

Uma chuvinha fina penetrava toda a paisagem, afogando os reflexos e os tons que ela confundia num mesmo matiz uniforme e plúmbeo em que não se distinguiam mais os objetos. O dia erguera-se desde muito tempo e a impressão era que a aurora ainda não tinha aparecido. De repente, sobre o fundo daquele nevoeiro fuliginoso e frio destacou-se um perfil estranho, grotesco, que marchava ao encontro dos dois jovens. Quando me represento esta cena, creio que mesmo se tivesse estado no lugar de Elisavieta Nikoláievna, não teria acreditado nos meus olhos. Ela, pelo contrário, lançou um grito de alegria e reconheceu imediatamente o homem que avançava ao encontro deles. Era Stiepan Trofímovitch. Como ele havia fugido? Por quais meios conseguira pôr em execução aquela louca ideia de fuga? Veremos mais adiante. Apenas direi que, desde aquela manhã, ele tinha febre, mas a doença fora impotente para retê-lo. Com um passo firme, pisava o solo encharcado pela chuva. Evidentemente, havia amadurecido o seu projeto o melhor que pudera, como homem isolado cuja inexperiência provinha de seus hábitos de gabinete. Estava com "costume de viagem", isto é, tinha uma capa com mangas, presa por um largo cinturão de couro envernizado, e botas altas nas quais havia enfiado suas calças. Provavelmente, devia bem muitas vezes ter-se imaginado naquele traje de viajante, e tudo aquilo, o cinturão e as botas altas envernizadas à hussarda que lhe atrapalhavam o andar, estava sem dúvida pronto desde vários dias. Um chapéu de abas largas e um cachecol de pelo de camelo enrolado no pescoço; na mão direita um bastão e na esquerda um saco de viagem, muito pequeno, mas excessivamente repleto. Além disso, segurava na mesma mão direita um guarda-chuva aberto. Aqueles três objetos, bengala, guarda-chuva e saco, tinham-se tornado, ao fim de uma versta, bastante incômodos para carregar; na segunda versta, tornaram-se pesados.

— É o senhor? É possível que seja o senhor? — exclamou Lisa. Olhava para o velho com um espanto penoso, que pouco a pouco se substituía à alegria irrefletida do primeiro momento.

— *Lise* — exclamou por sua vez Stiepan Trofímovitch que correu para ela, dominado por uma alegria delirante. — *Chère, chère*, é também você, num tal nevoeiro?... Veja: o incêndio resplandece. *Vous êtes malheureuse, n'est-ce pas?*[156] Bem vejo, bem vejo. Mas não me conte nada, nem me pergunte nada. *Nous sommes tous malheureux, mais il faut les pardonner tous. Pardonnons, Lise*[157] e seremos livres eternamente. Para se libertar do mundo e para tornar-se completamente livre, *il faut pardonner, pardonner, et pardonner*.

— Mas por que se põe o senhor de joelhos?

— Porque neste momento em que digo adeus ao mundo, quero dizer adeus a toda a minha vida passada que me aparece sob os seus traços. — Chorou e levou as duas mãos de Lisa aos seus olhos cheios de lágrimas. — Ajoelho-me agora diante de tudo o que na minha vida foi belo, beijo-a e lhe digo obrigado. Agora, quebrei-me em dois pedaços: lá um insensato que sonhou escalar o céu durante *vingt-deux ans*. Aqui o ancião, morto, gelado, um preceptor... *chez ce marchand, s'il existe pourtant ce marchand...*[158] Mas como está molhada, Lise! — exclamou ele, levantando-se, por-

156 Sente-se infeliz, não é?
157 Somos todos infelizes, mas é preciso perdoar a todos. Perdoemos, Lisa.
158 Em casa daquele comerciante, se existe, no entanto, aquele comerciante...

que sentira que sobre a terra molhada seus joelhos tornavam-se úmidos. — E como é possível? Você, com esse vestido? E a pé, através dos campos?... Chora?... *Vous êtes malheureuse?*[159] Ah! sim, é verdade... ouvi dizer alguma coisa. Mas donde vem você então? — Olhando com espanto para Mavríki Nikoláievitch, redobrava suas perguntas. — *Mais savez-vous l'heure qu'il est?*...[160]

— Stiepan Trofímovitch, ouvi falar lá embaixo de pessoas assassinadas. É verdade? É verdade?

— Que gente! Vi a noite inteira o incêndio que eles atearam. Não podiam acabar de outro modo (de novo seus olhos faiscaram). Arranco-me de um sonho nascido dum delírio de febre, corro à procura da Rússia — *existe-t-elle, la Russie?... Bah, c'est vous, cher capitaine.*[161] Jamais duvidei de que o encontraria um dia em alguma grande ocasião... Mas tome pelo menos meu guarda-chuva... E por que justamente a pé?... Pelo amor de Deus, aceitem pelo menos este guarda-chuva, porque alugarei em alguma parte um carro. Vejam, parti a pé porque de outro modo Stasie (isto é, Nastássia) teria gritado por toda a rua que eu estava partindo. Por isso fugi incógnito. Não sei, os jornais só falam de assassinatos nas grandes estradas, mas é impossível, na minha opinião, que apenas na estrada tropece com um bandido... *Chère Lise*, dizia você, parece-me, que mataram alguém? *Ô mon Dieu!* você vai sentir-se mal!

— Vamos, vamos — gritou Lisa, como num acesso de histeria, arrastando de novo Mavríki Nikoláievitch. — Espere, Stiepan Trofímovitch — disse ela, voltando, de repente, — espere, pobre e querido homem, deixe-me fazer sobre o senhor o sinal da cruz. Talvez fosse melhor amarrá-lo, mas prefiro abençoá-lo. Reze também por mim, pela "pobre Lisa", um pouquinho assim, sem se fatigar demais, sim? Mavríki Nikoláievitch, entregue a essa criança o seu guarda-chuva, entregue-o de qualquer jeito. Agora, vamo-nos, vamo-nos!

A chegada deles à casa fatal ocorreu justamente no momento em que a multidão, aglomerada naquele local, acabava de ouvir longamente falar das vantagens que Stavróguin retiraria do assassinato de sua mulher. Mas ainda, repito, a grande maioria continuava a escutar, silenciosa e calma. As pessoas mais agitadas eram as que se encontravam embriagadas ou espíritos muito impressionáveis, como o burguês de que falei acima. Todo mundo conhecia-o como homem até pacífico, mas bruscamente saía de seus eixos, bastando para isso que o dominasse qualquer viva emoção. Não vi chegarem Lisa e Mavríki Nikoláievitch. Avistei, em primeiro lugar, bastante longe de mim, Lisa, no meio do mais espesso da multidão e fiquei petrificado de assombro. Em contraposição, não notei Mavríki Nikoláievitch; é provável que naquele momento, por causa do aperto, ele estivesse a dois passos atrás de Lisa, ou que o tivessem dela separado. Lisa, que ia abrindo caminho através da multidão sem ver nem ouvir o que quer que fosse em torno dela, semelhante a uma louca escapada da cela, não tardou em chamar a atenção: elevaram-se rumores, em breve seguidos de vociferações: "É a amante de Stavróguin!". E mais longe: "Não se contentam com assassinar, querem ainda contemplar o espetáculo". De repente, vi um braço elevar-se por trás de Lisa e abater-se sobre sua cabeça; Lisa caiu. Um

---

159 Sente-se infeliz?

160 Mas sabe que horas são?...

161 Existe a Rússia?... Ora, é o senhor, caro capitão.

grito terrível repercutiu, o de Mavríki Nikoláievitch, que se precipitou em socorro da moça e bateu com todas as suas forças num homem que o impedia de chegar até ela. Mas no mesmo instante o burguês que se encontrava atrás dele agarrou-o. Durante alguns minutos a confusão foi tão grande que não pude distinguir nada. Lisa, parecia, levantou-se, mas tombou de novo, atingida por um segundo golpe. A multidão de súbito se deslocou e formou-se um pequeno círculo em redor daquela que estava caída, enquanto Mavríki se mantinha curvado sobre ela, coberto de sangue, desvairado, torcendo as mãos. Não me lembro mais do que se passou em seguida. Lembro-me, no entanto, de que vi transportarem Lisa. Corri para ela; a moça respirava ainda e talvez não tivesse perdido os sentidos. O burguês, bem como três outros indivíduos, foram detidos. Todos três, até hoje, negam qualquer participação naquela execrável malvadez, sustentando com energia que sua detenção foi devida a um erro; talvez tenham razão. Quanto ao burguês, se bem que graves suspeitas pesem sobre ele, sua dificuldade em exprimir-se não lhe permitiu até o presente fornecer uma exposição circunstanciada do acontecimento. Eu também, embora testemunha indireta, fui chamado a depor. Declarei que, na minha opinião, tudo se passara de maneira puramente fortuita, que os indivíduos que haviam participado daquele crime, por mais mal-intencionados que fossem, eram antes de tudo inconscientes, que tinham agido sob o império da embriaguez e sem dar-se conta exata do que faziam. Tal é hoje ainda a minha opinião.

Capítulo IV / Decisão suprema

I

Naquela manhã, Piotr Stiepânovitch foi visto por muitas pessoas que afirmaram todas que ele estava num estado de extrema agitação. Às duas horas da tarde, passou em casa de Gagânov que, desde a véspera, voltara do campo. Uma multidão de visitantes achava-se reunida em casa deste e comentava com animação os recentes acontecimentos. Piotr Stiepânovitch falou mais ainda que os outros e soube fazer-se escutar. Entre nós, sempre fora tido como um "estudante loquaz e meio aluado", mas desta vez falava a respeito de Iúlia Mikháilovna e em meio da algazarra geral era um assunto apaixonante. Na sua qualidade de confidente mais íntimo e mais recente, forneceu a seu respeito numerosos detalhes, bastante novos e inesperados; por inadvertência, e certamente sem querer, contou várias das opiniões que ela externara sobre certas personalidades em vista. Conseguiu assim picar o amor-próprio de várias das pessoas presentes. Tudo quanto ele dizia era obscuro e confuso. Até parecia que estavam tratando com um homem pouco malicioso, mas que, por honestidade, se sente obrigado a explicar muito de repente uma multidão de mal-entendidos e na sua desajeitada simplicidade não sabe nem por onde acabar, nem por onde começar. Bastante imprudentemente, insinuou *que Iúlia Mikháilovna* estava ao corrente do segredo de Stavróguin e que fora ela quem dirigira toda a intriga. Também ele, Piotr Stiepânovitch, fora atraído a uma armadilha, pois ele próprio estava apaixonado por aquela pobre Lisa e entretanto deixara-se de tal modo apanhar que a tinha "quase" levado em seu carro à casa de Stavróguin. "Sim, sim, senhores, podem rir à vontade, mas se pelo menos eu tivesse sabido como tudo isso acabaria", disse para encerrar a conversa. A certas perguntas ansiosas que lhe foram feitas a respeito de Stavróguin, declarou abertamente que, na sua opinião, a catástrofe de Liebiádkin era puro acaso e que Liebiádkin era o único responsável, porque havia exibido seu dinheiro. Explicou isto duma maneira particularmente nítida. Um dos ouvintes observou-lhe que era em vão que ele procurava enganá-los; ele que comera, bebera, para não dizer mesmo dormira na casa de Iúlia Mikháilovna, era o primeiro a renegá-la, o que não era lá tão bonito quanto ele supunha. Mas Piotr Stiepânovitch tomou incontinenti sua própria defesa:

— Se comi e bebi em casa dela, não foi porque não tivesse dinheiro e não é culpa minha se me convidavam sempre a ir lá. Aliás, permita-me que seja eu mesmo o juiz do reconhecimento que lhe devo por isso.

Em geral, a impressão definitiva foi-lhe favorável. "É sem dúvida um desmiolado, mas, em suma, não é responsável pelas tolices de Iúlia Mikháilovna. Pelo contrário, parece mesmo que tentou retê-la."

Pelas duas horas, espalhou-se de súbito o boato de que Stavróguin, de quem tanto se falara, partira de improviso para Petersburgo pelo trem de meio-dia. Esta notícia suscitou vivo interesse. Vários franziram o cenho. Piotr Stiepânovitch ficou de tal maneira abalado que o viram, dizem, mudar de rosto e exclamar duma maneira estranha: "Quem, pois, pode deixá-lo partir?". Nisto, deixou imediatamente Gagânov. No entanto, viram-no ainda em duas ou três casas.

Ao cair da noite, achou meio de introduzir-se em casa de Iúlia Mikháilovna, mas não sem esforço, porque ela não queria recebê-lo. Somente três semanas mais tarde tive conhecimento desse pormenor e pela própria Iúlia Mikháilovna, pouco tempo antes de sua partida para Petersburgo. Sem entrar nos detalhes, observou ela, estremecendo, que ele a havia então "assombrado além de toda medida". Suponho que a ameaçou muito simplesmente de denunciá-la como cúmplice, no caso de ela resolver "falar". A necessidade de proceder à intimidação estava, naquele momento, estreitamente ligada a seus projetos, que, bem entendido, ela ignorava, e foi somente cinco dias mais tarde que compreendeu por que tivera ele tão pouca confiança em sua discrição e temido tanto novas explosões de sua indignação.

Cerca das oito horas da noite, quando a escuridão era já completa, os "nossos" reuniram-se num extremo da cidade, numa casinha suspeita, na Rua de S. Tomás, onde morava o Alferes Erkel. Essa assembleia dos Cinco fora convocada pelo próprio Piotr Stiepânovitch. Mas ele, que devia presidi-la, atrasou-se imperdoavelmente e os Cinco tiveram de esperá-lo mais de uma hora. O Alferes Erkel era aquele mesmo oficialzinho que, no serão dos Virguínski, ficara sentado, com um caderninho de notas e um lápis nas mãos. Chegara, havia pouco tempo, à nossa cidade e morava numa ruela silenciosa, em casa de duas irmãs, duas velhas burguesas; vivia ali muito retirado e deveria em breve partir. Reuniam-se em casa dele porque era ali que se corria menor risco de ser notado. Aquele estranho rapaz distinguia-se por uma extraordinária taciturnidade. Podia passar dez noites seguidas na sociedade mais barulhenta, assistir às conversas mais estranhas, sem proferir uma única palavra, contentando-se em observar atentamente com seus olhos de criança e em escutar os interlocutores. Seu rosto era muito bonito e bastante inteligente. Não fazia parte do "quinquevirato"; os "nossos" supunham-no encarregado de alguma missão especial, decidida em certo lugar. Sabe-se agora que nenhuma missão lhe fora confiada e talvez ele próprio não compreendesse exatamente qual era sua posição. Admirava profundamente Piotr Stiepânovitch, com quem travara conhecimento havia pouco. Se tivesse encontrado não importa qual monstro prematuramente pervertido que, sob algum pretexto romântico-social e para submetê-lo a uma prova, lhe tivesse ordenado que organizasse um grupo de bandidos e assassinasse o primeiro mujique encontrado, faria isso sem pestanejar. Tinha ainda, não sei onde, sua velha mãe doente, à qual enviava a metade de seu magro soldo. E como devia ela beijar a cabeça loura de seu filho único! Como devia tremer e rezar por ele! Se falo tanto de Erkel, é que tenho pena dele.

Os "nossos" estavam bastante excitados. Os acontecimentos daquela derradeira noite haviam-nos abalado e pareciam estar um tanto atemorizados. O escândalo muito simples, mas organizado sistematicamente, da preparação do qual tinham participado com tanta boa vontade, acabava de ter um desenlace de uma maneira totalmente inesperada. O incêndio, o assassinato dos Liebiádkini, as violências cometidas pela multidão contra Lisa eram outras tantas surpresas que não tinham previsto no seu programa. Na sua superexcitação, acusavam a mão que os havia dirigido, de despotismo e de insinceridade. Em suma, enquanto aguardavam Piotr Stiepânovitch, acaloraram-se de tal modo, que resolveram afinal exigir dele explicações categóricas; se desta vez ainda se esquivasse a um esclarecimento, então seria simplesmente dissolvido o "quinquevirato", com a condição de substituí-lo por nova associação "secreta" para a "propagação da ideia", mas desta vez seria fundada por eles próprios, sobre bases igualitárias e democráticas. Lipútin, Chigáliev e aquele que conhecia bem o povo eram os mais fervorosos partidários dessa ideia. Liámchin calava-se, tendo o ar de quem aprovava. Virguínski ficava indeciso e queria em primeiro lugar ouvir as explicações de Piotr Stiepânovitch. Decidiu-se ouvir Piotr Stiepânovitch; este, no entanto, não chegava nunca. Semelhante sem-cerimônia não contribuía decerto para acalmar os espíritos. Erkel mantinha-se em silêncio e ocupava-se em servir o chá que ele mesmo trouxe em uma bandeja da casa de suas locadoras, em vez de deixar entrar a criada para pôr o samovar no quarto.

Piotr Stiepânovitch só apareceu às oito e meia. Com um passo rápido avançou para a mesa redonda, diante do divã, em redor da qual a assembleia tomara lugar. Ficou com seu chapéu na mão e recusou o chá. Tinha um ar mau, severo e altivo. Provavelmente logo notara pela cara dos assistentes que eles estavam em "rebelião".

— Antes que eu abra a boca, ponham para fora o que têm a dizer. Estão com cara de quem premeditou alguma coisa — observou ele, com um sorriso sarcástico, passeando seu olhar pelos rostos que o cercavam.

Lipútin tomou a palavra "em nome de todos" e, com uma voz fremente de indignação, declarou que se as coisas continuassem daquela maneira, quebrariam a cabeça. Oh! isto decerto não lhes fazia medo, estavam mesmo dispostos a tudo, mas somente pela causa comum. (Movimentos e aprovações dos outros.) Por isso *era preciso ser franco com eles* e *informá-los* de tudo de antemão. "Senão aonde isso os levaria?" (Novos gestos aprovativos e alguns gritos guturais). Agir daquela maneira era humilhante e perigoso... Não que tivessem medo, ainda uma vez, mas se um só agia e todos os outros se contentavam com marchar, bastaria que esse tal mentisse para que todos os outros padecessem. (Exclamações: sim, sim. Aprovação geral.)

— O diabo me leve! Que é então que lhes falta?

— Que relação têm com a causa comum as intriguinhas do Senhor Stavróguin? — continuou Lipútin, fervente de cólera. — Que pertença ele duma maneira secreta à Central — se é que essa central fantástica existe realmente — nada disso queremos saber! Na expectativa, cometeu-se um assassinato, a polícia está alerta e seguindo o fio chegará ao novelo.

— Você vai arrumar de ser preso com esse Stavróguin e nós também — acrescentou o homem que conhecia o povo.

— E sem proveito para a causa comum — concluiu melancolicamente Virguínski.

— Que bobagem! Esse assassinato é obra do acaso. Foi Fiedka que o cometeu para roubar.

— Hum! Estranha coincidência, todavia! — careteou Lipútin.

— E depois, se fazem questão de saber, foi graças a vocês que a coisa ocorreu.

— Como? Graças a nós?

— Em primeiro lugar, você, Lipútin, você mesmo participou dessa intriga; em segundo lugar, e é isto o principal, vocês receberam ordem de expedir Liebiádkin, receberam mesmo dinheiro para esse fim. Em lugar disto, que fizeram? Se o tivessem expedido, nada disso teria acontecido.

— Mas você mesmo não sugeriu que seria bom fazer que ele lesse seus versos no estrado?

— Uma ideia não é uma ordem. A ordem era expedi-lo.

— A ordem! Eis uma palavra bastante estranha!... Não, pelo contrário, você ordenou precisamente que se retardasse a partida.

— Você se enganou e só deu prova de tolice e de indisciplina. Quanto ao assassinato, foi obra de Fiedka, que o cometeu sozinho com o fim de roubar. Ouviram outro toque de sino e já estão acreditando nele. Tiveram medo simplesmente! Stavróguin não é tão estúpido, e a prova é que acaba de partir pelo trem do meio-dia, depois de haver conversado com o vice-governador: se houvesse alguma coisa, não o teriam deixado partir dessa forma, em pleno dia, para Petersburgo.

— Mas nós não pretendemos de forma alguma que tenha o próprio Stavróguin sido assassino — replicou num tom cheio de fel Lipútin que já havia perdido todo o controle. — Talvez mesmo ignorasse a coisa, como eu. Em contraposição, você sabia muito bem que eu ignorava tudo, eu que me meti dentro disso como o carneiro na marmita.

— A quem você acusa? — perguntou Piotr Stiepânovitch, olhando-o com ar sombrio.

— Àqueles mesmos que têm necessidade de incendiar as cidades.

— O pior é que com isso você não quer falar francamente. Aliás, queira ler isto e mostrá-lo aos outros a simples título de informação.

Dizendo isto, tirou de seu bolso a carta anônima de Liebiádkin a Lembke e entregou-a a Lipútin. Este leu a carta com espanto manifesto e, pensativo, passou-a a seu vizinho. A carta em breve correu toda a assembleia.

— É mesmo a letra de Liebiádkin? — perguntou Chigáliev.

— Sim, a letra é dele — afirmaram Lipútin e Tolkatchenko (o que conhecia o povo).

— Eu a mostro a vocês simplesmente a título de informação e porque pressentia que vocês se interessariam pelo assassinato de Liebiádkin — disse Piotr Stiepânovitch, retomando a carta. — Desta maneira, senhores, um Fiedka, totalmente por acaso, nos desembaraça de um homem perigoso. Eis o que significa por vezes o acaso. Não é instrutivo?

Os presentes trocaram um rápido olhar.

— E agora, senhores, a minha vez de fazer perguntas — prosseguiu Piotr, expansivo. — Permitam-me que lhes pergunte por quais razões julgaram bem, sem autorização, pôr fogo à cidade?

— O quê? Que é isso? Nós, nós incendiamos a cidade? Está louco! — tais foram as exclamações de todos os lados.

— Compreendo que o jogo de vocês tenha ido demasiado longe — continuou Piotr, sem se deixar desconcertar, — mas isto não tem nada que haver com os pequenos escândalos de Iúlia Mikháilovna. Convoquei-os aqui, senhores, para mostrar-lhes a extensão do perigo que tão estupidamente atraíram sobre vocês mesmos e que, agora, os ameaça, a vocês e a tantos outros ao mesmo tempo.

— Permita, tínhamos, pelo contrário, a intenção de observar-lhe o grau de despotismo e de arbitrariedade que marca essa medida tomada, sem que os outros membros a conhecessem, medida ao mesmo tempo tão grave e tão estranha — disse com indignação Virguínski, que ficara até então silencioso.

— Com que então negam? Pois eu afirmo que foram vocês que puseram fogo à cidade. Vocês somente e ninguém mais. Não mintam, senhores, tenho informações precisas. Pelo seu ato de insubordinação, puseram em perigo a Causa Comum. Vocês não são mais do que a malha de uma imensa rede e estão obrigados a uma obediência cega em relação à Central. Entretanto, três de vocês, sem ter recebido as menores instruções, persuadiram os operários de Chpigúlin a pôr fogo e o incêndio rebentou.

— Quais são esses três? Onde estão esses três entre nós?

— Anteontem, às três horas da madrugada, você, Tolkatchenko, conversou a respeito do negócio com Fomka Zaviálov, no botequim *Niezabudka*.[162]

— Mas perdão — sobressaltou-se o interpelado. — Disse-lhe apenas uma palavra, sim, mesmo sem nenhuma intenção, assim, muito simplesmente, porque o haviam açoitado de manhã; logo em seguida deixei-o, vendo que ele estava bêbado demais. Se você não me tivesse lembrado esse fato, já estaria completamente esquecido. Mas não é com uma palavra que se põe fogo a uma cidade.

— Você é semelhante a um homem que se admiraria de que uma minúscula faísca possa fazer explodir todo um paiol de pólvora.

— Estávamos a um canto, disse-lhe aquilo ao ouvido... Como você pôde saber? — deu-se bruscamente conta Tolkatchenko.

— Estava lá, debaixo da mesa. Fiquem tranquilos, senhores, conheço cada um dos passos de vocês. Você sorri ironicamente, Senhor Lipútin, pois bem, já sei, por

162 Literalmente: sempre-viva. Designação duma planta da família das boragíneas conhecida em vernáculo pelo nome de não-te-esqueças-de-mim.

exemplo, que anteontem, à meia-noite, você bateu em sua mulher, em seu quarto de dormir, ao meter-se na cama.

Lipútin ficou boquiaberto e lívido.

(Soube-se mais tarde que Piotr Stiepânovitch fora informado dessa façanha noturna de Lipútin pela criada dele, Agáfia, a quem pagava desde o começo para fazer espionagem.)

— Posso fazer constar um fato? — perguntou de súbito Chigáliev, levantando.

— Faça-o constar.

Chigáliev tornou a sentar e coordenou suas ideias.

— Na medida em que tenho compreendido, e é impossível aqui compreender mal, o senhor mesmo, no começo, e uma vez ainda mais tarde, com grande eloquência, embora demasiado teoricamente, esboçou uma quadro da Rússia, segundo o qual seria esta coberta por uma imensa rede de grupos de malhas. Cada um desses grupos ativos, fazendo prosélitos e ramificando-se ao infinito, teria como dever, por meio de uma propaganda extensa e sistemática, minar sem cessar a autoridade local, fazer nascer a dúvida nas aldeias, semear o cinismo, o escândalo, a incredulidade absoluta em todas as coisas, provocar o ardente desejo dum estado melhor, recorrer afinal ao incêndio, como um processo eminentemente popular, e no momento oportuno levar, se for preciso, o país ao desespero. Não são estas suas próprias palavras que me esforcei em reter, uma por uma? Não é mesmo este o programa de ação que o senhor mesmo nos comunicou na qualidade de delegado do Comitê Central, munido de plenos poderes? Comitê central, aliás, totalmente desconhecido de nós até o presente e que nos parece quase lendário.

— Isto mesmo, somente que o senhor é por demais complicado!

— Cada qual tem o direito de falar a seu modo. Dado que o senhor nos deixa entender que já existem mais de cem elos iguais a este daqui e que a rede que eles formam cobre toda a Rússia, dado que o senhor nos tenha deixado supor, no caso em que cada grupo lograsse êxito na sua tarefa, que toda a Rússia no momento fixado e a um sinal...

— Ah! que o diabo os leve! Tenho outras coisas a fazer que não ocupar-me com vocês! — interrompeu com impaciência Piotr Stiepânovitch, voltando-se na sua cadeira.

— Está bem, serei mais breve, e terminarei por uma pergunta: já vimos aqui vários escândalos, vimos o descontentamento das populações, estivemos presentes e participamos da derrubada da administração local, enfim vimos com nossos próprios olhos o incêndio. De que pois se queixa o senhor? Não é esse o seu programa? De que pode acusar-nos?

— De indisciplina! — gritou furioso Piotr Stiepânovitch. — Enquanto eu estiver aqui, vocês não tem o direito de agir sem minha permissão. Basta. Prepara-se uma denúncia e, amanhã talvez ou esta noite mesmo, serão vocês detidos. Eis a notícia que lhes trago.

A estas palavras, escancararam eles a boca.

— Serão detidos não somente como incendiários, mas também como membros do grupo dos "Cinco". O denunciante conhece toda a trama secreta. Eis o resultado das trapalhadas de vocês.

— Foi certamente Stavróguin — exclamou Lipútin.

— Como? Por que Stavróguin?... — perguntou Piotr Stiepânovitch, como que desconcertado por aquela ideia. — Ah! com os diabos! — disse ele, depois de se ter logo dominado. — Foi Chátov. Todos vocês sabem, creio, que Chátov fez há tempos parte do grupo. Devo confessar-lhes, fazendo-o espionar por pessoas de quem ele não suspeitava, tive a surpresa de saber que toda a organização da rede não era mais um segredo para ele e que ele... Em suma, sabe tudo... Para se desculpar da acusação de ter feito outrora parte da Associação, prepara-se para denunciar todos vocês. Hesitou até o presente. Por isso o poupei. Mas agora, com esse incêndio, vocês o levaram à última extremidade: está muito impressionado, não hesitará mais. Amanhã, pois, seremos todos detidos como incendiários e criminosos políticos.

— É bem certo isso?... Como sabe Chátov de tudo?

A emoção era indescritível.

— É absolutamente verdadeiro. Não tenho o direito de revelar-lhes por que vias descobri tudo isso, mas eis o que pude fazer provisoriamente por vocês: por intermédio duma pessoa, posso exercer sobre Chátov certa pressão, a fim de que, sem despertar suas suspeitas, adie a denúncia... mas somente por vinte e quatro horas... mais tempo é impossível. Não poderia fazer mais. Por consequência, vocês podem considerar-se ainda em segurança até depois de amanhã de manhã.

Todos se mantinham silenciosos.

— É preciso mandá-lo ao diabo afinal! — gritou por primeiro Tolkatchenko.

— Sim, há muito tempo que se deveria ter feito! — secundou Liámchin, batendo com o punho sobre a mesa.

— Mas como? — gaguejou Lipútin.

Piotr Stiepânovitch captou imediatamente a pergunta e pôs-se a expor seu plano. Consistia nisto: atrair Chátov, no dia seguinte, ao cair da noite, ao lugar solitário onde ele havia enterrado o prelo tipográfico e isto sob o pretexto de o obrigar a entregá-lo; em seguida "seriam tomadas ali as medidas necessárias". Piotr Stiepânovitch entrou em inúmeros detalhes que passarei em silêncio e expôs ainda uma vez, duma maneira circunstanciada, as relações equívocas de Chátov com a Central, relações que já são conhecidas do leitor.

— Tudo isso — observou Lipútin incrédulo, — mais uma vez... uma nova aventura do mesmo gênero... vai causar demasiada impressão no povo...

— Sem dúvida alguma — confirmou Piotr Stiepânovitch, — mas isto também está previsto. Temos um meio de desviar qualquer suspeita.

E, com o mesmo luxo de detalhes, pôs-se a falar de Kirílov, da decisão que tomara de suicidar-se, e da promessa que lhe fizera de esperar para isso o momento que lhe fosse indicado e de deixar, ao morrer, uma carta na qual se acusaria de tudo quanto lhe fosse ditado. (Em suma, tudo quanto já sabe o leitor.)

— Sua firme resolução de matar-se é filosófica, mas uma pura tolice, a meu ver e já é conhecida "lá embaixo" — continuava Piotr Stiepânovitch a explicar. — Ora, lá embaixo, não se deixa perder nem um cabelo, nem um grão de pó. Tudo é utilizado para a causa comum. Prevendo o proveito que se podia tirar disso e *convencido de que seu projeto* era dos mais sérios, deu-se dinheiro a Kirílov para regressar à Rússia (não sei por qual razão ele teimava em morrer na Rússia), foi encarregado duma missão que aceitou (e que aliás cumpriu), e fizeram-no prometer que só se suicidaria, quando lhe fosse dada ordem. Prometeu tudo. Notem que ele pertence à Causa por motivos totalmente especiais e deseja ser-lhe útil. Não tenho o direito de dizer-lhes mais coisas. Amanhã, depois de Chátov, vou lhe ditar uma carta atestando que foi ele o autor da morte de Chátov. Isto parecerá perfeitamente verossímil; estiveram ligados por amizade, foram juntos para a América, lá brigaram — tudo isto será explicado na carta... e... eu creio... isto dependerá das circunstâncias... que se poderá ainda talvez ditar a Kirílov alguma coisa mais... por exemplo, no que se refere às proclamações e talvez também ao incêndio. Aliás, vou ainda pensar. Tranquilizem-se. Ele não tem preconceitos: assinará tudo.

Exprimiram-se contudo algumas dúvidas, a história parecia por demais fantástica. Todos tinham já ouvido mais ou menos falar de Kirílov. Lipútin mais que os outros, naturalmente.

— E se de repente ele resolvesse reconsiderar e não querer mais? — objetou Chigáliev. — Porque afinal ele é louco. Não nos podemos fiar inteiramente nele.

— Fiquem tranquilos, senhores. Ele haverá de querer — cortou, rápido, Piotr Stiepânovitch. — De acordo com nossas convenções, sou obrigado a preveni-lo de véspera, isto é, hoje mesmo. Convido Lipútin a acompanhar-me imediatamente à casa dele, a fim de que possa convencer-se e informá-los ao regressar se, sim ou não, eu disse a verdade. Aliás — interrompeu-se, de súbito, com uma irritação e um desdém extremos, como se já tivesse dado honra demais àquela gente, perdendo daquela maneira seu tempo com ela, — façam como entenderem. Se não se decidirem, a Associação fica dissolvida, mas pelo único fato da indisciplina e da traição de vocês. A partir deste momento, nós nos separamos. Contudo, não se esqueçam de que neste caso não escaparão, nem à denúncia de Chátov com todas as consequências que ela implica, nem a certos outros pequenos dissabores de que já foram devidamente advertidos por ocasião da formação desse grupo de vocês. Quanto a mim, senhores, não os temo absolutamente... Sobretudo não pensem que esteja tão estreitamente ligado aos senhores... Aliás, tudo isso é indiferente.

— Não, estamos decididos — declarou Liámchin.

— Não há outra saída — murmurou Tolkatchenko, — e se Lipútin nos confirmar a coisa a respeito de Kirílov...

— Oponho-me a isso! Em nome de tudo quanto me é sagrado, protesto contra uma decisão tão sanguinária! — exclamou Virguínski, levantando bruscamente.

— Mas... ? — perguntou Piotr Stiepânovitch.

— Como "mas"?

— Você disse "mas"... e estou esperando.

— Creio que não disse "mas"... Queria simplesmente dizer que se se decidiam a isso... então...

— Então?

Virguínski calou-se.

— Penso que se deve olhar com indiferença e segurança pessoal — disse de súbito Erkel, que abria a boca pela primeira vez, — mas se isto pode prejudicar a causa comum, então penso que não se deve correr o risco de olhar com indiferença sua própria segurança.

Atrapalhou-se e corou. Por mais ocupado que cada qual estivesse consigo mesmo, todos no entanto o olharam com espanto; esperava-se tão pouco que ele também falasse...

— Sou pela causa comum — declarou de repente Virguínski.

Todos se levantaram. Decidiram comunicar-se qualquer novidade no dia seguinte ao meio-dia, sem que os membros precisassem reunir-se e tomar então as derradeiras disposições. Todos foram informados do lugar onde estava enterrado o material tipográfico; os papéis e as tarefas foram distribuídas. Sem perda de tempo, Lipútin e Piotr Stiepânovitch seguiram juntos para a casa de Kirílov.

II

Não havia nem sombra de dúvida entre os "nossos" a respeito da denúncia de Chátov. Mas acreditavam igualmente que Piotr Stiepânovitch jogava com eles como se fossem peões. Além disso, sabiam que no dia seguinte estariam todos no seu posto e que a sorte de Chátov estava decidida. Sentiam-se semelhantes a moscas que tivessem caído na teia de uma enorme aranha; estavam irritados, mas tremiam de pavor.

Piotr Stiepânovitch, incontestavelmente, era culpado aos olhos deles; tudo teria podido arranjar-se de maneira mais harmoniosa e fácil, se ele tivesse apenas tido o trabalho de matizar a verdade. Em lugar de mostrar o caso a uma luz mais conveniente, como uma façanha de civismo romano, ou algo semelhante, só invocara o vil motivo do medo e o temor pela própria pele, o que era muito simplesmente indelicado. Decerto, tudo não é senão luta pela vida e não há outro princípio, todo mundo sabe disso... mas ainda assim...

Piotr Stiepânovitch não tinha lazeres para invocar os antigos romanos. Ele próprio se sentia fora dos eixos. A fuga de Stavróguin havia-o abatido.[163] Mentira ao dizer que Stavróguin entrevistara-se com o vice-governador; a verdade é que ele tinha partido sem ver ninguém, nem mesmo sua mãe; e que não o hajam incomodado, parecia isso mesmo muito estranho (mais tarde tiveram as autoridades de responder por causa disso). Durante todo dia, andara Piotr Stiepânovitch a informar-se, sem nada conseguir e nunca estivera dominado por tão vivos alarmes. Como teria podido resignar-se a privar-se assim, de repente, de Stavróguin? Eis por que se mostrava tão pouco delicado para com os "nossos". E para cúmulo, eles lhe ligavam as mãos: teria querido partir imediatamente à procura de Stavróguin; em lugar disto, Chátov o retinha e era preciso cimentar definitivamente o bloco dos cinco, para qualquer eventualidade. "Por que largá-los? Podem ainda servir-me." Tal era, suponho, a natureza de seus pensamentos.

Com efeito, Piotr Stiepânovitch estava profundamente convencido de que Chátov denunciaria. Tudo quanto dissera aos nossos a respeito da denúncia não passara de mentiras. Jamais vira aquela denúncia, jamais ouvira falar dela, mas estava certo dela como dois e dois são quatro. Acreditava que Chátov não poderia em caso algum deixar passar o minuto presente: a morte de Lisa, o assassinato de Maria Timofiéievna — e se decidiria precisamente agora a dar denúncia. Quem sabe? Talvez tivesse algumas razões de esperar isso. Sabe-se também que odiava

163 O leitor há de lembrar-se que Chátov sugere a Stavróguin a visita ao Bispo Tíkhon. Pode-se conjeturar que é neste momento que se coloca o importante episódio da visita ao Bispo Tíkhon a quem Stavróguin fêz, na oportunidade, a sua impressionante confissão. Dostoiévski suprimiu este capítulo da obra, por conselho de seus amigos, mas ele foi incluído nesta edição e se encontra, como apêndice, no fim de *Os demônios*, à página 1348 deste volume.

pessoalmente Chátov. Ocorrera outrora uma desavença entre eles e Piotr Stiepânovitch não perdoava jamais uma ofensa. Estou mesmo persuadido de que foi isso o motivo capital.

Entre nós os passeios de tijolos são muito estreitos, da mesma maneira os passadiços de pranchas. Piotr Stiepânovitch caminhava bem pelo meio do passeio, ocupando-o totalmente, sem a menor atenção para com Lipútin, que devia, ou correr atrás dele, ou então, se queria falar-lhe, descer para o leito da rua e patinhar na lama. Piotr Stiepânovitch lembrou-se de repente de que também ele, bem recentemente, caminhara pela lama, a fim de poder andar de frente e conversar com Stavróguin que, como ele hoje, andava bem pelo meio do passeio, ocupando-o por completo. Lembrou-se de toda aquela cena e de súbito a raiva cortou-lhe a respiração.

A Lipútin também, a raiva cortava-lhe a respiração, tanto aquela falta de polidez o ofendia. Que Piotr Stiepânovitch assim agisse com os "nossos", achava muito bom! Mas com ele? com ele? Sabia mais do que todos os outros "nossos" a respeito da Causa, estava-lhe mais próximo, era-lhe mais intimamente associado. Até agora participara constantemente dela, se bem que duma maneira indireta. Oh! sabia que Piotr Stiepânovitch, mesmo naquele momento, podia a rigor perdê-lo. Mas desde muito tempo já odiava Piotr Stiepânovitch, menos pelo perigo que corria com ele do que pela atitude soberba e desdenhosa deste último. Agora que era preciso resolver-se a semelhante coisa, ficava possuído de mais raiva do que todos os "nossos" juntos. Ai! apesar de tudo, sabia que no dia seguinte seria o primeiro no seu posto "como um escravo", e até mesmo levaria para lá os outros! Contudo, se a esta hora, antes de amanhã, pudesse de alguma maneira matar aquele Piotr Stiepânovitch, sem se perder ele próprio, é claro, com certeza o teria matado.

Absorto em suas cavilações, calava-se e trotava humildemente atrás de seu carrasco. Este parecia tê-lo esquecido; de vez em quando somente dava-lhe uma cotovelada sem-cerimônia e grosseiramente. De súbito Piotr Stiepânovitch parou na rua mais movimentada e entrou num restaurante.

— Aonde vai então? — perguntou Lipútin, furioso. — Não está vendo que é um restaurante?

— Ouero comer um bife.

— Por favor... Está sempre cheio de gente.

— Com isso?... Que me importa?

— Mas... chegaremos atrasados! São já dez horas.

— Lá nunca se chega tarde.

— Mas eu chegarei atrasado. Eles esperam meu regresso.

— Pois que esperem! Seria você muito estúpido se voltasse para lá. Graças às histórias de vocês hoje, ainda não pude almoçar. Em casa de Kirílov, quanto mais tarde, melhor.

Piotr Stiepânovitch tomou um reservado. Lipútin, furioso e zangado, sentou-se numa poltrona à parte e ficou a vê-lo comer. Meia hora e mesmo mais se passou. Piotr não se apressava, comia com bom apetite; chamou, exigiu outra qualidade de mostarda, depois pediu cerveja e sempre sem conversar com Lipútin. Estava mergulhado em profundas reflexões. Com efeito, podia ao mesmo tempo comer com bom apetite e estar mergulhado em profundas reflexões. O ódio de Lipútin atingiu tal paroxismo que lhe foi impossível desviar seu olhar de Piotr Stiepânovitch. Era uma espécie de cãibra nervosa. Contava cada um dos pedaços de carne que o outro engolia; odiava-o por causa da maneira como abria a boca, como mastigava, como saboreava com um prazer especial os pedaços gordos. Chegou a odiar o próprio bife. Por fim, tudo começou a confundir-se diante de seus olhos; a cabeça parecia girar. Sentia alternadamente calor e frio nas costas.

— Você que não está fazendo nada, leia então isto — disse de repente Piotr Stiepânovitch, lançando-lhe uma folha de papel. Lipútin aproximou-se da vela. O papel estava coberto de uma letra miúda, feia, com rasuras a cada linha. Quando acabou de lê-lo, notou que Piotr Stiepânovitch já havia pago sua conta e estava a ponto de sair. Na rua, Lipútin restituiu-lhe o papel.

— Guarde-o — disse Piotr Stiepânovitch. — Mais tarde lhe explico por que. Pois bem, que diz? — Lipútin estremeceu dos pés à cabeça.

— Na minha opinião... semelhante proclamação... não passa de um absurdo ridículo...

Sua raiva extravasava. Sentia-se erguido e arrebatado.

— Se nos decidirmos — tremia todo, — a espalhar semelhante proclamação, seremos desprezados pela nossa estupidez e pela nossa ignorância da situação real.

— Hum! Penso de outro modo — disse Piotr, continuando a marchar com passo firme.

— E eu não. Será possível que tenha sido você mesmo que redigiu isso?

— Você não tem nada com isso.

— Creio também que os versos sobre "Personalidade Resplendente" são os piores que possam existir e jamais foram escritos por Herzen.

— Você mente, os versos são bons.

— Admira-me — continuou Lipútin, tremendo e sem fôlego, — que nos proponham que trabalhemos pela ruína universal. Na Europa, é natural desejar que tudo venha abaixo, porque existe um proletariado, mas nós, nós não somos senão amadores e, a meu ver, só fazemos poeira.

— Acreditava que você fosse fourierista.

— Mas em Fourier não há disso, não há disso.

— Sei que só há besteiras.

— Não, não em Fourier, não há besteiras. Desculpe-me, mas acho impossível acreditar numa insurreição para o mês de maio.

Lipútin sentia de tal modo calor que teve de desabotoar-se.

— Vamos, basta. Agora, para não esquecer — continuou Piotr Stiepânovitch, passando com espantoso sangue-frio dum assunto a outro, — comporá e imprimirá você mesmo essa folha. Vamos desenterrar a prensa tipográfica de Chátov e já amanhã será você quem a receberá. Comporá o mais rapidamente essa folha e a imprimirá em tantos exemplares quanto puder, a fim de que se consiga distribuí-los neste inverno. Indicarei onde procurar o que for necessário. O maior número de exemplares possível, porque vai receber pedidos de várias partes.

— Não, desculpe-me... Não posso encarregar-me de tal coisa... Recuso.

— E no entanto, vai se encarregar. Ajo de conformidade com as instruções da *Central* e você só tem de submeter-se.

— E eu acho que nossos Centros estrangeiros esqueceram as realidades russas, romperam todos os liames conosco e por isso só fazem divagar... Creio mesmo que em lugar desses inúmeros grupos de Cinco disseminados pela Rússia, somos os únicos e que a famosa rede não existe — disse por fim Lipútin todo sufocado de cólera.

— Tanto mais desprezível de sua parte, se, não tendo fé na causa, a seguiu... E agora ainda, corre atrás dela como um foguete...

— Não, não corro atrás dela. Temos o direito absoluto de retirar-nos e de fundar uma nova associação.

— Imbecil!... — fulminou-o de repente Piotr Stiepânovitch, com os olhos faiscantes.

Ambos ficaram algum tempo de pé, cara a cara. Piotr Stiepânovitch deu meia volta e, a passo firme, prosseguiu seu caminho.

Um clarão atravessou o espírito de Lipútin: "Vou dar meia volta e arrepiar caminho. Se não me for embora agora, jamais partirei". Pensou assim o tempo de dar cerca de dez passos, depois, ao décimo primeiro, novo clarão atravessou-lhe o espírito. Não deu meia volta, nem arrepiou caminho.

Aproximavam-se do edifício Filípov, mas antes de atingi-lo, tomaram por uma ruela, ou mais exatamente por um estreito atalho que costeava uma cerca. Era preciso ir andando com cuidado ao longo do barranco sobre o qual o pé escorregava e agarrar-se à estacada. No ângulo mais sombrio daquela velha cerca, Piotr Stiepânovitch arrancou uma prancha e penetrou pela brecha. Lipútin espantou-se, mas ali penetrou atrás dele; depois do que, repuseram a prancha no lugar. Era a passagem secreta pela qual Fiedka se introduzia de noite em casa de Kirílov.

"Chátov deve ignorar que estamos aqui", murmurou em tom grave Piotr Stiepânovitch a Lipútin.

III

Como de hábito àquela hora, estava Kirílov sentado sobre seu divã de couro e tomava chá. Não levantou para ir ao encontro dos visitantes, mas teve uma espécie de estremecimento e olhou-os com ar alarmado.

— Você não se engana — disse Piotr Stiepânovitch. — É por causa daquilo que vim...

— Hoje?

— Não, não, amanhã... a esta hora, pouco mais ou menos.

E apressou-se em sentar perto da mesa, examinando Kirílov, não sem alguma inquietação. Kirílov, de resto, já havia retomado sua calma e sua expressão habitual.

— Você vê? Eles não querem crer em mim — disse Piotr Stiepânovitch. — Não vai achar ruim por ter trazido Lipútin?

— Hoje, não me incomodarei, mas amanhã quero estar só.

— Mas não antes que eu venha e, nesse caso, na minha presença.

— Preferiria que não fosse na sua presença.

— Lembre-se de que prometeu escrever e assinar tudo o que eu lhe ditaria.

— Isto pouco me importa. E agora, vão ficar muito tempo?

— Tenho de ver certa pessoa daqui a cerca de meia hora. De modo que fique à vontade, mas eu ficarei aqui essa meia hora.

Kirílov não respondeu. Lipútin sentara de parte, por baixo do retrato do bispo. A ideia ousada e desesperada de ainda há pouco apoderava-se cada vez mais de seu espírito. Kirílov mal lhe dera atenção. Lipútin conhecia já desde muito tempo a teoria de Kirílov da qual zombava, mas agora calava-se e olhava em redor de si com ar sombrio.

— Beberei chá de boa vontade — disse Piotr Stiepânovitch. — Acabo de comer um bife e contava tomar chá em sua casa.

— Beba, se quiser.

— Outrora era você mesmo que o oferecia — notou acremente Piotr Stiepânovitch.

— Pouco importa. Que Lipútin beba também.

— Não, obrigado, eu... eu não posso.

— Não quero ou não posso? — perguntou Piotr Stiepânovitch, numa brusca reviravolta.

— Não quero beber em casa dele — recusou Lipútin, num tom expressivo.

Piotr Stiepânovitch franziu a testa.

— Isto cheira a misticismo. O diabo sabe que espécie de gente são vocês todos!

Ninguém lhe deu resposta. O silêncio durou um bom minuto.

— Mas o que sei bem — acrescentou ele, de súbito, — é que nenhum preconceito impedirá um só dentre nós de cumprir seu dever.

— Stavróguin partiu? — perguntou Kirílov.

— Partiu.

— Fez bem.

Um clarão fugitivo passou pelos olhos de Piotr Stiepânovitch, mas ele se conteve.

— Pouco importa o que você pensa, contanto que cada um mantenha sua palavra.

— Manterei minha palavra.

— Aliás, jamais duvidei de que você cumpriria seu dever como um homem independente e de ideias avançadas.

— Mas o senhor, o senhor é ridículo.

— Tanto melhor. Encanta-me poder alegrá-lo. Sempre tenho prazer em prestar serviço a alguém.

— O senhor tem grande vontade de que eu meta uma bala na cabeça e ao mesmo tempo tem medo de que, de repente, eu não o queira mais.

— Isto é, como vê, você mesmo ligou seu plano à nossa atividade. Contando com o seu intento, empreendemos certas coisas, de modo que você não pode mais recuar.

— Aqui o senhor não tem nenhum direito.

— Compreendo, compreendo, é sua livre vontade, mas contanto que essa livre vontade se realize.

— E deverei assumir a responsabilidade de todas as vossas infâmias?

— Escute, Kirílov, ficou com medo, de repente? Se quiser recuar, peço que diga já.

— *Não tenho medo.*

— Acreditava... porque você faz perguntas demais...

— Vai-se embora logo?

— Ei-lo de novo a fazer perguntas!

Kirílov olhou-o com desprezo.

— Pois bem, veja você — continuou Piotr Stiepânovitch, cada vez mais irritado e inquieto e sem achar o tom conveniente, — você quer que me vá para ficar na solidão, para recolher-se, mas esses indícios são perigosos, para você, para você sobretudo. Você gosta muito de pensar. Na minha opinião, seria melhor não pensar, mas agir bem simplesmente. Na verdade, você me inquieta.

— O que me repugna neste momento é ter perto de mim um verme como você.

— Ora, pouco importa. Poderei muito bem sair e ficar lá fora no patamar durante este tempo. Se quer morrer e o fato de ser tão pouco indiferente, então... tudo isto é bem perigoso. Sairei e me conservarei no patamar e você poderá supor muito à sua vontade que não compreendo nada e que sou um homem infinitamente abaixo de você...

— Não, infinitamente não... Não lhe faltam qualidades, mas há muitas coisas que você não compreende, porque é um homem vil.

— Encantado, encantado. Repito-lhe, estou encantado por poder distraí-lo... em semelhante momento.

— Você não compreende nada.

— Isto é, eu... em todo caso, escuto com respeito.

— Você não pode nada. Mesmo neste momento é incapaz de dissimular sua mesquinha maldade, se bem que seja desvantajoso para você deixá-la aparecer. Vai acabar me irritando e de repente concederei a mim mesmo mais seis meses...

Piotr Stiepânovitch olhou seu relógio.

— Nunca compreendi sua teoria, mas sei que não foi para nós que a inventou, portanto vai aplicá-la mesmo sem nós. Sei também que não foi você que devorou a ideia, mas a ideia que o devorou, por conseguinte não recuará.

— Como? Foi a ideia que me devorou?

— Sim.

— E não eu a ideia? Muito bem. Você tem um espírito mesquinho. Só sabe fazer picuinhas, ao passo que eu conservo o meu orgulho.

— Muito bem! Muito bem! É preciso o que é preciso: que você conserve o seu orgulho.

— Basta! Acabou de beber. Vá-se embora.

— O diabo me leve, terei de partir — disse Piotr Stiepânovitch, levantando-se. — No entanto, é ainda cedo demais. Escute, Kirílov, encontrarei aquele homem na casa da açougueira? Você sabe a quem me refiro. Ou então também ela me mentiu?

— Não o encontrará lá, porque ele está aqui e não lá.

— Como aqui? O diabo me leve! Onde então?

— Está na cozinha comendo e bebendo.

— Como ele ousou? — disse Piotr Stiepânovitch, rubro de cólera. — Devia esperar... É estúpido. Não tem nem passaporte, nem dinheiro.

— Não sei. Veio despedir-se. Está com roupa de viagem, prestes a partir. Vai-se para não voltar mais. Declarou que você é um canalha e não quer esperar seu dinheiro.

— Ah! ele tem medo de que eu... sim, posso agora... se... Onde está ele? Na cozinha?

Kirílov abriu uma porta lateral que dava para um quartinho escuro; daquele quartinho descia-se por uma escada de três degraus para a cozinha, mais precisamente para a parte que formava alcova e separada do resto por um tabique, onde se encontrava habitualmente a cama da cozinheira. Ali, num canto, sob os ícones, Fiedka estava sentado diante de uma mesa de madeira branca, sem toalha. Havia sobre a mesa diante dele uma meia garrafa de vodca, pão num prato e, numa terrina, um pedaço de carne fria de vaca e batatas. Comia com apetite e parecia semiembriagado. Entretanto, não havia deixado sua pele de carneiro e estava evidentemente pronto a pôr-se a caminho. Por trás do tabique, a água fervia já no samovar. No entanto, não era para Fiedka; pelo contrário, era o próprio Fiedka que, todas as noites, desde mais de uma semana, o preparava para "Alieksiéi Nílitch, porque este estava habituado a beber chá de noite". Uma vez que não havia criada na casa, tenho todo motivo para crer que a carne e as batatas tinham sido preparadas desde manhã para Kirílov pelo próprio Fiedka.

— Que é que te passa pela cabeça? — exclamou Piotr Stiepânovitch, irrompendo na cozinha. — Por que não me esperaste lá embaixo como te ordenara?

E, encolerizado, assestou violento murro sobre a mesa.

Fiedka empertigou-se.

— Espera, Piotr Stiepânovitch, espera um pouco — replicou ele, acentuando cada palavra com afetação, — deves em primeiro lugar compreender que te encontras numa educada visita à casa do Senhor Kirílov, de Alieksiéi Nílitch, a quem sempre poderás engraxar as botas, porque ao lado de ti é um espírito cultivado, ao passo que tu... hum!

E com ar de artista, voltando a cabeça, lançou de lado uma cuspidela sem saliva. Sentia-se nele arrogância, atrevimento e certo desejo muito perigoso de discutir com calma até a primeira explosão. Piotr Stiepânovitch não tinha mais tempo de notar o perigo e, aliás, teria sido incompatível com sua maneira de ver. Os fracassos e humilhações daquele último dia tinham-no feito perder a cabeça. Do alto dos três degraus, na soleira do quartinho escuro, Lipútin olhava com curiosidade.

— Queres ou não ter um passaporte regular e dinheiro para ir aonde te disseram? Sim ou não?

— Estás vendo, Piotr Stiepânovitch? Tu me enganaste desde o primeiro dia. Por isso é que para mim não passas de um chapado canalha. Igualzinho a um piolho humano, eis como te considero. Em troca de sangue humano, tu me prometeste gorda quantia e me fizeste um juramento em nome do Senhor Stavróguin, quando por trás disso havia apenas a tua desonestidade. Muito longe de ter deitado a mão aos mil e quinhentos rublos, só vi fogo e não faz muito o Senhor Stavróguin largou-te na cara duas bofetadas, o que já chegou ao nosso conhecimento. Agora recomeças a ameaçar-me e a prometer-me dinheiro, mas por que isso, não dizes. E eis o que penso: tu me envias a Petersburgo para te vingares de Nikolai Vsiévolodovitch Stavróguin, e contas com minha credulidade. De tudo isso ressalta claramente que és antes de tudo um assassino. E sabes o que já mereceste pelo simples fato de teres perdido, em razão de tua depravação, a fé no próprio Deus, no verdadeiro Criador? Como um pagão, tu te colocaste na mesma linha de um tártaro ou de um morduíno. Alieksiéi Nílitch, que *é um grande filósofo*, já te explicou muitas vezes o verdadeiro Deus, o santo criador de todas as coisas; falou-te da criação do mundo bem como dos destinos futuros e da transfiguração de todas as criaturas e de todos os animais segundo o *Apocalipse*. Mas tu, inerte como um ídolo, tu te obstinas em ficar surdo e mudo; tu corrompeste o Alferes Erkel, semelhantemente àquele sedutor perverso que se chama ateu...

— Ah! bêbado de boca suja! Saqueia os ícones e vem depois fazer sermão a respeito do verdadeiro Deus!

— Estás vendo, Piotr Stiepânovitch? Confesso-te, é bem verdade, saqueei-os, mas só arranquei pérolas. E depois, que sabes tu? Talvez, naquele instante mesmo, no cadinho do Altíssimo, uma de minhas lágrimas se transfigurou por causa de certa ofensa que me foi feita, tão verdade é que sou um pobre órfão e não tenho onde repousar a cabeça. Sabes tu, também, como relatam os livros, que outrora vivia um comerciante que, bem como eu, rezando com muitas lágrimas e suspiros, roubou uma pérola do nimbo da Santíssima Mãe de Deus. Mais tarde, diante de todo o povo, caiu de joelhos e depositou toda a soma aos pés daquela que intercede por nós, e aos olhos de toda a multidão, nossa Santa Mãe cobriu-o com seu véu. No seu tempo, foi isto considerado um milagre, de modo que as autoridades deram ordem de inscrevê-lo com toda a exatidão nos livros do Estado. Mas tu, tu soltaste um rato e com isto fizeste injúria ao próprio dedo divino. E se não fosses meu senhor, a quem quando eras pequeno carreguei em meus braços, seria capaz de te matar ali mesmo, e naquela hora.

Indizível cólera apoderou-se de Piotr Stiepânovitch.

— Fala, viste Stavróguin hoje?

— Não te permitas nunca submeter-me a um interrogatório. Em todo esse negócio o Senhor Stavróguin vê espantado o que fazes; não participou dele, nem mesmo com um desejo, e por consequência não se trataria de sua ordem nem de seu dinheiro. Tu me embromaste.

— Receberás o dinheiro e os dois mil também os receberás em Petersburgo, no lugar indicado, tudo ao mesmo tempo e receberás ainda mais.

— Mentes, meu caríssimo, mentes ainda e quase me diverte ver como metes o dedo dentro do próprio olho. O Senhor Stavróguin em comparação contigo está no cimo de uma alta escada e tu ladras embaixo, como um cão estúpido, enquanto ele lá do alto considera... que te faria uma grande honra cuspindo em ti.

— Mas sabes, vagabundo — disse Piotr Stiepânovitch, arrebatado, — que não te deixarei sair daqui e que vou entregar-te imediatamente à polícia?

Com os olhos fuzilantes de raiva, Fiedka, dum salto, pôs-se de pé. Piotr Stiepânovitch sacou seu revólver. Então ocorreu uma cena tão rápida quão repugnante. Antes que Piotr Stiepânovitch tivesse podido servir-se de sua arma, Fiedka, com um gesto tão rápido quanto um relâmpago, assestou-lhe com todas as suas forças um golpe na face. No mesmo instante repercutiu outro golpe terrível, depois um terceiro, depois um quarto, sempre na face. Piotr Stiepânovitch teve uma vertigem, seus olhos escancararam-se, balbuciou algo indistinto, depois tombou ao comprido no chão.

— *Aí está ele agora!* Peguem-no! — exclamou Fiedka e, com um gesto de triunfo, pegou seu gorro, tirou de sob o banco uma trouxa e desapareceu. Piotr Stiepânovitch estertorando, jazia no chão sem sentidos. Lipútin chegou a pensar que ele estivesse morto. Kirílov precipitou-se, correndo, para a cozinha.

— Água! — exclamou ele e tirando água do balde com uma caneca de lata, derramou-a sobre a cabeça de Piotr Stiepânovitch. Este moveu-se, ergueu a cabeça, sentou-se e olhou diante de si com um ar desvairado.

— Então, como vai isso? — perguntou Kirílov.

O outro olhava-o fixamente, mas sempre sem reconhecê-lo. Depois tendo percebido Lipútin que o observava da soleira da cozinha, mostrou um venenoso sorriso e, de súbito, apanhando seu revólver do chão, pôs-se de pé.

— Se amanhã lhe vier a ideia de fugir... como esse canalha de Stavróguin — exclamou ele, lançando-se com uma raiva frenética sobre Kirílov (com o rosto lívido, balbuciava, as palavras detinham-se em sua garganta) — irei ao outro extremo da terra... vou agarrá-lo... vou esmagá-lo como a uma mosca... entendeu?

E apontou o revólver para a testa de Kirílov; mas quase imediatamente, recuperando afinal o domínio de si mesmo, baixou a mão, recolocou o revólver no bolso e, sem dizer uma palavra, saiu correndo da casa. Lipútin seguiu-lhe os passos. De novo, deslizaram pela brecha, costearam o barranco, agarrando-se à cerca. Piotr Stiepânovitch caminhava tão depressa que Lipútin mal podia segui-lo. Na primeira encruzilhada, ele parou de repente:

— Então? — disse, olhando Lipútin com um ar de desafio.

À lembrança do revólver e do que acabava de passar-se, Lipútin estava todo trêmulo, mas de súbito e como por si mesma, a resposta brotou-lhe dos lábios sem que pudesse evitar:

— Acho... acho que "de Smolensk até Tachkent não se espera, com ânsia, o estudante".

— Viste o que Fiedka bebia na cozinha?

— O que ele bebia? Bebia vodca.

— Pois bem, fique sabendo que ele bebeu vodca pela derradeira vez em sua vida. Recomendo-lhe que se lembre disso para todos os fins úteis. E agora, vá para o diabo... Até amanhã não necessito de você... Somente, tenha cuidado: nada de besteiras!...

Lipútin deu às gâmbias toda a velocidade, correndo para casa.

IV

Desde muito tempo ele já arranjara um passaporte com nome falso. É estranho pensar como aquele homenzinho tão ordenado, aquele tiranozinho doméstico, aquele funcionário (se bem que fourierista), enfim e acima de tudo aquele capitalista usurário, tivera desde muito tempo a ideia fantástica de arranjar, para qualquer eventualidade, aquele passaporte com nome falso, a fim de poder fugir para o estrangeiro se... Admitia a possibilidade daquele "se" muito embora, é claro, fosse incapaz de formular o que entendia precisamente por aquele "se".

Mas eis que agora tudo acabava de formular-se e da maneira mais inesperada. Um pensamento desesperado lhe viera ao entrar em casa de Kirílov, depois de ter-se deixado tratar de "imbecil" por Piotr Stiepânovitch. Consistia o tal pensamento no seguinte: amanhã, logo ao romper do dia, abandonar tudo, expatriar-se, indo para o estrangeiro. Quem não acredita que coisas assim extraordinárias ocorram correntemente entre nós, basta consultar a biografia de todos os emigrados que se encontram atualmente no estrangeiro. Nem um tratou de fugir por um motivo mais razoável e mais real. Por toda parte o império despótico da fantasia e nada mais.

De volta à sua casa, começou por encerrar-se no seu quarto, pegou seu saco de viagem e pôs-se a empacotar coisas. Sua principal preocupação consistia no dinheiro: em que quantidade e como conseguiria salvá-lo? Salvá-lo, sim, porque não tinha mais, a seu ver, uma hora a perder e já deveria estar a caminho antes do romper do dia. Não sabia tampouco como tomaria o trem; pensava vagamente em dirigir-se à segunda ou terceira estação antes de nossa cidade, tivesse embora de fazer a pé o caminho até lá. Instintiva e maquinalmente, com um turbilhão de ideias na cabeça, aferventava-se em torno do saco de viagem; de súbito largou o que fazia e com um profundo suspiro foi deixar-se cair sobre seu divã.

Sentiu com clareza e compreendeu de súbito que, já que era preciso fugir, fugiria decerto, mas quanto à questão de saber se devia fugir antes ou depois do caso Chátov, achava-se totalmente incapaz de responder; compreendeu que não era agora mais nada senão um corpo privado de vontade, uma massa passiva, inerte, movida por uma força estranha e terrível; que, afinal, embora tendo um passaporte para o estrangeiro e embora em condições de fugir antes do caso Chátov — se assim não fosse, teria tido tanta pressa? — não fugiria antes do caso Chátov, mas seria depois do caso Chátov que fugiria, e isto estava já decidido, assinado, selado.

Tomado duma incontrolável angústia, tremendo a cada minuto, admirado de se ver assim, suspirando e gemendo, retendo o fôlego, passou a noite nem bem, nem mal, fechado no seu quarto, em seu divã, até às onze horas da manhã. Foi então que sentiu o choque decisivo que pôs fim às suas hesitações. Às onze horas, mal abrira a porta de seu quarto, a primeira coisa que os seus lhe contaram foi que Fiedka, o bandido, o forçado evadido, por todos temido, Fiedka, o saqueador de igrejas, o assassino, o incendiário, aquele que nossa polícia procurava desde muito tempo, sem conseguir agarrá-lo pela gola, fora encontrado assassinado naquela manhã, bem cedo, a sete verstas da cidade, na encruzilhada da grande estrada e do caminho que conduzia à paróquia de Zakhárino. Era só do que se falava na cidade. Transtornado, precipitou-se Lipútin para fora de casa, a fim de conhecer os detalhes e eis o que o soube em primeiro lugar. Tinham encontrado Fiedka com o crânio esmagado; segundo todos os indícios fora roubado. Em segundo lugar, a polícia tinha suspeitas que pareciam fundadas, e até mesmo certos dados tendentes a estabelecer que o assassínio fora cometido por um operário da fábrica de Chpigúlin, um tal de Fomka, com o qual, não se podia duvidar, Fiedka havia assassinado os Liebiádkini e incendiado a casa deles; Fomka e Fiedka deviam ter brigado por causa da gorda quantia de dinheiro que Fiedka havia supostamente roubado da casa dos Liebiádkini e ainda não havia partilhado com seu cúmplice... Lipútin correu ainda à casa de Piotr Stiepânovitch. Lá, soube na escada de serviço "que Piotr Stiepânovitch, de volta para casa a uma hora da madrugada, dormira um sono muito calmo, a noite inteira, até às oito horas. Sem dúvida, não podia haver nada de extraordinário na morte inopinada de Fiedka, tal é a maior parte das vezes o desenlace dessas espécies de carreiras, mas a coincidência entre as palavras proféticas de Piotr Stiepânovitch declarando que Fiedka "bebera vodca pela derradeira vez" e o cumprimento da profecia, era bastante significativa para que Lipútin cessasse logo qualquer hesitação. O choque fora dado, como se uma pedra caindo sobre ele o tivesse esmagado para sempre. De volta à sua casa, empurrou com o pé seu saco de viagem para baixo da cama, em silêncio, e à noite, à hora marcada, era o primeiro a chegar ao encontro, no lugar indicado para a entrevista com Chátov, levando, é verdade, seu passaporte no bolso.

CAPÍTULO V / A VIAJANTE

I

A catástrofe sobrevinda a Lisa e a morte de Maria Timofiéievna tinham abatido profundamente Chátov. Já disse que, quando o encontrei naquela manhã, pareceu-me transtornado. Contou-me entre outras coisas que fora à casa de Maria Timofiéievna na véspera, às nove horas da noite (isto é, três horas antes do incêndio). De manhã fora ver os cadáveres, mas tanto quanto eu saiba, não deu parte de suas suspeitas a ninguém. Entretanto, à medida que o dia se aproximava de seu fim, uma verdadeira tempestade se desencadeava em sua alma. Posso mesmo afirmar que houve um momento, perto do cair da noite, em que ele esteve a ponto de levantar-se e ir revelar tudo. O que significava aquele "tudo", ele mesmo não sabia exatamente. Decerto, dando aquele passo, só faria denunciar-se. Não possuía prova nenhuma; somente vagas conjeturas que, apenas para ele, equivaliam a uma certeza. Mas estava pronto a perder-se contanto que pudesse esmagar também aqueles "infames", como os chamava.

Piotr Stiepânovitch previra bem aquela explosão de cólera de Chátov e sabia que se arriscava bastante adiando, um dia que fosse, a execução de seu projeto. Contudo, como sempre, a confiança presunçosa que tinha de si mesmo, seu desprezo por toda "aquela gentinha" e em particular por Chátov, levaram-no a uma decisão. Desde muito tempo já tinha apenas desprezo por aquele Chátov, com seu "idiotismo choramingas", como a ele se referia, quando estava ainda no estrangeiro. Dizia a si mesmo que venceria fácil um homem tão destituído de malícia; apenas cuidaria para que fosse vigiado o dia inteiro, e, se fosse necessário, interviria duma maneira decisiva. No entanto, "os infames" foram salvos no derradeiro momento, por uma circunstância totalmente inesperada e que nenhum dentre eles teria podido prever.

Cerca das oito horas — justamente no momento em que os "nossos", reunidos em casa de Erkel, esperavam Piotr Stiepânovitch, agitando-se e irritando-se, — Chátov, que tinha dor de cabeça e ligeira febre, estava estendido no seu leito, no escuro. Nem mesmo uma vela iluminava o quarto. Atormentava-se, não sabia que resolução tomar, arrebatava-se, tomava uma decisão que logo em seguida abandonava, e esta irresolução era para ele um suplício cruel. Pouco a pouco adormeceu. Durante seu curto sono, teve uma espécie de pesadelo. Sonhou que estava amarrado no seu leito sem poder fazer um movimento. Entretanto, ruídos terríveis repercutiam por toda a casa; pancadas violentas contra as paredes, contra a porta de entrada, contra a parede da ala em que morava Kirílov, de modo que a casa era sacudida até os alicerces. Ao mesmo tempo, uma voz longínqua, para ele familiar, queixosa, dolorida, chamava-o pelo nome. Despertou sobressaltado e ergueu-se no leito. Para grande espanto seu continuava a bater na porta de entrada e, sem serem tão fortes como lhe tinham parecido em sonho, as pancadas nem por isso eram menos frequentes e obstinadas, enquanto que lá embaixo, diante da porta do pátio, a mesma voz estranha, "dolorida", continuava a chamar seu nome. Mas deixara de ser queixosa e tornara-se impaciente e irritada. A intervalos, percebia ainda outra *voz mais contida*, mais ordinária. Chátov saltou da cama, abriu o postigo e passou a cabeça para fora.

— Quem está aí? — perguntou, gelado de pavor.

— Se você é Chátov — respondeu de baixo e num tom cortante uma voz orgulhosa de mulher, — tenha então a bondade de dizer-me honestamente se consente ou não em deixar-me entrar?

Era mesmo ela; reconhecera-lhe a voz!

— Mária... és tu?

— Sim, sim, sou eu. Mária Chátov. Asseguro-lhe que não posso deixar meu cocheiro esperar um minuto mais.

— Imediatamente... o tempo de acender uma vela — gritou fracamente Chátov. Em seguida pôs-se a procurar, a toda a pressa, os fósforos. Como acontece sempre em semelhante caso, não os encontrava. Derrubou o castiçal e a vela. Lá embaixo, a voz fazia-se ouvir sempre mais impaciente. Então largou tudo e desceu a escada, de quatro em quatro degraus, para abrir o portão.

— Faça o favor de segurar esta sacola, enquanto pago ao homem — disse Mária Chátov, estendendo-lhe uma pequena sacola de mão bastante leve. Era um desses objetos sem valor, que se fabricam em Dresden, de lona com tachas de cobre. Com voz furiosa interpelou o cocheiro.

— Tomo a liberdade de dizer-lhe que você está cobrando demais; se andou a passear-me durante uma hora através dessas ruas imundas, foi culpa sua, porque nem mesmo sabia onde se achava esta estúpida rua e esta estúpida casa. Queira aceitar estes trinta copeques e fique certo de que não receberá mais do que isto.

— Ah! minha senhora, foste tu mesma quem primeiro me indicou a Rua da Ascensão, quando querias vir para a Rua da Epifania. A Rua da Ascensão é muito longe daqui. Escangalhei meu cavalo sem necessidade.

— Ascensão, Epifania... Vocês, moradores daqui, deveriam conhecer melhor do que eu todos esses tolos nomes, e de resto você não tem razão. Indiquei-lhe em primeiro lugar o edifício Filípov e você pretendeu saber muito bem onde ele estava situado. Em todo o caso, pode intimar-me a comparecer perante o juiz de paz. Agora, peço-lhe que me deixe tranquila.

— Tome, eis aqui mais cinco copeques — apressou-se em intervir Chátov, entregando ao cocheiro uma moeda que acabava de tirar do bolso.

— Que significa isto, por favor? Você nada tem de pagar aqui — protestou Mária Chátov. Mas o cocheiro já havia fustigado seu cavalo. Chátov pegou sua mulher pela mão e conduziu-a para a porta.

— Depressa, Mária, mais depressa... tudo isto não é nada... Como estás molhada! Devagar, há aqui uma escada... que pena que não haja luz... a escada é íngreme; segura-te ao corrimão... Agora eis aqui o meu pequeno quarto... Desculpa-me, não tenho fogo... Agora mesmo!...

Tateou, apanhou o castiçal, mas os fósforos continuavam desaparecidos. Mária Chátov conservava-se de pé no meio do quarto sem fazer um movimento, nem proferir uma palavra.

— Enfim, graças a Deus — exclamou ele, com voz alegre, acendendo a vela. Numa rápida olhadela, Mária Chátov abarcou todo o quarto.

— Bem me disseram que você estava abominavelmente alojado, mas nunca teria imaginado que fosse assim — disse ela, mal-humorada, dirigindo-se para o leito.

— Oh! estou fatigada! — continuou, deixando-se cair sobre o duro catre. — Por favor, ponha meu saco de viagem em cima da cadeira. Enfim, faça como quiser, contanto que não ande assim em redor de mim... Vim ter com você só por pouco tempo... somente até que haja encontrado trabalho, porque não conheço ninguém aqui e estou sem dinheiro... Mas se lhe for pesada, diga sem demora, rogo-lhe, e assim deve ser feito, se é um homem de bem. Amanhã posso ainda vender alguns objetos e alugar um quarto no hotel. Você terá a bondade de levar-me lá... Oh! como estou fatigada agora!

Chátov tremia totalmente.

— Para que, Mária? Não tens necessidade de ir para o hotel. Aliás, para qual hotel? Por quê? Que adianta? — E com um gesto de súplica, juntou as mãos.

— Bem, se podemos arranjar-nos sem eu ir para o hotel, nem por isso podemos deixar de pôr as coisas em ordem. Lembra-se, sem dúvida, Chátov, de que vivemos em Genebra um pouco mais de quinze dias como marido e mulher, há uns três anos; que, em seguida, nos separamos, aliás sem nenhuma questão particular. Mas não pense que voltei para recomeçar as tolices de outrora. Só vim para procurar trabalho e se escolhi esta cidade, de preferência a qualquer outra, foi muito simplesmente porque hoje tudo me é indiferente. Não vim com a intenção de me arrepender, peço-lhe que não vá meter de novo esta besteira na cabeça.

— Oh! Mária, tudo isto é inútil, completamente inútil... — murmurou Chátov duma maneira quase ininteligível.

— Bem, se é assim e se você for bastante inteligente para compreender, então tomarei a liberdade de acrescentar que, se me dirigi diretamente a você e se estou em seu quarto, é em parte porque jamais o considerei um velhaco, mas talvez como um homem bem melhor que todos... todos esses outros canalhas.

Seus olhos faiscavam... Sem dúvida, algum daqueles canalhas deveria tê-la feito sofrer muito.

— E fique certo de que não é absolutamente para zombar de você que lhe disse que você é bom. Disse simplesmente, sem pretender fazer frases; aliás não posso tolerá-las. Mas tudo isto é estúpido. Sempre esperei que você tivesse bastante espírito para não se impor... Ah! basta... estou tão cansada...

Ela olhou-o longamente, com um olhar cansado e torturado. Chátov estava diante dela, do outro lado do quarto. Havia-a escutado timidamente, mas estava como que remoçado, seu rosto mostrava uma irradiação insólita. Aquele homem forte, aquele rústico sempre eriçado, mostrava-se de repente de uma doçura enorme e como que inundado de uma luz interior. Sua alma vibrava ao toque duma impressão súbita, extraordinária. Três anos de separação, três anos de uma união rompida nada tinham apagado de seu coração. Talvez, durante aqueles três anos, tivesse pensado nela todos os dias, naquela criatura querida que um dia lhe dissera "Eu te amo". Conhecendo como conheço Chátov, acrescentarei sem risco de enganar-me que ele nem mesmo se permitira sonhar que algum dia uma mulher poderia dizer-lhe "eu te amo". Era casto e pudico até a selvageria; considerava-se um horrendo fracassado, detestava seu rosto, seu caráter, e comparava-se por vezes a um desses monstros, bons *para serem exibidos nas feiras*. Em consequência, nada de mais sagrado a seus olhos que a honra; era sombrio, altivo, taciturno, mas devotado até o fanatismo às suas convicções. E eis que, diante dele, se encontrava agora aquele ser único que o amara durante duas semanas (sua vida inteira, ele acreditou!), aquele ser que ele colocava infinitamente acima dele mesmo, muito embora lhe conhecesse as fraquezas e o julgasse com toda a serenidade, imparcialmente, aquele ser a quem havia tudo perdoado e tudo perdoando (isto não tinha para ele sombra de dúvida, pelo contrário parecia-lhe mesmo que todas as culpas estavam de seu lado), aquela mulher, aquela Mária Chátov voltara de súbito para sua casa, para junto dele... era coisa quase impossível de compreender! Seu espanto era tão grande, havia para ele naquele acontecimento tanto terror indizível e também tal felicidade, que ele não podia, ou talvez não queria voltar a si. Ficava de pé, caminhava através do quarto, como que perdido num sonho, e foi somente, quando Mária Chátov o olhou com um ar doloroso, que ele compreendeu de súbito quanto aquela criatura tão querida deveria ter sofrido. Ao pensar nisto, sentiu seu coração desfalecer. Cheio de dor e compaixão, contemplou-lhe as feições. Desde muito tempo já, naquele rosto fatigado, o brilho da primeira juventude se extinguira. Sem dúvida, ainda continuava bela... seus olhos haviam conservado a beleza primitiva. (Na realidade, aquela mulher de vinte e cinco anos era de estatura bastante robusta, dum talhe acima da média, maior mesmo que Chátov. Tinha magníficos cabelos castanhos, o rosto delgado e pálido e grandes olhos sombrios de brilho febril.) Mas a energia fácil, ingênua, cordial, que era outrora seu maior encanto, dera lugar hoje a uma irritabilidade rabugenta, a uma decepção que raiava pelo cinismo, cinismo de que ela não tinha ainda o hábito e que lhe pesava. Mas Chátov não viu senão uma coisa: que ela estava doente e, malgrado todo o temor que lhe inspirava, precipitou-se de súbito para ela e lhe agarrou as duas mãos.

— Tu sabes... Mária... talvez estejas muito fatigada... oh! meu Deus, não te zangues... Se quiseres consentir em tomar um pouco de chá, por exemplo... não é? O chá fortifica muito, bem sabes. Hem? Queres?

— Por que não havia de querer? É claro que quero. Você é sempre tão infantil! Se puder me dar chá, então dê. Como é pequeno isto aqui! Como faz frio!

— Oh! vou imediatamente procurar lenha... sim... tenho lenha... — continuou Chátov atarefado. — Lenha... sim, mas... isto é... chá imediatamente.

E fazendo com a mão um gesto, como se acabasse de tomar uma solução desesperada, pegou seu gorro...

— Aonde vai você? Não tem chá então?

— Haverá, haverá imediatamente, tudo estará aqui agora mesmo... eu...

Pegou seu revólver de cima do consolo.

— Vou agora mesmo vender este revólver... ou empenhá-lo...

— Que tolice! E quanto tempo levará isso! Tome meu dinheiro, se não o tem você... tenho aqui oitenta copeques, creio... é tudo, tudo quanto possuo. Aqui em sua casa é como num asilo de alienados.

— Não preciso... não preciso de teu dinheiro. Imediatamente, agora mesmo... posso mesmo sem o revólver...

E correu diretamente para a casa de Kirílov. Ocorreu esta visita cerca de duas horas antes da de Piotr Stiepânovitch e de Lipútin. Se bem que Chátov e Kirílov morassem no mesmo edifício, não se viam quase nunca e no caso de se encontrarem por acaso, não trocavam um cumprimento, uma palavra. "Tinham dormido muito tempo no chão", um ao lado do outro na América.

Kirílov, que andava de um lado para outro do quarto (era assim em geral que passava todas as suas noites), parou de repente e olhou para Chátov com uma atenção aliás isenta de espanto, mesmo ele tendo irrompido pelo quarto inesperadamente.

— Há chá... açúcar também... Um samovar igualmente. Mas não há necessidade de samovar, o chá está fervente. Sente-se e beba muito simplesmente.

— Kirílov, dormimos juntos na América... minha mulher chegou à minha casa... Eu... Dê-me chá, tenho necessidade também do samovar.

— Se é para sua mulher... então precisa do samovar. Mas você o terá mais tarde. Tenho dois. Agora, tome o bule que está em cima da mesa. Está quente, muito quente. Leve tudo, tome açúcar, tudo. Pão... muito pão, leve o pão todo. Tenho também carne assada. E um rublo.

— Dá-mo, meu amigo. Eu o restituirei amanhã. Ah! Kirílov!

— É a sua mulher que estava na Suíça? Está bem. E também está bem que você tenha vindo à minha casa.

— Kirílov — exclamou Chátov, segurando o bule sob o braço e nas duas mãos o açúcar e o pão. — Se você... se você pudesse renunciar às espantosas fantasias e desfazer-se de seu louco ateísmo... Ah! que homem você seria, Kirílov.

— Vê-se que você ama sua mulher depois do que se passou na Suíça. Está bem que a ame depois da Suíça... Se tiver necessidade de chá, venha buscar. Pode vir a noite inteira, não me deitarei. O samovar será aceso. Tome este rublo, volte para o lado de sua mulher, eu ficarei aqui e pensarei em você e na sua mulher.

Mária Chátov pareceu contente vendo o chá chegar tão depressa e lançou-se a ele avidamente. Mas não houve necessidade de recorrer ao samovar, ela só bebeu meia xícara e só comeu um pedacinho de pão. Recusou a carne assada com uma aversão misturada de cólera.

— Tu estás doente, Mária... tudo em ti é doentio — notou tímido Chátov e com timidez movimentava-se, solícito, em torno dela.

— Sem dúvida estou doente... sente-se por favor. Onde arranjou esse chá, uma vez que não o tinha inda há pouco?

Chátov deu umas breves informações a respeito de Kirílov. Ela já ouvira falar dele.

— Sei que é um louco; por favor, falemos de outra coisa. São os imbecis assim tão raros? Com que então você esteve na América? Ouvi dizer que você havia escrito.

— Sim... escrevi para Paris.

— Basta, por favor, falemos de outra coisa. Foi por convicção que você se tornou eslavófilo?

— Eu... não é que... Na impossibilidade de ser russo, tornei-me eslavófilo — respondeu ele, sorrindo com ar contrafeito e com a candura de alguém que diz com grande esforço uma pilhéria fora de propósito.

— Você não é russo?

— Não, não sou russo.

— Ora, bobagem. Sente-se, pois, afinal, rogo-lhe. Por que corre assim para todos os lados? Pensa que estou com delírio? Talvez esteja com efeito delirando. Diz você que só moram você e ele aqui nesta casa?

— Sim, nós dois sozinhos... embaixo...

— E tão inteligente um quanto o outro! Quem então morava embaixo? Você disse que embaixo...

— Agora não mais.

— O que, "agora não mais"? Quero saber.

— Queria somente dizer que só nós dois moramos agora aqui, mas antes, os Liebiádkini habitavam embaixo...

— Os que foram assassinados a noite passada? — perguntou ela com um gesto brusco. — Ouvi falar disso. Ao vir para cá, ouvi falar disso. Houve também um incêndio?...

— Sim, Mária, sim, e pode acontecer que neste momento eu cometa uma tremenda covardia perdoando esses infames...

Levantara-se. Brandindo os braços num gesto de desespero, percorria o quarto de lado a lado.

Mas Mária não o compreendeu totalmente. Estava distraída. Interrogava sem prestar muita atenção às respostas...

— Bonitas coisas praticam-se aqui! Oh! que infâmias! Que bando de patifes! Mas sente, então, rogo-lhe, sente de uma vez por todas. Oh! como você me enerva... — E vencida pela fadiga, deixou cair a cabeça sobre o travesseiro.

— Mária, não farei mais... Queres deitar, Mária?

Sem responder e, esgotada, ela fechou os olhos. Adormeceu quase imediatamente. Seu rosto pálido estava naquele momento semelhante ao de uma morta. Chátov lançou uma olhadela pelo quarto, firmou a vela no castiçal e depois de ter lançado ainda uma vez um olhar inquieto para o rosto de sua mulher, juntou as mãos diante dela, depois saiu do quarto na ponta dos pés. Quando se achou no patamar, encolheu-se a um canto, com o rosto voltado para a parede. Ficou assim uns dez minutos, silencioso e imóvel. E ali teria ficado mais tempo ainda, se não tivesse de súbito ouvido no pé da escada um ruído de passos leves e discretos. Alguém subia. Chátov lembrou-se de que se havia esquecido de fechar à chave o portão.

— Quem está aí? — perguntou em voz baixa.

O desconhecido continuou subindo os degraus sem responder. Chegado ao alto, parou. Nas trevas era impossível distinguir quem era. De repente, pronunciou com voz abafada:

— Ivan Chátov?

Chátov deu seu nome e estendeu imediatamente o braço para a frente, a fim de barrar o caminho ao intruso, mas este pegou-lhe a mão. Chátov estremeceu como ao contato de um repelente réptil.

— Fique aqui — murmurou ele, rapidamente, — não entre, não posso recebê-lo agora. Minha mulher acaba de chegar. Vou buscar luz...

Quando voltou com a vela, viu um jovem oficial, cujo nome não conhecia, mas lembrava-se de tê-lo visto em alguma parte.

O jovem apresentou-se:

— Erkel, o senhor me viu em casa de Virguínski.

— Lembro-me; o senhor estava sentado e escrevia. Escute — disse Chátov, avançando para o rapaz. Uma cólera selvagem tinha-se subitamente apoderado dele, no entanto forçava-se a não elevar a voz. — Escute, dando-me a mão, o senhor fez um sinal.

Saiba que cuspo muito simplesmente sobre todos esses sinais... Não os reconheço... não quero saber deles... Posso neste instante atirá-lo pela escada abaixo, sabe disto?

— Não, não sei de nada e não compreendo absolutamente por que o senhor fica tão encolerizado — replicou o visitante com calma, quase com afabilidade. — Tenho somente alguma coisa a comunicar-lhe e por isso foi que vim hoje para não perder tempo. O senhor tem uma prensa de imprimir que não lhe pertence e da qual é obrigado a dar conta, como o senhor mesmo sabe. De conformidade com as ordens, devo exigir que o senhor entregue essa máquina a Lipútin amanhã às sete horas em ponto. Além disso, encarregaram-me de declarar-lhe que depois disso não se exigirá mais nada do senhor.

— Mais nada? Disseram isto textualmente?

— Nada, absolutamente. Seu pedido foi atendido, o senhor não faz mais doravante parte da sociedade. Eis exatamente, repito, o que me encarregaram de comunicar-lhe.

— Quem encarregou?

— Aqueles que me revelaram o sinal.

— O senhor chega do estrangeiro?

— Isto... isto deve ser-lhe indiferente, suponho.

— Ah! diabo! Mas por que não veio mais cedo, se recebeu a ordem?

— Conformava-me com as instruções e não estava só.

— Compreendo, compreendo bem que o senhor não estivesse sozinho... Ah! diabo!... Mas por que não veio o próprio Lipútin?

— De modo que, amanhã às seis horas da tarde, virei buscá-lo e iremos a pé até lá. Só haverá nós três e ninguém mais.

— Nem tampouco Vierkhoviénski?

— Não... Vierkhoviénski parte amanhã pelo trem das onze horas.

— Já imaginava isto — murmurou Chátov, rilhando os dentes e batendo na coxa com o punho. — Põe-se a salvo, o canalha!

Muito agitado, refletiu um instante. Erkel, que o observava com atenção, mantinha-se calado e esperava.

— Como farão para carregar a prensa? Uma prensa não se carrega, nem se deixa transportar tão facilmente.

— Não será necessário carregá-la. O senhor se limitará a nos indicar o local, a fim de que nos asseguremos de que está bem enterrada lá. Sabemos mais ou menos, mas não exatamente, o lugar em que ela se encontra. Já mostrou o lugar a alguém?

Chátov fitou-o.

— Com que então, você, um garoto, um garoto bobo... você também se deixou prender nessa armadilha, como um cordeiro? Ah! sim, eles precisam de gente assim. Pois bem, vá-se embora! Eh! eh! Aquele biltre enganou a vocês todos e tratou de fugir.

Erkel examinava-o com calma, não tendo ar de compreender.

— Vierkhoviénski fugiu, por fim — prosseguiu Chátov, rilhando os dentes.

— Mas não, está ainda aqui, ainda não partiu. Somente amanhã partirá — observou Erkel com doçura e persuasão. — Convidei-o formalmente a servir de testemunha como o exigem minhas instruções (falava como um garoto sem experiência). Mas para meu grande pesar, recusou-se, pretextando sua partida. E com efeito está com muita pressa de partir.

Chátov olhou ainda uma vez o simplório com compaixão e fez um gesto com a mão, como para dizer: "Valerá mesmo a pena que se tenha pena de você?".

— Bem, irei — declarou ele, bruscamente, — e agora, vá-se embora.

— Virei, pois, amanhã buscá-lo às seis horas em ponto — repetiu ainda uma vez Erkel. Cumprimentou polidamente e, sem se apressar, desceu a escada.

— Imbecilzinho — não pôde impedir-se de gritar-lhe Chátov, do alto da escada.

— Como? — perguntou o outro que já estava embaixo.

— Nada, vá-se embora.

— Pensei que o senhor tinha dito alguma coisa...

II

Erkel era um "imbecilzinho", no sentido de faltar-lhe a inteligência de um chefe; quanto à inteligência de um subordinado, essa não lhe faltava e podia mesmo passar por astucioso. Fanático, com dedicação pueril à Causa Comum, mas no fundo devotado apenas a Piotr Stiepânovitch, Erkel agia de acordo com as instruções que recebera dele e que lhe tinham sido comunicadas em casa dos "nossos", por ocasião da distribuição dos papéis para o dia seguinte. Piotr Stiepânovitch, depois de lhe ter confiado o papel de embaixador, teve tempo de entreter-se com ele em particular, durante uns dez minutos. A ambição do pequeno Erkel era tomar parte na execução do projeto, porque desde que se tratava da Causa Comum ou da "Grande Ideia", submetia-se cegamente a não importa qual vontade estrangeira. Mas qualquer que seja o objetivo, os jovens fanáticos da espécie de Erkel não podem imaginar o devotamento a uma causa, sem que esta se encarne numa pessoa determinada, que para eles representa essa ideia. Erkel, o sensível, o amável, o bom Erkel, era talvez o mais frio, o mais impassível de todos os assassinos reunidos em torno de Chátov e seria sem o menor ódio pessoal, mas também sem mesmo pestanejar, que tomaria parte no assassinato deste último. Tinham-lhe ordenado por exemplo, ao realizar sua missão junto a Chátov, que observasse bem a instalação dele; assim, quando Chátov o recebeu na escada e na sua agitação deixou-lhe entender (involuntariamente, sem dúvida) que sua mulher regressara, a astúcia instintiva de Erkel advertiu-o de imediato que não devia manifestar a esse respeito a menor curiosidade, mas nem por isso deixou de compreender que imensa importância tinha para o bom êxito do empreendimento deles a volta inopinada daquela mulher...

Foi isso mesmo o que ocorreu: somente o regresso de Mária Ignátievna "salvou aqueles patifes", porque desviou Chátov de seu propósito de pôr seus projetos em execução e ajudou os "patifes" a se "desembaraçarem" dele. Em primeiro lugar, a súbita chegada de sua mulher agitou-o acima de toda medida, arrancou-o de seu ramerrão cotidiano e o fez perder sua habitual sagacidade e sua prudência. Agora que tinha bem outras preocupações, a ideia de seu próprio perigo era a última coisa que podia ocorrer-lhe ao espírito. Pelo contrário, achava prazer em crer que Vierkhoviénski fugiria no dia seguinte: aquela notícia confirmava tão bem suas suspeitas! De volta ao quarto, sentou de mansinho num canto, apoiou seus cotovelos nos joelhos e ocultou o rosto nas mãos. Amargos pensamentos o torturavam...

De repente, ergueu a cabeça, levantou e, na ponta dos pés, dirigiu-se para o leito, a fim de contemplá-la: — Senhor Deus, ela cairá decerto doente amanhã e mesmo isto já começou!... Resfriou-se; como poderia ser de outro modo?... Não está mais habituada ao nosso rude clima. E depois o vagão, e ainda por cima de terceira classe... lá fora é a chuva e a tempestade. Não tem senão uma capa tão leve!... e roupas tão pobres! E eu deveria abandoná-la, deixá-la aqui sozinha, sem ajuda? Seu saco de viagem, como ele é pequeno e leve, pesa apenas dez libras. A pobrezinha, como está fatigada, quantos sofrimentos teve de suportar! É altiva, por isso não se queixa. Mas é irritável, irritável!... É por causa da doença. Até mesmo um anjo, se cai doente, fica irascível. Como sua testa está seca, ardente! Como seus olhos estão orlados de olheiras... e no entanto como é belo o oval de seu rosto e que magnífica cabeleira!... que...

Mas desviou bem depressa a vista, voltou para seu canto, como aterrorizado ao simples pensamento de ver nela outra coisa que não um ser infeliz, torturado, a quem era preciso socorrer. "Que esperanças são, pois, essas? Oh! quanto o homem é baixo e vulgar!" Sentou-se, tapou o rosto com as mãos e deixou que os sonhos, as recordações desfilassem em seu espírito... e de novo esperanças nasciam nele.

"Ah! estou fatigada, fatigada", lembrava a exclamação dela, seu fraco resfolegar de doente. "Senhor Deus, como poderei eu abandoná-la agora? Oitenta copeques por toda fortuna! Entregou-me imediatamente seu porta-moedas. Como é pequeno e velho!... Veio para cá procurar um emprego... que sabe ela de empregos, que sabem eles da Rússia? São, na verdade, como criancinhas... tudo imaginações e fantasias! E agora ela se irrita, a pobrezinha, porque a Rússia não se assemelha à ideia que dela se faz no estrangeiro. Oh! vós, infelizes, vós, inocentes!... Mas faz frio deveras aqui..."

E lembrou-se, de repente, de que ela se havia queixado de frio e que ele lhe prometera acender fogo.

"Há lenha aqui, poderia bem ir buscá-la, mas não deveria acordá-la. De resto, é impossível ir lá. Que fazer dessa carne assada? Talvez queira comer, quando se levantar... Bem, veremos mais tarde... Kirílov não dormirá a noite toda. Mas com que poderei mesmo cobri-la? Dorme tão profundamente! Vai com certeza resfriar-se, com certeza..."

E ainda uma vez aproximou-se dela; seu vestido havia subido um pouco, sua perna direita estava descoberta quase até o joelho. Chátov voltou-se bruscamente, como tomado de pavor, apressou-se em tirar seu quente paletó e, esforçando-se para não olhar, estendeu-o sobre o local descoberto e não ficou senão com sua velha sobrecasaca.

O acender a estufa, o ligeiro vaivém na ponta dos pés, a contemplação da adormecida, o devaneio no canto do quarto... tudo isso tomou muito tempo. Duas ou três horas haviam transcorrido. Vierkhoviénski e Lipútin tinham tido tempo de vir às ocultas à casa de Kirílov e haviam-se retirado da mesma maneira. Por fim Chátov adormeceu *também* no seu canto. Ela lançou um gemido; despertava e chamava-o. Ele teve um sobressalto, como um criminoso.

— Mária, eu tinha adormecido... Mária... ah! que tratante eu sou! Mária!

Ela se ergueu um pouco; semiadormecida, espantada, olhava em redor de si, parecendo não compreender onde se encontrava. De repente, a indignação, a cólera, apoderara-se dela.

— Ocupei sua cama, estava tão fatigada, que adormeci sem mais nem menos, muito simplesmente... Por que não me acordou logo? Como ousou crer que tenho intenção de ser uma carga para você?

— Como podia eu despertar-te, Mária?

— Podia, sim, e era seu dever! Não há outra cama para você aqui e eu tomei conta da sua. Você não deveria ter-me posto nessa falsa situação. Ou então você pensa talvez que vim aqui para aproveitar-me de seus benefícios? Vai tomar conta de sua cama imediatamente... quanto a mim, vou me estender num canto, em cima de cadeiras.

— Mas não tenho tantas cadeiras, Mária, e aliás nada tenho para pôr em cima delas.

— Bem, vou me deitar no chão, muito simplesmente. De outro modo, você é que teria de deitar-se nele. Vou deitar-me no chão imediatamente, imediatamente.

Levantou, quis andar, mas de súbito uma dor espasmódica das mais agudas tirou-lhe toda força, toda resolução e, lançando um gemido profundo, deixou-se cair de novo sobre o leito. Chátov precipitou-se para ela; então Mária, com o rosto enfiado no travesseiro, pegou a mão de seu marido, apertando-a quase a quebrá-la entre as suas.

Um minuto assim decorreu.

— Mária, minha querida, há aqui o Doutor Frenzel, eu o conheço, conheço-o mesmo muito bem... Vou correndo à casa dele.

— É estúpido.

— Estúpido? Por quê? Me diz, Mária, onde sentes dor? Poderíamos talvez aplicar-te uma compressa quente... sobre o ventre talvez?... Não tenho necessidade de doutor para isso... ou talvez sinapismos.

— Que é isso? — perguntou ela com espanto, erguendo a cabeça e olhando-o com ar atemorizado.

— A que te referes, Mária? — perguntou Chátov, sem compreender. — A propósito de que perguntas isso? Oh! meu Deus! perco-me completamente... Mária, perdoa-me, porque não compreendo o que queres dizer.

— Deixe-me, isto também não tem a ver com você... O mais engraçado, aliás, seria que você compreendesse... — Abalou-a um riso amargo. — Conte-me então alguma coisa. Ande pelo quarto e fale. Não fique de pé, perto de mim e não me olhe, peço-lhe, sobretudo não me olhe, estou-lhe pedindo pelo menos pela milésima vez.

Chátov pôs-se a percorrer o quarto, conservando os olhos baixos e fazendo todos os esforços para não olhar sua mulher.

— Há aqui... não te zangues, Mária, suplico-te... há aqui carne assada, aí bem perto, e chá... Comeste tão pouco ainda agora.

Fez ela com a mão um gesto violento de desgosto.

Chátov mordeu os lábios com desespero.

— Escute, tenho intenção de abrir aqui uma oficina de encadernação, segundo os princípios racionais da associação. Você que vive aqui, diga-me o que pensa. Tenho possibilidades de ser bem sucedida, sim ou não?

— Mas, Mária, entre nós não se leem livros. Aliás, não os há. Como poderia ele pensar em mandar encadernar livros?

— Ele quem?

— O leitor, o habitante daqui, em geral... Mária.

— Mas afinal, fale pois mais claramente. Que quer dizer esse "ele"? Quem é esse "ele"? Não se sabe de nada. Ignora você a gramática?

— Isso é do gênio da língua, Mária — balbuciou Chátov.

— Ah! deixe-me tranquila com seu espírito! Estou mais do que farta. Por que o leitor ou o habitante daqui não mandaria encadernar seus livros?

— Porque ler um livro e depois mandar encaderná-lo representam dois estágios da civilização e bastante diversos. Em primeiro lugar, o homem aprende progressivamente a ler e isto exige, bem entendido, alguns séculos; mas ele não toma nenhum cuidado com o livro que não considera como coisa séria. Mandar encadernar um livro implica já o respeito ao livro e supõe que não somente o homem aprendeu a amar a leitura, mas, além disso, reconheceu-lhe a importância. A Rússia não se encontra ainda neste período. Há já muito tempo que a Europa encaderna os livros.

— Pedantismo de parte, pelo menos não foi dito estupidamente e isto me transporta a três anos atrás. Você era por vezes bastante espirituoso, há três anos passados.

Disse tudo isto com o mesmo tom irritado e desdenhoso de suas precedentes frases.

— Mária, Mária — continuou Chátov, com emoção, voltando-se para ela. — Oh! Mária, se soubesses tudo quanto se passou durante esses três anos, tudo quanto desapareceu! Ouvi dizer que me havias desprezado por causa da mudança que sofreram minhas convicções. Mas que foi afinal que rejeitei? Os inimigos da vida viva, os liberalhões atrasados que temem sua própria independência, os lacaios do pensamento, os inimigos de toda liberdade e de toda personalidade, os decrépitos pregadores da carcaça e da podridão. Que há pois neles? A senilidade, a mediocridade dourada, a incapacidade mais burguesa e mais chata, a igualdade invejosa, a igualdade sem dignidade pessoal, uma igualdade como a entende um lacaio, ou como a concebia um francês de 93...[164] Mas o pior é que não há por toda parte senão canalhas, canalhas e canalhas!...

— Sim, há muitos canalhas — murmurou ela, com uma voz entrecortada e febril.

Jazia, deitada um pouco de lado, imóvel como se temesse mover-se; com a cabeça pousada no travesseiro, contemplava o forro do teto com seu olhar cansado mas ardente. Seu rosto estava pálido, seus lábios secos e ardentes.

— Concordas, Mária, concordas — exclamou Chátov.

Ela queria fazer com a cabeça um sinal negativo, mas de súbito foi de novo agitada por aquela mesma dor espasmódica. De novo ocultou o rosto no travesseiro, agarrou-se com todas as suas forças à mão de Chátov, que, louco de terror, havia-se precipitado para ela.

---

164 Alusão à Constituição Francesa de 1793 que, como decorrência da Convenção Nacional revolucionária instalada no ano anterior, proclamou a República e instituiu o chamado Governo do Terror.

— Mária, Mária... mas talvez seja alguma coisa muito grave... Mária...

— Cale-se... não quero, não quero! — exclamou ela num acesso de cólera, deixando ver seu rosto. — Não se permita olhar-me com seu ar de compaixão! Passeie pelo quarto e fale, fale.

Chátov, que quase havia perdido a cabeça, começou a murmurar alguma coisa.

— Qual é sua ocupação aqui? — perguntou ela, interrompendo-o com uma impaciência exacerbada.

— Trabalho num escritório, em casa dum comerciante. Se eu quisesse, Mária, poderia ganhar aqui muito dinheiro.

— Tanto melhor para você...

— Ah! não vá supor, Mária... eu... disse simplesmente, isto...

— E de parte isso, que faz ainda? Que prega agora? Você não pode fazer outra coisa senão pregar. Está no seu caráter.

— Prego Deus, Mária.

— No qual você mesmo não acreditava. Jamais pude compreender essa ideia...

— Deixemos isso, Mária, tornaremos a falar a respeito mais tarde.

— Quem era essa Maria Timofiéievna?

— Disto também falaremos mais tarde, Mária.

— Não se atreva a fazer-me essas observações. É verdade que se deve atribuir sua morte à maldade daquela gente?

— Sem dúvida nenhuma — respondeu Chátov, com um rangido de dentes.

Mária ergueu a cabeça e numa agitação febril exclamou:

— Não se atreva nunca mais a falar-me disso... nunca... nunca...

E de novo deixou-se cair sobre o travesseiro, presa de violentas dores. Era seu terceiro acesso. Mas desta vez os gemidos tornavam-se mais fortes, eram quase gritos.

— Oh! homem insuportável! homem insuportável! — Agitava-se dum lado para outro e repelia implacavelmente Chátov que se curvara sobre ela.

— Mária, farei tudo quanto queiras... andarei... falarei...

— Mas não vê você que isso começou?

— Que é que começou, Mária?

— Ah! que sei eu? Como poderei sabê-lo? Oh! maldita... oh!... maldito sejas desde agora!

— Mária, se ao menos pudesses dizer-me o que foi que começou... senão, como posso compreender?

— Você é um espírito abstrato, um tagarela inútil. Oh!... maldito seja o mundo inteiro!

— Mária, Mária!

Acreditava seriamente que sua mulher estava ficando louca.

— Mas não percebe você afinal que estou com dores de parto? — vociferou ela, erguendo-se a meio, com o rosto desfigurado e lívida de cólera. — Oh! maldita seja essa criança, mesmo antes de nascida!

— Mária! — exclamou Chátov, que lograva afinal compreender de que se tratava. — Mária... por que não o disseste antes? — acrescentou e, de súbito, com um gesto resoluto, pegou seu gorro.

— Eu lá sabia ao entrar aqui? Teria vindo para sua casa? Disseram-me que seria para daqui a uns dez dias. Aonde vai? aonde vai? Não saia...

— Vou à casa da parteira... venderei o revólver. É de dinheiro que se precisa antes de tudo.

— Não faça isso, não saia, não vá à casa da parteira... uma boa mulher, muito simplesmente, não importa que velha. Tenho ainda oitenta copeques no meu porta-moedas. As camponesas bem que parem sem auxílio de ninguém... E se eu rebentar... pois bem, tanto melhor!

— Terás uma parteira e terás... uma velha. Somente como... como, meu Deus, como deixar-te sozinha, Mária?

Contudo achou que melhor valia deixá-la sozinha agora, qualquer que fosse sua agitação, do que sem ajuda mais tarde, e, surdo aos gemidos como aos gritos de cólera de Mária, desceu correndo a escada com risco de quebrar o pescoço.

III

Em primeiro lugar, passou em casa de Kirílov. Podia já ser uma hora da manhã. Kirílov estava de pé no meio do quarto.

— Kirílov, minha mulher vai dar à luz!

— Que está dizendo? O quê?

— Vai dar à luz, vai dar à luz...

— Ela? Você não estará enganado?

— Oh! não, não. Já está com dores... Preciso de uma mulher, de alguma velha, agora mesmo, imediatamente... pode-se encontrar uma agora? Você teve aqui várias velhas...

— É pena que não saiba ajudar uma parturiente — disse Kirílov preocupado e grave, — isto é, não lamento não saber ajudar uma parturiente... mas não saber como se faz para... ou antes... Não, não sei como é preciso dizer...

— Você quer dizer sem dúvida que não saberia ajudar uma mulher a parir. Mas não é isto que peço. Uma velha, uma mulher velha, só lhe peço uma mulher velha, uma enfermeira, uma enfermeira...

— Arranjarei a velha, mas talvez não imediatamente... se quiser, em seu lugar, eu...

— Oh! é impossível, corro à casa da Virguínskaia, a parteira.

— Uma debochada!

— Oh! sim, Kirílov, mas é a melhor. Oh sim, tudo se passará sem comiseração, sem alegria, com murmúrios, protestos, blasfêmias... quando o nascimento de uma criança é um mistério tão grande e tão santo!... Oh! e ela, ela já amaldiçoou a criança...

— Se quiser, eu...

— Não, não, mas enquanto eu corro à casa da Virguínskaia, oh! hei de trazê-la de bom grado ou à força, venha de vez em quando ao meu patamar e preste atenção. Mas não pense em entrar, poderia aterrorizá-la, cuide bem de não fazê-lo, faça apenas escutar... no caso de um acidente. Contudo, se ocorrer algo de extraordinário, então entre.

— Entendido. Tenho ainda um rublo. Tome. Queria comprar amanhã uma *galinha, mas agora não quero* mais. Corra depressa, o mais depressa que puder. O samovar ficará aqui a noite inteira.

Kirílov não suspeitava nada do que se tramava contra Chátov. Jamais duvidara, aliás, do perigo que ele corria. Quando muito, sabia que Chátov tinha velhas contas a regular. Ele próprio, entretanto, achava-se em parte implicado naquele negócio, em consequência das instruções que lhe tinham sido dadas no estrangeiro, instruções de resto muito superficiais, porque ele não aderia diretamente à sociedade. Por fim, entretanto, tudo abandonara, mantivera-se afastado de tudo, a começar pelo que interessava à Causa Comum, para se dedicar a uma vida contemplativa. Piotr Stiepánovitch não havia convidado Lipútin a ir com ele à casa de Kirílov senão para se convencer de que Kirílov assumiria a responsabilidade de tudo, no momento marcado, de todo o caso Chátov. No entanto, na sua conversa com Kirílov, não disse palavra a respeito de Chátov, nem mesmo o mencionou, achando que seria isso de má política. Kirílov não lhe parecia muito seguro e melhor valia deixar a execução para o dia seguinte. Na presença do fato consumado, Kirílov reencontraria toda sua indiferença. Lipútin também não deixou de notar que, apesar de sua promessa, nem uma palavra fora pronunciada por Piotr Steipânovitch a respeito de Chátov, mas ele próprio estava por demais excitado para erguer o menor protesto.

Chátov precipitou-se como um furacão para a Rua da Formiga; amaldiçoava a distância e acreditava que ela não tinha fim.

Teve de bater muito tempo à porta dos Virguínski; todo mundo dormia já desde duas horas. Mas Chátov nem por isso deixou de assestar redobrados murros contra o postigo.

O cão de guarda pôs-se a latir, uivando e puxando pela corrente. Todos os cães da vizinhança fizeram-lhe eco. Uma barulhada canina.

— Quem está batendo? Que quer? — perguntou enfim pela janela Virguínski, com uma voz cuja doçura e fraqueza contrastavam estranhamente com a maneira barulhenta pela qual Chátov o havia despertado.

O postigo abriu-se e pouco depois a vigia.

— Quem está aí? Quem é esse engraçadinho? — perguntou com voz rangente e raivosa uma solteirona, a cunhada de Virguínski. Desta vez o tom estava mais em harmonia com as circunstâncias.

— Sou eu, Chátov, minha mulher voltou para casa e está a ponto de dar à luz...

— Pois então, que dê à luz. Trate de dar o fora!

— Vim procurar Arina Prókhorovna, não partirei sem ela.

— Ela não pode ir à casa de todo mundo. De noite, é outro negócio. Dirija-se à Makchéieva e pare de fazer tanto barulho — gritou uma rabugenta voz de mulher.

Contudo, ouvia Chátov ao mesmo tempo Virguínski que tratava de interrompê-la. Mas a solteirona não o deixava dizer uma palavra e recusava-se a ceder.

— Não me irei embora! — gritou de novo Chátov.

— Espere, espere — replicou Virguínski e conseguiu por fim fazer a solteirona recuar. — Chátov, peço-lhe, espere ainda uns cinco minutos, vou acordar Arina Prókhorovna. Mas rogo-lhe, que pare de bater e de gritar... Oh! como tudo isso é terrível!...

Ao fim de cinco minutos, que pareceram séculos a Chátov, Arina Prókhorovna apareceu afinal.

— Sua mulher voltou para sua casa? — gritou ela pela vigia e, com grande espanto de Chátov, sua voz não revelava cólera alguma, era simplesmente imperiosa, como de costume. Arina Prókhorovna não podia falar de outro modo.

— Sim, minha mulher, ela vai ter um filho...

— Mária Ignátievna?

— Sim, Mária Ignátievna. Trata-se, bem entendido, de Mária Ignátievna. — Houve um silêncio. Chátov esperava. Ouviu cochicharem por trás da janela.

— Faz muito tempo que ela chegou? — perguntou de novo a Virguínskaia.

— Esta noite, às oito horas. Rogo-lhe, venha depressa...

Recomeçou-se a cochichar; de novo pareciam confabular.

— Escute, será que você não está enganado? Foi ela mesma quem o mandou aqui?

— Não, não foi ela quem me mandou à sua casa, queria somente uma velha, uma simples velha para não me obrigar a despesas, mas fique tranquila, pagarei tudo.

— Está bem, irei, quer você pague, quer não. Sempre tive respeito pelos sentimentos independentes de Mária Ignátievna, se bem que talvez ela não se lembre de mim. Tem as coisas necessárias?

— Não tenho nada, mas tudo se arranjará... tudo... tudo...

"Há então generosidade mesmo entre essa gente!", pensava Chátov, dirigindo-se para a casa de Liámchin. — "Creio que entre muitos as convicções e o homem são coisas muito diferentes. Talvez tenha minhas culpas para com eles em certos pontos... todos os homens têm defeitos... todos têm defeitos... mas se ao menos estivessem convencidos disto!..."

Em casa de Liámchin não foi ele obrigado a bater muito tempo; a vigia se abriu com uma rapidez surpreendente. À primeira pancada, Liámchin saltara da cama em camisa, os pés descalços, com risco de resfriar-se; em geral, no entanto, era bastante prudente e tomava muito cuidado com sua saúde. Mas sua vigilância e sua pressa tinham uma razão especial: Liámchin tremera toda a noite sem poder dormir, em consequência da agitação em que o mergulhara a sessão em casa dos "nossos". Parecia-lhe todo o tempo que certos visitantes indesejáveis e que ele não convidara iriam aparecer em sua casa. O que mais atormentava Liámchin era a notícia da denúncia de Chátov. E eis que, de repente, acabavam de bater tão violentamente e como de propósito na janela!

Ficou tão aterrorizado ao ver Chátov que fechou logo a vigia e correu a meter-se de novo na cama. Chátov recomeçou a bater e a gritar com todas as suas forças.

— Como ousa você gritar e bater assim em plena noite? — exclamou o judeu Liámchin num tom ameaçador, mas na realidade morrendo de medo, porque somente ao fim de dois minutos de hesitação reabriu a vigia e depois de ter-se convencido bem de que Chátov vinha só.

— Eis seu revólver, torne a aceitá-lo e dê-me quinze rublos...

— O quê? Está bêbado? Isto é banditismo. Vou apanhar um resfriado. Espere, vou embrulhar-me numa manta.

— Dê-me imediatamente quinze rublos. Senão, gritarei e baterei até o romper do dia. Quebrarei a ombreira da janela.

— Mas chamarei a polícia e o prenderão.

— E eu, eu ficarei mudo, hem? Não chamarei eu mesmo a polícia? Quem deve *temê-la mais, tu ou eu?*

— E você pode ter tão covardes convicções? Sei ao que faz você alusão... Espere, espere, pelo amor de Deus, não bata mais! Tenha piedade de mim, vejamos, quem é que tem dinheiro à noite? E por que tem você necessidade de dinheiro, se não está embriagado?

— Minha mulher acaba de chegar à minha casa. Faço-lhe um abatimento de dez rublos, não atirei uma vez sequer com seu revólver... Fique com ele de novo, fique com ele de novo imediatamente...

Liámchin estendeu maquinal a mão pela vigia e tomou o revólver. Esperou um instante, depois passou de repente a cabeça pela vigia, gaguejou sem saber bem o que dizia, com um arrepio nas costas:

— Você está mentindo... sua mulher não voltou para sua casa... é... é... Você quer simplesmente pôr-se ao fresco.

— Imbecil, para onde quer que eu vá? Isto de pôr-se em fuga é bom para o Piotr Stiepânovitch de vocês, mas não para mim. Estou vindo da casa da Virguínskaia, a parteira, e ela imediatamente consentiu em vir à minha casa. Minha mulher está com dores de parto, preciso de dinheiro... Dê-me dinheiro!

Todo um fogo de artifício de ideias brotou no cérebro engenhoso de Liámchin. A seus olhos tudo tomou de súbito outro aspecto, contudo seu medo era ainda demasiado vivo para permitir-lhe raciocinar...

— Sim, mas... como é isso?... Você não vive com sua mulher.

— Corto-lhe a garganta, se me vem com tais perguntas!

— Ah! meu Deus, perdoe-me, compreendo, estava tão aturdido! Mas compreendo, compreendo... contudo... será que Arina Prókhorovna irá mesmo?... Você disse que ela já tinha ido? Sabe? Não é verdade. Você bem vê que está mentindo a cada instante...

— Ela está com toda a certeza ao lado de minha mulher... Não me retenha, não é culpa minha que seja você tão estúpido.

— Não é verdade, não sou estúpido. Peço-lhe perdão, mas não posso absolutamente...

E perdendo completamente a cabeça queria, pela terceira vez, tornar a fechar a vigia. Mas Chátov lançou um berro tal que ele mostrou de novo o nariz à janela.

— Mas é simplesmente... um atentado contra a pessoa... Que é que tem contra mim, vamos, que é, diga pois? E note, note que é em plena noite.

— Exijo quinze rublos, seu biltre!

— Mas eu, talvez, não possa aceitar de volta o revólver! Você não tem o direito. Você comprou o objeto... e está acabado... você não tem o direito... Aliás, semelhante soma não a tenho, assim em plena noite. E onde poderia ir eu procurar essa soma?

— Tens sempre dinheiro em tua casa. Paguei por esse revólver vinte e cinco rublos e o revendo por quinze. Mas és bem conhecido como judeu.

— Volte depois de amanhã... escute depois de amanhã de manhã, ao meio dia em ponto, vou lhe dar tudo, tudo... serve-lhe assim?

Chátov, pela terceira vez, bateu com todas as suas forças contra o caixilho da janela.

— Dez rublos imediatamente e cinco amanhã de manhã.

— Não, depois de amanhã, porque amanhã, por Deus, é impossível. Ou antes não volte, não volte.

— Dez rublos, digo-te eu, miserável!

— Por que injuriar-me dessa maneira? Espere, preciso acender luz; veja, você partiu uma vidraça... Como se pode injuriar assim uma pessoa em plena noite? Tome — e, pela janela, estendeu a Chátov uma cédula.

Chátov apoderou-se dela. Era uma nota de cinco rublos.

— Por Deus, não posso, mesmo que você me pusesse a faca na garganta, não posso. Depois de amanhã, vou lhe dar tudo, mas agora não posso...

— Não partirei! — berrou Chátov.

— Pois bem, tome mais isto. Eis mais... veja, mas não darei mais. Pode berrar tanto quanto queira, não darei nada, e aconteça o que acontecer, não darei nada, nada, nada.

Estava fora de si, molhado de suor, desesperado. As duas cédulas que dava a Chátov eram notas de um rublo. Ao todo, Chátov só recebera sete rublos.

— Pois bem, que o diabo te leve... voltarei amanhã... vou te matar Liámchin, se não tiveres os outros oito rublos...

"Amanhã, não estarei em casa, imbecil" — pensava consigo mesmo Liámchin.

— Pare! Pare! — gritou ele para Chátov, que se afastava. — Pare, volte. Diga-me, por favor, se o que você disse é verdade, se sua mulher voltou mesmo.

— Idiota! — respondeu Chátov, cuspindo. E correu a todo o fôlego para casa.

IV

Arina Prókhorovna nada sabia dos desígnios que tinham sido decididos na véspera, na sessão. De volta à casa, num estado de completo abatimento, Virguínski não ousou comunicar-lhe a resolução que acabava de ser tomada; apesar de não poder impedir-se de revelar uma parte, isto é, o relato de Vierkhoviénski referente à iminente denúncia de Chátov, na qual de resto Virguínski acrescentou que não acreditava. Grande fora o temor de Arina Prókhorovna. Por isso quando Chátov foi chamá-la, malgrado sua fadiga (tivera de atender a um parto na noite anterior), resolveu ir à casa dele sem demora. Sempre estivera convencida de que "aquela porcaria do Chátov" era capaz de cometer "uma vilania por civismo". Mas a chegada de Mária Ignátievna apresentava o caso sob novo aspecto: o medo de Chátov, o tom suplicante de seu pedido fizeram-na acreditar numa certa reviravolta nos sentimentos do traidor. Um homem, pensava ela, um homem que resolveu entregar a si mesmo unicamente para perder os outros teria outro aspecto e falaria em outro tom. Numa palavra: Arina Prókhorovna estava bem decidida a observar com seus próprios olhos. Virguínski ficou muito satisfeito com a resolução de Arina Prókhorovna. Parecia que lhe tinham tirado de cima da consciência um peso de cinco libras. E até mesmo nova esperança nascia nele: a atitude de Chátov parecia reduzir a nada as suspeitas de Vierkhoviénski.

Chátov não se enganara; ao entrar, encontrou Arina Prókhorovna já no quarto de Mária. Chegara alguns minutos antes, despachara com desdém Kirílov que continuava de vigia no pé da escada. Logo se dera a conhecer a Mária, que não quis *ver nela uma conhecida do* passado. Encontrara a doente na mais "precária disposição", isto é, zangada, irritada e presa da "mais estúpida pusilanimidade". Mas, com algumas palavras, conseguiu dominar todas as repugnâncias de Mária.

— Por que insiste em afirmar que não quer uma parteira cara? — estava ela dizendo no momento em que Chátov entrou. — Pura tolice, ideias falsas, devidas ao seu estado anormal. Com a ajuda de uma simples velha, você teria cinquenta oportunidades sobre cem de que isso acabasse mal... mas sim... e aliás neste caso, haveria ainda mais complicações e despesas do que chamando uma parteira cara. E depois, como sabe você que sou uma parteira que cobra caro? Pagará mais tarde e não lhe cobrarei mais do que é justo, sem contar que lhe garanto um bom parto. Quanto ao menino, logo amanhã o levarei a um asilo, em seguida ao campo, e tudo estará arranjado. Você estará em breve curada, poderá trabalhar sem excesso e poderá dentro em pouco indenizar Chátov pelo quarto e pelas despesas, que aliás não serão tão terríveis...

— Não se trata disto... não tenho o direito de ser uma carga para ele.

— São sentimentos racionais e cívicos, mas repito-lhe que Chátov não despenderá quase nada, se quiser mesmo deixar de ser senhor fantástico e tornar-se um tantinho razoável. É preciso em primeiro lugar impedi-lo de fazer besteiras, de correr pela cidade estirando a língua, de tamborilar nas portas das casas. Se você não usar de violência para retê-lo, de agora até amanhã de manhã, trará aqui todos os médicos; no meu quarteirão, alvoroçou todos os cachorros. Não temos necessidade de médicos, já lhe disse que assumo a responsabilidade de tudo. Depois, você poderá tomar uma velha a seu serviço, a preço baratinho. De resto, poderá ele mesmo tornar-se útil de outro modo que não esse de fazer besteiras. Tem braços e pernas, correrá à farmácia sem que fira com essa boa ação os sentimentos de você. Que diabo de boa ação! Talvez não tenha sido ele que a conduziu a esta situação? Não foi ele quem a fez desentender-se com aquela família em cuja casa era você preceptora e isto com o fim egoísta de poder casar com você? Ouvimos falar a este respeito... De resto, correu à nossa casa ainda há pouco, gritou, fez barulho na rua, um verdadeiro louco! Não me imponho a ninguém, vim simplesmente por sua causa e também por princípio, porque estamos obrigados a uma solidariedade mútua. Aliás foi o que disse a ele, antes de sair de minha casa. Se, na sua opinião, minha presença aqui é supérflua, então, adeus. Só peço que não aconteça desgraça, quando é tão fácil evitá-la. — E já se dispunha a partir.

Mas Mária achava-se tão desamparada, sofria de tal maneira e na verdade tinha tal medo do que pudesse acontecer, que não ousou deixar a parteira ir embora. Mas de repente começou a sentir ódio por aquela mulher; sua tagarelice inconveniente não correspondia em nada ao que se passava na alma de Mária. Foi tão-somente o temor de morrer nas mãos de uma parteira inexperiente que triunfou de sua aversão. Em contraposição, tornou-se para com Chátov mais caprichosa e mais impiedosa. Chegou não só a proibir-lhe que a olhasse, mas que tivesse o rosto voltado para seu lado. Seus sofrimentos iam em crescendo. Proferia maldições e injúrias cada vez mais violentas.

— Ah! vamos muito simplesmente botá-lo para fora — interrompeu Arina Prókhorovna. — Ele tem um ar desfigurado, só pode mesmo fazer-lhe medo, está pálido como um morto! Mas que tem você, pois, diga-me, seu pândego? Que comédia!

Chátov não respondeu nada, resolvera manter-se em silêncio.

— Tenho visto pais estúpidos nestes casos; perdem sempre a cabeça. Mas esses pelo menos...

— Cale-se, ou então deixe-me rebentar. Nem mais uma palavra. Não quero, não quero... — urrava Mária.

— É impossível deixar de falar. Vejo que você perdeu a razão. Voltemos ao fato. Diga-me, já preparou alguma coisa? Chátov, responda-me, porque agora não tem ela cabeça para isso.

— Que é preciso, diga-me?

— Com que então não há nada pronto?

Ela enumerou o que era preciso, limitando-se, é preciso fazer-lhe esta justiça, ao estritamente necessário.

Certas coisas encontravam-se em casa de Chátov. Mária tirou uma chavezinha que lhe entregou para que ele procurasse em sua sacola de viagem. Como suas mãos tremiam, foram precisos alguns minutos de espera até que conseguiu ele abrir a fechadura que não lhe era familiar. Para Mária foi isso nova ocasião para se exaltar. Mas quando Arina Prókhorovna se precipitou para ajudá-lo, Mária não quis, por coisa alguma do mundo, consentir em que ela rebuscasse em seu saco de viagem; com choros e gritos, obstinava-se em querer que fosse Chátov quem o abrisse.

Teve ele de ir procurar as outras coisas em casa de Kirílov. Mas apenas deixara o quarto, Mária chamou-o, desesperada. Só se acalmou quando Chátov, que voltara precipitadamente, explicou-lhe que saía só por um instante para buscar o necessário e que voltaria logo.

— Bem, você é difícil de contentar — disse Arina Prókhorovna, com sarcasmo. — Ora é: "Volta-te para o lado da parede e não te atrevas a olhar-me"; ora: "Não te atrevas a ausentar-te um minuto sequer", e põe-se a chorar. Decerto vai ele pensar alguma coisa no fim. Vamos, não se zangue e não se esmurre... é por brinquedo que digo isto.

— Ele não ousará pensar nada.

— Ora, ora, ora! Se não estivesse apaixonado por você como um carneiro, não teria alvorotado todos os cachorros da cidade, nem corrido pelas ruas como um louco. Na minha casa, quebrou-me o caixilho da janela.

V

Chátov encontrou Kirílov andando em seu quarto dum lado a outro, e tão absorvido que até mesmo esquecera a chegada da mulher de Chátov. Escutava sem compreender.

— Ah! sim! — lembrou-se de repente, como se se tivesse arrancado com esforço e por um instante somente, a uma ideia que o preocupava... sim... a velha... sua mulher... sua mulher ou a velha? Espere... sua mulher e a velha, não é? Lembro-me: a velha virá, mas não imediatamente. Leve a almofada. E que mais? Sim... espere... Chátov, será que lhe acontece também ter minutos de harmonia eterna?

— Sabe duma coisa, Kirílov? Você não deve passar as noites sem dormir.

Kirílov voltou a si e, coisa estranha, pôs-se a falar com muito mais facilidade do que costumava fazer; via-se que havia formulado aquelas coisas desde muito tempo, talvez mesmo as houvesse escrito.

— Há segundos — e só sobrevêm aos cinco e aos seis por vez — em que a gente sente, de súbito, de uma maneira absoluta, a presença da eterna harmonia. Não é algo de terrestre, não digo tampouco que seja celeste, mas digo que o homem, sob sua forma terrestre, não pode suportá-la. É preciso transformar-se fisicamente ou morrer. É um sentimento claro e indiscutível. Parece que a gente sente de súbito a natureza na sua plenitude e diz a si mesmo: sim, isto é verdade. Quando Deus criou o mundo, no fim de cada dia da criação, disse: "Sim, isto é verdade, isto é bom". Isto... não é enternecimento, não é senão... alegria. Você não perdoa nada, porque não há mais nada a perdoar. Não quer dizer tampouco que você ame — oh! trata-se ali de algo de superior ao amor. O mais terrível é que seja tudo tão nítido e que você experimente tal alegria. Se isso ultrapassa de cinco segundos, a alma não pode resistir, deve desaparecer. Durante esses cinco segundos, vivo toda uma existência e daria por eles minha vida inteira, porque o merecem. Para suportar isso dez segundos, precisa a gente transformar-se fisicamente. Creio que o homem deve cessar de engendrar. De que servem as crianças, de que serve a evolução, se o fim está atingido? No Evangelho, está dito que não se engendrarão filhos mais depois da ressurreição, mas que seremos semelhantes aos anjos de Deus. É uma imagem. Sua mulher está dando à luz?

— Kirílov, acontece-lhe isso muitas vezes?

— Uma vez todos os três dias, uma vez por semana.

—Será que você não é epiléptico?

— Não.

— Então, ainda vai ser. Tome cuidado, Kirílov, ouvi dizer que a epilepsia começava precisamente assim. Um epiléptico descreveu-me sua crise, exatamente como você o seu estado, palavra por palavra; dizia também que isso durava cinco segundos e que era impossível suportá-lo por mais tempo. Lembre-se do cântaro de Maomé. Mal tivera tempo de esvaziar-se e já Maomé cavalgava em redor do paraíso. O cântaro são esses mesmos cinco segundos, isso é muito semelhante à sua harmonia, e Maomé era epiléptico. Tome cuidado com os acessos, Kirílov.

— Não terei tempo — respondeu Kirílov, com um sorriso tranquilo.

VI

A noite se passou. Mandava-se Chátov embora, injuriavam-no, chamavam-no de novo. Mária chegou ao último extremo de pânico pela sua vida; gritava que queria viver, absolutamente, absolutamente, e que tinha medo de morrer: "Não há razão, não há razão!", repetia ela. Sem Arina Prókhorovna, as coisas teriam tomado mau rumo. Pouco a pouco, sentiu-se completamente senhora de sua paciente *que acabou por obedecer às suas* menores ordens, aos seus menores sinais, como uma criança. Arina Prókhorovna agia por meio da severidade e não pelas carícias; em compensação, conhecia admiravelmente seu ofício. A aurora começava a surgir. Arina Prókhorovna pensou, de súbito, que Chátov, um instante antes tinha saído para o patamar, a fim de rogar a Deus, e pôs-se a rir. Mária mostrou também um riso mau e amargo que pareceu aliviá-la. Por fim, expulsaram Chátov definitivamente.

A manhã se erguia cinzenta e fria. Chátov de novo apoiou sua fronte contra o muro, de pé no ângulo do patamar, como na véspera, quando Erkel viera surpreendê-lo. Tremia como uma folha e tinha medo de pensar, mas seu espírito se agarrava então à primeira ideia, vinda como acontece no sono. Sonhos incoerentes apoderavam-se dele e rasgavam-se de repente como fios podres. Do quarto chegaram por fim não mais gemidos, mas urros horríveis, verdadeiros gritos de animal, intoleráveis, impossíveis. Teria querido tapar os ouvidos, mas não o podia. Inconscientemente, caiu de joelhos repetindo apenas esta palavra: "Mária, Mária!" E eis que de súbito ecoou um grito novo que o agitou até as entranhas e o fez levantar, um grito fraco, inarticulado, o vagido duma criança... Benzeu-se e precipitou-se para dentro do quarto. Entre as mãos de Arina Prókhorovna gritava, debatendo-se com seus braços e pernas minúsculos, um pequenino ser, todo vermelho, todo enrugado, sem defesa, à mercê do menor sopro, mas que gritava para atestar seu direito à vida... Mária jazia como que privada de sentidos, mas ao fim de um minuto reabriu os olhos e lançou para Chátov um olhar estranho, um olhar todo novo, tal que ele ainda não podia compreender, mas que não se recordava de lhe ter jamais visto antes.

— Um menino, um menino? — perguntou ela, com um tom doloroso a Arina Prókhorovna.

— Sim — gritou-lhe esta, enquanto enfaixava o bebê. Quando terminou, entregou-o por um instante a Chátov, enquanto se dispunha a colocá-lo na cama entre dois travesseiros. Mária fez a Chátov um pequeno sinal às ocultas, como se temesse ser vista por Arina Prókhorovna.

— Como é pequeno! — murmurou ela debilmente, com um sorriso.

A triunfante Arina Prókhorovna percebeu por fim a expressão que tinha o rosto de Chátov e disparou a rir.

— Puxa! que cara que ele tem! Jamais vi coisa igual...

— Regozije-se, Arina Prókhorovna... É uma grande alegria... — balbuciou ele, com uma expressão de idiota beatitude. Estava radiante desde as poucas palavras que Mária pronunciara a propósito da criança.

— Ah! onde está essa grande alegria para você? — perguntou alegremente Arina Prókhorovna, que ia e vinha, trabalhando como um escravo.

— O mistério do aparecimento dum novo ser na terra é um grande e inexplicável mistério, Arina Prókhorovna... que pena que você não compreenda isso!

Na sua exaltação, Chátov gaguejava palavras confusas. Parecia que alguma coisa se desarranjara em seu cérebro e que as palavras jorravam de sua alma a despeito dele mesmo.

— Havia dois seres humanos e, de repente, há um terceiro... um novo espírito, completo, acabado, tal que mão humana nenhuma jamais criou... um novo pensamento e um novo amor... é mesmo terrível... E não há nada de maior no mundo.

— Que é que ele tagarela? É apenas o desenvolvimento consequente do organismo. Não há mistério nisso — disse Arina Prókhorovna, explodindo numa franca risada. — Se pensássemos assim, cada mosca seria um mistério. Apenas, veja você, seria melhor não pôr no mundo seres inúteis. Comece por arranjar maneira de eles não serem inúteis, em seguida engendre-os. De outro modo... será preciso no dia seguinte levá-los à Casa dos Expostos. De resto, é bem feito...

— Jamais tolerarei que seja levado para um asilo — declarou com tom firme Chátov que olhava fixamente o soalho.

— Você o adotará?

— Já é meu filho.

— Naturalmente, chama-se Chátov; aos olhos da lei, é um Chátov e você não precisa exibir-se como benfeitor do gênero humano. Não podem deixar de fazer frases... Vamos, vamos, está bem, senhores, mas já é tempo que me vá embora — disse a Virguínskaia, acabando de pôr tudo em ordem. — Voltarei ainda esta manhã, se for preciso e também esta noite, mas já que tudo correu bem, preciso correr à casa de minhas outras clientes que me esperam desde muito tempo. Ponha aí em sua casa, Chátov, uma velha... uma velha qualquer; mas não deixe a doente, bravo marido, você pode ainda tornar-se útil. Mária Ignátievna não o expulsará agora, penso... vamos, vamos, estou brincando...

Na soleira da porta aonde Chátov fora acompanhá-la, acrescentou ainda:

— Você me divertiu para o resto da vida. Não lhe cobrarei dinheiro... hei de rir-me até em sonho. Em toda a minha existência nada vi de mais engraçado como você esta noite...

E lá se foi toda contente. Pelo ar e pelas palavras de Chátov, era claro como o dia que aquele homem, "aquele farrapo", ia agora desempenhar o papel de pai. Assim, se bem que passasse diante da casa de uma paciente, seguiu em primeiro lugar para sua casa, a fim de comunicar a seu marido aquelas tranquilizadoras verificações.

— Mária, ela ordenou-te que não adormecesses imediatamente, mesmo se, como o receio, seja isso muito difícil para ti — começou timidamente Chátov. — Vou sentar-me aqui perto da janela e velar por ti, não é?

Sentou-se atrás do divã, perto da janela, de maneira que ela não pudesse vê-lo. Mas não decorreu um minuto sem que ela o chamasse e lhe pedisse, num tom desdenhoso, que arranjasse os travesseiros. Ela estava olhando para o lado da parede.

— Assim não, mas assim não. Oh! que falta de jeito!

Chátov pôs-se à obra.

— Incline-se para mim — disse ela, de repente, com uma voz selvagem, procurando não olhar para ele.

Ele fremiu e, não obstante, inclinou-se para ela.

— Mais, assim não, mais de perto. — De repente, passou ela com esforço seu braço esquerdo em redor do pescoço de Chátov e na sua fronte sentiu ele um beijo violento e úmido.

— Mária...

Os lábios de Mária Ignátievna tremiam, ela se enrijecia contra si mesma, mas *de repente* ergueu-se um pouco e com os olhos a cintilar, disse:

— Nikolai Stavróguin é um miserável!

Esgotada, como se acabasse de perder de súbito todo apoio, deixou afundar a cabeça no travesseiro e se pôs a soluçar, apertando bem fortemente a mão de Chátov na sua.

A partir daquele momento, não o deixou mais afastar-se, quis que ele ficasse sentado à sua cabeceira. Ela mal podia falar, mas não cessava de contemplá-lo e de sorrir-lhe tal como uma bem-aventurada. Parecia que se havia tornado de repente uma idiotazinha. Era como um renascimento. Quanto a Chátov, ora chorava como uma criança, ora falava, Deus sabe de que, numa espécie de entusiasmo e de êxtase; beijava-lhe as mãos e ela se inebriava com as palavras dele, sem talvez compreendê-las, mas com sua mão enfraquecida ela lhe acariciava os cabelos, alisava-os e arranjava-os amorosamente. Ele lhe falou de Kirílov, da vida nova que ia agora começar para eles "de novo e para sempre", da existência de Deus e da bondade de todos os homens. E com arrebatamento, tomaram a criança de novo nos braços para contemplá-la ainda.

— Mária! — exclamou ele, tendo a criança em seus braços. — Acabou-se o antigo delírio, a vergonha e a morte. Vamos pôr-nos à obra todos três, sim, sim, não é? Ah! sim, mas como o chamaremos, Mária?

— Como o chamaremos? — repetiu ela admirada e de súbito uma dor indizível pintou-se em seu rosto.

Ela juntou as mãos, lançou a Chátov um olhar cheio de censuras e caiu chorando, com o rosto de encontro ao travesseiro.

— Mária, que tens? — exclamou ele, espantado.

— E você pode, você pode... oh! ingrato!

— Mária, perdoe-me... Mária... eu somente te perguntei como o chamaríamos. Não sei...

— Ivan, Ivan — replicou ela, descobrindo seu rosto ardente e banhado de lágrimas. — Pode você pensar em algum outro nome horrível?

— Mária, pelo amor de Deus, acalma-te. Oh! como és nervosa!

— Ainda uma grosseria. Por que atribuí-lo a meus nervos?... Aposto que se tivesse proposto chamá-lo por aquele nome horrível, você teria imediatamente consentido e não o teria nem mesmo notado. Oh! como vocês são ingratos!... como vocês são vis... todos, todos...

Não é preciso dizer que um minuto depois estavam reconciliados. Chátov aconselhou-lhe que dormisse. Ela adormeceu, mas sempre sem largar a mão que mantinha na sua: despertava muitas vezes e olhava-o, como se tivesse medo de que ele se fosse, depois fechava de novo os olhos.

Kirílov mandou a velha "apresentar suas felicitações" e ao mesmo tempo levar chá quente, costeletas assadas, pão branco e caldo para Mária Ignátievna. A doente bebeu o caldo com avidez, a velha enfaixou o bebê, Mária obrigou Chátov a comer também uma costeleta.

O tempo escoava-se. Chátov adormeceu de fadiga em sua cadeira, com a cabeça apoiada no travesseiro de Mária. Foi assim que Arina Prókhorovna os encontrou, quando voltou segundo prometera.

Ela os despertou alegremente, fez a Mária as recomendações necessárias, examinou o menino e proibiu ainda que Chátov deixasse sua mulher. Em seguida, depois de ter lançado aos "dois esposos" uma pilhéria, marcada de desdém e de condescendência, retirou-se tão satisfeita quanto pela manhã.

Era já completamente noite, quando Chátov acordou. Apressou-se em acender uma vela e correu a procurar a velha, mas ao descer a escada, ouviu com estupor o passo leve e prudente de alguém que subia ao seu encontro. Era Erkel.

— Não entre! — murmurou Chátov, agarrando vivamente a mão dele e fazendo-o arrepiar caminho até o portão. — Espere aqui, volto imediatamente, havia-me esquecido completamente de você! Oh! como você soube fazer-se lembrado!

Apressou-se tanto que nem mesmo foi até a casa de Kirílov, limitando-se a chamar a velha. Mária teve uma crise de desespero vendo "que ele pudera até mesmo apenas pensar" em deixá-la sozinha.

— Mas é pela derradeira vez! — exclamou ele, com exaltação. Em seguida, vai abrir-se a nova vida e então, jamais, jamais pensaremos nos horrores passados!

Conseguiu mais ou menos persuadi-la, prometendo-lhe estar de volta às nove horas precisas; nisto, beijou-a com ardor, beijou o menino e saiu correndo ao encontro de Erkel.

Juntos se dirigiram para o parque dos Stavróguini em Skvopiéchniki, lá onde Chátov havia uns dezoito meses antes enterrado, num lugar solitário, na extremidade do parque e à borda do bosque de pinheiros, a máquina de imprimir que lhe fora confiada. Era um lugar selvagem, isolado, completamente deserto e situado bastante longe da casa de Stavróguin. Do edifício Filípov havia até ali três verstas e meia, talvez quatro.

— Será possível que tenhamos de fazer todo o trajeto a pé? Vou tomar um carro.

— Rogo-lhe instantemente que não faça nada disso... — replicou Erkel. — Insistiram precisamente neste ponto. Um cocheiro é uma testemunha.

— Ora... com os diabos! Pouco importa! contanto que se acabe com isso.

E a passos rápidos puseram-se em marcha.

— Erkel, você não passa de um rapazola... — exclamou Chátov, parando. — Você foi feliz alguma vez em sua vida?

— O senhor é que, pelo visto, parece muito feliz neste momento — observou Erkel com curiosidade.

Capítulo VI / Noite trabalhosa

I

Virguínski levou duas horas para ir às casas de todos os "nossos" e notificá-los de que Chátov não os denunciaria certamente, porque sua mulher voltara para sua casa, nascera-lhe um filho e, "conhecedor do coração humano", era impossível supor que ele pudesse ser perigoso naquele momento. Mas para seu grande espanto, não encontrou Virguínski ninguém em casa, a não ser Erkel e Liámchin. Erkel escutou-o em silêncio, olhando-o bem dentro dos olhos. À pergunta que lhe foi feita: "Você irá às seis horas?", respondeu com um claro sorriso, "que iria, era evidente".

Liámchin estava de cama, com a cabeça metida debaixo da coberta. Parecia estar verdadeiramente doente. Vendo entrar Virguínski, teve um medo terrível e assim que ele começou a falar, agitou as mãos sob a coberta, suplicando-lhe que o deixasse em paz. Escutou, no entanto, de ouvido atento, tudo quanto se referia a Chátov. À notícia de que em parte alguma Virguínski havia encontrado qualquer deles, Liámchin ficou estupefato. Pareceu que já conhecesse por Lipútin a morte de Fiedka. Fez a Virguínski um relato febril e desordenado, causando-lhe profunda impressão. Quando Virguínski lhe fez diretamente a pergunta: "É preciso ou não é preciso ir lá?", recomeçou suas súplicas, agitando os braços, protestando que não sabia de mais nada e que se devia deixá-lo em repouso. Acabrunhado de inquietações, Virguínski voltou para casa. Era penoso também dever manter o segredo para sua família; tinha costume de nada ocultar à sua mulher e se, naquele momento, uma nova ideia, um novo meio de arranjar as coisas à maneira amigável não tivesse germinado no seu cérebro em fogo, talvez se tivesse metido no leito como Liámchin. Mas esse novo plano restituiu-lhe forças e esperou mesmo com impaciência a hora marcada, depois se dirigiu para o lugar do encontro mais cedo que era necessário.

Era um lugar muito sombrio, na extremidade do imenso parque dos Stavróguini. Fui ali mais tarde expressamente para vê-lo. Quanto aqueles lugares deveriam parecer sinistros naquela macabra noite de outono! Ali começava uma velha floresta reservada; enormes pinheiros seculares formavam nas trevas manchas negras e indistintas. A obscuridade era tal que mal se podia ver a dois passos. Mas Piotr Stiepânovitch e Lipútin, bem como mais tarde Erkel, tinham tido cuidado de levar lanternas. Numa época muito distante, tinham fabricado ali, não se sabe por que, uma gruta bastante ridícula, construída de pedras brutas. A mesa, os bancos no interior da gruta estavam desde muito tempo bichados e desfaziam-se em pó. A cerca de duzentos passos, à direita, acabava o terceiro tanque. Os três tanques se sucediam a partir da casa de moradia até a extremidade do parque numa distância de mais de uma versta. Era difícil supor que um ruído qualquer, um grito, ou mesmo um tiro pudessem chegar até os ouvidos de alguns moradores da casa dos Stavróguini, abandonada pelos seus donos. Desde a partida de Nikolai Stavróguin, na véspera, e na ausência de Alieksiéi Iegórovitch, restavam apenas em toda a casa cinco ou seis pessoas e todas por assim dizer inválidas. Em todo caso, podia-se conjeturar com toda a certeza que, se gritos de socorro ou lamentações chegassem até a casa, só provocariam em seus moradores terror, mas nenhum deles deixaria seu leito bem quente ou seu lugar junto à estufa para ir levar socorro.

Às seis horas e vinte todos se encontraram reunidos, menos Erkel, que se encarregara de ir buscar Chátov. Desta vez Piotr Stiepânovitch não se atrasou; chegou em companhia de Tolkatchenko. Este estava sombrio e preocupado; sua gabolice e sua jactância tinham desaparecido. Quase não arredava pé de junto de Piotr Stiepânovitch e parecia ter-se tornado, de súbito, extremamente devotado a ele; a cada instante, tinha alguma coisa a comunicar-lhe em voz baixa, com um ar muito atarefado. O outro respondia-lhe apenas ou então resmungava alguma coisa, num tom desdenhoso para se livrar dele.

Chigáliev e Virguínski tinham chegado um pouco antes de Piotr Stiepânovitch e assim que este apareceu, retiraram-se para um lado, mantendo um silêncio visivelmente premeditado. Piotr Stiepânovitch levantou sua lanterna e se pôs a examinar-lhes as caras sem o menor constrangimento, com uma atenção insultuosa. *"Eles querem falar"*, disse consigo mesmo.

— Liámchin não compareceu? — perguntou ele a Virguínski. — Quem foi que disse que ele estava doente?

— Eis-me aqui — replicou Liámchin, saindo, de repente, de trás de uma árvore. Vestira um grosso sobretudo e estava tão bem embrulhado numa manta que dificilmente se distinguia seu rosto, mesmo com uma lanterna.

—Então só falta Lipútin?

Lipútin saiu, em silêncio, da gruta. Piotr Stiepânovitch levantou de novo sua lanterna.

— Por que se meteu lá dentro e por que não saiu imediatamente?

— Penso que conservamos todos o direito à liberdade... de nossos movimentos — murmurou Lipútin sem bem saber provavelmente o que entendia por aquilo.

— Senhores — começou Piotr Stiepânovitch, elevando a voz e rompendo com o cochicho de antes, o que causou certo efeito. — Os senhores compreendem bem, eu espero, que não temos tempo a perder com discursos. Tudo foi dito e remoído ontem, nítida e claramente. Mas parece-me, ao examinar os rostos dos senhores, que alguns dentre vocês ainda têm alguma coisa a declarar. Rogo-lhes por conseguinte que se apressem. O diabo me carregue! Não temos muito tempo e Erkel pode trazê-lo de um momento para outro.

— Vai trazê-lo, com certeza — disse, não se sabe por que, Tolkatchenko.

— Se não me engano, deverá em primeiro lugar realizar-se a entrega da tipografia? — perguntou Lipútin, sempre sem bem compreender por que fazia tal pergunta.

— É claro. Naturalmente não vamos perder também as coisas. — De novo Piotr Stiepânovitch levantou sua lanterna para o rosto de Lipútin. — Mas ficou decidido ontem por unanimidade que essa entrega seria apenas um disfarce. Basta que ele indique o lugar onde a enterrou; mas tarde nós mesmos saberemos bem desenterrá-la. Sei que está aqui em alguma parte a dez passos de um dos cantos dessa gruta. Mas, diabos me levem, como pode você, Lipútin, esquecer isso? Ficou combinado que você iria sozinho a seu encontro e que nós só nos mostraríamos mais tarde... É estranho que você faça semelhantes perguntas... ou será que as faz assim, sem pensar?

Com ar sombrio, Lipútin calava-se. Todos ficaram silenciosos. O vento balançava os cimos dos pinheiros.

— Em todo caso espero que todo mundo cumpra seu dever — cortou Piotr Stiepânovitch, impaciente.

— Sei que a mulher de Chátov voltou a noite passada e deu à luz um menino — pôs-se de súbito a contar Virguínski, com uma voz emocionada. Falava depressa, mal pronunciava as palavras e gesticulava muito. — "Para quem conhece o coração humano"... há certeza de que agora ele não denunciará... porque nada em plena felicidade... Fui à casa de todos os "nossos" mas não encontrei ninguém... de modo que agora talvez não haja necessidade de nada...

Parou. Faltava-lhe a respiração.

— Com que então, Senhor Virguínski — disse Piotr Stiepânovitch, dando um passo para a frente, — se o senhor se tornasse feliz de repente, atrasaria o cumprimento de um ato de civismo que comporta riscos, cuja ideia o senhor concebeu e que considerava como um dever e uma obrigação para o senhor, não obstante esses riscos e a perda de sua felicidade?

— Não, por coisa alguma do mundo, não atrasaria — afirmou Virguínski, com um ardor fora de lugar.

— Preferiria tornar-se infeliz a ser um covarde?

— Sim, sim... pelo contrário, preferiria ser um covarde provado... isto é, não... completamente um covarde, mas antes completamente infeliz em lugar de covarde...

— Pois bem, fique pois sabendo que Chátov considera essa denúncia como uma façanha cívica, uma ação a que é obrigado em virtude mesmo de seus princípios. A prova está em que, com essa denúncia, compromete-se ele mesmo aos olhos do Governo, se bem que muito lhe seja perdoado por causa de sua denúncia. Um homem dessa têmpera não voltará nunca atrás depois de uma decisão. Não há felicidade que possa vencê-lo; desde amanhã a memória lhe voltará, vai se arrepender e irá cumprir o que decidiu. E depois, não vejo nenhuma felicidade no fato de ter sua mulher, após três anos de ausência, voltado para a casa dele, a fim da parir um filho de Stavróguin.

— Mas ninguém viu a denúncia — insistiu de súbito Chigáliev, com energia.

— A denúncia eu mesmo a vi — gritou Piotr Stiepânovitch. — Ela existe e tudo isso é de uma terrível estupidez, senhores...

— E eu — exclamou Virguínski, — protesto, protesto com todas as minhas forças... quero... Eis o que quero: quero que, quando ele chegar, vamos todos ao seu encontro e lhe perguntemos, se é verdade. Se for, então exigiremos que se arrependa e nos dê sua palavra de honra, depois vamos deixá-lo partir. Em todo caso, um tribunal que decida depois de tê-lo ouvido, em lugar de nos escondermos todos e lançar-nos sobre ele.

— Arriscar a causa comum contra a fé de uma palavra é o cúmulo da estupidez! Com os diabos, é estúpido! Que atitude tem você então no momento do perigo?

— Protesto, protesto — não cessava de dizer Virguínski.

— Em todo caso não berre, não berre, de outro modo não poderemos ouvir o sinal. Chátov (que estupidez agora... diabos me levem!), meus senhores, já lhes disse que Chátov é um eslavófilo, isto é, um dos homens mais estúpidos que existem... e depois, aliás... que o diabo me leve, pouco me importa tudo... Chátov, meus senhores, era um homem amargurado, e como fazia, mesmo assim, parte da sociedade, de bom ou de malgrado, quis eu esperar até o derradeiro minuto que se pudesse um dia servir dele para a causa comum, precisamente por ser um homem ressentido. Poupei-o e mantive-o a despeito das ordens formais e precisas... Poupei-o cem vezes mais do que ele o merecia!... Mas acabou redigindo uma denúncia e agora... que diabo!... que se dane! E agora trate algum de vocês de salvá-lo! Ninguém tem direito de abandonar a causa. Poderão, se fizerem absolutamente questão, beijar Chátov, mas entregar a causa comum a uma palavra de honra, isto, senhores, é um direito que vocês não têm! Só porcos agem assim, ou então gente comprada pelo governo.

— Quem então aqui está comprado pelo Governo? — rebateu Lipútin.

— Você, talvez. Faria melhor calar-se, Lipútin, você fala por falar, por simples hábito. Senhores, declaro-lhes, são comprados todos aqueles que têm medo no *momento do perigo. Sempre* se encontrará um imbecil que, no derradeiro minuto, será dominado pelo terror e fugirá gritando: "Ah! perdoem-me, vou entregar todos". Mas saibam, senhores, que nenhuma espécie de denúncia lhes valerá o perdão. Mesmo abaixando de dois graus a sanção jurídica, seria ainda a Sibéria para cada um de vocês. Sem contar que não escaparão a uma outra sanção, a uma outra espada. E esta é bem mais amolada que a do Governo.

Piotr Stiepânovitch, que estava fora de si, falara demais. Chigáliev deu resolutamente três passos para a frente na direção dele.

— Desde ontem a noite, refleti no caso — começou ele, com segurança e método, segundo seu costume. (Creio que se naquele instante a terra se tivesse aberto sob seus pés, não teria mudado nem um tantinho a ordem de seu discurso.) — Depois de ter maduramente refletido no caso, decidi que esse assassinato premeditado constitui não somente a perda de um tempo precioso que teria podido ser empregado mais substancial e mais diretamente em coisas mais urgentes, mas constitui ainda um funesto desvio da via normal, desvio que sempre causou muito mal à causa e retardou seu êxito por dezenas de anos, submetendo-a à influência de pessoas levianas antes de tudo, de políticos, em vez da de socialistas puros. Vim aqui exclusivamente para protestar contra o empreendimento projetado, para que meu ato sirva à edificação geral e para me retirar neste momento preciso em que, não sei por que, chama você de momento de seu perigo. Vou-me embora, não por temor do perigo, não por simpatia por Chátov, a quem não quero beijar, mas porque esse empreendimento está, de ponta a ponta, literalmente em contradição com meu programa. Quanto a ser um delator, um homem comprado pelo Governo, podem ficar vocês completamente tranquilos no que a mim se refere: não os denunciarei.

Voltou as costas e retirou-se.

— Diabos me levem! Ele vai encontrá-los e advertir Chátov! — exclamou Piotr Stiepânovitch, agarrando seu revólver. Ouviu-se o ranger do gatilho que ele levantava.

— Podem estar seguros — acrescentou Chigáliev, voltando-se, — de que se encontrar Chátov no caminho, pode acontecer que o cumprimente, mas não o advertirei.

— Sabe, Senhor Fourier, que isso lhe poderá custar caro?

— Peço-lhe levar em conta que não sou absolutamente Fourier. Confundindo-me com esse repisador aborrecido e abstrato, você apenas prova que, embora tenha tido meu manuscrito em mãos, não o conhece absolutamente. Quanto à sua vingança, digo-lhe que foi em vão que você levantou o gatilho de seu revólver; neste momento, só poderá colher disso desvantagens. Se sua ameaça é para amanhã ou para depois de amanhã, só recolherá, estourando-me a cabeça, inúteis preocupações. Você me matará, mas, cedo ou tarde, aderirá ao meu sistema. Adeus.

No mesmo instante, a duzentos passos dali, no parque, do lado do tanque, ouviu-se um assobio. Lipútin respondeu imediatamente com outro assobio, como fora convencionado na véspera. (Não se fiando em sua boca desdentada, comprara naquela manhã mesma no bazar um daqueles assobios de barro de um copeque que servem de brinquedo às crianças.) Erkel tivera tempo, durante o trajeto, de avisar Chátov que haveria troca de assobios, de modo que este não concebeu nenhuma suspeita.

— Não se inquietem, vou me afastar do caminho deles e nem mesmo me notarão — advertiu em voz baixa, mas firme, Chigáliev que, sem acelerar o passo, voltou definitivamente para sua casa, através do parque escuro.

Sabe-se agora, até nos seus mínimos detalhes, como se desenrolou aquele horrível drama. Em primeiro lugar Lipútin encontrou Erkel e Chátov a alguns passos da gruta. Sem o cumprimentar, nem mesmo estender-lhe a mão, Chátov disse bruscamente com voz bem forte:

— Bem, onde está a enxada? Não têm outra lanterna? Mas não tenham medo! Não há viva alma nas redondezas; mesmo se se desse um tiro de canhão aqui, ninguém o ouviria em Skvopiéchniki! Vejam: é aqui, justamente neste lugar...

E bateu no chão com o pé, com efeito, a dez passos perto do canto mais recuado da gruta, do lado da floresta. Naquele instante Tolkatchenko, que estava escondido atrás de uma árvore, lançou-se sobre Chátov e Erkel segurou-lhe os cotovelos por trás. Lipútin precipitou-se sobre ele, mas pela frente. Bem depressa os três conseguiram fazê-lo perder o equilíbrio e subjugaram-no. Então surgiu Piotr Stiepânovitch com o revólver na mão. Conta-se que Chátov teve ainda tempo de voltar a cabeça para o lado dele, de olhá-lo e de reconhecê-lo. Três lanternas iluminavam a cena. Chátov lançou de súbito um grito breve e desesperado, mas não lhe deixaram tempo para gritar: Piotr Stiepânovitch, com mão firme e segura, apoiou diretamente seu revólver na testa de Chátov e premiu o gatilho. A detonação, parece, não foi muito forte, pelo menos em Skvopiéchniki ninguém a ouviu. Como bem se pensa, Chigáliev, que apenas dera uns trezentos passos, ouviu os gritos e o tiro, mas como afirmou ele mesmo mais tarde em seu depoimento, não se voltou e nem mesmo se deteve. A morte foi quase instantânea. Piotr Stiepânovitch foi o único a conservar senão, penso, seu sangue-frio, pelo menos sua presença de espírito. Acocorado sobre os calcanhares, rebuscou com mão apressada, mas firme, os bolsos da vítima. Dinheiro não encontrou (o porta-moedas de Chátov ficara debaixo do travesseiro de Mária Ignátievna). Nada, senão a descoberta de dois ou três pedaços de papel: uma nota de contabilidade, o título de um livro e uma antiga conta de restaurante, trazida do estrangeiro e que ele conservava consigo, havia dois anos, sabe Deus por que. Piotr Stiepânovitch guardou cuidadosamente esses papéis em seu bolso e, notando de súbito que todos se haviam reunido em torno do cadáver e o observavam sem fazer nada, pôs-se a injuriá-los, grosseira, malvadamente e a dar-lhes ordens. Tolkatchenko e Erkel, voltados a si, correram para a gruta e logo dali trouxeram duas pedras, pesando cada qual vinte libras, que para lá haviam levado naquela manhã e preparado — isto é, tinham-nas forte e solidamente cercado de cordas. Como o cadáver deveria ser levado para o tanque mais próximo (o terceiro tanque), para nele ser afundado, amarraram-se as cordas em redor dos pés e do corpo. Foi Piotr Stiepânovitch quem as amarrou, quanto a Tolkatchenko e Erkel, limitaram-se a segurar as pedras e passá-las para ele. Erkel entregou a sua primeiro. E enquanto Piotr Stiepânovitch, resmungando, amarrava com a corda os pés do cadáver e a eles ligava a primeira pedra, durante todo o tempo que durou essa operação bem longa, Tolkatchenko inclinado todo o corpo para a frente, numa atitude quase respeitosa, segurou a pedra, entre suas mãos estendidas, a fim de poder passá-la a Piotr Stiepânovitch ao primeiro sinal e sem a menor demora. Não teve mesmo a ideia de depositar no chão o seu fardo. Quando Piotr Stiepânovitch, tendo afinal terminado sua tarefa, levantou-se para escrutar com o olhar a fisionomia dos assistentes, ocorreu de súbito um acontecimento bastante estranho e de tal modo inesperado que todos *ficaram estupefatos.*

Como já disse, quase todos tinham ficado sem nada fazer, exceto Tolkatchenko e Erkel, em certa medida. Embora Virguínski se tivesse lançado para diante, quando todos se precipitaram contra Chátov, nem por isso chegou a tocar em Chátov e nem ajudara a amarrá-lo. Liámchin só entrou no grupo depois do tiro. Todos, durante os quase dez minutos que durou a tarefa em torno do cadáver, tinham quase perdido totalmente a consciência. Em círculo, em redor de Piotr Stiepânovitch, experimentaram em primeiro lugar mais espanto que inquietação ou angústia. Lipútin mantinha-se à frente, bem perto do cadáver; atrás dele, Virguínski, erguido na ponta dos pés, olhava com uma espécie de curiosidade basbaque por cima de seu ombro, a fim de melhor ver o cadáver. Liámchin, dissimulado por trás de Virguínski, lançava de vez em quando um olhar furtivo para a cena, depois ocultava-se de novo. Mas quando as pedras foram ligadas e Piotr Stiepânovitch se levantou, Virguínski foi tomado dum tremor convulsivo, juntou as mãos e gritou com todas as suas forças, com amargura:

— Não é isto, não é isto! Não, não é absolutamente isto!

Teria talvez ainda acrescentado alguma coisa à sua exclamação tardia, se o próprio Liámchin lhe tivesse permitido. De repente, este último agarrou-o pelas costas, com todas as suas forças, e se pôs a lançar urros inauditos. Há momentos de pavor tão intenso que um homem começa a gritar com uma voz que não é mais de todo a sua e que não teriam jamais suposto antes que fosse a dele; isto pode tornar-se mesmo por vezes aterrorizador. Liámchin gritava com uma voz não mais humana, mas bestial. Agarrava cada vez mais fortemente Virguínski em seus braços, e gritava sem parar, sem tomar fôlego, um grito sempre o mesmo, as pupilas dilatadas, a boca desmedidamente aberta, e batendo no chão, com o pé, pequenas pancadas repetidas, como se tocasse tambor. Virguínski ficou de tal modo espantado que se pôs também a gritar como um demente e, num acesso de raiva tal que jamais se teria podido esperar dele, tentou arrancar-se do aperto de Liámchin, arranhando-o e batendo-lhe como podia, por trás. Por fim, Erkel ajudou-o a desembaraçar-se de Liámchin. Mas quando Virguínski, ainda sob o impacto do terror, se afastou uma dezena de passos, Liámchin, ao avistar Piotr Stiepânovitch, recomeçou a urrar e lançou-se contra ele. Tendo tropeçado no cadáver, caiu por cima dele, arrastando Piotr Stiepânovitch em sua queda. Apertava-o tão fortemente, comprimia tão nervosamente sua cabeça contra o peito dele que, no primeiro momento, nem Piotr Stiepânovitch, nem Tolkatchenko, nem Lipútin puderam fazer nada. Piotr Stiepânovitch gritava e praguejava, dando-lhe murros na cabeça. Tendo por fim, conseguido, bem ou mal, libertar-se, pegou seu revólver e assestou-o diretamente na boca escancarada de Liámchin, que urrava sem parar, mas cujos braços Tolkatchenko, Erkel e Lipútin seguravam fortemente; malgrado o revólver, continuou Liámchin a gritar. Por fim fez Erkel uma bola com seu lenço de pescoço e tapou-lhe a boca com ela. Desta maneira, cessaram os gritos. Durante esse tempo Tolkatchenko lhe amarrava as mãos atrás das costas com um pedaço de corda que restava.

— É bastante estranho — disse Piotr Stiepânovitch, examinando o insensato, com um espanto cheio de inquietação.

Estava evidentemente estupefato.

— Tinha dele uma opinião bem diversa — acrescentou pensativo. No momento, deixaram Erkel ao lado de Liámchin. Era preciso acabar o mais depressa possível com o morto; os gritos lançados foram tais que podiam muito bem ter sido ouvidos.

Tolkatchenko e Piotr Stiepânovitch ergueram suas lanternas e pegaram o cadáver por baixo da cabeça. Lipútin e Virguínski pegaram-no pelos pés e carregaram-no. Com as duas pedras, o fardo pesava demais e a distância a transpor era de mais de duzentos passos. O mais forte de todos era Tolkatchenko. Dera aos outros o conselho de andarem a passo, mas ninguém lhe obedeceu e caminhava-se de qualquer forma. Piotr Stiepânovitch ia à direita; completamente curvado, levava no ombro a cabeça do morto e com a mão esquerda sustentava a pedra por baixo. Como durante mais da metade do trajeto Tolkatchenko não teve a ideia de ajudá-lo a carregá-la, pôs-se Piotr Stiepânovitch a praguejar contra ele. Eram gritos inesperados e soltos. Sem dizer palavra, prosseguiram seu caminho e chegaram à beira do tanque e foi então somente que Virguínski, dobrando-se sob seu fardo, cujo peso parecia esmagá-lo, exclamou de novo com força e com a mesma voz soluçante:

— Não é isto! Não, não, não é absolutamente isto!

O lugar onde terminava aquele terceiro tanque bastante vasto, no qual iam lançar o cadáver, era o mais afastado e o mais solitário do parque de Skvopiéchniki, sobretudo naquela época avançada do ano. A margem estava naquele lado invadida pelas ervas. Pousaram suas lanternas e depois de ter dado algumas oscilações ao cadáver, lançaram-no dentro d'água. Ouviu-se um rumor surdo e prolongado. Piotr Stiepânovitch ergueu a lanterna e por trás dele, todos, cheios de curiosidade, esforçaram-se por ver o cadáver afundar na água. Mas já mais nada se via. Arrastado pelas duas pedras, o corpo logo fora ao fundo; já se desfaziam as longas rugas aparecidas na superfície do tanque. A tarefa estava terminada.

— Senhores — disse Piotr Stiepânovitch, dirigindo-se a todos, — vamos separar-nos. Sem dúvida, hão de experimentar essa livre altivez que acompanha o livre cumprimento do dever. Se todavia, com grande pesar meu, estiverem neste momento demasiado agitados para experimentar semelhante sentimento, com certeza o haverão de experimentar amanhã, porque seria uma vergonha não experimentá-lo. Quero mesmo considerar como um acesso de delírio a imperdoável e vergonhosa conduta de Liámchin, ainda mais porque ele está, dizem, realmente doente, desde esta manhã. Você, Virguínski, num momento de calma reflexão, vai se convencer que, tendo em vista os interesses da causa comum, era impossível confiar numa palavra de honra e que era preciso agir como nós agimos. O futuro lhe demonstrará que Chátov tinha sua denúncia toda pronta. Hei de naturalmente esquecer suas exclamações. No que se refere a um perigo que nos ameaçaria, não há nenhum a prever. Ninguém terá ideia de suspeitar de nenhum de nós, sobretudo se vocês souberem bem comportar-se. O principal depende de vocês e da plena convicção de que agiram bem, convicção que, espero, estará já ancorada dentro de vocês amanhã. Por isso é que, entre outras coisas, reuniram-se numa associação à parte, em uma sociedade livre cujos membros estão imbuídos dos mesmos princípios, a fim de que, no momento oportuno, consagrem suas energias ao serviço da causa comum e se houver necessidade exerçam vigilância uns sobre os outros. Sobre cada um de vocês pesa a responsabilidade mais grave. Foram chamados a renovar um Estado que cai de decrépito e sobre o qual pairam os fétidos da decomposição. Tenham sempre isto diante dos olhos para estimular sua coragem. Na expectativa, o único dever de vocês é destruir tudo: o Estado e sua moral. Ficaremos sozinhos, nós que estamos resolvidos e preparados para apossar-nos do poder. Teremos como aliados os que são inteligentes; quanto aos imbecis, faremos deles bestas de carga. Isto não deve chocá-los. Aliás, será preciso refazer a educação da geração atual para torná-la digna da liberdade. Restam ainda milhares de Chátov. Nós nos organizamos para tomar em mãos toda a direção. Seria vergonhoso não estendê-las para tomá-la e ficar de boca aberta. Vou agora mesmo à casa de Kirílov e amanhã de manhã obterei dele o documento mediante o qual declarará assumir a responsabilidade de tudo. Nada parecerá mais verossímil que esta combinação. Em primeiro lugar, estava inimizado com Chátov: tendo vivido juntos na América, tiveram ocasião de desavir-se. Sabe-se que Chátov mudou de convicções; em consequência a inimizade entre eles nasceu dessa conversão e do temor de uma denúncia, isto é, daquilo que há de mais imperdoável. Tudo será escrito como lhes estou dizendo. Por fim será mencionado que Fiedka esteve abrigado em seus aposentos no edifício Filípov. Isto bastará para afastar de vocês qualquer suspeita, atrapalhar e lançar numa falsa pista todos aqueles espíritos rotineiros. Amanhã, senhores, não nos veremos, porque parto para o distrito por pouco tempo. Terão, desde depois de amanhã, notícias minhas. No que a mim se refere, devo aconselhá-los de boa vontade a passar o dia de amanhã em suas casas. Agora partiremos, tomando duas estradas diferentes. Você, Tolkatchenko, peço-lhe que tome conta de Liámchin e reconduza-o à sua casa. Pode ter sobre ele alguma influência e sobretudo explicar-lhe até que ponto pode prejudicar-se a si mesmo com sua pusilanimidade. Quanto a seu cunhado Chigáliev, Senhor Virguínski, bem como ao senhor mesmo, não desejo duvidar de nenhum; ele não nos denunciará. Resta-me a deplorar sua atitude; em todo caso, não declarou ele que deixaria a sociedade e, por consequência, é demasiado cedo para enterrá-lo. E agora, senhores, despachem-se; se bem sejam espíritos de rotina aqueles sujeitos, não obstante a prudência nunca é demais...

Virguínski pôs-se a caminho com Erkel. Antes de confiar Liámchin a Tolkatchenko, teve Erkel tempo de levá-lo até junto de Piotr Stiepânovitch e de anunciar-lhe que Liámchin recuperara seu bom senso, arrependia-se, rogava que lhe perdoassem e até mesmo mal se lembrava do que lhe acontecera. Piotr Stiepânovitch partiu sozinho e deu uma volta pelo outro lado dos tanques. Era o caminho mais longo. Com vivo espanto seu, Lipútin alcançou-o a meio caminho.

— Piotr Stiepânovitch — disse ele, — Liámchin vai denunciar.

— Não, voltará a si e compreenderá que, se denunciar, será o primeiro a partir para a Sibéria. Agora ninguém denunciará. E você tampouco denunciará.

— E você?

— É claro que farei meter vocês todos na cadeia, se se atrevessem a trair. Vocês não ignoram isso. Mas vocês não trairão. Foi para me dizer isso que você caminhou duas verstas para me alcançar?

— Piotr Stiepânovitch, Piotr Stiepânovitch, talvez não nos vejamos nunca mais.

— Donde tirou isso?

— Diga-me somente uma coisa.

— Pois bem, que é? Quanto a mim, faço questão de ver você dar o fora.

— Uma resposta, mas verídica: somos nós um único quinquevirato no mundo ou é verdade que existem várias centenas? Pergunto-lhe com uma alta intenção, Piotr Stiepânovitch.

— Vejo-o pelo seu afobamento. Mas sabe que é você mais perigoso que Liámchin, Lipútin?

— Sei, sei. Mas uma resposta, sua resposta!

— Seu imbecil! Mas parece-me que agora isto deveria ser-lhe perfeitamente indiferente, que haja um ou mil.

— Então só há um! Eu sabia — exclamou Lipútin. — Soube-o desde o começo que só havia um, até tempos bem recentes...

E sem esperar outra resposta, voltou-se e desapareceu prontamente na escuridão.

Piotr Stiepânovitch ficou pensativo um instante.

"Não, ninguém denunciará — declarou com convicção, — mas o grupo deve permanecer um grupo e obedecer ou eu os... Não obstante, que gente imunda!"

II

Passou primeiro em sua casa e cuidadosamente, sem se apressar, fez sua mala: um expresso partia às seis horas da manhã. Esse trem, inaugurado havia pouco, só funcionava a título de experiência e apenas uma vez por semana. Embora Piotr Stiepânovitch tivesse advertido os "nossos" de que só se afastaria por pouco tempo indo ao distrito, verificou-se mais tarde que suas intenções eram bem outras. Quando acabou de arrumar sua mala, pagou à sua hospedeira a quem tivera a precaução de prevenir, tomou um fiacre e dirigiu-se à casa de Erkel, cuja habitação se encontrava não longe da estação. Foi somente mais tarde, cerca de uma hora da manhã, que se dirigiu à casa de Kirílov. Desta vez ainda, ali se introduziu pela passagem oculta utilizada por Fiedka.

Piotr Stiepânovitch estava pessimamente humorado. Além de graves contrariedades (continuava a não poder obter a menor informação a respeito de Stavróguin), é provável, se bem que eu não possa afirmar com certeza, que no correr do dia fora secretamente avisado de Petersburgo ou doutra parte de que um perigo o esperava a breve prazo.

Circulam, sem dúvida, em nossa cidade, muitas lendas relativas àquele período. Até que ponto eram verdadeiras? Só o sabem com precisão aqueles que têm por missão saber. Segundo minha opinião pessoal, penso que Piotr Stiepânovitch tinha ainda outros negócios fora de nossa cidade, de modo que é bem possível que tenha recebido de lá alguns avisos. Estou mesmo persuadido, apesar da dúvida cínica expressa por Lipútin no seu desespero, de que Piotr Stiepânovitch tinha ainda fundado dois ou três outros "grupos de cinco" e que havia em todas as grandes cidades, senão verdadeiros quinqueviratos, pelo menos grupos de filiados. Não mais de três dias depois de sua partida, as autoridades de nossa cidade receberam da capital ordem de prendê-lo. (Por causa de quais negócios precisamente, por causa dos "nossos" ou por causa de outros? Ignoro-o.) Esta ordem, em todo caso, chegou a propósito para fortificar a impressão de terror quase místico que, de repente, se apoderou de nossas autoridades e de nossa sociedade (até ali tão obstinadamente leviana e *doidivanas) quando se descobriu* o assassinato misterioso do estudante Chátov, assassinato que elevara ao cúmulo os nossos absurdos, bem como as circunstâncias misteriosas que acompanhavam o crime. Mas a ordem chegou demasiado tarde:

Piotr Stiepânovitch naquele momento se encontrava já em Petersburgo, vivendo sob um falso nome, e assim que farejou de que se tratava, apressou-se em fugir para o estrangeiro... Mas estou antecipando demais os acontecimentos.

Quando Piotr Stiepânovitch entrou em casa de Kirílov, tinha um ar malvado e impertinente. Dava a impressão que além da coisa essencial, detestava pessoalmente Kirílov e procurava exercer contra ele alguma vingança. Kirílov pareceu satisfeito ao revê-lo, evidentemente esperava-o desde muito tempo e com uma impaciência que chegava a causar-lhe mal-estar. Seu rosto estava mais pálido que de costume, o olhar de seus olhos negros mais pesado e imóvel.

— Pensei que você não viria — disse ele, pesadamente, do ângulo do divã, onde aliás ficou sentado em vez de ir receber o visitante. Piotr Stiepânoviçth ficou de pé diante dele e, antes de pronunciar uma só palavra, esquadrinhou atentamente o rosto de seu interlocutor.

— Então quer dizer que vai tudo muito bem, não recuamos e executamos nosso plano. Na verdade, é extraordinário — sorriu ele, com ar de proteção ofensiva, e imediatamente, com uma alegria malvada, acrescentou: — Pois bem então: se me atrasei, não tem você motivo de queixar-se, fiz-lhe presente de três horas.

— Não faço questão de receber de você horas suplementares... e, aliás, tu não saberias dar-me presente nenhum, imbecil...

— Como? — agitou-se Piotr, mas conteve-se logo. — Que homem susceptível! Com que então, estamos encolerizados? — perguntou ele com aquele mesmo ar de proteção altiva e ultrajante. — Neste momento melhor seria que reinasse a calma. Seria melhor para você crer-se Cristóvão Colombo e olhar-me como se eu fosse um ratinho incapaz de ofendê-lo. Já lhe havia recomendado ontem.

— Não quero considerar-te como um ratinho.

— Que é isso? Um cumprimento? Olha, o chá está frio. Tudo está revolucionado aqui. Passa-se algo de suspeito. Ah! mas que é que avisto ali em cima da janela, sobre um prato? (Aproximou-se da janela.) Oh! oh! galinha com arroz!... Mas por que está ela ainda intacta? Achavamo-nos pois num tal estado de alma que nem mesmo uma galinha... ?

— Já comi e você nada tem com isso. Cale-se!

— Oh! sem dúvida e de resto pouco importa. Mas para mim, a esta hora, isto não deixa de ter importância. Imagine que quase não jantei; se pois essa galinha, como o suponho, não é mais necessária.

— Coma, se puder.

— Obrigado, e em seguida chá.

Num instante, instalou-se à mesa, sentou-se na outra extremidade do divã e atirou-se à comida com extrema avidez, o que não o impedia de espiar constantemente sua vítima. Kirílov, com irritação e desgosto, fixava nele um olhar imóvel, que não conseguia mais desviar.

— Contudo — exclamou Piotr Stiepânovitch, sem parar de comer, — que há a respeito do nosso assunto? Não recuaremos, não é mesmo? E o bilhete?

— Decidi esta noite que isto me era indiferente. Escreverei. A respeito das proclamações?

— Sim, também a este respeito. De resto, ditarei. Isto pouco lhe importa. Será possível que o conteúdo possa inquietá-lo em semelhante momento?

— Nada tens com isto.

— Não tenho, é certo... aliás, algumas linhas quando muito para dizer que você e Chátov espalharam proclamações, com a ajuda, entre outros, de Fiedka que se refugiara em seu apartamento. Este último ponto, relativo a Fiedka e ao apartamento, é muito importante, o mais importante mesmo. Vê? Sou completamente sincero com você.

— Chátov? E por que Chátov então? Não direi nada de Chátov.

— Que é que lhe importa isso? Você não poderá mais prejudicá-lo.

— Sua mulher voltou para junto dele. Acaba de despertar e mandou-me perguntar onde ele estava.

— Mandou perguntar em sua casa onde ele estava?... Hum... isto é mau. Mandará talvez alguém ainda. Ora, ninguém deve saber que estou aqui.

Piotr Stiepânovitch sentiu-se inquieto.

— Ela não saberá de nada; tornou a adormecer. Arina Virguínskaia, a parteira, está em casa dela.

— Justamente e... ela não ouvirá nada, penso. Sabe duma coisa? Seria melhor fechar com ferrolho a porta de entrada.

— Ela não ouvirá nada. E se Chátov vier, eu ocultarei você no outro quarto.

— Chátov não virá e você escreverá que, em virtude de traição e de denúncia, você brigou com ele... esta noite... e foi causa de sua morte.

— Ele morreu? — exclamou Kirílov, saltando do divã.

— Esta noite às oito horas, ou mais exatamente ontem à noite às oito horas, porque já é uma hora da manhã.

— Foste tu que o mataste!... Ontem eu já o previa!

— Como teria você podido não prevê-lo? Com este revólver, está vendo? (e ao dizer isto, tirou seu revólver do bolso, aparentemente para mostrá-lo, mas não tornou a guardá-lo e continuou com ele na mão direita, para qualquer eventualidade). Que homem estranho é você, Kirílov! Você mesmo sabia muito bem que era preciso acabar dessa maneira com aquele idiota. Por que havia de prevê-lo? Repisei isto a você muitas vezes. Chátov meditava uma traição, eu o espionava, era impossível deixá-lo agir. Você mesmo tinha recebido instruções para vigiá-lo; você mesmo me comunicou isso há umas três semanas.

— Cala-te! Se o mataste, foi porque ele te cuspiu na cara em Genebra.

— Por isto também. E por bem outras coisas. Aliás, sem nenhum ressentimento de minha parte. Que tem você de sobressaltar-se? Por que tomar atitudes? Oh! oh! é assim então...?

Saltou de pé num instante e brandiu seu revólver. Com efeito, Kirílov, de sua parte, havia de repente apanhado o seu, que ele tinha pronto e carregado desde manhã. Piotr Stiepânovitch pôs-se em guarda e apontou seu revólver para Kirílov. Este disparou uma risada amarga.

— Confessa, covarde, que se tomaste teu revólver foi porque eu ia matar-te... mas não te matarei... não te matarei... embora... embora...

E de novo, brandiu sua arma, como se visasse Piotr Stispânovitch, incapaz *como estava de renunciar* àquele prazer: imaginar como seria se ele o matasse. Piotr Stiepânovitch mantinha-se sempre em posição. Esperou até o derradeiro minuto, sem puxar o gatilho de seu revólver, arriscando-se assim a receber uma bala na testa: da parte "de um maníaco", podia-se esperar tudo. Era assim que ele chamava Kirílov. Mas "o maníaco" deixou por fim cair sua mão. Trêmulo, sem fôlego, não podia falar.

— Você divertiu-se, mas isto basta — disse Piotr Stiepânovitch, abaixando também sua arma. — Sabia que era para você divertir-se. Mas arriscava-se muito. Teria podido puxar o gatilho.

Bastante calmo, sentou no divã e serviu-se de chá, com a mão aliás um pouco trêmula. Kirílov pousou sua arma em cima da mesa e se pôs a atravessar o quarto de lado a lado.

— Não escreverei que matei Chátov e... agora, não escreverei mais nada. Não haverá documento.

— Não haverá?

— Não.

— Que covardia é essa? Que estupidez é essa? — O rosto de Piotr Stiepânovitch ficou verde de raiva. — Aliás, eu o pressentira. Saiba que não me deixo apanhar desprevenido. Enfim, seja como você quiser. Se pudesse obrigá-lo pela força, faria. Mas você é um covarde... — perdia cada vez mais o domínio de si mesmo. — Você nos tomou dinheiro emprestado outrora e nos prometeu uma porção de coisas... Há, porém, isto: não sairei de sua casa sem ter obtido um resultado: verei pelo menos com meus próprios olhos como meterá você uma bala nos miolos.

— Quero que saias imediatamente — disse, resoluto, Kirílov, plantado diante dele.

— Não, é o que nunca farei — retorquiu Piotr Stiepânovitch, brandindo de novo seu revólver. — Agora, talvez por raiva e por covardia, você quer voltar atrás e amanhã correrá a denunciar para receber ainda uma maçaroca de dinheiro. É coisa muito bem paga... que o diabo o leve! Canalhas como você são capazes de tudo! Fique, porém, tranquilo, previ tudo: não partirei antes de ter-lhe aberto o crânio com este revólver, como fiz àquele canalha de Chátov. Já que se mostra covarde a ponto de adiar a execução de seu projeto, que o diabo o carregue!

— Queres assim ver, custe o que custar, a cor de meu sangue?

— Não é por maldade, compreenda-o bem: pessoalmente, isso pouco me importa. Se o quero, é somente para ficar tranquilo a respeito de nossa causa. Não se pode confiar no homem, você mesmo está vendo. Não compreendo nada dessa fantasia de matar-se que o dominou. Não fui eu que a sugeri, foi você que a proclamou, não a mim, em primeiro lugar, mas aos membros que estavam no estrangeiro. E note bem que não foram eles que o obrigaram a dizer. Como fariam isso? Ninguém o conhecia então; foi você mesmo quem veio derramar-se em confidências, por sentimentalidade sem dúvida. De quem a culpa se, de acordo com você e por proposta sua — note-o bem, por proposta sua, — elaborou-se todo um plano de ação ao qual nada se poderia modificar hoje? Você se comportou de tal maneira que sabe agora demais. Se você se deixasse dominar pelo medo e fosse amanhã denunciar-nos, isso não seria vantajoso para nós. Que pensa? Não, você engajou-se, deu-me sua palavra, recebeu dinheiro. Não poderá negar tudo isso...

Piotr Stiepânovitch estava bastante excitado. Mas desde muito tempo já, Kirílov não o escutava mais; pensativo, retomara seu passeio pelo quarto.

— Lamento Chátov — disse afinal, parando de novo, diante de Piotr Stiepânovitch.

— Mas eu também o lamento. É possível que...

— Cala-te, covarde! — urrou Kirílov, fazendo um gesto de ameaça não equívoco. — Cala-te ou mato-te...

— Vamos, vamos, está bem, menti, convenho. Não experimento por ele o menor pesar. Basta, basta... — Levantou com um movimento brusco e avançou o braço num gesto de defesa.

Kirílov acalmou-se de súbito e continuou a marchar dum lado a outro do quarto.

— Não recuarei. É precisamente agora que quero suicidar-me. Todos uns canalhas!

— Ah! eis, é uma ideia: todos, sem dúvida, são canalhas. E como é isto que provoca o desgosto de um homem de bem, então...

— Imbecil, sou também um canalha, como tu, como eles todos, e não um homem de bem. Em nenhuma parte jamais houve homem de bem.

— Ah! enfim, ele adivinhou. Será que de verdade você não tinha compreendido até o presente, você, Kirílov, com seu espírito, que todos os homens são os mesmos, que nenhum é melhor nem pior, mas somente mais inteligente ou mais estúpido, e que se todos são canalhas (o que aliás é um absurdo) é impossível não ser um canalha?

— Ah! será que na verdade não estejas pilheriando? — perguntou Kirílov, olhando-o com certo espanto. — Tu falas com ardor e simplicidade... Será possível que pessoas como tu possuam convicções?

— Kirílov, jamais pude compreender por que você quer matar-se. Sei somente que você o quer por convicção muito decidida. No entanto, se experimenta você a necessidade, por assim dizer, de desafogar-se, estou à sua disposição. Somente é preciso considerar que o tempo está passando...

— Que horas são?

— Oh! oh! duas horas em ponto — disse Piotr olhando seu relógio e acendendo um cigarro.

"Parece-me que nos podemos ainda entender", pensou ele consigo.

— Nada tenho a dizer-te — resmungou Kirílov.

— Lembro-me de que Deus está um tanto metido nisso... Você já me explicou uma vez... talvez duas... Se você estourar os miolos, vai se tornar deus, é isto, creio...

— Sim, vou me tornar deus.

Sem mesmo sorrir, Piotr Stiepânovitch esperava. Kirílov fitou-o com ar malicioso.

— Você é um político velhaco e um intrigante. Quer arrastar-me para a filosofia, levar-me ao entusiasmo, a fim de que me reconcilie com você, que meu furor se dissipe, e então, quando estiver acalmado, você me arrancará, à força de rogos, o papel atestando que matei Chátov.

Piotr Stiepânovitch respondeu com uma bonomia quase natural.

— Pois bem, admitamos que eu seja canalha para pensar assim, isto não lhe é indiferente neste derradeiro minuto, Kirílov? Mas diga-me, peço-lhe, qual o tema de nossa discussão? Você é como é, e eu sou como sou e depois? Além do mais somos dois...

— Canalhas.

— Sim, sem dúvida, canalhas... Mas você sabe bem que são apenas palavras.

— Quis toda a minha vida que fosse outra coisa que não só palavras. E vivi por isso, porque sempre o quis. E agora ainda, cada dia, quero que seja outra coisa que não só palavras.

— Pois bem então? Cada qual procura o que lhe convém melhor. O peixe... isto é, cada qual procura seu conforto... à sua maneira... eis tudo. É conhecido desde muito tempo...

— O conforto, dizes?

— Ora, vale a pena chicanar a respeito duma palavra?

— Não, disseste bem: o conforto, seja. Deus é necessário, portanto deve existir.

— Vamos, é bastante bem.

— Mas, sei que ele não existe e não pode existir.

— É ainda mais verdadeiro.

— Não compreendes que um homem com ideias semelhantes não pode continuar vivendo?

— E deve estourar os miolos, não é?

— Como não compreendes que é essa uma razão suficiente para o suicídio? Não compreendes que possa existir tal homem, o único indivíduo entre os vossos milhões e vossos milhões, que não o quererá e não o suportará?

— Compreendo somente que você hesita; pelo menos me parece isso... Isto está muito mal.

— A ideia também devorou Stavróguin — disse Kirílov, sem prestar atenção à observação de Piotr Stiepânovitch. E sombrio, voltou a percorrer o quarto de ponta a ponta.

— Como? — disse Piotr Stiepânovitch, erguendo a cabeça. — Que ideia? Será que ele mesmo lhe disse alguma coisa?

— Não; adivinhei-o. Stavróguin, quando crê, não crê que crê. Mas quando não crê, não crê que não crê.

— Oh! Stavróguin tem ainda outra coisa, outra coisa mais inteligente do que isso... — resmungou Piotr Stiepânovitch, que acompanhava ansiosamente a feição nova que a conversa tomara e observava a palidez de Kirílov.

"Diabos me levem! Ele não se matará — pensava Piotr Stiepânovitch. — Sempre o pressentira; passou-lhe uma mania pela cabeça e nada mais. Gente canalha!"

— És o último a ficar comigo! Não quereria que nos separássemos brigados — disse de súbito Kirílov.

Piotr Stiepânovitch não respondeu imediatamente. "Diabos me levem, que será ainda?", pensou ele de novo.

— Acredite-me, Kirílov, não tenho nada contra você pessoalmente e sempre...

— És um canalha e um espírito falso. Mas sou como tu e me matarei, ao passo que tu ficarás vivo.

— Quer você dizer que sou bastante vil para querer ficar entre os vivos?

Não podia decidir ainda se era vantajoso ou não prosseguir com semelhante conversa, de modo que resolveu "abandonar-se às circunstâncias". No entanto, o tom de superioridade e o desprezo não dissimulado com que Kirílov afetava tratá-lo irritavam-no hoje mais ainda que de costume, talvez porque Kirílov que devia morrer dentro de uma hora (o que Piotr malgrado tudo não perdia de vista) não fosse mais a seus olhos senão um meio-homem, isto é, alguém cujo tom de orgulhosa condescendência ele não podia de modo algum tolerar.

— Parece-me que você se envaidece diante de mim do fato de ir matar-se.

— Sempre me causou espanto que todos continuem vivendo — disse Kirílov que mais uma vez parecia não ter ouvido a observação do outro.

— Hum! admitamos, é uma ideia, mas...

— Macaco! aquiesces para dobrar-me. Cala-te, não compreenderás nada. Se Deus não existe, sou deus.

— Está aí, é justamente este ponto que jamais pude compreender em você: por que então é você deus?

— Se Deus existe, tudo é Sua vontade e fora de Sua vontade, nada posso. Se ele não existe, tudo é minha vontade e sou obrigado a manifestar minha própria vontade.

— Sua própria vontade? E por que você é obrigado a isso?

— Porque então toda vontade tornou-se a minha. Não há ninguém neste planeta que, tendo liquidado Deus e crendo na sua própria vontade, não ouse manifestar essa vontade da maneira mais radical. É como se um pobre, que recebeu uma herança, se amedrontasse e não ousasse aproximar-se do saco de dinheiro, porque se julga demasiado fraco para possuir. Quero dar testemunho de minha própria vontade. E se não há outro que não eu, serei o único, mas o farei.

— Pois bem, faça.

— Estou obrigado a estourar os miolos porque o ponto supremo, o mais completo de minha própria vontade é: meu suicídio.

— Mas não é você o único que se mata. Há muitos outros que o fizeram.

— Tinham sua razão para isso. Mas sem nenhum motivo, somente em nome da vontade individual, sou eu o único.

"Ele não se suicidará", pensou de novo Piotr Stiepânovitch.

— Sabe você de uma coisa? — observou ele com irritação. — No seu lugar, para manifestar minha própria vontade, eu mataria algum outro e não a mim mesmo. Poderia assim tornar-se útil. Se não tem medo, eu lhe digo quem. Então, neste caso, não estoure os miolos hoje. Há meio de nos entendermos.

— Matar outro é o ponto mais baixo de minha vontade individual e nisto reencontro-te todo inteiro. Mas não sou tu, quero o ponto culminante e me matarei.

— Eis a sua ideia genial — resmungou maldosamente Piotr Stiepânovitch.

— Sou obrigado a proclamar minha incredulidade — continuou Kirílov, andando pelo quarto. — Para mim, não há nada de mais elevado do que a ideia da inexistência de Deus. A história da humanidade toda inteira está comigo. O homem só inventou Deus, a fim de poder viver sem se matar. É nisto que consiste a história do mundo desde sua origem até nossos dias. Em toda a história do mundo, eu só, pela primeira vez, não quis inventar Deus. Que se fique sabendo de uma vez por todas.

"Ele não se suicidará", inquietava-se Piotr Stiepânovitch.

— Quem o saberá? — disse, para instigá-lo. — Só estamos aqui você e eu. Lipútin talvez?

— Todo mundo saberá. Todos saberão... Não há no mundo nenhum segredo que não seja revelado. Eis o que Ele disse.

E num entusiasmo febril, designou a imagem do Salvador diante da qual ardia a lamparina.

Piotr Stiepânovitch sentiu-se dominado por um acesso de raiva.

— Então você crê ainda nEle?! Você mesmo acendeu a lamparina! Teria sido por puro acaso?

O outro não respondeu.

— Quer minha opinião? você é ainda mais crente que um pope.

— Crer em quem? Nele? Escuta — disse Kirílov. Tinha parado e olhava diretamente à sua frente com um olhar delirante e imóvel. — Escuta, uma grande ideia: houve um dia na terra em que três cruzes se ergueram no centro dela. Um daqueles que estavam crucificados tinha uma fé tão forte que disse ao outro: "Em verdade te digo que hoje mesmo estarás comigo no paraíso". Ao fim do dia, morreram. Os dois se foram, mas não encontraram nem paraíso, nem ressurreição. A profecia não se realizou. Escuta; aquele homem era o mais sublime de toda a terra: constituía para ela uma razão de existir. O planeta inteiro, com tudo quanto tem em cima, sem aquele homem, não é senão loucura. Nem antes dele, nem depois, não houve e não haverá jamais homem semelhante a Ele, nem mesmo por milagre. O milagre consiste justamente neste fato de que jamais houve e jamais haverá alguém semelhante a Ele. Se assim é e se as leis da natureza não pouparam Aquele, não pouparam "seu milagre" e forçaram-no a viver no meio da mentira e a morrer pela mentira, então o planeta inteiro não é senão mentira, repousa sobre a mentira e não passa de uma estúpida irrisão. Por consequência, as leis do planeta não são senão uma mentira e um "*vaudeville* do diabo". De que serve viver, responde, se és um homem?

— Aqui a conversa muda de aspecto. Parece-me que você confundiu duas causas diferentes e isto não indica nada de bom. Entretanto, permita: se você fosse deus? Se a mentira estivesse acabada e se você tivesse adivinhado que toda a mentira vinha do antigo Deus?

— Enfim compreendeste! — exclamou Kirílov entusiasmado. — Se um homem tal como tu foste capaz de compreender, então isto mostra que a compreensão é possível. Compreenderás que para salvar todos os homens, é preciso provar a todos este pensamento. Quem o provará? Eu. Não compreendo como até o presente um ateu pudesse saber que Deus não existia e não se matar em seguida. Reconhecer que não há Deus e não reconhecer ao mesmo tempo que ele próprio se tornou deus é um absurdo e uma inconsequência, porque de outro modo não deixaria de matar-se. Se tu reconheces isso, és um rei e não tens necessidade de matar-te, mas vives no cúmulo da glória. Somente aquele que é o primeiro deve absolutamente matar-se, senão quem começaria e quem provaria? Vou me aniquilar completamente, para começar e para provar. Não sou ainda deus senão contra minha vontade e sou infeliz porque sou obrigado a manifestar minha própria vontade. Todos são infelizes porque todos temem afirmar sua vontade. Se o homem foi até aqui tão miserável e tão pobre é porque tinha medo de proclamar o ponto capital de sua vontade individual, só a usava às ocultas e um pouco à maneira de um colegial. Sou terrivelmente infeliz porque sou terrivelmente medroso. O temor é a maldição do homem. Mas manifestarei minha vontade; sou obrigado a crer firmemente que não creio. Começarei, acabarei e abrirei a porta. E salvarei. É isto somente que salvará todos os homens e os transformará fisicamente desde a próxima geração; porque no seu estado físico atual parece-me que é impossível ao homem passar sem o antigo Deus. Procurei durante três anos o atributo de minha divindade e encontrei-o: o atributo de minha divindade é minha própria vontade. É tudo isso pelo qual posso mostrar em seu ponto capital minha insubordinação e minha nova e terrível liberdade.

Seu rosto estava extremamente pálido e seu olhar intoleravelmente fixo. Parecia presa dum acesso de febre cerebral. Piotr Stiepânovitch receava que ele fosse tombar dum momento para outro.

— Dá-me a pena — exclamou, de súbito, Kirílov, numa inspiração inesperada, — dita, assinarei tudo. Que matei Chátov, também. Assinarei tudo. Dita enquanto isto me diverte. Não temo as ideias de escravos arrogantes. Verás tu mesmo que todos os mistérios serão explicados. E tu, tu serás esmagado... Mas eu creio, eu creio!...

Piotr Stiepânovitch saltou de seu lugar e num instante deu-lhe um tinteiro e papel, ansioso de aproveitar o momento e tremendo pelo êxito obtido. Depois começou a ditar:

— Eu, Alieksiéi Kirílov, declaro...

— Espera! Não quero isso! A quem é que declaro?

Kirílov tremia como se tivesse febre. Aquela declaração e uma ideia súbita, vinda a propósito, pareciam absorvê-lo totalmente; era como uma escapada para onde se lançava, por um instante pelo menos, seu espírito esgotado...

— A quem é que declaro? Quero saber a quem.

— A ninguém, a todos, ao que primeiro ler! De que serve precisar? Ao mundo inteiro.

— Ao mundo inteiro? Bravo! E que não haja lugar para o arrependimento. Não quero arrepender-me. E não quero tampouco autoridades!

— Mas não, isto não é necessário tampouco... Para o diabo as autoridades! Mas escreva então, se tudo isso é sério! — exclamou Piotr Stiepânovitch com um nervosismo que raiava pela histeria.

— Para! Quero primeiro desenhar no alto da folha uma boca estirando a língua.

— Ora essa! Isso é estúpido! — disse Piotr Stiepânovitch irritado. — Não há necessidade de fazer desenho, pode-se tudo exprimir pelo tom.

— Pelo tom? Está bem. Sim, pelo tom, pelo tom! Dita segundo o tom!

— "Eu, Alieksiéi Kirílov, — ditou com voz firme e imperiosa Piotr Stiepânovitch, curvado sobre o ombro de Kirílov e acompanhando com os olhos cada uma das letras que este traçava com uma mão que a emoção fazia tremer, — declaro que hoje... de outubro, cerca das oito horas da noite, matei no parque o estudante Chátov por traição e denúncia, relativamente às proclamações, e a Fiedka, que morou e dormiu em nossa casa, no edifício Filípov, durante dez dias. Mato-me hoje com um tiro de revólver, não que tenha remorsos ou medo de vocês, mas porque já formara no estrangeiro o desígnio de pôr fim a meus dias."

— Nada mais? — exclamou Kirílov, com espanto e indignação.

— Nem uma palavra mais — disse Piotr, com um gesto da mão, tentando arrancar-lhe o documento.

— Para! — disse Kirílov, abatendo com força a mão sobre o papel. — Para! É estúpido. Quero dizer com quem matei. Por que Fiedka? E o incêndio? Quero tudo e quero ainda insultá-los pelo tom, pelo tom...

— Basta, Kirílov, asseguro-lhe que isso basta — disse Piotr Stiepânovitch com uma voz quase suplicante, temendo que o outro rasgasse o papel. — Para que eles acreditem, é preciso que seja o mais obscuro possível, somente alusões, tal qual como aí está. Basta mostrar um cantinho apenas da verdade, o suficiente para estimulá-los. Eles mesmos mentirão muito melhor do que nós seríamos capazes e naturalmente crerão muito mais no que eles próprios terão inventado. De modo que tudo está ótimo, está ótimo. Dê-me, está perfeito assim; dê-me, dê-me!

E esforçou-se uma vez mais por arrancar-lhe o documento. Kirílov, de olhos escancarados, escutava e parecia procurar compreender, mas parecia que toda compreensão tinha lhe escapado.

— Ah! com os diabos! — exclamou Piotr Stiepânovitch, num acesso de furor. — Ele ainda não assinou! Para que revirar os olhos dessa maneira? Assine então.

— Quero injuriá-los! — trovejou Kirílov. Contudo pegou a pena e assinou. — Quero injuriá-los...

— Acrescente: *Vive la Republique* e isto bastará.

— Bravo! — quase urrou Kirílov, arrebatado de alegria. — *Vive la Republique démocratique, sociale et universelle ou la mort*. Não, não, não é isso. *Liberté, Egalité, Fraternité ou la mort*. Assim está melhor, assim está melhor. — E com evidente satisfação, escreveu esta fórmula sob sua assinatura.

— Chega, chega — repetia Piotr Stiepânovitch.

— Espera, ainda um instante... Eu... sabes? vou pôr ainda alguma coisa em francês: De Kirílov, *gentilhomme russe et citoyen du monde*. Ah! ah! ah! ah! — explodiu ele a rir. Não, não, não, espera, encontrei melhor ainda. Eureka! *Gentilhomme, séminariste russe et citoyen du monde civilisé*. Isto é melhor, o melhor de tudo.

Saltou do divã, agarrou com um gesto rápido seu revólver que estava posto em cima da janela e correu para o quarto vizinho cuja porta fechou cuidadosamente atrás de si.

Piotr Stiepânovitch ficou um instante pensativo, com o olhar fixo na porta.

"Se o fizer imediatamente, então é possível que se mate, mas se se puser a refletir, então nada feito."

Enquanto esperava, pegou o bilhete, sentou-se e tornou a lê-lo. A declaração agradou-lhe.

"Que é preciso para o momento? Não temos necessidade de mais nada. Basta fazê-los perderem a cabeça e lançá-los a uma falsa pista. O parque? Não há parque na cidade. Acabarão compreendendo que se trata do parque de Skvopiéchniki. Mas antes que o compreendam, passará tempo; enquanto procurarem, passar-se-á ainda mais tempo, e quando descobrirem o cadáver, terão assim a confirmação do bilhete e concluirão que tudo é verdade. Também verdade o que se referia a Fiedka. Mas o que é Fiedka? Fiedka é o incêndio. Fiedka são os Liebiádkini. Portanto tudo saiu daqui, do edifício Filípov. Eles nada teriam visto, de nada teriam suspeitado. Sentirão vertigem. Nem mesmo pensarão nos "nossos". Só pensarão em Chátov, em Kirílov, em Fiedka e em Liebiádkin. E por que se mataram uns aos outros? Eis um pequeno problema que lhes servirá de passatempo. Mas, com os diabos, ele não atira!..."

Enquanto lia e admirava o texto da declaração, mantinha o ouvido atento, presa de uma inquietação torturante. De súbito, foi tomado de raiva. Tirou o relógio; a hora ia adiantada e Kirílov saíra do quarto havia já dez minutos... Apoderou-se da vela e dirigiu-se para a porta do quarto onde Kirílov se fechara. Mas, de repente, notou que a vela estava quase inteiramente consumida, que se apagaria dentro duns vinte minutos apenas e que não havia outra. Com prudência pôs a mão na maçaneta e atentou o ouvido. Nenhum ruído se ouvia do outro lado. Empurrou a porta bruscamente e ergueu a vela; alguma coisa pôs-se a urrar e precipitou-se para ele. Bateu a porta com todas as suas forças e plantou-se diante dela. Mas já tudo voltara à calma. De novo reinava um silêncio de morte.

Ficou muito tempo de pé, indeciso, com a vela na mão. Durante o curto instante em que a porta ficara aberta, pudera entrever o rosto de Kirílov que se mantinha no fundo do quarto, de pé perto da janela, da mesma maneira como tinha podido notar a espécie de raiva bestial com a qual o engenheiro saltara sobre ele. Piotr Stiepânovitch sentiu um arrepio; apressou-se em colocar a vela em cima da mesa, preparou seu revólver e, caminhando na ponta dos pés, foi postar-se no canto oposto. Desta maneira, no caso de Kirílov abrir a porta e, de arma em punho, avançar para a mesa, teria ele ainda tempo de apontar e de atirar antes dele.

Quanto ao suicídio, Piotr Stiepânovitch já não acreditava mais nele. "Ele estava de pé no meio do quarto e refletia", disse a si mesmo Piotr Stiepânovitch, cujas ideias turbilhonavam. "E além disso, que quarto escuro, aterrorizante!... Lançou um rugido e precipitou-se contra mim... De duas coisas uma: ou eu o atrapalhei, justamente no momento em que ia puxar o gatilho ou então... ou então estava ali a meditar em que maneira poderia matar-me. Sim, é isto, pensava nisto. Sabe que não me irei embora antes de matá-lo, que o matarei se for demasiado covarde para fazê-lo ele próprio, portanto tem de matar-me para que eu não o mate... E sempre, sempre o silêncio lá... é mesmo aterrorizador... e se ele abrisse a porta de repente?... A pulhice consiste no fato de ele acreditar em Deus mais firmemente do que um pope... Por coisa alguma do mundo se suicidará... Oh! eis aí o que são essas pessoas "cujo pensamento avançou tanto"; são legião hoje. Uma piolheira!... Diabos, a vela, a vela... Dentro de um quarto de hora, quando muito, estará consumida. É preciso acabar, custe o que custar, acabar... Pois bem então, pode-se matá-lo agora... Depois desta declaração, ninguém pensará que fui eu quem o matou. Pode-se estendê-lo no chão, dispô-lo de certa maneira, tendo na mão o revólver descarregado, de modo que não se deixará de supor que foi ele mesmo... Ah! com os diabos, como matá-lo? Quando eu abrir a porta, vai se lançar sobre mim de novo e atirará primeiro. Mas não, que diabo, errará o tiro, é claro!"

Tais eram os terrores em que se debatia. Sua inquietação crescia à medida que sentia mais próximo o momento de agir e em razão mesmo de sua irresolução. Por fim, pegou o castiçal, aproximou-se devagarinho da porta, mantendo erguido seu revólver, pronto a fazer fogo. Com a mesma mão que segurava o castiçal, tentou pegar a maçaneta e abrir a porta; mas não conseguiu, a fechadura rangeu, áspera. "Ele vai atirar diretamente em mim", pensou Piotr Stiepânovitch, e com todas as suas forças empurrou a porta com um pontapé, levantou a vela e apontou o revólver... mas nenhuma detonação ressoou... nem nenhum grito... No quarto não havia ninguém.

Estremeceu. O quarto não tinha outra saída e era impossível uma evasão. Levantou a vela ainda mais alto e esquadrinhou a peça atentamente: não, ninguém. Chamou Kirílov uma primeira vez em voz baixa, depois uma segunda vez um pouco mais forte. Ninguém respondeu! Teria ele saltado pela janela?

Com efeito, o postigo estava aberto. "É estúpido. Ele não pode saltar pelo postigo". Piotr Stiepânovitch atravessou todo o quarto e foi direto à janela. "Impossível; não pode passar por ali." De repente, voltou-se vivamente e percebeu algo de extraordinário que lhe causou fortíssima impressão.

Contra a parede oposta à janela, à direita da porta, encontrava-se um armário. À direita desse armário, no ângulo que ele formava com a parede, mantinha-se Kirílov, de pé, numa atitude estranha e terrificante, imóvel, rígido, as mãos pendentes ao longo dos quadris, a cabeça erguida, as costas apoiadas à parede, incrustado no canto, parecia querer ocultar-se. Segundo todas as aparências, ocultava-se, se bem que fosse, contudo, difícil admiti-lo. Piotr Stiepânovitch, que se encontrava levemente de viés em relação ao ângulo, só percebia as partes salientes da figura. Não podia decidir-se a dar um passo para a esquerda, a fim de resolver o enigma. Seu coração batia com violência. De repente, uma cólera selvagem apoderou-se dele. Gritando e batendo os pés, precipitou-se, furioso, para o canto temível.

Mas quando se achou bem perto, parou como que aturdido, ainda mais aterrorizado que inda há pouco. O que o impressionou, sobretudo, é que malgrado seus gritos, seus gestos violentos, o vulto não tinha feito o menor movimento, não tinha mexido um só membro; era de dizer que estivesse petrificado ou que se tornara de cera. A palidez extrema do rosto não era natural; os olhos negros absolutamente imóveis permaneciam fixos em algum ponto do espaço. Piotr Stiepânovitch passeou a luz de alto a baixo, depois de baixo ao alto, examinando atentamente todas as partes do rosto. E de súbito, percebeu que Kirílov, olhando para alguma parte diante de si, nem por isso deixava de vê-lo com o canto do olho e talvez mesmo o observasse. Veio-lhe então a ideia de levar a vela bem contra o rosto "daquele canalha" para queimá-lo e ver o que ele faria. De súbito, acreditou ver mover-se o queixo de Kirílov e aparecer em seus lábios um sorriso sarcástico, como se ele lhe houvesse adivinhado a ideia. Pôs-se a tremer e, perdendo toda a consciência do que fazia, agarrou com força Kirílov pelo ombro.

Então, com a rapidez do raio, passou-se uma coisa de tal modo incrível que o próprio Piotr Stiepânovitch mais tarde não foi capaz de recordar exatamente. Mal tocou Kirílov, este, inclinando bruscamente a cabeça, com uma cabeçada fez-lhe cair a vela das mãos; o castiçal rolou no chão com estrépito e a vela apagou-se. No mesmo instante, sentiu ele uma dor terrível no dedo mínimo de sua mão direita. Lançou um grito. Mais tarde lembrou-se somente de que, no seu furor, assestara com todas as suas forças três grandes golpes com a coronha de seu revólver na cabeça de Kirílov que lhe mordia o dedo e não queria largar a presa. Por fim conseguiu libertar seu dedo e precipitou-se para fora do quarto, para fora da casa, procurando seu caminho a tatear nas trevas. Gritos terríveis perseguiam-no.

— Agora, agora, agora, agora!...

Este grito foi repetido mais de dez vezes. Mas Piotr Stiepânovitch corria sempre e já estava no vestíbulo quando, de súbito, ressoou uma ruidosa detonação. Parou no escuro do vestíbulo, hesitou alguns minutos. Por fim, voltou sobre seus passos e tornou a entrar no aposento. Era preciso primeiro luz. Para isto teve de procurar a vela que Kirílov lhe fizera cair das mãos e que devia estar por terra à direita do armário. Mas com que acendê-la? Vaga lembrança veio-lhe de súbito ao espírito: na véspera, quando correra à cozinha para se precipitar sobre Fiedka, notara num canto, sobre uma prateleira, uma grande caixa de fósforos... Tateando, dirigiu-se primeiro à esquerda, para a porta da cozinha, achou-a, atravessou o corredorzinho e desceu a escada. Na prateleira, no mesmo lugar, descobriu a caixa de fósforos não aberta. Sem pensar em acender um, apressou-se em tornar a subir. E foi somente quando se achou perto do armário, no lugar preciso em que havia batido na cabeça de Kirílov que o mordia, que se lembrou de seu dedo mordido e no mesmo instante sentiu uma dor quase intolerável. Cerrando os dentes, acendeu com grande trabalho o toco de vela, repô-lo no castiçal e olhou em redor de si. Perto da janela cujo postigo estava aberto, com os pés voltados para o ângulo direito, jazia o cadáver de Kirílov. O tiro fora disparado na fronte direita. A bala saíra à esquerda para o alto, depois de ter varado o crânio lado a lado. Viam-se aqui e ali salpicos de sangue e de miolos. A arma ficara na mão do suicida. A morte devia ter sido instantânea. Depois de ter examinado tudo com o maior cuidado, Piotr Stiepânovitch ergueu-se e saiu na ponta dos pés. Fechou a porta atrás de si e pousou a vela sobre a mesa do primeiro quarto. Refletiu um instante e decidiu não apagá-la, pensando que ela não podia provocar incêndio. Depois, tendo lançado um derradeiro olhar ao documento que estava sobre a mesa, sorriu maquinalmente e, não se sabe por que, saiu desta vez ainda na ponta dos pés. De novo, deslizou pela passagem secreta de Fiedka que tornou a fechar com cuidado atrás de si.

III

Às seis horas menos dez, Piotr Stiepânovitch e Erkel iam e vinham pela plataforma da estação, perto do trem composto naquele dia duma bem comprida fila de vagões. Piotr Stiepânovitch partia, Erkel viera despedir-se dele. As bagagens já estavam registradas e o saco colocado num vagão de segunda classe para marcar o lugar reservado. Já soara o primeiro toque da sineta, esperava-se o segundo. Piotr Stiepânovitch, segundo seu hábito, olhava para todos os lados e observava com curiosidade os viajantes que entravam nos carros. Não avistou nenhum de seus íntimos; duas vezes, somente, teve de fazer um cumprimento com a cabeça: um negociante a quem conhecia vagamente e um jovem padre de aldeia que se dirigia à sua paróquia, situada a duas estações da cidade. Erkel tinha visivelmente naquele derradeiro minuto vontade de falar de alguma coisa importante, se bem que ele mesmo talvez não soubesse com certeza o que fosse, mas não ousava travar a conversa. Parecia-lhe mesmo que Piotr Stiepânovitch tinha vontade de desembaraçar-se dele e aguardava com impaciência o segundo toque da sineta.

— O senhor olha todo mundo com um ar tão despreocupado! — observou ele, timidamente, como que para adverti-lo.

— Por que não? Não tenho ainda razão para me esconder. É demasiado cedo. Não se inquiete. Temo somente que o diabo me envie Lipútin; se este farejar alguma coisa, é capaz de aparecer.

— Piotr Stiepânovitch, não se pode confiar neles — disse por fim Erkel, num tom decidido.

— Em Lipútin?

— Em todos, Piotr Stiepânovitch.

— Que bobagem! Estão agora atados pelo que se passou ontem. Nem um sequer trairá. Qual o que quereria perder-se a si mesmo, a menos que haja perdido a razão?

— Piotr Stiepânovitch, mas é que eles perderão a razão.

Evidentemente essa ideia já surgira no espírito de Piotr Stiepânovitch. Por isso a observação de Erkel não fez senão irritá-lo mais.

— Você está com medo também, Erkel? Conto mais com você do que com eles todos. Agora já estou seguro a respeito do valor de cada um. Informe-os de tudo hoje verbalmente. Confio-os a você. Passe em casa de todos esta manhã mesmo. Quanto às minhas instruções escritas você as lerá para eles amanhã ou depois de amanhã, quando estiverem reunidos e em estado de compreendê-las... mas acredite-me, estarão nestas condições desde amanhã, porque têm agora um medo terrível e estarão maleáveis como cera... O principal é que você não se deixe abater.

— Ah! Piotr Stiepânovitch, seria melhor que o senhor não partisse!

— Mas parto apenas apenas por alguns dias. Voltarei dentro em pouco.

— Piotr Stiepânovitch — continuou Erkel, num tom prudente, mas firme, — mesmo que o senhor vá a Petersburgo... compreendo, sei que só faz o que é necessário pela causa comum.

— Não esperava menos de você, Erkel. Se adivinhou que parto para Petersburgo, terá compreendido também que ontem, num momento semelhante, não podia eu dizer-lhes que partia para tão longe. Isto os teria aterrorizado. Você mesmo verificou em que estado eles se encontravam. Mas você compreende que faço isso por uma causa grande e importante, pela causa comum, e não para tirar o corpo fora, como o supõe um Lipútin.

— Compreendo-o, Piotr Stiepânovitch, e mesmo se o senhor partisse para o estrangeiro, também compreenderia. Sei que não deve pôr assim em jogo sua pessoa. Porque o senhor é tudo e nós não somos nada. Oh! compreendo, Piotr Stiepânovitch...

A voz do pobre rapaz tremia.

— Agradeço-lhe, Erkel... Ai, você tocou no meu dedo doente (Erkel acabava de apertar-lhe a mão duma maneira desastrada; o dedo do ferido estava meticulosamente enfaixado em tafetá preto). Não posso senão repetir-lhe que vou a Petersburgo somente para farejar o vento; talvez mesmo não fique lá senão vinte e quatro horas. De volta para cá, irei, pro forma, viver no campo, em casa de Gagânov... Se supuserem que um perigo os ameaça, serei o primeiro a partilhá-lo. Se todavia for obrigado a prolongar minha estada em Petersburgo, mando avisá-lo de imediato... pelo meio que você conhece e você comunicará aos outros.

Retiniu o segundo toque da sineta.

— Ah! faltam apenas cinco minutos para a partida. Você sabe, não quereria que o grupo daqui se dissolvesse. Não que eu tenha medo... Não, não se inquiete comigo. Tenho em mãos um grande número de malhas da grande rede para que me ligue especialmente a alguma. Mas esse grupo forma sempre um grupo a mais e, por conseguinte, não se deve desdenhá-lo. De resto, não temo nada por você, muito embora o deixe aqui quase só com esses fracassados. Não se inquiete. Eles não trairão, não ousarão... O quê? Você também hoje? — gritou ele, de repente, com uma voz alegre e bem diferente para um jovem que, com ar todo prazeiroso, se aproximava dele para cumprimentá-lo. — Também toma o expresso? Aonde vai então? Ver a "mamãe"?

A mamãe do rapazinho era uma rica proprietária da província vizinha e o moço, parente longe de Iúlia Mikháilovna, acabava de passar uns quinze dias em nossa cidade.

— Não, vou mais longe, a K***, oito horas de estrada de ferro. E o senhor, a Petersburgo? — perguntou o jovem, rindo.

— Por que supõe que vou a Petersburgo? — replicou Piotr Stiepânovitch, rindo mais ainda e olhando-o bem de frente.

O rapaz ameaçou-o com o dedo mínimo de sua mão enluvada.

— Pois bem, adivinhou — murmurou, de súbito, Piotr Stiepânovitch, com um ar misterioso. — Vou lá levando cartas de Iúlia Mikháilovna e devo encontrar-me com três ou quatro personalidades... e que personalidades!... Você já está adivinhando. Possa o diabo levá-las todas, para falar franco. Seja dito entre nós, é um ofício de condenado.

— Mas diga-me, então, por que ela ficou com medo de repente? — murmurou o jovem. — Ela nem mesmo quis receber-me ontem. Penso que não tem nenhuma razão de temer que aconteça algo de desagradável a seu marido. Pelo contrário, caiu ele tão a propósito no teatro do incêndio; arriscou, por assim dizer, a vida.

— Naturalmente — disse Piotr Stiepânovitch, rindo. — Mas veja você, ela receia que já hajam escrito alguma coisa daqui... isto é, que certas pessoas... Em suma, trata-se sobretudo aqui de Stavróguin, ou mais exatamente do Príncipe K***. Ah! em uma palavra... é uma história completa... talvez possa lhe contar durante a viagem... na medida em que meus sentimentos cavalheirescos assim permitam... Meu parente, o Alferes Erkel, do distrito.

O rapaz lançou uma rápida olhadela para Erkel e levou a mão ao chapéu. Erkel fez-lhe continência.

— Ah! o senhor sabe, Vierkhoviénski, que oito horas de trem é uma sorte bem triste. Temos conosco, em primeira classe, um coronel muito divertido, Bieriéstov, nosso vizinho no campo, casado com uma Gárina (*née* de Garine), e muito correto sob todos os aspectos. Tem até mesmo ideias. Sabe duma coisa? Não passou aqui senão dois dias. Jogador danado; seu jogo preferido é o *whist*. Se organizássemos uma partidinha, hem? Já encontrei o quarto parceiro: Pripúkhlov, um negociante de T***, milionário, mas um milionário verdadeiro, é só o que lhe digo... Vou apresentá-lo ao senhor. Interessantíssimo saco de dinheiro. Vai ser um regalo!

— Jogo *whist* com o maior prazer, sobretudo no trem, mas estou em segunda.

— Não seja esta a dificuldade. Venha sentar-se conosco. Vou dizer imediatamente ao chefe do trem que troque seu bilhete. Ele me obedece a dedo e a olho. Que é que tem o senhor, um saco de viagem? Uma manta?

— Admirável! Vamos.

Piotr Stiepânovitch pegou ele próprio a mala de viagem, sua manta, seu livro e foi logo instalar-se na primeira classe. Erkel ajudou-o a carregar suas coisas. A sineta soou pela terceira vez.

— *Está bem, Erkel — disse* Piotr Stiepânovitch, estendendo-lhe a mão pela portinhola (tinha agora outros interesses), — como vê, vou pôr-me a jogar cartas com eles.

— Mas por que explicar-me ainda isso, Piotr Stiepânovitch? Compreendo, compreendo tudo!

— Então, adeus... — E chamado pelo rapaz que queria apresentá-lo a seus parceiros, voltou-se bruscamente. E Erkel não tornou a ver mais o seu Piotr Stiepânovitch.

Voltou para casa bastante triste. Não que a brusca partida de Piotr Stiepânovitch o inquietasse, mas... desviara-se tão depressa dele ao chamado daquele jovem peralta... teria podido dizer-lhe outra coisa que não aquele "até a vista", ou então teria podido pelo menos apertar-lhe a mão com mais força.

Esta última circunstância era a que mais pesar lhe causava. Já alguma coisa começava a roer seu pobre coraçãozinho, alguma coisa que ele mesmo não compreendia, mas que se ligava à noite da véspera.

Capítulo VII / A derradeira viagem De Stiepan Trofímovitch

I

Estou convencido de que Stiepan Trofímovitch teve grande medo, quando sentiu chegar a hora de sua louca empresa. Estou convencido de que sofreu sobretudo durante aquela noite, aquela noite horrível que precedeu sua partida. Nastássia lembrou-se mais tarde de que ele se deitara muito tarde e que adormecera. Mas isto não prova grande coisa; pretende-se que os condenados à morte durmam um sono profundo na véspera de sua execução. Se bem que Stiepan Trofímovitch se tivesse posto a caminho ao romper da aurora, instante em que o homem nervoso retoma sempre um pouco de coragem (o major, parente de Virguínski, deixava de crer em Deus assim que o dia amanhecia), estou convencido de que nunca antes ele poderia imaginar sem terror como iria assim sozinho pela estrada-mor e naquele estado. Era preciso que houvesse em sua alma algum pensamento desesperado que, em primeiro lugar, tivesse amenizado pela primeira vez aquela intensa e terrível sensação de solidão súbita que deve ter ele experimentado depois de haver deixado Stasie e o cantinho bem quente no qual vivera durante vinte anos. Mas que importa! Mesmo se tivesse previsto distintamente todos os horrores que o esperavam, nem por isso teria deixado de partir pela grande estrada, nem por isso teria deixado de prosseguir o seu caminho. Havia naquela resolução algo de soberbo que o entusiasmava apesar de tudo. Decerto teria podido aceitar as vantajosas condições que Varvara Pietrovna lhe oferecia, e permanecer nas suas boas graças, *comme un vulgaire parasite*.. Mas não aceitara a esmola e não ficara. E eis que agora é ele quem a abandona, quem brande "o estandarte da grande ideia" e vai morrer por ela na grande estrada. É bem precisamente assim que ele devia sentir-se; é precisamente assim que devia aparecer sua empresa.

Mais de uma vez fiz a mim mesmo esta pergunta: por que ele parte a pé, literalmente a pé, em lugar de tomar um carro? Em primeiro lugar, digo a mim mesmo que era preciso atribuí-lo àquela falta de senso prático de que ele não cessara de dar provas desde cinquenta anos e ao fato de que suas ideias eram perturbadas pela influência de um sentimento poderoso. Parecia-me que o pensamento de pegar um mapa de viagem e alugar um carro (mesmo que este tivesse campainhas) deveria ter parecido demasiado simples e demasiado prosaico. Pelo contrário, uma peregrinação, mesmo com um guarda-chuva na mão, era muito mais bela e comportava em si uma intenção de vingança acariciada com amor. Hoje que tudo passou, penso que aquilo se produziu de maneira muito mais simples. Se receara alugar cavalos, foi em primeiro lugar apenas porque Varvara Pietrovna poderia ficar sabendo de suas intenções, retê-lo à força — o que ela não teria deixado de fazer — e ele por certo teria se rendido. Então adeus à Grande Ideia! Em seguida, para arranjar um mapa de viagem e alugar cavalos, seria preciso saber para onde ir. E era justamente isso o que, naquela hora, fazia-o mais sofrer; fora-lhe totalmente impossível escolher e indicar um lugar. Se escolhesse uma cidade determinada, logo sua empresa lhe pareceria estúpida e impossível, pressentia-o demais! Por que tal cidade em lugar de outra? Que iria fazer lá? *Chercher ce marchand*?[165] Mas que comerciante? Tratava então de evitar aquela terrível pergunta. Na realidade, nada era mais aterrorizador para ele que aquele comerciante que ele se tinha posto de repente a procurar com encarniçamento e de cuja descoberta tinha um medo atroz. Não, melhor valia a grande estrada. Era tão simples pôr-se em marcha, ir sem pensar em nada... A grande estrada é algo de tão longo, de tão longo, que não dá para ver o fim, como a vida humana, como o sonho humano. Na grande estrada, há uma ideia. Mas no mapa de viagem, que ideia existe? O mapa de viagem exclui toda ideia. Então, *vive la grande route!* e seja o que Deus quiser!

Depois de seu encontro súbito e inesperado com Lisa, encontro que já descrevi, prosseguiu sua marcha num esquecimento sempre cada vez maior de si mesmo. A grande estrada passava a cerca de meia versta de Skvopiéchniki e, coisa estranha, nem mesmo notou a princípio que se metera por aquele caminho. Raciocinar logicamente ou dar-se conta das coisas era insuportável naquele momento. Uma chuva fina ora cessava, ora recomeçava a cair. Mas ele não prestava atenção à chuva. Não reparara tampouco que lançara o saco de viagem para as costas, o que lhe tornava a marcha bem mais fácil. Já havia caminhado cerca de uma versta ou de uma versta e meia, quando parou subitamente e olhou em torno de si. Uma velha estrada negra, cavada de trilhos, alongava-se diante dele, como uma longa fita sem fim, toda orlada de seus salgueiros brancos; à direita, uma superfície nua, os campos desde muito tempo ceifados; à esquerda, uma mata de corte, e além dela um pequeno bosque. E lá embaixo, bem ao longe, apenas visível, estava a linha da estrada de ferro que desenhava uma curva naquele lugar, com por cima, a fumaça de um trem cujo barulho não se ouvia. Stiepan Trofímovitch sentiu como que um desfalecimento, mas só por um instante. Suspirou sem motivo, depôs o saco ao pé dum salgueiro e sentou-se para descansar. Ao sentar-se, sentiu um calafrio e aconchegou-se na sua manta; percebendo então que chovia, abriu seu guarda-chuva. Ficou bastante tempo sentado, movendo de tempos em tempos os lábios e crispando sua mão sobre o cabo do guarda-chuva. Diversas imagens desfilavam diante dele, substituindo-se febrilmente umas às outras. "Lisa, Lisa — pensava ele, — e com ela aquele Mavríki... Que gente estranha! Mas que incêndio tão estranho havia sido aquele de que se falava e... quem fora assassinado? Creio *que Stasie ainda não se deu* conta de nada e que me espera ainda para tomar o café...

165 Procurar aquele comerciante?

No baralho? Será que tenho o hábito de perder as pessoas no baralho? Hum! Entre nós, na Rússia, no tempo da servidão... Ah! meu Deus, e Fiedka?"

Estremeceu todo, presa de pavor, e olhou em redor de si. "Se esse Fiedka estivesse escondido ali, atrás de alguma sebe? Conta-se que ele anda vagando pelos caminhos, à frente de uma malta completa de bandidos... Oh! meu Deus!... Então eu... Então, vou lhe dizer toda a verdade, que sou culpado... e que durante dez anos, sofri por causa dele, muito mais que ele, lá entre os soldados e... lhe darei meu porta-moedas. Hum! *J'ai en tout quarente roubles; il prendera les roubles et il me tuera tout de même.*"[166]

No seu terror, sem saber por que, fechou seu guarda-chuva, que colocou a seu lado. Ao longe, pela estrada que vinha da cidade, apareceu de súbito uma *tieliega*. Stiepan Trofímovitch pôs-se a examiná-la com inquietação, procurando distinguir o que fosse.

"*Grâce à Dieu*, é uma *tieliega* e... vai a passo; isso não pode ser perigoso... Verdadeiros pangarés esses pobres cavalos daqui... Sempre disse que a raça... Aliás, não, foi Piotr Ilitch quem no clube falou da raça... *et puis*... Mas que há pois lá embaixo por trás... parece-me que uma camponesa está sentada na *tieliega*. Uma camponesa e um camponês. *Cela commence à être rassurant*[167]. A mulher está sentada atrás e o homem na frente, *c'est très rassurant*. Por trás da *tieliega*, têm uma vaca amarrada pelos chifres. *C'est rassurant au plus haut degré*."

A *tieliega* aproximava-se... uma *tieliega* de camponês, sólida e de muito bom aspecto. A mulher estava sentada sobre um saco cheio a ponto de rebentar e o mujique na frente, sobre o rebordo, com as pernas pendentes para o lado de Stiepan Trofímovitch. Por trás da *tieliega*, com efeito, arrastava-se uma vaca amarrada pelos chifres. O homem e a mulher olharam de olhos arregalados para Stiepan Trofímovitch que os olhou da mesma maneira. Mas assim que o ultrapassaram uns vinte passos, ele ficou em pé precipitadamente e foi-lhes atrás. Parecia-lhe sem dúvida mais tranquilizador estar em companhia de uma *tieliega*; mas assim que a alcançou, esqueceu de novo tudo e remergulhou nos seus pensamentos e devaneios. Seguia, sem se dar conta evidentemente de que constituía para o mujique e sua mulher o objeto mais enigmático e mais curioso que se possa encontrar numa estrada real.

— Mas quem é o senhor? Qual a sua condição, se não é indelicadeza perguntar-lhe? — interrogou afinal a mulher que não podia mais conter sua curiosidade, no momento em que Stiepan Trofímovitch a fitava por distração. Era uma robusta camponesa de vinte e sete anos, de sobrancelhas negras, tez rosada, lábios vermelhos que sorriam amavelmente e deixavam brilhar por trás deles uma fileira de dentes brancos.

— Você... é a mim que se dirige? — balbuciou Stiepan Trofímovitch, com um doloroso espanto.

— Deve ser um comerciante — observou o mujique com segurança. Era um homem robusto, duns quarenta anos, o rosto largo e nada estúpido, e que trazia uma bela barba loura tirando a vermelho.

166 Tenho ao todo quarenta rublos; ele se apoderará dos rublos e me matará mesmo assim.

167 Isto começa a ser tranquilizador.

— Não, não sou precisamente um comerciante, eu... eu *c'est autre chose* — murmurou Stiepan Trofímovitch e, por via das dúvidas, ficou ligeiramente para trás, de tal maneira que se encontrou bem ao lado da vaca.

— Então é provavelmente um senhor — concluiu o mujique, ouvindo palavras que não eram russas, e puxou as rédeas para estimular seu cavalo.

— Sim, sim, é o que penso, vê-se logo. Como que, o senhor anda passeando? — continuou a mulher, cheia de curiosidade.

— É... é a mim que pergunta?

— Os estrangeiros que passam por aqui vêm pela maior parte em caminho de ferro e o senhor traz botas que não se parecem em nada com as daqui.

— Botas de militar — declarou o mujique com jactância.

— Não, não sou precisamente um militar, eu...

"É bastante curiosa essa comadre — murmurou Stiepan Trofímovitch, — e de que maneira me encaram... *mais enfin*... Numa palavra, é estranho, parece-me que sou culpado para com eles, e no entanto não sou de modo algum culpado para com eles."

A mulher cochichou algo ao ouvido do mujique.

— Se isto não o ofende, poderíamos levá-lo conosco... somente para ser lhe agradável.

Stiepan Trofímovitch voltou de súbito a si.

— Sim, sim, meus amigos, com grande prazer, porque já caminhei muito e estou fatigado. Mas como poderei subir até aí em cima?

"Como é estranho — pensou ele para si, — caminhei tanto tempo lado a lado com aquela vaca e não me veio à cabeça a ideia de pedir-lhes um lugar na *tieliega*. Esta 'vida real' tem verdadeiramente alguma coisa de muito característico."

Entretanto o mujique não detinha o cavalo.

— Mas aonde vai o senhor? — informou-se ele com certa desconfiança.

Stiepan Trofímovitch não compreendeu logo.

— A Khátovo talvez?

— À casa de Khátovo?... Não precisamente à casa de Khátovo, não o conheço muito bem, embora já tenha ouvido falar dele...

— Não é isso, é a aldeia de Khátovo, a nove boas verstas daqui...

— Ah!... uma aldeia... *c'est charmant*, sim, sim, parece-me que já ouvi falar.

Stiepan Trofímovitch continuava a caminhar, porque continuavam a não dar demonstração de querer deixá-lo subir. De súbito uma ideia genial atravessou-lhe a mente.

— Talvez acreditem que... tenho um passaporte e sou professor... isto é, se quiserem um mestre, mas um mestre superior. *Oui, c'est comme ça qu'on peut le traduire*... Vou lhes comprar, como compensação, uma meia garrafa de aguardente.

— Se o senhor quiser pagar meio rublo, a estrada é difícil.

— Senão, seremos demasiado prejudicados — ajuntou a mulher.

— Meio rublo?... Está bem, vá o meio rublo. *C'est encore mieux, j'ai en tout quarante roubles, mais...*

O mujique parou; sua mulher e ele uniram seus esforços para içar Stiepan Trofímovitch para a *tieliega* e sentá-lo sobre o saco, ao lado da camponesa. Um turbilhão de ideias continuava a persegui-lo. De vez em vez ele próprio sentia que se mostrava particularmente distraído e pensava em tudo menos naquilo em que era preciso pensar; e admirava-se disso. Essa consciência de sua mórbida fraqueza de espírito era-lhe, por momentos, bastante penosa e até mesmo aborrecia-o.

— Aquilo... lá atrás, que é?... uma vaca?... — perguntou ele de súbito à mulher.

— Ah!... parece que o senhor jamais viu uma — respondeu a mulher, pondo-se a rir.

— Compramo-la na cidade — replicou o mujique. — Por desgraça, todo o nosso gado morreu, na primavera passada... de tifo. Em torno de nós, por toda parte, os animais morreram, nem a metade restou.

E de novo fustigou o cavalo, atolado num sulco.

— Sim, isto acontece entre nós, na Rússia... e em geral, nós, russos... sim, isto acontece — disse Stiepan Trofímovitch, não chegando a terminar a frase.

— Se o senhor é professor, que vai fazer em Khátovo?... Ou quem sabe se não vai mais longe?

— Eu... isto é... não precisamente... não é que eu vá mais longe... isto é, vou à casa de um comerciante.

— Ah!... a Spásovo, sem dúvida?

— Sim, sim, justamente a Spásovo, a Spásovo... aliás pouco importa!

— Se quisesse ir a Spásovo, a pé, com essas botas, levaria uma semana para lá chegar — observou, rindo, a mulher.

— Sem dúvida, sim, mas pouco importa *mes amis*, pouco importa — interrompeu Stiepan Trofímovitch com impaciência.

"Essa gente do povo é terrivelmente curiosa; a boa mulher fala melhor que seu marido; aliás, notei que o estilo deles mudou um pouco depois da abolição da servidão... E que têm eles que ver se vou ou não vou a Spásovo? Vou lhes pagar; que querem eles pois comigo?"

— Se o senhor vai a Spásovo, é preciso tomar o barco a vapor — notou o mujique, que decididamente não queria deixá-lo em paz.

— Isto é contudo verdadeiro — apressou-se em acrescentar a mulher, — porque tomando um carro e seguindo a margem, isto o obriga a dar um rodeio de trinta verstas.

— Quarenta... — retificou o homem.

— Amanhã... às duas horas, o senhor encontrará o barco em Ústievo — afirmou a mulher.

Mas Stiepan Trofímovitch manteve um silêncio obstinado.

Os perguntadores calaram-se. O mujique sacudia as rédeas. De vez em quando a mulher trocava com ele algumas breves observações. Pouco a pouco, Stiepan Trofímovitch adormeceu. Ficou muito surpreendido, quando a mulher se pôs de súbito a sacudi-lo, rindo, e se viu numa aldeia bastante grande, diante do patamar duma isbá de três janelas.

— O senhor dormiu um bocado.

— Que é? O quê? Onde estou? Ah! bem, pouco importa — suspirou Stiepan Trofímovitch, e desceu da *tieliega*.

Lançou um olhar melancólico em torno de si. O aspecto daquela aldeia lhe pareceu esquisito e tão terrivelmente estranho...

— Ah! e os cinquenta copeques, tinha-os totalmente esquecido — disse ele, dirigindo-se ao mujique, com um gesto que poderia parecer um pouco precipitado demais.

Evidentemente temia já dever separar-se deles.

— Lá dentro da isbá liquidaremos... entre, pois, por favor — convidou o mujique.

— É bom aqui — disse a mulher como para encorajá-lo.

Stiepan Trofímovitch galgou a escada de madeira de degraus oscilantes.

— Como é possível isto? — murmurou, presa duma perplexidade profundamente inquieta. Não obstante entrou na isbá. *"Elle l'a voulu"*,[168] e sentiu uma pontada no coração. Depois de novo esqueceu tudo, até mesmo que acabava de entrar na isbá.

Era uma isbá de camponeses, clara, bastante limpa, com três janelas e dois quartos, não precisamente um albergue, mas uma casa onde se detinham os viajantes e hóspedes conhecidos. Stiepan Trofímovitch, sem se sentir de modo algum intimidado, dirigiu-se para o canto da primeira peça, esqueceu-se de cumprimentar, sentou e se abismou de novo em seus pensamentos. Todavia uma extraordinária impressão de bem-estar e de calor, sucedendo-se àquelas três horas de fria umidade na estrada, espalhava-se de súbito pelo seu corpo. Até mesmo aquele leve arrepio ao longo da espinha, que sentem as pessoas um pouco nervosas demais, quando têm febre e que passam demasiado brutalmente do frio ao calor, de repente tornou-se para ele estranhamente agradável. Levantou a cabeça e o cheiro delicioso de umas panquecas que a hospedeira atarefada estava assando afagou-lhe o olfato. Com um sorriso infantil nos lábios, aproximou-se da hospedeira e se pôs de repente a balbuciar:

— Que é?... Panquecas, não? *Mais, c'est charmant*.

— O senhor quer? — propôs logo a dona da casa polidamente.

— Naturalmente, é claro que quero... e lhe pedirei também um pouco de chá.

— Ah! preparar o samovar... mas com prazer.

Num grande prato de grandes flores azuis apareceram as panquecas, os famosos *blini* que somente as camponesas sabem fazer, delgados, regados de manteiga fresca e quente, suculentos *blini* de farinha de trigo. Stiepan Trofímovitch saboreou-os com delícia.

— Como estão bem amanteigados! Como são bons! Se houvesse alguma possibilidade de ter *un doigt d'eau-de-vie*.[169]

— Será talvez vodca que o senhor deseja?

— Justamente, justamente, um pouquinho de nada, um *tout petit peu*.[170]

— Por cinco copeques então?

— Sim, por cinco copeques, por cinco, por cinco, um pouquinho de nada — aquiesceu Stiepan Trofímovitch, com um sorriso de beatitude.

Se você pedir a um homem do povo que faça alguma coisa por você, se ele puder e quiser, irá servi-lo com cuidado e bonomia. Mas se você lhe pedir que vá arranjar-lhe vodca, então a tranquila e costumeira bonomia cederá, de súbito, lugar a um serviçalismo obsequioso, para não dizer a uma solicitude afetuosa. Aquele

---

168 Ela o quis.

169 Um dedo de aguardente.

170 Um pouquinho.

que vai buscar o vodca sabe muito bem de antemão que você a beberá sozinho e que não restará uma gota, não obstante parece experimentar uma parte do seu prazer futuro... Três ou quatro minutos mais tarde (o botequim estava a dois passos da isbá) Stiepan Trofímovitch tinha diante de si uma garrafa e um grande copo de cor esverdeada.

— Tudo isso para mim? — perguntou ele muito admirado. — Sempre tive vodca em minha casa, mas jamais soube que se comprava tanta por cinco copeques.

Encheu o copo até a borda, levantou-se, e, com certa solenidade, atravessou a peça e dirigiu-se para o canto oposto onde estava sentada sua companheira de viagem, a camponesa de sobrancelhas negras que tanto o havia importunado com suas perguntas. Toda confusa, a boa mulher começou recusando, depois, já quites com as conveniências, levantou-se, pegou o copo e esvaziou-o com compunção em três goles, como bebem as mulheres, e enquanto seu rosto mostrava uma grande expressão de sofrimento, devolveu o copo, fazendo uma reverência a Stiepan Trofímovitch. Este retribuiu-lhe a saudação com dignidade e com ar altivo voltou ao seu lugar perto da mesa.

Agiu nisso como se tivesse obedecido a alguma inspiração súbita: um segundo antes, não sabia ainda ele próprio que iria oferecer aquele copo de aguardente à boa mulher.

"Sei perfeitamente, sim, perfeitamente, qual a maneira de nos dirigirmos à gente do povo, sempre lhes disse", pensou ele, com fatuidade, servindo-se do resto da aguardente. Se bem que houvesse menos de um copo, a aguardente o aqueceu e lhe subiu mesmo um pouco à cabeça.

— *Je suis malade tout à fait, mais ce n'est pas trop mauvais d'être malade.*[171]

— Não quer comprar?... — Estas palavras foram ditas junto dele por uma doce voz de mulher.

Ergueu a vista e, para grande espanto seu, viu diante de si uma dama — *une dame et elle en avait l'air*[172] — que podia ter um pouco mais de trinta anos, de ar muito modesto, vestida como uma senhora da cidade, com um vestido escuro e um grande lenço cinzento sobre os ombros. Seu rosto tinha algo de muito simpático que logo agradou a Stiepan Trofímovitch. Acabava de reentrar na isbá, onde deixara suas coisas sobre um banco perto do lugar ocupado por Stiepan Trofímovitch, entre elas uma pasta que ele se lembrou de ter, ao entrar, observado com curiosidade, e um saco de lona encerada não muito grande. Daquele saco tirou ela dois livrinhos, lindamente encadernados com cruzes gravadas na capa. Ofereceu-os a Stiepan Trofímovitch.

— Eh!... *mais je crois que c'est l'Evangile*... com o maior prazer. Agora compreendo... *Vous êtes ce qu'on appelle*[173] uma vendedora ambulante... tenho lido muitas vezes... São cinquenta copeques?

— Trinta e cinco — respondeu a vendedora ambulante.

— Com o maior prazer. *Je n'ai rien contre l'Evangile* e... Desde muito tempo estava com vontade de relê-lo...

---

171 Estou absolutamente doente, mas não é tão mau assim estar doente.

172 Uma dama e tinha o ar de ser.

173 A senhora é o que se chama.

E no mesmo instante, pensou que desde trinta anos pelo menos não lera o *Evangelho*, e que sete anos antes recordara-se de alguns trechos por ocasião da *Vida de Jesus*, de Renan.[174] Como não tivesse moedas, tirou suas quatro cédulas de dez rublos, tudo quanto possuía. A hospedeira ofereceu-se para trocar uma das cédulas, então somente deu-se ele conta, lançando uma olhada em redor, que se encontrava muita gente reunida na isbá e que o observavam desde muito tempo já e pareciam falar a seu respeito. Falavam também do incêndio; o proprietário da carroça e da vaca, que chegava da cidade, mostrava-se como o mais falador. Dizia-se que o incêndio era devido à malvadez e apontavam-se os operários de Chpigúlin: os chpigulianos.

"Vejam só, mas a mim, pelo caminho, não disse uma palavra a propósito do incêndio e, no entanto, falou de tudo", pensou Stiepan Trofímovitch.

— Meu *bátiuchka*, Stiepan Trofímovitch, caro senhor, será mesmo o senhor que estou vendo? Por exemplo, eis o que eu não teria jamais ousado esperar! O senhor não me reconhece, sem dúvida? — exclamou um homem bastante idoso, de rosto inteiramente raspado, ar de antigo criado, vestido com um capote de larga gola dobrada. Stiepan Trofímovitch teve medo ao ouvir pronunciarem-lhe o nome.

— Desculpe-me — murmurou ele, — mas não me recordo...

— O senhor me esqueceu? Sou Aníssim Ivânovitch. Servi em casa do falecido Senhor Gagânov e quantas vezes o vi com Varvara Pietrovna em casa da falecida Avdótia Sierguiéievna. Ia muitas vezes levar-lhe livros de sua parte e duas vezes levei-lhe mesmo bombons de Petersburgo.

— Ah! sim, lembro-me de ti, Aníssim — disse, sorrindo, Stiepan Trofímovitch. — E agora vives aqui?

— Perto de Spásovo, no mosteiro de V***, em casa de Marfa Sierguiéievna, a irmã da falecida Avdótia Sierguiéievna. Talvez o senhor se lembre de que ela quebrou a perna, saltando do carro, quando se dirigia a um baile. Agora mora perto do convento e eu continuo em sua casa. E hoje, como vê, queria eu ir à sede de nossa província para ver os meus.

— Sim, sim, é claro.

— Ah! que alegria tive ao vê-lo, o senhor foi sempre tão gentil comigo — sorria em triunfo Aníssim. — Mas aonde vai o senhor? Pôs-se a caminho sozinho, pelo que vejo, sozinho... Outrora, o senhor jamais viajava só, parece-me...

Stiepan Trofímovitch olhou, aterrorizado.

— Será que o senhor não irá à nossa casa em Spásovo?

— Sim, sim, vou a Spásovo. *Il me semble que tout le monde va à* Spásovo[175]

— À casa de Fiódor Matviéievitch talvez? Ah! como ele ficará contente! Ele gostou tanto do senhor e estimou tanto o senhor que ainda agora fala muitas vezes a seu respeito.

— Sim, sim, também à casa de Fiódor Matviéievitch.

— É isto, é isto. Os mujiques daqui se admiram e contam que encontraram o senhor a pé, sozinho na grande estrada. A gente do povo é estúpida.

---

174 Ernest Renan (1823-1892), acadêmico, sábio filósofo e historiador francês, incomparável estilista, exegeta erudito, mas audacioso nas suas hipóteses, apaixonado por um ideal científico racionalista.

175 Parece-me que todo mundo vai a Spásovo.

— Eu, eu... eu... tu sabes, Aníssim, apostei, como muitas vezes fazem os ingleses, que iria a pé e eu... e eu...

Gotas de suor começavam a perolar-lhe as frontes e toda a sua testa.

— É isto, é isto — observou Aníssim, que escutava com impiedosa curiosidade. Stiepan Trofímovitch não podia mais. Sua perturbação era tão grande que quis ele se levantar e abandonar a isbá. Mas nesse momento trouxeram o samovar e a vendedora, que havia saído, voltou. Com o gesto de um homem que se dirige a um salvador, convidou esta última a aceitar uma xícara de chá. Aníssim bateu em retirada e saiu.

Na realidade, sua presença despertara entre os mujiques uma curiosidade levemente inquieta: "Quem é esse homem? Encontraram-no a pé pela grande estrada; pretende ser professor; está vestido como um estrangeiro; seu espírito assemelha-se ao dum menino; por vezes, responde como se seu pensamento estivesse alhures; parece que fugiu da casa de alguém e tem dinheiro!". Pensava-se já em prevenir à polícia "tendo em vista que na cidade não corriam bem as coisas". Mas Aníssim, voltando a tempo, acalmou os espíritos. No vestíbulo, comunicou a quem quis ouvi-lo que Stiepan Trofímovitch não era um professor, mas "um grande sábio" que se ocupava com altos estudos: um antigo proprietário que havia já vinte e dois anos morava em casa da Generala Stavróguina, da qual era o homem de confiança, e que na cidade gozava da estima e do respeito de todos. No clube da nobreza, acontecia-lhe perder em uma só noite cédulas cinzentas e de todas as cores. Tinha o título de conselheiro, equivalente ao de tenente-coronel. Quanto a dinheiro, tinha tanto quanto quisesse, pois a Generala Stavróguina nada lhe regateava... etc... etc...

"Mais c'est une dame très comme il faut", dizia Stiepan Trofímovitch a si mesmo, dando um suspiro de alívio após a ofensiva de Aníssim, e com uma agradável curiosidade examinava sua vizinha, a vendedora ambulante, que no entanto bebia seu chá no pires e mordiscava seu torrão de açúcar... *"Ce petit morceau de sucre, ce n'est rien.*[176] Há nela alguma coisa de nobre, de independente e de calmo. *Le comme il faut tout pur,*[177] apenas de uma maneira um pouco diferente."

Não tardou a saber dela própria que se chamava Sófia Matviéievna Ulítina, morava em K***, onde tinha uma irmã viúva pertencente à pequena burguesia. Ela também era viúva; seu marido, antigo sargento-mor promovido a subtenente em virtude de seus serviços, fora morto em Sebastopol.

— Mas a senhora é tão moça ainda, *vous n'avez certainement pas trente ans.*

— Trinta e quatro — sorriu Sófia Matviéievna.

— Como? Compreende também o francês?

— Um pouco, somente; vivi quatro anos em casa duma família da nobreza e aprendi um pouco com as crianças.

Contou que depois da morte de seu marido, quando tinha ela apenas dezoito anos, ficara algum tempo em Sebastopol como "irmã de caridade", em seguida servira em vários lugares e agora andava vendendo *Evangelhos*.

— *Mais, mon Dieu*, não teria sido à senhora que aconteceu entre nós aquela estranha história, estranhíssima mesmo?

176 Esse pedacinho de açúcar não é nada.

177 A distinção totalmente pura.

Ela corou. Efetivamente, fora a ela.

— *Ces vauriens, ces malheureux!...*[178] — começou Stiepan Trofímovitch, com uma voz trêmula de indignação. Aquela recordação penosa e odiosa apertou-lhe o coração. Um minuto ficou perdido nos seus pensamentos.

— Ah! ora essa! ela saiu ainda uma vez! — exclamou ele, percebendo que ela não se achava mais junto dele. — Ausenta-se muitas vezes e parece estar bastante ocupada; creio que está mesmo inquieta. *Bah, je deviens égoiste!*

Ergueu a vista, viu de novo Aníssim, mas acompanhado desta vez por um séquito ameaçador. A casa estava sitiada por mujiques, evidentemente trazidos todos por Aníssim. Estavam ali o proprietário da isbá, o mujique da vaca e ainda dois outros camponeses (carroceiros ao que parecia) e um homenzinho meio ébrio, vestido de camponês, mas barbeado, parecendo um burguês arruinado pela bebida e o mais loquaz de todos. E toda aquela gente falava a respeito de Stiepan Trofímovitch. O homem da vaca continuava a sustentar que de carro, pela beira do lago, era preciso dar uma volta de pelo menos quarenta verstas e era necessário tomar o barco. O burguesinho tonto e o proprietário da isbá replicavam acaloradamente:

— Se dizes a Sua Senhoria que é mais depressa atravessar o lago de barco, é como dizes; mas neste momento o barco não pode atracar.

— Atraca, atraca, atracará ainda por toda uma semana — replicou Aníssim, mais acalorado que qualquer outro.

— Bom, é possível, é como dizes, mas ele não vem mais com regularidade porque a estação já está avançada e por vezes a gente é obrigada a esperar em Ústievo durante três dias.

— Chegará amanhã, amanhã às duas horas em ponto. O senhor chegará certamente a Spásovo antes do cair da noite — vociferou Aníssim.

— *Mais qu'est-ce qu'il a cet homme?*[179] — perguntou a si mesmo, tremendo, Stiepan Trofímovitch, que esperava que decidissem a sua sorte.

Em seguida os carroceiros aproximaram-se dele e fizeram-lhe ofertas; até Ústievo, pediam três rublos. Os outros gritavam que não era verdadeiramente muito e era o preço que se tinha pedido durante todo o verão.

— Mas aqui... está-se tão bem... e eu não quero — balbuciou Stiepan Trofímovitch.

— Está-se bem aqui, senhor, tem razão, mas lá em Spásovo é muito melhor e Fiódor Matviéievitch vai se sentir tão feliz!...

— *Mon Dieu, mons amis*, tudo isto é para mim tão inesperado...

Sófia Matviéievna voltou; triste e abatida, sentou-se no banco.

— Não poderei ir até Spásovo! — disse ela à hospedeira.

— Como? A senhora também vai a Spásovo? — exclamou Stiepan Trofímovitch.

Uma proprietária chamada Nádiejda Iegórovna Svietlítsina[180] tinha, ainda ontem, pedido à vendedora que a esperasse em Khátovo e prometera conduzi-la até Spásovo e eis que agora não viera!

— Que vou fazer agora? — repetia Sófia Matviéievna.

---

178 Aqueles patifes, aqueles desgraçados!...

179 Mas que *é* que tem aquele homem?

180 Literalmente: aranha. Título da obra da personagem Liebiádkin.

— *Mais ma chère et nouvelle amie*, penso, como pensou a proprietária, levá-la a essa... como se chama ela?... a essa aldeia, e já aluguei... e amanhã, pois bem, amanhã partiremos juntos para Spásovo...

— O senhor também vai a Spásovo?

— *Mais que faire et je suis enchanté.*[181] É com o maior prazer que a levarei para lá. Veja, querem todos que eu vá para lá e já aluguei... qual dentre vocês contratei? — perguntou Stiepan Trofímovitch que, de repente, quis absolutamente partir para Spásovo.

Um quarto de hora mais tarde, já estavam instalados em um breque coberto; ele, muito animado e cheio de contentamento, ela, ao lado dele, com seu saco de lona encerada, o rosto iluminado por um sorriso de gratidão. Aníssim tinha-os ajudado a subir no carro.

— Boa viagem, senhor. Como fomos felizes revendo-o!

— Adeus, adeus, meu amigo, adeus.

— O senhor vai também rever Fiódor Matviéievitch.

— Sim, meu amigo, sim, Fiódor Matviéievitch também... mas adeus.

II

— Veja a senhora, minha amiga... Permite, não é, que a chame de minha amiga? — começou apressadamente Stiepan Trofímovitch, assim que o carro se pôs em marcha. — Veja a senhora, eu... *j'aime le peuple, c'est indispensable, mais il me semble que je ne l'avais jamais vu de prés. Stasie... cela va sans dire qu'elle est aussi du peuple... mais le vrai peuple,*[182] isto é, o verdadeiro, aquele que se encontra pela estradas, aquele, parece-me, não tem outra preocupação senão a de saber para onde vou... Mas perdoemos as ofensas... Acho que hoje estou divagando um pouco. Creio que é por causa da pressa com que falo.

— Receio que o senhor não esteja bem de saúde — observou Sófia Matviéievna, lançando-lhe um olhar penetrante, mas respeitoso.

— Não, não, basta que me abrigue em geral... o vento está bastante fresco... demasiado fresco, mas... deixemos isso. Sim, o principal... não é o que quis dizer. *Chère et incomparable amie*, creio que me sinto quase feliz e isto graças à senhora. A felicidade não me vale de nada, porque em geral sinto imediatamente a necessidade de perdoar a todos os meus inimigos...

— Mas deve saber que isso é uma bela coisa!

— Nem sempre *chère innocente. L'Evangile... voyez-vous, désormais, nous le prêcherons ensemble*[183] e de bom grado venderei seus belos livros. Sim, sinto que é uma boa ideia... *quelque chose de très nouveau dans ce genre.*[184] O povo é religioso, *c'est admis,*[185] mas não conhece o *Evangelho*. Eu lhe explicarei... Por meio de comentários feitos de viva voz pode-se facilmente corrigir os erros desse livro notável, para com o qual estou disposto a comportar-me com o maior respeito. Assim, serei útil,

181 Mas que fazer se estou encantado.

182 Amo o povo, é indispensável, mas parece-me que nunca o havia visto de perto. Stasie... é claro que é também do povo... mas o verdadeiro povo.

183 Querida inocente. O *Evangelho*... veja a senhora, doravante, nós o pregaremos juntos.

184 Algo de muito novo neste gênero.

185 Está admitido.

mesmo vagando pela estrada real. Sempre fui útil, sempre disse a eles, àquela *chère ingrate*... Oh! perdoemos, perdoemos, antes de tudo perdoemos a todos e sempre. Poderemos esperar que nos perdoem a nós também. Sim, porque somos todos culpados uns para com os outros. Todos culpados!...

— O senhor fala muito bem!

— Sim, sim, sinto que falo muito bem. Vou lhes falar muito bem, mas que queria eu dizer de importante? Atrapalho-me sempre e não posso lembrar-me... Sim, quer permitir que não mais me separe da senhora? Sinto que seu olhar... e admiro-me mesmo de sua maneira de ser. A senhora é simples, não fala completamente com distinção e bebe o chá pelo pires... com aquele plebeu torrãozinho de açúcar; mas há na senhora algo de encantador e nas suas feições, vejo... oh! não core e não tenha medo de mim como de um homem. *Chère et incomparable amie, pour moi, une femme, c'est tout*. Não posso viver sem ter uma mulher ao lado, mas somente ao lado... Isto é, queria dizer... Oh! creio que de novo me atrapalhei todo; não consigo de jeito nenhum me lembrar do que queria dizer. Oh! bem-aventurado aquele a quem Deus envia sempre uma mulher... e creio mesmo que não me falta certo entusiasmo. Na grande estrada também, há uma grande ideia. Sim, sim, é o que eu queria dizer a propósito das ideias, agora me lembrei, ainda há pouco tinha esquecido por completo. Mas por que nos obrigaram eles a partir para tão longe? Estava-se tão bem lá, e aqui, *cela devient trop froid. À propos, j'ai en tout quarente roubles et voilá cet argent,*[186] tome-o, tome-o, nada entendo de dinheiro e vou perdê-lo ou vão tirá-lo de mim. Creio que dormiria, a cabeça gira. Sim, gira, gira, gira. Oh! como a senhora é boa. Com que me cobre?

— O senhor está certamente com uma febre forte e pus em cima do senhor minha manta. Quanto ao dinheiro...

— Oh! pelo amor de Deus, *n'en parlons plus, parce que cela me fait mal.*[187] Oh! como a senhora é boa!

Parou de repente de falar e adormeceu muito depressa com um sono febril entrecortado de arrepios.

O caminho de atalho que deviam seguir para chegar a Ústievo não era dos mais lisos e o breque sofria terríveis solavancos. Stiepan Trofímovitch despertava muitas vezes, erguia bruscamente a cabeça de sobre a pequena almofada que Sófia Matviéievna lhe emprestara, segurava a mão desta e perguntava: "Está aí, não é?", como se temesse que ela o tivesse deixado. Afirmava-lhe que via em sonho uma espécie de mandíbula toda escancarada, com dentes, que lhe causava intenso nojo. Sófia Matviéievna estava muito inquieta a seu respeito.

Os carroceiros levaram-nos sem acidente até uma grande isbá, de quatro janelas, com quartos habitáveis no pátio. Tendo despertado, Stiepan Trofímovitch apressou-se em entrar e penetrou diretamente na segunda peça, a melhor e mais vasta da casa. Seu rosto sonolento assumiu uma expressão das mais preocupadas. Explicou à hospedeira, uma mulher grande e forte, de cabelos muito negros, de uns quarenta anos de idade, com uma sombra de bigode no lábio superior, que queria um quarto só para ele, que era preciso fechar a porta e não deixar entrar ninguém,

---

186 Está ficando frio demais. A propósito, tenho ao todo quarenta rublos e aqui está este dinheiro.

187 Não falemos mais porque isto me faz mal.

porque "temos de conversar. *Oui, j'ai beaucoup à vos dire, chére amie*. Vou lhe pagar, pagarei", gritou ele para a hospedeira.

Embora falasse muito depressa, sua língua parecia mover-se com dificuldade. A hospedeira escutou-o de má vontade e calou-se em sinal de assentimento, no qual de resto podia-se pressentir uma ameaça. Naturalmente Stiepan Trofímovitch não notou isso e no tom mais insistente (mostrava-se muito apressado) exigiu que ela saísse imediatamente do quarto e lhe servisse o jantar sem demora.

Desta vez a mulher de bigodes não pode conter-se:

— Isto aqui não é estalagem e não servimos jantar a passantes. Posso mandar ferver-lhe uns caranguejos ou preparar-lhe o samovar. É tudo. Só haverá peixe fresco amanhã.

Stiepan Trofímovitch agitou as mãos e exclamou com impaciência e cólera:

— Pagarei, pagarei tudo, mas depressa.

Pediu uma sopa de peixe e uma galinha assada. Se bem que a camponesa tivesse declarado desde logo que era impossível encontrar uma galinha em toda a aldeia, acabou por dizer que iria procurar uma, mas não sem se dar o ar de estar prestando um serviço excepcional.

Assim que ela saiu, Stiepan Trofímovitch sentou no sofá e fez Sófia Matviéievna sentar a seu lado. Havia naquele quarto um sofá e duas velhas poltronas num estado lastimável. De resto, era a peça bastante espaçosa. Com sua alcova formada por um tabique, por trás do qual se encontrava o leito, suas paredes cobertas por uma velha tapeçaria amarelecida, caindo aos pedaços, suas ignóbeis litografias representando assuntos mitológicos, sua longa fileira de ícones de cobre e de trípticos no canto, à entrada, seus móveis esquisitamente heteróclitos, o quarto oferecia um caráter compósito e desagradável de cidade e de campo. Stiepan Trofímovitch não viu nada de tudo aquilo, não lançou mesmo uma olhadela pela janela para o imenso lago que começava a trinta passos da isbá.

— Enfim, estamos sós! Não deixaremos entrar ninguém. Vou contar-lhe tudo, tudo, desde o começo.

Tomada de viva inquietação, Sófia Matviéievna interrompeu.

— O senhor deve saber, Stiepan Trofímovitch...

— Como? *Vous savez déjà mon nom*? — disse ele, sorrindo de prazer.

— Soube há pouco por Aníssim Ivânovitch, quando o senhor estava falando com ele. De minha parte, queria chamar-lhe a atenção...

E com precipitação, pôs-se a cochichar-lhe, olhando ansiosamente para o lado da porta fechada, no temor de que alguém a escutasse, que ali, naquela aldeia, as coisas eram abomináveis. "Os camponeses, não obstante serem pescadores, só vivem da exploração dos estrangeiros que esperam o barco no verão e dos quais cobram o que lhes dá na veneta. Esta aldeia não se encontra na grande estrada e só se vem a ela porque o barco aqui para. Mas quando faz mau tempo e o barco não pode atracar, então os viajantes se reúnem aqui em grande número. Agora, por exemplo, todas as casas estão cheias. E é com isto que contam os proprietários, aproveitando-se para triplicar seus preços; o dono desta casa é arrogante e altivo porque é o mais rico do lugar e uma só de suas redes custa mil rublos, etc..."

Stiepan Trofímovitch olhava quase com um ar de censura o rosto extraordinariamente animado de Sófia Matviéievna; em vão, várias vezes, fez um gesto para detê-la. Mas sem se deixar interromper, quis ela confirmar o que havia adiantado e prosseguir no seu relato: a dar-se crédito, já viera ali no verão, "com uma dama da alta nobreza" que chegava da cidade e tivera de passar a noite e até mesmo quarenta e oito horas esperando a chegada do barco. E quanta coisa tiveram de suportar! Só a lembrança ainda lhe causava terror. "E o senhor, Stiepan Trofímovitch, exigiu este quarto só para o senhor!... É só para preveni-lo... No outro há já muitos viajantes: um homem idoso e um rapaz; e ainda uma senhora com meninos. De hoje até amanhã às duas horas, a casa estará repleta até o telhado, porque fazem já dois dias que o barco não chega, não poderá deixar de chegar amanhã. Mas pelo quarto separado, pelo jantar que o senhor encomendou e pela ofensa feita a todos os viajantes, essa gente vai exigir do senhor somas inauditas mesmo nas capitais."

Entretanto Stiepan Trofímovitch sofria e sofria realmente.

— *Assez, mon enfant!* Rogo-lhe, *nous avons notre argent et après, après le bon Dieu*. Admiro-me mesmo, dada a elevação de suas ideias... *Assez, assez, vous me tourmentez!*[188] — exclamou ele, histericamente. Temos todo o nosso futuro diante de nós e a senhora... a senhora me faz temer esse futuro...

Pôs-se então a contar toda a sua história com tal precipitação que no começo era até mesmo difícil compreendê-lo. A narrativa durou muito tempo. Serviu-se a sopa de peixe, serviu-se a galinha, trouxeram enfim o samovar e ele continuava a falar... Tudo quanto ele dizia parecia estranho como o delírio de quem estivesse com febre, porque ele estava doente com efeito. Era o resultado duma súbita tensão de suas forças intelectuais que, evidentemente, — e é o que previa Sófia Matviéievna durante todo o curso da narração — devia ser imediatamente seguida da reação, isto é, do esgotamento completo de suas forças em seu organismo quebrantado. Começou pela sua infância quando, "de peito ao ar, corria através dos campos"; somente ao fim de uma hora chegou aos seus dois casamentos e em seguida ao relato de sua vida em Berlim. Não ousaria eu, aliás, rir disso. Havia naquilo para ele algo de "superior" e para servir-me duma expressão contemporânea, uma espécie de luta pela vida. Via diante de si aquela que escolhera para acompanhá-lo na sua rota futura e apressava-se por assim dizer, em iniciá-la. O gênio de Stiepan Trofímovitch não devia ser mais um mistério para ela. Talvez se enganasse demais a respeito de Sófia Matviéievna, mas que importa? Havia-a escolhido! Não podia passar sem uma mulher. E entretanto, via pelo ar da vendedora, que ela não o compreendia, mesmo no ponto mais importante.

"*Ce n'est rien, nous attendrons*,[189] no momento pode compreender-me por intuição."

— Minha amiga, só tenho necessidade de seu coração! — exclamou ele, interrompendo sua narrativa. — E desse querido e encantador olhar com que me contempla agora! Oh! não core. Já não lhe disse... ?

O que pareceu sobretudo incompreensível à pobre Sófia Matviéievna, apanhada na armadilha, foi a dissertação de Stiepan Trofímovitch, quando veio a declarar que ninguém jamais pudera compreendê-lo e explicar como "os talentos perecem entre nós, na Rússia". "Tudo aquilo era demasiado inteligente para mim", confessou

188 Basta, basta, não me atormente.
189 Não é nada, esperemos.

ela mais tarde, com melancolia. Escutava-o com visível sofrimento, os olhos levemente escancarados. Quando Stiepan Trofímovitch lançou-se ao humorismo e atirou algumas piadas espirituosas contra nossos "dirigentes e progressistas", tentou ela por duas vezes sorrir para responder ao riso dele, mas isto saiu-lhe pior do que as lágrimas, de modo que não sabendo onde se achava, Stiepan Trofímovitch pôs-se a sovar os "niilistas" e os "homens novos". Ficou ela então completamente amedrontada e só teve um pouco de alívio — dos mais enganadores de resto — quando ele se pôs a contar seu romance propriamente dito. Uma mulher, ainda que freira, é sempre uma mulher. Ela sorria, abanava a cabeça, corava baixando os olhos, o que lançou Stiepan Trofímovitch num transporte de encantamento e tão bem o inspirou que se pôs logo a pregar mentiras. Na sua narrativa, Varvara Pietrovna transformou-se numa adorável moreninha "que fazia as delícias de Petersburgo e de numerosas capitais da Europa". Seu marido morrera em Sebastópol, traspassado por uma bala, unicamente porque não se sentia digno de tal amor e queria deixar o campo livre a seu rival, isto é, a ele mesmo, Stiepan Trofímovitch... "Oh! não se perturbe, minha doce cristã! — exclamou ele, acreditando no que dizia. — Foi algo de tão sublime, de tão delicado, que jamais consentimos em confessar esse sentimento um ao outro." A causa dessa situação, como apareceu na continuação da narrativa, fora certa loura (se não se tratava de Daria Pávlovna, não sei na verdade de quem queria falar Stiepan Trofímovitch). Essa lourinha devia tudo à moreninha que a havia educado em sua casa a título de parenta longe. A moreninha não tardou em perceber o amor da lourinha por Stiepan Trofímovitch, mas fechou-se em si mesma. De sua parte, tendo também a loura notado o amor da morena por Stiepan Trofímovitch fechou-se igualmente em si mesma. E todos três, fechados em si mesmos sucumbindo cada qual ao peso de sua magnanimidade, calaram-se assim por vinte anos. "Oh! que amor foi esse, que paixão!", — exclamou ele, soluçando, presa do entusiasmo mais sincero. — Eu a vi no pleno esplendor de sua beleza (a moreninha), eu a vi "com sua ferida no coração"; quando ela passava diante de mim, sentia-se confusa por causa de sua beleza (Disse uma vez: por causa de sua gordura.) Afinal, fugira, abandonando atrás de si aquele sonho ardente de vinte anos. Vinte anos! E agora, ei-lo pela grande estrada. Em seguida, quase num acesso de febre cerebral, pôs-se a explicar a Sófia Matviéievna "o sentido do encontro deles todo fortuito e entretanto fatal, do encontro deles para os séculos dos séculos". Sófia Matviéievna, cada vez mais constrangida, acabou por levantar do sofá; ele chegou a tentar ajoelhar-se diante dela, o que a fez desfazer-se em lágrimas. As trevas adensavam-se. Tinham passado mais de duas horas juntos num quarto fechado.

— Não, é melhor que o senhor me deixe passar para o quarto vizinho — repetia ela. — Que vai pensar toda essa gente?

Escapou por fim; ele deixou-a partir e prometeu-lhe deitar imediatamente. Dizendo-lhe adeus, queixou-se duma violenta dor de cabeça. Sófia Matviéievna deixara, ao chegar, seu saco de viagem e suas coisas no primeiro quarto, onde tinha a intenção de passar a noite com os donos da casa; mas foi-lhe impossível repousar.

Durante a noite, Stiepan Trofímovitch teve seu famoso acesso de colerina, que seus amigos e eu conhecemos tão bem, resultado ordinário de todas as suas excitações nervosas e de todas as suas comoções morais. A pobre Sófia Matviéievna passou a noite inteira em claro. Como, para cuidar do doente, tinha de sair da casa e de nela tornar a entrar, passando pela primeira peça onde dormiam a hospedeira e os viajantes, estes resmungavam; no seu descontentamento acabaram por insultá-la quando, ao amanhecer, quis ela acender o samovar. Durante todo o tempo que durou o acesso, achava-se Stiepan Trofímovitch semi-inconsciente; parecia-lhe por vezes que acendiam o samovar, que lhe davam de beber alguma coisa (infusão de framboesas), que lhe punham compressas quentes no ventre e no peito. Mas a cada instante sentia que ela estava ali, perto dele; que ela entrava e saía, erguia-o no leito e tornava a deitá-lo. Pelas três horas da manhã, sentiu-se melhor, sentou-se, tirou os pés de sob as cobertas e, sem pensar em nada, ajoelhou-se no soalho diante dela. Não era mais a genuflexão de antes, caíra-lhe simplesmente aos pés e beijava-lhe a fímbria do vestido...

— Acabe com isso, não mereço absolutamente isso — balbuciava ela, esforçando-se para recolocá-lo no leito.

— A senhora é minha salvação — disse ele, juntando as mãos num gesto de adoração. — *Vous êtes noble comme une marquise*. E eu, sou um canalha. Oh! toda a minha vida fui um homem sem honra...

— Acalme-se — suplicava Sófia Matviéievna.

— Ainda há pouco menti-lhe, por vaidade, por gabolice, por ociosidade, em tudo, desde a primeira palavra até a última. Ah! canalha, canalha!

Ao acesso de colerina sucedeu um acesso de humildade histérica. Já fiz alusão a essas espécies de crises, citando as cartas de Stiepan Trofímovitch a Varvara Pietrovna. Lembrou-se subitamente de Lisa e de seu encontro da véspera. "Era tão terrível. Acontecera de certo uma desgraça e eu nada perguntei, nada soube; não pensei senão em mim. Que lhe aconteceu? Não sabe a senhora o que lhe aconteceu?", suplicou ele a Sófia Matviéievna.

Logo depois jurava "que não a trairia", que voltaria para ela (tratava-se de Varvara Pietrovna). "Caminharemos até a soleira de sua casa (com Sófia Matviéievna) todos os dias, quando ela subir a seu carro para dar seu passeio e olharemos para ela em silêncio... oh! quero que ela me bata também na outra face, quero-o com delícia. Oferecerei também minha outra face, *comme dans votre livre*. Somente agora compreendi o que isso queria dizer: oferecer a outra face. Jamais o havia compreendido até aquele momento."

Para Sófia Matviéievna começaram dois dias terríveis de sua vida, hoje ainda não os recorda, sem que trema. Stiepan Trofímovitch estava tão doente que não pode tomar o barco, o qual desta vez chegou pontualmente às duas horas da tarde; ela não teve coragem de deixá-lo sozinho e não foi também para Spásovo. Segundo o que ela contou, o doente se regozijou grandemente, quando soube que o barco partira.

— Muito bem, admirável — murmurou ele, deitado no seu leito, – muito bem; temi todo o tempo que fossemos obrigados a partir. Mas está-se tão bem aqui, bem melhor que em outro lugar. A senhora não me deixará? Oh! não, a senhora não me deixou...

No entanto, não se estava tão bem "aqui". Stiepan Trofímovitch nada queria saber dos embaraços que ela encontrava; na sua cabeça, não havia lugar senão para suas múltiplas fantasias. Considerava sua doença como uma coisa passageira, uma ninharia, e nem mesmo nela pensava. Um só pensamento o ocupava: como iriam os dois vender "aqueles livrinhos". Pediu-lhe que lhe lesse o Evangelho:

— Há tanto tempo que não o leio... no original. Se alguém me interrogasse, poderia enganar-me; é preciso de toda maneira estar-se preparado...

Ela sentou-se perto dele e abriu o livro.

— A senhora lê admiravelmente — interrompeu-a desde a primeira linha. — Vejo bem que não me enganara — acrescentou ele; esta observação pouco clara foi proferida num tom entusiasta. Aliás, ele se encontrava num estado constante de exaltação. Ela leu o sermão da montanha.

— *Assez, assez, mon enfant*, isto basta. Pode pensar que isto não seja suficiente?

Esgotado, fechou os olhos. Estava muito fraco, mas não havia perdido ainda o conhecimento. Sófia Matviéievna levantou-se, supondo que ele queria dormir. Mas ele a reteve.

— Minha amiga, menti minha vida inteira. Mesmo quando dizia a verdade, jamais falei por amor à verdade, mas a mim mesmo. Já o sabia antes, mas só agora somente vejo claro... Oh! onde estão aqueles amigos que ultrajei durante toda a minha vida com a minha amizade? Oh! vós todos, vós todos!... *Savez vous?* Talvez minta neste momento mesmo... o essencial é que acredito em mim mesmo quando minto. O que há de mais difícil na vida, é viver sem mentir... e não acreditar nas suas próprias mentiras! Mas espere, para mais tarde tudo isso... Estamos juntos, juntos — acrescentou com entusiasmo.

— Stiepan Trofímovitch — perguntou timidamente Sófia Matviéievna, — não seria preciso mandar procurar um médico na sede?

Pareceu profundamente admirado.

— Para fazer o quê? *Est-ce que je suis si malade? Mais rien de sérieux.*[190] Que necessidade temos de estranhos? Poderiam ainda reconhecer-me e... que aconteceria então? Não, não, nada de estranhos; estamos juntos, juntos!...

— Sabe? — continuou ele, depois de um silêncio. — Leia-me ainda alguma coisa, não importa onde, o que lhe cair sob os olhos.

Sófia Matviéievna abriu o livro e leu.

— Ao acaso, abra o livro, não importa onde — repetia ele.

— "E ao anjo da Igreja de Laodiceia escreve."

— O quê? Que é? Donde é tirado?

— Do *Apocalipse*.

— *Oh! je m'en souviens, oui, l'Apocalypse*. Leia, leia. Queria saber alguma coisa de nosso futuro, quero saber o que acontecerá, leia, leia, a partir do anjo, do anjo...

— "E ao anjo da Igreja de Laodiceia escreve: Isto diz o Amém, a testemunha fiel e verdadeira, o que é princípio das criaturas de Deus. Conheço as tuas obras, que não és nem frio nem quente; oxalá foras frio ou quente; mas porque és morno, e nem frio nem quente, começo a vomitar-te de minha boca, porque dizes: sou rico e cheio de bens, e de nada tenho falta; e não sabes que és um infeliz, e miserável, e pobre, e cego, e nu."

— Está... e está em seu livro? — exclamou ele, o olhar iluminado, erguendo sua cabeça. — Nunca conheci essa admirável passagem. Escute: antes frio, frio que morno, que somente morno... Oh! vou lhes provar isso!... Somente não me deixe só, não me abandone... Nós lhes provaremos, nós lhes demonstraremos...

190 Será que estou tão doente? mas não é nada sério.

— Mas eu não o abandonarei, Stiepan Trofímovitch, eu não o abandonarei. — Agarrou a mão do doente, apertou-a entre as suas que levou para sobre o coração, olhando-o com os olhos cheios de lágrimas. (Tinha muita pena dele naquele momento, contou ela mais tarde.)

Os lábios de Stiepan Trofímovitch puseram-se a tremer.

— Ainda assim, Stiepan Trofímovitch, como vamos fazer? Não se poderia prevenir algum de seus amigos, de seus parentes, talvez?...

Mas ele manifestou tamanho terror que Sófia Matviéivna lamentou ter-lhe tornado a falar disso. Transido e tremente, suplicou-lhe que não chamasse ninguém, que nada empreendesse, que lhe prometesse. E tratou de persuadi-la:

— Ninguém, ninguém, apenas nós dois, e *nous partirons ensemble*.[191]

Para cúmulo de desgraça, os donos da casa começavam também a inquietar-se. Resmungavam contra Sófia Matviéievna e a atormentavam. Esta pagou-lhes. A cor do dinheiro abrandou-os por um instante. Mas o hospedeiro reclamou os papéis de identidade de Stiepan Trofímovitch. Este, com um sorriso altivo, indicou sua maleta. Sófia Matviéievna encontrou nela o decreto da aposentadoria dele ou alguma peça desse gênero. Sem se acalmar, o hospedeiro não cessava de repetir que era preciso levá-lo para outro lugar, porque a casa dele não era hospital. "Se ele vier a morrer, isto nos acarretará incômodos." Com ele também tentou Sófia Matviéievna falar de médico, mas ele afirmou que custaria tão caro fazê-lo vir "da sede do distrito", que ela teve de renunciar a seu projeto. Angustiada, voltou para junto de seu doente. Stiepan Trofímovitch ia enfraquecendo cada vez mais...

— Agora, leia-me ainda a passagem... a propósito dos porcos — pediu ele, de repente.

— O quê? — exclamou com espanto Sófia Matviéievna.

— A propósito dos porcos... está também nesse livro... *ces cochons*.[192] Lembro-me de que os demônios tinham entrado em porcos e que os porcos se afogaram todos. Leia-me isso, absolutamente, vou lhe dizer em seguida por que... Quero lembrar-me do próprio texto. Quero ouvi-lo palavra por palavra...

Sófia Matviéievna, que conhecia bem os Evangelhos, não teve dificuldade de encontrar em São Lucas aquela mesma passagem que pus como epígrafe em minha crônica:

— "Ora, andava por ali pastando no monte uma grande vara de porcos: e rogavam-lhe que lhes permitisse entrar neles. E Jesus o permitiu. Saíram, pois, do homem os demônios e entraram nos porcos: e logo a vara se precipitou com ímpeto por um despenhadeiro impetuosamente no lago, e se afogou. Quando os guardas viram isto, fugiram e foram contá-lo à cidade e pelas aldeias. E saíram a ver o que acontecera e foram ter com Jesus; e encontraram a seus pés sentado, vestido e em seu juízo, o homem de quem tinham saído os demônios, e tiveram medo. E os que tinham presenciado contaram-lhes como o possesso tinha sido livrado da legião."

— Minha amiga — disse Stiepan Trofímovitch, presa de uma profunda agitação, — *savez-vous*, essa passagem maravilhosa e... extraordinária foi para mim,

---

191 Nós partiremos juntos.

192 Aqueles porcos.

toda a minha vida, uma pedra de escândalo... *dans ce livre*. De modo que retive de cor essa passagem desde minha infância. Mas agora, vem-me uma ideia, *une comparaison*. Ocorrem-me agora muitas ideias. Veja, é justamente como a nossa Rússia. Esses demônios saindo dum doente e entrando em porcos, são todas as chagas, miasmas, impurezas, os grandes e pequenos demônios que, durante séculos e séculos, acumularam-se na nossa querida e grande doente, na nossa Rússia. *Oui, cette Russie que j'aimais toujours*. Mas uma grande ideia e uma vontade poderosa velam por ela do alto como sobre aquele desgraçado demoníaco; por isso serão expulsos dela todos esses demônios, toda essa impureza, toda essa torpeza que supura à superfície... eles mesmos pediram para entrar em porcos. Talvez mesmo já tenham neles entrado. Somos nós e eles e Pietruchka... *et les autres avec lui*,[193] e eu talvez por primeiro. Enlouquecidos e furiosos, nos atiraremos do alto do rochedo no mar e nos afogaremos todos, e será bem feito porque não merecemos senão isso. Mas o doente vai se curar e "se assentará aos pés de Jesus" e nós o contemplaremos com espanto. Querida, *vous comprendrez après*, agora isto me agita demais. *Vous comprendrez après*... compreenderemos juntos.

O delírio apoderou-se dele e por fim perdeu o conhecimento. O dia seguinte não trouxe nenhuma mudança. Sófia Matviéievna ficava sentada ao lado dele e chorava. Havia três noites que quase não dormia e evitava mostrar-se aos hospedeiros, que, pressentia-o ela, tinham já começado a tramar alguma coisa. A libertação só ocorreu no terceiro dia. Pela manhã, Stiepan Trofímovitch voltou a si, reconheceu-a, estendeu-lhe a mão. Recobrando esperança, ela se benzeu.

Ele teve vontade de olhar pela janela:

— Olhe, *un lac* — murmurou. — Meu Deus! não o havia visto ainda!

Naquele momento, repercutiu o barulho duma carruagem que parava diante do patamar e um grande rebuliço produziu-se em toda a casa.

III

Era Varvara Pietrovna em pessoa que chegava numa grande carruagem de quatro lugares, atrelada a duas parelhas de cavalos. Vinha acompanhada por Daria Pávlovna e dois lacaios. Aquele milagre ocorrera muito simplesmente. Morrendo de curiosidade, Aníssim partira para a cidade, e desde o dia seguinte dirigira-se à casa de Varvara Pietrovna. Contou aos criados que encontrara Stiepan Trofímovitch sozinho numa aldeia, que mujiques tinham-no visto caminhando sozinho pela grande estrada e que ele partira para Spásovo, passando por Ústievo, e acompanhado então de Sófia Matviéievna. Como de sua parte estivesse Varvara Pietrovna terrivelmente inquieta e fizesse todos os esforços para encontrar seu amigo fugitivo, informaram-na logo da chegada de Aníssim. Depois de ter ouvido contar com todos os detalhes a partida de Stiepan Trofímovitch para Ústievo, no mesmo carro que uma tal Sófia Matviéievna, Varvara Pietrovna aprontou-se num instante e, lançando-se na trilha ainda fresca do fugitivo, chegara a Ústievo. Ignorava ainda tudo da doença de Stiepan Trofímovitch.

193 E os outros com ele.

Sua voz rude e imperiosa causou medo aos hospedeiros. Só se detivera para tomar informações, convencida de que Stiepan Trofímovitch já estava desde muito tempo em Spásovo. Mas ao saber que seu amigo estava ainda ali e doente, penetrou muito agitada na isbá.

— Pois bem, onde está ele? Ah! és tu — gritou ela, deparando Sófia Matviéievna, justamente no momento em que esta se achava na soleira do segundo quarto. — Adivinhei pelo teu ar desavergonhado que eras tu. Sai daqui, velhaca! Que ela desapareça daqui, ponham-na para fora, senão, minha velha, faço com que te metam na prisão para sempre. Mandem-na para outra casa e vigiem-na. Uma vez já esteve ela metida na prisão da cidade. Que volte para lá! Hospedeiro, peço-lhe, não deixe entrar ninguém enquanto eu estiver aqui. Sou a Generala Stavróguina, alugo-te a casa para mim. E tu, minha cara, vais me dar conta de tudo.

Aquela voz bem conhecida transtornou Stiepan Trofímovitch. Pôs-se a tremer. Mas ela já havia entrado na alcova. Seus olhos cintilavam. Com o pé, puxou uma cadeira, sentou e apoiando-se no espaldar, gritou para Dacha:

— Sai daqui um instante. Vai ter com os hospedeiros, enquanto esperas. Que curiosidade! E fecha bem a porta atrás de ti. — Durante alguns instantes, manteve-se calada, olhando com um olhar de ave de rapina o rosto aterrorizado de Stiepan Trofímovitch.

— Bem, Stiepan Trofímovitch, como vai? Deu um bom passeio? — perguntou ela com uma ironia feroz.

— *Chère* — balbuciou ele, inconscientemente, — aprendi a conhecer a verdadeira vida russa... *Et je prêcherai l'Evangile.*

— Oh! homem sem vergonha e sem nobreza, — lamentou-se ela de repente, juntando as mãos. — Não lhe bastou desonrar-me, ainda arranjou uma ligação amorosa... velho debochado, velho impudente.

— *Chère*...

Sua voz partiu-se, não pode dizer mais nada e fitou-a, com os olhos dilatados de espanto.

— Quem é ela?

— *C'est un ange... C'etait plus qu'un ange pour moi*... a noite inteira ela... oh! não grite... não lhe faça medo, querida, querida...

Varvara Pietrovna saltou, de súbito, de sua cadeira com estrondo; lançou um grito de terror: "água! água!". Embora já tivesse ele voltado a si, continuava ela toda trêmula, muito pálida, olhava-lhe o rosto decomposto; então, somente, suspeitou da gravidade do mal que o atingia.

— Daria — disse ela baixinho a Daria Pávlovna, — vão imediatamente à casa do Doutor Salzfisch. Que Iegórovitch parta imediatamente, alugue cavalos aqui, tome na cidade outro carro e esteja de volta aqui com Salzfisch antes da noite.

Dacha precipitou-se para executar a ordem. Stiepan Trofímovitch conservava o mesmo olhar fixo e amedrontado; seus lábios que se haviam tornado brancos, fremiam.

— Espere, Stiepan Trofímovitch, espere meu querido, um momento — dizia-lhe ela para acalmá-lo, como se fala a uma criança. — Vamos, Daria, vamos, Daria não tardará a voltar. Oh! Meu Deus, patroa, patroa, mas venha aqui pelo menos, minha cara!

E na sua impaciência correu ela própria a procurar a dona da casa.

— Que tragam "a outra", imediatamente, neste minuto. Tragam-na, tragam-na.

Por felicidade Sófia Matviéievna mal tivera tempo de sair da casa; estava ainda diante do portão com seu saco e seu pequeno pacote. Fizeram-na voltar. Estava tão apavorada que suas mãos tremiam e suas pernas oscilavam. Como um gavião pega um pinto, Varvara Pietrovna agarrou-a pelo braço e arrastou-a a toda a pressa para onde estava Stiepan Trofímovitch.

— Olhe, ei-la... não a comi... você pensava deveras que eu a tinha comido?

Stiepan Trofímovitch tomou a mão de Varvara Pietrovna, levou-a a seus olhos e se pôs a soluçar num acesos de ternura dolorosa.

— Vamos, acalma-te, acalma-te, meu querido, meu *bátiuchka*. Ah! Meu Deus, mas trate de acalmar-se! — gritou ela com todas as suas forças. — Oh! Que carrasco, meu eterno carrasco!...

— Querida — balbuciou por fim Stiepan Trofímovitch, voltando-se para Sófia Matviéievna, — espere um pouco lá embaixo no outro quarto, quero dizer alguma coisa aqui...

Sófia Matviéievna apressou-se em sair.

— *Chérie, chérie* — disse ele sufocando-se.

— Não fale ainda, Stiepan Trofímovitch, espere estar um pouco repousado. Eis aqui água. Mas es-pe-re pois.

Ela tornou a sentar na cadeira. Stiepan Trofímovitch apertava-lhe a mão bem fortemente. Por muito tempo não permitiu ela que ele falasse. Ele levou-lhe as mãos aos lábios e pôs-se a beijá-la. Ela trincou os dentes e olhou para um canto do quarto...

— *Je vous amais* — escapou-lhe por fim. Ela nunca ouvira dele tais palavras e pronunciadas daquela maneira...

— Hum! — assentiu ela por toda resposta.

— *Je vous aimais tout ma vie... vingt ans.*

Ela continuava calada. Isto durou dois, três minutos...

— E dizer-se que para ir à casa de Dacha ele se havia perfumado! — trovejou ela de repente, com uma voz ameaçadora. Stiepan Trofímovitch ficou aturdido.

— E chegou a pôr uma gravata nova!...

Ainda um silêncio de dois minutos.

— E o charuto? Lembra-se?

— Minha amiga... — gaguejou ele, aterrorizado.

— O charuto, à noite, perto da janela, em Skvopiéchniki... fazia luar... após nossa conversa no caramanchão. Lembras-te? — E, saltando de sua cadeira, ela agarrou os dois cantos do travesseiro e se pôs a sacudi-lo, ao mesmo tempo que a cabeça que nele repousava. — Lembras-te, homem leviano, sem fé nem lei, homem pusilânime e eternamente leviano? — Ela sibilava no seu murmúrio exasperado, contendo-se para não chorar. Por fim largou o travesseiro, tornou a cair sobre sua cadeira e ocultou o rosto nas mãos. — Basta — cortou ela, depressa, erguendo-se. — Passaram-se vinte anos que não voltarão mais. Não passo de uma tola...

— *Je vous amais* — disse ele ainda, juntando as mãos.

— Mas por que me repete sempre, *je vous aimais, je vous aimais*? Isto basta. — De novo levantou. — E se você não adormece imediatamente, então eu... Você tem necessidade de repouso... Durma, durma imediatamente, feche os olhos. Ah! Meu Deus, talvez queira almoçar. Que come você? Que come ele? Ah! Meu Deus, onde está a outra, onde está ela?

O rebuliço recomeçou. Mas Stiepan Trofímovitch murmurou com voz fraca que no momento preferia dormir *une heure* e em seguida *un bouillon, un thé... enfin il est si hereux*.[194] — Estirou-se e pareceu adormecer (fingiu provavelmente). Varvara Pietrovna esperou alguns minutos, depois saiu na ponta dos pés. Instalou-se no quarto dos donos da casa, pediu a estes que se retirassem e a Dacha que lhe trouxesse "a outra".

Começou então um interrogatório cerrado.

— Agora, conta-me, *mámienhka*, todos os pormenores. Senta aqui, a meu lado. Então?

— Encontrei Stiepan Trofímovitch...

— Espera, cala-te. Previno-te de que se mentires ou se me ocultares alguma coisa, saberei, se for preciso, desenterrar-te de tua tumba. Então?

— Encontrei Stiepan Trofímovitch... assim que cheguei a Khátovo — começou Sofia Matviéievna, quase sufocada de emoção.

— Para, cala-te. Espera. Eis-te exaltada. Em primeiro lugar: que espécie de pássaro és tu?

A outra contou como pôde, em poucas palavras, de resto, sua vida desde Sebastópol. Varvara Pietrovna escutou-a em silêncio. Rígida, sobre a cadeira, severa, fitava obstinadamente a narradora diretamente nos olhos.

— Por que estás tão amedrontada? Por que olhas para o chão? Gosto dos que me olham de frente e me contradizem. Continua.

Sófia falou do encontro deles, da história dos livros, como Stiepan Trofímovitch tinha presenteado a camponesa com vodca.

— Isto mesmo, isto mesmo, não omitas nenhum detalhe — dizia para encorajá-la Varvara Pietrovna. Sófia Matviéievna contou em seguida como se tinham posto a caminho. Stiepan Trofímovitch falara sem cessar, "já completamente doente". Fizera-lhe o relato de toda a sua vida desde a sua infância. E isto durara várias horas.

— Conta o que ele te disse de sua vida.

Não sabendo mais como continuar, Sófia Matviéievna guardava silêncio.

— Não saberia dizer nada — murmurou ela quase chorando. — De resto, não compreendi nada.

— Mentes, não é possível que não tenhas compreendido nada.

— Ele falou de uma dama da nobreza, de cabelos negros — disse, corando até a raiz dos cabelos Sófia Matviéievna, que havia notado que os cabelos de Varvara Pietrovna eram louros e que ela não apresentava a menor semelhança com a "moreninha".

— Uma dama de cabelos negros? Que é isto? Vamos, fala!

— Que essa dama da nobreza estivera muito apaixonada por ele, durante vinte anos, mas não ousava declarar-se a ele, tendo vergonha de fazê-lo porque era demasiado gorda...

194 Um caldo, um chá... enfim ele é tão feliz.

— O imbecil! — exclamou, toda pensativa, mas em tom firme, Varvara Pietrovna. Sófia Matviéievna chorava já então torrencialmente.

— Não posso contar nada de tudo isso porque estava eu mesma muito amedrontada a respeito dele; não podia compreender nada, é um homem tão inteligente!

— Não é a uma gralha como tu que cabe julgar sua inteligência. Ele pediu tua mão?

A narradora estremeceu.

— Apaixonou-se por ti? Fala. Pediu tua mão? — gritou Varvara Pietrovna.

— Foi pouco mais ou menos isto — respondeu ela, toda lacrimosa. — Somente não o levei em conta por causa de sua doença — acrescentou ela com firmeza, erguendo a vista.

— Como te chamas?

— Sófia Matviéievna.

— Pois bem, fica sabendo, Sófia Matviéievna, é ele o homem mais asqueroso, mais leviano. Meu Deus, meu Deus, vais tu tomar-me por uma velhaca?

A outra arregalou os olhos.

— Por uma velhaca, por uma tirana, acreditar que eu lhe estraguei a vida?

— Mas como seria possível, já que a senhora mesma chora?

Efetivamente, Varvara Pietrovna tinha os olhos cheios de lágrimas.

— Vamos, senta, senta não tenhas medo. Olha-me ainda uma vez diretamente nos olhos. Por que coras? Dacha, vem cá, olha-a. Que pensas dela? Seu coração é puro...

E com estupefação e talvez mais ainda com terror de Sófia Matviéievna, Varvara Pietrovna lhe deu palmadinhas nas faces.

— E pena que ela seja uma tola, demasiado tola para a sua idade. Vamos, minha cara, está bem, cuidarei de ti. Vejo que tudo isto não passa de ninharias. Enquanto esperas, vais viver aqui ao lado, vamos alugar um quarto para ti e serás mantida à minha custa e tudo mais... até que eu te mande chamar.

No seu terror, Sófia Matviéievna tentou objetar que devia partir, que estava com pressa.

— Para onde queres ir? Por que estás tão apressada? Compro todos os teus livros e ficas aqui. Cala-te, nada de objeções. Se eu não tivesse chegado, tu não o terias deixado.

— Por coisa alguma do mundo eu o teria abandonado — murmurou com firmeza Sófia Matviéievna, enxugando os olhos.

O Doutor Salzfisch só chegou tarde da noite. Era um velhinho muito respeitado e um prático bastante experiente que acabava de perder seu lugar em seguida a uma controvérsia bastante imoderada com as autoridades. Varvara Pietrovna tomara-o logo sob sua proteção. Examinou o doente com atenção, interrogou-o e declarou não sem cuidados a Varvara Pietrovna que o estado daquele era bastante inquietador para que se devesse esperar tudo, "até mesmo o pior". Varvara Pietrovna que, havia vinte anos, se habituara à ideia de que nada de sério e decisivo podia provir de Stiepan Trofímovitch, ficou toda transtornada e muito pálida.

— Então não há mais nenhuma esperança?

Não deitou durante toda a noite e esperou a manhã com impaciência. Assim que o doente abriu os olhos e voltou a si (não tinha ainda perdido consciência; mas enfraquecia de hora em hora), aproximou-se dele e disse-lhe com o ar mais resoluto:

— Stiepan Trofímovitch, é preciso prever tudo. Mandei chamar o padre. Você deve cumprir o seu dever.

Conhecendo suas convicções, tinha grande medo de que ele recusasse. Ele olhou-a com espanto.

— É absurdo, é absurdo! — exclamou ela, crendo já na recusa dele — Não se trata mais de garotices agora. Você já fez bastantes tolices...

— Mas... será que estou tão mal?

Ficou pensativo e consentiu. Foi com grande espanto que eu soube mais tarde por Varvara Pietrovna que a morte não o havia de modo algum amedrontado. Talvez não acreditasse nela muito simplesmente e continuasse a considerar sua doença uma coisa de nada. Confessou-se e comungou de muito boa vontade. Todos, Sófia Matviéievna e até mesmo os criados, foram felicitá-lo depois que recebeu os sacramentos. Todos sem exceção retinham suas lágrimas vendo-lhe o rosto emagrecido, esgotado, e seus lábios lívidos e trêmulos.

— Sim, *mes amis*. Admiro-me somente de que tenham tanto trabalho comigo. Vou me levantar provavelmente amanhã e nós... partiremos... *Toute cette cérémonie*... à qual rendo homenagem, sem dúvida... era...

— Rogo-lhe, *bátiuchka*, fique perto do doente — disse Varvara Pietrovna, detendo vivamente o padre no momento em que ele tirava seus hábitos sacerdotais. — Assim que se tiver servido o chá, rogo-lhe que trave um assunto religioso para sustentar nele a fé...

O padre começou a falar. Todo mundo conservava-se em redor do leito, sentado ou de pé.

— Na nossa época fértil em pecados — começou o padre com desembaraço, tendo uma xícara de chá na mão, — a fé no Altíssimo é o único refúgio dos homens contra as provações e as dores da vida. A única consolação é a esperança na felicidade eterna prometida aos justos...

Stiepan Trofímovitch pareceu reviver. Um sorriso leve e fino deslizou-lhe nos lábios.

— *Mon père, je vous remercie et vous êtes bien bon, mais*...[195]

— Não há mas! Não há absolutamente mas! — exclamou Varvara Pietrovna, levantando de sua cadeira. — *Bátiuchka*, — disse ela, dirigindo-se ao padre. — Que homem, que homem!... Será preciso confessá-lo de novo dentro de uma hora. Eis que espécie de homem é...

Stiepan Trofímovitch sorriu discretamente.

— Meus amigos — murmurou ele, — Deus me é já necessário porque é o único ser que se possa amar eternamente.

Ele acreditava realmente ou então a majestade daquela cerimônia havia-o comovido e despertava a sensibilidade artística de sua natureza? O fato é que ele pronunciou, dizem, com emoção e firmeza, algumas palavras que estavam em contradição flagrante com suas ideias anteriores.

— Minha imortalidade é necessária pelo simples fato de que Deus não quererá ser injusto, extinguir para todo o sempre a chama de amor que por ele se acendeu no meu coração. Que há de mais precioso que o amor? O amor está acima da exis-

195 Meu pai, agradeço-lhe a sua grande bondade, mas...

tência, o amor é o seu coroamento. Daí, como poderia ocorrer que a existência não lhe fosse submetida? Se amei a Deus, se me regozijei com meu amor, pode dar-se que ele nos extinga a mim e à minha alegria e nos reduza à nada? Se Deus existe sou imortal. *Voilá ma profession de foi!*[196]

— Deus existe, Stiepan Trofímovitch, asseguro-lhe que ele existe, — suplicava Varvara Pietrovna. — Renegue suas tolices, deixe-as pelo menos uma vez em sua vida. (Creio que ela não tinha absolutamente compreendido "a profissão de fé" do doente.)

— Minha amiga — disse ele com uma animação crescente, se bem que muitas vezes a voz lhe faltasse, — minha amiga... quando compreendi a frase... apresente a outra face... compreendi ainda outra coisa... *J'ai menti tout ma vie!* Teria querido, aliás, amanhã... Amanhã, vamos nos pôr todos a caminho.

Varvara Pietrovna pôs-se a chorar. Stiepan Trofímovitch procurou alguém com os olhos.

— Ei-la, ela está aqui — exclamou a generala tomando pela mão Sófia Matviéievna e levando-a para junto dele. Ele sorriu enternecidamente.

— Teria querido muito viver ainda — exclamou ele num sobressalto de energia. — Cada instante, cada minuto deve ser para o homem uma felicidade.. deve ser, de um modo absoluto. É o dever do homem para consigo mesmo fazer de maneira que isto se dê; é sua lei, secreta, mas que nem por isso deixa de existir... Oh! desejaria ver Pietruchka e eles todos... e Chátov.

Farei notar que nenhuma das pessoas presentes tinha conhecimento do assassinato de Chátov, nem Daria Pávlovna, nem Varvara Pietrovna, nem mesmo Salzfisch que, no entanto, deixara a cidade por último.

Stiepan Trofímovitch agitava-se cada vez mais febrilmente além de suas forças.

— A simples ideia constante de que existe alguma coisa infinitamente mais justa e infinitamente mais feliz que eu, já me enche por completo dum enternecimento sem limites e de glória... apesar do que fui e do que fiz. Bem mais do que ser feliz, tem o homem necessidade de saber e de crer a cada instante que existe em alguma parte uma felicidade perfeita e calma para todos e para tudo... Toda a lei da existência humana consiste em que o homem pode sempre inclinar-se diante de alguma coisa infinitamente grande. Se os humanos se vissem privados desse infinitamente grande, eles não quereriam mais viver e morreriam de desespero. O incomensurável e o infinito são tão necessários ao homem quanto o pequeno planeta sobre o qual ele se move... Meus amigos, todos, todos, viva o grande Pensamento, o Pensamento eterno, infinito! Todo homem, qualquer que ele seja, tem necessidade de inclinar-se diante dele. Até mesmo o homem mais estúpido tem necessidade de alguma coisa de grande. Pietruchka! Oh! como desejaria revê-los todos... Eles ignoram, *sim, eles ignoram*, que também eles encerram em si aquele mesmo grande Pensamento eterno.

O Doutor Salzfisch não havia assistido à cerimônia. Voltando, inesperadamente, ficou espantado e dispersou a reunião, insistindo para que se poupasse toda agitação ao doente.

---

196 Eis minha profissão de fé.

Stiepan Trofímovitch expirou três dias mais tarde, mas já havia perdido totalmente o conhecimento. Extinguiu-se, mansamente, como uma vela que acaba de consumir-se. Varvara Pietrovna mandou celebrar o serviço fúnebre no lugar onde ele tinha morrido, depois levou o corpo de seu pobre amigo para Skvopiéchniki. O túmulo se encontra no recinto da igreja; já está coberto por uma lápide de mármore. Na primavera vão colocar nela uma inscrição e uma grade.

A ausência de Varvara Pietrovna durou ao todo uns oito dias. De volta, levava consigo, em seu carro, Sófia Matviéievna, que, creio, se instalou definitivamente em casa dela. Farei somente observar que logo que Stiepan Trofímovitch perdeu o conhecimento (o que aconteceu naquela manhã mesma), Varvara Pietrovna afastou de novo a vendedora ambulante e lhe proibiu o acesso à isbá. Ela mesma tratou do doente até o fim. Assim que ele expirou, mandou chamá-la sem demora. Não quis ceder a nenhuma das objeções de Sófia Matviéievna, espantada com a proposta, ou antes com a intimação da generala que a convidava para ir viver para sempre em Skvopiéchniki.

— É estúpido. Irei eu mesma contigo vender Evangelhos. Agora não tenho mais ninguém no mundo.

— A senhora tem um filho — observou Salzfisch.

— Não tenho filho — retorquiu Varvara Pietrovna e estas palavras deviam ser proféticas.

Capítulo VIII / Conclusão

I

Todas essas infâmias e todos esses crimes foram conhecidos duma maneira extremamente rápida, muito mais depressa do que o tinha suposto Piotr Stiepânovitch. Em primeiro lugar, a infeliz Mária Ignátievna, na noite em que seu marido foi assassinado, acordou antes do romper do dia, procurou-o e tomou-se duma inquietação indescritível, não o vendo ao lado dela. A enfermeira arranjada por Arina Prókhorovna estava deitada no quarto. Não conseguiu acalmar a doente e, assim que amanheceu, correu à casa de Arina Prókhorovna, depois de ter assegurado à parturiente que a Senhora Virguínskaia sabia decerto onde estava Chátov e quando voltaria. Entretanto, a própria Arina Prókhorovna estava cheia de inquietude; já soubera pelo seu marido o que se tinha passado no parque de Skvopiéchniki. Virguínski só regressara à casa às onze horas da noite e num terrível estado; torcendo as mãos, deixara-se cair de bruços sobre seu leito e não cessava de repetir, sacudido *por soluços convulsivos*: "Não é isto, não é isto, não é absolutamente isto!". Naturalmente acabou por confessar tudo à sua mulher que o acossava de perguntas, mas somente à sua mulher. Arina Prókhorovna decidiu-o a ficar deitado e intimou-o com um tom severo que, se ele quisesse choramingar, então urrasse no seu travesseiro, a fim de que ninguém o ouvisse. Acrescentou que seria ele um asno se deixasse transparecer alguma coisa no dia seguinte. Depois de pensar, ela se apressou em tomar certas precauções para enfrentar qualquer eventualidade: teve tempo para pôr em segurança ou mesmo destruir todos os papéis, todos os livros duvidosos, talvez mesmo as proclamações. Disse a si mesma em seguida que nem ela, nem sua irmã, nem a estudante nada tinham a temer e talvez tampouco seu irmãozinho de orelhas compridas, Chigáliev. De manhã, quando a enfermeira foi procurá-la, dirigiu-se sem perda de um instante para a cabeceira de sua doente. De resto, ardia de vontade de averiguar ela própria e queria saber o mais depressa possível das garantias de Piotr Stiepânovitch, que lhe tinham sido comunicadas naquela noite por seu marido, em meio de um murmúrio de pavor e de loucura e que diziam respeito aos desígnios de Kirílov em proveito da causa comum.

Mas chegou demasiado tarde à casa de Mária Ignátievna. Depois de ter mandado a enfermeira e ficado sozinha, não pode mais conter-se, levantou-se, e lançando aos ombros o que lhe caiu sob a mão — bem parece que fossem roupas pouco próprias para a estação — dirigira-se para o pavilhão em que morava Kirílov, pensando que fosse ele quem melhor pudesse informá-la a respeito de seu marido. Pode-se imaginar a impressão causada na parturiente pelo que viu lá. É de notar que não leu a carta deixada por Kirílov, bem em evidência em cima da mesa; provavelmente seu terror a impediu de notá-la. Voltou correndo para a mansarda, agarrou o menino em seus braços e deixou a casa. A manhã estava úmida e brumosa; havia nevoeiro, não se encontrava um transeunte. Correu de perder fôlego, cada vez mais longe, através das ruas frias e lamacentas; por fim, pôs-se a bater às portas das casas. A primeira casa não se abriu; na segunda, fizeram-na esperar muito tempo, tanto que perdendo a paciência pôs-se a bater a uma terceira porta. Era a casa do nosso negociante Títov, ali provocou ela grande comoção. Gritava e afirmava com incoerência que "tinham matado" seu marido Chátov. Os Títovi sabiam quem era Chátov e conheciam em parte sua história. Ficaram impressionadíssimos diante daquela mulher, parturiente dizia ela havia vinte e quatro horas apenas e que corria as ruas semi-vestida, com um frio daqueles, carregando em seus braços um menino quase nu. Pensou-se a princípio que ela estivesse delirando, tanto mais quanto, segundo suas palavras, não se via claramente quem tinha sido assassinado, se Kirílov ou seu marido. Percebendo que não acreditavam nela, queria já fugir para mais longe, mas retiveram-na à força e dizem que ela gritou e se debateu terrivelmente. Dirigiram-se logo ao edifício Filípov e, ao fim de uma hora, toda a cidade estava ciente da morte de Kirílov e da carta que ele tinha escrito antes de suicidar-se. A polícia interrogou Mária Ignátievna, que estava ainda de posse de sua plena consciência e foi naquele momento que se viu bem que ela não tinha lido a declaração de Kirílov. Como concluía ela que seu marido também estava morto? A este respeito não se pode obter dela nenhuma declaração sensata. Gritava somente: "Já que Kirílov foi assassinado, meu marido também foi assassinado; eles estavam juntos". Cerca do meio-dia perdeu o conhecimento; morreu dois dias depois sem voltar a si. O menino, que se resfriara, morrera antes da mãe. Arina Prókhorovna, que não encontrara mais nem Mária Ignátievna nem o menino, farejando nisso alguma coisa de desagradável, queria voltar para casa, mas na soleira da porta reconsiderou e mandou a enfermeira "perguntar ao senhor do pavilhão se Mária Ignátievna não estava em *casa dele e se não sabia o que* era feito dela". A mulher voltou dando gritos espantosos. Depois de tê-la persuadido a calar-se, invocando o famoso argumento de que "vão te intimar a comparecer ao tribunal", tratou de retirar-se cautelosamente.

Não é preciso dizer que a polícia foi inquietá-la na mesma manhã, sabendo que ela partejara a mulher de Chátov. Mas não se soube grande coisa: ela relatou com precisão e sangue-frio tudo quanto vira e ouvira em casa de Chátov. Quanto ao que se referia aos derradeiros acontecimentos respondeu que não sabia de nada e que nada compreendia daquilo.

Pode-se imaginar o rebuliço que isto causou na cidade. Ainda "uma história", ainda um assassinato! Mas alguma coisa acrescentava-se àquele acontecimento; era claro doravante que existia realmente uma sociedade secreta de assassinos, de revolucionários, de incendiários e de agitadores. A morte atroz de Lisa, o assassinato da mulher de Stavróguin, a atitude do próprio Stavróguin; o incêndio, o baile em favor das professoras, a imoralidade entre os que cercavam Iúlia Mikháilovna... tudo isto se combinava. Até mesmo no desaparecimento súbito de Piotr Stiepânovitch empenhavam-se em ver algum enigma. Murmúrios maldosos, muito maldosos mesmo, circulavam a respeito de Stavróguin. Na noite do mesmo dia, soube-se da ausência de Piotr Stiepânovitch, mas, coisa estranha, foi dele que se falou menos. Em contraposição falava-se do "senador". Durante quase toda a manhã uma multidão numerosa estacionou diante do edifício Filípov. A polícia a princípio ficou desorientada pela carta de Kirílov dirigida "ao mundo inteiro". Acreditou-se no assassinato de Chátov por Kirílov e no suicídio do "assassino". No entanto, se as autoridades tomaram caminho errado, não tardaram em mudar de rumo. A palavra "parque", por exemplo, que se encontrava tão vagamente mencionada no bilhete de Kirílov, não despistou ninguém, contrariamente ao que tinha esperado Piotr Stiepânovitch. A polícia transportou-se imediatamente a Skvopiéchniki, e isto não somente porque não havia outro parque, nem na cidade, nem no distrito, mas também por uma espécie de instinto, porque todos os acontecimentos terríveis daqueles derradeiros dias estavam ligados diretamente, ou em parte, a Skvopiéchniki (farei notar aqui que, desde manhã, Varvara Pietrovna deixara sua casa da cidade para se lançar à procura de Stiepan Trofímovitch). O cadáver de Chátov foi encontrado no tanque, na noite daquele mesmo dia, graças a certos indícios: com uma incrível leviandade os assassinos tinham deixado o gorro de Chátov perto da gruta. Esta circunstância, bem como o exame médico da vítima e certas deduções fizeram suspeitar que Kirílov não podia ter agido sem cúmplices. Supôs-se, a princípio, uma "Sociedade Secreta — Chátov — Kirílov", que devia ter alguma relação com as proclamações. Mas quem eram esses cúmplices? Naquele momento ninguém tinha ainda a menor suspeita a respeito dos "nossos". Sabia-se que Kirílov vivia muito retirado e a tal ponto isolado que Fiedka, como se soube pela carta, tinha podido alojar-se vários dias em casa de Kirílov, quando o procuravam por todos os lados... O que sobretudo inquietava a opinião pública, era que de todo aquele embrulho nada se pudesse tirar de consequente e de coerente. É difícil imaginar a que conclusões fantásticas e a que ideias absurdas teria sido possível chegar, se tudo não se tivesse bruscamente explicado desde o dia seguinte graças a Liámchin.

Não pôde aguentar-se. Aconteceu com ele o que o próprio Piotr Stiepânovitch acabara por pressentir. Confiado a princípio a Tolkatchenko, depois a Erkel, passara Liámchin todo o dia no seu leito, aparentemente bastante calmo; com o rosto voltado para a parede, não dizia uma palavra e não respondia, mesmo quando lhe dirigiam alguma pergunta. Desta maneira, nada soube do que se passara na cidade.

Mas Tolkatchenko, de quem naturalmente nada era ignorado, teve a ideia, ao chegar a noite, de se libertar muito simplesmente da missão que lhe fora imposta por Piotr Stiepânovitch — isto é, a vigilância de Liámchin — e de abandonar a cidade para se dirigir ao distrito, em outras palavras, de fugir. Na verdade, Erkel não se enganara ao pretender que tinham todos perdido a cabeça. Notarei também a este propósito que, no mesmo dia, pela manhã, Lipútin desapareceu da cidade, todavia, foi somente no dia seguinte que se tornou conhecida sua partida, quando a polícia se dirigiu à casa de Lipútin e encontrou sua família aterrorizada por causa de sua ausência, mas que, mesmo assim, não tinha ousado falar. Mas voltemos a Liámchin. Mal ficou só (Erkel retirara-se, crendo poder fiar-se na palavra de Tolkatchenko), lançou-se para fora da casa e naturalmente não tardou em ficar sabedor da situação. Sem mesmo regressar à sua casa, procurou fugir para mais longe, cada vez para mais longe. Mas a noite estava tão escura e seu projeto era tão difícil e tão perigoso que acabou por isso mesmo por voltar para casa, onde se encerrou para passar o resto da noite. Parece que pela manhã, tentou suicidar-se, mas não conseguiu. Ficou assim fechado em seu quarto até o dia seguinte ao meio-dia, e então, de repente, correu à polícia. Conta-se que lá se arrastou de joelhos, urrou, soluçou, beijou a terra, exclamando que nem mesmo digno era de beijar as botas dos "altos funcionários" que tinha diante de si. Tranquilizaram-no e até mesmo testemunharam-lhe muita amabilidade. O interrogatório durou mais de três horas inteiras. Confessou tudo, tudo, contou por miúdo tudo quanto sabia, com os mínimos detalhes, antecipando-se às perguntas, apressando-se em tudo revelar e relatando toda espécie de coisas inúteis e que não lhe eram perguntadas. Parece que sabia o suficiente para mostrar o caso à sua verdadeira luz; a tragédia de Chátov e de Kirílov, o incêndio, o assassinato dos Liebiádkini, etc, passaram para trás, como acontecimentos secundários. No primeiro plano apareceram Piotr Stiepânovitch, a associação secreta, sua organização, a rede. À pergunta: "Por que ter cometido tantos assassinatos, escândalos e vilanias?", Liámchin apressou-se em responder: "Para o abalo sistemático das bases da sociedade, para a decomposição sistemática da sociedade e de tudo quanto tem subsistido até o presente para desencorajar todo mundo, semear a perturbação por toda parte e, bruscamente, apossar-se dessa massa abalada, doente, cínica e incrédula que, no entanto, deseja ardorosa descobrir uma ideia diretora e manter-se, erguer o estandarte da revolta, apoiar-se na rede inteira das seções que, por seu lado, não teriam ficado inativas, mas conheceriam as possibilidades práticas e os pontos fracos do adversário contra os quais convinha dirigir o ataque". Concluiu dizendo que Piotr Stiepânovitch não fizera em nossa cidade senão um primeiro ensaio dessa desordem sistemática, se se pode dizer, uma espécie de ensaio do programa segundo o qual devia exercer-se não somente a atividade posterior desse grupo, mas de todos os outros quinqueviratos. Tal era pelo menos a opinião pessoal dele, Liámchin, e rogava à polícia que nada esquecesse do que ele havia relatado, mas pelo contrário levasse em conta a sinceridade e a clareza com as quais havia exposto o negócio, e os serviços que podia prestar no futuro, se a polícia quisesse consultá-lo. Quando lhe perguntaram se havia na Rússia muitos daqueles grupos de cinco, respondeu que *eram inúmeros e constituíam* uma verdadeira rede estendida sobre toda a Rússia. Se bem que não avançasse nenhuma prova em apoio creio que neste ponto sua declaração era sincera. Não pode mostrar senão o programa da sociedade, impresso no estrangeiro e um projeto de "desenvolvimento do sistema para toda ação posterior", este, embora no estado de rascunho, escrito com a letra de Piotr Stiepânovitch. Pareceu que Liámchin citara toda uma longa frase daquele projeto ao falar do "abalo das bases" e palavra por palavra, sem omitir um ponto nem um vírgula, embora pretendesse ater-se a considerações a respeito de Iúlia Mikháilovna, apressou-se em declarar, de uma maneira extremamente cômica, e sem que o tivessem interrogado, que ela "estava completamente inocente" e que tinham zombado dela. Mas, o que é digno de nota, é que ele exculpou completamente Nikolai Stavróguin de toda participação na sociedade secreta e de toda ligação com Piotr Stiepânovitch (naturalmente Liámchin nada suspeitava das misteriosas e ridículas esperanças que Piotr Stiepânovitch depositava em Stavróguin). Pelo que ele pretendeu, os Liebiádkini tinham sido assassinados por Piotr Stiepânovitch sozinho, sem que Stavróguin tivesse nisto tomado parte, com o objetivo astucioso de comprometê-lo por meio de um crime e consequentemente colocá-lo sob o domínio de Piotr Stiepânovitch. Mas em lugar do reconhecimento com o qual contava, Piotr Stiepânovitch só provocara na alma do nobre Nikolai Stavróguin uma violenta indignação e até mesmo desespero. Para coroar seus depoimentos a respeito de Stavróguin, acrescentou, desta vez ainda sem ser interrogado e antecedendo intencionalmente todas as perguntas que "Stavróguin era um pássaro de muito alto voo, mas que havia nisso um segredo; que tinha vivido entre nós, por assim dizer incógnito, encarregado de missões importantes... e que provavelmente não tardaria em regressar de Petersburgo" (estava Liámchin convencido de que Stavróguin estivesse em Petersburgo), mas desta vez em bem diversas condições, seguido duma série de personalidades das quais sem dúvida ia se ouvir falar em breve entre nós. Acrescentou que soubera de tudo isto por Piotr Stiepânovitch, "o inimigo secreto de Nikolai Stavróguin".

Aqui um *nota bene*. Dois meses depois, Liámchin confessou que fora intencionalmente que tivera todo o cuidado em exculpar Stavróguin e isto na esperança de obter sua proteção; acreditara que Stavróguin poderia obter em Petersburgo uma importante comutação de sua pena e que talvez lhe enviasse dinheiro e recomendações. Vê-se, por esta confissão que ele fazia verdadeiramente uma ideia por demais exagerada a respeito de Nikolai Stavróguin.

No mesmo dia, prendeu-se naturalmente Virguínski, e, no seu zelo, a polícia deitou a mão a toda a sua família. (Hoje, Arina Prókhorovna, sua irmã, sua tia, bem como a estudante foram postas em liberdade desde muito tempo, diz-se mesmo que Chigáliev não tardará a ser também posto em liberdade, atendendo-se a que não se enquadra em nenhuma das categorias de acusados; aliás, não passa isso ainda de um boato.) Virguínski fez imediatamente as confissões mais completas; quando foram prendê-lo, estava doente, de cama, e tinha febre alta. Conta-se que experimentou uma espécie de satisfação; "agora, não tenho mais isso pesando-me no coração", teria ele dito. Parece que prestou seus depoimentos com muita franqueza e não sem certa dignidade. Não abandona nenhuma de suas "luminosas esperanças", maldizendo a política (que seria o oposto do socialismo) à qual se deixou arrastar tão imprudentemente, apanhado "no turbilhão de um concurso de circunstâncias". Creio que sua atitude no parque durante a realização do crime será tomada em consideração e que pode ele contar com um abrandamento de sua sorte. Pelo menos é o que se afirma entre nós.

Mas é pouco provável que o mesmo ocorra com Erkel. Desde sua prisão persiste este num mutismo absoluto ou então altera a verdade tanto quanto pode. Não se pôde ainda arrancar-lhe uma só palavra de arrependimento. E no entanto mesmo entre os juízes mais austeros e mais rigorosos suscitou ele certa simpatia, por causa de sua juventude, de seu infortúnio, do fato, hoje verificado, de que não foi senão a vítima fanatizada de um subornador político; mas sobretudo por causa de sua conduta doravante conhecida para com sua mãe, a quem ele enviava todos os meses quase a metade de seu magro soldo. Sua mãe está aqui neste momento: é uma mulher fraca, doente, precocemente envelhecida. Chora e arrasta-se literalmente aos pés dos juízes, implorando o perdão de seu filho. Ninguém sabe o que resultará disto, mas entre nós muitas pessoas lamentam Erkel.

Lipútin foi detido em Petersburgo onde se encontrava havia já quinze dias. Aconteceu-lhe algo de totalmente inverossímil, difícil mesmo de explicar. Ele que se munira, dizem, de um passaporte sob nome falso e possuía uma soma de dinheiro bastante considerável, ficou entretanto em Petersburgo e dali não se moveu. Durante algum tempo, procurou Piotr Stiepânovitch e Nikolai Stavróguin, depois entregou-se de súbito à bebida e à devassidão mais desenfreada, como se tivesse perdido totalmente seu bom senso e toda a ideia de sua situação. Detiveram-no numa casa de tolerância e em estado de embriaguez. Agora corre o boato de que ele voltou à razão, que não perdeu absolutamente a coragem, presta depoimentos mentirosos e se prepara com certa solenidade, não privada de toda esperança (?), para comparecer perante a Justiça. Teria mesmo a intenção de pronunciar nessa ocasião um discurso. Tolkatchenko, pelo contrário, que foi detido no distrito vizinho, dez dias após sua fuga, portou-se de uma maneira muito mais decente; não mente, não dissimula, diz o que sabe sem procurar desculpar-se, reconhece suas culpas com toda humildade, somente teria também alguma tentação de tomar a palavra perante os juízes. Perora muito e de boa vontade. Quando se trata do povo e dos elementos revolucionários, gosta de ouvir-se a si mesmo falar e procura produzir efeito. Lipútin e ele parecem esperar uma absolvição e isto não deixa de parecer estranho.

Repito, este caso ainda não terminou. Agora que três meses se passaram, nossa sociedade respira, reposta de seus alarmes e formou sua opinião a tal ponto que muitas pessoas hoje consideram Piotr Stiepânovitch senão como um gênio, pelo menos como um homem dotado de "qualidades geniais".

"Vê-se por aí o que significa a organização", dizem no clube, levantando um dedo no ar. Aliás, tudo isto é bem inocente e os que assim falam são em pequeno número. Em contraposição, alguns julgam-no de maneira muito menos favorável. Sem lhe negar todo talento, censuram, contudo, sua completa ignorância da realidade, sua terrível mania de abstração, desenvolvida em excesso e num sentido exclusivo, e por consequência sua extraordinária leviandade. Quanto a seus costumes, são todos unânimes; não há a menor contestação a este respeito.

Não sei verdadeiramente mais a quem devo ainda mencionar para ser completo. Mavríki Nikoláievitch deixou-nos definitivamente para ir não sei para onde. A velha Generala Drózdova ficou caduca. Resta-me ainda, no entanto, uma sombria história a contar. Vou me *limitar aos* fatos.

De seu regresso de Ústievo, Varvara Pietrovna foi para a sua casa da cidade. Todas as notícias que se tinham acumulado aqui durante sua ausência assaltaram-

-na ao mesmo tempo e a emocionaram extremamente. Fechou-se sozinha em sua casa. Era noite; todo o mundo estava fatigado, ela se deitou cedo.

Na manhã do dia seguinte, a criada de quarto, com um ar misterioso, entregou uma carta a Daria Pávlovna. Esta carta, segundo ela afirmou, fora-lhe entregue na véspera à noite, muito tarde, quando todos dormiam, de modo que ela não tinha ousado despertar Daria Pávlovna. E a carta não tinha vindo pelo correio, mas levada a Skvopiéchniki por um desconhecido a Alieksiéi Iegórovitch. Este a havia logo entregue às mãos da criada de quarto e regressara a Skvopiéchniki.

Com violentas batidas de coração, Daria Pávlovna olhou muito tempo a carta sem ousar abri-la. Sabia de quem vinha: era Nikolai Stavróguin que lhe escrevia. Leu em primeiro lugar o endereço no envelope: "A Alieksiéi Iegórovitch, para entregar a Daria Pávlovna. Segredo".

Eis aqui a carta, palavra por palavra, sem que a menor correção tenha sido feita ao estilo desse gentil-homem russo, que não conhecia perfeitamente a gramática de sua língua materna, a despeito de sua cultura europeia:

> Querida Daria Pávlovna:
>
> Você quis um dia ir para junto de mim na qualidade de enfermeira e me fez prometer que a chamasse quando fosse necessário. Parto dentro de dois dias e não voltarei mais. Quer você vir comigo?
>
> No ano passado, como Herzen, fiz-me naturalizar cidadão do cantão de Uri e ninguém o sabe. Já comprei lá uma casinha. Tenho ainda doze mil rublos. Partiremos para lá, a fim de ali viver eternamente. Não quero mais ir a parte alguma, aliás.
>
> O lugar é muito aborrecido: uma garganta; montanhas constrangem o olhar e o pensamento. É muito escuro ali. Comprei essa casa porque estava à venda. Se ela lhe desagradar, tornarei a vendê-la e adquirirei uma outra, em outro lugar.
>
> Não estou passando bem, mas espero que o ar daquele país me aliviará de minhas alucinações. Isto quanto ao físico, quanto ao moral, você sabe de tudo. Somente será tudo?
>
> Contei-lhe muitas coisas de minha vida. Mas não tudo. Não tudo mesmo a você. A propósito afirmo que, em consciência, sou culpado pela morte de minha mulher. Não tornei a vê-la depois daquilo, por isso é que lhe afirmo. Sou também culpado para com Elisavieta Nikoláievna, mas neste caso você nada ignora. De certo modo tudo previu.
>
> Seria melhor que você não viesse. Cometo uma odiosa baixeza, chamando-a. Sim, por que enterrar-se viva comigo? Quero-lhe bem e no meu desgosto era-me doce estar junto de você; diante de você somente é que eu podia falar bem alto de mim mesmo. Mas isto não prova nada. Você mesma se definiu como uma "enfermeira", foi sua própria expressão; por que sacrificar tanto? Compreenda também que não tenho compaixão de você, se a chamo e que não tenho respeito para com você se a espero. E, entretanto, chamo-a e espero-a. Em todo o caso, tenho necessidade de sua resposta, porque é preciso partir muito depressa. Neste caso partirei sozinho.
>
> Nada espero de Uri, parto simplesmente. Não escolhi de propósito aquele sombrio lugar. Nada me liga à Rússia. Da mesma maneira que em toda parte, aqui tudo me é estranho. É verdade que é na Rússia que menos tenho gostado de viver; mas mesmo aqui nada tenho podido odiar.

Quis por toda parte experimentar minha força. Você me aconselhou uma vez "que me conhecesse a mim mesmo". Nessas experiências, para mim mesmo ou para exibir minhas forças, agora como antes, revelou-se ela sem limites. Diante de você, recebi uma bofetada de seu irmão. Confessei publicamente meu casamento. Mas de que serve aplicar essa força? Eis o que eu nunca vi, o que hoje ainda não vejo, apesar dos encorajamentos que você me prodigou na Suíça e aos quais dei fé. Posso, tão bem quanto outrora, ter o desejo de praticar uma boa ação e sinto com isto prazer; ao lado disso, quero também o mal e também sinto prazer com ele. Mas um e outro sentimentos., como sempre, têm qualquer coisa de mesquinho e jamais de forte. Meus desejos são demasiado fracos; não podem dirigir-me. É possível atravessar um rio sobre uma prancha, mas não sobre um cavaco. Isto somente para que você não acredite que parto para Uri sem quaisquer esperanças.

Como sempre, não acuso ninguém. Tentei levar uma vida de estranha devassidão e nisso esgotei minhas forças. Mas não amo a devassidão e não a queria. Você observou-me nestes últimos tempos. Sabe que olhei nossos negadores com ódio e isto porque invejava suas esperanças? Mas foi em vão que você teve medo: não podia ser camarada deles uma vez que não partilhava de nenhuma de suas ideias. Não pude além disso fazê-lo por derrisão ou por maldade, não que eu tema o ridículo — o ridículo não pode aterrorizar-me — mas porque tenho apesar de tudo os hábitos de um homem bem nascido e aquilo me repugnava. Contudo, se tivesse sentido contra eles mais ódio e mais inveja teria talvez ido com eles. Julgue você mesma qual era meu estado de espírito e como oscilei entre os partidos.

Querida amiga, criatura terna e generosa, que eu adivinhei! Talvez sonhe você dar-me tanto amor e espalhar sobre mim os tesouros de sua alma magnífica, esperando assim marcar na minha existência, afinal, um objetivo. Não, seja mais prudente. Meu amor será tão sem relevo como eu próprio o sou e você será infeliz. Seu irmão me disse um dia que aquele que rompe os elos com sua terra perde por isso mesmo os seus deuses, isto é, todos os seus objetivos. A respeito de qualquer assunto pode-se discutir indefinidamente, mas de mim nunca saiu senão a negação e uma negação sem grandeza e sem força. Ainda assim não foi negação que saiu. Tudo foi sempre chato e mole. O magnânimo Kirílov não pode suportar a ideia e estourou os miolos, mas eu vejo que ele era magnânimo precisamente porque não era mais senhor de sua sã razão. Eu não poderei jamais perder minha razão e não poderei crer numa ideia ao ponto em que ele acreditou. Jamais, jamais poderei estourar os miolos.

Sei que devia me matar, fazer-me desaparecer da superfície da terra como um vil inseto, mas tenho medo do suicídio, porque tenho medo de mostrar grandeza de alma. Sei que seria ainda um engano, o derradeiro na série ilimitada dos enganos. Que vantagem há em enganar-se a si mesmo apenas para representar de magnânimo? A indignação e a vergonha serão sempre estranhas para mim; por consequência o desespero também.

Perdoe-me escrever-lhe tão longamente. Volto a mim. É um erro de minha parte. Cem páginas seriam ainda demasiado pouco e dez linhas bastariam. Dez linhas bastam, quando se quer chamar para junto de si uma "enfermeira".

Desde minha partida, estou vivendo na sexta estação em casa do chefe da mesma. Conheci-o, há cinco anos, em Petersburgo, no tempo de minhas loucuras. Ninguém sabe que estou em casa dele. Escreva-me para o seu nome. Junto aqui o endereço.

Nikolai Stavróguin

Daria Pávlovna foi logo mostrar a carta a Varvara Pietrovna, que a leu e rogou a Daria Pávlovna que se retirasse porque queria relê-la a sós. Mas não tardou em tornar a chamá-la.

— Partes? — perguntou ela quase timidamente.

— Sim, parto — resmungou Dacha.

— Então prepara-te. Iremos juntas.

Dacha interrogou-a com um olhar.

— Que farei eu aqui agora? Que me importa tudo? Eu também vou me fazer cidadã de Uri e viverei no meio daquelas montanhas... Fique tranquila, não os incomodarei em nada.

Prepararam suas bagagens a toda a pressa, a fim de estarem prontas para o trem do meio-dia. Ao fim de uma meia hora, Alieksiéi Iegórovitch apareceu vindo de Skvopiéchniki. Anunciou que Nikolai Vsiévolodovitch chegara repentinamente à Skvopiéchniki, de manhã cedo e que ali se encontrava, mas "com um ar de não querer responder às perguntas", atravessara todos os quartos e se trancara em seu apartamento.

— Resolvi vir sem sua ordem dar-lhe parte — acrescentou Alieksiéi Iegórovitch, com um ar muito grave.

Varvara Pietrovna fitou-o com um olhar escrutador, mas não o interrogou tampouco. Num instante, a carruagem foi atrelada. Ela partiu com Dacha. Durante o trajeto muitas vezes, dizem, fez ela o sinal da cruz.

No apartamento de Nikolai Vsiévolodovitch, todas as portas estavam abertas, mas foi impossível encontrá-lo em qualquer parte.

— Não estaria no mezanino? — observou Fómuchka, com reserva.

É de notar que vários criados penetraram atrás de Varvara Pietrovna no apartamento de seu filho, enquanto os outros aguardavam na sala grande. Jamais antes seriam admitidas tais derrogações da lei da etiqueta. Varvara Pietrovna observou isto, mas se calou.

Subiu-se ao mezanino. Ali havia três quartos; ele não foi encontrado em nenhum.

— Será que o senhor não teria ido por ali? — perguntou alguém, designando a porta da mansarda.

Com efeito, aquela portinha, ordinariamente sempre fechada, estava agora escancarada. Para lá entrar era preciso deslizar quase sob o teto por uma escada de madeira comprida, muito estreita e extremamente íngreme. Havia ainda, lá em cima, uma espécie de quarto.

— Não irei lá. Por que razão teria ele subido lá em cima? — perguntou Varvara Pietrovna que se tornou terrivelmente pálida e pareceu interrogar os criados com os olhos. Aqueles a olhavam em silêncio. Dacha tremia.

Então Varvara Pietrovna precipitou-se para a escada, Dacha seguiu-a; mas apenas ela entrara no quarto, lançou um grito e caiu sem sentidos.

O cidadão do cantão de Uri ali estava pendurado, atrás da porta. Sobre a mesa encontrava-se uma folha de papel com algumas palavras rabiscadas a lápis:

"Não acusem ninguém. Fui eu mesmo." Em cima da mesma mesa, ao lado, havia um martelo, um pedaço de sabão e um grande prego, tudo evidentemente ali colocado por precaução. O sólido cordão de seda, com o qual se havia enforcado Nikolai Stavróguin, tinha sido certamente escolhido de antemão e untado de sabão com cuidado. Tudo testemunhava premeditação completa e uma consciência que persistiu até o derradeiro minuto.

Nossos médicos, depois da autópsia do cadáver, rejeitaram formalmente a hipótese da alienação mental.

[APÊNDICE][197]

[A CONFISSÃO DE STAVRÓGUIN] / EM CASA DE TÍKHON

I

Nikolai Vsiévolodovitch não dormiu naquela noite. Passou-a toda inteira sentado em seu divã. Seu olhar imóvel fixava-se frequentemente num ponto, sobre a cômoda colocada no canto do quarto. A lâmpada esteve acesa a noite inteira. Cerca das sete horas adormeceu, sentado, e quando Alieksiéi Iegórovitch, segundo seu invariável costume, foi às nove horas e meia em ponto levar-lhe sua xícara de café da manhã e acordou-o ao aparecer, Stavróguin, abrindo os olhos, pareceu desagradavelmente surpreendido por ter podido dormir tanto tempo e por ser já tão tarde. Bebeu à pressa seu café, vestiu-se e deixou precipitadamente a casa. Nada respondeu a Alieksiéi Iegórovitch que se atrevera a perguntar se "o senhor não tinha ordens a dar-lhe". Seguindo pela rua, caminhava de olhos fitos no chão, absorvido em profundas reflexões, e só por instantes erguendo, de repente, a cabeça. Numa encruzilhada, não longe de sua casa, uma turma de operários, em número de cinquenta ou mais, que desfilavam em boa ordem e em silêncio, barrou-lhe o caminho. Perto de uma loja, onde teve de esperar um minuto, alguém dizia que eram os operários de Chpigúlin. Mal lhes prestou atenção. Afinal, cerca das dez e meia, chegava às portas do mosteiro de Santo Eutímio, situado, na extremidade da cidade, à margem do rio. Ali, de repente, pareceu preocupado por uma recordação lancinante, parou, com um gesto rápido palpou seu bolso do lado esquerdo e sorriu. Transpondo então a entrada, perguntou ao primeiro noviço que apareceu como devia fazer para ser introduzido à presença do Bispo Tíkhon, que ali terminava seus dias em retiro. O servidor acolheu-o com numerosas reverências e conduziu-o logo aos aposentos de Tíkhon. Ao chegarem diante do patamar, bem ao fundo dum longo corpo de edifícios de dois andares, um gordo monge, de cabelos grisalhos, veio-lhes ao encon-

---

197 O episódio da *Confissão de Stavróguin* só veio a ser publicado em 1906, e assim mesmo a viúva de Dostoiévski, Anna Grigórievna, só apresentou trechos do manuscrito encontrado entre os papéis de seu marido. Quando o romance *Os demônios* estava sendo publicado parceladamente na revista *Ruskii Veslnik* (Mensageiro da Rússia) leu Dostoiévski esse capítulo do livro (que deveria provavelmente ser incluído após a primeira parte do capítulo IV do terceiro volume) a várias pessoas, inclusive sua esposa e o editor. Dado o horror do que nele se contava e para evitar que os inimigos de Dostoiévski se valessem disso para atacá-lo, aconselharam-no a não incluir tal episódio no livro. O romancista guardou-o entre seus papéis. As edições posteriores o incluem como apêndice ao romance (como fizemos aqui), pois tem ele valor inestimável para melhor esclarecer a figura e o caráter do personagem Stavróguin. Seu diálogo com o bispo Tíkhon impressiona pela sua franqueza e pela visão que nos revela dos recessos de uma alma humana devastada pela negação e pela falta de amor.
Como temiam a esposa e os amigos de Dostoiévski, seus inimigos não hesitaram em dar como elemento autobiográfico o episódio da violação da menina Matrióchka, episódio que tem seu igual em *Crime e castigo* e como autor o personagem Svidrigáilov, e cuja reiteração em dois livros fazia *induzir* que se tratava de uma obsessão em Dostoiévski de crime idêntico por ele cometido. *Sem provas positivas, a não ser* acusações de ex-amigos e uma tradição oral na qual se atribui uma confissão sua da prática de um ato infame a seu próprio rival Turguéniev, o que se pode pensar é que um crime dessa natureza chocava tanto a sensibilidade de Dostoiévski que ele o utilizou mais de uma vez para salientar a hediondez de um personagem. E essa hediondez ressalta bem dos dois episódios, cujo horror fere a sensibilidade do leitor, por mais conhecedor que seja este da capacidade de mal que um homem possa praticar.

tro e, tendo despedido o servidor com um gesto breve e autoritário, acompanhou Stavróguin. Enquanto seguiam ao longo do estreito corredor, o monge também se desfazia em gentilezas (se bem que sua corpulência o impedisse de inclinar-se muito baixo, supria isso por um movimento de cabeça frequente e brusco) e não cessava de convidar Stavróguin a segui-lo. Este, de resto, seguia-o sem se fazer rogar. O monge fez-lhe certas perguntas e se pôs a falar do padre arquimandrita; não obtendo resposta, tomou uma atitude cada vez mais deferente. Stavróguin notou que toda a gente ali o conhecia, se bem que, por mais que forçasse sua memória, não se lembrasse de ter ali posto os pés desde sua infância. Quando chegaram diante da porta que se encontrava na extremidade do corredor, o monge empurrou-a com um gesto autoritário, perguntou familiarmente ao guardião, que acorreu, se se podia entrar e, sem esperar a resposta, escancarou a porta, depois, tendo-se inclinado, deu passagem ao "amável" visitante; depois de haver recebido agradecimentos, afastou-se a passos precipitados. Nikolai Vsiévolodovitch penetrou numa peça exígua. Quase no mesmo instante apareceu na soleira do quarto vizinho um homem grande e descarnado, de cinquenta e cinco anos, vestido com uma simples sotaina caseira: de aspecto um tanto doentio, mostrava nos lábios um sorriso indefinível e no olhar uma estranha expressão de timidez. Era aquele mesmo Tíkhon de cuja existência Nikolai Vsiévolodovitch viera a ter conhecimento por meio de Chátov e a respeito do qual tivera tempo desde então de recolher certas informações.

Essas informações eram de ordem diversa e por vezes contraditórias, mas possuíam um traço comum. Os que amavam Tíkhon, bem como os que não o amavam (porque havia desses), todos se mantinham numa espécie de reserva ao falar dele; os que o detestavam, provavelmente por desdém, e mesmo seus partidários mais entusiastas, por uma espécie de discrição e como se tivessem desejado ocultar certa fraqueza, talvez mesmo uma tara de caráter místico. Nikolai Vsiévolodovitch soube que ele se achava no mosteiro havia já seis anos e que os seus visitantes eram ora gente do povo, ora personalidades eminentes; que contava até na longínqua Petersburgo com ardentes admiradores e sobretudo admiradores. Em contraposição, havia ouvido dizer por um dos decanos de nosso clube, pessoa de destaque e muito devota, que aquele "Tíkhon" era quase louco e que sem dúvida "dava-se à bebida". Acrescento que esta última insinuação era falsa e que não se tratava senão de um reumatismo inveterado nas pernas e de convulsões nervosas que se haviam tornado crônicas. Nikolai Vsiévolodovitch soube também que o prelado aposentado, seja por fraqueza de caráter, seja "pelo fato de uma distração imperdoável e incompatível com a dignidade episcopal", não conseguira inspirar no mosteiro mesmo o respeito devido à sua pessoa. Dizia-se que o padre arquimandrita, homem austero e estrito quanto às obrigações de seu cargo, famoso ainda pela sua ciência, não deixava de nutrir contra Tíkhon certo sentimento de hostilidade, censurando-lhe, não abertamente é verdade, o levar uma existência pouco regular e acusando-o quase de heresia. Toda a comunidade parecia também tratar a pobre eminência doente, senão com um grande desdém, pelo menos familiarmente. As duas peças que formavam a cela de Tíkhon estavam mobiliadas também de maneira um tanto estranha. Ao lado dum antigo mobiliário de carvalho, coberto por um couro gasto, havia três ou quatro belos objetos: uma luxuosa poltrona de descanso, uma grande mesa de escrever, de excelente talha, uma elegante estante esculpida, consolos, mesinhas de centro, tudo, era evidente, coisa presenteada, um rico tapete de Bukara combinava-se com esteiras. Havia gravuras de assuntos "mundanos" ou mitológicos, e, no mesmo canto, uma grande vitrina cheia de ícones de ouro e de prata, um dos quais, muito antigo, continha relíquias. A biblioteca também, dizia-se, era composta com um gosto por demais disparatado e contraditório: ao lado de obras dos Padres da Igreja e dos Confessores da fé encontravam-se obras "de teatro e talvez piores ainda".

Depois das primeiras saudações trocadas, não se sabe por que, de parte e outra num tom de constrangimento evidente, Tíkhon apressou-se em introduzir seu visitante em seu gabinete de trabalho e o fez sentar no divã, em frente de sua mesa, enquanto ele próprio tomava lugar ao lado, numa cadeira de vime. Fato estranho, aqui se achava Nikolai Vsiévolodovitch na mais completa confusão. Parecia ter tomado uma resolução extraordinária e inelutável, mas ao mesmo tempo quase impossível de executar. Por um instante, correu o olhar pela peça, mas, sem dúvida alguma, sem nada notar do que via; pensava, mas não sabia talvez em que. O silêncio despertou-o e pareceu-lhe, de repente, que Tíkhon baixara timidamente os olhos, não sem deixar transparecer um sorriso totalmente desnecessário. Isto logo suscitou nele desagrado; teve vontade de levantar e sair. Na sua opinião, Tíkhon estava indubitavelmente bêbado. Mas este ergueu de repente a vista e fitou-o com um olhar tão firme, tão carregado de pensamentos e, ao mesmo tempo, com uma expressão tão enigmática e tão inesperada, que ele sentiu correr-lhe pelo corpo uma espécie de arrepio. Pareceu-lhe, a despeito de suas primeiras suspeitas, que Tíkhon já sabia por que ele viera, já estava prevenido (embora ninguém no mundo pudesse conhecer esse motivo) e que, se não tomava por primeiro a palavra, era porque o poupava e temia humilhá-lo.

— O senhor me conhece? — perguntou, com voz brusca. — Apresentei-me ou não, ao entrar? Desculpe-me, sou tão distraído...

— O senhor não se apresentou, mas tive o prazer de vê-lo uma vez, há quatro anos, aqui, no mosteiro... por acaso.

Tíkhon falava lenta, placidamente, com uma voz doce, pronunciando em tom claro todas as palavras.

— Eu não estava aqui há quatro anos — replicou Nikolai Vsiévolodovitch, com uma grosseria fora de lugar. — Só vim aqui, quando era menino ainda, quando o senhor não se encontrava ainda aqui.

— Talvez se haja esquecido — observou Tíkhon, com prudência e sem insistir.

— Não, não me esqueci; e seria ridículo que não pudesse mais lembrar-me — apoiou Stavróguin, com uma espécie de exagero. — Talvez o senhor tenha ouvido falar de mim, formando de mim certa ideia e imaginando agora ter-me visto.

Tíkhon calou-se. Nikolai Vsiévolodovitch notou então que pelo rosto dele passava por instantes uma espécie de arrepio nervoso, sinal de uma antiga neurastenia.

— Vejo somente que o senhor hoje não está passando bem e sem dúvida valeria mais a pena que eu me retirasse — disse Stavróguin.

Fez mesmo menção de levantar de seu lugar.

— *Sim, hoje* e ontem senti fortes dores nas pernas e dormi pouco esta noite.

Tíkhon parou. Seu visitante retombou subitamente no seu vago devaneio anterior. O silêncio prolongou-se por dois longos minutos.

— O senhor examinava-me? — perguntou ele, de repente, com ansiedade e ar suspeitoso.

— Olhando-o, lembrei-me das feições de sua mãe. Malgrado a falta de semelhança exterior, há uma semelhança interior, espiritual.

— Nenhuma semelhança, sobretudo espiritual. Não há mesmo abso-lu-ta--mente nenhuma — replicou Nikolai Vsiévolodovitch, novamente alarmado sem razão e insistindo, duma maneira exagerada, sem saber ele mesmo por que. — O senhor diz isto assim... por compaixão pela minha situação, e... bobagens! — exclamou, de súbito. — Mas, a propósito, minha mãe vem visitá-lo?

— Vem, sim.

— Ignorava-o. Ela jamais me disse. Muitas vezes?

— Quase todos os meses e algumas vezes mais frequentemente.

— Nunca, nunca, ouvi-a dizer isto. E, naturalmente, foi ela quem lhe disse que sou louco, não? — acrescentou ele, bruscamente.

— Não, ela nunca me falou a seu respeito dando-o como louco. De resto, também ouvi dizer isso, mas foi por outras pessoas.

— O senhor tem boa memória, pois pode lembrar-se de semelhantes frioleiras. E da bofetada, também ouviu falar?

— Sim, um pouco.

— Quer dizer então que o senhor não ignora nada. Tem bastante tempo para perder. E do duelo?

— Do duelo também.

— Eis onde não se precisa de jornais. Chátov preveniu-o a meu respeito?

— Não. Conheço, aliás, o Senhor Chátov, mas já faz muito tempo que não o vejo.

— Hum!... Que mapa é esse que tem aí? Ah! é o mapa da derradeira guerra. De que lhe serve?

— Comparei o mapa com o texto. É uma descrição muito interessante.

— Mostre-me; sim, a descrição não é má. Estranha leitura, todavia, para o senhor.

Pegou o livro e folheou-o. Era uma obra volumosa em que estavam expostos com talento os acontecimentos da derradeira guerra russo-turca, e de resto, dum ponto de vista mais literário que técnico. Depois de folhear o livro, tornou a pô-lo sobre a mesa, num gesto de impaciência.

— Ignoro decididamente por que vim aqui — declarou ele, num tom desdenhoso, fitando diretamente os olhos de Tíkhon, como se esperasse dele uma resposta.

— O senhor também não parece estar de boa saúde.

— Não, não estou de boa saúde.

E de súbito, em termos concisos, incoerentes, tanto que era difícil por vezes *compreendê-lo, contou que* era sujeito, principalmente à noite, a espécies de alucinações; acontecia-lhe ver e sentir junto de si a presença de um ser mau, grotesco e "astuto"; "apresenta-se sob aspectos e caracteres diversos — acrescentou ele, — mas é sempre o mesmo e de todas as vezes encho-me de furor".

Aquelas revelações estranhas e confusas pareciam verdadeiramente coisa de um insensato. Mas fora disso, falava Nikolai Vsiévolodovitch com tão esquisita franqueza, tão pouco habitual nele, com uma ingenuidade tão completamente oposta a seu caráter, que o homem antigo parecia nele ter-se eclipsado de repente e duma maneira inesperada. Não sentia mais a menor vergonha em deixar ver o terror com que falava de sua visão. Mas tudo isso só durou um instante e desapareceu tão depressa como surgira.

— Tudo isso é absurdo — proferiu ele, um tanto exasperado, dominando-se. — Irei consultar um médico.

— Vá sem falta — aprovou Tíkhon.

— O senhor me diz isso com tanta certeza... Tem-lhe acontecido encontrar pessoas como eu, que têm semelhantes visões?

— Tenho visto, mas muito raramente. Lembro-me de um só encontro desse gênero no curso de minha existência: o de um oficial que perdera sua esposa, companheira que não lhe parecia possível substituir jamais. O outro caso foi-me simplesmente contado. Ambos curaram-se no estrangeiro... E há muito tempo que o senhor é sujeito a isso?

— Cerca de um ano, mas não é nada. Irei consultar um médico. Porque é absurdo, absurdo, no supremo grau. Trata-se de meu eu, sob diversos aspectos e de nada mais. Como acabo de acrescentar esta... frase, pensa o senhor naturalmente que duvido ainda e não estou convencido de que sou eu realmente, eu mesmo, e não o diabo.

Tíkhon interrogou-o com o olhar.

— E... o senhor o vê realmente? — perguntou ele. — Isto é, afastando a mínima suspeita de que possa tratar-se duma alucinação enganadora e mórbida... o senhor vê na realidade uma figura?

— Essa insistência é estranha de sua parte, pois que já lhe disse que a vejo — replicou Stavróguin, cuja cólera ia aumentando a cada palavra. — Decerto que a vejo, como estou vendo o senhor... Mas por vezes não estou totalmente certo de vê-la, e não sei onde está a verdade, não sei realmente se sou eu ou ele... Absurdo tudo isso! Mas será que não poderia o senhor adiantar que se trata realmente do diabo? — acrescentou ele, com sarcasmo e passando um pouco depressa demais a um tom zombeteiro. — Estaria pelo menos mais conforme com sua profissão.

— É mais provável que seja a doença, muito embora...

— Muito embora o quê?

— Os diabos existam sem dúvida alguma. Mas a concepção que se faz deles é das mais diversas.

— O senhor acaba mais uma vez de baixar os olhos — retorquiu Stavróguin, com uma zombaria feroz. — O senhor envergonha-se por mim de que acredite eu no diabo. Pois bem, para fingir que não acredito nele, vou lhe fazer pérfida esta pergunta: ele existe realmente, sim ou não?

Tíkhon esboçou um vago sorriso.

— E além disso saiba o senhor que não lhe fica bem absolutamente baixar os olhos: não é natural, é ridículo e amaneirado; mas faço questão de dar-lhe satisfação pela minha grosseria. Então vou lhe dizer a sério e com impudência: creio no diabo, *creio nele no sentido* canônico, no diabo como indivíduo e não como alegoria, e nada tenho a aprender de ninguém, eis o que tenho a dizer-lhe. O senhor deveria estar bastante satisfeito agora...

Sua risada era nervosa, forçada. Tikhon examinava-o com curiosidade, com um olhar manso, quase tímido.

— Crê em Deus? — disparou de repente Stavróguin.

— Creio, sim.

— Pois bem, está dito: "Se crês e ordenares que uma montanha se desloque, ela se deslocará", o que de resto é absurdo. Entretanto estou mesmo assim curioso por saber: o senhor deslocará a montanha ou não?

— Se Deus assim quiser, eu a deslocarei — proferiu Tíkhon, com calma e perfeitamente senhor de si, baixando de novo os olhos.

— O que é o mesmo que dizer que é o próprio Deus quem a desloca. Não o senhor, mas em recompensa pela sua fé em Deus.

— Talvez não a desloque eu.

— "Talvez"? Já não está mal. Por que duvida?

— Por causa da imperfeição de minha fé é que duvido.

— Como, o senhor tampouco não acredita perfeitamente?

— Talvez, e não duma maneira perfeita.

— Eis o que não teria eu suposto ao vê-lo! — disse Stavróguin, cercando-o de um olhar espantado e cândido que nada mais tinha de comum com o tom zombeteiro das perguntas precedentes.

— Mas, entretanto — prosseguiu, — acredita o senhor mesmo assim que, com a ajuda de Deus, poderia deslocar montanhas, o que já não é pouco. Pelo menos quer o senhor crer. E toma o senhor montanha no sentido literal. Princípio excelente. Tenho notado que nossos levitas mais adiantados pendem fortemente para o luteranismo. É já um pouco mais que o *très peu* dum outro arcebispo, sob a ameaça dos sabres, é verdade.

Stavróguin dissera isto num tom precipitado, meio sério, meio zombeteiro.

— Senhor, não terei vergonha de tua cruz — declarou Tíkhon, numa espécie de murmúrio apaixonado e inclinando mais ainda sua cabeça. As comissuras de seus lábios mostravam-se agitadas por um movimento nervoso e rápido.

— E pode-se acreditar no diabo, sem crer em Deus? — disse, rindo, Stavróguin.

— Oh! é perfeitamente possível, podem andar as duas coisas juntas — declarou, erguendo os olhos, Tíkhon que também sorriu.

— E eu estou bem certo de que o senhor considera semelhante fé mais estimável que a completa incredulidade... Oh! pope! — rebentou em risada Stavróguin.

Tíkhon dirigiu-lhe de novo um sorriso.

— Pelo contrário, o perfeito ateísmo é mais estimável que a indiferença mundana — respondeu Tíkhon com jovialidade e bonomia.

— Oh! oh! tal é sua opinião...?

— O perfeito ateísmo situa-se no alto da escada, no antepenúltimo degrau que leva à *fé perfeita* (toda a questão está em saber se o galgará ou não), ao passo que o indiferente não tem fé nenhuma, a não ser o medo vil, e somente por vezes, se é homem pecador.

— Hum!... o senhor... o senhor leu o *Apocalipse*?

— Li, sim.

— Lembra-se da passagem: "E ao anjo da Igreja de Laodiceia escreve..."?

— Lembro-me, aquelas palavras são admiráveis.

— Admiráveis? Estranha expressão na boca de um bispo, aliás, o senhor é um original... Onde está o livro? — perguntou Stavróguin, com uma espécie de pressa febril, procurando com os olhos o livro em cima da mesa. — Quero relê-la para o senhor... há a tradução russa?

— Sei, sei onde ela se encontra, lembro-me perfeitamente — disse Tíkhon.

— Sabe-a de cor? Recite-a!...

Baixou os olhos com um movimento rápido, alongou as mãos sobre os joelhos e se pôs logo disposto a escutar. Tíkhon recitou a passagem, palavra por palavra:

— E ao anjo da Igreja de Laodiceia escreve: Isto diz o Amém, a testemunha fiel e verdadeira, o que é princípio das criaturas de Deus: Conheço as tuas obras, que não és frio nem quente; oxalá foras frio ou quente; mas, porque és morno, e nem frio, nem quente, começarei a vomitar-te de minha boca, porque dizes: sou rico e cheio de bens, e de nada tenho falta; e não sabes que és um infeliz, e miserável, e pobre, e cego, e nu.

— Basta — interrompeu Stavróguin, — isto se aplica ao justo meio, aos indiferentes, não é? O senhor sabe que o amo muito?

— E eu também o amo — replicou Tíkhon, à meia voz.

Stavróguin calou-se e de súbito recaiu no seu devaneio. Aquilo apoderava-se dele como uma crise e era já o terceiro acesso que sofria. Não teria sido num desses acessos que dissera a Tíkhon um "eu o amo", para ele próprio inesperado? Mais de um minuto decorreu.

— Não te irrites — murmurou Tíkhon, roçando apenas o dedo no cotovelo dele e como se estivesse dominado pela timidez.

Stavróguin estremeceu e franziu o cenho, encolerizado.

— Por que soube que eu ia zangar-me? — proferiu ele, vivamente. Tíkhon quis responder, mas ele interrompeu-o de repente, presa duma inexplicável agitação.

— Por que supôs justamente que não podia eu deixar de encolerizar-me? Sim, estava zangado, o senhor tem razão, e precisamente porque eu lhe tinha dito: "eu o amo". O senhor tem razão, mas é um abominável cínico, tem uma concepção baixa da natureza humana. A cólera poderia não surgir, se se tratasse de outro homem que não eu... De resto, não se trata desse homem, trata-se de mim. Ainda assim é o senhor um original e um pobre louco místico...

Irritava-se cada vez mais e, fato estranho, perdia toda a compostura.

— Escute, não gosto dos espiões nem dos psicólogos, pelo menos dos que tentam introduzir-se na minha alma. Não chamo ninguém para a minha alma, não tenho necessidade de quem quer que seja, e saberei arranjar-me sozinho. O senhor crê que o temo? — disse ele, elevando a voz e erguendo a cabeça num ar de desafio. — O senhor está plenamente persuadido de que vim revelar-lhe "um terrível segredo" e espera com toda a curiosidade monástica de que é capaz! Pois bem, saiba que não lhe revelarei nada, nenhum segredo, porque não tenho absolutamente necessidade do senhor.

Tíkhon ergueu para ele um olhar marcado de firmeza.

— O senhor está impressionado pelo fato de preferir o Cordeiro o que é frio ao que é somente morno — disse ele. — O senhor não quer ser somente morno. Pressinto que o senhor é assaltado por um desígnio extremo e talvez terrível. Se assim for, suplico-lhe, cesse de torturar-se e diga o que o trouxe aqui.

— E o senhor sabia verdadeiramente que eu viera por causa de alguma coisa?

— Eu... adivinhei pelo seu rosto — murmurou Tíkhon, baixando os olhos.

Nikolai Vsiévolodovitch estava um pouco pálido, suas mãos tremiam levemente. Durante alguns segundos, imóvel e silencioso, fitou Tíkhon, como para se decidir definitivamente. Por fim, tirou dum dos bolsos de sua sobrecasaca uma série de páginas impressas e colocou-as sobre a mesa.

— Eis aqui páginas destinadas à publicidade. — declarou ele, com voz brusca. — Basta que uma pessoa as leia e não as ocultarei mais, saiba, todo mundo as lerá. Assim decidi. Não tenho absolutamente necessidade do senhor, pois que tudo resolvi. Mas leia... Durante sua leitura nada me diga, mas depois que as tiver lido, diga-me tudo...

— É preciso ler? — perguntou Tíkhon, hesitante.

— Leia, estou tranquilo desde muito tempo.

— Não, não conseguirei ler sem óculos, os caracteres são pequenos, a impressão foi feita no estrangeiro.

— Eis aqui os óculos — disse-lhe Stavróguin, tomando-os de cima da mesa e entregando-os a Tíkhon; depois recostou-se no espaldar do divã. Tíkhon, sem olhá-lo, mergulhou em sua leitura.

II

Os caracteres eram bem decididamente estrangeiros. Havia três folhas impressas e brochadas, tudo em papel de carta ordinário, de pequeno formato. Aquilo devia ter sido impresso clandestinamente em alguma tipografia russa no estrangeiro, porque as folhas à primeira vista lembravam muito as proclamações. No cabeçalho lia-se: "Da parte de Stavróguin".

Insiro na minha crônica este documento textual. Tomei, porém, a liberdade de corrigir erros de ortografia, bastante numerosos, e que não deixaram de causar-me espanto, sendo o autor afinal de contas um homem instruído, de muitas leituras (sem dúvida relativamente). Quanto ao estilo, malgrado sua incorreção, não lhe fiz nenhuma mudança. É em todo caso evidente que o autor não era um homem de letras.

Permito-me ainda um parênteses, se bem que me antecipe aos acontecimentos. Esse documento é, na minha opinião, um produto da doença, uma obra dominada pelo demônio que possuía aquele homem. O caso não deixa de ter analogia com o do paciente que se revolve no leito, esperando que a mudança de posição lhe traga algum alívio a seu mal. Que digo? esperando somente, por um minuto, substituir seu mal por outro. E sem dúvida a beleza ou a normalidade da posição nada tem que fazer aqui. A ideia fundamental dessa confissão é uma necessidade sincera e terrível de penitência, a necessidade da cruz, do castigo público. E entretanto, essa necessidade da cruz não se encontra menos num homem que não tem fé na cruz e é apenas isto que constitui "a Ideia", como se exprimia uma vez Stiepan Trofímovitch, aliás em ocasião bem diversa. Este documento tem ao mesmo tempo não sei que de fervente e de contrastante, se bem que, é provável, tenha sido escrito com bem outras finalidades. O autor anuncia que foi "obrigado" a escrevê-lo, e é bastante provável que tenha sido feliz se tivesse podido afastar esse cálice, mas não podia certamente e só esperava a ocasião de novas violências. Sim, é bem um doente que se revolve no seu leito e procura substituir seu sofrimento por outro, e eis por que a luta contra a sociedade pareceu-lhe uma posição melhor e por que lhe lança ele seu desafio.

Na verdade, o fato mesmo de semelhante documento deixa pressentir novo desafio injurioso e inesperado à sociedade. Valeria mais a pena aqui ter trato com algum inimigo.

E quem sabe, talvez tudo isso — falo destas páginas — destinado à divulgação, poderia também não ser senão uma maneira "de morder a orelha do Governador"? Por que me vem isto à cabeça, depois que tantos pontos estão agora esclarecidos? É o que não consigo compreender. Não tenho nenhuma prova em apoio do que insinuo e evitarei pretender que este documento seja falso, isto é, inventado e forjado de ponta a ponta. É mais provável que seja preciso procurar a verdade no meio termo. Deixo-me aliás levar demasiado longe. Voltemos, pois, ao nosso documento. Eis o que leu Tíkhon:

"Eu, Nikolai Stavróguin, oficial reformado, em 186..., vivia em Petersburgo e dava-me à devassidão, na qual nenhum prazer encontrava. Durante certo tempo, tive então três domicílios. Morava num, mobiliado, com pensão e criadagem incluídas; naquela época, Maria Liebiádkina, hoje minha esposa legítima, também ali morava. Quanto aos meus outros domicílios, alugava-os então por mês, para minhas ligações amorosas. Num, recebia uma dama que me amava, no outro, sua criada de quarto e durante certo tempo estive muito absorvido pelo projeto de fazer as duas, patroa e empregada, encontrarem-se em minha casa. Conhecendo os dois caracteres, contava tirar dessa farsa um grande divertimento.

"Preparando desde muito esse encontro, tinha de ir com mais frequência a um daqueles domicílios, situado num casarão da Rua Gorókhovaia, pois era ali que comparecia a tal criada de quarto. Ocupava nele apenas uma dependência, no quarto andar, que eu alugava de pessoas de condição humilde, russos, que moravam na peça vizinha, onde se encontravam tão apertados que a porta de comunicação estava sempre entreaberta e era, aliás, o que eu queria. O marido trabalhava num escritório e partia desde manhã para só entrar à noite. A esposa, uma mulher duns quarenta anos, cuja ocupação era cortar e costurar não sei que vestidos que conseguia renovar, saía frequentemente também para recolher seu trabalho. Eu ficava sozinho com a filha deles, que tinha o ar duma criança. Chamavam-na Matrióchka. Sua mãe amava-a, contudo batia-lhe muitas vezes e, segundo o hábito daquela gente, passavam-lhe tremendas descomposturas. Aquela menina cuidava da arrumação e limpeza de meu quarto. Declaro que esqueci o número da casa. Sei agora, após informações, que o velho edifício foi demolido e que no lugar dele e de dois ou três outros eleva-se hoje um vasto imóvel novinho. Esqueci também o nome de meus locadores (talvez o ignorasse mesmo então). Lembro-me de que chamavam a mulher de Stiepanida, segundo creio, Mikháilovna. Ele, não sei mais como se chamava. Tenho ideia de que, se fossem feitas pacientes pesquisas junto à polícia de Petersburgo, seria possível encontrar-lhes a pista. A casa ficava no ângulo de um pátio. *Tudo isto se passava em junho.* A casa estava pintada de azul claro.

"Um dia, desapareceu um canivete que eu tinha em cima da mesa. Não precisava dele e vivia ali solto por acaso. Disse-o à minha locadora, não pensando que ela fosse surrar a filha. Mas acabava precisamente de bater-lhe por causa dum retalho perdido, supondo que a menina o tivesse roubado. Havia-lhe mesmo, por causa disso, puxado os cabelos. Quando se encontrou o retalho debaixo da toalha, a menina não proferiu uma palavra de censura e olhou em silêncio. Notei isto e, pela primeira vez, então, examinei atentamente o rosto da mocinha, que até aquele momento só havia feito aparecer e desaparecer a meus olhos. Era dum louro desbotado e cheia de sardas, com um ar vulgar, mas com um rosto infantil extraordinariamente doce. Desagradou à mãe ver que sua filha não lhe censurasse os golpes recebidos injustamente e ameaçou-a com o punho, mas sem bater-lhe. Minha história do canivete chegou, pois, muito a propósito. Com efeito, exceto nós três, não havia ninguém, e somente a menina penetrava em meu quarto por trás do tabique. A dona, enraivecida porque havia batido nela da primeira vez, injustamente, pegou da vassoura e pôs-se com ela a bater na petiza até tirar-lhe sangue, à minha vista, embora tivesse ela já doze anos. Matrióchka não gritou, provavelmente porque eu estava ali, mas a cada pancada soluçava duma maneira estranha. E soluçou em seguida durante uma hora inteira.

"Mas antes disso, eis o que se passara: no instante mesmo em que a locadora se lançara a pegar a vassoura, encontrei o canivete em cima de minha cama, onde devia ter caído de cima da mesa. Logo me veio a ideia de nada dizer, precisamente para que batessem na menina. Minha decisão foi instantânea; em momentos assim, mostro-me excitado. Mas tenho intenção de contar tudo nos termos mais nítidos, para que nada fique oculto.

"Todas as vezes que, no curso de minha existência, encontrei-me numa situação vergonhosa em particular, humilhante em excesso, vil, e por cima de tudo ridícula, isto sempre excitou em mim, ao mesmo tempo que uma cólera sem limites, uma incrível volúpia. O mesmo me tem ocorrido no momento de cometer uma ação criminosa ou de expor-me a um perigo de morte. Se tivesse roubado alguma coisa, teria experimentado durante a realização do roubo, e até a embriaguez, a consciência da profundeza de minha ignomínia. Não era a ignomínia que eu amava (neste ponto minha razão era absolutamente saudável), mas eu saboreava a embriaguez que provém duma consciência torturada pela sua baixeza. Cada vez que, de pé, no terreno, esperei o tiro do adversário, senti a mesma sensação violenta de vergonha e de furor e certo dia muito fortemente. Confesso que, muitas vezes, procurei essa sensação, porque ela é para mim a mais viva de todas as desse gênero. Quando recebi uma bofetada (e recebi duas em minha vida), era ainda essa sensação, apesar de minha terrível cólera. Mas se com isso, se retém a cólera, o prazer então ultrapassa tudo quanto se possa imaginar. Jamais falei destas coisas a ninguém, nem mesmo por alusão, e as mantive ocultas como uma vergonha, uma infâmia. Ora, uma vez, numa taberna de Petersburgo, bateram-me muito fortemente e arrastaram-me pelos cabelos; não experimentei essa sensação, mas apenas uma cólera espantosa, porque não estava embriagado e batia-me somente por bater-me. Mas se aquele visconde francês que me deu uma bofetada e cuja mandíbula inferior rebentei com um tiro, se aquele mesmo visconde me tivesse arrastado pelos cabelos e dobrado até o chão, talvez tivesse eu experimentado prazer em vez de cólera. Era pelo menos o que me parecia então.

"Tudo isto é para que todo mundo saiba que esse sentimento jamais me dominou completamente e que sempre me ficou a consciência integral (era mesmo sobre a consciência que tudo se baseava). E se bem que esse sentimento me possuísse até a loucura, ou por assim dizer até a obsessão, jamais o fez até o esquecimento de mim mesmo. Quando chegava ele a ponto de me abrasar totalmente, podia eu ainda dominá-lo, detê-lo mesmo no seu ponto culminante; somente jamais o queria. Estou convencido de que poderia viver toda a minha vida como um monge, a despeito da sensualidade bestial que me devora e que sempre provoquei. Sou sempre senhor de mim, quando quero. De modo que, fique-se bem sabendo que não invocarei nem o meio, nem a doença, como pretexto para a irresponsabilidade de meus crimes.

"Terminada a surra, meti o canivete no bolso de meu colete e, sem dizer uma palavra, saí da casa. Fui atirá-lo na rua, bastante longe para que ninguém jamais soubesse de nada. Em seguida esperei dois dias. A menina, depois de ter chorado muito, tornou-se ainda mais taciturna; não tinha, estou convencido disto, nenhum sentimento de cólera contra mim. De resto, com toda a certeza, experimentava certa vergonha por lhe terem infligido tal gênero de punição na minha presença. Mas, sendo uma criança, desta vergonha só acusava seguramente a si mesma.

"E durante aqueles dois dias, fiz a mim mesmo a seguinte pergunta: 'Posso abandonar tudo e renunciar ao plano que projetei?' E senti imediatamente que o podia a qualquer momento e naquele instante mesmo. Pouco mais ou menos naquela época, queria suicidar-me por indiferença; de resto, ignoro por que. Portanto, durante aqueles dois dias (porque era bem preciso esperar que a menina tivesse esquecido tudo), para me distrair de meu sonho obsessivo, ou para rir muito simplesmente, cometi um roubo, num dos quartos da pensão. Foi o único roubo de minha vida.

"Havia muitos locatários naquela pensão. Entre outros, morava em dois quartos mobiliados um funcionário com sua família. Tinha quarenta anos, não era totalmente tolo e mantinha um ar de decência, mas era pobre. Não o frequentava e ele tinha medo da companhia que formava o meu círculo. Acabava de receber seus trinta e cinco rublos de ordenado. O principal móvel que me impeliu foi que, com efeito, naquele momento, tinha eu necessidade de dinheiro (e, no entanto, quatro dias depois recebi dinheiro pelo correio), tanto que roubei, de certo modo, por necessidade e não por brincadeira. Foi feito duma maneira insolente e quase ostensiva; muito simplesmente penetrei no quarto dele, enquanto sua mulher, seus filhos e ele tomavam sua refeição noutro cômodo. Em cima de uma cadeira, perto da porta, estava o uniforme dobrado. Aquela ideia viera-me quando ainda estava no corredor. Meti minha mão no bolso e tirei o porta-moedas. Ouvindo rumor, o empregado lançou um olhar para o outro quarto. Parece-me mesmo que ele viu alguma coisa, mas como não vira tudo, naturalmente, não quis dar crédito a seus olhos. Disse-lhe que, atravessando o corredor, entrara para ver que horas eram no relógio dele. 'Está parado', respondeu e eu saí.

"Eu bebia muito então e vinha à minha casa uma porção de amigos, no número dos quais, Liebiádkin. Atirei fora o porta-moedas e o dinheiro miúdo e fiquei com as cédulas. Havia trinta e dois rublos; três cédulas vermelhas e duas amarelas. *Troquei logo a vermelha e mandei* buscar champanhe, depois expedi outra cédula vermelha e por fim a terceira. Quatro horas mais tarde, já de noite, o empregado esperava-me no corredor.

"— Nikolai Vsiévolodovitch, quando o senhor entrou ainda há pouco, por acaso não teria feito cair da cadeira meu uniforme?... Estava perto da porta.

"— Não, não me lembro, seu uniforme estava lá?

"— Sim, estava lá.

"— No chão?

"— Primeiro, em cima da cadeira, em seguida no chão.

"— Mas então, você apanhou-o?

"— Apanhei-o.

"— Então, que quer mais?

"— Já que é assim, então nada.

"Não ousou acabar, nem dizer nada aos outros locatários, tão tímida é essa gente. Aliás, todos naquela casa tinham um terrível medo de mim e me respeitavam. Divertia-me depois trocar olhares com ele, quando nos encontrávamos duas vezes por dia no corredor. Mas bem depressa cansei-me.

"Três dias depois voltei à Rua Gorókhovaia. A mãe se preparava para sair com um embrulho; o marido, bem entendido, não estava em casa; ficamos sós, Matrióchka e eu. As janelas estavam abertas. A casa era habitada por artesãos e durante todo o dia, em todos os andares, ouvia-se o barulho de martelo ou de canções. Estávamos ali havia uma hora já; Matrióchka, sentada no seu quartinho, sobre um banco, de costas para mim, costurava alguma coisa. Por fim, pôs-se, de súbito, a cantarolar, baixinho; isto lhe acontecia por vezes. Tirei meu relógio e olhei a hora: eram duas horas. Meu coração se pôs a bater. Levantei-me e aproximei-me dela a passos abafados. Em casa deles, havia sobre a janela uma quantidade enorme de gerânios, e o sol rutilava com um brilho terrível. Sentei em silêncio a seu lado, no chão. Ela estremeceu e a princípio teve medo e levantou dum salto. Peguei sua mão e beijei-a docemente; forcei-a a sentar de novo no banco e me pus a olhá-la bem nos olhos. O fato de ter-lhe eu beijado a mão a fez rir como uma criança, mas por um segundo somente, porque levantou pela segunda vez impetuosamente e tomada de tal pavor que um espasmo percorreu-lhe o rosto. Olhava-me com olhos imóveis de pavor e seus lábios começavam a contrair-se para chorar, mas todavia não gritou. Beijei-lhe ainda a mão e coloquei-a em meus joelhos. Então voltou-se, de repente, e sorriu, como se tivesse sentido vergonha, um sorriso crispado. Seu rosto estava todo vermelho de pudor. Cochichei-lhe alguma coisa, tal como um homem embriagado. Por fim, aconteceu uma coisa tão estranha que jamais a esquecerei e que me mergulhou em estupor; a menina cerrou meu pescoço com seus braços e se pôs, de súbito, a beijar-me perdidamente. Seu rosto exprimia um êxtase absoluto. Estive a ponto de levantar-me e partir, tanto aquilo me desagradava naquela criaturinha, por causa da compaixão que senti de repente.

"Quando tudo acabou, ficou ela confusa. Não tentei enganá-la e já não a acariciava mais. Ela me olhava, sorrindo timidamente. Sua fisionomia, de súbito, pareceu-me tola. Sua perturbação aumentava depressa, de minuto a minuto. Por fim, cobriu seu rosto com as mãos e virou-se para a parede, onde ficou, no canto, imóvel. Temia que ela ficasse de novo com medo, como ainda há pouco e, sem dizer uma palavra, saí da casa.

"Presumo que tudo quanto se passara deve ter se apresentado a ela, uma vez por todas, como uma monstruosidade sem limites, e daquilo concebeu um terror mortal. A despeito dos palavrões que não podia ter deixado de ouvir desde o berço e das conversas de toda espécie, tenho a convicção absoluta de que não compreendia nada ainda. Por fim, pareceu-lhe com certeza ter cometido um crime abominável e ser irremediavelmente culpada: 'Ela havia matado Deus'.

"Foi durante aquela noite que tive a rixa no botequim, de que falei, de passagem. Mas pela manhã, acordei em minha casa, no outro domicílio para onde me levara Liebiádkin. Meu primeiro pensamento ao despertar foi este: 'ela disse aquilo ou não?'. Foi um minuto de verdadeiro pavor, embora ainda não muito forte. Estive muito alegre naquela manhã e particularmente bondoso para com todos, de modo que todo o bando se mostrava bastante satisfeito comigo. Mas escapuli-me dele e dirigi-me à Rua Gorókhovaia. Encontrei-a embaixo, no vestíbulo. Voltava da mercearia, aonde a tinham enviado para comprar chicória. Ao ver-me, correu como uma flecha e galgou a escada, presa dum medo tremendo. Quando entrei, a mãe já a havia esbofeteado por ter corrido com risco de "partir o pescoço", pretexto que lhe serviu para ocultar a causa real de seu medo. De modo que, no momento, tudo estava tranquilo. Ela se meteu em qualquer parte e não se mostrou durante todo o tempo em que fiquei lá. Ao fim duma hora, retirei-me.

"De noite, senti de novo o medo, mas incomparavelmente mais forte. Sem dúvida, podia negar, mas podiam fazer-me cair em contradições. Antevia o presídio. Jamais conheci o sentimento do medo, e, exceto essa vez, nem antes nem depois, jamais tive medo de nada. Sobretudo medo da Sibéria, para onde, em mais de uma circunstância, arrisquei-me a ser deportado. Mas desta vez, estava aterrorizado, não sei por que, pela primeira vez em minha vida, sentia medo — sensação demasiado penosa. Além disso, à noite, em casa, em meu quarto, senti por ela tal ódio que resolvi matá-la. Era sobretudo por causa de seu sorriso que eu a odiava. Um desprezo misturado a uma extrema aversão nasceu em mim, do fato de ter-se ela precipitado depois no canto e coberto o rosto com as mãos. Uma raiva inconcebível apoderava-se de mim, à qual se seguiu um arrepio. Quando de manhã a febre se abateu sobre mim, o medo me retomou e desta vez tão forte que jamais experimentei semelhante tortura. Mas já não odiava a menina, pelo menos isso não atingia mais o paroxismo da véspera. Notei que um grande medo afugenta completamente o ódio e o sentimento de vingança.

"Despertei cerca do meio-dia, sentia-me bem e admirei-me mesmo da intensidade de minhas sensações da véspera. Entretanto, estava de mau humor e de novo vi-me obrigado a ir à Rua Gorókhovaia, a despeito de todo o meu desgosto. Lembro-me de que naquele momento, bem teria querido arrumar briga com alguém no caminho, uma briga séria. Mas ao chegar à Rua Gorókhovaia, encontrei em meu aposento Nina Saviélievna, aquela criada de quarto de quem falei, que me esperava em meu quarto havia uma hora. Não amava absolutamente aquela moça, de modo que ao vir, ela sempre tinha um pouco de medo de que não me zangasse com sua visita inesperada. Mas desta vez alegrei-me ao vê-la. Não era feia, mas modesta, com aquele gênero de maneiras que agrada à classe média, tanto que minha boa locadora desde muito tempo me louvava os seus méritos. Encontrei as duas tomando café e minha locadora parecia encantada com aquela agradável intimidade. Num canto do cômodo, avistei Matríochka. Estava de pé e imóvel, olhando sua mãe e a visitante. Quando entrei, não se escondeu como da outra vez e não saiu. Pareceu-

-me somente que estava muito emagrecida e tinha febre. Acariciei Nina e fechei a porta de comunicação, o que não havia feito desde muito tempo, de modo que Nina partiu totalmente encantada. Eu mesmo a levei e durante dois dias não pus pé na Rua Gorókhovaia. Estava farto. Estava decidido a pôr fim àquilo, a dispensar aquele quarto e deixar Petersburgo.

"Mas quando voltei para mudar-me de meu apartamento, encontrei minha proprietária muito inquieta e triste: havia três dias Matrióchka estava doente, tinha febre todas as noites e delirava. Naturalmente, perguntei de que natureza era aquele delírio (falávamos à meia voz no meu quarto). Ela me respondeu, cochichando que a menina sonhava 'horrores'. 'Ela havia matado Deus.' Propus mandar chamar o doutor à minha custa, mas recusou: 'Se prouver a Deus, isso passará; não fica deitada todo o tempo, durante o dia se levanta, foi neste momento à mercearia'. Resolvi encontrar-me a sós com Matrióchka e como a locadora dava a entender que às cinco horas devia ir à cidade, decidi voltar à noite.

"Jantei num pequeno restaurante. Às cinco horas e um quarto em ponto, eu estava de volta. Entrei ainda com minha chave. Não havia ninguém a não ser Matrióchka. Estava deitada no quarto, por trás de um tabique, na cama de sua mãe, e vi que ela me olhava, mas fingi não perceber isto. As janelas estavam abertas. O ar era ameno, fazia até mesmo calor. Fui sentar no divã. Lembro-me de tudo até o derradeiro minuto. Experimentava realmente prazer em não dirigir a palavra a Matrióchka, mas em fazê-la penar, não sei por que. Esperei uma hora inteira e, de súbito, ela mesma saiu de trás do tabique. Ouvi seus dois pés baterem no soalho, quando ela desceu da cama; depois um ruído de passos bastante rápidos e ela apareceu, de pé, na soleira de meu quarto. Ali estava, olhando-me sem dizer nada. Era eu tão vil que meu coração estremeceu de alegria pelo fato de ter-me contido e esperado que ela mesma levantasse por primeira. Durante aqueles dias, em que não a havia visto de perto uma só vez, emagrecera, com efeito, terrivelmente. Seu rosto descarnara-se e sua cabeça decerto ardia de febre.

"Seus olhos que se haviam tornado muito grandes olhavam-me imóveis, com uma curiosidade estúpida, pelo que me pareceu a princípio. Eu estava sentado, olhava-a e não me movia. De súbito, de novo, senti ódio. Mas não tardei em notar que ela não tinha mais absolutamente medo de mim e que talvez delirasse. Mas não, não delirava. Pôs-se de repente a menear a cabeça várias vezes na minha direção, como as pessoas ingênuas e sem educação, quando querem fazer grandes censuras, mas bruscamente levantou contra mim seu pequeno punho e ameaçou-me do lugar onde se encontrava. No primeiro momento, aquele gesto me pareceu ridículo, mas em breve não pude suportá-lo. Havia em seu rosto tal desespero que não era possível contemplar-lhe a expressão num rosto de criança. Brandia sempre seu pequeno punho, ameaçando-me e continuava a menear a cabeça em sinal de censura. Levantei e avancei para ela com medo. Esforcei-me por falar-lhe bem baixinho e com uma voz acariciante, mas via muito bem que ela não compreendia. De súbito, ocultou seu rosto em suas duas mãos como da outra vez, afastou-se e ficou de pé, perto da janela, voltando-me as costas. Voltei para meu quarto e sentei-me também perto da janela. Não chego a compreender por que não parti então, por que fiquei ali, como se aguardasse alguma coisa. Em breve, ouvi de novo seus passos rápidos. Ela saiu do quarto e meteu-se pela galeria de madeira que tinha acesso embaixo da escada. Quanto a mim, corri imediatamente para a porta, abri-a e tive tempo de ver Matrióchka entrar num quartinho ao lado da privada. Singular pensamento atravessou meu espírito. Até o presente, não compreendo ainda por que foi ele precisamente que me passou por primeiro pela cabeça. De modo que tudo ia findar ali. Fechei a porta e retomei meu lugar perto da janela. Sem dúvida, não era preciso crer ainda naquele pensamento fugitivo e no entanto... (Lembro-me de tudo; o coração batia-me violentamente.)

"Ao fim de um minuto, olhei meu relógio e notei a hora tão exatamente quanto possível. Por que tinha eu necessidade de tanta exatidão? — Ignoro-o, mas tive a força de fazê-lo e, em geral, naquele momento, queria observar tudo minuciosamente. De modo que, de tudo quanto notei, me recordo e revejo-o como se fosse neste momento. Caía a noite. Acima de mim zumbia uma mosca que se obstinava em pousar no meu rosto. Agarrei-a, segurei-a um instante entre meus dedos e atirei-a pela janela. Uma carroça entrava com barulho embaixo, no pátio. Num canto do pátio um alfaiate, sentado à sua janela, cantava bem alto sua canção e já desde muito tempo. Veio-me ao espírito que já que ninguém me vira transpor a porta e subir a escada, não era tampouco necessário que me vissem, dali a pouco, quando descesse. Com precaução, recuei minha cadeira de junto da janela para não ser percebido pelos locatários. Peguei um livro, que rejeitei, e pus-me a examinar uma minúscula aranha vermelha sobre uma folha de gerânio. Absorvi-me nessa contemplação. Lembro-me de tudo até o derradeiro momento.

"De súbito, tirei meu relógio. Tinham-se passado vinte minutos desde o instante em que ela saíra. Minha suposição tomava o aspecto duma verossimilhança. Mas resolvi esperar ainda um quarto de hora exatamente. Veio-me à cabeça também que ela talvez tivesse voltado para dentro de casa sem que eu o tivesse notado, mas isto não era possível; reinava um silêncio de morte e podia eu ouvir uma mosca voar. De repente, meu coração se pôs de novo a bater com violência. Tirei meu relógio: faltavam três minutos; esperei que eles passassem, muito embora meu coração estivesse a ponto de rebentar. Levantei-me então. Pus o chapéu na cabeça, abotoei meu sobretudo e lancei um olhar pelo quarto para ver se não restavam traços de minha presença. Recoloquei a cadeira perto da janela, no lugar onde se encontrava antes. Por fim abri bem devagarinho a porta, tornei a fechá-la com uma volta de chave e dirigi-me para o quartinho. A porta estava encostada, mas não fechada. Sabia que ela não se fechava à chave, mas não quis abri-la. Levantei-me na ponta dos pés e olhei através duma frincha. No mesmo instante em que me levantava na ponta dos pés, lembrei-me de que, quando estava sentado à janela e observava a aranha vermelha, perdido no meu devaneio, pensava precisamente na maneira como me levantaria na ponta dos pés para aplicar meu olho àquela frincha. Se consigno este pormenor, é que faço questão de provar até que ponto ficara de posse de todas as minhas faculdades e que sou perfeitamente responsável. Por muito tempo olhei pela frincha, porque estava escuro lá dentro, mas não totalmente, de modo que, afinal, vi o que precisava ver...

"Por fim, decidi partir. Não encontrei ninguém na escada. Três horas mais tarde, estávamos todos em mangas de camisa no meu quarto, tomando chá e jogando com velhas cartas. Liebiádkin recitava seus versos. Contaram-se muitas estórias bastante divertidas e não estúpidas como sempre ocorrera até então. Kirílov também estava presente. Ninguém bebia, embora houvesse uma garrafa de rum. Somente Liebiádkin tomava seus goles.

"Prókhor Malov observou que 'quando Nikolai Vsiévolodovitch estava de bom humor e não fazia aquela sua cara de enterro, todo o bando ficava alegre e falava com espírito'. Lembrei-me disso. Era sinal de que estava alegre, contente, e não tinha cara de enterro. Isto quanto à aparência. Mas lembro-me que sabia não ser senão um poltrão covarde e vil, por causa daquela alegria de sentir-me libertado e de que jamais seria um homem de bem, nem aqui embaixo, nem após a morte, nem em tempo algum. E havia o seguinte além disso: era, de certa forma, um exemplar vivo do provérbio judeu: 'a gente não sente seus maus odores'. Porque muito embora sentisse comigo mesmo que era ignóbil, não sentia vergonha disso e isso, em geral, não me preocupava. Foi então, enquanto tomava meu chá e tagarelava com os companheiros, que pela primeira vez na minha vida formulei a mim mesmo esta reflexão: que eu não sabia, que eu não sentia o que é o bem e o mal, que não somente havia perdido a sensação disso, mas que não havia nem bem, nem mal e que (verificação para mim muito agradável) tudo não passava dum preconceito; que podia ficar livre de todo preconceito, mas que se atingisse esse grau de liberdade, estaria perdido. Foi isto pela primeira vez percebido em estado de fórmula, enquanto tomávamos chá e eu lhes mentia e ria sem saber por que. Mas, em contraposição, lembro-me de tudo. Muitas vezes, há desses velhos pensamentos, mais que conhecidos de todos, que se apresentam de súbito à gente como se fossem novos por completo, mesmo se tivermos passado dos cinquenta anos.

"Mas durante todo o tempo aguardava alguma coisa. E foi o que aconteceu. Às onze horas da noite, a filha do porteiro da casa da Rua Gorókhovaia chegou correndo, de parte da locadora, para anunciar-me que Matrióchka se enforcara. Segui com a menina e verifiquei que a locadora não sabia ela mesma por que me mandara chamar. Dava urros, batendo no peito. Havia muita gente. A polícia estava lá. Fiquei um momento e retirei-me.

"Quase não me inquietaram durante todo esse tempo. De resto, interrogaram-me como era natural. Mas meu depoimento resumiu-se em dizer que a menina estava doente e delirava, de modo que tinha eu proposto mandar buscar um médico à minha custa. Interrogaram-me a respeito do canivete; disse que a locadora havia surrado a menina, mas que fora pouca coisa. Quanto à minha vinda à casa, de noite, todos a ignoravam.

"Durante uma semana, deixei de ir lá. Voltei quando já se passara muito tempo após o enterro, para abandonar meu quarto. A locadora sempre chorava, se bem que já tivesse retomado seus vestidos e sua costura como no passado. 'Foi por causa de seu canivete, que lhe causei tanto pesar', disse-me ela, mas sem grande censura. Paguei a conta, sob pretexto de que não podia ficar aqui e continuar recebendo Nina Saviélievna. Fez-me mais uma vez elogios a Nina Saviélievna no momento das despedidas. Ao partir, dei-lhe cinco rublos a mais do que lhe devia pelo meu aluguel.

"O principal é que estava eu farto de viver até mais não poder. Uma vez passado o perigo, teria perfeitamente esquecido o incidente da Rua Gorókhovaia como todos os outros que ocorreram, se durante certo tempo não me tivesse lembrado com cólera do medo que havia sentido.

"Derramava meu furor sobre qualquer um. Foi então, e sem nenhum motivo, que me veio a ideia de pôr termo à minha vida duma maneira qualquer, mas tão repugnante quanto possível. Um ano antes projetara dar um tiro na cabeça. Entrevi algo de melhor.

"Um dia, olhando Maria Timofiéievna Liebiádkina, uma coxa que passava em parte seu tempo fazendo arrumações de casas, que não perdera ainda a razão, mas não passava de uma idiota entusiasmada, apaixonada por mim em segredo (pelo que os nossos tinham podido descobrir), resolvi de repente casar com ela. O pensamento do casamento de um Stavróguin com uma criatura tão apoucada titilava-me os nervos. Nada se podia imaginar de mais monstruoso. Mas em todo caso, não a desposei unicamente por causa 'duma aposta após uma bebedeira'. As testemunhas do casamento foram Kirílov e Piotr Vierkhoviénski, que se encontrava então em Petersburgo; por fim, o próprio Liebiádkin e Prókhor Malov (hoje falecido). Ninguém mais soube e aqueles deram sua palavra de que se calariam. Este segredo sempre me pareceu uma ignomínia, mas até o presente não foi violado, muito embora eu mesmo tenha tido intenção de espalhá-lo. Torno-o público hoje.

"Uma vez casado, fui à província, à casa de minha mãe. Parti para distrair-me. Na nossa cidade deixei a reputação de um louco, reputação hoje ainda inextirpável e que me terá certamente sido bastante prejudicial, como o explicarei mais adiante. Em seguida, parti para o estrangeiro onde passei quatro anos.

"Fui ao Oriente, ao Monte Atos, onde ouvi as vésperas, de pé, durante oito horas, fui ao Egito, vivi na Suíça, fui mesmo à Islândia; segui cursos durante um ano em Gotinga. No último ano liguei-me intimamente com uma família russa muito conhecida em Paris e com duas moças, na Suíça. Há dois anos, em Frankfurt, ao passar diante de uma papelaria, entre as fotografias à venda, notei a de uma menina, elegantemente vestida, mas que se parecia bastante com Matrióchka. Comprei logo a fotografia e, de volta ao hotel, coloquei-a sobre a chaminé. Ali ficou uma semana inteira sem que ninguém nela tocasse e nem uma só vez a olhei. Quando deixei Frankfurt, esqueci-me de levá-la.

"Noto isto precisamente para mostrar a que ponto eu podia me tornar senhor de minhas recordações, quanto me tornara insensível a seu respeito. Rejeitava-as em bloco duma só vez e todo o bloco desaparecia cada vez que eu queria. A lembrança do passado sempre me pareceu enfadonha e jamais pude a ele referir-me como fazem quase todas as pessoas, tanto mais que era para mim um passado odioso. Quanto a Matrióchka, esqueci até mesmo sua fotografia em cima da chaminé. Ao atravessar a Alemanha, há um ano, na primavera, deixei passar, por distração, a estação em que devia baldear de trem para prosseguir minha viagem, e segui para diante. Tive de descer na estação próxima. Eram três horas da tarde. O dia estava claro. Era uma cidadezinha alemã. Indicaram-me um hotel. Era preciso esperar; o primeiro trem passaria às onze horas da noite. Fiquei mesmo satisfeito com o incidente, porque não estava com pressa. O hotel era miserável, pequeno, mas erguido *sob o arvoredo* e cercado de moitas de flores. Deram-me um quarto estreito. Jantei bem e como tinha passado uma noite inteira no trem, adormeci profundamente às quatro horas da tarde.

"Tive um sonho totalmente inesperado para mim, porque jamais vira nada de semelhante. Em Dresden, há no Museu um quadro de Claude Lorrain[198] que está, creio eu, classificado no catálogo, sob o título de *Acis e Galateia*. Eu o chamava sempre '*A Idade de Ouro*', sem bem saber por que. Já o vira outrora e acabava de notá-lo ainda, de passagem. Tinha mesmo entrado expressamente para vê-lo e talvez mesmo tivesse ido a Dresden com este único motivo. Foi esse quadro que vi em sonho, não como quadro, mas antes como coisa real.

É um pequeno canto do arquipélago grego, ondas azuis caridosas, ilhas e rochedos, o rio em flor, ao longe uma visão encantadora, a atração do sol no ocaso, tudo duma beleza impossível de reproduzir com palavras. A humanidade europeia lembra-se de que ali foi seu berço, ali se desenrolaram as primeiras cenas da mitologia, ali foi seu paraíso terrestre... Os homens que viveram naquela terra eram belos. Levantavam e deitavam felizes e inocentes; os bosquezinhos repercutiam seus cantos de alegria, expandia-se em amor e em prazeres ingênuos o excesso de suas forças intactas. O sol banhava com seus raios aquelas ilhas e aquele mar, todo contente de seus belos filhos. Sonho maravilhoso, ilusão sublime! O sonho mais incrível do que todos os havidos, mas ao qual a humanidade, durante todo o curso de sua existência, consagrou todas as suas forças, tudo sacrificou, por causa do qual os profetas morreram na cruz e sem o qual os povos não quereriam viver e não podem mesmo morrer. Era como se eu tivesse vivido todas essas sensações em meu sonho; não sei exatamente o que foi que sonhei, mas os rochedos e o mar, os raios oblíquos do sol poente, tudo isso acreditei rever quando despertei e, pela primeira vez em minha vida, reabri olhos molhados de lágrimas. A sensação duma felicidade ainda desconhecida para mim atravessou meu coração até doer-me. A noite caíra de todo; pela janela de meu quartinho, através das plantas que ali floresciam, todo um feixe de raios cintilantes, projetados de viés pelo sol poente, inundava-me com sua luz. Apressei-me em tornar a fechar os olhos, como que ávido de reaver o sonho esvanecido. Mas, de súbito, no centro da luz deslumbrante, percebi um ponto minúsculo. Esse ponto pôs-se a tomar forma e, de repente, apareceu-me distintamente uma aranhazinha vermelha. Recordou-me logo aquela que eu vira sobre a folha de gerânio, quando então também se espalhavam os raios do sol poente. Alguma coisa pareceu cravar-se em mim, ergui-me e sentei na cama. Eis, pois, como tudo isso acontecera outrora!

"Vi diante de mim (Oh! não na realidade! Oh! se tivesse sido pelo menos uma visão verdadeira!), vi Matrióchka emagrecida, os olhos febris, absolutamente como era, quando ficava de pé na minha soleira, abanando a cabeça e levantando contra mim seu pequeno punho. Jamais nada de tão atroz me havia aparecido! O desespero lamentável daquela criaturinha sem defesa, cuja razão ainda não estava formada, que me ameaçava (e com que, grande Deus? Que podia ela fazer-me?) mas que não acusava sem dúvida senão a si mesma! Jamais nada de semelhante me ocorrera. Fiquei até a noite sem mover-me, esquecido do tempo. Será preciso chamar a isso de remorso de consciência ou arrependimento? Não sei e não poderei ainda hoje dizê-lo. Mas aquela imagem é-me insuportável, e precisamente na soleira, com seu

198 Claude Gelée, denominado "Le Lorrain", pintor e gravador francês (1600-1682). Viveu em Roma. Foi um dos maiores paisagistas da época, precursor do impressionismo.

pequeno punho erguido a ameaçar-me, com seu aspecto único naquele momento, naquele único minuto, com aquele menear da cabeça. Eis justamente o que não posso suportar, porque, desde então, ela me aparece quase todos os dias. Essa visão não se apresenta por si mesma, sou eu quem a provoca e não posso deixar de provocá-la, muito embora me seja impossível viver com ela. Oh! se pelo menos a tivesse visto realmente, mesmo que numa alucinação! Por que não despertará em mim uma dessas recordações de minha vida algo de análogo, quando muitas dessas recordações são talvez ainda mais ignóbeis aos olhos dos homens? Somente essa imagem de ódio e é ainda preciso que seja evocada pelas circunstâncias presentes. Outrora eu podia esquecer e repelir tudo com absoluto sangue-frio.

"Depois disso, viajei o ano inteiro e tratei de arranjar alguma ocupação. Sei que, mesmo agora, poderia afastar de mim Matrióchka, se quisesse. Estou sempre senhor de minha vontade, como outrora. Mas o fato é que precisamente jamais quis, não quero e não vou querer nunca. E isto durará assim até que fique louco.

"Na Suíça, dois meses mais tarde, tornei a sentir um daqueles acessos de paixão duma acuidade inaudita e tal que não existiu senão no começo de minha vida. Fui seduzido pela tentação terrível de cometer nova vilania, isto é, a bigamia (uma vez que já era casado); mas desisti, graças ao conselho duma outra moça a quem confessei quase tudo, dizendo-lhe que não amava aquela a quem desejava e que não poderia jamais amar. Ninguém. Ademais aquele novo crime não me teria desembaraçado absolutamente de Matrióchka.

"Eis por que resolvi imprimir estas páginas e trazer para a Rússia trezentos exemplares. Quando chegar o momento, vou enviá-las à polícia e às autoridades locais; ao mesmo tempo as farei chegar a todas as redações de jornais com pedido de publicação e a numerosas pessoas que me conhecem, em Petersburgo e no resto da Rússia. Aparecerão simultaneamente em tradução no estrangeiro. Sei que, do ponto de vista jurídico, jamais serei incomodado, pelo menos não de uma maneira séria; denuncio-me eu mesmo e não tenho acusadores; além disso, não existem provas ou muito poucas. Enfim, a ideia tão bem acreditada de que minha razão sucumbiu e provavelmente também os esforços de minha família para tirar proveito dessa ideia, conseguirão pôr-me ao abrigo de toda perseguição judiciária perigosa para mim. Declaro isto, entre outras coisas, a fim de provar que gozo neste momento da plena posse de minhas faculdades mentais e que compreendo minha situação. Mas restarão para mim aqueles que saberão de tudo, que me olharão e a quem olharei. Quero que todos tenham os olhos cravados em mim. Não sei se isto pode aliviar-me a dor. A isto recorro como a um meio supremo.

"Ainda uma vez: se procurarem nos arquivos da polícia encontrarão. Meus locadores acham-se talvez ainda em Petersburgo. Com certeza vão se lembrar da casa. Estava pintada de azul-claro. Não partirei e me encontrarei durante algum tempo (um ano ou dois) em Skvopiéchniki, propriedade de minha mãe. Ao primeiro chamado, vou me apresentar onde se quiser.

Nikolai Stravóguin."

III

A leitura durou cerca de uma hora. Tíkhon lia lentamente e talvez relesse certas passagens. Durante todo aquele tempo, Stavróguin mantivera-se sentado, imóvel e silencioso. Coisa estranha, aquela expressão de impaciência, de distração e mesmo de delírio, que seu rosto mostrara durante toda a manhã, quase desaparecera, dando lugar à calma e até mesmo a certa franqueza, o que lhe dava um ar de dignidade.

Tíkhon tirou seus óculos, esperou um momento e ergueu enfim para ele a vista; depois começou a falar, não sem alguma circunspecção :

— Não se poderiam fazer certas correções a este manuscrito?

— Por quê? Escrevi com toda a sinceridade — respondeu Stavróguin

— Algumas modificações no estilo...

— Esqueci-me de preveni-lo — declarou ele, num tom breve e cortante, com todo o corpo projetado para a frente, — que todas as palavras do senhor serão vãs. Não desistirei de meu intento. Notará todavia que, bem ou mal redigido — julgue o estilo como entender — não estou disposto de modo algum a ceder às suas objeções, nem a deixar-me persuadir.

— Não lhe poderia fazer objeção alguma, nem sobretudo dissuadi-lo a abandonar seu intento. Essa ideia é uma grande ideia e o pensamento cristão não se pode exprimir de maneira mais completa. O arrependimento não poderia ir mais longe do que vai a espantosa façanha que o senhor medita, contanto todavia...

— Contanto o quê?

— Contanto que seja realmente arrependimento e realmente um pensamento cristão.

— Escrevi com sinceridade.

— O senhor parece querer fazer-se passar de propósito como mais hediondo do que seu coração desejaria... — declarou Tíkhon, tornando-se cada vez mais ousado. Era evidente, aquele documento lhe causara profunda impressão.

— Fazer-me passar? Repito-lhe, não procurei, não tive como intenção o efeito.

Tíkhon baixou a vista.

— Este documento brota direto das necessidades de um coração mortalmente ferido. Compreendi bem? — proferiu ele, num tom de insistência e com um ardor extraordinário. — Sim, foi o arrependimento e sua necessidade natural que o venceram e o senhor meteu-se pela grande estrada, por uma estrada inaudita. Mas parece que o senhor odeia e despreza de antemão todos aqueles que lerão o que está aqui escrito e que lhes lança um desafio. Não tendo vergonha de confessar um crime, por que tem vergonha de arrepender-se?

— Tenho vergonha?

— O senhor tem vergonha e tem medo.

— *Tenho medo?*

— Um medo mortal. Que importa que me olhem, diz o senhor, mas o senhor mesmo como os olhará? Certas passagens de seu memorial são dum estilo forçado; o senhor tem o ar de admirar sua psicologia e se detém no menor detalhe, somente para causar espanto ao leitor pela exibição duma insensibilidade que não é autêntica. Que é isto senão o orgulhoso desafio lançado pelo culpado ao seu juiz?

— Onde está o desafio? Submeti minha pessoa a todos os julgamentos.

Tíkhon calou-se. Um rubor invadiu-lhe as faces pálidas.

— Deixemos isto — interrompeu Stavróguin, num tom cortante. — Permita-me, por minha vez, que lhe faça uma pergunta: há já cinco minutos que falamos disso (indicou as páginas com um aceno da cabeça) e não vejo no senhor a menor expressão de desgosto ou de vergonha... O senhor não se mostra repugnado, ao que parece...

Não terminou.

— Não lhe ocultarei nada: fiquei espantado ao ver uma grande força ociosa encaminhar-se de propósito para a ignomínia. Quanto ao que se refere ao próprio crime, muitos pecam da mesma maneira, mas vivem com a consciência em paz e em repouso, ou então põem isso à conta dos inevitáveis pecados da mocidade. Há também velhos que cometem essa falta e se consolam bastante bem, acrescentando-lhe mesmo um toquezinho de bom humor. O mundo está cheio desses horrores. O senhor sondou-lhe toda a profundeza, o que não se vê muitas vezes a tal grau.

— Será que vai o senhor pôr-se a estimar-me após a leitura dessas páginas? — disse Stavróguin, com uma espécie de careta de sarcasmo.

— Não lhe responderei diretamente a esta pergunta. Sem dúvida não há, não pode haver maior crime que o seu para com aquela adolescente.

— Não meçamos isto a palmo. Não sofro talvez tanto quanto o descrevi e talvez tenha mentido muito a meu respeito — acrescentou ele, de maneira inesperada.

Tíkhon ainda uma vez manteve-se calado.

— E essa moça — continuou Tíkhon, — com a qual o senhor rompeu na Suíça, ousaria eu perguntar-lhe... onde se encontra neste momento?

— Aqui.

De novo, o silêncio.

— Talvez tenha mentido muito a meu respeito — insistiu mais uma vez Stavróguin. — De resto, que importa que lance a eles o desafio insultante desta confissão, se o senhor já percebeu esse desafio? Eu os forçarei a odiar-me ainda mais. Assim, vou me sentir mais aliviado.

— Quer dizer que a cólera suscita no senhor outra cólera e lhe será mais fácil odiar que ser objeto da compaixão alheia.

— O senhor tem razão. Quer saber? — disse ele, de súbito, rindo. — Vão me chamar talvez de jesuíta e de beato depois de lerem esse documento... Ah! ah! ah! Não é verdade?

— Sem dúvida. É o que decerto dirão. Conta pôr em breve seu projeto em execução?

— Hoje, amanhã, depois de amanhã, que sei eu? Em todo caso, breve. O senhor tem razão: penso que será preciso que isso se passe precisamente assim. Publicarei isso sem aviso, numa hora de vingança e de ódio, no momento em que os odiarei mais.

— Responda a uma pergunta, mas com franqueza, a mim só, somente a mim — disse Tíkhon, com uma voz totalmente alterada. — Se alguém lhe perdoasse isto (Tíkhon designou as páginas), não um desses a quem o senhor estima ou teme, mas *um desconhecido, um* homem que o senhor não tornará a ver jamais, o qual, ficando em silêncio, teria lido sua terrível confissão, será que se sentiria o senhor aliviado ao pensar nisso ou isso lhe seria indiferente?

— Aliviado? — respondeu Stavróguin à meia voz. — Se o senhor me perdoasse, eu me sentiria muito melhor — acrescentou ele, baixando de tom.

— Com a condição de que o senhor faça o mesmo comigo — murmurou Tíkhon, num tom convicto.

— Falsa humildade! O senhor sabe, todas essas fórmulas monásticas carecem totalmente de distinção. Vou lhe dizer toda a verdade... Desejo que o senhor me perdoe. Com o senhor um segundo, um terceiro, mas os outros, melhor valeria que me odiassem. Desejo-o, para suportar com humildade...

— E a compaixão universal, não poderia o senhor suportá-la com essa humildade?

— Talvez não o pudesse. Porque o senhor...

— Sinto a profundeza de sua sinceridade e sou decerto bem culpado de não saber aproximar-me dos homens. Sempre senti que nisso estava meu grande defeito — declarou Tíkhon sinceramente e com uma voz emocionada, fitando Stavróguin diretamente nos olhos. — Digo isto somente porque tenho medo pelo senhor — acrescentou ele. — Diante do senhor há um abismo quase intransponível.

— Não resistirei a isso? Não suportarei o ódio deles? — exclamou Stavróguin, agitado.

— Não há apenas o ódio.

— Que mais ainda?

— O riso deles — disse Tíkhon, quase a contragosto e numa espécie de murmúrio.

Stavróguin perturbou-se. A inquietação pintou-se em suas feições.

— Tinha-o pressentido — disse ele. — De modo que, à leitura de meu documento, devo ter-lhe parecido um personagem bastante cômico. Fique tranquilo, não se perturbe, esperava precisamente por isso.

— O horror será geral e sem dúvida mais falso que sincero. Os homens só temem aquilo que ameaça diretamente os seus interesses. Não falo das almas puras; estas terão horror de si mesmas e e se denunciarão, mas não as notarão, pois que se hão de calar; mas o riso será geral.

— Admira-me ver quão mal pensa o senhor dos homens, com quanta aversão os olha — afirmou Stavróguin, com um ar levemente irritado.

— Mas, creia-me, julgo por mim, não pelos homens! — exclamou Tíkhon.

— Deveras? Poderá então haver em sua alma algo que se regozije com minha miséria?

— Quem sabe? talvez... Sim, talvez haja!

— Basta. Indique-me em que sou ridículo em meu manuscrito. Sei eu mesmo bem por que, mas quero que o senhor o aponte com o dedo. E diga-o de maneira mais cínica, diga-o com toda a franqueza de que é capaz. E torno a repetir-lhe que o senhor é um fabuloso original.

— Até mesmo a forma desse imenso arrependimento não deixa de conter algo de ridículo. Oh! não creia que não vencerá! — exclamou, de súbito, quase entusiasmado. — Essa mesma forma vencerá (disse ele, indicando as páginas), contanto somente que o senhor aceite sinceramente a bofetada e o escarro. Sempre foi assim no final: a cruz mais ignominiosa tornou-se a grande glória e a grande força quando o ato foi consumado com uma humildade sincera. Talvez o senhor seja consolado ainda aqui na terra!...

— De modo que é talvez apenas na forma que o senhor encontra ridículo — insistiu Stavróguin.

— E no fundo. A feiura matará — murmurou Tíkhon, baixando os olhos.

— A feiura? Que feiura?

— A do crime. Há crimes que, na verdade, não são belos; quaisquer que sejam os crimes, quanto mais sangue há, mais horror, mais sugestivos são e, por assim dizer, pitorescos; mas há crimes vergonhosos, infames, fora de todo horror, por serem por demais deselegantes...

Tíkhon não terminou.

— Quer dizer que — continuou Stavróguin, agitado, — o senhor acha que fiz uma figura ridícula beijando a mão daquela meninota suja... Compreendo-o muito bem: o senhor desespera de mim precisamente porque tudo isso não é belo, mas vil; não vil, mas vergonhoso, ridículo, e o senhor pensa que é isso sobretudo que eu não suportarei.

Tíkhon mantinha-se calado.

— Compreendo por que o senhor me perguntou se a senhorita da Suíça estava aqui.

— O senhor não está preparado, temperado — murmurou com timidez Tíkhon, baixando os olhos. — O senhor é um desarraigado, um descrente.

— Escute, Padre Tíkhon: quero perdoar a mim mesmo, tal é meu fim principal, meu único fim! — disse, de repente, Stavróguin, com um sombrio entusiasmo no olhar. — Sei que somente então a visão desaparecerá. Eis por que procuro um sofrimento imenso, porque eu mesmo procuro. Não me dissuada disso, porque então afundarei na minha maldade.

Tíkhon levantou, tão inesperada era aquela sinceridade.

— Se o senhor acredita poder perdoar a si próprio e espera esse perdão neste mundo pelo sofrimento, se se impõe semelhante objetivo em sua fé, já acredita em tudo! — exclamou Tíkhon, com um acento solene. — Como o senhor poderia dizer que não acredita em Deus?

Stavróguin não respondeu.

— Deus lhe perdoará o não haver acreditado, porque o senhor reverencia o Espírito Santo, embora não o conhecendo.

— A propósito, o Cristo perdoará? — perguntou Stavróguin com um sorriso crispado, mudando bruscamente de tom. E o tom de sua pergunta traía um leve matiz de ironia. — Está dito na Sagrada Escritura: "se escandalizardes um só desses pequeninos", lembre-se. Segundo o *Evangelho*, não há crime maior. De toda esta longa conversa, a única coisa que tiro em claro é que o senhor não quer simplesmente que haja escândalo e me estende uma armadilha, meu bom Padre Tíkhon — replicou Stavróguin com desdém e mal-humorado, fazendo menção de ficar em pé. — Em suma, o senhor quer que eu me ponha na ordem, que me case, sem dúvida, e que termine minha existência como membro do clube de nossa cidade, vindo visitar seu mosteiro nos dias de festa. A penitência, afinal! Não é? De resto, o senhor, que lê nos corações, pressente talvez que será sem dúvida assim e que toda questão, para *manter as conveniências, é bem* me exortar, uma vez que eu mesmo não peço outra coisa, não é mesmo?

Sua risada soou falsa.

— Não, não é esta penitência. Preparo-lhe outra! — prosseguiu com ardor Tíkhon, sem prestar a mínima atenção à risada e à observação de Stavróguin. — Conheço um velho que vive por aqui, não longe, um eremita, um asceta e duma sabedoria cristã tão profunda que nem o senhor nem eu podemos concebê-la. Vá pôr-se sob sua direção durante cinco, sete anos, tanto tempo quanto o senhor achar necessário. Imponha-se esse voto e graças a esta grande imolação adquirirá tudo aquilo de que tem sede agora e mesmo aquilo que não espera, porque não pode compreender agora o que receberá.

Stavróguin escutava, cheio de gravidade.

— O senhor me propõe que me faça monge nesse convento?

— O senhor não tem necessidade de estar no convento. Seja simplesmente oblato, secretamente e não publicamente. Pode-se tudo, ficando no mundo.

— Deixe-me, Padre Tíkhon! — interrompeu com desdém Stavróguin, que levantou de sua cadeira. Tíkhon também levantou.

— Que se passa com o senhor? — perguntou ele, de repente, quase com terror, olhando para Tíkhon. Este estava de pé, diante dele, de mãos juntas, um arrepio convulsivo, que parecia provocado por um extremo terror, percorria por instantes seu rosto.

— Que tem? que tem? — repetiu Stavróguin, precipitando-se para ele, a fim de ampará-lo. Parecia-lhe que ele ia cair.

— Vejo... vejo, como se fosse a realidade — exclamou Tíkhon, com uma voz que traspassava a alma e com uma expressão de dor intensa, — vejo que jamais, pobre moço perdido, esteve o senhor tão perto, quanto neste momento, de cometer um novo crime maior...

— Acalme-se! — suplicou Stavróguin, realmente alarmado por causa dele. — Talvez o adie ainda... O senhor tem razão...

— Não, não é depois da publicação, mas antes. Um dia, uma hora talvez antes de dar o grande passo, o senhor se lançará num novo crime, como uma saída, e o cometerá unicamente para evitar a publicação destas páginas.

Stavróguin tremeu de cólera e quase de terror.

— Maldito psicólogo! — exclamou, de repente, furioso e, sem mais dizer, sem se voltar, saiu da cela.

Apêndice e Índice

GLOSSÁRIO DE TERMOS RUSSOS E DE OUTRAS LÍNGUAS RESPEITADOS NA TRADUÇÃO[1]

ARCHIN. Medida de comprimento equivalente a 0,71 m.

ARKHIEPÍSKOP. Grau hierárquico no clero ortodoxo, intermediário entre bispo e metropolita.

ARKHIMANDRIT. Grau superior do padre-monge, geralmente prelado do mosteiro.

ÁRTIEL. Associação de trabalho comunitário.

AÚL. Povoado no Cáucaso e na Ásia Central.

BABA. Mulher casada na linguagem popular; mulher — em sentido pejorativo, aplicado às mulheres vulgares.

BÁBUCHK. Vovó.

BABÚLINHKA. Vovózinha.

BAIGNOIRE, *fr.* Camarote que fica ao nível da plateia.

BALALAICA (*balalaika*). Instrumento musical, popular, de três cordas.

BÁRIN, BÁRINHA, BARÍTCHNIA. Senhor, senhora, senhorita. Tratamentos de respeito dados outrora às pessoas da classe privilegiada. Atualmente empregam-se no sentido irônico de comodista, preguiçoso.

BÁTIUCHKA. Paizinho. Sinônimo arcaico de pope. Utilizado também na linguagem do povo, como sinônimo de papai, aplicado ao próprio pai ou a pessoas respeitosas, às quais se quer tratar com consideração e afeto ao mesmo tempo.

BIECHMIET. Casaco curto pespontado, usado pelos tártaros e povos do Cáucaso.

BIEKIECHA. Casaco de homem ajustado na cintura.

BIELKA. Esquilo.

BLIN. Panqueca. Prato típico da quaresma.

BOGOMÓLIETS. Crente, peregrino.

BOIARDO (*boiárin*). Na Rússia moscovita, senhor, grande latifundiário pertencente à classe reinante.

BOLVAN. Bobo.

BONHOME, *fr.* Bondade de caráter, unida à elegância nas maneiras.

BORCHTCH, Sopa de beterraba e outros legumes.

---

1 Constam, também, deste vocabulário os termos comuns russos já aportuguesados e registrados nos dicionários, tais como czar, rublo, vodca, etc., seguidos, porém, da transliteração fonética, entre parêntesis. O mesmo não sucede com os vocábulos doutras línguas, que, por corriqueiros demais, faziam supérflua a sua inclusão, p.e. *adieu* do francês, e *pudding* do inglês.
al. alemão *fr.* francês *in.* inglês *it.* italiano *la.* latim *po.* polonês *ta.* tártaro

BOUDOIR, *fr*. Pequena sala de estar, geralmente de senhora.

BRAT. Irmão.

BRÁTIETS. Irmão. Forma arcaica usada em sentido figurado: irmão de armas, de religião, etc.

BRIOCHE, *fr*. Pequeno bolo macio, de farinha, manteiga, leite e ovos.

BRUDERSCHAFT, *al*. Fraternidade; irmandade. Costume dos estudantes alemães de beberem em conjunto, entrelaçando os braços, para em seguida usar, entre eles, a forma de tratamento tu.

BURKA. Capa de pele de carneiro, muito usada nas montanhas do Cáucaso.

BURLAK. Homem que puxava outrora as cordas com que eram arrastados os barcos contra a corrente.

CAFTÃ (*kaftan*). Antigo traje masculino; casaco comprido.

CHACHKA. Arma branca, do tipo do sabre, de curva pequena.

CHÁRIK. Bolinha.

CHARMANT, *fr*. Encantador, agradável, gentil.

CHIBUK. Cachimbo turco.

CHLIÚPKA. Barco largo e resistente.

CHTCHERBATI. Diz-se das pessoas que têm marcas de varíola no rosto, ou às que faltam dentes.

CHTCHI. Sopa de couves.

COCHON, *fr*. Porco, porcalhão.

COMPTOIR, *fr*. Balcão, caixa.

COPEQUE (*kopiéika*). Moeda divisionária, centésima parte do rublo.

COTTAGE, *in*. Casinha de campo.

CRÊPE, *fr*. Bolo folhado.

CZAR (*tsar*). Título do monarca na Rússia imperial.

DATCHA. Casa de veraneio fora da cidade.

DÉBAT, *fr*. Conferência, palestra debate.

DIÁDUCHKA. Tio. Em sentido figurado de afeto e respeito.

DIÁKON. Na igreja ortodoxa, auxiliar do padre durante o ofício religioso.

DIESIATINA. Medida de superfície da terra, equivalente a um hectare e nove centímetros.

DINER, *in*. Jantar; convidado para jantar; comensal.

DJIGUITOVKA. Conjunto de arriscados exercícios equestres, de que eram exímios os cossacos.

DOROGA. Estrada.

DRÓJKI. Carruagem leve.

DUGÁ. Parte dos arreios dos cavalos, um arco de madeira.

DVÓRNIK. Porteiro.

DVORÓVI. Servo do serviço doméstico do latifundiário.

EPARQUIA (*epárkhia*). Diocese ortodoxa administrada por um bispo ou arcebispo ou metropolita.

EPÍSKOP. Grau hierárquico superior a bispo ortodoxo.

FELDSCHER, *al*. Cirurgião militar.

FELDWEBEL, *al*. Primeiro-sargento ou sargento-ajudante.

FEUERBACH, *al*. Riacho de fogo.

FRAU, FRAULEIN, *al*. Senhora, senhorita.

FRAUENMILCH, *al*. Literalmente: leite de mulher.

FRÜH, *al*. Cedo, cedinho.

FRÜSHTÜCK, *al*. Pequeno almoço, café da manhã.

GLÁSNI. Representante eleito nas assembleias administrativas públicas.

GNIEDÓI. Cavalo baio.

GOLUBTCHIK. Pombinho, querido.

GELD, *al*. Dinheiro.

GORIÉLKI. Jogo popular russo semelhante à cabra-cega.

GÓROD. Cidade.

GORÓDSKAIA DUMA. Conselho Municipal ao qual estava confiada a administração da cidade, antes da revolução.

GOR. Montanha.

GOSPODIN, GOSPOJÁ, GOSPODÁ. Senhor, senhora, senhores.

GÓSPOD. Senhor! Meu Deus!

GRÍVIEN. Moeda equivalente a dez copeques.

GROCH. Antiga moeda russa equivalente a meio copeque.

GRUCHA. Pera.

GÚSLI. Antigo instrumento musical de cordas.

GVOSD. Prego, cravo.

HOFSKRIEGSRAT, *al*. Conselho militar da Corte.

IÁ. Pronome russo da primeira pessoa, singular.

IAMAN, *ta*. Mal! Exclamação tártara.

IGÚMIEN, IGÚMIENHA. Monge, freira superior dum mosteiro.

ÍCONE (íkona). Imagem de Deus, de um santo ou santos em forma de estampas.

IERARKH. Denominação oficial dos bispos.

IEROMONAKH. Padre-monge.

IKONOSTÁS. Parede enfeitada de ícones, a qual separa o altar da nave, na igreja ortodoxa.

INTIELIGÉNTSIA. Camada social composta dos intelectuais.

ISBÁ (*isbá*). Casa camponesa de madeira.

ISPRÁVNIK. Chefe de polícia de distrito na Rússia czarista.

ISVÓSTCHIK. Cocheiro de carro de aluguel.

JÁVORONOK. Calhandra. Fazem-se pãezinhos em forma de calhandras, quando elas regressam da migração às regiões quentes, simbolizando a chegada da primavera.

JORUNTCHIN. Tenente.

JUNKER, *al*. Suboficial nobre do Exército imperial russo.

KACHA. Mingau.

KALÁTCHI. Pães de trigo em forma de trança, os de Moscou são os mais famosos.

KAMÁRINSKAIA. Dança popular russa.

KAPITANCHKA. Capitoa, mulher do capitão.

KASATCHOK. Dança popular russa, em que o dançarino se mantém de cócoras e vai lançando as pernas para a frente.

KÁTORGA. Galé, trabalhos forçados.

KATSAVIÉIKA. Casaco curto, sem botões.

KAVÁRDAK. Confusão.

KAZÁRM. Quartel.

KEEPSAKE, *in*. Literalmente: lembrança, presente. Peça ou objeto que se oferece como recordação; também livro ou álbum, ilustrados, muito em voga no fim do século XIX.

KHLIST. Adepto da seita *khlistóvstvo*. De *khlistat*: chicotear, fustigar.

KHUTOROK. Povoado.

KIBITKA. Carrocinha de ciganos.

KNUT. Chicote de cordas, ou tiras de couro, presas a um cabo de madeira que servem para fustigar os cavalos.

KOCHKILDI, *ta*. Saudação tártara.

KOPIT. Reunir.

KORÓBOTCHKA. Caixinha.

KRAKOVIAK. Bailado polonês, um tanto agitado, da região de Cracóvia.

KRIEPOSTNÓI. Servo da gleba.

KULIEBIAKA. Empada recheada de carne, peixe, etc.

KULIK. Galinhola.

KULITCH. Pão doce em forma cilíndrica, típico, para festejos da Páscoa.

KUMATCH. Tecido de algodão de cor vermelho vivo.

KUNAK, *ta*. Amigo.

KUTIÁ. Arroz doce com passas e mel. Prato típico no dia de finados.

KVAS. Bebida feita de pão de centeio e de lúpulo ou de frutas.

LAIDAK, *po*. Canalha, alcoviteiro.

LANDAU, *fr*. Carruagem de quatro rodas e capota dupla que abre e fecha.

LÁPOT. Espécie de alpargatas feitas da entrecasca de tília.

LAVA. Arremesso. Ataque da cavalaria cossaca.

LIKHATCH. Cocheiro de cavalo veloz e carruagem elegante; hoje, chofer que despreza as regras de trânsito.

LINIÉIKA. Carruagem de vários lugares, dispostos lateralmente.

LUJA. Poça d'água.

LUTCHINA. Lasca de madeira comprida e fina, usada antigamente para acender luzes ou fogo.

MADONNA, *it*. Gênero de quadro clássico reproduzindo o rosto da Virgem Maria.

MAIDAN. No sul da Rússia, feira, praça da feira.

MAMACHA, (*mamienhka, mamassia*) Mãezinha.

MARMIELAD. Marmelada, doce feito de marmelo, e, por extensão, doutras frutas.

MÁTUCHKA. Mãezinha; diminutivo arcaico, utilizado especialmente pelo povo para designar a mulher do pope.

MITKI. Irrequieto.

MIR OU SKHOD. Reunião, assembleia municipal nas aldeias.

MITROPOLIT. Grau hierárquico superior dos bispos ortodoxos.

MONAKH. Monge.

MONASTIR. Mosteiro.

MONPLAISIR, *fr*. Recanto de jardim, preparado para repouso e diversão nos parques das grandes mansões.

MORGEN, *al*. Amanhã.

MORS. Mar.

MOST. Ponte.

MUJIQUE (*mujik*). Camponês.

NAGAIKA. Chicote usado pelos cossacos, curto e de couro.

NARÓDNIK. Movimento político russo da segunda metade do século XIX, conhecido como populista, que considerava os camponeses, e não o proletariado como a classe revolucionária.

NA TCHAI. Para o chá. Gorjeta.

NEVÁLID. Inválido. Deturpação de *invalid*. Termo incorporado do francês por ocasião das guerras napoleônicas.

NHANHA. Babá.

NIET. Não.

OFITSIÁNSKAIA. Recinto destinado aos criados nas antigas mansões.

OKHRANA. Polícia secreta, especial e de segurança política do Estado imperial russo.

OKROCHKA. Sopa fria de *kvas*, legumes e carne ou peixe cortados em pedacinhos.

ONUTCHA. Faixa de pano grosseiro para enrolar as pernas antes de calçar as botas ou os *lápti*.

OSMÍNIK. Antiga unidade de peso, variável conforme o local. Oitava parte de um total.

ÓSTROV. Ilha.

OTIETS. Pai.

PAN, PANI, *po*. Senhor, Senhora.

PAPACHA. Pai, paizinho. Em sentido figurado, de respeito e afeto. Também boné de peles usado pelos cossacos.

PÁPOTCHKA. Paizinho, este é o verdadeiro diminutivo, quando se trata do próprio pai.

PARÁCHNIK. Preso escolhido para serviços leves.

PERSPECTIVA (*próspekt*). Avenida, rua larga e reta.

PFEFFERKUCHEN, *al*. Torta de pimenta.

PHRASEUR, *fr*. Fraseador, falador, tagarela.

PIATAK. PIATATCHOK (dimin.). Moeda de cinco copeques.

PICHKA. Pãozinho redondo e fofo, doce ou salgado.

PIELHMIÉNI. Prato típico siberiano, semelhante ao ravióli, recheado de carne.

PIKA. Arma branca, do tipo da lança longa, muito usada pelos cossacos.

PLHASSAT. Dançar.

PLÓCHTCHAD. Praça.

PODIOVKA. Casaco de homem comprido e justo na cintura.

PODPOLKÓVNIK. Tenente-coronel.

POLK. Regimento.

POLKÓVNIK. Coronel.

POLTÍNIN. Moeda que vale meio rublo, isto é: cinquenta copeques.

PONOMAR. Sacristão ortodoxo.

POPE (*pop*). Padre, sacerdote da hierarquia inferior na igreja ortodoxa.

PÓROKH. Pólvora.

PORÚTCHIK. Tenente, no Exército czarista.

PÓSLUCHNIK. Irmão converso ou noviço, que jurou obediência, no clero monástico ortodoxo.

PRÁPORCHTCHIK. Alferes.

PRIÁNIK. Biscoito de mel.

PROTODIÁKON. Diácono superior.

PROTOIEIRIÉI. Padre superior.

PROTOPOPE (*protopop*). Sinônimo de *protoieriéi*.

PSALOMCHTCHIK. Servidor da igreja ortodoxa, auxiliar do padre durante o ofício religioso.

PUD. Unidade de peso equivalente a dezesseis quilos e quatrocentas gramas.

PUSTINHA. Deserto.

QUADRILLE, *fr*. Contradança de salão, em que tomam parte vários pares em número par.

RASKOL. Cisão.

RASKÓLHNIK. Sectário da agrupação religiosa dos "velhos crentes".

RAZUM. Inteligência, juízo, bom senso.

RUBLO (*rubl*). Unidade monetária russa.

RUCHE, *fr*. Folho, franzido, pregueado.

SAD. Jardim.

SAJENH. Medida russa de comprimento equivalente a dois metros e treze centímetros.

SAMOVAR (*samovar*). Aparelho de metal, com aquecimento interno em forma de um tubo comprido, que se enche de carvão, destinado a ferver água.

SARAFAN. Vestimenta das camponesas russas, sem mangas.

SAUBUL, *ta*. Saudação tártara.

SELIM ALÊIKUM, *ta*. Louvado seja Alá! Fórmula de saudação nos países islâmicos.

SIROTÁ. Órfão.

SKHOD OU MIR. Reunião, assembleia municipal nas aldeias.

SKÓPIETS. Adepto da seita religiosa que tinha por base o voto de castidade. Castrado.

SKVIÉRNI. Ruim.

SOBOR. Catedral.

SPLEEN, *in*. Mau humor.

STABSKAPITAN, *al*. Capitão de Estado-Maior.

STANOVÓI. Chefe da polícia rural na Rússia czarista.

STARCHINÁ. Antes da revolução, representante eleito de uma das camadas sociais para administrar negócios públicos.

STÁRIETS. Homem idoso, mendigo, monge de grande reputação por sua sabedoria, meditação, etc.

STÁROSTA. Chefe eleito ou designado de uma entidade. Antes da revolução, chefe eleito da aldeia.

STAROVIER. Adepto de um movimento religioso composto de várias seitas, surgido na Rússia no século XVII como resultado da cisão da igreja. Os *staroviéri* procuravam conservar os velhos ritos da igreja e seu modo de vida.

STORONÁ. Bairro.

SÚDAR, SÚDARINHA, SÚDARI. Senhor, Senhora, Senhores. Termos arcaicos.

SUKHAR. Pão ressequido e grosseiro; espécie de pão de munição constante da ração dos soldados.

SVAKHA. Casamenteira; mulher que tinha por incumbência fazer a ligação entre as famílias dos noivos e combinar o casamento e o dote.

TARANTÁS. Carroça de quatro rodas, coberta ou descoberta.

TARATAIKA. Carro leve, de duas rodas, tipo *charrete*.

TCHAST. Distrito.

TCHÁSTNI. Particular.

TCHERKESKA. Casaco comprido e estreito, dos caucasianos e cossacos, justo na cintura, sem gola e decote em forma de V.

TCHERNOSIOM. Terras férteis, negras, ricas em substâncias orgânicas.

TCHERVÓNIETS. Nota de dez rublos, usada antigamente.

TCHÉTVIERT. Quartilho, antiga medida equivalente a um quarto de um total, aproximadamente dois litros.

TCHETVIERTAK. Moeda no valor de um quarto de rublo, 25 copeques.

TCHIEKMIEN. Vestimenta de homem, espécie de capa muito usada pelos cossacos.

TCHIN. Grau hierárquico dos militares e funcionários civis.

TCHIKIR, *ta*. Vinho do Cáucaso, pouco fermentado.

TCHINÓVNIK. Funcionário do Estado.

TIELIEGA. Carroça de quatro rodas para transporte de cargas.

TIERGARTEN, *al*. Jardim das feras, parque zoológico.

TIÚRIA. Prato de pão esmigalhado e *kvas*.

TRIEPAK. Dança popular russa, muito animada.

TROICA (*tróika*). Trenó ou carro puxado por três cavalos.

TULUP. Casaco comprido de peles de carneiro com o pelo para dentro.

TUNGUS. Antiga denominação dos evenos, habitantes do norte e leste da Sibéria.

UCASSE (*ukás*). Decreto de uma instância superior do regime, equivalente a uma lei.

UGLOV. Esquina, canto.

UIESD. Na Rússia antiga, distrito ou cantão administrativo.

ÚLITSA. Rua.

UNIAT. Adepto da *unia*. Eclesiástico e crente da igreja greco-católica.

UNTEROFFIZIER, *al*. Suboficial.

UTCHÍTEL. Professor, preceptor.

VATER, *al*. Pai.

VATRUCHKA. Pãozinho com requeijão.

VAURIEN, *fr*. Velhaco, tratante, patife.

VAUXHALL, *in*. Lugar ao ar livre onde se davam concertos e bailes; cassino.

VERSTA (*vierstá*). Medida russa de comprimento, equivalente a um quilômetro e sessenta metros.

VIÉRCHOK. Antiga medida russa de comprimento, equivalente a 4,4 centímetros.

VIÉRNI. Leal, fiel.

VODCA (*vodka*). Bebida alcoólica russa do tipo de aguardente de trigo.

VOIEVODA. Na antiga Rússia, chefe de exército ou distrito.

VÓLOST. Na Rússia antes da revolução, unidade administrativo-territorial, subdivisão de distrito nas regiões rurais.

VOROTÁ. Portão.

YÁKCHI, *ta*. Está bem!

YOK, *ta*. Não.

ZAKÚSKI. Frios para acompanhar o aperitivo.

ZÁVTRAK. Pequeno almoço, café da manhã.

ZIÉMSKI NATCHÁLHNIK. Na Rússia czarista, chefe de distrito com poderes administrativos, jurídicos e policiais.

ZIÉMSTVO. Antes da revolução, poder autônomo local nas regiões rurais, cujos representantes, em sua maioria, eram grandes latifundiários e nobres.

ZVIER. Besta, fera, alimária.

Índice do volume

Romances da maturidade
(continuação)

O jogador

O idiota

O eterno marido

Os demônios

Apêndice e índice

2ª Edição, Editora Nova Aguilar, São Paulo 2018

Jefferson L. Alves – diretor editorial
Jiro Takahashi – editor executivo
Sebastião Lacerda – consultoria
Flávio Samuel – gerente de produção
Jefferson Campos – assistente de produção
Luiz Maria Veiga, Eunice Nunes de Freitas
e Márcia Benjamim – revisão
Homem de Melo & Troia Design – projeto de design
Tathiana A. Inocêncio e Evelyn Rodrigues do Prado – editoração eletrônica

Obra atualizada conforme o
NOVO ACORDO ORTOGRÁFICO DA LÍNGUA PORTUGUESA.

Dados Internacionais de Catalogação na Publicação (CIP)
(Câmara Brasileira do Livro, SP, Brasil)

Dostoiévski, Fiódor, 1821-1881
Fiódor Dostoiévski : obra completa / versão anotada de Natália Nunes e Oscar Mendes ; precedida de uma introdução geral e prólogos às seções, por Natália Nunes ; acompanhada de extenso documentário gráfico, notas, glossários e outros subsídios, e ilustrada com uma centena de desenhos de Luis de Ben. – 2. ed. – São Paulo : Editora Nova Aguilar, 2019.

Título original: Fiódor Dostoiévski
Conteúdo: Romance da maturidade: O jogador – O idiota – O eterno marido – Os demônios.
ISBN 978-85-210-0121-8 (obra completa)
ISBN 978-85-210-0124-9 (v. 3)

1. Dostoiévski, Fiódor, 1821-1881 2. Romance russo I. Nunes, Natália. II. Mendes, Oscar. III. Ben, Luis de. IV. Título.

18-21143 CDD-891.73

Índices para catálogo sistemático:

1. Romances : Literatura russa 891.73

Cibele Maria Dias – Bibliotecária – CRB-8/9427

editora nova aguilar.
Rua Pirapitingui, 111 – Liberdade
CEP 01508-020 – São Paulo – SP
Tel.: (11) 3277-7999 – Fax: (11) 3277-8141
e-mail: global@globaleditora.com.br
www.novaaguilar.com.br

Impresso na Índia

Nº de Catálogo: **10036**